חמשה חומשי תורה
D1382959

מהדורת תפארת מיכאל

באותיות גדולות ובהירות

עם תרגום אונקלוס, פירש״י,
בעל הטורים, עיקר שפתי חכמים, הפטרות,
שרשים, טבלאות, ציורים, ועוד הוספות חשובות

בראשית

עם רש״י מנוקד

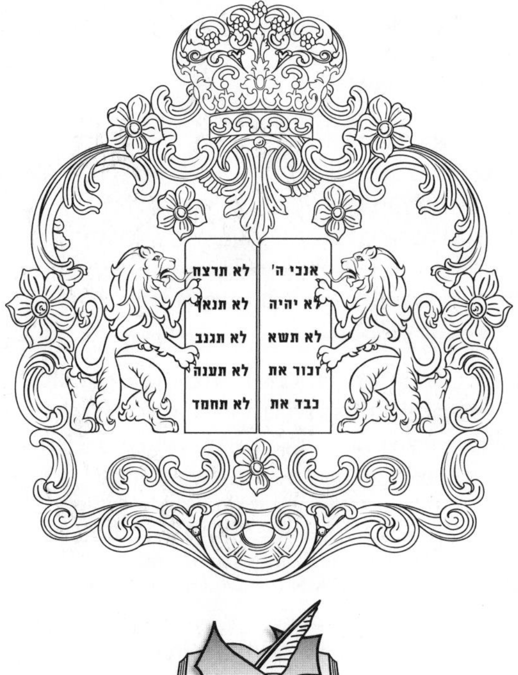

הוצאת ארטסקרול-מסורה

מהדורה ראשונה

הדפסה ראשונה – טבת תשע"ד
הדפסה שניה – תמוז תשע"ד
הדפסה שלישית – אייר תשע"ה
הדפסה רביעית – אלול תשע"ה
הדפסה חמישית – אייר תשע"ו
הדפסה ששית – טבת תשע"ז

המו"ל ומפיץ ראשי

חברה הוצאת ספרים "מסורה־אַרטסקרול" בע"מ

הפצה בארץ ישראל
"ספרייתי" (גיטלר) בע"מ
ת.ד. 2351
בני ברק 51122

הפצה באירופה
בימ"ס י. לעהמאן
אזור תעשייה ווייקינג, רח' רולינג מיל
ג'ארו, טיין ו־ויר NE32 3DP, אנגליה

הפצה בדרום אפריקה
בימ"ס "הכולל"
נורתפילד סנטר, 17 שדרת נורתפילד
גלנהיזיל 2192 / יוהנסברג

הפצה באוסטרליה
בימ"ס גולד'ס
3-13 רח' וויליאם
בלקלבה 3183, ויק.

חמשה חומשי תורה – תפארת מיכאל

ספר בראשית – עם רש"י מנוקד

MESORAH PUBLICATIONS LTD. – חברה הוצאת ספרים מסורה־ארטסקרול בע"מ
4401 2ND AVENUE, BROOKLYN, NY 11232 — 4401 שדרת 2, ברוקלין ניו יורק 11232
TEL. 718/921–9000 טל' / FAX 718/680–1875 פקס

We are grateful to the following for their permission to use their photographs in this work: Kathryn Burnson at Cedar Pond, McKenna, WA (speckled lamb, ringed lamb), Gail Von Bargen and Howard Goldberg at Little Red Oak Farm, Hamburg, MN (brownish lamb), and bib.ge (speckled goat).

ISBN-10: 1-4226-1467-0
ISBN-13: 978-1-4226-1467-9

PRINTED IN THE UNITED STATES OF AMERICA

המהדורה הזאת מוקדשת

לזכר נשמות

משה בן גבריאל רפאל ז״ל

אברהם בן אהרן ז״ל

נתנאל בן אברהם ז״ל

לזכותם של

מרים ורות שתחי׳

מיכאל ולאה שיחי׳

יצחק ורבקה ויקה שיחי׳

מיכאל ורות שיחי׳

אליהו ותמר שיחי׳

רבקה, גבריאל, ורחל חנה שיחי׳

שיתברכו בשמחה ואושר
והצלחה רבה בגשמיות וברוחניות.

הונצח על ידי

יצחק ורבקה ויקה שיחי׳

יהי רצון מלפני אבינו שבשמים, שזכות הרבצת התורה לרבים, יעמוד לנו שנזכה לחנך את בנינו שיחי׳ לתורה ויראה, ולרוות מהם רב נחת בבריאות השלימות והרחבת הדעת, ולכל הברכות הכתובות בתורה.

תוכן

תַּעֲנִית צִבּוּר

הוֹסָפוֹת

טַבְלָאוֹת, צִיּוּרִים, וּמַפּוֹת

צורות האותיות

	אותיות רש״י	כתב אשורית: בית יוסף	כתב אשורית: ספרדי
א	א	א	א
בּ	בּ	ב	ב
ב	ב		
ג	ג	ג	ג
ד	ד	ד	ד
ה	ה	ה	ה
ו	ו	ו	ו
ז	ז	ז	ז
ח	ח	ח	ח
ט	ט	ט	ט
י	י	י	י

	אותיות רש״י	כתב אשורית: בית יוסף	כתב אשורית: ספרדי
כּ	כּ	כ	כ
כ	כ		
ךּ	ךּ	ך	ך
ך	ך		
ל	ל	ל	ל
מ	מ	מ	מ
ם	ם	ם	ם
נ	נ	נ	נ
ן	ן	ן	ן
ס	ס	ס	ס
ע	ע	ע	ע

	אותיות רש"י	כתב אשורית: בית יוסף	כתב אשורית: ספרדי
פּ	פּ	פ	פ
פ	פ		
ף	ף	ף	ף
צ	צ	צ	צ
ץ	ץ	ץ	ץ
ק	ק	ק	ק

	אותיות רש"י	כתב אשורית: בית יוסף	כתב אשורית: ספרדי
ר	ר	ר	ר
שׁ	שׁ	ש	ש
שׂ	שׂ		
תּ	תּ	ת	ת
ת	ת		

צורות האותיות שבהם חולק האריז"ל על הבית יוסף							
א	ו	ח	(ט)	ע	צ	ץ	ש

קָמַץ	פַּתַח	צֵירֵי	סֶגוֹל	חוֹלָם חָסֵר	חוֹלָם מָלֵא	חִירִיק חָסֵר
חִירִיק מָלֵא	קֻבּוּץ (שֻׁרֻק)	שׁוּרֻק (מְלֻאפוּם)	שְׁוָא	חֲטַף־קָמַץ	חֲטַף־פַּתַח	חֲטַף־סֶגוֹל

טעמי המקרא לפי מנהג האשכנזים

קַדְמָא מֻנַּח זַרְקָא מֻנַּח סֶגּוֹל מֻנַּח | מֻנַּח
רְבִיעִי מַהְפַּךְ פַּשְׁטָא זָקֵף קָטֹן זָקֵף־גָּדוֹל
מֵרְכָא טִפְּחָא מֻנַּח אֶתְנַחְתָּא פָּזֵר תְּלִישָׁא־
קְטַנָּה תְּלִישָׁא־גְדוֹלָה קַדְמָא וְאַזְלָא אַזְלָא־
גֵּרֵשׁ גֵּרְשַׁיִם דַּרְגָּא תְּבִיר יְתִיב פְּסִיק | סוֹף־
פָּסוּק: שַׁלְשֶׁלֶת | קַרְנֵי־פָרָה מֵרְכָא־כְפוּלָה
יֶרַח־בֶּן־יוֹמוֹ:

טעמי המקרא לפי מנהג הספרדים

זַרְקָא מַקַּף־שׁוֹפָר הוֹלֵךְ סְגוֹלְתָּא פָּזֵר־גָּדוֹל
תַּלְשָׁא תִּילְשָׁא אַזְלָא גְּרִישׁ פָּסֵק | רָבִיעַ
שְׁנֵי־גְרִישִׁין דַּרְגָּא תְּבִיר מַאֲרִיךְ טַרְחָא
אַתְנָח שׁוֹפָר־מְהֻפָּךְ קַדְמָא תְּרֵי־קַדְמִין
זָקֵף־קָטֹן זָקֵף־גָּדוֹל שַׁלְשֶׁלֶת | תְּרֵי־טַעֲמֵי
יְתִיב סוֹף־פָּסוּק:

ברכות התורה

העולה לתורה רואה פסוק שמתחילים לקרות בו, שוחה, ואח"כ אומר „בָּרְכוּ" בקול. ונוהגים לנשק את ספר התורה ע"י שפת טליתו (או דבר אחר) קודם שיברך. ולענין אם צריך לעצום עיניו או להפוך פניו או לגלול את ספר התורה בשעת הברכה, יש בזה מנהגים שונים (או"ח סי' קלט ס"ד ומ"ב וב"ה שם).

בָּרְכוּ אֶת יהוה הַמְּבֹרָךְ.

הקהל עונים „בָּרוּךְ ..." והעולה חוזר אחריהם:

בָּרוּךְ יהוה הַמְּבֹרָךְ לְעוֹלָם וָעֶד.

בָּרוּךְ אַתָּה יהוה אֱלֹהֵינוּ מֶלֶךְ הָעוֹלָם, אֲשֶׁר בָּחַר בָּנוּ מִכָּל הָעַמִּים, וְנָתַן לָנוּ אֶת תּוֹרָתוֹ. בָּרוּךְ אַתָּה יהוה, נוֹתֵן הַתּוֹרָה. (קהל – אָמֵן.)

אחר הקריאה מברך העולה:

בָּרוּךְ אַתָּה יהוה אֱלֹהֵינוּ מֶלֶךְ הָעוֹלָם, אֲשֶׁר נָתַן לָנוּ תּוֹרַת אֱמֶת, וְחַיֵּי עוֹלָם נָטַע בְּתוֹכֵנוּ. בָּרוּךְ אַתָּה יהוה, נוֹתֵן הַתּוֹרָה. (קהל – אָמֵן.)

מבטא שם הוי"ה

כשהשם מנוקד יְ־הֹ־וָ־ה מבטאים אותו אֲ־דֹ־נָ־י
(ובכמה חומשים — וגם בחומש שלנו — השם הזה נכתב בלי ניקוד)
וטעם הנגינה הוא תמיד מלרע על אות נו"ן, בין עם אות השימוש בין בלי אות השימוש.

עם אות השימוש בַּ מבטאים אותו **בַּא־דֹ־נָ־י** (שמות יד:לא)
עם אות השימוש דַ מבטאים אותו **דַא־דֹ־נָ־י** (קדושה דסידרא)
עם אות השימוש וַ מבטאים אותו **וַא־דֹ־נָ־י** (בראשית כד:א)
עם אות השימוש כַּ מבטאים אותו **כַּא־דֹ־נָ־י** (שמואל א ב:ב)
עם אות השימוש לַ מבטאים אותו **לַא־דֹ־נָ־י** (שמות טו:א)
עם אות השימוש מֵ מבטאים אותו **מֵאֲ־דֹ־נָ־י** (במדבר לב:כב)
עם אות השימוש שֶׁ מבטאים אותו **שֶׁאֲ־דֹ־נָ־י** (תהלים קמד:טו)

כשהשם מנוקד יֱ־הֹ־וִ־ה מבטאים אותו **אֱ־לֹ־הִ־ים** (דברים ג:כד)
עם אות השימוש לֵ מבטאים אותו **לֵא־לֹ־הִ־ים**

ברכות ההפטרה

קודם קריאת ההפטרה מברך העולה ברכה זו, ואין להתחיל בה עד שיגמור הגולל את גלילת הספר:

בָּרוּךְ אַתָּה יהוה אֱלֹהֵינוּ מֶלֶךְ הָעוֹלָם, אֲשֶׁר בָּחַר בִּנְבִיאִים טוֹבִים, וְרָצָה בְדִבְרֵיהֶם הַנֶּאֱמָרִים בֶּאֱמֶת, בָּרוּךְ אַתָּה יהוה, הַבּוֹחֵר בַּתּוֹרָה וּבְמֹשֶׁה עַבְדּוֹ, וּבְיִשְׂרָאֵל עַמּוֹ, וּבִנְבִיאֵי הָאֱמֶת וָצֶדֶק. (קהל – אָמֵן.)

קוראים ההפטרה ואחר הקריאה מברך העולה:

בָּרוּךְ אַתָּה יהוה אֱלֹהֵינוּ מֶלֶךְ הָעוֹלָם, צוּר כָּל הָעוֹלָמִים, צַדִּיק בְּכָל הַדּוֹרוֹת, הָאֵל הַנֶּאֱמָן, הָאוֹמֵר וְעֹשֶׂה, הַמְדַבֵּר וּמְקַיֵּם, שֶׁכָּל דְּבָרָיו אֱמֶת וָצֶדֶק. נֶאֱמָן אַתָּה הוּא יהוה אֱלֹהֵינוּ, וְנֶאֱמָנִים דְּבָרֶיךָ, וְדָבָר אֶחָד מִדְּבָרֶיךָ אָחוֹר לֹא יָשׁוּב רֵיקָם, כִּי אֵל מֶלֶךְ נֶאֱמָן (וְרַחֲמָן) אָתָּה. בָּרוּךְ אַתָּה יהוה, הָאֵל הַנֶּאֱמָן בְּכָל דְּבָרָיו. (קהל – אָמֵן.)

רַחֵם עַל צִיּוֹן כִּי הִיא בֵּית חַיֵּינוּ, וְלַעֲלוּבַת נֶפֶשׁ תּוֹשִׁיעַ בִּמְהֵרָה בְיָמֵינוּ. בָּרוּךְ אַתָּה יהוה, מְשַׂמֵּחַ צִיּוֹן בְּבָנֶיהָ. (קהל – אָמֵן.)

שַׂמְּחֵנוּ יהוה אֱלֹהֵינוּ בְּאֵלִיָּהוּ הַנָּבִיא עַבְדֶּךָ, וּבְמַלְכוּת בֵּית דָּוִד מְשִׁיחֶךָ, בִּמְהֵרָה יָבֹא וְיָגֵל לִבֵּנוּ, עַל כִּסְאוֹ לֹא יֵשֶׁב זָר וְלֹא יִנְחֲלוּ עוֹד אֲחֵרִים אֶת כְּבוֹדוֹ, כִּי בְשֵׁם קָדְשְׁךָ נִשְׁבַּעְתָּ לּוֹ, שֶׁלֹּא יִכְבֶּה נֵרוֹ לְעוֹלָם וָעֶד. בָּרוּךְ אַתָּה יהוה, מָגֵן דָּוִד. (קהל – אָמֵן.)

[בתעניות וכן במנחה ליום כיפור מסיימים כאן.]

בשבת (ואף בשבת חוה"מ פסח) ממשיך כאן. בשאר ימים טובים ממשיך בעמוד הבא:

עַל הַתּוֹרָה, וְעַל הָעֲבוֹדָה, וְעַל הַנְּבִיאִים, וְעַל יוֹם הַשַּׁבָּת הַזֶּה, שֶׁנָּתַתָּ לָּנוּ יהוה אֱלֹהֵינוּ, לִקְדֻשָּׁה וְלִמְנוּחָה, לְכָבוֹד וּלְתִפְאָרֶת. עַל הַכֹּל, יהוה אֱלֹהֵינוּ, אֲנַחְנוּ מוֹדִים לָךְ, וּמְבָרְכִים אוֹתָךְ, יִתְבָּרַךְ שִׁמְךָ בְּפִי כָּל חַי תָּמִיד לְעוֹלָם וָעֶד. בָּרוּךְ אַתָּה יהוה, מְקַדֵּשׁ הַשַּׁבָּת. (קהל – אָמֵן.)

ביום טוב, אף כשחל בשבת, ובשבת חוה"מ סוכות, ממשיך כאן [התיבות המוקפות אומרים רק בשבת]:

עַל הַתּוֹרָה, וְעַל הָעֲבוֹדָה, וְעַל הַנְּבִיאִים, וְעַל יוֹם [הַשַּׁבָּת הַזֶּה, וְעַל יוֹם]

בפסח:	בשבועות:	בסוכות:	בשמיני עצרת ושמחת תורה:
חַג הַמַּצּוֹת	חַג הַשָּׁבֻעוֹת	חַג הַסֻּכּוֹת	נוסח אשכנז: הַשְּׁמִינִי חַג הָעֲצֶרֶת נוסח ספרד: שְׁמִינִי עֲצֶרֶת הַחַג

הַזֶּה, שֶׁנָּתַתָּ לָּנוּ יהוה אֱלֹהֵינוּ, [לִקְדֻשָּׁה וְלִמְנוּחָה,] לְשָׂשׂוֹן וּלְשִׂמְחָה, לְכָבוֹד וּלְתִפְאָרֶת. עַל הַכֹּל, יהוה אֱלֹהֵינוּ, אֲנַחְנוּ מוֹדִים לָךְ, וּמְבָרְכִים אוֹתָךְ, יִתְבָּרַךְ שִׁמְךָ בְּפִי כָּל חַי תָּמִיד לְעוֹלָם וָעֶד. בָּרוּךְ אַתָּה יהוה, מְקַדֵּשׁ [הַשַּׁבָּת וְ]יִשְׂרָאֵל וְהַזְּמַנִּים. (קהל – **אָמֵן.**)

בראש השנה ממשיך כאן [התיבות המוקפות אומרים רק בשבת]:

עַל הַתּוֹרָה, וְעַל הָעֲבוֹדָה, וְעַל הַנְּבִיאִים, וְעַל יוֹם [הַשַּׁבָּת הַזֶּה, וְעַל יוֹם] הַזִּכָּרוֹן הַזֶּה, שֶׁנָּתַתָּ לָּנוּ יהוה אֱלֹהֵינוּ, [לִקְדֻשָּׁה וְלִמְנוּחָה,] לְכָבוֹד וּלְתִפְאָרֶת. עַל הַכֹּל, יהוה אֱלֹהֵינוּ, אֲנַחְנוּ מוֹדִים לָךְ, וּמְבָרְכִים אוֹתָךְ, יִתְבָּרַךְ שִׁמְךָ בְּפִי כָּל חַי תָּמִיד לְעוֹלָם וָעֶד. וּדְבָרְךָ אֱמֶת וְקַיָּם לָעַד. בָּרוּךְ אַתָּה יהוה, מֶלֶךְ עַל כָּל הָאָרֶץ, מְקַדֵּשׁ [הַשַּׁבָּת וְ]יִשְׂרָאֵל וְיוֹם הַזִּכָּרוֹן. (קהל – **אָמֵן.**)

ביום כפור [שחרית] ממשיך כאן [התיבות המוקפות אומרים רק בשבת]:

עַל הַתּוֹרָה, וְעַל הָעֲבוֹדָה, וְעַל הַנְּבִיאִים, וְעַל יוֹם [הַשַּׁבָּת הַזֶּה, וְעַל יוֹם] הַכִּפּוּרִים הַזֶּה, שֶׁנָּתַתָּ לָּנוּ יהוה אֱלֹהֵינוּ, [לִקְדֻשָּׁה וְלִמְנוּחָה,] לִמְחִילָה וְלִסְלִיחָה וּלְכַפָּרָה, וְלִמְחָל בּוֹ אֶת כָּל עֲוֹנוֹתֵינוּ, לְכָבוֹד וּלְתִפְאָרֶת. עַל הַכֹּל, יהוה אֱלֹהֵינוּ, אֲנַחְנוּ מוֹדִים לָךְ, וּמְבָרְכִים אוֹתָךְ, יִתְבָּרַךְ שִׁמְךָ בְּפִי כָּל חַי תָּמִיד לְעוֹלָם וָעֶד. וּדְבָרְךָ אֱמֶת וְקַיָּם לָעַד. בָּרוּךְ אַתָּה יהוה, מֶלֶךְ מוֹחֵל וְסוֹלֵחַ לַעֲוֹנוֹתֵינוּ וְלַעֲוֹנוֹת עַמּוֹ בֵּית יִשְׂרָאֵל, וּמַעֲבִיר אַשְׁמוֹתֵינוּ בְּכָל שָׁנָה וְשָׁנָה, מֶלֶךְ עַל כָּל הָאָרֶץ מְקַדֵּשׁ [הַשַּׁבָּת וְ]יִשְׂרָאֵל וְיוֹם הַכִּפּוּרִים. (קהל – **אָמֵן.**)

כללים בדברי רש״י

כלל זאת ואחרת. תהיה לך לעד למשמרת.
שמורה בכל וערוכה. בדברי רש״י זכרונו לברכה.

על פי הקדמת מהר״ר יוסף בר ישׂשכר איש פראג [מיקליש]
בספרו ״יוסף דעת״, פראג, שנת שס״ט

א. כל מקום שפירש רש״י ״כתרגומו.״ הנה הוא סותר את העברי. פי׳ שאין הפשט כמו העברי:

ב. ״ואונקלוס תרג(ו)ם.״ אז אינו סותר התרגום אלא מפרש דעתו של אונקלוס:

ג. ״המתרגם.״ בכל מקום שהוא. אז סותר התרגום שהוא טעות:

ד. ״ותרגומו.״ אז מביא רש״י ראיה לפירושו שכן הוא:

ה. וכשהוא כותב התרגום. כגון דְּחִילוּ (בראשית כח:יז) או כיוצא בו ואינו אומר ״כתרגומו״ או ״תרגום״. אז אינו קשה על העברי אלא רוצה ליישב ולפרש לשון התרגום. כגון שְׁחַלְתֵּיהּ (שמות ב:י) הוא מפרש שהוא לשון הוצאה:

ו. וכשהוא אומר ״ואונקלוס תירגם בפנים אחרים.״ אז לשון המקרא נופל על לשון התרגום אך שמאריך בלשון:

ז. וכשהוא כותב העברי וגם התרגום כגון ״׳כָּבֵד׳, תירגם ׳יַקִּיר׳ ולא ׳אִתְיַיקַּר׳״ (שמות ז:יד) אז הוא מפרש הפעולה שלא תטעה אחר העברי לומר שהוא ליווי אלא שם דבר כמו ״כִּי כָבֵד מִמְּךָ הַדָּבָר״ (שמות יח:יח). וגם כשמשנה לשון תרגום מן העברי לפי לשון התרגום יש לומר כגון ״וּפָרִינוּ בָּאָרֶץ, וְנִיפּוּשׁ בְּאַרְעָא״ (בראשית כו:כב) פרינו עבר, והתרגום מהפכו להבא. או ״נָקְבָה שְׂכָרְךָ״ תרגם ״פָּרֵשׁ [אַגְרָךְ]״ (בראשית ל:כח) שלא אמר שהכו״ן שמוש:

חמשה חומשי תורה

ספר בראשית

פרשת בראשית

אונקלוס

פרק א א *בְּרֵאשִׁית בָּרָא אֱלֹהִים אֵת

א בְּקַדְמִין בְּרָא יְיָ יָת

*ב' רבתי ובראש עמוד בי"ה שמ"ו סימן.

רש"י

[פסוק א] **בראשית.** אמר רבי יצחק, לא היה צריך [א] להתחיל את התורה אלא מהחדש הזה לכם שהיא מצוה ראשונה שנצטוו בה ישראל, [ב] ומה טעם פתח [ג] בבראשית, משום כח מעשיו הגיד לעמו לתת להם נחלת גוים (תהלים קיא:ו; תנחומא ישן יא) שאם יאמרו אומות העולם לישראל ליסטים אתם שכבשתם ארצות שבעה גוים, הם אומרים להם כל הארץ של הקב"ה היא, הוא בראה ונתנה לאשר ישר בעיניו, ברצונו נתנה להם, וברצונו נטלה מהם ונתנה לנו (ב"ר א:ב): **בראשית ברא.** אין המקרא הזה אומר אלא דורשני, [ד] כמ"ש רז"ל בשביל התורה שנקראת ראשית דרכו (משלי ח:כב; תנחומא ישן ה) ובשביל ישראל שנקראו ראשית תבואתה (ירמיה ב:ג; תנחומא ישן ג; ויק"ר לו:ד). ואם באת לפרשו [ה] כפשוטו כך פרשהו, בראשית בריאת שמים וארץ והארץ היתה תהו ובהו וחשך ויאמר אלהים יהי אור. ולא בא המקרא להורות סדר הבריאה לומר שאלו קדמו, שאם בא להורות כך, היה לו לכתוב בראשונה ברא את השמים וגו', שאין לך ראשית במקרא שאינו דבוק לתיבה שלאחריו, כמו בראשית ממלכות יהויקים (ירמיה כז:א), ראשית ממלכתו (להלן י:י) ראשית דגנך (דברים יח:ד), אף כאן אתה אומר בראשית ברא אלהים וגו' כמו בראשית ברוא, [ו] ודומה לו תחלת דבר ה' בהושע [ז] (הושע א:ב), כלומר תחלת דבורו של הקב"ה בהושע ויאמר ה' אל הושע וגו'. וא"ת להורות בא שאלו תחלה נבראו, [ח] ופירושו בראשית הכל ברא אלו, ויש לך מקראות שמקצרים לשונם וממעטים תיבה אחת, כמו כי לא סגר דלתי בטני (איוב ג:י) ולא פירש מי הסוגר, וכמו ישא את חיל דמשק (ישעיה ח:ד) ולא פירש מי ישאנו, וכמו אם יחרוש בבקרים (עמוס ו:יב) ולא פירש אם יחרוש אדם בבקרים, וכמו מגיד מראשית אחרית (ישעיה מו:י) ולא פירש מגיד מראשית דבר אחרית דבר, אם כן תמה על עצמך, שהרי המים קדמו, שהרי כתיב ורוח אלהים מרחפת על פני המים, ועדיין לא גילה המקרא בריאת המים מתי היתה, [ט] הא למדת שקדמו המים לארץ, ועוד, שהשמים מאש ומים נבראו (חגיגה יב.), על כרחך לא לימד המקרא בסדר המוקדמים והמאוחרים כלום: **ברא אלהים.** ולא נאמר ברא [י] ה', שבתחלה עלה במחשבה לבראתו במדת הדין וראה שאין העולם מתקיים, הקדים מדת רחמים ושתפה

בעל הטורים

(**א**) יש במדרש שלכך פתח בבי"ת ולא באל"ף, לפי שבי"ת היא לשון ברכה ואל"ף לשון ארירה. אמר הקדוש ברוך הוא, אפתח בבי"ת בלשון ברכה, ולואי שיוכל להתקיים: דבר אחר, על שם שני עולמות שברא, העולם הזה והעולם הבא: דבר אחר, על שם שתי תורות, תורה שבכתב ותורה שבעל פה, ללמדך שבזכות התורה ולומדיה נברא העולם: **בראשית.** אותיות בית ראש, כלומר, בית המקדש ראשון, שנאמר "כסא כבוד מרום מראשון מקום מקדשנו": דבר אחר, אותיות א' בתשרי נברא העולם: דבר אחר, אותיות ברא שתי, שברא שתי

עיקר שפתי חכמים

א דהא התורה לא ניתנה לישראל אלא בשביל המצות שיקיימו אותן, א"כ כל הני ספורי דברים למותר הוא: **ב** כי מילה וגיד הנשה לא נצטוו בהם אלא יחידים, ואינה נחשבת מכלל מצותיה: **ג** בלשון ניחותא ותירון הוא: **ד** דלפי פשוטו משמע שבא להורות סדר הבריאה, וזה אינו, כמ"ש רש"י בסמוך שאין לך ראשית וכו': **ה** ר"ל שיהא בראשית מלה סמוכה למלת ברא שהוא פעל עבר צריך אתה לעשות שם כאילו נכתב במקום ברא בריאת: **ו** דבראשית ברא כמו בתחילת בריאתה וכו' והארץ היתה תוהו ובוהו וחושך אז ויאמר אלהים יהי אור, וכל הענין מוסב על ויאמר אלהים: **ז** וכמו שמוסב שם על ויאמר ה' כן מוסב הכא על ויאמר אלהים: **ח** ודקשיא לך שאין לך ראשית שאינו דבוק, יש לומר שהוא דבוק למלת הכל: **ט** וא"ת קשה למה לא מפרש נמי בריאת המים: **י** פי' שהיה לו לומר ג"כ ה', כמו שאמר ביום

הַשָּׁמַיִם וְאֵת הָאָרֶץ: ב וְהָאָרֶץ
הָיְתָה תֹהוּ וָבֹהוּ וְחֹשֶׁךְ עַל־פְּנֵי
תְהוֹם וְרוּחַ אֱלֹהִים מְרַחֶפֶת עַל־
פְּנֵי הַמָּיִם: ג וַיֹּאמֶר אֱלֹהִים יְהִי
אוֹר וַיְהִי־אוֹר: ד וַיַּרְא אֱלֹהִים אֶת־הָאוֹר כִּי־טוֹב

שְׁמַיָּא וְיָת אַרְעָא:
ב וְאַרְעָא הֲוָת צַדְיָא
וְרֵיקָנְיָא וַחֲשׁוֹכָא עַל
אַפֵּי תְהוֹמָא וְרוּחָא מִן
קֳדָם יְיָ מְנַשְּׁבָא עַל אַפֵּי
מַיָּא: ג וַאֲמַר יְיָ יְהֵי נְהוֹרָא
וַהֲוָה נְהוֹרָא: ד וַחֲזָא
יְיָ יָת נְהוֹרָא אֲרֵי טָב

רש"י

לְמִדַּת הַדִּין. וְהַיְינוּ דִכְתִיב בְּיוֹם עֲשׂוֹת ה׳ אֱלֹהִים אֶרֶץ וְשָׁמָיִם (להלן ב:ד; ב"ר יב:טו, יד:א; ש"ר ל:יג; פס"ר מ (קסו:)): **[פסוק ב] תהו וָבהו.** תֹּהוּ לְשׁוֹן תֵּמַהּ וְשִׁמָּמוֹן, שֶׁאָדָם תּוֹהֶה וּמִשְׁתּוֹמֵם עַל בֹּהוּ שֶׁבָּהּ: **תהו.** אשטורדישו"ן בלע"ז: **בהו.** ב לְשׁוֹן רֵיקוּת וְלָדוּ (אונקלוס): **עַל פְּנֵי תְהוֹם.** עַל פְּנֵי הַמַּיִם שֶׁעַל הָאָרֶץ ל: **וְרוּחַ אֱלֹהִים מְרַחֶפֶת.** כִּסֵּא הַכָּבוֹד עוֹמֵד בָּאֲוִיר וּמְרַחֵף עַל פְּנֵי הַמַּיִם בְּרוּחַ פִּיו שֶׁל הקב"ה וּבְמַאֲמָרוֹ מ כְּיוֹנָה הַמְרַחֶפֶת עַל הַקֵּן (חגיגה טו.; מדרש תהלים נג:ה) אקובטי"ר בלע"ז: **[פסוק ד] וַיַּרְא אֱלֹהִים אֶת הָאוֹר כִּי טוֹב וַיַּבְדֵּל.** אַף בָּזֶה אָנוּ צְרִיכִין לְדִבְרֵי אַגָּדָה, רָאָהוּ

בעל הטורים

תורות: דבר אחר, אותיות ירא שבת, לומר לך שבזכות שבת נברא העולם: דבר אחר, אותיות ברית אש, שבזכות הברית שהיא המילה ובזכות האש שהיא התורה נצולין מדינה של גיהנם: דבר אחר, אותיות בראת י"ש, שברא י"ש עולמות לכל צדיק: **בראשית ברא.** בגימטריא בראש השנה נברא העולם: דבר אחר, בראשית בגימטריא בתורה יצר, שבשביל התורה שנקראת "ראשית" נברא העולם: דבר אחר, בגימטריא שש סדרים: דבר אחר, בגימטריא ישראל בחר בעמים, ובגימטריא תרי"ג יצר, שברא העולם בשביל ישראל שיקיימו תרי"ג מצות: **בראשית.** רקיע ארץ שמים ים תהום: **בראשית** [נוטריקון] בראשונה ראה אלהים שיקבלו ישראל תורה: **בראשית.** שלשה ראשי פסוקים — הכא "בראשית ממלכת יהויקים"; והתם "בראשית ממלכת צדקיה", זהו [שאמרו] בסוף פרק יש בערכין, ביקש הקדוש ברוך הוא להחזיר העולם לתוהו ובוהו בשביל יהויקים, כיון שנסתכל בצדקיהו ובדורו נתיישבה דעתו: **ברא אלהים את.** סופי תבות אמת, מלמד שברא העולם באמת, כמו שנאמר "ראש דברך אמת": "ברא אלהים את" סופי תבות אמת; "וירא אלהים את" סופי תבות אמת; "ויברא אלהים את" סופי תבות אמת; "וירא אלהים את" סופי תבות אמת; "ברא אלהים לעשות" סופי תבות אמת. ולכך תקנו שש פעמים אמת באמת ויציב: "אמת מארץ תצמח" ראשי תבות אמת; "אתי מלבנון תבואי" ראשי תבות אמת. אבל כשהיה האמת נעדרת "ותשלך אמת ארצה", "תשורי מראש אמנה" ראשי תבות אמת, ולכך, "ממעונות אריות": **ברא אלהים.** ב׳ דסמיכי — הכא, ואידך "למן היום אשר ברא אלהים אדם על הארץ". כי מתחלה צפה הקדוש ברוך הוא באברהם שנקרא אדם, שנאמר "האדם הגדול בענקים הוא", וברא העולם: **אלהים.** בגימטריא הכסא, שהכסא ברא תחלה: בפסוק של בראשית יש ז׳ תבות. כנגד ז׳ ימי השבוע, וז׳ שנים בשמטה, וז׳ שמטין ביובל, וז׳ רקיעים, וז׳ ארצות, וז׳ ימים, וז׳ משרתים שצ"ם חנכ"ל. וכנגדם אמר דוד "שבע ביום הללתיך": ולכך תקנו "יהא שמיה רבא מברך לעלם לעלמי עלמיא", שהם ז׳ תבות, ואומרים אותו ז׳ פעמים ביום. ויש בפסוק כ"ח אותיות וכן ב"יהא שמיה רבא", וכנגדו אמר שלמה ז׳ פסוקים מ"עת ללדת" עד "עת שלום", שיש בהם כ"ח עתים. כי עתים ד׳ משתנים בכל יום ולילה — מבקר עד חצי היום עת אחד; ומחצי היום עד הלילה עת שני; ומתחלת הלילה עד חצי הלילה עת שלישי; ומחצי הלילה עד הבקר עת רביעי: וכן בפסוק "וידבר אלהים את כל הדברים האלה לאמר" יש בו ז׳ תבות וכ"ח אותיות. מכאן אמרו, כל העונה "אמן יהא שמיה רבא" בכל כחו, נעשה שותף להקדוש ברוך הוא במעשה בראשית: ו׳ אלפי"ן יש בפסוק "בראשית", כנגד ששת אלפים שנה שהעולם הוה. וכן בפסוק "אני ה׳ ראשון ואת אחרונים אני הוא" ששה אלפי"ן. ובפסוק "והארץ היתה תהו ובהו" ב׳ אלפי"ן, כנגד ב׳ אלפים תהו. ובפסוק "ה׳ קנני ראשית דרכו, קדם מפעליו מאז" יש שני אלפי"ן, כנגד ב׳ אלפים תורה. ובפסוק "ויאמר אלהים יהי אור ויהי אור" ד׳ אלפי"ן, כנגד ד׳ אלפים ימי תורה וימי משיח, שהם ימי אורה: **(ב) תהו [ובהו].** ב׳ — הכא, ואידך "ראיתי את הארץ והנה תהו [ובהו]". מלמד שצפה הקדוש ברוך הוא בבריאת העולם בחרבן הבית, שנחרב בשנת תה"ו, שעמד ת"י שנה ונחרב בשנת תי"א. ובית שני עמד כמנין הית"ה, ואחר כך חשך, רמז לגליות. וכן דורש בבראשית רבה: דבר אחר, "והארץ היתה תהו ובהו", בגימטריא אלפים שנה בלי תורה: **וחשך על פני תהום.** ב׳ במסורה — הכא, ואידך "וחשך אי זה מקומו". זה הוא שאמרו שאין לשאל מה לפנים מה לאחור. "וחשך אי זה מקומו", פירוש, שאין לשאל אי זה [היה] מקום החשך תחלה: **ורוח אלהים מרחפת.** בגימטריא זו היא רוחו של מלך המשיח: **ורוח אלהים.** שנים דסמיכי — הכא, ואידך "ורוח אלהים לבשה את זכריה". קרי ביה הכא נמי "ורוח אלהים לבשה", פירוש, שעל ידי לבושו אמר "ויהי אור", דכתיב בתרה "ויאמר אלהים יהי אור". וזה הוא שדרשו רבותינו ז"ל, ממעטה לבושו נבראת האורה:

עיקר שפתי חכמים

עשות ה׳ אלהים וגו׳: **ב** ר"ל ריקות הוא לשון מקרא ולדיא הוא לשון ארמי, ושניהם הם לשון ריקן: **ל** ר"ל היה לו לכתוב על תהום, מאי על פני, אלא שקאי על המים שהם על הארץ: **מ** ומרחפת קאי על מאמרו ורוח פיו של הקב"ה:

ראה הטבלא "**יְמֵי בְּרֵאשִׁית**" (עמוד 517).

וַיַּבְדֵּ֣ל אֱלֹהִ֔ים בֵּ֥ין הָא֖וֹר וּבֵ֥ין
הַחֹֽשֶׁךְ׃ ה וַיִּקְרָ֨א אֱלֹהִ֤ים ׀ לָאוֹר֙
י֔וֹם וְלַחֹ֖שֶׁךְ קָ֣רָא לָ֑יְלָה וַֽיְהִי־
עֶ֥רֶב וַֽיְהִי־בֹ֖קֶר י֥וֹם אֶחָֽד׃ פ
ו וַיֹּ֣אמֶר אֱלֹהִ֔ים יְהִ֥י רָקִ֖יעַ בְּת֣וֹךְ
הַמָּ֑יִם וִיהִ֣י מַבְדִּ֔יל בֵּ֥ין מַ֖יִם לָמָֽיִם׃ ז וַיַּ֣עַשׂ
אֱלֹהִים֮ אֶת־הָרָקִיעַ֒ וַיַּבְדֵּ֗ל בֵּ֤ין הַמַּ֙יִם֙ אֲשֶׁר֙

וְאַפְרֵשׁ יְיָ בֵּין נְהוֹרָא
וּבֵין חֲשׁוֹכָא: ה וּקְרָא יְיָ
לִנְהוֹרָא יְמָמָא וְלַחֲשׁוֹכָא
קְרָא לֵילְיָא וַהֲוָה רְמַשׁ
וַהֲוָה צְפַר יוֹמָא חַד:
ו וַאֲמַר יְיָ יְהֵי רְקִיעָא
בִּמְצִיעוּת מַיָּא וִיהֵי
מַפְרִישׁ בֵּין מַיָּא לְמַיָּא:
ז וַעֲבַד יְיָ יָת רְקִיעָא
וְאַפְרֵישׁ בֵּין מַיָּא דִּי

רש״י

שֶׁאֵינוֹ [נ] כְּדַאי לְהִשְׁתַּמֵּשׁ בּוֹ רְשָׁעִים וְהִבְדִּילוֹ לַצַּדִּיקִים לֶעָתִיד לָבֹא (חגיגה יב.; ב״ר ג:ו). וּלְפִי פְּשׁוּטוֹ כָּךְ פָּרְשֵׁהוּ, רָאָהוּ כִּי טוֹב וְאֵין נָאֶה לוֹ וְלַחֹשֶׁךְ שֶׁיִּהְיוּ מִשְׁתַּמְּשִׁין בְּעִרְבּוּבְיָא, [ס] וְקָבַע לָזֶה תְּחוּמוֹ בַּיּוֹם וְלָזֶה תְּחוּמוֹ בַּלַּיְלָה (ב״ר שם; פסחים ב.): [פסוק ה] **יום אחד.** לְפִי סֵדֶר לְשׁוֹן הַפָּרָשָׁה הָיָה לוֹ לִכְתּוֹב יוֹם רִאשׁוֹן כְּמוֹ שֶׁכָּתוּב בִּשְׁאָר הַיָּמִים, שֵׁנִי, שְׁלִישִׁי, רְבִיעִי, לָמָּה כָּתַב אֶחָד, לְפִי שֶׁהָיָה הקב״ה יָחִיד בְּעוֹלָמוֹ, שֶׁלֹּא נִבְרְאוּ הַמַּלְאָכִים עַד יוֹם שֵׁנִי. כָּךְ מְפוֹרָשׁ בב״ר (ג:ח): [פסוק ו] **יְהִי רָקִיעַ.** יֶחֱזַק הָרָקִיעַ, שֶׁאַעַ״פּ שֶׁנִּבְרְאוּ שָׁמַיִם בְּיוֹם הָרִאשׁוֹן עֲדַיִן לַחִים הָיוּ וְקָרְשׁוּ בַּשֵּׁנִי מִגַּעֲרַת הקב״ה בְּאָמְרוֹ יְהִי רָקִיעַ, וזה״ש עַמּוּדֵי שָׁמַיִם [ע] יְרוֹפָפוּ (איוב כו:יא) כָּל יוֹם רִאשׁוֹן, וּבַשֵּׁנִי [פ] יִתְמְהוּ מִגַּעֲרָתוֹ (שם), כְּאָדָם שֶׁמִּשְׁתּוֹמֵם וְעוֹמֵד מִגַּעֲרַת הַמְאַיֵּים עָלָיו (ב״ר ד:ב, ז, יב:י; חגיגה יב.): **בְּתוֹךְ הַמָּיִם.** בְּאֶמְצַע הַמַּיִם, [צ] שֶׁיֵּשׁ הֶפְרֵשׁ בֵּין מַיִם הָעֶלְיוֹנִים לָרָקִיעַ כְּמוֹ בֵּין הָרָקִיעַ לַמַּיִם שֶׁעַל הָאָרֶץ. הָא לָמַדְתָּ שֶׁהֵם תְּלוּיִם בְּמַאֲמָרוֹ שֶׁל מֶלֶךְ (ב״ר ד:ג): [פסוק ז] **וַיַּעַשׂ אֱלֹהִים אֶת הָרָקִיעַ.** [ק] תִּקְּנוֹ עַל עָמְדוֹ וְהִיא עֲשִׂיָּיתוֹ, כְּמוֹ [ר] וְעָשְׂתָה אֶת צִפָּרְנֶיהָ (דברים כא:יב):

בעל הטורים

(ד) את האור. בגימטריא בתורה, ועולה מנין תרי״ג: **את האור כי טוב.** סופי תבות ברית, כדכתיב ״כי על פי הדברים האלה וגו׳ ״, ר״ע פי״ היינו התורה שבעל פה: **וירא אלהים את האור כי טוב ויבדל.** רמז למה שאמרו, אין מברכין על הנר עד שיאותו לאורו: וכמנין ויבד״ל מבדילין בשנה במוצאי שבתות: **ויבדל.** ג׳ במסורת — רמז למה שאמרו, הפוחת לא יפחות משלש הבדלות: **(ה) לאור יום.** בגימטריא זה יעקב אבינו: **קרא לילה.** בגימטריא עשו: ה׳ פעמים ״אור״ כתוב בפרשה, כנגד חמשה חומשי תורה שנקראו אור. וכנגדן חמשה סימנים באור לענין קריית שמע, כדאיתא בפרקא קמא דברכות — משיכיר בין תכלת ללבן, בין זאב לכלב, בין תכלת לכרתי, בין חמור לערוד, ושיכיר חברו ברחוק ארבע אמות: וג׳ ״חשך״ בפרשה, וכנגדן ג׳ סימנין במסכת שבת — הכסיפו פניה, הערב שמש, ב׳ כוכבים וכן ג׳ כוכבים לילה: **ולחשך קרא לילה.** ולא אמר קרא אלהים לילה כמו שאמר גבי אור, שאין מייחד שמו על הרעה:

עיקר שפתי חכמים

נ דלפי פשוטו של מקרא משמע דבתחלה היו מעורבין יחד דהא הבדילם, וזה א״א, דאור וחושך אינו אלא קנין והעדר וא״א חיבורם יחד בעת מן העתים: **ס** ר״ל במדינה זו יש אור ובמדינה זו יש חושך או יום ולילה, וא״כ יהיה פי׳ ויבדל הבדיל זמנם של יום ושל לילה: **ע** פי׳ שהי׳ רפויין: **פ** פי׳ שהיו מתמיהין ונתחזקו: **צ** הוכחתו מדכתיב ויהי מבדיל בין מים למים וגו׳, דמילתא דפשיטא היא דכיון שהוא בתוך המים שהוא מבדיל בין מים למים. אלא להכי כתיב בין מים למים וגו׳, שיהא הפרש בין מים העליונים לרקיע כמו שיש הפרש מן הרקיע למים התחתונים שעל הארץ: **ק** דקשה והלא כבר נבראו השמים: **ר** שהוא ג״כ ל׳ תיקון:

מִתַּחַת לָרָקִיעַ וּבֵין הַמַּיִם אֲשֶׁר
מֵעַל לָרָקִיעַ וַיְהִי־כֵן: ח וַיִּקְרָא
אֱלֹהִים לָרָקִיעַ שָׁמָיִם וַיְהִי־עֶרֶב
וַיְהִי־בֹקֶר יוֹם שֵׁנִי: פ
ט וַיֹּאמֶר אֱלֹהִים יִקָּווּ הַמַּיִם
מִתַּחַת הַשָּׁמַיִם אֶל־מָקוֹם אֶחָד
וְתֵרָאֶה הַיַּבָּשָׁה וַיְהִי־כֵן: י וַיִּקְרָא אֱלֹהִים ׀
לַיַּבָּשָׁה אֶרֶץ וּלְמִקְוֵה הַמַּיִם קָרָא יַמִּים וַיַּרְא
אֱלֹהִים כִּי־טוֹב: יא וַיֹּאמֶר אֱלֹהִים תַּדְשֵׁא הָאָרֶץ

מִלְרַע לִרְקִיעָא וּבֵין מַיָּא
דִּי מֵעַל לִרְקִיעָא וַהֲוָה
כֵן: ח וּקְרָא יְיָ לִרְקִיעָא
שְׁמַיָּא וַהֲוָה רְמַשׁ וַהֲוָה
צְפַר יוֹם תִּנְיָן: ט וַאֲמַר
יְיָ יִתְכַּנְּשׁוּן מַיָּא מִתְּחוֹת
שְׁמַיָּא לַאֲתַר חַד וְתִתַּחְזֵי
יַבֶּשְׁתָּא וַהֲוָה כֵן: י וּקְרָא
יְיָ לְיַבֶּשְׁתָּא אַרְעָא
וּלְבֵית כְּנִישׁוּת מַיָּא קְרָא
יַמְמֵי וַחֲזָא יְיָ אֲרֵי טָב:
יא וַאֲמַר יְיָ תַּדְאֵית אַרְעָא

רש"י

מֵעַל לָרָקִיעַ. עַל הָרָקִיעַ לֹא נֶאֱמַר אֶלָּא מֵעַל לָרָקִיעַ, לְפִי שֶׁהֵן תְּלוּיִן בָּאֲוִיר (ב"ר שם). וּמִפְּנֵי מַה לֹא נֶאֱמַר כִּי טוֹב בְּיוֹם שֵׁנִי, ש לְפִי שֶׁלֹּא הָיָה נִגְמָר מְלֶאכֶת הַמַּיִם עַד יוֹם שְׁלִישִׁי וַהֲרֵי הִתְחִיל בָּהּ בַּשֵּׁנִי, וְדָבָר שֶׁלֹּא נִגְמַר אֵינוֹ בִּמְלוֹאוֹ וְטוּבוֹ. וּבַשְּׁלִישִׁי שֶׁנִּגְמַר מְלֶאכֶת הַמַּיִם וְהִתְחִיל וְגָמַר מְלָאכָה אַחֶרֶת כָּפַל בּוֹ כִּי טוֹב שְׁנֵי פְּעָמִים, אֶחָד לִגְמַר מְלֶאכֶת הַשֵּׁנִי וְאֶחָד לִגְמַר מְלֶאכֶת הַיּוֹם (שם ו):

[פסוק ח] **וַיִּקְרָא אֱלֹהִים לָרָקִיעַ שָׁמָיִם.** שָׂא מַיִם, ת שָׁם מַיִם, אֵשׁ וּמַיִם, שֶׁעֵרְבָן זֶה בָּזֶה וְעָשָׂה מֵהֶם שָׁמַיִם (שם ז; חגיגה יב.):

[פסוק ט] **יִקָּווּ הַמַּיִם.** שְׁטוּחִין הָיוּ עַל פְּנֵי כָל הָאָרֶץ וְהִקְוָום בָּאוֹקְיָנוֹס הוּא הַיָּם הַגָּדוֹל שֶׁבְּכָל הַיַּמִּים (פדר"א פ"ה; ב"ר ה:ב; ת"כ שמיני פרשתא ג):

[פסוק י] **קָרָא יַמִּים.** וַהֲלֹא יָם אֶחָד הוּא, א אֶלָּא אֵינוֹ דוֹמֶה טַעַם דָּג הָעוֹלֶה מִן הַיָּם בְּעַכּוֹ לְדָג הָעוֹלֶה מִן הַיָּם ב בְּאַסְפַּמְיָא (ב"ר שם ח):

בעל הטורים

(ז) מעל לרקיע. ב׳ במסורת — "המים אשר מעל לרקיע"; "ויהי קול מעל לרקיע" במרכבה דיחזקאל. וכמו שאין דורשין במעשה בראשית ברבים, כך אין דורשין במעשה מרכבה: **(ט) יקוו המים אל מקום אחד ותראה.** סופי תבות מדה, זה הוא שנאמר "ומים תיכן במדה": **היבשה.** ב׳ במסורת — "ותראה היבשה"; "ושפכת היבשה". מלמד שהתנה הקדוש ברוך הוא עם מעשה בראשית, שישתנו ותראה היבשה לפני משה:

עיקר שפתי חכמים

ש בשלמא עד הכא הוה אמינא להכי לא נאמר כי טוב לפי שלא נגמרה מלאכת המים משום שלא נברא אותו דבר שהמים ינוחו עליו, אבל השתא דאשמעינן שהם תלוים באויר ונמצא שכבר נגמרה מלאכת המים קשה למה לא נאמר כי טוב: **ת** ר"ל דהוי כאלו נכתב שמים בשמאל וכל קמץ מביא אל"ף היינו שא מים: **א** ר"ל דהא כל שאר ימים יניקה שלהם מים הגדול כמ"ש כל הנחלים וגו׳: **ב** דבאספמיא הדגים טובים יותר:

דֶּשֶׁא עֵשֶׂב מַזְרִיעַ זֶרַע עֵץ
פְּרִי עֹשֶׂה פְּרִי לְמִינוֹ אֲשֶׁר
זַרְעוֹ־בוֹ עַל־הָאָרֶץ וַיְהִי־כֵן׃
יב וַתּוֹצֵא הָאָרֶץ דֶּשֶׁא עֵשֶׂב
מַזְרִיעַ זֶרַע לְמִינֵהוּ וְעֵץ עֹשֶׂה־
פְּרִי אֲשֶׁר זַרְעוֹ־בוֹ לְמִינֵהוּ וַיַּרְא אֱלֹהִים כִּי־
טוֹב׃ יג וַיְהִי־עֶרֶב וַיְהִי־בֹקֶר יוֹם שְׁלִישִׁי׃ פ

דִּיתְאָה עִסְבָּא דְּבַר זַרְעֵהּ
מִזְדְּרַע אִילָן פֵּירִין עָבֵד
פֵּירִין לִזְנֵהּ דִּי בַר זַרְעֵהּ
בֵּהּ עַל אַרְעָא וַהֲוָה כֵן:
יב וְאַפֵּקַת אַרְעָא דִּיתְאָה
עִסְבָּא דְּבַר זַרְעֵהּ מִזְדְּרַע
לִזְנוֹהִי וְאִילָן עָבֵד פֵּירִין דִּי
בַר זַרְעֵהּ בֵּהּ לִזְנוֹהִי וַחֲזָא
יְיָ אֲרֵי טָב: יג וַהֲוָה רְמַשׁ
וַהֲוָה צְפַר יוֹם תְּלִיתַאי:

רש"י

[פסוק יא] תדשא הארץ דשא עשב. [ג] לא דשא לשון עשב ולא עשב לשון דשא, ולא היה לשון המקרא לומר תעשיב הארץ, שמיני דשאין מחולקין כל אחד לעצמו נקרא עשב פלוני, ואין לשון למדבר לומר דשא פלוני, שלשון דשא הוא לבישת הארץ בעשבים כשהיא מתמלאת בדשאים: **תדשא הארץ.** תתמלא ותתכסה לבוש עשבים (ר"ה יא.). בלשון לע"ז נקרא דשא הרבדי"ץ, כולן בערבוביא, וכל שרש לעצמו נקרא עשב: **מזריע זרע.** [ד] שיגדל בו זרעו לזרוע ממנו במקום אחר: **עץ פרי.** שיהא טעם העץ כטעם הפרי, והיא לא עשתה כן אלא ותוצא הארץ וגו' ועץ עושה פרי, ולא העץ פרי, לפיכך כשנתקלל אדם על עונו נפקדה גם היא על עונה ונתקללה (ב"ר ה:ט): **אשר זרעו בו.** הן גרעיני כל פרי שמהן האילן צומח [ה] כשנוטעים אותו: **[פסוק יב] ותוצא הארץ וגו'.** אע"פ שלא נאמר למינהו בדשאים בצוויין, שמעו שנצטוו האילנות על כך ונשאו ק"ו בעצמן, [ו] כמפורש באגדה בשחיטת חולין (ס.):

בעל הטורים

(יא) עץ פרי. ב' דסמיכי — הכא "עץ פרי", ואידך "עץ פרי וכל ארזים". איכא מאן דאמר בבראשית רבה שהקדוש ברוך הוא ציוה שאפילו ארזים שהם אילני סרק יעשו פרי, והיא עברה על הציווי, והיינו "עץ פרי וכל ארזים"; ואיכא למאן דאמר נמי התם שהוסיפה על הציווי, שהקדוש ברוך הוא אמר לה עץ שיהא רגיל לעשות פרי ולא ארזים ושאר אילן סרק, והיא הוציאה באותה שעה בכל האילנות פרי, כדכתיב "עץ עושה פרי", כלומר כל עץ עושה פרי, והיינו "עץ פרי וכל ארזים": **(יב) ותוצא.** ג' במסורת — "ותוצא הארץ"; "ותוצא את עמך את ישראל מארץ מצרים"; "ותוצא ותתן לה". רמז למה שאמרו קשים הם מזונותיו של אדם כקריעת ים סוף, וכל הכופר ביציאת מצרים כאלו כופר במעשה בראשית: **ותוצא הארץ.** בציווי נאמר "תדשא", ובעשיה נאמר "ותוצא". לפי שבתחלה יצאו ירקרקות דקין, ולבסוף הוציאה באחת במהירות: בציווי לא נאמר "למינהו", ובעשיה נאמר "למינהו", לפי שמתחלה היו דקין ולא היו ניכרין מחמת קטנן: בציווי נאמר "עץ פרי", ובעשיה נאמר "ועץ עושה פרי", הוסיף ו' "ועץ" לומר ו' מיני מאכל הוציאה: בציווי כתיב "למינו" דמשמע דוקא הדומה לו ממש, ובעשיה כתיב "למינהו", לומר, אפילו הדומה לדומה לא הוציאה בערבוביא [אלא] שורות [נ"א שורות] לבנות לבד שורות [נ"א שורות] שחורות לבד: **מזריע זרע למינהו.** ראשי תבות מזל, שאין לך עשב שאין לו מזל למעלה:

עיקר שפתי חכמים

ג דק"ל למה לא נאמר תדשא הארץ דשא עשב וגו' ואיך יפול הפעל תדשא על עשב: ד ר"ל דמזריע הוא ל' מפעיל להאדם שיכול לזרוע במקום אחר: ה ולכן כתיב בעשב מזריע זרע, כי העשב צומח מזרע הנזרע בארץ. ובעץ כתיב אשר זרעו בו, כי העץ עצמו יהפך לזרע אם ירכיב או יטע את ענפיו במקום אחר: ו ומה אילנות הגדולים וענפיהם מרובים ולא יתערבו יחד מעולם, בכל זאת יצאו למינם, אנו שקטנים ואם נהיה מעורבבים לא יהיה היכר ביניהו כלל, עאכו"כ שיש לנו לצאת למינינו:

יד וַיֹּאמֶר אֱלֹהִים יְהִי מְאֹרֹת בִּרְקִיעַ הַשָּׁמַיִם לְהַבְדִּיל בֵּין הַיּוֹם וּבֵין הַלָּיְלָה וְהָיוּ לְאֹתֹת וּלְמוֹעֲדִים וּלְיָמִים וְשָׁנִים׃
טו וְהָיוּ לִמְאוֹרֹת בִּרְקִיעַ הַשָּׁמַיִם לְהָאִיר עַל־הָאָרֶץ וַיְהִי־כֵן׃
טז וַיַּעַשׂ אֱלֹהִים אֶת־שְׁנֵי הַמְּאֹרֹת הַגְּדֹלִים

יד וַאֲמַר יְיָ יְהוֹן נְהוֹרִין
בִּרְקִיעָא דִשְׁמַיָּא
לְאַפְרָשָׁא בֵּין יְמָמָא
וּבֵין לֵילְיָא וִיהוֹן לְאָתִין
וּלְזִמְנִין וּלְמִימְנֵי בְהוֹן
יוֹמִין וּשְׁנִין׃ טו וִיהוֹן
לִנְהוֹרִין בִּרְקִיעָא דִשְׁמַיָּא
לְאַנְהָרָא עַל אַרְעָא
וַהֲוָה כֵן׃ טז וַעֲבַד יְיָ יָת
תְּרֵין נְהוֹרַיָּא רַבְרְבַיָּא

רש"י

[פסוק יד] **יְהִי מְאֹרֹת וגו'.** מִיּוֹם רִאשׁוֹן נִבְרְאוּ ז וּבָרְבִיעִי צִוָּה עֲלֵיהֶם לְהִתָּלוֹת בָּרָקִיעַ (חגיגה יב.) וְכֵן כָּל תּוֹלְדוֹת שָׁמַיִם וָאָרֶץ נִבְרְאוּ בְּיוֹם רִאשׁוֹן וְכָל אֶחָד וְאֶחָד נִקְבַּע בַּיּוֹם שֶׁנִּגְזַר עָלָיו (תנחומא ישן א-ב; ב"ר יב:ד). הוּא שֶׁכָּתוּב אֵת הַשָּׁמַיִם לְרַבּוֹת תּוֹלְדוֹתֵיהֶם וְאֵת הָאָרֶץ לְרַבּוֹת תּוֹלְדוֹתֶיהָ (ב"ר א:יד): **יְהִי מְאֹרֹת.** חָסֵר וי"ו כְּתִיב, עַל שֶׁהוּא יוֹם מְאֵרָה לִיפּוֹל אַסְכָּרָה בְּתִינוֹקוֹת. הוּא שֶׁשָּׁנִינוּ בָּרְבִיעִי הָיוּ מִתְעַנִּים עַל אַסְכָּרָה שֶׁלֹּא תִּפּוֹל בְּתִינוֹקוֹת (תענית כז:; מס' סופרים פי"ז): **לְהַבְדִּיל בֵּין הַיּוֹם וּבֵין הַלָּיְלָה.** מִשֶּׁנִּגְנַז הָאוֹר הָרִאשׁוֹן, אֲבָל בְּשִׁבְעַת (ילק"ש מז; ב"ר יא:ב, יב:ו) [ס"א בְּשֵׁשֶׁת] [ס"א בִּשְׁלֹשֶׁת (ב"ר ג:ו; סדר א"ז כא)] יְמֵי בְרֵאשִׁית שִׁמְּשׁוּ הָאוֹר וְהַחֹשֶׁךְ הָרִאשׁוֹנִים זֶה בַּיּוֹם וְזֶה בַּלַּיְלָה (ב"ר ג:ו; פסחים ב.; חגיגה יב.) [ס"א [שְׁנֵיהֶם] יַחַד בֵּין בַּיּוֹם וּבֵין בַּלַּיְלָה]: **וְהָיוּ לְאֹתֹת.** כְּשֶׁהַמְּאוֹרוֹת לוֹקִין סִימָן רַע הוּא לָעוֹלָם, שֶׁנֶּאֱמַר מֵאוֹתוֹת הַשָּׁמַיִם אַל תֵּחָתּוּ וגו' (ירמיה י:ב) בַּעֲשׂוֹתְכֶם רְצוֹן הקב"ה אֵין אַתֶּם צְרִיכִין לִדְאוֹג מִן הַפּוּרְעָנוּת (סוכה כט.): **וּלְמוֹעֲדִים.** ע"ש הֶעָתִיד, שֶׁעֲתִידִים יִשְׂרָאֵל לְהִצְטַוּוֹת עַל הַמּוֹעֲדוֹת וְהֵם נִמְנִים לְמוֹלַד הַלְּבָנָה (ב"ר ו:א, ש"ר טו:ל): **וּלְיָמִים.** שִׁמּוּשׁ הַחַמָּה חֲצִי יוֹם וְשִׁמּוּשׁ הַלְּבָנָה חֶצְיוֹ, הֲרֵי יוֹם שָׁלֵם: **וְשָׁנִים.** לְסוֹף שס"ה יָמִים [וּרְבִיעַ יוֹם] יִגְמְרוּ מַהֲלָכָן בִּי"ב מַזָּלוֹת הַמְשָׁרְתִים אוֹתָם, וְהִיא שָׁנָה (ברכות לב:) [וְחוֹזְרִים וּמַתְחִילִים פַּעַם שְׁנִיָּה לְסַבֵּב בַּגַּלְגַּל כְּמַהֲלָכָן הָרִאשׁוֹן]: [פסוק טו] **וְהָיוּ לִמְאוֹרֹת.** עוֹד זֹאת יְשַׁמְּשׁוּ שֶׁיָּאִירוּ לָעוֹלָם: [פסוק טז] **הַמְּאֹרֹת הַגְּדֹלִים.** שָׁוִים נִבְרְאוּ ח וְנִתְמַעֲטָה הַלְּבָנָה עַל שֶׁקִּטְרְגָה וְאָמְרָה אִי אֶפְשָׁר

בעל הטורים

(יד) יהי מארת. סמך מאורות לדשאים, לפי שצריכין לו, כדכתיב "וממגד תבואת שמש": **מארת.** חסר – שלא נברא להאיר אלא השמש. וירח לא נברא אלא כדי שלא יעבדו לחמה אם תהיה יחידה. מארת בגימטריא שמש: **אלהים יהי מארת ברקיע.** סופי תבות עתים למפרע, שעל ידי מאורות מונים העתים: **לאותות.** ב' במסורת – "לאותות ולמועדים"; ואידך "והילדים אשר נתן לי ה' לאותות ולמופתים". "והילדים" היינו תלמידים הלומדים תורה דומים למאורות, כמו שאמרו, פני משה כפני חמה, פני יהושע כפני לבנה: **ולמועדים.** ב' במסורה – "והיו לאותות ולמועדים"; ואידך "יהיה לבית יהודה לששון ולשמחה ולמועדים טובים". בבראשית רבה, לא נבראת לבנה אלא לקדש ראש חדש,

עיקר שפתי חכמים

ז ק"ל דהל"ל קודם לכן ויעש אלהים את הרקיע ואח"כ יהי מאורות: **ח** דק"ל דבתחלה כתיב שני המאורות הגדולים ואח"כ אמר את המאור הגדול:

אֶת־הַמָּאוֹר הַגָּדֹל לְמֶמְשֶׁלֶת
הַיּוֹם וְאֶת־הַמָּאוֹר הַקָּטֹן
לְמֶמְשֶׁלֶת הַלַּיְלָה וְאֵת
הַכּוֹכָבִים׃ יז וַיִּתֵּן אֹתָם אֱלֹהִים
בִּרְקִיעַ הַשָּׁמָיִם לְהָאִיר עַל־
הָאָרֶץ׃ יח וְלִמְשֹׁל בַּיּוֹם וּבַלַּיְלָה
וּֽלֲהַבְדִּיל בֵּין הָאוֹר וּבֵין
הַחֹשֶׁךְ וַיַּרְא אֱלֹהִים כִּי־טוֹב׃
יט וַיְהִי־עֶרֶב וַיְהִי־בֹקֶר יוֹם רְבִיעִי׃ פ
כ וַיֹּאמֶר אֱלֹהִים יִשְׁרְצוּ הַמַּיִם שֶׁרֶץ נֶפֶשׁ חַיָּה
וְעוֹף יְעוֹפֵף עַל־הָאָרֶץ עַל־פְּנֵי רְקִיעַ הַשָּׁמָיִם׃
כא וַיִּבְרָא אֱלֹהִים אֶת־הַתַּנִּינִם הַגְּדֹלִים

יָת נְהוֹרָא רַבָּא לְמִשְׁלַט
בִּימָמָא וְיָת נְהוֹרָא זְעֵרָא
לְמִשְׁלַט בְּלֵילְיָא וְיָת
כּוֹכְבַיָּא: יז וִיהַב יָתְהוֹן
יְיָ בִּרְקִיעָא דִשְׁמַיָּא
לְאַנְהָרָא עַל אַרְעָא:
יח וּלְמִשְׁלַט בִּימָמָא
וּבְלֵילְיָא וּלְאַפְרָשָׁא בֵּין
נְהוֹרָא וּבֵין חֲשׁוֹכָא וַחֲזָא
יְיָ אֲרֵי טָב: יט וַהֲוָה רְמַשׁ
וַהֲוָה צְפַר יוֹם רְבִיעָאי:
כ וַאֲמַר יְיָ יִרְחֲשׁוּן מַיָּא
רְחֵשׁ נַפְשָׁא חַיְתָא וְעוֹפָא
יְפָרַח עַל אַרְעָא עַל אַפֵּי
רְקִיעָא דִשְׁמַיָּא: כא וּבְרָא
יְיָ יָת תַּנִּינַיָּא רַבְרְבַיָּא

רש"י

לִשְׁנֵי מְלָכִים שֶׁיִּשְׁתַּמְּשׁוּ בְּכֶתֶר אֶחָד (חולין ס:): **וְאֵת הַכּוֹכָבִים.** ע"י [ט] שֶׁמִּיעֵט אֶת הַלְּבָנָה הִרְבָּה צְבָאֶיהָ לְהָפִיס דַּעְתָּהּ (ב"ר ו:ד): **[פסוק כ] נֶפֶשׁ חַיָּה.** שֶׁיְּהֵא בָהּ חִיּוּת: **שֶׁרֶץ.** כָּל דָּבָר חַי שֶׁאֵינוֹ גָבוֹהַּ מִן הָאָרֶץ קָרוּי שֶׁרֶץ. בָּעוֹף כְּגוֹן זְבוּבִים (תרגום יונתן ויקרא יא:כ). בַּשְּׁקָצִים כְּגוֹן נְמָלִים [י] (מכות טז:) וְחִיפּוּשִׁים וְתוֹלָעִים (ת"כ שמיני פרק יב). [כ] **וּבַבְּרִיּוֹת** כְּגוֹן חוֹלֶד וְעַכְבָּר וְחוֹמֶט וְכַיּוֹצֵא בָהֶם (ויקרא יא:כט־ל) וְכָל [ס"א וְכֵן] הַדָּגִים: **[פסוק כא] הַתַּנִּינִם.** דָּגִים גְּדוֹלִים שֶׁבַּיָּם. וּבְדִבְרֵי אַגָּדָה, הוּא לִוְיָתָן וּבֶן זוּגוֹ, שֶׁבְּרָאָם זָכָר וּנְקֵבָה וְהָרַג אֶת הַנְּקֵבָה וּמְלָחָהּ לַצַּדִּיקִים לֶעָתִיד לָבֹא, שֶׁאִם יִפְרוּ וְיִרְבּוּ לֹא

בעל הטורים

וראש חדש, נמי אקרי מועד, ואסור בהספד ובתענית: **(יח) ולהבדיל.** ב' במסורת — "ולהבדיל בין האור"; "ולהבדיל בין הקדש". לומר כשמבדילין בין קודש לחול צריך לברך גם כן על האור: **(כ) יעופף.** ב' במסורת — הכא "ועוף יעופף"; ואידך "ובשתים יעופף", והוא שאמרו, גבריאל בשתים: **(כא) את התנינם.** חסר יו"ד — לומר לך שהרג הנקבה ומלחה לצדיקים:

עיקר שפתי חכמים

ט והשתא אתי שפיר דלא כתיב יהי כוכבים או ויעש את הכוכבים: **י** הם התולעים הנמצאים בחספה: **כ** ר"ל גבי בהמות וחיות:

וְאֵ֨ת כָּל־נֶ֣פֶשׁ הַֽחַיָּ֣ה ׀ הָֽרֹמֶ֡שֶׂת
אֲשֶׁר֩ שָׁרְצ֨וּ הַמַּ֜יִם לְמִֽינֵהֶ֗ם
וְאֵ֨ת כָּל־ע֤וֹף כָּנָף֙ לְמִינֵ֔הוּ
וַיַּ֥רְא אֱלֹהִ֖ים כִּי־טֽוֹב׃ כב וַיְבָ֧רֶךְ
אֹתָ֛ם אֱלֹהִ֖ים לֵאמֹ֑ר פְּר֣וּ וּרְב֗וּ
וּמִלְא֤וּ אֶת־הַמַּ֙יִם֙ בַּיַּמִּ֔ים וְהָע֖וֹף
יִ֥רֶב בָּאָֽרֶץ׃ כג וַֽיְהִי־עֶ֥רֶב וַֽיְהִי־
בֹ֖קֶר י֥וֹם חֲמִישִֽׁי׃ פ
כד וַיֹּ֣אמֶר אֱלֹהִ֗ים תּוֹצֵ֨א הָאָ֜רֶץ נֶ֤פֶשׁ חַיָּה֙
לְמִינָ֔הּ בְּהֵמָ֥ה וָרֶ֛מֶשׂ וְחַֽיְתוֹ־אֶ֖רֶץ לְמִינָ֑הּ וַֽיְהִי־
כֵֽן׃ כה וַיַּ֣עַשׂ אֱלֹהִים֩ אֶת־חַיַּ֨ת הָאָ֜רֶץ לְמִינָ֗הּ

וְיָת כָּל נַפְשָׁא חַיְתָא
דְּרָחֲשָׁא דִּי אַרְחִישׁוּ מַיָּא
לִזְנֵיהוֹן וְיָת כָּל עוֹפָא
דְּפָרַח לִזְנוֹהִי וַחֲזָא יְיָ
אֲרֵי טָב: כב וּבָרֵיךְ יָתְהוֹן
יְיָ לְמֵימַר פּוּשׁוּ וּסְגוּ וּמְלוֹ
יָת מַיָּא בְּיַמְמַיָּא וְעוֹפָא
יִסְגֵּי בְּאַרְעָא: כג וַהֲוָה
רְמַשׁ וַהֲוָה צְפַר יוֹם
חֲמִישָׁאי: כד וַאֲמַר יְיָ תַּפֵּק
אַרְעָא נַפְשָׁא חַיְתָא לִזְנַהּ
בְּעִיר וּרְחֵשׁ וְחֵוַת אַרְעָא
לִזְנַהּ וַהֲוָה כֵן: כה וַעֲבַד
יְיָ יָת חֵוַת אַרְעָא לִזְנַהּ

רש"י

יִתְקַיֵּים הָעוֹלָם בִּפְנֵיהֶם [הַתַּנִּינִם כְּתִיב (ב"ר ז:ד)] (בבא בתרא עד:): **נֶפֶשׁ הַחַיָּה.** נֶפֶשׁ שֶׁיֵּשׁ בָּהּ חִיּוּת: **[פסוק כב] וַיְבָרֶךְ אֹתָם.** לְפִי שֶׁמְּחַסְּרִים אוֹתָם וְצָדִין מֵהֶם וְאוֹכְלִין אוֹתָם הוּצְרְכוּ לִבְרָכָה, וְאַף הַחַיּוֹת הוּצְרְכוּ לִבְרָכָה, אֶלָּא מִפְּנֵי הַנָּחָשׁ שֶׁעָתִיד לְקַלָּלָה, לְכַךְ לֹא בֵּרְכָן שֶׁלֹּא יְהֵא הוּא בִּכְלָל (מדרש תדשא א; מדרש אגדה): **פְּרוּ.** לְשׁוֹן פְּרִי, כְּלוֹמַר עֲשׂוּ פֵּירוֹת: **[וּרְבוּ.** אִם לֹא אָמַר אֶלָּא פְּרוּ הָיָה אֶחָד מוֹלִיד א' וְלֹא יוֹתֵר, וּבָא וּרְבוּ שֶׁאֶחָד מוֹלִיד ל הַרְבֵּה:] **[פסוק כד] תּוֹצֵא הָאָרֶץ.** הוּא שֶׁפֵּירַשְׁתִּי שֶׁהַכֹּל נִבְרָא מִיּוֹם רִאשׁוֹן מ וְלֹא הוּצְרְכוּ אֶלָּא לְהוֹצִיאָם (תנחומא ישן א:ב; ב"ר יב:ד): **נֶפֶשׁ חַיָּה.** שֶׁיֵּשׁ בָּהּ חִיּוּת: **וָרֶמֶשׂ.** הֵם שְׁרָצִים שֶׁהֵם נְמוּכִים וְרוֹמְשִׂים עַל הָאָרֶץ וְנִרְאִים כְּאִילּוּ נִגְרָרִים שֶׁאֵין הִלּוּכָן נִיכָּר. כָּל לְשׁוֹן רֶמֶשׂ וָשֶׁרֶץ בִּלְשׁוֹנֵנוּ קוֹנְמוֹבְרִי"שׂ: **[פסוק כה] וַיַּעַשׂ.** תִּקְּנָם נ בִּצְבְיוֹנָם

בעל הטורים

(כב) והעוף ירב בארץ. לא אמר "יפרה וירבה", שלא אמר כן אלא באדם ובדגים, שמזונותיהן מצויין ופנויין לפרות ולרבות. אבל העופות וכן בהמה וחיה, אין מזונותיהם מצויים להם. ורמז לדבר "וברך את לחמך ואת מימיך", "לא תהיה משכלה", "והפריתי והרביתי אתכם", וסמיך לה "ואכלתם ישן נושן": **והעוף.** ג' — "והעוף ירב", "והעוף אוכל אותם מן הסל", "זאת תורת הבהמה והעוף". רמז למה שאמרו שהעופות טהורין מרבין על הטמאין. זהו "והעוף ירב", פירוש, שהן מרובין. איזה,

עיקר שפתי חכמים

ל [נח"י] ר"ל בפעם א' דהיינו תאומים: **מ** משום דלשון תולא מורה שכבר נברא ולכן לא כתיב ויברא וכו': **נ** בצביונם לרצונם:

וְאֶת־הַבְּהֵמָה לְמִינָהּ וְאֵת כָּל־
רֶמֶשׂ הָאֲדָמָה לְמִינֵהוּ וַיַּרְא
אֱלֹהִים כִּי־טוֹב: כו וַיֹּאמֶר אֱלֹהִים
נַעֲשֶׂה אָדָם בְּצַלְמֵנוּ כִּדְמוּתֵנוּ
וְיִרְדּוּ בִדְגַת הַיָּם וּבְעוֹף הַשָּׁמַיִם
וּבַבְּהֵמָה וּבְכָל־הָאָרֶץ וּבְכָל־הָרֶמֶשׂ הָרֹמֵשׂ
עַל־הָאָרֶץ: כז וַיִּבְרָא אֱלֹהִים | אֶת־הָאָדָם בְּצַלְמוֹ

וְיָת בְּעִירָא לִזְנַהּ וְיָת כָּל
רִחֲשָׁא דְאַרְעָא לִזְנוֹהִי
וַחֲזָא יְיָ אֲרֵי טָב: כו וַאֲמַר
יְיָ נַעֲבֵיד אֱנָשָׁא בְּצַלְמָנָא
כִּדְמוּתָנָא וְיִשְׁלְטוּן בְּנוּנֵי
יַמָּא וּבְעוֹפָא דִשְׁמַיָּא
וּבִבְעִירָא וּבְכָל אַרְעָא
וּבְכָל רִחֲשָׁא דְּרָחֵשׁ
עַל אַרְעָא: כז וּבְרָא
יְיָ יָת אָדָם בְּצַלְמֵהּ

רש"י

[בְּתִקּוּנָן] ס וּבְקוֹמָתָן (חולין ס.): **[פסוק כו] נַעֲשֶׂה אָדָם.** עַנְוְתָנוּתוֹ שֶׁל הקב"ה לָמַדְנוּ מִכָּאן, לְפִי שֶׁהָאָדָם בִּדְמוּת הַמַּלְאָכִים וְיִתְקַנְּאוּ בוֹ (פדר"א יג) לְפִיכָךְ נִמְלַךְ בָּהֶן, וּכְשֶׁהוּא דָן אֶת הַמְּלָכִים הוּא נִמְלָךְ בְּפַמַּלְיָא שֶׁלּוֹ, שֶׁכֵּן מָצִינוּ בְאַחְאָב שֶׁאָמַר לוֹ מִיכָה רָאִיתִי אֶת ה' יוֹשֵׁב עַל כִּסְאוֹ וְכָל צְבָא הַשָּׁמַיִם עוֹמֵד עָלָיו מִימִינוֹ וּמִשְּׂמֹאלוֹ (מלכים א כב:יט) וְכִי יֵשׁ יָמִין וּשְׂמֹאל לְפָנָיו, אֶלָּא אֵלּוּ מְיַמִּינִים לִזְכוּת וְאֵלּוּ מַשְׂמְאִילִים לְחוֹבָה. וְכֵן בִּגְזֵרַת עִירִין פִּתְגָמָא ע וּמֵאמַר קַדִּישִׁין שְׁאֶלְתָּא (דניאל ד:יד). אַף כָּאן בְּפַמַּלְיָא שֶׁלּוֹ נִמְלַךְ וְנָטַל רְשׁוּת (תנחומא שמות יח; סנהדרין לח:) א"ל יֵשׁ בָּעֶלְיוֹנִים כִּדְמוּתִי אִם אֵין כִּדְמוּתִי בַּתַּחְתּוֹנִים הֲרֵי יֵשׁ קִנְאָה בְּמַעֲשֵׂה בְרֵאשִׁית (ב"ר ח:יא; ברכות לג:): **נַעֲשֶׂה אָדָם.** אע"פ שֶׁלֹּא סִיְּעוּהוּ בִּיצִירָתוֹ וְיֵשׁ מָקוֹם לַמִּינִים לִרְדּוֹת, לֹא נִמְנַע הַכָּתוּב מִלְּלַמֵּד דֶּרֶךְ אֶרֶץ וּמִדַּת עֲנָוָה שֶׁיְּהֵא הַגָּדוֹל נִמְלָךְ וְנוֹטֵל רְשׁוּת מִן הַקָּטָן, וְאִם כָּתַב אֶעֱשֶׂה אָדָם לֹא לָמַדְנוּ שֶׁהָיָה מְדַבֵּר עִם בֵּית דִּינוֹ אֶלָּא עִם עַצְמוֹ. וּתְשׁוּבַת פ הַמִּינִים כְּתוּבָה בְצִדּוֹ וַיִּבְרָא אֶת הָאָדָם וְלֹא כָתַב וַיִּבְרְאוּ (סנהדרין שם; ב"ר שם ח:ט): **בְּצַלְמֵנוּ.** צ בִּדְפוּס שֶׁלָּנוּ: **כִּדְמוּתֵנוּ.** לְהָבִין וּלְהַשְׂכִּיל (ב"ר שם יא; חגיגה טז.): **וְיִרְדּוּ בִדְגַת הַיָּם.** יֵשׁ בַּלָּשׁוֹן הַזֶּה ק לְשׁוֹן רִידוּי וּלְשׁוֹן יְרִידָה. זָכָה, רוֹדֶה בַּחַיּוֹת וּבַבְּהֵמוֹת. לֹא זָכָה, נַעֲשֶׂה יָרוּד לִפְנֵיהֶם וְהַחַיָּה מוֹשֶׁלֶת בּוֹ (ב"ר שם יב): **[פסוק כז] וַיִּבְרָא אֱלֹהִים אֶת הָאָדָם בְּצַלְמוֹ.** בִּדְפוּס הֶעָשׂוּי לוֹ (כתובות ח.) שֶׁהַכֹּל נִבְרָא בְּמַאֲמָר וְהוּא נִבְרָא בְּיָדַיִם, שֶׁנֶּאֱמַר וַתָּשֶׁת עָלַי כַּפֶּכָה (תהלים קלט:ה; אדר"נ סוף פ"א). נַעֲשָׂה בְחוֹתָם כְּמַטְבֵּעַ הֶעָשׂוּיָה ע"י רוֹשֶׁם שֶׁקּוֹרִין קוי"ן בלע"ז, וְכֵן הוּא אוֹמֵר תִּתְהַפֵּךְ כְּחֹמֶר

בעל הטורים

״והעוף אכל אתם״, פירוש, אותם טהורין שהם אוכל, וכן ״זאת תורת הבהמה והעוף״ איירי בטהורים: **(כו) אדם.** נוטריקון אפר, דם, מרה: **(כז) האדם.** אותיות אדמה, שבראו מן האדמה:

עיקר שפתי חכמים

ס ובקומתן י"ל שעמדה כל קומתן מתחלה: **ע** ר"ל כמו שגוזרים המלאכים ומדברים לפני הקב"ה, א"כ שמע מינה שהקב"ה נמלך במלאכים: **פ** ר"ל שלא יטעו המינים: **צ** ר"ל בדפוס שהכינו לו לאדם. אבל אין לפרש בדפוס של הקב"ה, דהא אין להקב"ה שום דפוס ותמונה: **ק** ר"ל אי קרינן בחיר"ק הוא ממשלה, אי קרינן בציר"י הוא ירידה:

בְּצֶלֶם אֱלֹהִים בָּרָא אֹתוֹ זָכָר
וּנְקֵבָה בָּרָא אֹתָם: כח וַיְבָרֶךְ אֹתָם
אֱלֹהִים וַיֹּאמֶר לָהֶם אֱלֹהִים פְּרוּ
וּרְבוּ וּמִלְאוּ אֶת־הָאָרֶץ וְכִבְשֻׁהָ
וּרְדוּ בִּדְגַת הַיָּם וּבְעוֹף הַשָּׁמַיִם
וּבְכָל־חַיָּה הָרֹמֶשֶׂת עַל־הָאָרֶץ:
כט וַיֹּאמֶר אֱלֹהִים הִנֵּה נָתַתִּי
לָכֶם אֶת־כָּל־עֵשֶׂב | זֹרֵעַ זֶרַע
אֲשֶׁר עַל־פְּנֵי כָל־הָאָרֶץ וְאֶת־כָּל־הָעֵץ אֲשֶׁר־
בּוֹ פְרִי־עֵץ זֹרֵעַ זָרַע לָכֶם יִהְיֶה לְאָכְלָה:
ל וּלְכָל־חַיַּת הָאָרֶץ וּלְכָל־עוֹף הַשָּׁמַיִם וּלְכֹל |

בְּצַלְמָא אֱלָהִין בְּרָא יָתֵהּ
דְּכַר וְנוּקְבָא בְּרָא יָתְהוֹן:
כח וּבָרֵיךְ יָתְהוֹן יְיָ וַאֲמַר
לְהוֹן יְיָ פּוּשׁוּ וּסְגוּ וּמְלוֹ
יָת אַרְעָא וּתְקוֹפוּ עֲלַהּ
וּשְׁלוּטוּ בְּנוּנֵי יַמָּא
וּבְעוֹפָא דִשְׁמַיָּא וּבְכָל
חַיְתָא דְּרָחֲשָׁא עַל אַרְעָא:
כט וַאֲמַר יְיָ הָא יְהָבִית
לְכוֹן יָת כָּל עִסְבָּא דְּבַר
זַרְעֵהּ מִזְדְּרַע דִּי עַל אַפֵּי
כָל אַרְעָא וְיָת כָּל אִילָנָא
דִּי בֵהּ פֵּירֵי אִילָנָא דְּבַר
זַרְעֵהּ מִזְדְּרַע לְכוֹן יְהֵא
לְמֵיכָל: ל וּלְכָל חֵיוַת אַרְעָא
וּלְכָל עוֹפָא דִשְׁמַיָּא וּלְכֹל

רש"י

חוֹתָם (איוב לח:יד; סנהדרין לח.): **בְּצֶלֶם אֱלֹהִים בָּרָא אֹתוֹ.** פֵּירֵשׁ לְךָ שֶׁאוֹתוֹ צֶלֶם הַמְתוּקָּן לוֹ צֶלֶם דְּיוֹקָן יוֹצְרוֹ הוּא (ב"ר ח.): **זָכָר וּנְקֵבָה בָּרָא אֹתָם.** וּלְהַלָּן הוּא אוֹמֵר וַיִּקַּח אַחַת מִצַּלְעוֹתָיו וגו' (להלן ב:כא), מִדְרַשׁ אַגָּדָה, שֶׁבְּרָאוֹ שְׁנֵי פַּרְצוּפִים בִּבְרִיאָה רִאשׁוֹנָה וְאַחַר כָּךְ חִלְּקוֹ (ב"ר ח:א). וּפְשׁוּטוֹ שֶׁל מִקְרָא, כָּאן הוֹדִיעֲךָ שֶׁנִּבְרְאוּ שְׁנֵיהֶם בַּשִּׁשִּׁי, וְלֹא פֵּירֵשׁ לְךָ כֵּיצַד בְּרִיָּיתָן וּפֵירֵשׁ לְךָ בְּמָקוֹם אַחֵר (ברייתא דל"ב מדות יג): **[פסוק כח] וְכִבְשֻׁהָ.** חָסֵר וי"ו, ר לְלַמֶּדְךָ שֶׁהַזָּכָר כּוֹבֵשׁ אֶת הַנְּקֵבָה שֶׁלֹּא תְּהֵא יַצְאָנִית (ב"ר שם). וְעוֹד לְלַמֶּדְךָ שֶׁהָאִישׁ שֶׁדַּרְכּוֹ ש לִכְבּוֹשׁ מְצֻוֶּה עַל פְּרִיָּה וּרְבִיָּה וְלֹא הָאִשָּׁה (יבמות סה:): **[פסוק כט-ל] לָכֶם יִהְיֶה לְאָכְלָה. וּלְכָל חַיַּת הָאָרֶץ.** הִשְׁוָה לָהֶם בְּהֵמוֹת וְחַיּוֹת לְמַאֲכָל, וְלֹא הִרְשָׁה לְאָדָם וּלְאִשְׁתּוֹ לְהָמִית בְּרִיָּה ת וְלֶאֱכוֹל בָּשָׂר, אַךְ

בעל הטורים

זכר. בגימטריא ברכה: **ונקבה.** בגימטריא קללה: **(כח) ורדו בדגת הים.** ב' במסורת – הכא; "ורדו גת פלשתים". אלו זכיתם, ורדו אף בדגת הים. ואם לאו, "ורדו גת", כלומר תשתעבדו לפלשתים: **(כט) פרי עץ.** ב' במסורת – "אשר בו פרי עץ"; "פרי עץ הדר". רמז למאן דאמר, עץ שאכל ממנו אדם הראשון אתרוג היה:

עיקר שפתי חכמים

ר א"כ קרינן בקמ"ץ תחת השי"ן וכבשה: **ש** ר"ל שדרכו לכבש במלחמה: **ת** מבואר מדבריו כי רק להמית ולאכול לא הרשה לאדם, אבל אם מתה מאליה מותר הי' לו לאכול. לכן אסרה לו התורה אבר מן החי, כי לא יאמר אבר הנפרד מן הבהמה הוא כמתה מאליה דמותר לו, לכן אסרה לו התורה:

רֹמֵשׂ עַל־הָאָרֶץ אֲשֶׁר־בּוֹ נֶפֶשׁ
חַיָּה אֶת־כָּל־יֶרֶק עֵשֶׂב לְאָכְלָה
וַיְהִי־כֵן׃ לא וַיַּרְא אֱלֹהִים אֶת־
כָּל־אֲשֶׁר עָשָׂה וְהִנֵּה־טוֹב
מְאֹד וַיְהִי־עֶרֶב וַיְהִי־בֹקֶר יוֹם
הַשִּׁשִּׁי׃ פ

דְּרָחֵשׁ עַל אַרְעָא דִּי
בֵהּ נַפְשָׁא חַיְתָא יָת כָּל
יְרוֹק עִסְבָּא לְמֵיכַל וַהֲוָה
כֵן׃ לא וַחֲזָא יְיָ יָת כָּל דִּי
עֲבַד וְהָא תַקִּין לַחֲדָא
וַהֲוָה רְמַשׁ וַהֲוָה צְפַר יוֹם
שְׁתִיתָאי׃ א וְאִשְׁתַּכְלָלוּ
שְׁמַיָּא וְאַרְעָא וְכָל
חֵילֵיהוֹן׃ ב וְשֵׁיצִי יְיָ
בְּיוֹמָא שְׁבִיעָאָה עֲבִדְתֵּהּ
דִּי עֲבַד וְנָח בְּיוֹמָא
שְׁבִיעָאָה מִכָּל עֲבִדְתֵּהּ

פרק ב א וַיְכֻלּוּ הַשָּׁמַיִם וְהָאָרֶץ וְכָל־צְבָאָם׃
ב וַיְכַל אֱלֹהִים בַּיּוֹם הַשְּׁבִיעִי מְלַאכְתּוֹ אֲשֶׁר
עָשָׂה וַיִּשְׁבֹּת בַּיּוֹם הַשְּׁבִיעִי מִכָּל־מְלַאכְתּוֹ

רש"י

כל ירק עשב יאכלו יחד כלם (בראשית רבתי להלן י:ט; מדרש אגדה). וכשבאו בני נח התיר להם בשר, שנאמר כל רמש אשר הוא חי וגו' כירק עשב, שהתרתי לאדם הראשון, נתתי לכם את כל (להלן ט:ג; סנהדרין נט:): **[פסוק לא] יום הששי.** הוסיף ה"א בששי בגמר מעשה בראשית לומר שהתנה עמהם ע"מ שיקבלו עליהם ישראל חמשה חומשי תורה (תנחומא א). ד"א, יום הששי, כלם תלויים ועומדים עד יום הששי הוא ששי בסיון [ס"א שביום ו' בסיון שקבלו ישראל התורה נתחזקו כל יצירות בראשית ונחשב כאילו נברא העולם עתה, וזהו יום הששי בה"א, שאותו יום ו' בסיון (פס"ר כא (ק.); שהש"ר א:ט)] המוכן למתן תורה (שבת פח.): **[פסוק ב] ויכל אלהים ביום השביעי.** ר' שמעון [א] אומר, בשר ודם שאינו יודע עתיו ורגעיו צריך להוסיף מחול על הקודש, אבל הקב"ה שיודע עתיו ורגעיו [ב] נכנס בו כחוט השערה [ג] ונראה כאילו כלה בו ביום. ד"א, מה היה העולם חסר, מנוחה, באת שבת באת מנוחה,

בעל הטורים

(לא) יום הששי, ויכלו השמים. ראשי תבות שם בן ד' אותיות, שחתם בו מעשה בראשית. וכן "ישמחו השמים ותגל הארץ", ראשי תבות שם בן ד' אותיות, שחתם העולם בשם בן ד' אותיות: **(ב) ויכל אלהים.** תרגום ירושלמי "וחמד", זהו שאמרו "חמדת ימים אותו קראת": בפרשת ויכולו ג' פעמים "מלאכתו", כנגד מלאכות שבת מהם, שהם שמים וארץ וים: ולא כתיב "ויהי ערב ויהי בקר יום השביעי", לפי שמוסיפין מחול על הקודש: **וישבת.** ב' במסורה — הכא; ואידך "וישבות המן". והיינו דכתיב בפרשת המן "הוא אשר דבר ה' שבתון שבת קודש", ולא מצינו שאמר להם משה זה מקודם, אלא נרמז בששת ימי בראשית; "וישבות ביום השביעי", "וישבות המן". דבר אחר, מלמד שפסק המן מלירד בשבת, כדמוכח בקדושין: דבר אחר, רמז למה שדרשו, ברכו במן וקדשו במן:

עיקר שפתי חכמים

א דק"ל דויכל אלהים ביום השביעי משמע שעדיין עשה מלאכה ביום השביעי אלא שכלה בו, ואח"כ כתי' וישבות ביום השביעי משמע שלא היה עושה בו מלאכה כלל: **ב** ר"ל המלאכה נכנסה בשבת: **ג** ר"ל לבני אדם נראה כאילו כלה אבל האמת אינו כן:

אֲשֶׁר עָשָׂה: ג וַיְבָרֶךְ אֱלֹהִים
אֶת־יוֹם הַשְּׁבִיעִי וַיְקַדֵּשׁ אֹתוֹ כִּי
בוֹ שָׁבַת מִכָּל־מְלַאכְתּוֹ אֲשֶׁר־
בָּרָא אֱלֹהִים לַעֲשׂוֹת: פ
שני ד אֵלֶּה תוֹלְדוֹת הַשָּׁמַיִם
וְהָאָרֶץ *בְּהִבָּרְאָם בְּיוֹם עֲשׂוֹת יהוה אֱלֹהִים
אֶרֶץ וְשָׁמָיִם: ה וְכֹל | שִׂיחַ הַשָּׂדֶה טֶרֶם יִהְיֶה

דִּי עֲבָד: ג וּבָרִיךְ יְיָ יָת
יוֹמָא שְׁבִיעָאָה וְקַדִּישׁ
יָתֵהּ אֲרֵי בֵהּ נַח מִכָּל
עֲבִדְתֵּהּ דִּי בְרָא יְיָ
לְמֶעְבַּד: ד אִלֵּין תּוּלְדַת
שְׁמַיָּא וְאַרְעָא כַּד
אִתְבְּרִיאוּ בְּיוֹמָא דִּי עֲבַד
יְיָ אֱלֹהִים אַרְעָא וּשְׁמַיָּא:
ה וְכֹל אִילָנֵי חַקְלָא
עַד לָא הֲווֹ בְאַרְעָא

*ה' זעירא

רש"י

כָּלְתָה וְנִגְמְרָה הַמְּלָאכָה (ב"ר י:ט; ור' פירש"י מגילה ט. ד"ה ויכל): [פסוק ג] וַיְבָרֶךְ וַיְקַדֵּשׁ. בֵּרְכוֹ ד בַּמָּן, שֶׁכָּל יְמוֹת הַשַּׁבָּת יָרַד לָהֶם עוֹמֶר לַגֻּלְגֹּלֶת וּבַשִּׁשִּׁי לֶחֶם מִשְׁנֶה, וְקִדְּשׁוֹ בַּמָּן, שֶׁלֹּא יָרַד בּוֹ מָן כְּלָל (ב"ר יא:ב). וְהַמִּקְרָא כָּתַב ע"ש הֶעָתִיד: אֲשֶׁר בָּרָא אֱלֹהִים לַעֲשׂוֹת. ה הַמְּלָאכָה שֶׁהָיְתָה רְאוּיָה לַעֲשׂוֹת בַּשַּׁבָּת כָּפַל וַעֲשָׂאָהּ בַּשִּׁשִּׁי, כְּמוֹ שֶׁמְּפוֹרָשׁ בב"ר (שם ט): [פסוק ד] אֵלֶּה. ו הָאֲמוּרִים לְמַעְלָה: תּוֹלְדוֹת הַשָּׁמַיִם וְהָאָרֶץ בְּהִבָּרְאָם בְּיוֹם עֲשׂוֹת ה'. לִמֶּדְךָ שֶׁכֻּלָּם ז נִבְרְאוּ בָּרִאשׁוֹן (תנחומא ישן א־ב; ב"ר יב:ד). ד"א, בְּהִבָּרְאָם, בְּהֵ' בְּרָאָם, שֶׁנֶּאֱמַר בְּיָהּ ה' צוּר עוֹלָמִים (ישעיה כו:ד), בִּב' אוֹתִיּוֹת הַלָּלוּ שֶׁל הַשֵּׁם יָצַר שְׁנֵי עוֹלָמִים. וְלִמֶּדְךָ כָּאן שֶׁהָעוֹלָם הַזֶּה נִבְרָא בְּהֵ"א [ס"א רֶמֶז כְּמוֹ שֶׁהַהֵ"א פְּתוּחָה לְמַטָּה כָּךְ הָעוֹלָם פָּתוּחַ לַשָּׁבִים בִּתְשׁוּבָה (פס"ר כא (קט:)), וְעוה"ב נִבְרָא בְּיוּ"ד לוֹמַר שֶׁצַּדִּיקִים שֶׁבְּאוֹתוֹ זְמַן מוּעָטִים כְּמוֹ י' שֶׁהִיא קְטַנָּה בָּאוֹתִיּוֹת (מנחות כט:).] רֶמֶז שֶׁיֵּרְדוּ [הָרְשָׁעִים] לְמַטָּה לִרְאוֹת שַׁחַת כְּהֵ"א זֹאת שֶׁסְּתוּמָה מִכָּל צְדָדֶיהָ וּפְתוּחָה לְמַטָּה לָרֶדֶת דֶּרֶךְ שָׁם (ב"ר יב:י; מנחות שם): [פסוק ה] טֶרֶם יִהְיֶה בָאָרֶץ. כָּל טֶרֶם שֶׁבַּמִּקְרָא לְשׁוֹן עַד ח לֹא הָיָה (אונקלוס) וְאֵינוֹ לְשׁוֹן קוֹדֶם, וְאֵינוֹ נִפְעָל לוֹמַר הִטְרִים כַּאֲשֶׁר יֵאָמֵר הִקְדִּים, וְזֶה מוֹכִיחַ, וְעוֹד אַחֵר, ט כִּי טֶרֶם תִּירְאוּן (שמות ט:ל) עֲדַיִן לֹא תִירְאוּן. וְאַף זֶה תְּפָרֵשׁ, עֲדַיִן לֹא הָיָה בָאָרֶץ כְּשֶׁנִּגְמְרָה בְּרִיאַת הָעוֹלָם בַּשִּׁשִּׁי קוֹדֶם שֶׁנִּבְרָא אָדָם,

בעל הטורים

(ג) **ויברך אלהים.** ג' דסמיכי — הכא; ואידך "ויברך אלהים את נח"; ואידך "ויברך אלהים את יצחק". בשעה שברא העולם, ברך השבת והעולם. ובימי נח, שאבדו כל הראשונים והיה העולם חדש, הוצרך לברך פעם שנית, וברך את יצחק, כמו שיש במדרש, עד עתה הייתי זקוק לברך את בריותי, מכאן ואילך הברכות מסורים בידך: (ד) **בהבראם.** אותיות באברהם, בזכות אברהם נבראו שמים וארץ: **ארץ ושמים.** ב' במסורה — הכא; ואידך "הודו על ארץ ושמים", לומר כי "הודו על ארץ ושמים", בשביל שעשה ארץ ושמים:

עיקר שפתי חכמים

ד והברכה היא שלא הסריח מה שלקטו בע"ש ליום המחרת: **ה** דלעשות להבא משמע, דהיה לו לכתוב אשר ברא אלהים ועשה: **ו** דק"ל הלא לא מפרש אח"כ שום דבר, אלא קאי אדברים האמורים למעלה: **ז** ר"ל אף תולדות שמים וארץ נבראו ביום ראשון כדמפרש בקרא בהיבראם ביום עשות וגו': **ח** פי' כהוראת התיבות עדיין לא הוא, וטרם הוא שם דבר ואינו נגזר ממנו פעל: **ט** פי' עוד יש הוכחה אחרת על זה:

בָּאָרֶץ וְכָל־עֵשֶׂב הַשָּׂדֶה טֶרֶם
יִצְמָח כִּי לֹא הִמְטִיר יְהוָה
אֱלֹהִים עַל־הָאָרֶץ וְאָדָם אַיִן
לַעֲבֹד אֶת־הָאֲדָמָה: ו וְאֵד יַעֲלֶה
מִן־הָאָרֶץ וְהִשְׁקָה אֶת־כָּל־פְּנֵי
הָאֲדָמָה: ז וַיִּיצֶר יְהוָה אֱלֹהִים אֶת־הָאָדָם
עָפָר מִן־הָאֲדָמָה וַיִּפַּח בְּאַפָּיו נִשְׁמַת חַיִּים

וְכָל עִסְבָּא דְחַקְלָא עַד
לָא צְמַח אֲרֵי לָא אַחֵית
מִטְרָא יְיָ אֱלֹהִים עַל
אַרְעָא וֶאֱנָשׁ לֵית לְמִפְלַח
יָת אַדְמְתָא: ו וַעֲנָנָא הֲוָה
סָלִיק מִן אַרְעָא וְאַשְׁקֵי
יָת כָּל אַפֵּי אַדְמְתָא:
ז וּבְרָא יְיָ אֱלֹהִים יָת אָדָם
עַפְרָא מִן אַדְמְתָא וּנְפַח
בְּאַנְפּוֹהִי נִשְׁמְתָא דְחַיֵּי

רש"י

וכל עשב השדה. עדיין לא צמח. ובשלישי שכתוב ותוצא הארץ, לא יצאו אלא על פתח קרקע עמדו עד יום ששי. **כי לא המטיר.** ומה טעם לא המטיר, לפי שאדם אין לעבד את האדמה ואין מכיר בטובתן של גשמים. וכשבא אדם וידע שהם צורך י לעולם התפלל עליהם וירדו, וצמחו האילנות והדשאים (חולין ס:): **ה' אלהים.** [ה'] הוא שמו, כ אלהים שהוא שליט ושופט על כל [העולם]. וכן פירוש זה בכ"מ לפי פשוטו, ה' שהוא ל אלהים: **[פסוק ו] ואד יעלה.** לענין ברייתו מ של אדם, העלה התהום והשקה עננים לשרות העפר ונברא אדם, כגבל זה שנותן מים ואח"כ לש את העיסה, אף כאן והשקה ואח"כ וייצר (ב"ר יד:א; ש"ר ל:יג): **[פסוק ז] וייצר.** שתי יצירות, יצירה לעולם הזה ויצירה לתחיית המתים (ב"ר יד:ה) נ אבל בבהמה שאינה עומדת לדין לא נכתב ביצירתה שני יודי"ן (תנחומא תזריע א): **עפר מן האדמה.** צבר עפרו מכל האדמה מארבע רוחות, שבכל מקום שימות שם תהא קולטתו לקבורה (תנחומא פקודי ג). ד"א, נטל עפרו ממקום שנאמר בו מזבח אדמה תעשה לי (שמות כ:כא) הלואי תהא לו כפרה ויוכל לעמוד (ב"ר יד:ח): **ויפח באפיו.** עשאו מן התחתונים ומן העליונים, גוף מן התחתונים ונשמה מן העליונים. לפי שביום ראשון נבראו שמים וארץ, בשני ברא רקיע לעליונים, בשלישי תראה היבשה לתחתונים, ברביעי ברא מאורות לעליונים, בחמישי ישרצו המים לתחתונים,

בעל הטורים

(ו) ואד. ב' במסורה — הכא; ואידך "ואיד נכון לצלעו", רמז למה שאמרו חכמים למה נקרא שמו איד, שהבריות משברים לבם כדי שיתן להם הקדוש ברוך הוא מטר: **(ז) וייצר.** ב' חד מלא וחד חסר — "וייצר ה' אלהים את האדם" מלא, שיש לו שני יצרים, יצר טוב ויצר רע; "ויצר ה' אלהים מן האדמה כל חית השדה" חסר, שאין להם אלא יצר אחד: **ויפח באפיו נשמת חיים.** סופי תבות חותם: **נשמת.** ד' — "ויפח באפיו נשמת"; "כל אשר נשמת רוח חיים באפיו"; "נר ה' נשמת אדם";

עיקר שפתי חכמים

י ר"ל דודאי הקב"ה מתאוה לתפלתן של צדיקים ויודע שהאדם מכיר בטובתן של גשמים ויתפלל עליהם (ועי' תענית ד' ט'): **כ** ר"ל שם הויה הוא שם העצם, ואחרי השמות כמו אלהים שדי צבאות המה רק שמות תוארים המורים על תואריו ולא על עצמותו: **ל** ר"ל תקיף ואמיץ כמו אילי הארץ: **מ** דק"ל דהא כתיב לעיל כי לא המטיר כו' ע"כ פירש דלענין ברייתו כו'. ומ"ש והשקה את כל כו' הוא לפי דרשו' חז"ל בסנהדרין פרק אחד דיני ממונות שהוצבר עפרו של אדה"ר מכל הארצות ע"ש, וכמו שפירש"י לקמן ע"פ עפר מן האדמה: **נ** ר"ל שניתן בו כח חיוני שגם לאחר מיתה יוכל לחזור ולחיות ברצון הש"י:

וַיְהִי הָאָדָם לְנֶפֶשׁ חַיָּה: ח וַיִּטַּע
יְהוָה אֱלֹהִים גַּן־בְּעֵדֶן מִקֶּדֶם
וַיָּשֶׂם שָׁם אֶת־הָאָדָם אֲשֶׁר
יָצָר: ט וַיַּצְמַח יְהוָה אֱלֹהִים
מִן־הָאֲדָמָה כָּל־עֵץ נֶחְמָד
לְמַרְאֶה וְטוֹב לְמַאֲכָל וְעֵץ
הַחַיִּים בְּתוֹךְ הַגָּן וְעֵץ הַדַּעַת
טוֹב וָרָע: י וְנָהָר יֹצֵא מֵעֵדֶן
לְהַשְׁקוֹת אֶת־הַגָּן וּמִשָּׁם יִפָּרֵד וְהָיָה לְאַרְבָּעָה
רָאשִׁים: יא שֵׁם הָאֶחָד פִּישׁוֹן הוּא הַסֹּבֵב

וַהֲוָת בְּאָדָם לְרוּחַ
מְמַלְּלָא: ח וּנְצִיב יְיָ
אֱלֹהִים גִּינְתָא בְּעֵדֶן
מִלְּקַדְמִין וְאַשְׁרֵי תַמָּן יָת
אָדָם דִּי בְרָא: ט וְאַצְמַח
יְיָ אֱלֹהִים מִן אַרְעָא
כָּל אִילָן דִּמְרַגַּג לְמֶחֱזֵי
וְטַב לְמֵיכַל וְאִילַן חַיַּיָּא
בִּמְצִיעוּת גִּינְתָא וְאִילָן
דְּאָכְלִין פֵּירוֹהִי חַכִּימִין
בֵּין טַב לְבִישׁ: י וְנַהֲרָא
הֲוָה נָפִיק מֵעֵדֶן לְאַשְׁקָאָה
יָת גִּינְתָא וּמִתַּמָּן
יִתְפָּרֵשׁ וַהֲוֵי לְאַרְבְּעָה
רֵישֵׁי נַהֲרִין: יא שׁוּם
חַד פִּישׁוֹן הוּא מַקִּיף

רש"י

הוּזְקַק הַשִּׁשִּׁי לִבְרֹאוֹת בּוֹ בָּעֶלְיוֹנִים וּבַתַּחְתּוֹנִים וְאִם לָאו יֵשׁ קִנְאָה בְּמַעֲשֵׂה בְרֵאשִׁית, שֶׁיִּהְיוּ אֵלּוּ רַבִּים עַל אֵלּוּ בִּבְרִיאַת יוֹם אֶחָד (שם יב:ח): **לְנֶפֶשׁ חַיָּה.** אַף בְּהֵמָה וְחַיָּה נִקְרְאוּ נֶפֶשׁ חַיָּה אַךְ זוֹ שֶׁל אָדָם חַיָּה שֶׁבְּכֻלָּן, שֶׁנִּתּוֹסֵף בּוֹ דֵּעָה וְדִבּוּר (אונקלוס): **[פסוק ח] מִקֶּדֶם.** ס בְּמִזְרָחוֹ שֶׁל עֵדֶן נָטַע אֶת הַגָּן. וְאִם תֹּאמַר, הֲרֵי כְּבָר נֶאֱמַר וַיִּבְרָא וגו' אֶת הָאָדָם וגו'. רָאִיתִי בִּבְרַיְתָא שֶׁל ר' אֱלִיעֶזֶר בְּנוֹ שֶׁל ר' יוֹסֵי הַגְּלִילִי מִל"ב מִדּוֹת שֶׁהַתּוֹרָה נִדְרֶשֶׁת (מדה יג) וְזוֹ אַחַת מֵהֶן, כְּלָל שֶׁלְּאַחֲרָיו מַעֲשֶׂה הוּא פְּרָטוֹ שֶׁל רִאשׁוֹן. וַיִּבְרָא אֶת הָאָדָם וגו' זֶהוּ כְּלָל, סָתַם בְּרִיאָתוֹ מֵהֵיכָן וְסָתַם מַעֲשָׂיו, חָזַר וּפֵירֵשׁ וַיִּיצֶר ה' אֱלֹהִים וגו' וַיַּצְמַח לוֹ גַּן עֵדֶן וַיַּנִּיחֵהוּ בְּגַן עֵדֶן וַיַּפֵּל עָלָיו תַּרְדֵּמָה, הַשּׁוֹמֵעַ סָבוּר שֶׁהוּא מַעֲשֶׂה אַחֵר, וְאֵינוֹ אֶלָּא פְּרָטוֹ שֶׁל רִאשׁוֹן. וְכֵן אֵצֶל הַבְּהֵמָה חָזַר וְכָתַב וַיִּיצֶר ה' וגו' מִן הָאֲדָמָה כָּל חַיַּת הַשָּׂדֶה (להלן פסוק יט) כְּדֵי לְפָרֵשׁ וַיָּבֵא אֶל הָאָדָם לִקְרוֹת שֵׁם, וּלְלַמֵּד עַל הָעוֹפוֹת שֶׁנִּבְרְאוּ מִן הָרְקָק (חולין כז:): **[פסוק ט] וַיַּצְמַח.** לְעִנְיַן הַגָּן הַכָּתוּב מְדַבֵּר (ב"ר יג:א): **בְּתוֹךְ הַגָּן.** בְּאֶמְצַע הַגָּן (אונקלוס): **[פסוק יא] פִּישׁוֹן.** הוּא נִילוּס

בעל הטורים

ואם לאו "נשמת ה' כנחל גפרית": **האדם לנפש חיה.** ראשי תבות חלה, שהיה חלתו של עולם: **(י) יפרד.** ב' במסורת — הכא; ואידך "ודל מרעהו יפרד", כשנעשה אדם הראשון דל מן המצות, נפרד מן הגן:

עיקר שפתי חכמים

ס ר"ל ולא כהתרגום אונקלוס שמפרש מקדם כלומר מלפנים, כי נראה מפשט הכתוב אשר לפני זה לא צמח עשבים ואילנות כלל בשום מקום:

אֵ֚ת כָּל־אֶ֣רֶץ הַחֲוִילָ֔ה אֲשֶׁר־
שָׁ֖ם הַזָּהָֽב׃ יב וּזֲהַ֛ב הָאָ֥רֶץ הַהִ֖וא
ט֑וֹב שָׁ֥ם הַבְּדֹ֖לַח וְאֶ֥בֶן הַשֹּֽׁהַם׃
יג וְשֵֽׁם־הַנָּהָ֥ר הַשֵּׁנִ֖י גִּיח֑וֹן ה֣וּא
הַסּוֹבֵ֔ב אֵ֖ת כָּל־אֶ֥רֶץ כּֽוּשׁ׃
יד וְשֵׁ֨ם הַנָּהָ֤ר הַשְּׁלִישִׁי֙ חִדֶּ֔קֶל
ה֥וּא הַהֹלֵ֖ךְ קִדְמַ֣ת אַשּׁ֑וּר וְהַנָּהָ֥ר
הָרְבִיעִ֖י ה֥וּא פְרָֽת׃ טו וַיִּקַּ֛ח יְהוָ֥ה
אֱלֹהִ֖ים אֶת־הָֽאָדָ֑ם וַיַּנִּחֵ֣הוּ בְגַן־
עֵ֔דֶן לְעָבְדָ֖הּ וּלְשָׁמְרָֽהּ׃ טז וַיְצַו֙ יְהוָ֣ה אֱלֹהִ֔ים
עַל־הָֽאָדָ֖ם לֵאמֹ֑ר מִכֹּ֥ל עֵֽץ־הַגָּ֖ן אָכֹ֥ל תֹּאכֵֽל׃

יָת כָּל אֲרַע דַּחֲוִילָה דִּי
תַמָּן דַּהֲבָא: יב וְדַהֲבָא
דְּאַרְעָא הַהִיא טָב תַּמָּן
בְּדֻלְחָא וְאַבְנֵי בוּרְלָא:
יג וְשׁוּם נַהֲרָא תִנְיָנָא
גִּיחוֹן הוּא מַקִּיף יָת כָּל
אַרְעָא דְּכוּשׁ: יד וְשׁוּם
נַהֲרָא תְּלִיתָאָה דִּיגְלַת
הוּא מְהַלֵּךְ לְמַדִּנְחָא
דְּאַתּוּר וְנַהֲרָא רְבִיעָאָה
הוּא פְרָת: טו וּדְבַר
יְיָ אֱלֹהִים יָת אָדָם
וְאַשְׁרֵיהּ בְּגִינְתָא דְעֵדֶן
לְמִפְלְחַהּ וּלְמִטְרַהּ:
טז וּפַקִּיד יְיָ אֱלֹהִים עַל
אָדָם לְמֵימַר מִכֹּל אִילַן
גִּינְתָא מֵיכַל תֵּיכוּל:

רש"י

נְהַר מִצְרַיִם, וְעַל שֵׁם שֶׁמֵּימָיו מִתְבָּרְכִין וְעוֹלִין וּמַשְׁקִין אֶת הָאָרֶץ נִקְרָא פִּישׁוֹן כְּמוֹ וּפָשׁוּ פָּרָשָׁיו (חבקוק א:ח). ד"א פִּישׁוֹן שֶׁהוּא מְגַדֵּל פִּשְׁתָּן, שֶׁנֶּאֱמַר אֵצֶל מִצְרַיִם וּבֹשׁוּ עֹבְדֵי פִשְׁתִּים (ישעיה יט:ט; ב"ר טז:ב): **[פסוק יג] גִּיחוֹן.** שֶׁהָיָה הוֹלֵךְ וְהוֹמֶה וְהֶמְיָיתוֹ גְּדוֹלָה מְאֹד, כְּמוֹ וְכִי יִגַּח (שמות כא:כח) שֶׁמְּנַגֵּחַ וְהוֹלֵךְ וְהוֹמֶה: **[פסוק יד] חִדֶּקֶל.** שֶׁמֵּימָיו חַדִּין וְקַלִּין (ברכות נט:): **פְּרָת.** שֶׁמֵּימָיו פָּרִין וְרָבִין (שם; ב"ר שם ג,ד) וּמַבְרִין אֶת הָאָדָם (כתובות עז:): **כּוּשׁ וְאַשּׁוּר.** עֲדַיִן לֹא הָיוּ, וְכָתַב הַמִּקְרָא ע"ש הֶעָתִיד (ב"ר שם ג; כתובות י:): **קִדְמַת אַשּׁוּר.** לְמִזְרָחָה [ע] שֶׁל אַשּׁוּר (אונקלוס): **הוּא פְרָת.** הֶחָשׁוּב עַל כּוּלָּם הַנִּזְכָּר עַל שֵׁם א"י (ספרי דברים ו; ב"ר שם): **[פסוק טו] וַיִּקַּח.** לְקָחוֹ [צ] בִּדְבָרִים נָאִים וּפִתָּהוּ לִיכָּנֵס (ב"ר שם ה):

בעל הטורים

(יב) הבדלח. ב׳ במסורת – הכא; ואידך ״ועינו כעין הבדלח״. מלמד שאבנים טובות ומרגליות ירדו עם המן:

עיקר שפתי חכמים

ע קדמת הוא כמו קדמה ובשביל הסמיכות לאשור נחלף הה"א בתי"ו כמשפטו. והה"א הבא בסוף קדמה הוא במקום למ"ד בתחלתו, וזה למזרחו: **פ** ולכך נכתב אצלו הוא, לא כן בשארי הנהרות: **צ** כי לקח לא מצאנו אצל אדם בעלי דעת כידוע. ועי׳ בפ׳ קרח על פסוק ויקח קרח:

יז וּמֵעֵץ הַדַּעַת טוֹב וָרָע לֹא
תֹאכַל מִמֶּנּוּ כִּי בְּיוֹם אֲכָלְךָ
מִמֶּנּוּ מוֹת תָּמוּת: יח וַיֹּאמֶר
יְהוָה אֱלֹהִים לֹא־טוֹב הֱיוֹת
הָאָדָם לְבַדּוֹ אֶעֱשֶׂה־לּוֹ עֵזֶר
כְּנֶגְדּוֹ: יט וַיִּצֶר יְהוָה אֱלֹהִים
מִן־הָאֲדָמָה כָּל־חַיַּת הַשָּׂדֶה
וְאֵת כָּל־עוֹף הַשָּׁמַיִם וַיָּבֵא
אֶל־הָאָדָם לִרְאוֹת מַה־יִּקְרָא־
לוֹ וְכֹל אֲשֶׁר יִקְרָא־לוֹ הָאָדָם נֶפֶשׁ חַיָּה
הוּא שְׁמוֹ: שלישי כ וַיִּקְרָא הָאָדָם שֵׁמוֹת לְכָל־
הַבְּהֵמָה וּלְעוֹף הַשָּׁמַיִם וּלְכֹל חַיַּת הַשָּׂדֶה

יז וּמֵאִילַן דְּאָכְלִין פֵּירוֹהִי
חַכִּימִין בֵּין טַב לְבִישׁ
לָא תֵיכוּל מִנֵּהּ אֲרֵי
בְּיוֹמָא דְּתֵיכוּל מִנֵּהּ
מְמָת תְּמוּת: יח וַאֲמַר יְיָ
אֱלֹהִים לָא תַקִּין לְמֶהֱוֵי
אָדָם בִּלְחוֹדוֹהִי אַעְבֵּד
לֵהּ סָמֵךְ לְקִבְלֵהּ: יט וּבְרָא
יְיָ אֱלֹהִים מִן אַרְעָא כָּל
חֵוַת בָּרָא וְיָת כָּל עוֹפָא
דִשְׁמַיָּא וְאַיְתִי לְוָת
אָדָם לְמֶחֱזֵי מָה יִקְרֵי
לֵהּ וְכֹל דִּי הֲוָה קָרֵי לֵהּ
אָדָם נַפְשָׁא חַיְתָא הוּא
שְׁמֵהּ: כ וּקְרָא אָדָם שְׁמָהָן
לְכָל בְּעִירָא וּלְעוֹפָא
דִשְׁמַיָּא וּלְכֹל חֵוַת בָּרָא

רש"י

[פסוק יח] לא טוב היות וגו'. שלא יאמרו שתי רשויות הן, הקב"ה יחיד בעליונים ואין לו זוג וזה יחיד בתחתונים ואין לו זוג (פדר"א יב): **עזר כנגדו.** זכה, עזר, לא זכה, כנגדו להלחם (יבמות סג.; פדר"א שם): **[פסוק יט] ויצר וגו' מן האדמה.** היא יצירה היא עשייה האמורה למעלה, ויעש אלהים את חית הארץ וגו' (לעיל א:כה), אלא בא ופי' שהעופות נבראו מן הרקק, לפי שאמר למעלה מן המים נבראו וכאן אמר מן האדמה נבראו (חולין כז:). ועוד למדך כאן שבשעת יצירתן מיד [בו ביום] הביאם אל האדם לקרות להם שם (אדר"נ פ"א). ובדברי אגדה, יצירה זו לשון רידוי וכבוש, כמו כי תצור אל עיר (דברים כ:יט), שכבשן תחת ידו של אדם (ב"ר יז:ד): **וכל אשר יקרא לו האדם נפש חיה וגו'.** סרסהו ופרשהו, כל נפש חיה אשר יקרא לו האדם שם הוא שמו לעולם:

וּלְאָדָ֕ם לֹֽא־מָצָ֥א עֵ֖זֶר כְּנֶגְדּֽוֹ׃
כא וַיַּפֵּל֩ יְהוָ֨ה אֱלֹהִ֧ים ׀ תַּרְדֵּמָ֛ה
עַל־הָאָדָ֖ם וַיִּישָׁ֑ן וַיִּקַּ֗ח אַחַת֙
מִצַּלְעֹתָ֔יו וַיִּסְגֹּ֥ר בָּשָׂ֖ר תַּחְתֶּֽנָּה׃
כב וַיִּבֶן֩ יְהוָ֨ה אֱלֹהִ֧ים ׀ אֶֽת־הַצֵּלָ֛ע
אֲשֶׁר־לָקַ֥ח מִן־הָֽאָדָ֖ם לְאִשָּׁ֑ה
וַיְבִאֶ֖הָ אֶל־הָֽאָדָֽם׃ כג וַיֹּאמֶר֮
הָֽאָדָם֒ זֹ֣את הַפַּ֗עַם עֶ֚צֶם מֵֽעֲצָמַ֔י וּבָשָׂ֖ר מִבְּשָׂרִ֑י
לְזֹאת֙ יִקָּרֵ֣א אִשָּׁ֔ה כִּ֥י מֵאִ֖ישׁ לֻֽקֳחָה־זֹּֽאת׃

וּלְאָדָם לָא אַשְׁכַּח
סָמֵךְ לְקִבְלֵהּ׃ כא וּרְמָא
יְיָ אֱלֹהִים שִׁינְתָא עַל
אָדָם וּדְמֵךְ וּנְסִיב חֲדָא
מֵעִלְעוֹהִי וּמְלֵי בִשְׂרָא
תְּחוֹתַהּ׃ כב וּבְנָא יְיָ
אֱלֹהִים יָת עִלְעָא דִּי נְסִיב
מִן אָדָם לְאִתְּתָא וְאַיְתַהּ
לְוָת אָדָם׃ כג וַאֲמַר
אָדָם הָדָא זִמְנָא גַּרְמָא
מִגַּרְמַי וּבִסְרָא מִבִּסְרִי
לְדָא יִתְקְרֵי אִתְּתָא אֲרֵי
מִבַּעְלָא נְסִיבָא דָא׃

רש״י

[פסוק כ-כא] **וּלְאָדָם לֹא מָצָא עֵזֶר: וַיַּפֵּל ה׳ אֱלֹהִים תַּרְדֵּמָה.** כְּשֶׁהֱבִיאָן, הֱבִיאָן לְפָנָיו כָּל מִין וָמִין זָכָר וּנְקֵבָה. אָמַר, לְכֻלָּם יֵשׁ בֶּן זוּג וְלִי אֵין בֶּן זוּג, מִיָּד וַיַּפֵּל (ב״ר יז:ד). **מִצַּלְעֹתָיו.** מִסִּטְרָיו [ק], כְּמוֹ וּלְצֶלַע הַמִּשְׁכָּן (שמות כו:כ) זֶהוּ שֶׁאָמְרוּ שְׁנֵי פַּרְצוּפִים נִבְרְאוּ (ב״ר ח:א): **וַיִּסְגֹּר.** מְקוֹם הַחֲתָךְ (ברכות סא.): **וַיִּישַׁן וַיִּקַּח.** שֶׁלֹּא יִרְאֶה חֲתִיכַת הַבָּשָׂר שֶׁמִּמֶּנּוּ נִבְרֵאת וְתִתְבַּזֶּה עָלָיו (סנהדרין לט.): [פסוק כב] **וַיִּבֶן.** כְּבִנְיָן, רְחָבָה מִלְּמַטָּה וּקְצָרָה מִלְמַעְלָה לְקַבֵּל הַוָּלָד, כְּאוֹצָר שֶׁל חִטִּים שֶׁהוּא רָחָב מִלְּמַטָּה וְקָצָר מִלְמַעְלָה שֶׁלֹּא יִכְבַּד מַשָּׂאוֹ עַל קִירוֹתָיו (ברכות סא): **וַיִּבֶן וגו׳ אֶת הַצֵּלָע לְאִשָּׁה.** לִהְיוֹת אִשָּׁה כְּמוֹ וַיַּעַשׂ אוֹתוֹ גִּדְעוֹן לְאֵפוֹד (שופטים ח:כז) לִהְיוֹת אֵפוֹד: [פסוק כג] **זֹאת הַפַּעַם.** מְלַמֵּד [ר] שֶׁבָּא אָדָם עַל כָּל בְּהֵמָה וְחַיָּה וְלֹא נִתְקָרְרָה דַּעְתּוֹ בָּהֶם (יבמות סג.): **לְזֹאת יִקָּרֵא אִשָּׁה כִּי מֵאִישׁ וגו׳.** לָשׁוֹן נוֹפֵל עַל לָשׁוֹן מִכָּאן שֶׁנִּבְרָא הָעוֹלָם

בעל הטורים

(כ) **ולאדם לא מצא עזר.** ג׳ — הכא; ואידך ״ולאדם אמר כי שמעת לקול אשתך״; ״ולאדם שלא עמל בו יתננו חלקו״. ולאדם לא היה לו עזר, וה׳ עשה עמו טובה וברא האשה לעזר, וחטא על ידה. וזהו ״ולאדם אמר כי שמעת״ וחטאת על ידי העזר, על כן ״ולאדם שלא עמל בו יתננו חלקו״, שנקנסה עליו מיתה: **(כא) ויפל ה׳ אלהים.** ג׳ — הכא; ואידך ״ויפל עליו וימת״; ״ויפל בקרב מחנהו״, זהו שדרשו רבותינו ז״ל, באחד שהרג שוגג ואחד מזיד, שהקדוש ברוך הוא מזמנן בפונדק אחד ועולה בסלם וכו׳; וזהו ״ויפל בקרב מחנהו״, שהקדוש ברוך הוא מזמנן בקרב מחנהו: **ויסגר.** ב׳ במסורת — הכא ״ויסגר בשר תחתנה״; ואידך ״ויסגר ה׳ בעדו״, רמז לסגירת בשר, שיהיו אסורים בתשמיש המטה בתבה. כשסגר ה׳ בעדו; אז ״ויסגר בשר״: **(כב) ויבאה.** כתיב חסר, והוא עולה כ״ד. רמז שקשטה בכ״ד קשוטין, והביאה לו: **ויבאה.** ד׳ במסורת — ״ויבאה אל האדם״; ״ויבאה יצחק האהלה״; ״[ויקח את בת פרעה] ויבאה אל עיר דוד״; ״וישקד ה׳ על הרעה ויביאה״. וקודם שנשא בת פרעה משל בעליונים, וזהו דגמת אדם הראשון, שנטרד מן העליונים על ידי חוה. וביצחק היה בהפך, כי היא היתה במקום שרה, כדאיתא במדרש: **(כג) לזאת.** ב׳ במסורת — הכא ״לזאת יקרא אשה״; ואידך ״אף לזאת

עיקר שפתי חכמים

ק ר״ל מלדדיו: ר ר״ל שבא בשכלו ותבונתו לחקר כל טבעי הברואים, ומזה התבונן לקרוא לכ״א שם לפי טבעו ומהותו:

כד עַל־כֵּן יַעֲזָב־אִישׁ אֶת־אָבִיו
וְאֶת־אִמּוֹ וְדָבַק בְּאִשְׁתּוֹ וְהָיוּ
לְבָשָׂר אֶחָד: כה וַיִּהְיוּ שְׁנֵיהֶם
עֲרוּמִּים הָאָדָם וְאִשְׁתּוֹ וְלֹא
יִתְבֹּשָׁשׁוּ: פרק ג א וְהַנָּחָשׁ הָיָה
עָרוּם מִכֹּל חַיַּת הַשָּׂדֶה אֲשֶׁר
עָשָׂה יְהוָה אֱלֹהִים וַיֹּאמֶר
אֶל־הָאִשָּׁה אַף כִּי־אָמַר אֱלֹהִים לֹא תֹאכְלוּ
מִכֹּל עֵץ הַגָּן: ב וַתֹּאמֶר הָאִשָּׁה אֶל־הַנָּחָשׁ
מִפְּרִי עֵץ־הַגָּן נֹאכֵל: ג וּמִפְּרִי הָעֵץ אֲשֶׁר

כד עַל כֵּן יִשְׁבּוֹק גְּבַר בֵּית
מִשְׁכְּבֵי אֲבוּהִי וְאִמֵּהּ
וְיִדְבַּק בְּאִתְּתֵהּ וִיהוֹן
לְבִסְרָא חָד: כה וַהֲווֹ
תַרְוֵיהוֹן עַרְטִילָאִין אָדָם
וְאִתְּתֵהּ וְלָא מִתְכַּלְמִין:
א וְחִוְיָא הֲוָה חַכִּים מִכֹּל
חֵיוַת בָּרָא דִּי עֲבַד יְיָ
אֱלֹהִים וַאֲמַר לְאִתְּתָא
בְּקוּשְׁטָא אֲרֵי אֲמַר יְיָ לָא
תֵיכְלוּן מִכֹּל אִילַן גִּינְתָא:
ב וַאֲמֶרֶת אִתְּתָא לְחִוְיָא
מִפֵּירֵי אִילַן גִּינְתָא
נֵיכוּל: ג וּמִפֵּירֵי אִילָנָא דִּי

רש"י

בִּלְשׁוֹן הַקֹּדֶשׁ ש (ב"ר יח:ד): **[פסוק כד] עַל כֵּן יַעֲזָב אִישׁ.** רוה"ק אוֹמֶרֶת כֵּן, ת לֶאֱסוֹר עַל בְּנֵי נֹחַ אֶת הָעֲרָיוֹת (שם ה; סנהדרין נח.): **לְבָשָׂר אֶחָד.** הַוָּלָד נוֹצָר ע"י שְׁנֵיהֶם וְשָׁם נַעֲשֶׂה בְּשָׂרָם אֶחָד (שם ושם): **[פסוק כה] וְלֹא יִתְבֹּשָׁשׁוּ.** שֶׁלֹּא הָיוּ יוֹדְעִים דֶּרֶךְ צְנִיעוּת לְהַבְחִין בֵּין טוֹב לָרָע (תרגום ירושלמי). ואע"פ שֶׁנִּתְּנָה בּוֹ דֵּעָה לִקְרוֹת שֵׁמוֹת (ב"ר יז:ד), לֹא נִתַּן בּוֹ יֵצֶר הָרָע עַד אָכְלוֹ מִן הָעֵץ וְנִכְנַס בּוֹ יֵצֶר הָרָע וְיָדַע מַה בֵּין טוֹב לָרָע (עי' שם יט:ט): **[פסוק א] וְהַנָּחָשׁ הָיָה עָרוּם.** מָה עִנְיָן זֶה לְכָאן, הָיָה לוֹ לִסְמוֹךְ וַיַּעַשׂ לְאָדָם וּלְאִשְׁתּוֹ כָּתְנוֹת עוֹר וַיַּלְבִּישֵׁם. א אֶלָּא לְלַמֶּדְךָ מֵאֵיזוֹ סִבָּה קָפַץ הַנָּחָשׁ עֲלֵיהֶם, רָאָה אוֹתָם עֲרוּמִים וַעֲסוּקִים בְּתַשְׁמִישׁ לְעֵין כֹּל וְנִתְאַוָּה לָהֶם (שם יח:ו): **עָרוּם מִכֹּל.** לְפִי עָרְמָתוֹ וּגְדוּלָּתוֹ הָיְתָה מַפַּלְתּוֹ, עָרוּם מִכֹּל אָרוּר מִכֹּל (שם יט:א): **אַף כִּי אָמַר וגו'.** שֶׁמָּא ב אָמַר לָכֶם לֹא תֹאכְלוּ מִכֹּל וגו'. ואע"פ שֶׁרָאָה אוֹתָם אוֹכְלִים

בעל הטורים

(כד) והיו לבשר אחד. יחרד לבי". לומר שחוה היתה לחרדת אדם: וסמיך ליה "ויהיו שניהם ערומים". רמז למה שאמרו, הוא בבגדו והיא בבגדה, יוצא ויתן כתובה:

עיקר שפתי חכמים

ש ר"ל לכן נגזר השם אשה מאיש אדם מאדמה, וזה רק בלשון עברית ולא בשאר הלשונות: **ת** כי לא יתכן שנאמר על האדם שלא היו לו אב ואם, וגם בנים לא היו לו עוד. ועי' בפ' ארבע מיתות שדרשו מזה הפסוק על איסור עריות לבני נח: **א** זה שנויה במחלוקת [פסחים נ"ד] גבי עשרה דברים שנבראו ערב שבת בין השמשות וכו' וי"א אף בגדיו של אדה"ר. א"כ להי"א נבראו אחר החטא, ולהת"ק אולי ס"ל דנבראו קודם החטא. ומדכתיב שניהם ערומים האדם ואשתו דרש דנתיחדו כדרך איש ואשתו: **ב** כי על מה יסוב תיבת אף בתחלת דבורו עמה:

בְּתוֹךְ־הַגָּן֒ אָמַ֣ר אֱלֹהִ֗ים לֹ֤א
תֹֽאכְלוּ֙ מִמֶּ֔נּוּ וְלֹ֥א תִגְּע֖וּ בּ֑וֹ פֶּן־
תְּמֻתֽוּן׃ ד וַיֹּ֥אמֶר הַנָּחָ֖שׁ אֶל־
הָֽאִשָּׁ֑ה לֹֽא־מ֖וֹת תְּמֻתֽוּן׃ ה כִּ֚י
יֹדֵ֣עַ אֱלֹהִ֔ים כִּ֗י בְּיוֹם֙ אֲכָלְכֶ֣ם
מִמֶּ֔נּוּ וְנִפְקְח֖וּ עֵֽינֵיכֶ֑ם וִהְיִיתֶם֙
כֵּֽאלֹהִ֔ים יֹדְעֵ֖י ט֥וֹב וָרָֽע׃ ו וַתֵּ֣רֶא
הָֽאִשָּׁ֡ה כִּ֣י טוֹב֩ הָעֵ֨ץ לְמַאֲכָ֜ל וְכִ֧י
תַֽאֲוָה־ה֣וּא לָעֵינַ֗יִם וְנֶחְמָ֤ד הָעֵץ֙ לְהַשְׂכִּ֔יל וַתִּקַּ֥ח
מִפִּרְי֖וֹ וַתֹּאכַ֑ל וַתִּתֵּ֧ן גַּם־לְאִישָׁ֛הּ עִמָּ֖הּ וַיֹּאכַֽל׃

בִּמְצִיעוּת גִּינְתָא אֲמַר
יְיָ לָא תֵיכְלוּן מִנֵּהּ וְלָא
תִקְרְבוּן בֵּהּ דִּילְמָא
תְמוּתוּן׃ ד וַאֲמַר חִוְיָא
לְאִתְּתָא לָא מוֹת
תְּמוּתוּן׃ ה אֲרֵי גְלֵי קֳדָם
יְיָ אֲרֵי בְּיוֹמָא דְּתֵיכְלוּן
מִנֵּהּ וְיִתְפַּתְּחָן עֵינֵיכוֹן
וּתְהוֹן כְּרַבְרְבִין חַכִּימִין
בֵּין טַב לְבִישׁ׃ ו וַחֲזַת
אִתְּתָא אֲרֵי טַב אִילָן
לְמֵיכַל וַאֲרֵי אַסֵּי הוּא
לְעֵינִין וּמְרַגַּג אִילָנָא
לְאִסְתַּכָּלָא בֵּהּ וּנְסִיבַת
מֵאִבֵּהּ וַאֲכָלַת וִיהָבַת
אַף לְבַעְלַהּ עִמַּהּ וַאֲכַל׃

רש"י

מֵאַחַר פֵּירוֹת, הִרְבָּה עָלֶיהָ דְּבָרִים כְּדֵי שֶׁתְּשִׁיבֶנּוּ וְיָבֹא לְדַבֵּר בְּאוֹתוֹ הָעֵץ: [פסוק ג] **וְלֹא תִגְּעוּ בּוֹ.** הוֹסִיפָה עַל הַצִּוּוּי ג לְפִיכָךְ בָּאָה לִידֵי גֵרָעוֹן (סנהדרין כט.), הוּא שֶׁנֶּאֱמַר אַל תּוֹסְףְּ עַל דְּבָרָיו (משלי ל:ו; ב"ר שם ג): [פסוק ד] **לֹא מוֹת תְּמֻתוּן.** דְּחָפָהּ עַד שֶׁנָּגְעָה בּוֹ, אָמַר לָהּ כְּשֵׁם שֶׁאֵין מִיתָה בִּנְגִיעָה כָּךְ אֵין מִיתָה בַּאֲכִילָה (ב"ר שם): [פסוק ה] **כִּי יֹדֵעַ.** כָּל אוּמָּן שׂוֹנֵא אֶת בְּנֵי אוּמָּנוּתוֹ, מִן הָעֵץ אָכַל וּבָרָא אֶת הָעוֹלָם (שם ז): **וִהְיִיתֶם כֵּאלֹהִים.** יוֹצְרֵי עוֹלָמוֹת (שם): [פסוק ו] **וַתֵּרֶא הָאִשָּׁה.** רָאֲתָה דְּבָרָיו ד שֶׁל נָחָשׁ וְהֵנְאוּ לָהּ וְהֶאֱמִינַתּוּ (שם): **כִּי טוֹב הָעֵץ.** לִהְיוֹת כֵּאלֹהִים: **וְכִי תַאֲוָה הוּא לָעֵינַיִם.** [כְּמוֹ שֶׁאָמַר לָהּ] וְנִפְקְחוּ עֵינֵיכֶם: **וְנֶחְמָד הָעֵץ לְהַשְׂכִּיל.** [כְּמוֹ שֶׁאָמַר לָהּ] יוֹדְעֵי טוֹב וָרָע: **וַתִּתֵּן גַּם לְאִישָׁהּ [עִמָּהּ].** שֶׁלֹּא תָמוּת הִיא וְיִחְיֶה הוּא ה וְיִשָּׂא אַחֶרֶת (פדר"א יג; ב"ר יט:ה): **גַּם.** לְרַבּוֹת [כָּל] בְּהֵמָה ו וְחַיָּה (ב"ר שם ו):

בעל הטורים

(ו) **לעינים.** ד' במסורת — הכא "וכי תאוה הוא לעינים"; "כי האדם יראה לעינים"; "ומתוק האור וטוב לעינים"; "וכעשן לעינים". "האדם יראה לעינים", על כן לפי ראותו מתוק וטוב לעינים, אבל אחריתו כעשן לעינים, שגרמה מיתה לכל:

עיקר שפתי חכמים

ג הוסיפה לאו דוקא, כי באמת היא ג"כ לא ידעה מזה, ורק אישה הוסיף על הצווי ואמר לה שגם בנגיעה אסורה, דאל"כ איך האמינה לו אח"כ שלא תמות גם על האכילה, כיון שידעה שלא הוזהרה על הנגיעה: ד דמה ראתה עתה יותר מראשונה מקודם, לכן פי' ותרא כמו ותתבונן: ה דייק מדכתיב עמה: ו דאל"כ למה נקנסה עליהם מיתה:

ז וַתִּפָּקַ֙חְנָה֙ עֵינֵ֣י שְׁנֵיהֶ֔ם וַיֵּ֣דְע֔וּ כִּ֥י
עֵירֻמִּ֖ם הֵ֑ם וַֽיִּתְפְּרוּ֙ עֲלֵ֣ה תְאֵנָ֔ה
וַיַּעֲשׂ֥וּ לָהֶ֖ם חֲגֹרֹֽת׃ ח וַֽיִּשְׁמְע֞וּ
אֶת־ק֨וֹל יְהוָ֧ה אֱלֹהִ֛ים מִתְהַלֵּ֥ךְ
בַּגָּ֖ן לְר֣וּחַ הַיּ֑וֹם וַיִּתְחַבֵּ֨א הָֽאָדָ֜ם
וְאִשְׁתּ֗וֹ מִפְּנֵי֙ יְהוָ֣ה אֱלֹהִ֔ים בְּת֖וֹךְ
עֵ֥ץ הַגָּֽן׃ ט וַיִּקְרָ֛א יְהוָ֥ה אֱלֹהִ֖ים
אֶל־הָֽאָדָ֑ם וַיֹּ֥אמֶר ל֖וֹ אַיֶּֽכָּה׃ י וַיֹּ֕אמֶר אֶת־קֹלְךָ֥
שָׁמַ֖עְתִּי בַּגָּ֑ן וָאִירָ֛א כִּֽי־עֵירֹ֥ם אָנֹ֖כִי וָאֵחָבֵֽא׃

ז וְאִתְפַּתַּחָא עֵינֵי תַרְוֵיהוֹן
וִידַעוּ אֲרֵי עַרְטִילָאִין
אִינוּן וְחַטִּיטוּ לְהוֹן טַרְפֵּי
תְאֵנִין וַעֲבַדוּ לְהוֹן זָרְזִין׃
ח וּשְׁמַעוּ יָת קַל מֵימְרָא
דַיְיָ אֱלֹהִים מְהַלֵּךְ בְּגִינְתָא
לִמְנַח יוֹמָא וְאִיטַּמַּר
אָדָם וְאִתְּתֵהּ מִן קֳדָם יְיָ
אֱלֹהִים בְּגוֹ אִילַן גִּינְתָא׃
ט וּקְרָא יְיָ אֱלֹהִים לְאָדָם
וַאֲמַר לֵהּ אָן אַתְּ׃ י וַאֲמַר
יָת קַל מֵימְרָךְ שְׁמָעִית
בְּגִינְתָא וּדְחֵילִית אֲרֵי
עַרְטִילַאי אֲנָא וְאִיטַּמָּרִית׃

רש״י

[פסוק ז] וַתִּפָּקַחְנָה וגו׳. לְעִנְיַן הַחָכְמָה דִּבֵּר הַכָּתוּב וְלֹא לְעִנְיַן רְאִיָּה מַמָּשׁ, וְסוֹף הַמִּקְרָא מוֹכִיחַ: **וַיֵּדְעוּ כִּי עֵירֻמִּם הֵם.** אַף הַסּוּמָא יוֹדֵעַ כְּשֶׁהוּא עָרוֹם, [אֶלָּא מַהוּ וַיֵּדְעוּ כִּי עֵירֻמִּים הֵם, מִצְוָה אַחַת הָיְתָה בְיָדָם וְנִתְעַרְטְלוּ הֵימֶנָּה (ב״ר שם): **עֲלֵה תְאֵנָה.** הוּא הָעֵץ שֶׁאָכְלוּ מִמֶּנּוּ, בַּדָּבָר שֶׁנִּתְקַלְקְלוּ בּוֹ נִתְקְנוּ (ברכות מ.). אֲבָל שְׁאָר הָעֵצִים מְנָעוּם מִלִּיטוֹל עֲלֵיהֶם. וּמִפְּנֵי מָה לֹא נִתְפַּרְסֵם הָעֵץ, ז
שֶׁאֵין הקב״ה חָפֵץ לְהוֹנוֹת בְּרִיָּה, שֶׁלֹּא יַכְלִימוּהוּ וְיֹאמְרוּ זֶהוּ שֶׁלָּקָה הָעוֹלָם עַל יָדוֹ. מִדְרַשׁ רַבִּי תַּנְחוּמָא (וירא יד): **[פסוק ח] וַיִּשְׁמְעוּ.** יֵשׁ מִדְרְשֵׁי אַגָּדָה רַבִּים, וּכְבָר סִדְּרוּם רַבּוֹתֵינוּ עַל מְכוֹנָם בב״ר וּבִשְׁאָר מִדְרָשׁוֹת, וַאֲנִי לֹא בָאתִי אֶלָּא לִפְשׁוּטוֹ שֶׁל מִקְרָא וּלְאַגָּדָה הַמְיַשֶּׁבֶת דִּבְרֵי הַמִּקְרָא דָּבָר דָּבוּר עַל אָפְנָיו, וּכְמַשְׁמָעוֹ. שָׁמְעוּ אֶת קוֹל הקב״ה שֶׁהָיָה מִתְהַלֵּךְ בַּגָּן (ב״ר שם ז): **לְרוּחַ הַיּוֹם.** לְאוֹתוֹ רוּחַ שֶׁהַשֶּׁמֶשׁ בָּאָה מִשָּׁם [ס״א לְשָׁם] וְזוֹ הִיא מַעֲרָבִית, שֶׁלִּפְנוֹת עֶרֶב חַמָּה בְּמַעֲרָב (שם ח) וְהֵמָּה סָרְחוּ בַּעֲשִׂירִית (סנהדרין לח:): **[פסוק ט] אַיֶּכָּה.** יוֹדֵעַ הָיָה הֵיכָן הוּא, אֶלָּא לִיכָּנֵס עִמּוֹ בִּדְבָרִים (תנחומא תזריע ט) שֶׁלֹּא יְהֵא נִבְהָל לְהָשִׁיב אִם יַעֲנִישֵׁהוּ פִּתְאוֹם (עי׳ דרך ארץ רבה ה). וְכֵן בְּקַיִן אָמַר לוֹ אֵי הֶבֶל אָחִיךָ (להלן ד:ט), וְכֵן בְּבִלְעָם מִי הָאֲנָשִׁים הָאֵלֶּה עִמָּךְ (במדבר כב:ט) לִיכָּנֵס עִמָּהֶם בִּדְבָרִים, וְכֵן בְּחִזְקִיָּהוּ בִּשְׁלוּחֵי מְרֹאדַךְ בַּלְאֲדָן (ב״ר שם יח):

עיקר שפתי חכמים

ז כי למה פרט הכתוב תאנה אלא להורות שבדבר שנתקלקלו כו׳:

יא וַיֹּאמֶר מִי הִגִּיד לְךָ כִּי עֵירֹם
אָתָּה הֲמִן־הָעֵץ אֲשֶׁר צִוִּיתִיךָ
לְבִלְתִּי אֲכָל־מִמֶּנּוּ אָכָלְתָּ׃
יב וַיֹּאמֶר הָאָדָם הָאִשָּׁה אֲשֶׁר
נָתַתָּה עִמָּדִי הִוא נָתְנָה־לִּי
מִן־הָעֵץ וָאֹכֵל׃ יג וַיֹּאמֶר יְהוָה
אֱלֹהִים לָאִשָּׁה מַה־זֹּאת עָשִׂית
וַתֹּאמֶר הָאִשָּׁה הַנָּחָשׁ הִשִּׁיאַנִי
וָאֹכֵל׃ יד וַיֹּאמֶר יְהוָה אֱלֹהִים | אֶל־הַנָּחָשׁ
כִּי עָשִׂיתָ זֹּאת אָרוּר אַתָּה מִכָּל־הַבְּהֵמָה
וּמִכֹּל חַיַּת הַשָּׂדֶה עַל־גְּחֹנְךָ תֵלֵךְ וְעָפָר

יא וַאֲמַר מָן חַוִּי לָךְ
אֲרֵי עַרְטִילָאי אַתְּ הֲמִן
אִילָנָא דִּי פַקֶּדְתָּךְ בְּדִיל
דְּלָא לְמֵיכַל מִנֵּהּ אֲכַלְתְּ׃
יב וַאֲמַר אָדָם אִתְּתָא
דִּי יְהַבְתְּ עִמִּי הִיא יְהָבַת
לִי מִן אִילָנָא וַאֲכָלִית׃
יג וַאֲמַר יְיָ אֱלֹהִים לְאִתְּתָא
מָה דָא עֲבַדְתְּ וַאֲמַרַת
אִתְּתָא חִוְיָא אַטְעֲיַנִי
וַאֲכָלִית׃ יד וַאֲמַר יְיָ
אֱלֹהִים לְחִוְיָא אֲרֵי
עֲבַדְתְּ דָּא לִיט אַתְּ מִכָּל
בְּעִירָא וּמִכֹּל חֵיוַת בָּרָא
עַל מְעָךְ תֵּיזִיל וְעַפְרָא

רש"י

[פסוק יא] מִי הִגִּיד לְךָ. מֵאַיִן לְךָ לָדַעַת מַה בֹּשֶׁת יֵשׁ בְּעוֹמֵד ח עָרוֹם: **הֲמִן הָעֵץ.** בִּתְמִיָּה: **[פסוק יב] אֲשֶׁר נָתַתָּה עִמָּדִי.** כָּאן כָּפַר בְּטוֹבָה (ע"ז ה:): **[פסוק יג] הִשִּׁיאַנִי.** הִטְעַנִי (אונקלוס) כְּמוֹ אַל יַשִּׁיא (לכם) [אֶתְכֶם] חִזְקִיָּהוּ (דברי הימים ב לב:טו; ב"ר שם יב): **[פסוק יד] כִּי עָשִׂיתָ זֹּאת.** מִכָּאן שֶׁאֵין מְהַפְּכִים בִּזְכוּתוֹ שֶׁל מֵסִית, שֶׁאִלּוּ שְׁאָלוֹ לָמָּה עָשִׂיתָ זֹאת, הָיָה לוֹ לְהָשִׁיב דִּבְרֵי הָרַב וְדִבְרֵי הַתַּלְמִיד דִּבְרֵי מִי שׁוֹמְעִין (שם כ:ב; סנהדרין כט.): **מִכָּל הַבְּהֵמָה וּמִכֹּל חַיַּת הַשָּׂדֶה.** אִם מִבְּהֵמָה נִתְקַלֵּל מֵחַיָּה לֹא כָּל שֶׁכֵּן, הֶעֱמִידוּ רַבּוֹתֵינוּ מִדְרָשׁ זֶה בְּמַסֶּכֶת בְּכוֹרוֹת (ח.) לְלַמֵּד שֶׁיְּמֵי עִבּוּרוֹ שֶׁל נָחָשׁ שֶׁבַע ט שָׁנִים: **עַל גְּחֹנְךָ תֵלֵךְ.** רַגְלַיִם הָיוּ לוֹ י וְנִקְצְצוּ (ב"ר כ:ה):

בעל הטורים

(יא) המן. ג׳ במסורה — הכא "המן העץ"; ואידך "המן הסלע הזה"; "המן הגרן או מן היקב". כמאן דאמר אילן שאכל ממנו אדם הראשון חטה היה. וזהו "המן הגרן", וכמו שנקנסה עליו מיתה בשביל "המן העץ", גם התם נקנסה מיתה על ידי "המן הסלע": **אשר צויתיך לבלתי אכל.** סופי תבות רכיל, שהלכת בעצת רכיל: **(יב) ויאמר האדם, האשה אשר נתתה** וגו׳. זהו שאמר הכתוב "משיב רעה תחת טובה, לא תמוש רעה מביתו" סופי תבות אשה, שהיה כפוי טובה באשה שנתן לו לעזר: **הוא נתנה לי מן העץ ואכל.** לפי הפשט, שהכתני בעץ עד ששמעתי לדבריה:

עיקר שפתי חכמים

ח כי בלא זה לא ילדק התשובה מה שאמר כי עירום אנכי ואחבא: **ט** פי׳ דימי עיבורה של חתול [שהוא מין חיה] הוא נ"ב ימים, ושל חמור [מין בהמה] י"ב חודש. א"כ בהמה גרוע מחיה שבע פעמים [כי ז׳ פעמים נ"ב הוא שס"ד], כך יהיה נחש גרוע מבהמה שבע פעמים

תֹּאכַל כָּל־יְמֵי חַיֶּיךָ: טו וְאֵיבָה |
אָשִׁית בֵּינְךָ וּבֵין הָאִשָּׁה
וּבֵין זַרְעֲךָ וּבֵין זַרְעָהּ הוּא
יְשׁוּפְךָ רֹאשׁ וְאַתָּה תְּשׁוּפֶנּוּ
עָקֵב: ס טז אֶל־הָאִשָּׁה אָמַר
הַרְבָּה אַרְבֶּה עִצְּבוֹנֵךְ וְהֵרֹנֵךְ
בְּעֶצֶב תֵּלְדִי בָנִים וְאֶל־אִישֵׁךְ
תְּשׁוּקָתֵךְ וְהוּא יִמְשָׁל־בָּךְ: ס יז וּלְאָדָם אָמַר
כִּי שָׁמַעְתָּ לְקוֹל אִשְׁתֶּךָ וַתֹּאכַל מִן־הָעֵץ

תֵיכוּל כָּל יוֹמֵי חַיָּיךְ:
טו וּדְבָבוּ אֱשַׁוִּי בֵּינָךְ וּבֵין
אִתְּתָא וּבֵין בְּנָךְ וּבֵין
בְּנָהָא הוּא יְהֵי דְּכִיר לָךְ
מַה דַּעֲבַדְתָּ לֵהּ מִלְּקַדְמִין
וְאַתְּ תְּהֵא נָטִיר לֵהּ
לְסוֹפָא: טז לְאִתְּתָא אֲמַר
אַסְגָּאָה אַסְגֵּי צַעֲרִיכִי
וְעִדּוּיַיְכִי בְּצַעַר תֵּלְדִי
בְנִין וּלְוַת בַּעְלֵךְ תְּהֵא
תְּאוּבְתִּיךְ וְהוּא יִשְׁלַט
בֵּיךְ: יז וּלְאָדָם אֲמַר אֲרֵי
קַבִּילְתָּ לְמֵימַר אִתְּתָךְ
וַאֲכַלְתָּ מִן אִילָנָא

רש"י

[פסוק טו] **וְאֵיבָה אָשִׁית.** אַתָּה לֹא נִתְכַּוַּנְתָּ אֶלָּא שֶׁיָּמוּת אָדָם כְּשֶׁיֹּאכַל הוּא תְּחִלָּה וְתִשָּׂא אֶת חַוָּה (שם; אדר"נ א), וְלֹא בָּאתָ לְדַבֵּר אֶל חַוָּה תְּחִלָּה אֶלָּא לְפִי שֶׁהַנָּשִׁים קַלּוֹת לְהִתְפַּתּוֹת וְיוֹדְעוֹת לְפַתּוֹת אֶת בַּעֲלֵיהֶן (פדר"א שם), לְפִיכָךְ וְאֵיבָה אָשִׁית: **יְשׁוּפְךָ.** יְכַתֶּתְךָ, כְּמוֹ (דברים ט:כא) וָאֶכּוֹת אוֹתוֹ וְתַרְגּוּמוֹ וְשָׁפִית יָתֵיהּ: **וְאַתָּה תְּשׁוּפֶנּוּ עָקֵב.** לֹא יְהֵא לְךָ קוֹמָה כ וְתִשְּׁכֶנּוּ בַּעֲקֵבוֹ וְאַף מִשָּׁם תְּמִיתֶנּוּ, וּלְשׁוֹן תְּשׁוּפֶנּוּ כְּמוֹ נָשַׁף בָּהֶם (ישעיה מ:כד) כְּשֶׁהַנָּחָשׁ בָּא לְנְשׁוֹךְ הוּא נוֹשֵׁף כְּמִין שְׁרִיקָה, וּלְפִי שֶׁהַלָּשׁוֹן נוֹפֵל עַל הַלָּשׁוֹן ל כָּתַב לְשׁוֹן נְשִׁיפָה בִּשְׁנֵיהֶם: [פסוק טז] **עִצְּבוֹנֵךְ.** זֶה צַעַר גִּידּוּל בָּנִים (עירובין ק:): **וְהֵרֹנֵךְ.** זֶה צַעַר הָעִבּוּר (שם): **בְּעֶצֶב תֵּלְדִי בָּנִים.** זֶה צַעַר הַלֵּידָה (שם): **וְאֶל אִישֵׁךְ תְּשׁוּקָתֵךְ.** [תַּאֲוָתֵךְ] לְתַשְׁמִישׁ, וְאַעַפ"כ אֵין לָךְ מֵצַח לְתוֹבְעוֹ בַּפֶּה (שם) אֶלָּא **הוּא יִמְשָׁל בָּךְ,** הַכֹּל מִמֶּנּוּ וְלֹא מ מִמֵּךְ: **תְּשׁוּקָתֵךְ.** תַּאֲוָתֵךְ, כְּמוֹ וְנַפְשׁוֹ שׁוֹקֵקָה (ישעיה כט:ח):

בעל הטורים

(טו) עקב. ג' – "ואתה תשופנו עקב"; "הגדיל עלי עקב"; "והוא יגד עקב". זהו שדרשו רבותינו על נחש, חבל על שמש גדול שאבד מן הבית, וזהו "גם איש שלומי וכו' הגדיל עלי עקב". ועוד אמרו גבי ברכת השבטים, אף על פי שדימה יהודה לאריה ונפתלי לאילה, חזר וברכם כולם בברכה אחת, דכתיב "איש כברכתו ברך אותם", לומר שהשוום לגבורת אריה ולקלות אילה. וזהו "והוא יגד עקב", אף על פי שדימה דן לנחש, כלל גם גד באותה ברכה: **(טז) הרבה ארבה.** ב' במסורת – הכא "הרבה ארבה עצבונך"; ואידך "הרבה ארבה את זרעך". פירוש "עצבונך" זהו דם נדות, רמז למה שאמרו, כל אשה שדמיה מרובים, בניה מרובים:

עיקר שפתי חכמים

הייני שבע שנים: **י** דאם לא היו לו רגלים מעולם מה קללה היא זו: **כ** ר"ל שכל זה נכלל בקללתו של נחש: **ל** אף שהמובנים אינם שוים כי ישופך באדם הוא ל' כתיתה, ובנחש הוא ל' שריקה, מ"מ מדרך צחות הלשון הוא להשוות התיבות אף כי שונות המה בהוראתה [הרא"ם]: **מ** ר"ל אע"פ שהיא אינה רוצה והאיש רוצה יכול לכופה:

אֲשֶׁר צִוִּיתִיךָ לֵאמֹר לֹא תֹאכַל
מִמֶּנּוּ אֲרוּרָה הָאֲדָמָה בַּעֲבוּרֶךָ
בְּעִצָּבוֹן תֹּאכְלֶנָּה כֹּל יְמֵי
חַיֶּיךָ: יח וְקוֹץ וְדַרְדַּר תַּצְמִיחַ
לָךְ וְאָכַלְתָּ אֶת־עֵשֶׂב הַשָּׂדֶה:
יט בְּזֵעַת אַפֶּיךָ תֹּאכַל לֶחֶם עַד
שׁוּבְךָ אֶל־הָאֲדָמָה כִּי מִמֶּנָּה לֻקָּחְתָּ כִּי־עָפָר
אַתָּה וְאֶל־עָפָר תָּשׁוּב: כ וַיִּקְרָא הָאָדָם שֵׁם

דִּי פַקֵּידְתָּךְ לְמֵימַר
לָא תֵיכוּל מִנֵּהּ לִיטָא
אַרְעָא בְּדִילָךְ בַּעֲמַל
תֵּיכְלִינַהּ כָּל יוֹמֵי חַיָּךְ:
יח וְכוּבִין וְאַטְדִין תַּצְמַח
לָךְ וְתֵיכוּל יָת עִסְבָּא
דְחַקְלָא: יט בְּזֵעֲתָא דְאַפָּךְ
תֵּיכוּל לַחְמָא עַד דִּתְתוּב
לְאַרְעָא דְּמִנַּהּ אִתְבְּרֵיתָא
אֲרֵי עַפְרָא אַתְּ וּלְעַפְרָא
תְתוּב: כ וּקְרָא אָדָם שׁוּם

רש"י

[פסוק יז] **אֲרוּרָה הָאֲדָמָה בַּעֲבוּרֶךָ.** מַעֲלָה לְךָ דְּבָרִים אֲרוּרִים כְּגוֹן זְבוּבִים וּפַרְעוֹשִׁים וּנְמָלִים. [נ] מָשָׁל לְיוֹצֵא לְתַרְבּוּת רָעָה וְהַבְּרִיּוֹת מְקַלְּלוֹת שָׁדַיִם שֶׁיָּנַק מֵהֶם (ב"ר ה:ט): [פסוק יח] **וְקוֹץ וְדַרְדַּר תַּצְמִיחַ לָךְ.** הָאָרֶץ, כְּשֶׁתִּזְרָעֶנָּה מִינֵי זְרָעִים תַּצְמִיחַ קוֹץ וְדַרְדַּר קוֹנְדָּס וְעַכָּבִיּוֹת (שם כ:י) וְהֵן נֶאֱכָלִין ע"י [ס] תִּקּוּן (ביצה לד.): **וְאָכַלְתָּ אֶת עֵשֶׂב הַשָּׂדֶה.** וּמַה קְּלָלָה הִיא זוֹ, וַהֲלֹא בִּבְרָכָה נֶאֱמַר לוֹ הִנֵּה נָתַתִּי לָכֶם אֶת כָּל עֵשֶׂב זוֹרֵעַ זֶרַע וגו'. אֶלָּא מַה אָמוּר כָּאן בָּרִאשׁ הָעִנְיָן, אֲרוּרָה הָאֲדָמָה בַּעֲבוּרֶךָ בְּעִצָּבוֹן תֹּאכְלֶנָּה, וְאַחַר הָעִצָּבוֹן וְקוֹץ וְדַרְדַּר תַּצְמִיחַ לָךְ, כְּשֶׁתִּזְרָעֶנָּה קִטְנִיּוֹת אוֹ יַרְקוֹת גִּנָּה הִיא תַּצְמִיחַ לְךָ קוֹצִים וְדַרְדָּרִים וּשְׁאָר עִשְּׂבֵי שָׂדֶה, וְעַל כָּרְחֲךָ תֹּאכְלֵם: [פסוק יט] **בְּזֵעַת אַפֶּיךָ.** לְאַחַר שֶׁתִּטְרַח בּוֹ [ע] הַרְבֵּה: [פסוק כ] **וַיִּקְרָא הָאָדָם.** חָזַר הַכָּתוּב לְעִנְיָנוֹ הָרִאשׁוֹן וַיִּקְרָא הָאָדָם שֵׁמוֹת, (לעיל ב:כ) וְלֹא הִפְסִיק אֶלָּא לְלַמֶּדְךָ שֶׁעַל יְדֵי קְרִיאַת שֵׁמוֹת נִזְדַּוְּגָה לוֹ חַוָּה, כְּמוֹ שֶׁכָּתוּב וּלְאָדָם לֹא מָצָא עֵזֶר כְּנֶגְדּוֹ (שם) לְפִיכָךְ וַיַּפֵּל תַּרְדֵּמָה. וע"י שֶׁכָּתַב וַיִּהְיוּ שְׁנֵיהֶם עֲרוּמִּים (שם פסוק כה), סָמַךְ לוֹ פָּרָשַׁת הַנָּחָשׁ, לְהוֹדִיעֲךָ שֶׁמִּתּוֹךְ שֶׁרָאָה אוֹתָם עֲרוּמִּים וְרָאָה אוֹתָם עֲסוּקִים בְּתַשְׁמִישׁ נִתְאַוָּה לָהּ (ב"ר יח:ו) וּבָא עֲלֵיהֶם בְּמַחֲשָׁבָה וּבְמִרְמָה [ס"א זו] (אדר"נ א):

בעל הטורים

(יח) **וקוץ ודרדר תצמיח לך.** על אדמת ישראל מדבר, באומות העולם שהם כקוץ ודרדר לישראל. ורמז בכאן "קוץ ודרדר", שהם האומות, "תצמיח לך":

עיקר שפתי חכמים

נ ה"ג ד"ה משל כו'. כי לפי' הראשון הקללה היתה לאדם ע"י האדמה, ולפי' הד"א קלל את האדמה בעבור שהאדם נברא ממנה: **ס** ר"ל שתתקנם עם עשב השדה, והיינו ואכלת [את הקוצים והדרדרים] את [כמו עם] עשב השדה [הראוים לאכילה]. ומה שפירש להלן ע"פ ואכלת כו' הוא כמו ד"א כדרכו: **ע** שלא נפרש שיאכל לחם מעורב בזיעת אפים:

אִשְׁתּוֹ חַוָּה כִּי הִוא הָיְתָה אֵם
כָּל־חָי׃ כא וַיַּעַשׂ יְהוָה אֱלֹהִים
לְאָדָם וּלְאִשְׁתּוֹ כָּתְנוֹת עוֹר
וַיַּלְבִּשֵׁם׃ פ
רביעי כב וַיֹּאמֶר ׀ יְהוָה אֱלֹהִים הֵן
הָאָדָם הָיָה כְּאַחַד מִמֶּנּוּ לָדַעַת
טוֹב וָרָע וְעַתָּה ׀ פֶּן־יִשְׁלַח יָדוֹ
וְלָקַח גַּם מֵעֵץ הַחַיִּים וְאָכַל וָחַי
לְעֹלָם׃ כג וַיְשַׁלְּחֵהוּ יְהוָה אֱלֹהִים מִגַּן־עֵדֶן לַעֲבֹד
אֶת־הָאֲדָמָה אֲשֶׁר לֻקַּח מִשָּׁם׃ כד וַיְגָרֶשׁ אֶת־

אִתְּתֵהּ חַוָּה אֲרֵי הִיא
הֲוַת אִמָּא דְכָל בְּנֵי
אֲנָשָׁא׃ כא וַעֲבַד יְיָ אֱלֹהִים
לְאָדָם וּלְאִתְּתֵהּ לְבוּשִׁין
דִּיקָר עַל מְשַׁךְ בִּשְׂרֵיהוֹן
וְאַלְבֵּישִׁנּוּן׃ כב וַאֲמַר יְיָ
אֱלֹהִים הָא אָדָם הֲוָה
יְחִידִי בְּעָלְמָא מִנֵּהּ לְמִידַע
טָב וּבִישׁ וּכְעַן דִּילְמָא
יוֹשִׁיט יְדֵהּ וְיִסַּב אַף מֵאִילַן
חַיַּיא וְיֵיכוּל וְיֵחֵי לְעָלַם׃
כג וְשַׁלְּחֵהּ יְיָ אֱלֹהִים
מִגִּינְתָא דְעֵדֶן לְמִפְלַח
בְּאַרְעָא דִּי אִתְּבְּרִי
מִתַּמָּן׃ כד וְתָרִיךְ יָת

רש"י

חַוָּה. נוֹפֵל עַל לְשׁוֹן חַיָּה (ב"ר כ:יא) שֶׁמְּחַיָּה אֶת וַלְדוֹתֶיהָ, פ כַּאֲשֶׁר תֹּאמַר מֶה הֹוֶה לָאָדָם (קהלת ב:כב) בִּלְ' הָיָה: **[פסוק כא] כָּתְנוֹת עוֹר.** יֵשׁ דִּבְרֵי אַגָּדָה אוֹמְרִים צ חֲלָקִים כְּצִפֹּרֶן הָיוּ, מְדוּבָּקִים עַל עוֹרָן. וי"א דָּבָר הַבָּא מִן הָעוֹר כְּגוֹן צֶמֶר הָאַרְנָבִים שֶׁהוּא רַךְ וְחַם, וְעָשָׂה לָהֶם כָּתְנוֹת מִמֶּנּוּ (ב"ר כ:יב): **[פסוק כב] הָיָה כְּאַחַד מִמֶּנּוּ.** הֲרֵי הוּא יָחִיד בַּתַּחְתּוֹנִים כְּמוֹ שֶׁאֲנִי יָחִיד בָּעֶלְיוֹנִים, ק וּמַה הִיא יְחִידָתוֹ, לָדַעַת טוֹב וָרָע, מַה שֶּׁאֵין כֵּן בִּבְהֵמָה וְחַיָּה (אונקלוס; ב"ר כא:ה): **וְעַתָּה פֶּן יִשְׁלַח יָדוֹ וגו'.** וּמִשֶּׁיִּחְיֶה לְעוֹלָם הֲרֵי הוּא קָרוֹב לְהַטְעוֹת הַבְּרִיּוֹת אַחֲרָיו וְלוֹמַר אַף הוּא אֱלוֹהַּ (ב"ר ט:ה). וְיֵשׁ מִדְרְשֵׁי אַגָּדָה, אֲבָל אֵין מְיוּשָּׁבִין עַל פְּשׁוּטוֹ:

בעל הטורים

(כ) ויקרא האדם שם אשתו חוה. על שם שמחוה, וזהו שאמרו, עשרה קבין שיחה ירדו לעולם, תשעה נטלו נשים: **(כא) וילבשם.** ב' במסורת — הכא; ואידך גבי אהרן "וילבשם כתנת". מלמד שעשה הקדוש ברוך הוא לאדם הראשון בגדי כהונה. ואיתא בבראשית רבה, שבהם היו עובדין הבכורות. ושמונה תבות יש בזה הפסוק, כנגד שמונה בגדי כהונה:

עיקר שפתי חכמים

פ דלכאורה היה לו לקרותה חיה ע"ז פי' נופל כו': צ ר"ל ל' חלוק וכתונת: ק ר"ל כמו שאני יחיד בעליונים בידיעה, שידיעת הש"ית מקיף כל הידיעות, הן בשכל ודעת והן בין טוב ורע שהוא ידיעת נאה ומגונה, כן האדם מכח השכל [שאכל מעץ הדעת] יודע להבחין בין הנאה והמגונה, ומכח השכל האלוה מהעליונים יודע להבחין בין האמת והשקר. ובזה הוא יחיד בתחתונים, כי שארי הברואים אף שטעמו מעץ הדעת לא ידעו להבחין בין הנאה והמגונה. ועתה פן ישלח גו':

הָֽאָדָ֑ם וַיַּשְׁכֵּן֩ מִקֶּ֨דֶם לְגַֽן־עֵ֜דֶן אֶת־הַכְּרֻבִ֗ים וְאֵ֨ת לַ֤הַט הַחֶ֙רֶב֙ הַמִּתְהַפֶּ֔כֶת לִשְׁמֹ֕ר אֶת־דֶּ֖רֶךְ עֵ֥ץ הַחַיִּֽים׃ ס

פרק ד א וְהָ֣אָדָ֔ם יָדַ֖ע אֶת־חַוָּ֣ה אִשְׁתּ֑וֹ וַתַּ֙הַר֙ וַתֵּ֣לֶד אֶת־קַ֔יִן וַתֹּ֕אמֶר קָנִ֥יתִי אִ֖ישׁ אֶת־יְהוָֽה׃ ב וַתֹּ֣סֶף לָלֶ֔דֶת אֶת־אָחִ֖יו אֶת־הָ֑בֶל וַֽיְהִי־הֶ֙בֶל֙ רֹ֣עֵה צֹ֔אן וְקַ֕יִן הָיָ֖ה עֹבֵ֥ד אֲדָמָֽה׃ ג וַֽיְהִ֖י מִקֵּ֣ץ יָמִ֑ים וַיָּבֵ֨א קַ֜יִן מִפְּרִ֧י הָֽאֲדָמָ֛ה מִנְחָ֖ה לַֽיהוָֽה׃

אָדָם וְאַשְׁרֵי מִלְּקַדְמִין לְגִינְתָא דְעֵדֶן יָת כְּרוּבַיָּא וְיָת שְׁנַן חַרְבָּא דְמִתְהַפְּכָא לְמִטַּר יָת אוֹרַח אִילָן חַיַּיָּא:
א וְאָדָם יְדַע יָת חַוָּה אִתְּתֵהּ וְעַדִּיאַת וִילִידַת יָת קַיִן וַאֲמֶרֶת קְנֵיתִי גַּבְרָא (מִן) קֳדָם יְיָ:
ב וְאוֹסִיפַת לְמֵילַד יָת אֲחוּהִי יָת הֶבֶל וַהֲוָה הֶבֶל רָעֵי עָנָא וְקַיִן הֲוָה פָּלַח בְּאַרְעָא:
ג וַהֲוָה מִסּוֹף יוֹמִין וְאַיְתִי קַיִן מֵאִבָּא דְאַרְעָא תִּקְרֻבְתָּא קֳדָם יְיָ:

רש"י

[פסוק כד] **מִקֶּדֶם לְגַן עֵדֶן.** בְּמִזְרָחוֹ ר שֶׁל גַּן עֵדֶן חוּץ לַגָּן: **אֶת הַכְּרוּבִים.** מַלְאֲכֵי חַבָּלָה (ב"ר ט:יא): **הַחֶרֶב הַמִּתְהַפֶּכֶת.** וְלָהּ ש לַהַט, לְאַיֵּים עָלָיו מִלִּיכָּנֵס עוֹד לַגָּן. תַּרְגּוּם שֶׁל לַהַט שְׁנַן, וְהוּא כְּמוֹ שְׁלַף שְׁנָנָא (סנהדרין פב.) וּבִלְשׁוֹן לע"ז למ"ה. וּמִדְרְשֵׁי אַגָּדָה יֵשׁ, וַאֲנִי אֵינִי בָא אֶלָּא לִפְשׁוּטוֹ: [פסוק א] **וְהָאָדָם יָדַע.** כְּבָר קוֹדֶם הָעִנְיָן שֶׁל מַעְלָה, ת קוֹדֶם שֶׁחָטָא וְנִטְרַד מִגַּן עֵדֶן, וְכֵן הַהֵרָיוֹן וְהַלֵּידָה (סנהדרין לח:). שֶׁאִם כָּתַב וַיֵּדַע אָדָם, נִשְׁמַע שֶׁלְּאַחַר שֶׁנִּטְרַד הָיוּ לוֹ בָנִים: **קַיִן.** עַל שֵׁם קָנִיתִי [אִישׁ]: **אֶת ה'.** כְּמוֹ עִם ה'. כְּשֶׁבָּרָא אוֹתִי וְאֶת אִישִׁי, לְבַדּוֹ בְּרָאָנוּ, אֲבָל בָּזֶה שׁוּתָּפִים אָנוּ עִמּוֹ (ב"ר כב:ב): [פסוק ב] **אֶת אָחִיו אֶת הָבֶל.** אֶת קַיִן ג' אֶתִים רִיבּוּיִים הֵם, מְלַמֵּד שֶׁתְּאוֹמָה נוֹלְדָה עִם קַיִן וְעִם הֶבֶל נוֹלְדוּ שְׁתַּיִם, לְכָךְ נֶאֱמַר א וַתּוֹסֶף (ב"ר שם ג): **רֹעֵה צֹאן.** לְפִי שֶׁנִּתְקַלְּלָה הָאֲדָמָה פֵּירַשׁ לוֹ מֵעֲבוֹדָתָהּ (מדרש אגדה): [פסוק ג] **מִפְּרִי הָאֲדָמָה.** מִן הַגָּרוּעַ (ב"ר כב:ה). ב וְיֵשׁ אַגָּדָה שֶׁאוֹמֶרֶת זֶרַע פִּשְׁתָּן הָיָה (תנחומא ט):

בעל הטורים

(כד) **לשמר את דרך עץ החיים.** לשמר, נוטריקון – לילין, שדין, מזיקין, רוחין:

עיקר שפתי חכמים

ר ויהיה מ"ם מקדם פירושו מפאת קדם, והיינו במזרחה של גן [ולא כת"א]: **ש** וכאלו כתיב ואת החרב המתהפכת שיש לה להט בהפיכתה: **ת** כי ידע בקמץ תחת היו"ד הוא עבר ושלם שכבר ידע: **א** ר"ל שהוסיפה עוד ללדת, כלומר דשני אתים משמעו שתים ואחי ותוסף על מלת את: **ב** מדלא כתיב גם כאן מראשית כמו שנאמר אצל הבל מבכורות:

ד וְהֶ֨בֶל הֵבִ֥יא גַם־ה֛וּא מִבְּכֹר֥וֹת
צֹאנ֖וֹ וּמֵֽחֶלְבֵהֶ֑ן וַיִּ֣שַׁע יְהוָ֔ה אֶל־
הֶ֖בֶל וְאֶל־מִנְחָתֽוֹ׃ ה וְאֶל־קַ֥יִן
וְאֶל־מִנְחָת֖וֹ לֹ֣א שָׁעָ֑ה וַיִּ֤חַר לְקַ֙יִן֙
מְאֹ֔ד וַֽיִּפְּל֖וּ פָּנָֽיו׃ ו וַיֹּ֥אמֶר יְהוָ֖ה
אֶל־קָ֑יִן לָ֚מָּה חָ֣רָה לָ֔ךְ וְלָ֖מָּה
נָפְל֥וּ פָנֶֽיךָ׃ ז הֲל֤וֹא אִם־תֵּיטִיב֙
שְׂאֵ֔ת וְאִם֙ לֹ֣א תֵיטִ֔יב לַפֶּ֖תַח
חַטָּ֣את רֹבֵ֑ץ וְאֵלֶ֙יךָ֙ תְּשׁ֣וּקָת֔וֹ
וְאַתָּ֖ה תִּמְשָׁל־בּֽוֹ׃ ח וַיֹּ֥אמֶר קַ֖יִן
אֶל־הֶ֣בֶל אָחִ֑יו וַֽיְהִי֙ בִּהְיוֹתָ֣ם בַּשָּׂדֶ֔ה וַיָּ֥קָם קַ֛יִן
אֶל־הֶ֥בֶל אָחִ֖יו וַיַּהַרְגֵֽהוּ׃ ט וַיֹּ֤אמֶר יְהוָה֙ אֶל־קַ֔יִן

ד וְהֶבֶל אַיְתִי אַף הוּא
מִבַּכִּירֵי עָנֵהּ וּמִשַּׁמְנְהוֹן
וַהֲוַת רַעֲוָא מִן קֳדָם
יְיָ לְהֶבֶל וּלְקוּרְבָּנֵהּ:
ה וּלְקַיִן וּלְקוּרְבָּנֵהּ לָא
הֲוַת רַעֲוָא וּתְקֵף לְקַיִן
לַחֲדָא וְאִתְכְּבִישׁוּ אַפּוֹהִי:
ו וַאֲמַר יְיָ לְקַיִן לְמָא תְּקֵיף
לָךְ וּלְמָא אִתְכְּבִישׁוּ
אַפָּךְ: ז הֲלָא אִם תֵּיטִיב
עוֹבָדָךְ יִשְׁתְּבֵק לָךְ
וְאִם לָא תֵיטִיב עוֹבָדָךְ
לְיוֹם דִּינָא חַטָּאת נְטִיר
וְדַעֲתִיד לְאִתְפְּרָעָא
מִנָּךְ אִם לָא תְתוּב
וְאִם תְּתוּב יִשְׁתְּבֵק לָךְ:
ח וַאֲמַר קַיִן לְהֶבֶל אֲחוּהִי
וַהֲוָה בְּמֶהֱוֵיהוֹן בְּחַקְלָא
וְקָם קַיִן בְּהֶבֶל אֲחוּהִי
וְקַטְלֵהּ: ט וַאֲמַר יְיָ לְקַיִן

רש״י

[פסוק ד] וַיִּשַׁע. וַיִּפֶן. וְכֵן וְאֶל מִנְחָתוֹ לֹא שָׁעָה, לֹא פָּנָה. וְכֵן וְאַל יִשְׁעוּ (שמות ה:ט) אַל יִפְנוּ. וְכֵן שְׁעֵה מֵעָלָיו (איוב יד:ו) פְּנֵה מֵעָלָיו: **וַיִּשַׁע.** יָרְדָה אֵשׁ ג וְלִחֲכָה מִנְחָתוֹ (מדרש אגדה): **[פסוק ז] הֲלֹא אִם תֵּיטִיב.** כְּתַרְגּוּמוֹ פֵּירוּשׁוֹ: **לַפֶּתַח חַטָּאת רֹבֵץ.** לְפֶתַח קִבְרְךָ חֶטְאֲךָ שָׁמוּר (אונקלוס): **וְאֵלֶיךָ תְּשׁוּקָתוֹ.** שֶׁל חַטָּאת הוּא יֵצֶר הָרָע, תָּמִיד שׁוֹקֵק וּמִתְאַוֶּה לְהַכְשִׁילְךָ (ספרי עקב מה; קדושין ל:): **וְאַתָּה תִּמְשָׁל בּוֹ.** אִם תִּרְצֶה תִּתְגַּבֵּר עָלָיו (שם ושם): **[פסוק ח] וַיֹּאמֶר קַיִן.** נִכְנַס עִמּוֹ בְּדִבְרֵי רִיב וּמַצָּה ד לְהִתְעוֹלֵל עָלָיו לְהָרְגוֹ. וְיֵשׁ בָּזֶה מִדְרְשֵׁי אַגָּדָה אַךְ זֶה יִשּׁוּבוֹ שֶׁל מִקְרָא:

בעל הטורים

(ז) **תשוקתו.** ב׳ במסורת — הכא; ואידך ״אני לדודי ועלי תשוקתו״. והוא שאמרו חכמינו ז״ל, שתי תשוקות הן, תשוקתן של רשעים לעבירה, שנאמר ״ואליך תשוקתו״, ותשוקתו של הקדוש ברוך הוא על ישראל, שנאמר ״אני לדודי ועלי תשוקתו״:

עיקר שפתי חכמים

ג ר״ל שבזה נודע שפנה אליו: ד כי לא מפורש בקרא מה אמר לכך פירש שנכנס כו׳:

אֵי הֶבֶל אָחִיךָ וַיֹּאמֶר לֹא יָדַעְתִּי
הֲשֹׁמֵר אָחִי אָנֹכִי: י וַיֹּאמֶר מֶה
עָשִׂיתָ קוֹל דְּמֵי אָחִיךָ צֹעֲקִים
אֵלַי מִן־הָאֲדָמָה: יא וְעַתָּה אָרוּר
אָתָּה מִן־הָאֲדָמָה אֲשֶׁר פָּצְתָה
אֶת־פִּיהָ לָקַחַת אֶת־דְּמֵי אָחִיךָ
מִיָּדֶךָ: יב כִּי תַעֲבֹד אֶת־הָאֲדָמָה
לֹא־תֹסֵף תֵּת־כֹּחָהּ לָךְ נָע וָנָד
תִּהְיֶה בָאָרֶץ: יג וַיֹּאמֶר קַיִן
אֶל־יְהֹוָה גָּדוֹל עֲוֺנִי מִנְּשֹׂא: יד הֵן גֵּרַשְׁתָּ
אֹתִי הַיּוֹם מֵעַל פְּנֵי הָאֲדָמָה וּמִפָּנֶיךָ אֶסָּתֵר

אֲן הֶבֶל אָחוּךְ וַאֲמַר
לָא יָדַעְנָא הֲנָטַר אֲחִי
אֲנָא: י וַאֲמַר מֶה עֲבַדְתָּא
קָל דַּם זַרְעִין דַּעֲתִידִין
לְמִפַּק מִן אָחוּךְ קָבִילִין
קֳדָמַי מִן אַרְעָא: יא וּכְעַן
לִיט אַתְּ מִן אַרְעָא דִּי
פְתַחַת יָת פּוּמַהּ וְקַבִּילַת
יָת דְּמֵי דְּאָחוּךְ מִן יְדָךְ:
יב אֲרֵי תִפְלַח בְּאַרְעָא
לָא תוֹסִיף לְמִתַּן חֵילַהּ
לָךְ מְטַלְטַל וְגָלֵי תְּהֵא
בְּאַרְעָא: יג וַאֲמַר קַיִן קֳדָם
יְיָ סַגִּי חוֹבִי מִלְּמִשְׁבַּק:
יד הָא תָרֵיכְתָּא יָתִי
יוֹמָא דֵין מֵעַל אַפֵּי
אַרְעָא וּמִן קֳדָמָךְ
לֵית אֶפְשַׁר לְאִטַּמָּרָא

רש"י

[פסוק ט] אֵי הֶבֶל אָחִיךָ. לְהִכָּנֵס עִמּוֹ בְּדִבְרֵי נַחַת, אוּלַי יָשׁוּב וְיֹאמַר אֲנִי הֲרַגְתִּיו וְחָטָאתִי לָךְ (ב"ר יט:יא; במ"ר כ:ו): **לֹא יָדַעְתִּי.** נַעֲשָׂה כְּגוֹנֵב דַּעַת הָעֶלְיוֹנָה (במ"ר שם; תנחומא ישן כה): **הֲשֹׁמֵר אָחִי.** לְשׁוֹן תְּמִיהָה הוּא, וְכֵן כָּל ה"א הַנְּקוּדָה בַּחֲטַף פַּתָּח: **[פסוק י] דְּמֵי אָחִיךָ.** דָּמוֹ וְדַם זַרְעִיּוֹתָיו (סנהדרין לז.). ד"א שֶׁעָשָׂה בּוֹ פְּצָעִים הַרְבֵּה, ה שֶׁלֹּא הָיָה יוֹדֵעַ מֵהֵיכָן נַפְשׁוֹ יוֹצְאָה (שם לז:): **[פסוק יא] מִן הָאֲדָמָה.** יוֹתֵר מִמַּה שֶּׁנִּתְקַלְּלָה הִיא כְּבָר ו בַּעֲוֹנָהּ (ב"ר ה:ט), וְגַם בָּזוֹ הוֹסִיפָה לַחֲטוֹא, **אֲשֶׁר פָּצְתָה אֶת פִּיהָ לָקַחַת אֶת דְּמֵי אָחִיךָ וגו',** וַהֲרֵינִי מוֹסִיף לָהּ קְלָלָה [אֵלֵךְ], לֹא תֹסֵף תֵּת כֹּחָהּ (מכילתא בשלח שירה פ"ט): **[פסוק יב] נָע וָנָד.** אֵין לְךָ רְשׁוּת לָדוּר בְּמָקוֹם אֶחָד (אונקלוס): **[פסוק יג] גָּדוֹל עֲוֹנִי מִנְּשׂוֹא.** בִּתְמִיָּה, ז אַתָּה טוֹעֵן עֶלְיוֹנִים וְתַחְתּוֹנִים וַעֲוֹנִי אִי אֶפְשָׁר לִטְעוֹן (ב"ר כב:יא):

בעל הטורים

(י) צועקים. ב' במסורת — הכא "צועקים אלי"; ואידך "על כן צועקים וגו'". ופירש רש"י התם, מלמד שנצטרע והיה שוחט תינוקות של ישראל ורוחץ בדמם, וזהו "קול דמי אחיך צועקים":

עיקר שפתי חכמים

ה ואמרו חז"ל בסנהדרין עד שהגיע לצוארו: ו פי' בעון שהוציאה עץ עושה פרי כדלעיל [א' י"א]: ז וחסר ה"א התמיה:

וְהָיִיתִי נָע וָנָד בָּאָרֶץ וְהָיָה
כָל־מֹצְאִי יַהַרְגֵנִי: טו וַיֹּאמֶר
לוֹ יהוה לָכֵן כָּל־הֹרֵג קַיִן
שִׁבְעָתַיִם יֻקָּם וַיָּשֶׂם יהוה לְקַיִן
אוֹת לְבִלְתִּי הַכּוֹת־אֹתוֹ כָּל־
מֹצְאוֹ: טז וַיֵּצֵא קַיִן מִלִּפְנֵי יהוה
וַיֵּשֶׁב בְּאֶרֶץ־נוֹד קִדְמַת־עֵדֶן:
יז וַיֵּדַע קַיִן אֶת־אִשְׁתּוֹ וַתַּהַר וַתֵּלֶד אֶת־חֲנוֹךְ

וָאֱהֵי מְטַלְטַל וְגָלֵי בְּאַרְעָא
וִיהֵי כָּל דְּיִשְׁכְּחִנַּנִי
יִקְטְלִנַּנִי: טו וַאֲמַר לֵהּ יְיָ
לְכֵן כָּל קָטִיל קַיִן לְשַׁבְעָא
דָרִין יִתְפְּרַע מִנֵּהּ וְשַׁוִּי
יְיָ לְקַיִן אָתָא בְּדִיל
דְּלָא לְמִקְטַל יָתֵהּ כָּל
דְּיִשְׁכְּחִנֵּהּ: טז וּנְפַק קַיִן מִן
קֳדָם יְיָ וִיתִיב בְּאַרְעָא גָּלֵי
וּמְטַלְטַל דַּהֲוָה עֲבִידָא
עֲלוֹהִי מִלְּקַדְמִין כְּגִינְתָא
(נ"א דְגִינְתָא) דְעֵדֶן:
יז וִידַע קַיִן יָת אִתְּתֵהּ
וְעַדִּיאַת וִילִידַת יָת חֲנוֹךְ

רש"י

[פסוק טו] לָכֵן כָּל הֹרֵג קָיִן. זֶה אֶחָד מִן הַמִּקְרָאוֹת שֶׁקִּצְּרוּ דִבְרֵיהֶם וְרָמְזוּ ח וְלֹא פֵּירְשׁוּ. לָכֵן כָּל הוֹרֵג קַיִן לְשׁוֹן גְּעָרָה, כֹּה יֵעָשֶׂה לוֹ, כָּךְ וְכָךְ עוֹנְשׁוֹ, וְלֹא פֵּירֵשׁ עוֹנְשׁוֹ: **שִׁבְעָתַיִם יֻקָּם.** אֵינִי רוֹצֶה לְהִנָּקֵם מִקַּיִן עַכְשָׁיו, לְסוֹף שִׁבְעָה דוֹרוֹת אֲנִי נוֹקֵם נִקְמָתִי מִמֶּנּוּ שֶׁיַּעֲמוֹד לֶמֶךְ מִבְּנֵי בָנָיו וְיַהַרְגֵהוּ. וְסוֹף הַמִּקְרָא שֶׁאָמַר שִׁבְעָתַיִם יוּקָם וְהוּא נִקְמַת הֶבֶל ט מִקַּיִן, לִמַּדְנוּ שֶׁתְּחִלַּת מִקְרָא לְשׁוֹן גְּעָרָה הִיא שֶׁלֹּא תְהֵא בְּרִיָּה מַזִּיקָתוֹ. וְכַיּוֹצֵא בוֹ וַיֹּאמֶר דָּוִד כָּל מַכֵּה יְבוּסִי וְיִגַּע בַּצִּנּוֹר (שמואל ב ה:ח) וְלֹא פֵּירֵשׁ מַה יֵּעָשֶׂה לוֹ. אֲבָל דִּבֵּר הַכָּתוּב בְּרֶמֶז, כָּל מַכֵּה יְבוּסִי וְיִגַּע בַּצִּנּוֹר, וְיַקְרִיב אֶל הַשַּׁעַר וְיִכְבְּשֶׁנּוּ, וְאֶת הָעִוְרִים וגו' (שם), וְגַם אוֹתָם יַכֶּה עַל אֲשֶׁר אָמְרוּ הָעִוֵּר וְהַפִּסֵּחַ לֹא יָבוֹא [דָּוִד] אֶל תּוֹךְ הַבַּיִת, הַמַּכֶּה אֶת אֵלּוּ אֲנִי אֶעֱשֶׂנּוּ רֹאשׁ וְשַׂר. כָּאן קִצֵּר דְּבָרָיו, וּבְדִבְרֵי הַיָּמִים (א יא:ו) פֵּירֵשׁ יִהְיֶה לְרֹאשׁ וּלְשָׂר: **וַיָּשֶׂם ה' לְקַיִן אוֹת.** חָקַק לוֹ אוֹת מִשְּׁמוֹ י בְּמִצְחוֹ (תרגום יונתן): **[פסוק טז] וַיֵּצֵא קַיִן.** יָצָא בְּהַכְנָעָה כ כְּגוֹנֵב דַּעַת הָעֶלְיוֹנָה (ב"ר כב:יג): **בְּאֶרֶץ נוֹד.** בָּאָרֶץ שֶׁכָּל הַגּוֹלִים נָדִים שָׁם: **קִדְמַת עֵדֶן.** שָׁם גָּלָה אָבִיו כְּשֶׁגּוֹרַשׁ מִגַּן עֵדֶן, שֶׁנֶּאֱמַר וַיַּשְׁכֵּן מִקֶּדֶם לְגַן עֵדֶן (לעיל ג:כד) לִשְׁמוֹר אֶת שְׁמִירַת דֶּרֶךְ מְבוֹא הַגַּן, שֶׁיֵּשׁ לִלְמוֹד שֶׁהָיָה אָדָם שָׁם. וּמָצִינוּ רוּחַ מִזְרָחִית קוֹלֶטֶת בְּכָל מָקוֹם אֶת הָרוֹצְחִים, שֶׁנֶּאֱמַר אָז יַבְדִּיל מֹשֶׁה וגו' מִזְרְחָה שָׁמֶשׁ (דברים ד:מא; ב"ר כא:ט). דָּבָר אַחֵר בְּאֶרֶץ נוֹד, כָּל מָקוֹם שֶׁהוֹלֵךְ הָיְתָה הָאָרֶץ

בעל הטורים

(יד) מצאי. ב' במסורת — הכא; ואידך "כי מוצאי מצא חיים". וזה הוא שאמרו חכמינו ז"ל, למימינים בה סמא דחיי, למשמאילין בה סמא דמותא; וזהו "והיה כל מוצאי יהרגני":

עיקר שפתי חכמים

ח שהיה לו לסיים שיהיה ענשו כך וכך: ט ר"ל דשבעתים יוקם קאי אקין, ולא על ההורג את קין, כי לא מצינו עונש על למך שהרג את קין. רק כי לשבעה דורות נהרג קין: י משמו ר"ל של הקב"ה והיא אות ה"א. רמז על כל הורג קין [רש"ל]: כ דייק מדלא כתיב וילך קין:

וַֽיְהִי֙ בֹּ֣נֶה עִ֔יר וַיִּקְרָא֙ שֵׁ֣ם הָעִ֔יר
כְּשֵׁ֖ם בְּנ֥וֹ חֲנֽוֹךְ׃ יח וַיִּוָּלֵ֤ד לַחֲנוֹךְ֙
אֶת־עִירָ֔ד וְעִירָ֕ד יָלַ֖ד אֶת־
מְחֽוּיָאֵ֑ל וּמְחִיָּיאֵ֗ל יָלַד֙ אֶת־
מְת֣וּשָׁאֵ֔ל וּמְתֽוּשָׁאֵ֖ל יָלַ֥ד אֶת־
לָֽמֶךְ׃ חמישי יט וַיִּֽקַּֽח־ל֥וֹ לֶ֖מֶךְ שְׁתֵּ֣י
נָשִׁ֑ים שֵׁ֤ם הָֽאַחַת֙ עָדָ֔ה וְשֵׁ֥ם הַשֵּׁנִ֖ית צִלָּֽה׃ כ וַתֵּ֥לֶד
עָדָ֖ה אֶת־יָבָ֑ל ה֣וּא הָיָ֔ה אֲבִ֕י יֹשֵׁ֥ב אֹ֖הֶל וּמִקְנֶֽה׃

וַהֲוָה בָּנֵי קַרְתָּא וּקְרָא
שְׁמָא דְקַרְתָּא כְּשׁוּם בְּרֵהּ
חֲנוֹךְ׃ יח וְאִתְיְלִיד לַחֲנוֹךְ
יָת עִירָד וְעִירָד אוֹלִיד יָת
מְחוּיָאֵל וּמְחִיָּיאֵל אוֹלִיד
יָת מְתוּשָׁאֵל וּמְתוּשָׁאֵל
אוֹלִיד יָת לָמֶךְ׃ יט וּנְסֵיב
לֵהּ לֶמֶךְ תַּרְתֵּין נְשִׁין שׁוּם
חֲדָא עָדָה וְשׁוּם תִּנְיֵתָא
צִלָּה׃ כ וִילִידַת עָדָה יָת
יָבָל הוּא הֲוָה רַבְּהוֹן דְּכָל
דְּיָתְבֵי מַשְׁכְּנִין וּמָרֵי בְעִיר׃

רש"י

מִזְדַּעְזַעַת תַּחְתָּיו וְהַבְּרִיּוֹת אוֹמְרִים סוּרוּ מֵעָלָיו זֶהוּ שֶׁהָרַג אֶת אָחִיו (תנחומא ט): **[פסוק יז] וַיְהִי.** קַיִן **בֹּנֶה עִיר** ל **וַיִּקְרָא שֵׁם הָעִיר** לְזֵכֶר **בְּנוֹ חֲנוֹךְ** (ב"ר כג:א): **[פסוק יח] וְעִירָד יָלַד.** יֵשׁ מָקוֹם שֶׁהוּא אוֹמֵר בְּזָכָר הוֹלִיד וְיֵשׁ מָקוֹם שֶׁהוּא אוֹמֵר יָלַד, שֶׁהַלֵּידָה מְשַׁמֶּשֶׁת שְׁתֵּי לְשׁוֹנוֹת, לֵידַת הָאִשָּׁה, נייסטר"א בלע"ז, וּזְרִיעַת תּוֹלְדוֹת הָאִישׁ, אינייינדר"ר בלע"ז. כְּשֶׁהוּא אוֹמֵר הוֹלִיד בִּלְשׁוֹן הִפְעִיל מְדַבֵּר בְּלֵידַת הָאִשָּׁה, פְּלוֹנִי הוֹלִיד אֶת אִשְׁתּוֹ בֵּן אוֹ בַת. כְּשֶׁהוּא אוֹמֵר יָלַד מְדַבֵּר בִּזְרִיעַת הָאִישׁ: **[פסוק יט] וַיִּקַּח לוֹ לֶמֶךְ.** לֹא הָיָה לוֹ לְפָרֵשׁ כָּל זֶה מ אֶלָּא לְלַמְּדֵנוּ מִסּוֹף הָעִנְיָן שֶׁקִּיֵּים הקב"ה הַבְטָחָתוֹ שֶׁאָמַר שִׁבְעָתַיִם יֻקַּם קָיִן. עָמַד לֶמֶךְ לְאַחַר שֶׁהוֹלִיד בָּנִים וְעָשָׂה דּוֹר שְׁבִיעִי וְהָרַג אֶת קַיִן, זֶהוּ שֶׁאָמַר כִּי אִישׁ הָרַגְתִּי לְפִצְעִי וגו' (להלן פסוק כג; תנחומא יא): **שְׁתֵּי נָשִׁים.** כָּךְ הָיָה דַּרְכָּן שֶׁל דּוֹר הַמַּבּוּל, אַחַת לִפְרִיָּה וּרְבִיָּה וְאַחַת לְתַשְׁמִישׁ. זוֹ שֶׁהִיא לְתַשְׁמִישׁ מַשְׁקָהּ כּוֹס שֶׁל עִקָּרִין כְּדֵי שֶׁתֵּעָקֵר וּמְקוּשֶּׁטֶת כְּכַלָּה וּמַאֲכִילָהּ מַעֲדַנִּים, וַחֲבֶרְתָּהּ נְזוּפָה כְּאַלְמָנָה. וְזֶהוּ שֶׁפֵּירֵשׁ אִיּוֹב (כד:כא) רֹעֶה עֲקָרָה לֹא תֵלֵד וְאַלְמָנָה לֹא יְיֵטִיב, כְּמוֹ שֶׁמְּפוֹרָשׁ בְּאַגָּדַת חֵלֶק (שם ליתא, והוא בב"ר כג:ב): **עָדָה.** הִיא שֶׁל פְּרִיָּה וּרְבִיָּה, וְעַל שֵׁם שֶׁמְּגוּנָּה עָלָיו וּמוּסֶרֶת מֵאֶצְלוֹ [ס"א מֵאֲכָלוֹ]. עָדָה תַּרְגּוּם שֶׁל סוּרָה נ: **צִלָּה.** הִיא שֶׁל תַּשְׁמִישׁ, עַל שֵׁם שֶׁיּוֹשֶׁבֶת תָּמִיד בְּצִלּוֹ. דִּבְרֵי אַגָּדָה הֵם בִּבְרֵאשִׁית רַבָּה (שם): **[פסוק כ] אֲבִי יֹשֵׁב אֹהֶל וּמִקְנֶה.** הוּא הָיָה הָרִאשׁוֹן לְרוֹעֵי בְהֵמוֹת ס בַּמִּדְבָּרוֹת וְיוֹשֵׁב אֹהָלִים חֹדֶשׁ כָּאן וְחֹדֶשׁ כָּאן בִּשְׁבִיל מִרְעֵה צֹאנוֹ,

עיקר שפתי חכמים

ל פי' דויהי בונה עיר קאי על קין ולא על חנוך: **מ** כי לפי סדר הכתוב היה לו לומר ולמך ילד את יבל וכו'. אך ללמדנו ממה שאמר לנשיו כי איש הרגתי כו' ולכך מספר והולך שלקח למך שתי נשים וכו': **נ** ואף שגם צלה ילדה כו' י"ל דזה שאמר הכתוב וצלה גם היא ילדה וכו' לומר דאף ששתתה כוס של עיקרין בכ"ז ילדה [רא"ם]: **ס** ואבי ר"ל ראשון ואב לרועי בהמות:

כא וְשֵׁם אָחִיו יוּבָל הוּא הָיָה אֲבִי כָּל־תֹּפֵשׂ כִּנּוֹר וְעוּגָב: כב וְצִלָּה גַם־הִוא יָלְדָה אֶת־תּוּבַל קַיִן לֹטֵשׁ כָּל־חֹרֵשׁ נְחֹשֶׁת וּבַרְזֶל וַאֲחוֹת תּוּבַל־קַיִן נַעֲמָה: ששי כג וַיֹּאמֶר לֶמֶךְ לְנָשָׁיו עָדָה וְצִלָּה שְׁמַעַן קוֹלִי נְשֵׁי לֶמֶךְ הַאְזֵנָּה אִמְרָתִי כִּי אִישׁ הָרַגְתִּי לְפִצְעִי וְיֶלֶד לְחַבֻּרָתִי: כד כִּי שִׁבְעָתַיִם יֻקַּם־קָיִן

כא וְשׁוּם אֲחוּהִי יוּבָל הוּא הֲוָה רַבְּהוֹן דְּכָל דִּמְנַגַּן עַל פּוּם נִבְלָא יָדְעֵי זְמַר כִּנּוֹרָא וְאַבּוּבָא: כב וְצִלָּה אַף הִיא יְלִידַת יָת תּוּבַל קַיִן רַבְּהוֹן דְּכָל יָדְעֵי עֲבִידַת נְחָשָׁא וּפַרְזְלָא וַאֲחָתֵהּ דְּתוּבַל קַיִן נַעֲמָה: כג וַאֲמַר לֶמֶךְ לִנְשׁוֹהִי עָדָה וְצִלָּה שְׁמַעַן קָלִי נְשֵׁי לֶמֶךְ אֲצִיתָא לְמֵימְרִי לָא גַבְרָא קְטָלִית דִּבְדִילֵהּ אֲנָא סָבִיל חוֹבִין וְאַף לָא עוּלֵימָא חַבִּילִית דִּבְדִילֵהּ יִשְׁתֵּיצֵי זַרְעִי: כד אֲרֵי לְשַׁבְעָא דָרִין אִיתְלִין לְקַיִן

רש"י

וּכְשֶׁכָּלָה הַמִּרְעֶה בְּמָקוֹם זֶה הוֹלֵךְ וְתוֹקֵעַ אָהֳלוֹ בְּמָקוֹם אַחֵר. ומ"א, בּוֹנֶה בָּתִּים לַעֲבוֹדַת כּוֹכָבִים, כְּמָה דְּאַתְּ אָמַר סֵמֶל הַקִּנְאָה הַמַּקְנֶה (יחזקאל ח:ג), וְכֵן אָחִיו תֹּפֵשׂ כִּנּוֹר וְעוּגָב (פסוק כא) לְזַמֵּר לַעֲבוֹדַת כּוֹכָבִים (ב"ר שם ג): **[פסוק כב] תּוּבַל קָיִן.** תּוּבַל אוּמָּנוּתוֹ שֶׁל קַיִן. תּוּבַל לְ' תַּבְלִין, תִּיבֵּל וְהִתְקִין אוּמָּנוּתוֹ שֶׁל קַיִן לַעֲשׂוֹת כְּלֵי זַיִן לָרוֹצְחִים (שם): **לֹטֵשׁ כָּל חֹרֵשׁ נְחֹשֶׁת וּבַרְזֶל.** מְחַדֵּד אוּמָּנוּת נְחֹשֶׁת וּבַרְזֶל כְּמוֹ יִלְטוֹשׁ עֵינָיו לִי (איוב טז:ט). חוֹרֵשׁ אֵינוֹ לְשׁוֹן פּוֹעֵל אֶלָּא לְ' פּוֹעֵל, שֶׁהֲרֵי נָקוּד קָמַץ קָטָן וְטַעְמוֹ לְמַטָּה, כְּלוֹמַר מְחַדֵּד וּמְלַאכְתּוֹ כָּל כְּלֵי אוּמָּנוּת [ע] נְחֹשֶׁת וּבַרְזֶל: **נַעֲמָה.** הִיא אִשְׁתּוֹ שֶׁל [פ] נֹחַ (ב"ר שם): **[פסוק כג] שְׁמַעַן קוֹלִי.** שֶׁהָיוּ נָשָׁיו פּוֹרְשׁוֹת מִמֶּנּוּ מִתַּשְׁמִישׁ לְפִי שֶׁהָרַג אֶת קַיִן וְאֶת תּוּבַל קַיִן בְּנוֹ, שֶׁהָיָה לֶמֶךְ סוּמָא וְתוּבַל קַיִן מוֹשְׁכוֹ, וְרָאָה אֶת קַיִן וְנִדְמֶה לוֹ כְּחַיָּה וְאָמַר לְאָבִיו לִמְשׁוֹךְ בַּקֶּשֶׁת וַהֲרָגוֹ, וְכֵיוָן שֶׁיָּדַע שֶׁהוּא קַיִן זְקֵנוֹ הִכָּה כַּף אֶל כַּף וְסָפַק אֶת בְּנוֹ בֵּינֵיהֶם וַהֲרָגוֹ, וְהָיוּ נָשָׁיו פּוֹרְשׁוֹת מִמֶּנּוּ וְהוּא מְפַיְּסָן (תנחומא שם; ילק"ש לח): **שְׁמַעַן קוֹלִי.** לְהִשָּׁמַע לִי לְתַשְׁמִישׁ, **וְכִי אִישׁ** אֲשֶׁר **הָרַגְתִּי לְפִצְעִי** הוּא נֶהֱרַג, וְכִי אֲנִי פְּצַעְתִּיו מֵזִיד שֶׁיְּהֵא הַפֶּצַע קָרוּי עַל שְׁמִי. **וְיֶלֶד** אֲשֶׁר הָרַגְתִּי **לְחַבֻּרָתִי** נֶהֱרַג, כְּלוֹמַר ע"י חַבּוּרָתִי, בִּתְמִיָּה, וַהֲלֹא שׁוֹגֵג אֲנִי וְלֹא מֵזִיד, לֹא זֶהוּ פִּצְעִי וְלֹא זוֹ חַבּוּרָתִי (שם ושם): **פֶּצַע.** מַכַּת חֶרֶב אוֹ חֵץ, נברדור"א בלע"ז: **[פסוק כד] כִּי שִׁבְעָתַיִם יֻקַּם קָיִן.** קַיִן שֶׁהָרַג מֵזִיד נִתְלָה לוֹ עַד שִׁבְעָה

עיקר שפתי חכמים

ע מסרס המקרא וכמו שכתוב לוטש וחורש כל [כלי] נחשת וברזל: פ דלמה נזכרה נקבה זו בפרשה אלא לרמז שגם היא נשארה אחר המבול:

וְלֶמֶךְ שִׁבְעִים וְשִׁבְעָה: כה וַיֵּדַע אָדָם עוֹד אֶת־אִשְׁתּוֹ וַתֵּלֶד בֵּן וַתִּקְרָא אֶת־שְׁמוֹ שֵׁת כִּי שָׁת־לִי אֱלֹהִים זֶרַע אַחֵר תַּחַת הֶבֶל כִּי הֲרָגוֹ קָיִן: כו וּלְשֵׁת גַּם־הוּא יֻלַּד־בֵּן וַיִּקְרָא אֶת־שְׁמוֹ אֱנוֹשׁ אָז הוּחַל לִקְרֹא בְּשֵׁם יְהוָה: ס פרק ה א זֶה סֵפֶר תּוֹלְדֹת אָדָם

הֲלָא לְלֶמֶךְ בְּרֵהּ שַׁבְעִין וְשַׁבְעָא: כה וִידַע אָדָם עוֹד יָת אִתְּתֵהּ וִילֵידַת בַּר וּקְרָת יָת שְׁמֵהּ שֵׁת אֲרֵי אֲמָרַת (נ״א אֲמַר) יְהַב לִי יְיָ בַּר אָחֳרָן חֲלָף הֶבֶל דִּקְטָלֵהּ קָיִן: כו וּלְשֵׁת אַף הוּא אִתְיְלִיד בַּר וּקְרָא יָת שְׁמֵהּ אֱנוֹשׁ בְּכֵן בְּיוֹמוֹהִי חֲלוּ בְּנֵי אֱנָשָׁא מִלְּצַלָּאָה בִּשְׁמָא דַיְיָ: א דֵּין סְפַר תּוֹלְדַת אָדָם

רש״י

דּוֹרוֹת, אֲנִי שֶׁהָרַגְתִּי שׁוֹגֵג לֹא כָּל שֶׁכֵּן שֶׁיִּתָּלֶה לִי שְׁבִיעִיּוֹת הַרְבֵּה (ילק״ש שם): **שִׁבְעִים וְשִׁבְעָה.** לְשׁוֹן רִבּוּי שְׁבִיעִיּוֹת אָשִׁית לוֹ. כָּךְ דָּרַשׁ ר׳ תַּנְחוּמָא (שם). וּמִדְרַשׁ ב״ר (כג:ד) לֹא הָרַג לֶמֶךְ כְּלוּם, וְנָשָׁיו פּוֹרְשׁוֹת מִמֶּנּוּ מִשֶּׁקִּיְּמוּ פְּרִיָּה וּרְבִיָּה, לְפִי שֶׁנִּגְזְרָה גְזֵרָה לְכַלּוֹת זַרְעוֹ שֶׁל קַיִן לְאַחַר שִׁבְעָה דוֹרוֹת. אָמְרוּ, מָה אָנוּ יוֹלְדוֹת לְבַטָּלָה, לְמָחָר הַמַּבּוּל בָּא וְשׁוֹטֵף אֶת הַכֹּל. וְהוּא אוֹמֵר לָהֶן וְכִי אִישׁ הָרַגְתִּי לְפִצְעִי, וְכִי אֲנִי הָרַגְתִּי אֶת הֶבֶל שֶׁהָיָה אִישׁ בְּקוֹמָה וְיֶלֶד בְּשָׁנִים שֶׁיְּהֵא זַרְעִי כָלֶה בְּאוֹתוֹ עָוֹן, וּמַה קַּיִן שֶׁהָרַג נִתְלָה לוֹ שִׁבְעָה דוֹרוֹת, אֲנִי שֶׁלֹּא הָרַגְתִּי לֹא כָּל שֶׁכֵּן שֶׁיִּתָּלוּ לִי שְׁבִיעִיּוֹת הַרְבֵּה. וְזֶהוּ ק״ו שֶׁל שְׁטוּת, אִם כֵּן אֵין הַקָּדוֹשׁ בָּרוּךְ הוּא גּוֹבֶה אֶת חוֹבוֹ וּמְקַיֵּים אֶת דְּבּוּרוֹ: **[פסוק כה] וַיֵּדַע אָדָם וגו׳.** בָּא לוֹ לֶמֶךְ אֵצֶל אָדָם הָרִאשׁוֹן וְקָבַל עַל נָשָׁיו. אָמַר לָהֶם, וְכִי עֲלֵיכֶם לְדַקְדֵּק עַל גְּזֵרָתוֹ שֶׁל מָקוֹם, צ אַתֶּם עֲשׂוּ מִצְוַתְכֶם וְהוּא יַעֲשֶׂה אֶת שֶׁלּוֹ. אָמְרוּ לוֹ קְשׁוֹט עַצְמְךָ תְּחִלָּה, וַהֲלֹא פָּרַשְׁתָּ מֵאִשְׁתְּךָ זֶה מֵאָה וּשְׁלֹשִׁים שָׁנָה מִשֶּׁנִּקְנְסָה מִיתָה עַל יָדְךָ. מִיָּד **וַיֵּדַע אָדָם עוֹד.** וּמַהוּ עוֹד, לְלַמֵּד שֶׁנִּתּוֹסְפָה לוֹ תַאֲוָה ק עַל תַּאֲוָתוֹ. בב״ר (שם ה): **[פסוק כו] אָז הוּחַל.** [לְשׁוֹן חוּלִין (שם ו)] לִקְרֹא אֶת שְׁמוֹת הָאָדָם וְאֶת שְׁמוֹת הָעֲצַבִּים בִּשְׁמוֹ שֶׁל הקב״ה לַעֲשׂוֹתָן אֱלִילִים וְלִקְרוֹתָן אֱלֹהוּת (שם ז; תנחומא נח יח; תרגום יונתן; ״אמין כח״ לס׳ יוה״כ): **[פסוק א] זֶה סֵפֶר תּוֹלְדֹת אָדָם.** זוֹ הִיא סְפִירַת תּוֹלְדוֹת אָדָם. וּמִדְרְשֵׁי אַגָּדָה יֵשׁ רַבִּים:

עיקר שפתי חכמים

צ ולפי פי׳ הראשון שפירשו ממנו משום דליכא מה השיב להם אדם. י״ל דהשיב להם וכי מפני שעשה עבירה אחת שהרג יעשה עוד עבירה לבטל פריה ורבי׳ וכי מי שאכל שום כו׳ [רש״ל]: ק י״ל דלשון עוד לא שייך רק כשהפעולה השניה היא סמוכה להראשונה, אבל כאן כיון שפירש כבר ק״ל שנים מאשתו לא שייך ל׳ עוד, ע״כ פי׳ דמרמז על הוספת תאותו:

ראה הטבלא ״סדר וּשְׁנוֹת הַדּוֹרוֹת מֵאָדָם הָרִאשׁוֹן עַד יַעֲקֹב אָבִינוּ״ (עמוד 518).

בְּי֗וֹם בְּרֹ֤א אֱלֹהִים֙ אָדָ֔ם בִּדְמ֥וּת
אֱלֹהִ֖ים עָשָׂ֥ה אֹתֽוֹ׃ ב זָכָ֥ר וּנְקֵבָ֖ה
בְּרָאָ֑ם וַיְבָ֣רֶךְ אֹתָ֗ם וַיִּקְרָ֤א
אֶת־שְׁמָם֙ אָדָ֔ם בְּי֖וֹם הִבָּֽרְאָֽם׃
ג וַיְחִ֣י אָדָ֗ם שְׁלֹשִׁ֤ים וּמְאַת֙ שָׁנָ֔ה
וַיּ֥וֹלֶד בִּדְמוּת֖וֹ כְּצַלְמ֑וֹ וַיִּקְרָ֥א
אֶת־שְׁמ֖וֹ שֵֽׁת׃ ד וַיִּהְי֣וּ יְמֵי־
אָדָ֗ם אַֽחֲרֵי֙ הוֹלִיד֣וֹ אֶת־שֵׁ֔ת
שְׁמֹנֶ֥ה מֵאֹ֖ת שָׁנָ֑ה וַיּ֥וֹלֶד בָּנִ֖ים
וּבָנֽוֹת׃ ה וַיִּֽהְי֞וּ כָּל־יְמֵ֤י אָדָם֙
אֲשֶׁר־חַ֔י תְּשַׁ֤ע מֵאוֹת֙ שָׁנָ֔ה וּשְׁלֹשִׁ֖ים שָׁנָ֑ה
וַיָּמֹֽת׃ ס ו וַֽיְחִי־שֵׁ֕ת חָמֵ֥שׁ שָׁנִ֖ים
וּמְאַ֣ת שָׁנָ֑ה וַיּ֖וֹלֶד אֶת־אֱנֽוֹשׁ׃ ז וַֽיְחִי־שֵׁ֗ת אַֽחֲרֵי֙
הוֹלִיד֣וֹ אֶת־אֱנ֔וֹשׁ שֶׁ֣בַע שָׁנִ֔ים וּשְׁמֹנֶ֥ה מֵא֖וֹת
שָׁנָ֑ה וַיּ֥וֹלֶד בָּנִ֖ים וּבָנֽוֹת׃ ח וַיִּֽהְיוּ֙ כָּל־יְמֵי־שֵׁ֔ת

בְּיוֹמָא דִּבְרָא יְיָ אָדָם
בִּדְמוּת אֱלֹהִים עֲבַד יָתֵהּ:
ב דְּכַר וְנוּקְבָא בְּרָאנוּן
וּבָרֵיךְ יָתְהוֹן וּקְרָא יָת
שְׁמְהוֹן אָדָם בְּיוֹמָא
דְּאִתְבְּרִיאוּ: ג וַחֲיָא אָדָם
מְאָה וּתְלָתִין שְׁנִין וְאוֹלִיד
בִּדְמוּתֵהּ דְּדָמֵי לֵהּ וּקְרָא
יָת שְׁמֵהּ שֵׁת: ד וַהֲווֹ יוֹמֵי
אָדָם בָּתַר דְּאוֹלִיד יָת שֵׁת
תְּמְנֵי מְאָה שְׁנִין וְאוֹלִיד
בְּנִין וּבְנָן: ה וַהֲווֹ כָּל
יוֹמֵי אָדָם דִּי חֲיָא תְּשַׁע
מְאָה וּתְלָתִין שְׁנִין וּמִית:
ו וַחֲיָא שֵׁת מְאָה וַחֲמֵשׁ
שְׁנִין וְאוֹלִיד יָת אֱנוֹשׁ:
ז וַחֲיָא שֵׁת בָּתַר דְּאוֹלִיד
יָת אֱנוֹשׁ תְּמְנֵי מְאָה
וּשְׁבַע שְׁנִין וְאוֹלִיד בְּנִין
וּבְנָן: ח וַהֲווֹ כָּל יוֹמֵי שֵׁת

רש"י

בְּיוֹם בְּרֹא וגו'. מַגִּיד שֶׁבַּיּוֹם שֶׁנִּבְרָא [ר] הוֹלִיד (ב"ר כד:ז): **[פסוק ג] שְׁלֹשִׁים וּמְאַת שָׁנָה.** עַד כָּאן פֵּירַשׁ מִן הָאִשָּׁה (שם ו; עירובין יח:):

עיקר שפתי חכמים

ר ויהי' קאי ביום ברוא על תולדות אדם וזה ספר שב על והאדם ידע כו' ותלד את קין והבל:

שְׁתֵּים עֶשְׂרֵה שָׁנָה וּתְשַׁע מֵאוֹת
שָׁנָה וַיָּמֹת׃ ס ט וַיְחִי אֱנוֹשׁ
תִּשְׁעִים שָׁנָה וַיּוֹלֶד אֶת־קֵינָן׃
י וַיְחִי אֱנוֹשׁ אַחֲרֵי הוֹלִידוֹ אֶת־
קֵינָן חֲמֵשׁ עֶשְׂרֵה שָׁנָה וּשְׁמֹנֶה
מֵאוֹת שָׁנָה וַיּוֹלֶד בָּנִים
וּבָנוֹת׃ יא וַיִּהְיוּ כָּל־יְמֵי אֱנוֹשׁ
חָמֵשׁ שָׁנִים וּתְשַׁע מֵאוֹת שָׁנָה
וַיָּמֹת׃ ס יב וַיְחִי קֵינָן שִׁבְעִים
שָׁנָה וַיּוֹלֶד אֶת־מַהֲלַלְאֵל׃
יג וַיְחִי קֵינָן אַחֲרֵי הוֹלִידוֹ אֶת־
מַהֲלַלְאֵל אַרְבָּעִים שָׁנָה וּשְׁמֹנֶה מֵאוֹת שָׁנָה
וַיּוֹלֶד בָּנִים וּבָנוֹת׃ יד וַיִּהְיוּ כָּל־יְמֵי קֵינָן עֶשֶׂר
שָׁנִים וּתְשַׁע מֵאוֹת שָׁנָה וַיָּמֹת׃ ס טו וַיְחִי
מַהֲלַלְאֵל חָמֵשׁ שָׁנִים וְשִׁשִּׁים שָׁנָה וַיּוֹלֶד
אֶת־יָרֶד׃ טז וַיְחִי מַהֲלַלְאֵל אַחֲרֵי הוֹלִידוֹ
אֶת־יֶרֶד שְׁלֹשִׁים שָׁנָה וּשְׁמֹנֶה מֵאוֹת שָׁנָה
וַיּוֹלֶד בָּנִים וּבָנוֹת׃ יז וַיִּהְיוּ כָּל־יְמֵי מַהֲלַלְאֵל

תְּשַׁע מְאָה וְתַרְתָּא עַשְׂרֵי
שְׁנִין וּמִית׃ ט וַחֲיָא אֱנוֹשׁ
תִּשְׁעִין שְׁנִין וְאוֹלִיד יָת
קֵינָן׃ י וַחֲיָא אֱנוֹשׁ בָּתַר
דְּאוֹלִיד יָת קֵינָן תַּמְנֵי
מְאָה וַחֲמֵשׁ עַשְׂרֵי שְׁנִין
וְאוֹלִיד בְּנִין וּבְנָן׃ יא וַהֲווֹ
כָּל יוֹמֵי אֱנוֹשׁ תְּשַׁע
מְאָה וַחֲמֵשׁ שְׁנִין וּמִית׃
יב וַחֲיָא קֵינָן שַׁבְעִין שְׁנִין
וְאוֹלִיד יָת מַהֲלַלְאֵל׃
יג וַחֲיָא קֵינָן בָּתַר דְּאוֹלִיד
יָת מַהֲלַלְאֵל תַּמְנֵי מְאָה
וְאַרְבְּעִין שְׁנִין וְאוֹלִיד בְּנִין
וּבְנָן׃ יד וַהֲווֹ כָּל יוֹמֵי קֵינָן
תְּשַׁע מְאָה וַעֲשַׂר שְׁנִין
וּמִית׃ טו וַחֲיָא מַהֲלַלְאֵל
שִׁתִּין וַחֲמֵשׁ שְׁנִין וְאוֹלִיד
יָת יָרֶד׃ טז וַחֲיָא מַהֲלַלְאֵל
בָּתַר דְּאוֹלִיד יָת יֶרֶד
תַּמְנֵי מְאָה וּתְלָתִין
שְׁנִין וְאוֹלִיד בְּנִין וּבְנָן׃
יז וַהֲווֹ כָּל יוֹמֵי מַהֲלַלְאֵל

חָמֵשׁ וְתִשְׁעִים שָׁנָה וּשְׁמֹנֶה
מֵאוֹת שָׁנָה וַיָּמֹת: ס יח וַיְחִי־
יֶרֶד שְׁתַּיִם וְשִׁשִּׁים שָׁנָה וּמְאַת
שָׁנָה וַיּוֹלֶד אֶת־חֲנוֹךְ: יט וַיְחִי־
יֶרֶד אַחֲרֵי הוֹלִידוֹ אֶת־חֲנוֹךְ
שְׁמֹנֶה מֵאוֹת שָׁנָה וַיּוֹלֶד בָּנִים
וּבָנוֹת: כ וַיִּהְיוּ כָּל־יְמֵי־יֶרֶד שְׁתַּיִם
וְשִׁשִּׁים שָׁנָה וּתְשַׁע מֵאוֹת שָׁנָה
וַיָּמֹת: ס כא וַיְחִי חֲנוֹךְ חָמֵשׁ
וְשִׁשִּׁים שָׁנָה וַיּוֹלֶד אֶת־מְתוּשָׁלַח: כב וַיִּתְהַלֵּךְ
חֲנוֹךְ אֶת־הָאֱלֹהִים אַחֲרֵי הוֹלִידוֹ אֶת־מְתוּשֶׁלַח
שְׁלֹשׁ מֵאוֹת שָׁנָה וַיּוֹלֶד בָּנִים וּבָנוֹת: כג וַיְהִי
כָּל־יְמֵי חֲנוֹךְ חָמֵשׁ וְשִׁשִּׁים שָׁנָה וּשְׁלֹשׁ מֵאוֹת
שָׁנָה: כד וַיִּתְהַלֵּךְ חֲנוֹךְ אֶת־הָאֱלֹהִים וְאֵינֶנּוּ

תַּמְנֵי מְאָה וְתִשְׁעִין
וַחֲמֵשׁ שְׁנִין וּמִית: יח וַחֲיָא
יֶרֶד מְאָה וְשִׁתִּין וְתַרְתֵּין
שְׁנִין וְאוֹלִיד יָת חֲנוֹךְ:
יט וַחֲיָא יֶרֶד בָּתַר דְּאוֹלִיד
יָת חֲנוֹךְ תַּמְנֵי מְאָה שְׁנִין
וְאוֹלִיד בְּנִין וּבְנָן: כ וַהֲווֹ
כָּל יוֹמֵי יֶרֶד תְּשַׁע מְאָה
וְשִׁתִּין וְתַרְתֵּין שְׁנִין וּמִית:
כא וַחֲיָא חֲנוֹךְ שִׁתִּין וַחֲמֵשׁ
שְׁנִין וְאוֹלִיד יָת מְתוּשֶׁלַח:
כב וְהַלִּיךְ חֲנוֹךְ בְּדַחַלְתָּא
דַּייָ בָּתַר דְּאוֹלִיד יָת
מְתוּשֶׁלַח תְּלָת מְאָה
שְׁנִין וְאוֹלִיד בְּנִין וּבְנָן:
כג וַהֲוָה כָּל יוֹמֵי חֲנוֹךְ
תְּלָת מְאָה וְשִׁתִּין וַחֲמֵשׁ
שְׁנִין: כד וְהַלִּיךְ חֲנוֹךְ
בְּדַחַלְתָּא דַּייָ וְלֵיתוֹהִי

רש"י

[פסוק כד] וַיִּתְהַלֵּךְ חֲנוֹךְ. צַדִּיק הָיָה וְקַל [ס"א וְקַבָּל] בְּדַעְתּוֹ ש לָשׁוּב לְהַרְשִׁיעַ, לְפִיכָךְ מִיהֵר הקב"ה וְסִילְּקוֹ וֶהֱמִיתוֹ קוֹדֶם זְמַנּוֹ, וְזֶהוּ שֶׁשִּׁינָּה הַכָּתוּב בְּמִיתָתוֹ לִכְתּוֹב וְאֵינֶנּוּ בָּעוֹלָם לְמַלֹּאת שְׁנוֹתָיו

בעל הטורים

(כב) [חנוך.] "הנה בשמים עדי [ושהדי במרומים]" [עדי] בגימטריא חנוך, ושהדי בגימטריא מטטרון. שלקח הקדוש ברוך הוא אחד מאותן של קודם דור המבול ואחד של אחר דור המבול, דהיינו חנוך ופנחס, והעלם לשמים שיעידו עליו. ובחר בחנוך, שהיה דור שביעי, שהקדוש ברוך הוא חפץ בשביעיות, וכן משה שהיה שביעי לאבות כתיב בה, "ומשה עלה אל האלהים":

עיקר שפתי חכמים

ש דכיון דהתהלך את האלהים והיה צדיק למה סילקו קודם זמנו, אלא שהיה קל בדעתו כו':

כִּי־לָקַח אֹתוֹ אֱלֹהִים׃ ס שביעי
כה וַיְחִי מְתוּשֶׁלַח שֶׁבַע וּשְׁמֹנִים
שָׁנָה וּמְאַת שָׁנָה וַיּוֹלֶד אֶת־לָמֶךְ׃
כו וַיְחִי מְתוּשֶׁלַח אַחֲרֵי הוֹלִידוֹ
אֶת־לֶמֶךְ שְׁתַּיִם וּשְׁמוֹנִים שָׁנָה
וּשְׁבַע מֵאוֹת שָׁנָה וַיּוֹלֶד בָּנִים
וּבָנוֹת׃ כז וַיִּהְיוּ כָּל־יְמֵי מְתוּשֶׁלַח
תֵּשַׁע וְשִׁשִּׁים שָׁנָה וּתְשַׁע מֵאוֹת
שָׁנָה וַיָּמֹת׃ ס כח וַיְחִי־לֶמֶךְ
שְׁתַּיִם וּשְׁמֹנִים שָׁנָה וּמְאַת שָׁנָה וַיּוֹלֶד בֵּן׃
כט וַיִּקְרָא אֶת־שְׁמוֹ נֹחַ לֵאמֹר *זֶה יְנַחֲמֵנוּ
מִמַּעֲשֵׂנוּ וּמֵעִצְּבוֹן יָדֵינוּ מִן־הָאֲדָמָה אֲשֶׁר
אֵרְרָהּ יהוה׃ ל וַיְחִי־לֶמֶךְ אַחֲרֵי הוֹלִידוֹ אֶת־נֹחַ

אֲרֵי (לָא) אֲמֵית יָתֵהּ יְיָ׃
כה וַחֲיָא מְתוּשֶׁלַח מְאָה
וּתְמָנַן וּשְׁבַע שְׁנִין וְאוֹלִיד
יָת לָמֶךְ׃ כו וַחֲיָא מְתוּשֶׁלַח
בָּתַר דְּאוֹלִיד יָת לֶמֶךְ
שְׁבַע מְאָה וּתְמָנַן וְתַרְתֵּין
שְׁנִין וְאוֹלִיד בְּנִין וּבְנָן׃
כז וַהֲווֹ כָּל יוֹמֵי מְתוּשֶׁלַח
תְּשַׁע מְאָה וְשִׁתִּין וּתְשַׁע
שְׁנִין וּמִית׃ כח וַחֲיָא לֶמֶךְ
מְאָה וּתְמָנַן וְתַרְתֵּין שְׁנִין
וְאוֹלִיד בָּר׃ כט וּקְרָא
יָת שְׁמֵהּ נֹחַ לְמֵימַר
דֵּין יְנַחֲמִנַּנָא מֵעוֹבָדָנָא
וּמִלֵּאוּת יְדָנָא מִן אַרְעָא
דִּי לַטְטַהּ יְיָ׃ ל וַחֲיָא לֶמֶךְ
בָּתַר דְּאוֹלִיד יָת נֹחַ

* הקורא יטעים את הגרשים לפני התלישא

רש"י

כִּי לָקַח אֹתוֹ לִפְנֵי זְמַנּוֹ, כְּמוֹ הִנְנִי לֹקֵחַ מִמְּךָ אֶת מַחְמַד עֵינֶיךָ (יחזקאל כד:טז; ב"ר כה:א): **[פסוק כח] וַיּוֹלֶד בֵּן.** שֶׁמִּמֶּנּוּ נִבְנָה ת הָעוֹלָם (תנחומא יא): **[פסוק כט] זֶה יְנַחֲמֵנוּ.** יָנַח מִמֶּנּוּ אֶת **עִצְּבוֹן יָדֵינוּ.** עַד שֶׁלֹּא בָּא נֹחַ לֹא הָיָה לָהֶם כְּלֵי מַחֲרֵישָׁה וְהוּא הֵכִין לָהֶם, וְהָיְתָה הָאָרֶץ מוֹצִיאָה קוֹצִים וְדַרְדָּרִים כְּשֶׁזּוֹרְעִים חִטִּים מִקִּלְלָתוֹ שֶׁל אָדָם הָרִאשׁוֹן (שם), וּבִימֵי נֹחַ נָחָה. וְזֶהוּ יְנַחֲמֵנוּ יָנַח מִמֶּנּוּ. וְאִם לֹא תְּפָרְשֵׁהוּ כָּךְ א אֵין טַעַם הַלָּשׁוֹן נוֹפֵל עַל הַשֵּׁם וְאַתָּה צָרִיךְ לִקְרוֹת שְׁמוֹ מְנַחֵם (ב"ר כה:ב):

עיקר שפתי חכמים

ת דלמה שינה הכתוב לכתוב כאן בן מבשאר תולדות, אלא בן ל' בנין: א אלא תפרשהו מלשון נחמה היה לו לקרותו מנחם:

חָמֵשׁ וְתִשְׁעִים שָׁנָה וַחֲמֵשׁ מֵאֹת
שָׁנָה וַיּוֹלֶד בָּנִים וּבָנוֹת: לא וַיְהִי
כָּל־יְמֵי־לֶמֶךְ שֶׁבַע וְשִׁבְעִים
שָׁנָה וּשְׁבַע מֵאוֹת שָׁנָה
וַיָּמֹת: ס לב וַיְהִי־נֹחַ בֶּן־חֲמֵשׁ
מֵאוֹת שָׁנָה וַיּוֹלֶד נֹחַ אֶת־שֵׁם
אֶת־חָם וְאֶת־יָפֶת: פרק ו א וַיְהִי כִּי־הֵחֵל הָאָדָם
לָרֹב עַל־פְּנֵי הָאֲדָמָה וּבָנוֹת יֻלְּדוּ לָהֶם: ב וַיִּרְאוּ
בְנֵי־הָאֱלֹהִים אֶת־בְּנוֹת הָאָדָם כִּי טֹבֹת הֵנָּה

חֲמֵשׁ מְאָה וְתִשְׁעִין וַחֲמֵשׁ
שְׁנִין וְאוֹלִיד בְּנִין וּבְנָן:
לא וַהֲווֹ כָּל יוֹמֵי לֶמֶךְ שְׁבַע
מְאָה וְשַׁבְעִין וּשְׁבַע שְׁנִין
וּמִית: לב וַהֲוָה נֹחַ בַּר חֲמֵשׁ
מְאָה שְׁנִין וְאוֹלִיד נֹחַ יָת
שֵׁם יָת חָם וְיָת יָפֶת: א וַהֲוָה
כַּד שְׁרִיאוּ בְּנֵי אֲנָשָׁא
לְמִסְגֵּי עַל אַפֵּי אַרְעָא
וּבְנָתָא אִתְיְלִידוּ לְהוֹן:
ב וַחֲזוֹ בְּנֵי רַבְרְבַיָּא יָת בְּנַת
אֲנָשָׁא אֲרֵי שַׁפִּירָן אִנִּין

רש"י

[פסוק לב] בֶּן חֲמֵשׁ מֵאוֹת שָׁנָה. אָ"ר יוּדָן מַה טַּעַם כָּל הַדּוֹרוֹת הוֹלִידוּ לק' שָׁנָה [וּלְמָאתַיִם שָׁנָה] וְזֶה לת"ק. אָמַר הקב"ה, אִם רְשָׁעִים הֵם יֹאבְדוּ בַּמַּיִם וְרַע לְצַדִּיק זֶה [ס"א לְזֶרַע שֶׁל צַדִּיק זֶה], וְאִם צַדִּיקִים הֵם אַטְרִיחַ עָלָיו לַעֲשׂוֹת ב תֵּיבוֹת הַרְבֵּה, כָּבַשׁ אֶת מַעְיָנוֹ וְלֹא הוֹלִיד עַד ת"ק שָׁנָה כְּדֵי שֶׁלֹּא יְהֵא יֶפֶת הַגָּדוֹל שֶׁבְּבָנָיו רָאוּי לְעוֹנָשִׁין ג לִפְנֵי הַמַּבּוּל דִּכְתִיב כִּי הַנַּעַר בֶּן מֵאָה שָׁנָה יָמוּת (ישעיה סה:כ) רָאוּי לְעוֹנֶשׁ לֶעָתִיד, וְכֵן לִפְנֵי מַתַּן תּוֹרָה (ב"ר כו:ג): **אֶת שֵׁם אֶת חָם וְאֶת יָפֶת.** וַהֲלֹא יֶפֶת הַגָּדוֹל הוּא, אֶלָּא בַּתְּחִלָּה אַתָּה דוֹרֵשׁ ד אֶת שֶׁהוּא צַדִּיק וְנוֹלַד כְּשֶׁהוּא מָהוּל וְשֶׁאַבְרָהָם יָצָא מִמֶּנּוּ כו' (שם ג): **[פסוק ב] בְּנֵי הָאֱלֹהִים.** בְּנֵי הַשָּׂרִים וְהַשּׁוֹפְטִים (ב"ר כו:ה). [דָּבָר אַחֵר בְּנֵי הָאֱלֹהִים הֵם הַשָּׂרִים הַהוֹלְכִים בִּשְׁלִיחוּתוֹ שֶׁל מָקוֹם אַף הֵם הָיוּ מִתְעָרְבִין בָּהֶם (פדר"א כב; דב"ר סוף פי"א; ילק"ש מד).] כָּל אֱלֹהִים שֶׁבַּמִּקְרָא לְשׁוֹן מָרוּת, וְזֶה יוֹכִיחַ וְאַתָּה תִּהְיֶה לּוֹ לֵאלֹהִים (שמות ד:טז) רְאֵה נְתַתִּיךָ אֱלֹהִים (שם ז:א): **כִּי טֹבֹת הֵנָּה.** אָ"ר יוּדָן טֹבַת כְּתִיב [חָסֵר ו', שֶׁלֹּא הָיוּ, אֶלָּא] כְּשֶׁהָיוּ מְטִיבִין ה אוֹתָהּ מְקוּשֶּׁטֶת לִיכָּנֵס לַחוּפָּה הָיָה גָּדוֹל נִכְנָס וּבוֹעֲלָהּ תְּחִלָּה (ב"ר כו:ה):

עיקר שפתי חכמים

ב מהר"ס יפה הקשה ע"ז דמאחר שיהיו לדיקים הי' להם להגין על העולם ולא יהיו מבול כלל כמ"ש בפ' וירא גבי תפלת אברהם על הפיכת סדום. י"ל דשם לא הגילו רק על עירם, וגם כאן ילילו על עירם, וזהו אטריח לעשות תיבות הרבה בעד כל אנשי העיר: **ג** ר"ל אף אם יהיה רשע לא יאבד במבול: **ד** ולא רלה לכתוב יפת אחר שם כי שם ואם נולדו זה אחר זה ולא רלה להפסיק ביניהם [רש"ל]: **ה** מלשון מטיבין את הנרות ר"ל מתקנים:

וַיִּקְחוּ לָהֶם נָשִׁים מִכֹּל אֲשֶׁר
בָּחָרוּ: ג וַיֹּאמֶר יהוה לֹא־יָדוֹן
רוּחִי בָאָדָם לְעֹלָם בְּשַׁגָּם הוּא
בָשָׂר וְהָיוּ יָמָיו מֵאָה וְעֶשְׂרִים
שָׁנָה: ד הַנְּפִלִים הָיוּ בָאָרֶץ
בַּיָּמִים הָהֵם וְגַם אַחֲרֵי־כֵן אֲשֶׁר
יָבֹאוּ בְּנֵי הָאֱלֹהִים אֶל־בְּנוֹת הָאָדָם וְיָלְדוּ לָהֶם
הֵמָּה הַגִּבֹּרִים אֲשֶׁר מֵעוֹלָם אַנְשֵׁי הַשֵּׁם: פ

וּנְסִיבוּ לְהוֹן נְשִׁין מִכֹּל
דִּי אִתְרְעִיאוּ: ג וַאֲמַר יְיָ
לָא יִתְקַיַּם דָּרָא בִישָׁא
הָדֵין קֳדָמַי לְעָלַם בְּדִיל
דְּאִנּוּן בִּשְׂרָא וְעוֹבָדֵיהוֹן
בִּישַׁיָּא אַרְכָּא יְהִיבַת
לְהוֹן מְאָה וְעַשְׂרִין שְׁנִין
אִם יְתוּבוּן: ד גִּבָּרַיָּא הֲווֹ
בְאַרְעָא בְּיוֹמַיָּא הָאִנּוּן
וְאַף בָּתַר כֵּן דִּי עָלִין בְּנֵי
רַבְרְבַיָּא לְוָת בְּנַת אֱנָשָׁא
וִילִידָן לְהוֹן אִנּוּן גִּבָּרַיָּא
דִּי מֵעָלְמָא אֱנָשִׁין דִּשְׁמָא:

רש"י

מִכֹּל אֲשֶׁר בָּחָרוּ. אַף בְּעוּלַת בַּעַל, ו אַף הַזָּכָר וְהַבְּהֵמָה (ב"ר שם): **[פסוק ג] לֹא יָדוֹן רוּחִי בָאָדָם.** לֹא יִתְרַעֵם וְיָרִיב רוּחִי עָלַי בִּשְׁבִיל ז הָאָדָם: **לְעֹלָם.** לְאוֹרֶךְ יָמִים. הִנֵּה רוּחִי נִדּוֹן בְּקִרְבִּי אִם לְהַשְׁחִית וְאִם לְרַחֵם, ח לֹא יִהְיֶה מָדוֹן זֶה בְּרוּחִי לְעוֹלָם, כְּלוֹמַר לְאוֹרֶךְ יָמִים: **בְּשַׁגָּם הוּא בָשָׂר.** כְּמוֹ בְּשֶׁגַּם, כְּלוֹמַר בִּשְׁבִיל שֶׁגַּם זֹאת בּוֹ שֶׁהוּא בָּשָׂר, וְאַעפ"כ אֵינוֹ נִכְנָע לְפָנַי, וּמָה אִם יִהְיֶה אֵשׁ אוֹ דָבָר קָשֶׁה. כַּיּוֹצֵא בוֹ עַד שַׁקַּמְתִּי דְּבוֹרָה (שופטים ה:ז) כְּמוֹ שֶׁקַּמְתִּי. וְכֵן שָׁאַתָּה מְדַבֵּר עִמִּי (שם ו:יז) כְּמוֹ שֶׁאַתָּה. אַף בְּשַׁגָּם כְּמוֹ בְּשֶׁגַּם: **וְהָיוּ יָמָיו וגו'.** עַד ק"ך שָׁנָה אַאֲרִיךְ לָהֶם אַפִּי וְאִם לֹא יָשׁוּבוּ אָבִיא עֲלֵיהֶם מַבּוּל (אונקלוס; תרגום יונתן). וְאִ"ת מִשֶּׁנּוֹלַד יֶפֶת עַד הַמַּבּוּל אֵינוֹ אֶלָּא מֵאָה שָׁנָה. אֵין מוּקְדָּם וּמְאוּחָר בַּתּוֹרָה, כְּבָר הָיְתָה הַגְּזֵרָה גְּזוּרָה עֶשְׂרִים שָׁנָה קוֹדֶם שֶׁהוֹלִיד נֹחַ תּוֹלָדוֹת, וְכֵן מָצִינוּ בְּסֵדֶר עוֹלָם (פרק כח). יֵשׁ מִדְרְשֵׁי אַגָּדָה רַבִּים בְּלֹא יָדוֹן אֲבָל זֶה הוּא לְחִלּוּחַ פְּשׁוּטוֹ: **[פסוק ד] הַנְּפִלִים.** ע"ש שֶׁנָּפְלוּ ט וְהִפִּילוּ י אֶת הָעוֹלָם (ב"ר שם ז) וּבִלְשׁוֹן עִבְרִי ל' עֲנָקִים הוּא (פדר"א שם): **בַּיָּמִים הָהֵם.** בִּימֵי דוֹר אֱנוֹשׁ וּבְנֵי קַיִן (שם): **וְגַם אַחֲרֵי כֵן.** אַע"פ שֶׁרָאוּ בְּאָבְדָן שֶׁל דּוֹר אֱנוֹשׁ, שֶׁעָלָה אוֹקְיָינוֹס וְהֵצִיף שְׁלִישׁ הָעוֹלָם לֹא נִכְנַע דּוֹר הַמַּבּוּל לִלְמוֹד מֵהֶם (ב"ר שם; תנחומא נח יח): **אֲשֶׁר יָבֹאוּ.** הָיוּ יוֹלְדוֹת עֲנָקִים כְּמוֹתָם (ב"ר שם): **הַגִּבֹּרִים.** לִמְרוֹד בַּמָּקוֹם (תנחומא יב): **אַנְשֵׁי הַשֵּׁם.** אוֹתָן שֶׁנִּקְּבוּ

בעל הטורים

(ד) הנפלים. ג׳, אחד מלא וב׳ חסרים — "הנפלים היו בארץ" חסר; "ושם ראינו את הנפילים בני ענק מן הנפלים" [אחד מלא ואחד חסר]. וזה היה סיחון ועוג וכו׳, כדאיתא בנדה. סיחון ועוג היו בני שמחזאי ועזאל, ונפלו מן השמים בימי דור המבול. לכן כתיב כאן "הנפלים היו בארץ" חסר:

עיקר שפתי חכמים

ו דמכל אתי לרבות: **ז** כמו ויעבד יעקב ברחל בשביל רחל: **ח** כי עוד לא עלה עתה במחשבתו להשחיתם כי להלן כתיב ויאמר ד׳ אמחה כו׳: **ט** ר"ל נהרגו [ב"ר] והפילו את זרעם, כי גם הם נהרגו בעבור שלמדו ממעשיהם הרעים: **י** ר"ל שאז הציף אוקינוס שליש העולם:

ה וַיַּ֣רְא יְהֹוָ֔ה כִּ֥י רַבָּ֛ה מפטיר
רָעַ֥ת הָֽאָדָ֖ם בָּאָ֑רֶץ וְכָל־יֵ֙צֶר֙
מַחְשְׁבֹ֣ת לִבּ֔וֹ רַ֥ק רַ֖ע כָּל־הַיּֽוֹם:
ו וַיִּנָּ֣חֶם יְהֹוָ֔ה כִּֽי־עָשָׂ֥ה אֶת־
הָֽאָדָ֖ם בָּאָ֑רֶץ וַיִּתְעַצֵּ֖ב אֶל־
לִבּֽוֹ: ז וַיֹּ֣אמֶר יְהֹוָ֗ה אֶמְחֶ֨ה אֶת־הָֽאָדָ֤ם אֲשֶׁר־
בָּרָ֙אתִי֙ מֵעַל֙ פְּנֵ֣י הָֽאֲדָמָ֔ה מֵֽאָדָם֙ עַד־בְּהֵמָ֔ה

ה וַחֲזָא יְיָ אֲרֵי סְגִיאַת בִּישַׁת
אֱנָשָׁא בְּאַרְעָא וְכָל יִצְרָא
מַחְשְׁבַת לִבֵּהּ לְחוֹד בִּישׁ
כָּל יוֹמָא: ו וְתָב יְיָ בְּמֵימְרֵהּ
אֲרֵי עֲבַד יָת אֱנָשָׁא
בְּאַרְעָא וַאֲמַר בְּמֵימְרֵהּ
לְמִתְבַּר תָּקְפְּהוֹן כִּרְעוּתֵהּ:
ז וַאֲמַר יְיָ אֶמְחֵי יָת אֱנָשָׁא
דִּי בְרֵאתִי מֵעַל אַפֵּי
אַרְעָא מֵאֱנָשָׁא עַד בְּעִירָא

רש״י

בְּשֵׁמוֹת, עִירָד, מְחוּיָאֵל, מְתוּשָׁאֵל, שֶׁנִּקְּבוּ ע״ש הָאֲבַדְן, כ שֶׁנִּמּוֹחוּ וְהוּתְּשׁוּ. ד״א אַנְשֵׁי שִׁמָּמוֹן, שֶׁשִּׁמְּמוּ אֶת הָעוֹלָם (ב״ר שם): **[פסוק ו] וַיִּנָּחֶם ה׳ כִּי עָשָׂה.** נֶחָמָה הָיְתָה לְפָנָיו שֶׁבְּרָאוֹ בַּתַּחְתּוֹנִים, שֶׁאִלּוּ הָיָה מִן הָעֶלְיוֹנִים הָיָה מַמְרִידָן (ב״ר כז:ד): **וַיִּתְעַצֵּב.** הָאָדָם. **אֶל לִבּוֹ.** שֶׁל מָקוֹם, ל עָלָה בְּמַחֲשַׁבְתּוֹ שֶׁל מָקוֹם לְהַעֲצִיבוֹ, וְזֶהוּ תַּרְגּוּם אוּנְקְלוֹס. ד״א, וַיִּנָּחֶם, נֶהֶפְכָה מַחֲשַׁבְתּוֹ שֶׁל מָקוֹם מִמִּדַּת רַחֲמִים לְמִדַּת הַדִּין (ב״ר לג:ג), עָלָה בְּמַחֲשָׁבָה לְפָנָיו מַה לַּעֲשׂוֹת בָּאָדָם שֶׁעָשָׂה בָּאָרֶץ. וְכֵן כָּל לְשׁוֹן נִיחוּם שֶׁבַּמִּקְרָא לְשׁוֹן נִמְלָךְ מַה לַּעֲשׂוֹת, וּבֶן אָדָם וְיִתְנֶחָם (במדבר כג:יט) וְעַל עֲבָדָיו יִתְנֶחָם (דברים לב:לו) וַיִּנָּחֶם ה׳ עַל הָרָעָה (שמות לב:יד) נִחַמְתִּי כִּי הִמְלַכְתִּי (שמואל א טו:יא), כּוּלָם לְשׁוֹן מַחֲשָׁבָה אַחֶרֶת הֵם: **וַיִּתְעַצֵּב אֶל לִבּוֹ.** נִתְאַבֵּל עַל אֲבַדַן מַעֲשֵׂה יָדָיו (ב״ר סוף פכ״ז), כְּמוֹ נֶעֱצַב הַמֶּלֶךְ עַל בְּנוֹ (שמואל ב יט:ג), וְזוֹ כָּתַבְתִּי לִתְשׁוּבַת הַמִּינִים. גּוֹי [ס״א אֶפִּיקוֹרֶס] אֶחָד שָׁאַל אֶת רַבִּי יְהוֹשֻׁעַ בֶּן קָרְחָה, אָמַר לוֹ אֵין אַתֶּם מוֹדִים שֶׁהקב״ה רוֹאֶה אֶת הַנּוֹלָד. אָמַר לוֹ הֵן. אָמַר לוֹ וְהָא כְתִיב וַיִּתְעַצֵּב אֶל לִבּוֹ. אָמַר לוֹ נוֹלַד לְךָ בֵּן זָכָר מִיָּמֶיךָ. אָמַר לוֹ הֵן. אָמַר לוֹ וּמֶה עָשִׂיתָ. אָמַר לוֹ שָׂמַחְתִּי וְשִׂמַּחְתִּי אֶת הַכֹּל. אָמַר לוֹ וְלֹא הָיִיתָ יוֹדֵעַ שֶׁסּוֹפוֹ לָמוּת. אָמַר לוֹ בִּשְׁעַת חֶדְוָתָא חֶדְוָתָא בִּשְׁעַת אֶבְלָא אֶבְלָא. אָמַר לוֹ כָּךְ מַעֲשֵׂה הקב״ה, אע״פ שֶׁגָּלוּי לְפָנָיו שֶׁסּוֹפָן לַחֲטוֹא וּלְאַבְּדָן לֹא נִמְנַע מִלְּבָרְאָן (ב״ר כז:ד) מ בִּשְׁבִיל הַצַּדִּיקִים הָעֲתִידִים לַעֲמוֹד מֵהֶם (שם ח:ד): **[פסוק ז] וַיֹּאמֶר ה׳ אֶמְחֶה אֶת הָאָדָם.** הוּא עָפָר וְאָבִיא עָלָיו מַיִם וְאֶמְחֶה אוֹתוֹ, לְכָךְ נֶאֱמַר לְשׁוֹן מְחוּי (ב״ר כח:ב; תנחומא ישן נח ד): **מֵאָדָם עַד בְּהֵמָה.** אַף הֵם הִשְׁחִיתוּ דַרְכָּם (ב״ר שם ח). ד״א הַכֹּל נִבְרָא בִּשְׁבִיל הָאָדָם וְכֵיוָן שֶׁהוּא כָלֶה מַה צוֹרֶךְ בְּאֵלּוּ (שם ו; סנהדרין קח.):

עיקר שפתי חכמים

כ ולאנשי השם ר״ל שמותן גרמו לזאת: ל זה קאי לפי פירוש הא׳ על וינחם שהוא ל׳ נחמה, הוכרח לפרש דויתעצב קאי על האדם. אבל לפי הד״א דוינחם ר״ל נמלך ונתחרט, פי׳ ויתעצב כפשוטו על הקב״ה כביכול שנתאבל על אבדן כו׳: מ ר״ל ועוד בשביל הצדיקים כו׳:

חסלת פרשת בראשית

עַד־רֶ֖מֶשׂ וְעַד־ע֣וֹף הַשָּׁמָ֑יִם כִּ֥י
נִחַ֖מְתִּי כִּ֥י עֲשִׂיתִֽם: ח וְנֹ֕חַ מָ֥צָא
חֵ֖ן בְּעֵינֵ֥י יְהוָֽה: פ פ פ

עַד רִחֲשָׁא וְעַד עוֹפָא
דִּשְׁמַיָּא אֲרֵי תָּבִית
בְּמֵימְרִי אֲרֵי עֲבַדְתִּנּוּן:
ח וְנֹחַ אַשְׁכַּח רַחֲמִין קֳדָם יְיָ:

קמ״ו פסוקים. אמצי״ה סימן. יחזקיה״ו סימן.

רש״י

כִּי נִחַמְתִּי כִּי עֲשִׂיתִם. חָשַׁבְתִּי מַה לַּעֲשׂוֹת עַל אֲשֶׁר עֲשִׂיתִים:

הפטרת בראשית

כשחל ערב ראש חודש חשון בשבת פרשת בראשית, קוראים במקום ההפטרה הרגילה את ההפטרה לשבת ערב ראש חודש, עמוד 426.

ישעיה מב:ה — מג:י

פרשת בראשית מתחילה בסיפור בריאת העולם ובתפקיד החשוב והיקר שנתן הקב״ה להאדם, שנברא בצלם אלהים, להיות שותף במעשה בראשית; לפאר ולפתח את יצירתו ולהביאו לידי תכליתו אשר ייעד לו (ראה הקדמה לספר ההגיון לרמח״ל). לימוד נוסף מלמדת הפרשה על מלחמת האדם ביצרו ואיך שריחם עליו הקב״ה והכין לו דרך התשובה שיוכל לתקן את אשר עיות. בהפטרה זו מצינו שני העניינים הללו.

בכל יום ויום מחדש הקב״ה בטובו מעשה בראשית, וכמו שאמר הנביא ישעיה: ״כֹּה אָמַר הָאֵל ה׳ בּוֹרֵא הַשָּׁמַיִם״, בלשון הווה, כלומר: הבריאה אינה מאורע שאירע פעם אחת בימי בראשית ומאז נמשך קיומה מאותו כח; אלא בכל יום היא מתחדשת ומתמדת מכח הקב״ה, ובלי כוחו היתה מפסיקה להתקיים והיה העולם חרב. תכלית היצירה הוא בשביל ישראל, שהם יעבדו את ה׳ ויפרסמו שמו הגדול בכל העולם לְמַעַן דַּעַת כָּל עַמֵּי הָאָרֶץ כִּי ה׳ הוּא הָאֱלֹהִים (מלכים-א ח, ס), וכמו שהעיד הנביא: ״וְאֶצָּרְךָ וְאֶתֶּנְךָ לִבְרִית עָם לְאוֹר גּוֹיִם״ (מצודת דוד ישעיה מב, ו; העמק דבר בראשית יז, ד).

אהבת ה׳ לבני ישראל עזה היא ואף כאשר חטאו לפעמים ונעשו ״עַם בָּזוּז וְשָׁסוּי״, הבטיחם ה׳ שישגיח עליהם ויגאלם לכבודם הראוי, וכמו שניבא ישעיה: ״כִּי תַעֲבֹר בַּמַּיִם, אִתְּךָ אָנִי... כִּי אֲנִי ה׳ אֱלֹהֶיךָ קְדוֹשׁ יִשְׂרָאֵל מוֹשִׁיעֶךָ״. רק בני ישראל זוכים לנאמנות זו, ולכן בטוחים הם שיגאלם ה׳ ויחזירם למעלתם הקדומה.

פרק מב ה כֹּה־אָמַ֞ר הָאֵ֣ל ׀ יְהוָ֗ה בּוֹרֵ֤א הַשָּׁמַ֙יִם֙ וְנ֣וֹטֵיהֶ֔ם רֹקַ֥ע
הָאָ֖רֶץ וְצֶאֱצָאֶ֑יהָ נֹתֵ֤ן נְשָׁמָה֙ לָעָ֣ם עָלֶ֔יהָ וְר֖וּחַ לַהֹלְכִ֥ים בָּֽהּ: ו אֲנִ֧י

רש״י

(ה) האל ה׳. בעל הדין ובעל הרחמים, בורא השמים. תחלה כמין פקיע של שתי, ואחר כך נטה אותם כדליתא במס׳ חגיגה (יב.): **וצאצאיה.** בורא את היוצא ממנה: **נותן נשמה.** נשמת חיים: **לעם עליה.** לכולם בשוה: **ורוח.** קדושה: **להולכים בה.** למתהלכים לפניו:

מצודת דוד

(ה) ונוטיהם. הוא נטה אותם להיות כאוהל: **רוקע.** פרש את הארץ והוציא צאצאיה הם הצמחים כולם: **לעם עליה.** אל העם אשר הם עליה נתן נשמה ואל שאר הבריות המתהלכים בה נתן רוח החיוני:

מצודת ציון

(ה) רוקע. ענין פרישה; וכן, לְרֹקַע הָאָרֶץ עַל־הַמָּיִם (תהלים קלו, ו):

יהוה קְרָאתִיךָ בְצֶדֶק וְאַחְזֵק בְּיָדֶךָ וְאֶצָּרְךָ וְאֶתֶּנְךָ לִבְרִית עָם
לְאוֹר גּוֹיִם: ז לִפְקֹחַ עֵינַיִם עִוְרוֹת לְהוֹצִיא מִמַּסְגֵּר אַסִּיר מִבֵּית
כֶּלֶא יֹשְׁבֵי חֹשֶׁךְ: ח אֲנִי יהוה הוּא שְׁמִי וּכְבוֹדִי לְאַחֵר לֹא־אֶתֵּן
וּתְהִלָּתִי לַפְּסִילִים: ט הָרִאשֹׁנוֹת הִנֵּה־בָאוּ וַחֲדָשׁוֹת אֲנִי מַגִּיד
בְּטֶרֶם תִּצְמַחְנָה אַשְׁמִיעַ אֶתְכֶם: י שִׁירוּ לַיהוה שִׁיר חָדָשׁ תְּהִלָּתוֹ
מִקְצֵה הָאָרֶץ יוֹרְדֵי הַיָּם וּמְלֹאוֹ אִיִּים וְיֹשְׁבֵיהֶם: יא יִשְׂאוּ מִדְבָּר
וְעָרָיו חֲצֵרִים תֵּשֵׁב קֵדָר יָרֹנּוּ יֹשְׁבֵי סֶלַע מֵרֹאשׁ הָרִים יִצְוָחוּ:

רש"י

(ו) קראתיך. לישעיה הוא אומר: **ואצרך.** כשילרתיך זאת היתה מחשבתי, שתשים את עמי לבריתי ולהאיר להם: **לאור גוים.** כל שבט קרוי גוי לעצמו; כענין שנאמר, גוי וקהל גוים (בראשית לה, יא): **(ז) לפקוח עינים עורות.** שאינם רואין את גבורתו לתת לב לשוב אלי, להוציא ממסגר אסיר. ועל ידי שיתפקחו עיניהם יצאו אסירים ממסגר. דבר אחר; לבשרם על גלות בבל העתידה לבא עליהן שסופן לצאת ממנה: **(ח) הוא שמי.** הוא מפורש בלשון אדנות וכח, ועלי להראות שאדון אני; לפיכך כבודי לאחר לא אתן: **(ט) הראשונות.** שהבטחתי לאברהם על גלות מצרים, וגם את הגוי וגו' (בראשית טו, יד): **הנה באו.** שמרתי הבטחתי, ועתה חדשות אני מגיד לעמי להבטיח על גלות שנייה: **(י) תהלתו מקצה הארץ.** על כרחם, כשיראו את גבורתי לישראל יודו כל העכו"ם כי אלהים אני: **יורדי הים.** פורשי בספינות: **ומלואו.** הקבועים בים, ולא בחיים אלא בתוך המים. שופכים עפר כל אחד ואחד כדי בית, והולכים מבית לבית בספינה, כגון עיר ווניציי"א: **(יא) ישאו מדבר.** קול בשיר: **חצרים תשב קדר.** (מוסב על ישאו) מדבר קדר שהם דרים עתה באוהלים, ישאו קול וירונו (כמו והחצרים אשר תשב קדר). במדבר קדר שהם דרים עתה באהליהם, יהיו ערים וחצרים קבועים: **יושבי סלע.** המתים שיחיו, כן תרגם יונתן: **מראש הרים יצווחו.** מְרֵישֵׁי טוּרַיָּא יְרִימוּן קָלְהוֹן:

מצודת דוד

(ו) קראתיך בצדק. על המשיח, יאמר מה שקראתי בשמך על ידי הנביאים הוא בצדק ודבר המתקיים: **ואחזק בידך.** אאחוז בידיך להגביר אותך על כל: **ואצרך.** אני אשמור אותך: **ואתנך לברית עם.** אתן הכח בידך להסב עמי לבריתי לקיים התורה והמצוה: **לאור גוים.** להאיר עיני הגוים כולם לדעת שה' הוא האלהים: **(ז) לפקוח.** מי שנתעוורו עיניו מלראות פועל ה' אתה תפתחם ותשכילם, להוציא. את ישראל האסורים בבבל תוציא מבית מסגירם, ומבית כלא תוציא את היושבים שמה בחושך: **(ח) הוא שמי.** המיוחד לי. לא כשם הפסילים שאין שמם מיוחד להם, כי יקראוה בשם אלוה ואין אל אתם: **וכבודי וכו'.** לא אתן עוד כבודי לאחר, כי עד הנה על מה שלא עשיתי משפט בעכו"ם נטו אחר הפסילים וכבדו אותם במקום שהיה ראוי לכבד אותי, אבל מעתה אעשה משפט ולא יכבדו עוד לפסילים: **ותהלתי.** מלת לא עומדת במקום שתים לומר לא תהלתי לפסילים. רצה לומר מה שראוי להלל אותי לא יהללו לפסילים כמאז, וכפל הדבר במלות שונות: **(ט) הראשונות.** הנבואות הראשונות שנבאתי על סנחריב הנה כבר באו, וחדשות. עתה אני מגיד חדשות שלא שמעתם עדיין והיא הגאולה העתידה, בטרם תצמחנה. רצונו לומר, עד לא התחילה להתגלות אשמיע אתכם: **(י) שירו לה'.** אז ישירו לה' שיר חדש ותהלתו יהיה נשמע מקצה הארץ: **יורדי הים.** הפורשים בים והבריות הממלאים את הים גם המה יהללו לה': **איים ויושביהם.** האיים עצמם והיושבים בהם יהללו לה'. והוא ענין מליצה, כי אין האיים והבריות בעלי דעה ודבור להלל; וכן נאמר, נְהָרוֹת יִמְחֲאוּ כָף (תהלים צח, ח): **(יא) ישאו מדבר וכו'.** כל מדבר ועריו, וכל חצרים אשר תשב בהם עדת קדר, כולם ישאו קול שיר: **ירונו וכו'.** היושבים על הסלע ירונו תהלות ה': **יצוחו.** רצונו לומר, יהיה נשמע קול צוחה של שמחה והלל:

מצודת ציון

(ו) ואחזק. ענין אחיזה: **ואצרך.** ענין שמירה: **(ז) לפקוח.** ענין פתיחה, כמו פֹּקֵחַ עִוְרִים (שם קמו, ח): **מבית כלא.** מקום מאסר: **(יא) יצוחו.** ענין הרמת קול:

יב יָשִׂימוּ לַיהוָה כָּבוֹד וּתְהִלָּתוֹ בָּאִיִּים יַגִּידוּ׃ יג יְהוָה כַּגִּבּוֹר יֵצֵא
כְּאִישׁ מִלְחָמוֹת יָעִיר קִנְאָה יָרִיעַ אַף־יַצְרִיחַ עַל־אֹיְבָיו יִתְגַּבָּר׃
יד הֶחֱשֵׁיתִי מֵעוֹלָם אַחֲרִישׁ אֶתְאַפָּק כַּיּוֹלֵדָה אֶפְעֶה אֶשֹּׁם
וְאֶשְׁאַף יָחַד׃ טו אַחֲרִיב הָרִים וּגְבָעוֹת וְכָל־עֶשְׂבָּם אוֹבִישׁ וְשַׂמְתִּי
נְהָרוֹת לָאִיִּים וַאֲגַמִּים אוֹבִישׁ׃ טז וְהוֹלַכְתִּי עִוְרִים בְּדֶרֶךְ לֹא
יָדָעוּ בִּנְתִיבוֹת לֹא־יָדְעוּ אַדְרִיכֵם אָשִׂים מַחְשָׁךְ לִפְנֵיהֶם לָאוֹר
וּמַעֲקַשִּׁים לְמִישׁוֹר אֵלֶּה הַדְּבָרִים עֲשִׂיתִם וְלֹא עֲזַבְתִּים׃ יז נָסֹגוּ
אָחוֹר יֵבֹשׁוּ בֹשֶׁת הַבֹּטְחִים בַּפָּסֶל הָאֹמְרִים לְמַסֵּכָה אַתֶּם אֱלֹהֵינוּ׃
יח הַחֵרְשִׁים שְׁמָעוּ וְהַעִוְרִים הַבִּיטוּ לִרְאוֹת׃ יט מִי עִוֵּר כִּי אִם־עַבְדִּי

רש"י

(יד) החשיתי מעולם. זה ימים רבים החשיתי על חרבן ביתי, ותמיד אחרים: **אתאפק.** לשון הווה, עד עתה הליקתני רוחי, ומעתה כיולדה אפעה: **אשום.** אתבהל: **ואשאף.** ואתאווה להשמיד הכל יחד כל אויבי: **(טו) אוביש.** לשון יובש הוא לענין דבר לח, כגון עשב ונהרות: **(טז) והולכתי.** ישראל שהיו עורים עד הנה מהביט אלי בדרך הטוב אשר לא ידעו להלוך בה: **עשיתים.** אעשה כן, לשון נבואה. לדבר על העתיד כאילו עשוי: **(יח) החרשים והעורים.** על ישראל הוא אומר: **(יט) מי עור.** בכם אין אחד, כי אם עבדי הוא העור שבכלכם. וחרש שבכם הרי הוא כמלאכי אשר אני שולח להגבא נבואות:

מצודת דוד

(יב) ישימו. רצונו לומר, בפיהם יתנו לו כבוד: **יגידו.** האנשים השוכנים שמה: **(יג) יצא.** לתשועת ישראל: **יעיר קנאה.** יעורר לקנאת קנאת עמו: **יריע.** כגבור המנצח במלחמה: **יתגבר.** יתחזק את עצמו על אויביו: **(יד) החשיתי מעולם.** זה זמן רב אני שותק על מה שעשו האומות לעמי: **אתאפק.** אתחזק לכבוש כעסי: **כיולדה אפעה.** אבל מעתה אשאג בקול כיולדה להומם ולאבדם: **אשום ואשאף יחד.** אעשה שממה אבלע כולם יחד: **(טו) אחריב.** את ההרים והגבעות אעשה חורבה ואוביש את עשבם וכל המון העם: **לאיים.** להיות חורב ויובש כאיים: **ואגמים וכו'.** כפל הדבר במילים שונות: **(טז) והולכתי עורים.** אז אוליך את ישראל לארצם דרך המדבר בדרך אשר לא ידעוהו והמה כעורים לה: **בנתיבות וכו'.** כפל הדבר במילים שונות: **אשים מחשך.** ההולך בדרך שאין ידוע לו הוא כאלו הולך בחשך: **ומעקשים למישור.** דרך המעוקם אעשה ישר ושוה: **עשיתים.** מאז כשיצאו ממצרים עשיתי כאלה: **ולא עזבתים.** לעתיד לבוא: **(יז) נסוגו וכו'.** אז הבוטחים בפסל יבושו בבושת ויחזרו לאחור כדרך אדם הנכלם שחוזר לאחוריו לבל יראהו בבשתו: **האומרים וכו'.** כפל הדבר במילים שונות: **(יח) החרשים שמעו.** אתם ישראל החרשים משמוע דבר ה' והעורים מלראות מצותיו, שמעו מעתה והביטו לראות, הואיל וטובה גדולה מוכנת לכם: **(יט) מי עור וכו'.** כאלו יפרש דבריו

מצודת ציון

(יג) יעיר. מלשון התעוררות: **יריע.** מלשון תרועה: **יצריח.** ענין צעקה בקול גדול; כמו, מַר צֹרֵחַ (צפניה א, יד): **(יד) החשיתי.** ענין שתיקה; כמו, לֹא אֶחֱשֶׁה (ישעיה סב, א): **אחריש.** אשתוק: **אתאפק.** ענין התחזקות; כמו, הֲמוֹן מֵעֶיךָ וְרַחֲמֶיךָ אֵלַי... הִתְאַפָּקוּ (שם סג, טו): **אפעה.** ענין צעקה, ובדברי רבותינו זכרונם לברכה, פְּעִיתָא הִיא דָּא (סוכה לא, א): **אשום.** מלשון שממון: **אשאף.** ענין בליעה, וכן, וְשָׁאַף צַמִּים חֵילָם (איוב ה, ה): **(טו) אחריב.** מלשון חורבן: **אוביש.** מלשון יבש: **ואגמים.** מקום כניסת המים: **(טז) בנתיבות.** מלשון נתיב ושביל: **אדריכם.** מלשון דריכה והלוך: **אשים.** מלשון שימה: **ומעקשים.** מלשון עקש ועקום: **למישור.** מלשון ישר ושוה: **(יז) נסוגו אחור.** ענין החזרה לאחור; וכן, וְנָסוֹג מֵאַחַר אֱלֹהֵינוּ (ישעיה נט, יג): **למסכה.** לצורת גלולים הנעשה ממתכת ביציקה והתכה: **(יח) הביטו.** ענין הסתכלות וראיה:

וְחֵרֵשׁ כְּמַלְאָכִי אֶשְׁלָח מִי עִוֵּר כִּמְשֻׁלָּם וְעִוֵּר כְּעֶבֶד יְהוָה׃ כ רָאוֹת
[ראית כ׳] רַבּוֹת וְלֹא תִשְׁמֹר פָּקוֹחַ אָזְנַיִם וְלֹא יִשְׁמָע׃ כא יְהוָה חָפֵץ
לְמַעַן צִדְקוֹ יַגְדִּיל תּוֹרָה וְיַאְדִּיר׃

כאן מסיימים הספרדים, ק״ק פפד״מ, וחסידי חב״ד. אחרים ממשיכים:

כב וְהוּא עַם־בָּזוּז וְשָׁסוּי הָפֵחַ בַּחוּרִים כֻּלָּם וּבְבָתֵּי כְלָאִים הָחְבָּאוּ
הָיוּ לָבַז וְאֵין מַצִּיל מְשִׁסָּה וְאֵין־אֹמֵר הָשַׁב׃ כג מִי בָכֶם יַאֲזִין
זֹאת יַקְשִׁב וְיִשְׁמַע לְאָחוֹר׃ כד מִי־נָתַן לִמְשִׁסָּה [למשוסה כ׳] יַעֲקֹב

רש״י

מי עור כמשולם. מי היה עור בכם כבר קבל יסוריו והרי הוא כמשולם כל תגמוליו ויוצא נקי: **(כ) ראות רבות.** ראיות הרבה לפניכם ואינכם שומרים להביט במעשי ולשוב אלי: **פקוח אזנים.** אני עסוק לפקוח אזניכם על ידי נביאי ולא ישמע איש מכם את דברי, ולשון הוה הוא: **(כא) ה׳ חפץ.** להראותכם ולפקוח אזניכם למען צדק, ולכך הוא מגדיל ומאדיר לכם תורה: **(כב) והוא.** העם הזה בזוי ושסוי. וסוף הענין, ולא ישים על לב. כל זה לומר למה קראתנו זאת מי נתן למשיסה יעקב: **הפח בחורים כולם.** בחוריהם פחי נפש כולם, תו׳. דבר אחר, הפח בחורים כולם ישימו את עצמם בפחי האדמה ובחורים ובבתי כלאים התחבאו יוכיח שכן הוא: **ואין אומר השב.** כמו השב, לפיכך הוא רפי, אבל השב באמתחתיכו הוא דגש: **(כג) יאזין.** לתת לב לזאת מי נתן למשיסה יעקב: **לאחור.** יקשיב וישמע דבר שיעמוד לו באחרונה וכן תירגם יונתן. לאחור, לסופה, וכן כל לאחור שבמקרא, עתיד להיות הוא:

מצודת דוד

לומר, מה שכללתי גם הכשרים שבכם להקראם חרשים ועורים כי מי הוא היותר ראוי להקרא עור כי אם עבדי, על כי הוא יודע ומכיר בקלקול הדור ואינו מסתכל במעשיהם להישירם ולתקנם: **וחרש וכו׳.** חוזר על מלת מי הוא היותר ראוי להקרא חרש כמלאכי אשר אשלח, רצה לומר, מי שנתתי חכמה בלבו וכאלו שלחתיו ללמד דעת את העם, והוא כחרש, לא ישמע מעשי בני העם להזהירם על הדבר: **כמשולם.** השלם במדות: **כעבד ה׳.** כפל הדבר פעמים ושלש כדרך המליצה: **(כ) ראות רבות.** הלא המה רואים הרבה חכמה ואין בהם מי אשר ישמור את הזולת להשיבו מדרכו הרעה ולכן מהראוי להקרא עור: **פקוח אזנים.** הלא יש להם אזנים פתוחות להבין מצות ה׳ ואין בהם מי אשר ישמע, כי עושה עצמו כאלו לא יבין ואינו מזהיר לזולת ולכן מהראוי להקרא חרש: **(כא) ה׳ חפץ.** רצונו לומר, הלא עיקר חפץ ה׳ באנשים כאלה הוא בעבור שכל אחד מהם יצדיק את הזולת ללמדו דרך הישר ולהגדיל התורה ולהאדירה, רצונו לומר, להרבות למוד דעת את העם: **(כב) והוא עם בזוז ושסוי.** רצונו לומר, והם לא כן עשו, כי לא למדו דעת את העם ולא שבו מדרכם, והמה בעונם בזוזים ורמוסים לכל: **הפח בחורים כולם.** כל בחוריהם היו להם מפח נפש, והמה היו חבואים וכלואים בבתי כלאים: **ואין מי מציל.** אין מציל מן הבוזה: **משיסה.** היו למשיסה ואין מי אומר השיבהו למקומו ואל תוסיף לרמסהו. ומוסב למעלה לומר, הלא על כי לא נתנו לב לשמוע ולראות קלקול הדור ולתקנם באה עליהם הצרה הזאת, ומהראוי הוא לקראם עורים וחרשים: **(כג) מי בכם.** רצונו לומר, וכי נמצא מי בכם אשר יאזין לתת לב לזאת האמור למטה: **יקשיב.** וכי נמצא מי בכם אשר יקשיב לשמוע דבר שיעמוד לו באחרונה: **(כד) מי נתן.** רצה לומר וזהו הדבר להבין מי הוא אשר מסר את ישראל למשיסה ולבוזזים? הלא ה׳ מסרם ולא במקרה בא:

מצודת ציון

(יט) כמלאכי. ענין שליח: **(כ) פקוח.** ענין פתיחה: **(כא) חפץ.** ענין רצון: **ויאדיר.** ענין חוזק: **(כב) בזוז.** מלשון בזה ושלל: **ושסוי.** ענין רמיסה; כמו, שַׁסֻּהוּ כָּל עֹבְרֵי דָרֶךְ (תהלים פט, מב): **הפח.** ענין דאבון ודאג; כמו, וְנֶפֶשׁ בְּעָלֶיהָ הִפָּחְתִּי (איוב לא, לט): **ובבתי כלאים.** הוא משמר בית האסורים: **החבאו.** מלשון מחבואה ומסתור: **משיסה.** כמו למשיסה, והוא ענין רמיסה: **(כג) יאזין.** ישמע באזניו: **יקשיב.** ענין שמיעה:

וְיִשְׂרָאֵל לְבֹזְזִים הֲלוֹא יהוה זוּ חָטָאנוּ לוֹ וְלֹא־אָבוּ בִדְרָכָיו הָלוֹךְ
וְלֹא שָׁמְעוּ בְּתוֹרָתוֹ: כה וַיִּשְׁפֹּךְ עָלָיו חֵמָה אַפּוֹ וֶעֱזוּז מִלְחָמָה
וַתְּלַהֲטֵהוּ מִסָּבִיב וְלֹא יָדָע וַתִּבְעַר־בּוֹ וְלֹא־יָשִׂים עַל־לֵב:
פרק מג א וְעַתָּה כֹּה־אָמַר יהוה בֹּרַאֲךָ יַעֲקֹב וְיֹצֶרְךָ יִשְׂרָאֵל אַל־
תִּירָא כִּי גְאַלְתִּיךָ קָרָאתִי בְשִׁמְךָ לִי־אָתָּה: ב כִּי־תַעֲבֹר בַּמַּיִם אִתְּךָ
אָנִי וּבַנְּהָרוֹת לֹא יִשְׁטְפוּךָ כִּי־תֵלֵךְ בְּמוֹ־אֵשׁ לֹא תִכָּוֶה וְלֶהָבָה
לֹא תִבְעַר־בָּךְ: ג כִּי אֲנִי יהוה אֱלֹהֶיךָ קְדוֹשׁ יִשְׂרָאֵל מוֹשִׁיעֶךָ
נָתַתִּי כָפְרְךָ מִצְרַיִם כּוּשׁ וּסְבָא תַּחְתֶּיךָ: ד מֵאֲשֶׁר יָקַרְתָּ בְעֵינַי
נִכְבַּדְתָּ וַאֲנִי אֲהַבְתִּיךָ וְאֶתֵּן אָדָם תַּחְתֶּיךָ וּלְאֻמִּים תַּחַת נַפְשֶׁךָ:

רש"י

(כד) זו חטאנו לו. זו היא שגרמה את המשיסה והבז את אשר חטאנו לו: **ולא אבו.** אבותינו בדרכיו הלוך: **(כה) ותלהטהו מסביב.** כדי שיראו ויקחו מוסר; כענין שנאמר, הִכְרַתִּי גוֹיִם נָשַׁמּוּ פִּנּוֹתָם. . . אָמַרְתִּי אַךְ־תִּירְאִי וגו' (צפניה ג, ו-ז): **ולא ידע.** יודע הוא אלא שדש בעקב; לא שם להבין זאת ולשוב מרשעו, ותבער בו. אחר פורענות העכו"ם שמסביב בערה בעצמו: **(א) ועתה.** אף כל זאת, כה אמר ה' אל תירא: **(ב) כי תעבר במים.** כשעברת בים סוף אתך הייתי: **ובנהרות לא ישטפוך.** גרתה בין המצרים והבבליים המרובין כמי נהר ולא יכלו לך לכלות: **כי תלך במו אש.** לעתיד לבא; כִּי הִנֵּה הַיּוֹם בָּא בֹּעֵר כַּתַּנּוּר (מלאכי ג, יט) שאקדיר חמה על הרשעים. וְלִהַט אֹתָם הַיּוֹם הַבָּא (שם), גם שם לא תכוה: **(ג) נתתי כפרך מצרים.** והם היו לך לפדיון, שבכוריהם מתו ואתה בני בכורי נגלת, והייתם חייבים כליה; כמו שנאמר, וָאֹמַר לִשְׁפֹּךְ חֲמָתִי עֲלֵיהֶם לְכַלּוֹת אַפִּי בָּהֶם בְּתוֹךְ אֶרֶץ מִצְרָיִם (יחזקאל כ, ח): **(ד) ואתן אדם תחתיך.** תמיד אני רגיל בכך:

מצודת דוד

זו חטאנו לו. רצה לומר, זו היא הסיבה, אשר חטאנו לו וגמול הוא משלם: **ולא אבו.** ולא רצו ישראל ללכת בדרכיו: **(כה) וישפוך.** ולכך שפך עליו חמה קשה וחוזק מלחמה: **ותלהטהו מסביב.** רצה לומר, אבל אין נותנים לב לדעת שבא בהשגחה, וכאשר בערה מסביב לא ידע שמה' באה וכאשר בערה בו בעצמו ובגופו עם כל זה אינו משים על לבו להבין שבא בהשגחה. רצונו לומר, אינו משים על הלב לא בעת כשהצרה ממשמשת לבא ולא בעת שכבר באה: **(א) ועתה.** רצונו לומר, אף על כל זאת, כה אמר ה' וכו', אל תירא פן תכלה בגולה: **כי גאלתיך.** כי הלא ממצרים גאלתיך וקראתי אז בשמך, שאתה שלי עמי ובני בכורי: **(ב) כי תעבור במים.** ותהיה קרוב להיות נטבע בהם: **ובנהרות.** אף אם תעבור בנהרות השוטפים לא ישטפון: **לא תכוה.** לא תהיה נכוה מן האש ואף הלהב לא יבער בך, רצונו לומר, אף אם תהיה בעומק הצרות לא תכלה שמה: **(ג) כי אני ה' וגו'.** והכל בידי, נתתי כפרך מצרים. הלא במצרים הייתם חייבים כליה; כמו שנאמר, וָאֹמַר לִשְׁפֹּךְ חֲמָתִי עֲלֵיהֶם. . . בְּתוֹךְ אֶרֶץ מִצְרָיִם ואומר לשפוך חמתי עליהם בתוך ארץ מצרים (יחזקאל כ, ח), ונתתי אז כפרך מצרים, כי המה נאבדו תחתיך: **כוש וסבא תחתיך.** כאשר סנחריב שם פניו להלחם בירושלים, יצא להלחם בתחלה עם כוש וסבא ואבדו במקומך, והם היו לך לפדיון: **ולאומים וכו'.** כפל הדבר במילים שונות, וכאומר, כאשר עשיתי לשעבר כן אוסיף לעשות עוד: **(ד) מאשר יקרת.** בעבור אשר

מצודת ציון

(כד) ולא אבו. ולא רצו; כמו, לֹא אָבָה יַבְּמִי (דברים כה, ז): **(כה) חמה אפו.** כפל המלה בשמות נרדפים; וכן, אַדְמַת עָפָר (דניאל יב, ב) והדומים: **ועזוז.** מלשון עוז וחוזק: **ותלהטהו.** ענין הבערה ושרפה; כמו, אֵשׁ לֹהֵט (תהלים קד, ד): **ותבער.** מלשון הבערה: **(ב) במו.** בתוך; וכן, בְּמוֹ מַדְמֵנָה (ישעיה כה, י): **תכוה.** ענין חרוך ושריפה; כמו, מִכְוַת אֵשׁ (ויקרא יג, כד): **(ג) כפרך.** ענין פדיון: **(ד) יקרת.** מלשון יקר וחשוב:

ה אַל־תִּירָא כִּי־אִתְּךָ אָנִי מִמִּזְרָח אָבִיא זַרְעֶךָ וּמִמַּעֲרָב אֲקַבְּצֶךָּ׃
ו אֹמַר לַצָּפוֹן תֵּנִי וּלְתֵימָן אַל־תִּכְלָאִי הָבִיאִי בָנַי מֵרָחוֹק וּבְנוֹתַי
מִקְצֵה הָאָרֶץ׃ ז כֹּל הַנִּקְרָא בִשְׁמִי וְלִכְבוֹדִי בְּרָאתִיו יְצַרְתִּיו
אַף־עֲשִׂיתִיו׃ ח הוֹצִיא עַם־עִוֵּר וְעֵינַיִם יֵשׁ וְחֵרְשִׁים וְאָזְנַיִם לָמוֹ׃
ט כָּל־הַגּוֹיִם נִקְבְּצוּ יַחְדָּו וְיֵאָסְפוּ לְאֻמִּים מִי בָהֶם יַגִּיד זֹאת
וְרִאשֹׁנוֹת יַשְׁמִיעֻנוּ יִתְּנוּ עֵדֵיהֶם וְיִצְדָּקוּ וְיִשְׁמְעוּ וְיֹאמְרוּ אֱמֶת׃
י אַתֶּם עֵדַי נְאֻם־יהוה וְעַבְדִּי אֲשֶׁר בָּחָרְתִּי לְמַעַן תֵּדְעוּ וְתַאֲמִינוּ
לִי וְתָבִינוּ כִּי־אֲנִי הוּא לְפָנַי לֹא־נוֹצַר אֵל וְאַחֲרַי לֹא יִהְיֶה׃

רש"י

(ו) אומר. לרוח לפון, תני הגליות שבלפון: **ולתימן.** שהיא רוח חזקה, אל תכלאי מלנשב בחזקה להביא גליותי; וכן, עורי לָפוֹן וּבוֹאִי תֵימָן (שיר השירים ד, טז). מתוך שהרוח לפונית חלשה לריכה חיזוק, לכך כתוב עורי: **תני.** אבל דרומית שאינה לריכה חיזוק כתוב בואי, כמות שהיא וכן ואל תכלאי: **(ז) כל הנקרא בשמי ולכבודי בראתיו.** כל הלדיקים הנקראים בשמי וכל העשוי לכבודי ילרתיו אף עשיתיו. תכנתיו בכל הלריך לו, והכנתי הכל. כלומר אף על פי שעברו בגולה ובלרה כבר הכנתי להם כל לרכי גאולתם: **(ח) הוציא עם עור.** הוליא, כמו להוליא מן הגולה. אותם שגלו על שנעשו כעורים, ועינים להם ולא ראו: **(ט) כל הגוים נקבצו.** אם כל הגוים מעכו"ם נתקבלו יחדיו, מי בהם ובנביאיהם יגיד עתידות וכיולא בה מפי טעותם, או הראשונות שכבר עברו ישמיעונו לאמר, אנחנו הגדנו אותם קודם שבאו: **יתנו עדיהם.** ששמעו שנבאו עליהם קודם לכן וילדקו. אבל אני יש לי עדים, שאתם עדי שהגדתי לאברהם אביכם הגליות ובאו: **(י) ועבדי יעקב אשר בחרתי.** הוא יעיד שהבטחתיו בלכתו לארם נהרים, ושמרתי הבטחתי: **למען תדעו וגו'.** כל זה עשיתי למען תתנו לב לדעת אותי:

מצודת דוד

יקרת בעיני ונבגדת ואני אהבתיך, ולזה היה דרכי לתת בני אדם כמו הכנענים והמצרים תחתיך: **(ה) ממזרח.** הנפוצים שמה: **(ו) תני.** תן את ישראל הפזורים שמה: **אל תכלאי.** אל תמנעי מליתן את ישראל: **הביאי.** כאלו יצוה לכל אחד מרוחות השמים להביא את ישראל: **(ז) כל הנקרא בשמי.** כל ישראל הנקראים בשם עם ה': **ולכבודי.** הנעשה להתכבד ולהתפאר בהם; כמו שכתוב, יִשְׂרָאֵל אֲשֶׁר בְּךָ אֶתְפָּאָר (ישעיה מט, ג): **בראתיו וכו'.** רצונו לומר, כבר הכנתי לו כל צרכי הגאולה אין מחסור: **(ח) הוציא.** להוציא מהגולה אותם שגלו, על שנעשו בעוורים ועינים להם ולא ראו מעשה ה'; רצונו לומר, יש להם לב ואינם רוצים להשכיל: **וחרשים.** נעשו כחרשים ואזנים להם, ולא ישמעו מצות ה': **(ט) כל הגוים נקבצו.** אם כל העכו"ם יתקבצו יחד, מי בהם יגיד עתידות כזאת? וכי האליל אמר להם? **וראשונות.** או הראשונות שכבר עברו ישמיעונו לאמר אנחנו הגדנו אותם עד לא באו: **יתנו עדיהם.** רצונו לומר, יביאו עדים שהשמיע דבר עד לא בא ואז יהיו צדיקים בדבריהם: **וישמעו.** או ישמעו מה שיאמר הנביא ויאמרו אמת הדבר וכאומר או יביאו עדים או יודו על האמת: **(י) אתם עדי.** אבל לי יש עדים, כי אתם ישראל עדי, ועבדי הנביא אשר בחרתי בו גם הוא לעד שהגדתי מפלת סנחריב, מאז עד לא בא: **למען תדעו.** מן הראשונות תדעו כל האחרונות שכן יהיה: **ותאמינו לי.** שאקיים מאמרי, ותבינו כי אני הוא. ממנה, שאין מי יודע עתידות כמוני, תבינו אשר אני הוא לבד ואין עוד אלהים: **לפני לא נוצר אל.** רצונו לומר, לפני שיצרתי אני את היצירות לא היה דבר נוצר מאל זולתי, ואחר שיצרתי את היצירות לא יהיה דבר נוצר מאל זולתי, כי אין אלוה זולתי:

מצודת ציון

(ו) תכלאי. ענין מניעה; כמו, וַיִּכָּלֵא הָעָם מֵהָבִיא (שמות לו, ו): **(ט) וישמעו.** הוי"ו היא וי"ו המחלקת:

פרשת נח

ט אֵ֚לֶּה תּוֹלְדֹ֣ת נֹ֔חַ נֹ֗חַ אִ֥ישׁ
צַדִּ֛יק תָּמִ֥ים הָיָ֖ה בְּדֹֽרֹתָ֑יו אֶת־
הָֽאֱלֹהִ֖ים הִֽתְהַלֶּךְ־נֹֽחַ׃ י וַיּ֥וֹלֶד
נֹ֖חַ שְׁלֹשָׁ֣ה בָנִ֑ים אֶת־שֵׁ֖ם
אֶת־חָ֥ם וְאֶת־יָֽפֶת׃ יא וַתִּשָּׁחֵ֥ת הָאָ֖רֶץ לִפְנֵ֣י
הָֽאֱלֹהִ֑ים וַתִּמָּלֵ֥א הָאָ֖רֶץ חָמָֽס׃ יב וַיַּ֧רְא אֱלֹהִ֛ים

אונקלוס

ט אִלֵּין תּוּלְדָת נֹחַ נֹחַ גְּבַר
זַכַּאי שְׁלִים הֲוָה בְּדָרוֹהִי
בְּדַחַלְתָּא דַייָ הֲלִיךְ נֹחַ:
י וְאוֹלִיד נֹחַ תְּלָתָא בְנִין
יָת שֵׁם יָת חָם וְיָת יָפֶת:
יא וְאִתְחַבָּלַת אַרְעָא
קֳדָם יְיָ וְאִתְמְלִיאַת
אַרְעָא חֲטוֹפִין: יב וַחֲזָא יְיָ

רש"י

[פסוק ט] אֵלֶּה תּוֹלְדֹת נֹחַ נֹחַ אִישׁ צַדִּיק. הוֹאִיל וְהִזְכִּירוֹ סִפֵּר בְּשִׁבְחוֹ, שֶׁנֶּאֱמַר זֵכֶר צַדִּיק לִבְרָכָה (משלי י:ז; פס"ר יב (מז.)). ד"א, א לְלַמֶּדְךָ שֶׁעִיקַּר תּוֹלְדוֹתֵיהֶם שֶׁל צַדִּיקִים מַעֲשִׂים טוֹבִים (תנחומא ב; ב"ר ל:ו): **בְּדֹרֹתָיו.** יֵשׁ מֵרַבּוֹתֵינוּ דּוֹרְשִׁים אוֹתוֹ לְשֶׁבַח, כָּל שֶׁכֵּן שֶׁאִילּוּ הָיָה בְּדוֹר צַדִּיקִים הָיָה צַדִּיק יוֹתֵר. ב וְיֵשׁ שֶׁדּוֹרְשִׁים אוֹתוֹ לִגְנַאי, לְפִי דּוֹרוֹ הָיָה צַדִּיק, וְאִילּוּ הָיָה בְּדוֹרוֹ שֶׁל אַבְרָהָם לֹא הָיָה נֶחְשָׁב לִכְלוּם (תנחומא ה; ב"ר שם ט): **אֶת הָאֱלֹהִים הִתְהַלֶּךְ נֹחַ.** וּבְאַבְרָהָם הוּא אוֹמֵר הִתְהַלֵּךְ לְפָנַי (להלן יז:א). נֹחַ הָיָה צָרִיךְ סַעַד לְתוֹמְכוֹ, אֲבָל אַבְרָהָם הָיָה מִתְחַזֵּק [וּמְהַלֵּךְ] בְּצִדְקוֹ מֵאֵלָיו (שם ושם י): **הִתְהַלֶּךְ.** ג לְשׁוֹן עָבָר. וְזֶהוּ שִׁמּוּשׁוֹ שֶׁל ל' [ס"א ה'] ד [בל' כָּבֵד] מְשַׁמֶּשֶׁת לְהַבָּא וּלְשֶׁעָבַר בְּלָשׁוֹן אֶחָד. קוּם הִתְהַלֵּךְ (להלן יג:יז) לְהַבָּא, הִתְהַלֶּךְ נֹחַ לְשֶׁעָבַר. הִתְפַּלֵּל בְּעַד עֲבָדֶיךָ (שמואל-א יב:יט) לְהַבָּא. וּבָא וְהִתְפַּלֵּל אֶל הַבַּיִת הַזֶּה (מלכים-א ח:מב) לְשׁוֹן עָבָר, אֶלָּא ה שֶׁהַוָּי"ו שֶׁבְּרָאשׁוֹ הוֹפְכוֹ לְהַבָּא: **[פסוק יא] וַתִּשָּׁחֵת.** לְשׁוֹן עֶרְוָה וע"ז, כְּמוֹ פֶּן תַּשְׁחִיתוּן (דברים ד:טז) כִּי הִשְׁחִית כָּל בָּשָׂר ו וגו' (פסוק יב; סנהדרין נז.): **וַתִּמָּלֵא הָאָרֶץ חָמָס.** גָּזֵל

בעל הטורים

(ט) אלה תולדות. ד' דסמיכי — "אלה תולדות השמים"; "אלה תולדות נח"; "אלה תולדות שם"; "אלה תולדות יעקב". בכולן פסל את שלפניו — "אלה תולדות השמים" פסל תוהו ובוהו; "אלה תולדות נח" פסל דורות שלפניו; "אלה תולדות שם" פסל בני חם ובני יפת; "אלה תולדות יעקב" פסל עשו ואלופיו: **נח, נח** וגו'. ג' פעמים כתיב "נח" בפסוק — שראה שלשה עולמות; דבר אחר — שהיה משלשה שכל אחד הציל שלשה בזכותו. נח הציל שלשת בניו שהם שם חם ויפת; דניאל הציל חנניה מישאל ועזריה בחלום; איוב הציל שלשת רעיו, אליפז התימני ובלדד השוחי וצופר הנעמתי; דבר אחר — נוח לשמים, נוח לבריות; נוח לעליונים, נוח לתחתונים; נוח בעולם הזה, ונוח בעולם הבא: **תמים היה.** "היה" עולה למנין עשרים, לומר שהיה תמים בכל עשרים דורות שמאדם עד אברהם. אבל משבא אברהם לא נחשב תמים: **את האלהים התהלך נח.** סופי תבות חכם. וזהו שנאמר "ולקח נפשות חכם": **(יא) ותמלא הארץ [חמס].** ב' דסמיכי — הכא; ואידך "ותמלא הארץ אותם". שהארץ עצמה היתה מלאה מהם, שהיו יולדות בשדה ששה בכרס אחד, והיו נבלעים תחת הקרקע

עיקר שפתי חכמים

א מדכתיב אלה תולדות נח ומפרש מה המה תולדותיו נח איש צדיק ש"מ כי צדקותיו המה תולדותיו: **ב** ופליגי בדרשת את האלהים, כי לפי פרש"י בסמוך דרש מזה שלא היה צדיק גמור והיה צריך סעד, לכן ידרשו בדורותיו לגנאי. והדורשים לשבח ס"ל כי מה דכתיב את האלהים התהלך נח הוא משום שלא היה לו עסק עם בני דורו להחזירם למוטב שהיו רשעים גמורים וכל עסקו הי' כ"א עם אלהים ועבודתו, לכן דרשו בדורותיו לשבח [רא"ם]: **ג** מבנין התפעל: **ד** ר"ל שהלמ"ד בדגש מורה על בנין כבד כידוע: **ה** הוי"ו שבראשו הוא הוי"ו של ובא מהפך הפעלים שבאו אחריו לעתיד אבל הוי"ו של והתפלל הוא וי"ו החבור: **ו** דריש את דרכו מלשון ודרך גבר בעלמה:

יָת אַרְעָא וְהָא אִתְחַבָּלַת
אֲרֵי חַבִּילוּ כָּל בִּסְרָא
אֱנָשׁ יָת אָרְחֵהּ עַל
אַרְעָא׃ יג וַאֲמַר יְיָ לְנֹחַ
קִצָּא דְכָל בִּסְרָא עָלַת
לִקְדָמַי אֲרֵי אִתְמְלִיאַת
אַרְעָא חֲטוֹפִין מִן קֳדָם
עוֹבָדֵיהוֹן בִּישַׁיָּא וְהָא
אֲנָא מְחַבֵּלְהוֹן עִם אַרְעָא׃
יד עֲבֵד לָךְ תֵּבוֹתָא דְאָעִין
דְקַדְרוֹם מְדוֹרִין תַּעְבֵּד

אֶת־הָאָרֶץ וְהִנֵּה נִשְׁחָתָה כִּֽי־
הִשְׁחִית כָּל־בָּשָׂר אֶת־דַּרְכּוֹ עַל־
הָאָֽרֶץ׃ ס יג וַיֹּאמֶר אֱלֹהִים
לְנֹחַ קֵץ כָּל־בָּשָׂר בָּא לְפָנַי כִּֽי־
מָלְאָה הָאָרֶץ חָמָס מִפְּנֵיהֶם
וְהִנְנִי מַשְׁחִיתָם אֶת־הָאָֽרֶץ׃
יד עֲשֵׂה לְךָ תֵּבַת עֲצֵי־גֹפֶר קִנִּים תַּעֲשֶׂה

רש"י

[שֶׁנֶּאֱמַר וּמִן הֶחָמָס אֲשֶׁר בְּכַפֵּיהֶם (יונה ג:ח)]: **[פסוק יב] כִּי הִשְׁחִית כָּל בָּשָׂר.** אֲפִילוּ בְּהֵמָה חַיָּה וָעוֹף נִזְקָקִין לְשֶׁאֵינָן מִינָן (ב"ר כח:ח; תנחומא יב; סנהדרין קח.): **[פסוק יג] קֵץ כָּל בָּשָׂר.** כָּל מָקוֹם שֶׁאַתָּה מוֹצֵא זְנוּת, אַנְדְּרוֹלוֹמוּסְיָא בָּאָה לָעוֹלָם וְהוֹרֶגֶת טוֹבִים וְרָעִים (ב"ר כו:ה; תנחומא ראה ג): **כִּי מָלְאָה הָאָרֶץ חָמָס.** לֹא נֶחְתַּם גְּזַר דִּינָם אֶלָּא עַל [ז] הַגָּזֵל (סנהדרין שם; תנחומא ד; ב"ר לא:ג-ד): **אֶת הָאָרֶץ.** כְּמוֹ מִן הָאָרֶץ, וְדוֹמֶה לוֹ כְּצֵאתִי אֶת הָעִיר (שמות ט:כט) מִן הָעִיר. חָלָה אֶת רַגְלָיו (מלכים-א טו:כג) מִן רַגְלָיו. ד"א אֶת הָאָרֶץ, עִם הָאָרֶץ (אונקלוס; תרגום יונתן) שֶׁאַף שְׁלֹשָׁה טְפָחִים שֶׁל עוֹמֶק הַמַּחֲרֵישָׁה נִמּוֹחוּ (ב"ר לא:ז) וְנִטַּשְׁטְשׁוּ: **[פסוק יד] עֲשֵׂה לְךָ תֵּבַת.** הַרְבֵּה רֶוַח וְהַצָּלָה לְפָנָיו, וְלָמָּה הִטְרִיחוֹ בְּבִנְיָן זֶה. כְּדֵי שֶׁיִּרְאוּהוּ אַנְשֵׁי דוֹר הַמַּבּוּל עוֹסֵק בָּהּ ק"כ שָׁנָה וְשׁוֹאֲלִין אוֹתוֹ מַה זֹּאת לְךָ, וְהוּא אוֹמֵר לָהֶם עָתִיד הקב"ה לְהָבִיא מַבּוּל לָעוֹלָם, אוּלַי יָשׁוּבוּ (תנחומא ה; ב"ר ל:ז; תנחומא ישן בראשית לז): **עֲצֵי גֹפֶר.** כָּךְ שְׁמוֹ (סנהדרין קח:) [וְכַךְ מְתַרְגֵּם אָעִין דְּקַדְרוֹס (עי' ר"ה כג.)]. וְלָמָּה מִמִּין זֶה, ע"ש [ח] גָּפְרִית שֶׁנִּגְזַר עֲלֵיהֶם לְהִמָּחוֹת בּוֹ (ב"ר כז:ג; סנהדרין שם): **קִנִּים.** [מְדוֹרִים] מְדוֹרִים לְכָל בְּהֵמָה וְחַיָּה (אונקלוס; פדר"א כד; ב"ר לא:ט):

בעל הטורים

ואחר כך מבצבצין ועולין. והכא נמי, הארץ עצמה היתה מלאה חמס, שהיה אדם מפקיד כיסו אצל חברו ואפרסמון עמו, והיה הנפקד מניח הכיס עם האפרסמון תחת הקרקע עם אוצרותיו, והמפקיד בא בלילה ומריח האפרסמון ולוקח הכל: **חמס.** בגימטריא "מי נח", מלמד שפרע להם מדה במדה: חמס בגימטריא גיהנם, מלמד שברותחין נדונו: **(יג) ויאמר אלהים לנח קץ כל בשר.** רמז לו לימי המבול, שהם כמנין "קץ", ארבעים יום של מטר ומאה וחמשים של תגבורת: **כי מלאה הארץ חמס מפניהם.** בגימטריא גילוי עריות: **והנני.** ג' במסורת — "והנני משחיתם"; "והנני אמר לבנות בית בשילה"; "והנני מקוששת שנים עצים". אמר הקדוש ברוך הוא, אני אמרתי לבנות, פירוש, שיהיה עולם בנוי, וקלקלו מעשיהם, "והנני משחיתם", "והנני מקוששת [שנים עצים]", לומר לך שלא נשאר שום אילן עומד אלא כולם נתלשו: **משחיתם.** בגימטריא היא שלשה טפחים: **משחיתם את הארץ.** ראשי תבות מאה, לומר לך, שהשחית קומתן שהיתה גבוהה מאה אמה:

עיקר שפתי חכמים

ז אף דלעיל פרש"י כ"מ שאתה מוצא זנות כו', ונראה כי בשביל הזנות נגזר המבול, מ"מ אי לאו גזל לא נחתם עוד גזר דינם דהיה מועיל תשובה. ומגזל בלבד לא נחתם הדין על הטובים ג"כ כי אם היה משלם לרע כרשעתו: **ח** כי דור המבול נדונו במים רותחין כמפורש בר"ה ובחלק, וחמימות המים נתהווה מחומר הגפרית שבארץ:

אֶת־הַתֵּבָה וְכָפַרְתָּ אֹתָהּ מִבַּיִת
וּמִחוּץ בַּכֹּפֶר׃ טו וְזֶה אֲשֶׁר תַּעֲשֶׂה
אֹתָהּ שְׁלֹשׁ מֵאוֹת אַמָּה אֹרֶךְ
הַתֵּבָה חֲמִשִּׁים אַמָּה רָחְבָּהּ
וּשְׁלֹשִׁים אַמָּה קוֹמָתָהּ׃ טז צֹהַר |
תַּעֲשֶׂה לַתֵּבָה וְאֶל־אַמָּה תְּכַלֶּנָּה
מִלְמַעְלָה וּפֶתַח הַתֵּבָה בְּצִדָּהּ
תָּשִׂים תַּחְתִּיִּם שְׁנִיִּם וּשְׁלִשִׁים תַּעֲשֶׂהָ׃ ❖
יז וַאֲנִי הִנְנִי מֵבִיא אֶת־הַמַּבּוּל מַיִם עַל־הָאָרֶץ

יָת תֵּבוּתָא וְתֶחְפֵי יָתַהּ
מִגָּו וּמִבָּרָא בְּכָפְרָא׃
טו וְדֵין דִּי תַעְבֵּד יָתַהּ
תְּלָת מְאָה אַמִּין אָרְכָּא
דְתֵבוּתָא חַמְשִׁין אַמִּין
פְּתָיַהּ וּתְלָתִין אַמִּין רוּמַהּ׃
טז נְהוֹר תַּעְבֵּד לְתֵבוּתָא
וּלְאַמְּתָא תְּשַׁכְלְלִנַּהּ
מִלְעֵלָּא וְתַרְעָא
דְתֵבוּתָא בִּסְטְרַהּ תְּשַׁוֵּי
מְדוֹרִין אַרְעִין תִּנְיָנִין
וּתְלִיתָאִין תַּעְבְּדִנַּהּ׃
יז וַאֲנָא הָא אֲנָא מַיְתֵי
יָת טוֹפָנָא מַיָּא עַל אַרְעָא

רש"י

בַּכֹּפֶר. זֶפֶת בִּלְשׁוֹן אֲרַמִּי, וּמָצִינוּ בַּתַּלְמוּד כּוֹפְרָא (שבת סז.). בְּתֵיבָתוֹ שֶׁל מֹשֶׁה ע"י שֶׁהָיוּ הַמַּיִם תָּשִׁים דַּיָּהּ בְּחוֹמֶר מִבִּפְנִים וְזֶפֶת מִבַּחוּץ, וְעוֹד, כְּדֵי שֶׁלֹּא יָרִיחַ אוֹתוֹ צַדִּיק רֵיחַ רַע שֶׁל זֶפֶת, אֲבָל כָּאן ט מִפְּנֵי חוֹזֶק הַמַּיִם זִפְּתָהּ מִבַּיִת וּמִחוּץ (ב"ר לא:ט; סוטה יב.): [פסוק טז] **צֹהַר.** י"א חַלּוֹן, וי"א אֶבֶן טוֹבָה הַמְּאִירָה לָהֶם (ב"ר שם יא): **וְאֶל אַמָּה תְּכַלֶּנָּה מִלְמַעְלָה.** כְּסוּיָהּ מְשׁוּפָּע וְעוֹלֶה עַד שֶׁהוּא קָצָר מִלְמַעְלָה וְעוֹמֵד עַל אַמָּה, כְּדֵי שֶׁיָּזוּבוּ הַמַּיִם לְמַטָּה מִכָּאן וּמִכָּאן: **בְּצִדָּהּ תָּשִׂים.** כ שֶׁלֹּא יִפְּלוּ הַגְּשָׁמִים בָּהּ: **תַּחְתִּיִּם שְׁנִיִּם וּשְׁלִשִׁים.** שָׁלֹשׁ עֲלִיּוֹת זוֹ עַל גַּב זוֹ. עֶלְיוֹנִים לָאָדָם, אֶמְצָעִים לְמָדוֹר [בְּהֵמָה חַיָּה וְעוֹפוֹת], תַּחְתִּיִּים לְזֶבֶל (סנהדרין קח:): [פסוק יז] **וַאֲנִי הִנְנִי מֵבִיא.** ל הִנְנִי מוּכָן לְהַסְכִּים עִם אוֹתָם שֶׁזֵּרְזוּנִי וְאָמְרוּ לְפָנַי כְּבָר מָה אֱנוֹשׁ כִּי תִזְכְּרֶנּוּ (תהלים ח:ה; ב"ר שם יב): **מַבּוּל.** שֶׁבִּלָּה אֶת הַכֹּל, שֶׁבִּלְבֵּל אֶת הַכֹּל, שֶׁהוֹבִיל אֶת הַכֹּל מִן הַגָּבוֹהַּ לַנָּמוּךְ מ. וְזֶהוּ לְשׁוֹן אוּנְקְלוֹס שֶׁתִּרְגֵּם טוֹפָנָא, שֶׁהֵצִיף אֶת הַכֹּל וֶהֱבִיאָם לְבָבֶל שֶׁהִיא עֲמוּקָּה (פסחים פז:). לְכָךְ נִקְרֵאת שִׁנְעָר שֶׁנִּנְעֲרוּ שָׁם כָּל מֵתֵי מַבּוּל [ס"א מֵימֵי מַבּוּל] (שבת קיג:; זבחים קיג:):

בעל הטורים

(טו) וזה אשר תעשה. ב׳ דסמיכי — הכא; ואידך "וזה אשר תעשה על המזבח", לומר, כשם שהמזבח מכפר, כך אתה צריך לבנות מזבח לכפר עליו כשתצא:

עיקר שפתי חכמים

ט ר"ל אף שגם נח היה צדיק: י וצהר הוא מל׳ צהרים, והכתוב דלקמן ויפתח נח את חלון התבה אשר עשה יכריע לפי׳ הראשון: כ אף שכל פתחי ספינות עשוים מלמעלה: ל דרש כפל ל׳ ואני הנני:
מ לפי פי׳ הראשון ברש"י מבול הוא מהוראת בלה, ולפי׳ השני הוא מהוראת בלל ולפי׳ השלישי הוא מהוראת יובל הנרדף עם מביא, ולפירוש זה מביא רש"י לראיה את דברי התרגום:

ראה הציור "וְאֶל אַמָּה תְּכַלֶּנָּה מִלְמַעְלָה" (עמוד 520)

לְשַׁחֵת כָּל־בָּשָׂר אֲשֶׁר־בּוֹ רוּחַ
חַיִּים מִתַּחַת הַשָּׁמָיִם כֹּל אֲשֶׁר־
בָּאָרֶץ יִגְוָע: יח וַהֲקִמֹתִי אֶת־
בְּרִיתִי אִתָּךְ וּבָאתָ אֶל־הַתֵּבָה
אַתָּה וּבָנֶיךָ וְאִשְׁתְּךָ וּנְשֵׁי־בָנֶיךָ
אִתָּךְ: יט וּמִכָּל־הָחַי מִכָּל־בָּשָׂר
שְׁנַיִם מִכֹּל תָּבִיא אֶל־הַתֵּבָה
לְהַחֲיֹת אִתָּךְ זָכָר וּנְקֵבָה יִהְיוּ:
כ מֵהָעוֹף לְמִינֵהוּ וּמִן־הַבְּהֵמָה לְמִינָהּ מִכֹּל
רֶמֶשׂ הָאֲדָמָה לְמִינֵהוּ שְׁנַיִם מִכֹּל יָבֹאוּ
אֵלֶיךָ לְהַחֲיוֹת: כא וְאַתָּה קַח־לְךָ מִכָּל־מַאֲכָל

לְחַבָּלָא כָּל בִּסְרָא דִּי
בֵּהּ רוּחָא דְחַיֵּי מִתְּחוֹת
שְׁמַיָּא כֹּל דִּי בְאַרְעָא
יְמוּת: יח וְאָקֵים יָת קְיָמִי
עִמָּךְ וְתֵעוֹל לְתֵבוֹתָא
אַתְּ וּבְנָיךְ וְאִתְּתָךְ וּנְשֵׁי
בְנָיךְ עִמָּךְ: יט וּמִכָּל דְּחַי
מִכָּל בִּסְרָא תְּרֵין מִכֹּלָּא
תָּעֵיל לְתֵבוֹתָא לְקַיָּמָא
עִמָּךְ דְּכַר וְנֻקְבָּא יְהוֹן:
כ מֵעוֹפָא לִזְנוֹהִי וּמִן
בְּעִירָא לִזְנַהּ וּמִכֹּל
רִחֲשָׁא דְאַרְעָא לִזְנוֹהִי
תְּרֵין מִכֹּלָּא יֵעֲלוּן
לְוָתָךְ לְקַיָּמָא: כא וְאַתְּ
סַב לָךְ מִכָּל מֵיכַל

רש"י

[פסוק יח] וַהֲקִמֹתִי אֶת בְּרִיתִי. בְּרִית הָיָה צָרִיךְ [נ] עַל הַפֵּירוֹת שֶׁלֹּא יִרְקְבוּ וְיִתְעַפְּשׁוּ, וְשֶׁלֹּא יַהַרְגוּהוּ רְשָׁעִים שֶׁבַּדּוֹר (ב"ר שם): אַתָּה וּבָנֶיךָ וְאִשְׁתְּךָ. הָאֲנָשִׁים לְבַד וְהַנָּשִׁים לְבַד, מִכָּאן שֶׁנֶּאֶסְרוּ בְּתַשְׁמִישׁ הַמִּטָּה (שם): [פסוק יט] וּמִכָּל הָחַי. [ס] אֲפִי' שֵׁדִים (שם יג): שְׁנַיִם מִכֹּל. מִכָּל מִין וָמִין [ס"א [ע] מִן הַפָּחוּת] שֶׁבָּהֶם לֹא פָּחֲתוּ מִשְּׁנַיִם, אֶחָד זָכָר וְאֶחָד נְקֵבָה: [פסוק כ] מֵהָעוֹף לְמִינֵהוּ. אוֹתָן שֶׁדָּבְקוּ בְּמִינֵיהֶם וְלֹא הִשְׁחִיתוּ דַרְכָּם. וּמֵאֲלֵיהֶם בָּאוּ, וְכֹל שֶׁהַתֵּיבָה קוֹלַטְתּוֹ הִכְנִיס בָּהּ (סנהדרין קח: תנחומא יב):

בעל הטורים

(טז-יז) צהר. בגימטריא לאור האבן: **ושלשים תעשה.** ב׳ במסורת — הכא; ואידך ״ושלשים יסעו״. רמז למאן דאמר, שהדגלים נסעו כתיבה מרובעת: דבר אחר — שבזכות הדגלים נצולו: **תעשה. ואני.** סמך ״ואני״ ל״תעשה״. לומר שאני מסייעך בעשייתה, שאלמלא כן לא היה יכול לעשות אותה: **(יט-כ) להחית אתך זכר ונקבה...מהעוף למינהו.** רמז לו שהעוף ישכון אצלו. וזהו שנאמר ״וישלח את היונה מאתו״, מלמד שהיתה שכונה אצלו: **להחית אתך.** בגימטריא לא טרפה ולא מחסר אבר:

עיקר שפתי חכמים

נ פי׳ לכן סמך ובאת אל התיבה להקמת ברית, כי בלא זה לא היה יכול לכנס אל התיבה: **ס** ר"ל שאין בהם בשר רק רוח חיות ולא נתרבו בכלל מכל בשר: **ע** כי מן הטהורים הביא שבעה מכל מין כדלקמן:

אֲשֶׁר יֵאָכֵל וְאָסַפְתָּ אֵלֶיךָ וְהָיָה
לְךָ וְלָהֶם לְאָכְלָה׃ כב וַיַּעַשׂ נֹחַ
כְּכֹל אֲשֶׁר צִוָּה אֹתוֹ אֱלֹהִים כֵּן
עָשָׂה׃ ❖ שני פרק ז א וַיֹּאמֶר יהוה לְנֹחַ
בֹּא־אַתָּה וְכָל־בֵּיתְךָ אֶל־הַתֵּבָה
כִּי־אֹתְךָ רָאִיתִי צַדִּיק לְפָנַי בַּדּוֹר
הַזֶּה׃ ב מִכֹּל | הַבְּהֵמָה הַטְּהוֹרָה
תִּקַּח־לְךָ שִׁבְעָה שִׁבְעָה אִישׁ
וְאִשְׁתּוֹ וּמִן־הַבְּהֵמָה אֲשֶׁר לֹא
טְהֹרָה הִוא שְׁנַיִם אִישׁ וְאִשְׁתּוֹ׃ ג גַּם מֵעוֹף
הַשָּׁמַיִם שִׁבְעָה שִׁבְעָה זָכָר וּנְקֵבָה לְחַיּוֹת זֶרַע
עַל־פְּנֵי כָל־הָאָרֶץ׃ ד כִּי לְיָמִים עוֹד שִׁבְעָה

דִּי מִתְאֲכֵל וְתִכְנוֹשׁ לְוָתָךְ
וִיהֵי לָךְ וּלְהוֹן לְמֵיכָל׃
כב וַעֲבַד נֹחַ כְּכֹל דִּי
פַקִּיד יָתֵהּ יְיָ כֵּן עֲבַד׃
א וַאֲמַר יְיָ לְנֹחַ עוּל
אַתְּ וְכָל אֱנָשׁ בֵּיתָךְ
לְתֵבוּתָא אֲרֵי יָתָךְ חֲזֵתִי
זַכַּאי קֳדָמַי בְּדָרָא הָדֵין׃
ב מִכֹּל בְּעִירָא דַכְיָא
תִּסַּב לָךְ שַׁבְעָא שַׁבְעָא
דְּכַר וְנֻקְבָא וּמִן בְּעִירָא
דִּי לָא (אִיתָהָא) דַכְיָא
הִיא תְּרֵין דְּכַר וְנֻקְבָא׃
ג אַף מֵעוֹפָא דִשְׁמַיָּא
שַׁבְעָא שַׁבְעָא דְּכַר
וְנֻקְבָא לְקַיָּמָא זַרְעָא עַל
אַפֵּי כָל אַרְעָא׃ ד אֲרֵי
לִזְמַן יוֹמִין עוֹד שַׁבְעָא

רש"י

[פסוק כב] וַיַּעַשׂ נֹחַ. זֶה פ בִּנְיַן הַתֵּיבָה (ב"ר שם יד): [פסוק א] רָאִיתִי צַדִּיק. וְלֹא נֶאֱמַר צַדִּיק תָּמִים. מִכָּאן שֶׁאוֹמְרִים מִקְצָת שִׁבְחוֹ שֶׁל אָדָם בְּפָנָיו וְכוּלּוֹ שֶׁלֹּא בְּפָנָיו (שם לב:ג): [פסוק ב] הַטְּהוֹרָה. הָעֲתִידָה לִהְיוֹת טְהוֹרָה לְיִשְׂרָאֵל (זבחים קטז.) לָמַדְנוּ צ שֶׁלָּמַד נֹחַ תּוֹרָה (ב"ר כו:ח): שִׁבְעָה שִׁבְעָה. זָכָר וּנְקֵבָה (אונקלוס; ב"ר לב:ד) כְּדֵי שֶׁיַּקְרִיב מֵהֶם קָרְבָּן בְּצֵאתוֹ (שם לד:ט; תנחומא ויקהל ו): [פסוק ג] גַּם מֵעוֹף הַשָּׁמַיִם וגו'. בִּטְהוֹרִים הַכָּתוּב מְדַבֵּר, וְלָמֵד סָתוּם מִן הַמְפוֹרָשׁ: [פסוק ד] כִּי לְיָמִים עוֹד שִׁבְעָה. ק אֵלּוּ שִׁבְעַת יְמֵי אֶבְלוֹ שֶׁל מְתוּשֶׁלַח הַצַּדִּיק, שֶׁחָס הקב"ה עַל

בעל הטורים

(כא) ולהם. ג' במסורת — הכא "והיה לך ולהם לאכלה"; וגבי יוסף "ולהם לבדם"; "ולהם ולגמליהם אין מספר". כמו גבי יוסף שאכל הוא לבדו והמצריים לבדם, כך נח ובניו והחיות והבהמות, כל אחד לבדו, לכל אחד כפי מאכלו. וזה הוא "ולהם ולגמליהם", שהכניס זמורות לפילים ומאכל לגמלים וכן לכל מין ומין:

עיקר שפתי חכמים

פ אבל לא נאמר ויעש נח זה ביאתו אל התבה, דהא אח"כ נאמר בא אתה כו': צ דאל"כ מנא ידע מי המה הטהורים ומי הטמאים, אלא שלמד תורה: ק דאל"כ מה ענין של שבעת ימים שזכר הכתוב בפירוש:

אָנֹכִי֙ מַמְטִ֣יר עַל־הָאָ֔רֶץ
אַרְבָּעִ֣ים י֔וֹם וְאַרְבָּעִ֖ים לָ֑יְלָה
וּמָחִ֗יתִי אֶֽת־כָּל־הַיְקוּם֙ אֲשֶׁ֣ר
עָשִׂ֔יתִי מֵעַ֖ל פְּנֵ֥י הָאֲדָמָֽה׃
ה וַיַּ֖עַשׂ נֹ֑חַ כְּכֹ֥ל אֲשֶׁר־צִוָּ֖הוּ
יְהוָֽה׃ ו וְנֹ֕חַ בֶּן־שֵׁ֥שׁ מֵא֖וֹת
שָׁנָ֑ה וְהַמַּבּ֣וּל הָיָ֔ה מַ֖יִם עַל־
הָאָֽרֶץ׃ ז וַיָּ֣בֹא נֹ֗חַ וּ֠בָנָיו וְאִשְׁתּ֧וֹ
וּנְשֵֽׁי־בָנָ֛יו אִתּ֖וֹ אֶל־הַתֵּבָ֑ה מִפְּנֵ֖י מֵ֥י הַמַּבּֽוּל׃
ח מִן־הַבְּהֵמָה֙ הַטְּהוֹרָ֔ה וּמִן־הַבְּהֵמָ֔ה אֲשֶׁ֥ר
אֵינֶ֖נָּה טְהֹרָ֑ה וּמִ֨ן־הָע֔וֹף וְכֹ֥ל אֲשֶׁר־רֹמֵ֖שׂ עַל־
הָאֲדָמָֽה׃ ט שְׁנַ֨יִם שְׁנַ֜יִם בָּ֧אוּ אֶל־נֹ֛חַ אֶל־הַתֵּבָ֖ה

אֲנָא מָחֵית מִטְרָא עַל
אַרְעָא אַרְבְּעִין יְמָמִין
וְאַרְבְּעִין לֵילָוָן וְאֶמְחֵי יָת
כָּל יְקוּמָא דִּי עֲבָדִית מֵעַל
אַפֵּי אַרְעָא׃ ה וַעֲבַד נֹחַ
כְּכֹל דִּי פַקְדֵהּ יְיָ׃ ו וְנֹחַ בַּר
שֵׁית מְאָה שְׁנִין וְטוֹפָנָא
הֲוָה מַיָּא עַל אַרְעָא׃
ז וְעָאל נֹחַ וּבְנוֹהִי וְאִתְּתֵהּ
וּנְשֵׁי בְנוֹהִי עִמֵּהּ לְתֵבוּתָא
מִן קֳדָם מֵי טוֹפָנָא׃ ח מִן
בְּעִירָא דַּכְיָא וּמִן בְּעִירָא
דִּי לֵיתָהָא דַּכְיָא וּמִן
עוֹפָא וְכֹל דִּי רָחֵישׁ עַל
אַרְעָא׃ ט תְּרֵין תְּרֵין
עַלּוּ לְוָת נֹחַ לְתֵבוּתָא

רש"י

כְּבוֹדוֹ וְעִכֵּב אֶת הַפּוּרְעָנוּת (ב"ר לב:ז; סנהדרין קח.). צֵא וַחֲשׁוֹב שְׁנוֹתָיו שֶׁל מְתוּשֶׁלַח וְתִמְצָא שֶׁהֵם כָּלִים בִּשְׁנַת ת"ר שָׁנָה לְחַיֵּי נֹחַ: **כִּי לְיָמִים עוֹד שִׁבְעָה.** מַהוּ עוֹד, זְמַן אַחַר זְמַן, זֶה נוֹסָף עַל ק"כ שָׁנָה (סנהדרין שם): **אַרְבָּעִים יוֹם.** כְּנֶגֶד יְצִירַת הַוָּלָד, שֶׁקִּלְקְלוּ לְהַטְרִיחַ לְיוֹצְרָם לָצוּר צוּרַת מַמְזֵרִים (ב"ר לב:ה): **[פסוק ה] וַיַּעַשׂ נֹחַ.** זֶה בִּיאָתוֹ לַתֵּיבָה (שם): **[פסוק ז] נֹחַ וּבָנָיו.** הָאֲנָשִׁים לְבַד וְהַנָּשִׁים לְבַד, לְפִי שֶׁנֶּאֶסְרוּ בְּתַשְׁמִישׁ הַמִּטָּה ר מִפְּנֵי שֶׁהָעוֹלָם שָׁרוּי בְּצַעַר (תנחומא יא): **מִפְּנֵי מֵי הַמַּבּוּל.** אַף נֹחַ מִקְּטַנֵּי אֲמָנָה הָיָה, מַאֲמִין וְאֵינוֹ מַאֲמִין שֶׁיָּבֹא הַמַּבּוּל, וְלֹא נִכְנַס לַתֵּיבָה עַד שֶׁדְּחָקוּהוּ הַמַּיִם (שם ו): **[פסוק ט] בָּאוּ אֶל נֹחַ.** ש מֵאֲלֵיהֶן (ב"ר לב:ח; תנחומא יב; זבחים קטז.): **שְׁנַיִם שְׁנַיִם.** כֻּלָּם הוּשְׁווּ

בעל הטורים

(ד) **היקום אשר עשיתי.** בגימטריא לא חיים לתחיית המתים: **היקום.** ג' במסורת — "ומחיתי את כל היקום"; "וימח את כל היקום"; "ואת כל היקום אשר ברגליהם". לומר, כשם שחטאו דור המבול מפני רוב טובה ועושר שהיה להם, כך קרח מרוב עושר שהיה לו השתרר וחטא:

עיקר שפתי חכמים

ר ולכך סמך ויבא נח גו' לקרא הקודם והמבול הי', בשביל שהעולם שרוי בצער בשביל המבול לכן באו האנשים לבד והנשים לבד: ש מדלא כתיב הובאו משמע שבאו מאליהם:

ראה הטבלא "לוח המבול" (עמוד 521).

זָכָר וּנְקֵבָה כַּאֲשֶׁר צִוָּה אֱלֹהִים
אֶת־נֹחַ: י וַיְהִי לְשִׁבְעַת הַיָּמִים
וּמֵי הַמַּבּוּל הָיוּ עַל־הָאָרֶץ:
יא בִּשְׁנַת שֵׁשׁ־מֵאוֹת שָׁנָה לְחַיֵּי־
נֹחַ בַּחֹדֶשׁ הַשֵּׁנִי בְּשִׁבְעָה־עָשָׂר
יוֹם לַחֹדֶשׁ בַּיּוֹם הַזֶּה נִבְקְעוּ
כָּל־מַעְיְנוֹת תְּהוֹם רַבָּה וַאֲרֻבֹּת
הַשָּׁמַיִם נִפְתָּחוּ: יב וַיְהִי הַגֶּשֶׁם
עַל־הָאָרֶץ אַרְבָּעִים יוֹם וְאַרְבָּעִים לָיְלָה:
יג בְּעֶצֶם הַיּוֹם הַזֶּה בָּא נֹחַ וְשֵׁם־וְחָם וָיֶפֶת
בְּנֵי־נֹחַ וְאֵשֶׁת נֹחַ וּשְׁלֹשֶׁת נְשֵׁי־בָנָיו אִתָּם אֶל־

דְּכַר וְנֻקְבָּא כְּמָא דִי פַקֵּיד
יְיָ יָת נֹחַ: י וַהֲוָה לִזְמַן
שִׁבְעַת יוֹמִין וּמֵי טוֹפָנָא
הֲווֹ עַל אַרְעָא: יא בִּשְׁנַת
שִׁית מְאָה שְׁנִין לְחַיֵּי נֹחַ
בְּיַרְחָא תִּנְיָנָא בְּשִׁבְעַת
עַסְרָא יוֹמָא לְיַרְחָא
בְּיוֹמָא הָדֵין אִתְבְּזָעוּ כָּל
מַבּוּעֵי תְּהוֹמָא רַבָּא וְכַוֵּי
שְׁמַיָּא אִתְפַּתַּחוּ: יב וַהֲוָה
מִטְרָא נָחֵית עַל אַרְעָא
אַרְבְּעִין יְמָמִין וְאַרְבְּעִין
לֵילְוָן: יג בִּכְרַן יוֹמָא
הָדֵין עָאל נֹחַ וְשֵׁם וְחָם
וָיֶפֶת בְּנֵי נֹחַ וְאִתַּת נֹחַ
וּתְלָתָא נְשֵׁי בְנוֹהִי עִמְּהוֹן

רש״י

בְּמִנְיָן זֶה, ת מִן הַפְּחוּתִים הָיוּ שְׁנַיִם: **[פסוק יא] בַּחֹדֶשׁ הַשֵּׁנִי.** רַבִּי אֱלִיעֶזֶר אוֹמֵר זֶה מַרְחֶשְׁוָן, ר׳ יְהוֹשֻׁעַ אוֹמֵר זֶה אִיָּיר (סדר עולם פ״ד; ראש השנה יא:): **נִבְקְעוּ.** לְהוֹצִיא מֵימֵיהֶן: **תְּהוֹם רַבָּה.** מִדָּה כְּנֶגֶד מִדָּה, הֵם חָטְאוּ בְּרַבָּה רָעַת הָאָדָם (לעיל ו:ה) וְלָקוּ בִּתְהוֹם רַבָּה (סנהדרין קח.): **[פסוק יב] וַיְהִי הַגֶּשֶׁם עַל הָאָרֶץ.** וּלְהַלָּן (פסוק יז) הוּא אוֹמֵר וַיְהִי הַמַּבּוּל, אֶלָּא כְּשֶׁהוֹרִידָן הוֹרִידָן בְּרַחֲמִים שֶׁאִם יַחְזְרוּ יִהְיוּ גִּשְׁמֵי בְרָכָה, וּכְשֶׁלֹּא חָזְרוּ הָיוּ לְמַבּוּל (עי׳ ב״ר לא:יב; מכילתא בשלח שירה פ״ה): **אַרְבָּעִים יוֹם וגו׳.** אֵין יוֹם רִאשׁוֹן מִן הַמִּנְיָן לְפִי שֶׁאֵין לֵילוֹ עִמּוֹ, שֶׁהֲרֵי כְּתִיב בַּיּוֹם הַזֶּה נִבְקְעוּ כָּל מַעְיְנוֹת. נִמְצְאוּ אַרְבָּעִים יוֹם כָּלִים בְּכ״ח בְּכִסְלֵו לְר׳ אֱלִיעֶזֶר, שֶׁהֶחֳדָשִׁים נִמְנִין כְּסִדְרָן אֶחָד מָלֵא וְאֶחָד חָסֵר, הֲרֵי י״ב מִמַּרְחֶשְׁוָן וְכ״ח מִכִּסְלֵיו: **[פסוק יג] בְּעֶצֶם הַיּוֹם הַזֶּה.** לִמֶּדְךָ הַכָּתוּב שֶׁהָיוּ בְּנֵי דוֹרוֹ אוֹמְרִים אִילּוּ אָנוּ רוֹאִים אוֹתוֹ נִכְנָס לַתֵּיבָה אָנוּ

בעל הטורים

(י) לשבעת הימים. בגימטריא לימי אבל מתושלח: **(יא) בשבעה עשר יום לחודש.** וזה הוא ״יבלו בטוב ימיהם״, במנין טוב לחודש ירד המבול: **וארבת השמים.** בגימטריא שלקח שני כוכבים מכימה:

עיקר שפתי חכמים

ת דמן הטהורים היו שבעה מכל מין:

הַתֵּבָה׃ יד הֵמָּה וְכָל־הַחַיָּה לְמִינָהּ
וְכָל־הַבְּהֵמָה לְמִינָהּ וְכָל־הָרֶמֶשׂ
הָרֹמֵשׂ עַל־הָאָרֶץ לְמִינֵהוּ וְכָל־
הָעוֹף לְמִינֵהוּ כֹּל צִפּוֹר כָּל־
כָּנָף׃ טו וַיָּבֹאוּ אֶל־נֹחַ אֶל־הַתֵּבָה
שְׁנַיִם שְׁנַיִם מִכָּל־הַבָּשָׂר אֲשֶׁר־
בּוֹ רוּחַ חַיִּים׃ טז וְהַבָּאִים זָכָר
וּנְקֵבָה מִכָּל־בָּשָׂר בָּאוּ כַּאֲשֶׁר
צִוָּה אֹתוֹ אֱלֹהִים וַיִּסְגֹּר יְהוָה בַּעֲדוֹ׃ שלישי
יז וַיְהִי הַמַּבּוּל אַרְבָּעִים יוֹם עַל־הָאָרֶץ וַיִּרְבּוּ
הַמַּיִם וַיִּשְׂאוּ אֶת־הַתֵּבָה וַתָּרָם מֵעַל הָאָרֶץ׃

לְתֵיבוּתָא: יד אִנּוּן וְכָל
חַיְתָא לִזְנַהּ וְכָל בְּעִירָא
לִזְנַהּ וְכָל רִחֲשָׁא דְּרָחֵישׁ
עַל אַרְעָא לִזְנוֹהִי וְכָל
עוֹפָא לִזְנוֹהִי כֹּל צִפַּר
כָּל דְּפָרַח: טו וְעַלּוּ עִם
נֹחַ לְתֵיבוּתָא תְּרֵין תְּרֵין
מִכָּל בִּשְׂרָא דִּי בֵהּ רוּחָא
דְחַיֵּי: טז וְעָלַיָּא דְּכַר
וְנֻקְבָּא מִכָּל בִּשְׂרָא עַלּוּ
כְּמָא דִּי פַקֵּיד יָתֵהּ יְיָ
וְאַגֵּין יְיָ (בְּמֵימְרֵהּ) עֲלוֹהִי:
יז וַהֲוָה טוֹפָנָא אַרְבְּעִין
יוֹמִין עַל אַרְעָא וּסְגִיאוּ
מַיָּא וּנְטַלוּ יָת תֵּיבוּתָא
וְאִתְרְמַת מֵעַל אַרְעָא:

רש"י

שׁוֹבְרִין אוֹתָהּ וְהוֹרְגִין אוֹתוֹ. אָמַר הקב"ה, אֲנִי מַכְנִיסוֹ לְעֵינֵי כֻלָּם, וְנִרְאֶה דְּבַר מִי יָקוּם (ספרי האזינו שלג; ב"ר לב:ח): **[פסוק יד] צִפּוֹר כָּל כָּנָף.** דָּבוּק הוּא, צִפּוֹר שֶׁל כָּל מִין א כָּנָף, לְרַבּוֹת חֲגָבִים (חולין קלט:) [כָּנָף זֶה לְשׁוֹן נוֹצָה, כְּמוֹ וְשִׁסַּע אוֹתוֹ בִכְנָפָיו (ויקרא א:יז) שֶׁאֲפִי' נוֹצָתָהּ עוֹלָה. אַף כָּאן, צִפּוֹר כָּל מִין מַרְאִית נוֹצָה]: **[פסוק טז] וַיִּסְגּוֹר ה' בַּעֲדוֹ.** הֵגֵן עָלָיו שֶׁלֹּא שְׁבָרוּהָ. הִקִּיף הַתֵּיבָה דּוּבִּים וַאֲרָיוֹת (ב"ר לב:ח) וְהָיוּ הוֹרְגִין בָּהֶם (תנחומא ישן י). וּפְשׁוּטוֹ שֶׁל מִקְרָא, ב סָגַר כְּנֶגְדּוֹ מִן הַמַּיִם, וְכֵן כָּל בְּעַד שֶׁבַּמִּקְרָא לְשׁוֹן כְּנֶגֶד הוּא. בְּעַד כָּל רֶחֶם (להלן כ:יח) בַּעֲדֵךְ וּבְעַד בָּנַיִךְ (מלכים־ב ד:ד) עוֹר בְּעַד עוֹר (איוב ב:ד) מָגֵן בַּעֲדִי (תהלים ג:ד) הִתְפַּלֵּל בְּעַד עֲבָדֶיךָ (שמואל־א יב:יט) כְּנֶגֶד עֲבָדֶיךָ: **[פסוק יז] וַתָּרָם מֵעַל הָאָרֶץ.** מְשׁוּקַעַת הָיְתָה בַּמַּיִם אַחַת עֶשְׂרֵה אַמָּה כִּסְפִינָה טְעוּנָה שֶׁמְּשׁוּקַעַת מִקְצָתָהּ בַּמַּיִם, וּמִקְרָאוֹת שֶׁלְּפָנֵינוּ יוֹכִיחוּ (ב"ר לב:ט):

בעל הטורים

(טז) והבאים. ב' במסורת – הכא "והבאים זכר ונקבה"; ואידך "והבאים [וגו']" עם זרובבל. לומר, כמו שבכאן באו מאליהם, אף התם נמי עלו מאליהם. וזהו כמאן דאמר עלו מאליהם, ודלא כמאן דאמר שעזרא העלם:

עיקר שפתי חכמים

א כי צפור לבד אינו כולל חגבים, ובסמיכות כנף מרבה חגבים שיש להם כנפים: **ב** ר"ל שבזה שצוהו לעשות התיבה ולכנס בתוכה זו היא סגירתו מן המים:

ראה הטבלא **"לוח המבול"** (עמוד 521)

יח וַיִּגְבְּרוּ הַמַּיִם וַיִּרְבּוּ מְאֹד עַל־
הָאָרֶץ וַתֵּלֶךְ הַתֵּבָה עַל־פְּנֵי
הַמָּיִם: יט וְהַמַּיִם גָּבְרוּ מְאֹד מְאֹד
עַל־הָאָרֶץ וַיְכֻסּוּ כָּל־הֶהָרִים
הַגְּבֹהִים אֲשֶׁר־תַּחַת כָּל־הַשָּׁמָיִם:
כ חֲמֵשׁ עֶשְׂרֵה אַמָּה מִלְמַעְלָה
גָּבְרוּ הַמָּיִם וַיְכֻסּוּ הֶהָרִים:
כא וַיִּגְוַע כָּל־בָּשָׂר | הָרֹמֵשׂ עַל־
הָאָרֶץ בָּעוֹף וּבַבְּהֵמָה וּבַחַיָּה
וּבְכָל־הַשֶּׁרֶץ הַשֹּׁרֵץ עַל־הָאָרֶץ
וְכֹל הָאָדָם: כב כֹּל אֲשֶׁר נִשְׁמַת־רוּחַ חַיִּים בְּאַפָּיו
מִכֹּל אֲשֶׁר בֶּחָרָבָה מֵתוּ: כג *וַיִּמַח אֶת־כָּל־הַיְקוּם |
אֲשֶׁר | עַל־פְּנֵי הָאֲדָמָה מֵאָדָם עַד־בְּהֵמָה עַד־

יח וּתְקִיפוּ מַיָּא וּסְגִיאוּ
לַחֲדָא עַל אַרְעָא
וּמְהַלְכָא תֵּבוֹתָא עַל
אַפֵּי מַיָּא: יט וּמַיָּא
תְּקִיפוּ לַחֲדָא לַחֲדָא
עַל אַרְעָא וְאִתְחֲפִיאוּ
כָּל טוּרַיָּא רָמַיָּא דִּי
תְּחוֹת כָּל שְׁמַיָּא: כ חֲמֵשׁ
עַשְׂרֵי אַמִּין מִלְעֵלָּא
תְּקִיפוּ מַיָּא וְאִתְחֲפִיאוּ
טוּרַיָּא: כא וּמִית כָּל
בִּשְׂרָא דְּרָחֵשׁ עַל
אַרְעָא בְּעוֹפָא וּבִבְעִירָא
וּבְחַיְתָא וּבְכָל רִחְשָׁא
דְּרָחֵשׁ עַל אַרְעָא וְכֹל
אֱנָשָׁא: כב כֹּל דִּי נִשְׁמְתָא
רוּחָא דְּחַיִּין בְּאַנְפּוֹהִי
מִכֹּל דִּי בְּיַבֶּשְׁתָּא מִיתוּ:
כג וּמְחָא יָת כָּל יְקוּמָא
דִּי עַל אַפֵּי אַרְעָא
מֵאֱנָשָׁא עַד בְּעִירָא עַד

* מ׳ רפה

רש״י

[פסוק יח] **וַיִּגְבְּרוּ.** מִתְחַלְיָן: [פסוק כ] **חֲמֵשׁ עֶשְׂרֵה אַמָּה מִלְמַעְלָה.** לְמַעְלָה שֶׁל גּוֹבַהּ כָּל הֶהָרִים [ג], לְאַחַר שֶׁהוּשְׁווּ הַמַּיִם לְרָאשֵׁי הֶהָרִים (יומא עו.): [פסוק כב] **נִשְׁמַת רוּחַ חַיִּים.** נְשָׁמָה [ד] שֶׁל רוּחַ חַיִּים: **אֲשֶׁר בֶּחָרָבָה.** וְלֹא דָּגִים שֶׁבַּיָּם (סנהדרין קח.; זבחים קיג:; ב״ר לב:יא): [פסוק כג] **וַיִּמַח.** לְשׁוֹן [ה] וַיִּפְעַל הוּא וְאֵינוֹ לְשׁוֹן וַיִּפָּעֵל וְהוּא מִגִּזְרַת וַיִּפֶן וַיִּבֶן. כָּל תֵּיבָה שֶׁסּוֹפָהּ

בעל הטורים

(כג) **וישאר אך נח.** אין מיעוט אחר מיעוט אלא לרבות, לומר, שאף עוג נשאר. ״אך נח״ בגימטריא עוג:

עיקר שפתי חכמים

ג כי למעלה נאמר ויכסו כל ההרים כו׳ ועל זה נאמר כאן מלמעלה: **ד** כי לפי׳ הרא״ב״ע שב רק על האדם לבדו, והרא״ם גרס ברש״י נשימה של רוח חיים וקאי על כל הנבראים: **ה** ר״ל מבנין הקל והוא פעל יוצא ולא מבנין נפעל. ומה שנקוד היו״ד בחיר״ק לפי שהוא מגזרת ויפן כו׳ ר״ל מגזרת נח״י למ״ד ה״א, והמ״ם בא בפת״ח מפני החי״ת שהיא גרונית:

רֶ֙מֶשׂ֙ וְעַד־ע֣וֹף הַשָּׁמַ֔יִם וַיִּמָּח֖וּ מִן־הָאָ֑רֶץ וַיִּשָּׁ֧אֶר אַךְ־נֹ֛חַ וַאֲשֶׁ֥ר אִתּ֖וֹ בַּתֵּבָֽה׃ כד וַיִּגְבְּר֥וּ הַמַּ֖יִם עַל־הָאָ֑רֶץ חֲמִשִּׁ֥ים וּמְאַ֖ת יֽוֹם׃

פרק ח א וַיִּזְכֹּ֤ר אֱלֹהִים֙ אֶת־נֹ֔חַ וְאֵ֤ת כָּל־הַֽחַיָּה֙ וְאֶת־כָּל־הַבְּהֵמָ֔ה אֲשֶׁ֥ר אִתּ֖וֹ בַּתֵּבָ֑ה וַיַּעֲבֵ֨ר אֱלֹהִ֥ים ר֙וּחַ֙ עַל־הָאָ֔רֶץ וַיָּשֹׁ֖כּוּ הַמָּֽיִם׃ ב וַיִּסָּֽכְרוּ֙ מַעְיְנֹ֣ת תְּה֔וֹם וַאֲרֻבֹּ֖ת הַשָּׁמָ֑יִם וַיִּכָּלֵ֥א הַגֶּ֖שֶׁם מִן־

רִחֲשָׁא וְעַד עוֹפָא דִשְׁמַיָּא וְאִתְמְחִיאוּ מִן אַרְעָא וְאִשְׁתְּאַר בְּרַם נֹחַ וְדִי עִמֵּהּ בְּתֵבוֹתָא: כד וּתְקִיפוּ מַיָּא עַל אַרְעָא מְאָה וְחַמְשִׁין יוֹמִין: א וּדְכִיר יְיָ יָת נֹחַ וְיָת כָּל חַיְתָא וְיָת כָּל בְּעִירָא דִּי עִמֵּהּ בְּתֵבוֹתָא וְאַעְבַּר יְיָ רוּחָא עַל אַרְעָא וְנָחוּ מַיָּא: ב וְאִסְתְּכַרוּ מַבּוּעֵי תְהוֹמָא וְכַוֵּי שְׁמַיָּא וְאִתְכְּלִי מִטְרָא מִן

רש"י

ה"א, כְּגוֹן בנה, מחה, קנה, כְּשֶׁהוּא נוֹתֵן וָא"ו יוּ"ד בְּרֹאשָׁהּ נָקוּד בְּחִירִק תַּחַת הַיּוּ"ד: **אַךְ נֹחַ.** לְבַד נֹחַ זֶהוּ פְּשׁוּטוֹ. וּמִדְרַשׁ אַגָּדָה גּוֹנֵחַ [ו] וְכוֹהֶה [ס"א וְכוֹחֶה] דָּם מִטּוֹרַח הַבְּהֵמוֹת וְהַחַיּוֹת (סנהדרין קח:; תנחומא ישן יד; ברייתא דל"ב מדות מדה ב). וי"א שֶׁאִיחֵר מְזוֹנוֹת לָאֲרִי וְהִכִּישׁוֹ וְעָלָיו נֶאֱמַר הֵן צַדִּיק בָּאָרֶץ יְשֻׁלָּם (משלי יא:לא; תנחומא ט): [פסוק א] **וַיִּזְכּוֹר אֱלֹהִים.** זֶה הַשֵּׁם מִדַּת הַדִּין הוּא, וְנֶהֶפְכָה לְמִדַּת רַחֲמִים עַל יְדֵי תְּפִלַּת הַצַּדִּיקִים (סוכה יד.; תנחומא יא). וְרִשְׁעָתָן שֶׁל רְשָׁעִים הוֹפֶכֶת מִדַּת רַחֲמִים לְמִדַּת הַדִּין, שֶׁנֶּאֱמַר וַיַּרְא ה' כִּי רַבָּה רָעַת הָאָדָם וגו' וַיֹּאמֶר ה' אֶמְחֶה (לעיל ו:ה,ז) וְהוּא שֵׁם מִדַּת הָרַחֲמִים (ב"ר לג:ג): **וַיִּזְכּוֹר אֱלֹהִים אֶת נֹחַ וגו'.** מַה זָּכַר לָהֶם לַבְּהֵמוֹת, זְכוּת שֶׁלֹּא הִשְׁחִיתוּ דַּרְכָּם קוֹדֶם לָכֵן (תנחומא ישן יא) וְשֶׁלֹּא שִׁמְּשׁוּ בַּתֵּיבָה (תנחומא יא־יב): **וַיַּעֲבֵר אֱלֹהִים רוּחַ.** רוּחַ תַּנְחוּמִין [ז] וַהֲנָחָה עָבְרָה לְפָנָיו (תרגום יונתן): **עַל הָאָרֶץ.** עַל עִסְקֵי הָאָרֶץ: **וַיָּשֹׁכּוּ.** כְּמוֹ וַחֲמַת הַמֶּלֶךְ שָׁכָכָה (אסתר ז:י), לְשׁוֹן הֲנָחַת חֵמָה (סנהדרין קח:; תנחומא ישן יב): [פסוק ב] **וַיִּסָּכְרוּ מַעְיְנֹת.** כְּשֶׁנִּפְתְּחוּ כְּתִיב כָּל מַעְיְנוֹת (לעיל ז:יא) וְכָאן אֵין כְּתִיב כָּל, לְפִי שֶׁנִּשְׁתַּיְּירוּ מֵהֶם אוֹתָן שֶׁיֵּשׁ בָּהֶם צוֹרֶךְ לָעוֹלָם, כְּגוֹן חַמֵּי טְבֶרְיָא וְכַיּוֹצֵא בָּהֶן (ב"ר לג:ד; סנהדרין קח.): **וַיִּכָּלֵא.** וַיִּמָּנַע (תרגום יונתן) כְּמוֹ לֹא תִכְלָא רַחֲמֶיךָ (תהלים מ:יב) לֹא יִכְלֶה מִמְּךָ (להלן כג:ו):

בעל הטורים

(ב) ויכלא. ב' במסורת – הכא "ויכלא הגשם מן השמים"; ואידך "ויכלא העם מהביא". לומר לך שבזכות ישראל כלא הגשם:

עיקר שפתי חכמים

ו כי אך הוא למעט ומה ממעט כאן, אלא ללמד שהוא עצמו הי' מתמעט מגניחתו: **ז** דאין לפרש רוח ממש הא כתיב על הארץ והא היו המים על הארץ, לכך פי' רוח תנחומין, ועל הארץ ר"ל על עסקי הארץ:

הַשָּׁמָֽיִם׃ ג וַיָּשֻׁ֨בוּ הַמַּ֜יִם מֵעַ֣ל הָאָ֔רֶץ הָל֖וֹךְ וָשׁ֑וֹב וַיַּחְסְר֣וּ הַמַּ֔יִם מִקְצֵ֕ה חֲמִשִּׁ֥ים וּמְאַ֖ת יֽוֹם׃ ד וַתָּ֤נַח הַתֵּבָה֙ בַּחֹ֣דֶשׁ הַשְּׁבִיעִ֔י בְּשִׁבְעָֽה־עָשָׂ֥ר י֖וֹם לַחֹ֑דֶשׁ עַ֖ל הָרֵ֥י אֲרָרָֽט׃ ה וְהַמַּ֗יִם הָיוּ֙ הָל֣וֹךְ וְחָס֔וֹר עַ֖ד הַחֹ֣דֶשׁ הָעֲשִׂירִ֑י בָּעֲשִׂירִי֙ בְּאֶחָ֣ד לַחֹ֔דֶשׁ נִרְא֖וּ רָאשֵׁ֥י הֶהָרִֽים׃

שְׁמַיָּא: ג וְתָבוּ מַיָּא מֵעַל אַרְעָא אָזְלִין וְתָיְבִין וַחֲסַרוּ מַיָּא מִסּוֹף מְאָה וְחַמְשִׁין יוֹמִין: ד וְנָחַת תֵּבוֹתָא בְּיַרְחָא שְׁבִיעָאָה בְּשִׁבְעַת עֲשַׂר יוֹמָא לְיַרְחָא עַל טוּרֵי קַרְדּוּ: ה וּמַיָּא הֲווֹ אָזְלִין וְחָסְרִין עַד יַרְחָא עֲשִׂירָאָה בַּעֲשִׂירָאָה בְּחַד לְיַרְחָא אִתְחֲזִיאוּ רֵישֵׁי טוּרַיָּא:

רש"י

[פסוק ג] מִקְצֵה חֲמִשִּׁים וּמְאַת יוֹם. ח הִתְחִילוּ לַחֲסוֹר, וְהוּא אֶחָד בְּסִיוָן. כֵּיצַד, ט בכ"ז בְּכִסְלֵיו פָּסְקוּ הַגְּשָׁמִים, הֲרֵי ג' מִכִּסְלֵיו, וכ"ט מִטֵּבֵת, הֲרֵי ל"ב, וּשְׁבָט וַאֲדָר וְנִיסָן וְאִיָּיר ק"ח, הֲרֵי ק"נ (סדר עולם פ"ד; ב"ר שם ז): **[פסוק ד] בַּחֹדֶשׁ הַשְּׁבִיעִי.** סִיוָן, וְהוּא שְׁבִיעִי לְכִסְלֵיו שֶׁבּוֹ פָּסְקוּ הַגְּשָׁמִים (שם ושם): **בְּשִׁבְעָה עָשָׂר יוֹם.** מִכָּאן אַתָּה לָמֵד שֶׁהָיְתָה הַתֵּיבָה מְשׁוּקַעַת בַּמַּיִם י"א אַמָּה. שֶׁהֲרֵי כְּתִיב בָּעֲשִׂירִי בְּאֶחָד לַחֹדֶשׁ נִרְאוּ רָאשֵׁי הֶהָרִים (פסוק ה), זֶה אָב שֶׁהוּא עֲשִׂירִי [לְמַרְחֶשְׁוָן] לִירִידַת גְּשָׁמִים, וְהֵם הָיוּ גְבוֹהִים עַל הֶהָרִים חֲמֵשׁ עֶשְׂרֵה אַמָּה. וְחָסְרוּ מִיּוֹם אֶחָד בְּסִיוָן עַד אֶחָד בְּאָב חֲמֵשׁ עֶשְׂרֵה אַמָּה לְשִׁשִּׁים יוֹם, הֲרֵי אַמָּה לד' יָמִים. נִמְצָא שֶׁבי"ו בְּסִיוָן לֹא חָסְרוּ הַמַּיִם אֶלָּא ד' אַמּוֹת, וְנָחָה הַתֵּיבָה לְיוֹם הַמָּחֳרָת, לָמַדְתָּ שֶׁהָיְתָה מְשׁוּקַעַת י"א אַמָּה בַּמַּיִם שֶׁעַל רָאשֵׁי הֶהָרִים (שם ושם): **[פסוק ה] בָּעֲשִׂירִי וגו' נִרְאוּ רָאשֵׁי הֶהָרִים.** זֶה אָב שֶׁהוּא עֲשִׂירִי לְמַרְחֶשְׁוָן שֶׁהִתְחִיל הַגֶּשֶׁם. וְאִ"ת הוּא י אֱלוּל, וַעֲשִׂירִי לְכִסְלֵיו שֶׁפָּסַק הַגֶּשֶׁם, כְּשֵׁם שֶׁאַתָּה אוֹמֵר בַּחֹדֶשׁ הַשְּׁבִיעִי סִיוָן וְהוּא שְׁבִיעִי לְהַפְסָקָה, אִי אֶפְשָׁר לוֹמַר כֵּן. עַל כָּרְחֲךָ שְׁבִיעִי אִי אַתָּה מוֹנֶה אֶלָּא לְהַפְסָקָה, שֶׁהֲרֵי לֹא כָלוּ אַרְבָּעִים שֶׁל יְרִידַת גְּשָׁמִים וּמֵאָה וַחֲמִשִּׁים שֶׁל תִּגְבּוֹרֶת

בעל הטורים

(ג) **ושוב.** ג' — "וישבו המים מעל הארץ הלוך ושוב"; "ויצא יצוא ושוב עד יבושת המים"; "והחיות רצוא ושוב". זה הוא שאמרו שמזעת החיות יוצא נהר דינור. כמו "ושוב" דהכא איירי בנהר, אף התם נמי: (ד) **ותנח.** ב' במסורת — "ותנח התבה"; "ותנח עלהם הרוח". לומר, שרוח הקודש נחה על אותם אשר נשארו בתבה. וזה הוא "ותנח עלהם הרוח": **אררט.** ג' במסורת — הכא; ושנים גבי סנחריב, "ויהי הוא משתחוה בית נסרך אלהיו וגומר"; "והמה נמלטו ארץ אררט". ואמרו חכמינו ז"ל, שלקח נסר אחד מן התבה ואמר דין אלהא דשיזבה לנח מטופנא, "נסרך" לשון נסר:

עיקר שפתי חכמים

ח דא"א לומר שכלו אז לחסור, דבסמוך כתיב הלוך וחסור עד החדש העשירי: **ט** ולעיל פי' בכ"ח בכסליו כי הגשמים פסקו ביום כ"ח בבקר, ונחשב הלילה לירידת הגשמים כי התחילו לירד ביום, והיה סך הכל ארבעים יום. והב' ימים מכסלו שנחשבו להפסקה היו עם הלילה שלאחריו, וכן כ"ט בטבת ג"כ עם הלילה שלאחריו, והי' סך הכל ק"נ יום: **י** ור"ל וא"כ לא היתה התבה משוקעת י"א אמה, דמא' בסיון עד א' באלול ל' יום הרי אמה לה' או לו' ימים, וא"כ היתה משוקעת י"ב אמה ושליש:

ראה הטבלא "**לוּחַ הַמַּבּוּל**" (עמוד 521), והציור "**שְׁקִיעַת הַתֵּיבָה בְּמֵי הַמַּבּוּל**" (עמוד 522).

ו וַיְהִי מִקֵּץ אַרְבָּעִים יוֹם וַיִּפְתַּח
נֹחַ אֶת־חַלּוֹן הַתֵּבָה אֲשֶׁר
עָשָׂה׃ ז וַיְשַׁלַּח אֶת־הָעֹרֵב וַיֵּצֵא
יָצוֹא וָשׁוֹב עַד־יְבֹשֶׁת הַמַּיִם
מֵעַל הָאָרֶץ׃ ח וַיְשַׁלַּח אֶת־
הַיּוֹנָה מֵאִתּוֹ לִרְאוֹת הֲקַלּוּ הַמַּיִם מֵעַל פְּנֵי
הָאֲדָמָה׃ ט וְלֹא־מָצְאָה הַיּוֹנָה מָנוֹחַ לְכַף־רַגְלָהּ

ו וַהֲוָה מִסּוֹף אַרְבְּעִין
יוֹמִין וּפְתַח נֹחַ יָת כַּוַּת
תֵּבוּתָא דִּי עֲבַד׃ ז וְשַׁלַּח
יָת עָרְבָא וּנְפַק מִפַּק
וְתָיֵב עַד דִּיבִישׁוּ מַיָּא
מֵעַל אַרְעָא׃ ח וְשַׁלַּח
יָת יוֹנָה מִלְּוָתֵהּ לְמִיחֱזֵי
הֲקַלִּיאוּ מַיָּא מֵעַל אַפֵּי
אַרְעָא׃ ט וְלָא אַשְׁכַּחַת
יוֹנָה מְנָח לְפַרְסַת רַגְלַהּ

רש"י

הַמַּיִם עַד אֶחָד בְּסִיוָן, וְאִם אַתָּה אוֹמֵר שְׁבִיעִי לִירִידָה אֵין זֶה סִיוָן [כ]. וְהָעֲשִׂירִי אִי אֶפְשָׁר לִמְנוֹת אֶלָּא לִירִידָה, שֶׁאִם אַתָּה אוֹמֵר לְהַפְסָקָה וְהוּא אֱלוּל אִי אַתָּה מוֹצֵא בָּרִאשׁוֹן בְּאֶחָד לַחֹדֶשׁ חָרְבוּ הַמַּיִם מֵעַל הָאָרֶץ (להלן ח:יג), שֶׁהֲרֵי מִקֵּץ אַרְבָּעִים יוֹם מִשֶּׁנִּרְאוּ רָאשֵׁי הֶהָרִים שִׁלַּח אֶת הָעוֹרֵב (ערוך ע' קל (ז); פדר"א פכ"ג) וכ"א יוֹם הוֹחִיל בִּשְׁלִיחוּת הַיּוֹנָה (סדר עולם שם; ב"ר שם ו) הֲרֵי שִׁשִּׁים יוֹם מִשֶּׁנִּרְאוּ רָאשֵׁי הֶהָרִים [ל] עַד שֶׁחָרְבוּ פְּנֵי הָאֲדָמָה. וא"ת בֶּאֱלוּל נִרְאוּ נִמְצָא שֶׁחָרְבוּ בְּמַרְחֶשְׁוָן וְהוּא קוֹרֵא אוֹתוֹ רִאשׁוֹן וְאֵין זֶה אֶלָּא תִּשְׁרֵי, שֶׁהוּא רִאשׁוֹן לִבְרִיאַת עוֹלָם (סדר עולם שם), וּלְרַבִּי יְהוֹשֻׁעַ הוּא נִיסָן: **[פסוק ו] מִקֵּץ אַרְבָּעִים יוֹם.** מִשֶּׁנִּרְאוּ רָאשֵׁי הֶהָרִים (ערוך שם): **אֶת חַלּוֹן הַתֵּבָה אֲשֶׁר עָשָׂה.** לְצֹהַר, וְלֹא זֶה פֶּתַח הַתֵּיבָה הֶעָשׂוּי לְבִיאָה וִיצִיאָה (ב"ר שם ה): **[פסוק ז] יָצוֹא וָשׁוֹב.** הוֹלֵךְ וּמַקִּיף סְבִיבוֹת הַתֵּיבָה וְלֹא הָלַךְ בִּשְׁלִיחוּתוֹ שֶׁהָיָה חוֹשְׁדוֹ עַל בַּת זוּגוֹ, וּכְמוֹ שֶׁשָּׁנִינוּ בְּאַגָּדַת חֵלֶק (סנהדרין קח:): **עַד יְבֹשֶׁת הַמַּיִם.** פְּשׁוּטוֹ כְּמַשְׁמָעוֹ. אֲבָל מִדְרַשׁ אַגָּדָה, מוּכָן הָיָה הָעוֹרֵב לִשְׁלִיחוּת אַחֶרֶת בַּעֲצִירַת גְּשָׁמִים בִּימֵי אֵלִיָּהוּ, שֶׁנֶּאֱמַר וְהָעֹרְבִים מְבִיאִים לוֹ לֶחֶם וּבָשָׂר (מלכים-א יז:ו; ב"ר שם): **[פסוק ח] וַיְשַׁלַּח אֶת הַיּוֹנָה.** לְסוֹף ז' יָמִים שֶׁהֲרֵי כְּתִיב וַיָּחֶל עוֹד שִׁבְעַת יָמִים אֲחֵרִים (פסוק י), מִכְּלָל זֶה אַתָּה לָמֵד שֶׁאַף בָּרִאשׁוֹנָה הוֹחִיל ז' יָמִים (סדר עולם שם; ב"ר שם ו): **וַיְשַׁלַּח.** [מ] אֵין זֶה לְ' שְׁלִיחוּת אֶלָּא לְ' שִׁלּוּחַ, שִׁלְּחָהּ לָלֶכֶת לְדַרְכָּהּ וּבָזוֹ יִרְאֶה אִם קַלּוּ הַמַּיִם, שֶׁאִם תִּמְצָא מָנוֹחַ לֹא תָשׁוּב אֵלָיו (ב"ר שם):

בעל הטורים

(ז) **יבשת.** בגימטריא נחל כרית. אמר לו הקדוש ברוך הוא, אתה מזומן לשליחות אחרת בימי אליהו. "יבשת" אותיות תשבי:

עיקר שפתי חכמים

כ והתבה לא נחה אלא אחר שכלו מ' יום של הירידה וק"נ ימי התגברות, וזה היה בסיון, לא באייר, הרי ס' יום משנראו ראשי ההרים: **ל** שאין לומר משנחה התבה ועשירי היינו להפסקה דומיא דשביעי, א"כ לא הי' לו לסמוך אל נראו ראשי ההרים: **מ** דשלוח לא שייך אלא בבן דעת. ולא פי' כן לעיל בשליחות העורב, דלא כתיב שם לראות הקלו המים, אלא שלחו לילך באשר ימצא:

וַתָּשָׁב אֵלָיו אֶל־הַתֵּבָה כִּי מַיִם
עַל־פְּנֵי כָל־הָאָרֶץ וַיִּשְׁלַח יָדוֹ
וַיִּקָּחֶהָ וַיָּבֵא אֹתָהּ אֵלָיו אֶל־
הַתֵּבָה: י וַיָּחֶל עוֹד שִׁבְעַת יָמִים
אֲחֵרִים וַיֹּסֶף שַׁלַּח אֶת־הַיּוֹנָה
מִן־הַתֵּבָה: יא וַתָּבֹא אֵלָיו הַיּוֹנָה
לְעֵת עֶרֶב וְהִנֵּה עֲלֵה־זַיִת טָרָף
בְּפִיהָ וַיֵּדַע נֹחַ כִּי־קַלּוּ הַמַּיִם
מֵעַל הָאָרֶץ: יב וַיִּיָּחֶל עוֹד שִׁבְעַת
יָמִים אֲחֵרִים וַיְשַׁלַּח אֶת־הַיּוֹנָה וְלֹא־יָסְפָה
שׁוּב־אֵלָיו עוֹד: יג וַיְהִי בְּאַחַת וְשֵׁשׁ־מֵאוֹת
שָׁנָה בָּרִאשׁוֹן בְּאֶחָד לַחֹדֶשׁ חָרְבוּ הַמַּיִם

וְתָבַת לְוָתֵהּ לְתֵבוֹתָא
אֲרֵי מַיָּא עַל אַפֵּי כָל
אַרְעָא וְאוֹשֵׁיט יְדֵהּ
וְנַסְבַהּ וְאָעֵיל יָתַהּ לְוָתֵהּ
לְתֵבוֹתָא: י וְאוֹרִיךְ עוֹד
שִׁבְעָא יוֹמִין אָחֳרָנִין
וְאוֹסֵיף שַׁלַּח יָת יוֹנָה מִן
תֵּבוֹתָא: יא וַאֲתַת לְוָתֵהּ
יוֹנָה לְעִדַּן רַמְשָׁא וְהָא
טְרַף זֵיתָא תְּבִיר נָחִית
בְּפוּמַהּ וִידַע נֹחַ אֲרֵי
קַלִּיאוּ מַיָּא מֵעַל אַרְעָא:
יב וְאוֹרִיךְ עוֹד שִׁבְעָא
יוֹמִין אָחֳרָנִין וְשַׁלַּח יָת
יוֹנָה וְלָא אוֹסֵיפַת לְמִתּוּב
לְוָתֵהּ עוֹד: יג וַהֲוָה בְּשִׁית
מְאָה וְחַד שְׁנִין בְּקַדְמָאָה
בְּחַד לְיַרְחָא נְגוּבוּ מַיָּא

רש"י

[פסוק י] וַיָּחֶל. לְשׁוֹן הַמְתָּנָה, וְכֵן "לִי שָׁמְעוּ וְיִחֵלּוּ" (איוב כט:כא), וְהַרְבֵּה יֵשׁ בַּמִּקְרָא: **[פסוק יא] טָרָף בְּפִיהָ.** אוֹמֵר אֲנִי שֶׁזָּכָר הָיָה לְכָךְ קוֹרְאוֹ פְּעָמִים לְשׁוֹן זָכָר וּפְעָמִים לְשׁוֹן נְקֵבָה, לְפִי שֶׁכָּל יוֹנָה שֶׁבַּמִּקְרָא לְשׁוֹן נְקֵבָה, כְּמוֹ "כְּיוֹנֵי הַגֵּאָיוֹת כֻּלָּם הוֹמוֹת" (יחזקאל ז:טז) "כְּיוֹנָה פוֹתָה" (הושע ז:יא): **טָרָף.** חָטַף. וּמִדְרָשׁ אַגָּדָה לְשׁוֹן מָזוֹן, וְדָרְשׁוּ "בְּפִיהָ" לְשׁוֹן מַאֲמָר, אָמְרָה יִהְיוּ מְזוֹנוֹתַי מְרוֹרִין כְּזַיִת בְּיָדוֹ שֶׁל הקב"ה וְלֹא מְתוּקִין כִּדְבַשׁ בִּידֵי בָּשָׂר וָדָם (פדר"א שם; סנהדרין קח; עירובין יח): **[פסוק יב] וַיִּיָּחֶל.** הוּא לְשׁוֹן וַיָּחֶל, אֶלָּא שֶׁזֶּה לְשׁוֹן וַיִּפְעַל וְזֶה לְשׁוֹן וַיִּתְפַּעֵל, וַיָּחֶל וַיַּמְתֵּן, וַיִּיָּחֶל וַיִּתְמַתֵּן: **[פסוק יג] בָּרִאשׁוֹן.** לְרַבִּי אֱלִיעֶזֶר הוּא תִּשְׁרֵי וּלְרַבִּי יְהוֹשֻׁעַ הוּא נִיסָן (סדר עולם שם; ר"ה יא): **חָרְבוּ.** נַעֲשָׂה כְּמִין טִיט, שֶׁקָּרְמוּ פָּנֶיהָ שֶׁל מַעְלָה (סדר עולם שם; ב"ר לג:ז):

בעל הטורים

(יא) טרף. ב' במסורת — הכא "והנה עלה זית טרף בפיה"; ואידך "כי הוא טרף וירפאנו". מה התם לשון שבירה, אף הכא נמי [לשון שבירה]. שהיא שברתו מן האילן, ולא מצאה אותו צף על המים, ובזה הכיר כי קלו המים:

מֵעַל הָאָרֶץ וַיָּסַר נֹחַ אֶת־
מִכְסֵה הַתֵּבָה וַיַּרְא וְהִנֵּה חָרְבוּ
פְּנֵי הָאֲדָמָה: יד וּבַחֹדֶשׁ הַשֵּׁנִי
בְּשִׁבְעָה וְעֶשְׂרִים יוֹם לַחֹדֶשׁ
יָבְשָׁה הָאָרֶץ: ס רביעי טו וַיְדַבֵּר
אֱלֹהִים אֶל־נֹחַ לֵאמֹר: טז צֵא מִן־
הַתֵּבָה אַתָּה וְאִשְׁתְּךָ וּבָנֶיךָ וּנְשֵׁי־
בָנֶיךָ אִתָּךְ: יז כָּל־הַחַיָּה אֲשֶׁר־
אִתְּךָ מִכָּל־בָּשָׂר בָּעוֹף וּבַבְּהֵמָה
וּבְכָל־הָרֶמֶשׂ הָרֹמֵשׂ עַל־הָאָרֶץ הַיְצֵא [הוצא כ׳]
אִתָּךְ וְשָׁרְצוּ בָאָרֶץ וּפָרוּ וְרָבוּ עַל־הָאָרֶץ:
יח וַיֵּצֵא־נֹחַ וּבָנָיו וְאִשְׁתּוֹ וּנְשֵׁי־בָנָיו אִתּוֹ:
יט כָּל־הַחַיָּה כָּל־הָרֶמֶשׂ וְכָל־הָעוֹף כֹּל רוֹמֵשׂ

מֵעַל אַרְעָא וְאַעְדִּי נֹחַ יָת
חוֹפָאָה דְּתֵיבוּתָא וַחֲזָא
וְהָא נְגוּבוּ אַפֵּי אַרְעָא:
יד וּבְיַרְחָא תִּנְיָנָא בְּעַשְׂרִין
וְשִׁבְעָא יוֹמָא לְיַרְחָא
יְבִישַׁת אַרְעָא: טו וּמַלֵּיל יְיָ
עִם נֹחַ לְמֵימַר: טז פּוּק מִן
תֵּיבוּתָא אַתְּ וְאִתְּתָךְ וּבְנָיךְ
וּנְשֵׁי בְנָיךְ עִמָּךְ: יז כָּל
חַיְתָא דִּי עִמָּךְ מִכָּל בִּשְׂרָא
בְּעוֹפָא וּבִבְעִירָא וּבְכָל
רִחְשָׁא דְּרָחֵשׁ עַל אַרְעָא
אַפֵּיק עִמָּךְ וְיִתְיַלְּדוּן
בְּאַרְעָא וְיִפְשׁוּן וְיִסְגּוֹן עַל
אַרְעָא: יח וּנְפַק נֹחַ וּבְנוֹהִי
וְאִתְּתֵהּ וּנְשֵׁי בְנוֹהִי עִמֵּהּ:
יט כָּל חַיְתָא כָּל רִחֲשָׁא
וְכָל עוֹפָא כֹּל דְּרָחֵשׁ

רש"י

[פסוק יד] **בְּשִׁבְעָה וְעֶשְׂרִים.** וִירִידָתָן בַּחֹדֶשׁ הַשֵּׁנִי בי"ז בַּחֹדֶשׁ, אֵלּוּ י"א יָמִים שֶׁהַחַמָּה יְתֵירָה עַל הַלְּבָנָה, שֶׁמִּשְׁפַּט דּוֹר הַמַּבּוּל שָׁנָה תְּמִימָה הָיָה (עדיות ב:י; סדר עולם שם; ב"ר שם): **יָבְשָׁה.** נַעֲשָׂה גָרִיד כְּהִלְכָתָהּ (סדר עולם שם; ב"ר שם): [פסוק טז] **אַתָּה וְאִשְׁתְּךָ וגו'.** אִישׁ וְאִשְׁתּוֹ. כָּאן הִתִּיר לָהֶם תַּשְׁמִישׁ הַמִּטָּה (ב"ר לד:ז): [פסוק יז] **הוֹצֵא.** הוֹצֵא כְּתִיב הַיְצֵא קְרִי (שם ח). הַיְצֵא נ, אֱמוֹר לָהֶם שֶׁיֵּצְאוּ. הוֹצֵא אִם אֵינָם רוֹצִים לָצֵאת הוֹצִיאֵם אַתָּה: **וְשָׁרְצוּ בָאָרֶץ.** וְלֹא בַּתֵּבָה, מַגִּיד שֶׁאַף הַבְּהֵמָה וְהָעוֹף נֶאֶסְרוּ בְּתַשְׁמִישׁ (שם; תנחומא ישן יז):

עיקר שפתי חכמים

נ היצא פי' תעשה שיצאו מעצמם, והוצא פי' תוציאם אתה:

עַל־הָאָ֔רֶץ לְמִשְׁפְּחֹ֣תֵיהֶ֔ם יָצְא֖וּ
מִן־הַתֵּבָֽה׃ כ וַיִּ֥בֶן נֹ֛חַ מִזְבֵּ֖חַ
לַֽיהוָ֑ה וַיִּקַּ֞ח מִכֹּ֣ל ׀ הַבְּהֵמָ֣ה
הַטְּהֹרָ֗ה וּמִכֹּל֙ הָע֣וֹף הַטָּה֔וֹר
וַיַּ֥עַל עֹלֹ֖ת בַּמִּזְבֵּֽחַ׃ כא וַיָּ֣רַח
יהוה֮ אֶת־רֵ֣יחַ הַנִּיחֹ֒חַ֒ וַיֹּ֨אמֶר
יהוה אֶל־לִבּ֗וֹ לֹֽא־אֹ֠סִף לְקַלֵּ֨ל
ע֤וֹד אֶת־הָֽאֲדָמָה֙ בַּעֲב֣וּר
הָֽאָדָ֔ם כִּ֠י יֵ֣צֶר לֵ֧ב הָֽאָדָ֛ם רַ֖ע מִנְּעֻרָ֑יו וְלֹֽא־
אֹסִ֥ף ע֛וֹד לְהַכּ֥וֹת אֶת־כָּל־חַ֖י כַּאֲשֶׁ֥ר עָשִֽׂיתִי׃
כב עֹ֖ד כָּל־יְמֵ֣י הָאָ֑רֶץ זֶ֡רַע וְקָצִיר֩ וְקֹ֨ר וָחֹ֜ם

עַל אַרְעָא לְזַרְעֲיָתְהוֹן
נְפָקוּ מִן תֵּבוֹתָא: כ וּבְנָא
נֹחַ מַדְבְּחָא קֳדָם יְיָ וּנְסֵיב
מִכֹּל בְּעִירָא דַכְיָא וּמִכֹּל
עוֹפָא דְכֵי וְאַסֵּיק עֲלָוָן
בְּמַדְבְּחָא: כא וְקַבֵּיל יְיָ
בְּרַעֲוָא יָת קוּרְבָּנֵהּ וַאֲמַר
יְיָ בְּמֵימְרֵהּ לָא אוֹסֵף
לְמֵילַט עוֹד יָת אַרְעָא
בְּדִיל חוֹבֵי אֱנָשָׁא אֲרֵי
יִצְרָא לִבָּא דֶאֱנָשָׁא
בִּישׁ מִזְּעֵירֵהּ וְלָא אוֹסֵף
עוֹד לְמִמְחֵי יָת כָּל דְּחַי
כְּמָא דִי עֲבָדִית: כב עוֹד
כָּל יוֹמֵי אַרְעָא זְרוֹעָא
וַחֲצָדָא וְקוֹרָא וְחוּמָא

רש"י

[פסוק יט] לְמִשְׁפְּחֹתֵיהֶם. קִבְּלוּ עֲלֵיהֶם עַל מְנָת לִידָּבֵק בְּמִינָן (מדרש אגדה): **[פסוק כ] מִכֹּל הַבְּהֵמָה הַטְּהוֹרָה.** אָמַר, לֹא צִוָּה לִי הַקָּדוֹשׁ בָּרוּךְ הוּא לְהַכְנִיס מֵאֵלּוּ ז' ז' ס אֶלָּא כְּדֵי לְהַקְרִיב קָרְבָּן מֵהֶם (ב"ר לד:ט): **[פסוק כא] מִנְּעֻרָיו.** מִנְּעָרָיו כְּתִיב, מִשֶּׁנִּנְעַר לָצֵאת מִמְּעֵי אִמּוֹ נִיתַּן בּוֹ יֵצֶר הָרָע (ב"ר לד:י; ירושלמי ברכות ג:ה): **לֹא אֹסִף** **[וגו'] וְלֹא אֹסִף.** כָּפַל הַדָּבָר לִשְׁבוּעָה. הוּא שֶׁכָּתוּב אֲשֶׁר נִשְׁבַּעְתִּי מֵעֲבוֹר מֵי נֹחַ (ישעיה נד:ט) וְלֹא מָצִינוּ בָּהּ שְׁבוּעָה אֶלָּא זוֹ שֶׁכָּפַל דְּבָרָיו, וְהִיא שְׁבוּעָה. וְכֵן דָּרְשׁוּ חֲכָמִים בְּמַסֶּכֶת שְׁבוּעוֹת (לו.): **[פסוק כב] עֹד כָּל יְמֵי הָאָרֶץ וגו' לֹא יִשְׁבֹּתוּ.** ו' עִתִּים הַלָּלוּ שְׁנֵי חֳדָשִׁים לְכָל אֶחָד וְאֶחָד, כְּמוֹ שֶׁשָּׁנִינוּ חֲצִי תִּשְׁרֵי וּמַרְחֶשְׁוָן וַחֲצִי כִּסְלֵיו

בעל הטורים

(כא) וירח. ב' במסורת – "וירח ה' את ריח הניחח"; ואידך "וירח את ריח בגדיו". וזה הוא שדרשו רבותינו ז"ל, אפלו פושעי ישראל עתידין שיתנו ריח, שנאמר "וירח את ריח בגדיו", אל תקרי בגדיו אלא בוגדיו. וזהו "וירח ה' את ריח הניחח", שעתידין ליתן ריח ניחוח: דבר אחר – רמז שנכנס עמו ריח גן עדן, כשהריח את ריח בגדיו אז "וירח ה'": **מנעריו.** ג' במסורת – "כי יצר לב האדם רע מנעוריו"; "איש מלחמה מנעוריו"; "שאנן מואב מנעוריו". לומר שמנעוריו של אדם צריך להלחם עם יצר הרע, ואז יגבר עליו וינצחו, שאנן הוא מנעוריו ושוקט על שמריו: **(כב) וקציר.** ב' במסורת – הכא; ואידך בפרשת ויגש:

עיקר שפתי חכמים

ס כי למה הקריב מכל המינים הטהורים, לזה אמר לא צוה כו':

וְקַיִץ וָחֹרֶף וְיוֹם וָלַיְלָה לֹא יִשְׁבֹּתוּ׃ פרק ט א וַיְבָרֶךְ אֱלֹהִים אֶת־נֹחַ וְאֶת־בָּנָיו וַיֹּאמֶר לָהֶם פְּרוּ וּרְבוּ וּמִלְאוּ אֶת־הָאָרֶץ׃ ב וּמוֹרַאֲכֶם וְחִתְּכֶם יִהְיֶה עַל כָּל־חַיַּת הָאָרֶץ וְעַל כָּל־עוֹף הַשָּׁמָיִם בְּכֹל אֲשֶׁר תִּרְמֹשׂ הָאֲדָמָה וּבְכָל־דְּגֵי הַיָּם בְּיֶדְכֶם נִתָּנוּ׃ ג כָּל־רֶמֶשׂ אֲשֶׁר הוּא־חַי לָכֶם יִהְיֶה לְאָכְלָה כְּיֶרֶק עֵשֶׂב

וְקַיְטָא וְסִתְוָא וִימָם וְלֵילְיָא לָא יִבְטְלוּן׃ א וּבָרִיךְ יְיָ יָת נֹחַ וְיָת בְּנוֹהִי וַאֲמַר לְהוֹן פּוּשׁוּ וּסְגוּ וּמְלוֹ יָת אַרְעָא׃ ב וְדַחְלַתְכוֹן וְאֵימַתְכוֹן תְּהֵי עַל כָּל חֵיוַת אַרְעָא וְעַל כָּל עוֹפָא דִשְׁמַיָּא בְּכֹל דִּי תַרְחִישׁ אַרְעָא וּבְכָל נוּנֵי יַמָּא בִּידְכוֹן יְהוֹן מְסִירִין׃ ג כָּל רִחְשָׁא דִּי הוּא חַי לְכוֹן יְהֵי לְמֵיכַל כְּיָרוֹק עִשְׂבָּא

רש"י

זֶרַע, חֲצִי כִּסְלֵיו וְטֵבֵת וַחֲצִי שְׁבָט קוֹר [ס"א ע חוֹרֶף] וכו' בב"מ (קו:) [ס"א עוֹד כָּל יְמֵי כְּלוֹמַר תָּמִיד, כְּמוֹ עוֹד טוּמְאָתוֹ בוֹ]: **קֹר.** קָשֶׁה מֵחוֹרֶף: **חֹרֶף.** עֵת זֶרַע שְׂעוֹרִים וְקִטְנִיּוֹת הַחֲרִיפִין לְהִתְבַּשֵּׁל מַהֵר, [קוֹר] הוּא חֲצִי שְׁבָט וַאֲדָר וַחֲצִי נִיסָן: **קָצִיר.** חֲצִי נִיסָן וְאִיָּיר וַחֲצִי סִיוָן: **קַיִץ.** הוּא זְמַן לְקִיטַת תְּאֵנִים וּזְמַן שֶׁמְּיַיבְּשִׁים אוֹתָן בַּשָּׂדוֹת, וּשְׁמוֹ קַיִץ, כְּמוֹ וְהַלֶּחֶם וְהַקַּיִץ לֶאֱכוֹל הַנְּעָרִים (שמואל־ב טז:ב): **חֹם.** הוּא סוֹף יְמוֹת הַחַמָּה חֲצִי אָב וֶאֱלוּל וַחֲצִי תִּשְׁרֵי שֶׁהָעוֹלָם חַם בְּיוֹתֵר, כְּמוֹ שֶׁשָּׁנִינוּ בְּמַסֶּכֶת יוֹמָא (כט.) פ שִׁלְהֵי קַיְיטָא קָשֵׁי מִקַּיְיטָא: **וְיוֹם וָלַיְלָה לֹא יִשְׁבֹּתוּ.** מִכְּלָל שֶׁשָּׁבְתוּ כָּל יְמוֹת הַמַּבּוּל, צ שֶׁלֹּא שִׁמְּשׁוּ הַמַּזָּלוֹת וְלֹא נִיכַּר בֵּין יוֹם וּבֵין לַיְלָה (ב"ר לד:יא): **לֹא יִשְׁבֹּתוּ.** ק לֹא יִפְסְקוּ כָּל אֵלֶּה מִלְּהִתְנַהֵג כְּסִדְרָן: [פסוק ב] **וְחִתְּכֶם.** וְאֵימַתְכֶם (אונקלוס), כְּמוֹ תִּרְאוּ חֲתַת (איוב ו:כא). וְאַגָּדָה, לְחִיּוּת, שֶׁכָּל זְמַן שֶׁתִּינוֹק בֶּן יוֹמוֹ חַי אֵין אַתָּה צָרִיךְ לְשׁוֹמְרוֹ מִן הָעַכְבָּרִים, עוֹג מֶלֶךְ הַבָּשָׁן מֵת צָרִיךְ לְשׁוֹמְרוֹ מִן הָעַכְבָּרִים, שֶׁנֶּאֱ' וּמוֹרַאֲכֶם וְחִתְּכֶם יִהְיֶה, אֵימָתַי יִהְיֶה מוֹרַאֲכֶם עַל הַחַיּוֹת, כָּל זְמַן שֶׁאַתֶּם חַיִּים (ב"ר שם יב; שבת קנא:). [פסוק ג] **לָכֶם יִהְיֶה לְאָכְלָה.** שֶׁלֹּא הִרְשֵׁיתִי לְאָדָם הָרִאשׁוֹן בָּשָׂר אֶלָּא יֶרֶק עֵשֶׂב, וְלָכֶם, **כְּיֶרֶק עֵשֶׂב** שֶׁהִפְקַרְתִּי

עיקר שפתי חכמים

ע הגי' הנכונה היא חצי כסליו טבת וחצי שבט חורף, וקור קשה מחורף כו' קיץ כו' [והוא חצי סיון תמוז חצי אב [נח"י]: פ וכה"ג יתפרש ג"כ מה שפי' לעיל דקור קשה מחורף, אף דבגמ' פ' המקבל מבואר דחורף הוא חזקו וחרפו של סתיו, אך לאשר שהוא סוף החורף ע"כ קשה הוא לסבלו: צ ר"ל שלא היתה תנועת הגלגלים, רק במקום שהי' השמש עומד הי' אור כל הי"ב חודש ולא הוי יום ולילה אלא כל חצי הכדור הי' אור וחצי השני היה חושך. וז"ש רש"י ולא היה ניכר בין יום ולילה. ומספר הימים היה משער משיעור הזמן כמו שפי' בעל העקדה בפ' בראשית, או ע"י כלי שיעור הנקרא [זאגטען אוהר] ויסולק בזה קושיית הרא"ם ע"ש: ק אין הפירוש כאן מלשון מנוחה כמו וישבות רק מל' הפסקה:

נָתַ֥תִּי לָכֶ֖ם אֶת־כֹּֽל׃
ד אַךְ־בָּשָׂ֕ר בְּנַפְשׁ֥וֹ דָמ֖וֹ לֹ֥א תֹאכֵֽלוּ׃
ה וְאַ֨ךְ אֶת־דִּמְכֶ֤ם לְנַפְשֹֽׁתֵיכֶם֙ אֶדְרֹ֔שׁ מִיַּ֥ד כָּל־חַיָּ֖ה אֶדְרְשֶׁ֑נּוּ וּמִיַּ֣ד הָֽאָדָ֗ם מִיַּד֙ אִ֣ישׁ אָחִ֔יו אֶדְרֹ֖שׁ אֶת־נֶ֥פֶשׁ הָֽאָדָֽם׃
ו שֹׁפֵךְ֙ דַּ֣ם הָֽאָדָ֔ם בָּֽאָדָ֖ם דָּמ֣וֹ יִשָּׁפֵ֑ךְ כִּ֚י בְּצֶ֣לֶם אֱלֹהִ֔ים עָשָׂ֖ה אֶת־הָאָדָֽם׃

יְהָבִית לְכוֹן יָת כֹּלָּא׃
ד בְּרַם בִּשְׂרָא בְּנַפְשֵׁהּ דְּמֵהּ לָא תֵיכְלוּן׃
ה וּבְרַם יָת דְּמְכוֹן לְנַפְשָׁתֵיכוֹן אֶתְבַּע מִיַּד כָּל חַיְתָא אֶתְבְּעִנֵּהּ וּמִיַּד אֱנָשָׁא מִיַּד גְּבַר דְּיֵשׁוֹד יָת דְּמָא דַאֲחוּהִי אֶתְבַּע יָת נַפְשָׁא דֶּאֱנָשָׁא׃
ו דְּיֵשׁוֹד דְּמָא דֶאֱנָשָׁא בְּסָהֲדִין עַל מֵימַר דַּיָּנַיָּא דְּמֵהּ יִתְּשַׁד אֲרֵי בְּצַלְמָא דַייָ עֲבַד יָת אֱנָשָׁא׃

רש"י

לְאָדָם הָרִאשׁוֹן **נָתַתִּי לָכֶם אֶת כֹּל** (סנהדרין נט:): [פסוק ד] **בָּשָׂר בְּנַפְשׁוֹ.** אָסַר לָהֶם אֵבֶר מִן הַחַי, כְּלוֹמַר, כָּל זְמַן שֶׁנַּפְשׁוֹ בּוֹ לֹא תֹאכְלוּ הַבָּשָׂר (שם נז:): **בְּנַפְשׁוֹ דָמוֹ.** בְּעוֹד נַפְשׁוֹ בּוֹ. בָּשָׂר בְּנַפְשׁוֹ לֹא תֹאכְלוּ, הֲרֵי אֵבֶר מִן הַחַי, וְאַף דָּמוֹ [בְּנַפְשׁוֹ] לֹא תֹאכְלוּ, ר הֲרֵי דָּם מִן הַחַי (שם נט.): [פסוק ה] **וְאַךְ אֶת דִּמְכֶם.** אַעַ"פ שֶׁהִתַּרְתִּי לָכֶם נְטִילַת נְשָׁמָה בִּבְהֵמָה, אֶת דִּמְכֶם אֶדְרוֹשׁ מֵהַשּׁוֹפֵךְ דַּם עַצְמוֹ (ב"ק צא:): **לְנַפְשֹׁתֵיכֶם.** אַף הַחוֹנֵק עַצְמוֹ (ב"ר שם יג) אַעַ"פ שֶׁלֹּא יָצָא מִמֶּנּוּ דָּם: **מִיַּד כָּל חַיָּה.** [לְפִי שֶׁחָטְאוּ דּוֹר הַמַּבּוּל וְהוּפְקְרוּ לְמַאֲכַל חַיּוֹת רָעוֹת לִשְׁלוֹט בָּהֶן (מדרש אגדה) שֶׁנֶּאֱמַר נִמְשַׁל כַּבְּהֵמוֹת נִדְמוּ (תהלים מט:יג; שבת קנא:), לְפִיכָךְ הוּצְרַךְ] לְהַזְהִיר עֲלֵיהֶם אֶת הַחַיּוֹת (מדרש אגדה; תרגום יונתן): **וּמִיַּד הָאָדָם.** מִיַּד הַהוֹרֵג בְּמֵזִיד וְאֵין עֵדִים אֲנִי אֶדְרוֹשׁ (שם ושם): **מִיַּד אִישׁ אָחִיו.** שֶׁהוּא אוֹהֵב לוֹ כְּאָח וַהֲרָגוֹ שׁוֹגֵג אֲנִי אֶדְרוֹשׁ, אִם לֹא יִגְלֶה וִיבַקֵּשׁ עַל עֲוֹנוֹ לִימָּחֵל, שֶׁאַף הַשּׁוֹגֵג צָרִיךְ כַּפָּרָה (סנהדרין לז:; מכות ב:, ח:, יא:; שבועות ז:-ח.) וְאִם אֵין עֵדִים לְחַיְּיבוֹ גָּלוּת וְהוּא אֵינוֹ נִכְנָע, הקב"ה דּוֹרֵשׁ מִמֶּנּוּ, כְּמוֹ שֶׁדָּרְשׁוּ רַבּוֹתֵינוּ וְהָאֱלֹהִים אִנָּה לְיָדוֹ (שמות כא:יג) במס' מַכּוֹת (י:), הַקָּדוֹשׁ בָּרוּךְ הוּא מְזַמְּנָן לְפוּנְדָּק אֶחָד וכו': [פסוק ו] **בָּאָדָם דָּמוֹ יִשָּׁפֵךְ.** אִם ש יֵשׁ עֵדִים הֲמִיתוּהוּ אַתֶּם, לָמָּה, **כִּי בְּצֶלֶם אֱלֹהִים וגו'** (אונקלוס): **עָשָׂה אֶת הָאָדָם.** זֶה מִקְרָא חָסֵר וְצָרִיךְ לִהְיוֹת עָשָׂה הָעוֹשֶׂה אֶת הָאָדָם, וְכֵן הַרְבֵּה בַּמִּקְרָא:

בעל הטורים

(ה) **ואך.** ג' במסורת – הכא; "ואך את דמכם לנפשותיכם אדרוש מיד כל חיה"; ואידך "ואך אם טמאה ארץ אחוזתכם"; "ואך את הדבר". לומר, כמו שאסור להרע עצמו, כך אסור לקלל עצמו. וזה הוא "ואך את דמכם לנפשותיכם", "ואך את הדבר", שאפלו הדיבור אדרוש. "ואך אם טמאה", לומר ש"מיד כל חיה אדרשנו", בין טמאה בין טהורה:

ראה הטבלא "**שֶׁבַע מִצְוֹת בְּנֵי נֹחַ**" (עמוד 523).

עיקר שפתי חכמים

ר ע"פ הרא"ם הנוסחא האמיתית כן הוא. בנפשו בעוד נפשו בו לא תאכלו הרי אבר מה"ח. בעוד נפשו בדמו לא תאכלו הרי דם מה"ח. ובי"ת מן בנפשו היא כמו עם, ובנפשו נדרש לפניו ולאחריו, בשר בנפשו בנפשו דמו: **ש** הוא לפי התרגום בסהדין:

ז וְאַתֶּם פְּרוּ וּרְבוּ שִׁרְצוּ בָאָרֶץ
וּרְבוּ־בָהּ: ס   חמישי ח וַיֹּאמֶר
אֱלֹהִים אֶל־נֹחַ וְאֶל־בָּנָיו אִתּוֹ
לֵאמֹר: ט וַאֲנִי הִנְנִי מֵקִים אֶת־
בְּרִיתִי אִתְּכֶם וְאֶת־זַרְעֲכֶם
אַחֲרֵיכֶם: י וְאֵת כָּל־נֶפֶשׁ הַחַיָּה
אֲשֶׁר אִתְּכֶם בָּעוֹף בַּבְּהֵמָה
וּבְכָל־חַיַּת הָאָרֶץ אִתְּכֶם מִכֹּל
יֹצְאֵי הַתֵּבָה לְכֹל חַיַּת הָאָרֶץ: יא וַהֲקִמֹתִי אֶת־
בְּרִיתִי אִתְּכֶם וְלֹא־יִכָּרֵת כָּל־בָּשָׂר עוֹד מִמֵּי
הַמַּבּוּל וְלֹא־יִהְיֶה עוֹד מַבּוּל לְשַׁחֵת הָאָרֶץ:

ז וְאַתּוּן פּוּשׁוּ וּסְגוֹ אִתְיְלִידוּ בְאַרְעָא וּסְגוֹ בַהּ: ח וַאֲמַר יְיָ לְנֹחַ וְלִבְנוֹהִי עִמֵּהּ לְמֵימָר: ט וַאֲנָא הָא אֲנָא מֵקִים יָת קְיָמִי עִמְּכוֹן וְעִם בְּנֵיכוֹן בַּתְרֵיכוֹן: י וְעִם כָּל נַפְשָׁא חַיְתָא דְעִמְּכוֹן בְּעוֹפָא בִּבְעִירָא וּבְכָל חַיַּת אַרְעָא דְעִמְּכוֹן מִכֹּל נָפְקֵי תֵבוֹתָא לְכֹל חַיַּת אַרְעָא: יא וַאֲקֵים יָת קְיָמִי עִמְּכוֹן וְלָא יִשְׁתֵּיצֵי כָּל בִּשְׂרָא עוֹד מִמֵּי טוֹפָנָא וְלָא יְהֵי עוֹד טוֹפָנָא לְחַבָּלָא אַרְעָא:

רש"י

[פסוק ז] וְאַתֶּם פְּרוּ וּרְבוּ. לְפִי פְּשׁוּטוֹ הָרִאשׁוֹנָה (לעיל פסוק א) לִבְרָכָה (עי' כתובות ה.), וְכַאן לְצִוּוּי (סנהדרין נט:-ע.). וּלְפִי מִדְרָשׁוֹ לְהַקִּישׁ מִי שֶׁאֵינוֹ עוֹסֵק בִּפְרִיָּה וּרְבִיָּה לְשׁוֹפֵךְ דָּמִים (ב"ר לד יד; יבמות סג:): **[פסוק ט] וַאֲנִי הִנְנִי.** מַסְכִּים אֲנִי עִמָּךְ (עי' ב"ר לד:יב), שֶׁהָיָה נֹחַ דּוֹאֵג לַעֲסוֹק בִּפְרִיָּה וּרְבִיָּה עַד שֶׁהִבְטִיחוֹ הַקָּבָּ"ה שֶׁלֹּא לְשַׁחֵת הָעוֹלָם עוֹד (תנחומא יא), וְכֵן א [עָשָׂה] בָּאַחֲרוֹנָה

אָמַר לוֹ הִנְנִי מַסְכִּים לַעֲשׂוֹת קִיּוּם וְחִזּוּק בְּרִית לְהַבְטַחָתִי, וְאֶתֵּן לְךָ אוֹת (שם ו וארא ג:): **[פסוק י] חַיַּת הָאָרֶץ אִתְּכֶם.** הֵם הַמִּתְהַלְּכִים עִם הַבְּרִיּוֹת: **מִכֹּל יֹצְאֵי הַתֵּבָה.** לְהָבִיא ב שְׁקָלִים וּרְמָשִׂים: **[פסוק י] חַיַּת הָאָרֶץ.** לְהָבִיא הַמַּזִּיקִין, שֶׁאֵינָן בִּכְלַל הַחַיָּה אֲשֶׁר אִתְּכֶם, שֶׁאֵין הִלּוּכָן עִם הַבְּרִיּוֹת: **[פסוק יא] וַהֲקִמֹתִי.** אֶעֱשֶׂה קִיּוּם לִבְרִיתִי. וּמַהוּ קִיּוּמוֹ, אוֹת הַקֶּשֶׁת, כְּמוֹ שֶׁמְּסַיֵּים וְהוֹלֵךְ:

בעל הטורים

(ט) מֵקִים אֶת בְּרִיתִי אִתְּכֶם. סוֹפֵי תֵבוֹת מֵתִים. רֶמֶז לִתְחִיַּת הַמֵּתִים, שֶׁה' מֵקִים לָהֶם בְּרִיתוֹ לְהַחֲיוֹתָם:

עיקר שפתי חכמים

ת לְפִי שֶׁסָּמוּךְ לוּיבַרֶךְ כו', וְכֵן בַּפ' בְּרֵאשִׁית סָמוּךְ לוּיבַרֶךְ, מַשָּׁא"כ כַּאן דְּלָא כְּתִיב בֵּיהּ בְּרָכָה הוּא לְצִוּוּי: א ר"ל הַבָּטִיחַ לוֹ: ב ר"ל טוֹפוֹת טְמֵאִים:

יב וַיֹּ֣אמֶר אֱלֹהִ֗ים זֹ֤את אֽוֹת־
הַבְּרִית֙ אֲשֶׁר־אֲנִ֣י נֹתֵ֗ן בֵּינִי֙
וּבֵ֣ינֵיכֶ֔ם וּבֵ֛ין כָּל־נֶ֥פֶשׁ חַיָּ֖ה אֲשֶׁ֣ר
אִתְּכֶ֑ם לְדֹרֹ֖ת עוֹלָֽם׃ יג אֶת־קַשְׁתִּ֕י
נָתַ֖תִּי בֶּֽעָנָ֑ן וְהָֽיְתָה֙ לְא֣וֹת בְּרִ֔ית
בֵּינִ֖י וּבֵ֥ין הָאָֽרֶץ׃ יד וְהָיָ֕ה בְּעַֽנְנִ֥י
עָנָ֖ן עַל־הָאָ֑רֶץ וְנִרְאֲתָ֥ה הַקֶּ֖שֶׁת
בֶּעָנָֽן׃ טו וְזָכַרְתִּ֣י אֶת־בְּרִיתִ֗י אֲשֶׁ֤ר
בֵּינִי֙ וּבֵ֣ינֵיכֶ֔ם וּבֵ֛ין כָּל־נֶ֥פֶשׁ חַיָּ֖ה
בְּכָל־בָּשָׂ֑ר וְלֹֽא־יִֽהְיֶ֨ה ע֤וֹד הַמַּ֙יִם֙ לְמַבּ֔וּל לְשַׁחֵ֖ת
כָּל־בָּשָֽׂר׃ טז וְהָיְתָ֥ה הַקֶּ֖שֶׁת בֶּעָנָ֑ן וּרְאִיתִ֗יהָ
לִזְכֹּר֙ בְּרִ֣ית עוֹלָ֔ם בֵּ֣ין אֱלֹהִ֔ים וּבֵין֙ כָּל־נֶ֣פֶשׁ
חַיָּ֔ה בְּכָל־בָּשָׂ֖ר אֲשֶׁ֥ר עַל־הָאָֽרֶץ׃ יז וַיֹּ֥אמֶר

יב וַאֲמַר יְיָ דָּא אָת קְיָם
דִּי אֲנָא יָהֵב בֵּין מֵימְרִי
וּבֵינֵיכוֹן וּבֵין כָּל נַפְשָׁא
חַיְתָא דִּי עִמְּכוֹן לְדָרֵי
עָלְמָא: יג יָת קַשְׁתִּי יְהָבִית
בַּעֲנָנָא וּתְהֵי לְאָת קְיָם בֵּין
מֵימְרִי וּבֵין אַרְעָא: יד וַהֲוָה
בַּעֲנָנוּתִי עֲנָנָא עַל אַרְעָא
וְתִתְחֲזֵי קַשְׁתָּא בַּעֲנָנָא:
טו וְדָכִירְנָא יָת קְיָמִי דִּי בֵין
מֵימְרִי וּבֵינֵיכוֹן וּבֵין כָּל
נַפְשָׁא חַיְתָא בְּכָל בִּשְׂרָא
וְלָא יְהֵי עוֹד מַיָּא לְטוֹפָנָא
לְחַבָּלָא כָּל בִּשְׂרָא:
טז וּתְהֵי קַשְׁתָּא בַּעֲנָנָא
וְאֶחֱזְנַהּ לְמִדְכַּר קְיָם עָלַם
בֵּין מֵימְרָא דַּיְיָ וּבֵין כָּל
נַפְשָׁא חַיְתָא בְּכָל בִּשְׂרָא
דִּי עַל אַרְעָא: יז וַאֲמַר

רש"י

[פסוק יב] לְדֹרֹת עוֹלָם. נִכְתַּב חָסֵר, שֶׁיֵּשׁ דּוֹרוֹת שֶׁלֹּא הֻצְרְכוּ לְאוֹת ג לְפִי שֶׁצַּדִּיקִים גְּמוּרִים הָיוּ, כְּמוֹ דּוֹרוֹ שֶׁל חִזְקִיָּהוּ מֶלֶךְ יְהוּדָה וְדוֹרוֹ שֶׁל רַבִּי שִׁמְעוֹן בֶּן יוֹחַאי (ב"ר לה:ב): **[פסוק יד] בְּעַנְנִי עָנָן.** כְּשֶׁתַּעֲלֶה בְמַחֲשָׁבָה לְפָנַי ד לְהָבִיא חֹשֶׁךְ וַאֲבַדּוֹן לָעוֹלָם: **[פסוק טז] בֵּין אֱלֹהִים וּבֵין כָּל נֶפֶשׁ חַיָּה.** בֵּין מִדַּת הַדִּין שֶׁל מַעְלָה וּבֵינֵיכֶם. שֶׁהָיָה לוֹ לִכְתּוֹב בֵּינִי וּבֵין כָּל נֶפֶשׁ חַיָּה (פס' טו), אֶלָּא זֶהוּ מִדְרָשׁוֹ, כְּשֶׁתָּבֹא מִדַּת הַדִּין לְקַטְרֵג [עֲלֵיכֶם לְחַיֵּיב אֶתְכֶם] אֲנִי רוֹאֶה אֶת הָאוֹת וְנִזְכָּר:

עיקר שפתי חכמים

ג ר"ל לכך נכתב חסר שרק לרמז לדורות החסרים [ר"ל רשעים] צריך הקשת:
ד לכך כתיב בענני ענן על הארץ ר"ל אבדון על העולם:

אֱלֹהִים אֶל־נֹחַ זֹאת אוֹת־
הַבְּרִית אֲשֶׁר הֲקִמֹתִי בֵּינִי וּבֵין
כָּל־בָּשָׂר אֲשֶׁר עַל־הָאָרֶץ: פ
ששי יח וַיִּהְיוּ בְנֵי־נֹחַ הַיֹּצְאִים
מִן־הַתֵּבָה שֵׁם וְחָם וָיָפֶת
וְחָם הוּא אֲבִי כְנָעַן: יט שְׁלֹשָׁה
אֵלֶּה בְּנֵי־נֹחַ וּמֵאֵלֶּה נָפְצָה
כָל־הָאָרֶץ: כ וַיָּחֶל נֹחַ אִישׁ הָאֲדָמָה וַיִּטַּע
כָּרֶם: כא וַיֵּשְׁתְּ מִן־הַיַּיִן וַיִּשְׁכָּר וַיִּתְגַּל בְּתוֹךְ
אָהֳלֹה: כב וַיַּרְא חָם אֲבִי כְנַעַן אֵת עֶרְוַת אָבִיו

יְיָ לְנֹחַ דָּא אָת קְיָם דִּי
אֲקֵמִית בֵּין מֵימְרִי וּבֵין
כָּל בִּשְׂרָא דִּי עַל אַרְעָא:
יח וַהֲווֹ בְנֵי נֹחַ דִּי נְפַקוּ
מִן תֵּבוֹתָא שֵׁם וְחָם
וָיֶפֶת וְחָם הוּא אֲבוּהִי
דִּכְנָעַן: יט תְּלָתָא אִלֵּין
בְּנֵי נֹחַ וּמֵאִלֵּין אִתְבַּדַּרוּ
כָּל אַרְעָא: כ וְשָׁרִי נֹחַ
גְּבַר פָּלַח בְּאַרְעָא וּנְצִיב
כַּרְמָא: כא וּשְׁתִי מִן חַמְרָא
וּרְוִי וְאִתְגְּלִי בְּגוֹ מַשְׁכְּנֵהּ:
כב וַחֲזָא חָם אֲבוּהִי
דִכְנַעַן יָת עֶרְיַת אֲבוּהִי

רש"י

[פסוק יז] זאת אות הברית. הראהו הקשת ואמר לו הרי האות שאמרתי: **[פסוק יח] וחם הוא אבי כנען.** למה הוצרך לומר כאן. לפי שהפרשה עסוקה ובאה בשכרותו של נח שקלקל בה חם, ועל ידו נתקלל כנען, ועדיין לא כתב תולדות חם ולא ידענו שכנען בנו, לפיכך הוצרך לומר כאן וחם הוא אבי כנען: **[פסוק כ] ויחל.** עשה עצמו חולין, שהיה לו לעסוק תחלה בנטיעה אחרת (ב"ר לו:ג): **איש האדמה.** אדוני האדמה, כמו ה איש נעמי (רות א:ג): **ויטע כרם.** כשנכנס לתיבה הכניס עמו ו זמורות ויחורי תאנים (ב"ר שם): **[פסוק כא] אהלה.** אהלה כתיב, רמז לעשרת השבטים שנקראו על שם שומרון ז שנקראת אהלה, שגלו על עסקי היין, שנאמר השותים במזרקי יין (עמוס ו:ו; ב"ר לו:ד; תנחומא ישן כ): **ויתגל.** לשון ויתפעל: **[פסוק כב] וירא חם אבי כנען.** יש מרבותינו אומרים כנען ראה והגיד לאביו, לכך הוזכר על הדבר ונתקלל (תנחומא טו; ב"ר שם ז): **וירא את ערות אביו.** יש מרבותינו אומרים סרסו, וי"א רבעו (סנהדרין ע.):

בעל הטורים

(כ) ויטע. ג׳ במסורת – ״ויטע כרם״; ״ויטע ה׳ אלהים גן בעדן״; ״ויטע אשל״. דרשו רבותינו, מהיכן לקח הנטיעה, מגן עדן. וכן אברהם לקח האשל מגן עדן: **(כא) ויתגל.** אותיות גליות. שגלו בראש גולים על ידי היין. ״היין״ בגימטריא יללה:

עיקר שפתי חכמים

ה שאין שייך לומר על הבעל שהוא בעל האשה, שאין קנוי לאשתו רק נקרא אדון עליה: **ו** שהם בטבעם מתקלקלים במים יותר משארי נטיעות: **ז** הוא ביחזקאל [כג]:

וַיַּגֵּד לִשְׁנֵי־אֶחָיו בַּחֽוּץ׃ כג וַיִּקַּח
שֵׁם וָיֶפֶת אֶת־הַשִּׂמְלָה וַיָּשִׂימוּ
עַל־שְׁכֶם שְׁנֵיהֶם וַיֵּלְכוּ אֲחֹרַנִּית
וַיְכַסּוּ אֵת עֶרְוַת אֲבִיהֶם וּפְנֵיהֶם
אֲחֹרַנִּית וְעֶרְוַת אֲבִיהֶם לֹא רָאֽוּ׃
כד וַיִּיקֶץ נֹחַ מִיֵּינוֹ וַיֵּדַע אֵת אֲשֶׁר־
עָשָׂה לוֹ בְּנוֹ הַקָּטָֽן׃ כה וַיֹּאמֶר
אָרוּר כְּנָעַן עֶבֶד עֲבָדִים יִהְיֶה לְאֶחָֽיו׃ כו וַיֹּאמֶר
בָּרוּךְ יְהוָה אֱלֹהֵי שֵׁם וִיהִי כְנַעַן עֶבֶד לָֽמוֹ׃

וְחַוִּי לִתְרֵין אֲחוֹהִי בְּשׁוּקָא: כג וּנְסֵיב שֵׁם וָיֶפֶת יָת כְּסוּתָא וְשַׁוִּיאוּ עַל כְּתַף תַּרְוֵיהוֹן וַאֲזַלוּ מְחַזְּרִין וַחֲפִיאוּ יָת עֶרְיְתָא דַאֲבוּהוֹן וְאַפֵּיהוֹן מְחַזְּרִין וְעֶרְיְתָא דַאֲבוּהוֹן לָא חֲזוֹ: כד וְאִתְּעַר נֹחַ מֵחַמְרֵהּ וִידַע יָת דִּי עֲבַד לֵהּ בְּרֵהּ זְעֵירָא: כה וַאֲמַר לִיט כְּנַעַן עֲבֵד פָּלַח עַבְדִין יְהֵי לַאֲחוֹהִי: כו וַאֲמַר בְּרִיךְ יְיָ אֱלָהֵהּ דְּשֵׁם וִיהֵי כְּנַעַן עַבְדָּא לְהוֹן:

רש"י

[פסוק כג] **ויקח שם ויפת.** אין כתיב ויקחו אלא ויקח, לימד על שם שנתאמץ במצוה יותר מיפת, לכך זכו בניו לטלית של ציצית, ויפת זכה ח לקבורה לבניו, שנא' אתן לגוג מקום שם קבר (יחזקאל לט:יא). וחם שבזה את אביו נאמר בזרעו כן ינהג מלך אשור את שבי מצרים ואת גלות כוש נערים וזקנים ערום ויחף וחשופי שת וגו' (ישעיה כ:ד; תנחומא טו; ב"ר שם ו): **ופניהם אחרנית.** למה נאמר פעם שניה, מלמד שכשקרבו אצלו והוצרכו להפוך עצמם לכסותו הפכו פניהם אחורנית: [פסוק כד] **בנו הקטן.** ט הפסול (ב"ר שם ז) והבזוי, כמו הנה קטן נתתיך בגוים בזוי באדם (ירמיה מט:טו): [פסוק כה] **ארור כנען.** אתה גרמת לי שלא אוליד בן רביעי אחר לשמשני, י ארור בנך רביעי להיות משמש את זרעם של אלו הגדולים שהוטל עליהם טורח עבודתי מעתה (ב"ר שם). ומה ראה חם שסרסו, אמר להם לאחיו, אדם הראשון שני בנים היו לו והרג זה את זה בשביל ירושת העולם (שם כב:ז), ואבינו יש לו ג' בנים ועודנו מבקש בן רביעי (שם לו:ה): [פסוק כו] **ברוך ה' אלהי שם.** שעתיד לשמור הבטחתו לזרעו לתת להם את ארץ כנען: **ויהי.** כ להם כנען למס עובד:

בעל הטורים

(כה) **עבד עבדים יהיה.** "יהיה" עולה שלשים. רמז לדמי שקלים של עבד:

עיקר שפתי חכמים

ח כי קבורה הוא ג"כ מעין כיסוי: ט כי בשנים היה שם הקטן שבכולם ולא חם, כמו שמפורש לקמן: י מ"ד לעיל [פסוק כ"ב] סרסו הוכחתו מכאן. ולמ"ד רבעו משום דלשון וירא חם את ערות אביו הוא לשון ביאה כמו וראה את ערותה [ויקרא כ' י"ז]. והא דקלל את כנען הא והא הוי, סרסו ורבעו. והא דלא קלל את חם, פי' התוס' בסנהדרין לפי שכתוב ויברך אלהים את נח ואת בניו, ואין קללה במקום ברכה: כ מדכתיב עבד למו ולא כתיב עבד לו בלשון יחיד, ש"מ דלא קאי על שם כי אם על זרעו:

כז יַפְתְּ אֱלֹהִים לְיֶפֶת וְיִשְׁכֹּן בְּאָהֳלֵי־שֵׁם וִיהִי כְנַעַן עֶבֶד לָמוֹ׃
כח וַיְחִי־נֹחַ אַחַר הַמַּבּוּל שְׁלֹשׁ מֵאוֹת שָׁנָה וַחֲמִשִּׁים שָׁנָה׃
כט וַיְהִי כָּל־יְמֵי־נֹחַ תְּשַׁע מֵאוֹת שָׁנָה וַחֲמִשִּׁים שָׁנָה וַיָּמֹת׃ פ
פרק י א וְאֵלֶּה תּוֹלְדֹת בְּנֵי־נֹחַ שֵׁם חָם וָיָפֶת וַיִּוָּלְדוּ לָהֶם בָּנִים אַחַר הַמַּבּוּל׃
ב בְּנֵי יֶפֶת גֹּמֶר וּמָגוֹג וּמָדַי וְיָוָן וְתֻבָל וּמֶשֶׁךְ וְתִירָס׃
ג וּבְנֵי גֹּמֶר אַשְׁכְּנַז וְרִיפַת וְתֹגַרְמָה׃
ד וּבְנֵי יָוָן אֱלִישָׁה וְתַרְשִׁישׁ כִּתִּים וְדֹדָנִים׃
ה מֵאֵלֶּה נִפְרְדוּ אִיֵּי הַגּוֹיִם בְּאַרְצֹתָם אִישׁ לִלְשֹׁנוֹ

כז יַפְתֵּי יְיָ לְיֶפֶת וְיַשְׁרֵי שְׁכִינְתֵּהּ בְּמַשְׁכְּנֵהּ דְּשֵׁם וִיהֵי כְנַעַן עַבְדָּא לְהוֹן׃ כח וַחֲיָא נֹחַ בָּתַר טוֹפָנָא תְּלָת מְאָה וְחַמְשִׁין שְׁנִין׃ כט וַהֲווֹ כָּל יוֹמֵי נֹחַ תְּשַׁע מְאָה וְחַמְשִׁין שְׁנִין וּמִית׃ א וְאִלֵּין תּוֹלְדָת בְּנֵי נֹחַ שֵׁם חָם וָיֶפֶת וְאִתְיְלִידוּ לְהוֹן בְּנִין בָּתַר טוֹפָנָא׃ ב בְּנֵי יֶפֶת גּוֹמֶר וּמָגוֹג וּמָדַי וְיָוָן וְתוּבַל וּמֶשֶׁךְ וְתִירָס׃ ג וּבְנֵי גוֹמֶר אַשְׁכְּנַז וְרִיפַת וְתוֹגַרְמָה׃ ד וּבְנֵי יָוָן אֱלִישָׁה וְתַרְשִׁישׁ כִּתִּים וְדֹדָנִים׃ ה מֵאִלֵּין אִתְפְּרַשׁוּ נַגְוָת עַמְמַיָּא בְּאַרְעֲהוֹן גְּבַר לְלִישָׁנֵהּ

רש"י

[פסוק כז] יַפְתְּ אֱלֹהִים לְיֶפֶת. מְתוּרְגָּם יַפְתֵּי, יַרְחִיב (אונקלוס דברים יב:כ): **וְיִשְׁכֹּן בְּאָהֳלֵי שֵׁם.** יַשְׁרֶה שְׁכִינָתוֹ בְּיִשְׂרָאֵל (אונקלוס). וּמִדְרַשׁ חֲכָמִים, אַע"פ שֶׁיַּפְתְּ אֱלֹהִים לְיֶפֶת, שֶׁבָּנָה כּוֹרֶשׁ שֶׁהָיָה מִבְּנֵי יֶפֶת בַּיִת שֵׁנִי, לֹא שָׁרְתָה בּוֹ שְׁכִינָה, וְהֵיכָן שָׁרְתָה, בְּמִקְדָּשׁ רִאשׁוֹן שֶׁבָּנָה שְׁלֹמֹה שֶׁהָיָה מִבְּנֵי שֵׁם (יומא י.): **וִיהִי כְנַעַן עֶבֶד לָמוֹ.** ל אַף מִשֶּׁיִּגְלוּ בְּנֵי שֵׁם יִמָּכְרוּ לָהֶם עֲבָדִים מִבְּנֵי כְנַעַן: **[פסוק ב] וְתִירָס.** זוֹ מ פָּרַס (שם):

עיקר שפתי חכמים

ל דריש מכפל הכתוב כי כבר כתיב פעם אחת ויהי כנען עבד למו: מ הוא מימרא דרב יוסף ביומא פ"ק ורש"י מבארו יותר משארי השמות משום שפירש לעיל בפסוק יפת א' ליפת שבנה כורש שהי' מבני יפת, ומנ"ל זה. לכך פי' שתירס זו פרס וכורש הי' מלך פרס:

ראה הטבלא "שִׁבְעִים הָאֻמּוֹת" (עמוד 523)

לְמִשְׁפְּחֹתָם בְּגוֹיֵהֶם: ו וּבְנֵי חָם
כּוּשׁ וּמִצְרַיִם וּפוּט וּכְנָעַן: ז וּבְנֵי
כוּשׁ סְבָא וַחֲוִילָה וְסַבְתָּה
וְרַעְמָה וְסַבְתְּכָא וּבְנֵי רַעְמָה
שְׁבָא וּדְדָן: ח וְכוּשׁ יָלַד אֶת־
נִמְרֹד הוּא הֵחֵל לִהְיוֹת גִּבֹּר
בָּאָרֶץ: ט הוּא־הָיָה גִבֹּר־צַיִד
לִפְנֵי יהוה עַל־כֵּן יֵאָמַר כְּנִמְרֹד
גִּבּוֹר צַיִד לִפְנֵי יהוה: י וַתְּהִי
רֵאשִׁית מַמְלַכְתּוֹ בָּבֶל וְאֶרֶךְ וְאַכַּד וְכַלְנֵה
בְּאֶרֶץ שִׁנְעָר: יא מִן־הָאָרֶץ הַהִוא יָצָא אַשּׁוּר
וַיִּבֶן אֶת־נִינְוֵה וְאֶת־רְחֹבֹת עִיר וְאֶת־כָּלַח:

לְזַרְעֲיָתְהוֹן בְּעַמְמֵיהוֹן:
ו וּבְנֵי חָם כּוּשׁ וּמִצְרַיִם
וּפוּט וּכְנָעַן: ז וּבְנֵי כוּשׁ
סְבָא וַחֲוִילָה וְסַבְתָּה
וְרַעְמָה וְסַבְתְּכָא וּבְנֵי
רַעְמָה שְׁבָא וּדְדָן: ח וְכוּשׁ
אוֹלִיד יָת נִמְרֹד הוּא
שָׁרֵי לְמֶהֱוֵי גְּבַר (תַּקִּיף)
בְּאַרְעָא: ט הוּא הֲוָה גְּבַר
תַּקִּיף קֳדָם יְיָ עַל כֵּן יִתְאֲמַר
כְּנִמְרֹד גְּבַר תַּקִּיף קֳדָם יְיָ:
י וַהֲוָה רֵישׁ מַלְכוּתֵהּ בָּבֶל
וְאֶרֶךְ וְאַכַּד וְכַלְנֵה בְּאַרְעָא
דְבָבֶל: יא מִן אַרְעָא
(נ״א עֵיצָה) הַהִיא נְפַק
אֲתוּרָאָה וּבְנָא יָת נִינְוֵה
וְיָת רְחֹבֹת (נ״א רְחוֹבֵי)
קַרְתָּא וְיָת כָּלַח:

רש״י

[פסוק ח] להיות גבר. להמריד כל העולם על הקדוש ברוך הוא בעצת דור הפלגה (עירובין נג.; חולין פט.): **[פסוק ט] גבר ציד.** צד דעתן של בריות בפיו ומטען למרוד במקום (ב״ר לז:ב; תרגום ירושלמי): **לפני ה'.** מתכוין נ להקניטו על פניו (ת״כ בחוקותי פרשתא ב:ג): **על כן יאמר.** על כל אדם מרשיע בעזות פנים, יודע רבונו ומתכוין למרוד בו, יאמר, זה כנמרוד גבור ציד (שם): **[פסוק יא] מן הארץ.** כיון שראה אשור את בניו שומעין לנמרוד ומורדין במקום לבנות המגדל, יצא מתוכם (ב״ר שם ד; אונקלוס כ״א, ועי' תרגום יונתן):

בעל הטורים

(ט) יאמר. ג' במסורת — "על כן יאמר כנמרוד"; "על כן יאמר בספר מלחמת ה'"; "ולציון יאמר איש ואיש יולד בה". מלמד שהיה נמרוד איש מלחמה ולוכד ערים [ומולך עליהם], כדכתיב "ותהי ראשית ממלכתו בבל". וזה הוא "על כן יאמר בספר מלחמת". "ולציון יאמר", שיהא כל הילוד בה גבור וגבה קומה כנמרוד, ויהא ניכר, ויאמרו הכל זה ילד בה:

עיקר שפתי חכמים

נ דקשה לך מאי לפני ה' הא בכל מקום שהוא הוא לפני ה':

יב וְאֶת־רֶ֫סֶן בֵּ֥ין נִֽינְוֵ֖ה וּבֵ֣ין כָּ֑לַח
ה֖וּא הָעִ֥יר הַגְּדֹלָֽה׃ יג וּמִצְרַ֡יִם
יָלַ֞ד אֶת־לוּדִ֧ים וְאֶת־עֲנָמִ֛ים
וְאֶת־לְהָבִ֖ים וְאֶת־נַפְתֻּחִֽים׃
יד וְאֶת־פַּתְרֻסִ֞ים וְאֶת־כַּסְלֻחִ֗ים
אֲשֶׁ֨ר יָצְא֥וּ מִשָּׁ֛ם פְּלִשְׁתִּ֖ים
וְאֶת־כַּפְתֹּרִֽים׃ ס טו וּכְנַ֗עַן
יָלַ֛ד אֶת־צִידֹ֥ן בְּכֹר֖וֹ וְאֶת־חֵֽת׃
טז וְאֶת־הַיְבוּסִי֙ וְאֶת־הָ֣אֱמֹרִ֔י
וְאֵ֖ת הַגִּרְגָּשִֽׁי׃ יז וְאֶת־הַחִוִּ֥י וְאֶת־הַֽעַרְקִ֖י וְאֶת־
הַסִּינִֽי׃ יח וְאֶת־הָֽאַרְוָדִ֥י וְאֶת־הַצְּמָרִ֖י וְאֶת־
הַחֲמָתִ֑י וְאַחַ֣ר נָפֹ֔צוּ מִשְׁפְּח֖וֹת הַֽכְּנַעֲנִֽי׃ יט וַיְהִ֞י
גְּב֤וּל הַֽכְּנַעֲנִי֙ מִצִּידֹ֔ן בֹּאֲכָ֥ה גְרָ֖רָה עַד־עַזָּ֑ה

יב וְיָת רֶסֶן בֵּין נִינְוֵה וּבֵין
כָּלַח הִיא קַרְתָּא רַבְּתָא:
יג וּמִצְרַיִם אוֹלִיד יָת
לוּדָאֵי וְיָת עֲנָמָאֵי וְיָת
לְהָבָאֵי וְיָת נַפְתּוּחָאֵי:
יד וְיָת פַּתְרוּסָאֵי וְיָת
כַּסְלוּחָאֵי דִּי נְפַקוּ מִתַּמָּן
פְּלִשְׁתָּאֵי וְיָת קַפּוּטְקָאֵי:
טו וּכְנַעַן אוֹלִיד יָת צִידוֹן
בֻּכְרֵהּ וְיָת חֵת: טז וְיָת
יְבוּסָאֵי וְיָת אֱמוֹרָאֵי וְיָת
גִּרְגָּשָׁאֵי: יז וְיָת חִוָּאֵי וְיָת
עַרְקָאֵי וְיָת אַנְתּוּסָאֵי:
יח וְיָת אַרְוָדָאֵי וְיָת צְמָרָאֵי
וְיָת חֲמָתָאֵי וּבָתַר כֵּן
אִתְבַּדַּרוּ זַרְעֲיַת כְּנַעֲנָאֵי:
יט וַהֲוָה תְּחוּם כְּנַעֲנָאֵי
מִצִּידוֹן מָטֵי לִגְרָר עַד עַזָּה

רש"י

[פסוק יב] **הָעִיר הַגְּדֹלָה.** הִיא ס נִינְוֵה, שֶׁנֶּאֱמַר וְנִינְוֵה הָיְתָה עִיר גְּדוֹלָה לֵאלֹהִים (יונה ג:ג; ב"ר שם): [פסוק יג] **לְהָבִים.** שֶׁפְּנֵיהֶם דּוֹמִים לְלַהַב: [פסוק יד] **פַּתְרֻסִים וְאֶת כַּסְלֻחִים אֲשֶׁר יָצְאוּ מִשָּׁם פְּלִשְׁתִּים.** ע מִשְּׁנֵיהֶם יָצְאוּ, שֶׁהָיוּ פַּתְרוּסִים וְכַסְלוּחִים מַחֲלִיפִין מִשְׁכַּב נְשׁוֹתֵיהֶם אֵלּוּ לָאֵלּוּ וְיָצְאוּ מֵהֶם פְּלִשְׁתִּים [וְכַפְתּוֹרִים] (ב"ר שם): [פסוק יח] **וְאַחַר נָפֹצוּ.** מֵאֵלֶּה נָפוֹצוּ מִשְׁפָּחוֹת הַרְבֵּה: [פסוק יט] **גְּבוּל.** סוֹף חֶלְקוֹ. כָּל גְּבוּל ל' סוֹף וְקָצֶה: **בֹּאֲכָה.** שֵׁם דָּבָר. [ול"נ, כְּאָדָם הָאוֹמֵר לַחֲבֵירוֹ גְּבוּל זֶה מַגִּיעַ עַד אֲשֶׁר תָּבֹא לִגְבוּל פְּלוֹנִי]:

עיקר שפתי חכמים

ס דהיא קאי אנינוה דאי אכלח היא ל"ל [תוס' פ"ק דיומא]:
ע דאי אכסלוחים לחוד הו"ל לכתוב וכסלוחים ילדו את פלשתים, מאי אשר יצאו משם:

בֹּאֲכָ֥ה סְדֹ֛מָה וַעֲמֹרָ֥ה וְאַדְמָ֖ה
וּצְבֹיִ֑ם עַד־לָֽשַׁע׃ כ אֵ֣לֶּה בְנֵי־חָ֔ם
לְמִשְׁפְּחֹתָ֖ם לִלְשֹֽׁנֹתָ֑ם בְּאַרְצֹתָ֖ם
בְּגוֹיֵהֶֽם׃ ס כא וּלְשֵׁ֥ם יֻלַּ֖ד
גַּם־ה֑וּא אֲבִי֙ כָּל־בְּנֵי־עֵ֔בֶר אֲחִ֖י
יֶ֥פֶת הַגָּדֽוֹל׃ כב בְּנֵ֥י שֵׁ֖ם עֵילָ֣ם
וְאַשּׁ֑וּר וְאַרְפַּכְשַׁ֖ד וְל֥וּד וַאֲרָֽם׃
כג וּבְנֵ֖י אֲרָ֑ם ע֥וּץ וְח֖וּל וְגֶ֥תֶר
וָמַֽשׁ׃ כד וְאַרְפַּכְשַׁ֖ד יָלַ֣ד אֶת־
שָׁ֑לַח וְשֶׁ֖לַח יָלַ֥ד אֶת־עֵֽבֶר׃ כה וּלְעֵ֥בֶר יֻלַּ֖ד שְׁנֵ֣י
בָנִ֑ים שֵׁ֣ם הָאֶחָ֞ד פֶּ֗לֶג כִּ֤י בְיָמָיו֙ נִפְלְגָ֣ה הָאָ֔רֶץ

מָטֵי לִסְדוֹם וַעֲמוֹרָה
וְאַדְמָה וּצְבוֹיִם עַד
לָשַׁע: כ אִלֵּין בְּנֵי חָם
לְזַרְעֲיָתְהוֹן לְלִישָׁנְהוֹן
בְּאַרְעָתְהוֹן בְּעַמְמֵיהוֹן:
כא וּלְשֵׁם אִתְיְלִיד אַף
הוּא אֲבוּהוֹן דְּכָל בְּנֵי
עֵבֶר אֲחוּהִי דְּיֶפֶת
רַבָּא: כב בְּנֵי שֵׁם עֵילָם
וְאַשּׁוּר וְאַרְפַּכְשַׁד וְלוּד
וַאֲרָם: כג וּבְנֵי אֲרָם
עוּץ וְחוּל וְגֶתֶר וָמַשׁ:
כד וְאַרְפַּכְשַׁד אוֹלִיד
יָת שָׁלַח וְשֶׁלַח אוֹלִיד
יָת עֵבֶר: כה וּלְעֵבֶר
אִתְיְלִידוּ תְּרֵין בְּנִין שׁוּם
חַד פֶּלֶג אֲרֵי בְּיוֹמוֹהִי
אִתְפְּלִיגַת אַרְעָא

רש"י

[פסוק כ] **לִלְשֹׁנֹתָם בְּאַרְצֹתָם.** אע"פ שֶׁנֶּחְלְקוּ לִלְשׁוֹנוֹת וַאֲרָצוֹת, כֻּלָּם בְּנֵי חָם הֵם: [פסוק כא] **אֲבִי כָּל בְּנֵי עֵבֶר** פ הַנָּהָר, הָיָה שֵׁם: **אֲחִי יֶפֶת הַגָּדוֹל.** אֵינִי יוֹדֵעַ אִם יֶפֶת הַגָּדוֹל אִם שֵׁם. כְּשֶׁהוּא אוֹמֵר שֵׁם בֶּן מְאַת שָׁנָה וגו' שְׁנָתַיִם אַחַר הַמַּבּוּל (להלן יא:י) הֱוֵי אוֹמֵר יֶפֶת הַגָּדוֹל (ב"ר שם ז), שֶׁהֲרֵי בֶּן ת"ק שָׁנָה הָיָה נֹחַ כְּשֶׁהִתְחִיל לְהוֹלִיד, וְהַמַּבּוּל הָיָה בִּשְׁנַת שֵׁשׁ מֵאוֹת שָׁנָה לְנֹחַ, נִמְצָא שֶׁהַגָּדוֹל בְּבָנָיו הָיָה בֶּן מֵאָה שָׁנָה, וְשֵׁם לֹא הִגִּיעַ לְמֵאָה עַד שְׁנָתַיִם אַחַר הַמַּבּוּל צ: **אֲחִי יֶפֶת.** וְלֹא אֲחִי חָם, שֶׁאֵלּוּ שְׁנֵיהֶם כִּבְּדוּ אֶת אֲבִיהֶם וְזֶה בִּזָּהוּ (עי' תרגום יונתן): [פסוק כה] **נִפְלְגָה.** נִתְבַּלְבְּלוּ הַלְּשׁוֹנוֹת וְנָפוֹצוּ מִן הַבִּקְעָה וְנִתְפַּלְּגוּ בְּכָל הָעוֹלָם. לָמַדְנוּ שֶׁהָיָה עֵבֶר נָבִיא, שֶׁקָּרָא שֵׁם בְּנוֹ ע"ש הֶעָתִיד (ב"ר שם). וְשָׁנִינוּ בְּסֵדֶר עוֹלָם (פרק א) שֶׁבְּסוֹף יָמָיו נִתְפַּלְּגוּ ק, שֶׁאִם בִּתְחִלַּת יָמָיו, הֲרֵי יָקְטָן אָחִיו צָעִיר מִמֶּנּוּ וְהוֹלִיד כַּמָּה מִשְׁפָּחוֹת קוֹדֶם לָכֵן, שנא' וְיָקְטָן יָלַד וגו', ר ואח"כ וַיְהִי כָל הָאָרֶץ וגו'. ואם בְּאֶמְצַע יָמָיו, לֹא בָא הַכָּתוּב

עיקר שפתי חכמים

פ ר"ל דלא תטעה דקאי על עבר שם אדם, בנו של שלח: צ ובדורות הראשונים הולידו תולדותיהם שנה אחר שנה א"כ ממילא היו חם ויפת גדולים משם כי יפת וחם נולדו בשנת ת"ק ותק"א לחיי נח: ק ומאין ידע זה אלמא שהיה נביא: ר הרי שלא נפלגה בתחלת ימיו:

וְשֵׁ֥ם אָחִ֖יו יָקְטָֽן׃ כו וְיָקְטָ֣ן יָלַ֔ד
אֶת־אַלְמוֹדָ֖ד וְאֶת־שָׁ֑לֶף וְאֶת־
חֲצַרְמָ֖וֶת וְאֶת־יָֽרַח׃ כז וְאֶת־
הֲדוֹרָ֥ם וְאֶת־אוּזָ֖ל וְאֶת־דִּקְלָֽה׃
כח וְאֶת־עוֹבָ֥ל וְאֶת־אֲבִֽימָאֵ֖ל
וְאֶת־שְׁבָֽא׃ כט וְאֶת־אוֹפִ֥ר וְאֶת־
חֲוִילָ֖ה וְאֶת־יוֹבָ֑ב כָּל־אֵ֖לֶּה בְּנֵ֥י
יָקְטָֽן׃ ל וַיְהִ֥י מוֹשָׁבָ֖ם מִמֵּשָׁ֑א
בֹּאֲכָ֥ה סְפָ֖רָה הַ֥ר הַקֶּֽדֶם׃ לא אֵ֣לֶּה
בְנֵי־שֵׁ֔ם לְמִשְׁפְּחֹתָ֖ם לִלְשֹׁנֹתָ֑ם
בְּאַרְצֹתָ֖ם לְגוֹיֵהֶֽם׃ לב אֵ֣לֶּה מִשְׁפְּחֹ֧ת בְּנֵי־
נֹ֛חַ לְתוֹלְדֹתָ֖ם בְּגוֹיֵהֶ֑ם וּמֵאֵ֜לֶּה נִפְרְד֧וּ הַגּוֹיִ֛ם
בָּאָ֖רֶץ אַחַ֥ר הַמַּבּֽוּל׃ פ
שביעי פרק יא א וַיְהִ֥י כָל־הָאָ֖רֶץ שָׂפָ֣ה אֶחָ֑ת וּדְבָרִ֖ים

וְשׁוּם אֲחוּהִי יָקְטָן׃
כו וְיָקְטָן אוֹלִיד יָת
אַלְמוֹדָד וְיָת שָׁלֶף וְיָת
חֲצַרְמָוֶת וְיָת יָרַח׃
כז וְיָת הֲדוֹרָם וְיָת אוּזָל
וְיָת דִּקְלָה׃ כח וְיָת עוֹבָל
וְיָת אֲבִימָאֵל וְיָת שְׁבָא׃
כט וְיָת אוֹפִר וְיָת חֲוִילָה
וְיָת יוֹבָב כָּל אִלֵּין בְּנֵי
יָקְטָן׃ ל וַהֲוָה מוֹתְבָנְהוֹן
מִמֵּשָׁא מָטֵי לְסְפָר טוּר
מָדִינְחָא׃ לא אִלֵּין בְּנֵי שֵׁם
לְזַרְעֲיָתְהוֹן לְלִישָּׁנֵיהוֹן
לְאַרְעָתְהוֹן לְעַמְמֵיהוֹן׃
לב אִלֵּין זַרְעֲיַת בְּנֵי נֹחַ
לְתוּלְדָתְהוֹן בְּעַמְמֵיהוֹן
וּמֵאִלֵּין אִתְפָּרְשׁוּ
עַמְמַיָּא בְּאַרְעָא בָּתַר
טוֹפָנָא׃ א וַהֲוָה כָל
אַרְעָא לִישָּׁן חַד וּמְמַלַּל

רש״י

לִסְתּוֹס חֶלְקָא לְפָרֶשׂ, הָא לָמַדְתָּ שֶׁבִּשְׁנַת מוֹת פֶּלֶג נִתְפַּלְּגוּ: **יָקְטָן.** שֶׁהָיָה עָנָיו וּמַקְטִין עַצְמוֹ ש לְכָךְ זָכָה לְהַעֲמִיד כָּל הַמִּשְׁפָּחוֹת הַלָּלוּ: (ב״ר שם)

[פסוק כו] חֲצַרְמָוֶת. ע״ש מְקוֹמוֹ. דִּבְרֵי אַגָּדָה (שם): **[פסוק א] שָׂפָה אֶחָת.** ת לְשׁוֹן הַקּוֹדֶשׁ (תנחומא יט; תרגום יונתן; ירושלמי מגילה א:ט):

בעל הטורים

(א) שפה אחת ודברים אחדים. [ב׳ במסורת – הכא; ואידך ״והבלים ודברים הרבה״. שהירבו לדבר הבלים הרבה: **שפה אחת.** בגימטריא לשון הקדש:

עיקר שפתי חכמים

ש מאחר שהי׳ נביא וקרא את פלג ע״ש העתיד, פירש ג״כ שקרא את השני יקטן על שם שהיה מקטין עצמו: **ת** כי בלה״ק נברא העולם כמו״ש רש״י קאפיטל ב׳ פסוק כ״ג:

אֲחָדִים: ב וַיְהִי בְּנָסְעָם מִקֶּדֶם
וַיִּמְצְאוּ בִקְעָה בְּאֶרֶץ שִׁנְעָר
וַיֵּשְׁבוּ שָׁם: ג וַיֹּאמְרוּ אִישׁ
אֶל־רֵעֵהוּ הָבָה נִלְבְּנָה לְבֵנִים
וְנִשְׂרְפָה לִשְׂרֵפָה וַתְּהִי לָהֶם
הַלְּבֵנָה לְאָבֶן וְהַחֵמָר הָיָה
לָהֶם לַחֹמֶר: ד וַיֹּאמְרוּ הָבָה |
נִבְנֶה־לָּנוּ עִיר וּמִגְדָּל וְרֹאשׁוֹ בַשָּׁמַיִם
וְנַעֲשֶׂה־לָּנוּ שֵׁם פֶּן־נָפוּץ עַל־פְּנֵי כָל־הָאָרֶץ:

חָד: ב וַהֲוָה בְּמִטַּלְהוֹן
בְקַדְמֵיתָא וְאַשְׁכַּחוּ
בִקְעֲתָא בְּאַרְעָא דְבָבֶל
וִיתִיבוּ תַמָּן: ג וַאֲמָרוּ
גְּבַר לְחַבְרֵהּ הָבוּ נִרְמֵי
לִבְנִין וְנִשְׂרְפִנּוּן בְּנוּרָא
(יוֹקַדְתָּא) וַהֲוָת לְהוֹן
לִבְנְתָּא לְאַבְנָא וְחֵימָרָא
הֲוָת לְהוֹן לְשִׁיעַ: ד וַאֲמָרוּ
הָבוּ נִבְנֵי לָנָא קַרְתָּא
וּמַגְדְּלָא וְרֵישֵׁהּ מָטֵי עַד
צֵית שְׁמַיָּא וְנַעְבֵּיד לָנָא
שׁוּם דִּילְמָא נִתְבַּדַּר
עַל אַפֵּי כָל אַרְעָא:

רש"י

וּדְבָרִים אֲחָדִים. בָּאוּ בְּעֵצָה אַחַת וְאָמְרוּ, לֹא כָל הֵימֶנּוּ שֶׁיָּבוֹר לוֹ אֶת הָעֶלְיוֹנִים, נַעֲלֶה לָרָקִיעַ וְנַעֲשֶׂה עִמּוֹ מִלְחָמָה. ד"א, עַל יְחִידוֹ שֶׁל עוֹלָם (תנחומא ישן כד). ד"א, וּדְבָרִים אֲחָדִים [ס"א דְּבָרִים חַדִּים], אָמְרוּ אַחַת לְאֶלֶף ותרנ"ו שָׁנִים הָרָקִיעַ מִתְמוֹטֵט כְּשֵׁם שֶׁעָשָׂה בִּימֵי הַמַּבּוּל, בּוֹאוּ וְנַעֲשֶׂה לוֹ סְמוּכוֹת. ב"ר (לח:ו): **[פסוק ב] בְּנָסְעָם מִקֶּדֶם.** שֶׁהָיוּ יוֹשְׁבִים שָׁם, כִּדְכְתִיב לְמַעְלָה (י:ל) וַיְהִי מוֹשָׁבָם וגו' הַר הַקֶּדֶם, וְנָסְעוּ מִשָּׁם לָתוּר לָהֶם מָקוֹם לְהַחֲזִיק אֶת כֻּלָּם, וְלֹא מָצְאוּ אֶלָּא שִׁנְעָר (ב"ר שם ז):

[פסוק ג] אִישׁ אֶל רֵעֵהוּ. א אוּמָּה לְאוּמָּה, מִצְרַיִם לְכוּשׁ (שם ח) וְכוּשׁ לְפוּט וּפוּט לִכְנַעַן (תנחומא יח): **הָבָה.** הַזְמִינוּ עַצְמְכֶם. כָּל הָבָה לְשׁוֹן הַזְמָנָה הוּא, שֶׁמְּכִינִים עַצְמָן וּמִתְחַבְּרִים לִמְלָאכָה אוֹ לְעֵצָה אוֹ לְמַשָּׂא. הָבָה, הַזְמִינוּ, אפרליי"ר בלע"ז: **לְבֵנִים.** שֶׁאֵין אֲבָנִים בְּבָבֶל, (במ"ר יד:ג) שֶׁהִיא בִּקְעָה: **וְנִשְׂרְפָה לִשְׂרֵפָה.** כָּךְ עוֹשִׂין הַלְּבֵנִים שֶׁקּוֹרִים טיוול"ש בלע"ז, שׂוֹרְפִים אוֹתָם בְּכִבְשָׁן: **לַחֹמֶר.** לָטוּחַ הַקִּיר: **[פסוק ד] פֶּן נָפוּץ.** שֶׁלֹּא יָבִיא עָלֵינוּ שׁוּם מַכָּה לַהֲפִיצֵנוּ מִכָּאן:

בעל הטורים

(ב) בנסעם. ב' במסורת — הכא "בנסעם מקדם"; ואידך "בנסעם מן המחנה". זה הוא שדרשו רבותינו ז"ל, אותו היום סרו מאחרי ה', משל לתינוק שבורח מן הספר. פירוש "בנסעם מקדם", שנסעו מקדמונו של עולם: **(ג) איש אל רעהו הבה.** סופי תבות שלוה. מפני שלוה יתירה שהיה להם חטאו: **לאבן.** ב' במסורת — "ותהי להם הלבנה לאבן"; "וימת לבו בקרבו והוא היה לאבן" גבי נבל. מה להלן מיתה אף כאן מיתה. שיותר היה קשה להם מן המות כשנפלה לבנה מן המגדל:

עיקר שפתי חכמים

א הוכחתו מהכתוב לקמן ונבלה שם שפתם אשר לא ישמעו איש שפת רעהו, והתם ע"כ צ"ל אומה באומה, כי לא יתכן שיהיו כל כך לשונות כמספר האנשים, ע"כ גם כאן פירושו כן:

ה וַיֵּרֶד יְהוָה לִרְאֹת אֶת־הָעִיר
וְאֶת־הַמִּגְדָּל אֲשֶׁר בָּנוּ בְּנֵי
הָאָדָם: ו וַיֹּאמֶר יְהוָה הֵן עַם
אֶחָד וְשָׂפָה אַחַת לְכֻלָּם וְזֶה
הַחִלָּם לַעֲשׂוֹת וְעַתָּה לֹא־יִבָּצֵר
מֵהֶם כֹּל אֲשֶׁר יָזְמוּ לַעֲשׂוֹת:
ז הָבָה נֵרְדָה וְנָבְלָה שָׁם שְׂפָתָם
אֲשֶׁר לֹא יִשְׁמְעוּ אִישׁ שְׂפַת רֵעֵהוּ: ח וַיָּפֶץ
יְהוָה אֹתָם מִשָּׁם עַל־פְּנֵי כָל־הָאָרֶץ וַיַּחְדְּלוּ

ה וְאִתְגְּלִי יְיָ לְאִתְפְּרָעָא
עַל עוֹבָדֵי קַרְתָּא
וּמַגְדְּלָא דִּי בְנוֹ בְּנֵי
אֱנָשָׁא: ו וַאֲמַר יְיָ הָא
עַמָּא חַד וְלִישָּׁן חַד
לְכֻלְּהוֹן וְדֵין דְּשָׁרִיוּ
לְמֶעְבַּד וּכְעַן לָא יִתְמְנַע
מִנְּהוֹן כֹּל דִּי חֲשִׁיבוּ
לְמֶעְבַּד: ז הָבוּ נִתְגְּלֵי
וּנְבַלְבֵּל תַּמָּן לִישָּׁנְהוֹן
דִּי לָא יִשְׁמְעוּן (גְּבַר)
אֱנָשׁ לִישַּׁן חַבְרֵהּ:
ח וּבַדַּר יְיָ יָתְהוֹן מִתַּמָּן
עַל אַפֵּי כָל אַרְעָא וּמְנָעוּ

רש"י

[פסוק ה] **וירד ה' לראת.** לא הוצרך לכך אלא בא ללמד לדיינים שלא ירשיעו הנידון עד שיראו ויבינו. מדרש רבי תנחומא (שם): **בני האדם.** אלא בני מי, שמא בני חמורים וגמלים, אלא בני אדם הראשון שכפר [ס"א שכפה] את הטובה ואמר האשה אשר נתתה עמדי (לעיל ג:יב), אף אלו כפר[ו] בטובה למרוד במי שהשפיעם טובה ומלטם מן המבול: [פסוק ו] **הן עם אחד.** כל טובה זו יש עמהן **שעם אחד** הם **ושפה אחת לכלם**, ודבר זה החלו לעשות: **החלם.** כמו אמרם, עשותם, ב להתחיל הם לעשות: **לא יבצר מהם וגו' לעשות.** בתמיה. יבצר ל' מניעה כתרגומו, ודומה לו יבצור רוח נגידים (תהלים עו:יג): [פסוק ז] **הבה נרדה.** בבית דינו נמלך מענותנותו יתירה (ב"ר ח:ח; סנהדרין לח:): **הבה.** מדה כנגד מדה. הם אמרו הבה נבנה, והוא כנגדם מדד ואמר הבה נרדה (תנחומא ישן כה): **ונבלה.** ג ונבלבל (אונקלוס). נו"ן משמש בלשון רבים, וה"א אחרונה יתירה כה"א של נרדה: **לא ישמעו.** זה שואל לבינה וזה מביא טיט, וזה עומד עליו ופוצע את מוחו (ב"ר לח:י): [פסוק ח] **ויפץ ה' אתם משם.** בעוה"ז (סנהדרין קז:). מה שאמרו פן נפוץ נתקיים

בעל הטורים

(ח) **ויפץ.** ג' במסורת — "ויפץ ה' אותם משם"; "ויפץ העם בכל ארץ מצרים"; "ויפץ העם מעליו" גבי שאול. וזהו שאמרו חכמינו ז"ל, ראויין היו אנשי מגדל ואנשי מצרים לפרענות אחת, ואלו נפוצו מן המגדל ואלו נפוצו ממצרים, וזהו "ויפץ העם מעליו": **ויחדלו.** ב' במסורת — הכא "ויחדלו לבנות העיר"; "ויחדלו הקולות והברד". מלמד שאף אלו נדונו בקולות וברד:

עיקר שפתי חכמים

ב הוא מקור עם כינוי הרבים אל הם: ג ויהי' שרשו בלל כאשר אמר הכתוב לקמן כי שם בלל ה' ולא משרש נבל. והנו"ן הבא בראשו הוא לרבים מדברים בעדם והה"א בסופו הוא נוסף כמו נרדה:

לִבְנֹ֖ת הָעִֽיר׃ ט עַל־כֵּ֞ן קָרָ֤א שְׁמָהּ֙
בָּבֶ֔ל כִּי־שָׁ֛ם בָּלַ֥ל יְהוָ֖ה שְׂפַ֣ת
כָּל־הָאָ֑רֶץ וּמִשָּׁם֙ הֱפִיצָ֣ם יְהוָ֔ה
עַל־פְּנֵ֖י כָּל־הָאָֽרֶץ׃ פ
י אֵ֚לֶּה תּוֹלְדֹ֣ת שֵׁ֔ם שֵׁ֚ם בֶּן־
מְאַ֣ת שָׁנָ֔ה וַיּ֖וֹלֶד אֶת־אַרְפַּכְשָׁ֑ד
שְׁנָתַ֖יִם אַחַ֥ר הַמַּבּֽוּל׃ יא וַֽיְחִי־שֵׁ֗ם
אַֽחֲרֵי֙ הוֹלִיד֣וֹ אֶת־אַרְפַּכְשָׁ֔ד
חֲמֵ֥שׁ מֵא֖וֹת שָׁנָ֑ה וַיּ֥וֹלֶד בָּנִ֖ים
וּבָנֽוֹת׃ ס יב וְאַרְפַּכְשַׁ֣ד חַ֔י חָמֵ֥שׁ וּשְׁלֹשִׁ֖ים שָׁנָ֑ה
וַיּ֖וֹלֶד אֶת־שָֽׁלַח׃ יג וַיְחִ֣י אַרְפַּכְשַׁ֗ד אַֽחֲרֵי֙ הוֹלִיד֣וֹ
אֶת־שֶׁ֔לַח שָׁלֹ֣שׁ שָׁנִ֔ים וְאַרְבַּ֥ע מֵא֖וֹת שָׁנָ֑ה

לְמִבְנֵי (נ״א וְאִתְמְנָעוּ מִלְּמִבְנֵי) קַרְתָּא: ט עַל כֵּן קְרָא שְׁמַהּ בָּבֶל אֲרֵי תַמָּן בַּלְבֵּל יְיָ לִישַׁן כָּל אַרְעָא וּמִתַּמָּן בַּדָּרִנּוּן יְיָ עַל אַפֵּי כָּל אַרְעָא: י אִלֵּין תּוּלְדַת שֵׁם שֵׁם בַּר מְאָה שְׁנִין וְאוֹלִיד יָת אַרְפַּכְשָׁד תַּרְתֵּין שְׁנִין בָּתַר טוֹפָנָא: יא וַחֲיָא שֵׁם בָּתַר דְּאוֹלִיד יָת אַרְפַּכְשָׁד חֲמֵשׁ מְאָה שְׁנִין וְאוֹלִיד בְּנִין וּבְנָן: יב וְאַרְפַּכְשַׁד חֲיָא תְּלָתִין וַחֲמֵשׁ שְׁנִין וְאוֹלִיד יָת שָׁלַח: יג וַחֲיָא אַרְפַּכְשַׁד בָּתַר דְּאוֹלִיד יָת שֶׁלַח אַרְבַּע מְאָה וּתְלָת שְׁנִין

רש״י

עֲלֵיהֶם, הוּא שֶׁאָמַר שְׁלֹמֹה מְגוֹרַת רָשָׁע הִיא תְבוֹאֶנּוּ (משלי י:כד; תנחומא שם): **[פסוק ט] וּמִשָּׁם הֱפִיצָם.** לִמֵּד שֶׁאֵין לָהֶם חֵלֶק לָעוֹלָם הַבָּא (סנהדרין שם). וְכִי אֵיזוֹ קָשָׁה, שֶׁל דּוֹר הַמַּבּוּל אוֹ שֶׁל דּוֹר הַפְּלָגָה. אֵלּוּ לֹא פָשְׁטוּ יָד בָּעִיקָּר וְאֵלּוּ פָשְׁטוּ יָד בָּעִיקָּר לְהִלָּחֵם בּוֹ, וְאֵלּוּ נִשְׁטְפוּ, וְאֵלּוּ לֹא נֶאֶבְדוּ מִן הָעוֹלָם. אֶלָּא שֶׁדּוֹר הַמַּבּוּל הָיוּ גַּזְלָנִים וְהָיְתָה מְרִיבָה בֵּינֵיהֶם, לְכָךְ נֶאֶבְדוּ, וְאֵלּוּ הָיוּ נוֹהֲגִים אַהֲבָה וְרֵיעוּת בֵּינֵיהֶם, שֶׁנֶּאֱ׳ שָׂפָה אֶחָת וּדְבָרִים אֲחָדִים. לָמַדְתָּ שֶׁשְּׂנוּאוּי הַמַּחְלוֹקֶת וְגָדוֹל הַשָּׁלוֹם (ב״ר לח:ו): **[פסוק י] שֵׁם בֶּן מְאַת שָׁנָה.** כְּשֶׁהוֹלִיד **אֶת אַרְפַּכְשָׁד** ד **שְׁנָתַיִם אַחַר הַמַּבּוּל** (תרגום יונתן):

בעל הטורים

(י) **שנתים אחר.** שנים דסמיכי – ״שנתים אחר המבול״; ״שנתים אחר הרעש״. שגם במבול היה רעש גדול:

עיקר שפתי חכמים

ד ר״ל דשנתים אחר המבול קאי על שם בן מאת שנה, גם על ויולד את ארפכשד:

ראה הטבלא **״סדר ושנות הדורות מאדם הראשון עד יעקב אבינו״** (עמוד 518).

וַיּ֖וֹלֶד בָּנִ֥ים וּבָנֽוֹת׃ ס יד וְשֶׁ֖לַח
חַ֣י שְׁלֹשִׁ֣ים שָׁנָ֑ה וַיּ֖וֹלֶד אֶת־עֵֽבֶר׃
טו וַֽיְחִי־שֶׁ֗לַח אַֽחֲרֵי֙ הוֹלִיד֣וֹ אֶת־
עֵ֔בֶר שָׁלֹ֣שׁ שָׁנִ֔ים וְאַרְבַּ֥ע מֵא֖וֹת
שָׁנָ֑ה וַיּ֥וֹלֶד בָּנִ֖ים וּבָנֽוֹת׃ ס טז וַֽיְחִי־
עֵ֕בֶר אַרְבַּ֥ע וּשְׁלֹשִׁ֖ים שָׁנָ֑ה וַיּ֖וֹלֶד
אֶת־פָּֽלֶג׃ יז וַֽיְחִי־עֵ֗בֶר אַֽחֲרֵי֙
הוֹלִיד֣וֹ אֶת־פֶּ֔לֶג שְׁלֹשִׁ֣ים שָׁנָ֔ה
וְאַרְבַּ֥ע מֵא֖וֹת שָׁנָ֑ה וַיּ֥וֹלֶד בָּנִ֖ים
וּבָנֽוֹת׃ ס יח וַֽיְחִי־פֶ֖לֶג
שְׁלֹשִׁ֣ים שָׁנָ֑ה וַיּ֖וֹלֶד אֶת־רְעֽוּ׃
יט וַֽיְחִי־פֶ֗לֶג אַֽחֲרֵי֙ הוֹלִיד֣וֹ אֶת־
רְע֔וּ תֵּ֥שַׁע שָׁנִ֖ים וּמָאתַ֣יִם שָׁנָ֑ה וַיּ֥וֹלֶד בָּנִ֖ים
וּבָנֽוֹת׃ ס כ וַיְחִ֣י רְע֔וּ שְׁתַּ֥יִם וּשְׁלֹשִׁ֖ים שָׁנָ֑ה
וַיּ֖וֹלֶד אֶת־שְׂרֽוּג׃ כא וַיְחִ֣י רְע֗וּ אַֽחֲרֵי֙ הוֹלִיד֣וֹ אֶת־
שְׂר֔וּג שֶׁ֥בַע שָׁנִ֖ים וּמָאתַ֣יִם שָׁנָ֑ה וַיּ֥וֹלֶד בָּנִ֖ים
וּבָנֽוֹת׃ ס כב וַיְחִ֣י שְׂר֖וּג שְׁלֹשִׁ֣ים שָׁנָ֑ה
וַיּ֖וֹלֶד אֶת־נָחֽוֹר׃ כג וַיְחִ֣י שְׂר֗וּג אַֽחֲרֵי֙ הוֹלִיד֣וֹ

וְאוֹלִיד בְּנִין וּבְנָן: יד וְשֶׁלַח
חֲיָא תְּלָתִין שְׁנִין וְאוֹלִיד
יָת עֵבֶר: טו וַחֲיָא שֶׁלַח
בָּתַר דְּאוֹלִיד יָת עֵבֶר
אַרְבַּע מְאָה וּתְלָת שְׁנִין
וְאוֹלִיד בְּנִין וּבְנָן: טז וַחֲיָא
עֵבֶר תְּלָתִין וְאַרְבַּע שְׁנִין
וְאוֹלִיד יָת פֶּלֶג: יז וַחֲיָא
עֵבֶר בָּתַר דְּאוֹלִיד יָת
פֶּלֶג אַרְבַּע מְאָה וּתְלָתִין
שְׁנִין וְאוֹלִיד בְּנִין וּבְנָן:
יח וַחֲיָא פֶלֶג תְּלָתִין שְׁנִין
וְאוֹלִיד יָת רְעוּ: יט וַחֲיָא
פֶלֶג בָּתַר דְּאוֹלִיד יָת
רְעוּ מָאתָן וּתְשַׁע שְׁנִין
וְאוֹלִיד בְּנִין וּבְנָן: כ וַחֲיָא
רְעוּ תְּלָתִין וְתַרְתֵּין שְׁנִין
וְאוֹלִיד יָת שְׂרוּג: כא וַחֲיָא
רְעוּ בָּתַר דְּאוֹלִיד יָת
שְׂרוּג מָאתָן וּשְׁבַע שְׁנִין
וְאוֹלִיד בְּנִין וּבְנָן: כב וַחֲיָא
שְׂרוּג תְּלָתִין שְׁנִין
וְאוֹלִיד יָת נָחוֹר: כג וַחֲיָא
שְׂרוּג בָּתַר דְּאוֹלִיד

אֶת־נָחוֹר מָאתַיִם שָׁנָה וַיּוֹלֶד
בָּנִים וּבָנוֹת: ס כד וַיְחִי נָחוֹר
תֵּשַׁע וְעֶשְׂרִים שָׁנָה וַיּוֹלֶד
אֶת־תָּרַח: כה וַיְחִי נָחוֹר אַחֲרֵי
הוֹלִידוֹ אֶת־תֶּרַח תְּשַׁע־עֶשְׂרֵה
שָׁנָה וּמְאַת שָׁנָה וַיּוֹלֶד בָּנִים
וּבָנוֹת: ס כו וַיְחִי־תֶרַח שִׁבְעִים
שָׁנָה וַיּוֹלֶד אֶת־אַבְרָם אֶת־נָחוֹר
וְאֶת־הָרָן: כז וְאֵלֶּה תּוֹלְדֹת תֶּרַח
תֶּרַח הוֹלִיד אֶת־אַבְרָם אֶת־
נָחוֹר וְאֶת־הָרָן וְהָרָן הוֹלִיד אֶת־לוֹט: כח וַיָּמָת
הָרָן עַל־פְּנֵי תֶּרַח אָבִיו בְּאֶרֶץ מוֹלַדְתּוֹ בְּאוּר
כַּשְׂדִּים: מפטיר כט וַיִּקַּח אַבְרָם וְנָחוֹר לָהֶם נָשִׁים
שֵׁם אֵשֶׁת־אַבְרָם שָׂרָי וְשֵׁם אֵשֶׁת־נָחוֹר מִלְכָּה

יָת נָחוֹר מָאתַן שְׁנִין
וְאוֹלִיד בְּנִין וּבְנָן: כד וַחֲיָא
נָחוֹר עַשְׂרִין וּתְשַׁע שְׁנִין
וְאוֹלִיד יָת תָּרַח: כה וַחֲיָא
נָחוֹר בָּתַר דְּאוֹלִיד יָת
תֶּרַח מְאָה וּתְשַׁע עֲשַׂר
שְׁנִין וְאוֹלִיד בְּנִין וּבְנָן:
כו וַחֲיָא תֶרַח שִׁבְעִין שְׁנִין
וְאוֹלִיד יָת אַבְרָם יָת
נָחוֹר וְיָת הָרָן: כז וְאִלֵּין
תּוֹלְדָת תֶּרַח תֶּרַח אוֹלִיד
יָת אַבְרָם יָת נָחוֹר וְיָת
הָרָן וְהָרָן אוֹלִיד יָת לוֹט:
כח וּמִית הָרָן עַל אַפֵּי תֶּרַח
אֲבוּהִי בְּאַרַע יַלָּדוּתֵהּ
בְּאוּרָא דְכַסְדָּאֵי: כט וּנְסִיב
אַבְרָם וְנָחוֹר לְהוֹן נְשִׁין
שׁוּם אִתַּת אַבְרָם שָׂרָי
וְשׁוּם אִתַּת נָחוֹר מִלְכָּה

רש"י

[פסוק כח] עַל פְּנֵי תֶּרַח אָבִיו. בְּחַיֵּי אָבִיו (תנחומא אחרי ז). ומ"א אוֹמֵר, ע"י אָבִיו מֵת, שֶׁקִּבֵּל תֶּרַח עַל אַבְרָם בְּנוֹ לִפְנֵי נִמְרוֹד עַל שֶׁכִּתֵּת אֶת צְלָמָיו, וְהִשְׁלִיכוֹ לְכִבְשַׁן הָאֵשׁ, וְהָרָן יוֹשֵׁב וְאוֹמֵר בְּלִבּוֹ, אִם אַבְרָם נוֹצֵחַ אֲנִי מִשֶּׁלּוֹ, וְאִם נִמְרוֹד נוֹצֵחַ אֲנִי מִשֶּׁלּוֹ. וּכְשֶׁנִּיצַּל אַבְרָם אָמְרוּ לוֹ לְהָרָן מִשֶּׁל מִי אַתָּה, אָמַר לָהֶם הָרָן מִשֶּׁל אַבְרָם אֲנִי. הִשְׁלִיכוּהוּ לְכִבְשַׁן הָאֵשׁ וְנִשְׂרַף וְזֶהוּ אוּר כַּשְׂדִּים (ב"ר שם יג). וּמְנַחֵם פֵּירֵשׁ אוּר בִּקְעָה, וְכֵן בָּאֻרִים כַּבְּדוּ ה' (ישעיה כד:טו), וְכֵן מְאוּרַת צִפְעוֹנִי (שם יא:ח). כָּל חוֹר וּבֶקַע עָמוֹק קָרוּי אוּר:

ראה הטבלא "**מִשְׁפַּחַת אַבְרָהָם אָבִינוּ**" (עמוד 525).

בַּת־הָרָן אֲבִי־מִלְכָּה וַאֲבִי יִסְכָּה׃
ל וַתְּהִי שָׂרַי עֲקָרָה אֵין לָהּ
וָלָד׃ לא וַיִּקַּח תֶּרַח אֶת־אַבְרָם
בְּנוֹ וְאֶת־לוֹט בֶּן־הָרָן בֶּן־בְּנוֹ
וְאֵת שָׂרַי כַּלָּתוֹ אֵשֶׁת אַבְרָם
בְּנוֹ וַיֵּצְאוּ אִתָּם מֵאוּר כַּשְׂדִּים
לָלֶכֶת אַרְצָה כְּנַעַן וַיָּבֹאוּ עַד־
חָרָן וַיֵּשְׁבוּ שָׁם׃ לב וַיִּהְיוּ יְמֵי־תֶרַח חָמֵשׁ שָׁנִים
וּמָאתַיִם שָׁנָה וַיָּמָת תֶּרַח בְּחָרָן׃ פ פ פ

בַּת הָרָן אֲבוּהָא דְמִלְכָּה
וַאֲבוּהָא דְיִסְכָּה׃ ל וַהֲוָת
שָׂרַי עֲקָרָא לֵית לַהּ
וְלָד׃ לא וּדְבַר תֶּרַח יָת
אַבְרָם בְּרֵהּ וְיָת לוֹט בַּר
הָרָן בַּר בְּרֵהּ וְיָת שָׂרַי
כַּלָּתֵהּ אִתַּת אַבְרָם בְּרֵהּ
וּנְפַקוּ עִמְּהוֹן מֵאוּרָא
דְכַסְדָּאֵי לְמֵיזַל לְאַרְעָא
דִכְנַעַן וַאֲתוֹ עַד חָרָן
וִיתִיבוּ תַמָּן׃ לב וַהֲווֹ
יוֹמֵי תֶרַח מָאתָן וַחֲמֵשׁ
שְׁנִין וּמִית תֶּרַח בְּחָרָן׃

קנ"ג פסוקים. בצלא"ל סימן. אב"י יסכ"ה לו"ט סימן.

רש"י

[פסוק כט] יִסְכָּה. זוֹ ה שָׂרָה, עַל שֵׁם שֶׁסּוֹכָה בְּרוּחַ הַקֹּדֶשׁ, וְשֶׁהַכֹּל סוֹכִין בְּיָפְיָהּ (מגילה יד.) [ס"א כְּמוֹ שֶׁנֶּאֱמַר וַיִּרְאוּ אוֹתָהּ שָׂרֵי פַרְעֹה (להלן יב:טו)]. וְעוֹד, יִסְכָּה הוּא לְשׁוֹן נְסִיכוּת כְּמוֹ שָׂרָה לְשׁוֹן שְׂרָרָה (ברכות יג.): **[פסוק לא] וַיֵּצְאוּ אִתָּם.** וַיֵּצְאוּ תֶּרַח וְאַבְרָם עִם לוֹט וְשָׂרַי: **[פסוק לב] וַיָּמָת תֶּרַח בְּחָרָן.** לְאַחַר שֶׁיָּצָא אַבְרָם מֵחָרָן וּבָא לְאֶרֶץ כְּנַעַן וְהָיָה שָׁם יוֹתֵר מִשִּׁשִּׁים שָׁנָה, שֶׁהֲרֵי כָּתוּב וְאַבְרָם בֶּן חָמֵשׁ שָׁנִים וְשִׁבְעִים שָׁנָה בְּצֵאתוֹ מֵחָרָן (להלן יב:ד), וְתֶרַח בֶּן שִׁבְעִים שָׁנָה הָיָה כְּשֶׁנּוֹלַד אַבְרָם, הֲרֵי קמ"ה לְתֶרַח כְּשֶׁיָּצָא אַבְרָם מֵחָרָן, עֲדַיִין נִשְׁאֲרוּ מִשְּׁנוֹתָיו הַרְבֵּה. וְלָמָּה הִקְדִּים הַכָּתוּב מִיתָתוֹ שֶׁל תֶּרַח לִיצִיאָתוֹ שֶׁל אַבְרָם, שֶׁלֹּא יְהֵא הַדָּבָר מְפוּרְסָם לַכֹּל וְיֹאמְרוּ לֹא קִיֵּים אַבְרָם אֶת כִּבּוּד אָבִיו שֶׁהִנִּיחוֹ זָקֵן וְהָלַךְ לוֹ, לְפִיכָךְ קְרָאוֹ הכ' מֵת, [וְעוֹד] שֶׁהָרְשָׁעִים אַף בְּחַיֵּיהֶם קְרוּיִים מֵתִים וְהַצַּדִּיקִים אַף בְּמִיתָתָן קְרוּיִים חַיִּים, שֶׁנֶּאֱמַר וּבְנָיָהוּ בֶּן יְהוֹיָדָע בֶּן אִישׁ חַי (שמואל-ב כג:כ; ב"ר לט:ז; ברכות יח.-יח:): **בְּחָרָן.** הַנּוּ"ן הֲפוּכָה, לוֹמַר לְךָ עַד אַבְרָם חֲרוֹן אַף שֶׁל מָקוֹם בָּעוֹלָם (ספרי האזינו ש"ח):

בעל הטורים

(כט) שרה. בא"ת ב"ש בג"ץ, שהוא בגימטריא יסכה. זה הוא רמז למה שאמרו חכמים ז"ל, יסכה זו שרה:

עיקר שפתי חכמים

ה דקשה ליה למה לא מנה ג"כ את שרה, לכך פי' שיסכה זו שרה:

ראה המפה "מְגוּרֵי אַבְרָהָם אָבִינוּ" (עמוד 524)

הפטרת נח

כשחל ראש חודש חשון בשבת פרשת נח, קוראים במקום המפטיר וההפטרה הרגילים את הקריאות המיוחדות לשבת ראש חודש: מפטיר, עמוד 432; הפטרה, עמוד 433.

ישעיה נד:א — נה:ה

האדם נברא בשני יצריו, היצר הטוב והיצר הרע, שעל ידיהם יש לו הבחירה והיכולת לקיים את העולם או להשחיתו; לראות את האמת ולהבחין בטוב שבה או לנטות אחר השקר ולהימשך אחר הרע.

דור המבול המשיך בהשחתת העולם עד שנתמלאה סאתם במעשיהם המושחתים, ונחתם דינם על הגזל, כמו שאמרו חז״ל (מדרש רבה קהלת א, לב): ״משל לסאה מלאה עונות, מי מקטרג בראש כולם? זה גזל״ (ראה עוד סנהדרין קח, א). כח הרע במין האנושי הראה בדור הזה את יכולתו להשחית את העולם כולו, ואף בשביל נח, שהתורה העידה עליו שהיה ״אִישׁ צַדִּיק״ (בראשית ו, ט), הציל הקב״ה את העולם — הוכחה על כוחו הגדול של היחיד להציל את העולם מלהיחרב.

צאצאי נח ששרדו מן המבול לא למדו לקח ומוסר מן המאורעות (ראה בראשית רבה, כו, ז), ואף על פי ששמעו מנח ובניו את עדותם על חטאיהם של דור המבול ועונשם [נח חי בדור הפלגה — ראה טבלה ׳הדורות מאדם הראשון עד יעקב אבינו׳ בסוף החומש], חשבו שיש יכולת בידם להתמודד ולמרוד נגד ה׳ בבניית המגדל בבבל. גאות לבם הטעתה את שכלם לראות את המבול כאסון טבעי שאירע במקרה, ולכן התעלמו מהלקח ובנו את המגדל.

חובה להתבונן על מה שאירע בדור המבול ודור הפלגה וללמוד מוסר מן העבר כדי שלא להיכשל בעתיד, וכמו שאמרו חז״ל במדרש (ילקוט שמעוני דברים, תתקמב): ״זְכֹר יְמוֹת עוֹלָם וגו׳ (דברים לב, ז) — הִזכרו מה שעשיתי בדורות הראשונים, מה שעשיתי באנשי דור המבול, מה שעשיתי באנשי דור הפלגה, מה שעשיתי באנשי סדום [ועמורה]. בִּינוּ שְׁנוֹת דֹּר וָדֹר (שם) — אין לך דור שאין בו כאנשי דור המבול, אין לך דור שאין בו כאנשי דור הפלגה וכאנשי סדום, אלא שנידון כל אחד ואחד לפי מעשיו״. ראה גם רש״י שם, ז-ח.

פרק נד א רָנִּי עֲקָרָה לֹא יָלָדָה פִּצְחִי רִנָּה וְצַהֲלִי לֹא־חָלָה כִּי־רַבִּים בְּנֵי־שׁוֹמֵמָה מִבְּנֵי בְעוּלָה אָמַר יהוה: ב הַרְחִיבִי | מְקוֹם אָהֳלֵךְ וִירִיעוֹת מִשְׁכְּנוֹתַיִךְ יַטּוּ אַל־תַּחְשֹׂכִי הַאֲרִיכִי מֵיתָרַיִךְ

רש״י

(א) רני עקרה. ירושלים, אשר היתה כלא ילדה: **לא חלה.** לשון לידה הוא, שהיולדת על ידי חיל וחבלים יולדת: **מבני בעולה.** בת אדום: **(ב) יטו.** למרחוק: **מיתריך.** הם חבלים דקים התלוים בשולי אהלים, וקושרים ביתדות שקורין קביל״ש בלע״ז, ותוקעין בארץ:

מצודת דוד

(א) רני עקרה. את ירושלים אשר היית בעקרה שלא ילדה, על כי אנשים כלו ממנה ואינם, הנה עתה בזמן הגאולה רני ושמחי: **פצחי.** פתחי פה להרים קול רנה והשמיעי קול גדול, את ירושלים אשר היית כאשה אשר לא חלה ללדת; וכפל הדבר במילים שונות: **כי רבים.** כי עתה יתרבו בני ירושלים שהיתה שוממה מבני אדם שהיתה מיושבת ברבת עם: **(ב) הרחיבי.** להחזיק את כל בניך המרובים: **יטו.** יהיו נוטים לאורך ולרוחב ואל תחשוכי מלהטותם: **האריכי מיתריך.** החבלים התלוים בשפולי האוהל לקשרם ביתידות, האריכי אותם שיהא נוח לקשרם היטב:

מצודת ציון

(א) פצחי. ענין פתיחת הפה בהרמת קול; כמו, פִּצְחִי רִנָּה וְצַהֲלִי (ישעיה נד, א): **וצהלי.** ענין השמעת קול גדול; כמו, צָהֲלוּ מִיָּם (שם כד, יד): **חלה.** ענין חבלי לידה; כמו, כִּי חָלָה גַּם יָלְדָה (שם סו, ח): **בעולה.** רצונו לומר, מיושבת; וכן, וּלְאַרְצֵךְ בְּעוּלָה (שם סב, ד): **(ב) ויריעות.** הוא הוילון; כמו, נוֹטֶה שָׁמַיִם כַּיְרִיעָה (תהלים קד, ב): **משכנותיך.** מלשון משכן: **תחשכי.** ענין מניעה; כמו, וְלֹא חָשַׂכְתָּ (בראשית כב, יב): **מיתריך.** חבלים;

וִיתֵדֹתַ֖יִךְ חַזֵּֽקִי׃ ג כִּי־יָמִ֥ין וּשְׂמֹ֖אול תִּפְרֹ֑צִי וְזַרְעֵךְ֙ גּוֹיִ֣ם יִירָ֔שׁ וְעָרִ֥ים
נְשַׁמּ֖וֹת יוֹשִֽׁיבוּ׃ ד אַל־תִּֽירְאִי֙ כִּי־לֹ֣א תֵב֔וֹשִׁי וְאַל־תִּכָּלְמִ֖י כִּי־לֹ֣א
תַחְפִּ֑ירִי כִּ֣י בֹ֤שֶׁת עֲלוּמַ֙יִךְ֙ תִּשְׁכָּ֔חִי וְחֶרְפַּ֥ת אַלְמְנוּתַ֖יִךְ לֹ֥א תִזְכְּרִי־
עֽוֹד׃ ה כִּ֤י בֹעֲלַ֙יִךְ֙ עֹשַׂ֔יִךְ יְהוָ֥ה צְבָא֖וֹת שְׁמ֑וֹ וְגֹֽאֲלֵךְ֙ קְד֣וֹשׁ יִשְׂרָאֵ֔ל
אֱלֹהֵ֥י כָל־הָאָ֖רֶץ יִקָּרֵֽא׃ ו כִּֽי־כְאִשָּׁ֧ה עֲזוּבָ֛ה וַעֲצ֥וּבַת ר֖וּחַ קְרָאָ֣ךְ
יְהוָ֑ה וְאֵ֧שֶׁת נְעוּרִ֛ים כִּ֥י תִמָּאֵ֖ס אָמַ֥ר אֱלֹהָֽיִךְ׃ ז בְּרֶ֥גַע קָטֹ֖ן עֲזַבְתִּ֑יךְ
וּבְרַחֲמִ֥ים גְּדֹלִ֖ים אֲקַבְּצֵֽךְ׃ ח בְּשֶׁ֣צֶף קֶ֗צֶף הִסְתַּ֨רְתִּי פָנַ֥י רֶ֙גַע֙ מִמֵּ֔ךְ
וּבְחֶ֥סֶד עוֹלָ֖ם רִחַמְתִּ֑יךְ אָמַ֥ר גֹּאֲלֵ֖ךְ יְהוָֽה׃ ט כִּי־מֵ֥י נֹ֙חַ֙ זֹ֣את לִ֔י

רש"י

(ג) תפרוצי. תגברו: **(ד) עלומיך.** נעוריך: **(ו) כי תמאס.** כשתמאס. פעמים שכועס עליה מעט: **(ח) בשצף קצף.** מנחם פתר חרי אף, ודונש אמר במעט קצף כמו בְּרֶגַע קָטֹן עֲזַבְתִּיךְ וכן תרגם יונתן: **ובחסד עולם.** שיתקיים עד עולם: **(ט) כי מי נח זאת לי.** שבועה בידי והולך ומפרש דברו כַּאֲשֶׁר נִשְׁבַּעְתִּי מֵעֲבֹר מֵי נֹחַ וגו':

מצודת דוד

ויתדותיך. היתדות התקועות בארץ חזקי למען לא יזוזו ממקומם. והוא ענין מליצה לומר, שתתרחב ירושלים מכמות שהיתה, ועד עולם תעמוד ולא תחרב עוד: **(ג) כי ימין ושמאול תפרוצי.** תתחזק על הכשדים היושבים מימינך ומשמאלך: **וערים נשמות.** הערים השוממות יתיישבו בבני אדם, כי יפרו וירבו: **(ד) אל תיראי.** אל תפחדי שיהיה צאתך מגלות זה כצאתך משאר הגליות שמצאוך בארצך צרות רבות ורעות, כי לא תבושי עוד לעולם להיות משועבדת ונכנעת אל הבבלים: **ואל תכלמי.** להרים ראש ולהראות גדולה בחושבך פן תגלה שוב: **כי לא תחפירי.** כי היה מובטחת שלא תחפירי עוד ללכת גולה: **כי בושת עלומיך תשכחי.** כי הבושת שהיה לך בימי נעוריך כאשר היית גולה ומטולטלת; הבושה הזאת תשכחי כי לא יקרה לך עוד כזאת להזכר על ידה הראשונות: **וחרפת אלמנותיך.** החרפה שהיה לך מאז שהיית מבלי מלך כאלמנה מבלי בעל, החרפה ההיא לא תזכרי עוד כי לא תהיה עוד מבלי מלך להזכיר על ידו את הראשונות: **(ה) כי בועליך.** כי אדונך המגדל והמרומם אותך הנה שמו ה' צבאות על כי הוא מושל בצבאות מעלה ומטה, ואם כן מי יעמוד כנגדו לבטל מעשיו: **וגאלך.** הלא גאלך קדוש ישראל אשר יקרא אלהי כל הארץ וידו בכל משלה; וכפל הדבר במלות שונות: **(ו) כי כאשה עזובה וכו'.** רצה לומר, ה' קראך לשוב אליו כדרך האשה העזובה מבעלה והיא עצובת רוח, שבעלה קורא אותה לשוב אליו: **אשת נעורים.** כמו אשת נעורים אם תמאס בעיני בעלה הנה לא תתמיד המיאוס כי ישוב ירחם; כן אמר אלהיך לרחם עליך: **(ז) ברגע קטן עזבתיך.** העזבון שעזבתיך לא היה רק רגע קטן מול הקבוץ שאקבצך, כי ברחמים גדולים תהיה ותתמיד לאורך ימים: **(ח) בשצף קצף.** במעט קצף הסתרתי פני ממך רק רגע; רצה לומר, אל מול החסד תחשב רק לרגע כי בחסד עולם ארחמך: **(ט) כי מי נח וכו'.** הקצף כך הוא לי כמו מי המבול שהיה בימי נח, אשר נשבעתי שלא יהיה עוד מי המבול, כן נשבעתי וכו':

מצודת ציון

כמו, וְאֶת מֵיתְרֵיהֶם (שמות לה, יח): **ויתדותיך.** מלשון יתד ומסמר: **(ג) תפרוצי.** ענין התחזקות; כמו, מַה פָּרַצְתָּ (בראשית לח, כט): **יירש.** מלשון ירושה: **לשמות.** מלשון שממון: **(ד) תחפירי.** ענין בושה וכלימה; כמו, וְחָפְרָה הַלְּבָנָה (לעיל כד, כג): **עלומיך.** נעוריך; וכן, הִקְצַרְתָּ יְמֵי עֲלוּמָיו (תהלים פט, מו): **(ה) בועליך.** ענין אדון; כמו, אִם בְּעָלָיו עִמּוֹ (שמות כב, יד): **עושיך.** ענין הגדלה והרמה; וכן, יִשְׂמַח יִשְׂרָאֵל בְּעֹשָׂיו (תהלים קמט, ב): **(ו) ועצובת.** מלשון עצבון, כי תמאס. אם תמאס: **(ח) בשצף.** במעט; כן תרגם יונתן, ואין לו דומה:

אֲשֶׁר נִשְׁבַּעְתִּי מֵעֲבֹר מֵי־נֹחַ עוֹד עַל־הָאָרֶץ כֵּן נִשְׁבַּעְתִּי מִקְּצֹף
עָלַיִךְ וּמִגְּעָר־בָּךְ׃ י כִּי הֶהָרִים יָמוּשׁוּ וְהַגְּבָעוֹת תְּמוּטֶינָה וְחַסְדִּי
מֵאִתֵּךְ לֹא־יָמוּשׁ וּבְרִית שְׁלוֹמִי לֹא תָמוּט אָמַר מְרַחֲמֵךְ יְהוָה׃

כאן מסיימים הספרדים. והאשכנזים ממשיכים:

יא עֲנִיָּה סֹעֲרָה לֹא נֻחָמָה הִנֵּה אָנֹכִי מַרְבִּיץ בַּפּוּךְ אֲבָנַיִךְ
וִיסַדְתִּיךְ בַּסַּפִּירִים׃ יב וְשַׂמְתִּי כַּדְכֹד שִׁמְשֹׁתַיִךְ וּשְׁעָרַיִךְ לְאַבְנֵי
אֶקְדָּח וְכָל־גְּבוּלֵךְ לְאַבְנֵי־חֵפֶץ׃ יג וְכָל־בָּנַיִךְ לִמּוּדֵי יְהוָה וְרַב
שְׁלוֹם בָּנָיִךְ׃ יד בִּצְדָקָה תִּכּוֹנָנִי רַחֲקִי מֵעֹשֶׁק כִּי־לֹא תִירָאִי

רש"י

(י) כי ההרים ימושו. אף אם תכלה זכות אבות ואמהות, חסדי מאתך לא ימוש: **(יא) סוערה.** שלבה סוער ברובי לרות, מרבין בפוך. רולף רלפתך מאבני נופך: **(יב) כדכד.** מין אבן טובה: **שמשותיך.** יונתן תירגם אָטָךְ, ומנחם חברו עם ישמשוניה. ויש פותרין לשון שמש. חלונות שחמה זורחת בהן ועושין כנגדו מחילה במיני זכוכית לבעים לנוי. ומדרש תהלים פותר שמשותיך. שֶׁמֶשׁ וּמָגֵן (תהלים פד, יב) שיני החומה, לאבני אקדח. יונתן תרגם, לְאַבְנֵי גְמַר. גומרין תרגום גחלים. פתר אקדח לשון קְדְחֵי אֵשׁ (ישעיה נ, יא), והם מין אבנים טובות בוערות כלפידים והוא קרבונקל"א, לשון גחלת. ויש פותרין לשון מקדח אבנים גדולות, שכל חלל הפתח קדוח בתוכו, והמזוזות והמפתן והסף כולן מתוך האבן הם, לאבני חפץ. לאבני לרוך: **(יד) רחקי מעושק.** כמו, הִתְנַכְּרֵי מֵעָפָר (לעיל נב, ב). תרחקי מן העושקים אותך (רחקי מעושק, תרחק מלעסוק בני אדם כדרך עושים רשעים; שאוספים ממון מגזל. אבל אתם לא תצרכו לגזול כי לא תיראו מדלות ועניות וממחתה כי לא תבא ולא תקרב אליך. אברבנאל) (בלדקה שתעשה תהיה נכונה בגאולת

מצודת דוד

(י) כי ההרים ימושו. לפעמים יקרה אשר ההרים עם רוב חוזקם יסורו ויעתקו ממקומם על ידי רעש, וכן הגבעות יונטו לנפול בארץ: **וחסדי.** אבל חסדי הוא דבר המתקיים ולא יסור מאתך, והבטחת ברית שלומי וכו'; וכפל הדבר במילים שונות: **(יא) עניה סוערה.** על ירושלים יאמר שהיא כעניה מרעדת כמרוח סערה, ואין מי לנחמה: **מרביץ בפוך אבניך.** אבני הרצפה ארביץ ואשכוב בפוך, כי ישפך מתחת רצפת האבנים במקום החול, כי כן הדרך לשפוך חול תחת אבני הרצפה להשכיב בהם האבנים: **ויסדתיך.** אשים היסודות באבני ספיר: **(יב) ושמתי כדכד שמשתיך.** מחיצות החלונות שהשמש זורחת דרך בם אשימם מאבן כדכד הבהיר ביותר: **ושעריך.** מזוזות השערים יהפכו להיות אבני אקדח המאירים ביותר: **וכל גבולך.** אבני רצפה כל גבוליך יהפכו להיות אבני חפץ. רצונו לומר, אבני יקר שהאדם חפץ ורוצה בהם, ולא כשאר אבנים המושלכים בחוצות: **(יג) למודי ה'.** רצונו לומר, ישכילו בחכמה כאלו יהיו תלמידי המקום ב"ה: **ורב שלום בניך.** השלום של בניך יהיה הרבה מאד: **(יד) בצדקה.** בעבור הצדקה שתעשי תהיה נכונה בכל טובה: **רחקי מעושק.** תהיה מרוחקת מן העושקים אשר לא תיראי מהם כלל וכלל:

מצודת ציון

(ט) מעבור. לבל עבור; וכן, מקצוף; כמו, מֵהַמְטִיר עָלָיו מָטָר (ישעיה ה, ו): **ומגער.** ענין צעקת נזיפה: **(י) ימושו.** ענין הסרה; כמו, לֹא יָמִישׁ עַמּוּד הֶעָנָן (שמות יג, כב): **תמוטינה.** מלשון נטיה: **(יא) מרביץ.** מלשון רביצה והשכבת האבן: **בפוך.** הוא הכחול, והוא דק כעין החול ובו הנשים צובעות עיניהם; כמו, וַתָּשֶׂם בַּפּוּךְ עֵינֶיהָ (מלכים־ב ט, ל): **בספירים.** שם אבן יקר: **(יב) כדכד.** שם אבן יקר המזהיר; וכן, וְרָאמֹת וְכַדְכֹּד (יחזקאל כז, טז), והוא מלשון כִּידוֹדֵי אֵשׁ (איוב מא, יא): **שמשותיך.** מלשון שמש: **אקדח.** שם אבן יקר המאיר, והוא מלשון קֹדְחֵי אֵשׁ (ישעיה נ, יא): **חפץ.** ענין רצון: **(יג) למודי ה'.** תלמידי ה'; וכן, חֲתוֹם תּוֹרָה בְּלִמֻּדָי (שם ח, טז): **(יד) תכונני.** מלשון הכנה: **כי לא תיראי.** אשר לא תיראי:

וּמִמְּחִתָּה כִּי לֹא־תִקְרַב אֵלָיִךְ: טו הֵן גּוֹר יָגוּר אֶפֶס מֵאוֹתִי מִי־
גָר אִתָּךְ עָלַיִךְ יִפּוֹל: טז הִנֵּה [הן כ׳] אָנֹכִי בָּרָאתִי חָרָשׁ נֹפֵחַ
בְּאֵשׁ פֶּחָם וּמוֹצִיא כְלִי לְמַעֲשֵׂהוּ וְאָנֹכִי בָּרָאתִי מַשְׁחִית לְחַבֵּל:
יז כָּל־כְּלִי יוּצַר עָלַיִךְ לֹא יִצְלָח וְכָל־לָשׁוֹן תָּקוּם־אִתָּךְ לַמִּשְׁפָּט
תַּרְשִׁיעִי זֹאת נַחֲלַת עַבְדֵי יְהוָה וְצִדְקָתָם מֵאִתִּי נְאֻם־יְהוָה:
פרק נה א הוֹי כָּל־צָמֵא לְכוּ לַמַּיִם וַאֲשֶׁר אֵין־לוֹ כָּסֶף לְכוּ שִׁבְרוּ
וֶאֱכֹלוּ וּלְכוּ שִׁבְרוּ בְּלוֹא־כֶסֶף וּבְלוֹא מְחִיר יַיִן וְחָלָב: ב לָמָּה

רש״י

עולם ותהיה רחוקה מעושק בני אדם כי לא תראי. אפילו פחד ויראה לא יהיה לך מהם, ותהיה רחוקה ממחתה שלא תקרב אליך, אילו״ה שלוחה): **(טו) הן גור יגור אפס מאותי.** הן ירא יירא ויגור מגזרת רעות אותו שאין אני עמו, הוא סטיר: **מי גר אתך.** מי אשר נאסף עליך למלחמה, או מי גר מי שנתגרה בך. ורבותינו פירשוהו בגרים, לומר שאין מקבלים גרים לימות משיחנו. ואף בפשוטו של מקרא יתכן; מי שנעשו גרים אתך בעניותך, עליך יפול בעשירותך; כמו, עַל פְּנֵי כָל אֶחָיו נָפָל (בראשית כה, יח): **(טז) הנה אנכי.** אשר בראתי חרש המתקן כלי, ואני אשר בראתי משחית המחבלו. כלומר, אני הוא שגריתי בך את האויב, אני הוא שהתקנתי לו פורעניות: **ומוציא כלי למעשהו.** לצורך, גומרו כל צורכו: **(יז) כל כלי יוצר.** כל כלי זיין אשר ילטשוהו ויחדדהו בשבילך להלחם בך: **יוצר.** לשון חַרְבוֹת צֻרִים (יהושע ה, ב), אַף תָּשִׁיב צוּר חַרְבּוֹ (תהלים פט, מד): **(א) הוי כל צמא.** הוי זה לשון קריאה וזימון וקיבוץ הוא; ויש הרבה במקרא, הוי הוי וְנֻסוּ מֵאֶרֶץ צָפוֹן (זכריה ב, י). **לכו למים.** לתורה: **שברו.** לשון לִשְׁבָּר בָּר (בראשית מב, ג); קנו: **יין וחלב.** לקח טוב מיין וחלב:

מצודת דוד

וממחתה. ותהיה מרוחקת ממחתה כי לא תוכל להתקרב אליך, ותהיה אם כן מרוחקת ממנה: **(טו) הן גור יגור.** באמת יחת ויפחד מי שהוא נעדר ונפרד ומרוחק ממני: **מי גר אתך.** מי שהיה לו תגר ומריבה עמך הוא יפול אליך לשכון עמך להיות סר למשמעתך: **(טז) נופח באש פחם.** מנשב באש הנאחז בגחלים כבויים להבעירם יפה: **ומוציא כלי למעשהו.** על ידי הפחמים מוציא כלי הראוי לעשות עמו הדבר אשר עשאוהו בעבורו: **ואנכי בראתי משחית לחבל.** בראתי איש משחית לקלקל את הכלי ההוא. ורצונו לומר, אני המגרה בך את האויב ואני המשלימו עמך ומתיש כחו: **(יז) כל כלי יוצר עליך.** כל כלי זיין אשר יחדדוהו בשבילך להלחם בך: **לא יצלח.** את בעליו לא יצלח כי לא יזיק לך: **וכל לשון.** כל איש לשון מדבר גדולות אשר תקום עמך למשפט להתווכח עמך: **תרשיעי.** את תרשיעי אותו במשפט ויצא מחוייב ותשארי זכאית רצונו לומר לא יזיקו לך לא במעשה ולא בדיבור: **זאת.** הברכה הזאת היא לנחלה לעבדי ה׳ וזאת היא הצדקה אשר תבוא להם מאתי: **נאם ה׳.** כה אמר ה׳: **(א) הוי כל צמא.** כל מי שהוא צמא מחסרון המים ילכו אל המים לרוות הצמאון: **ואשר וכו׳.** רצונו לומר, ואף אם אין לו כסף לקנות המים, כי בחנם ימצא; כלומר התאב לדבר ה׳ ילך אל הנביא לשמוע דבר ה׳ מבלי מתן כסף: **לכו שברו.** לכו קנו דבר מאכל ואכלו; ועל דברי התורה יאמר. וחוזר ומפרש לכו

מצודת ציון

וממחתה. ענין שבר ופחד; כמו, וְאַל תֵּחָת (יהושע א, ט): **(טו) גור יגור.** ענין פחד; כמו, לֹא תָגוּרוּ (דברים א, יז): **אפס.** ענין ההעדר; כמו, בְּאֶפֶס עֵצִים (משלי כו, כ): **מאותי.** ממני: **גר.** ענין מריבה; כמו, אַל תִּתְגָּרוּ בָם (דברים ב, ה): **אתך.** עמך: **עליך.** כמו אליך: **יפול.** ענין נטיה והשכנה; וכן, אֶל הַכַּשְׂדִּים אַתָּה נֹפֵל (ירמיה לז, יג): **(טז) חרש.** אומן ברזל: **נופח.** מלשון הפחה ונשיבה: **פחם.** גחלים כבוים; כמו, פֶּחָם לְגֶחָלִים (משלי כו, כא): **לחבל.** ענין השחתה וקלקול; כמו, וְחִבֵּל עֹל (ישעיה י, כז): **(יז) יוצר.** מחודד ושנון; כמו, חַרְבוֹת צֻרִים (יהושע ה, ב): **תרשיעי.** מלשון רשע וחייב: **(א) הוי.** הוא ענין לשון קריאה: **שברו.** ענין קנין; כמו, לִשְׁבֹּר אֶל יוֹסֵף (בראשית מא, נז): **מחיר.** ענין דמי הדבר וערכו; כמו, וְלֹא רִבִּיתָ בִּמְחִירֵיהֶם (תהלים מד, יג):

תִשְׁקְלוּ־כֶסֶף בְּלוֹא־לֶחֶם וִיגִיעֲכֶם בְּלוֹא לְשָׂבְעָה שִׁמְעוּ שָׁמוֹעַ
אֵלַי וְאִכְלוּ־טוֹב וְתִתְעַנַּג בַּדֶּשֶׁן נַפְשְׁכֶם: ג הַטּוּ אָזְנְכֶם וּלְכוּ
אֵלַי שִׁמְעוּ וּתְחִי נַפְשְׁכֶם וְאֶכְרְתָה לָכֶם בְּרִית עוֹלָם חַסְדֵי דָוִד
הַנֶּאֱמָנִים: ד הֵן עֵד לְאוּמִּים נְתַתִּיו נָגִיד וּמְצַוֵּה לְאֻמִּים: ה הֵן גּוֹי
לֹא־תֵדַע תִּקְרָא וְגוֹי לֹא־יְדָעוּךָ אֵלֶיךָ יָרוּצוּ לְמַעַן יהוה אֱלֹהֶיךָ
וְלִקְדוֹשׁ יִשְׂרָאֵל כִּי פֵאֲרָךְ:

רש"י

(ב) למה תשקלו כסף. למה תגרמו לכם לשקול כסף לאויביכם בלא לחם: **(ג) חסדי דוד.** שאגמול לדוד חסדיו: **(ד) לאומים.** שר וגדול עליהם, ומוכיח ומעיד דרכיהם על פניהם: **(ה) הן גוי לא תדע תקרא.** לשמשך, אם אלי תשמעו, לשם ה' הנקרא עליך:

מצודת דוד

שברו בלא כסף ובלא מחיר; בזולת מתן מחיר קנו יין וחלב; רצונו לומר, כל ענייני חכמת התורה תוכלו ללמוד בזולת מחיר: **(ב) למה תשקלו כסף.** מה לכם בזה שתשקלו כסף בחנם בלא מאכל לחם; רצונו לומר, למה תרבו לתת מחיר בעבור לימוד חכמות נכריות שאין בהם תועלת: **ויגיעכם.** למה תתנו הון הבאה ביגיעה בעבור דבר שאין משביע; ועל החכמות הנכריות יאמר; וכפל הדבר במילים שונות: **שמעו וכו'.** ללמוד חכמת התורה: **ואכלו טוב.** כן יקרא חכמת התורה; כמו שכתוב, כִּי לֶקַח טוֹב וכו' תּוֹרָתִי אַל תַּעֲזֹבוּ (משלי ד, ב): **ותתענג וכו'.** זהו תענוג הנשמה בעולם הבא: **(ג) הטו אזנכם.** לשמוע אמרי: **ולכו אלי.** לכו ממקומכם לבא אלי ללמוד תורתי: **שמעו וכו'.** שמעו אלי ותזכו לעמוד בתחיה בימי המשיח: **ואכרתה.** אז אכרית לכם ברית אהבה להיות מתקיימת עד עולם: **חסדי.** כחסדי רצונו לומר, יהיה כמו החסדים הקיימים אשר הבטחתי לדוד שלא תופסק המלוכה מזרעו: **(ד) הן עד לאומים נתתיו.** באמת נתתי את דוד להיות לעד ולראיה מול העכו"ם; רצונו לומר, ממשלת המלוכה אשר תתמיד בזרעו יקחו ראיה שדבר ה' תקום לעולם: **נגיד ומצוה לאומים.** המשיח הבא מזרעו יהיה נגיד ויהיה מצוה אל העכו"ם את המעשה אשר יעשון: **(ה) הן גוי וכו'.** רצונו לומר, כמו שמתקיים החסד שהבטחתי לדוד, כן תתקיים החסד שהבטחתי לך; כי באמת גוי אשר לא תדע מעולם תקרא אליך לשמש אותך: **לא ידעוך.** אשר הם לא ידעוך מעולם: **אליך ירוצו.** להיות סרים למשמעתך: **למען ה'.** רצונו לומר, לא למען כח זרועך, כי אם למען ה' השוכן בקרבך: **ולקדוש וגו'.** למען קדוש ישראל אשר נתן לך פאר להשרות שכינתו בקרבך; וכפל הדבר במילים שונות:

מצודת ציון

(ב) ותתענג. מלשון עונג ותפנוק: **בדשן.** בשומן; כמו, וְאָכַל וְשָׂבַע וְדָשֵׁן (דברים לא, כ): **(ג) הנאמנים.** ענין דבר מתקיים; וכן, בְּמָקוֹם נֶאֱמָן (ישעיה כב, כג): **(ד) לאומים.** אומות; כמו, וּשְׁנֵי לְאֻמִּים (בראשית כה, כג): **נגיד.** ענין שררה: **(ה) ירוצו.** מלשון ריצה ורדיפה: **פארך.** מלשון פאר ויופי:

פרשת לך לך

פרק יב א וַיֹּאמֶר יהוה אֶל־אַבְרָם לֶךְ־לְךָ מֵאַרְצְךָ וּמִמּוֹלַדְתְּךָ וּמִבֵּית אָבִיךָ אֶל־הָאָרֶץ אֲשֶׁר אַרְאֶךָּ: ב וְאֶעֶשְׂךָ לְגוֹי גָּדוֹל וַאֲבָרֶכְךָ וַאֲגַדְּלָה שְׁמֶךָ וֶהְיֵה בְּרָכָה: ג וַאֲבָרְכָה

אונקלוס

א וַאֲמַר יְיָ לְאַבְרָם אִיזֵיל לָךְ מֵאַרְעָךְ וּמִיַּלָּדוּתָךְ וּמִבֵּית אֲבוּךְ לְאַרְעָא דִּי אַחֲזִנָּךְ: ב וְאֶעְבְּדִנָּךְ לְעַם סַגִּי וְאֵבָרְכִנָּךְ וַאֲרַבֵּי שְׁמָךְ וּתְהֵא מְבָרָךְ: ג וַאֲבָרֵךְ

רש"י

[פסוק א] **לֶךְ לְךָ.** לַהֲנָאָתְךָ וּלְטוֹבָתְךָ. שָׁם אֶעֶשְׂךָ לְגוֹי גָּדוֹל, וְכָאן אִי אַתָּה זוֹכֶה לְבָנִים (ראש השנה טז:), וְעוֹד, שֶׁאוֹדִיעַ טִבְעֲךָ בָּעוֹלָם א (תנחומא ג): [פסוק ב] **וְאֶעֶשְׂךָ לְגוֹי גָּדוֹל.** לְפִי שֶׁהַדֶּרֶךְ גּוֹרֶמֶת לִשְׁלֹשָׁה דְּבָרִים, מְמַעֶטֶת פְּרִיָּה וּרְבִיָּה, וּמְמַעֶטֶת אֶת הַמָּמוֹן, וּמְמַעֶטֶת אֶת הַשֵּׁם, לְכָךְ הוּזְקַק לְשָׁלֹשׁ בְּרָכוֹת הַלָּלוּ ב, שֶׁהִבְטִיחוֹ עַל הַבָּנִים וְעַל הַמָּמוֹן וְעַל הַשֵּׁם [ס"א וְזֶהוּ **וַאֲגַדְּלָה שְׁמֶךָ**, הֲרֵינִי מוֹסִיף אוֹת עַל שְׁמֶךָ, שֶׁעַד עַכְשָׁיו שִׁמְךָ אַבְרָם, מִכָּאן וְאֵילָךְ אַבְרָהָם, וְאַבְרָהָם עוֹלֶה רמ"ח, כְּנֶגֶד אֵבָרָיו שֶׁל אָדָם (ב"ר לט:יא)]: **וַאֲבָרֶכְךָ.** בְּמָמוֹן. ב"ר (שם): **וֶהְיֵה בְּרָכָה.** הַבְּרָכוֹת נְתוּנוֹת בְּיָדְךָ. עַד עַכְשָׁיו הָיוּ בְּיָדִי, בֵּרַכְתִּי אֶת אָדָם וְאֶת נֹחַ וְאוֹתְךָ, וּמֵעַכְשָׁיו אַתָּה תְּבָרֵךְ אֶת אֲשֶׁר תַּחְפּוֹץ (שם). ד"א, וְאֶעֶשְׂךָ לְגוֹי גָּדוֹל, זֶה שֶׁאוֹמְרִים אֱלֹהֵי אַבְרָהָם ג. וַאֲבָרֶכְךָ, זֶה שֶׁאוֹמְרִים אֱלֹהֵי יִצְחָק. וַאֲגַדְּלָה שְׁמֶךָ, זֶה שֶׁאוֹמְרִים אֱלֹהֵי יַעֲקֹב. יָכוֹל יִהְיוּ חוֹתְמִין בְּכוּלָּן, ת"ל וֶהְיֵה בְּרָכָה, בְּךָ חוֹתְמִין וְלֹא בָּהֶם (פסחים קיז:): **מֵאַרְצְךָ [וּמִמּוֹלַדְתְּךָ].** וַהֲלֹא כְּבָר יָצָא מִשָּׁם עִם אָבִיו וּבָא עַד חָרָן. אֶלָּא כַּךְ אָמַר לוֹ, הִתְרַחֵק עוֹד מִשָּׁם וְצֵא מִבֵּית אָבִיךָ: **אֲשֶׁר אַרְאֶךָּ.** לֹא

בעל הטורים

(א) **ויאמר.** פתח באמירה, בלשון שנברא בו העולם, שבעשרה מאמרות נברא העולם. וכולו לא נברא אלא בזכות אברהם, לכך כתיב עליו מאמר: **לך לך.** רמז לו, כשתהיה בן מאה, כמנין "לך לך" שנים, אז "ואעשך לגוי גדול", שנולד לו יצחק; דבר אחר — רמז לו שלאחר שתלך מארצך תחיה כמנין "לך לך", שהרי בן חמש ושבעים שנה היה כשיצא, וכל שנותיו מאה שבעים וחמש; דבר אחר — רמז לו שתי הגלויות, ששני פעמים ילכו ישראל בגולה; דבר אחר — רמז לו שאחר חמשים דורות, כמנין "לך" ילכו בגלות בימי צדקיהו, ובזכותך שדברתי עמך בן שבעים שנה בברית בין הבתרים, ישובו לאחר שבעים, ולכך סמך "בחרן" ל"לך לך", לפי שבחרון אפו של הקדוש ברוך הוא בעם הארץ גלו: **אשר אראך.** ב' במסורת — הכא; ואידך בזכריה ["אני אראך מה המה אלה"], גבי גלויות. מלמד שהראה הקדוש ברוך הוא לאברהם הגלויות: **אראך.** בגימטריא בעננים. מלמד שהיו העננים הולכים לפניו ומראים לו הדרך: (ב) **ואעשך לגוי גדול וגומר.** בירכו כאן שבע ברכות, והם אלו — "ואעשך לגוי גדול", והיא הגדולה שבכלם, שיעשהו לגוי, שעם זאת נכלל השעבוד והשחרור; והשנית, שבהיות אברם טרם הכנסו בברית, יברכהו ברכת הממון, כמו שנאמר "ואברם כבד מאד"; והשלישית, שיגדל שמו מאברם לאברהם; והרביעית, שיהיה הוא בעצמו ברכה; והחמישית, שיברך השם מברכיו; והששית, שיאור כל מבקשי רעתו; והשביעית, שיתברכו בו כל משפחות האדמה: **ואעשך לגוי גדול ואברכך ואגדלה שמך.** שלש ברכות, כנגד שלש ברכות כהנים. וכן מברכיך, ג' תגין על ך, כי ג' פעמים כ' הם ס', כנגד ס' אותיות שבברכת כהנים, והם "יברכך", "יאר", "ישא": **ואברכך.** בגימטריא אברהם: **והיה.** ה' במסורת: "והיה ברכה"; "והיה תמים"; "והיה נכון לבקר"; "עלה אלי ההרה והיה

עיקר שפתי חכמים

א ואלו השני דברים, לעשותך לגוי גדול ולהודיע טבעך בעולם, הוא פי' על מ"ש להנאתך ולטובתך. וזהו שאמר לך לך: ב ולפיכך ברכו בג' ברכות הללו ולא בשאר ברכות: ג ר"ל לפי שאין אומרים אלהי אלא על רבים כמו אלהי ישראל אלהי העברים, ועל יחיד לא מצינו ל' אלהי, לכך ברכו ואעשך לגוי גדול, כי אתה תחשב לרבים ויאמר עליך אלהי אברהם. ובמלת אברכך שמורה עוד על תוספת ברכה רמז שיאמרו ג"כ על בנו אלהי יצחק. וכן בואגדלה שמך שמורה עוד על תוספות גדולה רמז שיאמרו ג"כ על בן בנו אלהי יעקב:

ראה הטבלא "**עֲשָׂרָה נִסְיוֹנוֹת שֶׁבָּהֶם נִתְנַסָּה אַבְרָהָם אָבִינוּ**" (עמוד 525).

מְבָרְכֶ֔יךָ וּמְקַלֶּלְךָ֖ אָאֹ֑ר וְנִבְרְכ֣וּ
בְךָ֔ כֹּ֖ל מִשְׁפְּחֹ֥ת הָאֲדָמָֽה׃
ד וַיֵּ֣לֶךְ אַבְרָ֗ם כַּאֲשֶׁ֨ר דִּבֶּ֤ר
אֵלָיו֙ יְהֹוָ֔ה וַיֵּ֥לֶךְ אִתּ֖וֹ ל֑וֹט
וְאַבְרָ֗ם בֶּן־חָמֵ֤שׁ שָׁנִים֙
וְשִׁבְעִ֣ים שָׁנָ֔ה בְּצֵאת֖וֹ מֵחָרָֽן׃
ה וַיִּקַּ֣ח אַבְרָ֩ם אֶת־שָׂרַ֨י אִשְׁתּ֜וֹ
וְאֶת־ל֣וֹט בֶּן־אָחִ֗יו וְאֶת־כָּל־רְכוּשָׁם֙ אֲשֶׁ֣ר
רָכָ֔שׁוּ וְאֶת־הַנֶּ֖פֶשׁ אֲשֶׁר־עָשׂ֣וּ בְחָרָ֑ן וַיֵּצְא֗וּ
לָלֶ֙כֶת֙ אַ֣רְצָה כְּנַ֔עַן וַיָּבֹ֖אוּ אַ֥רְצָה כְּנָֽעַן׃

מְבָרְכָיךְ וּמְלַטְטָךְ אֵלוּט וְיִתְבָּרְכוּן בְּדִילָךְ כֹּל זַרְעֲיַת אַרְעָא: ד וַאֲזַל אַבְרָם כְּמָא דִי מַלִּיל עִמֵּהּ יְיָ וַאֲזַל עִמֵּהּ לוֹט וְאַבְרָם בַּר שַׁבְעִין וַחֲמֵשׁ שְׁנִין בְּמִפְּקֵהּ מֵחָרָן: ה וּדְבַר אַבְרָם יָת שָׂרַי אִתְּתֵהּ וְיָת לוֹט בַּר אֲחוּהִי וְיָת כָּל קִנְיָנְהוֹן דִּי קְנוֹ וְיָת נַפְשָׁתָא דִּי שַׁעְבִּידוּ לְאוֹרַיְתָא בְּחָרָן וּנְפַקוּ לְמֵיזַל לְאַרְעָא דִכְנַעַן וַאֲתוֹ לְאַרְעָא דִּכְנָעַן:

רש"י

גַּלֶּה לוֹ הָאָרֶץ מִיָּד, כְּדֵי לְחַבְּבָהּ בְּעֵינָיו וְלִתֵּן לוֹ שָׂכָר עַל כָּל דִּבּוּר וְדִבּוּר [ד]. כַּיּוֹצֵא בוֹ, אֶת בִּנְךָ אֶת יְחִידְךָ אֲשֶׁר אָהַבְתָּ אֶת יִצְחָק. כַּיּוֹצֵא בוֹ, עַל אַחַד הֶהָרִים אֲשֶׁר אֹמַר אֵלֶיךָ (להלן כב:ב). כַּיּוֹצֵא בוֹ, וּקְרָא אֵלֶיהָ אֶת הַקְּרִיאָה אֲשֶׁר אָנֹכִי דּוֹבֵר אֵלֶיךָ (יונה ג:ב; ב"ר שם ט): **[פסוק ג] וְנִבְרְכוּ בְךָ.** יֵשׁ אַגָּדוֹת רַבּוֹת, וְזֶהוּ פְּשׁוּטוֹ, אָדָם אוֹמֵר לִבְנוֹ תְּהֵא כְּאַבְרָהָם. וְכֵן כָּל וְנִבְרְכוּ בְךָ שֶׁבַּמִּקְרָא, וְזֶה מוֹכִיחַ, בְּךָ יְבָרֵךְ יִשְׂרָאֵל לֵאמֹר יְשִׂמְךָ אֱלֹהִים כְּאֶפְרַיִם וְכִמְנַשֶּׁה (להלן מח:כ): **[פסוק ה] אֲשֶׁר עָשׂוּ בְחָרָן.** שֶׁהִכְנִיסוּם תַּחַת כַּנְפֵי הַשְּׁכִינָה. אַבְרָהָם מְגַיֵּיר אֶת הָאֲנָשִׁים וְשָׂרָה מְגַיֶּירֶת הַנָּשִׁים, וּמַעֲלֶה עֲלֵיהֶם הַכָּתוּב כְּאִלּוּ עֲשָׂאוּם (ב"ר שם יד, פד:ד; סנהדרין לט:). וּפְשׁוּטוֹ שֶׁל מִקְרָא, עֲבָדִים וּשְׁפָחוֹת שֶׁקָּנוּ לָהֶם, כְּמוֹ עָשָׂה אֵת כָּל הַכָּבֹד הַזֶּה (להלן לא:א) לְשׁוֹן קִנְיָן. וְיִשְׂרָאֵל עֹשֶׂה חָיִל (במדבר כד:יח) לְשׁוֹן קוֹנֶה וְכוֹנֵס:

בעל הטורים

שם"; והיה לי לאב". אם תהיה תמים ונכון, אז תהיה ברכה, ועלה אלי [ההרה] והיה [שם] לי לאב: (ג) **ואברכה מברכיך**. בגימטריא כהנים המברכים בניך. על כן "מברכיך" לשון רבים, "ומקללך" לשון יחיד: **ואברכה**. ב' במסורת — "ואברכה מברכיך", ואידך "ואברכה שמך לעולם". שברכו ברכה שאין לה הפסק, וזהו "ואברכה שמך לעולם": **ומקללך אאר**. בגימטריא, בלעם הבא לקלל בניך:

ראה המפה "**מְגוּרֵי אַבְרָהָם אָבִינוּ**" (עמוד 524).

עיקר שפתי חכמים

ד כי למה לו להאריך לכתוב מארצך כו' הל"ל לך לך אל הארץ כו', אלא כדי לחבב את ארצו בעיניו, כי ברבוי התוארים שמחבב את ארצו ומולדתו ירבה צערו בעזיבת המקום ההוא, וככה ירבה שכרו כי לפום צערא אגרא. וכן בעקדת יצחק הרבה לו בתוארים של בנו כדי לחבב בנו בעיניו, ויגדל צערו ובזה יגדל ג"כ שכרו:

ו וַיַּעֲבֹר אַבְרָם בָּאָרֶץ עַד מְקוֹם
שְׁכֶם עַד אֵלוֹן מוֹרֶה וְהַכְּנַעֲנִי
אָז בָּאָרֶץ׃ ז וַיֵּרָא יהוה אֶל־
אַבְרָם וַיֹּאמֶר לְזַרְעֲךָ אֶתֵּן אֶת־
הָאָרֶץ הַזֹּאת וַיִּבֶן שָׁם מִזְבֵּחַ
לַיהוה הַנִּרְאֶה אֵלָיו׃ ח וַיַּעְתֵּק
מִשָּׁם הָהָרָה מִקֶּדֶם לְבֵית־
אֵל וַיֵּט אָהֳלֹה בֵּית־אֵל מִיָּם וְהָעַי מִקֶּדֶם
וַיִּבֶן־שָׁם מִזְבֵּחַ לַיהוה וַיִּקְרָא בְּשֵׁם יהוה׃

ו וַעֲבַר אַבְרָם בְּאַרְעָא
עַד אֲתַר שְׁכֶם עַד מֵישַׁר
מוֹרֶה וּכְנַעֲנָאָה בְּכֵן
בְּאַרְעָא׃ ז וְאִתְגְּלִי יְיָ
לְאַבְרָם וַאֲמַר לִבְנָיךְ אֶתֵּן
יָת אַרְעָא הָדָא וּבְנָא תַמָּן
מַדְבְּחָא קֳדָם יְיָ דְּאִתְגְּלִי
לֵהּ׃ ח וְאִסְתַּלַּק מִתַּמָּן
לְטוּרָא מִמַּדְנַח לְבֵית אֵל
וּפְרַס מַשְׁכְּנֵהּ בֵּית אֵל
מִמַּעַרְבָא וְעַי מִמַּדִינְחָא
וּבְנָא תַמָּן מַדְבְּחָא קֳדָם
יְיָ וְצַלִּי בִּשְׁמָא דַּייָ׃

רש"י

[פסוק ו] **וַיַּעֲבֹר אַבְרָם בָּאָרֶץ.** [ה] נִכְנַס בְּתוֹכָהּ: **עַד מְקוֹם שְׁכֶם.** לְהִתְפַּלֵּל עַל בְּנֵי יַעֲקֹב כְּשֶׁיָּבֹאוּ לְהִלָּחֵם בִּשְׁכֶם (מדרש אגדה; ב"ר לט:טו): **אֵלוֹן מוֹרֶה.** הִיא שְׁכֶם [ו] (סוטה לב.), הֶרְאָהוּ הַר גְּרִיזִים וְהַר עֵיבָל, שֶׁשָּׁם קִבְּלוּ יִשְׂרָאֵל שְׁבוּעַת הַתּוֹרָה (מדרש אגדה): **וְהַכְּנַעֲנִי אָז בָּאָרֶץ.** [ז] הָיָה הוֹלֵךְ וְכוֹבֵשׁ אֶת א"י מִזַּרְעוֹ שֶׁל שֵׁם, שֶׁבְּחֶלְקוֹ שֶׁל שֵׁם נָפְלָה כְּשֶׁחִלֵּק נֹחַ אֶת הָאָרֶץ לְבָנָיו, שֶׁנֶּאֱמַר [ח] וּמַלְכִּי צֶדֶק מֶלֶךְ שָׁלֵם (להלן יד:יח) לְפִיכָךְ, וַיֹּאמֶר אֶל אַבְרָם לְזַרְעֲךָ אֶתֵּן אֶת הָאָרֶץ הַזֹּאת (פסוק ז), עָתִיד אֲנִי לְהַחֲזִירָהּ לְבָנֶיךָ, שֶׁהֵם מִזַּרְעוֹ שֶׁל שֵׁם (מדרש אגדה; ת"כ סוף קדושים): [פסוק ז] **וַיִּבֶן שָׁם מִזְבֵּחַ.** עַל בְּשׂוֹרַת הַזֶּרַע [ט] וְעַל בְּשׂוֹרַת אֶרֶץ יִשְׂרָאֵל (ב"ר לט:טו-טז): [פסוק ח] **וַיַּעְתֵּק מִשָּׁם.** אָהֳלוֹ: **מִקֶּדֶם לְבֵית אֵל.** בְּמִזְרָחָהּ שֶׁל בֵּית אֵל [י], נִמְצֵאת בֵּית אֵל בְּמַעֲרָבוֹ, הוּא שֶׁנֶּא' **בֵּית אֵל מִיָּם:** **אָהֳלֹה.** אָהֳלָהּ כְּתִיב, בַּתְּחִלָּה נָטָה אֶת אֹהֶל אִשְׁתּוֹ וְאַחַ"כ אֶת שֶׁלּוֹ (שם טו): **וַיִּבֶן שָׁם מִזְבֵּחַ.** נִתְנַבֵּא שֶׁעֲתִידִין בָּנָיו לְהִכָּשֵׁל שָׁם עַל עֲוֹן עָכָן [כ], וְהִתְפַּלֵּל שָׁם עֲלֵיהֶם (שם טז):

בעל הטורים

(ז) הנראה. ב׳ במסורת – הכא חד; ואידך ביעקב ["לאל הנראה אליך בברחך"], לומר, כשם שנראה לאברהם בשגלה, כך נראה ליעקב בשגלה:

עיקר שפתי חכמים

ה דבכ"מ פי' ויעבור לעבור הלאה ולא לדור שם, הוצרך לפרש דכאן אין פירושו כן אלא נכנס לתוכה ר"ל לדור בה, ודייק מדכתיב ויעבור בארץ ולא כתיב הארץ: **ו** כ"ה בגמ' דסוטה. ומאחר שהוא מקום אחד, למה הזכירו כאן אלון מורה בב' השמות. אלא לרמז על הר גריזים כו', דהתם מוזכר אלון מורה בפ' ראה: **ז** דאז משמעו שאח"כ לא היו, ובאמת היו ג"כ בימי משה כי יהושע גרש את הכנעני מן הארץ. לכן פי' דאז ולא קודם אלא הי' הולך וכובש: **ח** ומלכי צדק זה שם בן נח ומלך שלם הוא מלך ירושלים: **ט** מה שאמר ולזרעך אתן את הארץ: **י** בא לפרש דמקדם קאי על ההרה, ר"ל דההר היה ממזרח בית אל. דאין לפרש דהעתקתו היתה מקדם כו', א"כ לא יתכן מ"ש ויט אהלו בית אל מים, כיון שנסיעתו היתה ממזרח בית אל א"כ התרחק אתה ממזרחו לצד אחר. ע"כ פי' דמקדם קאי על ההרה, ומפרש אח"כ המצרים משני הרוחות: **כ** ולכך בנה עוד מזבח:

ט וַיִּסַּע אַבְרָם הָלוֹךְ וְנָסוֹעַ
הַנֶּגְבָּה׃ פ
י וַיְהִי רָעָב בָּאָרֶץ וַיֵּרֶד אַבְרָם
מִצְרַיְמָה לָגוּר שָׁם כִּי־כָבֵד
הָרָעָב בָּאָרֶץ׃ יא וַיְהִי כַּאֲשֶׁר
הִקְרִיב לָבוֹא מִצְרָיְמָה וַיֹּאמֶר
אֶל־שָׂרַי אִשְׁתּוֹ הִנֵּה־נָא יָדַעְתִּי
כִּי אִשָּׁה יְפַת־מַרְאֶה אָתְּ׃ יב וְהָיָה כִּי־יִרְאוּ
אֹתָךְ הַמִּצְרִים וְאָמְרוּ אִשְׁתּוֹ זֹאת וְהָרְגוּ
אֹתִי וְאֹתָךְ יְחַיּוּ׃ יג אִמְרִי־נָא אֲחֹתִי אָתְּ

ט וּנְטַל אַבְרָם אָזֵל וְנָטֵל
לְדָרוֹמָא׃ י וַהֲוָה כַּפְנָא
בְּאַרְעָא וּנְחַת אַבְרָם
לְמִצְרַיִם לְאִתּוֹתָבָא תַמָּן
אֲרֵי תַקִּיף כַּפְנָא בְּאַרְעָא׃
יא וַהֲוָה כַּד קְרֵיב לְמֵיעַל
לְמִצְרַיִם וַאֲמַר לְשָׂרַי
אִתְּתֵהּ הָא כְעַן יְדַעִית
אֲרֵי אִתְּתָא שַׁפִּירַת
חֵיזוּ אַתְּ׃ יב וִיהֵי כַּד (נ"א
אֲרֵי) יֶחֱזוּן יָתִיךְ מִצְרָאֵי
וְיֵימְרוּן אִתְּתֵהּ דָּא
וְיִקְטְלוּן יָתִי וְיָתִיךְ יְקַיְּמוּן׃
יג אֵימְרִי כְעַן אֲחָתִי אַתְּ

רש"י

[פסוק ט] **הָלוֹךְ וְנָסוֹעַ.** לִפְרָקִים יוֹשֵׁב כָּאן חֹדֶשׁ אוֹ יוֹתֵר, וְנוֹסֵעַ מִשָּׁם וְנוֹטֶה אָהֳלוֹ בְּמָקוֹם אַחֵר, וְכָל מַסָּעָיו **הַנֶּגְבָּה,** לָלֶכֶת לִדְרוֹמָהּ שֶׁל אֶרֶץ יִשְׂרָאֵל, וְהִיא לְצַד יְרוּשָׁלַיִם, שֶׁהָיְתָה בְּחֶלְקוֹ שֶׁל יְהוּדָה, שֶׁנָּטְלוּ בִּדְרוֹמָהּ שֶׁל אֶרֶץ יִשְׂרָאֵל הַר הַמּוֹרִיָּה שֶׁהָיְתָה נַחֲלָתוֹ. [ב"ר] (שם): [פסוק י] **רָעָב בָּאָרֶץ.** בְּאוֹתָהּ הָאָרֶץ לְבַדָּהּ, לְנַסּוֹתוֹ אִם יְהַרְהֵר אַחַר דִּבְרֵי שֶׁל הקב"ה, שֶׁאָמַר לוֹ לָלֶכֶת אֶל אֶרֶץ כְּנַעַן וְעַכְשָׁיו מַשִּׂיאוֹ לָצֵאת מִמֶּנָּה (תנחומא ה): [פסוק יא] **הִנֵּה נָא** **יָדַעְתִּי.** מִדְרַשׁ אַגָּדָה, עַד עַכְשָׁיו לֹא הִכִּיר בָּהּ מִתּוֹךְ צְנִיעוּת שֶׁבִּשְׁנֵיהֶם, וְעַכְשָׁיו הִכִּיר בָּהּ עַל יְדֵי מַעֲשֶׂה (שם). ד"א, מִנְהַג הָעוֹלָם שֶׁעַ"י טוֹרַח הַדֶּרֶךְ אָדָם מִתְבַּזֶּה, וְזֹאת עָמְדָה בְּיָפְיָהּ (ב"ר מ:ד). וּפְשׁוּטוֹ שֶׁל מִקְרָא, **הִנֵּה נָא,** הִגִּיעָה הַשָּׁעָה שֶׁיֵּשׁ לִדְאוֹג עַל יָפְיֵךְ. יָדַעְתִּי זֶה יָמִים רַבִּים **כִּי אִשָּׁה יְפַת מַרְאֶה אָתְּ** ל, וְעַכְשָׁיו אָנוּ בָּאִים בֵּין אֲנָשִׁים שְׁחוֹרִים וּמְכוֹעָרִים אֲחָיוֹתֵיהֶם שֶׁל כּוּשִׁים וְלֹא הוּרְגְּלוּ בְּאִשָּׁה יָפָה מ (שם). וְדוֹמֶה לוֹ הִנֵּה נָא אֲדֹנַי סוּרוּ נָא (להלן יט:ב):

בעל הטורים

(יב) יחיו. ב' במסורת — הכא "ואתך יחיו"; ואידך "יחיו דגן ויפרחו כגפן", שכיון שיחיו אותך, יתנו לך מתנות, שדות וכרמים: **(יג) אחותי את.** ב' במסורת — הכא; ואידך "אמור לחכמה אחותי את", לומר שאברהם וגם שרה היו גדולים בחכמה:

עיקר שפתי חכמים

ל ומחלק את התיבות הנה נא [הגיע השעה וכו' כי] ידעתי [זה מכבר] כי אשה כו'. וכן הוא בפ' הנה נא אדוני כו' ע"ש בפרש"י: מ ובאבימלך הוצרך ג"כ לפחוד, אף כי לא היו שחורים, כאמרו שם רק אין יראת כו':

ראה הטבלא "עֲשָׂרָה נִסְיוֹנוֹת שֶׁבָּהֶם נִתְנַסָּה אַבְרָהָם אָבִינוּ" (עמוד 525).

לְמַעַן יִיטַב־לִי בַעֲבוּרֵךְ וְחָיְתָה
נַפְשִׁי בִּגְלָלֵךְ: ❖ שני יד וַיְהִי כְּבוֹא
אַבְרָם מִצְרָיְמָה וַיִּרְאוּ הַמִּצְרִים
אֶת־הָאִשָּׁה כִּי־יָפָה הִוא מְאֹד:
טו וַיִּרְאוּ אֹתָהּ שָׂרֵי פַרְעֹה
וַיְהַלְלוּ אֹתָהּ אֶל־פַּרְעֹה וַתֻּקַּח
הָאִשָּׁה בֵּית פַּרְעֹה: טז וּלְאַבְרָם
הֵיטִיב בַּעֲבוּרָהּ וַיְהִי־לוֹ צֹאן־
וּבָקָר וַחֲמֹרִים וַעֲבָדִים וּשְׁפָחֹת וַאֲתֹנֹת
וּגְמַלִּים: יז וַיְנַגַּע יהוה | אֶת־פַּרְעֹה נְגָעִים
גְּדֹלִים וְאֶת־בֵּיתוֹ עַל־דְּבַר שָׂרַי אֵשֶׁת אַבְרָם:

בְּדִיל דְּיוֹטִיב לִי בְּדִילִךְ
וְתִתְקַיַּם נַפְשִׁי בְּפִתְגָּמַיְכִי:
יד וַהֲוָה כַּד עַל אַבְרָם
לְמִצְרָיִם וַחֲזוֹ מִצְרָאֵי
יָת אִתְּתָא אֲרֵי שַׁפִּירְתָא
הִיא לַחֲדָא: טו וַחֲזוֹ יָתַהּ
רַבְרְבֵי פַרְעֹה וְשַׁבַּחוּ יָתַהּ
לְפַרְעֹה וְאִדְּבָרַת אִתְּתָא
לְבֵית פַּרְעֹה: טז וּלְאַבְרָם
אוֹטִיב בְּדִילַהּ וַהֲווֹ לֵהּ
עָאן וְתוֹרִין וַחֲמָרִין
וְעַבְדִין וְאַמְהָן וְאַתְנָן
וְגַמְלִין: יז וְאַיְתִי יְיָ עַל
פַּרְעֹה מַכְתָּשִׁין רַבְרְבִין
וְעַל אֱנָשׁ בֵּיתֵהּ עַל
עֵיסַק שָׂרַי אִתַּת אַבְרָם:

רש"י

[פסוק יג] **לְמַעַן יִיטַב לִי בַעֲבוּרֵךְ.** יִתְּנוּ לִי [נ] מַתָּנוֹת: [פסוק יד] **וַיְהִי כְּבוֹא אַבְרָם מִצְרָיְמָה.** הָיָה לוֹ לוֹמַר [ס] כְּבוֹאָם מִצְרָיְמָה, אֶלָּא לָמֵד שֶׁהִטְמִין אוֹתָהּ בְּתֵיבָה, וְעַל יְדֵי שֶׁתָּבְעוּ אֶת הַמֶּכֶס פָּתְחוּ וְרָאוּ אוֹתָהּ (ב"ר שם ה; תנחומא שם): [פסוק טו] **וַיְהַלְלוּ אֹתָהּ אֶל פַּרְעֹה.** הִלְּלוּהָ [ע] בֵּינֵיהֶם לוֹמַר הֲגוּנָה זוֹ לַמֶּלֶךְ (תנחומא שם): [פסוק טז] **וּלְאַבְרָם הֵיטִיב.** פַּרְעֹה **בַּעֲבוּרָהּ** [נָתַן לוֹ מַתָּנוֹת]: [פסוק יז] **וַיְנַגַּע ה' וגו'.** בְּמַכַּת רָאתָן לָקָה, שֶׁהַתַּשְׁמִישׁ קָשֶׁה לוֹ (ב"ר מא:ב): **וְאֶת בֵּיתוֹ.** כְּתַרְגּוּמוֹ וְעַל אֱנָשׁ בֵּיתֵיהּ [וּמִדְרָשׁוֹ לְרַבּוֹת כּוֹתָלָיו עַמּוּדָיו וְכֵלָיו (תנחומא שם)]: **עַל דְּבַר שָׂרַי.** עַל פִּי [פ] דִּבּוּרָהּ, אוֹמֶרֶת לַמַּלְאָךְ הַךְ וְהוּא מַכֶּה (ב"ר שם; תנחומא שם):

עיקר שפתי חכמים

נ דמה שייך כאן ל' הטבה, אם היה ירא לנפשו שמא יהרגוהו זה מקרי הצלה ולא הטבה. ע"כ פי' יתנו לי מתנות. [ושמעתי דרש"י יפרש זאת כאן לפי שמצינו בסמוך [פ' טז] ולאברם היטיב בעבורה ויהי לו כו', והוא ממדת סתום במקום אחד ומפורש במקום אחר]: ס הוקשה לו זאת כאן ולא על הפסוקים הקודמים כמו וירד אברם מצרימה, ויהי כאשר הקריב כו', למה לא אמר וירדו הקריבו בל' רבים לכלול גם שרה עמו. לפי שפה עיקר הספור הוא משרה, ויראו המצרים את האשה כו', ע"כ הל"ל כאן כבואם [מהרש"ל]: ע דאל"כ הל"ל לפני פרעה או לפרעה: פ כי לפי הלשון הל"ל על אודות שרה:

יח וַיִּקְרָא פַרְעֹה לְאַבְרָם וַיֹּאמֶר
מַה־זֹּאת עָשִׂיתָ לִּי לָמָּה לֹא־
הִגַּדְתָּ לִּי כִּי אִשְׁתְּךָ הִוא׃
יט לָמָה אָמַרְתָּ אֲחֹתִי הִוא וָאֶקַּח
אֹתָהּ לִי לְאִשָּׁה וְעַתָּה הִנֵּה
אִשְׁתְּךָ קַח וָלֵךְ׃ כ וַיְצַו עָלָיו
פַּרְעֹה אֲנָשִׁים וַיְשַׁלְּחוּ אֹתוֹ
וְאֶת־אִשְׁתּוֹ וְאֶת־כָּל־אֲשֶׁר־לוֹ׃
פרק יג א וַיַּעַל אַבְרָם מִמִּצְרַיִם הוּא וְאִשְׁתּוֹ וְכָל־
אֲשֶׁר־לוֹ וְלוֹט עִמּוֹ הַנֶּגְבָּה׃ ב וְאַבְרָם כָּבֵד
מְאֹד בַּמִּקְנֶה בַּכֶּסֶף וּבַזָּהָב׃ ג וַיֵּלֶךְ לְמַסָּעָיו

יח וּקְרָא פַרְעֹה לְאַבְרָם
וַאֲמַר מָה דָא עֲבַדְתְּ
לִי לְמָא לָא חַוֵּיתָא לִי
אֲרֵי אִתְּתָךְ הִיא: יט לְמָא
אֲמַרְתְּ אֲחָתִי הִיא
וּדְבָרִית יָתַהּ לִי לְאִנְתּוּ
וּכְעַן הָא אִתְּתָךְ דְּבַר
וְאֵזִיל: כ וּפַקִּיד עֲלוֹהִי
פַּרְעֹה גּוּבְרִין וְאַלְוִיאוּ
יָתֵהּ וְיָת אִתְּתֵהּ וְיָת כָּל
דִּי לֵהּ: א וּסְלִיק אַבְרָם
מִמִּצְרַיִם הוּא וְאִתְּתֵהּ
וְכָל דִּי לֵהּ וְלוֹט עִמֵּהּ
לְדָרוֹמָא: ב וְאַבְרָם תַּקִּיף
לַחֲדָא בִּבְעִירָא בְּכַסְפָּא
וּבְדַהֲבָא: ג וַאֲזַל לְמַטְלָנוֹהִי

רש"י

[פסוק יט] **קח ולך.** וְלֹא כַּאֲבִימֶלֶךְ שֶׁאָמַר לוֹ הִנֵּה אַרְצִי לְפָנֶיךָ (להלן כ:טו) אֶלָּא אָמַר לוֹ לֵךְ וְאַל תַּעֲמוֹד, שֶׁהַמִּצְרִים שְׁטוּפֵי זִמָּה הֵם, שֶׁנֶּאֱמַר וְזִרְמַת סוּסִים זִרְמָתָם (יחזקאל כג:כ; מדרש אגדה): [פסוק כ] **וַיְצַו עָלָיו.** עַל אוֹדוֹתָיו צ לְשַׁלְּחוֹ וּלְשָׁמְרוֹ: **וַיְשַׁלְּחוּ.** כְּתַרְגּוּמוֹ וְאַלְוִיאוּ: [פסוק א] **וַיַּעַל אַבְרָם וגו' הַנֶּגְבָּה.** לָבֹא לִדְרוֹמָהּ ק שֶׁל אֶרֶץ יִשְׂרָאֵל. כְּמוֹ שֶׁאָמַר לְמַעְלָה (יב:ט) הָלוֹךְ וְנָסוֹעַ הַנֶּגְבָּה, לְהַר הַמּוֹרִיָּה. וּמִכָּל מָקוֹם כְּשֶׁהוּא הוֹלֵךְ מִמִּצְרַיִם לְאֶרֶץ כְּנַעַן מִדָּרוֹם לְצָפוֹן הוּא מְהַלֵּךְ, שֶׁאֶרֶץ מִצְרַיִם בִּדְרוֹמָהּ שֶׁל אֶרֶץ יִשְׂרָאֵל, כְּמוֹ שֶׁמּוֹכִיחַ בְּמַסָּעוֹת וּבִגְבוּלֵי הָאָרֶץ: [פסוק ב] **כָּבֵד מְאֹד.** טָעוּן מַשָּׂאוֹת: [פסוק ג] **וַיֵּלֶךְ לְמַסָּעָיו.** כְּשֶׁחָזַר מִמִּצְרַיִם לְאֶרֶץ כְּנַעַן הָיָה הוֹלֵךְ וְלָן בָּאַכְסַנְיוֹת שֶׁלָּן בָּהֶם בַּהֲלִיכָתוֹ לְמִצְרַיִם (ב"ר מא:ג). לִמֶּדְךָ דֶּרֶךְ

בעל הטורים

(יט) **ולך.** ה' במסורת — הכא "הנה אשתך קח ולך"; "הנה רבקה לפניך קח ולך"; "נהג ולך", באבישג השונמית, מלמד שהיתה צדקת כמו האמהות; "וקח משענתי בידך ולך"; "המגילה אשר קראת בה... קחנה בידך ולך". מלמד, שאף על פי שאינו מפורש בכאן שנתן לו מתנות [בשלחו אותה] כמו באבימלך, ודאי נתן לו. וזהו "קחנה בידך ולך", שנתן לו דבר הניתן מיד ליד:

עיקר שפתי חכמים

צ סמך על התרגום שמפרש וישלחו ואלויהו ממילא היה הליווי ג"כ ע"ז: ק דק"ל הלא מצרים בדרומה של א"י כמפורש בסמוך, הל"ל ויעל אברם לצפונה:

מִנֶּגֶב וְעַד־בֵּית־אֵל עַד־הַמָּקוֹם
אֲשֶׁר־הָיָה שָׁם אָהֳלֹה בַּתְּחִלָּה
בֵּין בֵּית־אֵל וּבֵין הָעָי׃ ד אֶל־
מְקוֹם הַמִּזְבֵּחַ אֲשֶׁר־עָשָׂה שָׁם
בָּרִאשֹׁנָה וַיִּקְרָא שָׁם אַבְרָם
בְּשֵׁם יְהוָה׃ שלישי ה וְגַם־לְלוֹט
הַהֹלֵךְ אֶת־אַבְרָם הָיָה צֹאן־
וּבָקָר וְאֹהָלִים׃ ו וְלֹא־נָשָׂא
אֹתָם הָאָרֶץ לָשֶׁבֶת יַחְדָּו כִּי־הָיָה רְכוּשָׁם
רָב וְלֹא יָכְלוּ לָשֶׁבֶת יַחְדָּו׃ ז וַיְהִי־רִיב בֵּין
רֹעֵי מִקְנֵה־אַבְרָם וּבֵין רֹעֵי מִקְנֵה־לוֹט

מִדָּרוֹמָא וְעַד בֵּית אֵל
עַד אַתְרָא דִּי פְּרַס תַּמָּן
מַשְׁכְּנֵהּ בְּקַדְמֵיתָא בֵּין
בֵּית אֵל וּבֵין עָי׃ ד לַאֲתַר
מַדְבְּחָא דִּי עֲבַד תַּמָּן
בְּקַדְמֵיתָא וְצַלִּי תַמָּן
אַבְרָם בִּשְׁמָא דַיְיָ׃
ה וְאַף לְלוֹט דְּאָזֵיל עִם
אַבְרָם הֲוָה עָאן וְתוֹרִין
וּמַשְׁכְּנִין׃ ו וְלָא סוֹבֶרֶת
יָתְהוֹן אַרְעָא לְמִיתַב
כַּחֲדָא אֲרֵי הֲוָה קִנְיָנְהוֹן
סַגִּי וְלָא יְכִילוּ לְמִיתַב
כַּחֲדָא׃ ז וַהֲוָת מַצּוּתָא
בֵּין רָעֵי בְעִירָא דְאַבְרָם
וּבֵין רָעֵי בְּעִירָא דְלוֹט

רש"י

אֶרֶץ שֶׁלֹּא יְשַׁנֶּה אָדָם מֵאַכְסַנְיָא שֶׁלּוֹ (ערכין טז:). ד"א, בַּחֲזָרָתוֹ פָּרַע הַקָּפוֹתָיו (ב"ר שם): **מנגב.** אֶרֶץ מִצְרַיִם בִּדְרוֹמָהּ שֶׁל אֶרֶץ כְּנַעַן: **[פסוק ד] אשר עשה שם בראשנה.** וַאֲשֶׁר **קרא שם אברם בשם ה'.** וְגַם יֵשׁ לוֹמַר **ויקרא שם** עַכְשָׁיו **בשם ה':** **[פסוק ה] ההלך את אברם.** ר מִי גָרַם שֶׁהָיָה לוֹ זֹאת, הֲלִיכָתוֹ עִם אַבְרָם (שם; ב"ק צג.): **[פסוק ו] ולא נשא אתם.** לֹא הָיְתָה יְכוֹלָה לְהַסְפִּיק מִרְעֶה לְמִקְנֵיהֶם. וּלְשׁוֹן קָצָר הוּא וְצָרִיךְ לְהוֹסִיף עָלָיו, [כְּמוֹ] וְלֹא נָשָׂא אוֹתָם מִרְעֵה הָאָרֶץ ש, לְפִיכָךְ כָּתַב וְלֹא נָשְׂאָה בִּלְשׁוֹן זָכָר: **[פסוק ז] ויהי ריב.** לְפִי שֶׁהָיוּ רוֹעָיו שֶׁל לוֹט רְשָׁעִים וּמַרְעִים בֶּהֱמְתָּם בִּשְׂדוֹת אֲחֵרִים, וְרוֹעֵי אַבְרָם מוֹכִיחִים אוֹתָם עַל הַגָּזֵל, וְהֵם אוֹמְרִים נִתְּנָה הָאָרֶץ לְאַבְרָם, וְלוֹ אֵין יוֹרֵשׁ וְלוֹט [בֶּן אָחִיו] יוֹרְשׁוֹ, וְאֵין זֶה גָּזֵל, וְהַכָּתוּב אוֹמֵר

בעל הטורים

(ו) **ולא נשא.** ב' במסורת — הכא "ולא נשא אתם הארץ"; ואידך "ולא נשא דויד מספרם". שהיה להם רכוש הרבה אין מספר:

עיקר שפתי חכמים

ר דכבר ידענו שהלך לוט עמו, כמ"ש לעיל ולוט עמו: ש דהארץ ל' נקבה והל"ל ולא נשאה אתם הארץ. ע"כ פי' דקאי על המרעה, ומרעה ל' זכר:

וְהַֽכְּנַעֲנִי֙ וְהַפְּרִזִּ֔י אָ֖ז יֹשֵׁ֥ב בָּאָֽרֶץ׃
ח וַיֹּ֨אמֶר אַבְרָ֜ם אֶל־ל֗וֹט אַל־
נָ֨א תְהִ֤י מְרִיבָה֙ בֵּינִ֣י וּבֵינֶ֔ךָ וּבֵ֥ין
רֹעַ֖י וּבֵ֣ין רֹעֶ֑יךָ כִּֽי־אֲנָשִׁ֥ים אַחִ֖ים
אֲנָֽחְנוּ׃ ט הֲלֹ֨א כָל־הָאָ֜רֶץ לְפָנֶ֗יךָ
הִפָּ֥רֶד נָ֖א מֵעָלָ֑י אִם־הַשְּׂמֹ֣אל
וְאֵימִ֔נָה וְאִם־הַיָּמִ֖ין וְאַשְׂמְאִֽילָה׃
י וַיִּשָּׂא־ל֣וֹט אֶת־עֵינָ֗יו וַיַּרְא֙
אֶת־כָּל־כִּכַּ֣ר הַיַּרְדֵּ֔ן כִּ֥י כֻלָּ֖הּ
מַשְׁקֶ֑ה לִפְנֵ֣י ׀ שַׁחֵ֣ת יהוה אֶת־סְדֹם֙ וְאֶת־
עֲמֹרָ֔ה כְּגַן־יהוה֙ כְּאֶ֣רֶץ מִצְרַ֔יִם בֹּאֲכָ֖ה צֹֽעַר׃

וּכְנַעֲנָאָה וּפְרִזָּאָה בְּכֵן
יָתִיב בְּאַרְעָא: ח וַאֲמַר
אַבְרָם לְלוֹט לָא כְעַן
תְּהֵי מַצּוּתָא בֵּינִי וּבֵינָךְ
וּבֵין רָעֲוָתִי וּבֵין רַעֲוָתָךְ
אֲרֵי גוּבְרִין אַחִין אֲנַחְנָא:
ט הֲלָא כָל אַרְעָא קֳדָמָךְ
אִיתְפְּרֵשׁ כְּעַן מִלְוָתִי אִם
אַתְּ לְצִפּוּנָא אֲנָא לְדָרוֹמָא
וְאִם אַתְּ לְדָרוֹמָא אֲנָא
לְצִפּוּנָא: י וּזְקַף לוֹט
יָת עֵינוֹהִי וַחֲזָא יָת כָּל
מֵישַׁר יַרְדְּנָא אֲרֵי כֻלַּהּ
בֵּית שַׁקְיָא קֳדָם חַבָּלוּת
יְיָ יָת סְדוֹם וְיָת עֲמֹרָא
כְּגִינְתָא דַיְיָ כְּאַרְעָא
דְמִצְרַיִם מָטֵי לְצֹעַר:
יא וּבְחַר לֵהּ לוֹט יָת כָּל

רש"י

וְהַכְּנַעֲנִי וְהַפְּרִזִּי אָז יֹשֵׁב בָּאָרֶץ, וְלֹא זָכָה בָּהּ אַבְרָם עֲדַיִין (ב"ר שם ה): [פסוק ח] **אֲנָשִׁים אַחִים.** קְרוֹבִים. וּמִדְרַשׁ אַגָּדָה, דּוֹמִין בְּקְלַסְתֵּר פָּנִים (שם ו): [פסוק ט] **אִם הַשְּׂמֹאל וְאֵימִנָה.** בְּכָל אֲשֶׁר תֵּשֵׁב [ס"א תֵּלֵךְ] ת לֹא אֶתְרַחֵק מִמְּךָ וְאֶעֱמוֹד לְךָ לְמָגֵן וּלְעֵזֶר. וְסוֹף דָּבָר הוּצְרַךְ לוֹ, שֶׁנֶּאֱ' וַיִּשְׁמַע אַבְרָם כִּי נִשְׁבָּה אָחִיו וגו' (להלן יד:יד): **וְאֵימִנָה.** אַיְמִין אֶת עַצְמִי כְּמוֹ וְאַשְׂמְאִילָה אַשְׂמְאִיל אֶת עַצְמִי. וְא"ת הָיָה לוֹ לִינָּקֵד וְאַיְמִינָה. כָּךְ מָצִינוּ בְּמָקוֹם אַחֵר, אִם אִשׁ לְהֵמִין (שמואל-ב יד:יט) וְאֵין נָקוּד לְהַיְמִין: [פסוק י] **כִּי כֻלָּהּ מַשְׁקֶה.** אֶרֶץ נַחֲלֵי מָיִם: **לִפְנֵי שַׁחֵת ה' אֶת סְדֹם וְאֶת עֲמֹרָה.** הָיָה אוֹתוֹ א מִישׁוֹר: **כְּגַן ה'.** לְאִילָנוֹת (ספרי עקב לח; ב"ר שם ז): **כְּאֶרֶץ מִצְרַיִם.** לִזְרָעִים (שם ושם): **בֹּאֲכָה צֹעַר.** עַד צוֹעַר. וּמ"א דּוֹרְשׁוֹ לִגְנַאי, עַל שֶׁהָיוּ שְׁטוּפֵי זִמָּה בָּחַר לוֹ לוֹט בִּשְׁכוּנָתָם, בְּמַסֶּכֶת הוֹרָיוֹת (י:; ב"ר שם; תנחומא וירא יב):

בעל הטורים

(ח) **רעי.** ב' במסורת – "ובין רועי"; ואידך "ולא דרשו רועי את צאני". מלמד שהוכיחום על שלא היו רועים הצאן כראוי, ועל זה היה הריב, וזהו "ולא דרשו רועי את צאני":

עיקר שפתי חכמים

ת דאל"כ פשיטא אם הוא ילך לשמאל ישאר הוא בימין. לז"א שיהיה ממש לימינו שלא אתרחק כו': **א** פי' דלפני שחת כו' נמשך למטה על כגן כו' אבל לא על שלפניו על כי כולה משקה. וכן נראה מסדר הטעמים:

יא וַיִּבְחַר־לוֹ לוֹט אֵת כׇּל־כִּכַּר
הַיַּרְדֵּן וַיִּסַּע לוֹט מִקֶּדֶם וַיִּפָּרְדוּ
אִישׁ מֵעַל אָחִיו: יב אַבְרָם
יָשַׁב בְּאֶרֶץ־כְּנָעַן וְלוֹט יָשַׁב
בְּעָרֵי הַכִּכָּר וַיֶּאֱהַל עַד־סְדֹם:
יג וְאַנְשֵׁי סְדֹם רָעִים וְחַטָּאִים
לַיהוָה מְאֹד: יד וַיהוָה אָמַר
אֶל־אַבְרָם אַחֲרֵי הִפָּרֶד־לוֹט מֵעִמּוֹ שָׂא נָא
עֵינֶיךָ וּרְאֵה מִן־הַמָּקוֹם אֲשֶׁר־אַתָּה שָׁם

מֵישַׁר יַרְדְּנָא וּנְטַל לוֹט
מִלְּקַדְמִין וְאִתְפָּרָשׁוּ
גְּבַר מֵעַל אֲחוּהִי:
יב אַבְרָם יְתֵב בְּאַרְעָא
דִכְנָעַן וְלוֹט יְתֵב בְּקִרְוֵי
מֵישְׁרָא וּפְרַס עַד
סְדוֹם: יג וֶאֱנָשֵׁי דִסְדוֹם
בִּישִׁין בְּמָמוֹנְהוֹן וְחַיָּבִין
בְּגְוִיָּתְהוֹן קֳדָם יְיָ לַחֲדָא:
יד וַייָ אֲמַר לְאַבְרָם בָּתַר
דְּאִתְפְּרַשׁ לוֹט מֵעִמֵּהּ
זְקוֹף כְּעַן עֵינָךְ וַחֲזֵי
מִן אַתְרָא דִי אַתְּ תַּמָּן

רש"י

[פסוק יא] כִּכַּר. מִישׁוֹר, כְּתַרְגּוּמוֹ: **מִקֶּדֶם.** נָסַע מֵאֵצֶל אַבְרָם [מִמִּזְרָחוֹ] ב וְהָלַךְ לוֹ לְמַעֲרָבוֹ שֶׁל אַבְרָם, נִמְצָא נוֹסֵעַ מִמִּזְרָח לְמַעֲרָב. וּמִדְרַשׁ אַגָּדָה, הִסִּיעַ עַצְמוֹ מִקַּדְמוֹנוֹ שֶׁל עוֹלָם, אָמַר אִי אֶפְשִׁי לֹא בְּאַבְרָם וְלֹא בֵּאלֹהָיו (ב"ר שם, ועי' ב"ר לח:ז): **[פסוק יב] וַיֶּאֱהַל.** נָטָה אֹהָלִים לְרוֹעָיו וּלְמִקְנֵהוּ **עַד סְדֹם:** **[פסוק יג] וְאַנְשֵׁי סְדֹם רָעִים.** וְאַעְפ"כ לֹא נִמְנַע לוֹט מִלִּשְׁכּוֹן עִמָּהֶם. וְרַבּוֹתֵינוּ לָמְדוּ מִכָּאן שֵׁם רְשָׁעִים יִרְקָב (משלי י:ז; יומא לח:; לקח טוב): **רָעִים.** בְּגוּפָם: **וְחַטָּאִים.** ג בְּמָמוֹנָם: **לַה' מְאֹד.** יוֹדְעִים רִבּוֹנָם וּמִתְכַּוְּנִים לִמְרוֹד בּוֹ (סנהדרין קט.; תורת כהנים בחקתי ב:א): **[פסוק יד] אַחֲרֵי הִפָּרֶד לוֹט.** כָּל זְמַן שֶׁהָרָשָׁע עִמּוֹ הָיָה הַדִּבּוּר פּוֹרֵשׁ מִמֶּנּוּ (תנחומא ויצא י) [לְפִי שֶׁאָמַר לוֹ הקב"ה לֵךְ לְךָ וְלֹא עִם לוֹט (ב"ר מא:ח)]:

בעל הטורים

(יא־יב) ויפרדו איש מעל אחיו. אברם. סופי תבות שלום. לומר לך, כדי לעשות שלום נתפרדו. וגם רמז לו שיהיה שלום לבניו, וזהו שנאמר "אל תצר את מואב: **(יב) אברם.** ב' ריש פסוק — הכא; ואידך "אברם הוא אברהם". וזהו שדרשו רבותינו ז"ל, כל מי שנאמר בו "הוא", הוא בצדקו מתחלה ועד סוף, וזהו "אברם הוא אברהם" בצדקו מתחלה ועד סוף, ועל כן "אברם ישב", ליפרד מלוט הרשע: **(יג) ואנשי סדם.** ג' "ואנשי" ריש פסוק — הכא; ואידך "ואנשי קודש תהיון לי"; ואידך "ואנשי תמיד יבדילו עברים בארץ", פירוש, "ואנשי קודש... ובשר בשדה טרפה", זה אבר מן החי. זה הוא "ואנשי תמיד יבדילו", שהיו מוזהרים להיות קדושים שלא להטמא, וכן מקברים אברי ההרוגים. "ואנשי סדום רעים וחטאים". מה היתה רעתם? מעכבים העוברים בארץ שלא יכנסו להם אורחים. וזהו "ואנשי תמיד יבדילו עוברים בארץ", הם הסדומיים, המבדילין ומעכבין העוברים בארץ: **וחטאים.** ד' במסורת — הכא "רעים וחטאים"; ואידך "ושבר פושעים וחטאים יחדו ועזבי ה' יכלו"; "וחטאים אליך ישובו"; "וחטאים בעדת צדיקים". פירוש, "רעים וחטאים", על כן "פושעים וחטאים יחדו ייכלו". אבל אם יעשו תשובה, כדכתיב "וחטאים אליך ישובו", יהיו בעדת צדיקים, כדכתיב "וחטאים בעדת צדיקים":

עיקר שפתי חכמים

ב דק"ל הלא בית אל במזרח הוא, כמ"ש לעיל הלוך ונסוע הנגבה, הל"ל ויסע לוט מצפון. לז"א ממזרחו של אברהם כו': **ג** פי' כאן היפך מתרגום אונקלוס שתרגם בישין בממונהון וחייבין בגויתהון:

צָפֹ֥נָה וָנֶ֖גְבָּה וָקֵ֥דְמָה וָיָֽמָּה׃
טו כִּ֧י אֶת־כָּל־הָאָ֛רֶץ אֲשֶׁר־
אַתָּ֥ה רֹאֶ֖ה לְךָ֣ אֶתְּנֶ֑נָּה וּֽלְזַרְעֲךָ֖
עַד־עוֹלָֽם׃ טז וְשַׂמְתִּ֥י אֶֽת־זַרְעֲךָ֖
כַּעֲפַ֣ר הָאָ֑רֶץ אֲשֶׁ֣ר ׀ אִם־יוּכַ֣ל
אִ֗ישׁ לִמְנוֹת֙ אֶת־עֲפַ֣ר הָאָ֔רֶץ
גַּ֥ם זַרְעֲךָ֖ יִמָּנֶֽה׃ יז ק֚וּם הִתְהַלֵּ֣ךְ
בָּאָ֔רֶץ לְאָרְכָּ֖הּ וּלְרָחְבָּ֑הּ כִּ֥י
לְךָ֖ אֶתְּנֶֽנָּה׃ יח וַיֶּאֱהַ֣ל אַבְרָ֗ם וַיָּבֹ֛א וַיֵּ֛שֶׁב
בְּאֵלֹנֵ֥י מַמְרֵ֖א אֲשֶׁ֣ר בְּחֶבְר֑וֹן וַיִּֽבֶן־שָׁ֥ם מִזְבֵּ֖חַ
לַֽיהוָֽה׃ פ

לְצִפּוּנָא וּלְדָרוֹמָא
וּלְמָדִינְחָא וּלְמַעַרְבָא:
טו אֲרֵי יָת כָּל אַרְעָא דִּי
אַתְּ חָזֵי לָךְ אֶתְּנִנַּהּ וְלִבְנָיךְ
עַד עָלְם: טז וַאֲשַׁוֵּי יָת בְּנָךְ
סַגִּיאִין כְּעַפְרָא דְאַרְעָא
כְּמָא דִּי לָא אֶפְשַׁר לִגְבַר
לְמִמְנֵי יָת עַפְרָא דְאַרְעָא
אַף בְּנָיךְ לָא יִתְמְנוּן:
יז קוּם הַלֵּיךְ בְּאַרְעָא
לְאָרְכַּהּ וְלִפְתָיַהּ אֲרֵי לָךְ
אֶתְּנִנַּהּ: יח וּפְרַס אַבְרָם
וַאֲתָא וִיתֵב בְּמֵישְׁרֵי
מַמְרֵא דִּי בְחֶבְרוֹן וּבְנָא
תַמָּן מַדְבְּחָא קֳדָם יְיָ:

רש"י

[פסוק טז] **[וְשַׂמְתִּי אֶת זַרְעֲךָ כַּעֲפַר הָאָרֶץ.]** שֶׁיִּהְיוּ מְפוּזָּרִין בְּכָל הָעוֹלָם כֶּעָפָר הַמְפוּזָּר (שם טו). וְעוֹד שֶׁאָדָם אֵין עָפָר אֵין בָּעוֹלָם אִילָנוֹת וּתְבוּאָה, כַּךְ אִם אֵין יִשְׂרָאֵל אֵין הָעוֹלָם מִתְקַיֵּים, שֶׁנֶּאֱמַר וְהִתְבָּרְכוּ בְזַרְעֲךָ (להלן כו:ד; ב"ר שם). אֲבָל לִימוֹת הַמָּשִׁיחַ מְשׁוּלִין כְּחוֹל שֶׁמַּקְהֶה שִׁינֵּי הַכֹּל כֵּן יִפְּלוּ וְיִקְהוּ כָּל הָעוֹלָם, שֶׁנֶּאֱמַר וְלוֹ יִקְהַת עַמִּים (להלן מט:י; ב"ר לט:ח; במ"ר ב:יג): **אֲשֶׁר אִם יוּכַל אִישׁ.** כְּשֵׁם שֶׁאִי אֶפְשָׁר לֶעָפָר לְהִמָּנוֹת כַּךְ זַרְעֲךָ לֹא יִמָּנֶה: [פסוק יח] **מַמְרֵא.** שֵׁם [ד] אָדָם (ב"ר מב:ח): **[בְּאֵלֹנֵי מַמְרֵא.** שֶׁמָּרַד בע"ז: **אֲשֶׁר בְּחֶבְרוֹן.** שֶׁחִבֵּר אֶת עַצְמוֹ להקב"ה:]

בעל הטורים

(יד) צפנה ונגבה וקדמה וימה. וליעקב אמר "ימה וקדמה וצפונה ונגבה". לאברהם התחיל להראות לו זכות הקרבנות שנשחטים בצפון, וליעקב הראה שבזכותו יעברו הים, והיינו דכתיב "וירא ישראל את היד הגדולה", ישראל סבא: **(יח) ויבן שם מזבח.** וסמיך לה "ויהי בימי אמרפל מלך שנער וגו' עשו מלחמה". [רמז לו] שצריכים בניו להביא קרבן קודם שיצאו למלחמה. והיינו דכתיב "יזכור כל מנחותיך ועולתך ידשנה סלה, יתן לך כלבבך וכל עצתך ימלא, נרננה בישועתיך", [ואחר כך] "ובשם אלהינו נדגול":

עיקר שפתי חכמים

ד כלומר ולא שם מקום:

רביעי פרק יד

א וַיְהִי בִּימֵי אַמְרָפֶל מֶלֶךְ־שִׁנְעָר אַרְיוֹךְ מֶלֶךְ אֶלָּסָר כְּדָרְלָעֹמֶר מֶלֶךְ עֵילָם וְתִדְעָל מֶלֶךְ גּוֹיִם: ב עָשׂוּ מִלְחָמָה אֶת־בֶּרַע מֶלֶךְ סְדֹם וְאֶת־בִּרְשַׁע מֶלֶךְ עֲמֹרָה שִׁנְאָב | מֶלֶךְ אַדְמָה וְשֶׁמְאֵבֶר מֶלֶךְ צְבוֹיִם [צביים כ׳] וּמֶלֶךְ בֶּלַע הִיא־צֹעַר: ג כָּל־אֵלֶּה חָבְרוּ אֶל־עֵמֶק הַשִּׂדִּים הוּא יָם הַמֶּלַח: ד שְׁתֵּים עֶשְׂרֵה שָׁנָה עָבְדוּ אֶת־כְּדָרְלָעֹמֶר וּשְׁלֹשׁ־עֶשְׂרֵה שָׁנָה מָרָדוּ:

א וַהֲוָה בְּיוֹמֵי אַמְרָפֶל מַלְכָּא דְבָבֶל אַרְיוֹךְ מַלְכָּא דְאֶלָּסָר כְּדָרְלָעֹמֶר מַלְכָּא דְעֵילָם וְתִדְעָל מַלְכָּא דְעַמְמֵי: ב סְדָרוּ (נ״א עֲבַדוּ) קְרָבָא עִם בֶּרַע מַלְכָּא דִסְדֹם וְעִם בִּרְשַׁע מַלְכָּא דַעֲמֹרָה שִׁנְאָב מַלְכָּא דְאַדְמָה וְשֶׁמְאֵבֶר מַלְכָּא דִצְבוֹיִם וּמַלְכָּא דְבֶלַע הִיא צֹעַר: ג כָּל אִלֵּין אִתְכַּנָּשׁוּ לְמֵישַׁר חַקְלַיָּא הוּא אֲתַר יַמָּא דְמִלְחָא: ד תַּרְתֵּי עֲשַׂר שְׁנִין פְּלַחוּ יָת כְּדָרְלָעֹמֶר וּתְלָת עֶשְׂרֵי שְׁנִין מְרָדוּ:

רש״י

[פסוק א] אַמְרָפֶל. הוּא נִמְרוֹד שֶׁאָמַר לְאַבְרָהָם פּוֹל לְתוֹךְ כִּבְשַׁן הָאֵשׁ (עירובין נג.; תנחומא ו): **מֶלֶךְ גּוֹיִם.** מָקוֹם יֵשׁ שֶׁשְּׁמוֹ גּוֹיִם, עַל שֵׁם שֶׁנִּתְקַבְּצוּ שָׁמָּה מִכַּמָּה גּוֹיִם וּמְקוֹמוֹת וְהִמְלִיכוּ אִישׁ עֲלֵיהֶם וּשְׁמוֹ תִּדְעָל (ב״ר מב:ד): **[פסוק ב] בֶּרַע.** רַע לַשָּׁמַיִם וְרַע לַבְּרִיּוֹת: **בִּרְשַׁע.** שֶׁנִּתְעַלָּה בְּרִשְׁעוֹ: **שִׁנְאָב.** שׂוֹנֵא אָבִיו שֶׁבַּשָּׁמַיִם: **שֶׁמְאֵבֶר.** שָׂם אֵבֶר ה לָטוּף וְלִקְפּוֹץ וְלִמְרוֹד בְּהקב״ה (תנחומא ח): **בֶּלַע.** שֵׁם ו הָעִיר (ב״ר שם ה): **[פסוק ג] עֵמֶק הַשִּׂדִּים.** כָּךְ שְׁמוֹ, ז עַל שֵׁם שֶׁהָיוּ בּוֹ שָׂדוֹת הַרְבֵּה (אונקלוס): **הוּא יָם הַמֶּלַח.** לְאַחַר זְמַן ח נִמְשַׁךְ הַיָּם לְתוֹכוֹ וְנַעֲשָׂה יָם הַמֶּלַח. וּמִדְרַשׁ אַגָּדָה אוֹמֵר שֶׁנִּתְבַּקְּעוּ הַצּוּרִים סְבִיבוֹתָיו וְנִמְשְׁכוּ יְאוֹרִים לְתוֹכוֹ (ב״ר שם): **[פסוק ד] שְׁתֵּים עֶשְׂרֵה שָׁנָה עָבְדוּ.** חֲמִשָּׁה מְלָכִים הַלָּלוּ אֶת כְּדָרְלָעוֹמֶר:

בעל הטורים

(א) ויהי בימי. ה׳ דסמיכי — הכא ״ויהי בימי אמרפל״; ואידך ״ויהי בימי שפוט השפטים״; ״ויהי בימי אחז״; ״ויהי בימי יהויקים״; ״ויהי בימי אחשורוש״. כדאיתא במדרש שכולן היה בימיהן וי:

ראה המפה ״מִלְחֶמֶת ד׳ וה׳ מְלָכִים״ (עמוד 526).

עיקר שפתי חכמים

ה ר״ל כנפים לטופף: **ו** מדכתיב היא צוער מזה מוכח כי הוא שם העיר: **ז** פי׳ כי שם העולם שלו היה עמק השדים, ונקרא כן בשביל השדות שהי׳ לו: **ח** כי לא יתכן שיהיה עמק וים בזמן אחד:

ה וּבְאַרְבַּ֨ע עֶשְׂרֵ֜ה שָׁנָ֗ה בָּ֤א כְדָרְלָעֹ֙מֶר֙ וְהַמְּלָכִים֙ אֲשֶׁ֣ר אִתּ֔וֹ וַיַּכּ֤וּ אֶת־רְפָאִים֙ בְּעַשְׁתְּרֹ֣ת קַרְנַ֔יִם וְאֶת־הַזּוּזִ֖ים בְּהָ֑ם וְאֵת֙ הָֽאֵימִ֔ים בְּשָׁוֵ֖ה קִרְיָתָֽיִם׃ ו וְאֶת־הַחֹרִ֖י בְּהַרְרָ֣ם שֵׂעִ֑יר עַ֚ד אֵ֣יל פָּארָ֔ן אֲשֶׁ֖ר עַל־הַמִּדְבָּֽר׃ ז וַיָּשֻׁ֜בוּ וַיָּבֹ֜אוּ אֶל־עֵ֤ין מִשְׁפָּט֙ הִ֣וא קָדֵ֔שׁ וַיַּכּ֕וּ אֶֽת־כָּל־שְׂדֵ֖ה הָֽעֲמָלֵקִ֑י וְגַם֙ אֶת־הָ֣אֱמֹרִ֔י הַיֹּשֵׁ֖ב בְּחַֽצְצֹ֥ן תָּמָֽר׃

ה וּבְאַרְבַּע עַשְׂרֵי שְׁנִין אֲתָא כְדָרְלָעֹמֶר וּמַלְכַיָּא דִּי עִמֵּהּ וּמְחוֹ יָת גִּבָּרַיָּא דִּי בְעַשְׁתְּרוֹת קַרְנַיִם וְיָת תַּקִּיפַיָּא דִּבְהֵמְתָּא וְיָת אֵימְתָנֵי דִּבְשָׁוֵה קִרְיָתַיִם: ו וְיָת חוֹרָאֵי דִּי בְטוּרְהוֹן דְּשֵׂעִיר עַד מֵישַׁר פָּארָן דִּי סְמִיךְ עַל מַדְבְּרָא: ז וְתָבוּ וַאֲתוֹ לְמֵישַׁר פְּלוּג דִּינָא הִיא רְקָם וּמְחוֹ יָת כָּל חֲקַל עֲמַלְקָאָה וְאַף יָת אֱמוֹרָאָה דְּיָתֵיב בְּעֵין גֶּדִי:

רש"י

[פסוק ה] **ובארבע עשרה שנה.** ט מרדו (שם): **בא כדרלעמר.** לפי שהוא היה בעל המעשה נכנס בעובי הקורה (שם): **והמלכים וגו'.** אלו שלשה מלכים: **זוזים.** י הם זמזמים (דברים ב:כ): [פסוק ו] **בהררם.** בהר שלהם (אונקלוס): **איל פארן.** כתרגומו מישר. ואומר אני שאין איל לשון מישור כ אלא מישור של פארן איל שמו, ושל ממרא אלוני ממרא שמו, ושל ירדן ככר שמו, ושל שטים אבל שמו אבל השטים (במדבר לג:מט), וכן בעל גד (יהושע יא:יז) בעל שמו, וכולן מתורגמין מישר, וכל אחד שמו עליו: **על המדבר.** אצל המדבר, כמו ועליו מטה מנשה (במדבר ב:כ): [פסוק ז] **עין משפט הוא קדש.** ע"ש העתיד, שעתידין משה ואהרן להשפט שם על עסקי אותו העין, והם מי מריבה (תנחומא ח). ואונקלוס תרגמו כפשוטו, מקום שהיו בני המדינה מתקבצים שם לכל משפט: **שדה העמלקי.** עדיין לא נולד עמלק, ונקרא על שם העתיד (ב"ר מב:ז; תנחומא ח): **בחצצן תמר.** הוא עין גדי, מקרא מלא בדברי הימים (ב כ:ב) ביהושפט:

בעל הטורים

(ה) ובארבע עשרה. ב' ריש פסוק — "ובארבע עשרה שנה בא כדרלעמר"; "ובארבע עשרה שנה למלך חזקיהו עלה סנחריב". לומר לך, כשם שבאו האומות על חזקיהו ונפלו בידו, כך באו על אברם ונפלו בידו:

עיקר שפתי חכמים

ט כי א"א לפרש שי"ב שנה עבדו, ובשנת הי"ג מרדו, ובשנת הי"ד לעבדן בא כדרלעומר, דא"כ הל"ל ובשלש עשרה שנה, כדכתיב ובארבע עשרה כו'. ע"כ פירש די"ב שנה מרדו אחרי הי"ב שנה שעבדו, ובי"ג שנה למרדן בא כו': י דייק מדכתיב הכא רפאים ואימים והזוזים, ובפ' דברים כתיב רפאים ואימים וזמזומים, ודאי זוזים דהכא היינו זמזומים: כ כי גם על אלוני ממרא א"א מישור ואיך יוכל לפרש איל ג"כ בל' מישור:

ח וַיֵּצֵא מֶלֶךְ־סְדֹם וּמֶלֶךְ עֲמֹרָה
וּמֶלֶךְ אַדְמָה וּמֶלֶךְ צְבֹיִם
[צביים כ׳] וּמֶלֶךְ בֶּלַע הִוא־צֹעַר
וַיַּעַרְכוּ אִתָּם מִלְחָמָה בְּעֵמֶק
הַשִּׂדִּים׃ ט אֵת כְּדָרְלָעֹמֶר מֶלֶךְ
עֵילָם וְתִדְעָל מֶלֶךְ גּוֹיִם וְאַמְרָפֶל
מֶלֶךְ שִׁנְעָר וְאַרְיוֹךְ מֶלֶךְ אֶלָּסָר
אַרְבָּעָה מְלָכִים אֶת־הַחֲמִשָּׁה׃
י וְעֵמֶק הַשִּׂדִּים בֶּאֱרֹת בֶּאֱרֹת
חֵמָר וַיָּנֻסוּ מֶלֶךְ־סְדֹם וַעֲמֹרָה וַיִּפְּלוּ־שָׁמָּה
וְהַנִּשְׁאָרִים הֶרָה נָּסוּ׃ יא וַיִּקְחוּ אֶת־כָּל־רְכֻשׁ

ח וּנְפַק מַלְכָּא דִסְדוֹם
וּמַלְכָּא דַעֲמוֹרָה וּמַלְכָּא
דְאַדְמָה וּמַלְכָּא דִצְבוֹיִם
וּמַלְכָּא דְבֶלַע הִיא צוֹעַר
וְסַדָּרוּ עִמְּהוֹן קְרָבָא
בְּמֵישַׁר חַקְלַיָּא׃ ט עִם
כְּדָרְלָעֹמֶר מַלְכָּא דְעֵילָם
וְתִדְעָל מַלְכָּא דְעַמְמִין
וְאַמְרָפֶל מַלְכָּא דְבָבֶל
וְאַרְיוֹךְ מַלְכָּא דְאֶלָּסָר
אַרְבְּעָה מַלְכִין לָקֳבֵיל
חַמְשָׁא׃ י וּמֵישַׁר חַקְלַיָּא
בֵּירִין בֵּירִין מַסְּקָן חֵימָרָא
וַעֲרָקוּ מַלְכָּא דִסְדוֹם
וַעֲמוֹרָה וּנְפַלוּ תַמָּן
וּדְאִשְׁתְּאָרוּ לְטוּרָא עֲרָקוּ׃
יא וּשְׁבוֹ יָת כָּל קִנְיָנָא

רש״י

[פסוק ט] **אַרְבָּעָה מְלָכִים וגו׳.** ואעפ"כ נִצְּחוּ הַמּוּעָטִים, לְהוֹדִיעֲךָ שֶׁגִּבּוֹרִים הָיוּ, ואעפ"כ לֹא נִמְנַע אַבְרָהָם מִלִּרְדּוֹף אַחֲרֵיהֶם: [פסוק י] **בֶּאֱרֹת בֶּאֱרֹת חֵמָר.** בְּאֵרוֹת הַרְבֵּה הָיוּ שָׁם שֶׁנּוֹטְלִים מִשָּׁם אֲדָמָה לְטִיט שֶׁל בִּנְיָן ל (אונקלוס). ומ"א שֶׁהָיָה הַטִּיט [מוּגְבָּל] בָּהֶם, וְנַעֲשָׂה נֵס לְמֶלֶךְ סְדוֹם שֶׁיָּצָא מִשָּׁם. לְפִי שֶׁהָיוּ בָּאֻמּוֹת מִקְצָתָן שֶׁלֹּא הָיוּ מַאֲמִינִים שֶׁנִּיצּוֹל אַבְרָהָם מֵאוּר כַּשְׂדִּים מִכִּבְשַׁן הָאֵשׁ, וְכֵיוָן שֶׁיָּצָא זֶה מִן הַחֵמָר הֶאֱמִינוּ בְאַבְרָהָם לְמַפְרֵעַ (ב"ר מב): **הֶרָה נָּסוּ.** לָהָר נָסוּ. הֶרָה כְּמוֹ לָהָר. כָּל תֵּיבָה שֶׁצְּרִיכָה לָמֶ"ד בִּתְחִלָּתָהּ הֵטִיל לָהּ הֵ"א בְּסוֹפָהּ. וְיֵשׁ חִילּוּק בֵּין הֶרָה לְהָהָרָה, שֶׁהֵ"א שֶׁבְּסוֹף הַתֵּיבָה עוֹמֶדֶת בִּמְקוֹם לָמֶ"ד שֶׁבְּרֹאשָׁהּ, אֲבָל אֵינָהּ עוֹמֶדֶת בִּמְקוֹם לָמֶ"ד וּנְקוּדָה [ס"א לִנְקוּד] פַּתָּח תַּחְתֶּיהָ, וַהֲרֵי הֶרָה כְּמוֹ לְהַר אוֹ כְּמוֹ אֶל הַר, וְאֵינוֹ מְפָרֵשׁ לְאֵיזֶה הַר אֶלָּא שֶׁבְּכָל א׳ נָס כַּאֲשֶׁר מָצָא הַר תְּחִלָּה. וּכְשֶׁהוּא נוֹתֵן הֵ"א בְּרֹאשָׁהּ לִכְתּוֹב הָהָרָה אוֹ הַמִּדְבָּרָה פִּתְרוֹנוֹ כְּמוֹ אֶל הָהָר אוֹ כְּמוֹ לָהָהָר, וּמַשְׁמַע לְאוֹתוֹ הַר הַיָּדוּעַ וּמְפוֹרָשׁ בַּפָּרָשָׁה:

עיקר שפתי חכמים

ל דלא יתכן לפרש שהי׳ בורות של טיט כפשוטו, דא"כ הל"ל ויטבעו שמה כמ"ש ויטבע ירמיהו בטיט, ולמה אמר הכתוב ויפלו שמה. ולכן פי׳ כי החמר היה קשה כאדמה ולא שייך ויטבעו רק ויפלו:

סְדֹ֛ם וַעֲמֹרָ֖ה וְאֶת־כָּל־אָכְלָ֑ם
וַיֵּלֵֽכוּ׃ יב וַיִּקְח֨וּ אֶת־ל֧וֹט וְאֶת־
רְכֻשׁ֛וֹ בֶּן־אֲחִ֥י אַבְרָ֖ם וַיֵּלֵ֑כוּ וְה֥וּא
יֹשֵׁ֖ב בִּסְדֹֽם׃ יג וַיָּבֹא֙ הַפָּלִ֔יט וַיַּגֵּ֖ד
לְאַבְרָ֣ם הָעִבְרִ֑י וְהוּא֩ שֹׁכֵ֨ן בְּאֵלֹנֵ֜י
מַמְרֵ֣א הָאֱמֹרִ֗י אֲחִ֤י אֶשְׁכֹּל֙ וַאֲחִ֣י
עָנֵ֔ר וְהֵ֖ם בַּעֲלֵ֥י בְרִית־אַבְרָֽם׃
יד וַיִּשְׁמַ֣ע אַבְרָ֔ם כִּ֥י נִשְׁבָּ֖ה אָחִ֑יו וַיָּ֨רֶק אֶת־
חֲנִיכָ֜יו יְלִידֵ֣י בֵית֗וֹ שְׁמֹנָ֤ה עָשָׂר֙ וּשְׁלֹ֣שׁ מֵא֔וֹת

דִסְדוֹם וַעֲמוֹרָה וְיָת כָּל מֵיכָלְהוֹן וַאֲזָלוּ: יב וּשְׁבוֹ יָת לוֹט וְיָת קִנְיָנֵהּ בַּר אֲחוּהִי דְאַבְרָם וַאֲזָלוּ וְהוּא יָתֵב בִּסְדוֹם: יג וַאֲתָא מְשֵׁיזְבָא וְחַוִּי לְאַבְרָם עִבְרָאָה וְהוּא שָׁרֵי בְּמֵישְׁרֵי מַמְרֵא אֱמוֹרָאָה אֲחוּהִי דְאֶשְׁכּוֹל וַאֲחוּהִי דְעָנֵר וְאִנּוּן אֱנָשֵׁי קְיָמֵהּ דְאַבְרָם: יד וּשְׁמַע אַבְרָם אֲרֵי אִשְׁתְּבִי אֲחוּהִי וְזָרֵיז יָת עוּלֵימוֹהִי יְלִידֵי בֵיתֵהּ תְּלָת מְאָה וְתַמְנֵי עֲסַר

רש"י

[פסוק יב] **והוא יושב בסדם.** מי גרם לו זאת, ישיבתו בסדום (שם): [פסוק יג] **ויבא הפליט.** לפי פשוטו זה עוג שפלט מן המלחמה, והוא שכתוב כי רק עוג נשאר מיתר הרפאים (דברים ג:יא) וזהו נשאר, שלא הרגוהו אמרפל וחביריו כשהכו את הרפאים בעשתרות קרנים. תנחומא (חקת כה). ומדרש ב"ר, זה עוג שפלט מדור המבול, וזהו מיתר הרפאים, שנאמר הנפילים היו בארץ וגו' (לעיל ו:ד). ומתכוין שיהרג אברם וישא את שרה (ב"ר שם ח): **העברי.** שבא מעבר הנהר (שם): **בעלי ברית אברם.** שכרתו עמו ברית [ד"א, שהשיאו לו עצה על המילה (שם) כמו שמפורש במקום אחר (ברש"י תחלת וירא)]: [פסוק יד] **וירק.** כתרגומו וזריז. וכן והריקותי אחריכם חרב (ויקרא כו:לג) אזדיין בחרבי עליכם. וכן הרק חרבי (שמות טו:ט). וכן והרק חנית וסגור (תהלים לה:ג): **חניכיו.** [חניכו כתיב [ס"א קרי] זה אליעזר שחנכו למצות], [ס"א שחינך אותו למצות] והוא לשון התחלת כניסת האדם או כלי לאומנות שהוא עתיד לעמוד בה. וכן חנוך לנער (משלי כב:ו) חנכת המזבח (במדבר ז:יא) חנכת הבית (תהלים ל:א). ובלע"ז קורין לו אינצייני"ר: **שמנה עשר וגו'.** רבותינו אמרו אליעזר לבדו היה [מ] והוא

בעל הטורים

(יג) **ויבא הפליט.** בפרקי דרבי אליעזר – בשעה שהפיל הקדוש ברוך הוא לסמאל ממקומו, אחז בכנפות מיכאל להפילו עמו, ופלטו הקדוש ברוך הוא מידו. וכן ביחזקאל "בא אלי הפליט מירושלם לאמר הכתה העיר":

עיקר שפתי חכמים

מ בודאי אין מקרא יוצא מידי פשוטו שהלכו עמו שלש מאות ושמנה עשר איש, אך אליעזר לבדו נלחם. [ואולי ראייתו מדכתיב וירדוף ל' יחיד] ומה שלקחן עמו היה רק להפחידם. ולקח עמו כמספר הזה גימ' של שמו לרמז שהכל היו בשביל אליעזר:

ראה הטבלא "עֲשָׂרָה נִסְיוֹנוֹת שֶׁבָּהֶם נִתְנַסָּה אַבְרָהָם אָבִינוּ" (עמוד 525).

וַיִּרְדֹּף עַד־דָּן: טו וַיֵּחָלֵק עֲלֵיהֶם |
לַיְלָה הוּא וַעֲבָדָיו וַיַּכֵּם וַיִּרְדְּפֵם
עַד־חוֹבָה אֲשֶׁר מִשְּׂמֹאל
לְדַמָּשֶׂק: טז וַיָּשֶׁב אֵת כָּל־הָרְכֻשׁ
וְגַם אֶת־לוֹט אָחִיו וּרְכֻשׁוֹ הֵשִׁיב
וְגַם אֶת־הַנָּשִׁים וְאֶת־הָעָם:
יז וַיֵּצֵא מֶלֶךְ־סְדֹם לִקְרָאתוֹ
אַחֲרֵי שׁוּבוֹ מֵהַכּוֹת אֶת־
כְּדָרְלָעֹמֶר וְאֶת־הַמְּלָכִים אֲשֶׁר אִתּוֹ אֶל־עֵמֶק
שָׁוֵה הוּא עֵמֶק הַמֶּלֶךְ: יח וּמַלְכִּי־צֶדֶק מֶלֶךְ שָׁלֵם

אונקלוס

וּרְדַף עַד דָּן: טו וְאִתְפְּלַג
עֲלֵיהוֹן לֵילְיָא הוּא
וְעַבְדוֹהִי וּמְחָנוּן וּרְדַפִנּוּן
עַד חוֹבָה דִּי מִצְפּוּנָא
לְדַמָּשֶׂק: טז וַאֲתִיב יָת כָּל
קִנְיָנָא וְאַף יָת לוֹט בַּר
אֲחוּהִי וְקִנְיָנֵהּ אֲתִיב וְאַף
יָת נְשַׁיָּא וְיָת עַמָּא: יז וּנְפַק
מַלְכָּא דִסְדוֹם לְקַדָּמוּתֵהּ
בָּתַר דְּתָב מִלְּמִמְחֵי
יָת כְּדָרְלָעֹמֶר וְיָת
מַלְכַיָּא דִּי עִמֵּהּ לְמֵישַׁר
מַפְנָא הוּא אֲתַר בֵּית
רֵיסָא דְמַלְכָּא: יח וּמַלְכִּי
צֶדֶק מַלְכָּא דִירוּשְׁלֵם

רש"י

מִנְיַן גִּימַטְרִיָּא שֶׁל שְׁמוֹ (ב"ר מג:ב; נדרים לב.): **עַד דָּן.** שָׁם תָּשַׁשׁ כֹּחוֹ, שֶׁרָאָה שֶׁעֲתִידִין בָּנָיו לְהַעֲמִיד שָׁם עֵגֶל (סנהדרין צו.): **[פסוק טו] וַיֵּחָלֵק עֲלֵיהֶם.** לְפִי פְּשׁוּטוֹ סָרֵס הַמִּקְרָא, וַיֵּחָלֵק הוּא וַעֲבָדָיו עֲלֵיהֶם לַיְלָה, כְּדֶרֶךְ הָרוֹדְפִים שֶׁמִּתְפַּלְּגִים אַחַר הַנִּרְדָּפִים כְּשֶׁבּוֹרְחִים זֶה לְכָאן וְזֶה לְכָאן: **לַיְלָה.** כְּלוֹמַר אַחַר שֶׁחָשְׁכָה לֹא נִמְנַע מִלְּרָדְפָם. וּמִ"א, שֶׁנֶּחְלַק הַלַּיְלָה, וּבְחֶצְיוֹ הָרִאשׁוֹן נַעֲשָׂה לוֹ נֵס, וְחֶצְיוֹ הַשֵּׁנִי נִשְׁמַר וּבָא לוֹ לַחֲצוֹת לַיְלָה שֶׁל מִצְרַיִם (ב"ר שם): **עַד חוֹבָה.** אֵין מָקוֹם שֶׁשְּׁמוֹ חוֹבָה, וְדָן קוֹרֵא חוֹבָה ט"ש עֲבוֹדַת כּוֹכָבִים שֶׁעֲתִידָה לִהְיוֹת שָׁם (תנחומא יג): **[פסוק יז] עֵמֶק שָׁוֵה.** כַּךְ שְׁמוֹ כְּתַרְגּוּמוֹ, לְמֵישַׁר מַפְנָא, פָּנוּי מֵאִילָנוֹת וּמִכָּל מִכְשׁוֹל: **עֵמֶק הַמֶּלֶךְ.** בֵּית רֵיסָא דְמַלְכָּא (אונקלוס). בֵּית רִיס א' שֶׁהוּא שְׁלֹשִׁים קָנִים, שֶׁהָיָה מְיֻחָד לַמֶּלֶךְ לְצַחֵק שָׁם. וּמִ"א, עֵמֶק שֶׁהוּשְׁווּ שָׁם כָּל הָאֻמּוֹת וְהִמְלִיכוּ אֶת אַבְרָם עֲלֵיהֶם לְנָשִׂיא אֱלֹהִים וּלְקָצִין (ב"ר שם): **[פסוק יח] וּמַלְכִּי צֶדֶק.** מִ"א, הוּא שֵׁם בֶּן נֹחַ (נדרים לב:; תרגום יונתן):

בעל הטורים

(טו) **לדמשק.** ב' בְּמָּסֹרֶת – הָכָא "אֲשֶׁר מִשְּׂמֹאל לְדַמָּשֶׂק"; "וְהִגְלֵיתִי אֶתְכֶם מֵהָלְאָה לְדַמָּשֶׂק". בִּשְׁבִיל חֵטְא שֶׁעָשׂוּ בְּדַמֶּשֶׂק גָּלוּ. זֶה "חוֹבָה אֲשֶׁר מִשְּׂמֹאל לְדַמָּשֶׂק": (יח) **מֶלֶךְ שָׁלֵם.** רָאשֵׁי תֵבוֹת [בְּהֶפֶךְ] שֵׁם. לוֹמַר לְךָ, שֶׁזֶּהוּ שֵׁם בֶּן נֹחַ:

עיקר שפתי חכמים

נ דְּהָא כְּתִיב בְּסָמוּךְ וַיִּרְדְּפֵם עַד חוֹבָה. לָזֶה דָּרַשׁ שֶׁשָּׁם תָּשַׁשׁ כֹּחוֹ כו': **ס** וּלְפֵירוּשׁ זֶה נָחֶלָק הַכָּתוּב. דְּהוּא וַעֲבָדָיו נִמְשָׁךְ לְמַטָּה עַל וַיַּכֵּם וַיִּרְדְּפֵם כו':

הוֹצִ֖יא לֶ֣חֶם וָיָ֑יִן וְה֥וּא כֹהֵ֖ן לְאֵ֥ל
עֶלְיֽוֹן׃ יט וַֽיְבָרְכֵ֖הוּ וַיֹּאמַ֑ר בָּר֤וּךְ
אַבְרָם֙ לְאֵ֣ל עֶלְי֔וֹן קֹנֵ֖ה שָׁמַ֥יִם
וָאָֽרֶץ׃ כ וּבָרוּךְ֙ אֵ֣ל עֶלְי֔וֹן אֲשֶׁר־
מִגֵּ֥ן צָרֶ֖יךָ בְּיָדֶ֑ךָ וַיִּתֶּן־ל֥וֹ מַעֲשֵׂ֖ר
מִכֹּֽל׃ חמישי כא וַיֹּ֥אמֶר מֶֽלֶךְ־סְדֹ֖ם
אֶל־אַבְרָ֑ם תֶּן־לִ֣י הַנֶּ֔פֶשׁ וְהָרְכֻ֖שׁ
קַֽח־לָֽךְ׃ כב וַיֹּ֥אמֶר אַבְרָ֖ם אֶל־
מֶ֣לֶךְ סְדֹ֑ם הֲרִמֹ֨תִי יָדִ֤י אֶל־יְהוָה֙ אֵ֣ל עֶלְי֔וֹן קֹנֵ֖ה
שָׁמַ֥יִם וָאָֽרֶץ׃ כג אִם־מִחוּט֙ וְעַ֣ד שְׂרוֹךְ־נַ֔עַל

אַפֵּיק לְחֵים וַחֲמַר וְהוּא
מְשַׁמֵּשׁ קֳדָם אֵל עִלָּאָה:
יט וּבָרְכֵהּ וַאֲמַר בְּרִיךְ
אַבְרָם לֶאֱל עִלָּאָה דְּקִנְיָנֵהּ
שְׁמַיָּא וְאַרְעָא: כ וּבְרִיךְ
אֵל עִלָּאָה דִּמְסַר סָנְאָיךְ
בִּידָךְ וִיהַב לֵהּ חַד מִן
עַסְרָא מִכֹּלָּא: כא וַאֲמַר
מַלְכָּא דִסְדוֹם לְאַבְרָם
הַב לִי נַפְשָׁתָא וְקִנְיָנָא
(סַב) דְּבַר לָךְ: כב וַאֲמַר
אַבְרָם לְמַלְכָּא דִסְדוֹם
אֲרֵימִית יְדַי בִּצְלוֹ קֳדָם יְיָ
(קֳדָם) אֵל עִלָּאָה דְּקִנְיָנֵהּ
שְׁמַיָּא וְאַרְעָא: כג אִם
מִחוּטָא וְעַד עַרְקַת מְסָנָא

רש"י

לחם ויין. כָּךְ עוֹשִׂים לִיגִיעֵי מִלְחָמָה, וְהֶרְאָה לוֹ שֶׁאֵין בְּלִבּוֹ עָלָיו עַל שֶׁהָרַג אֶת בָּנָיו ע (תנחומא טו). ומ"א, רָמַז לוֹ עַל הַמְּנָחוֹת וְעַל הַנְּסָכִים שֶׁיַּקְרִיבוּ שָׁם בָּנָיו (ב"ר שם): **[פסוק יט] קנה שמים וארץ.** כְּמוֹ עוֹשֵׂה שָׁמַיִם וָאָרֶץ, עַל יְדֵי עֲשִׂיָּיתוֹ קְנָאָן לִהְיוֹת שֶׁלּוֹ: **[פסוק כ] אשר מגן.** אֲשֶׁר הִסְגִּיר (אונקלוס). וְכֵן אֲמַגֶּנְךָ יִשְׂרָאֵל (הושע יא:ח): **ויתן לו.** אַבְרָם (ב"ר מג:ח; מד:ז; פס"ר כה (קכז:)): **מעשר מכל.** אֲשֶׁר לוֹ, לְפִי שֶׁהָיָה כֹּהֵן: **[פסוק כא] תן לי הנפש.** מִן הַשְּׁבִי שֶׁלִּי שֶׁהִצַּלְתָּ, הַחֲזֵר לִי הַגּוּפִים לְבַדָּם: **[פסוק כב] הרמתי ידי.** לְשׁוֹן שְׁבוּעָה, מֵרִים אֲנִי אֶת יָדִי לָאֵל עֶלְיוֹן (ב"ר מג:ט; תרגום יונתן). וְכֵן כִּי נִשְׁבַּעְתִּי (להלן כב:טז) נִשְׁבַּע אֲנִי. וְכֵן נָתַתִּי כֶּסֶף הַשָּׂדֶה קַח מִמֶּנִּי (שם כג:יג) נוֹתֵן אֲנִי לְךָ כֶּסֶף הַשָּׂדֶה וְקָחֵהוּ מִמֶּנִּי: **[פסוק כג] אם מחוט ועד שרוך נעל.** אֲעַכֵּב לְעַצְמִי מִן הַשְּׁבִי:

בעל הטורים

(יט) ברוך אברם לאל עליון. שבעה פסוקים בתורה, שכתוב בהם ברכה להקדוש ברוך הוא — "ברוך ה' אלהי שם"; "וברוך אל עליון"; "ויאמר ברוך ה' אלהי אדני אברהם"; "ואקד ואשתחוה לה' ואברך את ה'"; "ויאמר יתרו ברוך ה'"; "ואכלת ושבעת וברכת את ה'"; "ולגד אמר ברוך". ובהם מאה תבות, כנגד מאה ברכות שבכל יום. ושבעה פסוקים, כנגד שבע ברכות שבשבת ויום טוב. ובחמש מהם השם אצל "ברוך", כנגד חמשה חומשי תורה, שצריך לברך עליהם תחלה. ואם תצרף עמהם "וברוך אל עליון" יהיו שש, כנגד ששה סדרים: **(כב) הרמותי.** ב' במסורת — הכא; ואידך "כי הרימותי קולי ואקרא". וזה שאמרו חכמינו ז"ל, שאשת פוטיפרע נתכוונה לטובה, כמו שנתכוון אברהם לשם שמים:

עיקר שפתי חכמים

ע דכתיב מהכות את כדרלעומר וכדרלעומר היה מלך עילם ועילם הוא מבני שם:

וְאִם־אֶקַּח מִכָּל־אֲשֶׁר־לָךְ
וְלֹא תֹאמַר אֲנִי הֶעֱשַׁרְתִּי
אֶת־אַבְרָם׃ כד בִּלְעָדַי רַק
אֲשֶׁר אָכְלוּ הַנְּעָרִים וְחֵלֶק
הָאֲנָשִׁים אֲשֶׁר הָלְכוּ אִתִּי
עָנֵר אֶשְׁכֹּל וּמַמְרֵא הֵם יִקְחוּ
חֶלְקָם׃ ס פרק טו א אַחַר | הַדְּבָרִים הָאֵלֶּה הָיָה
דְבַר־יהוה אֶל־אַבְרָם בַּמַּחֲזֶה לֵאמֹר אַל־
תִּירָא אַבְרָם אָנֹכִי מָגֵן לָךְ שְׂכָרְךָ הַרְבֵּה מְאֹד׃

וְאִם אֶסַּב מִכֹּל דִּי לָךְ
וְלָא תֵימַר אֲנָא עַתָּרִית
יָת אַבְרָם׃ כד לְחוֹד (בַּר)
מִדַּאֲכַלוּ עוּלֵמַיָּא וְחֻלָק
גֻּבְרַיָּא דִּי אֲזַלוּ עִמִּי
עָנֵר אֶשְׁכֹּל וּמַמְרֵא אִנּוּן
יְקַבְּלוּן חֻלָקְהוֹן׃ א בָּתַר
פִּתְגָּמַיָּא הָאִלֵּין הֲוָה
פִּתְגָּמָא דַיְיָ עִם אַבְרָם
בִּנְבוּאָה לְמֵימַר לָא
תִדְחַל אַבְרָם מֵימְרִי תְּקוֹף
לָךְ אַגְרָךְ סַגִּי לַחֲדָא׃

רש"י

וְאִם אֶקַּח מִכָּל אֲשֶׁר לָךְ. וְא"ת לָתֵת לִי שָׂכָר מִבֵּית גְּנָזֶיךָ פ לֹא אֶקָּח: **וְלֹא תֹאמַר וגו'.** שֶׁהקב"ה הִבְטִיחַנִי לְעַשְּׁרֵנִי, שֶׁנֶּאֱמַר וַאֲבָרֶכְךָ וגו' (לעיל יב:ב; תנחומא יג): **[פסוק כד] הַנְּעָרִים.** עֲבָדַי **אֲשֶׁר הָלְכוּ אִתִּי** צ וְעוֹד **עָנֵר אֶשְׁכּוֹל וּמַמְרֵא וגו'.** אַע"פ שֶׁעֲבָדַי נִכְנְסוּ לַמִּלְחָמָה, שֶׁנֶּאֱמַר הוּא וַעֲבָדָיו וַיַּכֵּם, וְעָנֵר וַחֲבֵירָיו יָשְׁבוּ עַל הַכֵּלִים לִשְׁמוֹר, אֲפִילוּ הָכִי הֵם יִקְחוּ חֶלְקָם. וּמִמֶּנּוּ לָמַד דָּוִד, שֶׁאָמַר כְּחֵלֶק הַיּוֹרֵד בַּמִּלְחָמָה וּכְחֵלֶק הַיּוֹשֵׁב עַל הַכֵּלִים יַחְדָּיו יַחֲלוֹקוּ (שמואל-א ל:כד). וּלְכָךְ נֶאֱמַר וַיְהִי מֵהַיּוֹם הַהוּא וָמָעְלָה וַיְשִׂמֶהָ לְחוֹק וּמִשְׁפָּט (שם כה), וְלֹא נֶאֱמַר וָהָלְאָה, לְפִי שֶׁכְּבָר נִיתַּן הַחוֹק בִּימֵי אַבְרָהָם (ב"ר מג:ט):

[פסוק א] אַחַר הַדְּבָרִים הָאֵלֶּה. כ"מ שֶׁנֶּאֱמַר אַחַר, סָמוּךְ, אַחֲרֵי, מוּפְלָג (ב"ר מד:ה). אַחַר הַדְּבָרִים הָאֵלֶּה, אַחַר שֶׁנַּעֲשָׂה לוֹ נֵס זֶה שֶׁהָרַג אֶת הַמְּלָכִים וְהָיָה דּוֹאֵג וְאוֹמֵר שֶׁמָּא קִבַּלְתִּי שָׂכָר עַל כָּל צִדְקוֹתַי, לְכָךְ אָמַר לוֹ הַמָּקוֹם **אַל תִּירָא אַבְרָם** (שם ד; תרגום יונתן): **אָנֹכִי מָגֵן לָךְ.** מִן הָעוֹנֶשׁ, שֶׁלֹּא תֵעָנֵשׁ עַל כָּל אוֹתָן נְפָשׁוֹת שֶׁהָרַגְתָּ (ב"ר שם; פדר"א פכ"ז). וּמַה שֶּׁאַתָּה דוֹאֵג עַל קִבּוּל שְׂכָרְךָ, שְׂכָרְךָ הַרְבֵּה מְאֹד (ב"ר שם). [יֵשׁ לִי לָתֵת לְךָ שָׂכָר הַרְבֵּה יוֹתֵר מִמַּה שֶּׁרָאָה לָתֵת לְךָ מֶלֶךְ סְדוֹם, לְפִי שֶׁבָּטַחְתָּ בִּי (תנחומא יג). וּרְאָיָה לְדָבָר בְּדִבְרֵי הַיָּמִים (ב כה:ט) וַיֹּאמֶר אֲמַצְיָהוּ לְאִישׁ הָאֱלֹהִים וגו':]

עיקר שפתי חכמים

פ דק"ל מאי הלשון ואם אקח הלא כבר היו תחת ידו. לכן פי' ואם אקח מה שתתן לי מבית גנזיך: צ דה"א לפרש דענר כו' נמשך למעלה על אשר הלכו אתי, א"כ הם יקחו חלקם ל"ל, דהא כבר כתיב וחלק האנשים וגו'. ויתחלק הכתוב לשלשה חלקים, בלעדי רק אשר אכלו הנערים, זה עבדיו אשר הלכו אתו; וחלק האנשים אשר הלכו אתי, זה קאי על חניכיו האמורים לעיל; ענר אשכול וממרא הוא חלק השלישי בכתוב:

ב וַיֹּאמֶר אַבְרָם אֲדֹנָי יֱהוִה מַה־תִּתֶּן־לִי וְאָנֹכִי הוֹלֵךְ עֲרִירִי וּבֶן־מֶשֶׁק בֵּיתִי הוּא דַּמֶּשֶׂק אֱלִיעֶזֶר:
ג וַיֹּאמֶר אַבְרָם הֵן לִי לֹא נָתַתָּה זָרַע וְהִנֵּה בֶן־בֵּיתִי יוֹרֵשׁ אֹתִי:
ד וְהִנֵּה דְבַר־יְהוָה אֵלָיו לֵאמֹר לֹא יִירָשְׁךָ זֶה כִּי־אִם אֲשֶׁר יֵצֵא מִמֵּעֶיךָ הוּא יִירָשֶׁךָ:
ה וַיּוֹצֵא אֹתוֹ הַחוּצָה וַיֹּאמֶר הַבֶּט־נָא הַשָּׁמַיְמָה וּסְפֹר הַכּוֹכָבִים

ב וַאֲמַר אַבְרָם יְיָ אֱלֹהִים מָה תִּתֶּן לִי וַאֲנָא אָזֵל בְּלָא וְלָד וּבַר פַּרְנָסָא הָדֵין דִּבְבֵיתִי הוּא דַּמַּשְׂקָאָה אֱלִיעֶזֶר: ג וַאֲמַר אַבְרָם הָא לִי לָא יְהַבְתְּ וְלָד וְהָא בַר בֵּיתִי יָרֵית יָתִי: ד וְהָא פִתְגָּמָא דַּייָ עִמֵּהּ לְמֵימַר לָא יִרְתִנָּךְ דֵּין אֱלָהֵן בַּר דְּתוֹלִיד הוּא יִרְתִנָּךְ: ה וְאַפֵּיק יָתֵהּ לְבָרָא וַאֲמַר אִסְתְּכֵי כְעַן לִשְׁמַיָּא (נ"א לְצֵית שְׁמַיָּא) וּמְנֵי כּוֹכְבַיָּא

רש"י

[פסוק ב] **הולך ערירי.** מנחם בן סרוק פירשו לשון יורש, וחבר לו ער ועונה (מלאכי ב:יב). ערירי בלא יורש, כאשר תאמר ובכל תבואתי תשרש (איוב לא:יב) תעקר שרשיה, כך לשון ערירי חסר בנים, ובלע"ז דישאנפנטי"ש. ולי נראה ער ועונה מגזרת ולבי ער (שה"ש ה:ב; שבת נה:), וערירי לשון חורבן, וכן ערו ערו (תהלים קלז:ז), וכן ערות יסוד (חבקוק ג:יג), וכן ערער תתערער (ירמיה נא:נח), וכן כי ארזה ערה (צפניה ב:יד): **ובן משק ביתי.** כתרגומו, שכל ביתי ניזון על פיו, כמו ועל פיך ישק (להלן מא:מ), אפוטרופוס שלי, ואילו היה לי בן היה בני ממונה על שלי: **דמשק.** לפי התרגום, מדמשק היה. ולפי מדרש אגדה, שרדף המלכים עד דמשק (ב"ר שם). ובגמרא שלנו דרשו נוטריקון, דולה ומשקה מתורת רבו לאחרים (יומא כח:): [פסוק ג] **הן לי לא נתתה זרע.** ומה תועלת בכל אשר תתן לי (תרגום יונתן): [פסוק ה] **ויוצא אתו החוצה.** לפי פשוטו, הוציאו מאהלו לחוץ לראות הכוכבים. ולפי מדרשו, אמר לו צא מאצטגנינות שלך, שראית במזלות שאינך עתיד להעמיד בן, אברם ק אין לו בן, אבל אברהם יש לו בן. וכן שרי לא תלד אבל שרה תלד. אני קורא לכם שם אחר וישתנה המזל (נדרים לב.; ב"ר שם י). ד"א, הוציאו מחללו של עולם והגביהו למעלה מן הכוכבים, וזהו לשון הבטה, ר מלמעלה למטה (ב"ר שם יב):

בעל הטורים

(ב) **ערירי.** ב' במסורת — הכא; ואידך "כתבו את האיש הזה ערירי", ביהויכין. [לומר] שהראהו לו גלות יהויכין, שאברהם יצא מאור כשדים, והם גלו לכשדים שהוא בבל: (ה) **ויוצא אתו החוצה.** בגימטריא איצטגנינותו:

עיקר שפתי חכמים

ק דיסמעאל שנולד לו בעוד שנקרא אברם לא נחשב לו לבן כי נולד מן המצרית וקרוי בנה ואין יורש אותו: ר ר"ל הבטה שנאמר פה הייני מלמעלה למטה. כי באמת מלינו הבטה ממטה למעלה, כמו והביט

אִם־תּוּכַל לִסְפֹּר אֹתָם וַיֹּאמֶר
לוֹ כֹּה יִהְיֶה זַרְעֶךָ: ו וְהֶאֱמִן
בַּיהוָה וַיַּחְשְׁבֶהָ לּוֹ צְדָקָה:
ששי ז וַיֹּאמֶר אֵלָיו אֲנִי יְהוָה אֲשֶׁר
הוֹצֵאתִיךָ מֵאוּר כַּשְׂדִּים לָתֶת
לְךָ אֶת־הָאָרֶץ הַזֹּאת לְרִשְׁתָּהּ:
ח וַיֹּאמַר אֲדֹנָי יֱהוִה בַּמָּה אֵדַע
כִּי אִירָשֶׁנָּה: ט וַיֹּאמֶר אֵלָיו קְחָה לִי עֶגְלָה
מְשֻׁלֶּשֶׁת וְעֵז מְשֻׁלֶּשֶׁת וְאַיִל מְשֻׁלָּשׁ וְתֹר וְגוֹזָל:

אִם תִּכּוּל לְמִמְנֵי יָתְהוֹן
וַאֲמַר לֵהּ כְּדֵין יְהוֹן בְּנָךְ:
ו וְהֵימִין בְּמֵימְרָא דַייָ
וְחָשְׁבַהּ לֵהּ לְזָכוּ: ז וַאֲמַר
לֵהּ אֲנָא יְיָ דִּי אַפֵּקְתָּךְ
מֵאוּרָא דְכַשְׂדָּאֵי לְמִתַּן לָךְ
יָת אַרְעָא הָדָא לְמֵירְתַהּ:
ח וַאֲמַר יְיָ אֱלֹהִים בְּמָא
אִדַּע אֲרֵי אֵירְתִנַּהּ:
ט וַאֲמַר לֵהּ קָרֵב קֳדָמַי
עֶגְלָא תִּלְתָּא וְעִזָּא תִּלְתָּא
וּדְכַר תִּלְתָּא (נ״א עִגְלִין
תְּלָתָא וְעִזִּין תְּלָת וְדִכְרִין
תְּלָתָא) וְשַׁפְנִינָא וּבַר יוֹנָא:

רש״י

[פסוק ו] **וְהֶאֱמִן בַּה׳.** לֹא שָׁאַל לוֹ אוֹת עַל זֹאת, אֲבָל עַל יְרוּשַּׁת הָאָרֶץ ש שָׁאַל לוֹ אוֹת וְאָמַר לוֹ בַּמָּה אֵדַע (להלן פסוק ח; נדרים שם; פס״ר מז (קל.)): **וַיַּחְשְׁבֶהָ לּוֹ צְדָקָה.** הקב״ה חֲשָׁבָהּ לְאַבְרָם לִזְכוּת וְלִצְדָקָה עַל הָאֱמוּנָה שֶׁהֶאֱמִין בּוֹ. ד״א, בַּמָּה אֵדַע, לֹא שָׁאַל לוֹ אוֹת, אֶלָּא אָמַר לְפָנָיו ת הוֹדִיעֵנִי בְּאֵיזֶה זְכוּת יִתְקַיְּמוּ בָּהּ. אָמַר לוֹ הקב״ה, בִּזְכוּת הַקָּרְבָּנוֹת (ב״ר שם; תענית כז:): [פסוק ט] **עֶגְלָה מְשֻׁלֶּשֶׁת.** ג׳ עֲגָלִים, רֶמֶז לְג׳ פָּרִים, פַּר יוֹם הַכִּפּוּרִים וּפַר הֶעְלֵם דָּבָר שֶׁל צִבּוּר וְעֶגְלָה עֲרוּפָה (ב״ר שם): **וְעֵז מְשֻׁלֶּשֶׁת.** רֶמֶז לְשָׂעִיר הַנַּעֲשֶׂה בִּפְנִים וּשְׂעִירֵי מוּסָפִין שֶׁל מוֹעֵד וּשְׂעִירַת חַטָּאת יָחִיד (שם): **וְאַיִל מְשֻׁלָּשׁ.** אָשָׁם וַדַּאי וְאָשָׁם תָּלוּי וְכִבְשָׂה שֶׁל חַטָּאת יָחִיד (שם): **וְתֹר וְגוֹזָל.** תּוֹר וּבֶן יוֹנָה (שם):

בעל הטורים

כה יהיה זרעך. פירוש, כשיהיה לו עוד עשרים וחמש שנים, כמנין "כה", יהיה לו זרע. שהרי בברית בין הבתרים היה אברהם בן חמש ושבעים שנה: **יהיה.** בגימטריא עולה למנין שלשים. לומר לך, שאין דור שאין בו שלשים צדיקים [כאברהם]. כלומר, "יהיה" צדיקים יהיו [לעולם] בזרעך, שנאמר "ויאמר לו כה יהיה זרעך": **(ו) ויחשבה.** ג׳ במסורת — הכא "ויחשבה לו צדקה"; ואידך "ויחשבה לזונה", גבי תמר; "ויחשבה עלי לשכרה", גבי חנה. היינו דאמר רבי יוסי, יהא חלקי עם מי שחושדין אותו ואין בו. שהרי תמר, בשביל שחשדה יהודה, זכתה ויצאו ממנה פרץ וזרח, שיצאו מהם מלכים ונביאים. וחנה בשביל שחשדה עלי, זכתה ויצא ממנה שמואל. וזהו בשביל שנחשדו לזונה ולשכורה, נחשב להן לצדקה. אדוני אבי הרב רבינו אשר ז״ל: **(ח) במה אדע כי אירשנה.** במה בא״ת-ב״ש, שי״ץ, ועולה לחשבון ארבע מאות. לכך נגזר על בניו גזירת גרות ארבע מאות [שנה]. חשבון "במה אדע" שנים, שהם חמשים ושנים לא עבר איש ביהודה, ושבעים שנה היו בגלות, וכך עולה "במה אדע":

עיקר שפתי חכמים

אל נחש הנחשת, הביטו אליו [הרא״ם]: **ש** ר״ל וכי תעלה על דעתך שאברהם לא האמין בהקב״ה ובהבטחותיו, לז״א שלא שאל ממנו אות ע״ז. ומה ששאל אות על ירושת הארץ תירץ הרא״ם שהוא מפני שלא אמר לו זאת דרך הבטחה כ״א ספור דברים, אני ה׳ גו׳ לתת לך גו׳, ע״כ שאל ממנו ע״ז אות: **ת** שאע״פ שהיה מאמין שירשו את הארץ אבל הי׳ ספק אללו באיזה זכות תתקיים בידם:

י וַיִּקַּח־לוֹ אֶת־כָּל־אֵלֶּה וַיְבַתֵּר
אֹתָם בַּתָּוֶךְ וַיִּתֵּן אִישׁ־בִּתְרוֹ
לִקְרַאת רֵעֵהוּ וְאֶת־הַצִּפֹּר
לֹא בָתָר: יא וַיֵּרֶד הָעַיִט עַל־
הַפְּגָרִים וַיַּשֵּׁב אֹתָם אַבְרָם:
יב וַיְהִי הַשֶּׁמֶשׁ לָבוֹא וְתַרְדֵּמָה נָפְלָה עַל־
אַבְרָם וְהִנֵּה אֵימָה חֲשֵׁכָה גְדֹלָה נֹפֶלֶת עָלָיו:

י וְקָרֵיב קֳדָמוֹהִי יָת כָּל אִלֵּין וּפַלֵּיג יָתְהוֹן בְּשָׁוֶה וִיהַב פַּלְגַּיָּא פְּלוּג לָקֳבֵל חַבְרֵהּ וְיָת עוֹפָא לָא פַלֵּיג: יא וּנְחַת עוֹפָא עַל פַּגְלַיָּא וְאַפְרַח יָתְהוֹן אַבְרָם: יב וַהֲוָה שִׁמְשָׁא לְמֵיעַל וְשִׁנְתָא נְפַלַת עַל אַבְרָם וְהָא אֵימָא קְבַל סַגִּי נְפַלַת עֲלוֹהִי:

רש"י

[פסוק י] ויבתר אתם. חלק כל אחד לב' חלקים. ואין המקרא יוצא מידי פשוטו, לפי שהיה כורת עמו ברית לשמור הבטחתו להוריש לבניו את הארץ, כדכתיב ביום ההוא כרת ה' את אברם ברית לאמר וגו' (להלן פסוק יח), ודרך כורתי ברית לחלק בהמה ולעבור בין בתריה, כמה שנאמר להלן העוברים בין בתרי העגל (ירמיה לד:יט), אף כאן תנור עשן ולפיד אש אשר עבר בין הגזרים הוא שלוחו של שכינה שהוא אש: **ואת הצפר לא בתר.** לפי שהאומות נמשלו לפרים ואילים ושעירים, שנאמר סבבוני פרים רבים וגו' (תהלים כב:יג), ואומר האיל אשר ראית בעל הקרנים מלכי מדי ופרס (דניאל ח:כ), ואומר והצפיר השעיר מלך יון (שם פסוק כא). וישראל נמשלו [לתורים ובני יונה, תור שנאמר אל תתן לחית נפש תורך (תהלים עד:יט)] לבני יונה, שנאמר יונתי בחגוי הסלע (שיר השירים ב:יד), לפיכך בתר הבהמות, רמז שיהיו האומות כלים והולכים, ואת הצפור לא בתר, רמז שיהיו ישראל קיימין לעולם (פדר"א פכ"ח): **[פסוק יא] העיט.** הוא עוף, על שם שהוא עט ושואף אל הנבלות לעוט עלי אוכל. כמו ותעט אל השלל (שמואל־א טו:יט): **על הפגרים.** על א הבתרים: [ס"א **הפגרים.** מתרגמינן פגליא, אלא מתוך שהורגלו לתרגם איש בתרו ויהב פלגיא נתחלף להם תיבת פגליא לפלגיא ותרגמו הפגרים פלגיא, וכל המתרגם כן טועה לפי שאין להקיש בתרים לפגרים, שבתרים תרגומו פלגיא ופגרים תרגומו פגליא לשון פגול, כמו פגול הוא (ויקרא יט:ז) לשון פגר:] **וישב.** לשון נשיבה והפרחה, כמו ישב רוחו (תהלים קמז:יח). רמז שיבא דוד בן ישי לכלותם ואין מניחים אותו מן השמים עד שיבוא מלך המשיח (פדר"א שם): **[פסוק יב] והנה אימה חשכה גדלה וגו'.** רמז לצרות וחשך של גליות (שם; ב"ר מד:יז):

בעל הטורים

(יב) ויהי השמש לבוא. ב' במסורת — הכא; ואידך "ויהי השמש באה". כנגד שני מקדשים, כדכתיב, "ושמתי כדכוד שמשותיך ושעריך לאבני אקדח", ונחרבו:

עיקר שפתי חכמים

א ר"ל שלא ירד רק על הבתרים, אבל על הצפור שלא בתר לא ירד, והצפור רמז לישראל כמש"ל:

יג וַיֹּאמֶר לְאַבְרָם יָדֹעַ תֵּדַע
כִּי־גֵר ׀ יִהְיֶה זַרְעֲךָ בְּאֶרֶץ
לֹא לָהֶם וַעֲבָדוּם וְעִנּוּ אֹתָם
אַרְבַּע מֵאוֹת שָׁנָה: יד וְגַם אֶת־
הַגּוֹי אֲשֶׁר יַעֲבֹדוּ דָּן אָנֹכִי
וְאַחֲרֵי־כֵן יֵצְאוּ בִּרְכֻשׁ גָּדוֹל: טו וְאַתָּה תָּבוֹא
אֶל־אֲבֹתֶיךָ בְּשָׁלוֹם תִּקָּבֵר בְּשֵׂיבָה טוֹבָה:

יג וַאֲמַר לְאַבְרָם מִדַּע
תִּדַּע אֲרֵי דַיָּרִין יְהוֹן בְּנָךְ
בְּאַרְעָא דְּלָא דִילְהוֹן
וְיִפְלְחוּן בְּהוֹן וִיעַנּוּן
יָתְהוֹן אַרְבַּע מְאָה שְׁנִין:
יד וְאַף יָת עַמָּא דִּי יִפְלְחוּן
בְּהוֹן דָּיֵין אֲנָא וּבָתַר כֵּן
יִפְּקוּן בְּקִנְיָנָא סַגִּי: טו וְאַתְּ
תֵּיעוּל לְוָת אֲבָהָתָךְ בִּשְׁלָם
תִּתְקְבַר בְּסֵיבוּ טָבָא:

רש"י

[פסוק יג] כִּי גֵר יִהְיֶה זַרְעֲךָ. מִשֶּׁנּוֹלַד יִצְחָק עַד שֶׁיָּצְאוּ יִשְׂרָאֵל מִמִּצְרַיִם ד' מֵאוֹת שָׁנָה. כֵּיצַד, יִצְחָק בֶּן שִׁשִּׁים שָׁנָה כְּשֶׁנּוֹלַד יַעֲקֹב, וְיַעֲקֹב כְּשֶׁיָּרַד לְמִצְרַיִם אָמַר יְמֵי שְׁנֵי מְגוּרַי שְׁלֹשִׁים וּמְאַת שָׁנָה (להלן מז:ט), הֲרֵי ק"ץ. וּבְמִצְרַיִם הָיוּ מָאתַיִם וָעֶשֶׂר כְּמִנְיַן רד"ו הֲרֵי ת' שָׁנָה. וְאִם תֹּאמַר בְּמִצְרַיִם הָיוּ ד' מֵאוֹת, הֲרֵי ב קְהָת מִיּוֹרְדֵי מִצְרַיִם הָיָה, צֵא וַחֲשׁוֹב שְׁנוֹתָיו שֶׁל קְהָת (שמות ו:יח) וְשֶׁל עַמְרָם (שם פסוק כ) וּשְׁמֹנִים שֶׁל מֹשֶׁה שֶׁהָיָה כְּשֶׁיָּצְאוּ יִשְׂרָאֵל מִמִּצְרַיִם, אֵין אַתָּה מוֹצֵא אֶלָּא שְׁלֹשׁ מֵאוֹת וַחֲמִשִּׁים, וְאַתָּה צָרִיךְ לְהוֹצִיא מֵהֶם כָּל הַשָּׁנִים שֶׁחַי קְהָת אַחַר לֵידַת עַמְרָם וְשֶׁחַי עַמְרָם אַחַר לֵידַת מֹשֶׁה (סדר עולם רבה פ"ג): **בְּאֶרֶץ לֹא לָהֶם.** וְלֹא נֶאֱמַר בְּאֶרֶץ מִצְרַיִם אֶלָּא לֹא לָהֶם מִשֶּׁנּוֹלַד יִצְחָק וַיָּגָר אַבְרָהָם וגו' (להלן כא:לד), וַיָּגָר [ס"א וַיֵּשֶׁב] יִצְחָק בִּגְרָר (שם כו:ו), [ס"א וּבְיִצְחָק גּוּר בָּאָרֶץ הַזֹּאת (שם כו:ג)] וְיַעֲקֹב גָּר בְּאֶרֶץ חָם (תהלים קה:כג), לָגוּר בָּאָרֶץ בָּאנוּ (להלן מז:ד): **[פסוק יד] וְגַם אֶת הַגּוֹי.** וְגַם לְרַבּוֹת הָאַרְבַּע מַלְכֻיּוֹת (ב"ר מד:יט) שֶׁאַף הֵם כָּלִים עַל שֶׁשִּׁעְבְּדוּ אֶת יִשְׂרָאֵל (פדר"א פכ"ח, פל"ה): **דָּן אָנֹכִי.** בְּעֶשֶׂר מַכּוֹת (ב"ר מד:כ): **בִּרְכֻשׁ גָּדוֹל.** ג בְּמָמוֹן גָּדוֹל כְּמוֹ שֶׁנֶּא' וַיְנַצְּלוּ אֶת מִצְרָיִם (שמות יב:לו; ברכות ט.-ט:): **[פסוק טו] וְאַתָּה תָּבוֹא.** וְלֹא תִרְאֶה ד כָּל אֵלֶּה: **אֶל אֲבֹתֶיךָ.** אָבִיו עוֹבֵד כּוֹכָבִים וְהוּא מְבַשְּׂרוֹ שֶׁיָּבֹא אֵלָיו, לְלַמֶּדְךָ שֶׁעָשָׂה תֶרַח תְּשׁוּבָה (ב"ר לח:יב): **תִּקָּבֵר בְּשֵׂיבָה טוֹבָה.** בִּשְּׂרוֹ שֶׁיַּעֲשֶׂה יִשְׁמָעֵאל תְּשׁוּבָה בְּיָמָיו (שם), וְלֹא יֵצֵא עֵשָׂו לְתַרְבּוּת רָעָה בְּיָמָיו, וּלְפִיכָךְ מֵת ה' שָׁנִים קוֹדֶם זְמַנּוֹ ה וּבוֹ בַּיּוֹם מָרַד עֵשָׂו (שם סג:יב):

בעל הטורים

(יג) כי גר. סופי תבות עולין למנין רד"ו:

עיקר שפתי חכמים

ב פי' כי גם ממה שחי קהת קודם ירידתו למצרים מוכח דד' מאות שנה לא קאי על עבדות וגו' וזהו על השעבוד, כ"א על גר יהיה זרעך שהתחיל משנולד יצחק: **ג** ור"ל דהוא שם מושאל, כי שם רכוש הונח בל' על קנינו מה שרכש בעמלו, ופה הוא מביזת מצרים: **ד** ר"ל העבדות והעינוי דכל הגרות שהתחילה מיצחק היו ג"כ בימיו: **ה** כדכתיב ויבא עשו כו' והוא עיף, ודרז"ל מרצח, ואותו יום מת אברהם:

טז וְדוֹר רְבִיעִי יָשׁוּבוּ הֵנָּה כִּי
לֹא־שָׁלֵם עֲוֺן הָאֱמֹרִי עַד־הֵנָּה:
יז וַיְהִי הַשֶּׁמֶשׁ בָּאָה וַעֲלָטָה הָיָה
וְהִנֵּה תַנּוּר עָשָׁן וְלַפִּיד אֵשׁ אֲשֶׁר
עָבַר בֵּין הַגְּזָרִים הָאֵלֶּה: יח בַּיּוֹם
הַהוּא כָּרַת יְהוָה אֶת־אַבְרָם בְּרִית לֵאמֹר
לְזַרְעֲךָ נָתַתִּי אֶת־הָאָרֶץ הַזֹּאת מִנְּהַר מִצְרַיִם

טז וְדָרָא רְבִיעָאָה יְתוּבוּן
הָכָא אֲרֵי לָא שְׁלִים חוֹבָא
דֶאֱמוֹרָאָה עַד כְּעַן: יז וַהֲוָה
שִׁמְשָׁא עָלַת וְקַבְלָא הֲוָה
וְהָא תַנּוּר דִּתְנַן וּבְעוּר
דְאֶשָּׁתָא דִּי עֲדָא בֵּין פַּלְגַיָּא
הָאִלֵּין: יח בְּיוֹמָא הַהוּא גְּזַר
יְיָ עִם אַבְרָם קְיָם לְמֵימַר
לִבְנָיךְ יְהָבִית יָת אַרְעָא
הָדָא מִן נַהֲרָא דְמִצְרַיִם

רש"י

[פסוק טז] **וְדוֹר רְבִיעִי יָשׁוּבוּ הֵנָּה.** לְאַחַר שֶׁיִּגְלוּ לְמִצְרַיִם יִהְיוּ שָׁם ג' דוֹרוֹת וְהָרְבִיעִי יָשׁוּבוּ לָאָרֶץ הַזֹּאת (תרגום יונתן; עדיות ב:ט וכפי' הרמב"ם), לְפִי שֶׁבְּאֶרֶץ כְּנַעַן הָיָה מְדַבֵּר עִמּוֹ וְכָרַת בְּרִית זוֹ, כִּדְכְתִיב לָתֶת לְךָ אֶת הָאָרֶץ הַזֹּאת לְרִשְׁתָּהּ (לעיל פסוק ז). וְכֵן הָיָה, יָרַד יַעֲקֹב לְמִצְרַיִם, צֵא וַחֲשׁוֹב דּוֹרוֹתָיו, יְהוּדָה פֶּרֶץ וְחֶצְרוֹן, ו וְכָלֵב בֶּן חֶצְרוֹן מִבָּאֵי הָאָרֶץ הָיָה (סוטה יא:; סנהדרין סט:): **כִּי לֹא שָׁלֵם עֲוֺן הָאֱמֹרִי.** לִהְיוֹת מִשְׁתַּלֵּחַ מֵאַרְצוֹ עַד אוֹתוֹ זְמַן, שֶׁאֵין הקב"ה נִפְרָע מֵאוּמָּה עַד שֶׁתִּתְמַלֵּא סְאָתָהּ, שֶׁנֶּא' בְּסַאסְּאָה בְּשַׁלְחָהּ תְּרִיבֶנָּה (ישעיה כז:ח; סוטה ט.): [פסוק יז] **וַיְהִי הַשֶּׁמֶשׁ בָּאָה.** כְּמוֹ וַיְהִי הֵם מְרִיקִים שַׂקֵּיהֶם (להלן מב:לה) וַיְהִי הֵם קוֹבְרִים אִישׁ (מלכים־ב יג:כא), כְּלוֹמַר, ז וַיְהִי דָּבָר זֶה: **הַשֶּׁמֶשׁ בָּאָה.** שָׁקְעָה: **וַעֲלָטָה הָיָה.** חֹשֶׁךְ הַיּוֹם: **וְהִנֵּה תַנּוּר עָשָׁן וגו'.** רָמַז לוֹ שֶׁיִּפְּלוּ הַמַּלְכֻיּוֹת בְּגֵיהִנֹּם (פדר"א פכ"ח): **בָּאָה.** טַעְמוֹ לְמַעְלָה, לְכָךְ הוּא מְבוֹאָר שֶׁבָּאָה כְּבָר. וְאִם הָיָה טַעְמוֹ לְמַטָּה בָּאלֶ"ף הָיָה מְבוֹאָר כְּשֶׁהָיְתָה שׁוֹקַעַת, וְאִי אֶפְשָׁר לוֹמַר כֵּן, שֶׁהֲרֵי כְּבָר כָּתוּב וַיְהִי הַשֶּׁמֶשׁ לָבוֹא (לעיל פסוק יב) וְהַעֲבָרַת תַּנּוּר עָשָׁן לְאַחַר מִכָּאן הָיְתָה, נִמְצָא שֶׁכְּבָר שָׁקְעָה. וְזֶה חִילּוּק בְּכָל תֵּיבָה לְשׁוֹן נְקֵבָה שֶׁיְּסוֹדָהּ שְׁתֵּי אוֹתִיּוֹת, כְּמוֹ בָּא, קָם, שָׁב, כְּשֶׁהַטַּעַם לְמַעְלָה לְשׁוֹן עָבָר הוּא, כְּגוֹן זֶה, וּכְגוֹן וְרָחֵל בָּאָה (להלן כט:ט) קָמָה אֲלֻמָּתִי (שם לז:ז) הִנֵּה שָׁבָה יְבִמְתֵּךְ (רות א:טו). וּכְשֶׁהַטַּעַם לְמַטָּה הוּא לְשׁוֹן הֹוֶה, דָּבָר שֶׁנַּעֲשָׂה עַכְשָׁיו וְהוֹלֵךְ, כְּמוֹ בָּאָה עִם הַצֹּאן (להלן כט:ו) בָּעֶרֶב הִיא בָאָה וּבַבֹּקֶר הִיא שָׁבָה (אסתר ב:יד): [פסוק יח] **לְזַרְעֲךָ נָתַתִּי.** אֲמִירָתוֹ שֶׁל הקב"ה כְּאִילּוּ הִיא עֲשׂוּיָה (ב"ר מד:כב):

בעל הטורים

(טז) ודור. ב' במסורת — הכא; "ודור רביעי ישובו הנה"; ואידך "דור הלך ודור בא". פירוש, דור הלך, כי עדיין יצאו בניך מהארץ, ודור אחר בא לרשת את הארץ: **ודור רביעי ישובו הנה.** "דור" שנים יהיו שמה, ואז ישובו הנה: **(יז) ועלטה היה והנה תנור.** ראשי תבות בהפך "תוהו", שהראה לו הגלויות שדומין לתהו:

עיקר שפתי חכמים

ו אף שהוא דור ה' מיעקב, אך בימי יעקב לא הי' עדיין השעבוד ורק בימי יהוד' התחיל קלת השעבוד: ז דמדכתיב באה על השמש לשון נקבה הל"ל ג"כ ותהי, וע"כ פירש דר"ל ויהי דבר זה ביאת השמש, והביא ראיות לזה:

עַד־הַנָּהָ֥ר הַגָּדֹ֖ל נְהַר־פְּרָֽת: יט אֶת־
הַקֵּינִ֙י וְאֶת־הַקְּנִזִּ֔י וְאֵ֖ת הַקַּדְמֹנִֽי:
כ וְאֶת־הַֽחִתִּ֥י וְאֶת־הַפְּרִזִּ֖י וְאֶת־
הָרְפָאִֽים: כא וְאֶת־הָֽאֱמֹרִי֙ וְאֶת־
הַֽכְּנַעֲנִ֔י וְאֶת־הַגִּרְגָּשִׁ֖י וְאֶת־
הַיְבוּסִֽי: ס   פרק טז א וְשָׂרַי֙ אֵ֣שֶׁת
אַבְרָ֔ם לֹ֥א יָלְדָ֖ה ל֑וֹ וְלָ֛הּ שִׁפְחָ֥ה
מִצְרִ֖ית וּשְׁמָ֥הּ הָגָֽר: ב וַתֹּ֨אמֶר שָׂרַ֜י אֶל־
אַבְרָ֗ם הִנֵּה־נָ֞א עֲצָרַ֤נִי יְהֹוָה֙ מִלֶּ֔דֶת בֹּא־נָא֙
אֶל־שִׁפְחָתִ֔י אוּלַ֥י אִבָּנֶ֖ה מִמֶּ֑נָּה וַיִּשְׁמַ֥ע אַבְרָ֖ם

וְעַד נַהֲרָא רַבָּא נַהֲרָא
פְרָת: יט יָת שַׁלְמָאֵי וְיָת
קֵנִזָּאֵי וְיָת קַדְמוֹנָאֵי: כ וְיָת
חִתָּאֵי וְיָת פְּרִזָּאֵי וְיָת
גִּבָּרַיָא: כא וְיָת אֱמוֹרָאֵי
וְיָת כְּנַעֲנָאֵי וְיָת גִּרְגָּשָׁאֵי
וְיָת יְבוּסָאֵי: א וְשָׂרַי אִתַּת
אַבְרָם לָא יְלִידַת לֵהּ
וְלַהּ אַמְתָא מִצְרֵיתָא
וּשְׁמַהּ הָגָר: ב וַאֲמַרַת
שָׂרַי לְאַבְרָם הָא כְּעַן
מְנָעַנִי יְיָ מִלְּמֵילַד עוּל
כְּעַן לְוָת אַמְתִי מָה אִם
אִתְבְּנֵי מִנַּהּ וְקַבִּיל אַבְרָם

─── רַשִׁ"י ───

עַד הַנָּהָר הַגָּדֹל נְהַר פְּרָת. לְפִי שֶׁהוּא דָבוּק
לְאֶרֶץ יִשְׂרָאֵל קוֹרְאֵהוּ גָדוֹל, אע"פ שֶׁהוּא מְאוּחָר
בְּאַרְבַּעְתָּם נְהָרוֹת הַיּוֹצְאִים מֵעֵדֶן, שֶׁנֶא' וְהַנָּהָר
הָרְבִיעִי הוּא פְרָת (לעיל ב:יד). מָשָׁל הֶדְיוֹט, עֶבֶד
מֶלֶךְ מֶלֶךְ, הַדְּבֵק לַשְׁחוֹר וְיִשְׁתַּחֲווּ לָךְ (ספרי דברים ו;
שבועות מז:ב): **פסוק יט אֶת הַקֵּינִי.** עֶשֶׂר
אוּמוֹת יֵשׁ כַּאן, וְלֹא נָתַן לָהֶם אֶלָּא שִׁבְעָה גוֹיִם.
וְהַשְּׁלֹשָׁה אֱדוֹם וּמוֹאָב וְעַמּוֹן, וְהֵם קֵינִי קְנִיזִּי
קַדְמוֹנִי, עֲתִידִים לִהְיוֹת יְרוּשָׁה לֶעָתִיד, שֶׁנֶאֱמַר
אֱדוֹם וּמוֹאָב מִשְׁלוֹחַ יָדָם וּבְנֵי עַמּוֹן מִשְׁמַעְתָּם

(ישעיה יא:יד; ב"ר מד:כג): **[פסוק כ] וְאֶת הָרְפָאִים.**
אֶרֶץ עוֹג, שֶׁנֶּאֱמַר בָּהּ הַהוּא יִקָּרֵא אֶרֶץ רְפָאִים
(דברים ג:יג): **[פסוק א] שִׁפְחָה מִצְרִית.** בַּת
פַּרְעֹה הָיְתָה, כְּשֶׁרָאָה נִסִּים שֶׁנַּעֲשׂוּ לְשָׂרָה אָמַר,
מוּטָב שֶׁתְּהֵא בִתִּי שִׁפְחָה בְּבַיִת זֶה וְלֹא גְבִירָה
בְּבַיִת אַחֵר (ב"ר מה:א): **[פסוק ב] אוּלַי אִבָּנֶה
מִמֶּנָּה.** לִימֵּד עַל מִי שֶׁאֵין לוֹ בָּנִים שֶׁאֵינוֹ בָּנוּי
אֶלָּא הָרוּס (שם ג): **אִבָּנֶה מִמֶּנָּה.** בִּזְכוּת
שֶׁאַכְנִיס צָרָתִי לְתוֹךְ בֵּיתִי (שם עא:). [כְּמוֹ שֶׁאָמַר נָתַן
אֱלֹהִים שְׂכָרִי אֲשֶׁר נָתַתִּי שִׁפְחָתִי לְאִישִׁי (להלן ל:יח)]:

─── עִקָּר שִׂפְתֵי חֲכָמִים ───

ח וּמְמַנָּה פִּי בְּסִיבָתָהּ:

─── בַּעַל הַטּוּרִים ───

(א) וְשָׂרַי. ב' בַּמָּסוֹרֶת — "וְשָׂרַי אֵשֶׁת אַבְרָם"; "וְשָׂרַי בְּיִשָּׂשכָר עַם
דְּבָרָה". מְלַמֵּד שֶׁהָיְתָה חֲשׁוּבָה כְּשָׂרָה: **וְלָהּ.** ד' בַּמָּסוֹרֶת — "וְלָהּ
שִׁפְחָה מִצְרִית"; "וְלָהּ שְׁנֵי פִיּוֹת"; "וְלָהּ אָמַר עֲלִי לְשָׁלוֹם"; "וְלָהּ גֶּפֶן אַרְבַּע", בַּחַיָּה שֶׁרָאָה דָנִיֵּאל. וְזֶהוּ שֶׁדָּרְשׁוּ, "וְתֵלֶךְ וְתֵתַע", שֶׁחָזְרָה לְגִלּוּלֵי
אָבִיהָ. וְהַיְינוּ "וְלָהּ שְׁנֵי פִיּוֹת", שֶׁחָזְרָה לָהּ פֶּה אַחֵר לְהוֹדוֹת לַעֲבוֹדָה זָרָה. וְכֵיוָן שֶׁעָשְׂתָה תְּשׁוּבָה חָזַר וּלְקָחָהּ, כְּמוֹ שֶׁאָמְרוּ, קְטוּרָה זוֹ הָגָר. זֶה הוּא
"וְלָהּ אָמַר עֲלִי לְשָׁלוֹם". "וְלָהּ גֶּפֶן אַרְבַּע" אַיְירֵי גַם כֵּן בְּמַלְכוּת יִשְׁמָעֵאל:

לְקוֹל שָׂרָי: ג וַתִּקַּח שָׂרַי אֵשֶׁת־אַבְרָם אֶת־הָגָר הַמִּצְרִית שִׁפְחָתָהּ מִקֵּץ עֶשֶׂר שָׁנִים לְשֶׁבֶת אַבְרָם בְּאֶרֶץ כְּנָעַן וַתִּתֵּן אֹתָהּ לְאַבְרָם אִישָׁהּ לוֹ לְאִשָּׁה: ד וַיָּבֹא אֶל־הָגָר וַתַּהַר וַתֵּרֶא כִּי הָרָתָה וַתֵּקַל גְּבִרְתָּהּ בְּעֵינֶיהָ: ה וַתֹּאמֶר שָׂרַי אֶל־אַבְרָם חֲמָסִי עָלֶיךָ אָנֹכִי נָתַתִּי שִׁפְחָתִי בְּחֵיקֶךָ וַתֵּרֶא כִּי הָרָתָה

לְמֵימַר שָׂרָי: ג וּדְבָרַת שָׂרַי אִתַּת אַבְרָם יָת הָגָר מִצְרֵיתָא אַמְתַהּ מִסּוֹף עֲשַׂר שְׁנִין לְמִתַּב אַבְרָם בְּאַרְעָא דִכְנָעַן וִיהָבַת יָתַהּ לְאַבְרָם בַּעְלַהּ לֵהּ לְאִנְתּוּ: ד וְעַל לְוָת הָגָר וְעַדִּיאַת וַחֲזַת אֲרֵי עַדִּיאַת וּקְלַת רִבּוֹנְתַהּ בְּעֵינַהָא: ה וַאֲמָרַת שָׂרַי לְאַבְרָם דִּין לִי עֲלָךְ אֲנָא יְהָבִית אַמְתִי לָךְ וַחֲזַת אֲרֵי עַדִּיאַת

רש"י

לְקוֹל שָׂרָי. ט לְרוּחַ הַקֹּדֶשׁ שֶׁבָּהּ (ב"ר מה:ב): **[פסוק ג] וַתִּקַּח שָׂרַי.** י לְקָחַתָּה בִּדְבָרִים, אַשְׁרַיִךְ שֶׁזָּכִית לִידָּבֵק בְּגוּף קָדוֹשׁ כָּזֶה (שם ג): **מִקֵּץ עֶשֶׂר שָׁנִים.** מוֹעֵד הַקָּבוּעַ לְאִשָּׁה שֶׁשָּׁהֲתָה י' שָׁנִים וְלֹא יָלְדָה לְבַעְלָהּ כ חַיָּיב לִישָּׂא אַחֶרֶת (יבמות סד.; ב"ר שם): **לְשֶׁבֶת אַבְרָם וגו'.** מַגִּיד שֶׁאֵין יְשִׁיבַת חוּצָה לָאָרֶץ עוֹלָה מִן הַמִּנְיָן, לְפִי שֶׁלֹּא נֶאֱמַר לוֹ וְאֶעֶשְׂךָ לְגוֹי גָּדוֹל (לעיל יב:ב) עַד שֶׁבָּא לְאֶרֶץ יִשְׂרָאֵל (יבמות שם; ב"ר שם): **[פסוק ד] וַיָּבֹא אֶל הָגָר וַתַּהַר.** מִבִּיאָה ל רִאשׁוֹנָה (ב"ר שם ד): **וַתֵּקַל גְּבִרְתָּהּ בְּעֵינֶיהָ.** אָמְרָה, שָׂרָה זוֹ אֵין סִתְרָהּ כְּגָלוּיָהּ, מַרְאָה עַצְמָהּ כְּאִילּוּ הִיא צַדֶּקֶת וְאֵינָהּ צַדֶּקֶת, שֶׁלֹּא זָכְתָה לְהֵרָיוֹן כָּל הַשָּׁנִים הַלָּלוּ, וַאֲנִי נִתְעַבַּרְתִּי מִבִּיאָה רִאשׁוֹנָה (שם): **[פסוק ה] חֲמָסִי עָלֶיךָ.** חָמָס מ הֶעָשׂוּי לִי עָלֶיךָ אֲנִי מְטִילָה הָעוֹנֶשׁ. כְּשֶׁהִתְפַּלַּלְתָּ לְהקב"ה מַה תִּתֶּן לִי וְאָנֹכִי הוֹלֵךְ עֲרִירִי (לעיל טו:ב) לֹא הִתְפַּלַּלְתָּ אֶלָּא עָלֶיךָ, וְהָיָה לְךָ לְהִתְפַּלֵּל עַל שְׁנֵינוּ וְהָיִיתִי אֲנִי נִפְקֶדֶת עִמְּךָ. וְעוֹד, דְּבָרֶיךָ אַתָּה חוֹמֵס מִמֶּנִּי, שֶׁאַתָּה שׁוֹמֵעַ בִּזְיוֹנִי נ וְשׁוֹתֵק (ב"ר שם ה): **אָנֹכִי נָתַתִּי שִׁפְחָתִי וגו'**

בעל הטורים

(ג) **לשבת.** ב' במסורת – "מקץ עשר שנים לשבת אברם בארץ כנען"; "אשר נטה לשבת ער". [לומר,] מי שנשא אשה ושהה עמה עשר שנים ולא ילדה, דהיינו "לשבת ער", ישא אחרת. ואין ישיבת חוצה לארץ עולה מן המנין, דכתיב "לשבת אברם בארץ כנען", פירוש, כשישב ער בארץ כנען: (ד) **הרתה.** ב' פעמים בפרשה. מכאן רמז לפירוש רש"י, שהכניסה בה עין הרע והפילה, וחזרה ונתעברה: (ה) **חמסי.** ב' במסורת – "חמסי עליך"; "חמסי ושארי על בבל תאמר יושבת ציון". מקיש שרה לציון, נאמר בשרה "ותהי שרי עקרה", וציון

עיקר שפתי חכמים

ט מדכתיב לקול שרי ולא כתיב לשרי דריש זה: י כי קיחה אין שייך על בעלי חיים כידוע. ופי' ברש"י בפ' ויקח קרח: כ דאל"כ ל"ל לכתוב מקץ עשר שנים: ל כי כן משמע ל' הכתוב מיד כשבא אל הגר הרתה. והיא היתה בתולה כי אם היתה אז נחרפת לאיש או זונה לא לקחה אברהם לאשה: מ כי חמסי יש לפרש בכינוי הפועל ויתפרש חמס שעשיתי, ובאמת שרי לא עשתה חמס כלל, ע"כ פי' חמסי העשוי לי ויהי' הכינוי חמסי כינוי הפעול. ועוד דבריך כו' הוא ד"א: נ מהגר:

וָאֵקַל בְּעֵינֶיהָ יִשְׁפֹּט יְהוָה בֵּינִי
*וּבֵינֶיךָ׃ ו וַיֹּאמֶר אַבְרָם אֶל־
שָׂרַי הִנֵּה שִׁפְחָתֵךְ בְּיָדֵךְ עֲשִׂי־
לָהּ הַטּוֹב בְּעֵינָיִךְ וַתְּעַנֶּהָ שָׂרַי
וַתִּבְרַח מִפָּנֶיהָ׃ ז וַיִּמְצָאָהּ מַלְאַךְ
יְהוָה עַל־עֵין הַמַּיִם בַּמִּדְבָּר
עַל־הָעַיִן בְּדֶרֶךְ שׁוּר׃ ח וַיֹּאמַר
הָגָר שִׁפְחַת שָׂרַי אֵי־מִזֶּה בָאת
וְאָנָה תֵלֵכִי וַתֹּאמֶר מִפְּנֵי שָׂרַי
גְּבִרְתִּי אָנֹכִי בֹּרַחַת׃ ט וַיֹּאמֶר לָהּ מַלְאַךְ יְהוָה
שׁוּבִי אֶל־גְּבִרְתֵּךְ וְהִתְעַנִּי תַּחַת יָדֶיהָ׃ י וַיֹּאמֶר
לָהּ מַלְאַךְ יְהוָה הַרְבָּה אַרְבֶּה אֶת־זַרְעֵךְ

וְקַלִּית בְּעֵינַהַה יְדוּן יְיָ
בֵּינִי וּבֵינָךְ׃ ו וַאֲמַר אַבְרָם
לְשָׂרַי הָא אַמְתִיךְ בִּידִיךְ
עֲבִידִי לַהּ כִּדְתַקִּין בְּעֵינָיְכִי
וְעַנִּיתַהּ שָׂרַי וַעֲרָקַת
מִקֳּדָמַהַא׃ ז וְאַשְׁכְּחַהּ
מַלְאֲכָא דַייָ עַל עֵינָא
דְמַיָּא בְּמַדְבְּרָא עַל עֵינָא
בְּאָרְחָא דְחַגְרָא׃ ח וַאֲמַר
הָגָר אַמְתָא דְשָׂרַי מְנָן
אַתְּ אָתְיָא וּלְאָן אַתְּ אָזְלָא
וַאֲמַרַת מִן קֳדָם שָׂרַי
רִבּוֹנְתִּי אֲנָא עָרְקָא
(נ״א עָרְקַת)׃ ט וַאֲמַר לַהּ
מַלְאֲכָא דַייָ תּוּבִי לְוָת
רִבּוֹנְתִּיךְ וְאִשְׁתַּעְבְּדִי תְּחוֹת
יְדַהָא׃ י וַאֲמַר לַהּ מַלְאֲכָא
דַייָ אַסְגָּאָה אַסְגֵּי יָת בְּנַיְכִי

* נקוד על י׳ בתרא

רש״י

בֵּינִי וּבֵינֶיךָ. כָּל בֵּינְךָ שֶׁבַּמִּקְרָא חָסֵר וְזֶה מָלֵא, קְרִי בֵּיהּ וּבֵינַיִךְ, שֶׁהִכְנִיסָה עַיִן הָרָע בְּעִבּוּרָהּ שֶׁל הָגָר וְהִפִּילָה עוּבָּרָהּ. הוּא שֶׁהַמַּלְאָךְ אוֹמֵר לְהָגָר הִנָּךְ הָרָה (להלן פסוק יא), וַהֲלֹא כְּבָר הָרְתָה וְהוּא מְבַשֵּׂר לָהּ שֶׁתַּהַר, אֶלָּא מְלַמֵּד שֶׁהִפִּילָה הֵרָיוֹן הָרִאשׁוֹן (ב״ר שם): **[פסוק ו] וַתְּעַנֶּהָ שָׂרַי.** הָיְתָה מְשַׁעְבֶּדֶת בָּהּ בְּקוֹשִׁי (שם ו): **[פסוק ח] אֵי מִזֶּה בָאת.** מֵהֵיכָן בָּאת. יוֹדֵעַ הָיָה, אֶלָּא לִיתֵּן לָהּ פֶּתַח לִיכָּנֵס עִמָּהּ בִּדְבָרִים. וּלְשׁוֹן אֵי מִזֶּה, אַיֵּה הַמָּקוֹם שֶׁתֹּאמַר עָלָיו ס מִזֶּה אֲנִי בָאָה: **[פסוק ט] וַיֹּאמֶר לָהּ מַלְאַךְ ה׳ וגו׳.** עַל כָּל אֲמִירָה הָיָה שָׁלוּחַ לָהּ מַלְאָךְ אַחֵר, לְכָךְ נֶאֱמַר מַלְאָךְ

בעל הטורים

״עקרה״. ומה שרי הכניסה צרה, אף ישראל האומות הן צריהן: **(ז) על עין המים.** ב׳ במסורת – ״וימצאה מלאך ה׳ על עין המים״; ״הנה אנכי נצב על עין המים״. שטוב הוא להתפלל על המים, כדכתיב ״מקול מחצצים בין משאבים שם יתנו צדקות ה׳ ״. וכן התפלה נמשלה למים, דכתיב ״שפכי כמים לבך״: **(ח) בורחת.** ב׳ במסורת – הכא; ואידך ״מקול פרש ורומה קשת בורחת כל העיר״. מפני ששרה הבריחה את ישמעאל, לפיכך ברחו ישראל מפניו. כי ״רמה קשת״ הוא ישמעאל, כדכתיב בה ״רובה קשת״:

עיקר שפתי חכמים

ס דה״ל לכתוב מאי זה באת:

וְלֹ֥א יִסָּפֵ֖ר מֵרֹֽב׃ יא וַיֹּ֤אמֶר לָהּ֙
מַלְאַ֣ךְ יְהוָ֔ה הִנָּ֥ךְ הָרָ֖ה וְיֹלַ֣דְתְּ
בֵּ֑ן וְקָרָ֤את שְׁמוֹ֙ יִשְׁמָעֵ֔אל כִּֽי־
שָׁמַ֥ע יְהוָ֖ה אֶל־עָנְיֵֽךְ׃ יב וְה֤וּא
יִהְיֶה֙ פֶּ֣רֶא אָדָ֔ם יָד֣וֹ בַכֹּ֔ל וְיַ֥ד
כֹּ֖ל בּ֑וֹ וְעַל־פְּנֵ֥י כָל־אֶחָ֖יו יִשְׁכֹּֽן׃
יג וַתִּקְרָ֤א שֵׁם־יְהוָה֙ הַדֹּבֵ֣ר
אֵלֶ֔יהָ אַתָּ֖ה אֵ֣ל רֳאִ֑י כִּ֣י אָמְרָ֗ה
הֲגַ֥ם הֲלֹ֛ם רָאִ֖יתִי אַחֲרֵ֥י רֹאִֽי׃
יד עַל־כֵּן֙ קָרָ֣א לַבְּאֵ֔ר בְּאֵ֥ר לַחַ֖י רֹאִ֑י הִנֵּ֥ה

וְלָא יִתְמְנוּן מִסְגֵי: יא וַאֲמַר
לַהּ מַלְאֲכָא דַיְיָ הָא אַתְּ
מְעַדְיָא וּתְלִידִין בַּר וְתִקְרֵי
שְׁמֵהּ יִשְׁמָעֵאל אֲרֵי קַבִּיל
יְיָ צְלוֹתִיךְ: יב וְהוּא יְהֵא
מָרוֹד בֶּאֱנָשָׁא הוּא יְהֵא
צְרִיךְ לְכֹלָּא וִידָא דְכָל
בְּנֵי אֱנָשָׁא יְהוֹן צְרִיכִין
לֵהּ וְעַל אַפֵּי כָל אֲחוֹהִי
יִשְׁרֵי: יג וְצַלִּיאַת בִּשְׁמָא
דַיְיָ דְּמִתְמַלֵּל עִמַּהּ אֲמַרַת
אַתְּ הוּא אֱלָהָא דְחָזֵי כֹלָּא
אֲרֵי אֲמַרַת הַבְרַם הָכָא
(נ"א הַאַף אֲנָא) שָׁרֵיתִי
חָזְיָא בָּתַר דְּאִתְגְּלֵי לִי:
יד עַל כֵּן קְרָא לְבֵירָא
בֵּירָא דְמַלְאָךְ קַיָּמָא
אִתַּחֲזִי עֲלַהּ הָא (הִיא)

רש"י

בְּכָל חֲמִירָה וַחֲמִירָה (שם ז): **[פסוק יא] הִנָּךְ הָרָה.** כְּשֶׁתָּשׁוּבִי תַּהֲרִי, כְּמוֹ הִנָּךְ הָרָה (שופטים יג:ז) דְּאֵשֶׁת מָנוֹחַ: **וְיֹלַדְתְּ בֵּן.** כְּמוֹ וְיוֹלֶדֶת. וְדוֹמֶה לוֹ יֹשַׁבְתְּ בַּלְּבָנוֹן מְקֻנַּנְתְּ בָּאֲרָזִים (ירמיה כב:כג): **וְקָרָאת שְׁמוֹ.** לְשׁוֹן צִוּוּי הוּא. כְּמוֹ שֶׁאוֹמֵר לְזָכָר וְקָרָאתָ אֶת שְׁמוֹ יִצְחָק (להלן יז:יט): **[פסוק יב] פֶּרֶא אָדָם.** אוֹהֵב מִדְבָּרוֹת לָצוּד חַיּוֹת. כְּמוֹ שֶׁכָּתוּב וַיֵּשֶׁב בַּמִּדְבָּר וַיְהִי רֹבֶה קַשָּׁת (שם כא:כ; ב"ר שם ט; פדר"א פ"ל): **יָדוֹ בַכֹּל.** לִסְטִים (תנחומא שמות א): **וְיַד כֹּל בּוֹ.** הַכֹּל שׂוֹנְאִין אוֹתוֹ וּמִתְגָּרִין בּוֹ: **וְעַל פְּנֵי כָל אֶחָיו יִשְׁכֹּן.** שֶׁיִּהְיֶה זַרְעוֹ גָּדוֹל: **[פסוק יג] אַתָּה אֵל רֳאִי.** נָקוּד חֲטַף קָמָ"ץ מִפְּנֵי שֶׁהוּא שֵׁם דָּבָר, אֱלוֹהַּ הָרְאִיָּה, שֶׁרוֹאֶה בְּעֶלְבּוֹן שֶׁל עֲלוּבִין (ב"ר מה:י) [ס"א ד"א, אַתָּה אֵל רֳאִי וּמַשְׁמָע שֶׁהוּא רוֹאֶה הַכֹּל וְאֵין שׁוּם דָּבָר רוֹאֶה אוֹתוֹ (תרגום יונתן)]: **הֲגַם הֲלֹם.** לְשׁוֹן תְּמִיהָ, וְכִי סְבוּרָה הָיִיתִי שֶׁאַף הֲלוֹם בַּמִּדְבָּרוֹת רָאִיתִי שְׁלוּחָיו שֶׁל מָקוֹם **אַחֲרֵי רֹאִי** אוֹתָם בְּבֵיתוֹ שֶׁל אַבְרָהָם [שֶׁשָּׁם הָיִיתִי רְגִילָה לִרְאוֹת מַלְאָכִים]. וְתֵדַע שֶׁהָיְתָה רְגִילָה לִרְאוֹת, שֶׁהֲרֵי מָנוֹחַ רָאָה אֶת הַמַּלְאָךְ פַּעַם אַחַת וְאָמַר מוֹת נָמוּת (שופטים יג:כב), וְזוֹ רָאֲתָה אַרְבָּעָה זֶה אַחַר זֶה וְלֹא חָרְדָה (מגילה יד.; ב"ר שם ז): **[פסוק יד] בְּאֵר לַחַי רֹאִי.** כְּתַרְגּוּמוֹ, בֵּירָא דְמַלְאַךְ קַיָּמָא אִתַּחֲזִי עֲלַהּ:

בעל הטורים

(יא) וקראת. ד׳ במסורת – ״וקראת שמו ישמעאל״; ״וקראת אתכם הרעה״; ״וקראת שמו עמנואל״; ״וקראת ישועה חומותיך״. שעל ידי קריאת ישמעאל קראת הרעה. אבל על ידי קריאת עמנואל, ״וקראת ישועה חומותיך״:

בֵּין־קָדֵשׁ וּבֵין בָּרֶד: טו וַתֵּלֶד הָגָר
לְאַבְרָם בֵּן וַיִּקְרָא אַבְרָם שֶׁם־
בְּנוֹ אֲשֶׁר־יָלְדָה הָגָר יִשְׁמָעֵאל:
טז וְאַבְרָם בֶּן־שְׁמֹנִים שָׁנָה וְשֵׁשׁ
שָׁנִים בְּלֶדֶת־הָגָר אֶת־יִשְׁמָעֵאל
לְאַבְרָם: ס פרק יז א וַיְהִי אַבְרָם
בֶּן־תִּשְׁעִים שָׁנָה וְתֵשַׁע שָׁנִים
וַיֵּרָא יהוה אֶל־אַבְרָם וַיֹּאמֶר אֵלָיו אֲנִי־אֵל
שַׁדַּי הִתְהַלֵּךְ לְפָנַי וֶהְיֵה תָמִים: ב וְאֶתְּנָה
בְרִיתִי בֵּינִי וּבֵינֶךָ וְאַרְבֶּה אוֹתְךָ בִּמְאֹד מְאֹד:

בֵּין רְקַם וּבֵין חַגְרָא:
טו וִילֵידַת הָגָר לְאַבְרָם
בַּר וּקְרָא אַבְרָם שׁוּם
בְּרֵהּ דִּי יְלֵידַת הָגָר
יִשְׁמָעֵאל: טז וְאַבְרָם בַּר
תְּמָנַן וְשִׁית שְׁנִין כַּד
יְלֵידַת הָגָר יָת יִשְׁמָעֵאל
לְאַבְרָם: א וַהֲוָה אַבְרָם
בַּר תִּשְׁעִין וּתְשַׁע שְׁנִין
וְאִתְגְּלִי יְיָ לְאַבְרָם וַאֲמַר
לֵהּ אֲנָא אֵל שַׁדַּי פְּלַח
קֳדָמַי וֶהֱוֵי שְׁלִים: ב וְאֶתֵּן
קְיָמִי בֵּין מֵימְרִי וּבֵינָךְ
וְאַסְגֵּי יָתָךְ לַחֲדָא לַחֲדָא:

רש"י

[פסוק טו] **וַיִּקְרָא אַבְרָם שֶׁם וגו'.** אע"פ שֶׁלֹּא שָׁמַע אַבְרָם דִּבְרֵי הַמַּלְאָךְ שֶׁאָמַר וְקָרָאת שְׁמוֹ יִשְׁמָעֵאל, ע שָׁרְתָה רוּחַ הַקּוֹדֶשׁ עָלָיו וּקְרָאוֹ יִשְׁמָעֵאל (מדרש אגדה):] [פסוק טז] **וְאַבְרָם בֶּן שְׁמֹנִים וגו'.** לְשִׁבְחוֹ שֶׁל יִשְׁמָעֵאל נִכְתַּב, לְהוֹדִיעֲךָ שֶׁהָי' בֶּן י"ג פ שָׁנָה כְּשֶׁנִּמּוֹל וְלֹא עִכֵּב (שם):] [פסוק א] **אֲנִי אֵל שַׁדַּי.** אֲנִי הוּא שֶׁיֵּשׁ דַּי בֵּאלֹהוּתִי לְכָל בְּרִיָּה. וּלְפִיכָךְ **הִתְהַלֵּךְ לְפָנַי** וֶאֱהְיֶה לְךָ לֶאֱלוֹהַּ וּלְפַטְרוֹן. וְכֵן כָּל מָקוֹם שֶׁהוּא בַּמִּקְרָא פֵּירוּשׁוֹ כַּךְ, דַּי שֶׁלּוֹ [ס"א דַּי יֵשׁ לוֹ] וְהַכֹּל לְפִי הָעִנְיָן (ב"ר מו:ג): **הִתְהַלֵּךְ לְפָנַי.** כְּתַרְגּוּמוֹ, פְּלַח קֳדָמַי, הִדָּבֵק בַּעֲבוֹדָתִי: **וֶהְיֵה תָמִים.** אַף זֶה צִוּוּי אַחַר צִוּוּי, הֱיֵה שָׁלֵם בְּכָל נִסְיוֹנוֹתַי. וּלְפִי מִדְרָשׁוֹ, הִתְהַלֵּךְ לְפָנַי בְּמִצְוַת מִילָה וּבַדָּבָר הַזֶּה תִּהְיֶה תָמִים צ, שֶׁכָּל זְמַן שֶׁהָעָרְלָה בְךָ אַתָּה בַּעַל מוּם לְפָנַי (ב"ר שם ד). ד"א, וֶהְיֵה תָמִים, [עַכְשָׁיו אַתָּה חָסֵר ה' אֵיבָרִים, ב' עֵינַיִם ב' אָזְנַיִם וְרֹאשׁ הַגְּוִיָּה.] אוֹסִיף לְךָ אוֹת עַל שִׁמְךָ וְיִהְיוּ מִנְיַן אוֹתִיּוֹתֶיךָ רמ"ח כְּמִנְיַן ק אֵבָרֶיךָ (תנחומא טז; נדרים לב:): [פסוק ב] **וְאֶתְּנָה בְרִיתִי.** בְּרִית שֶׁל אַהֲבָה וּבְרִית הָאָרֶץ לְהוֹרִישָׁהּ לְךָ ע"י מִצְוָה זוֹ (ב"ר שם ט):

עיקר שפתי חכמים

ע כי המלאך נוה להגר כי תקרא את שמו ישמעאל, ופה כתיב כי אברהם קרא אותו בשם זה. ע"כ לא מצווי המלאך רק בשביל רוח הקדש ששרתה על אברהם: פ כי כשמל אותו היה בן י"ג שנה, ושנה עליו הכתוב לקמן שהיה בן י"ג שנה ללמד שנמול מחמת יראת השם ולא שאביו כפה אותו: צ ר"ל כי לפי מדרשו הצווי הוא התהלך לפני וממילא תהיה תמים, ולפי פשוטו הוא צווי אחר לגוף: ק הם האברים המסרסרים

ג וַיִּפֹּל אַבְרָם עַל־פָּנָיו וַיְדַבֵּר
אִתּוֹ אֱלֹהִים לֵאמֹר: ד אֲנִי הִנֵּה
בְרִיתִי אִתָּךְ וְהָיִיתָ לְאַב הֲמוֹן
גּוֹיִם: ה וְלֹא־יִקָּרֵא עוֹד אֶת־שִׁמְךָ
אַבְרָם וְהָיָה שִׁמְךָ אַבְרָהָם כִּי
אַב־הֲמוֹן גּוֹיִם נְתַתִּיךָ: ו וְהִפְרֵתִי
אֹתְךָ בִּמְאֹד מְאֹד וּנְתַתִּיךָ
לְגוֹיִם וּמְלָכִים מִמְּךָ יֵצֵאוּ:
שביעי ז וַהֲקִמֹתִי אֶת־בְּרִיתִי בֵּינִי וּבֵינֶךָ וּבֵין זַרְעֲךָ
אַחֲרֶיךָ לְדֹרֹתָם לִבְרִית עוֹלָם לִהְיוֹת לְךָ
לֵאלֹהִים וּלְזַרְעֲךָ אַחֲרֶיךָ: ח וְנָתַתִּי לְךָ וּלְזַרְעֲךָ

ג וּנְפַל אַבְרָם עַל אַפּוֹהִי
וּמַלֵּיל עִמֵּהּ יְיָ לְמֵימַר:
ד אֲנָא הָא (גְּזַר) קְיָמִי
עִמָּךְ וּתְהֵי לְאַב סְגִי
עַמְמִין: ה וְלָא יִתְקְרֵי עוֹד
יָת שְׁמָךְ אַבְרָם וִיהֵי שְׁמָךְ
אַבְרָהָם אֲרֵי אַב סְגִי
עַמְמִין יְהַבְתָּךְ: ו וְאַפֵּישׁ
יָתָךְ לַחֲדָא לַחֲדָא
וְאֶתְּנִנָּךְ לְעַמְמִין וּמַלְכִין
דְּשַׁלִּיטִין בְּעַמְמַיָּא מִנָּךְ
יִפְּקוּן: ז וַאֲקִים יָת קְיָמִי
בֵּין מֵימְרִי וּבֵינָךְ וּבֵין בְּנָיךְ
בָּתְרָךְ לְדָרֵיהוֹן לִקְיָם עָלַם
לְמֶהֱוֵי לָךְ לֶאֱלָהָא וְלִבְנָיךְ
בָּתְרָךְ: ח וְאֶתֵּן לָךְ וְלִבְנָיךְ

רש"י

[פסוק ג] **וַיִּפֹּל אַבְרָם עַל פָּנָיו.** מִמּוֹרָא הַשְּׁכִינָה, שֶׁעַד שֶׁלֹּא מָל לֹא הָיָה בּוֹ כֹּחַ לַעֲמוֹד ורוה"ק נִצֶּבֶת ד עָלָיו, וְזֶהוּ שֶׁנֶּאֱמַר בְּבִלְעָם נוֹפֵל וּגְלוּי עֵינָיִם (במדבר כד:ד). בִּבְרַיְיתָא דר"א מָצָאתִי כֵּן (פדר"א פכ"ט): [פסוק ה] **כִּי אַב הֲמוֹן גּוֹיִם.** ל' נוֹטָרִיקוֹן שֶׁל שְׁמוֹ (ב"ר מס ז). וְרֵי"שׁ שֶׁהָיְתָה בּוֹ בַּתְּחִלָּה, שֶׁלֹּא הָיָה אָב אֶלָּא לַאֲרָם שֶׁהוּא מְקוֹמוֹ וְעַכְשָׁיו אָב לְכָל הָעוֹלָם (ברכות יג.), לֹא זָזָה מִמְּקוֹמָהּ. שֶׁאַף יו"ד שֶׁל שָׂרַי נִתְרַעֲמָה עַל הַשְּׁכִינָה עַד שֶׁהוֹסִיפָהּ לִיהוֹשֻׁעַ, שֶׁנֶּאֱמַר וַיִּקְרָא מֹשֶׁה לְהוֹשֵׁעַ בִּן נוּן יְהוֹשֻׁעַ (במדבר יג:טז; סנהדרין קז.; ב"ר מז:א): [פסוק ו] **וּנְתַתִּיךָ לְגוֹיִם.** יִשְׂרָאֵל וֶאֱדוֹם, שֶׁהֲרֵי יִשְׁמָעֵאל כְּבָר הָיָה לוֹ וְלֹא הָיָה מְבַשְּׂרוֹ עָלָיו: [פסוק ז] **וַהֲקִמֹתִי אֶת בְּרִיתִי.** וּמַה הִיא הַבְּרִית, **לִהְיוֹת לְךָ לֵאלֹהִים:**

בעל הטורים

(ד) שני פעמים "אב המון" בפרשה. והוא עולה בחשבון יצחק. וכן "ארבה" בגימטריא יצחק:

עיקר שפתי חכמים

את האדם לעבירה ואינם ברשותו של אדם. ולרוב צדקתו מסרם בידו כדכתיב רגלי חסידיו ישמור [רא"ם]: ר ואף דמצינו באברהם שראה את ה' גם בטרם שמל את עצמו ולא נפל על פניו, אבל אז לא נצטווה עדנה, ורק אחר הציווי לא היה בו כח לעמוד עד שמל:

אַחֲרֶ֙יךָ֜ אֵ֣ת ׀ אֶ֣רֶץ מְגֻרֶ֗יךָ אֵ֚ת
כָּל־אֶ֣רֶץ כְּנַ֔עַן לַאֲחֻזַּ֖ת עוֹלָ֑ם
וְהָיִ֥יתִי לָהֶ֖ם לֵאלֹהִֽים׃ ט וַיֹּ֤אמֶר
אֱלֹהִים֙ אֶל־אַבְרָהָ֔ם וְאַתָּ֖ה אֶת־
בְּרִיתִ֣י תִשְׁמֹ֑ר אַתָּ֛ה וְזַרְעֲךָ֥
אַחֲרֶ֖יךָ לְדֹרֹתָֽם׃ י זֹ֣את בְּרִיתִ֞י
אֲשֶׁ֣ר תִּשְׁמְר֗וּ בֵּינִי֙ וּבֵ֣ינֵיכֶ֔ם
וּבֵ֥ין זַרְעֲךָ֖ אַחֲרֶ֑יךָ הִמּ֥וֹל
לָכֶ֖ם כָּל־זָכָֽר׃ יא וּנְמַלְתֶּ֕ם אֵ֖ת
בְּשַׂ֣ר עָרְלַתְכֶ֑ם וְהָיָה֙ לְא֣וֹת
בְּרִ֔ית בֵּינִ֖י וּבֵינֵיכֶֽם׃ יב וּבֶן־שְׁמֹנַ֣ת יָמִ֗ים יִמּ֥וֹל
לָכֶ֛ם כָּל־זָכָ֖ר לְדֹרֹתֵיכֶ֑ם יְלִ֣יד בָּ֔יִת וּמִקְנַת־
כֶּ֙סֶף֙ מִכֹּ֣ל בֶּן־נֵכָ֔ר אֲשֶׁ֛ר לֹ֥א מִֽזַּרְעֲךָ֖ הֽוּא׃

בַּתְרָךְ יָת אַרְעָא
תּוֹתָבוּתָךְ יָת כָּל אַרְעָא
דִכְנַעַן לְאַחְסָנַת עָלַם
וֶאֱהֵוֵי לְהוֹן לֶאֱלָהּ׃
ט וַאֲמַר יְיָ לְאַבְרָהָם
וְאַתְּ יָת קְיָמִי תִטַּר אַתְּ
וּבְנָיךְ בַּתְרָךְ לְדָרֵיהוֹן׃
י דָּא קְיָמִי דִּי תִטְּרוּן בֵּין
מֵימְרִי וּבֵינֵיכוֹן וּבֵין בְּנָיךְ
בַּתְרָךְ מִגְזַר לְכוֹן כָּל
דְּכוּרָא׃ יא וְתִגְזְרוּן יָת
בִּשְׂרָא דְעָרְלַתְכוֹן וּתְהֵי
(נ"א וִיהֵי) לְאָת קְיָם בֵּין
מֵימְרִי וּבֵינֵיכוֹן׃ יב וּבַר
תְּמַנְיָא יוֹמִין יִתְגְּזַר
(נ"א יִגְּזַר) לְכוֹן כָּל דְּכוּרָא
לְדָרֵיכוֹן יְלִידֵי בֵיתָא
וּזְבִינֵי כַסְפָּא מִכֹּל בַּר
עַמְמִין דִּי לָא מִבְּנָךְ הוּא׃

רש"י

[פסוק ח] **לַאֲחֻזַּת עוֹלָם.** וְשָׁם אֶהְיֶה [ס"א **וְהָיִיתִי**] **לָהֶם לֵאלֹהִים** (ב"ר מו:ט) אֲבָל [בֶּן יִשְׂרָאֵל] הַדָּר בְּחוּצָה לָאָרֶץ כְּמִי שֶׁאֵין לוֹ אֱלוֹהַּ (כתובות קי:): [פסוק ט] **וְאַתָּה.** וָי"ו זוֹ מוֹסִיף עַל עִנְיָן רִאשׁוֹן. אֲנִי הִנֵּה בְרִיתִי אִתָּךְ וְאַתָּה הֱוֵה זָהִיר לְשָׁמְרוֹ, וּמַה הִיא שְׁמִירָתוֹ, זֹאת בְּרִיתִי אֲשֶׁר תִּשְׁמְרוּ וגו' הִמּוֹל לָכֶם וגו' (ב"ר מו:ט): [פסוק י] **בֵּינִי וּבֵינֵיכֶם וגו'.** אוֹתָם שֶׁל עַכְשָׁיו: **וּבֵין זַרְעֲךָ אַחֲרֶיךָ.** הָעֲתִידִין לְהִוָּלֵד אַחֲרֶיךָ: **הִמּוֹל.** כְּמוֹ לְהִמּוֹל כְּמוֹ שֶׁאַתָּה אוֹמֵר עָשׂוֹת כְּמוֹ לַעֲשׂוֹת: [פסוק יא] **וּנְמַלְתֶּם.** כְּמוֹ וּמַלְתֶּם, וְהַנּוּ"ן בּוֹ יְתֵירָה לִיסוֹד הַנּוֹפֵל [בּוֹ] לִפְרָקִים, כְּמוֹ נ' שֶׁל נוֹשֵׁךְ וּנ' שֶׁל נוֹשֶׂה. וּנְמַלְתֶּם כְּמוֹ וּנְשָׂאתֶם (להלן מה:יט). אֲבָל יִמּוֹל לְשׁוֹן יִפָּעֵל, כְּמוֹ יֵעָשֶׂה, יֵאָכֵל: [פסוק יב] **יְלִיד בָּיִת.** שֶׁיְּלָדַתּוּ הַשִּׁפְחָה בַּבַּיִת: **וּמִקְנַת כֶּסֶף.** שֶׁקְּנָאוֹ

ראה הטבלא "עֲשָׂרָה נִסְיוֹנוֹת שֶׁבָּהֶם נִתְנַסָּה אַבְרָהָם אָבִינוּ" (עמוד 525).

יג הִמּ֧וֹל | יִמּ֛וֹל יְלִ֥יד בֵּיתְךָ֖ וּמִקְנַ֣ת
כַּסְפֶּ֑ךָ וְהָיְתָ֧ה בְרִיתִ֛י בִּבְשַׂרְכֶ֖ם
לִבְרִ֥ית עוֹלָֽם׃ יד וְעָרֵ֣ל | זָכָ֗ר
אֲשֶׁ֤ר לֹֽא־יִמּוֹל֙ אֶת־בְּשַׂ֣ר עָרְלָת֔וֹ
וְנִכְרְתָ֛ה הַנֶּ֥פֶשׁ הַהִ֖וא מֵעַמֶּ֑יהָ
אֶת־בְּרִיתִ֖י הֵפַֽר׃ ס טו וַיֹּ֤אמֶר
אֱלֹהִים֙ אֶל־אַבְרָהָ֔ם שָׂרַ֣י אִשְׁתְּךָ֔
לֹא־תִקְרָ֥א אֶת־שְׁמָ֖הּ שָׂרָ֑י כִּ֖י
שָׂרָ֥ה שְׁמָֽהּ׃ טז וּבֵרַכְתִּ֣י אֹתָ֔הּ וְגַ֨ם נָתַ֧תִּי מִמֶּ֛נָּה
לְךָ֖ בֵּ֑ן וּבֵֽרַכְתִּ֙יהָ֙ וְהָֽיְתָ֣ה לְגוֹיִ֔ם מַלְכֵ֥י עַמִּ֖ים

יג אִתְגְּזָרָא יִתְגְּזַרוּן (נ״א מִגְזַר יִגְזַר) יְלִיד בֵּיתָךְ וּזְבִינֵי כַסְפָּךְ וּתְהֵי (נ״א וִיהֵי) קְיָמִי בִּבְשַׂרְכוֹן לִקְיָם עָלָם: יד וְעָרֵל דְּכוּרָא דִּי לָא יִגְזַר יָת בְּשַׂר עָרְלְתֵהּ וְיִשְׁתֵּיצֵי אֱנָשָׁא הַהוּא מֵעַמֵּיהּ יָת קְיָמִי אַשְׁנִי: טו וַאֲמַר יְיָ לְאַבְרָהָם שָׂרַי אִתְּתָךְ לָא תִקְרֵי יָת שְׁמַהּ שָׂרַי אֲרֵי שָׂרָה שְׁמַהּ: טז וַאֲבָרֵךְ יָתַהּ וְאַף אֶתֵּן מִנַּהּ לָךְ בַּר וַאֲבָרְכִנַּהּ וּתְהֵי לִכְנִשַׁת עַמְמִין מַלְכִין דְּשַׁלִּיטִין בְּעַמְמַיָּא

רש״י

מְשֻׁבָּל: [פסוק יג] **הִמּוֹל יִמּוֹל יְלִיד בֵּיתְךָ.** כָּאן כָּפַל עָלָיו וְלֹא אָמַר לח׳ יָמִים, לְלַמֶּדְךָ שֶׁיֵּשׁ יְלִיד בַּיִת נִמּוֹל לְאֶחָד [ס״א לְאַחַר שְׁמוֹנָה יָמִים], כְּמוֹ שֶׁמְּפוֹרָשׁ בְּמַסֶּכֶת שַׁבָּת (קלה:): [פסוק יד] **וְעָרֵל זָכָר.** כָּאן לָמַד שֶׁהַמִּילָה בְּאוֹתוֹ מָקוֹם שֶׁהוּא נִיכָּר בֵּין זָכָר ש לִנְקֵבָה (שם קח.): **אֲשֶׁר לֹא יִמּוֹל.** מִשֶּׁיַּגִּיעַ לִכְלַל עוֹנָשִׁין (שבת קלג:): **וְנִכְרְתָה,** אֲבָל אָבִיו אֵין עָנוּשׁ עָלָיו כָּרֵת (יבמות עב.), אֲבָל עוֹבֵר בַּעֲשֵׂה (קידושין כט.): **וְנִכְרְתָה הַנֶּפֶשׁ.** הוֹלֵךְ עֲרִירִי (יבמות נה.) וּמֵת קוֹדֶם זְמַנּוֹ (מו״ק כח.): [פסוק טו] **לֹא תִקְרָא אֶת שְׁמָהּ שָׂרָי.** דְּמַשְׁמַע שָׂרַי לִי וְלֹא לַאֲחֵרִים. **כִּי שָׂרָה** סְתָם **שְׁמָהּ,** שֶׁתְּהֵא שָׂרָה עַל כֹּל (ברכות יג.): [פסוק טז] **וּבֵרַכְתִּי אֹתָהּ.** וּמָה הִיא הַבְּרָכָה, ת שֶׁחָזְרָה לְנַעֲרוּתָהּ, שֶׁנֶּאֱמַר הָיְתָה לִּי עֶדְנָה (להלן יח:יב; ב״ר מז:ב): **וּבֵרַכְתִּיהָ.** בַּהֲנָקַת שָׁדַיִם (ב״ר שם) כְּשֶׁנִּצְרְכָה לְכָךְ בְּיוֹם מִשְׁתֶּה שֶׁל יִצְחָק, שֶׁהָיוּ מְרַנְּנִים עָלֵיהֶם שֶׁהֵבִיאוּ אֲסוּפִי מִן הַשּׁוּק וְאוֹמְרִים בְּנֵנוּ הוּא, וְהֵבִיאָה כָּל אַחַת בְּנָהּ עִמָּהּ וּמֵינִיקָתָהּ לֹא הֵבִיאָה, וְהִיא הֵנִיקָה אֶת כּוּלָּם. הוּא שֶׁנֶּאֱמַר הֵינִיקָה בָנִים שָׂרָה (להלן כא:ז). ב״ר (נג:ט) רְמָזוֹ בַּמִּקְרָא:

בעל הטורים

(יד) **הפר.** ב׳ במסורת — הכא ״את בריתי הפר״; ואידך ״ואת מצותו הפר״. שדורש אותו במדרש על המושך ערלתו. כמו ״הפר״ דהכא בברית מילה, אף ״מצותו הפר״ בברית מילה:

עיקר שפתי חכמים

ש מדלא כתיב וזכר ערל. וכתיב וערל זכר משמע שהערלות הוא במקום שמבדיל בין זכר לנקבה: ת דמשמע דברך אותה ה׳ מלבד נתינת הבן:

מִמֶּנָּה יִהְיוּ׃ יז וַיִּפֹּל אַבְרָהָם
עַל־פָּנָיו וַיִּצְחָק וַיֹּאמֶר בְּלִבּוֹ
הַלְּבֶן מֵאָה־שָׁנָה יִוָּלֵד וְאִם־
שָׂרָה הֲבַת־תִּשְׁעִים שָׁנָה תֵּלֵד׃
יח וַיֹּאמֶר אַבְרָהָם אֶל־הָאֱלֹהִים
לוּ יִשְׁמָעֵאל יִחְיֶה לְפָנֶיךָ׃
יט וַיֹּאמֶר אֱלֹהִים אֲבָל שָׂרָה אִשְׁתְּךָ יֹלֶדֶת לְךָ
בֵּן וְקָרָאתָ אֶת־שְׁמוֹ יִצְחָק וַהֲקִמֹתִי אֶת־בְּרִיתִי

מִנַּהּ יְהוֹן׃ יז וּנְפַל
אַבְרָהָם עַל אַפּוֹהִי וַחֲדִי
וַאֲמַר בְּלִבֵּהּ הֲלְבַר
מְאָה שְׁנִין יְהֵי וְלַד
וְאִם שָׂרָה הֲבַת תִּשְׁעִין
שְׁנִין תְּלִיד׃ יח וַאֲמַר
אַבְרָהָם קֳדָם יְיָ לְוַי
יִשְׁמָעֵאל יִתְקַיַּם קֳדָמָךְ׃
יט וַאֲמַר יְיָ בְּקוּשְׁטָא
שָׂרָה אִתְּתָךְ תְּלִיד לָךְ
בַּר וְתִקְרֵי יָת שְׁמֵהּ
יִצְחָק וַאֲקֵים יָת קְיָמִי

רש"י

[פסוק יז] וַיִּפֹּל אַבְרָהָם עַל פָּנָיו וַיִּצְחָק. זֶה ת"א לְשׁוֹן שִׂמְחָה וַחֲדִי, וְשֶׁל שָׂרָה לְשׁוֹן מְחוֹךְ (להלן יח:יב). לָמַדְתָּ שֶׁאַבְרָהָם הֶאֱמִין וְשָׂמַח, וְשָׂרָה לֹא הֶאֱמִינָה וְלִגְלְגָה. וְזֶהוּ שֶׁהִקְפִּיד הקב"ה עַל שָׂרָה (שם יג) וְלֹא הִקְפִּיד עַל אַבְרָהָם: **הַלְּבֶן.** יֵשׁ תְּמִיהוֹת שֶׁהֵן קִיּוּמוֹת, כְּמוֹ הֲנִגְלֹה נִגְלֵיתִי (שמואל-א ב:כז), הֲרוֹאֶה אַתָּה (שם ב טו:כז). אַף זוֹ הִיא קִיּוּמֶת [א], וְכָךְ אָמַר בְּלִבּוֹ, הֲנַעֲשָׂה חֶסֶד זֶה לְאַחֵר מַה שֶּׁהקב"ה עוֹשֶׂה לִי: **וְאִם שָׂרָה הֲבַת תִּשְׁעִים שָׁנָה.** הָיְתָה כְּדַאי לֵילֵד. וְאַף עַל פִּי שֶׁדּוֹרוֹת הָרִאשׁוֹנִים הָיוּ מוֹלִידִים בְּנֵי ת"ק שָׁנָה, בִּימֵי אַבְרָהָם נִתְמַעֲטוּ הַשָּׁנִים כְּבָר וּבָא [ב] תַּשּׁוּת כֹּחַ לָעוֹלָם, וְצֵא וּלְמַד מֵעֲשָׂרָה דוֹרוֹת שֶׁמִּנֹּחַ וְעַד אַבְרָהָם שֶׁמִּהֲרוּ תוֹלְדוֹתֵיהֶם בְּנֵי שְׁלֹשִׁים וּבְנֵי שִׁבְעִים (פדר"א פכ"ב): **[פסוק יח] לוּ יִשְׁמָעֵאל יִחְיֶה.** הַלְוַאי שֶׁיִּחְיֶה יִשְׁמָעֵאל, אֵינִי כְּדַאי לְקַבֵּל מַתַּן שָׂכָר כָּזֶה (ב"ר מז:ד): **יִחְיֶה לְפָנֶיךָ.** יִחְיֶה בְּיִרְאָתֶךָ (תרגום יונתן) כְּמוֹ הִתְהַלֵּךְ לְפָנַי (לעיל פסוק א) פְּלַח קֳדָמַי: **[פסוק יט] אֲבָל.** לְשׁוֹן אֲמִתַּת דְּבָרִים (אונקלוס; תרגום יונתן), וְכֵן אֲבָל אֲשֵׁמִים אֲנַחְנוּ (להלן מב:כא) אֲבָל בֵּן אֵין לָהּ (מלכים-ב ד:יד): **וְקָרָאתָ אֶת שְׁמוֹ יִצְחָק.** עַל שֵׁם הַצְּחוֹק (מדרש חז"ל). וי"א עַל שֵׁם עֲשָׂרָה נִסְיוֹנוֹת וצ' שָׁנָה שֶׁל שָׂרָה וח' יָמִים שֶׁנִּימּוֹל וק' שָׁנָה שֶׁל אַבְרָהָם (פדר"א לב; ב"ר נג:ז): **[וַהֲקִמֹתִי אֶת בְּרִיתִי.** לָמָּה נֶאֱמַר, וַהֲרֵי כְּבָר כְּתִיב וְאַתָּה אֶת בְּרִיתִי תִשְׁמֹר אַתָּה וְזַרְעֲךָ וגו', אֶלָּא לְפִי שֶׁאוֹמֵר וַהֲקִמֹתִי וגו', יָכוֹל בְּנֵי יִשְׁמָעֵאל וּבְנֵי קְטוּרָה בִּכְלַל הַקִּיּוּם, ת"ל וַהֲקִמֹתִי אֶת בְּרִיתִי אִתּוֹ, וְלֹא עִם אֲחֵרִים (עי' סנהדרין נט:):

עיקר שפתי חכמים

א כי אברהם האמין כמ"ש לעיל, אך תמה ואמר בלבו היעשה גם חסד זה לאחר, ובא בזה לשבח לה'. אבל שרה לא האמינה והיתה אומרת תמיה שאין קיימת, ר"ל שאין באפשרי להתקיים: ב ר"ל שהתמיה שלו היתה מאחר ששניהם היו זקנים ואינם ראוים להוליד:

אִתּ֛וֹ לִבְרִ֥ית עוֹלָ֖ם לְזַרְע֥וֹ
אַחֲרָֽיו׃ כ וּֽלְיִשְׁמָעֵאל֮ שְׁמַעְתִּיךָ֒
הִנֵּ֣ה ׀ בֵּרַ֣כְתִּי אֹת֗וֹ וְהִפְרֵיתִ֥י
אֹת֛וֹ וְהִרְבֵּיתִ֥י אֹת֖וֹ בִּמְאֹ֣ד
מְאֹ֑ד שְׁנֵים־עָשָׂ֤ר נְשִׂיאִם֙ יוֹלִ֔יד
וּנְתַתִּ֖יו לְג֥וֹי גָּדֽוֹל׃ כא וְאֶת־בְּרִיתִ֖י
אָקִ֣ים אֶת־יִצְחָ֑ק אֲשֶׁר֩ תֵּלֵ֨ד
לְךָ֤ שָׂרָה֙ לַמּוֹעֵ֣ד הַזֶּ֔ה בַּשָּׁנָ֖ה
הָאַחֶֽרֶת׃ כב וַיְכַ֖ל לְדַבֵּ֣ר אִתּ֑וֹ
וַיַּ֣עַל אֱלֹהִ֔ים מֵעַ֖ל אַבְרָהָֽם׃ כג וַיִּקַּ֨ח אַבְרָהָ֜ם
אֶת־יִשְׁמָעֵ֣אל בְּנ֗וֹ וְאֵ֨ת כָּל־יְלִידֵ֤י בֵיתוֹ֙ וְאֵת֙
כָּל־מִקְנַ֣ת כַּסְפּ֔וֹ כָּל־זָכָ֕ר בְּאַנְשֵׁ֖י בֵּ֣ית אַבְרָהָ֑ם

עִמֵּהּ לִקְיָם עָלַם לִבְנוֹהִי
בָּתְרוֹהִי: כ וּלְיִשְׁמָעֵאל
קַבֵּלִית צְלוֹתָךְ הָא
בָּרֵכִית יָתֵהּ וְאַפֵּישׁ יָתֵהּ
וְאַסְגֵּי יָתֵהּ לַחֲדָא לַחֲדָא
תְּרֵין עֲשַׂר רַבְרְבִין יוֹלִיד
וְאֶתְּנִנֵּהּ לְעַם סַגִּי: כא וְיָת
קְיָמִי אֲקִים עִם יִצְחָק דִּי
תְלִיד לָךְ שָׂרָה לְזִמְנָא
הָדֵין בְּשַׁתָּא אָחֳרַנְתָּא:
כב וְשֵׁצִי לְמַלָּלָא עִמֵּהּ
וְאִסְתַּלַּק יְקָרָא דַיְיָ
מֵעִלָּווֹהִי דְּאַבְרָהָם:
כג וּדְבַר אַבְרָהָם יָת
יִשְׁמָעֵאל בְּרֵהּ וְיָת כָּל
יְלִידֵי בֵיתֵהּ וְיָת כָּל
זְבִינֵי כַסְפֵּהּ כָּל דְּכוּרָא
בְּאֱנָשֵׁי בֵּית אַבְרָהָם

רש"י

וְאֶת בְּרִיתִי אָקִים אֶת יִצְחָק. לָמָּה נֶאֱמַר, הֲלֹא לָמֵד שֶׁהָיָה קָדוֹשׁ מִבֶּטֶן (עי' שבת קלז:). ד"א, אָמַר רַבִּי אַבָּא מִכָּאן לָמֵד ק"ו בֶּן הַגְּבִירָה מִבֶּן הָאָמָה. כְּתִיב הִנֵּה בֵּרַכְתִּי אוֹתוֹ וְהִרְבֵּיתִי אוֹתוֹ וְהִפְרֵיתִי אוֹתוֹ, זֶה יִשְׁמָעֵאל, וק"ו וְאֶת בְּרִיתִי אָקִים אֶת יִצְחָק (ב"ר מז:ה):] **אֶת בְּרִיתִי.** בְּרִית הַמִּילָה תְּהֵא מְסוּרָה לְזַרְעוֹ שֶׁל יִצְחָק (סנהדרין נט): **[פסוק כ] שְׁנֵים עָשָׂר נְשִׂיאִם.** כַּעֲנָנִים יִכְלוּ, כְּמוֹ נְשִׂיאִים וְרוּחַ (משלי כה:יד; ב"ר סב): **[פסוק כב] מֵעַל אַבְרָהָם.** לְשׁוֹן נְקִיָּה הוּא כְּלַפֵּי שְׁכִינָה. וְלִמְּדָנוּ שֶׁהַצַּדִּיקִים מֶרְכַּבְתּוֹ שֶׁל מָקוֹם (ב"ר סב ו, ועי' סט:ג): **[פסוק כג] בְּעֶצֶם הַיּוֹם.** בּוֹ בַּיּוֹם שֶׁנִּצְטַוָּה, בַּיּוֹם וְלֹא בַּלַּיְלָה, לֹא נִתְיָרֵא לֹא מִן הַגּוֹיִם וְלֹא מִן הַלֵּיצָנִים, וְשֶׁלֹּא יִהְיוּ אוֹיְבָיו [ס"א אוֹהֲבָיו] וּבְנֵי דוֹרוֹ אוֹמְרִים אִילּוּ רְאִינוּהוּ לֹא הִנַּחְנוּהוּ לָמוּל וּלְקַיֵּים מִצְוָתוֹ שֶׁל מָקוֹם (ב"ר מז:ט):

בעל הטורים

(כא) **ואת בריתי אקים את יצחק.** "אקים" נוטריקון אשר קידש ידיד מבטן:

וַיָּמָל אֶת־בְּשַׂר עָרְלָתָם בְּעֶצֶם
הַיּוֹם הַזֶּה כַּאֲשֶׁר דִּבֶּר אִתּוֹ
אֱלֹהִים: מפטיר כד וְאַבְרָהָם בֶּן־
תִּשְׁעִים וָתֵשַׁע שָׁנָה בְּהִמֹּלוֹ
בְּשַׂר עָרְלָתוֹ: כה וְיִשְׁמָעֵאל בְּנוֹ
בֶּן־שְׁלֹשׁ עֶשְׂרֵה שָׁנָה בְּהִמֹּלוֹ
אֵת בְּשַׂר עָרְלָתוֹ: כו בְּעֶצֶם הַיּוֹם
הַזֶּה נִמּוֹל אַבְרָהָם וְיִשְׁמָעֵאל בְּנוֹ: כז וְכָל־
אַנְשֵׁי בֵיתוֹ יְלִיד בָּיִת וּמִקְנַת־כֶּסֶף מֵאֵת בֶּן־
נֵכָר נִמֹּלוּ אִתּוֹ: פ פ פ

וּגְזַר יָת בִּשְׂרָא דְעָרְלָתְהוֹן
בִּכְרַן יוֹמָא הָדֵין כְּמָא דִי
מַלִּיל עִמֵּהּ יְיָ: כד וְאַבְרָהָם
בַּר תִּשְׁעִין וּתְשַׁע שְׁנִין
כַּד גְּזַר בִּשְׂרָא דְעָרְלְתֵהּ:
כה וְיִשְׁמָעֵאל בְּרֵהּ בַּר
תְּלָת עַשְׂרֵי שְׁנִין כַּד גְּזַר
יָת בִּשְׂרָא דְעָרְלְתֵהּ:
כו בִּכְרַן יוֹמָא הָדֵין
אִתְגְּזַר (נ״א גְּזַר) אַבְרָהָם
וְיִשְׁמָעֵאל בְּרֵהּ: כז וְכָל
אֱנָשֵׁי בֵיתֵהּ יְלִידֵי בֵיתָא
וּזְבִינֵי כַסְפָּא מִן בַּר עַמְמִין
אִתְגְּזָרוּ (נ״א גְּזָרוּ) עִמֵּהּ:

קכ״ו פסוקים. נמל״ו סימן. מכנדי״ב סימן.

רש״י

וַיָּמָל. לְשׁוֹן וַיִּפְעַל: [פסוק כד] **בְּהִמֹּלוֹ.** בְּהִפָּעֲלוֹ כְּמוֹ בְּהִבָּרְאָם (לעיל ב:ד) [נָטַל אַבְרָהָם סַכִּין וְאָחַז בְּעָרְלָתוֹ וְרָצָה לַחְתּוֹךְ וְהָיָה מִתְיָרֵא, שֶׁהָיָה זָקֵן, מֶה עָשָׂה הקב״ה, שָׁלַח יָדוֹ וְאָחַז עִמּוֹ, שנא׳ וְכָרוֹת עִמּוֹ הַבְּרִית (נחמיה ט:ח), לוֹ לֹא נֶאֱמַר, אֶלָּא עִמּוֹ. ב״ר (מט:ב)]: [פסוק כה] **בְּהִמֹּלוֹ אֵת בְּשַׂר עָרְלָתוֹ.** בְּאַבְרָהָם לֹא נֶאֱמַר אֵת, לְפִי שֶׁלֹּא הָיָה חָסֵר אֶלָּא חִתּוּךְ בָּשָׂר, שֶׁכְּבָר נִתְמַעֵךְ עַל יְדֵי תַּשְׁמִישׁ, אֲבָל יִשְׁמָעֵאל שֶׁהָיָה יֶלֶד הוּזְקַק לַחְתּוֹךְ עָרְלָה וְלִפְרוֹעַ [ג] הַמִּילָה, לְכָךְ נֶאֱמַר בּוֹ אֵת (ב״ר מז:ח): [פסוק כו] **בְּעֶצֶם הַיּוֹם.** שֶׁמָּלְאוּ לְאַבְרָהָם צ״ט [ד] שָׁנָה וּלְיִשְׁמָעֵאל י״ג שָׁנִים נִמּוֹל אַבְרָהָם וְיִשְׁמָעֵאל בְּנוֹ:

עיקר שפתי חכמים

ג אף שבמס׳ יבמות איתא שלא ניתנה פריעה לא״א, ר״ל שלא נצטווה עליה רק קיימה מעצמו ככל שאר המצות שקיים בעצמו: ד אע״פ שלמעלה כתיב בעצם היום הזה ואח״כ כתיב ואברהם בן תשעים ותשע כו׳, ה״א דעדיין לא שלמו לו צ״ט שנה אך מקצת שנה ככולה, לכך כפל כאן הכתוב להורות לנו ששלמו לו צ״ט שנה:

הפטרת לך לך

ישעיה מ:כז — מא:טז

הקב״ה בחר באברהם אבינו והטיל עליו תפקיד גדול — שיפרסם את שמו יתברך בעולם ויודיע רצונו לבריותיו (ראה בראשית רבה יב, ח וענף יוסף, ר״נט ח). הפטרה זו בנויה על יסוד זה, והיא מעודדת את ישראל שאפילו בעת צרתם וסבלם מכובד הגלות לא יתיאשו מן הגאולה ולא יחשבו שה׳ אינו משגיח עליהם, אלא ישימו בו בטחונם.

הנביא ישעיה מכריז שה׳ הוא: ״נֹתֵן לַיָּעֵף כֹּחַ וּלְאֵין אוֹנִים עָצְמָה יַרְבֶּה״, והמאמינים בו ומקווים אליו מובטחים שלבסוף ״יַחֲלִיפוּ כֹחַ״ — יתחדש כוחם (ראה רש״י לפסוק). חובה עלינו להביט אל מעשי ה׳ ונפלאותיו, להכיר את מלכותו יתברך ושהוא בעל היכולת, כדברי הנביא: ״הֲלוֹא יָדַעְתָּ אִם לֹא שָׁמַעְתָּ אֱלֹהֵי עוֹלָם ה׳ בּוֹרֵא קְצוֹת הָאָרֶץ לֹא יִיעַף וְלֹא יִיגָע אֵין חֵקֶר לִתְבוּנָתוֹ ... מִי פָעַל וְעָשָׂה? קֹרֵא הַדֹּרוֹת מֵרֹאשׁ; אֲנִי ה׳ רִאשׁוֹן וְאֶת אַחֲרֹנִים אֲנִי הוּא״. מן ההתבוננות עלינו להסיק שהדרך היחידה היא לעבוד את ה׳ אף במקרים שיש רושם של הסתרת פנים.

אף על פי שרואים כל הגילויים האלו יש אנשים שאינם מתבוננים בדרכי ה׳; הם ממשיכים לעבוד עבודה זרה, מעודדים את חבריהם לבל יראו את הנכון, ומחזקים את פסיליהם. הנביא מעודד את בני ישראל שלא לילך בדרכיהם: ״אַל תִּירְאִי תּוֹלַעַת יַעֲקֹב מְתֵי יִשְׂרָאֵל אֲנִי עֲזַרְתִּיךְ נְאֻם ה׳ וְגֹאֲלֵךְ קְדוֹשׁ יִשְׂרָאֵל״, כלומר: אף על פי שנראה כאילו חלשים אתם כתולעת, תבטחו בה׳ ובהבטחותיו שיגאל אתכם.

פרק מ כז לָמָּה תֹאמַר יַעֲקֹב וּתְדַבֵּר יִשְׂרָאֵל נִסְתְּרָה דַרְכִּי מֵיהוָה
וּמֵאֱלֹהַי מִשְׁפָּטִי יַעֲבוֹר: כח הֲלוֹא יָדַעְתָּ אִם־לֹא שָׁמַעְתָּ אֱלֹהֵי
עוֹלָם | יהוה בּוֹרֵא קְצוֹת הָאָרֶץ לֹא יִיעַף וְלֹא יִיגָע אֵין חֵקֶר
לִתְבוּנָתוֹ: כט נֹתֵן לַיָּעֵף כֹּחַ וּלְאֵין אוֹנִים עָצְמָה יַרְבֶּה: ל וְיִעֲפוּ
נְעָרִים וְיִגָעוּ וּבַחוּרִים כָּשׁוֹל יִכָּשֵׁלוּ: לא וְקוֹיֵ יהוה יַחֲלִיפוּ כֹחַ

רש״י

(כז) למה תאמר. עמי יעקב, ותדבר בגלות: **נסתרה דרכי מה׳.** העלים מנגד עיניו כל מה שעבדנוהו, והמשיל עלינו אותם שלא ידעוהו: **ומאלהי משפטי יעבור.** העביר מלפניו משפט הגמול הטוב שהיה לו לשלם לאבותינו ולנו: **(כח) בורא קצות הארץ וגומר, אין חקר לתבונתו.** ומי שיש לו כח כזה וחכמה כזו הוא יודע את המחשבות למה הוא מאחר טובתכם, אלא כדי לכלות את הפשע ולהתם את החטאת על ידי היסורין: **(כט) נותן ליעף כח.** וסופו להחליף כח לטייפותכם, **(ל) ויעפו נערים.** גבורת הכשדים המנוערים מן המלות תיעף, ובחורים כשול יכשלו. אותם שהם עכשיו גבורים וחזקים יכשלו, ואתם קוי ה׳ תחליפו כח חדש וחזק:

מצודת דוד

(כז) נסתרה דרכי. העלים עיניו מכל מה שעבדנוהו, והעביר מלפניו משפט הגמול, כי לא שלם לנו הטוב כפי הגמול: **(כח) הלא ידעת.** הלא תוכל להשכיל מדעתך אם לא שמעת ממלמד ומורה: **אלהי עולם ה׳.** רצונו לומר, ואת זה תשכיל אשר ה׳ הוא אלהים עד עולם, והוא ברא כל הארץ מהקצה אל הקצה, ובכל ידו משלה ולא ייעף ולא ייגע: **וכחו שוה בכל זמן.** אם כן יכול הוא לשלם גמול בכל זמן ובכל מקום: **אין חקר לתבונתו.** רצונו לומר, ומה שמאחר לשלם הגמול הוא על כי אין **חקר לתבונתו.** כי באמת בתבונה יעשה את זאת ואנחנו לא נדע: **(כט) נותן ליעף כח.** יבוא הזמן שיתן כח לישראל היעף: **ולאין אונים וכו׳.** כשל הדבר במילים שונות: **(ל) ויעפו.** ואז הבבליים שמוסיפים כח כנערים יעפו ויגעו: **ובחורים וכו׳.** כפל הדבר במילים שונות: **(לא) וקוי ה׳.** אבל המקווים לה׳ יחליפו כח חדש בכל עת:

מצודת ציון

(כח) ייעף ייגע. פתרון אחד להם: **(כט) עצמה.** ענין חוזק, כמו, וְעָצַם כֹּחוֹ (דניאל ח, כד): **(לא) יחליפו.** ענין התחדשות ותמורה:

יַעֲלוּ אֵבֶר כַּנְּשָׁרִים יָרוּצוּ וְלֹא יִיגָעוּ יֵלְכוּ וְלֹא יִיעָפוּ:
פרק מא א הַחֲרִישׁוּ אֵלַי אִיִּים וּלְאֻמִּים יַחֲלִיפוּ כֹחַ יִגְּשׁוּ אָז
יְדַבֵּרוּ יַחְדָּו לַמִּשְׁפָּט נִקְרָבָה: ב מִי הֵעִיר מִמִּזְרָח צֶדֶק יִקְרָאֵהוּ
לְרַגְלוֹ יִתֵּן לְפָנָיו גּוֹיִם וּמְלָכִים יַרְדְּ יִתֵּן כֶּעָפָר חַרְבּוֹ כְּקַשׁ נִדָּף
קַשְׁתּוֹ: ג יִרְדְּפֵם יַעֲבוֹר שָׁלוֹם אֹרַח בְּרַגְלָיו לֹא יָבוֹא: ד מִי־פָעַל
וְעָשָׂה קֹרֵא הַדֹּרוֹת מֵרֹאשׁ אֲנִי יהוה רִאשׁוֹן וְאֶת־אַחֲרֹנִים אֲנִי־
הוּא: ה רָאוּ אִיִּים וְיִירָאוּ קְצוֹת הָאָרֶץ יֶחֱרָדוּ קָרְבוּ וַיֶּאֱתָיוּן:

רש"י

(לא) אבר. כנף: **(א) החרישו אלי.** כדי לשמוע דבר: **איים.** אומות של עכו"ם: **יחליפו כח.** יתקשטו ויתחזקו בכל גבורתם אולי יעמדו בדין בכח: **יגשו.** הלום ואז מסיגשו ידברו: **למשפט נקרבה.** להוכיחם על פניהם: **(ב) מי העיר ממזרח.** אותו שצדק יקראהו לרגלו מי העיר את אברהם להביאו מארם שהוא במזרח וצדק שהיה עושה היא היתה לקראת רגליו בכל אשר הלך: **יתן לפניו גוים.** מי שהעירו ממקומו להסיע הוא נתן לפניו ארבעה מלכים וחיילותיהם: **ירד.** ירדה: **יתן כעפר חרבו.** רְמָא כְּעַפְרָא קְטוֹלִין קֳדָם חַרְבֵּהּ. נתן את חרבו ועושה חללים רבים כעפר, ואת קשתו נתן מרבה הרוגים ונופלים כקש נדף: **(ג) ירדפם יעבור שלום.** הלך על מעברותיו בשלום; לא נכשל ברדפו אותם: **אורח ברגליו לא יבא.** דרך אשר לא בא קודם לכן ברגליו. לא יבא לא היה רגיל לבא: **(ד) מי פעל ועשה.** לו את זאת? מי שהוא קורא הדורות מראש, לאדם הראשון, הוא עשה לאברהם גם את זאת: **אני ה' ראשון.** להפליא פלא ולעזור: **ואת אחרונים אני הוא.** אף עמכם בניס אחרונים אהיה ולעזור אתכם: **(ה) ראו איים.** עובדי עכו"ם הגבורות שנעשה ויראו: **קרבו ויאתיון.** זה אל זה נאספים להלחם כשיראו הגאולה:

מצודת דוד

יעלו אבר. יגדלו כנף כנשרים למהר לעוף אל ארצם והוא ענין מליצה: **ירוצו.** בשובם לארצם ירוצו ולא ייגעו וילכו בדרך ולא ייעפו: **(א) החרישו אלי איים.** יושבי האיים החרישו לשמוע אלי, כי המדבר לא ישמע ולא יאזין: **יחליפו כח.** יחדשו כח להתאמץ בטענות אם יוכלו להשיבני: **יגשו אז ידברו.** יגשו אלי לשמוע אמרי, ואז אחרי שמעם ידברו דבריהם אם ימצאו מענה: **יחדו.** אני והם נקרב למשפט על מה שהם אומרים שאין היכולת בידי להציל את עמי מידם: **(ב) מי העיר ממזרח.** אברהם שהיה במזרח, מי העירו ללכת משם ולמאס באלילי ארץ מולדתו: **צדק יקראהו לרגלו.** בכל מקום מדרך כף רגלו היה קורא את הצדק לעזוב האלילים ולהאמין בה'. וכאומר, ומי העירו? הלא אנכי ה': **יתן לפניו גוים.** רצונו לומר, מי הוא הנותן לפניו גוים הם כדרלעמר והמלכים אשר אתו: **ומלכים ירד.** השליטו במלכים: **יתן כעפר חרבו.** חרבו נתן הרוגים מרובים כעפר הארץ וקשתו הרבה חללים כקש נדף: **(ג) ירדפם.** רדף אחריהם ועבר בשלום, אם כי רדפם באורח שלא בא ברגליו מעולם, ולא היה רגיל באורח ההוא: **(ד) מי פעל.** מי הוא שפעל ועשה את זאת? הלא ה' עשהו, הקורא הדורות מראש קודם שיהיו רצונו לומר, שיודע כל הדורות הבאים ויקרא לכל דור לעמוד בעתו: **אני ה' ראשון.** ראשון לכל הדורות שעברו, ואני הוא עם הדורות האחרונים אשר יהיו: **(ה) ראו איים.** יושבי האיים ראו הנס שעשיתי לאברהם ופחדו גם השוכנים בקצות הארץ חרדו בשמעם הנס: **קרבו ויאתיון.** קרבו ובאו לפני אברהם לשאול ממנו מתנת חנם, ולא באו במלחמה; כמו, שכתוב, וַיֹּאמֶר מֶלֶךְ סְדֹם אֶל אַבְרָם וכו', תֶּן לִי הַנֶּפֶשׁ וכו' (בראשית יד, כא):

מצודת ציון

אבר. כנף, כמו, אֵבֶר כַּיּוֹנָה (תהלים נה, ז): **ירוצו.** ענין מהירות ההליכה: **(א) החרישו.** ענין שתיקה, כמו, יַחֲרִישׁ בְּאַהֲבָתוֹ (צפניה ג, יז): **(ב) העיר.** מלשון התעוררות: **ירד.** ענין שלטנות, כמו, רְדֵה בְּקֶרֶב אֹיְבֶיךָ (תהלים קי, ב): **נדף.** ענין כתישה; כמו, אַל יִדְּפֶנּוּ (איוב לב, יג): **(ג) אורח.** מסילה ודרך: **(ה) ויאתיון.** ענין ביאה; כמו, אָתָא בֹקֶר (ישעיה כא, יב):

ו אִישׁ אֶת־רֵעֵהוּ יַעְזֹרוּ וּלְאָחִיו יֹאמַר חֲזָק: ז וַיְחַזֵּק חָרָשׁ אֶת־
צֹרֵף מַחֲלִיק פַּטִּישׁ אֶת־הוֹלֶם פָּעַם אֹמֵר לַדֶּבֶק טוֹב הוּא
וַיְחַזְּקֵהוּ בְמַסְמְרִים לֹא יִמּוֹט: ח וְאַתָּה יִשְׂרָאֵל עַבְדִּי יַעֲקֹב
אֲשֶׁר בְּחַרְתִּיךָ זֶרַע אַבְרָהָם אֹהֲבִי: ט אֲשֶׁר הֶחֱזַקְתִּיךָ מִקְצוֹת
הָאָרֶץ וּמֵאֲצִילֶיהָ קְרָאתִיךָ וָאֹמַר לְךָ עַבְדִּי־אַתָּה בְּחַרְתִּיךָ וְלֹא
מְאַסְתִּיךָ: י אַל־תִּירָא כִּי־עִמְּךָ אָנִי אַל־תִּשְׁתָּע כִּי־אֲנִי אֱלֹהֶיךָ

רש"י

(ו) איש את רעהו וגו'. יאמר חזק למלחמה אולי יעמדו להם אלהיהם: **(ו) איש את רעהו יעזורו.** זה עוזר את זה בברכות; בָּרוּךְ אַבְרָם (בראשית יד, יט), וזה עוזר את זה במתנות; וַיִּתֶּן לוֹ מַעֲשֵׂר מִכֹּל (שם, כ): **(ז) ויחזק חרש.** נוסך הפסל: **את צורף.** המרקעו בזהב: **מחליק פטיש.** באחרונה, כשהוא מכה בנחת להחליק את המלאכה: **את הולם פעם.** הוא המתחיל בה כשהיא עשת ומכה בכל כחו: **אומר לדבק טוב הוא.** על אותן שהיו מחזירים אחר קרקע טובה לדבק בה עששיות ברזל: **דבק.** שולדור"א בלע"ז: **ויחזקהו.** להוראה: **במסמרים לא ימוט.** כולם יחזקו זה את זה: **(ז) ויחזק חרש.** זה שם שהיה נפח לעשות מסמרות ובריחים לתבה: **את צורף.** זה אברהם שהוא צורף את הבריות לקרבן אל השכינה, את הולם פעם. זה אברהם שהלם כל המלכים האלה פעם אחת, אומר לדבק טוב הוא. טוב לידבק באלוה של זה: **ויחזקהו.** שם לאברהם להיות דבק בהקדוש ברוך הוא, ולא ימוט: **(ח) ואתה ישראל עבדי.** ועלי יש לעזור לך סוף המקרא; אל תירא כי אתך אני כך נראה לי חבור הענין לפי פשוטו. ומדרש אגדה בבראשית רבה דורש כל הענין במלכי צדק ואברהם. ראו איים אותה מלחמה וייראו. שם נתיירא מאברהם פן יאמר לו העמדת רשעים אלו בעולם, ואברהם נתיירא משם לפי שהרג את בני עילם שהם משם. איים; כשם שאיי הים מסויימין בעולם כך אברהם ושם היו מסויימין בעולם: **ואתה ישראל עבדי.** אברהם שלא היה מזרע צדיקים עשיתי לו כל זאת: **ואת ישראל עבדי.** הקנוי לי משני אבות: **זרע אברהם אוהבי.** שלא הכירני מתוך תוכחה ולימוד אבותיו אלא מתוך אהבה: **(ט) אשר החזקתיך.** לקחתיך לחלקי כמו, וַיִּשְׁלַח יָדוֹ וַיַּחֲזֶק בּוֹ (שמות ד, ד): **מקצות הארץ.** משאר העכו"ם: **ומאציליה.** מן הגדולים שבהן: **קראתיך.** בשם, לחלקי בני בכורי ישראל: **ולא מאסתיך.** כזה שנאמר בו שָׂנֵאתִי (מלאכי א, ג): **(י) אל תשתע.** אל ימס לבך להיות כשעוה זו. וזה הכלל;

מצודת דוד

(ו) איש את רעהו יעזורו. ועם כל זה, אף שראו פלאי האל מכל מקום עזרו זה לזה לעשות הפסילים: **לאחיו.** כל אחד אמר לאחיו חזק בעשיית הפסל, וכפל הדבר במילים שונות: **(ז) ויחזק חרש.** חרש העצים העושה הפסל חיזק בדבריו את הצורף להיות זריז במלאכת צפוי טסי הזהב אשר יצפנו: **מחליק פטיש.** המכה בפטיש קטן להחליק את הטסין היה מזרז את המכה על הטסין בחוזק רב בהתחלת הרדוד למען יתחיל הוא מעשהו: **אומר לדבק.** כאשר ידבק הטסין על הפסל ישמח ויאמר הנה טוב הוא וכן יפה לו: **ויחזקהו.** מחזק הצפוי על ידי מסמרים למען לא יתפרד מעל הפסל: **(ח) ואתה.** אבל אתה ישראל אינך כמוהם, כי עבדי אתה אשר בחרתי בך לי לעם לפי שאתה זרע אברהם אשר אהבני ופירש מעבו"ם: **(ט) אשר החזקתיך.** עבר במקום עתיד כדרך הנבואות. ורצונו לומר, אחזיק בך להוציאך מקצות הארץ: **ומאציליה.** מגדולי הארץ קראתיך שתצא מרשותם, ולא יהיה בהם כח לעצור אותך: **בחרתיך.** מאז בחרתי בך ולא מאסתיך: **(י) אל תשתע.** אל תסור מעלי בחושבך אשר כבר עזבתיך, כי אני ה' אלהיך כמאז:

מצודת ציון

(ז) מחליק. מלשון חלק: **פטיש.** הוא המקבת; וכן, וּכְפַטִּישׁ יְפֹצֵץ סָלַע (ירמיה כג, כט): **הולם פעם.** שניהם ענין הכאה; כמו, וְהָלְמָה סִיסְרָא (שופטים ה, כו), וכמו, נִפְעַמְתִּי וְלֹא אֲדַבֵּר (תהלים עז, ה); וכפל המלה בשמות נרדפים ויורה על חוזק ההכאה: **במסמרים.** יתדות; וכן, וּבַרְזֶל לָרֹב לַמִּסְמְרִים (דברי הימים-א כב, ג): **ימוט.** מלשון נטיה וקלקול: **(ט) החזקתיך.** ענין אחיזה; כמו וַיַּחֲזִיקוּ הָאֲנָשִׁים בְּיָדוֹ (בראשית יט, טז): **מאציליה.** כן יקראו הגדולים; וכן, וְאֶל אֲצִילֵי בְּנֵי יִשְׂרָאֵל (שמות כד, יא): **(י) תשתע.** ענין הפנה והסרה; כמו, וְעֵינָיו הָשַׁע (ישעיה ו, י):

אַמַּצְתִּיךָ אַף־עֲזַרְתִּיךָ אַף־תְּמַכְתִּיךָ בִּימִין צִדְקִי: יא הֵן יֵבֹשׁוּ
וְיִכָּלְמוּ כֹּל הַנֶּחֱרִים בָּךְ יִהְיוּ כְאַיִן וְיֹאבְדוּ אַנְשֵׁי רִיבֶךָ: יב תְּבַקְשֵׁם
וְלֹא תִמְצָאֵם אַנְשֵׁי מַצֻּתֶךָ יִהְיוּ כְאַיִן וּכְאֶפֶס אַנְשֵׁי מִלְחַמְתֶּךָ:
יג כִּי אֲנִי יהוה אֱלֹהֶיךָ מַחֲזִיק יְמִינֶךָ הָאֹמֵר לְךָ אַל־תִּירָא אֲנִי
עֲזַרְתִּיךָ: יד אַל־תִּירְאִי תּוֹלַעַת יַעֲקֹב מְתֵי יִשְׂרָאֵל אֲנִי עֲזַרְתִּיךְ
נְאֻם־יהוה וְגֹאֲלֵךְ קְדוֹשׁ יִשְׂרָאֵל: טו הִנֵּה שַׂמְתִּיךְ לְמוֹרַג חָרוּץ
חָדָשׁ בַּעַל פִּיפִיּוֹת תָּדוּשׁ הָרִים וְתָדֹק וּגְבָעוֹת כַּמֹּץ תָּשִׂים:
טז תִּזְרֵם וְרוּחַ תִּשָּׂאֵם וּסְעָרָה תָּפִיץ אוֹתָם וְאַתָּה תָּגִיל בַּיהוה
בִּקְדוֹשׁ יִשְׂרָאֵל תִּתְהַלָּל:

רש"י

כל תיבה שתחלת יסודה שי"ן, כשבא לדבר בלשון מתפעל, התפעל או יתפעל, התי"ו חולקת ונכנסת בין שתי אותיות שרשי התיבה. כמו (ישעיה כט, טז), וַיִּשְׁתּוֹמֵם, (מיכה ו, טז), וְיִשְׁתַּמֵּר חֻקּוֹת עָמְרִי, (שמואל-א ח, יד) תִּשְׁתַּכְּרִין, תִּשְׁתַּפֵּךְ נַפְשִׁי (איוב ל, טז): **(יד) תולעת יעקב.** משפחת יעקב החלשה כתולעת, שאין לה גבורה אלא בפיה. תולעת וירמוכ"א בלע"ז: **מתי ישראל.** מספר ישראל: **(טו) למורג חרוץ.** כלי הוא של עץ וכבד ועשוי חריצים חריצים, כעין כלי נפחים של ברזל שקורין לימ"א בלע"ז, וגוררין על הקשין של שבלין ומחתכן עד שנעשו תבן דק: **חדש.** כשהוא חדש עד שלא הוחלקו פיות חריציו, הוא חותך הרבה, אבל משנתישן, הוחלקו פיות חריציו: **בעל פיפיות.** הם חידודי החריצין: **(טז) תזרם.** תזרה אותם כבמזרה לרוח: **ורוח תשאם.** מאליהם, לגיהנם:

מצודת דוד

אמצתיך. בדברים טובים ונחומים: **אף עזרתיך.** בימים הקדמונים: **אף תמכתיך.** בהיותך ביד האויב תמכתיך בימיני לבל יעשה בך האויב כלה: **בימין צדקי.** רצונו לומר, לא בגמול כי אם בצדקה: **(יא) הן יבושו.** באמת סוף הדבר יבושו כל הכועסים בך: **אנשי ריבך.** המריבים עמך: **(יב) תבקשם.** אפילו אם תבקשם לא תמצא את אנשי מצותיך: **יהיו כאין וכו'.** כפל הדבר פעמים רבות לגודל האבדון: **(יג) מחזיק ימינך.** אוחז ימינך לבל תפול: **האומר לך וכו'.** רצונו לומר, הואיל ואני האומר לך לזה אל תירא כי אעזור לך: **(יד) תולעת יעקב.** עדת יעקב החלושה כתולעת ואין כחה אלא בפה היא התפלה, כתולעת הזו שבפיה מנסרת בארזים: **אני אזרתיך.** מאז: **וגאלך.** ואהיה גאלך לעתיד אני קדוש ישראל: **(טו) הנה שמתיך.** שמתי אותך להיות מורג העשוי חריצים והוא חדש החדוד ביותר והוא בעל פיפיות רבות: **(טז) תזרם.** אתה תפזרם והרוח תשאם למרחוק: **וסערה וכו'.** כפל הדבר במילים שונות: **בה'.** בתשועות ה': **תתהלל.** תתפאר בעצמך במה שתלית בטחונך בקדוש ישראל:

מצודת ציון

אמצתיך. ענין חוזק: **תמכתיך.** ענין סעד ומשען: **(יא) הנחרים.** מלשון חרון וכעס; וכן, בְּנֵי אִמִּי נִחֲרוּ בִי (שיר השירים א, ו): **כאין.** כלא דבר: **(יב) מצתיך.** ענין מריבה; כמו, הֵן לְרִיב וּמַצָּה תָּצוּמוּ (ישעיה נח, ד): **וכאפס.** דבר שאין בו ממש: **(יג) מחזיק.** אותו: **(יד) מתי.** אנשי: **(טו) למורג.** הוא כעין לוח עץ ובתחתיתו תחובים אבנים דקים ובו דשים התבואה; וכן, וְהַמֹּרִגִּים וּכְלֵי הַבָּקָר (שמואל-ב כד, כב): **חרוץ.** עשוי חריצים ובקיעות בין אבן לאבן: **בעל פיפיות.** רצונו לומר שיש בו פיות וחדודים רבים והם החריצים: **תדוש.** מלשון דישה: **ותדוק.** מלשון דק: **כמוץ.** היא פסולת התבואה: **(טז) תזרם.** ענין פזור; כמו, וְזֵרִיתִי פֶרֶשׁ (מלאכי ב, ג), תפיץ. תפזר: **תתהלל.** מלשון הלול ושבח:

פרשת וירא

פרק יח א וַיֵּרָא אֵלָיו יְהוָה בְּאֵלֹנֵי מַמְרֵא וְהוּא יֹשֵׁב פֶּתַח־הָאֹהֶל כְּחֹם הַיּוֹם׃ ב וַיִּשָּׂא עֵינָיו וַיַּרְא וְהִנֵּה שְׁלֹשָׁה אֲנָשִׁים נִצָּבִים עָלָיו

אונקלוס

א וְאִתְגְּלִי לֵהּ יְיָ בְּמֵישְׁרֵי מַמְרֵא וְהוּא יָתֵב בִּתְרַע מַשְׁכְּנָא כְּמֵיחַם יוֹמָא׃ ב וּזְקַף עֵינוֹהִי וַחֲזָא וְהָא תְּלָתָא גֻבְרִין (נ״א גַבְרִין) קָיְמִין עִלָּווֹהִי

רש״י

[פסוק א] וירא אליו. לבקר את החולה א (סוטה יד.; תנחומא ישן א) [אמר רבי חמא בר חנינא יום שלישי למילתו היה, ב ובא הקב״ה ושאל בשלומו (ב״מ פו:)]: **באלני ממרא.** הוא שנתן לו עצה ג על המילה, לפיכך נגלה אליו בחלקו (תנחומא ג; ב״ר מב:ח): **ישב.** ישב ד כתיב, בקש לעמוד, א״ל הקב״ה שב ואני אעמוד, ואתה סימן לבניך, שעתיד אני להתיצב בעדת הדיינין והן יושבין, שנא׳ אלהים נצב בעדת אל (תהלים פב:א; ב״ר מח:ז; שבועות לה:): **פתח האהל.** לראות אם יש עובר ושב ויכניסם בביתו (ב״מ פו:): **כחם היום.** הוציא הקב״ה חמה מנרתיקה שלא להטריחו באורחים, ולפי שראהו מצטער שלא היו אורחים באים הביא מלאכים עליו בדמות ה אנשים (שם): **[פסוק ב] והנה שלשה אנשים.** אחד לבשר את שרה ואחד להפוך את סדום ואחד לרפאות את אברהם, שאין מלאך אחד עושה שתי שליחיות (ב״ר נ:ב). תדע לך שכן, כל הפרשה הוא מזכירן בלשון רבים, ויאכלו (פסוק ח) ויאמרו אליו (פסוק ט), ובבשורה נאמר ויאמר שוב אשוב אליך (פסוק י) ובהפיכת סדום הוא אומר כי לא אוכל לעשות דבר (להלן יט:כב) לבלתי הפכי (שם כא). ורפאל שרפא את אברהם הלך משם ו להציל את לוט, הוא שנאמר ויהי כהוציאם אותם החוצה ויאמר המלט על נפשך (שם יז), למדת שהאחד היה מציל (ב״מ פו:): **נצבים עליו.** לפניו (תרגום יונתן) [כמו

בעל הטורים

(א) וירא אליו. סמך "נמלו" אצל "וירא אליו", מלמד שנראה לו בשביל החולה לבקרו: דבר אחר – "נמלו אתו", וסמיך לה "והוא ישב פתח האהל כחם היום". וזה הוא שאמרו חכמינו ז״ל, שאברהם יושב על פתח גיהנם ואינו מניח למי שנמול לכנס שם, חוץ ממי שבא על הגויה, שנמשכה ערלתו ואינו מכירו: ועל כן "כחם" ד׳ במסורת – "פתח האהל כחם"; "כחם השמש"; "כחם צח עלי אור"; "ויבאו כחם היום אל בית איש בשת". שאברהם היה יושב פתח האהל ואינו מניח למי שנמול לכנס כחם היום, אלא "כחם צח עלי אור", דהיינו בגן עדן, כדכתיב "והיה לך ה׳ לאור עולם". אבל איש בשת, פירוש, שבא על הגויה, שאין לך בשת גדול ממי שבא על הגויה, "כחם השמש" יכנס לגיהנם, דכתיב "הנה יום בא בער כתנור": "כחם היום" בגימטריא זהו בגיהנם, ובגימטריא דם מילה: **וירא אליו ה׳.** סופי תבות אוה, מלמד שאוה לשכן באהלו של אברהם: **וירא אליו.** בגימטריא זה בכבוד מילה נגלה אליו: **וירא אליו ה׳ באלני.** בגימטריא לבקר בחולה: **ישב פתח האהל.** בגימטריא להכניס את האורחים: **(ב) והנה שלשה.** בגימטריא אלו מיכאל גבריאל ורפאל:

עיקר שפתי חכמים

א כיון דלא נזכר בפסוק למה נראה אליו, מסתמא היה לבקרו: **ב** כי אז נתגבר החולי, כמ״ש ויהי ביום השלישי בהיותם כואבים, לכן נראה אליו ביום השלישי לבקרו: **ג** מה שנטל עצה על המילה יותר משאר מצות הוא, לפי שעל שאר מצות לא היה צריך ליטול עצה, כי אף שכבר קיים פ״א, אם יהיה מצוה אח״כ מהקב״ה יוכל לקיים אותה פעם שנית, ויהי׳ מצווה ועושה. משא״כ מצות מילה, שאם נמול פ״א שוב אין יכול לחזור ולמול את עצמו פעם שנית, ע״כ שאל עצה אם לקיימה מעצמו או ימתין על צווי הקב״ה: **ד** דישב חסר נקרא כמו היו״ד בקמץ, וזה ל׳ עבר שכבר ישב ולא עתה, כי אין דרך החולים לשבת בפתח רק לשכב במטה: **ה** כי אף שבלא״ה היו צריכים לבוא אליו, כמו דמפורש ברש״י בפסוק שאח״ז, רק לא בדמות אנשים: **ו** ולכך לא הביא גם מלאך רביעי להציל את לוט, כיון דאין מלאך אחד עושה שתי שליחות, כי רפואה והצלה חד הוא:

וַיַּ֗רְא וַיָּ֤רָץ לִקְרָאתָם֙ מִפֶּ֣תַח הָאֹ֔הֶל וַיִּשְׁתַּ֖חוּ אָֽרְצָה: ג וַיֹּאמַ֑ר אֲדֹנָ֗י אִם־נָ֨א מָצָ֤אתִי חֵן֙ בְּעֵינֶ֔יךָ אַל־נָ֥א תַעֲבֹ֖ר מֵעַ֥ל עַבְדֶּֽךָ: ד יֻקַּֽח־נָ֣א מְעַט־מַ֔יִם וְרַחֲצ֖וּ רַגְלֵיכֶ֑ם וְהִֽשָּׁעֲנ֖וּ תַּ֥חַת הָעֵֽץ: ה וְאֶקְחָ֨ה פַת־לֶ֜חֶם

וַחֲזָא וּרְהַט לְקַדָּמוּתְהוֹן מִתְּרַע מַשְׁכְּנָא וּסְגִיד עַל אַרְעָא: ג וַאֲמַר יְיָ אִם כְּעַן אַשְׁכְּחִית רַחֲמִין קֳדָמָךְ (נ״א בְּעֵינָיךְ) לָא כְעַן תִּתְעַבַּר מֵעַל עַבְדָּךְ: ד יִסְּבוּן כְּעַן זְעֵיר מַיָּא וְאַסְחוּ רַגְלֵיכוֹן וְאִסְתְּמִיכוּ תְּחוֹת אִילָנָא: ה וְאֶסַּב פִּתָּא דִלְחֲמָא

רש״י

וְעָלָיו מַטֵּה מְנַשֶּׁה (במדבר ב:כ)], אֲבָל לְשׁוֹן נְקִיָּה הוּא כְּלַפֵּי הַמַּלְאָכִים: **וַיַּרְא.** מַהוּ וַיַּרְא וַיַּרְא שְׁנֵי פְּעָמִים, הָרִאשׁוֹן כְּמַשְׁמָעוֹ, וְהַשֵּׁנִי לְשׁוֹן הֲבָנָה. נִסְתַּכֵּל שֶׁהָיוּ נִצָּבִים בְּמָקוֹם אֶחָד וְהֵבִין שֶׁלֹּא הָיוּ רוֹצִים לְהַטְרִיחוֹ, [וְאַף עַל פִּי שֶׁיּוֹדְעִים הָיוּ שֶׁיֵּצֵא לִקְרָאתָם, עָמְדוּ בִּמְקוֹמָם לִכְבוֹדוֹ, לְהַרְאוֹתוֹ שֶׁלֹּא רָצוּ לְהַטְרִיחוֹ,] וְקָדַם הוּא וְרָץ לִקְרָאתָם. [בִּבְבָא מְצִיעָא (פו:), כְּתִיב נִצָּבִים עָלָיו וּכְתִיב וַיָּרָץ לִקְרָאתָם, כַּד חַזְיוּהוּ דַּהֲוָה שָׁרֵי וְאָסַר פִּירְשׁוּ הֵימֶנּוּ, מִיָּד וַיָּרָץ לִקְרָאתָם]: **[פסוק ג] וַיֹּאמַר אֲדֹנָי אִם נָא וגו׳.** ז לַגָּדוֹל שֶׁבָּהֶם אָמַר, וּקְרָאָם כּוּלָּם אֲדוֹנִים, וְלַגָּדוֹל אָמַר אַל נָא תַעֲבוֹר, וְכֵיוָן שֶׁלֹּא יַעֲבוֹר הוּא, יַעַמְדוּ חֲבֵירָיו עִמּוֹ, וּבְלָשׁוֹן זֶה הוּא חוֹל. ד״א, קֹדֶשׁ (שבועות לה:) וְהָיָה אוֹמֵר לְהַקָּבָּ״ה לְהַמְתִּין לוֹ עַד שֶׁיָּרוּץ וְיַכְנִיס אֶת הָאוֹרְחִים (שבת קכז.). וְאַעַ״פ שֶׁכָּתוּב אַחַר וַיָּרָץ לִקְרָאתָם, הָאֲמִירָה קוֹדֶם לָכֵן הָיְתָה. וְדֶרֶךְ הַמִּקְרָאוֹת לְדַבֵּר כֵּן, כְּמוֹ שֶׁפֵּירַשְׁתִּי אֵצֶל לֹא יָדוֹן רוּחִי בָאָדָם (לעיל ו:ג) שֶׁנִּכְתַּב אַחַר וַיּוֹלֶד נֹחַ (שם ה:לב), וְא״א לוֹמַר כֵּן אֶלָּא כ״ק קְדָמָה גְּזֵרַת ק״ך שָׁנָה [ס״א קָדְמָה הַגְּזֵירָה כ׳ שָׁנִים]. וּשְׁתֵּי הַלְּשׁוֹנוֹת בב״ר (מח:י, ט, מט:ז; ועי׳ ויק״ר יא:ה): **[פסוק ד] יֻקַּח נָא.** עַל יְדֵי שָׁלִיחַ, וְהַקָּבָּ״ה שִׁלֵּם לְבָנָיו ע״י שָׁלִיחַ ח, שֶׁנֶּאֱמַר וַיָּרֶם מֹשֶׁה אֶת יָדוֹ וַיַּךְ אֶת הַסֶּלַע (במדבר כ:יא; ב״מ שם): **וְרַחֲצוּ רַגְלֵיכֶם.** כִּסְבוּר שֶׁהֵם עַרְבִיִּים שֶׁמִּשְׁתַּחֲוִים לַאֲבַק רַגְלֵיהֶם (ב״מ שם), וְהִקְפִּיד שֶׁלֹּא לְהַכְנִיס עֲבוֹדָה זָרָה לְבֵיתוֹ. אֲבָל לוֹט שֶׁלֹּא הִקְפִּיד, הִקְדִּים לִינָה לִרְחִיצָה, שֶׁנֶּאֱמַר וְלִינוּ וְרַחֲצוּ רַגְלֵיכֶם (להלן יט:ב; ב״ר נד:ד): **תַּחַת הָעֵץ.** תַּחַת ט הָאִילָן (אונקלוס):

בעל הטורים

(ד) יקח. ג׳ במסורת – ״יקח נא מעט מים״; ״ברזל מעפר יקח״; ״גם שבי גבור יקח״. פירוש, גם שבי צדיק גבור יקח, בזכות ״יקח נא מעט מים״. ״ברזל מעפר יקח״, פירוש ״ברזל״, חרב של פרענות, יוקח מישראל שנמשלו לעפר, בזכות אברהם [שאמר ״יקח נא מעט מים״]: **יקח נא מעט מים.** בגימטריא מכאן זכו לבאר: **ורחצו רגליכם.** ב׳ במסורת – הכא, ואידך בהאי פרשתא גבי לוט. מהכא ילפינן שחשש לעבודה זרה. מדלוט הקדים לינה לרחיצה ואברהם הקדים רחיצה ללינה, מלמד שהיה חושש שמא ערביים הם ויכניסו עבודה זרה לתוך ביתו: **(ה) ואקחה פת לחם.** היה לו לומר ״קחו פת לחם״. מכאן רמז שבעל הבית בוצע:

עיקר שפתי חכמים

ז דקשיא ליה דמתחלה אמר אדוני ל׳ רבים ואח״כ אמר בעיניך לשון יחיד. ולכן אמר כי לגדול שבהם אמר: ח אבל הלחם שלקח בעצמו, שנא׳ ואקחה פת לחם, נתן להם הקב״ה ג״כ את המן בעצמו: ט ולא תחת עץ תלוש. וכן ת״א תחות אילנא:

וְסַעֲד֤וּ לִבְּכֶם֙ אַחַ֣ר תַּעֲבֹ֔רוּ כִּֽי־עַל־כֵּ֥ן עֲבַרְתֶּ֖ם עַֽל־עַבְדְּכֶ֑ם וַיֹּ֣אמְר֔וּ כֵּ֥ן תַּעֲשֶׂ֖ה כַּאֲשֶׁ֥ר דִּבַּֽרְתָּ׃ ❖
ו וַיְמַהֵ֧ר אַבְרָהָ֛ם הָאֹ֖הֱלָה אֶל־שָׂרָ֑ה וַיֹּ֗אמֶר מַהֲרִ֞י שְׁלֹ֤שׁ סְאִים֙ קֶ֣מַח סֹ֔לֶת ל֖וּשִׁי וַעֲשִׂ֥י עֻגֽוֹת׃
ז וְאֶל־הַבָּקָ֖ר רָ֣ץ אַבְרָהָ֑ם וַיִּקַּ֨ח בֶּן־בָּקָ֜ר רַ֤ךְ וָטוֹב֙ וַיִּתֵּ֣ן אֶל־הַנַּ֔עַר וַיְמַהֵ֖ר לַעֲשׂ֥וֹת אֹתֽוֹ׃
ח וַיִּקַּ֨ח חֶמְאָ֜ה וְחָלָ֗ב

וּסְעִידוּ לִבְּכוֹן בָּתַר כֵּן תִּעְבְּרוּן אֲרֵי עַל כֵּן עֲבַרְתּוּן עַל עַבְדְּכוֹן וַאֲמַרוּ כֵּן תַּעְבֵּד כְּמָא דִי מַלֶּלְתָּא: ו וְאוֹחִי אַבְרָהָם לְמַשְׁכְּנָא לְוָת שָׂרָה וַאֲמַר אוֹחָא תְּלָת סְאִין קִמְחָא דְסָלְתָּא לוּשִׁי וְעִבִידִי גְרִיצָן: ז וּלְוָת תּוֹרֵי רְהַט אַבְרָהָם וּדְבַר בַּר תּוֹרֵי רַכִּיךְ וְטָב וִיהַב לְעוּלֵמָא וְאוֹחִי לְמֶעְבַּד יָתֵהּ: ח וּנְסִיב שְׁמַן וַחֲלָב

רש"י

[פסוק ה] **[וְסַעֲדוּ לִבְּכֶם.]** בַּתּוֹרָה בַּנְּבִיאִים וּבַכְּתוּבִים מָצִינוּ דְּפִתָּא סַעֲדְתָּא דְלִבָּא. בַּתּוֹרָה וְסַעֲדוּ לִבְּכֶם. בַּנְּבִיאִים סְעָד לִבְּךָ פַּת לֶחֶם (שופטים יט:ה). בַּכְּתוּבִים וְלֶחֶם לְבַב אֱנוֹשׁ יִסְעָד (תהלים קד:טו). א"ר חָמָא לְבַבְכֶם אֵין כְּתִיב כָּאן אֶלָּא לִבְּכֶם, מַגִּיד שֶׁאֵין יֵצֶר הָרָע שׁוֹלֵט בְּמַלְאָכִים. בְּרֵאשִׁית רַבָּה (מח:יא): **] אַחַר תַּעֲבֹרוּ.** אַחַר כָּךְ [י] תֵּלֵכוּ: **כִּי עַל כֵּן עֲבַרְתֶּם.** כִּי הַדָּבָר הַזֶּה אֲנִי מְבַקֵּשׁ מִכֶּם מֵאַחַר שֶׁעֲבַרְתֶּם עָלַי [ב] לִכְבוֹדִי: **כִּי עַל כֵּן.** כְּמוֹ עַל אֲשֶׁר, וְכֵן כָּל כִּי עַל כֵּן שֶׁבַּמִּקְרָא. כִּי עַל כֵּן בָּאוּ בְּצֵל קֹרָתִי (להלן יט:ח) כִּי עַל כֵּן רָאִיתִי פָּנֶיךָ (להלן לג:י) כִּי עַל כֵּן לֹא נְתַתִּיהָ (שם לח:כו) כִּי עַל כֵּן יָדַעְתָּ חֲנֹתֵנוּ (במדבר י:לא): **[פסוק ו] קֶמַח סֹלֶת.** סֹלֶת לְעוּגוֹת. קֶמַח [ל] לַעֲמִילָן שֶׁל טַבָּחִים לְכַסּוֹת אֶת הַקְּדֵירָה [וְ]לִשְׁאוֹב אֶת הַזּוּהֲמָא (עי' ב"מ פו., פסחים מב:): **[פסוק ז] בֶּן בָּקָר רַךְ וָטוֹב.** ג' פָּרִים [מ] הָיוּ, כְּדֵי לְהַאֲכִילָן ג' לְשׁוֹנוֹת בְּחַרְדָּל (ב"מ שם): **אֶל הַנַּעַר.** זֶה [נ] יִשְׁמָעֵאל, לְחַנְּכוֹ בְּמִצְוֹת (ב"ר שם יג): **[פסוק ח] וַיִּקַּח חֶמְאָה וגו'.** וְלֶחֶם לֹא הֵבִיא, לְפִי שֶׁפֵּירְסָה שָׂרָה נִדָּה, שֶׁחָזַר לָהּ אוֹרַח כַּנָּשִׁים אוֹתוֹ הַיּוֹם וְנִטְמֵאת הָעִיסָּה (ב"ר שם יד; ב"מ פז.): **חֶמְאָה.** שׁוּמַן הֶחָלָב שֶׁקּוֹלְטִין מֵעַל פָּנָיו:

בעל הטורים

לבכם. ג' במסורת – הכא "וסעדו לבבם"; ואידך "שיתו לבכם לחילה"; "וראיתם ושש לבכם". וזה הוא שאמרו שהיה מצטער על שלא באו לו אורחים. וזהו "שיתו לבכם", שהיה מצטער בלבו; כיון שראה אלו "ושש לבכם": **(ז) ואל הבקר.** ג' תגין על הקו"ף – לומר ששלשה היו. ובזכות זה ניתן לו בן לק' שנה: **ואל הבקר רץ.** אותיות ואל הקבר רץ – שרץ אחריו למערה. "ואל הבקר רץ" בגימטריא למערה רץ:

עיקר שפתי חכמים

י ור"ל אחר שתסעדו לבכם תלכו לדרככם: **ב** כי לא היתה כוונתם לאכול אצלו, רק לכבודו: **ל** כי לא יתכן שנרה עינו של אברהם לעשות להם עוגות מסולת נקיה. רק הסלת היה לעוגות והקמח לעמילן כו': **מ** ודריש בן בקר אחד, רך שני, וטוב שלישי. ולקח שלשה בקרים כדי לתת לכל אחד חלק טוב ושוה ולא יטיל קנאה בסעודה, שכבוד שלשתן שוה בעיניו: **נ** וקאי על הנער הנזכר למעלה וזה ישמעאל:

וּבֶן־הַבָּקָר אֲשֶׁר עָשָׂה וַיִּתֵּן לִפְנֵיהֶם וְהוּא עֹמֵד עֲלֵיהֶם תַּחַת הָעֵץ וַיֹּאכֵלוּ: ❖ ט וַיֹּאמְרוּ *אֵלָיו אַיֵּה שָׂרָה אִשְׁתֶּךָ וַיֹּאמֶר הִנֵּה בָאֹהֶל: י וַיֹּאמֶר שׁוֹב אָשׁוּב אֵלֶיךָ כָּעֵת חַיָּה וְהִנֵּה־בֵן לְשָׂרָה אִשְׁתֶּךָ וְשָׂרָה שֹׁמַעַת פֶּתַח הָאֹהֶל וְהוּא אַחֲרָיו:

וּבַר תּוֹרֵי דִּי עֲבַד וִיהַב קֳדָמֵיהוֹן וְהוּא מְשַׁמֵּשׁ עִלָּוֵיהוֹן תְּחוֹת אִילָנָא וַאֲכָלוּ: ט וַאֲמַרוּ לֵהּ אָן שָׂרָה אִתְּתָךְ וַאֲמַר הָא בְמַשְׁכְּנָא: י וַאֲמַר מְתָב אֵתוּב לְוָתָךְ כְּעִדָּן דְּאַתּוּן קַיָּמִין וְהָא בַר לְשָׂרָה אִתְּתָךְ וְשָׂרָה שָׁמְעַת בִּתְרַע מַשְׁכְּנָא וְהוּא אֲחוֹרוֹהִי:

* נקוד על אי"ו

רש"י

ובן הבקר אשר עשה. אשר תקן, ס קמא קמא שתיקן אמטי ואייתי קמייהו (ב"מ פו:): **ויאכלו.** נראו כמו שאכלו, מכאן שלא ישנה אדם מן המנהג (שם): [פסוק ט] **ויאמרו אליו.** נקוד על אי"ו [שבאליו], ותניא ר' שמעון בן אלעזר אומר כל מקום שהכתב רבה על הנקודה אתה דורש הכתב, וכאן הנקודה רבה על הכתב ואתה דורש הנקודה, שאף לשרה שאלו איו אברהם, למדנו שישאל אדם באכסניא שלו לאיש על האשה ולאשה על האיש (ב"ר מח:טו). [בבבא מציעא (פז.) איתא, יודעין היו מלאכי השרת שרה אמנו היכן היתה, אלא להודיע שצנועה היתה כדי לחבבה על בעלה. אמר רבי יוסי בר חנינא, כדי לשגר לה כוס של ברכה]: **הנה באהל.** צנועה היא: [פסוק י] **כעת חיה.** כעת הזאת לשנה הבאה, ופסח ע היה, ולפסח הבא נולד יצחק (סדר עולם פ"ה) מדלא קרינן כעת אלא פ כעת: **כעת חיה.** כעת הזאת שתהא חיה לכם, שתהיו כלכם שלמים וקיימים (אונקלוס): **שוב אשוב.** לא בשרו המלאך שישוב אליו, אלא בשליחותו של מקום אמר לו צ, כמו ויאמר לה מלאך ה' הרבה ארבה (לעיל טז:י) והוא אין בידו להרבות, אלא בשליחותו של מקום, אף כאן בשליחותו של מקום אמר לו כן [אלישע אמר לשונמית למועד הזה כעת חיה את חובקת בן. ותאמר, אל אדני איש האלהים, אל תכזב בשפחתך (מלכים ב ד:טז), אותן המלאכים שבשרו את שרה אמרו למועד אשוב. אמר לה אלישע, אותן המלאכים שהם חיים וקיימים לעולם אמרו למועד אשוב, אבל אני בשר ודם שהיום חי ומחר מת, בין חי ובין מת למועד הזה וגו' (ב"ר נג:ב)]: **והוא אחריו.** הפתח היה אחר המלאך (מדרש אגדה):

בעל הטורים

(ח-ט) **ויאכלו.** והדר ויאמרו אליו. רמז למה שאמרו, אין מסיחין בסעודה שמא יקדים קנה לושט: **ויאמרו אליו.** בגימטריא אמרו אליה איו:

עיקר שפתי חכמים

ס כי אף שהיו ג' פרים כמ"ש לעיל, אך קמא כו': ע דכתיב לקמן גבי לוט ומצות אפה, וזה היה באותו היום שדבר המלאך: פ כעת בשו"א אלא כעת בקמ"ץ, משמע כהעת הזאת שאנחנו קיימים: צ פי' שהקב"ה ישוב אליו כמ"ש לקמן ויאמר ה' כו' למועד אשוב אליך:

יא וְאַבְרָהָם וְשָׂרָה זְקֵנִים בָּאִים
בַּיָּמִים חָדַל לִהְיוֹת לְשָׂרָה אֹרַח
כַּנָּשִׁים: יב וַתִּצְחַק שָׂרָה בְּקִרְבָּהּ
לֵאמֹר אַחֲרֵי בְלֹתִי הָיְתָה־
לִּי עֶדְנָה וַאדֹנִי זָקֵן: יג וַיֹּאמֶר
יְהוָה אֶל־אַבְרָהָם לָמָּה זֶּה
צָחֲקָה שָׂרָה לֵאמֹר הַאַף אֻמְנָם
אֵלֵד וַאֲנִי זָקַנְתִּי: יד הֲיִפָּלֵא
מֵיְהוָה דָּבָר לַמּוֹעֵד אָשׁוּב אֵלֶיךָ כָּעֵת חַיָּה
וּלְשָׂרָה בֵן: ❖ שני טו וַתְּכַחֵשׁ שָׂרָה | לֵאמֹר לֹא
צָחַקְתִּי כִּי | יָרֵאָה וַיֹּאמֶר | לֹא כִּי צָחָקְתְּ:

יא וְאַבְרָהָם וְשָׂרָה סִיבוּ
עֲלוּ בְּיוֹמִין פְּסַק מִלְּמֶהֱוֵי
לְשָׂרָה אוֹרַח כִּנְשַׁיָּא:
יב וְחַיְכַת שָׂרָה בִּמְעָהָא
לְמֵימַר בָּתַר דְּסֵיבִית הֲוַת
לִי עוּלֵימוּ וְרִבּוֹנִי סִיב:
יג וַאֲמַר יְיָ לְאַבְרָהָם לְמָא
דְנָן חַיְכַת שָׂרָה לְמֵימַר
הַבְרַם בְּקוּשְׁטָא אוֹלִיד
וַאֲנָא סֵיבִית: יד הֲיִתְכַּסֵּי
מִן קֳדָם יְיָ פִּתְגָּמָא
לִזְמַן אֵתוּב לְוָתָךְ כְּעִדָּן
דְּאַתּוּן קַיָּמִין וּלְשָׂרָה בַר:
טו וְכַדִּיבַת שָׂרָה לְמֵימַר
לָא חַיֵּכִית אֲרֵי דְחֵילַת
וַאֲמַר לָא בְּרַם חַיֵּכְתְּ:

רש"י

[פסוק יא] חָדַל לִהְיוֹת. פָּסַק[ק] מִמֶּנָּה (ב"ר מח:טז): **אֹרַח כַּנָּשִׁים.** אוֹרַח נִדּוּת: **[פסוק יב] בְּקִרְבָּהּ.** מִסְתַּכֶּלֶת בְּמֵעֶיהָ וְאוֹמֶרֶת אֶפְשָׁר הַקְּרָבַיִם הַלָּלוּ טְעוּנִין וָלָד, הַשָּׁדַיִם הַלָּלוּ שֶׁצָּמְקוּ מוֹשְׁכִין חָלָב. תַּנְחוּמָא (שופטים יח): **עֶדְנָה.** צַחוּת בָּשָׂר (ב"מ פז.), וּלְ' מִשְׁנָה מַשִּׁיר אֶת הַשֵּׂעָר וּמְעַדֵּן אֶת הַבָּשָׂר (מנחות פו.). ד"א, לְשׁוֹן עִידָּן, זְמַן וֶסֶת נִדּוּת (ב"ר מח:יז): **[פסוק יג] הַאַף אֻמְנָם.** הֲגַם אֱמֶת אֵלֵד: **וַאֲנִי זָקַנְתִּי.** שִׁנָּה הַכָּתוּב מִפְּנֵי הַשָּׁלוֹם, שֶׁהֲרֵי הִיא אָמְרָה וַאדֹנִי זָקֵן (ב"מ שם; ב"ר שם יח): **[פסוק יד] הֲיִפָּלֵא.** כְּתַרְגּוּמוֹ, הֲיִתְכַּסֵּי, וְכִי שׁוּם דָּבָר מוּפְלָא וּמוּפְרָד וּמְכוּסֶּה מִמֶּנִּי מִלַּעֲשׂוֹת כִּרְצוֹנִי: **לַמּוֹעֵד.** לְאוֹתוֹ מוֹעֵד הַמְיוּחָד שֶׁקָּבַעְתִּי לְךָ אֶתְמוֹל, לַמּוֹעֵד הַזֶּה בַּשָּׁנָה הָאַחֶרֶת: **[פסוק טו] כִּי יָרֵאָה וגו' כִּי צָחָקְתְּ.** כִּי הָרִאשׁוֹן מְשַׁמֵּשׁ לְשׁוֹן דְּהָא, שֶׁנּוֹתֵן טַעַם לַדָּבָר, וַתְּכַחֵשׁ שָׂרָה לְפִי שֶׁיָּרְאָה. וְהַשֵּׁנִי מְשַׁמֵּשׁ בִּלְשׁוֹן אֶלָּא, וַיֹּאמֶר לֹא כִּדְבָרַיִךְ הוּא, אֶלָּא צָחָקְתְּ. שֶׁאָמְרוּ רַבּוֹתֵינוּ כִּי מְשַׁמֵּשׁ בד' לְשׁוֹנוֹת, אִי, דִּלְמָא, אֶלָּא, דְּהָא (ראש השנה ג.; גיטין צ.):

בעל הטורים

(יא) ארח כנשים. ראשי תבות וסופי תבות בגימטריא נידה: **(יב) ואדוני זקן.** בגימטריא טוחן ולא פולט:

עיקר שפתי חכמים

ק ואף שאותו יום פירסה נדה כמ"ש רש"י בפסוק ח', זה היה רק בדרך מקרה:

טז וַיָּקֻמוּ מִשָּׁם הָאֲנָשִׁים וַיַּשְׁקִפוּ
עַל־פְּנֵי סְדֹם וְאַבְרָהָם הֹלֵךְ
עִמָּם לְשַׁלְּחָם: יז וַיהוָה אָמָר
הַמְכַסֶּה אֲנִי מֵאַבְרָהָם אֲשֶׁר
אֲנִי עֹשֶׂה: יח וְאַבְרָהָם הָיוֹ יִהְיֶה
לְגוֹי גָּדוֹל וְעָצוּם וְנִבְרְכוּ־
בוֹ כֹּל גּוֹיֵי הָאָרֶץ: יט כִּי יְדַעְתִּיו לְמַעַן אֲשֶׁר
יְצַוֶּה אֶת־בָּנָיו וְאֶת־בֵּיתוֹ אַחֲרָיו וְשָׁמְרוּ דֶּרֶךְ

טז וְקָמוּ מִתַּמָּן גֻּבְרַיָּא
וְאִסְתְּכִיאוּ עַל אַפֵּי סְדוֹם
וְאַבְרָהָם אָזֵל עִמְּהוֹן
לְאַלְוָאֵיהוֹן: יז וַייָ אֲמַר
הַמְכַסֵּי אֲנָא מֵאַבְרָהָם
דִּי אֲנָא עָבֵד: יח וְאַבְרָהָם
מֶהֱוָה יְהֵי לְעַם סַגִּי וְתַקִּיף
וְיִתְבָּרְכוּן בְּדִילֵהּ כֹּל עַמְמֵי
אַרְעָא: יט אֲרֵי גְּלֵי קֳדָמַי
(נ״א יְדַעְתֵּהּ) בְּדִיל דִּי יְפַקֵּד
יָת בְּנוֹהִי וְיָת אֱנָשׁ בֵּיתֵהּ
בָּתְרוֹהִי וְיִטְּרוּן אָרְחָן

רש"י

[פסוק טז] וַיַּשְׁקִפוּ. כָּל הַשְׁקָפָה שֶׁבַּמִּקְרָא לְרָעָה חוּץ מֵהַשְׁקִיפָה מִמְּעוֹן קָדְשְׁךָ (דברים כו:טו), שֶׁגָּדוֹל כֹּחַ מַתְּנוֹת עֲנִיִּים שֶׁהוֹפֵךְ מִדַּת הָרֹגֶז לְרַחֲמִים (שמות רבה מא:א): **לְשַׁלְּחָם.** לְלַוּוֹתָם, כִּסְבוּר אוֹרְחִים הֵם (מדרש אגדה): **[פסוק יז] הַמְכַסֶּה אֲנִי.** בִּתְמִיָּה: **אֲשֶׁר אֲנִי עֹשֶׂה.** בִּסְדוֹם. לֹא יָפֶה לִי לַעֲשׂוֹת דָּבָר זֶה שֶׁלֹּא מִדַּעְתּוֹ. אֲנִי נָתַתִּי לוֹ אֶת הָאָרֶץ הַזֹּאת, וַחֲמִשָּׁה כְּרַכִּין הַלָּלוּ שֶׁלּוֹ הֵן, שֶׁנֶּאֱמַר גְּבוּל הַכְּנַעֲנִי מִצִּידֹן בֹּאֲכָה סְדֹמָה וַעֲמֹרָה וגו' (לעיל י:יט; ב"ר מט:ב; תנחומא ה; תרגום ירושלמי). קָרָאתִי אוֹתוֹ אַבְרָהָם [ס"א אֲבִיהֶם] אַב הֲמוֹן גּוֹיִם (לעיל יז:ה), וְאַשְׁמִיד אֶת הַבָּנִים וְלֹא אוֹדִיעַ לָאָב (ב"ר שם) שֶׁהוּא אוֹהֲבִי (תנחומא שם; תרגום יונתן): **[פסוק יח] וְאַבְרָהָם הָיוֹ יִהְיֶה.** מ"א, זֵכֶר צַדִּיק לִבְרָכָה (משלי י:ז), הוֹאִיל וְהִזְכִּירוֹ בֵּרְכוֹ (יומא לח:; ב"ר מט:א). וּפְשׁוּטוֹ, וְכִי מִמֶּנּוּ אֲנִי מַעְלִים, וַהֲרֵי הוּא חָבִיב לְפָנַי לִהְיוֹת לְגוֹי גָּדוֹל וּלְהִתְבָּרֵךְ בּוֹ כָּל גּוֹיֵי הָאָרֶץ: **[פסוק יט] כִּי יְדַעְתִּיו.** [אֲרֵי יְדַעְתִּינֵהּ, כְּתַרְגּוּמוֹ,] לְשׁוֹן חִבָּה, כְּמוֹ מוֹדַע לְאִישָׁהּ (רות ב:א) הֲלֹא בֹעַז מֹדַעְתָּנוּ (שם ג:ב) וְאֵדָעֲךָ בְּשֵׁם (שמות לג:יז). וְאָמְנָם עִיקַּר לְשׁוֹן כּוּלָּם אֵינוֹ אֶלָּא לְשׁוֹן יְדִיעָה, שֶׁהַמְחַבֵּב אֶת הָאָדָם מְקָרְבוֹ אֶצְלוֹ וְיוֹדְעוֹ וּמַכִּירוֹ. וְלָמָּה יְדַעְתִּיו, לְמַעַן אֲשֶׁר יְצַוֶּה, לְפִי שֶׁהוּא מְצַוֶּה אֶת בָּנָיו עָלַי לִשְׁמוֹר דְּרָכַי. וְאִם תְּפָרְשֵׁהוּ כְּתַרְגּוּמוֹ, יוֹדֵעַ אֲנִי בוֹ שֶׁיְּצַוֶּה אֶת בָּנָיו וגו', אֵין לְמַעַן נוֹפֵל עַל הַלָּשׁוֹן: **יְצַוֶּה.** לְשׁוֹן הֹוֶה, כְּמוֹ כָּכָה יַעֲשֶׂה אִיּוֹב (איוב א:ה):

בעל הטורים

(טז-יז) על פני סדם. סופי תבות בהפך מיל, ששעור מיל הלך עמם לשלחם דשיעור לויה, מיל: **הולך עמם לשלחם . . . וה'.** מלמד שהשכינה מלוה לצדיקים: **(יח) ואברהם.** ה' ראש פסוק — "ואברהם בן תשעים ותשע שנה"; "ואברהם ושרה זקנים"; "ואברהם היו יהיה לגוי גדול"; "ואברהם בן מאת שנה"; "ואברהם זקן". פירוש, אף על פי שאברהם ושרה זקנים, אברהם היו יהיה לגוי גדול. "היו יהיה לגוי", בגימטריא ק'. פירוש, כשיהיה בן ק' אז יהיה "לגוי גדול", כי אז נולד יצחק. וזהו שנאמר "כי כן יבורך גבר". **(יט) אשר יצוה את בניו.** סופי תבות תורה, "אשר יצוה" בגימטריא תורה ובגימטריא ברית:

יְהוָה לַעֲשׂוֹת צְדָקָה וּמִשְׁפָּט
לְמַעַן הָבִיא יְהוָה עַל־אַבְרָהָם
אֵת אֲשֶׁר־דִּבֶּר עָלָיו: כ וַיֹּאמֶר
יְהוָה זַעֲקַת סְדֹם וַעֲמֹרָה כִּי־
רָבָּה וְחַטָּאתָם כִּי כָבְדָה מְאֹד:
כא אֵרְדָה־נָּא וְאֶרְאֶה הַכְּצַעֲקָתָהּ
הַבָּאָה אֵלַי עָשׂוּ | כָּלָה וְאִם־לֹא
אֵדָעָה: כב וַיִּפְנוּ מִשָּׁם הָאֲנָשִׁים
וַיֵּלְכוּ סְדֹמָה וְאַבְרָהָם עוֹדֶנּוּ עֹמֵד לִפְנֵי יְהוָה:

דְתַקְנָן קֳדָם יְיָ לְמֶעְבַּד
צְדַקְתָּא וְדִינָא בְּדִיל
אַיְתֵי יְיָ עַל אַבְרָהָם יָת
דִּי מַלֵּיל עֲלוֹהִי: כ וַאֲמַר
יְיָ קְבֵלַת דִּסְדוֹם וַעֲמוֹרָה
אֲרֵי סְגִיאַת וְחוֹבַתְהוֹן
אֲרֵי תְקִיפַת לַחֲדָא:
כא אִתְגְּלֵי כְעַן וְאֶדּוּן
הַכִּקְבֻלְתְּהוֹן דַּעֲלַת
לִקְדָמַי עֲבָדוּ אֶעְבֵּד
עִמְּהוֹן גְּמִירָא (אִם לָא
תָּיְבִין) וְאִם תָּיְבִין לָא
אֶתְפְּרַע: כב וְאִתְפְּנִיאוּ
מִתַּמָּן גֻּבְרַיָּא וַאֲזַלוּ
לִסְדוֹם וְאַבְרָהָם עַד כְּעַן
מְשַׁמֵּשׁ בִּצְלוֹ קֳדָם יְיָ:

רש"י

למען הביא. כך הוא מצוה לבניו, שמרו דרך ה' כדי שיביא ה' על אברהם וגו'. על בית אברהם לא נאמר אלא על אברהם, למדנו, כל המעמיד בן צדיק כאילו אינו מת (ב"ר שם ד): **[פסוק כ] ויאמר ה'.** אל אברהם, שעשה כאשר אמר שלא יכסה ממנו: **כי רבה.** כל רבה שבמקרא הטעם למטה בבי"ת לפי שהן מתורגמין גדולה או גדלה והולכת (שם ה, כז:ג), אבל זה טעמו למעלה ברי"ש לפי שמתורגם גדלה כבר, כמו שפירשתי ויהי השמש באה (לעיל טו:יז) הנה שבה יבמתך (רות א:טו): **[פסוק כא] ארדה נא.** למד לדיינים שלא יפסקו דיני נפשות אלא ר בראיה, הכל כמו שפירשתי בפרשת הפלגה (לעיל יא:ה). ד"א, ארדה אל סוף מעשיהם (מדרש אגדה): **הכצעקתה.** של ש מדינה (תרגום ירושלמי): **הבאה אלי עשו.** וכן עומדים במרדם, **כלה** אני עושה בהם, **ואם לא** יעמדו במרדם, **אדעה** מה אעשה, להפרע מהן ביסורין, ולא אכלה אותן (ב"ר שם ו). וכיוצא בו מצינו במקום אחר, ועתה הורד עדיך מעליך ואדעה מה אעשה לך (שמות לג:ה). ולפיכך יש הפסק נקודת פסיק בין עשו לכלה כדי להפריד תיבה מחברתה. ורבותינו דרשו, הכצעקתה, צעקת ריבה אחת שהרגוה במיתה משונה על שנתנה מזון לעני, כמפורש בחלק (סנהדרין קט:): **[פסוק כב] ויפנו משם.** ממקום שאברהם ליוום שם: **ואברהם עודנו עמד לפני ה'.** והלא לא הלך לעמוד

בעל הטורים

(כ) **כי רבה.** בגימטריא בחטא ריבה:

עיקר שפתי חכמים

ר כי הלשון ארדה לא מורה כאדם שיורד מכסאו לראות ולחקור בדבר: ש כי הל"ל הכצעקתם, כמ"ש לעיל וחטאתם. לכן מפרש דבא בכינוי נקבה על שם המדינה:

כג וַיִּגַּשׁ אַבְרָהָם וַיֹּאמַר הַאַף
תִּסְפֶּה צַדִּיק עִם־רָשָׁע׃ כד אוּלַי
יֵשׁ חֲמִשִּׁים צַדִּיקִם בְּתוֹךְ
הָעִיר הַאַף תִּסְפֶּה וְלֹא־תִשָּׂא
לַמָּקוֹם לְמַעַן חֲמִשִּׁים הַצַּדִּיקִם
אֲשֶׁר בְּקִרְבָּהּ׃ כה חָלִלָה לְּךָ
מֵעֲשֹׂת ׀ כַּדָּבָר הַזֶּה לְהָמִית
צַדִּיק עִם־רָשָׁע וְהָיָה כַצַּדִּיק כָּרָשָׁע חָלִלָה
לָּךְ הֲשֹׁפֵט כָּל־הָאָרֶץ לֹא יַעֲשֶׂה מִשְׁפָּט׃

כג וּקְרֵיב אַבְרָהָם וַאֲמַר הַבְרָגַז תְּשֵׁיצֵי זַכָּאי עִם חַיָּב׃ כד מָאִים אִית חַמְשִׁין זַכָּאִין בְּגוֹ קַרְתָּא הַבְרָגַז תְּשֵׁיצֵי וְלָא תִשְׁבּוֹק לְאַתְרָא בְּדִיל חַמְשִׁין זַכָּאִין דִּי בְגַוַּהּ׃ כה קוּשְׁטָא אִנּוּן דִּינָךְ מִלְּמֶעְבַּד כְּפִתְגָּמָא הָדֵין לְקַטָּלָא זַכָּאָה עִם חַיָּבָא וִיהֵי זַכָּאָה כְּחַיָּבָא קוּשְׁטָא אִנּוּן דִּינָךְ דְּדָיֵן (נ״א הֲדַיַּן) כָּל אַרְעָא לָא (נ״א בְּרַם) יַעְבֵּד דִּינָא׃

רש״י

לְפָנָיו, אֶלָּא הקב״ה בָּא אֶצְלוֹ וְאָמַר לוֹ זַעֲקַת סְדוֹם וַעֲמוֹרָה כִּי רַבָּה, וְהָיָה לוֹ לִכְתּוֹב וה׳ עוֹדֶנּוּ עוֹמֵד עַל אַבְרָהָם, אֶלָּא ת תִּיקּוּן סוֹפְרִים הוּא זֶה (ב״ר שם ז): **[פסוק כג] וַיִּגַּשׁ אַבְרָהָם.** מָצִינוּ הַגָּשָׁה לְמִלְחָמָה, וַיִּגַּשׁ יוֹאָב וגו׳ (דברי הימים־א יט:יד). הַגָּשָׁה לְפִיּוּס, א וַיִּגַּשׁ אֵלָיו יְהוּדָה (להלן מד:יח). וְהַגָּשָׁה לִתְפִלָּה, וַיִּגַּשׁ אֵלִיָּהוּ הַנָּבִיא (מלכים־א יח:לו). וּלְכָל אֵלֶּה נִכְנַס אַבְרָהָם, לְדַבֵּר קָשׁוֹת וּלְפִיּוּס וְלִתְפִלָּה (ב״ר שם ח): **הַאַף תִּסְפֶּה.** הֲגַם תִּסְפֶּה. וּלְתַרְגּוּם שֶׁל אוּנְקְלוֹס שֶׁתִּרְגְּמוֹ לְשׁוֹן רוֹגֶז כָּךְ פֵּירוּשׁוֹ, הַאַף יַשִּׂיאֲךָ שֶׁתִּסְפֶּה צַדִּיק עִם רָשָׁע (שם; תנחומא ח): **[פסוק כד] אוּלַי יֵשׁ חֲמִשִּׁים צַדִּיקִם.** עֲשָׂרָה צַדִּיקִים לְכָל כְּרַךְ וּכְרַךְ כִּי חֲמִשָּׁה מְקוֹמוֹת יֵשׁ (תרגום יונתן). וא״ת לֹא יַצִּילוּ הַצַּדִּיקִים אֶת הָרְשָׁעִים, ב לָמָּה תָמִית הַצַּדִּיקִים (ב״ר שם): **[פסוק כה] חָלִלָה לְּךָ.** חוּלִּין הוּא לָךְ (ע״ז ד.; תרגום יונתן), יֹאמְרוּ כָּךְ הִיא אוּמָּנוּתוֹ, שׁוֹטֵף הַכֹּל, צַדִּיקִים וּרְשָׁעִים. כָּךְ עָשִׂיתָ ג לְדוֹר הַמַּבּוּל וּלְדוֹר הַפְּלָגָה (תנחומא שם): **כַּדָּבָר הַזֶּה.** לֹא הוּא וְלֹא כַּיּוֹצֵא בּוֹ (שם; ב״ר שם ט): **חָלִלָה לְּךָ.** לְעוֹלָם ד הַבָּא (תנחומא ישן יא): **הֲשֹׁפֵט כָּל הָאָרֶץ.** נָקוּד בַּחֲטַ״ף פַּתָּ״ח ה״א שֶׁל הֲשׁוֹפֵט, לְשׁוֹן תְּמִיהָ, וְכִי מִי שֶׁהוּא שׁוֹפֵט **לֹא יַעֲשֶׂה מִשְׁפָּט** אֱמֶת (ב״ר שם):

בעל הטורים

(כד) צדיקם . . . הצדיקם. ארבעה — כנגד ארבעה דיינים שהיו בסדום וכלם חסרים, דסאבי דבהתא הוו:

עיקר שפתי חכמים

ת אין כוונה שהוסיפו או הותירו חלילה אות א׳, אלא ר״ל תיקון סופרים שהם דקדקו ומלאו לפי הוראת כ״א מן הכתובים שעיקר הכוונה איננה כמו שנראה בספר אלא בכוונה הפוכה. וגם כאן הל״ל וה׳ עודנו עומד, אלא שכינה הכתוב: **א** ר״ל ויגשו בני יהודה, והוא ביהושע פ׳ י״ד: **ב** ר״ל דכי מתחלה התפלל שיגינו הצדיקים על הרשעים, ואח״כ אמר גם אם לא יגינו על הרשעים, חלילה כו׳, למה תמית את הצדיקים: **ג** ואף שנשארו נח ובניו, לא נשארו אלא לקיום המין: **ד** כדאמרינן בחלק דאנשי סדום אין להם חלק לעוה״ב:

כו וַיֹּאמֶר יְהוָה אִם־אֶמְצָא
בִסְדֹם חֲמִשִּׁים צַדִּיקִם בְּתוֹךְ
הָעִיר וְנָשָׂאתִי לְכָל־הַמָּקוֹם
בַּעֲבוּרָם: כז וַיַּעַן אַבְרָהָם וַיֹּאמַר
הִנֵּה־נָא הוֹאַלְתִּי לְדַבֵּר אֶל־
אֲדֹנָי וְאָנֹכִי עָפָר וָאֵפֶר: כח אוּלַי
יַחְסְרוּן חֲמִשִּׁים הַצַּדִּיקִם
חֲמִשָּׁה הֲתַשְׁחִית בַּחֲמִשָּׁה
אֶת־כָּל־הָעִיר וַיֹּאמֶר לֹא
אַשְׁחִית אִם־אֶמְצָא שָׁם אַרְבָּעִים וַחֲמִשָּׁה:
כט וַיֹּסֶף עוֹד לְדַבֵּר אֵלָיו וַיֹּאמַר אוּלַי יִמָּצְאוּן
שָׁם אַרְבָּעִים וַיֹּאמֶר לֹא אֶעֱשֶׂה בַּעֲבוּר
הָאַרְבָּעִים: ל וַיֹּאמֶר אַל־נָא יִחַר לַאדֹנָי

כו וַאֲמַר יְיָ אִם אַשְׁכַּח
בִּסְדוֹם חַמְשִׁין זַכָּאִין
בְּגוֹ קַרְתָּא וְאֶשְׁבּוֹק לְכָל
אַתְרָא בְּדִילְהוֹן: כז וַאֲתֵיב
אַבְרָהָם וַאֲמַר הָא כְעַן
שָׁרֵיתִי לְמַלָּלָא קֳדָם יְיָ
וַאֲנָא עָפָר וּקְטָם: כח מָאִים
יַחְסְרוּן חַמְשִׁין זַכָּאִין
חַמְשָׁא הַתְחַבֵּל בְּחַמְשָׁא
יָת כָּל קַרְתָּא וַאֲמַר לָא
אֲחַבֵּל אִם אַשְׁכַּח תַּמָּן
אַרְבְּעִין וְחַמְשָׁא: כט וְאוֹסֵיף
עוֹד לְמַלָּלָא קֳדָמוֹהִי
וַאֲמַר מָאִים יִשְׁתַּכְּחוּן
תַּמָּן אַרְבְּעִין וַאֲמַר לָא
אֶעְבֵּד גְּמִירָא בְּדִיל
אַרְבְּעִין: ל וַאֲמַר לָא כְעַן
יִתְקַף קֳדָם (נ״א רוּגְזָא דַ)יְיָ

רש״י

[פסוק כו] **אם אמצא בסדם וגו׳ לכל המקום.** לְכָל הַכְּרַכִּים. לְפִי שֶׁסְּדוֹם הָיְתָה מֶטְרוֹפּוֹלִין וַחֲשׁוּבָה מִכּוּלָּם תָּלָה בָּהּ הַכָּתוּב: [פסוק כז] **ואנכי עפר ואפר.** וּכְבָר הָיִיתִי רָאוּי לִהְיוֹת עָפָר עַל יְדֵי הַמְּלָכִים וְאֵפֶר ע״י נִמְרוֹד לוּלֵי רַחֲמֶיךָ אֲשֶׁר עָמְדוּ לִי (ב״ר סט יח): [פסוק כח] **התשחית בחמשה.** וַהֲרֵי הֵן ט׳ לְכָל כְּרָךְ, וְאַתָּה צַדִּיקוֹ שֶׁל עוֹלָם תִּצְטָרֵף עִמָּהֶם (ב״ר מט:ט): [פסוק כט] **אולי ימצאון שם ארבעים.** וְיִמָּלְטוּ ד׳ הַכְּרַכִּים, וְכֵן שְׁלֹשִׁים יַצִּילוּ ג׳ מֵהֶם אוֹ עֶשְׂרִים יַצִּילוּ ב׳ מֵהֶם אוֹ עֲשָׂרָה יַצִּילוּ אֶחָד מֵהֶם (תרגום יונתן):

בעל הטורים

(כז) ואנכי עפר ואפר. מכאן זכה לאפר פרה ועפר סוטה. ״עפר״ בגימטריא לשוטה; ״ואפר״ בגימטריא בפרה: **עפר ואפר.** ב׳ במסורת — הכא; ואידך באיוב ״ונחמתי על עפר ואפר״. וזהו מה שאמרו, גדול מה שנאמר באיוב ממה שנאמר באברהם:

וְאֲדַבֵּרָה אוּלַי יִמָּצְאוּן שָׁם
שְׁלֹשִׁים וַיֹּאמֶר לֹא אֶעֱשֶׂה אִם־
אֶמְצָא שָׁם שְׁלֹשִׁים: לא וַיֹּאמֶר
הִנֵּה־נָא הוֹאַלְתִּי לְדַבֵּר אֶל־
אֲדֹנָי אוּלַי יִמָּצְאוּן שָׁם עֶשְׂרִים
וַיֹּאמֶר לֹא אַשְׁחִית בַּעֲבוּר
הָעֶשְׂרִים: לב וַיֹּאמֶר אַל־נָא יִחַר
לַאדֹנָי וַאֲדַבְּרָה אַךְ־הַפַּעַם
אוּלַי יִמָּצְאוּן שָׁם עֲשָׂרָה וַיֹּאמֶר
לֹא אַשְׁחִית בַּעֲבוּר הָעֲשָׂרָה: לג וַיֵּלֶךְ יהוה
כַּאֲשֶׁר כִּלָּה לְדַבֵּר אֶל־אַבְרָהָם וְאַבְרָהָם שָׁב
לִמְקֹמוֹ: שלישי פרק יט א וַיָּבֹאוּ שְׁנֵי הַמַּלְאָכִים סְדֹמָה

וְאֱמַלֵּל מָאִים יִשְׁתַּכְחוּן תַּמָּן תְּלָתִין וַאֲמַר לָא אֶעְבֵּד גְּמִירָא אִם אַשְׁכַּח תַּמָּן תְּלָתִין: לא וַאֲמַר הָא כְעַן שָׁרֵיתִי לְמַלָּלָא קֳדָם יְיָ מָאִים יִשְׁתַּכְחוּן תַּמָּן עֶשְׂרִין וַאֲמַר לָא אֲחַבֵּל בְּדִיל עֶשְׂרִין: לב וַאֲמַר לָא כְעַן יִתְקֵף קֳדָם (נ״א רוּגְזָא ד)יְיָ וַאֲמַלֵּל בְּרַם זִמְנָא הָדָא מָאִים יִשְׁתַּכְחוּן תַּמָּן עַשְׂרָא וַאֲמַר לָא אֲחַבֵּל בְּדִיל עַשְׂרָא: לג וְאִסְתַּלַּק יְקָרָא דַיְיָ כַּד שֵׁצִי לְמַלָּלָא עִם אַבְרָהָם וְאַבְרָהָם תָּב לְאַתְרֵהּ: א וְעַלּוּ תְּרֵין מַלְאֲכַיָּא לִסְדוֹם

רש"י

[פסוק לא] הואלתי. רצתי, כמו ויואל משה (שמות ב:כא): **[פסוק לב] אולי ימצאון שם עשרה.** על פחות לא ביקש. אמר, דור המבול היו ח', נח ובניו ונשיהם, ולא הצילו על דורן (ב"ר מט:יג). ועל ט' ע"י צירוף ה כבר בקש ולא מצא: **[פסוק לג] וילך ה' וגו'.** כיון שנשתתק הסניגור הלך לו הדיין (שם יד): **ואברהם שב למקומו.** נסתלק הדיין נסתלק הסניגור, והקטיגור מקטרג, לפיכך ויבואו שני המלאכים סדומה, להשחית (שם): **[פסוק א] שני המלאכים.** אחד להשחית את סדום ואחד להציל את לוט, הוא אותו שבא לרפאות את אברהם. והשלישי שבא לבשר את שרה, כיון שעשה שליחותו נסתלק לו (ב"ר נ:ב; תנחומא ח): **המלאכים.** ולהלן קראם אנשים, כשהיתה שכינה עמהם קראם אנשים.

עיקר שפתי חכמים

ה כי בקש על ארבעים וחמשה היינו ט' לכל כרך וע"י צירוף, וע"כ כיון שלא הציל אף עיר אחת מהמשתם בקש ולא מצא אף ט' בעיר אחת:

בָּעֶרֶב וְלוֹט יֹשֵׁב בְּשַׁעַר־סְדֹם
וַיַּרְא־לוֹט וַיָּקָם לִקְרָאתָם
וַיִּשְׁתַּחוּ אַפַּיִם אָרְצָה: ב וַיֹּאמֶר
הִנֶּה נָּא־אֲדֹנַי סוּרוּ נָא אֶל־
בֵּית עַבְדְּכֶם וְלִינוּ וְרַחֲצוּ
רַגְלֵיכֶם וְהִשְׁכַּמְתֶּם וַהֲלַכְתֶּם
לְדַרְכְּכֶם וַיֹּאמְרוּ לֹא כִּי בָרְחוֹב נָלִין: ג וַיִּפְצַר־
בָּם מְאֹד וַיָּסֻרוּ אֵלָיו וַיָּבֹאוּ אֶל־בֵּיתוֹ וַיַּעַשׂ

בְּרַמְשָׁא וְלוֹט יָתֵב בְּתַרְעָא (נ"א בִּתְרַע) דִּסְדוֹם וַחֲזָא לוֹט וְקָם לְקַדְמוּתְהוֹן וּסְגִיד עַל אַפּוֹהִי עַל אַרְעָא: ב וַאֲמַר בְּבָעוּ כְעַן רִבּוֹנַי זוּרוּ כְעַן לְבֵית עַבְדְּכוֹן וּבִיתוּ וְאַסְחוֹ רַגְלֵיכוֹן וּתְקַדְּמוּן וּתְהָכוּן לְאָרְחֲכוֹן וַאֲמָרוּ לָא אֱלָהֵן בִּרְחוֹבָא נְבִית: ג וְאַתְקֵף בְּהוֹן לַחֲדָא וְזָרוּ לְוָתֵהּ וְעַלּוּ לְבֵיתֵהּ וַעֲבַד

רש"י

ד"א, אֵצֶל אַבְרָהָם שֶׁכֹּחוֹ גָדוֹל וְהָיוּ הַמַּלְאָכִים תְּדִירִין אֶצְלוֹ כַּאֲנָשִׁים קְרָאָם אֲנָשִׁים, וְאֵצֶל לוֹט קְרָאָם מַלְאָכִים (ב"ר שם; תנחומא ישן כו): **בָּעֶרֶב.** וְכִי כָּל כָּךְ שָׁהוּ הַמַּלְאָכִים מֵחֶבְרוֹן לִסְדוֹם, אֶלָּא מַלְאֲכֵי רַחֲמִים הָיוּ וּמַמְתִּינִים שֶׁמָּא יוּכַל אַבְרָהָם לְלַמֵּד עֲלֵיהֶם סָנֵיגוֹרְיָא (ב"ר שם): **וְלוֹט יֹשֵׁב בְּשַׁעַר סְדֹם.** יֹשֵׁב כְּתִיב, אוֹתוֹ הַיּוֹם ו מִינּוּהוּ שׁוֹפֵט עֲלֵיהֶם [ס"א עַל הַשּׁוֹפְטִים] (ב"ר נ:ג): **וַיַּרְא לוֹט וְגוֹ'.** מִבֵּית אַבְרָהָם לָמַד לַחֲזֹר עַל הָאוֹרְחִים (שם ד; תנחומא ישן טו): [פסוק ב] **הִנֶּה נָּא אֲדֹנַי.** הֲרֵי אַתֶּם אֲדוֹנִים לִי אַחַר שֶׁעֲבַרְתֶּם עָלָי. ד"א, הִנֶּה נָא, נְרִיכִים אַתֶּם לָתֵת לֵב עַל הָרְשָׁעִים הַלָּלוּ שֶׁלֹּא יַכִּירוּ בָכֶם, וְזוֹ הִיא עֵצָה נְכוֹנָה, **סוּרוּ נָא,** עַקְּמוּ אֶת הַדֶּרֶךְ לְבֵיתִי דֶּרֶךְ עֲקַלָּתוֹן, שֶׁלֹּא יַכִּירוּ שֶׁאַתֶּם נִכְנָסִים שָׁם, לְכָךְ נֶאֱמַר סוּרוּ.

בְּרֵאשִׁית רַבָּה (שם): **וְלִינוּ וְרַחֲצוּ רַגְלֵיכֶם.** וְכִי דַרְכָּן שֶׁל בְּנֵי אָדָם לָלוּן תְּחִלָּה וְאח"כ לִרְחוֹץ, וְעוֹד, שֶׁהֲרֵי אַבְרָהָם אָמַר לָהֶם תְּחִלָּה רַחֲצוּ רַגְלֵיכֶם. אֶלָּא כָּךְ אָמַר לוֹט, אִם [כְּשֶׁ]יָּבוֹאוּ אַנְשֵׁי סְדוֹם וְיִרְאוּ שֶׁכְּבָר רָחֲצוּ רַגְלֵיהֶם, יַעֲלִילוּ עָלַי וְיֹאמְרוּ כְּבָר עָבְרוּ שְׁנֵי יָמִים אוֹ שְׁלֹשָׁה שֶׁבָּאוּ לְבֵיתְךָ וְלֹא הוֹדַעְתָּנוּ, לְפִיכָךְ אָמַר מוּטָב שֶׁיִּתְעַכְּבוּ כָּאן בַּאֲבַק רַגְלֵיהֶם שֶׁיְּהוּ נִרְאִין כְּמוֹ שֶׁבָּאוּ עַכְשָׁיו, לְפִיכָךְ אָמַר לִינוּ תְּחִלָּה וְאַחַר כָּךְ רַחֲצוּ (שם): **וַיֹּאמְרוּ לֹא.** וּלְאַבְרָהָם אָמְרוּ כֵּן תַּעֲשֶׂה, מִכָּאן שֶׁמְּסָרְבִין לְקָטָן וְאֵין מְסָרְבִין לְגָדוֹל (ב"מ פז.; ב"ר שם; תנחומא יא): **כִּי בָרְחוֹב נָלִין.** הֲרֵי כִּי מְשַׁמֵּשׁ בִּלְשׁוֹן אֶלָּא, שֶׁאָמְרוּ לֹא נָסוּר אֶל בֵּיתְךָ אֶלָּא בִּרְחוֹבָהּ שֶׁל עִיר נָלִין: [פסוק ג] **וַיָּסֻרוּ אֵלָיו.** עִקְּמוּ אֶת הַדֶּרֶךְ לְצַד בֵּיתוֹ (ב"ר שם):

ו מדכתיב ישב בשער, וכדמליט גבי בועז:

לָהֶם֙ מִשְׁתֶּ֔ה וּמַצּ֖וֹת אָפָ֑ה
וַיֹּאכֵֽלוּ׃ ד טֶ֘רֶם֮ יִשְׁכָּבוּ֒ וְאַנְשֵׁ֨י
הָעִ֜יר אַנְשֵׁ֤י סְדֹם֙ נָסַ֣בּוּ עַל־
הַבַּ֔יִת מִנַּ֖עַר וְעַד־זָקֵ֑ן כָּל־
הָעָ֖ם מִקָּצֶֽה׃ ה וַיִּקְרְא֤וּ אֶל־לוֹט֙
וַיֹּ֣אמְרוּ ל֔וֹ אַיֵּ֧ה הָאֲנָשִׁ֛ים אֲשֶׁר־
בָּ֥אוּ אֵלֶ֖יךָ הַלָּ֑יְלָה הוֹצִיאֵ֣ם
אֵלֵ֔ינוּ וְנֵדְעָ֖ה אֹתָֽם׃ ו וַיֵּצֵ֧א
אֲלֵהֶ֛ם ל֖וֹט הַפֶּ֑תְחָה וְהַדֶּ֖לֶת סָגַ֥ר אַחֲרָֽיו׃
ז וַיֹּאמַ֑ר אַל־נָ֥א אַחַ֖י תָּרֵֽעוּ׃ ח הִנֵּה־נָ֨א לִ֜י
שְׁתֵּ֣י בָנ֗וֹת אֲשֶׁ֤ר לֹא־יָֽדְעוּ֙ אִ֔ישׁ אוֹצִֽיאָה־נָּ֤א

לְהוֹן מִשְׁתְּיָא וּפַטִּיר
אֲפָא לְהוֹן וַאֲכָלוּ: ד עַד
לָא שְׁכִיבוּ וַאֲנָשֵׁי קַרְתָּא
אֲנָשֵׁי סְדוֹם אַקִּיפוּ עַל
בֵּיתָא מֵעוּלֵימָא וְעַד
סָבָא כָּל עַמָּא מִסּוֹפֵהּ:
ה וּקְרוֹ לְלוֹט וַאֲמָרוּ לֵהּ
אָן גֻּבְרַיָּא דִּי אֲתוֹ לְוָתָךְ
לֵילְיָא אַפֵּקְנּוּן לְוָתָנָא
וְנִדַּע יָתְהוֹן: ו וּנְפַק
לְוָתְהוֹן לוֹט לְתַרְעָא
וְדַשָּׁא אֲחַד בַּתְרוֹהִי:
ז וַאֲמַר בְּבָעוּ כְעַן אַחַי
לָא תַבְאִישׁוּן: ח הָא כְעַן
לִי תַּרְתֵּין בְּנָן דִּי לָא
יְדַעְנוּן גְּבַר אַפֵּק כְּעַן

רש"י

ומצות אפה. פסח היה (ב"ר מח:יב; סדר עולם פ"ה; קדושתא ובכן ואמרתם זבח פסח): **[פסוק ד] טרם ישכבו ואנשי העיר אנשי סדם.** כך נדרש בב"ר (נ:ה), טרם ישכבו ואנשי העיר היו בפיהם של מלאכים, שהיו שואלים ללוט מה טיבם ומעשיהם, והוא אומר להם רובם רשעים. עודם מדברים בהם ואנשי סדום וגו'. ופשוטו של מקרא, ואנשי העיר ז אנשי רשע נסבו על הבית. ועל שהיו רשעים נקראים אנשי סדום, כמ"ש הכתוב ואנשי סדם רעים וחטאים (לעיל יג:יג; ב"ר מח:ז): **כל העם מקצה.** מקצה העיר עד הקצה, ח שאין אחד מוחה בידם, שאפי' צדיק אחד אין בהם (ב"ר נ:ה): **[פסוק ה] ונדעה אתם.** ט במשכב זכר, כמו אשר לא ידעו איש (לקמן פסוק ח) (ב"ר נ:ה):

בעל הטורים

(ג) **ומצות.** ב' במסורת – "ומצות אפה ויאכלו"; ואידך "צלי אש ומצות". מלמד שבפסח היה, דילפינן "ומצות" דהכא מ"ומצות" דהתם: (ד) **ישכבו.** ג' במסורת – "טרם ישכבו"; "ערלים ישכבו" גיהנם ביחזקאל; "יחד על עפר ישכבו". פירוש, "ערלים ישכבו" האומות שהם כאנשי סדום, כי על סדומיים וכיוצא בהם נאמר אותו פסוק: **מקצה.** ב' במסורת – "כל העם מקצה"; "כי נלכדה עירו מקצה", גבי נבוכדנצר. לומר לך, שראויין אלו למפולת כאלו. ועוד, כי כשנסו בכאן בעונם, נלכדה גם עירם מקצה:

עיקר שפתי חכמים

ז כשרצה לומר אנשי רשע אמר אנשי סדום, שרשעים היו: **ח** כי אין לומר שכל אנשי העיר נסבו על הבית, כי לא יכיל אותם המקום. אך לאשר אין מוחה הרי כאילו כולם עשו: **ט** מדכתיב אח"כ הנה נא לי שתי בנות, משמע דגם הם היו מבקשים מקודם משכב זכר:

אֶתְהֶן אֲלֵיכֶם וַעֲשׂוּ לָהֶן כַּטּוֹב
בְּעֵינֵיכֶם רַק לָאֲנָשִׁים הָאֵל
אַל־תַּעֲשׂוּ דָבָר כִּי־עַל־כֵּן בָּאוּ
בְּצֵל קֹרָתִי: ט וַיֹּאמְרוּ | גֶּשׁ־
הָלְאָה וַיֹּאמְרוּ הָאֶחָד בָּא־לָגוּר
וַיִּשְׁפֹּט שָׁפוֹט עַתָּה נָרַע לְךָ
מֵהֶם וַיִּפְצְרוּ בָאִישׁ בְּלוֹט מְאֹד
וַיִּגְּשׁוּ לִשְׁבֹּר הַדָּלֶת: י וַיִּשְׁלְחוּ
הָאֲנָשִׁים אֶת־יָדָם וַיָּבִיאוּ אֶת־
לוֹט אֲלֵיהֶם הַבָּיְתָה וְאֶת־הַדֶּלֶת סָגָרוּ: יא וְאֶת־
הָאֲנָשִׁים אֲשֶׁר־פֶּתַח הַבַּיִת הִכּוּ בַּסַּנְוֵרִים

יָתְהֶן לְוָתְכוֹן וְעִיבִדוּ
לְהֶן כִּדְתַקֵּן בְּעֵינֵיכוֹן
לְחוֹד לְגֻבְרַיָּא הָאִלֵּין
לָא תַעְבְּדוּן מִדַּעַם
אֲרֵי עַל כֵּן עַלּוּ בִּטְלַל
שֵׁרוּתִי: ט וַאֲמָרוּ קְרֵב
לְהַלָּא וַאֲמָרוּ חַד אֲתָא
לְאִתּוֹתָבָא וְהָא דָּיֵין
דִּינָא כְּעַן נַבְאֵשׁ לָךְ
מִדִּילְהוֹן וּתְקִיפוּ בְגַבְרָא
בְלוֹט לַחֲדָא וּקְרִיבוּ
לְמִתְבַּר דַּשָּׁא: י וְאוֹשִׁיטוּ
גֻּבְרַיָּא יָת יְדֵיהוֹן
וְאַיְתִיאוּ יָת לוֹט לְוָתְהוֹן
לְבֵיתָא וְיָת דַּשָּׁא אֲחָדוּ:
יא וְיָת גֻּבְרַיָּא דִּי בִתְרַע
בֵּיתָא מְחוֹ בְּשַׁבְרִירַיָּא

רש"י

[פסוק ח] **הָאֵל.** כְּמוֹ הָאֵלֶּה: **כִּי עַל כֵּן בָּאוּ.** כִּי הַטּוֹבָה הַזֹּאת תַּעֲשׂוּ לִכְבוֹדִי עַל אֲשֶׁר **בָּאוּ בְּצֵל קֹרָתִי,** [תַּרְגּוּם] בִּטְלַל שֵׁרוּתִי (אונקלוס), תַּרְגּוּם שֶׁל קוֹרָה שֵׁרוּתָא: [פסוק ט] **וַיֹּאמְרוּ גֶּשׁ הָלְאָה.** י קְרַב לְהָלְאָה (שם; ב"ר שם ז) כְּלוֹמַר, הִתְקָרֵב לְלָדְדִין וְתִתְרַחֵק מִמֶּנּוּ, וְכֵן כָּל הָלְאָה שֶׁבַּמִּקְרָא לְשׁוֹן רָחוֹק כְּמוֹ זְרֵה הָלְאָה (במדבר יז:ב) הִנֵּה הַחֲצִי מִמְּךָ וְהָלְאָה (ש"א כ:כב). גֶּשׁ הָלְאָה, הַמָּשֵׁךְ לְהַלָּן, בִּלְשׁוֹן לע"ז טריטידנו"ש. וּדְבַר נְזִיפָה הוּא (ילק"ש ויגש קנא) לוֹמַר, אֵין אָנוּ חוֹשְׁשִׁין לָךְ. וְדוֹמֶה לוֹ, קְרַב אֵלֶיךָ אַל תִּגַּשׁ בִּי (ישעיה סה:ה), וְכֵן גְּשָׁה לִּי וְאֵשֵׁבָה (שם מט:כ), הַמָּשֵׁךְ לְלָדְדִין בַּעֲבוּרִי וְאֵשֵׁב אֶצְלְךָ. אַתָּה מֵלִיץ עַל הָאוֹרְחִים, אֵיךְ מְלָאֲךָ לִבְּךָ (ב"ר שם). עַל שֶׁאָמַר לָהֶם עַל הַבָּנוֹת אָמְרוּ לוֹ גֶּשׁ הָלְאָה, לְשׁוֹן נַחַת, וְעַל שֶׁהָיָה מֵלִיץ עַל הָאוֹרְחִים אָמְרוּ: **הָאֶחָד בָּא לָגוּר.** אָדָם ב נָכְרִי יְחִידִי אַתָּה בֵּינֵינוּ שֶׁבָּאתָ לָגוּר: **וַיִּשְׁפֹּט שָׁפוֹט.** שֶׁנַּעֲשֵׂיתָ מוֹכִיחַ אוֹתָנוּ (שם ג; סדר א"ר פל"א): **דֶּלֶת.** הַסּוֹבֶבֶת לִנְעוֹל וְלִפְתּוֹחַ: [פסוק יא] **פֶּתַח.** הוּא הֶחָלָל שֶׁבּוֹ נִכְנָסִין וְיוֹצְאִין: **בַּסַּנְוֵרִים.** מַכַּת עִוָּרוֹן (פדר"א כה):

עיקר שפתי חכמים

י דגש משמעו שיגש אליהם, והלאה משמעו שיתרחק מאתם, לכן מפרש קרב להלאה, ור"ל קרב אל המקום הרחוק מפה: ב כי הוא נכרי מוכח ממה שאמרו בא לגור, ויחידי מדכתיב האחד:

מִקָּטֹן וְעַד־גָּדוֹל וַיִּלְאוּ לִמְצֹא
הַפָּתַח׃ יב וַיֹּאמְרוּ הָאֲנָשִׁים
אֶל־לוֹט עֹד מִי־לְךָ פֹה חָתָן
וּבָנֶיךָ וּבְנֹתֶיךָ וְכֹל אֲשֶׁר־לְךָ
בָּעִיר הוֹצֵא מִן־הַמָּקוֹם׃ יג כִּי־
מַשְׁחִתִים אֲנַחְנוּ אֶת־הַמָּקוֹם
הַזֶּה כִּי־גָדְלָה צַעֲקָתָם אֶת־פְּנֵי
יהוה וַיְשַׁלְּחֵנוּ יהוה לְשַׁחֲתָהּ׃
יד וַיֵּצֵא לוֹט וַיְדַבֵּר | אֶל־חֲתָנָיו | לֹקְחֵי בְנֹתָיו
וַיֹּאמֶר קוּמוּ *צְּאוּ מִן־הַמָּקוֹם הַזֶּה כִּי־מַשְׁחִית
יהוה אֶת־הָעִיר וַיְהִי כִמְצַחֵק בְּעֵינֵי חֲתָנָיו׃
טו וּכְמוֹ הַשַּׁחַר עָלָה וַיָּאִיצוּ הַמַּלְאָכִים בְּלוֹט

מִזְּעֵירָא וְעַד רַבָּא וּלְאִיו
לְאַשְׁכָּחָא תַרְעָא׃ יב וַאֲמַרוּ
גֻבְרַיָּא לְלוֹט עוֹד מַן לָךְ
הָכָא חַתְנָא וּבְנָךְ וּבְנָתָךְ
וְכֹל דִּי לָךְ בְּקַרְתָּא אַפֵּיק
מִן אַתְרָא׃ יג אֲרֵי מְחַבְּלִין
אֲנַחְנָא יָת אַתְרָא הָדֵין
אֲרֵי סְגִיאַת קְבַלְתְּהוֹן קֳדָם
יְיָ וְשַׁלְחָנָא יְיָ לְחַבָּלוּתַהּ׃
יד וּנְפַק לוֹט וּמַלִּיל עִם
חַתְנוֹהִי נָסְבֵי בְנָתֵהּ וַאֲמַר
קוּמוּ פּוּקוּ מִן אַתְרָא הָדֵין
אֲרֵי מְחַבֵּל יְיָ יָת קַרְתָּא
וַהֲוָה כִּמְחָיֵיךְ בְּעֵינֵי
חַתְנוֹהִי׃ טו וּכְמִסַּק צַפְרָא
הֲוָה וּדְחִיקוּ מַלְאֲכַיָּא בְּלוֹט

* צ' דגושה

רש"י

מקטן ועד גדול. הַקְּטַנִּים הִתְחִילוּ בַּעֲבֵירָה תְּחִלָּה, שֶׁנֶּאֱמַר מִנַּעַר וְעַד זָקֵן (לעיל פסוק ד) לְפִיכָךְ הִתְחִילָה הַפּוּרְעָנוּת מֵהֶם (ב"ר שם ח): **[פסוק יב] עד מי לך פה.** פְּשׁוּטוֹ שֶׁל מִקְרָא, מִי יֵשׁ לְךָ עוֹד בָּעִיר הַזֹּאת חוּץ מֵאִשְׁתְּךָ וּבְנוֹתֶיךָ שֶׁבַּבַּיִת: **חתן ובניך ובנתיך.** ל אִם יֵשׁ לְךָ חָתָן אוֹ בָנִים וּבָנוֹת הוֹצֵא מִן הַמָּקוֹם: **ובניך.** מ בְּנֵי בְנוֹתֶיךָ הַנְּשׂוּאוֹת. ומ"א, עוֹד, מֵאַחַר שֶׁעוֹשִׂין נְבָלָה כָּזֹאת מִי לְךָ פִּתְחוֹן פֶּה נ לְלַמֵּד סַנֵּגוֹרְיָא עֲלֵיהֶם, שֶׁכָּל הַלַּיְלָה הָיָה מֵלִיץ עֲלֵיהֶם טוֹבוֹת. קְרִי בֵּיהּ מִי לְךָ פֶּה (שם ה): **[פסוק יד] חתניו.** שְׁתֵּי בָנוֹת נְשׂוּאוֹת הָיוּ לוֹ בָּעִיר: **לקחי בנתיו.** שֶׁאוֹתָן שֶׁבַּבַּיִת ס אֲרוּסוֹת לָהֶם (ב"ר שם ט): **[פסוק טו] ויאיצו.** כְּתַרְגּוּמוֹ,

בעל הטורים

(יב) מי לך פה. בגימטריא בועז, רמז לבועז שיצא: **(יד) קומו צאו מן המקום.** ב' במסורת - הכא; ואידך "קומו צאו מתוך עמי". מלמד שנתחלקו ישראל לכתות, ומהם שלא היו רוצים לצאת ומתו בשלשה ימי אפלה:

עיקר שפתי חכמים

ל דמדקאמר לו מי לך פה משמע שלא ידעו אם יש לו עוד חתן: מ דאין לפרש בניך ממש, היה להם להקדים בניך לפני חתן ובנותיך: נ אף שבתחלה אמר עליהם שהם רשעים, אך כשראה שהמלאכים רוצים להשחית המליץ עליהם: ס דאל"כ לוקחי בנותיו ל"ל:

לֵאמֹר קוּם קַח אֶת־אִשְׁתְּךָ
וְאֶת־שְׁתֵּי בְנֹתֶיךָ הַנִּמְצָאֹת פֶּן־
תִּסָּפֶה בַּעֲוֺן הָעִיר: טז וַיִּתְמַהְמָהּ |
וַיַּחֲזִיקוּ הָאֲנָשִׁים בְּיָדוֹ וּבְיַד־
אִשְׁתּוֹ וּבְיַד שְׁתֵּי בְנֹתָיו
בְּחֶמְלַת יהוה עָלָיו וַיֹּצִאֻהוּ
וַיַּנִּחֻהוּ מִחוּץ לָעִיר: יז וַיְהִי
כְהוֹצִיאָם אֹתָם הַחוּצָה וַיֹּאמֶר
הִמָּלֵט עַל־נַפְשֶׁךָ אַל־תַּבִּיט אַחֲרֶיךָ וְאַל־
תַּעֲמֹד בְּכָל־הַכִּכָּר הָהָרָה הִמָּלֵט פֶּן־תִּסָּפֶה:

לְמֵימַר קוּם דְּבַר יָת
אִתְּתָךְ וְיָת תַּרְתֵּין בְּנָתָךְ
דְּאִשְׁתְּכַחַן מְהֵימְנַן עִמָּךְ
דִּילְמָא תִלְקֵי בְּחוֹבֵי
קַרְתָּא: טז וְאִתְעַכַּב
וְאַתְקִיפוּ גֻּבְרַיָּא בִּידֵהּ
וּבִידָא דְּאִתְּתֵהּ וּבְיַד
תַּרְתֵּין בְּנָתֵהּ כְּרְחַם
(נ״א בִּדְחַס; נ״א כַּד חָס) יְיָ
עֲלוֹהִי וְאַפְּקוּהִי וְאַשְׁרוּהִי
מִבָּרָא לְקַרְתָּא: יז וַהֲוָה כַּד
אַפִּיקוּ יָתְהוֹן לְבָרָא וַאֲמַר
חוּס עַל נַפְשָׁךְ לָא תִסְתְּכֵי
לַאֲחוֹרָךְ וְלָא תְקוּם
בְּכָל מֵישְׁרָא לְטוּרָא
אִשְׁתֵּיזֵב דִּלְמָא תִלְקֵי:

רש״י

ודחקו, מהרוהו: **הַנִּמְצָאֹת.** המזומנות לך בבית להצילם. ומ״א יש, וזה ישובו של מקרא: **תִּסָּפֶה.** תהיה כלה. עד תום כל הדור (דברים ב:יד) מתורגם עד דסף כל דרא: [פסוק טז] **וַיִּתְמַהְמָהּ.** כדי להציל את ממונו (ב״ר שם יא): **וַיַּחֲזִיקוּ.** אחד מהם היה שליח להצילו וחברו להפוך את סדום, לכך נאמר ויאמר המלט ולא נאמר ויאמרו (שם): [פסוק יז] **הִמָּלֵט עַל נַפְשֶׁךָ.** דייך להציל נפשות, אל תחוס על הממון (תוספתא סנהדרין יד:ה): **אַל תַּבִּיט אַחֲרֶיךָ.** ע אתה הרשעת עמהם (תנחומא יד) ובזכות אברהם אתה ניצול (פס״ר ג (י.); ב״ר שם) אינך כדאי לראות בפורענותם ואתה ניצול: **בְּכָל הַכִּכָּר.** ככר הירדן: **הָהָרָה הִמָּלֵט.** אצל אברהם ברח (שם ושם) שהוא יושב בהר, שנא׳ ויעתק משם ההרה (לעיל יב:ח), ואף עכשיו היה יושב שם, שנאמר עד המקום אשר היה שם אהלה בתחלה (שם יג:ג). אע״פ שכתוב ויאהל אברם וגו׳ (שם יח), אהלים הרבה היו לו ומשכו עד חברון: **הִמָּלֵט.** ל׳ השמטה. וכן כל אמלטה שבמקרא, אשמולי״ר בלע״ז, וכן והמליטה זכר (ישעיה סו:ז) שנשמט העובר מן הרחם. כלפור נמלטה (תהלים קכד:ז) לא יכלו מלט משא (ישעיה מו:ב) להשמיט משא הרעי שבנקביהם:

עיקר שפתי חכמים

ע אף שפרש״י לקמן על פ׳ ויזכור את אברהם, כי בזכות שהיה לוט יודע ששרה היא אשתו כו׳. וא״כ למה לא יגצל בזכות עצמו. אך אי לאו זכות אברהם שהיה צדיק גדול לא הועילה לו זכותו להנצל מתוך ההפכה, ולכך כתיב ויזכור את אברהם דהל״ל את לוט:

יח וַיֹּאמֶר לוֹט אֲלֵהֶם אַל־נָא
אֲדֹנָי: יט הִנֵּה־נָא מָצָא עַבְדְּךָ
חֵן בְּעֵינֶיךָ וַתַּגְדֵּל חַסְדְּךָ אֲשֶׁר
עָשִׂיתָ עִמָּדִי לְהַחֲיוֹת אֶת־
נַפְשִׁי וְאָנֹכִי לֹא אוּכַל לְהִמָּלֵט
הָהָרָה פֶּן־תִּדְבָּקַנִי הָרָעָה וָמַתִּי:
כ הִנֵּה־נָא הָעִיר הַזֹּאת קְרֹבָה לָנוּס שָׁמָּה וְהִוא
מִצְעָר אִמָּלְטָה נָּא שָׁמָּה הֲלֹא מִצְעָר הִוא

יח וַאֲמַר לוֹט לְוָתְהוֹן בְּבָעוּ
כְּעַן רִבּוֹנָי (נ"א יְיָ): יט הָא
כְּעַן אַשְׁכַּח עַבְדָּךְ רַחֲמִין
קֳדָמָךְ וְאַסְגֵּיתָא טֵיבוּתָךְ
דִּי עֲבַדְתָּ עִמִּי לְקַיָּמָא יָת
נַפְשִׁי וַאֲנָא לֵית אֲנָא יָכִיל
לְאִשְׁתֵּזָבָא לְטוּרָא דִּילְמָא
תְעַרְעִנַּנִי בִשְׁתָּא וְאֵימוּת:
כ הָא כְעַן קַרְתָּא הָדָא
קְרִיבָא לְמֵיעְרוֹק לְתַמָּן
וְהִיא זְעֵירָא אִשְׁתֵּזֵב כְּעַן
תַּמָּן הֲלָא זְעֵירָא הִיא

רש"י

[פסוק יח] **אַל נָא אֲדֹנָי.** רַבּוֹתֵינוּ אָמְרוּ שֶׁשֵּׁם זֶה קֹדֶשׁ, שֶׁנֶּאֱמַר בּוֹ לְהַחֲיוֹת אֶת נַפְשִׁי, מִי שֶׁיֵּשׁ בְּיָדוֹ לְהָמִית וּלְהַחֲיוֹת (שבועות לה:). וְתַרְגּוּמוֹ בְּבָעוּ כְּעַן ה': **אַל נָא.** אַל תֹּאמְרוּ אֵלַי לְהִמָּלֵט הָהָרָה: **נָא.** פ לְשׁוֹן בַּקָּשָׁה: [פסוק יט] **פֶּן תִּדְבָּקַנִי הָרָעָה.** כְּשֶׁהָיִיתִי אֵצֶל אַנְשֵׁי סְדוֹם הָיָה הקב"ה רוֹאֶה מַעֲשַׂי וּמַעֲשֵׂי בְּנֵי הָעִיר וְהָיִיתִי נִרְאֶה צַדִּיק צ וּכְדַאי לְהִנָּצֵל, וּכְשֶׁאָבֹא אֵצֶל צַדִּיק אֲנִי כְּרָשָׁע. וְכֵן אָמְרָה הַצָּרְפִית לְאֵלִיָּהוּ, בָּאתָ אֵלַי לְהַזְכִּיר אֶת עֲוֹנִי (מלכים א יז:יח) עַד שֶׁלֹּא בָּאתָ אֶצְלִי הָיָה הקב"ה רוֹאֶה מַעֲשַׂי וּמַעֲשֵׂי עַמִּי וַאֲנִי צַדֶּקֶת בֵּינֵיהֶם, וּמִשֶּׁבָּאתָ אֶצְלִי, לְפִי מַעֲשֶׂיךָ אֲנִי רְשָׁעָה (ב"ר נ:יא): [פסוק כ] **הָעִיר הַזֹּאת קְרֹבָה.** קְרוֹבָה יְשִׁיבָתָהּ, נִתְיַשְּׁבָה מִקָּרוֹב, לְפִיכָךְ לֹא נִתְמַלְּאָה סְאָתָהּ עֲדַיִין (שבת י:). וּמַה הִיא קְרִיבָתָהּ, מִדּוֹר הַפְּלָגָה, שֶׁנִּתְפַּלְּגוּ הָאֲנָשִׁים וְהִתְחִילוּ לְהִתְיַשֵּׁב אִישׁ אִישׁ בִּמְקוֹמוֹ, וְהִיא הָיְתָה בִּשְׁנַת מוֹת פֶּלֶג, וּמִשָּׁם עַד כָּאן ק נ"ב שָׁנָה, שֶׁפֶּלֶג מֵת בִּשְׁנַת מ"ח לְאַבְרָהָם. כֵּיצַד, פֶּלֶג חַי אַחֲרֵי הוֹלִידוֹ אֶת רְעוּ ר"ט שָׁנָה, צֵא מֵהֶם ל"ב כְּשֶׁנּוֹלַד שְׂרוּג וּמִשְּׂרוּג עַד שֶׁנּוֹלַד נָחוֹר ל' הֲרֵי ס"ב, וּמִנָּחוֹר עַד שֶׁנּוֹלַד תֶּרַח כ"ט הֲרֵי צ"א, וּמִשָּׁם עַד שֶׁנּוֹלַד אַבְרָהָם ע' הֲרֵי קס"א, תֵּן לָהֶם מ"ח הֲרֵי ר"ט, וְאוֹתָהּ שָׁנָה הָיְתָה שְׁנַת הַפְּלָגָה. וּכְשֶׁנֶּחְרְבָה סְדוֹם הָיָה אַבְרָהָם בֶּן צ"ט שָׁנָה, הֲרֵי מִדּוֹר הַפְּלָגָה עַד כָּאן נ"ב שָׁנָה. וְצוֹעַר אֵיחֲרָה יְשִׁיבָתָהּ אַחַר יְשִׁיבַת סְדוֹם וַחֲבֵרוֹתֶיהָ שָׁנָה אַחַת, הוּא שֶׁנֶּאֱמַר **אִמָּלְטָה נָא,** נָא בְּגִימַטְרִיָּא נ"א (שם): **הֲלֹא מִצְעָר הִוא.** וַהֲלֹא עֲווֹנוֹתֶיהָ מוּעָטִין וְיָכוֹל אַתָּה לְהַנִּיחָהּ:

עיקר שפתי חכמים

פ לפי זה נ"ל דסכינא חריפא פסקיה להאי קרא, וה"פ, ויאמר לוט אליהם אל ור"ל אל תאמרו אלי כו', ואח"כ התפלל להקב"ה נא אדני הנה נא כו': **צ** שלפי פירש אתה הרשעת עמהם ואתה ניצול בזכות אברהם, האמת כן היה, אבל לוט סבר שניצול בזכותו: **ק** ולא נוכל לומר כי בימים רבים אחר ההפלגה נושבו במקום הזה, כי הדעת נותנת שמיד אחר הפלגה התחילו להתישב כ"א במקומו:

וּתְחִ֥י נַפְשִֽׁי׃ רביעי כא וַיֹּ֣אמֶר אֵלָ֔יו
הִנֵּה֙ נָשָׂ֣אתִי פָנֶ֔יךָ גַּ֖ם לַדָּבָ֣ר הַזֶּ֑ה
לְבִלְתִּ֛י הָפְכִּ֥י אֶת־הָעִ֖יר אֲשֶׁ֥ר
דִּבַּֽרְתָּ׃ כב מַהֵר֙ הִמָּלֵ֣ט שָׁ֔מָּה כִּ֣י
לֹ֤א אוּכַל֙ לַעֲשׂ֣וֹת דָּבָ֔ר עַד־בֹּֽאֲךָ֖
שָׁ֑מָּה עַל־כֵּ֛ן קָרָ֥א שֵׁם־הָעִ֖יר
צֽוֹעַר׃ כג הַשֶּׁ֖מֶשׁ יָצָ֣א עַל־הָאָ֑רֶץ וְל֖וֹט בָּ֥א
צֹֽעֲרָה׃ כד וַֽיהוָ֗ה הִמְטִ֧יר עַל־סְדֹ֛ם וְעַל־עֲמֹרָ֖ה

וְתִתְקַיַּם נַפְשִׁי: כא וַאֲמַר
לֵהּ הָא נְסֵיבִית אַפָּךְ אַף
לְפִתְגָּמָא הָדֵין בְּדִיל דְּלָא
לְמֵהְפַּךְ יָת קַרְתָּא דְּבְעֵיתָא
עֲלַהּ: כב אוֹחִי לְאִשְׁתֵּזָבָא
תַּמָּן אֲרֵי לָא אִכּוּל
לְמֶעְבַּד פִּתְגָּמָא עַד מֵיתָךְ
לְתַמָּן עַל כֵּן קְרָא שְׁמָא
דְקַרְתָּא צוֹעַר: כג שִׁמְשָׁא
נְפַק עַל אַרְעָא וְלוֹט עַל
לְצוֹעַר: כד וַייָ אַמְטַר
עַל סְדוֹם וְעַל עֲמוֹרָה

רש"י

וּתְחִי נַפְשִׁי. בָּהּ. זֶהוּ מִדְרָשׁוֹ (שם). וּפְשׁוּטוֹ שֶׁל מִקְרָא, הֲלֹא עִיר קְטַנָּה הִיא ר וַאֲנָשִׁים בָּהּ מְעַט אֵין לְךָ לְהַקְפִּיד אִם תַּנִּיחֶנָּה וּתְחִי נַפְשִׁי בָּהּ (שם): [פסוק כא] **גַּם לַדָּבָר הַזֶּה.** לֹא דַּיֶּיךָ שֶׁאַתָּה נִיצּוֹל אֶלָּא אַף כָּל הָעִיר אַצִּיל בִּגְלָלֶךָ: **הָפְכִּי.** הוֹפֵךְ ש אֲנִי כְּמוֹ עַד בּוֹאִי (להלן מח:ה) אַחֲרֵי רְאִי (לעיל טז:יג) מִדֵּי דַּבְּרִי בּוֹ (ירמיה לא:יט): [פסוק כב] **כִּי לֹא אוּכַל לַעֲשׂוֹת.** זֶה עוֹנְשָׁן שֶׁל מַלְאָכִים עַל שֶׁאָמְרוּ כִּי מַשְׁחִיתִים אֲנַחְנוּ (לעיל פסוק יג) וְתָלוּ הַדָּבָר בְּעַצְמָן (ב"ר נ:ט), לְפִיכָךְ לֹא זָזוּ מִשָּׁם עַד שֶׁהוּזְקְקוּ לוֹמַר שֶׁאֵין הַדָּבָר בִּרְשׁוּתָן: **כִּי לֹא אוּכַל.** לְשׁוֹן יָחִיד. מִכָּאן אַתָּה לָמֵד שֶׁהָאֶחָד הוֹפֵךְ וְהָאֶחָד מַצִּיל, שֶׁאֵין ב' מַלְאָכִים נִשְׁלָחִים לְדָבָר אֶחָד (שם ב): **עַל כֵּן קָרָא שֵׁם הָעִיר צוֹעַר.** עַל שֵׁם וְהִיא מִצְעָר: [פסוק כד] **וַה' הִמְטִיר.** כָּל מָקוֹם שֶׁנֶּאֱמַר וַה', הוּא וּבֵית דִּינוֹ (שם נא:ב): **הִמְטִיר עַל סְדֹם.** ת בַּעֲלוֹת הַשַּׁחַר, כמ"ש וּכְמוֹ הַשַּׁחַר עָלָה (לעיל פסוק טו). שָׁעָה שֶׁהַלְּבָנָה עוֹמֶדֶת בָּרָקִיעַ עִם הַחַמָּה לְפִי שֶׁהָיוּ מֵהֶם עוֹבְדִין לַחַמָּה וּמֵהֶם לַלְּבָנָה, אָמַר הקב"ה, אִם אֶפָּרַע מֵהֶם בַּיּוֹם יִהְיוּ עוֹבְדֵי לְבָנָה א אוֹמְרִים אִילּוּ הָיָה בַּלַּיְלָה שֶׁהַלְּבָנָה מוֹשֶׁלֶת לֹא הָיִינוּ חֲרֵבִין, וְאִם אֶפָּרַע מֵהֶם בַּלַּיְלָה יִהְיוּ עוֹבְדֵי הַחַמָּה אוֹמְרִים אִילּוּ הָיָה בַּיּוֹם כְּשֶׁהַחַמָּה מוֹשֶׁלֶת לֹא הָיִינוּ חֲרֵבִין, לְכָךְ כְּתִיב וּכְמוֹ הַשַּׁחַר עָלָה, וְנִפְרַע מֵהֶם בְּשָׁעָה שֶׁהַחַמָּה וְהַלְּבָנָה מוֹשְׁלִים (ב"ר נ:יב):

בעל הטורים

(כג) השמש יצא וגו'. הפסוק הזה מתחיל בה"א ומסים בה"א, מלמד שיצא ה' מילין קודם שיצא השמש:

עיקר שפתי חכמים

ר קאי על סיפא דקרא הלא מצער, ולחלק זה הכתוב אין אנו צריכים לדרש שהביא רש"י. אבל מן רישא דקרא ההכרח לדרשו כדרשת חז"ל, שישיבתה קרובה ועוונותיה מועטים, בשביל קושית הגמ' והא קחזו לה: **ש** כי לא יתכן לפרש הכינוי למדבר בעדו והוראתו תהיה הופך אותי: **ת** כלומר דוה' המטיר לא קאי אדסמיך ליה על הכתוב השמש יצא גו', כי כבר קודם עלות השחר המטיר כו': **א** פי' האנשים היושבים בשאר מקומות המה יאמרו, כי מהם לא נשאר אף אחד:

גָּפְרִ֣ית וָאֵ֑שׁ מֵאֵ֥ת יְהֹוָ֖ה מִן־
הַשָּׁמָֽיִם׃ כה וַיַּהֲפֹךְ֙ אֶת־הֶֽעָרִ֣ים
הָאֵ֔ל וְאֵ֖ת כָּל־הַכִּכָּ֑ר וְאֵת֙ כָּל־
יֹשְׁבֵ֣י הֶֽעָרִ֔ים וְצֶ֖מַח הָאֲדָמָֽה׃
כו וַתַּבֵּ֥ט אִשְׁתּ֖וֹ מֵאַחֲרָ֑יו וַתְּהִ֖י
נְצִ֥יב מֶֽלַח׃ כז וַיַּשְׁכֵּ֥ם אַבְרָהָ֖ם
בַּבֹּ֑קֶר אֶל־הַ֨מָּק֔וֹם אֲשֶׁר־עָ֥מַד
שָׁ֖ם אֶת־פְּנֵ֥י יְהֹוָֽה׃ כח וַיַּשְׁקֵ֗ף
עַל־פְּנֵ֤י סְדֹם֙ וַעֲמֹרָ֔ה וְעַ֥ל כָּל־פְּנֵ֖י אֶ֣רֶץ הַכִּכָּ֑ר
וַיַּ֗רְא וְהִנֵּ֤ה עָלָה֙ קִיטֹ֣ר הָאָ֔רֶץ כְּקִיטֹ֖ר הַכִּבְשָֽׁן׃

גְּפָרִיתָא וְאֶשָּׁתָא מִן קֳדָם
יְיָ מִן שְׁמַיָּא׃ כה וַהֲפַךְ יָת
קִרְוַיָּא הָאִלֵּין וְיָת כָּל
מֵישְׁרָא וְיָת כָּל יָתְבֵי
קִרְוַיָּא וְצִמְחָא דְאַרְעָא׃
כו וְאִסְתְּכִיאַת אִתְּתֵהּ
מִבַּתְרוֹהִי וַהֲוַת קָמָא
דִמְלְחָא׃ כז וְאַקְדֵּים
אַבְרָהָם בְּצַפְרָא לְאַתְרָא
דִּי שַׁמֵּשׁ תַּמָּן בִּצְלוֹ קֳדָם
יְיָ׃ כח וְאִסְתְּכִי עַל אַפֵּי
סְדוֹם וַעֲמוֹרָה וְעַל כָּל
אַפֵּי אַרְעָא דְמֵישְׁרָא
וַחֲזָא וְהָא סְלֵיק תְּנָנָא
דְאַרְעָא כִּתְנָנָא דְאַתּוּנָא׃

רש"י

המטיר וגו' גפרית ואש. בתחלה מטר [ב] ונעשה גפרית ואש (מכילתא בשלח שירה פ"ה): **מאת ה'.** דרך המקראות לדבר כן, כמו נשי למך (לעיל ד:כג) ולא אמר נשי, וכן אמר דוד קחו עמכם את עבדי אדוניכם (מלכים א א:לג) ולא אמר את עבדי, וכן אמר אחשורוש בשם המלך (אסתר ח:ח) ולא אמר בשמי. אף כאן אמר מאת ד' ולא אמר מאתו (סנהדרין לח:; ב"ר נא:ב): **מן השמים.** הוא שאמר הכתוב כי בם ידין עמים וגו' (איוב לו:לא). כשבא ליסר הבריות מביא עליהם אש מן השמים כמו שעשה לסדום, וכשבא להוריד המן [מן השמים], הנני ממטיר לכם לחם מן השמים (שמות טז:ד; תנחומא ישן בשלח כ; תנחומא י): **[פסוק כה] ויהפך את הערים וגו'.** ארבעתן יושבות בסלע אחד והפכן מלמעלה למטה, שנאמר בחלמיש שלח ידו וגו' (איוב כח:ט; ב"ר נא:ד): **[פסוק כו] ותבט אשתו מאחריו.** מאחריו של לוט: **ותהי נציב מלח.** במלח חטאה ובמלח לקתה (ב"ר נא:ה). אמר לה תני מעט מלח לאורחים הללו. אמרה לו אף המנהג הרע הזה אתה בא להנהיג במקום הזה (שם כ:ד): **[פסוק כח] קיטר.** תימור של עשן, טורק"א בלע"ז: **הכבשן.** חפירה ששורפין בה את האבנים לסיד, וכן כל כבשן שבתורה:

בעל הטורים

(כו) **ותבט אשתו.** אשתו בגימטריא היא עירית:

עיקר שפתי חכמים

ב ולכן כתיב וה' המטיר ולא כתיב וה' השליך, כי גפרית אינו בכלל מטר:

כט וַיְהִ֗י בְּשַׁחֵ֤ת אֱלֹהִים֙ אֶת־
עָרֵ֣י הַכִּכָּ֔ר וַיִּזְכֹּ֥ר אֱלֹהִ֖ים אֶת־
אַבְרָהָ֑ם וַיְשַׁלַּ֤ח אֶת־לוֹט֙ מִתּ֣וֹךְ
הַהֲפֵכָ֔ה בַּהֲפֹךְ֙ אֶת־הֶ֣עָרִ֔ים
אֲשֶׁר־יָשַׁ֥ב בָּהֵ֖ן לֽוֹט׃ ל וַיַּעַל֩ ל֨וֹט
מִצּ֜וֹעַר וַיֵּ֣שֶׁב בָּהָ֗ר וּשְׁתֵּ֤י בְנֹתָיו֙
עִמּ֔וֹ כִּ֥י יָרֵ֖א לָשֶׁ֣בֶת בְּצ֑וֹעַר
וַיֵּ֙שֶׁב֙ בַּמְּעָרָ֔ה ה֖וּא וּשְׁתֵּ֥י
בְנֹתָֽיו׃ לא וַתֹּ֧אמֶר הַבְּכִירָ֛ה אֶל־
הַצְּעִירָ֖ה אָבִ֣ינוּ זָקֵ֑ן וְאִ֨ישׁ אֵ֥ין
בָּאָ֙רֶץ֙ לָב֣וֹא עָלֵ֔ינוּ כְּדֶ֖רֶךְ כָּל־הָאָֽרֶץ׃ לב לְכָ֨ה
נַשְׁקֶ֧ה אֶת־אָבִ֛ינוּ יַ֖יִן וְנִשְׁכְּבָ֣ה עִמּ֑וֹ וּנְחַיֶּ֥ה
מֵאָבִ֖ינוּ זָֽרַע׃ לג וַתַּשְׁקֶ֧יןָ אֶת־אֲבִיהֶ֛ן יַ֖יִן בַּלַּ֣יְלָה

כט וַהֲוָה בְּחַבָּלוּת (נ"א
כַּד חֲבַל) יְיָ יָת קִרְוֵי
מֵישְׁרָא וּדְכִיר יְיָ יָת
אַבְרָהָם וְשַׁלַּח יָת לוֹט
מִגּוֹ הֲפֵכְתָּא כַּד הֲפַךְ
יָת קִרְוַיָּא דִּי הֲוָה יָתֵב
בְּהֵן לוֹט: ל וּסְלֵק לוֹט
מִצּוֹעַר וִיתֵב בְּטוּרָא
וְתַרְתֵּין בְּנָתֵהּ עִמֵּהּ אֲרֵי
דְחֵיל לְמִתַּב בְּצוֹעַר
וִיתֵב בִּמְעַרְתָּא הוּא
וְתַרְתֵּין בְּנָתֵהּ: לא וַאֲמֶרֶת
רַבְּתָא לִזְעֵרְתָּא אֲבוּנָא
סִיב וּגְבַר לֵית בְּאַרְעָא
לְמֵיעַל עֲלָנָא כְּאוֹרַח כָּל
אַרְעָא: לב אִיתָא נַשְׁקֵי יָת
אֲבוּנָא חַמְרָא וְנִשְׁכּוּב
עִמֵּהּ וּנְקַיֵּם מֵאֲבוּנָא
בְּנִין: לג וְאַשְׁקִיאָה יָת
אֲבוּהֵן חַמְרָא בְּלֵילְיָא

רש"י

[פסוק כט] וַיִּזְכֹּר אֱלֹהִים אֶת אַבְרָהָם. מַהוּ זְכִירָתוֹ שֶׁל אַבְרָהָם, עַל לוֹט נִזְכַּר, שֶׁהָיָה לוֹט יוֹדֵעַ שֶׁשָּׂרָה אִשְׁתּוֹ שֶׁל אַבְרָהָם, וְשָׁמַע שֶׁאָמַר אַבְרָהָם בְּמִצְרַיִם עַל שָׂרָה אֲחוֹתִי הִיא (לעיל יב:יט) וְלֹא גִּלָּה הַדָּבָר שֶׁהָיָה חָס עָלָיו, לְפִיכָךְ חָס הקב"ה עָלָיו (ב"ר נא:ו): **[פסוק ל] כִּי יָרֵא לָשֶׁבֶת בְּצוֹעַר.** לְפִי שֶׁהָיְתָה קְרוֹבָה לִסְדוֹם: **[פסוק לא] אָבִינוּ זָקֵן.** וְאִם לֹא עַכְשָׁיו אֵימָתַי, שֶׁמָּא יָמוּת אוֹ יִפְסוֹק מִלְּהוֹלִיד: **וְאִישׁ אֵין בָּאָרֶץ.** סְבוּרוֹת הָיוּ שֶׁכָּל הָעוֹלָם נֶחֱרַב כְּמוֹ בְּדוֹר הַמַּבּוּל (שם ח): **[פסוק לג] וַתַּשְׁקֶיןָ וגו'.** יַיִן נִזְדַּמֵּן לָהֶם בַּמְּעָרָה לְהוֹצִיא מֵהֶן שְׁנֵי אוּמּוֹת

בעל הטורים

(לא) כדרך. ב' במסורת – "כדרך כל הארץ"; "כדרך יום כה", גבי שליו. מה כאן תשמיש המטה אף להלן כך. וזהו מה שאמרו רבותינו ז"ל, שנתאוו לעריות בשאלת השליו: **(לב) ונחיה.** ג' במסורת – ב' בכאן; ואידך "ונחיה סוס ופרד ולוא נכרית מהבהמה". מלמד שעשו

הַהוּא וַתָּבֹא הַבְּכִירָה וַתִּשְׁכַּב
אֶת־אָבִיהָ וְלֹא־יָדַע בְּשִׁכְבָהּ
*וּבְקוּמָהּ: לד וַיְהִי מִמָּחֳרָת
וַתֹּאמֶר הַבְּכִירָה אֶל־הַצְּעִירָה
הֵן־שָׁכַבְתִּי אֶמֶשׁ אֶת־אָבִי
נַשְׁקֶנּוּ יַיִן גַּם־הַלַּיְלָה וּבֹאִי
שִׁכְבִי עִמּוֹ וּנְחַיֶּה מֵאָבִינוּ זָרַע:
לה וַתַּשְׁקֶיןָ גַּם בַּלַּיְלָה הַהוּא
אֶת־אֲבִיהֶן יָיִן וַתָּקָם הַצְּעִירָה וַתִּשְׁכַּב עִמּוֹ
וְלֹא־יָדַע בְּשִׁכְבָהּ וּבְקֻמָהּ: לו וַתַּהֲרֶיןָ שְׁתֵּי
בְנוֹת־לוֹט מֵאֲבִיהֶן: לז וַתֵּלֶד הַבְּכִירָה בֵּן

הוּא וְעַלַּת רַבְּתָא
וּשְׁכִיבַת עִם אֲבוּהָא וְלָא
יְדַע בְּמִשְׁכְּבַהּ וּבְקִימַהּ:
לד וַהֲוָה בְּיוֹמָא דְבָתְרוֹהִי
וַאֲמֶרֶת רַבְּתָא לִזְעֶרְתָּא
הָא שְׁכֵיבִית רַמְשָׁא עִם
אַבָּא נַשְׁקְנֵהּ חַמְרָא אַף
בְּלֵילְיָא וְעוּלִי שְׁכִיבִי
עִמֵּהּ וּנְקַיֵּם מֵאֲבוּנָא בְּנִין:
לה וְאַשְׁקִיאָה אַף בְּלֵילְיָא
הַהוּא יָת אֲבוּהֶן חַמְרָא
וְקָמַת זְעֶרְתָּא וּשְׁכִיבַת
עִמֵּהּ וְלָא יְדַע בְּמִשְׁכְּבַהּ
וּבְקִימַהּ: לו וְעַדִּיאָן
תַּרְתֵּין בְּנַת לוֹט מֵאֲבוּהֶן:
לז וִילִידַת רַבְּתָא בַּר

* נקוד על ו' בתרא

רש"י

(שם; ספרי עקב מג; מכילתא בשלח שירה פ"ב): **וַתִּשְׁכַּב אֶת אָבִיהָ.** וּבַצְּעִירָה כְּתִיב וַתִּשְׁכַּב עִמּוֹ. צְעִירָה לְפִי שֶׁלֹּא פָּתְחָה בִּזְנוּת אֶלָּא אֲחוֹתָהּ לִימְּדַתָּה, חִיסֵּךְ עָלֶיהָ הַכָּתוּב וְלֹא פֵּירַשׁ גְּנוּתָהּ, אֲבָל בְּכִירָה שֶׁפָּתְחָה בִּזְנוּת פִּרְסְמָהּ הַכָּתוּב בְּמְפוֹרָשׁ (תנחומא בלק יז). **וּבְקוּמָהּ** שֶׁל בְּכִירָה נָקוּד, הֲרֵי כְּאִילּוּ לֹא נִכְתַּב, לוֹמַר שֶׁבְּקוּמָהּ יָדַע, וְאַעַפ"כ לֹא נִשְׁמַר לֵיל שֵׁנִי ג מִלִּשְׁתּוֹת (נזיר כג.). [א"ר לֵוִי, כָּל מִי שֶׁהוּא לָהוּט אַחַר בּוּלְמוּס שֶׁל עֲרָיוֹת לְסוֹף מַאֲכִילִין אוֹתוֹ מִבְּשָׂרוֹ (ב"ר שם ט; תנחומא יב)]: [פסוק לו] **וַתַּהֲרֶיןָ וגו'.** אַעַ"פ שֶׁאֵין הָאִשָּׁה מִתְעַבֶּרֶת מִבִּיאָה רִאשׁוֹנָה, אֵלּוּ שָׁלְטוּ בְּעַצְמָן וְהוֹצִיאוּ עֶרְוָתָן [ס"א עֵדוּתָן (ערוך, עד ג')] [לַחוּץ] וְנִתְעַבְּרוּ מִבִּיאָה רִאשׁוֹנָה (ב"ר שם):

בעל הטורים

בנות לוט מעשה בהמה: **(לג) ובקומה.** נקוד על הוי"ו, לומר ששכבה עמו קודם ו' שעות קודם חצות בעוד ששנתו חזק, ועל כן לא ידע בקומה. אבל רות לא שכבה עם בועז אלא לאחר שש שעות, והיינו דכתיב, "ותקם בטרום יכיר איש את רעהו", בוי"ו, שלא קמה עד לאחר שש שעות, על כן ידע בקומה: **(לד) הצעירה, הן שכבתי אמש.** סופי תבות למפרע שינה, לומר לך שישן היה ולא הרגיש בה:

עיקר שפתי חכמים

ג דאף דכתיב בכתוב דלא ידע בשכבה ובקומה. אך בליל שניה כשהתחיל לשתות יין הלא זכר את אשר עשה ואעפ"כ שתה:

וַתִּקְרָא שְׁמוֹ מוֹאָב הוּא אֲבִי־
מוֹאָב עַד־הַיּוֹם׃ לח וְהַצְּעִירָה
גַם־הִוא יָלְדָה בֵּן וַתִּקְרָא שְׁמוֹ
בֶּן־עַמִּי הוּא אֲבִי בְנֵי־עַמּוֹן
עַד־הַיּוֹם׃ ס פרק כ א וַיִּסַּע
מִשָּׁם אַבְרָהָם אַרְצָה הַנֶּגֶב
וַיֵּשֶׁב בֵּין־קָדֵשׁ וּבֵין שׁוּר וַיָּגָר
בִּגְרָר׃ ב וַיֹּאמֶר אַבְרָהָם אֶל־
שָׂרָה אִשְׁתּוֹ אֲחֹתִי הִוא וַיִּשְׁלַח
אֲבִימֶלֶךְ מֶלֶךְ גְּרָר וַיִּקַּח אֶת־
שָׂרָה׃ ג וַיָּבֹא אֱלֹהִים אֶל־אֲבִימֶלֶךְ בַּחֲלוֹם
הַלָּיְלָה וַיֹּאמֶר לוֹ הִנְּךָ מֵת עַל־הָאִשָּׁה
אֲשֶׁר־לָקַחְתָּ וְהִוא בְּעֻלַת בָּעַל׃ ד וַאֲבִימֶלֶךְ

וְקְרַת שְׁמַהּ מוֹאָב הוּא
אֲבוּהוֹן דְּמוֹאָבָא עַד
יוֹמָא דֵין׃ לח וּזְעֶרְתָּא
אַף הִיא יְלֵידַת בַּר וּקְרַת
שְׁמַהּ בַּר עַמִּי הוּא אֲבוּהוֹן
דִּבְנֵי עַמּוֹן עַד יוֹמָא דֵין׃
א וּנְטַל מִתַּמָּן אַבְרָהָם
לְאַרְעָא דָרוֹמָא וִיתֵב בֵּין
רְקָם וּבֵין חַגְרָא וְאִתּוֹתַב
בִּגְרָר׃ ב וַאֲמַר אַבְרָהָם
עַל שָׂרָה אִתְּתֵהּ אֲחָתִי
הִיא וּשְׁלַח אֲבִימֶלֶךְ
מַלְכָּא דִגְרָר וּדְבַר יָת
שָׂרָה׃ ג וַאֲתָא מֵימַר מִן
קֳדָם יְיָ לְוָת אֲבִימֶלֶךְ
בְּחֶלְמָא דְלֵילְיָא וַאֲמַר
לֵהּ הָא אַתְּ מִית עַל עֵיסַק
אִתְּתָא דִּי דְבַרְתָּא וְהִיא
אִתַּת גְּבַר׃ ד וַאֲבִימֶלֶךְ

רש"י

[פסוק לז] מואב. זו שלא היתה צנועה פירשה שמאביה הוא, אבל צעירה קראתו בלשון נקיה [בן עמי], וקבלה שכר בימי משה, שנאמר בבני עמון אל תתגר בם (דברים ב:יט) כלל, ובמואב לא הזהיר אלא שלא ילחמו בם אבל לצערן התיר לו [ס"א להם] (ב"ר שם יא; ב"ק לח:): **[פסוק א] ויסע משם אברהם.** כשראה שחרבו הכרכים ופסקו העוברים והשבים נסע לו משם (ב"ר נב:ג). ד"א, להתרחק מלוט שיצא עליו שם רע שבא על בנותיו (שם ד): **[פסוק ב] ויאמר אברהם.** כאן לא נטל רשות, אלא על כרחה שלא בטובתה, לפי שכבר לוקחה לבית פרעה ע"י כן (שם): **אל שרה אשתו.** על שרה אשתו, וכיוצא בו אל הלקח ארון וגו' ואל מות חמיה (שמואל א ד:כא) שניהם בלשון על:

לֹ֥א קָרַ֖ב אֵלֶ֑יהָ וַיֹּאמַ֕ר אֲדֹנָ֕י
הֲג֥וֹי גַּם־צַדִּ֖יק תַּהֲרֹֽג׃ ה הֲלֹ֨א
ה֤וּא אָֽמַר־לִי֙ אֲחֹ֣תִי הִ֔וא וְהִֽיא־
גַם־הִ֥וא אָֽמְרָ֖ה אָחִ֣י ה֑וּא בְּתָם־
לְבָבִ֛י וּבְנִקְיֹ֥ן כַּפַּ֖י עָשִׂ֥יתִי זֹֽאת׃
ו וַיֹּ֨אמֶר֩ אֵלָ֨יו הָֽאֱלֹהִ֜ים בַּחֲלֹ֗ם
גַּ֣ם אָנֹכִ֤י יָדַ֙עְתִּי֙ כִּ֤י בְתָם־
לְבָבְךָ֙ עָשִׂ֣יתָ זֹּ֔את וָאֶחְשֹׂ֧ךְ גַּם־אָנֹכִ֛י אוֹתְךָ֖
מֵחֲטוֹ־לִ֑י עַל־כֵּ֥ן לֹא־נְתַתִּ֖יךָ לִנְגֹּ֥עַ אֵלֶֽיהָ׃
ז וְעַתָּ֗ה הָשֵׁ֤ב אֵֽשֶׁת־הָאִישׁ֙ כִּֽי־נָבִ֣יא ה֔וּא

לָא קְרֵב לְוָתַהּ וַאֲמַר יְיָ
הָעַם אַף זַכַּאי תִּקְטוֹל:
ה הֲלָא הוּא אֲמַר לִי אֲחָתִי
הִיא וְהִיא אַף הִיא אֲמָרַת
אֲחִי הוּא בְּקַשִׁיטוּת לִבִּי
וּבְזַכָּאוּת יְדַי עֲבָדִית
דָּא: ו וַאֲמַר לֵהּ מֵימַר מִן
קֳדָם יְיָ בְּחֶלְמָא אַף קֳדָמַי
גְּלֵי אֲרֵי בְּקַשִׁיטוּת לִבָּךְ
עֲבַדְתְּ דָּא וּמְנָעִית אַף
אֲנָא יָתָךְ מִלְּמֶחְטֵי קֳדָמַי
עַל כֵּן לָא שְׁבַקְתָּךְ לְמִקְרַב
לְוָתַהּ: ז וּכְעַן אֲתֵיב אִתַּת
גַּבְרָא אֲרֵי נְבִיָּא הוּא

רש"י

[פסוק ד] **לֹא קָרַב אֵלֶיהָ.** הַמַּלְאָךְ מְנָעוֹ (ב"ר נב:יג) כְּמוֹ שֶׁנֶּאֱמַר ד לֹא נְתַתִּיךָ לִנְגֹּעַ אֵלֶיהָ: **הֲגוֹי גַּם צַדִּיק תַּהֲרֹג.** אַף אִם הוּא צַדִּיק תַּהַרְגֵנוּ, שֶׁמָּא כָּךְ דַּרְכְּךָ לְאַבֵּד הָאוּמּוֹת חִנָּם. כָּךְ עָשִׂיתָ לְדוֹר הַמַּבּוּל [וּלְדוֹר הַפְּלָגָה], אַף [הֵם] אֲנִי אוֹמֵר שֶׁהֲרַגְתָּם עַל לֹא דָּבָר כְּמוֹ שֶׁאַתָּה אוֹמֵר לְהָרְגֵנִי (שם ו): [פסוק ה] **גַּם הִוא.** לְרַבּוֹת עֲבָדִים וְגַמָּלִים וְחַמָּרִים, אֶת כּוּלָּם שָׁאַלְתִּי וְאָמְרוּ לִי אָחִיהָ הוּא (שם): **בְּתָם לְבָבִי.** שֶׁלֹּא דִּמִּיתִי לַחֲטוֹא (שם): **וּבְנִקְיֹן כַּפַּי.** נָקִי אֲנִי מִן הַחֵטְא, שֶׁלֹּא נָגַעְתִּי בָּהּ (שם): [פסוק ו] **יָדַעְתִּי כִּי בְתָם לְבָבְךָ וגו׳.** אֱמֶת שֶׁלֹּא דִּמִּיתָ מִתְּחִלָּה לַחֲטוֹא, אֲבָל ה נְקִיּוּת כַּפַּיִם אֵין כָּאן [הֲדָא אָמְרָה מִשְׁמוּשׁ יָדַיִם יֵשׁ כָּאן] (שם): **לֹא נְתַתִּיךָ.** לֹא מִמְּךָ הָיָה שֶׁלֹּא נָגַעְתָּ בָּהּ, אֶלָּא חָשַׂכְתִּי אֲנִי אוֹתְךָ מֵחֲטוֹא וְלֹא נָתַתִּי לְךָ כֹּחַ, וְכֵן וְלֹא נְתָנוֹ אֱלֹהִים (להלן לא:ז), וְכֵן וְלֹא נְתָנוֹ אָבִיהָ לָבוֹא (שופטים טו:א; ב"ר שם ז): [פסוק ז] **הָשֵׁב אֵשֶׁת הָאִישׁ.** וְאַל תְּהֵא סָבוּר שֶׁמָּא תִּתְגַּנֶּה בְּעֵינָיו וְלֹא יְקַבְּלֶנָּה, אוֹ יִשְׂנָאֲךָ וְלֹא יִתְפַּלֵּל עָלֶיךָ. [א"ל אֲבִימֶלֶךְ וּמִי מְפַיְּיסוֹ שֶׁלֹּא נָגַעְתִּי בָּהּ. א"ל:] **כִּי נָבִיא הוּא.** וְיוֹדֵעַ שֶׁלֹּא נָגַעְתָּ בָּהּ, לְפִיכָךְ ו

בעל הטורים

(ד) **הגוי גם צדיק תהרג.** פירוש, אם תהרוג אותי, גם אברהם הצדיק תהרוג, כי הוא פשע וגרם לי זאת:

עיקר שפתי חכמים

ד כמ"ש לקמן ואחשוך גם אנכי, הלא ה׳ מנעו ולא כי לא קרב אליה מעצמו: **ה** ר"ל שהמניעה אשר לא שכבת עמדה לא היתה ממך: **ו** כי לכאורה משמע פשט הכתוב שלכך לוה עליו להשיב אותה מפני כי

וְיִתְפַּלֵּ֥ל בַּֽעַדְךָ֖ וֶֽחְיֵ֑ה וְאִם־אֵֽינְךָ֣
מֵשִׁ֗יב דַּ֚ע כִּי־מ֣וֹת תָּמ֔וּת אַתָּ֖ה
וְכָל־אֲשֶׁר־לָֽךְ׃ ח וַיַּשְׁכֵּ֨ם אֲבִימֶ֜לֶךְ
בַּבֹּ֗קֶר וַיִּקְרָא֙ לְכָל־עֲבָדָ֔יו
וַיְדַבֵּ֛ר אֶת־כָּל־הַדְּבָרִ֥ים הָאֵ֖לֶּה
בְּאָזְנֵיהֶ֑ם וַיִּֽירְא֥וּ הָאֲנָשִׁ֖ים מְאֹֽד׃
ט וַיִּקְרָ֨א אֲבִימֶ֜לֶךְ לְאַבְרָהָ֗ם
וַיֹּ֨אמֶר ל֜וֹ מֶֽה־עָשִׂ֤יתָ לָּ֙נוּ֙ וּמֶֽה־
חָטָ֣אתִי לָ֔ךְ כִּֽי־הֵבֵ֧אתָ עָלַ֛י וְעַל־
מַמְלַכְתִּ֖י חֲטָאָ֣ה גְדֹלָ֑ה מַעֲשִׂים֙ אֲשֶׁ֣ר לֹא־יֵֽעָשׂ֔וּ
עָשִׂ֖יתָ עִמָּדִֽי׃ י וַיֹּ֥אמֶר אֲבִימֶ֖לֶךְ אֶל־אַבְרָהָ֑ם
מָ֣ה רָאִ֔יתָ כִּ֥י עָשִׂ֖יתָ אֶת־הַדָּבָ֥ר הַזֶּֽה׃ יא וַיֹּ֙אמֶר֙
אַבְרָהָ֔ם כִּ֤י אָמַ֙רְתִּי֙ רַ֚ק אֵין־יִרְאַ֣ת אֱלֹהִ֔ים

וִיצַלֵּי עֲלָךְ וּתְחֵי וְאִם לֵיתָךְ
מָתִיב דַּע אֲרֵי מֵימַת תְּמוּת
אַתְּ וְכָל דִּי לָךְ: ח וְאַקְדֵּים
אֲבִימֶלֶךְ בְּצַפְרָא וּקְרָא
לְכָל עַבְדוֹהִי וּמַלִּיל
יָת כָּל פִּתְגָּמַיָּא הָאִלֵּין
קֳדָמֵיהוֹן וּדְחִילוּ גּוּבְרַיָּא
לַחֲדָא: ט וּקְרָא אֲבִימֶלֶךְ
לְאַבְרָהָם וַאֲמַר לֵהּ מָה
עֲבַדְתָּ לָנָא וּמָה חָבִית (נ״א
חָטֵית) לָךְ אֲרֵי אַיְתֵיתָא
עֲלַי וְעַל מַלְכוּתִי חוֹבָא
רַבָּא עוֹבָדִין דִּי לָא כָשְׁרִין
לְאִתְעֲבָדָא עֲבַדְתָּ עִמִּי:
י וַאֲמַר אֲבִימֶלֶךְ לְאַבְרָהָם
מָא חֲזֵיתָ אֲרֵי עֲבַדְתָּ יָת
פִּתְגָּמָא הָדֵין: יא וַאֲמַר
אַבְרָהָם אֲרֵי אֲמָרִית
לְחוֹד לֵית דַּחַלְתָּא דַיְיָ

רש״י

וְיִתְפַּלֵּל בַּעַדְךָ (ב״ר שם ח): **[פסוק ט] מַעֲשִׂים אֲשֶׁר לֹא יֵעָשׂוּ.** מַכָּה אֲשֶׁר לֹא הוּרְגְּלָה לָבֹא עַל בְּרִיָּה בָּאָה לָנוּ ז עַל יָדְךָ, עֲצִירַת כָּל נְקָבִים, שֶׁל זֶרַע וְשֶׁל קְטַנִּים וּרְעִי וְאָזְנַיִם וְחוֹטֶם (שם יג; פס״ר מב (קעו:, קעח.); ב״ק צב.): **[פסוק יא] רַק אֵין יִרְאַת אֱלֹהִים.** אַכְסְנַאי שֶׁבָּא לָעִיר, עַל עִסְקֵי אֲכִילָה וּשְׁתִיָּה שׁוֹאֲלִין אוֹתוֹ אוֹ עַל עִסְקֵי אִשְׁתּוֹ שׁוֹאֲלִין אוֹתוֹ, אִשְׁתְּךָ הִיא אוֹ אֲחוֹתְךָ הִיא (ב״ק שם):

בעל הטורים

(ז) ויתפלל. ג׳ במסורת – ״ויתפלל בעדך״; ואידך ״יסגד לו וישתחו ויתפלל״; ״ויתפלל בעדו תמיד״. מלמד שהיה אבימלך צריך לפייס לאברהם שיתפלל בעדו, וזהו ״יסגד לו וישתחו ויתפלל״, ולא באותה שעה לבד, אלא תמיד היה צריך לתפלתו, כדכתיב ״ויתפלל בעדו תמיד״:

עיקר שפתי חכמים

נביא הוא, אלא משום דאשת נביא הוא לכן קנף ה׳ עליו, והלא היא א״א וב״נ נהרגו על עריות. ע״כ פי׳ כי נביא ויודע כו׳: **ז** כי לא נוכל לפרש דקאי על אברהם, דהא אברהם בעצמו לא עשה להם מאומה:

בַּמָּקוֹם הַזֶּה וַהֲרָגוּנִי עַל־דְּבַר
אִשְׁתִּי: יב וְגַם־אָמְנָה אֲחֹתִי
בַת־אָבִי הִוא אַךְ לֹא בַת־
אִמִּי וַתְּהִי־לִי לְאִשָּׁה: יג וַיְהִי
כַּאֲשֶׁר הִתְעוּ אֹתִי אֱלֹהִים
מִבֵּית אָבִי וָאֹמַר לָהּ זֶה חַסְדֵּךְ
אֲשֶׁר תַּעֲשִׂי עִמָּדִי אֶל כָּל־
הַמָּקוֹם אֲשֶׁר נָבוֹא שָׁמָּה אִמְרִי־לִי אָחִי הוּא:
יד וַיִּקַּח אֲבִימֶלֶךְ צֹאן וּבָקָר וַעֲבָדִים וּשְׁפָחֹת

בְּאַתְרָא הָדֵין וְיִקְטְלֻנַּנִי
עַל עֵיסַק אִתְּתִי: יב וּבְרַם
בְּקוּשְׁטָא אֲחָת בַּת אַבָּא
הִיא בְּרַם לָא בַת אִמָּא
וַהֲוַת לִי לְאִנְתּוּ: יג וַהֲוָה
כַּד טָעוּ עַמְמַיָּא בָּתַר
עוֹבָדֵי יְדֵיהוֹן יָתִי קָרֵיב
יְיָ לְדַחַלְתֵּהּ מִבֵּית אַבָּא
וַאֲמָרִית לַהּ דֵּין (נ״א דָּא)
טֵיבוּתִיךְ דִּי תַעְבְּדִי עִמִּי
לְכָל אַתְרָא דִּי נְהָךְ לְתַמָּן
אֱמָרִי עֲלַי אָחִי הוּא:
יד וּדְבַר אֲבִימֶלֶךְ עָאן
וְתוֹרִין וְעַבְדִּין וְאַמְהָן

רש"י

[פסוק יב] **אחתי בת אבי הוא.** ובת אב מותרת לבן נח שאין אבות לגוי (יבמות צח.; תנחומא ישן כו). וכדי לאמת ח דבריו השיבו כן. ואם תאמר, והלא בת אחיו היתה (סנהדרין נח:), בני בנים הרי הן כבנים (יבמות סב:) והרי היא בתו של תרח. וכך הוא אומר ללוט כי אנשים אחים אנחנו (לעיל יג:ח; פדר"א לו): **אך לא בת אמי.** הרן מאם אחרת היה: [פסוק יג] **ויהי כאשר התעו אתי וגו'.** אונקלוס תרגם מה שתרגם. ויש ליישב עוד דבר דבור על אפניו. כשהוציאני הקב"ה מבית אבי להיות משוטט ונד ממקום למקום ידעתי שאעבור במקום רשעים, **ואמר לה זה חסדך: כאשר התעו.** לשון רבים, ואל תתמה, כי הרבה מקומות לשון אלהות ולשון מרות קרוי ל' רבים. אשר הלכו אלהים (שמואל ב ז:כג) אלהים חיים (דברים ה:כג) אלהים קדושים (יהושע כד:יט), וכל לשון אלהים ל' רבים. וכן ויקח אדני יוסף (להלן לט:כ) אדני הארנים (דברים י:יז) אדני הארץ (להלן מב:לג) וכן בעליו עמו (שמות כב:יד) והועד בבעליו (שם כא:כט). וא"ת, מהו ל' התעו. כל הגולה ממקומו ואינו מיושב קרוי תועה, כמו ותלך ותתע (להלן כא:יד) תעיתי כשה אובד (תהלים קיט:קעו) יתעו לבלי אכל (איוב לח:מא) ילאו ויתעו לבקש אכלם: **אמרי לי.** עלי, (אונקלוס), וכן וישאלו אנשי המקום לאשתו (להלן כו:ז) על אשתו, וכן ואמר פרעה לבני ישראל

בעל הטורים

(יא) והרגוני. ב' במסורת — "והרגוני על דבר אשתי"; "והרגני ושבו אל רחבעם", גבי ירבעם. לומר שמשוה ישראל שבאותם הימים לאומות העולם. ומיהו, הכא כתיב מלא והתם חסר, לומר שאינם רשעים כל כך כמו אומות העולם:

עיקר שפתי חכמים

ח שאמר אחותי היא:

וַיִּתֵּ֖ן לְאַבְרָהָ֑ם וַיָּ֣שֶׁב ל֔וֹ אֵ֖ת שָׂרָ֥ה
אִשְׁתּֽוֹ׃ טו וַיֹּ֣אמֶר אֲבִימֶ֔לֶךְ הִנֵּ֥ה
אַרְצִ֖י לְפָנֶ֑יךָ בַּטּ֥וֹב בְּעֵינֶ֖יךָ שֵֽׁב׃
טז וּלְשָׂרָ֣ה אָמַ֗ר הִנֵּ֨ה נָתַ֜תִּי אֶ֤לֶף
כֶּ֙סֶף֙ לְאָחִ֔יךְ הִנֵּ֤ה הוּא־לָךְ֙ כְּס֣וּת
עֵינַ֔יִם לְכֹ֖ל אֲשֶׁ֣ר אִתָּ֑ךְ וְאֵ֥ת כֹּ֖ל
וְנֹכָֽחַת׃ יז וַיִּתְפַּלֵּ֥ל אַבְרָהָ֖ם אֶל־
הָֽאֱלֹהִ֑ים וַיִּרְפָּ֨א אֱלֹהִ֜ים אֶת־
אֲבִימֶ֧לֶךְ וְאֶת־אִשְׁתּ֛וֹ וְאַמְהֹתָ֖יו וַיֵּלֵֽדוּ׃ יח כִּֽי־עָצֹ֤ר

וִיהַב לְאַבְרָהָם וַאֲתֵיב לֵהּ יָת שָׂרָה אִתְּתֵהּ: טו וַאֲמַר אֲבִימֶלֶךְ הָא אַרְעִי קֳדָמָךְ בִּדְתַקִּין בְּעֵינָךְ תִּיב: טז וּלְשָׂרָה אֲמַר הָא יְהָבִית אֶלֶף סַלְעִין דִּכְסַף לְאָחִיךְ הָא הוּא לִיךְ כְּסוּת דִּיקָר (עֵינִין) חֲלַף דִּשְׁלָחִית דְּבַרְתִּיךְ וַחֲזֵית יָתִיךְ וְיָת כָּל דִּי עִמָּךְ וְעַל (נ״א הֲלָא עַל) כָּל מָה דַּאֲמַרְתְּ וְאִתּוֹכַחַת: יז וְצַלִּי אַבְרָהָם קֳדָם יְיָ וְאַסִּי יְיָ יָת אֲבִימֶלֶךְ וְיָת אִתְּתֵהּ וְאַמְהָתֵהּ וְאִתְרְוָחוּ: יח אֲרֵי מֵיחַד

רש״י

(שמות יד:ג) כְּמוֹ עַל בְּנֵי יִשְׂרָאֵל, פֶּן יֹאמְרוּ לִי אִשָּׁה הֲרָגַתְהוּ (שופטים ט:נד): [פסוק יד] **וַיִּתֵּן לְאַבְרָהָם.** כְּדֵי שֶׁיִּתְפַּיֵּס וְיִתְפַּלֵּל עָלָיו (פס״ר מב (קמז.)): [פסוק טו] **הִנֵּה אַרְצִי לְפָנֶיךָ.** אֲבָל פַּרְעֹה אָ״ל הִנֵּה אִשְׁתְּךָ קַח וָלֵךְ (לעיל יב:יט), לְפִי שֶׁנִּתְיָרֵא, שֶׁהַמִּצְרִים שְׁטוּפֵי זִמָּה (מדרש אגדה לעיל יב:יט): [פסוק טז] **וּלְשָׂרָה אָמַר.** אֲבִימֶלֶךְ לִכְבוֹדָהּ, כְּדֵי ט לְפַיְּסָהּ, הִנֵּה עָשִׂיתִי לָךְ כָּבוֹד זֶה, **נָתַתִּי** מָמוֹן **לְאָחִיךְ**, שֶׁאָמַרְתְּ עָלָיו אָחִי הוּא, **הִנֵּה** הַמָּמוֹן וְהַכָּבוֹד הַזֶּה **לָךְ כְּסוּת עֵינָיִם: לְכֹל אֲשֶׁר אִתָּךְ.** יְכַסּוּ עֵינֵיהֶם שֶׁלֹּא יְקִילוּךְ. שֶׁאִלּוּ הֲשִׁיבוֹתִיךְ רֵיקָנִית יֵשׁ לָהֶם לוֹמַר לְאַחַר שֶׁנִּתְעַלֵּל בָּהּ הֶחֱזִירָהּ, עַכְשָׁיו שֶׁהוּצְרַכְתִּי לְבַזְבֵּז מָמוֹן וּלְפַיְּסֵךְ יִהְיוּ יוֹדְעִים שֶׁעַל כָּרְחִי הֲשִׁיבוֹתִיךְ, וְעַ״י נֵס: **וְאֵת כֹּל.** וְעִם כָּל בָּאֵי עוֹלָם: **וְנֹכָחַת.** יְהֵא לָךְ פִּתְחוֹן פֶּה לְהִתְוַכֵּחַ וּלְהַרְאוֹת דְּבָרִים נִכָּרִים הַלָּלוּ. וְלְ׳ הוֹכָחָה בְּכָל מָקוֹם בֵּרוּר דְּבָרִים, וּבְלַעַ״ז אשפרובי״ר. וְאוּנְקְלוֹס תִּרְגֵּם בְּפָנִים אֲחֵרִים, וּלְשׁוֹן הַמִּקְרָא כָּךְ הוּא נוֹפֵל עַל הַתַּרְגּוּם, הִנֵּה הוּא לָךְ כְּסוּת שֶׁל כָּבוֹד עַל הָעֵינַיִם שֶׁלִּי שֶׁשָּׁלְטוּ בָּךְ וּבְכָל אֲשֶׁר אִתָּךְ, וְעַל כֵּן תִּרְגְּמוֹ וַחֲזֵית יָתִיךְ וְיָת כָּל דְּעִמָּךְ. וְיֵשׁ מִדְרַשׁ אַגָּדָה, אֲבָל יִשּׁוּב לְשׁוֹן הַמִּקְרָא פֵּירַשְׁתִּי: [פסוק יז] **וַיֵּלֵדוּ.** כְּתַרְגּוּמוֹ, וְאִתְרְוָחוּ, נִפְתְּחוּ נְקָבֵיהֶם וְהוֹצִיאוּ, וְהָיָה לֵידָה שֶׁלָּהֶם:

בעל הטורים

(טז) ולשרה. ב׳ במסורת — ״ולשרה אמר״; ״ולשרה בן״, שכתוב כאן גבי שרה ״הנה הוא לך כסות עינים״, רמז שיהיה בן לשרה שיהיה לו כסות עינים, דכתיב ״ויהי כי זקן יצחק ותכהין עיניו מראות״:

עיקר שפתי חכמים

ט אף כי באמת נתן לאברהם כדי שיתפלל עליו, ורק לפייסה אמר לשרה הדברי׳ היפך האמת:

עָצַר יְהוָה בְּעַד כָּל־רֶחֶם לְבֵית
אֲבִימֶלֶךְ עַל־דְּבַר שָׂרָה אֵשֶׁת
אַבְרָהָם: ס פרק כא א וַיהוָה פָּקַד
אֶת־שָׂרָה כַּאֲשֶׁר אָמָר וַיַּעַשׂ
יְהוָה לְשָׂרָה כַּאֲשֶׁר דִּבֵּר: ב וַתַּהַר
וַתֵּלֶד שָׂרָה לְאַבְרָהָם בֵּן לִזְקֻנָיו
לַמּוֹעֵד אֲשֶׁר־דִּבֶּר אֹתוֹ אֱלֹהִים: ג וַיִּקְרָא
אַבְרָהָם אֶת־שֶׁם־בְּנוֹ הַנּוֹלַד־לוֹ אֲשֶׁר־יָלְדָה־לּוֹ

אֲחַד יְיָ בְּאַפֵּי כָּל פְּתַח
וַלְדָּא לְבֵית אֲבִימֶלֶךְ עַל
עֵיסַק שָׂרָה אִתַּת אַבְרָהָם:
א וַייָ דְּכִיר יָת שָׂרָה כְּמָא
דִּי אֲמַר וַעֲבַד יְיָ לְשָׂרָה
כְּמָא דִּי מַלִּיל: ב וְעַדִּיאַת
וִילִידַת שָׂרָה לְאַבְרָהָם
בַּר לְסִיבְתּוֹהִי לִזְמַן דִּי
מַלִּיל יָתֵהּ יְיָ: ג וּקְרָא
אַבְרָהָם יָת שׁוּם בְּרֵהּ
דְּאִתְיְלִיד לֵהּ דִּילִידַת לֵהּ

רש"י

[פסוק יח] **בְּעַד כָּל רֶחֶם.** כְּנֶגֶד כָּל פֶּתַח: **עַל דְּבַר שָׂרָה.** ע"פ דִּבּוּרָהּ שֶׁל שָׂרָה (ב"ר נב:יג): [פסוק א] **וַה' פָּקַד אֶת שָׂרָה וגו'.** סָמַךְ פָּרָשָׁה זוֹ לְכָאן לְלַמֶּדְךָ שֶׁכָּל הַמְבַקֵּשׁ רַחֲמִים עַל חֲבֵירוֹ וְהוּא צָרִיךְ לְאוֹתוֹ דָּבָר הוּא נַעֲנֶה י תְּחִלָּה, שֶׁנֶּאֱמַר וַיִּתְפַּלֵּל וגו' וּסְמִיךְ לֵיהּ וַה' פָּקַד אֶת שָׂרָה, שֶׁפְּקָדָהּ כְּבָר קוֹדֶם שֶׁרִיפֵּא אֶת אֲבִימֶלֶךְ (ב"ק צב.): **כַּאֲשֶׁר אָמָר.** בְּהֵרָיוֹן: **כַּאֲשֶׁר דִּבֵּר.** בְּלֵידָה. וְהֵיכָן הִיא אֲמִירָה וְהֵיכָן הוּא דִּבּוּר. אֲמִירָה, וַיֹּאמֶר אֱלֹהִים אֲבָל שָׂרָה אִשְׁתְּךָ וגו' (לעיל יז:יט). דִּבּוּר, הָיָה דְּבַר ה' אֶל אַבְרָם בִּבְרִית בֵּין הַבְּתָרִים (לעיל טו:א) וְשָׁם נֶאֱמַר לֹא יִירָשְׁךָ זֶה וגו' (שם ד) וְהֵבִיא הַיּוֹרֵשׁ מִשָּׂרָה (מכילתא בא פי"ג): **וַיַּעַשׂ ה' לְשָׂרָה כַּאֲשֶׁר דִּבֵּר.** כ לְאַבְרָהָם: [פסוק ב] **לִזְקֻנָיו.** שֶׁהָיָה זִיו אִיקוּנִין שֶׁלּוֹ דּוֹמֶה לוֹ (ב"ר נג:ו): **לַמּוֹעֵד אֲשֶׁר דִּבֵּר.** ר' יוּדָן וְרַבִּי חָמָא. רַבִּי יוּדָן אוֹמֵר מְלַמֵּד שֶׁנּוֹלַד לט' חֳדָשִׁים, שֶׁלֹּא יֹאמְרוּ מִבֵּיתוֹ שֶׁל אֲבִימֶלֶךְ הוּא. ר' חָמָא אוֹמֵר לְשִׁבְעָה חֳדָשִׁים (שם):] **לַמּוֹעֵד אֲשֶׁר דִּבֵּר אֹתוֹ.** דְּמַלִּיל יָתֵיהּ (אונקלוס), ל אֶת הַמּוֹעֵד אֲשֶׁר דִּבֵּר וְקָבַע, כשא"ל לַמּוֹעֵד אָשׁוּב אֵלֶיךָ (לעיל יח:יד) שָׂרַט לוֹ שְׂרִיטָה בַּכּוֹתֶל, אָמַר לוֹ כְּשֶׁתַּגִּיעַ חַמָּה לִשְׂרִיטָה זוֹ בַּשָּׁנָה הָאַחֶרֶת תֵּלֵד (תנחומא ישן לו):

בעל הטורים

(א) וה' פקד. כל מקום שנאמר "וה'", הוא ובית דינו. שלמדו עליה סנגוריא ואמרו: אם לא תתן לה עתה בן, אם כן תאחר את הקץ, שגזרת "ועִנו אתם ארבע מאות שנה" משיהיה לו זרע, והוא בן מאה עתה, וצריך שיתחיל מעתה: דבר אחר — שאמרו, בנות לוט נתעברו בביאת אסור מאביהן, ושרה לא תתעבר מאברהם: דבר אחר — שאמרו, נסתרה עם אבימלך, וכתבת "ואם טהורה היא, ונקתה ונזרעה זרע". ומה שלא נפקדה אחר סתירת פרעה, לפי שכאן היה משמוש ידים ולא היה חסר כי אם ביאה: **פקד את שרה.** בגימטריא אף כל עקרות פקד:

עיקר שפתי חכמים

י דק"ל מה בא להשמיענו הכתוב שפקד את שרה קודם שרפא את אבימלך. לכן כתב רש"י דבא להשמיענו שכל המבקש כו': **כ** ר"ל אע"פ שלא אמר הקב"ה לא יירשך זה כ"א לאברהם ולא לשרה, אעפ"כ ויעש ה' לשרה כאשר דבר לאברהם. [מהרש"ל]: **ל** דמליל יתיה הוא ת"א. דק' לרש"י למה כתיב אותו [בחולם] ה"ל לנקד אתו [בחיר"ק] תחת האל"ף דהדבור היה עם אברהם. לכן הביא את התרגום יתיה, וקאי על המועד אשר דבר וקבע כו':

שָׂרָה יִצְחָק: ד וַיָּמָל אַבְרָהָם
אֶת־יִצְחָק בְּנוֹ בֶּן־שְׁמֹנַת יָמִים
כַּאֲשֶׁר צִוָּה אֹתוֹ אֱלֹהִים:
חמישי ה וְאַבְרָהָם בֶּן־מְאַת שָׁנָה
בְּהִוָּלֶד לוֹ אֵת יִצְחָק בְּנוֹ:
ו וַתֹּאמֶר שָׂרָה צְחֹק עָשָׂה לִי
אֱלֹהִים כָּל־הַשֹּׁמֵעַ יִצְחַק־לִי:
ז וַתֹּאמֶר מִי מִלֵּל לְאַבְרָהָם
הֵינִיקָה בָנִים שָׂרָה כִּי־יָלַדְתִּי בֵן לִזְקֻנָיו:
ח וַיִּגְדַּל הַיֶּלֶד וַיִּגָּמַל וַיַּעַשׂ אַבְרָהָם מִשְׁתֶּה
גָדוֹל בְּיוֹם הִגָּמֵל אֶת־יִצְחָק: ט וַתֵּרֶא שָׂרָה

שָׂרָה יִצְחָק: ד וּגְזַר
אַבְרָהָם יָת יִצְחָק בְּרֵהּ
בַּר תְּמַנְיָא יוֹמִין כְּמָא דִי
פַּקִּיד יָתֵהּ יְיָ: ה וְאַבְרָהָם
בַּר מְאָה שְׁנִין כַּד אִתְיְלִיד
לֵהּ יָת יִצְחָק בְּרֵהּ:
ו וַאֲמֶרֶת שָׂרָה חֶדְוָא
עֲבַד לִי יְיָ כָּל דְּשָׁמַע יֶחְדֵי
לִי: ז וַאֲמֶרֶת מָאן מְהֵימַן
דַּאֲמַר לְאַבְרָהָם וְקַיֵּים
דְּתוֹנִיק בְּנִין שָׂרָה אֲרֵי
יְלֵידִית בַּר לְסִיבְתוּהִי:
ח וּרְבָא רַבְיָא וְאִתְחֲסִיל
וַעֲבַד אַבְרָהָם מִשְׁתְּיָא
רַבָּא בְּיוֹמָא דְּאִתְחֲסִיל
יָת יִצְחָק: ט וַחֲזַת שָׂרָה

רש"י

[פסוק ו] **יִצְחַק לִי.** יִשְׂמַח עָלַי (אונקלוס). וּמִדְרַשׁ אַגָּדָה, הַרְבֵּה עֲקָרוֹת נִפְקְדוּ עִמָּהּ, הַרְבֵּה חוֹלִים נִתְרַפְּאוּ בּוֹ בַּיּוֹם, הַרְבֵּה תְּפִלּוֹת נַעֲנוּ עִמָּהּ וְרַב שְׂחוֹק הָיָה בָּעוֹלָם (ב"ר שם ח): [פסוק ז] **מִי מִלֵּל לְאַבְרָהָם.** לְשׁוֹן שֶׁבַח וַחֲשִׁיבוּת [כְּמוֹ מִי פָעַל וְעָשָׂה (ישעיה מא:ד) מִי בָרָא אֵלֶּה (שם מ:כו)]. רְאוּ מָה הוּא וּמִי הוּא שׁוֹמֵר הַבְטָחָתוֹ, הקב"ה מַבְטִיחַ וְעוֹשֶׂה: **מִלֵּל.** שִׁינָּה הַכָּתוּב וְלֹא אָמַר דִּבֶּר, גִּימַטְרִיָּא שֶׁלּוֹ ק', כְּלוֹמַר לְסוֹף מֵאָה לְאַבְרָהָם (ב"ר נג:ט): **הֵינִיקָה בָנִים שָׂרָה.** וּמַהוּ בָּנִים לְשׁוֹן רַבִּים, בְּיוֹם הַמִּשְׁתֶּה הֵבִיאוּ הַשָּׂרוֹת בְּנֵיהֶן עִמָּהֶן וְהֵינִיקָה אוֹתָם, שֶׁהָיוּ אוֹמְרוֹת לֹא יָלְדָה שָׂרָה, אֶלָּא אֲסוּפִי הֵבִיאוּ מִן הַשּׁוּק (ב"מ פז.): [פסוק ח] **וַיִּגָּמַל.** לְסוֹף מ כ"ד חוֹדֶשׁ (ב"ר שם י; כתובות ס.): **מִשְׁתֶּה גָדוֹל.** שֶׁהָיוּ שָׁם נ גְּדוֹלֵי הַדּוֹר, שֵׁם וָעֵבֶר וַאֲבִימֶלֶךְ (תנחומא ישן וישלח כג):

בעל הטורים

(ז) **מלל.** ב' במסורת בתרי לישני – "מי מלל לאברהם"; ואידך "שומר מה מליל". מדבר במפלת אדום. לומר, שבזכות אברהם יהיה מפלת אדום: **מלל.** בגימטריא מאה, לומר, כשהיה אברהם בן מאה, "היניקה בנים שרה":

עיקר שפתי חכמים

מ כי ויגמל [מבנין נפעל] משמע שנגמל מעצמו. לכך פי' בסוף כ"ד חדש זמן הנקת הולד והילד פוסק מעצמו מלינק: **נ** ולא שהמשתה היה גדול באיכותו, כי למה יספר זאת הכתוב ומה שבחו בזה:

אֶת־בֶּן־הָגָ֧ר הַמִּצְרִ֛ית אֲשֶׁר־
יָלְדָ֥ה לְאַבְרָהָ֖ם מְצַחֵֽק׃
י וַתֹּ֙אמֶר֙ לְאַבְרָהָ֔ם גָּרֵ֛שׁ הָאָמָ֥ה
הַזֹּ֖את וְאֶת־בְּנָ֑הּ כִּ֣י לֹ֤א יִירַשׁ֙
בֶּן־הָאָמָ֣ה הַזֹּ֔את עִם־בְּנִ֖י עִם־
יִצְחָֽק׃ יא וַיֵּ֧רַע הַדָּבָ֛ר מְאֹ֖ד
בְּעֵינֵ֣י אַבְרָהָ֑ם עַ֖ל אוֹדֹ֥ת בְּנֽוֹ׃
יב וַיֹּ֨אמֶר אֱלֹהִ֜ים אֶל־אַבְרָהָ֗ם אַל־יֵרַ֤ע בְּעֵינֶ֙יךָ֙
עַל־הַנַּ֣עַר וְעַל־אֲמָתֶ֔ךָ כֹּל֩ אֲשֶׁ֨ר תֹּאמַ֥ר אֵלֶ֛יךָ
שָׂרָ֖ה שְׁמַ֣ע בְּקֹלָ֑הּ כִּ֣י בְיִצְחָ֔ק יִקָּרֵ֥א לְךָ֖ זָֽרַע׃

יָת בַּר הָגָר מִצְרֵיתָא
דִּילִידַת לְאַבְרָהָם מְחַיֵּיךְ׃
י וַאֲמֶרֶת לְאַבְרָהָם
תָּרֵךְ אַמְתָא הָדָא וְיָת
בְּרַהּ אֲרֵי לָא יֵרַת בַּר
אַמְתָא הָדָא עִם בְּרִי עִם
יִצְחָק׃ יא וּבְאֵישׁ פִּתְגָּמָא
לַחֲדָא בְּעֵינֵי אַבְרָהָם
עַל עֵיסַק בְּרֵהּ׃ יב וַאֲמַר
יְיָ לְאַבְרָהָם לָא יַבְאֵשׁ
בְּעֵינָךְ עַל עוּלֵימָא וְעַל
אַמְתָךְ כֹּל דִּי תֵימַר לָךְ
שָׂרָה קַבֵּל מִנַּהּ אֲרֵי
בְיִצְחָק יִתְקְרוֹן לָךְ בְּנִין׃

רש"י

[פסוק ט] מְצַחֵק. לְשׁוֹן עֲבוֹדַת כּוֹכָבִים, כְּמוֹ שֶׁנֶּאֱמַר וַיָּקוּמוּ לְצַחֵק (שמות לב:ו; ב"ר נג:יא). ד"א, ל' גִּלּוּי עֲרָיוֹת, כְּמָה דְתֵימָא לְצַחֵק בִּי (להלן לט:יז). ד"א, ל' רְצִיחָה, כמ"ד יָקוּמוּ נָא הַנְּעָרִים וִישַׂחֲקוּ לְפָנֵינוּ וגו' (שמואל ב ב:יד) ס [: **[פסוק י] עִם בְּנִי וגו'.**] [מִתְּשׁוּבַת שָׂרָה כִּי לֹא יִירַשׁ בֶּן הָאָמָה הַזֹּאת עִם בְּנִי אַתָּה לָמֵד] שֶׁהָיָה מֵרִיב עִם יִצְחָק עַל הַיְרוּשָּׁה וְאוֹמֵר אֲנִי בְּכוֹר וְנוֹטֵל פִּי שְׁנַיִם, וְיוֹצְאִים לַשָּׂדֶה וְנוֹטֵל קַשְׁתּוֹ וְיוֹרֶה בּוֹ חִצִּים, כְּמָה דְאַתְּ אָמַר כְּמִתְלַהְלֵהַּ הַיּוֹרֶה זִקִּים וגו' וְאָמַר הֲלֹא מְשַׂחֵק אָנִי (משלי כו:יח-יט; ב"ר שם): **עִם בְּנִי עִם יִצְחָק.** מִכֵּיוָן שֶׁהוּא בְּנִי אֲפִי' אִם אֵינוֹ הָגוּן כְּיִצְחָק, אוֹ הָגוּן כְּיִצְחָק אֲפִי' אֵינוֹ בְּנִי אֵין זֶה כְּדַאי לִירַשׁ עִמּוֹ, ק"ו עִם בְּנִי עִם יִצְחָק, שֶׁשְּׁתֵּיהֶן בּוֹ (שם) ע: **[פסוק יא] עַל אוֹדֹת בְּנוֹ.** שֶׁשָּׁמַע שֶׁיָּצָא לְתַרְבּוּת רָעָה (תנחומא שמות א; שמות רבה א:א). וּפְשׁוּטוֹ, עַל שֶׁאוֹמֶרֶת לוֹ לְשַׁלְּחוֹ: **[פסוק יב] שְׁמַע בְּקֹלָהּ.** [בְּקוֹל רוה"ק שֶׁבָּהּ פ (עי' רש"י לעיל טז:ב)] לָמַדְנוּ שֶׁהָיָה אַבְרָהָם טָפֵל לְשָׂרָה בִּנְבִיאוּת (שם ושם):

בעל הטורים

(ט) מצחק. בגימטריא להרג. זהו שאמרו רבותינו ז"ל, שהיה יורה בו חץ כדי להרגו: **(י) גרש.** ג' במסורת — "גרש האמה"; "גרש לץ"; "כלה גרש יגרש". פירוש, גרש את האמה הזאת ואת בנה, ואז תגרש הלץ. ובשביל שגרשה שרה להגר מביתה, נענשה ונשתעבדו בניה והוצרכו להתגרש משם:

עיקר שפתי חכמים

ס כי הפעל מלחק בבנין הכבד כולל ג' הדברים שפירש למעלה: **ע** רש"י בא לפרש למה כפל הכתוב את לשונו עם בני עם ילחק: **פ** מדכתיב שמע בקולה ולא אמר שמע לדבריה, או שמע אליה כדרך הלשון. לכך פירש לקול רוה"ק שבה:

ראה הטבלא "**עֲשָׂרָה נִסְיוֹנוֹת שֶׁבָּהֶם נִתְנַסָּה אַבְרָהָם אָבִינוּ**" (עמוד 525).

יג וְגַם אֶת־בֶּן־הָאָמָה לְגוֹי
אֲשִׂימֶנּוּ כִּי זַרְעֲךָ הוּא: יד וַיַּשְׁכֵּם
אַבְרָהָם | בַּבֹּקֶר וַיִּקַּח־לֶחֶם
וְחֵמַת מַיִם וַיִּתֵּן אֶל־הָגָר
שָׂם עַל־שִׁכְמָהּ וְאֶת־הַיֶּלֶד
וַיְשַׁלְּחֶהָ וַתֵּלֶךְ וַתֵּתַע בְּמִדְבַּר
בְּאֵר שָׁבַע: טו וַיִּכְלוּ הַמַּיִם מִן־
הַחֵמֶת וַתַּשְׁלֵךְ אֶת־הַיֶּלֶד
תַּחַת אַחַד הַשִּׂיחִם: טז וַתֵּלֶךְ וַתֵּשֶׁב לָהּ מִנֶּגֶד
הַרְחֵק כִּמְטַחֲוֵי קֶשֶׁת כִּי אָמְרָה אַל־אֶרְאֶה

יג וְאַף יָת בַּר אַמְתָא
לְעַם אֲשַׁוִּנֵּהּ אֲרֵי בְנָךְ
הוּא: יד וְאַקְדֵּים אַבְרָהָם
בְּצַפְרָא וּנְסִיב לַחְמָא
וְרָקְבָּא דְמַיָּא וִיהַב לְהָגָר
שַׁוִּי עַל כַּתְפַּהּ וְיָת רַבְיָא
וְשַׁלְּחַהּ וַאֲזָלַת וְתָעַת
בְּמַדְבְּרָא (נ״א בְּמַדְבַּר)
בְּאֵר שָׁבַע: טו וּשְׁלִימוּ
מַיָּא מִן רָקְבָּא וּרְמַת
יָת רַבְיָא תְּחוֹת חַד מִן
אִילָנַיָּא: טז וַאֲזָלַת וִיתִיבַת
לַהּ מִקֳּבֵל אַרְחֵיקַת (נ״א
אַרְחִיק) כְּמֵיגַד קַשְׁתָּא
אֲרֵי אֲמֶרֶת לָא אֶחֱזֵי

רש״י

[פסוק יד] **לֶחֶם וְחֵמַת מַיִם.** וְלֹא כֶּסֶף וְזָהָב, לְפִי שֶׁהָיָה שׂוֹנְאוֹ עַל שֶׁיָּצְאָה לְתַרְבּוּת רָעָה (שם ושם): **וְאֶת הַיֶּלֶד.** אַף הַיֶּלֶד שָׂם צ עַל שִׁכְמָהּ, שֶׁהִכְנִיסָה בּוֹ שָׂרָה עַיִן רָעָה וַאֲחָזַתּוּ חַמָּה וְלֹא יָכוֹל לֵילֵךְ בְּרַגְלָיו (ב״ר שם יג): **וַתֵּלֶךְ וַתֵּתַע.** חָזְרָה ק לְגִלּוּלֵי בֵּית אָבִיהָ (פדר״א פ״ל): [פסוק טו] **וַיִּכְלוּ הַמַּיִם.** לְפִי שֶׁדֶּרֶךְ חוֹלִים לִשְׁתּוֹת ר הַרְבֵּה (ב״ר שם יג): [פסוק טז] **מִנֶּגֶד.** ש מֵרָחוֹק: **כִּמְטַחֲוֵי קֶשֶׁת.** כִּשְׁתֵּי טִיחוֹת (שם). וְהוּא לְשׁוֹן יְרִיַּית חֵץ, בִּלְשׁוֹן מִשְׁנָה, שֶׁהֵטִיחַ בְּאִשְׁתּוֹ (סנהדרין מו.) עַל שֵׁם שֶׁהַזֶּרַע יוֹרֶה כַּחֵץ. וְאִם תֹּאמַר, הָיָה לוֹ לִכְתּוֹב כִּמְטַחֵי קֶשֶׁת, מִשְׁפַּט הוי״ו לִיכָּנֵס לְכַאן, כְּמוֹ בְּחַגְוֵי הַסֶּלַע (שיר השירים ב:יד) מַגְזֶרֶת וְהָיְתָה אַדְמַת יְהוּדָה לְמִצְרַיִם לְחָגָּא (ישעיה יט:יז), וּמִגִּזְרַת יָחוֹגּוּ וְיָנוּעוּ כַּשִּׁכּוֹר (תהלים קז:כז), וְכֵן קַצְוֵי אֶרֶץ (שם סה:ו) מִגִּזְרַת קָצֶה:

בעל הטורים

(טו) **ויכלו.** ג׳ במסורת – הכא ״ויכלו המים״; ואידך ״ויכלו באפס תקוה״; ״ויכלו בבשת ימי״. כיון שכלו המים, ״ימי קלו״. ״ויכלו בבשת״, שמיתת צמא מגונה מאוד:

עיקר שפתי חכמים

צ וקאי ואת הילד על מ״ש לפני זה שם על שכמה, ולא על ויתן הכתוב מראש, ע״כ כתיב להלן ותשלך את הילד [ר״ל משכמה]: **ק** כי ותלך משמעה שהלכה לרצונה ולדעתה, ואח״כ כתיב ותתע נראה שלא ידעה להיכן הלכה. ל״פ ותלך ותתע כלומר שהלכה וחזרה לתעות לעבודת כוכבים כו׳, כי על כאשר התעו אותי כו׳ ת״א כד טעו עממיא כו׳: **ר** דקשה דהל״ל ויכלו הלחם והמים. כי בוודאי נתן אברהם לפי ערך הדרך אכילה ושתייה בשוה, א״כ היה להם ג״כ להיות כלים בבת אחת. ל״פ לפי כו׳ לשתות הרבה, לפיכך כתיב ויכלו המים ולא הלחם: **ש** כי נגד לא יתפרש פה כמו בכ״מ, דמאי כ״מ לאיזה לד ישבה. רק פירושו כמו מן נגד, ר״ל רחקה עצמה מנגדו הרחק לבל תראה במות הילד כו׳:

בְּמ֣וֹת הַיָּ֑לֶד וַתֵּ֣שֶׁב מִנֶּ֔גֶד וַתִּשָּׂ֥א
אֶת־קֹלָ֖הּ וַתֵּֽבְךְּ׃ יז וַיִּשְׁמַ֣ע
אֱלֹהִים֮ אֶת־ק֣וֹל הַנַּ֒עַר֒ וַיִּקְרָא֩
מַלְאַ֨ךְ אֱלֹהִ֤ים ׀ אֶל־הָגָר֙ מִן־
הַשָּׁמַ֔יִם וַיֹּ֥אמֶר לָ֖הּ מַה־לָּ֣ךְ הָגָ֑ר
אַל־תִּ֣ירְאִ֔י כִּֽי־שָׁמַ֧ע אֱלֹהִ֛ים
אֶל־ק֥וֹל הַנַּ֖עַר בַּאֲשֶׁ֥ר הוּא־שָֽׁם׃ יח ק֚וּמִי שְׂאִ֣י
אֶת־הַנַּ֔עַר וְהַחֲזִ֥יקִי אֶת־יָדֵ֖ךְ בּ֑וֹ כִּֽי־לְג֥וֹי גָּד֖וֹל
אֲשִׂימֶֽנּוּ׃ יט וַיִּפְקַ֤ח אֱלֹהִים֙ אֶת־עֵינֶ֔יהָ וַתֵּ֖רֶא

בְּמוֹתָא דְרַבְיָא וִיתִיבַת
מְקַבֵּל וַאֲרִימַת יָת קָלַהּ
וּבְכָת: יז וּשְׁמִיעַ קֳדָם יְיָ יָת
קָלֵהּ דְרַבְיָא וּקְרָא מַלְאֲכָא
דַייָ לְהָגָר מִן שְׁמַיָא וַאֲמַר
לַהּ מָא לִיךְ הָגָר לָא
תִדְחֲלִי אֲרֵי שְׁמִיעַ קֳדָם
יְיָ יָת קָלֵהּ דְרַבְיָא בַּאֲתַר
דְהוּא תַמָן: יח קוּמִי טוּלִי
יָת רַבְיָא וְאַתְקִיפִי יָת יְדִיךְ
בֵּהּ אֲרֵי לְעַם סַגִּי אֲשַׁוְּנֵהּ:
יט וּגְלָא יְיָ יָת עֵינָהָא וַחֲזַת

רש"י

וַתֵּשֶׁב מִנֶּגֶד. כֵּיוָן שֶׁקָּרַב לָמוּת הוֹסִיפָה לְהִתְרַחֵק: [פסוק יז] **אֶת קוֹל הַנַּעַר.** מִכָּאן שֶׁיָּפָה תְּפִלַּת הַחוֹלֶה ת מִתְּפִלַּת אֲחֵרִים עָלָיו, וְהִיא קוֹדֶמֶת לְהִתְקַבֵּל (ב"ר שם יד): **בַּאֲשֶׁר הוּא שָׁם.** לְפִי מַעֲשִׂים שֶׁהוּא עוֹשֶׂה א עַכְשָׁיו הוּא נִדּוֹן, וְלֹא לְפִי מַה שֶּׁהוּא עָתִיד לַעֲשׂוֹת (ר"ה השנה טז:). לְפִי שֶׁהָיוּ מַלְאֲכֵי הַשָּׁרֵת מְקַטְרְגִים וְאוֹמְרִים, רבש"ע, מִי שֶׁעָתִיד זַרְעוֹ לְהָמִית בָּנֶיךָ בַּצָּמָא אַתָּה מַעֲלֶה לוֹ בְּאֵר. וְהוּא מְשִׁיבָם, עַכְשָׁיו מַה הוּא, צַדִּיק אוֹ רָשָׁע. אָמְרוּ לוֹ, צַדִּיק. אָמַר לָהֶם, לְפִי מַעֲשָׂיו שֶׁל עַכְשָׁיו אֲנִי דָנוֹ, וְזֶהוּ בַּאֲשֶׁר הוּא שָׁם (ב"ר שם). וְהֵיכָן הֵמִית אֶת יִשְׂרָאֵל בַּצָּמָא, כְּשֶׁהִגְלָם נְבוּכַדְנֶצַּר, שֶׁנֶּאֱמַר מַשָּׂא בַּעְרָב וגו' לִקְרַאת צָמֵא הֵתָיוּ מָיִם וגו' (ישעיה כא:יג-יד). כְּשֶׁהָיוּ מוֹלִיכִין אוֹתָם אֵצֶל עַרְבִיִּים הָיוּ יִשְׂרָאֵל אוֹמְרִים לְשׁוֹבֵיהֶם, בְּבַקָּשָׁה מִכֶּם, הוֹלִיכוּנוּ אֵצֶל בְּנֵי דוֹדֵנוּ יִשְׁמָעֵאל וִירַחֲמוּ עָלֵינוּ, שֶׁנֶּא' אֹרְחוֹת דְּדָנִים (שם). [אַל תִּקְרֵי דְּדָנִים אֶלָּא דוֹדִים.] וְאֵלּוּ יוֹצְאִים לִקְרָאתָם וּמְבִיאִין לָהֶם בָּשָׂר וְדָג מָלוּחַ וְנוֹדוֹת נְפוּחִים. כִּסְבוּרִים יִשְׂרָאֵל שֶׁמְּלֵאִים מַיִם, וּכְשֶׁמַּכְנִיסוֹ לְתוֹךְ פִּיו וּפוֹתְחוֹ, הָרוּחַ נִכְנַס בְּגוּפוֹ וּמֵת (תנחומא יתרו ה; איכ"ר ב:ד):

עיקר שפתי חכמים

ת אף שגם היא בכתה, שמע אלהים את קול הנער ולא אל בכיית אמו: א אף שגם עכשיו לא היה צדיק לפי הדרשות דלעיל [פסוק ט'] על מצחק, נ"ל שהאגדה הזאת היא אליבא דר"ש דפליג על הדורשין שם לגנאי, והוא דורשו לשבח. ועוד י"ל שהקב"ה דן מדה כנגד מדה, והקב"ה שאל למה"ש אם עשה עברה במים, והשיבו לו שעתה אין בידו עברה במים, אך בניו ימיתו את בני ישראל בצמא. וע"ז אמר להם לפי מעשיו של עכשיו אני דנו, כלומר שעתה אין בידו עברה ממים [מהרש"ל]:

בְּאֵ֣ר מָ֑יִם וַתֵּ֜לֶךְ וַתְּמַלֵּ֤א אֶת־
הַחֵ֙מֶת֙ מַ֔יִם וַתַּ֖שְׁקְ אֶת־הַנָּֽעַר׃
כ וַיְהִ֧י אֱלֹהִ֛ים אֶת־הַנַּ֖עַר וַיִּגְדָּ֑ל
וַיֵּ֙שֶׁב֙ בַּמִּדְבָּ֔ר וַיְהִ֖י רֹבֶ֥ה קַשָּֽׁת׃
כא וַיֵּ֖שֶׁב בְּמִדְבַּ֣ר פָּארָ֑ן וַתִּֽקַּֽח־ל֥וֹ
אִמּ֛וֹ אִשָּׁ֖ה מֵאֶ֥רֶץ מִצְרָֽיִם׃ פ
ששי כב וַֽיְהִי֙ בָּעֵ֣ת הַהִ֔וא וַיֹּ֣אמֶר
אֲבִימֶ֗לֶךְ וּפִיכֹל֙ שַׂר־צְבָא֔וֹ אֶל־
אַבְרָהָ֖ם לֵאמֹ֑ר אֱלֹהִ֣ים עִמְּךָ֔
בְּכֹ֥ל אֲשֶׁר־אַתָּ֖ה עֹשֶֽׂה׃ כג וְעַתָּ֗ה הִשָּׁ֨בְעָה לִּ֤י
בֵֽאלֹהִים֙ הֵ֔נָּה אִם־תִּשְׁקֹ֣ר לִ֔י וּלְנִינִ֖י וּלְנֶכְדִּ֑י
כַּחֶ֜סֶד אֲשֶׁר־עָשִׂ֤יתִי עִמְּךָ֙ תַּעֲשֶׂ֣ה עִמָּדִ֔י

בֵּירָא דְמַיָּא וַאֲזַלַת וּמְלַת יָת רָקְבָא מַיָּא וְאַשְׁקִיאַת יָת רַבְיָא:
כ וַהֲוָה מֵימְרָא דַיְיָ בְּסַעְדֵהּ דְרַבְיָא וּרְבָא וִיתֵב בְּמַדְבְּרָא וַהֲוָה רָבֵי קַשְׁתָּא:
כא וִיתֵב בְּמַדְבְּרָא דְפָארָן וּנְסִיבַת לֵהּ אִמֵּהּ אִתְּתָא מֵאַרְעָא דְמִצְרָיִם:
כב וַהֲוָה בְּעִדָּנָא הַהִיא וַאֲמַר אֲבִימֶלֶךְ וּפִיכֹל רַב חֵילֵהּ לְאַבְרָהָם לְמֵימַר מֵימְרָא דַיְיָ בְּסַעְדָךְ בְּכֹל דִּי אַתְּ עָבֵד:
כג וּכְעַן קַיֵּם לִי בְּמֵימְרָא דַיְיָ הָכָא דְלָא תְשַׁקַּר בִּי וּבִבְרִי וּבְבַר בְּרִי כְּטֵיבוּתָא דִי עֲבָדִית עִמָּךְ תַּעְבֵּד עִמִּי

רש"י

[פסוק כ] רֹבֶה קַשָּׁת. יוֹרֶה חִצִּים בְּקֶשֶׁת (פדר"א ל): **קַשָּׁת.** עַל שֵׁם הָאוּמָנוּת, כְּמוֹ חַמָּר, גַּמָּל, צַיָּד, לְפִיכָךְ הַשִּׁי"ן מוּדְגֶּשֶׁת. הָיָה יוֹשֵׁב בַּמִּדְבָּר וּמְלַסְטֵם אֶת הָעוֹבְרִים, הוּא שֶׁנֶּאֱמַר יָדוֹ בַכֹּל וגו' (לעיל טז:יב; תנחומא שמות א; ש"ר א:א): **[פסוק כא] מֵאֶרֶץ מִצְרָיִם.** מִמְּקוֹם גִּדּוּלֶיהָ, שֶׁנֶּאֱמַר וְלָהּ שִׁפְחָה מִצְרִית וגו' (לעיל טז:א). הַיְינוּ דְאָמְרֵי אִינְשֵׁי, זְרוֹק חוּטְרָא לַאֲוִירָא אַעִיקָּרֵיהּ קָאֵי (ב"ר נג:טו): **[פסוק כב] אֱלֹהִים עִמְּךָ.** לְפִי שֶׁרָאוּ שֶׁיָּצָא מִשְּׁכוּנַת סְדוֹם לְשָׁלוֹם, וְעִם הַמְּלָכִים נִלְחַם וְנָפְלוּ בְיָדוֹ, וְנִפְקְדָה אִשְׁתּוֹ לִזְקוּנָיו (ב"ר נד:ב): **[פסוק כג] וּלְנִינִי וּלְנֶכְדִּי.** עַד כָּאן רַחֲמֵי הָאָב עַל הַבֵּן (שם): **כַּחֶסֶד אֲשֶׁר עָשִׂיתִי עִמְּךָ תַּעֲשֶׂה עִמָּדִי.** שֶׁאָמַרְתִּי לְךָ הִנֵּה אַרְצִי לְפָנֶיךָ (לעיל כ:טו; ב"ר שם):

בעל הטורים

(כג) לנכדי. בגימטריא בן בני:

וְעִם־הָאָ֖רֶץ אֲשֶׁר־גַּ֥רְתָּה בָּֽהּ׃
כד וַיֹּ֙אמֶר֙ אַבְרָהָ֔ם אָנֹכִ֖י אִשָּׁבֵֽעַ׃
כה וְהוֹכִ֥חַ אַבְרָהָ֖ם אֶת־אֲבִימֶ֑לֶךְ
עַל־אֹדוֹת֙ בְּאֵ֣ר הַמַּ֔יִם אֲשֶׁ֥ר
גָּזְל֖וּ עַבְדֵ֥י אֲבִימֶֽלֶךְ׃ כו וַיֹּ֣אמֶר
אֲבִימֶ֔לֶךְ לֹ֣א יָדַ֔עְתִּי מִ֥י עָשָׂ֖ה
אֶת־הַדָּבָ֣ר הַזֶּ֑ה וְגַם־אַתָּ֞ה לֹא־
הִגַּ֣דְתָּ לִּ֗י וְגַ֧ם אָנֹכִ֛י לֹ֥א שָׁמַ֖עְתִּי
בִּלְתִּ֥י הַיּֽוֹם׃ כז וַיִּקַּ֤ח אַבְרָהָם֙ צֹ֣אן
וּבָקָ֔ר וַיִּתֵּ֖ן לַאֲבִימֶ֑לֶךְ וַיִּכְרְת֥וּ
שְׁנֵיהֶ֖ם בְּרִֽית׃ כח וַיַּצֵּ֣ב אַבְרָהָ֗ם
אֶת־שֶׁ֛בַע כִּבְשֹׂ֥ת הַצֹּ֖אן לְבַדְּהֶֽן׃ כט וַיֹּ֥אמֶר
אֲבִימֶ֖לֶךְ אֶל־אַבְרָהָ֑ם מָ֣ה הֵ֗נָּה שֶׁ֤בַע כְּבָשֹׂת֙
הָאֵ֔לֶּה אֲשֶׁ֥ר הִצַּ֖בְתָּ לְבַדָּֽנָה׃ ל וַיֹּ֗אמֶר כִּ֚י אֶת־
שֶׁ֣בַע כְּבָשֹׂ֔ת תִּקַּ֖ח מִיָּדִ֑י בַּעֲבוּר֙ תִּֽהְיֶה־לִּ֣י לְעֵדָ֔ה

וְעִם אַרְעָא דְּאִתּוֹתַבְתָּא
בַּהּ: כד וַאֲמַר אַבְרָהָם אֲנָא
אֲקַיֵּם: כה וְאוֹכַח אַבְרָהָם
יָת אֲבִימֶלֶךְ עַל עֵיסַק
בֵּירָא דְמַיָּא דִּי אֲנִיסוּ
עַבְדֵי אֲבִימֶלֶךְ: כו וַאֲמַר
אֲבִימֶלֶךְ לָא יְדַעִית מָאן
עֲבַד יָת פִּתְגָּמָא הָדֵין
וְאַף אַתְּ לָא חַוֵּיתָ לִי
וְאַף אֲנָא לָא שְׁמָעִית
אֶלָּהֵן יוֹמָא דֵין: כז וּדְבַר
אַבְרָהָם עָאן וְתוֹרִין וִיהַב
לַאֲבִימֶלֶךְ וּגְזַרוּ תַרְוֵיהוֹן
קְיָם: כח וַאֲקִים אַבְרָהָם
יָת שְׁבַע חוּרְפָן דְּעָאן
בִּלְחוֹדֵיהֶן: כט וַאֲמַר
אֲבִימֶלֶךְ לְאַבְרָהָם מָה
אִנּוּן שְׁבַע חוּרְפָן אִלֵּין
דַּאֲקֵמְתָּא בִּלְחוֹדֵיהֶן:
ל וַאֲמַר אֲרֵי יָת שְׁבַע
חוּרְפָן תְּקַבֵּל מִן יְדִי
בְּדִיל דִּתְהֵי לִי לְסָהֲדוּ

רש"י

[פסוק כה] וְהוֹכִחַ. נִתְוַכַּח עִמּוֹ עַל כָּךְ (תרגום יונתן): **[פסוק ל] בַּעֲבוּר תִּהְיֶה לִּי.** זֹאת: **לְעֵדָה.** לְשׁוֹן עֵדוּת שֶׁל נְקֵבָה, כְּמוֹ וְעֵדָה הַמַּצֵּבָה (להלן לא:נב):

בעל הטורים

(כט) הצבת. ב׳ במסורת — "הצבת לבדנה"; "אתה הצבת כל גבולות ארץ". בזכות אברהם נבראו [ונצבו] כל גבולות ארץ:

כִּי חָפַרְתִּי אֶת־הַבְּאֵר הַזֹּאת:
לא עַל־כֵּן קָרָא לַמָּקוֹם הַהוּא
בְּאֵר שָׁבַע כִּי שָׁם נִשְׁבְּעוּ
שְׁנֵיהֶם: לב וַיִּכְרְתוּ בְרִית בִּבְאֵר
שָׁבַע וַיָּקָם אֲבִימֶלֶךְ וּפִיכֹל
שַׂר־צְבָאוֹ וַיָּשֻׁבוּ אֶל־אֶרֶץ
פְּלִשְׁתִּים: לג וַיִּטַּע אֶשֶׁל בִּבְאֵר
שָׁבַע וַיִּקְרָא־שָׁם בְּשֵׁם יְהוָה אֵל עוֹלָם: לד וַיָּגָר
אַבְרָהָם בְּאֶרֶץ פְּלִשְׁתִּים יָמִים רַבִּים: פ

אֲרֵי חֲפָרִית יָת בֵּירָא הָדֵין
(נ״א הָדָא): לא עַל כֵּן קְרָא
לְאַתְרָא הַהוּא בְּאֵר שָׁבַע
אֲרֵי תַמָּן קַיִּמוּ תַּרְוֵיהוֹן:
לב וּגְזָרוּ קְיָם בִּבְאֵר שָׁבַע
וְקָם אֲבִימֶלֶךְ וּפִיכֹל
רַב חֵילֵהּ וְתָבוּ לַאֲרַע
פְּלִשְׁתָּאֵי: לג וּנְצִיב נִצְבָּא
(נ״א אִילָנָא) בִּבְאֵר שָׁבַע
וְצַלִּי תַמָּן בִּשְׁמָא
דַיְיָ אֱלָהָא דְעָלְמָא:
לד וְאִתּוֹתַב אַבְרָהָם בַּאֲרַע
פְּלִשְׁתָּאֵי יוֹמִין סַגִּיאִין:

רש״י

כי חפרתי את הבאר. מְרִיבִים הָיוּ עָלֶיהָ רוֹעֵי אֲבִימֶלֶךְ וְאוֹמְרִים אֲנַחְנוּ חֲפַרְנוּהָ. אָמְרוּ בֵּינֵיהֶם, כָּל מִי שֶׁיִּתְרָאֶה עַל הַבְּאֵר וְיַעֲלוּ הַמַּיִם לִקְרָאתוֹ שֶׁלּוֹ הִיא, וְעָלוּ לִקְרַאת אַבְרָהָם (ב״ר שם ה): **[פסוק לג] אשל.** רַב וּשְׁמוּאֵל, חַד אָמַר פַּרְדֵּס לְהָבִיא מִמֶּנּוּ פֵּירוֹת לָאוֹרְחִים בַּסְּעוּדָה, וְחַד אָמַר פּוּנְדָּק לְאַכְסַנְיָא וּבוֹ כָּל מִינֵי מַאֲכָל [ס״א פֵּירוֹת]. וּמָצִינוּ לְשׁוֹן נְטִיעָה בְּאֹהָלִים שֶׁנֶּאֱמַר וְיִטַּע אָהֳלֵי אַפַּדְנוֹ (דניאל יא:מה; ב״ר נד:ו; סוטה י.): **ויקרא שם וגו׳.** עַל יְדֵי אוֹתוֹ אֵשֶׁל נִקְרָא שְׁמוֹ שֶׁל הַקָּבָּ״ה אֱלוֹהַּ לְכָל הָעוֹלָם. לְאַחַר שֶׁאוֹכְלִין וְשׁוֹתִין אוֹמֵר לָהֶם, בָּרְכוּ לְמִי שֶׁאֲכַלְתֶּם מִשֶּׁלּוֹ. סְבוּרִים אַתֶּם שֶׁמִּשֶּׁלִּי אֲכַלְתֶּם, מִשֶּׁל מִי שֶׁאָמַר וְהָיָה הָעוֹלָם אֲכַלְתֶּם (סוטה שם): **[פסוק לד] ימים רבים.** מְרֻבִּים עַל שֶׁל חֶבְרוֹן. בְּחֶבְרוֹן עָשָׂה כ״ה שָׁנָה וְכָאן כ״ו, שֶׁהֲרֵי בֶּן ע״ה שָׁנָה הָיָה בְּצֵאתוֹ מֵחָרָן, וְאוֹתָהּ שָׁנָה וַיָּבֹא וַיֵּשֶׁב בְּאֵלֹנֵי מַמְרֵא (לעיל יג:יח). שֶׁלֹּא מָצִינוּ קוֹדֶם לָכֵן שֶׁנִּתְיַשֵּׁב אֶלָּא שָׁם, שֶׁבְּכָל מְקוֹמוֹתָיו הָיָה כְּאוֹרֵחַ, חוֹנֶה וְנוֹסֵעַ וְהוֹלֵךְ, שֶׁנֶּאֱמַר וַיַּעֲבֹר אַבְרָם (שם יב:ו) וַיַּעְתֵּק מִשָּׁם (שם ח) וַיְהִי רָעָב וַיֵּרֶד אַבְרָם מִצְרַיְמָה (שם י). וּבְמִצְרַיִם לֹא עָשָׂה אֶלָּא שְׁלֹשָׁה חֳדָשִׁים, שֶׁהֲרֵי שִׁלְּחוֹ פַּרְעֹה מִיָּד. וַיֵּלֶךְ לְמַסָּעָיו (שם יג:ג) עַד וַיָּבֹא וַיֵּשֶׁב בְּאֵלֹנֵי מַמְרֵא אֲשֶׁר בְּחֶבְרוֹן (שם יח), וְשָׁם יָשַׁב עַד שֶׁנֶּהֶפְכָה סְדוֹם. מִיָּד, וַיִּסַּע מִשָּׁם אַבְרָהָם (שם כ:א) מִפְּנֵי בּוּשָׁה שֶׁל לוֹט, וּבָא לְאֶרֶץ פְּלִשְׁתִּים, וּבֶן צ״ט שָׁנָה הָיָה, שֶׁהֲרֵי בַּשְּׁלִישִׁי לְמִילָתוֹ בָּאוּ אֶצְלוֹ הַמַּלְאָכִים. הֲרֵי כ״ה שָׁנָה, וְכָאן כְּתִיב יָמִים רַבִּים, מְרֻבִּים עַל הָרִאשׁוֹנִים, וְלֹא בָא הַכָּתוּב לִסְתּוֹם אֶלָּא לְפָרֵשׁ, וְאִם הָיוּ מְרֻבִּים עֲלֵיהֶם שְׁתֵּי שָׁנִים אוֹ יוֹתֵר הָיָה מְפָרְשָׁם, וְעַ״כ אֵינָם יְתֵרִים יוֹתֵר מִשָּׁנָה, הֲרֵי כ״ו שָׁנָה. מִיָּד יָצָא מִשָּׁם וְחָזַר לְחֶבְרוֹן, וְאוֹתָהּ שָׁנָה

שביעי **פרק כב** א וַיְהִ֗י אַחַר֙ הַדְּבָרִ֣ים הָאֵ֔לֶּה וְהָ֣אֱלֹהִ֔ים נִסָּ֖ה אֶת־אַבְרָהָ֑ם וַיֹּ֣אמֶר אֵלָ֔יו אַבְרָהָ֖ם וַיֹּ֥אמֶר הִנֵּֽנִי׃ ב וַיֹּ֡אמֶר קַח־נָ֠א אֶת־בִּנְךָ֙ אֶת־יְחִֽידְךָ֤ אֲשֶׁר־אָהַ֙בְתָּ֙ אֶת־יִצְחָ֔ק וְלֶךְ־לְךָ֔ אֶל־אֶ֖רֶץ הַמֹּרִיָּ֑ה וְהַעֲלֵ֤הוּ שָׁם֙ לְעֹלָ֔ה עַ֚ל אַחַ֣ד הֶֽהָרִ֔ים אֲשֶׁ֖ר אֹמַ֥ר אֵלֶֽיךָ׃

א וַהֲוָה בָּתַר פִּתְגָּמַיָּא הָאִלֵּין וַייָ נַסִּי יָת אַבְרָהָם וַאֲמַר לֵהּ אַבְרָהָם וַאֲמַר הָא אֲנָא׃ ב וַאֲמַר דְּבַר כְּעַן יָת בְּרָךְ יָת יְחִידָךְ דִּי רְחֵמְתָּ יָת יִצְחָק וְאִיזֵיל לָךְ לְאַרְעָא פּוּלְחָנָא וְאַסְּקֵהּ (קֳדָמַי) תַּמָּן לַעֲלָתָא עַל חַד (מִן) טוּרַיָּא דִּי אֵימַר לָךְ׃

רש"י

קדמה לפני עקידתו של יצחק ב י"ב שנים. כך שנויה בסדר עולם (פ"א; ב"ר כד:ו): **[פסוק א] אחר הדברים האלה.** יש מרבותינו אומרים אחר דבריו של שטן, שהיה מקטרג ואומר מכל סעודה שעשה אברהם לא הקריב לפניך פר א' או איל א'. אמר לו, כלום עשה אלא בשביל בנו, אילו הייתי אומר לו זבח אותו לפני לא היה מעכב. וי"א אחר דבריו של ישמעאל, שהיה מתפאר על יצחק שמל בן י"ג שנה ולא מיחה. אמר לו יצחק, באבר אחד אתה מיראני, אילו אמר לי הקב"ה זבח עצמך לפני לא הייתי מעכב (סנהדרין פט:; ב"ר נה:ד): **הנני.** כך היא ענייתם של חסידים, לשון ענוה הוא ולשון זימון (תנחומא כב): **[פסוק ב] קח נא.** אין נא אלא ג לשון בקשה, אמר לו בבקשה ממך עמוד לי בזה הנסיון, שלא יאמרו הראשונות לא היה בהן ממש (שם; סנהדרין שם): **את בנך.** אמר לו שני בנים יש לי. אמר לו את יחידך. אמר לו זה יחיד לאמו וזה יחיד לאמו. אמר לו אשר אהבת. אמר לו שניהם אני אוהב. אמר לו את יצחק. ולמה לא גילה לו מתחלה, שלא לערבבו פתאום ותזוח דעתו עליו ותטרף. וכדי לחבב עליו את המצוה וליתן לו שכר על כל דבור ודבור (שם ושם; ב"ר שם ז): **ארץ המריה.** ירושלים. וכן בדברי הימים (ב ג:א) לבנות את בית ה' בירושלים בהר המוריה. ורבותינו ז"ל פירשו על שם שמשם הוראה יוצאה לישראל (תענית טז.; ב"ר נה:ז). ואונקלוס תרגמו על שם עבודת הקטרת, שיש בו מור, נרד ושאר בשמים (ב"ר שם): **והעלהו [שם].** לא אמר לו שחטהו, לפי שלא היה חפץ הקדוש ב"ה לשחטו אלא להעלותו להר [על מנת] לעשותו עולה, ומשהעלהו אמר לו הורידהו (ב"ר נו:ח): **אחד ההרים.** הקב"ה מתהא הצדיקים [ס"א משהא לצדיקים] ואח"כ מגלה להם, וכל זה כדי להרבות שכרן. וכן אל הארץ

בעל הטורים

(ב) אל ארץ המוריה. בגימטריא בירושלם:

עיקר שפתי חכמים

ב הביא כאן זאת הדרשה לבאר את הדרשה דבסמוך על אחר כו' אחר דבריו של שטן. כי ידוע שבכ"מ שכתוב אחר הוא סמוך, כמו שפרש"י לעיל, וכאן היה י"ב שנה אח"כ, ע"כ דרש אחר דברי של שטן, או כפי הד"א אחר דבריו של ישמעאל: ג ר"ל נא האמור כאן הוא לשון בקשה:

ראה הטבלא "עֲשָׂרָה נִסְיוֹנוֹת שֶׁבָּהֶם נִתְנַסָּה אַבְרָהָם אָבִינוּ" (עמוד 525).

ג וַיַּשְׁכֵּם אַבְרָהָם בַּבֹּקֶר וַיַּחֲבֹשׁ
אֶת־חֲמֹרוֹ וַיִּקַּח אֶת־שְׁנֵי נְעָרָיו
אִתּוֹ וְאֵת יִצְחָק בְּנוֹ וַיְבַקַּע עֲצֵי
עֹלָה וַיָּקָם וַיֵּלֶךְ אֶל־הַמָּקוֹם
אֲשֶׁר־אָמַר־לוֹ הָאֱלֹהִים: ד בַּיּוֹם
הַשְּׁלִישִׁי וַיִּשָּׂא אַבְרָהָם אֶת־
עֵינָיו וַיַּרְא אֶת־הַמָּקוֹם מֵרָחֹק:
ה וַיֹּאמֶר אַבְרָהָם אֶל־נְעָרָיו שְׁבוּ־לָכֶם פֹּה עִם־
הַחֲמוֹר וַאֲנִי וְהַנַּעַר נֵלְכָה עַד־כֹּה וְנִשְׁתַּחֲוֶה
וְנָשׁוּבָה אֲלֵיכֶם: ו וַיִּקַּח אַבְרָהָם אֶת־עֲצֵי

ג וְאַקְדֵּים אַבְרָהָם בְּצַפְרָא
וְזָרֵז יָת חֲמָרֵהּ וּדְבַר יָת
תְּרֵין עוּלֵימוֹהִי עִמֵּהּ וְיָת
יִצְחָק בְּרֵהּ וְצַלַּח אָעֵי
דַעֲלָתָא וְקָם וַאֲזַל לְאַתְרָא
דִּי אֲמַר לֵהּ יְיָ: ד בְּיוֹמָא
תְלִיתָאָה וּזְקַף אַבְרָהָם יָת
עֵינוֹהִי וַחֲזָא יָת אַתְרָא
מֵרָחִיק: ה וַאֲמַר אַבְרָהָם
לְעוּלֵימוֹהִי אוֹרִיכוּ לְכוֹן
הָכָא עִם חֲמָרָא וַאֲנָא
וְעוּלֵימָא נִתְמְטֵי עַד כָּא
וְנִסְגּוּד וּנְתוּב לְוָתְכוֹן:
ו וּנְסֵיב אַבְרָהָם יָת אָעֵי

רש"י

אֲשֶׁר אַרְאֶךָּ (לעיל יב:א), וְכֵן בְּיוֹנָה (ג:ב) וּקְרָא עָלֶיהָ אֶת הַקְּרִיאָה (ב"ר נה:ז): [פסוק ג] **וַיַּשְׁכֵּם.** נִזְדָּרֵז לַמִּצְוָה (פסחים ד.; תנחומא שם): **וַיַּחֲבֹשׁ.** הוּא בְּעַצְמוֹ, וְלֹא צִוָּה לְאֶחָד מֵעֲבָדָיו, שֶׁהָאַהֲבָה מְקַלְקֶלֶת הַשּׁוּרָה (ב"ר שם ח): **אֶת שְׁנֵי נְעָרָיו.** ד יִשְׁמָעֵאל וֶאֱלִיעֶזֶר, שֶׁאֵין אָדָם חָשׁוּב רַשַּׁאי לָצֵאת לַדֶּרֶךְ בְּלֹא ב' אֲנָשִׁים, שֶׁאִם יִצְטָרֵךְ הָא' לִנְקָבָיו וְיִתְרַחֵק יִהְיֶה הַשֵּׁנִי עִמּוֹ (שם; ויק"ר כו:ז; תנחומא בלק ח): **וַיְבַקַּע.** תַּרְגּוּמוֹ וְצַלַּח, כְּמוֹ וְצָלְחוּ הַיַּרְדֵּן (שמואל־ב יט:יח), לְשׁוֹן בִּיקּוּעַ ה, פינדר"א בלע"ז: [פסוק ד] **בַּיּוֹם הַשְּׁלִישִׁי.** לָמָּה אֵיחֵר מִלְּהַרְאוֹתוֹ מִיָּד, כְּדֵי שֶׁלֹּא יֹאמְרוּ הֲמָמוֹ וְעִרְבְּבוֹ פִּתְאוֹם וְטָרַף דַּעְתּוֹ, וְאִילּוּ הָיָה לוֹ שָׁהוּת לְהִמָּלֵךְ אֶל לִבּוֹ לֹא הָיָה עוֹשֶׂה (תנחומא כב): **וַיַּרְא אֶת הַמָּקוֹם.** רָאָה עָנָן קָשׁוּר עַל הָהָר (שם כג; ב"ר נו:א): [פסוק ה] **עַד כֹּה.** כְּלוֹמַר, דֶּרֶךְ מוּעָט לַמָּקוֹם אֲשֶׁר לְפָנֵינוּ. וּמִדְרַשׁ אַגָּדָה, אֶרְאֶה הֵיכָן הוּא מַה שֶּׁאָמַר לִי הַמָּקוֹם כֹּה יִהְיֶה זַרְעֶךָ (לעיל טו:ה; שם ושם): **וְנָשׁוּבָה.** נִתְנַבֵּא שֶׁיָּשׁוּבוּ שְׁנֵיהֶם (שם ושם; מועד קטן יח.):

בעל הטורים

(ד) את המקום. בגימטריא זה ירושלם: **מרחק.** חסר כתיב, קרי בה מרחיק, שהשטן היה מרחיק המקום מלפניהם: **(ה) ונשובה.** ו' במסורת — "ונשתחוה ונשובה"; "נתנה ראש ונשובה"; "לכה ונשובה"; "נחפשה דרכינו ונחקורה ונשובה עד ה'"; "השיבנו ה' אליך ונשובה"; "לכו ונשובה אל ה'". לומר, בזכות אברהם שאמר "ונשתחוה ונשובה" זכו ישראל לעשות תשובה, והיינו "לכו ונשובה", "נחפשה דרכינו", "השיבנו ה' אליך ונשובה". ובזכותו הגליות מתקבצות, "לכו ונשובה אל ה'". ואם לא זכו, אומר "נתנה ראש ונשובה"... הכל בזכות אברהם:

עיקר שפתי חכמים

ד דקשה למה כתיב שני נעריו, והלא כמה נערים היו לו. ל"פ שני נעריו זה קאי על המיוחדים, על ישמעאל ואליעזר: **ה** ואף כאן לשון בקוע:

הָעֹלָה וַיָּשֶׂם עַל־יִצְחָק בְּנוֹ וַיִּקַּח
בְּיָדוֹ אֶת־הָאֵשׁ וְאֶת־הַמַּאֲכֶלֶת
וַיֵּלְכוּ שְׁנֵיהֶם יַחְדָּו: ז וַיֹּאמֶר
יִצְחָק אֶל־אַבְרָהָם אָבִיו וַיֹּאמֶר
אָבִי וַיֹּאמֶר הִנֶּנִּי בְנִי וַיֹּאמֶר
הִנֵּה הָאֵשׁ וְהָעֵצִים וְאַיֵּה
הַשֶּׂה לְעֹלָה: ח וַיֹּאמֶר אַבְרָהָם
אֱלֹהִים יִרְאֶה־לּוֹ הַשֶּׂה לְעֹלָה
בְּנִי וַיֵּלְכוּ שְׁנֵיהֶם יַחְדָּו: ט וַיָּבֹאוּ
אֶל־הַמָּקוֹם אֲשֶׁר אָמַר־לוֹ הָאֱלֹהִים וַיִּבֶן
שָׁם אַבְרָהָם אֶת־הַמִּזְבֵּחַ וַיַּעֲרֹךְ אֶת־הָעֵצִים
וַיַּעֲקֹד אֶת־יִצְחָק בְּנוֹ וַיָּשֶׂם אֹתוֹ עַל־הַמִּזְבֵּחַ
מִמַּעַל לָעֵצִים: י וַיִּשְׁלַח אַבְרָהָם אֶת־יָדוֹ

דַעֲלָתָא וְשַׁוִּי עַל יִצְחָק
בְּרֵהּ וּנְסֵיב בִּידֵהּ יָת אֶשָּׁתָא
וְיָת סַכִּינָא וַאֲזַלוּ תַּרְוֵיהוֹן
כַּחֲדָא: ז וַאֲמַר יִצְחָק
לְאַבְרָהָם אֲבוּהִי וַאֲמַר
אַבָּא וַאֲמַר הָא אֲנָא בְרִי
וַאֲמַר הָא אֶשָּׁתָא וְאָעַיָּא
וְאָן אִימְּרָא לַעֲלָתָא:
ח וַאֲמַר אַבְרָהָם קֳדָם יְיָ
גְּלֵי לֵהּ אִימְּרָא לַעֲלָתָא
בְּרִי וַאֲזַלוּ תַּרְוֵיהוֹן
כַּחֲדָא: ט וַאֲתוֹ לְאַתְרָא
דִּי אֲמַר לֵהּ יְיָ וּבְנָא תַמָּן
אַבְרָהָם יָת מַדְבְּחָא
וְסַדַּר יָת אָעַיָּא וַעֲקַד יָת
יִצְחָק בְּרֵהּ וְשַׁוִּי יָתֵהּ עַל
מַדְבְּחָא עֵיל מִן אָעַיָּא:
י וְאוֹשִׁיט אַבְרָהָם יָת יְדֵהּ

רש"י

[פסוק ו] המאכלת. סכין על שם שאוכלת את הבשר, כמה דתימא וחרבי תאכל בשר (דברים לב:מב), ושמכשרת בשר לאכילה. דבר אחר, זאת נקראת מאכלת, על שם שישראל אוכלים מתן שכרה (ב"ר שם ג): **וילכו שניהם יחדו.** אברהם שהיה יודע שהולך לשחוט את בנו היה הולך ברצון ושמחה כיצחק שלא היה מרגיש בדבר: **[פסוק ח] יראה לו השה.** כלומר יראה ויבחר לו השה (תרגום יונתן) ואם אין שה, **לעלה בני.** ואע"פ שהבין יצחק שהוא הולך להשחט, **וילכו שניהם יחדו,** בלב שוה (ב"ר שם ד; תרגום ירושלמי): **[פסוק ט] ויעקד.** ידיו ורגליו מאחוריו. הידים והרגלים ביחד היא עקידה (שבת נד.). והוא לשון עקודים (להלן ל:לט) שהיו קרסוליהם לבנים, מקום שעוקדים אותן בו היה ניכר (תרגום יונתן להלן ל:לט):

וַיִּקַּח אֶת־הַמַּאֲכֶלֶת לִשְׁחֹט אֶת־
בְּנוֹ: יא וַיִּקְרָא אֵלָיו מַלְאַךְ יהוה
מִן־הַשָּׁמַיִם וַיֹּאמֶר אַבְרָהָם ׀
אַבְרָהָם וַיֹּאמֶר הִנֵּנִי: יב וַיֹּאמֶר
אַל־תִּשְׁלַח יָדְךָ אֶל־הַנַּעַר וְאַל־
תַּעַשׂ לוֹ מְאוּמָה כִּי ׀ עַתָּה
יָדַעְתִּי כִּי־יְרֵא אֱלֹהִים אַתָּה
וְלֹא חָשַׂכְתָּ אֶת־בִּנְךָ אֶת־יְחִידְךָ מִמֶּנִּי: יג וַיִּשָּׂא
אַבְרָהָם אֶת־עֵינָיו וַיַּרְא וְהִנֵּה־אַיִל אַחַר נֶאֱחַז

וּנְסֵיב יָת סַכִּינָא לְמִיכַס
יָת בְּרֵהּ: יא וּקְרָא
לֵהּ מַלְאֲכָא דַייָ מִן
שְׁמַיָּא וַאֲמַר אַבְרָהָם
אַבְרָהָם וַאֲמַר הָא אֲנָא:
יב וַאֲמַר לָא תוֹשֵׁיט יְדָךְ
לְעוּלֵימָא וְלָא תַעְבֵּד
לֵהּ מִדָּעַם אֲרֵי כְעַן
יְדַעְנָא (נ״א יְדַעִית)
אֲרֵי דַחֲלָא דַייָ אַתְּ וְלָא
מְנַעְתְּ יָת בְּרָךְ יָת יְחִידָךְ
מִנִּי: יג וּזְקַף אַבְרָהָם יָת
עֵינוֹהִי בָּתַר אִלֵּין וַחֲזָא
וְהָא דִכְרָא בָּתַר אֲחִיד

רש״י

[פסוק יא] **אַבְרָהָם אַבְרָהָם.** לְשׁוֹן חִבָּה הוּא, שֶׁכּוֹפֵל אֶת שְׁמוֹ (ב״ר שם ז; ת״כ ויקרא א:א): [פסוק יב] **אַל תִּשְׁלַח.** לִשְׁחוֹט. אָמַר לוֹ א״כ לְחִנָּם בָּאתִי לְכָאן, אֶעֱשֶׂה בּוֹ חַבָּלָה וְאוֹצִיא מִמֶּנּוּ מְעַט דָּם. א״ל אַל תַּעַשׂ לוֹ מְאוּמָה, אַל תַּעַשׂ בּוֹ מוּם (ב״ר שם): [**כִּי עַתָּה יָדַעְתִּי.** א״ר אַבָּא, א״ל אַבְרָהָם, אֲפָרֵשׁ לְפָנֶיךָ אֶת שִׂיחָתִי. אֶתְמוֹל אָמַרְתָּ לִי כִּי בְיִצְחָק יִקָּרֵא לְךָ זָרַע, וְחָזַרְתָּ וְאָמַרְתָּ קַח נָא אֶת בִּנְךָ, עַכְשָׁיו אַתָּה אוֹמֵר לִי אַל תִּשְׁלַח יָדְךָ אֶל הַנַּעַר. אָמַר לוֹ הקב״ה, לֹא אֲחַלֵּל בְּרִיתִי וּמוֹצָא שְׂפָתַי לֹא אֲשַׁנֶּה (תהלים פט:לה). כְּשֶׁאָמַרְתִּי לְךָ קַח, מוֹצָא שְׂפָתַי לֹא אֲשַׁנֶּה, לֹא אָמַרְתִּי לְךָ שְׁחָטֵהוּ אֶלָּא הַעֲלֵהוּ. אַסַּקְתֵּיהּ, אַחֲתֵיהּ (ב״ר שם ח):] **כִּי עַתָּה יָדַעְתִּי.** מֵעַתָּה יֵשׁ לִי מַה לְּהָשִׁיב לַשָּׂטָן (סנהדרין פט:) וְלָאֻמּוֹת הַתְּמֵהִים מַה הִיא חִבָּתִי אֶצְלְךָ. יֵשׁ לִי פִּתְחוֹן פֶּה עַכְשָׁיו, שֶׁרוֹאִים כִּי יְרֵא אֱלֹהִים אַתָּה (תנחומא ישן מו, בחוקותי ז): [פסוק יג] **וְהִנֵּה אַיִל.** ו מוּכָן הָיָה לְכָךְ מִשֵּׁשֶׁת יְמֵי בְרֵאשִׁית (אבות ה:ו): **אַחַר.** אַחֲרֵי שֶׁאָמַר לוֹ הַמַּלְאָךְ אַל תִּשְׁלַח יָדְךָ רָאָהוּ כְּשֶׁהוּא נֶאֱחָז, וְהוּא שֶׁמְּתַרְגְּמִינַן וּזְקַף אַבְרָהָם עֵינוֹהִי ז בָּתַר אִלֵּין. [ס״א, לְפִי הָאַגָּדָה, אַחַר כָּל דִּבְרֵי הַמַּלְאָךְ וְהַשְּׁכִינָה וְאַחַר טַעֲנוֹתָיו שֶׁל אַבְרָהָם]:

בעל הטורים

(י) **לשחט.** ב׳ במסורת – ״לשחוט את בנו״; ״לשחוט אליהם העולה״ בספר יחזקאל גבי קרבנות. שאנו לומדים ענין הקרבנות מאברהם, כדאמרינן, כופתין היו התמיד יד ורגל, כעקדת יצחק בן אברהם: (יא) **ויקרא אליו מלאך ה׳ מן השמים.** סופי תבות בגימטריא מיכאל היה:

עיקר שפתי חכמים

ו דאל״כ והנה ל״ל אם לא להורות דהי׳ מוכן לכך: **ז** וכך שיעור הכתוב, וישא אברהם את עיניו אחר [ר״ל אחר שא״ל המלאך], וירא והנה איל נאחז כו׳. וע״כ ת״א וזקף כו׳ בתר אלין:

בַּסְּבַךְ בְּקַרְנָיו וַיֵּלֶךְ אַבְרָהָם
וַיִּקַּח אֶת־הָאַיִל וַיַּעֲלֵהוּ לְעֹלָה
תַּחַת בְּנוֹ: יד וַיִּקְרָא אַבְרָהָם
שֵׁם־הַמָּקוֹם הַהוּא יְהוָה |
יִרְאֶה אֲשֶׁר יֵאָמֵר הַיּוֹם בְּהַר
יְהוָה יֵרָאֶה: טו וַיִּקְרָא מַלְאַךְ
יְהוָה אֶל־אַבְרָהָם שֵׁנִית מִן־
הַשָּׁמָיִם: טז וַיֹּאמֶר בִּי נִשְׁבַּעְתִּי
נְאֻם־יְהוָה כִּי יַעַן אֲשֶׁר עָשִׂיתָ אֶת־הַדָּבָר
הַזֶּה וְלֹא חָשַׂכְתָּ אֶת־בִּנְךָ אֶת־יְחִידֶךָ:

בְּאִילָנָא בְּקַרְנוֹהִי וַאֲזַל
אַבְרָהָם וּנְסֵיב יָת דִּכְרָא
וְאַסְקֵהּ לַעֲלָתָא חֲלַף
בְּרֵהּ: יד וּפְלַח וְצַלִּי
אַבְרָהָם תַּמָּן בְּאַתְרָא
הַהוּא וַאֲמַר קֳדָם יְיָ
הָכָא יְהוֹן פָּלְחִין דָּרַיָּא
בְּכֵן יִתְאֲמַר בְּיוֹמָא הָדֵין
בְּטוּרָא הָדֵין אַבְרָהָם קֳדָם
יְיָ פְּלַח: טו וּקְרָא מַלְאֲכָא
דַּייָ לְאַבְרָהָם תִּנְיָנוּת מִן
שְׁמַיָּא: טז וַאֲמַר בְּמֵימְרִי
קַיֵּמִית אֲמַר יְיָ אֲרֵי חֲלָף
דִּי עֲבַדְתָּא יָת פִּתְגָמָא
הָדֵין וְלָא מְנַעְתָּא
יָת בְּרָךְ יָת יְחִידָךְ:

רש"י

בַּסְּבַךְ. אִילָן (אונקלוס): **בְּקַרְנָיו.** שֶׁהָיָה רָץ אֵצֶל אַבְרָהָם ח וְהַשָּׂטָן סוֹבְכוֹ וּמְעַרְבְּבוֹ בָּאִילָנוֹת [כְּדֵי לְעַכְּבוֹ] (פדר"א פל"א): **תַּחַת בְּנוֹ.** מֵאַחַר שֶׁכָּתוּב וַיַּעֲלֵהוּ לְעוֹלָה לֹא חָסֵר הַמִּקְרָא כְּלוּם, וּמַהוּ תַּחַת בְּנוֹ, עַל כָּל עֲבוֹדָה שֶׁעָשָׂה מִמֶּנּוּ הָיָה מִתְפַּלֵּל וְאוֹמֵר יְהִי רָצוֹן שֶׁתְּהֵא זוֹ כְּאִלּוּ הִיא עֲשׂוּיָה בִּבְנִי. כְּאִלּוּ בְּנִי שָׁחוּט, כְּאִלּוּ דָּמוֹ זָרוּק, כְּאִלּוּ בְּנִי מוּפְשָׁט, כְּאִלּוּ הוּא נִקְטָר וְנַעֲשֶׂה דֶּשֶׁן (ב"ר נו:ט; תנחומא שלח יד): **[פסוק יד] ה' יִרְאֶה.** פְּשׁוּטוֹ כְּתַרְגּוּמוֹ, ה' יִבְחַר וְיִרְאֶה לוֹ אֶת הַמָּקוֹם הַזֶּה לְהַשְׁרוֹת בּוֹ שְׁכִינָתוֹ וּלְהַקְרִיב כָּאן קָרְבָּנוֹת: **אֲשֶׁר יֵאָמֵר הַיּוֹם.** שֶׁיֹּאמְרוּ לְיָמֵי הַדּוֹרוֹת עָלָיו בְּהַר זֶה יֵרָאֶה הקב"ה לְעַמּוֹ: **הַיּוֹם.** הַיָּמִים הָעֲתִידִין, כְּמוֹ עַד הַיּוֹם הַזֶּה שֶׁבְּכָל הַמִּקְרָא, שֶׁכָּל הַדּוֹרוֹת הַבָּאִים הַקּוֹרְאִים אֶת הַמִּקְרָא הַזֶּה אוֹמְרִים עַד הַיּוֹם הַזֶּה עַל הַיּוֹם שֶׁעוֹמְדִים בּוֹ (סוטה מו.). ומ"א, ה' יִרְאֶה עֲקֵידָה זוֹ לִסְלוֹחַ לְיִשְׂרָאֵל בְּכָל שָׁנָה וּלְהַצִּילָם מִן הַפּוּרְעָנוּת, כְּדֵי שֶׁיֵּאָמֵר הַיּוֹם הַזֶּה בְּכָל דּוֹרוֹת הַבָּאִים בְּהַר ה' יֵרָאֶה אֶפְרוֹ שֶׁל יִצְחָק צָבוּר וְעוֹמֵד לְכַפָּרָה (תנחומא כג; ירושלמי תענית ב:ה):

בעל הטורים

(יד) ה' יראה. בפסק. לומר לך שקרא שם המקום "ה'". וזהו שאמרו חכמינו ז"ל, אפלו שם חדש שעתיד הקדוש ברוך הוא לחדש לירושלים, ידע. וזהו שנאמר "ושם העיר מיום ה' שמה": **בהר ה'.** ג' במסורת — בתורה בנביאים בכתובים — בתורה "בהר ה' יראה"; בנביאים "לבוא בהר ה'" בישעיה; "מי יעלה בהר ה'" בכתובים. כנגד ג' רגלים שעולין להר ה' לרגל:

עיקר שפתי חכמים

ח דכתיב נאחז בלשון נפעל, שהיה נאחז מאחר [ולא אחוז מעצמו, לכ"פ שהשטן סובכו כו': — חסלת פרשת וירא

יז כִּֽי־בָרֵ֣ךְ אֲבָרֶכְךָ֗ וְהַרְבָּ֨ה אַרְבֶּ֤ה
אֶֽת־זַרְעֲךָ֙ כְּכוֹכְבֵ֣י הַשָּׁמַ֔יִם
וְכַח֕וֹל אֲשֶׁ֖ר עַל־שְׂפַ֣ת הַיָּ֑ם
וְיִרַ֣שׁ זַרְעֲךָ֔ אֵ֖ת שַׁ֥עַר אֹיְבָֽיו:
יח וְהִתְבָּרְכ֣וּ בְזַרְעֲךָ֔ כֹּ֖ל גּוֹיֵ֣י
הָאָ֑רֶץ עֵ֕קֶב אֲשֶׁ֥ר שָׁמַ֖עְתָּ בְּקֹלִֽי:
יט וַיָּ֤שָׁב אַבְרָהָם֙ אֶל־נְעָרָ֔יו וַיָּקֻ֛מוּ
וַיֵּלְכ֥וּ יַחְדָּ֖ו אֶל־בְּאֵ֣ר שָׁ֑בַע וַיֵּ֥שֶׁב
אַבְרָהָ֖ם בִּבְאֵ֥ר שָֽׁבַע: פ
מפטיר כ וַֽיְהִ֗י אַחֲרֵי֙ הַדְּבָרִ֣ים הָאֵ֔לֶּה וַיֻּגַּ֥ד לְאַבְרָהָ֖ם
לֵאמֹ֑ר הִ֠נֵּה יָלְדָ֨ה מִלְכָּ֥ה גַם־הִ֛וא בָּנִ֖ים לְנָח֥וֹר

יז אֲרֵי בָרָכָא אֲבָרְכִנָּךְ
וְאַסְגָּאָה אַסְגֵּי יָת
בְּנָיךְ כְּכוֹכְבֵי שְׁמַיָּא
וּכְחָלָא דִּי עַל כֵּיף יַמָּא
וְיֵירְתוּן בְּנָיךְ יָת קִרְוֵי
סָנְאֵיהוֹן: יח וְיִתְבָּרְכוּן
בְּדִיל בְּנָיךְ כֹּל עַמְמֵיָּא
דְאַרְעָא חֲלָף דִּי קַבֵּלְתָּא
בְּמֵימְרִי: יט וְתָב אַבְרָהָם
לְעוּלֵימוֹהִי וְקָמוּ וַאֲזַלוּ
כַּחֲדָא לִבְאֵר שָׁבַע וִיתֵיב
אַבְרָהָם בִּבְאֵר שָׁבַע:
כ וַהֲוָה בָּתַר פִּתְגָּמַיָּא
הָאִלֵּין וְאִתְחַוָּא לְאַבְרָהָם
לְמֵימַר הָא יְלֵידַת מִלְכָּה
אַף הִיא בְּנִין לְנָחוֹר

רש"י

[פסוק יז] **בָּרֵךְ אֲבָרֶכְךָ.** אַחַת לָאָב וְאַחַת לַבֵּן (ב"ר נו:יא): **וְהַרְבָּה אַרְבֶּה.** אַחַת לָאָב וְאַחַת לַבֵּן (שם): [פסוק יט] **וַיֵּשֶׁב אַבְרָהָם בִּבְאֵר שָׁבַע.** לֹא יְשִׁיבָה מַמָּשׁ, שֶׁהֲרֵי בְּחֶבְרוֹן הָיָה יוֹשֵׁב, י"ב שָׁנִים לִפְנֵי עֲקֵידָתוֹ שֶׁל יִצְחָק יָצָא מִבְּאֵר שֶׁבַע וְהָלַךְ לוֹ לְחֶבְרוֹן, כְּמוֹ שֶׁנֶּא' וַיָּגָר אַבְרָהָם בְּאֶרֶץ פְּלִשְׁתִּים יָמִים רַבִּים (לעיל כא:לד) מְרוּבִּים מִשֶּׁל חֶבְרוֹן הָרִאשׁוֹנִים, וְהֵם כ"ו שָׁנָה כְּמוֹ שֶׁפֵּירַשְׁנוּ לְמַעְלָה (כא:לד): [פסוק כ] **אַחֲרֵי הַדְּבָרִים הָאֵלֶּה וַיֻּגַּד וגו'.** בְּשׁוּבוֹ מֵהַר הַמּוֹרִיָּה הָיָה אַבְרָהָם מְהַרְהֵר וְאוֹמֵר, אִילּוּ הָיָה בְּנִי שָׁחוּט כְּבָר הָיָה הוֹלֵךְ בְּלֹא בָנִים, הָיָה לִי לְהַשִּׂיאוֹ אִשָּׁה מִבְּנוֹת עָנֵר אֶשְׁכּוֹל וּמַמְרֵא. בִּשְּׂרוֹ הקב"ה שֶׁנּוֹלְדָה רִבְקָה בַּת זוּגוֹ, וְזֶהוּ הַדְּבָרִים הָאֵלֶּה, הִרְהוּרֵי דְּבָרִים שֶׁהָיוּ ע"י עֲקֵידָה (ב"ר נז:ג): **גַּם הִוא.** אַף הִיא הִשְׁוְותָה מִשְׁפְּחוֹתֶיהָ לְמִשְׁפְּחוֹת אַבְרָהָם י"ב. מָה אַבְרָהָם י"ב שְׁבָטִים, שֶׁיָּצְאוּ מִיַּעֲקֹב ח' בְּנֵי הַגְּבִירוֹת וד' בְּנֵי

בעל הטורים

(יז) והרבה ארבה את זרעך. ג׳ פעמים כתיב "זרעך" בפרשה, כנגד ג׳ פעמים "זרע" שנקראו ישראל, "כי הם זרע ברך ה׳", בגימטריא זרע אברהם, [כנגד אברהם] דכתיב "וה׳ ברך את אברהם בכל"; "זרע קדש מצבתה", כנגד יצחק שקידש שמו של הקדוש ברוך הוא; "כלה זרע אמת", [כנגד יעקב] שהיה מטתו שלמה, והיינו דכתיב "תתן אמת ליעקב": **וכחול.** ב׳ במסורת — "וכחול אשר על שפת הים"; "וכחול ארבה ימים". וזה הוא שנאמר "כי כימי העץ ימי עמי", שהבטיחו גם כן באריכות ימים: **(יח) עקב אשר שמעת בקלי.** סופי תבות ברית:

ראה הטבלא "**מִשְׁפַּחַת אַבְרָהָם אָבִינוּ**" (עמוד 525).

אָחִ֑יךָ׃ כא אֶת־ע֥וּץ בְּכֹר֖וֹ וְאֶת־
בּ֣וּז אָחִ֑יו וְאֶת־קְמוּאֵ֖ל אֲבִ֥י
אֲרָֽם׃ כב וְאֶת־כֶּ֣שֶׂד וְאֶת־חֲז֔וֹ
וְאֶת־פִּלְדָּ֖שׁ וְאֶת־יִדְלָ֑ף וְאֵ֖ת
בְּתוּאֵֽל׃ כג וּבְתוּאֵ֖ל יָלַ֣ד אֶת־
רִבְקָ֑ה שְׁמֹנָ֥ה אֵ֙לֶּה֙ יָלְדָ֣ה מִלְכָּ֔ה
לְנָח֖וֹר אֲחִ֥י אַבְרָהָֽם׃ כד וּפִֽילַגְשׁ֖וֹ וּשְׁמָ֣הּ רְאוּמָ֑ה
וַתֵּ֤לֶד גַּם־הִוא֙ אֶת־טֶ֣בַח וְאֶת־גַּ֔חַם וְאֶת־תַּ֖חַשׁ
וְאֶת־מַעֲכָֽה׃ פ פ פ קמ״ז פסוקים. אמנו״ן סימן.

אָחוּךְ: כא יָת עוּץ בּוּכְרֵהּ
וְיָת בּוּז אֲחוּהִי וְיָת קְמוּאֵל
אֲבוּהִי דַאֲרָם: כב וְיָת
כֶּשֶׂד וְיָת חֲזוֹ וְיָת פִּלְדָּשׁ
וְיָת יִדְלָף וְיָת בְּתוּאֵל:
כג וּבְתוּאֵל אוֹלִיד יָת
רִבְקָה תְּמַנְיָא אִלֵּין יְלֵידַת
מִלְכָּה לְנָחוֹר אֲחוּהִי
דְאַבְרָהָם: כד וּלְחֵנְתֵהּ
וּשְׁמַהּ רְאוּמָה וִילֵידַת אַף
הִיא יָת טֶבַח וְיָת גַּחַם
וְיָת תַּחַשׁ וְיָת מַעֲכָה:

רש״י

שְׁפָחוֹת, אַף אֵלּוּ ח׳ בְּנֵי גְבִירוֹת וד׳ בְּנֵי פִּלֶגֶשׁ (שם): **[פסוק כג] וּבְתוּאֵל יָלַד אֶת רִבְקָה.** כָּל הַיִּחוּסִין הַלָּלוּ לֹא נִכְתְּבוּ אֶלָּא בִּשְׁבִיל פָּסוּק זֶה (שם):

הפטרת וירא

מלכים ב ד:א:לז

הקשר בין ההפטרה לפרשתנו היא מדת החסד של אברהם אבינו ואלישע. בהפטרה מסופרים שני מעשים מופלאים של חסד שעשה אלישע לאחרים: סיפור ראשון על אלמנה אומללה שהיתה שרויה במצוקה בלי עזר, והשני על אשה עשירה ונכבדה שלא היתה זקוקה לאחרים.

יתכן שהסיפור על האלמנה נבחר בשל הצורה ששכניה התייחסו אליה — בדומה לאנשי סדום. לדעת חז״ל היתה היא אשת עובדיה (ראה רש״י ומצודת לפסוק א על פי זוהר חדש רות פב, ב; וראה גם מדרש רבה משלי לא, ופסיקתא דרב כהנא ב, ה), אשר סיכן את נפשו בהחבאת מאה נביאים בשתי מערות, ופיזר את ממונו כדי לספקם בלחם ומים על אף הרעב החזק ששרר אז בארץ. בכך הציל את חייהם מאיזבל אשת אחאב שבקישה להרגם (ראה מלכים-א יח, ב-ד). מעשיו הכבירים שלו נשכחו, וכאשר נותרה אלמנתו בצרה ובחוסר כל, והנושה [שהיה יהורם בן אחאב שהלוה לו ממון ברבית לזון את הנביאים — (ראה רש״י לפסוק א ד״ה והנושה על פי תנחומא משפטים, ט)] רצה לחטוף ממנה את ילדיה כתשלום עבור חובותיה, לא שמו לב אל צעקותיה. רק הנביא אלישע, שאצלו היתה מדתו של אברהם אבינו חיה וקיימת, הרגיש בצערה ובא לעזרתה.

הסיפור השני הוא על האשה השונמית, אשה חשובה ועשירה (רש״י לפסוק ח), אבל ילדים אין לה. כשכר על הכנסת האורחים לביתה בירך אותה אלישע שיוולד לה בן, כמו שה׳ בירך את אברהם בבן בזכות מצות הכנסת אורחים (כלי יקר בראשית יח, ו). כאשר מת הבן פתאום, החיה אותו אלישע על ידי ששם את גופו על גוף הילד המת — ״וַיַּעַל וַיִּשְׁכַּב עַל הַיֶּלֶד, וַיָּשֶׂם פִּיו עַל פִּיו וְעֵינָיו עַל עֵינָיו וְכַפָּיו עַל כַּפָּיו״, וכך נפח בו מנשמתו והשפיע עליו חיות (ראה דרשות הר״ן הדרוש השני שביאר זאת: ״כי השפע מוכן למתברך באמצעות המברך והמתפלל״). גם נס זה אירע בזכות הכנסת האורחים של האשה השונמית (ראה שמות רבה ד, ב).

ויתכן שיש כאן לימוד נוסף לאלו הרוצים להשפיע ולחנך את בני ישראל לתורה, שהדרך להצליח ולהשריש תורה בתלמידים הינה רק בנאמנות ומסירות נפש.

פרק ד א וְאִשָּׁה אַחַת מִנְּשֵׁי בְנֵי־הַנְּבִיאִים צָעֲקָה אֶל־אֱלִישָׁע
לֵאמֹר עַבְדְּךָ אִישִׁי מֵת וְאַתָּה יָדַעְתָּ כִּי עַבְדְּךָ הָיָה יָרֵא אֶת־
יְהוָה וְהַנֹּשֶׁה בָּא לָקַחַת אֶת־שְׁנֵי יְלָדַי לוֹ לַעֲבָדִים: ב וַיֹּאמֶר אֵלֶיהָ
אֱלִישָׁע מָה אֶעֱשֶׂה־לָּךְ הַגִּידִי לִי מַה־יֶּשׁ־לָךְ [לכי כ׳] בַּבָּיִת וַתֹּאמֶר
אֵין לְשִׁפְחָתְךָ כֹל בַּבַּיִת כִּי אִם־אָסוּךְ שָׁמֶן: ג וַיֹּאמֶר לְכִי שַׁאֲלִי־
לָךְ כֵּלִים מִן־הַחוּץ מֵאֵת כָּל־שְׁכֵנָיִךְ [שכניכי כ׳] כֵּלִים רֵקִים אַל־
תַּמְעִיטִי: ד וּבָאת וְסָגַרְתְּ הַדֶּלֶת בַּעֲדֵךְ וּבְעַד־בָּנַיִךְ וְיָצַקְתְּ עַל
כָּל־הַכֵּלִים הָאֵלֶּה וְהַמָּלֵא תַּסִּיעִי: ה וַתֵּלֶךְ מֵאִתּוֹ וַתִּסְגֹּר הַדֶּלֶת
בַּעֲדָהּ וּבְעַד בָּנֶיהָ הֵם מַגִּשִׁים אֵלֶיהָ וְהִיא מוֹצָקֶת [מיצקת כ׳]:

רש״י

(א) מנשי בני הנביאים. אשת עובדיה היתה. כל בני הנביאים שבמקרא תרגומו תלמידי נבייא: **והנושה.** הוא יהורם בן אחאב שהיה מלווהו ברבית מה שזן את הנביאים בימי אביו, במדרש רבי תנחומא. לכך נאמר (לקמן ט, כד) וַיַּךְ אֶת יְהוֹרָם בֵּין זְרֹעָיו, שפשטו ליטול רבית: **(ב) אסוך שמן.** כדי סיכת שמן, והאל״ף בתיבה מן היסוד, כמו אל״ף של וְאַחֲוָתִי בְּאָזְנֵיכֶם (איוב יג, ז) והאל״ף של אִבְחַת חָרֶב (יחזקאל כא, ב): **(ד) וסגרת הדלת.** כבוד הנס הוא לבא בהצנע: **והמלא תסיעי.** מלפניך ותתני כלי אחר במקומו למלאותו, וצלוחית השמן לא תזוז ממקומו לפי שהקדוש ברוך הוא עושהו כמעין ואין דרך מעין לזוז ממקומו; מדרש אגדה שמעתי: **(ה) הם מגישים אליה.** הכלים:

מצודת דוד

(א) ואשה וכו׳. אמרו רבותינו זכרונם לברכה שהיתה אשת עובדיה, והנושה היה יהורם בן אחאב, ובחיי אחאב הלוה לו ממון ברבית לכלכל את הנביאים: **לעבדים.** בעבור חוב הממון: **(ב) מה יש לך.** לשיהא הברכה שורה בו: כל בבית. כלל לא: (ג) **מן החוץ.** מן האנשים שחוץ לביתך ולתוספות ביאור אמר מאת כל שכניך: **אל תמעיטי.** אל תשאלי מעט כי אם הרבה כלים: **(ד) והמלא תסיעי.** הכלי אשר תמלא תסיע ממקומה להעמיד האחר תחתיה, ולא תזוז האסוך ממקומה, על כי האסוך נעשה כמעין ואין מדרך המעין לזוז: **(ה) הם מגישים.** את הכלים הריקים כי היא לא זזה ממקומה עם האסוך: **(ו) הכלים.** אשר שאלה.

מצודת ציון

(א) והנושה. המלוה, כמו וְהָאִישׁ אֲשֶׁר אַתָּה נֹשֶׁה בוֹ (דברים כד, יא): **(ב) אסוך.** שם כלי השמן, ויקרא כן על שם שסכין ומושחין ממנו: **(ד) בעדך.** כנגדך: **תסיעי.** תעקור ממקומה:

ו וַיְהִ֤י ׀ כִּמְלֹ֣את הַכֵּלִ֔ים וַתֹּ֤אמֶר אֶל־בְּנָהּ֙ הַגִּ֨ישָׁה אֵלַ֥י עוֹד֙ כֶּ֔לִי
וַיֹּ֣אמֶר אֵלֶ֔יהָ אֵ֥ין ע֖וֹד כֶּ֑לִי וַיַּעֲמֹ֖ד הַשָּֽׁמֶן׃ ז וַתָּבֹ֗א וַתַּגֵּד֙ לְאִ֣ישׁ
הָאֱלֹהִ֔ים וַיֹּ֗אמֶר לְכִי֙ מִכְרִ֣י אֶת־הַשֶּׁ֔מֶן וְשַׁלְּמִ֖י אֶת־נִשְׁיֵ֑ךְ [נשיכי כ׳]
וְאַ֣תְּ וּבָנַ֔יִךְ [בניכי כ׳] תִּֽחְיִ֖י בַּנּוֹתָֽר׃ ח וַיְהִ֨י הַיּ֜וֹם וַיַּעֲבֹ֧ר אֱלִישָׁ֣ע אֶל־
שׁוּנֵ֗ם וְשָׁם֙ אִשָּׁ֣ה גְדוֹלָ֔ה וַתַּחֲזֶק־בּ֖וֹ לֶאֱכָל־לָ֑חֶם וַיְהִי֙ מִדֵּ֣י עָבְר֔וֹ
יָסֻ֥ר שָׁ֖מָּה לֶאֱכָל־לָֽחֶם׃ ט וַתֹּ֙אמֶר֙ אֶל־אִישָׁ֔הּ הִנֵּה־נָ֣א יָדַ֔עְתִּי כִּ֛י
אִ֥ישׁ אֱלֹהִ֖ים קָד֣וֹשׁ ה֑וּא עֹבֵ֥ר עָלֵ֖ינוּ תָּמִֽיד׃ י נַֽעֲשֶׂה־נָּ֤א עֲלִיַּת־קִיר֙
קְטַנָּ֔ה וְנָשִׂ֨ים ל֥וֹ שָׁ֛ם מִטָּ֥ה וְשֻׁלְחָ֖ן וְכִסֵּ֣א וּמְנוֹרָ֑ה וְהָיָ֛ה בְּבֹא֥וֹ אֵלֵ֖ינוּ
יָס֥וּר שָֽׁמָּה׃ יא וַיְהִ֥י הַיּ֖וֹם וַיָּ֣בֹא שָׁ֑מָּה וַיָּ֥סַר אֶל־הָעֲלִיָּ֖ה וַיִּשְׁכַּב־
שָֽׁמָּה׃ יב וַיֹּ֙אמֶר֙ אֶל־גֵּיחֲזִ֣י נַעֲר֔וֹ קְרָ֖א לַשּׁוּנַמִּ֣ית הַזֹּ֑את וַיִּקְרָא־
לָ֔הּ וַֽתַּעֲמֹ֖ד לְפָנָֽיו׃ יג וַיֹּ֣אמֶר ל֗וֹ אֱמָר־נָ֣א אֵלֶיהָ֮ הִנֵּ֣ה חָרַ֣דְתְּ ׀
אֵלֵינוּ֮ אֶת־כָּל־הַחֲרָדָ֣ה הַזֹּאת֒ מֶ֚ה לַעֲשׂ֣וֹת לָ֔ךְ הֲיֵ֤שׁ לְדַבֶּר־לָךְ֙
אֶל־הַמֶּ֔לֶךְ א֖וֹ אֶל־שַׂ֣ר הַצָּבָ֑א וַתֹּ֕אמֶר בְּת֥וֹךְ עַמִּ֖י אָנֹכִ֥י יֹשָֽׁבֶת׃

רש״י

(ו) ויעמוד השמן. מלבא עוד. ומדרש אגדה בב״ר הוקיר שער השמן: **(ז) ותבא ותגד וגו׳.** באת ליטול עצה אם למכור אם להמתין עד שיוקר עוד. אמר לה לכי מכרי כי יש די לכל נשייך ולחיות את ובניך בנותר עד שיחיו המתים: **(ח) ושם אשה גדולה.** חשובה. ורלאיתי בפרקי דרבי אליעזר: אחותה של אבישג השונמית היתה: **ויהי מדי עברו.** באותה העיר יסור אל ביתה לאכל לחם: **יסור.** לשון הווה היה סר שם: **(ט) הנה נא ידעתי.** שלא ראתה זבוב על שלחנו וקרי על סדינו: **(יא) ויהי היום.** ויהי יום א׳: **(יג) חרדת אלינו.** בשבילנו: **את כל החרדה הזאת.** לשום אל לבך את העסק הזה, כמו וְחָרֵד עַל דְּבָרִי (ישעיה סו, ב), זהיר על הדבר שיהא עשוי ונותנו אל לבו: **מה לעשות לך.** מה את צריכה שנעשה לך שבשבילנו עסקת כל זה: **בתוך עמי.** בתוך קרובי, אין אדם מזיקני, איני צריכה למלך ולא לשר הצבא:

מצודת דוד

הגישה וכו׳. כי לא ידעה אשר כבר נתמלאו כולם: **ויעמוד השמן.** לא היה נשפך עוד: **(ז) בנותר.** בדמי השמן על דמי החוב: **(ח) ויהי היום.** רצונו לומר: בא היום אשר עבר אלישע אל שונם: **אשה גדולה.** אשה חשובה: **ויהי מדי עברו.** מיום ההוא והלאה מדי עברו וכו׳: **(ט) הנה נא ידעתי.** מכירה אני בו שהוא איש קדוש ואין מהראוי לשבת אתנו יחד, ואמרו רבותינו זכרונם לברכה: האשה מכרת באורחים יותר מן האיש: **עובר.** אף הוא עובר עלינו תמיד בכל עת בואו פה ואיך ישב עמנו יחד פעמים רבות: **(י) עלית קיר.** עליה קטנה בנויה בקיר אבנים בנין מעולה: **יסור שמה.** להתבודד בחדרו לבד: **(יא) ויהי היום.** בא היום אשר בא שמה אחרי עשותה את העליה: **(יג) אמר וכו׳.** לא רצה לדבר עם האשה פנים אל פנים: **הנה חרדת וכו׳.** רצונו לומר: בעבור שאת מטרחת עצמך הטרחה הזאת בעבורינו, ומהו הגמול לעשות לך? האם יש לך דבר מה לדבר בעבורך אל המלך וכו׳: **בתוך עמי.** רצונו לומר אני יושבת בתוך בני משפחתי, ואין מי מהם עושה רעה עמדי לשאצטרך לקבול ולהתרעם על מי:

מצודת ציון

(ז) נשיך. הלואתך: **מדי.** מתי רצונו לומר: בכל זמן: **(ט) אישה.** בעלה: **(י) קיר.** כותל: **ונשים.** מלשון שימה: **(יג) חרדת.** ענין תנועה חזקה, ואם היא מבלי פחד, כמו וַיֶּחֶרְדוּ זִקְנֵי הָעִיר לִקְרָאתוֹ (שמואל-א טז,ד):

יד וַיֹּאמֶר וּמֶה לַעֲשׂוֹת לָהּ וַיֹּאמֶר גֵּיחֲזִי אֲבָל בֵּן אֵין־לָהּ וְאִישָׁהּ
זָקֵן: טו וַיֹּאמֶר קְרָא־לָהּ וַיִּקְרָא־לָהּ וַתַּעֲמֹד בַּפָּתַח: טז וַיֹּאמֶר
לַמּוֹעֵד הַזֶּה כָּעֵת חַיָּה אַתְּ [אתי כ׳] חֹבֶקֶת בֵּן וַתֹּאמֶר אַל־אֲדֹנִי
אִישׁ הָאֱלֹהִים אַל־תְּכַזֵּב בְּשִׁפְחָתֶךָ: יז וַתַּהַר הָאִשָּׁה וַתֵּלֶד בֵּן
לַמּוֹעֵד הַזֶּה כָּעֵת חַיָּה אֲשֶׁר־דִּבֶּר אֵלֶיהָ אֱלִישָׁע: יח וַיִּגְדַּל הַיָּלֶד
וַיְהִי הַיּוֹם וַיֵּצֵא אֶל־אָבִיו אֶל־הַקֹּצְרִים: יט וַיֹּאמֶר אֶל־אָבִיו רֹאשִׁי
| רֹאשִׁי וַיֹּאמֶר אֶל־הַנַּעַר שָׂאֵהוּ אֶל־אִמּוֹ: כ וַיִּשָּׂאֵהוּ וַיְבִיאֵהוּ אֶל־
אִמּוֹ וַיֵּשֶׁב עַל־בִּרְכֶּיהָ עַד־הַצָּהֳרַיִם וַיָּמֹת: כא וַתַּעַל וַתַּשְׁכִּבֵהוּ
עַל־מִטַּת אִישׁ הָאֱלֹהִים וַתִּסְגֹּר בַּעֲדוֹ וַתֵּצֵא: כב וַתִּקְרָא אֶל־
אִישָׁהּ וַתֹּאמֶר שִׁלְחָה נָא לִי אֶחָד מִן־הַנְּעָרִים וְאַחַת הָאֲתֹנוֹת
וְאָרוּצָה עַד־אִישׁ הָאֱלֹהִים וְאָשׁוּבָה: כג וַיֹּאמֶר מַדּוּעַ אַתְּ [אתי כ׳]
הֹלֶכֶת [הלכתי כ׳] אֵלָיו הַיּוֹם לֹא־חֹדֶשׁ וְלֹא שַׁבָּת וַתֹּאמֶר שָׁלוֹם:

רש"י

(יד) ויאמר אלישע. לגחזי: **ומה לעשות לה.** נגד הטובה הזאת: **(טז) למועד הזה כעת חיה.** כמו שאת קיימת היום ושלום, כך תהי קיימת למועד הזה וחובקת בן: **אל אדוני.** אל תאמר חובקת בן, מה לי חבוקו אם סופי לקוברו? וזה שאמרה לו כשמת הלא אמרתי לא תשלה אותי הֲלֹא אָמַרְתִּי לֹא תַשְׁלֶה אֹתִי (מלכים-ב ד, כח): **אל תכזב.** אל תראני דבר שיפסוק. יש בידך לבקש רחמים ויתנן לי בן, אך בבקשה ממך אל תתן לי אלא בן של קיימא: **אל תכזב.** כמו לֹא יְכַזְּבוּ מֵימָיו (ישעיה נח, יא): **(יז) כעת חיה.** כעת הזאת שהיתה בחיים ובשלום, ולכך נקוד כָּעֵת: **(יט) ראשי ראשי.** הכני חולה בראשי: **ויאמר.** אביו אל אחד מן הנערים שאהו אל אמו:

מצודת דוד

(יד) ומה לעשות לה. אחר שהלכה מפניו שאל לגיחזי: ומהו אם כן הגמול שאעשה לה: **אבל.** באמת יש מקום לעשות לה גמול, כי אין לה בן ואישה זקן, ובדרך הטבע לא תלד עוד, ואם תלד על ידך בן יחשב לגמול רב: **(טו) בפתח.** בראותה שאיננו מדבר עמה פנים אל פנים, הוסיפה להתרחק ועמדה בפתח: **(טז) למועד הזה כעת חיה.** רצונו לומר לזמן הבא כעת הראויה להיות חיה, רצונו לומר יולדת; והיא ככלות תשעה חדשים שהם ימי הריון: **את חובקת בן.** רצונו לומר: תשעשעי עצמך עם בנך לחבקו, ואף כי בתחלה לא דבר עמה פנים אל פנים, אבל אחר שראה צניעותה שעמדה בפתח חזר לדבר עמה: **אל אדוני.** אל תדבר כדברים האלה: **אל תכזב.** אל תאמר דבר הנפסק בעבור לשמח לב שפחתך, ועל כי אמר חובקת בן המורה לשעשוע מה, ולא הבטיחה שיתקיים, לזה אמרה אל תשמחני בדבר שאינו מתקיים: **(יז) אשר דבר.** כפי אשר דבר אלישע: **(יח) ויהי היום.** בא היום אשר יצא אל אביו כשהוא עומד על הקוצרים: **(יט) ראשי ראשי.** יש לי כאב בראש, וכפל המלה כדרך הנוהם מכאב כמו מֵעַי מֵעַי אוֹחִילָה (ירמיה ד, יט): **(כג) לא חדש ולא שבת.** כי בראש חודש ושבת היתה רגילה לקבל פניו: **ותאמר שלום.** רצונו לומר: אין דבר רע שאלך בעבורו אל הנביא; ולא רצתה לגלות הדבר לבעלה כי חשבה מוטב שיעשה הנס בצנעה:

מצודת ציון

(טז) חיה. כן נקראת היולדת, ובדברי רבותינו זכרונם לברכה: והחיה תנעול את הסנדל (יומא עג, ב): **תכזב.** ענינו דבר הנפסק, כמו אֲשֶׁר לֹא יְכַזְּבוּ מֵימָיו (ישעיה נח, יא): **(כב) וארוצה.** ענין מהירות ההליכה:

הספרדים וק"ק פראנקפורט דמיין מסיימים כאן. ושאר הקהלות ממשיכים:

כד וַתַּחֲבֹשׁ֙ הָֽאָת֔וֹן וַתֹּ֥אמֶר אֶֽל־נַעֲרָ֖הּ נְהַ֣ג וָלֵ֑ךְ אַל־תַּֽעֲצָר־לִ֣י
לִרְכֹּ֔ב כִּ֖י אִם־אָמַ֥רְתִּי לָֽךְ׃ כה וַתֵּ֨לֶךְ וַתָּב֜וֹא אֶל־אִ֧ישׁ הָאֱלֹהִ֛ים
אֶל־הַ֣ר הַכַּרְמֶ֑ל וַ֠יְהִי כִּרְא֨וֹת אִֽישׁ־הָאֱלֹהִ֥ים אוֹתָהּ֙ מִנֶּ֔גֶד וַיֹּ֗אמֶר
אֶל־גֵּיחֲזִ֣י נַעֲר֔וֹ הִנֵּ֖ה הַשּׁוּנַמִּ֥ית הַלָּֽז׃ כו עַתָּה֮ רֽוּץ־נָ֣א לִקְרָאתָהּ֒
וֶֽאֱמָר־לָ֗הּ הֲשָׁל֥וֹם לָ֛ךְ הֲשָׁל֥וֹם לְאִישֵׁ֖ךְ הֲשָׁל֣וֹם לַיָּ֑לֶד וַתֹּ֖אמֶר
שָׁלֽוֹם׃ כז וַתָּבֹ֞א אֶל־אִ֤ישׁ הָֽאֱלֹהִים֙ אֶל־הָהָ֔ר וַֽתַּחֲזֵ֖ק בְּרַגְלָ֑יו
וַיִּגַּ֨שׁ גֵּיחֲזִ֜י לְהָדְפָ֗הּ וַיֹּאמֶר֩ אִ֨ישׁ הָאֱלֹהִ֤ים הַרְפֵּה־לָהּ֙ כִּֽי־
נַפְשָׁ֣הּ מָֽרָה־לָ֔הּ וַֽיהוָה֙ הֶעְלִ֣ים מִמֶּ֔נִּי וְלֹ֥א הִגִּ֖יד לִֽי׃ כח וַתֹּ֕אמֶר
הֲשָׁאַ֥לְתִּי בֵ֖ן מֵאֵ֣ת אֲדֹנִ֑י הֲלֹ֣א אָמַ֔רְתִּי לֹ֥א תַשְׁלֶ֖ה אֹתִֽי׃ כט וַיֹּ֨אמֶר
לְגֵיחֲזִ֜י חֲגֹ֣ר מָתְנֶ֗יךָ וְקַ֨ח מִשְׁעַנְתִּ֣י בְיָדְךָ֮ וָלֵךְ֒ כִּֽי־תִמְצָ֣א אִ֗ישׁ
לֹ֣א תְבָרְכֶ֔נּוּ וְכִֽי־יְבָרֶכְךָ֥ אִ֖ישׁ לֹ֣א תַעֲנֶ֑נּוּ וְשַׂמְתָּ֥ מִשְׁעַנְתִּ֖י עַל־
פְּנֵ֥י הַנָּֽעַר׃ ל וַתֹּ֙אמֶר֙ אֵ֣ם הַנַּ֔עַר חַי־יְהוָ֥ה וְחֵֽי־נַפְשְׁךָ֖ אִם־אֶעֶזְבֶ֑ךָּ
וַיָּ֖קָם וַיֵּ֥לֶךְ אַחֲרֶֽיהָ׃ לא וְגֵחֲזִ֞י עָבַ֣ר לִפְנֵיהֶ֗ם וַיָּ֤שֶׂם אֶת־הַמִּשְׁעֶ֙נֶת֙
עַל־פְּנֵ֣י הַנַּ֔עַר וְאֵ֥ין ק֖וֹל וְאֵ֣ין קָ֑שֶׁב וַיָּ֤שָׁב לִקְרָאתוֹ֙ וַיַּגֶּד־ל֣וֹ לֵאמֹ֔ר

רש"י

(כד) נהג ולך. מהר: **אל תעצר לי.** אל תעכב על ידי את הרכיבה: **(כו) ותאמר שלום.** הרי זה מקרא קצר, שהרי היה לו לכתוב וישאל לה ותאמר שלום: **(כח) הלא אמרתי.** לך אל תכזב בשפחתך: לא תשלה. לא תשגה אותי על דבר טעות: **(כט) לא תברכנו.** לא תשאל לשלום, וכל זה שלא ירבה דברים וישאלוהו להיכן אתה הולך, והוא אומר להחיות את המת; ואין זה כבוד הנס להתהלל בו מי שבא על ידו. והוא לא עשה כן, אלא לכל השואלו הוא אומר: רבי שלחני להחיות את המת:

מצודת דוד

(כד) ותחבוש. קשרה האוכף: **נהג ולך.** נהג האתון ולך אתה ואל תתעכב בעבורי שארכב אני בה, כי אם כאשר אומר לך עמוד אז תעמוד: **(כה) מנגד.** מרחוק: **הנה השונמית הלז.** רצונו לומר: הזאת הבאה היא השונמית: **(כו) ותאמר שלום.** אחר ששאלה אמרה לו הכל שלום ולא רצתה לגלות גם אליו: **(כז) להדפה.** בעבור כבוד הנביא שלא תחזיק ברגליו: **הרפה לה.** תן לה רפיון ואל תהדפנה, כי עושה כזאת בעבור מרירות נפשה ולא ידעתי מה היא, כי ה' העלים ממני בעת נהיתה וגם עתה לא הגיד לי: **(כח) השאלתי.** וכי שאלתי אני על הבן עד שבעל כרחך הבטחתני אף בדבר שאינו מתקיים: **הלא אמרתי.** בעת ההבטחה אמרתי אל תטעה אותי להבטיח לי דבר הנפסק: **(כט) חגור מתניך.** ללכת מהרה ובזריזות: **לא תברכנו.** בכדי שלא תשהה בדרך: **(ל) אם אעזבך.** לבל תלך בעצמך עמדי: **(לא) עבר לפניהם.** הקדים להם: **ואין קול.** אמרו רבותינו זכרונם לברכה כי גחזי לא שמע לדברי הנביא, והיה עוד מלגלג בדרך לומר שהולך להחיות את המת: **ואין קשב.** היא היא כי כשאין קול אין מה להקשיב, וכפל הדבר במילים שונות:

מצודת ציון

(כד) תעצר. תעכב כמו נַעְצְרָה נָּא אוֹתָךְ (שופטים יג, טו): **(כה) הלז.** הזאת: **(כז) להדפה.** לדחפה, כמו אֲשֶׁר תִּדְּפֶנּוּ רוּחַ (תהלים א, ד): **(כח) תשלה.** ענין שגגה ושכחה, כמו עַל הַשַּׁל (שמואל-ב ו, ז), ורצונו לומר הטעאה: **(כט) משענתי.** המטה אשר נשען בו: **תעננו.** מלשון עניה ותשובה: **(לא) קשב.** ענין האזנה:

לֹא הֵקִיץ הַנָּעַר: לב וַיָּבֹא אֱלִישָׁע הַבָּיְתָה וְהִנֵּה הַנַּעַר מֵת מֻשְׁכָּב
עַל־מִטָּתוֹ: לג וַיָּבֹא וַיִּסְגֹּר הַדֶּלֶת בְּעַד שְׁנֵיהֶם וַיִּתְפַּלֵּל אֶל־יְהוָה:
לד וַיַּעַל וַיִּשְׁכַּב עַל־הַיֶּלֶד וַיָּשֶׂם פִּיו עַל־פִּיו וְעֵינָיו עַל־עֵינָיו וְכַפָּיו
עַל־כַּפָּיו [כפו כ׳] וַיִּגְהַר עָלָיו וַיָּחָם בְּשַׂר הַיָּלֶד: לה וַיָּשָׁב וַיֵּלֶךְ
בַּבַּיִת אַחַת הֵנָּה וְאַחַת הֵנָּה וַיַּעַל וַיִּגְהַר עָלָיו וַיְזוֹרֵר הַנַּעַר עַד־
שֶׁבַע פְּעָמִים וַיִּפְקַח הַנַּעַר אֶת־עֵינָיו: לו וַיִּקְרָא אֶל־גֵּיחֲזִי וַיֹּאמֶר
קְרָא אֶל־הַשֻּׁנַמִּית הַזֹּאת וַיִּקְרָאֶהָ וַתָּבוֹא אֵלָיו וַיֹּאמֶר שְׂאִי
בְנֵךְ: לז וַתָּבֹא וַתִּפֹּל עַל־רַגְלָיו וַתִּשְׁתַּחוּ אָרְצָה וַתִּשָּׂא אֶת־בְּנָהּ
וַתֵּצֵא:

רש״י

(לד) ויגהר עליו. תרגום יונתן: וְאַלְהֵי עֲלוֹהִי, הוא לשון עייפות. יש דוגמתו בברייתא דהאזינו ובספרי; ומנחם פתר ויגהר פתרון המלה כפי ענינה נשתטח עליו: **(לה) ויזורר.** נתעטש:

מצודת דוד

(לד) ויעל. על המטה: **פיו על פיו.** כאלו ישפיע מן החיות שבאיבריו אל איברי הנער: **(לה) וישב.** חזר לרדת מעל המטה: **אחת הנה.** פעם להעבר מזה ופעם להעבר מזה עד שבע פעמים, נתעטש ז׳ פעמים, ופתח אחר כך את עיניו:

מצודת ציון

הקיץ. ענין הערה: **(לד) ויגהר.** ענין השתטחות הגוף כמו וַיִּגְהַר אַרְצָה (מלכים־א יח, מב). **ויחם.** מלשון חמימה: **(לה) ויזורר.** ענין עטוש כמו עֲטִישֹׁתָיו תָּהֶל אוֹר (איוב מא, י), תרגומו זרירוהי: **ויפקח.** פתח, כמו עֵינָיו פָּקָח (שם כז, יט):

פרשת חיי שרה

פרק כג א וַיִּהְיוּ֙ חַיֵּ֣י שָׂרָ֔ה מֵאָ֥ה שָׁנָ֛ה וְעֶשְׂרִ֥ים שָׁנָ֖ה וְשֶׁ֣בַע שָׁנִ֑ים שְׁנֵ֖י חַיֵּ֥י שָׂרָֽה׃ ב וַתָּ֣מָת שָׂרָ֗ה בְּקִרְיַ֥ת אַרְבַּ֛ע הִ֥וא חֶבְר֖וֹן בְּאֶ֣רֶץ כְּנָ֑עַן וַיָּבֹא֙ אַבְרָהָ֔ם לִסְפֹּ֥ד לְשָׂרָ֖ה וְלִבְכֹּתָֽהּ׃* ג וַיָּ֙קָם֙ אַבְרָהָ֔ם מֵעַ֖ל פְּנֵ֣י מֵת֑וֹ וַיְדַבֵּ֥ר אֶל־בְּנֵי־חֵ֖ת לֵאמֹֽר׃ ד גֵּר־וְתוֹשָׁ֥ב אָנֹכִ֖י עִמָּכֶ֑ם

*כ׳ זעירא

אונקלוס

א וַהֲווֹ חַיֵּי שָׂרָה מְאָה וְעֶשְׂרִין וּשְׁבַע שְׁנִין שְׁנֵי חַיֵּי שָׂרָה: ב וּמִיתַת שָׂרָה בְּקִרְיַת אַרְבַּע הִיא חֶבְרוֹן בְּאַרְעָא דִכְנָעַן וַאֲתָא אַבְרָהָם לְמִסְפַּד לְשָׂרָה וּלְמִבְכַּהּ: ג וְקָם אַבְרָהָם מֵעַל אַפֵּי מִיתֵהּ וּמַלֵּל עִם בְּנֵי חִתָּאָה לְמֵימַר: ד דַּיָּר וְתוֹתָב אֲנָא עִמְּכוֹן

רש״י

[פסוק א] וַיִּהְיוּ חַיֵּי שָׂרָה מֵאָה שָׁנָה וְעֶשְׂרִים שָׁנָה וְשֶׁבַע שָׁנִים. לְכָךְ נִכְתַּב שָׁנָה בְּכָל כְּלָל וּכְלָל א, לוֹמַר לְךָ שֶׁכָּל אֶחָד נִדְרָשׁ לְעַצְמוֹ. בַּת ק׳ כְּבַת כ׳ לְחֵטְא, מַה בַּת כ׳ לֹא חָטְאָה, שֶׁהֲרֵי אֵינָהּ בַּת עוֹנָשִׁין, אַף בַּת ק׳ בְּלֹא חֵטְא, וּבַת כ׳ כְּבַת ז׳ לְיוֹפִי (ב״ר נח:א): **שְׁנֵי חַיֵּי שָׂרָה.** כֻּלָּן שָׁוִין לְטוֹבָה: **[פסוק ב] בְּקִרְיַת אַרְבַּע.** עַל שֵׁם אַרְבָּעָה עֲנָקִים שֶׁהָיוּ שָׁם, אֲחִימָן שֵׁשַׁי וְתַלְמַי וַאֲבִיהֶם (ב״ר נח:ד). דָּבָר אַחֵר, עַל שֵׁם אַרְבָּעָה זוּגוֹת שֶׁנִּקְבְּרוּ שָׁם אִישׁ וְאִשְׁתּוֹ, אָדָם וְחַוָּה. אַבְרָהָם וְשָׂרָה, יִצְחָק וְרִבְקָה, יַעֲקֹב וְלֵאָה (פדר״א פ״כ): **וַיָּבֹא אַבְרָהָם.** מִבְּאֵר שֶׁבַע ב: **לִסְפֹּד לְשָׂרָה וְלִבְכֹּתָהּ.** וְנִסְמְכָה מִיתַת שָׂרָה לַעֲקֵדַת יִצְחָק, לְפִי שֶׁעַל יְדֵי בְּשׂוֹרַת הָעֲקֵדָה שֶׁנִּזְדַּמֵּן בְּנָהּ לִשְׁחִיטָה וְכִמְעַט שֶׁלֹּא נִשְׁחַט, ג פָּרְחָה נִשְׁמָתָהּ מִמֶּנָּה וּמֵתָה (תנחומא סוף וירא; פדר״א פל״ב): **[פסוק ד] גֵּר וְתוֹשָׁב אָנֹכִי עִמָּכֶם.** גֵּר מֵאֶרֶץ אַחֶרֶת וְנִתְיַשַּׁבְתִּי עִמָּכֶם.

בעל הטורים

(א) ויהיו חיי שרה. כתיב לעיל מיניה "ובתואל ילד את רבקה". עד שלא שקעה שמשה של שרה, זרחה שמשה של רבקה: "שרה מאה שנה" ראשי תבות שמש, וזהו "וזרח השמש ובא השמש": **שני חיי שרה.** ולא אמר ימי, לפי שחזרה לימי נערות, וכשהזקינה עוד, פסקו ממנה ימי הנערות, לפיכך אמר "שני": דבר אחר — מנין "ויהיו" היו עיקר שנותיה משנולד יצחק. דבת תשעים היתה כשנולד, וכל ימיה היו קכ״ז: **(ב) ולבכתה.** כ״ף קטנה, שלא בכה אלא מעט, לפי שזקינה היתה: אי נמי — שהיתה כמו גורמת מיתתה, שמסרה דין, ועל כן נענשה היא תחלה. והמאבד עצמו לדעת אין מספידין אותו: **(ג) ויקם אברהם מעל פני מתו וידבר אל בני חת.** מלמד שאסור לספר לפני המת: י׳ פעמים בני חת בפרשה, לפי שהמברר מקחו של תלמיד חכם, כאלו קיים עשרת הדברות שיש בהם י׳ פעמים חי״ת:

עיקר שפתי חכמים

א ולא כתיב שבע ועשרים שנה לכלול העשירות עם האחדים יחד כמו שמלינו בפרשת בראשית ובפ׳ נח. לכן פירש״י שכל אחד נדרש לעצמו, ויתפרש בת עשרים מלידתה, ובת שבע ג״כ שבע שנים הראשונים מלידתה ואם כן הכ״ז שנים שנזכרו בפסוק היינו כ״ז שנים הראשונים קודם המאה, ובאחרונה באו המאה הנקיות ג״כ מחטא: **ב** דכיון דלא נזכר בכתוב מהיכן בא, ודאי קאי אמקום שישב שם, וזה בבאר שבע, כמו שמלינו בסוף פ׳ וירא שישב בבאר שבע: **ג** ר״ל שבתחלה הגיד המגיד שנזדמן בנה לשחיטה, ותיכף כששמעה זאת קודם שסיים את דבריו כי לא נשחט פרחה נשמתה כו׳:

תְּנוּ לִי אֲחֻזַּת־קֶבֶר עִמָּכֶם
וְאֶקְבְּרָה מֵתִי מִלְּפָנָי: ה וַיַּעֲנוּ
בְנֵי־חֵת אֶת־אַבְרָהָם לֵאמֹר
לוֹ: ו שְׁמָעֵנוּ | אֲדֹנִי נְשִׂיא
אֱלֹהִים אַתָּה בְּתוֹכֵנוּ בְּמִבְחַר
קְבָרֵינוּ קְבֹר אֶת־מֵתֶךָ אִישׁ
מִמֶּנּוּ אֶת־קִבְרוֹ לֹא־יִכְלֶה מִמְּךָ
מִקְּבֹר מֵתֶךָ: ז וַיָּקָם אַבְרָהָם
וַיִּשְׁתַּחוּ לְעַם־הָאָרֶץ לִבְנֵי־חֵת: ❖ ח וַיְדַבֵּר
אִתָּם לֵאמֹר אִם־יֵשׁ אֶת־נַפְשְׁכֶם לִקְבֹּר אֶת־
מֵתִי מִלְּפָנַי שְׁמָעוּנִי וּפִגְעוּ־לִי בְּעֶפְרוֹן בֶּן־
צֹחַר: ט וְיִתֶּן־לִי אֶת־מְעָרַת הַמַּכְפֵּלָה אֲשֶׁר־לוֹ

הָבוּ לִי אַחְסָנַת קְבוּרָא
עִמְּכוֹן וְאִקְבַּר מִיתִי מִן
קֳדָמָי: ה וַאֲתִיבוּ בְנֵי חִתָּאָה
יָת אַבְרָהָם לְמֵימַר לֵהּ:
ו קַבֵּל מִנָּנָא רִבּוֹנָנָא רַב
קֳדָם יְיָ אַתְּ בֵּינָנָא בִּשְׁפַר
קִבְרָנָא קְבַר יָת מִיתָךְ אֱנָשׁ
מִנָּנָא יָת קִבְרֵהּ לָא יִכְלֵי
(נ״א יִמְנַע) מִנָּךְ מִלְּמִקְבַּר
מִיתָךְ: ז וְקָם אַבְרָהָם
וּסְגִיד לְעַמָּא דְאַרְעָא לִבְנֵי
חִתָּאָה: ח וּמַלִּיל עִמְּהוֹן
לְמֵימָר אִם אִית רַעֲוָא (בְּ)
נַפְשְׁכוֹן לְמִקְבַּר יָת מִיתִי מִן
קֳדָמַי קַבִּילוּ מִנִּי וּבְעוּ לִי מִן
עֶפְרוֹן בַּר צוֹחַר: ט וְיִתֶּן לִי
יָת מְעָרַת כָּפֶלְתָּא דִּי לֵהּ

רש״י

וּמִדְרַשׁ אַגָּדָה, אִם תִּרְצוּ הֲרֵינִי גֵר, וְאִם לָאו אֶהְיֶה תּוֹשָׁב וְאֶטְּלֶנָּה מִן הַדִּין, שֶׁאָמַר לִי הקב״ה לְזַרְעֲךָ אֶתֵּן אֶת הָאָרֶץ הַזֹּאת (לעיל יב:ז; ב״ר נח:ו): **אֲחֻזַּת קֶבֶר.** אֲחֻזַּת קַרְקַע [ד] לְבֵית הַקְּבָרוֹת: **[פסוק ו] לֹא יִכְלֶה.** לֹא יִמְנַע (אונקלוס) [ה], כְּמוֹ לֹא תִכְלָא רַחֲמֶיךָ (תהלים מ:יב), וּכְמוֹ וַיִּכָּלֵא הַגֶּשֶׁם (לעיל ח:ב): **[פסוק ח] נַפְשְׁכֶם.** רְצוֹנְכֶם: **וּפִגְעוּ לִי.** לְשׁוֹן בַּקָּשָׁה, כְּמוֹ אַל תִּפְגְּעִי בִי (רות א:טז): **[פסוק ט] הַמַּכְפֵּלָה.** בַּיִת וַעֲלִיָּה עַל גַּבָּיו. ד״א, שֶׁכְּפוּלָה בְזוּגוֹת [ו] (עירובין נג.):

בעל הטורים

(ו) מתך. ד׳ במסורת – הכא ג׳, וחד ״יחיו מתיך וכו׳ ״. וג׳ דהכא חסרין, דבחד מת איירי. וההיא דהתם מלא, דאיירי ברבים. ויש כאן רמז למה שאמרו שמתי ארץ ישראל חיים תחלה. דהכא כתיב ״מתך״ והתם כתיב ״יחיו מתיך״. פירוש, מתך דהכא יחיו מתיך דהתם: **לא יכלה.** ב׳ – ״לא יכלה ממך מקבר מתך״; ״ושבט עברתו יכלה״. משום ״ושבט עברתו״ לא יכלה, על כן ״לא יכלה ממך מקבר מתך״. כי צריך כל אדם לירא מן המות, ואם לא יתן לו מקום קבורה, גם לו לא יהיה מקום קבורה:

עיקר שפתי חכמים

ד כי איך יקרא אחוזה על הקבר אשר הוא חלל ואין לו אחוזה. לכן פירש אחוזת קרקע, והוא יעשה בה מקום קברות. [כי הסמיכות אחוזת לקבר משמע דמעולם היתה זו אחוזה לקבר, ובאמת רק אברהם בחר במערה זו לקבר ועפרון לא הקנה אותה לקברות. לכן פירש״י כי חסר פה הנסמך קרקע, וצריכין לפרש אחוזת קרקע אשר הי׳ לעפרון תהי׳ עתה למקום קבר]: **ה** פי׳ ולא לשון כליון: **ו** פלוגתא דאמוראי

אֲשֶׁר בִּקְצֵה שָׂדֵהוּ בְּכֶסֶף מָלֵא
יִתְּנֶנָּה לִּי בְּתוֹכְכֶם לַאֲחֻזַּת־
קָבֶר: י וְעֶפְרוֹן יֹשֵׁב בְּתוֹךְ בְּנֵי־
חֵת וַיַּעַן עֶפְרוֹן הַחִתִּי אֶת־
אַבְרָהָם בְּאָזְנֵי בְנֵי־חֵת לְכֹל
בָּאֵי שַׁעַר־עִירוֹ לֵאמֹר: יא לֹא־
אֲדֹנִי שְׁמָעֵנִי הַשָּׂדֶה נָתַתִּי לָךְ
וְהַמְּעָרָה אֲשֶׁר־בּוֹ לְךָ נְתַתִּיהָ
לְעֵינֵי בְנֵי־עַמִּי נְתַתִּיהָ לָּךְ קְבֹר
מֵתֶךָ: יב וַיִּשְׁתַּחוּ אַבְרָהָם לִפְנֵי עַם־הָאָרֶץ: ❖
יג וַיְדַבֵּר אֶל־עֶפְרוֹן בְּאָזְנֵי עַם־הָאָרֶץ לֵאמֹר
אַךְ אִם־אַתָּה לוּ שְׁמָעֵנִי נָתַתִּי כֶּסֶף הַשָּׂדֶה

דִּי בִּסְטַר חַקְלֵהּ בִּכְסַף
שְׁלִים יִתְּנִנַּהּ לִי בֵּינֵיכוֹן
לְאַחֲסָנַת קְבוּרָא: י וְעֶפְרוֹן
יָתֵב בְּגוֹ בְּנֵי חִתָּאָה
וַאֲתֵיב עֶפְרוֹן חִתָּאָה יָת
אַבְרָהָם קֳדָם בְּנֵי חִתָּאָה
לְכָל עָלֵי תְּרַע קַרְתֵּהּ
לְמֵימַר: יא לָא רִבּוֹנִי
קַבִּיל מִנִּי חַקְלָא יְהָבִית
לָךְ וּמְעַרְתָּא דִּי בֵהּ לָךְ
יְהַבִיתַהּ לְעֵינֵי בְּנֵי עַמִּי
יְהַבִיתַהּ לָךְ קְבַר מִיתָךְ:
יב וּסְגִיד אַבְרָהָם קֳדָם
עַמָּא דְאַרְעָא: יג וּמַלִּיל
עִם עֶפְרוֹן קֳדָם עַמָּא
דְאַרְעָא לְמֵימַר בְּרַם אִם
אַתְּ עָבֵד לִי טֵיבוּ קַבֵּל מִנִּי
אֶתֵּן כַּסְפָּא דְּמֵי חַקְלָא

רש"י

בְּכֶסֶף מָלֵא. שָׁלֵם, [ס"א חָשׁוּב] כָּל שָׁוְיוֹ, וְכֵן דָּוִד אָמַר לַאֲרַוְנָה בְּכֶסֶף מָלֵא (דברי הימים־א כא:כד): **[פסוק י] וְעֶפְרוֹן יֹשֵׁב.** כְּתִיב חָסֵר, אוֹתוֹ הַיּוֹם ז מִנּוּהוּ שׁוֹטֵר עֲלֵיהֶם, מִפְּנֵי חֲשִׁיבוּתוֹ שֶׁל אַבְרָהָם שֶׁהָיָה צָרִיךְ לוֹ עָלָה לִגְדוּלָּה (ב"ר נח:ז): **לְכֹל בָּאֵי שַׁעַר עִירוֹ.** שֶׁכּוּלָּן בָּטְלוּ מִמְּלַאכְתָּן וּבָאוּ לִגְמוֹל חֶסֶד לְשָׂרָה (שם): **[פסוק יא] לֹא אֲדֹנִי.** לֹא תִקְנֶה אוֹתָהּ בְּדָמִים: **נָתַתִּי לָךְ.** הֲרֵי הִיא כְּמוֹ שֶׁנְּתַתִּיהָ לָךְ: **[פסוק יג] אַךְ אִם אַתָּה לוּ שְׁמָעֵנִי.** אַתָּה אוֹמֵר לִי לִשְׁמוֹעַ לְךָ וְלִיקַּח בְּחִנָּם, אֲנִי ח אִי אֶפְשִׁי בְּכָךְ. אַךְ אִם אַתָּה לוּ שְׁמָעֵנִי, הַלְוַאי וְתִשְׁמָעֵנִי: **נָתַתִּי.** דוני"ש בלע"ז, מוּכָן הוּא אֶצְלִי ט וְהַלְוַאי נָתַתִּי לְךָ כְּבָר:

עיקר שפתי חכמים

היא בפ"ה דעירובין: ז ישב בלא וי"ו הוא לשון עבר, שכבר ישב. ור"ל שעד היום ישב בתוך בני חת והיה שוה לכלם, רק היום מינוהו שוטר עליהם כו': ח כמשמעות אך בכל מקום, שבא למעט, אף כאן בא למעט ולפסול דבריו של עפרון: ט לעיל [פ' י"א] פי' על נתתי לך כמו שנתתי לך. דשם מוסב על הקרקע שאינה חסרה נתינה, וכאן דקאי על הכסף שמחוסר נתינה מיד ליד ע"כ פי' מוכן הוא אצלי

קַ֣ח מִמֶּ֔נִּי וְאֶקְבְּרָ֥ה אֶת־מֵתִ֖י
שָֽׁמָּה׃ יד וַיַּ֧עַן עֶפְר֛וֹן אֶת־אַבְרָהָ֖ם
לֵאמֹ֥ר לֽוֹ׃ טו אֲדֹנִ֣י שְׁמָעֵ֔נִי אֶ֗רֶץ
אַרְבַּ֨ע מֵאֹ֧ת שֶֽׁקֶל־כֶּ֛סֶף בֵּינִ֥י
וּבֵינְךָ֖ מַה־הִ֑וא וְאֶת־מֵתְךָ֖ קְבֹֽר׃
טז וַיִּשְׁמַ֣ע אַבְרָהָם֮ אֶל־עֶפְרוֹן֒
וַיִּשְׁקֹ֤ל אַבְרָהָם֙ לְעֶפְרֹ֔ן אֶת־
הַכֶּ֕סֶף אֲשֶׁ֥ר דִּבֶּ֖ר בְּאָזְנֵ֣י בְנֵי־
חֵ֑ת אַרְבַּ֤ע מֵאוֹת֙ שֶׁ֣קֶל כֶּ֔סֶף
עֹבֵ֖ר לַסֹּחֵֽר׃ ❖ שני יז וַיָּ֣קָם ׀ שְׂדֵ֣ה עֶפְר֗וֹן אֲשֶׁר֙
בַּמַּכְפֵּלָ֔ה אֲשֶׁ֖ר לִפְנֵ֣י מַמְרֵ֑א הַשָּׂדֶה֙ וְהַמְּעָרָ֣ה
אֲשֶׁר־בּ֔וֹ וְכָל־הָעֵץ֙ אֲשֶׁ֣ר בַּשָּׂדֶ֔ה אֲשֶׁ֥ר

סַב מִנִּי וְאֶקְבַּר יָת מִיתִי
תַּמָּן: יד וַאֲתֵיב עֶפְרוֹן
יָת אַבְרָהָם לְמֵימַר לֵהּ:
טו רִבּוֹנִי קַבֵּל מִנִּי אַרְעָא
שָׁוְיָא אַרְבַּע מְאָה סִלְעִין
דִּכְסַף בֵּינָא וּבֵינָךְ מַה הִיא
וְיָת מִיתָךְ קְבַר: טז וְקַבֵּל
אַבְרָהָם מִן עֶפְרוֹן וּתְקַל
אַבְרָהָם לְעֶפְרוֹן יָת
כַּסְפָּא דִּי מַלֵּיל קֳדָם
בְּנֵי חִתָּאָה אַרְבַּע מְאָה
סִלְעִין דִּכְסַף מִתְקַבֵּל
סְחוֹרָא (נ״א דְּמִתְקַבֵּל
סְחוֹרְתָא) בְּכָל מְדִינְתָּא:
יז וְקָם חֲקַל עֶפְרוֹן דִּי
בִּכְפֶלְתָּא דִּי קֳדָם מַמְרֵא
חַקְלָא וּמְעַרְתָּא דִּי בֵהּ
וְכָל אִילָנֵי דִּי בְחַקְלָא דִּי

רש״י

[פסוק טו] **בֵּינִי וּבֵינְךָ.** בֵּין שְׁנֵי אוֹהֲבִים כָּמוֹנוּ מַה הִיא חֲשׁוּבָה לִכְלוּם, אֶלָּא הַנַּח אֶת הַמֶּכֶר י וְאֶת מֵתְךָ קְבוֹר: [פסוק טז] **וַיִּשְׁקֹל אַבְרָהָם לְעֶפְרֹן.** חָסֵר וי״ו, כ לְפִי שֶׁאָמַר הַרְבֵּה וַאֲפִילּוּ מְעַט לֹא עָשָׂה, שֶׁנָּטַל מִמֶּנּוּ שְׁקָלִים גְּדוֹלִים שֶׁהֵן קַנְטָרִין, שֶׁנֶּאֱמַר עֹבֵר לַסֹּחֵר, שֶׁמִּתְקַבְּלִים בְּשֶׁקֶל בְּכָל מָקוֹם וְיֵשׁ מָקוֹם שֶׁשִּׁקְלֵיהֶן גְּדוֹלִים שֶׁהֵן קַנְטָרִין, צינטינאר״ש בלע״ז (ב״ר נח:ז; ב״מ פז.): [פסוק יז] **וַיָּקָם שְׂדֵה עֶפְרוֹן.** תְּקוּמָה הָיְתָה לוֹ שֶׁיָּצָא מִיַּד הֶדְיוֹט ל לְיַד מֶלֶךְ (ב״ר נח:ח). וּפְשׁוּטוֹ שֶׁל מִקְרָא וַיָּקָם הַשָּׂדֶה וְהַמְּעָרָה אֲשֶׁר בּוֹ וְכָל הָעֵץ לְאַבְרָהָם לְמִקְנָה וגו׳:

בעל הטורים

(טז) **עפרן.** חסר כתיב, בגימטריא רע עין, ועולה ארבע מאות, כנגד ארבע מאות שקלים שלקח במערה: (יז) **ויקם שדה עפרון.** ראשי תבות בהפך עשו. רמז לעשו, שיקום לערער על המערה:

עיקר שפתי חכמים

והלוא נתתי כו׳ ועתה קח ממני [מהרש״ל]: **י** הנח את המכר ר״ל מחיר הקרקע, ואת מתך קבור בחנם: **כ** ר״ל שבכל הפרשה כתיב עפרון מלא וי״ו וכאן חסר, לכך ניתן לדרוש: **ל** דאי רק כפשוטו ל״ל דכתיב שדה עפרון, וכי עד השתא לא ידעינן דהיא שדה עפרון, לכ״פ שיצאה מיד הדיוט כו׳:

בְּכָל־גְּבֻלוֹ סָבִיב: יח לְאַבְרָהָם
לְמִקְנָה לְעֵינֵי בְנֵי־חֵת בְּכֹל בָּאֵי
שַׁעַר־עִירוֹ: יט וְאַחֲרֵי־כֵן קָבַר
אַבְרָהָם אֶת־שָׂרָה אִשְׁתּוֹ אֶל־
מְעָרַת שְׂדֵה הַמַּכְפֵּלָה עַל־פְּנֵי
מַמְרֵא הִוא חֶבְרוֹן בְּאֶרֶץ כְּנָעַן:
כ וַיָּקָם הַשָּׂדֶה וְהַמְּעָרָה אֲשֶׁר־
בּוֹ לְאַבְרָהָם לַאֲחֻזַּת־קָבֶר מֵאֵת
בְּנֵי־חֵת: ס פרק כד א וְאַבְרָהָם
זָקֵן בָּא בַּיָּמִים וַיהוָה בֵּרַךְ אֶת־אַבְרָהָם בַּכֹּל:
ב וַיֹּאמֶר אַבְרָהָם אֶל־עַבְדּוֹ זְקַן בֵּיתוֹ הַמֹּשֵׁל
בְּכָל־אֲשֶׁר־לוֹ שִׂים־נָא יָדְךָ תַּחַת יְרֵכִי:

בְּכָל תְּחוּמֵהּ סְחוֹר
סְחוֹר: יח לְאַבְרָהָם
לִזְבִינוֹהִי לְעֵינֵי בְּנֵי
חִתָּאָה בְּכֹל עָלֵי תְּרַע
קַרְתֵּהּ: יט וּבָתַר כֵּן קְבַר
אַבְרָהָם יָת שָׂרָה אִתְּתֵהּ
לִמְעָרַת חֲקַל כָּפֶלְתָּא
עַל אַפֵּי מַמְרֵא הִיא
חֶבְרוֹן בְּאַרְעָא דִכְנָעַן:
כ וְקָם חַקְלָא וּמְעָרְתָא דִּי
בֵהּ לְאַבְרָהָם לְאַחֲסָנַת
קְבוּרָא מִן בְּנֵי חִתָּאָה:
א וְאַבְרָהָם סִיב עָל בְּיוֹמִין
וַיְיָ בָּרִיךְ יָת אַבְרָהָם
בְּכֹלָּא: ב וַאֲמַר אַבְרָהָם
לְעַבְדֵּהּ סָבָא דְבֵיתֵהּ
דְּשַׁלִּיט בְּכָל דִּי לֵהּ שַׁוִּי
כְּעַן יְדָךְ תְּחוֹת יַרְכִּי:

רש"י

[פסוק יח] **בְּכֹל בָּאֵי שַׁעַר עִירוֹ.** בְּקֶרֶב כּוּלָּם מ וּבְמַעֲמַד כּוּלָּם הִקְנָהוּ לוֹ: [פסוק א] **בֵּרַךְ אֶת אַבְרָהָם בַּכֹּל.** בַּכֹּל עוֹלֶה בְּגִימַטְרִיָּא בֵּן (תנחומא ישן ו) וּמֵאַחַר שֶׁהָיָה לוֹ בֵּן נ הָיָה צָרִיךְ לְהַשִּׂיאוֹ אִשָּׁה (תנחומא כח יב): [פסוק ב] **זְקַן בֵּיתוֹ.** לְפִי שֶׁהוּא דָבוּק, נָקוּד זְקַן: **תַּחַת יְרֵכִי.** לְפִי שֶׁהַנִּשְׁבָּע צָרִיךְ שֶׁיִּטּוֹל בְּיָדוֹ חֵפֶץ שֶׁל מִצְוָה כְּגוֹן סֵפֶר תּוֹרָה אוֹ תְּפִילִּין (שבועות לח:), וְהַמִּילָה הָיְתָה מִצְוָה רִאשׁוֹנָה לוֹ וּבָאָה לוֹ ע"י צַעַר וְהָיְתָה חֲבִיבָה עָלָיו, וּנְטָלָהּ (ב"ר נט:ח):

בעל הטורים

(א) ואברהם זקן. וסמיך לה "וה' ברך". כשהזקין ולא יכול עוד לצאת ולבוא, לישא וליתן, אז הוצרך לברכה, וה' ברכו: **בא בימים.** כשבא כמנין ימי"ם שנים בירכו בבן, שנולד לו יצחק: **(ב) המשל.** ב' במסורת — "המשל בכל אשר לו"; ואידך "אם רוח המושל תעלה עליך". שאמר לו אברהם, אפלו אם רוח המושל או שום אונס אחר יעלה עליך, "מקומך אל תנח", אלא לך לארצי: **נא ידך.** בגימטריא מילה, שהשביעו במילה:

עיקר שפתי חכמים

מ כי יקשה הב' של בכל, שמשמעו בתוך, זהו לא שייך במקום הזה, לכ"פ בקרב כולס כו': **נ** דאל"כ קשה הסמיכות של הפסוק הזה לפרשה שלאחריו. ורמז בתיבת בכל, כי עד שלא היה לו בן אמר מה תתן לי, ועכשיו כל הברכות שלו נשתלמו:

ג וְאַשְׁבִּיעֲךָ בַּיהוָה אֱלֹהֵי
הַשָּׁמַיִם וֵאלֹהֵי הָאָרֶץ אֲשֶׁר לֹא־
תִקַּח אִשָּׁה לִבְנִי מִבְּנוֹת הַכְּנַעֲנִי
אֲשֶׁר אָנֹכִי יוֹשֵׁב בְּקִרְבּוֹ: ד כִּי
אֶל־אַרְצִי וְאֶל־מוֹלַדְתִּי תֵּלֵךְ
וְלָקַחְתָּ אִשָּׁה לִבְנִי לְיִצְחָק:
ה וַיֹּאמֶר אֵלָיו הָעֶבֶד אוּלַי לֹא־
תֹאבֶה הָאִשָּׁה לָלֶכֶת אַחֲרַי אֶל־
הָאָרֶץ הַזֹּאת הֶהָשֵׁב אָשִׁיב אֶת־
בִּנְךָ אֶל־הָאָרֶץ אֲשֶׁר־יָצָאתָ מִשָּׁם: ו וַיֹּאמֶר
אֵלָיו אַבְרָהָם הִשָּׁמֶר לְךָ פֶּן־תָּשִׁיב אֶת־בְּנִי
שָׁמָּה: ז יְהוָה | אֱלֹהֵי הַשָּׁמַיִם אֲשֶׁר לְקָחַנִי
מִבֵּית אָבִי וּמֵאֶרֶץ מוֹלַדְתִּי וַאֲשֶׁר דִּבֶּר־לִי

ג וַאֲקַיֵּם עֲלָךְ בְּמֵימְרָא דַייָ
אֱלָהָא דִשְׁמַיָּא וֵאלָהָא
דְאַרְעָא דִּי לָא תִסַּב
אִתְּתָא לִבְרִי מִבְּנָת כְּנַעֲנָאֵי
דִּי אֲנָא יָתֵב בֵּינֵיהוֹן:
ד אֱלָהֵן לְאַרְעִי וּלְיַלָּדוּתִי
תֵּיזִיל וְתִסַּב אִתְּתָא
לִבְרִי לְיִצְחָק: ה וַאֲמַר
לֵהּ עַבְדָּא מָאִים לָא
תֵיבֵי אִתְּתָא לְמֵיתֵי בַתְרַי
לְאַרְעָא הָדָא הַאֲתָבָא
אָתֵיב יָת בְּרָךְ לְאַרְעָא
דִּי נְפַקְתָּא מִתַּמָּן: ו וַאֲמַר
לֵהּ אַבְרָהָם אִסְתַּמַּר לָךְ
דִּילְמָא תָתֵיב יָת בְּרִי
תַּמָּן: ז יְיָ אֱלָהָא דִשְׁמַיָּא דִּי
דַבְּרַנִי מִבֵּית אַבָּא וּמֵאֲרַע
יַלְדוּתִי וְדִי מַלִּיל לִי

רש"י

[פסוק ז] **ה' אלהי השמים אשר לקחני מבית אבי.** ולא אמר ואלהי הארץ, ולמעלה (פסוק ג) הוא אומר ואשביעך בה' אלהי השמים ואלהי הארץ ס. א"ל, עכשיו הוא אלהי השמים ואלהי הארץ שהרגלתיו בפי הבריות, אבל כשלקחני מבית אבי היה אלהי השמים ולא אלהי הארץ, שלא היו באי עולם מכירים בו ושמו לא היה רגיל בארץ (ב"ר נט ח; ספרי האזינו שיג): **מבית אבי.** מחרן: **ומארץ מולדתי.** מאור כשדים ע: **ואשר דבר לי.** לצרכי, כמו אשר דבר עלי (מלכים א ב:ד). וכן כל לי ולו ולהם הסמוכים אצל דבור מפורשים בלשון על, ותרגום

עיקר שפתי חכמים

ס ר"ל ושם נאמר ואלהי הארץ: ע כמ"ש בארץ מולדתו באור כשדים [ס"פ נח]:

וַאֲשֶׁר נִשְׁבַּע־לִי לֵאמֹר לְזַרְעֲךָ
אֶתֵּן אֶת־הָאָרֶץ הַזֹּאת הוּא
יִשְׁלַח מַלְאָכוֹ לְפָנֶיךָ וְלָקַחְתָּ
אִשָּׁה לִבְנִי מִשָּׁם: ח וְאִם־לֹא
תֹאבֶה הָאִשָּׁה לָלֶכֶת אַחֲרֶיךָ
וְנִקִּיתָ מִשְּׁבֻעָתִי זֹאת רַק אֶת־בְּנִי
לֹא תָשֵׁב שָׁמָּה: ט וַיָּשֶׂם הָעֶבֶד
אֶת־יָדוֹ תַּחַת יֶרֶךְ אַבְרָהָם
אֲדֹנָיו וַיִּשָּׁבַע לוֹ עַל־הַדָּבָר הַזֶּה: שלישי י וַיִּקַּח
הָעֶבֶד עֲשָׂרָה גְמַלִּים מִגְּמַלֵּי אֲדֹנָיו וַיֵּלֶךְ וְכָל־
טוּב אֲדֹנָיו בְּיָדוֹ וַיָּקָם וַיֵּלֶךְ אֶל־אֲרַם נַהֲרַיִם

וְדִי קַיֵּים לִי לְמֵימַר לִבְרָךְ
אֶתֵּן יָת אַרְעָא הָדָא הוּא
יִשְׁלַח מַלְאֲכֵהּ קֳדָמָךְ
וְתִסַּב אִתְּתָא לִבְרִי
מִתַּמָּן: ח וְאִם לָא תֵיבֵי
אִתְּתָא לְמֵיתֵי בַּתְרָךְ
וּתְהֵי זַכָּאָה מִמּוֹמָתִי דָּא
לְחוֹד יָת בְּרִי לָא תָתֵב
לְתַמָּן: ט וְשַׁוִּי עַבְדָּא
יָת יְדֵהּ תְּחוֹת יַרְכָּא
דְאַבְרָהָם רִבּוֹנֵהּ וְקַיֵּים לֵהּ
עַל פִּתְגָּמָא הָדֵין: י וּדְבַר
עַבְדָּא עַשְׂרָא גַמְלִין
מִגַּמְלֵי רִבּוֹנֵהּ וַאֲזַל וְכָל
שְׁפַר רִבּוֹנֵהּ בִּידֵהּ וְקָם
וַאֲזַל לַאֲרָם דִּי עַל פְּרָת

רש"י

שֶׁלָּהֶם עֲלַי עֲלוֹהִי עֲלֵיהוֹן, שֶׁאֵין נוֹפֵל אֵצֶל דִּיבּוּר לְשׁוֹן לִי וְלוֹ וְלָהֶם, אֶלָּא אֵלַי אֵלָיו אֲלֵיהֶם, וְתַרְגּוּם שֶׁלָּהֶם עִמִּי עִמֵּיהּ עִמְּהוֹן. אֲבָל אֵצֶל אֲמִירָה נוֹפֵל לְשׁוֹן לִי וְלוֹ וְלָהֶם: **וַאֲשֶׁר נִשְׁבַּע לִי.** בֵּין הַבְּתָרִים (ב"ר שם י; ילק"ש קז): **[פסוק ח] וְנִקִּיתָ מִשְּׁבֻעָתִי וגו'.** וְקַח לוֹ אִשָּׁה מִבְּנוֹת פ עָנֵר אֶשְׁכּוֹל וּמַמְרֵא: **רַק אֶת בְּנִי וגו'.** רַק מִיעוּט הוּא, בְּנִי אֵינוֹ חוֹזֵר אֲבָל יַעֲקֹב בֶּן בְּנִי סוֹפוֹ לַחֲזוֹר (ב"ר שם): **[פסוק י] מִגְּמַלֵּי אֲדֹנָיו.** נִכָּרִין הָיוּ מִשְּׁאָר גְּמַלִּים, שֶׁהָיוּ יוֹצְאִין צ זְמוּמִין מִפְּנֵי הַגָּזֵל שֶׁלֹּא יִרְעוּ בִּשְׂדוֹת אֲחֵרִים (שם יא): **וְכָל טוּב אֲדֹנָיו בְּיָדוֹ.** שְׁטַר מַתָּנָה כָּתַב לְיִצְחָק עַל ק כָּל אֲשֶׁר לוֹ, כְּדֵי שֶׁיִּקְפְּצוּ לִשְׁלוֹחַ לוֹ בִּתָּם (שם): **אֲרַם נַהֲרַיִם.** בֵּין שְׁתֵּי ר נְהָרוֹת יוֹשֶׁבֶת:

בעל הטורים

(ז) **ישלח מלאכו** המיוחד לו, כדכתיב "הנה מלאכי ילך לפניך". אבל לא אותו שכתוב בו "מלאך", "ושלחתי לפניך מלאך": ושני פעמים כתיב "מלאכו" בפרשה, שביקש על שנים, אחד בהליכה ואחד בחזרה: (י) **וכל טוב.** ב' במסורת — הכא; ואידך "וכל טוב דמשק". אליעזר לקח גם מטוב דמשק:

עיקר שפתי חכמים

פ כי בשבועתו אשר לא תקח אשה לבני מבנות הכנעני אשר אנכי יושב בקרבו נכלל ג"כ ענר אשכול וממרא: **צ** מדכתיב להלן ויפתח כו' מכלל דעד עתה היו זמומין: **ק** דאל"כ איך היו הכל בידו: **ר** כי נהרים הוא שם במספר הזוגי כמו ידים ורגלים אשר הם אברים שנים, וכן ארם אשר היו בין נהרים, בין שני נהרות:

אֶל־עִיר נָחוֹר׃ יא וַיַּבְרֵךְ הַגְּמַלִּים
מִחוּץ לָעִיר אֶל־בְּאֵר הַמָּיִם
לְעֵת עֶרֶב לְעֵת צֵאת הַשֹּׁאֲבֹת׃
יב וַיֹּאמַר | יְהוָה אֱלֹהֵי אֲדֹנִי
אַבְרָהָם הַקְרֵה־נָא לְפָנַי הַיּוֹם
וַעֲשֵׂה־חֶסֶד עִם אֲדֹנִי אַבְרָהָם׃
יג הִנֵּה אָנֹכִי נִצָּב עַל־עֵין הַמָּיִם
וּבְנוֹת אַנְשֵׁי הָעִיר יֹצְאֹת לִשְׁאֹב
מָיִם׃ יד וְהָיָה הַנַּעֲרָה [הנער כ׳]
אֲשֶׁר אֹמַר אֵלֶיהָ הַטִּי־נָא כַדֵּךְ וְאֶשְׁתֶּה
וְאָמְרָה שְׁתֵה וְגַם־גְּמַלֶּיךָ אַשְׁקֶה אֹתָהּ
הֹכַחְתָּ לְעַבְדְּךָ לְיִצְחָק וּבָהּ אֵדַע כִּי־עָשִׂיתָ
חֶסֶד עִם־אֲדֹנִי׃ טו וַיְהִי־הוּא טֶרֶם כִּלָּה לְדַבֵּר

לְקַרְתָּא דְנָחוֹר: יא וְאַשְׁרִי
גַמְלַיָּא מִבָּרָא לְקַרְתָּא עִם
בֵּאֲרָא דְמַיָּא לְעִדָּן רַמְשָׁא
לְעִדָּן דְּנָפְקָן מַלְיָתָא:
יב וַאֲמַר יְיָ אֱלָהֵהּ דְּרִבּוֹנִי
אַבְרָהָם זַמִּין כְּעַן קֳדָמַי
יוֹמָא דֵין וַעֲבֵד טִיבוּ עִם
רִבּוֹנִי אַבְרָהָם: יג הָא אֲנָא
קָאֵם עַל עֵינָא דְמַיָּא וּבְנָת
אֱנָשֵׁי קַרְתָּא נָפְקָן לְמִמְלֵי
מַיָּא: יד וִיהֵי עוּלֶמְתָּא דִּי
אֵימַר לַהּ אַרְכִינִי כְעַן
קוּלְתִיךְ וְאֶשְׁתֵּי וְתֵימַר
אִשְׁתְּ וְאַף גַּמְלָיִךְ אַשְׁקֵי
יָתַהּ זַמֶּנְתָּא לְעַבְדָּךְ לְיִצְחָק
וּבַהּ אִידַע אֲרֵי עֲבַדְתָּ
טִיבוּ עִם רִבּוֹנִי: טו וַהֲוָה
הוּא עַד לָא שֵׁיצֵי לְמַלָּלָא

רש״י

[פסוק יא] וַיַּבְרֵךְ הַגְּמַלִּים. הִרְבִּיצָם (שם): **[פסוק יד] אֹתָהּ הֹכַחְתָּ.** רְאוּיָה הִיא לוֹ, שֶׁתְּהֵא גּוֹמֶלֶת חֲסָדִים וּכְדַאי הִיא לִיכָּנֵס בְּבֵיתוֹ שֶׁל אַבְרָהָם (עי׳ יבמות עט.). וּלְשׁוֹן הוֹכַחְתָּ בֵּירַרְתָּ, אפרובי״ר בלע״ז: **וּבָהּ אֵדַע.** לְשׁוֹן תְּחִינָּה, הוֹדַע לִי בָּהּ ש **כִּי עָשִׂיתָ חֶסֶד.** אִם תִּהְיֶה מִמִּשְׁפַּחְתּוֹ וְהוֹגֶנֶת לוֹ אֵדַע כִּי עָשִׂיתָ חֶסֶד:

בעל הטורים

(יב) עם אדני אברהם. סופי תבות מים. לומר, בשכר "יקח נא מעט מים" ענהו על המים: וכשתוסיף דל״ת של "חסד" יהיה סופי תבות דמים, שאמר, בזכות דמו שנשפך בפחד העקדה, ענני: **(יד) ובה.** ג׳ במסורת — הכא "ובה אדע כי עשית חסד"; ואידך "ובה יחסו עניי עמו"; "ובה אבן". פירוש, "ובה אדע כי עשית חסד", אם תהיה צדקת וגומלת חסדים. "ובה אבן יקרה", שנתן לה כלי כסף וזהב ואבן יקרה. והכי איתא בבראשית רבה, רב הונא בשם רב יוסף אומר, אבן יקרה היתה בה משקלה בקע:

עיקר שפתי חכמים

ש כי מלין ידע שזהו סימן מובהק:

וְהִנֵּ֨ה רִבְקָ֜ה יֹצֵ֗את אֲשֶׁ֤ר יֻלְּדָה֙
לִבְתוּאֵ֣ל בֶּן־מִלְכָּ֔ה אֵ֥שֶׁת נָח֖וֹר
אֲחִ֣י אַבְרָהָ֑ם וְכַדָּ֖הּ עַל־שִׁכְמָֽהּ׃
טז וְהַנַּעֲרָ֗ה [והנער כ׳] טֹבַ֤ת מַרְאֶה֙
מְאֹ֔ד בְּתוּלָ֕ה וְאִ֖ישׁ לֹ֣א יְדָעָ֑הּ
וַתֵּ֣רֶד הָעַ֔יְנָה וַתְּמַלֵּ֥א כַדָּ֖הּ וַתָּֽעַל׃
יז וַיָּ֥רָץ הָעֶ֖בֶד לִקְרָאתָ֑הּ וַיֹּ֕אמֶר
הַגְמִיאִ֥ינִי נָ֛א מְעַט־מַ֖יִם מִכַּדֵּֽךְ׃
יח וַתֹּ֖אמֶר שְׁתֵ֣ה אֲדֹנִ֑י וַתְּמַהֵ֗ר
וַתֹּ֧רֶד כַּדָּ֛הּ עַל־יָדָ֖הּ וַתַּשְׁקֵֽהוּ׃
יט וַתְּכַ֖ל לְהַשְׁקֹת֑וֹ וַתֹּ֗אמֶר גַּ֤ם לִגְמַלֶּ֙יךָ֙ אֶשְׁאָ֔ב
עַ֥ד אִם־כִּלּ֖וּ לִשְׁתֹּֽת׃ כ וַתְּמַהֵ֗ר וַתְּעַ֤ר כַּדָּהּ֙

וְהָא רִבְקָה נָפְקַת דִּי
אִתְיְלִידַת לִבְתוּאֵל בַּר
מִלְכָּה אִתַּת נָחוֹר אֲחוּהִי
דְּאַבְרָהָם וְקוּלְתַהּ עַל
כַּתְפַּהּ׃ טז וְעוּלֶמְתָּא
שַׁפִּירַת חֵיזוּ (נ״א שַׁפִּירָא
לְמֶחֱזֵי) לַחֲדָא בְּתֻלְתָּא
וּגְבַר לָא יְדָעַהּ וּנְחָתַת
לְעֵינָא וּמְלַת קוּלְתַהּ
וּסְלֵקַת׃ יז וּרְהַט עַבְדָּא
לִקְדָמוּתַהּ וַאֲמַר אַשְׁקִינִי
(נ״א אַטְעֲמִנִי) כְּעַן זְעֵיר
מַיָּא מִקּוּלְתִיךְ׃ יח וַאֲמֶרֶת
אִשְׁתְּ רִבּוֹנִי וְאוֹחִיאַת
וַאֲחֵיתַת קוּלְתַהּ עַל יְדַהּ
וְאַשְׁקִתֵהּ׃ יט וְשֵׁיצִיאַת
לְאַשְׁקָיוּתֵהּ וַאֲמֶרֶת
אַף לְגַמְלָיךְ אֲמְלֵי
עַד דִּי סַפְּקוּן לְמִשְׁתֵּי׃
כ וְאוֹחִיאַת וּנְפָצַת קוּלְתַהּ

רש״י

[פסוק טז] **בְּתוּלָה.** מִמְּקוֹם בְּתוּלִים: **וְאִישׁ לֹא יְדָעָהּ.** שֶׁלֹּא כְּדַרְכָּהּ. לְפִי שֶׁבְּנוֹת הַכְּנַעֲנִים הָיוּ מְשַׁמְּרוֹת מְקוֹם בְּתוּלֵיהֶן וּמַפְקִירוֹת עַצְמָן מִמָּקוֹם אַחֵר, הֵעִיד עַל זוֹ שֶׁנְּקִיָּה מִכֹּל (ב״ר ס:ה): [פסוק יז] **וַיָּרָץ הָעֶבֶד לִקְרָאתָהּ.** לְפִי שֶׁרָאָה ת שֶׁעָלוּ הַמַּיִם לִקְרָאתָהּ (שם): **הַגְמִיאִינִי נָא** לְשׁוֹן גְּמִיעָה (שבת עז.), הומי״ר בלע״ז: [פסוק יח] **וַתֹּרֶד כַּדָּהּ.** מֵעַל שִׁכְמָהּ: [פסוק יט] **עַד אִם כִּלּוּ.** הֲרֵי אִם מְשַׁמֵּשׁ בִּלְשׁוֹן אֲשֶׁר: **אִם כִּלּוּ.** ת״א דִּי סַפְּקוּן, שֶׁזּוֹ הָיְתָה גְּמַר שְׁתִיָּתָן א כְּשֶׁשָּׁתוּ דֵּי סִפּוּקָן: [פסוק כ] **וַתְּעַר.** לְשׁוֹן נְפִילָה (אונקלוס). וְהַרְבֵּה יֵשׁ בִּלְשׁוֹן מִשְׁנָה, הַמְּעָרֶה מִכְּלִי

בעל הטורים

(טז) לא ידעה. ב׳ במסורת — הכא, "בתולה ואיש לא ידעה"; והמלך לא ידעה". מה להלן "לא ידעה" בין כדרכה ובין שלא כדרכה, אף הכא נמי "ואיש לא ידעה", בין כדרכה ובין שלא כדרכה: **(יט) ותכל.** ב׳ במסורת — הכא "ותכל להשקתו"; ואידך "ותכל דוד המלך לצאת אל אבשלום כי נחם על אמנון כי מת". "ותכל דוד ... לצאת", למה, משום "ותכל להשקתו", כי שתה כוס תנחומין על אמנון:

עיקר שפתי חכמים

ת דקשה, כי מאחר שגם הוא עמד סמוך להמעין כמ"ש הנה גו' על עין המים למה היה רץ לקראתה, לכ"פ לפי שעלו המים לקראתה לכן רץ: **א** כי על הוראת כליה תרגומו גמירא:

אֶל־הַשֹּׁקֶת וַתָּרָץ עוֹד אֶל־הַבְּאֵר לִשְׁאֹב וַתִּשְׁאַב לְכָל־גְּמַלָּיו: כא וְהָאִישׁ מִשְׁתָּאֵה לָהּ מַחֲרִישׁ לָדַעַת הַהִצְלִיחַ יְהוָה דַּרְכּוֹ אִם־לֹא: כב וַיְהִי כַּאֲשֶׁר כִּלּוּ הַגְּמַלִּים לִשְׁתּוֹת וַיִּקַּח הָאִישׁ נֶזֶם זָהָב בֶּקַע מִשְׁקָלוֹ וּשְׁנֵי צְמִידִים עַל־יָדֶיהָ עֲשָׂרָה זָהָב מִשְׁקָלָם:

לְבֵית שַׁקְיָא וּרְהָטַת עוֹד לְבֵירָא לְמִמְלֵי וּמְלַת לְכָל גַּמְלוֹהִי: כא וְגַבְרָא שָׁהֵי בַהּ מִסְתַּכַּל שָׁתֵיק לְמֵידַע הַאַצְלַח יְיָ אָרְחֵהּ אִם לָא: כב וַהֲוָה כַּד סַפִּיקוּ גַמְלַיָּא לְמִשְׁתֵּי וּנְסֵיב גַּבְרָא קְדָשָׁא דִדְהַב תִּקְלָא מַתְקְלֵהּ וּתְרֵין שֵׁירִין עַל יְדַהָא מַתְקַל עֲשַׂר סִלְעִין דַּהֲבָא מַתְקַלְהוֹן:

רש"י

אֶל כְּלִי (עבודה זרה עב.). וּבַמִּקְרָא יֵשׁ לוֹ דוֹמֶה, אֲשֶׁר הֶעֱרָה לַמָּוֶת נַפְשׁוֹ (ישעיה נג:יב): **הַשֹּׁקֶת.** אֶבֶן חֲלוּלָה שֶׁשּׁוֹתִים בָּהּ הַגְּמַלִּים: **[פסוק כא] מִשְׁתָּאֵה.** לְשׁוֹן שְׁאִיָּה, כְּמוֹ שָׁאוּ עָרִים, תִּשָּׁאֶה שְׁמָמָה (שם ו:יא): **מִשְׁתָּאֵה.** מִשְׁתּוֹמֵם וּמִתְבַּהֵל עַל שֶׁרָאָה דְבָרוֹ קָרוֹב לְהַצְלִיחַ, אֲבָל אֵינוֹ יוֹדֵעַ אִם מִמִּשְׁפַּחַת אַבְרָהָם הִיא אִם לָאו. וְאַל תִּתְמַהּ בְּתָי"ו שֶׁל מִשְׁתָּאֵה, שֶׁאֵין לְךָ תֵּיבָה שֶׁתְּחִלַּת יְסוֹדָהּ שִׁי"ן וּמְדַבֶּרֶת בִּלְשׁוֹן מִתְפַּעֵל שֶׁאֵין תָּי"ו מַפְרִידָהּ בֵּין שְׁתֵּי אוֹתִיּוֹת שֶׁל עִיקַּר הַיְסוֹד, כְּגוֹן מִשְׁתָּאֵה [מִגִּזְרַת שֹׁאָה], מִשְׁתּוֹלֵל (ישעיה נט:טו) מִגִּזְרַת שׁוֹלָל, וַיִּשְׁתּוֹמֵם (שם טז) מִגִּזְרַת שְׁמָמָה, וַיִּשְׁתַּמֵּר חֻקּוֹת עָמְרִי (מיכה ו:טז) מִגִּזְרַת וַיִּשְׁמֹר, אַף כָּאן מִשְׁתָּאֵה מִגִּזְרַת תִּשָּׁאֶה. וְיֵשׁ שֶׁתּוֹפֵס מוֹצִיא לְשׁוֹן מְשׁוּמָם בְּאָדָם נִבְהָל וְנֶאֱלָם וּבַעַל מַחֲשָׁבוֹת, כְּמוֹ עַל יוֹמוֹ נָשַׁמּוּ אַחֲרֹנִים (איוב יח:כ) שֹׁמּוּ שָׁמַיִם (ירמיה ב:יב) אֶשְׁתּוֹמַם כְּשָׁעָה חֲדָא (דניאל ד:טז), כָּךְ תְּפָרֵשׁ לְשׁוֹן שְׁאִיָּה בְּאָדָם בָּהוּל וּבַעַל מַחֲשָׁבוֹת. וְאוּנְקְלוֹס תִּרְגֵּם לְשׁוֹן שְׁהִיָּה, וְגַבְרָא שָׁהֵי, שׁוֹהֶא וְעוֹמֵד בְּמָקוֹם אֶחָד לִרְאוֹת הַהִצְלִיחַ ה' דַּרְכּוֹ. וְאֵין לְתַרְגֵּם שָׁתֵי, שֶׁהֲרֵי אֵינוֹ לְשׁוֹן שְׁתִיָּה, שֶׁאֵין אָלֶ"ף נוֹפֶלֶת בִּלְשׁוֹן [ב] שְׁתִיָּה: **מִשְׁתָּאֵה לָהּ.** מִשְׁתּוֹמֵם עָלֶיהָ, כְּמוֹ אִמְרִי לִי אָחִי הוּא (לעיל כ:יג), וּכְמוֹ וַיִּשְׁאֲלוּ אַנְשֵׁי הַמָּקוֹם לְאִשְׁתּוֹ (להלן כו:ז): **[פסוק כב] בֶּקַע.** רֶמֶז לְשִׁקְלֵי יִשְׂרָאֵל [ג] בֶּקַע לַגֻּלְגֹּלֶת (תרגום יונתן): **וּשְׁנֵי צְמִידִים.** רֶמֶז לִשְׁנֵי לוּחוֹת מְצוּמָּדוֹת (ב"ר ס:ו): **עֲשָׂרָה זָהָב מִשְׁקָלָם.** רֶמֶז לַעֲשֶׂרֶת הַדִּבְּרוֹת שֶׁבָּהֶן (שם):

בעל הטורים

(כב) **בקע.** ב' במסורת — הכא "בקע משקלו"; ואידך "בקע לגלגלת". שרמז לה זכות השקלים:

עיקר שפתי חכמים

ב כי לפי התרגום שפי' לשון שהייה, אשר השורש הוא שהה, בא האל"ף תחת הה"א. אבל אם הוא לשון שתייה, ושרשו שתה, הרי האל"ף במשתאה יתירה: ג דאל"כ למה יספר הכתוב את משקלו הלא לא היה מופלג, וכן למה אמר הכתוב ושני צמידים כי מטוט צמידים שנים, לכן מביא רש"י הדרשות האלה:

ראה הטבלא "מַתְּנוֹת אֱלִיעֶזֶר לְרִבְקָה" (עמוד 527).

כג וַיֹּ֙אמֶר֙ בַּת־מִ֣י אַ֔תְּ הַגִּ֥ידִי נָ֖א לִ֑י
הֲיֵ֧שׁ בֵּית־אָבִ֛יךְ מָק֥וֹם לָ֖נוּ לָלִֽין׃
כד וַתֹּ֣אמֶר אֵלָ֔יו בַּת־בְּתוּאֵ֖ל
אָנֹ֑כִי בֶּן־מִלְכָּ֕ה אֲשֶׁ֥ר יָלְדָ֖ה
לְנָחֽוֹר׃ כה וַתֹּ֣אמֶר אֵלָ֔יו גַּם־תֶּ֥בֶן
גַּם־מִסְפּ֖וֹא רַ֣ב עִמָּ֑נוּ גַּם־מָק֖וֹם
לָלֽוּן׃ כו וַיִּקֹּ֣ד הָאִ֔ישׁ וַיִּשְׁתַּ֖חוּ
לַיהוָֽה׃ רביעי כז וַיֹּ֗אמֶר בָּר֤וּךְ יְהוָה֙
אֱלֹהֵי֙ אֲדֹנִ֣י אַבְרָהָ֔ם אֲשֶׁ֧ר לֹֽא־
עָזַ֛ב חַסְדּ֥וֹ וַאֲמִתּ֖וֹ מֵעִ֣ם אֲדֹנִ֑י אָנֹכִ֗י בַּדֶּ֙רֶךְ֙
נָחַ֣נִי יְהוָ֔ה בֵּ֖ית אֲחֵ֥י אֲדֹנִֽי׃ כח וַתָּ֙רָץ֙ הַֽנַּעֲרָ֔ה
[הנער כ׳] וַתַּגֵּ֖ד לְבֵ֣ית אִמָּ֑הּ כַּדְּבָרִ֖ים הָאֵֽלֶּה׃

כג וַאֲמַר בַּת מַן אַתְּ חַוִּי
כְעַן לִי הַאִית בֵּית אֲבוּךְ
אֲתַר כְּשַׁר לָנָא לִמְבָת:
כד וַאֲמֶרֶת לֵהּ בַּת בְּתוּאֵל
אֲנָא בַּר מִלְכָּה דִּי יְלֵידַת
לְנָחוֹר: כה וַאֲמֶרֶת לֵהּ
אַף תִּבְנָא אַף כִּסָּתָא
סַגִּי עִמָּנָא אַף אֲתַר
כְּשַׁר לִמְבָת: כו וּכְרַע
גַּבְרָא וּסְגִיד קֳדָם יְיָ:
כז וַאֲמַר בְּרִיךְ יְיָ אֱלָהָא
דְּרִבּוֹנִי אַבְרָהָם דִּי לָא
מְנַע טֵיבוּתֵהּ וְקוּשְׁטֵהּ
מִן רִבּוֹנִי אֲנָא בְּאוֹרַח
תַּקְנָא דַּבְּרַנִי יְיָ לְבֵית
אֲחֵי רִבּוֹנִי: כח וּרְהָטַת
עוּלֶמְתָּא וְחַוִּיאַת לְבֵית
אִמַּהּ כְּפִתְגָּמַיָּא הָאִלֵּין:

רש״י

[פסוק כג] וַיֹּאמֶר בַּת מִי אַתְּ. לְאַחַר שֶׁנָּתַן לָהּ שְׁאָלָהּ, [ד] לְפִי שֶׁהָיָה בָּטוּחַ בִּזְכוּתוֹ שֶׁל אַבְרָהָם שֶׁהִצְלִיחַ הקב״ה דַּרְכּוֹ (ב״ר ס׳): **לָלִין.** לִינָה אַחַת, לִין שֵׁם דָּבָר. [ה] וְהִיא אָמְרָה [גַּם מָקוֹם] לָלוּן, כַּמָּה לֵינוֹת (ב״ר שם): **[פסוק כד] בַּת בְּתוּאֵל.** הֱשִׁיבַתּוּ עַל רִאשׁוֹן רִאשׁוֹן וְעַל אַחֲרוֹן אַחֲרוֹן (כלה רבתי פ״ד): **[פסוק כה] מִסְפּוֹא.** כָּל מַאֲכַל הַגְּמַלִּים קָרוּי מִסְפּוֹא, כְּגוֹן עֵצָה (שבת עו.) וּשְׂעוֹרִים (סוטה ט.):

[פסוק כז] בַּדֶּרֶךְ. דֶּרֶךְ הַמְזוּמָּן [ס״א הַמְיוּמָּן], דֶּרֶךְ הַיָּשָׁר (אונקלוס), בְּאוֹתוֹ דֶּרֶךְ שֶׁהָיִיתִי צָרִיךְ. וְכֵן כָּל בֵּי״ת וְלָמֶ״ד וְהֵ״א הַמְשַׁמְּשִׁים בְּרֹאשׁ הַתֵּיבָה וּנְקוּדִים בְּפַתָּ״ח מְדַבְּרִים בְּדָבָר הַפָּשׁוּט שֶׁנִּזְכַּר כְּבָר בְּמָקוֹם אַחֵר אוֹ שֶׁהוּא מְבוֹרָר וְנִיכָּר בְּאֵיזוֹ הוּא מְדַבֵּר: **[פסוק כח] לְבֵית אִמָּהּ.** דֶּרֶךְ הַנָּשִׁים הָיְתָה לִהְיוֹת לָהֶן בַּיִת לֵישֵׁב בּוֹ לִמְלַאכְתָּן, וְאֵין הַבַּת מַגֶּדֶת אֶלָּא לְאִמָּהּ (ב״ר ס:ז):

עיקר שפתי חכמים

ד ואע״פ שבסיפורו אל לבן כתיב שאלה תחל׳ ואח״כ נתן, כבר פרש״י שם שלא יתפסו אותו כו׳: **ה** כי ללין הוא כמו לשיר וזה משם שיר, וכן פה מלינו לין, אבל ללון הוא הפעל המורה על כמה פעמים:

כט וּלְרִבְקָה אָח וּשְׁמוֹ לָבָן וַיָּרָץ
לָבָן אֶל־הָאִישׁ הַחוּצָה אֶל־הָעָיִן:
ל וַיְהִי | כִּרְאֹת אֶת־הַנֶּזֶם וְאֶת־
הַצְּמִדִים עַל־יְדֵי אֲחֹתוֹ וּכְשָׁמְעוֹ
אֶת־דִּבְרֵי רִבְקָה אֲחֹתוֹ לֵאמֹר כֹּה־
דִבֶּר אֵלַי הָאִישׁ וַיָּבֹא אֶל־הָאִישׁ
וְהִנֵּה עֹמֵד עַל־הַגְּמַלִּים עַל־
הָעָיִן: לא וַיֹּאמֶר בּוֹא בְּרוּךְ יְהוָה
לָמָּה תַעֲמֹד בַּחוּץ וְאָנֹכִי פִּנִּיתִי
הַבַּיִת וּמָקוֹם לַגְּמַלִּים: לב וַיָּבֹא הָאִישׁ הַבַּיְתָה
וַיְפַתַּח הַגְּמַלִּים וַיִּתֵּן תֶּבֶן וּמִסְפּוֹא לַגְּמַלִּים
וּמַיִם לִרְחֹץ רַגְלָיו וְרַגְלֵי הָאֲנָשִׁים אֲשֶׁר אִתּוֹ:

כט וּלְרִבְקָה אֲחָא וּשְׁמֵהּ
לָבָן וּרְהַט לָבָן לְגַבְרָא
לְבָרָא לְעֵינָא: ל וַהֲוָה כַּד
חֲזָא יָת קְדָשָׁא וְיָת שֵׁירַיָּא
עַל יְדֵי אֲחָתֵהּ וְכַד שְׁמַע
יָת פִּתְגָּמֵי רִבְקָה אֲחָתֵהּ
לְמֵימַר כְּדֵין מַלֵּיל עִמִּי
גַּבְרָא וַאֲתָא לְוָת גַּבְרָא
וְהָא קָאֵם עִלָּוֵי גַמְלַיָּא
עַל עֵינָא: לא וַאֲמַר עוּל
בְּרִיכָא דַייָ לְמָא אַתְּ קָאֵם
בְּבָרָא וַאֲנָא פַּנֵּיתִי בֵיתָא
וַאֲתַר כְּשַׁר לְגַמְלַיָּא:
לב וְעַל גַּבְרָא לְבֵיתָא
וּשְׁרָא גַּמְלַיָּא וִיהַב
תִּבְנָא וְכִסְּתָא לְגַמְלַיָּא
וּמַיָּא לְאַסְחָאָה רַגְלוֹהִי
וְרַגְלֵי גֻבְרַיָּא דִּי עִמֵּהּ:

רש״י

[פסוק כט] וַיָּרָץ. לָמָּה רָץ וְעַל מָה רָץ, ו וַיְהִי כִּרְאֹת אֶת הַנֶּזֶם, אָמַר, עָשִׁיר הוּא זֶה, וְנָתַן עֵינָיו בַּמָּמוֹן: **[פסוק ל] [עֹמֵד] עַל הַגְּמַלִּים.** ז לְשָׁמְרָן, כְּמוֹ וְהוּא עֹמֵד עֲלֵיהֶם, עֲלֵיהֶם (לעיל יח:ח) לְשַׁמְּשָׁם: **[פסוק לא] פִּנִּיתִי הַבַּיִת.** ח מֵעֲבוֹדַת כּוֹכָבִים (ב״ר ס:ז): **[פסוק לב] וַיְפַתַּח.** הִתִּיר זְמָם שֶׁלָּהֶם, שֶׁהָיָה סוֹתֵם אֶת פִּיהֶם שֶׁלֹּא יִרְעוּ בַּדֶּרֶךְ בִּשְׂדוֹת אֲחֵרִים (ב״ר ס:ח):

בעל הטורים

(כט) ולרבקה. ב׳ במסורת — חד ריש פסוק ״ולרבקה אח״; וחד סוף פסוק ״ותהיין מרת רוח ליצחק ולרבקה״. שכהו עיניו מעשן עבודה זרה של עשו. אבל לרבקה לא הזיק, לפי שהיא ראתה כן בבית אביה, שהיה כומר לעבודה זרה. ועל כן הקדים הכתוב שם יצחק, לומר שלא היו מרת רוח לרבקה כמו ליצחק: אי נמי — רמז למה שאמרו, הנושא אשה יבדוק באחיה, שרוב בנים דומין לאחי האם. ובשביל שהיה אחיה רשע, ילדה עשו הרשע. וזהו ״ולרבקה אח ושמו לבן״, ״ותהיין מרת רוח ליצחק ולרבקה״: **(לא) ומקום.** ב׳ — הכא ״ומקום לגמלים״; ואידך ״ומקום לזהב יזקו״. בשביל ״ומקום לזהב״, שראה מה שנתן לאחותו, פנה מקום לגמלים: **(לב) ויפתח.** ב׳ — הכא ״ויפתח הגמלים״; ואידך ״ויפתח על הלחת ידתיה״ בבנין הבית. מה התם לשון ציור, אף הכא היו הגמלים של אברהם מצירין ומסומנין וניכרים לכל שהיו שלו, שהגמלים לא היו רועים בשדות אחרים:

עיקר שפתי חכמים

ו כי לכאורה הכתובים מסורסים, דהל״ל מקודם ויהי כראות גו׳ וכשמעו גו׳ וירץ לבן גו׳, לכ״פ דהפסוק השני מפרש את הראשון: **ז** דאל״כ רוכב על הגמלים מבעי ליה, ועל כרחך עמד לשמרן: **ח** דאל״כ למה יספר הכתוב שפינה את הבית:

לג וַיּוּשַׂם [ויישם כ׳] לְפָנָיו לֶאֱכֹל
וַיֹּאמֶר לֹא אֹכַל עַד אִם־דִּבַּרְתִּי
דְּבָרָי וַיֹּאמֶר דַּבֵּר: לד וַיֹּאמַר עֶבֶד
אַבְרָהָם אָנֹכִי: לה וַיהוָה בֵּרַךְ
אֶת־אֲדֹנִי מְאֹד וַיִּגְדָּל וַיִּתֶּן־לוֹ
צֹאן וּבָקָר וְכֶסֶף וְזָהָב וַעֲבָדִם
וּשְׁפָחֹת וּגְמַלִּים וַחֲמֹרִים:
לו וַתֵּלֶד שָׂרָה אֵשֶׁת אֲדֹנִי בֵן
לַאדֹנִי אַחֲרֵי זִקְנָתָהּ וַיִּתֶּן־לוֹ
אֶת־כָּל־אֲשֶׁר־לוֹ: לז וַיַּשְׁבִּעֵנִי אֲדֹנִי לֵאמֹר לֹא־
תִקַּח אִשָּׁה לִבְנִי מִבְּנוֹת הַכְּנַעֲנִי אֲשֶׁר אָנֹכִי
יֹשֵׁב בְּאַרְצוֹ: לח אִם־לֹא אֶל־בֵּית־אָבִי תֵּלֵךְ

לג וְשַׁוִּיאוּ קֳדָמוֹהִי לְמֵיכַל
וַאֲמַר לָא אֵיכוּל עַד
דַּאֲמַלֵּל פִּתְגָּמַי וַאֲמַר
מַלֵּל: לד וַאֲמַר עַבְדָּא
דְאַבְרָהָם אֲנָא: לה וַייָ
בָּרִיךְ יָת רִבּוֹנִי לַחֲדָא
וּרְבָא וִיהַב לֵהּ עָאן
וְתוֹרִין וּכְסַף וּדְהַב וְעַבְדִּין
וְאַמְהָן וְגַמְלִין וַחֲמָרִין:
לו וִילִידַת שָׂרָה אִתַּת
רִבּוֹנִי בַר לְרִבּוֹנִי בָּתַר
דְּסֵיבַת וִיהַב לֵהּ יָת כָּל
דִּי לֵהּ: לז וְקַיֵּים עֲלַי רִבּוֹנִי
לְמֵימַר לָא תִסַּב אִתְּתָא
לִבְרִי מִבְּנָת כְּנַעֲנָאֵי
דִּי אֲנָא יָתֵב בְּאַרְעֲהוֹן:
לח אֱלָהֵן לְבֵית אַבָּא תֵּיזֵיל

רש״י

[פסוק לג] עד אם דברתי. הֲרֵי אִם מְשַׁמֵּשׁ בִּלְשׁוֹן אֲשֶׁר וּבִלְשׁוֹן כִּי, כְּמוֹ עַד כִּי יָבֹא שִׁילֹה (להלן מט:י). וְזֶהוּ שֶׁאָמְרוּ חז״ל כִּי מְשַׁמֵּשׁ בד׳ לְשׁוֹנוֹת, וְהָאֶחָד אִי, וְהוּא ט אִם (ר״ה ג.): **[פסוק לו] ויתן לו את כל אשר לו.** שְׁטַר מַתָּנָה הֶרְאָה לָהֶם (פדר״א פט״ז): **[פסוק לז] לא תקח אשה לבני מבנות הכנעני.** אִם לֹא תֵלֵךְ תְּחִלָּה אֶל בֵּית אָבִי י וְלֹא תֹאבֶה לָלֶכֶת אַחֲרֶיךָ (קדושין סא:):

בעל הטורים

(לג) ויושם. ויישם כתיב, מלמד שנתנו לו סם המות בקערה, ומיהרו עליו לאכול כדי שלא ירגיש: **ויישם.** ב׳ — הכא; ואידך ״ויישם בארון״. רמז שרצו להמיתו וליתנו בארון, והוא הרגיש ואמר, ״לא אוכל עד אם דברתי דברי״, כי ״עבד אברהם אנכי״ ונהגתי בביתו שלא לאכול עד שאדבר דברי, ברכת נטילת ידים וברכת המוציא. ובזה חשב כי ינצל, כי כוס של ברכה לטובה מצטרף ולא לרעה. וכן היה לו, שבא המלאך והחזיר סם המות לצד בתואל ואכל ומת: ויש מפרשים, שנתנו לו דבר אסור, ואמר ״לא אוכל עד אם דברתי דברי, עבד אברהם אנכי״ ואיני אוכל דבר אסור:

עיקר שפתי חכמים

ט כמו מלת כי משמש בלשון אי, והוא אם, כן מלת אם משמש בלשון כי, דהיינו אשר: י כי באמת אם לא תאבה ללכת אז יוכל ליקח גם מבנות ענר וכו׳ כמ״ש לעיל:

וְאֶל־מִשְׁפַּחְתִּי וְלָקַחְתָּ אִשָּׁה
לִבְנִי: לט וָאֹמַר אֶל־אֲדֹנִי אֻלַי
לֹא־תֵלֵךְ הָאִשָּׁה אַחֲרָי: מ וַיֹּאמֶר
אֵלָי יְהוָה אֲשֶׁר־הִתְהַלַּכְתִּי
לְפָנָיו יִשְׁלַח מַלְאָכוֹ אִתָּךְ
וְהִצְלִיחַ דַּרְכֶּךָ וְלָקַחְתָּ אִשָּׁה
לִבְנִי מִמִּשְׁפַּחְתִּי וּמִבֵּית אָבִי:
מא אָז תִּנָּקֶה מֵאָלָתִי כִּי תָבוֹא
אֶל־מִשְׁפַּחְתִּי וְאִם־לֹא יִתְּנוּ לָךְ
וְהָיִיתָ נָקִי מֵאָלָתִי: מב וָאָבֹא הַיּוֹם
אֶל־הָעָיִן וָאֹמַר יְהוָה אֱלֹהֵי אֲדֹנִי אַבְרָהָם אִם־
יֶשְׁךָ־נָּא מַצְלִיחַ דַּרְכִּי אֲשֶׁר אָנֹכִי הֹלֵךְ עָלֶיהָ:
מג הִנֵּה אָנֹכִי נִצָּב עַל־עֵין הַמָּיִם וְהָיָה הָעַלְמָה

וּלְזַרְעִיתִי וְתִסַּב אִתְּתָא
לִבְרִי: לט וַאֲמָרִית לְרִבּוֹנִי
מָאִים לָא תֵיזִיל אִתְּתָא
בַּתְרָי: מ וַאֲמַר לִי יְיָ דִּי
פְּלָחִית קֳדָמוֹהִי יִשְׁלַח
מַלְאֲכֵהּ עִמָּךְ וְיַצְלַח
אָרְחָךְ וְתִסַּב אִתְּתָא
לִבְרִי מִזַּרְעִיתִי וּמִבֵּית
אַבָּא: מא בְּכֵן תְּהֵי זַכַּי
(נ״א זַכָּא) מִמּוֹמָתִי אֲרֵי
תְהָךְ לְזַרְעִיתִי וְאִם
לָא יִתְּנוּן לָךְ וּתְהֵי זַכַּי
מִמּוֹמָתִי: מב וַאֲתֵית (נ״א
וַאֲתֵיתִי) יוֹמָא דֵין לְעֵינָא
וַאֲמָרִית יְיָ אֱלָהָא דְרִבּוֹנִי
אַבְרָהָם אִם אִית כְּעַן
רַעֲוָא קֳדָמָךְ לְאַצְלָחָא
אָרְחִי דִּי אֲנָא אָזֵל עֲלַהּ:
מג הָא אֲנָא קָאֵם עַל עֵינָא
דְמַיָּא וּתְהֵי עוּלֵמְתָא

רש״י

[פסוק לט] **אֻלַי לֹא תֵלֵךְ הָאִשָּׁה.** אֻלַי כְּתִיב, בַּת הָיְתָה לוֹ לֶאֱלִיעֶזֶר, וְהָיָה מְחַזֵּר ב לִמְצֹא עִלָּה שֶׁיֹּאמַר [לוֹ] אַבְרָהָם לִפְנוֹת אֵלָיו לְהַשִּׂיאוֹ בִּתּוֹ. אָמַר לוֹ אַבְרָהָם בְּנִי בָּרוּךְ וְאַתָּה ל אָרוּר, וְאֵין אָרוּר מִדַּבֵּק בְּבָרוּךְ (ב״ר נט:ט): **[פסוק מב] וָאָבֹא הַיּוֹם.** הַיּוֹם יָצָאתִי וְהַיּוֹם בָּאתִי. מִכָּאן שֶׁקָּפְצָה לוֹ הָאָרֶץ (סנהדרין צה.; ב״ר שם יא). אָמַר רַבִּי אַחָא, יָפָה שִׂיחָתָן שֶׁל עַבְדֵי אָבוֹת לִפְנֵי הַמָּקוֹם מִתּוֹרָתָן שֶׁל בָּנִים, שֶׁהֲרֵי פָּרָשָׁה שֶׁל אֱלִיעֶזֶר כְּפוּלָה בַּתּוֹרָה, וְהַרְבֵּה גּוּפֵי תוֹרָה לֹא נִתְּנוּ אֶלָּא בִּרְמִיזָה (ב״ר ס:ח):

בעל הטורים

(מא) אז תנקה מאלתי. ואברהם אמר "משבעתי". שהוא החמיר עליהם לומר שהביאו באלה, שהיא חמורה יותר, כדי שיתרצו: **כי תבוא אל משפחתי.** ולא אמר "אל בית אבי", לומר שאם לא ימצא מבית אב יקח מבית אם:

עיקר שפתי חכמים

ב כי אל״כ לא היה לו לומר להם אופן השלילה בלשון אולי לא תלך, רק בלשון פן לא תלך: **ל** כי היה מבני כנען והיה עבד:

דְּתִפּוֹק לְמִמְלֵי וְאֵימַר לַהּ
אַשְׁקִינִי כְעַן זְעֵיר מַיָּא
מִקּוּלְתִיךְ: מד וְתֵימַר לִי
אַף אַתְּ אֵשְׁתְּ וְאַף לְגַמְלָיִךְ
אֵמְלֵי הִיא אִתְּתָא דִּי זַמִּין יְיָ
לְבַר רִבּוֹנִי: מה אֲנָא עַד לָא
שֵׁיצִיתִי לְמַלָּלָא עִם לִבִּי
וְהָא רִבְקָה נְפָקַת וְקוּלְּתָהּ
עַל כַּתְפַהּ וּנְחָתַת לְעֵינָא
וּמְלָת וַאֲמָרִית לַהּ אַשְׁקִינִי
כְעַן: מו וְאוֹחִיאַת וַאֲחִיתַת
קוּלְּתַהּ מִנַּהּ וַאֲמֶרֶת אֵשְׁתְּ
וְאַף גַּמְלָיִךְ אַשְׁקִי וּשְׁתֵיתִי
וְאַף גַּמְלַיָּא אַשְׁקִיאַת:
מז וּשְׁאֵלִית יָתַהּ וַאֲמָרִית
בַּת מָן אַתְּ וַאֲמֶרֶת בַּת

הַיֹּצֵאת לִשְׁאֹב וְאָמַרְתִּי אֵלֶיהָ
הַשְׁקִינִי־נָא מְעַט־מַיִם מִכַּדֵּךְ:
מד וְאָמְרָה אֵלַי גַּם־אַתָּה שְׁתֵה
וְגַם לִגְמַלֶּיךָ אֶשְׁאָב הִוא
הָאִשָּׁה אֲשֶׁר־הֹכִיחַ יְהוָה לְבֶן־
אֲדֹנִי: מה אֲנִי טֶרֶם אֲכַלֶּה לְדַבֵּר
אֶל־לִבִּי וְהִנֵּה רִבְקָה יֹצֵאת
וְכַדָּהּ עַל־שִׁכְמָהּ וַתֵּרֶד הָעַיְנָה
וַתִּשְׁאָב וָאֹמַר אֵלֶיהָ הַשְׁקִינִי נָא: מו וַתְּמַהֵר
וַתּוֹרֶד כַּדָּהּ מֵעָלֶיהָ וַתֹּאמֶר שְׁתֵה וְגַם־
גְּמַלֶּיךָ אַשְׁקֶה וָאֵשְׁתְּ וְגַם הַגְּמַלִּים הִשְׁקָתָה:
מז וָאֶשְׁאַל אֹתָהּ וָאֹמַר בַּת־מִי אַתְּ וַתֹּאמֶר בַּת־

רש"י

[פסוק מד] גַּם אַתָּה. גַּם, לְרַבּוֹת אֲנָשִׁים
שֶׁעִמּוֹ: הֹכִיחַ. בֵּרֵר וְהוֹדִיעַ, וְכֵן כָּל הוֹכָחָה
שֶׁבַּמִּקְרָא בֵּירוּר דָּבָר: [פסוק מה] טֶרֶם
אֲכַלֶּה. טֶרֶם שֶׁאֲנִי [מ] מְכַלֶּה. וְכֵן כָּל לְשׁוֹן הֹוֶה
פְּעָמִים שֶׁהוּא מְדַבֵּר בִּלְשׁוֹן עָבַר, וְיָכוֹל לִכְתּוֹב
טֶרֶם כִּלִּיתִי, וּפְעָמִים שֶׁמְּדַבֵּר בִּלְשׁוֹן עָתִיד,
כְּמוֹ כִּי אָמַר אִיּוֹב (איוב א:ה) הֲרֵי לְשׁוֹן עָבַר,

כָּכָה יַעֲשֶׂה אִיּוֹב (שם) הֲרֵי לְשׁוֹן עָתִיד, וּפֵירוּשׁ
שְׁנֵיהֶם לְשׁוֹן הֹוֶה, כִּי אוֹמֵר הָיָה אִיּוֹב אוּלַי
חָטְאוּ בָנַי וְגוֹ' (שם) וְהָיָה עוֹשֶׂה כָּךְ: [פסוק מז]
וָאֶשְׁאַל וָאָשִׂם. שִׁנָּה הַסֵּדֶר, שֶׁהֲרֵי הוּא
תְּחִלָּה נָתַן וְאח"כ שָׁאַל. אֶלָּא שֶׁלֹּא יִתְפְּשׂוּהוּ
בִדְבָרָיו וְיֹאמְרוּ הֵיאַךְ נָתַתָּ לָהּ וַעֲדַיִן אֵינְךָ יוֹדֵעַ
מִי הִיא:

עיקר שפתי חכמים

מ דְּקָשֶׁה לְרַשִׁ"י אֵיךְ שַׁיָּךְ כָּאן פֹּה הֻפְעַל אֲכַלֶּה בֶּעָתִיד, הֲלֹא כַּאֲשֶׁר בָּאָה
רִבְקָה אָז הֵטִין כְּבָר דָּבַר אֱלִיעֶזֶר אֶל לִבּוֹ. לָכֵן כָּתַב רַשִׁ"י כִּי הוּא כְּמוֹ

בעל הטורים

(מז) וָאֶשְׂם הַנֶּזֶם. חָסֵר יו"ד – לוֹמַר שֶׁלֹּא נָגַע בַּבְּשָׂרָהּ מֵחֲמַת
צְנִיעוּת:

מְכַלֶּה בַּהֹוֶה, כִּי בָּעִבְרִית יָבוֹא הַהֹוֶה פְּעָמִים בַּפֹּעַל עָתִיד וּפְעָמִים בְּעָבָר, וְכֵן שֶׁמֵּבִיא רַשִׁ"י ז"ל רְאָיוֹת עַל זֶה:

בְּתוּאֵל֙ בֶּן־נָח֔וֹר אֲשֶׁ֥ר יָֽלְדָה־
לּ֖וֹ מִלְכָּ֑ה וָאָשִׂ֤ם הַנֶּ֙זֶם֙ עַל־אַפָּ֔הּ
וְהַצְּמִידִ֖ים עַל־יָדֶֽיהָ׃ מח וָאֶקֹּ֥ד
וָֽאֶשְׁתַּחֲוֶ֖ה לַֽיהוָ֑ה וָאֲבָרֵ֗ךְ אֶת־
יְהוָה֙ אֱלֹהֵי֙ אֲדֹנִ֣י אַבְרָהָ֔ם אֲשֶׁ֤ר
הִנְחַ֙נִי֙ בְּדֶ֣רֶךְ אֱמֶ֔ת לָקַ֛חַת אֶת־
בַּת־אֲחִ֥י אֲדֹנִ֖י לִבְנֽוֹ׃ מט וְעַתָּ֡ה
אִם־יֶשְׁכֶם֩ עֹשִׂ֨ים חֶ֧סֶד וֶֽאֱמֶ֛ת
אֶת־אֲדֹנִ֖י הַגִּ֣ידוּ לִ֑י וְאִם־לֹ֕א
הַגִּ֣ידוּ לִ֔י וְאֶפְנֶ֥ה עַל־יָמִ֖ין א֥וֹ עַל־
שְׂמֹֽאל׃ נ וַיַּ֨עַן לָבָ֤ן וּבְתוּאֵל֙ וַיֹּ֣אמְר֔וּ מֵיְהוָ֖ה יָצָ֣א
הַדָּבָ֑ר לֹ֥א נוּכַ֛ל דַּבֵּ֥ר אֵלֶ֖יךָ רַ֥ע אוֹ־טֽוֹב׃ נא הִנֵּֽה־
רִבְקָ֥ה לְפָנֶ֖יךָ קַ֣ח וָלֵ֑ךְ וּתְהִ֤י אִשָּׁה֙ לְבֶן־אֲדֹנֶ֔יךָ
כַּאֲשֶׁ֖ר דִּבֶּ֥ר יְהוָֽה׃ נב וַיְהִ֕י כַּאֲשֶׁ֥ר שָׁמַ֛ע עֶ֥בֶד

בְּתוּאֵל בַּר נָחוֹר דִּי יְלֵידַת
לֵהּ מִלְכָּה וְשַׁוֵּיתִי קַדָּשָׁא
עַל אַפַּהּ וְשֵׁירַיָּא עַל יְדָהָא:
מח וּכְרָעִית וּסְגָדִית קֳדָם
יְיָ וּבָרֵכִית יָת יְיָ אֱלָהֵהּ
דְּרִבּוֹנִי אַבְרָהָם דְּדַבְּרַנִי
בְּאוֹרַח קְשׁוֹט לְמִסַּב יָת
בַּת אֲחוּהִי דְּרִבּוֹנִי לִבְרֵהּ:
מט וּכְעַן אִם אִיתֵיכוֹן
עָבְדִין טֵיבוּ וּקְשׁוֹט עִם
רִבּוֹנִי חַוּוֹ לִי וְאִם לָא חַוּוֹ
לִי וְאֶתְפְּנֵי עַל יַמִּינָא אוֹ
עַל שְׂמָאלָא: נ וַאֲתֵיב לָבָן
וּבְתוּאֵל וַאֲמַרוּ מִן קֳדָם יְיָ
נְפַק פִּתְגָּמָא לֵית אֲנַחְנָא
יָכְלִין לְמַלָּלָא עִמָּךְ בִּישׁ
אוֹ טָב: נא הָא רִבְקָה קֳדָמָךְ
דְּבַר וְאֵיזִיל וּתְהֵי אִתְּתָא
לְבַר רִבּוֹנָךְ כְּמָא דִּי מַלֵּיל
יְיָ: נב וַהֲוָה כַּד שְׁמַע עַבְדָּא

רש"י

[פסוק מט] **עַל יָמִין.** מִבְּנוֹת יִשְׁמָעֵאל: **עַל שְׂמֹאל.** מִבְּנוֹת לוֹט שֶׁהָיָה יוֹשֵׁב לִשְׂמֹאלוֹ שֶׁל אַבְרָהָם. ב"ר (סס ט): [פסוק נ] **וַיַּעַן לָבָן וּבְתוּאֵל.** רָשָׁע הָיָה וְקָפַץ לְהָשִׁיב לִפְנֵי אָבִיו (פסיקתא זוטרתא): **לֹא נוּכַל דַּבֵּר אֵלֶיךָ.** לְמָאֵן בַּדָּבָר הַזֶּה, לֹא ע"י תְּשׁוּבַת דָּבָר רָע וְלֹא ע"י תְּשׁוּבַת דָּבָר הָגוּן, לְפִי שֶׁנִּכָּר שֶׁמֵּה' יָצָא הַדָּבָר לְפִי דְּבָרֶיךָ שֶׁזִּמְּנָהּ לְךָ:

בעל הטורים

(מט) **על ימין או על שמאל.** ראשי תבות בגימטריא ישמעאל. או בגימטריא [זה בישמעאל] בעמון ומואב:

אַבְרָהָם אֶת־דִּבְרֵיהֶם וַיִּשְׁתַּחוּ
אַרְצָה לַיהוָה: חמישי נג וַיּוֹצֵא הָעֶבֶד
כְּלֵי־כֶסֶף וּכְלֵי זָהָב וּבְגָדִים וַיִּתֵּן
לְרִבְקָה וּמִגְדָּנֹת נָתַן לְאָחִיהָ
וּלְאִמָּהּ: נד וַיֹּאכְלוּ וַיִּשְׁתּוּ הוּא
וְהָאֲנָשִׁים אֲשֶׁר־עִמּוֹ וַיָּלִינוּ
וַיָּקוּמוּ בַבֹּקֶר וַיֹּאמֶר שַׁלְּחֻנִי
לַאדֹנִי: נה וַיֹּאמֶר אָחִיהָ וְאִמָּהּ
תֵּשֵׁב הַנַּעֲרָ [הנער כ'] אִתָּנוּ
יָמִים אוֹ עָשׂוֹר אַחַר תֵּלֵךְ: נו וַיֹּאמֶר אֲלֵהֶם
אַל־תְּאַחֲרוּ אֹתִי וַיהוָה הִצְלִיחַ דַּרְכִּי שַׁלְּחוּנִי
וְאֵלְכָה לַאדֹנִי: נז וַיֹּאמְרוּ נִקְרָא לַנַּעֲרָ [לנער כ']

דַאֲבְרָהָם יָת פִּתְגָּמֵיהוֹן
וּסְגֵד עַל אַרְעָא קֳדָם
יְיָ: נג וְאַפֵּק עַבְדָּא מָנִין
דִּכְסַף וּמָנִין דִּדְהַב
וּלְבוּשִׁין וִיהַב לְרִבְקָה
וּמִגְדָּנִין יְהַב לַאֲחוּהָא
וּלְאִמַּהּ: נד וַאֲכַלוּ
וּשְׁתִיאוּ הוּא וְגוּבְרַיָּא דִּי
עִמֵּהּ וּבִיתוּ וְקָמוּ בְצַפְרָא
וַאֲמַר שַׁלְּחוּנִי לְוָת רִבּוֹנִי:
נה וַאֲמַר אֲחוּהָא וְאִמַּהּ
תְּתֵיב עוּלֵימְתָא עִמָּנָא
עִדָּן בְּעִדָּן אוֹ עַסְרָא יַרְחִין
בָּתַר כֵּן תֵּיזִיל: נו וַאֲמַר
לְהוֹן לָא תְאַחֲרוּן יָתִי
וַיְיָ אַצְלַח אָרְחִי שַׁלְּחוּנִי
וְאֵיהַךְ לְוָת רִבּוֹנִי:
נז וַאֲמַרוּ נִקְרֵי לְעוּלֵימְתָא

רש"י

[פסוק נב] וַיִּשְׁתַּחוּ אַרְצָה. מִכָּאן שֶׁמּוֹדִים עַל בְּשׂוֹרָה טוֹבָה (ב"ר ס:ו): [פסוק נג] וּמִגְדָּנֹת. לְשׁוֹן מִגְדִּים, שֶׁהֵבִיא עִמּוֹ מִינֵי פֵּירוֹת (שם יא) שֶׁל א"י: [פסוק נד] וַיָּלִינוּ. כָּל לִינָה שֶׁבַּמִּקְרָא לִינַת לַיְלָה [א'] (ב"מ קז:): [פסוק נה] וַיֹּאמֶר אָחִיהָ וְאִמָּהּ. וּבְתוּאֵל הֵיכָן הָיָה. הוּא הָיָה רוֹצֶה לְעַכֵּב וּבָא מַלְאָךְ וְהֱמִיתוֹ (ב"ר שם יב): יָמִים. שָׁנָה (כתובות נז) כְּמוֹ יָמִים תִּהְיֶה גְאֻלָּתוֹ (ויקרא כה:כט), שֶׁכָּךְ נוֹתְנִין לִבְתוּלָה זְמַן י"ב חֹדֶשׁ לְפַרְנֵס אֶת עַצְמָהּ בְּתַכְשִׁיטִים (כתובות נז.; ב"ר שם יב): אוֹ עָשׂוֹר. י' חֳדָשִׁים (אונקלוס). וְאִ"ת יָמִים מַמָּשׁ, אֵין דֶּרֶךְ הַמְבַקְּשִׁים לְבַקֵּשׁ דָּבָר מוּעָט וְאִם לֹא תִּרְצֶה תֵּן לָנוּ מְרֻבֶּה מִזֶּה (כתובות נז:):

בעל הטורים

(נו) אל תאחרו אתי. וה'. סופי תבות לויה, שילווהו:

עיקר שפתי חכמים

נ ולעיל גבי ויקוד ארצה וישתחו לא פירש כן, כי עדיין לא ידע אם תאבה. אבל עתה שאמרו לו קח ולך, הודה לה':

וְנִשְׁאֲלָ֖ה אֶת־פִּֽיהָ׃ נח וַיִּקְרְא֤וּ
לְרִבְקָה֙ וַיֹּאמְר֣וּ אֵלֶ֔יהָ הֲתֵלְכִ֖י
עִם־הָאִ֣ישׁ הַזֶּ֑ה וַתֹּ֖אמֶר אֵלֵֽךְ׃
נט וַיְשַׁלְּח֛וּ אֶת־רִבְקָ֥ה אֲחֹתָ֖ם
וְאֶת־מֵנִקְתָּ֑הּ וְאֶת־עֶ֥בֶד אַבְרָהָ֖ם
וְאֶת־אֲנָשָֽׁיו׃ ס וַיְבָרְכ֤וּ אֶת־רִבְקָה֙
וַיֹּ֣אמְרוּ לָ֔הּ אֲחֹתֵ֕נוּ אַ֥תְּ הֲיִ֖י
לְאַלְפֵ֣י רְבָבָ֑ה וְיִירַ֣שׁ זַרְעֵ֔ךְ אֵ֖ת
שַׁ֥עַר שֹׂנְאָֽיו׃ סא וַתָּ֨קָם רִבְקָ֜ה
וְנַעֲרֹתֶ֗יהָ וַתִּרְכַּ֙בְנָה֙ עַל־הַגְּמַלִּ֔ים
וַתֵּלַ֖כְנָה אַחֲרֵ֣י הָאִ֑ישׁ וַיִּקַּ֥ח הָעֶ֛בֶד אֶת־רִבְקָ֖ה
וַיֵּלַֽךְ׃ סב וְיִצְחָק֙ בָּ֣א מִבּ֔וֹא בְּאֵ֥ר לַחַ֖י רֹאִ֑י

וְנִשְׁמַע מַה דְּהִיא אָמְרָה:
נח וּקְרוֹ לְרִבְקָה וַאֲמַרוּ
לַהּ הֲתֵיזְלִי עִם גַּבְרָא
הָדֵין וַאֲמֶרֶת אֵיזִיל:
נט וְאַלְוִיאוּ (נ״א וְשַׁלַּחוּ)
יָת רִבְקָה אֲחַתְהוֹן וְיָת
מֵנִקְתַּהּ וְיָת עַבְדָּא
דְאַבְרָהָם וְיָת גַּבְרוֹהִי:
ס וּבָרִיכוּ יָת רִבְקָה
וַאֲמַרוּ לַהּ אֲחָתָנָא אַתְּ
הֲוֵי לְאַלְפִין וּלְרִבְוָן
וְיִרְתוּן בְּנַיְכִי יָת קִרְוֵי
סַנְאֵיהוֹן: סא וְקָמַת רִבְקָה
וְעוּלֵמְתָהָא וּרְכִיבָא
עַל גַּמְלַיָּא וַאֲזַלָא בָּתַר
גַּבְרָא וּדְבַר עַבְדָּא יָת
רִבְקָה וַאֲזַל: סב וְיִצְחָק
אֲתָא מִמֵּתוֹהִי (נ״א עַל
בְּמֵתוֹהִי) מִבֵּירָא דְּמַלְאַךְ
קַיָּמָא אִתְחֲזִי עֲלַהּ

רש״י

[פסוק נז] וְנִשְׁאֲלָה אֶת פִּיהָ. מִכָּאן שֶׁאֵין מַשִּׂיאִין אֶת הָאִשָּׁה אֶלָּא מִדַּעְתָּהּ (ב״ר שם): **[פסוק נח] וַתֹּאמֶר אֵלֵךְ.** מֵעַצְמִי, וְאַף ס אִם אֵינְכֶם רוֹצִים (שם): **[פסוק ס] אַתְּ הֲיִי לְאַלְפֵי רְבָבָה.** אַתְּ וְזַרְעֵךְ תְּקַבְּלוּ אוֹתָהּ בְּרָכָה שֶׁנֶּאֱמַר לְאַבְרָהָם בְּהַר הַמּוֹרִיָּה ע וְהַרְבָּה אַרְבֶּה אֶת זַרְעֲךָ וגו׳ (לעיל כב:יז), יְהִי רָצוֹן שֶׁיְּהֵא אוֹתוֹ הַזֶּרַע מִמֵּךְ וְלֹא מֵאִשָּׁה אַחֶרֶת: **[פסוק סב] מִבּוֹא בְּאֵר לַחַי רֹאִי.** שֶׁהָלַךְ לְהָבִיא הָגָר לְאַבְרָהָם אָבִיו שֶׁיִּשָּׂאֶנָּה (ב״ר שם יד):

בעל הטורים

(נח) עם האיש הזה. סופי תבות משה, הלך כדת משה וישראל: **(ס) את היי.** ״היי״ בגימטריא כה. כלומר, תזכי למה שנאמר ״כה יהיה זרעך״: **רבבה.** ד׳ במסורת – ״היי לאלפי רבבה״; ואידך ״ושנים יניסו רבבה״; ״ומאה מכם רבבה ירדפו״; ״רבבה כצמח השדה נתתיך״. שאמרו לה, שתהיי מאותם ש״שנים יניסו רבבה״, ו״רבבה כצמח השדה״:

עיקר שפתי חכמים

ס כי תשובתה אלך מורה כי לא תלתה את רצונה ברצונם: ע ולכך כתיב ויירש זרעך כו׳ כי ליצחק נתנה הברכה ולא לה:

וְה֥וּא יוֹשֵׁ֖ב בְּאֶ֥רֶץ הַנֶּֽגֶב׃
סג וַיֵּצֵ֥א יִצְחָ֛ק לָשׂ֥וּחַ בַּשָּׂדֶ֖ה
לִפְנ֣וֹת עָ֑רֶב וַיִּשָּׂ֤א עֵינָיו֙ וַיַּ֔רְא
וְהִנֵּ֥ה גְמַלִּ֖ים בָּאִֽים׃ סד וַתִּשָּׂ֤א
רִבְקָה֙ אֶת־עֵינֶ֔יהָ וַתֵּ֖רֶא אֶת־
יִצְחָ֑ק וַתִּפֹּ֖ל מֵעַ֥ל הַגָּמָֽל׃
סה וַתֹּ֣אמֶר אֶל־הָעֶ֗בֶד מִֽי־הָאִ֤ישׁ
הַלָּזֶה֙ הַהֹלֵ֤ךְ בַּשָּׂדֶה֙ לִקְרָאתֵ֔נוּ וַיֹּ֥אמֶר הָעֶ֖בֶד
ה֣וּא אֲדֹנִ֑י וַתִּקַּ֥ח הַצָּעִ֖יף וַתִּתְכָּֽס׃ סו וַיְסַפֵּ֥ר
הָעֶ֖בֶד לְיִצְחָ֑ק אֵ֥ת כָּל־הַדְּבָרִ֖ים אֲשֶׁ֥ר עָשָֽׂה׃

וְהוּא יָתֵב בַּאֲרַע דָּרוֹמָא:
סג וּנְפַק יִצְחָק לְצַלָּאָה
בְחַקְלָא לְמִפְנֵי רַמְשָׁא
וּזְקַף עֵינוֹהִי וַחֲזָא וְהָא
גַמְלַיָּא אָתָן: סד וּזְקָפַת
רִבְקָה יָת עֵינָהָא וַחֲזַת
יָת יִצְחָק וְאִתְרְכִינַת מֵעַל
גַּמְלָא: סה וַאֲמֶרֶת לְעַבְדָּא
מָן גַּבְרָא דֵיכִי דִּמְהַלֵּךְ
בְּחַקְלָא לְקַדָּמוּתָנָא
וַאֲמַר עַבְדָּא הוּא רִבּוֹנִי
וּנְסֵיבַת עֵיפָא וְאִתְכַּסִּיאַת:
סו וְאִשְׁתָּעִי עַבְדָּא לְיִצְחָק
יָת כָּל פִּתְגָּמַיָּא דִּי עֲבָד:

רש"י

יוֹשֵׁב בְּאֶרֶץ הַנֶּגֶב. קָרוֹב לִבְאֵר לַחַי רֹאִי, שֶׁנֶּאֱמַר וַיִּסַּע מִשָּׁם אַבְרָהָם אַרְצָה הַנֶּגֶב וַיֵּשֶׁב בֵּין קָדֵשׁ וּבֵין שׁוּר (לעיל כ:א), וְשָׁם הָיָה הַבְּאֵר, שֶׁנֶּא' הִנֵּה בֵין קָדֵשׁ פ וּבֵין בָּרֶד (שם טז:יד): **[פסוק סג] לָשׂוּחַ.** לְשׁוֹן תְּפִלָּה, כְּמוֹ יִשְׁפֹּךְ שִׂיחוֹ (תהלים קב:א; ברכות כו:; ב"ר ס:יד): **[פסוק סד] וַתֵּרֶא אֶת יִצְחָק.** רָאֲתָה אוֹתוֹ צ הָדוּר וְתָוְהָה [ס"א וְנִתְבַּיְּשָׁה ס"א וְתָמְהָה] מִפָּנָיו (ב"ר ס:טו): **וַתִּפֹּל.** הִשְׁמִיטָה עַצְמָהּ לָאָרֶץ, כְּתַרְגּוּמוֹ וְאִתְרְכִינַת, ק הִטְּתָה עַצְמָהּ לָאָרֶץ וְלֹא הִגִּיעָה עַד הַקַּרְקַע, כְּמוֹ הַטִּי נָא כַדֵּךְ (לעיל פסוק יד) אַרְכִינִי, וַיֵּט שָׁמַיִם (שמואל ב כב:י) וְאַרְכִּין, לְ' מוּטֶה לָאָרֶץ. וְדוֹמֶה לוֹ, כִּי יִפֹּל לֹא יוּטָל (תהלים לז:כד) כְּלוֹמַר, אִם יֻטֶּה לָאָרֶץ לֹא יַגִּיעַ עַד הַקַּרְקַע (ב"ר שם): **[פסוק סה] וַתִּתְכָּס.** לְשׁוֹן וַתִּתְפָּעֵל, כְּמוֹ וַתִּקָּבֵר (להלן לה:ח) וַתִּשָּׁבֵר (ש"א ד:יח): **[פסוק סו] וַיְסַפֵּר הָעֶבֶד.** גִּלָּה לוֹ נִסִּים שֶׁנַּעֲשׂוּ לוֹ, שֶׁקָּפְצָה לוֹ הָאָרֶץ וְשֶׁנִּזְדַּמְּנָה לוֹ רִבְקָה בִּתְפִלָּתוֹ (ב"ר שם):

בעל הטורים

(סב) **והוא ישב בארץ הנגב.** וסמיך לה "ויצא יצחק לשוח בשדה", רמז למה שאמרו, הרוצה שיחכים ידרים: (סג) **לשוח בשדה.** היינו שיצחק תיקן תפלת המנחה, ואז נזדמנה לו רבקה. והיינו דכתיב "על זאת יתפלל כל חסיד אליך לעת מצא", דהיינו אשה, דכתיב "מצא אשה מצא טוב": **לפנות ערב.** ב' במסורת – "לשוח בשדה לפנות ערב"; ואידך "והיה לפנות ערב ירחץ במים". רמז למה שאמרו חכמינו ז"ל, טובלים מן המנחה ולמעלה. דמה הכא מנחה, שיצחק תיקן תפלת מנחה, אף התם נמי מנחה:

עיקר שפתי חכמים

פ כי על ברד ועל שור תרגם אונקלוס על שניהם חגרא, ושם כתיב ארצה הנגב, מזה מוכח כי ארץ הנגב סמוכה היתה לבאר: **צ** דמאין ידעה שהוא יצחק. אלא שראתה אותו הדור וחשבה שהוא אדם נכבד ושר חשוב: **ק** מדכתיב מעל הגמל ולא מהגמל:

סז וַיְבִאֶ֣הָ יִצְחָ֗ק הָאֹ֙הֱלָה֙ שָׂרָ֣ה
אִמּ֔וֹ וַיִּקַּ֧ח אֶת־רִבְקָ֛ה וַתְּהִי־ל֥וֹ
לְאִשָּׁ֖ה וַיֶּאֱהָבֶ֑הָ וַיִּנָּחֵ֥ם יִצְחָ֖ק
אַחֲרֵ֥י אִמּֽוֹ׃ פ

ששי פרק כה א וַיֹּ֧סֶף אַבְרָהָ֛ם וַיִּקַּ֥ח
אִשָּׁ֖ה וּשְׁמָ֥הּ קְטוּרָֽה׃ ב וַתֵּ֣לֶד
ל֗וֹ אֶת־זִמְרָן֙ וְאֶת־יָקְשָׁ֔ן וְאֶת־
מְדָ֖ן וְאֶת־מִדְיָ֑ן וְאֶת־יִשְׁבָּ֖ק וְאֶת־שֽׁוּחַ׃ ג וְיָקְשָׁ֣ן
יָלַ֔ד אֶת־שְׁבָ֖א וְאֶת־דְּדָ֑ן וּבְנֵ֣י דְדָ֔ן הָי֛וּ אַשּׁוּרִ֥ם
וּלְטוּשִׁ֖ם וּלְאֻמִּֽים׃ ד וּבְנֵ֣י מִדְיָ֗ן עֵיפָ֤ה וָעֵ֙פֶר֙

סז וְאַעֲלַהּ יִצְחָק לְמַשְׁכְּנָא
וַחֲזָא וְהָא תַקְנִין עוֹבָדַהָא
כְּעוֹבָדֵי שָׂרָה אִמֵּהּ וּנְסֵיב
יָת רִבְקָה וַהֲוָת לֵהּ לְאִנְתּוּ
וְרַחֲמַהּ וְאִתְנְחֵם יִצְחָק בָּתַר
דְּמִיתַת אִמֵּהּ׃ א וְאוֹסֵיף
אַבְרָהָם וּנְסֵיב אִתְּתָא
וּשְׁמַהּ קְטוּרָה׃ ב וִילֵידַת
לֵהּ יָת זִמְרָן וְיָת יָקְשָׁן וְיָת
מְדָן וְיָת מִדְיָן וְיָת יִשְׁבָּק
וְיָת שׁוּחַ׃ ג וְיָקְשָׁן אוֹלִיד יָת
שְׁבָא וְיָת דְּדָן וּבְנֵי דְדָן הֲווֹ
לְמַשִּׁרְיָן וְלִשְׁכוּנִין וּלְנַגְוָן׃
ד וּבְנֵי מִדְיָן עֵיפָה וָעֵפֶר

רש"י

[פסוק סז] הָאֹהֱלָה שָׂרָה אִמּוֹ. וַיְבִאֶהָ הָאֹהֱלָה וַהֲרֵי הִיא ר שָׂרָה אִמּוֹ, כְּלוֹמַר, וְנַעֲשֵׂית דֻּגְמַת שָׂרָה אִמּוֹ. שֶׁכָּל זְמַן שֶׁשָּׂרָה קַיֶּימֶת הָיָה נֵר דָּלוּק מֵעֶרֶב שַׁבָּת לְעֶרֶב שַׁבָּת וּבְרָכָה מְצוּיָה בָּעִיסָּה וְעָנָן קָשׁוּר עַל הָאֹהֶל ש, וּמִשֶּׁמֵּתָה פָּסְקוּ, וּכְשֶׁבָּאת רִבְקָה חָזְרוּ. ב"ר (שם טז): **אַחֲרֵי אִמּוֹ.** דֶּרֶךְ אֶרֶץ, כָּל זְמַן שֶׁאִמּוֹ שֶׁל אָדָם קַיֶּימֶת כָּרוּךְ הוּא אֶצְלָהּ, וּמִשֶּׁמֵּתָה הוּא מִתְנַחֵם בְּאִשְׁתּוֹ (פדר"א פל"ב):

[פסוק א] קְטוּרָה. זוֹ הָגָר, וְנִקְרֵאת קְטוּרָה עַל שֵׁם שֶׁנָּאִים מַעֲשֶׂיהָ כִּקְטֹרֶת. וְשֶׁקָּשְׁרָה פִּתְחָהּ, שֶׁלֹּא נִזְדַּוְּוגָה לְאָדָם מִיּוֹם שֶׁפֵּירְשָׁה מֵאַבְרָהָם (תנחומא ח; ב"ר סא:ד): **[פסוק ג] אַשּׁוּרִם וּלְטוּשִׁם.** שֵׁם רָאשֵׁי אוּמּוֹת (ב"ר שם ה). וְתַרְגּוּם שֶׁל אוּנְקְלוּס אֵין לִי לְיַשְּׁבוֹ עִם לְשׁוֹן הַמִּקְרָא [שֶׁפֵּירַשׁ לְמַשִּׁרְיָן לְשׁוֹן מַחֲנֶה. וְאַף עַל פִּי שֶׁאֵינוֹ כֵן מִפְּנֵי הָאָלֶ"ף שֶׁאֵינָהּ יְסוֹדִית. הֲרֵי לָנוּ תֵּיבוֹת

בעל הטורים

(סז) ויבאה. ד׳ במסורת — פירשתי בפרשת בראשית: וכתוב חסר, ועולה כ״ד, מלמד שקשטה בכ״ד קשוטין: **האהלה.** ח׳ במסורת — רמז שבשמונה מקומות שרתה שכינה — משכן, גלגל, שילה, נב, גבעון, בית ראשון, בית שני, ולעתיד לבא: **ותהי לו לאשה. ויסף אברהם.** דרך ארץ, שמי שמתה אשתו והניחה לו בנים, ישיאם קודם שישא אחרת: דבר אחר — זה שאמרו, שתין תכלי מטיי לבכא, דקל חברה שמע ואיהו לא אכיל: **ויאהבה.** ב׳ במסורת — הכא ״ותהי לו לאשה ויאהבה״; ואידך ״ויאהבה אמנון״. התם היתה אהבה התלויה בדבר, על כן בטלה, אבל הכא אינה תלויה בדבר על כן לא בטלה: **וינחם.** ב׳ במסורת — הכא ״וינחם יצחק״; ואידך ״וינחם כרב חסדיו״. ״וינחם יצחק״, למה, ״כרב חסדיו״. פירוש, שהיתה צדקת וחסידה:

עיקר שפתי חכמים

ר מדלא כתיב לאהל שרה וכתב האוהלה משמע דהאהלה הוא דבור לעצמו ושרה אמו דבור בפני עצמו: **ש** שלש ברכות כנגד ג׳ מצות שהנשים נצטוו, והן נדה, חלה, הדלקת הנר. והענן הוא ענן השכינה לרמז על הטהרה שהיתה זהירה בנידתה:

ראה הטבלא ״**מִשְׁפַּחַת אַבְרָהָם אָבִינוּ**״ (עמוד 525).

וַחֲנֹךְ וַאֲבִידָע וְאֶלְדָּעָה כָּל־אֵלֶּה בְּנֵי קְטוּרָה: ה וַיִּתֵּן אַבְרָהָם אֶת־כָּל־אֲשֶׁר־לוֹ לְיִצְחָק: ו וְלִבְנֵי הַפִּילַגְשִׁים אֲשֶׁר לְאַבְרָהָם נָתַן אַבְרָהָם מַתָּנֹת וַיְשַׁלְּחֵם מֵעַל יִצְחָק בְּנוֹ בְּעוֹדֶנּוּ חַי קֵדְמָה אֶל־אֶרֶץ קֶדֶם: ז וְאֵלֶּה יְמֵי שְׁנֵי־חַיֵּי אַבְרָהָם אֲשֶׁר־חָי מְאַת שָׁנָה וְשִׁבְעִים שָׁנָה וְחָמֵשׁ שָׁנִים: ח וַיִּגְוַע וַיָּמָת אַבְרָהָם בְּשֵׂיבָה טוֹבָה זָקֵן וְשָׂבֵעַ וַיֵּאָסֶף אֶל־עַמָּיו:

וַחֲנוֹךְ וַאֲבִידָע וְאֶלְדָּעָה כָּל אִלֵּין בְּנֵי קְטוּרָה: ה וִיהַב אַבְרָהָם יָת כָּל דִּי לֵהּ לְיִצְחָק: ו וְלִבְנֵי לְחֵינָתָא דִּי לְאַבְרָהָם יְהַב אַבְרָהָם מַתְּנָן וְשַׁלְּחִנּוּן מֵעַל יִצְחָק בְּרֵהּ עַד דְּהוּא קַיָּם קִידוּמָא לַאֲרַע מָדִינְחָא: ז וְאִלֵּין יוֹמֵי שְׁנֵי חַיֵּי אַבְרָהָם דִּי חֲיָא מְאָה וְשַׁבְעִין וְחָמֵשׁ שְׁנִין: ח וְאִתְנְגִיד וּמִית אַבְרָהָם בְּסֵיבוּ טָבָא סִיב וּשְׂבַע יוֹמִין (נ"א וּשְׂבַע) וְאִתְכְּנִישׁ לְעַמֵּהּ:

רש"י

שֶׁאֵין בְּרֹאשָׁם אָלֶ"ף וְנִתּוֹסְפָה אָלֶ"ף בְּרֹאשָׁם, כְּמוֹ חוֹמַת אֲנָךְ (עמוס ז:ז) שֶׁהוּא מִן נְכֵה רַגְלַיִם (שמואל ב ד:ד). וּכְמוֹ אָסוּךְ שָׁמֶן (מלכים ב ד:ב) שֶׁהוּא מִן וְרָחַצְתְּ וָסַכְתְּ (רות ג:ג): **וּלְטוּשִׁם.** הֵם בַּעֲלֵי אֹהָלִים הַמִּתְפַּזְּרִים אָנֶה וָאָנָה וְנוֹסְעִים אִישׁ בְּאָהֳלֵי אֲפַדְנוֹ. וְכֵן הוּא אוֹמֵר וְהִנֵּה נְטֻשִׁים עַל פְּנֵי כָל הָאָרֶץ (שמואל א ל:טז). שֶׁכֵּן לַמֶ"ד וְנוּ"ן מִתְחַלְּפוֹת זוֹ בְּזוֹ]: **[פסוק ה] וַיִּתֵּן אַבְרָהָם וגו'.** אָמַר ר' נְחֶמְיָה בְּרָכָה ת דִּיאַתִּיקִי [שֶׁלּוֹ] נָתַן לוֹ. שֶׁאָמַר לוֹ הקב"ה לְאַבְרָהָם וֶהְיֵה בְּרָכָה, (לעיל יב:ב) הַבְּרָכוֹת מְסוּרוֹת בְּיָדְךָ לְבָרֵךְ אֶת מִי שֶׁתִּרְצֶה, וְאַבְרָהָם מְסָרָן לְיִצְחָק (ב"ר סא:ו): **[פסוק ו] הַפִּילַגְשִׁים.** חָסֵר א כְּתִיב שֶׁלֹּא הָיְתָה אֶלָּא פִּילֶגֶשׁ אַחַת, הִיא הָגָר הִיא קְטוּרָה (שם ד). נָשִׁים בִּכְתוּבָּה, פִּלַגְשִׁים בְּלֹא כְתוּבָּה, כִּדְאָמְרִי' בְּסַנְהֶדְרִין (כא.) בְּנָשִׁים וּפִלַגְשִׁים דְּדָוִד: **[נָתַן אַבְרָהָם מַתָּנֹת.** פֵּירְשׁוּ רַבּוֹתֵינוּ, שֵׁם טוּמְאָה מָסַר לָהֶם (שם לח.). ד"א, ב מַה שֶּׁנִּיתַּן לוֹ עַל אוֹדוֹת שָׂרָה וּשְׁאָר מַתָּנוֹת שֶׁנִּתְּנוּ לוֹ, הַכֹּל נָתַן לָהֶם, שֶׁלֹּא רָצָה לֵיהָנוֹת מֵהֶם:] **[פסוק ז] מְאַת שָׁנָה וְשִׁבְעִים שָׁנָה וְחָמֵשׁ שָׁנִים.** בֶּן ק' כְּבֶן ע' [לְכֹחַ], וּבֶן ע' כְּבֶן ה' בְּלֹא חֵטְא:

עיקר שפתי חכמים

ת דמה שהיה לו בעושר ובמקנה כבר נתן לו: א ואף דבכל ספרים המדויקים כתיב הפלגשים מלא ביו"ד, כבר תירץ בעל בנין שלמה כי צריך להיות בשני יודי"ן כמו מצריים עבריים וכתיב ביו"ד אחת [והיו"ד חסר שכתב רש"י הוא יו"ד שני]: ב דכבר נתן כל אשר לו ליצחק:

ט וַיִּקְבְּרוּ אֹתוֹ יִצְחָק וְיִשְׁמָעֵאל
בָּנָיו אֶל־מְעָרַת הַמַּכְפֵּלָה אֶל־
שְׂדֵה עֶפְרֹן בֶּן־צֹחַר הַחִתִּי אֲשֶׁר
עַל־פְּנֵי מַמְרֵא׃ י הַשָּׂדֶה אֲשֶׁר־
קָנָה אַבְרָהָם מֵאֵת בְּנֵי־חֵת שָׁמָּה
קֻבַּר אַבְרָהָם וְשָׂרָה אִשְׁתּוֹ׃
יא וַיְהִי אַחֲרֵי מוֹת אַבְרָהָם וַיְבָרֶךְ
אֱלֹהִים אֶת־יִצְחָק בְּנוֹ וַיֵּשֶׁב
יִצְחָק עִם־בְּאֵר לַחַי רֹאִי׃ פ
שביעי יב וְאֵלֶּה תֹּלְדֹת יִשְׁמָעֵאל בֶּן־אַבְרָהָם אֲשֶׁר
יָלְדָה הָגָר הַמִּצְרִית שִׁפְחַת שָׂרָה לְאַבְרָהָם׃
יג וְאֵלֶּה שְׁמוֹת בְּנֵי יִשְׁמָעֵאל בִּשְׁמֹתָם לְתוֹלְדֹתָם

ט וְקַבַרוּ יָתֵהּ יִצְחָק
וְיִשְׁמָעֵאל בְּנוֹהִי בִּמְעָרְתָּא
דִכְפֵלְתָּא לַחֲקַל עֶפְרוֹן
בַּר צֹחַר חִתָּאָה דִּי עַל
אַפֵּי מַמְרֵא׃ י חַקְלָא דִּי
זְבַן אַבְרָהָם מִן בְּנֵי חִתָּאָה
תַּמָּן אִתְקְבַר אַבְרָהָם
וְשָׂרָה אִתְּתֵהּ׃ יא וַהֲוָה
בָּתַר דְּמִית אַבְרָהָם וּבָרֵיךְ
יְיָ יָת יִצְחָק בְּרֵהּ וִיתֵב
יִצְחָק עִם בֵּירָא דְּמַלְאַךְ
קַיָּמָא אִתְחֲזֵי עֲלַהּ׃
יב וְאִלֵּין תּוּלְדַת יִשְׁמָעֵאל
בַּר אַבְרָהָם דִּי יְלֵידַת
הָגָר מִצְרֵתָא אַמְתָא
דְשָׂרָה לְאַבְרָהָם׃ יג וְאִלֵּין
שְׁמָהַת בְּנֵי יִשְׁמָעֵאל
בִּשְׁמָהַתְהוֹן לְתוּלְדָתְהוֹן

רש"י

[פסוק ט] **יצחק וישמעאל.** מכאן שעשה ישמעאל תשובה והוליך את יצחק ג לפניו (בבא בתרא טז:) והיא שיבה טובה שנאמרה באברהם (ב"ר לח:יב): [פסוק יא] **ויהי אחרי מות אברהם ויברך וגו'.** נחמו ד תנחומי אבלים (סוטה יד.). ד"א, אע"פ שמסר הקדוש ברוך הוא את הברכות לאברהם נתירא ה לברך את יצחק, מפני שצפה את עשו יוצא ממנו, אמר, יבא בעל הברכות ויברך את אשר ייטב בעיניו. ובא הקב"ה וברכו (תנחומא לך לך ד; ב"ר סא:ו): [פסוק יג] **בשמתם לתולדתם.** סדר לידתן זה אחר זה:

עיקר שפתי חכמים

ג דאל"כ הל"ל ישמעאל קודם יצחק, שגדול ממנו בשנים: ד כי ויברך אלהים נמשך על מה שאמרו לפניו אחרי מות וגו': ה כי לא מסר לו רק לברך את אחרים:

בְּכֹר יִשְׁמָעֵאל נְבָיֹת וְקֵדָר
וְאַדְבְּאֵל וּמִבְשָׂם׃ יד וּמִשְׁמָע
וְדוּמָה וּמַשָּׂא׃ טו חֲדַד וְתֵימָא
יְטוּר נָפִישׁ וָקֵדְמָה׃ מפטיר טז אֵלֶּה
הֵם בְּנֵי יִשְׁמָעֵאל וְאֵלֶּה שְׁמֹתָם
בְּחַצְרֵיהֶם וּבְטִירֹתָם שְׁנֵים־
עָשָׂר נְשִׂיאִם לְאֻמֹּתָם׃ יז וְאֵלֶּה
שְׁנֵי חַיֵּי יִשְׁמָעֵאל מְאַת שָׁנָה וּשְׁלֹשִׁים שָׁנָה
וְשֶׁבַע שָׁנִים וַיִּגְוַע וַיָּמָת וַיֵּאָסֶף אֶל־עַמָּיו׃
יח וַיִּשְׁכְּנוּ מֵחֲוִילָה עַד־שׁוּר אֲשֶׁר עַל־פְּנֵי מִצְרַיִם
בֹּאֲכָה אַשּׁוּרָה עַל־פְּנֵי כָל־אֶחָיו נָפָל׃ פ פ פ

בּוּכְרָא דְיִשְׁמָעֵאל נְבָיוֹת
וְקֵדָר וְאַדְבְּאֵל וּמִבְשָׂם׃
יד וּמִשְׁמָע וְדוּמָה וּמַשָּׂא׃
טו חֲדַד וְתֵימָא יְטוּר נָפִישׁ
וָקֵדְמָה׃ טז אִלֵּין אִנּוּן בְּנֵי
יִשְׁמָעֵאל וְאִלֵּין שְׁמָהָתְהוֹן
בְּפַצְחֵיהוֹן וּבִכְרַכֵּיהוֹן תְּרֵין
עֲסַר רַבְרְבִין לְאֻמֵּיהוֹן׃ יז וְאִלֵּין
שְׁנֵי חַיֵּי יִשְׁמָעֵאל מְאָה
וּתְלָתִין וּשְׁבַע שְׁנִין וְאִתְנְגִיד
וּמִית וְאִתְכְּנִישׁ לְעַמֵּהּ׃
יח וּשְׁרוֹ מֵחֲוִילָה עַד חַגְרָא דִּי
עַל אַפֵּי מִצְרַיִם מָטֵי לְאָתוּר
עַל אַפֵּי כָּל אֲחוֹהִי שְׁרָא׃

ק״ה פסוקים. יהוידע״ע סימן.

רש״י

[פסוק טז] **בְּחַצְרֵיהֶם.** כְּרַכִּים שֶׁאֵין לָהֶם חוֹמָה. וְתַרְגּוּמוֹ בְּפַצְחֵיהוֹן שֶׁהֵם מְפוּצָּחִים, לְשׁוֹן פְּתִיחָה, כְּמוֹ פִּצְחוּ וְרַנְּנוּ (תהלים צח:ד): [פסוק יז] **וְאֵלֶּה שְׁנֵי חַיֵּי יִשְׁמָעֵאל וגו׳.** אָמַר רַבִּי חִיָּיא בַּר אַבָּא לָמָּה נִמְנוּ שְׁנוֹתָיו שֶׁל יִשְׁמָעֵאל כְּדֵי לְיַיחֵס בָּהֶם שְׁנוֹתָיו שֶׁל יַעֲקֹב. מִשְּׁנוֹתָיו שֶׁל יִשְׁמָעֵאל לָמַדְנוּ שֶׁשִּׁמֵּשׁ יַעֲקֹב בְּבֵית עֵבֶר י״ד שָׁנָה כְּשֶׁפֵּירַשׁ מֵאָבִיו קוֹדֶם שֶׁבָּא אֶצֶל לָבָן. שֶׁהֲרֵי כְּשֶׁפֵּירַשׁ יַעֲקֹב מֵאָבִיו מֵת יִשְׁמָעֵאל שֶׁנֶּאֱמַר וַיֵּלֶךְ עֵשָׂו אֶל יִשְׁמָעֵאל וגו׳ (להלן כח:ט) כְּמוֹ שֶׁמְּפוֹרָשׁ בְּסוֹף מְגִלָּה נִקְרֵאת (טז:-יז; יבמות סד.): **וַיִּגְוַע.** לֹא נֶאֶמְרָה גְוִיעָה ו [וַאֲסִיפָה] אֶלָּא בְּצַדִּיקִים (בבא בתרא טז:): [פסוק יח] **נָפָל.** שָׁכַן (אונקלוס). כְּמוֹ וּמִדְיָן וַעֲמָלֵק וְכָל בְּנֵי קֶדֶם נֹפְלִים בָּעֵמֶק (שופטים ז:יב). כָּאן הוּא אוֹמֵר לְשׁוֹן נְפִילָה וּלְהַלָּן הוּא אוֹמֵר עַל פְּנֵי כָל אֶחָיו יִשְׁכֹּן (לעיל טז:יב). עַד שֶׁלֹּא מֵת אַבְרָהָם, יִשְׁכּוֹן. מִשֶּׁמֵּת אַבְרָהָם, נָפַל (ב״ר סב:ה):

בעל הטורים

(יח) על פני כל אחיו נפל. וסמיך לה ״ואלה תולדת יצחק״. לומר, כשיפול ישמעאל באחרית הימים אז יצמח בן דוד, שהוא מתולדות יצחק:

עיקר שפתי חכמים

ו ר״ל גויעה אצל אסיפה לא נאמר אלא בצדיקים, אבל גויעה לבדה נאמרה גם בדור המבול אף דהיו רשעים:

הפטרת חיי שרה

מלכים־א א:א־לא

הנושא של ההפטרה, בדומה לפרשתנו, עוסק בהמשך בניינו וקיומו של כלל ישראל. על אברהם נאמר (בראשית כד, א): "וְאַבְרָהָם זָקֵן בָּא בַּיָּמִים" בזמן שדאג למצוא אשה המוכשרת להיות אֵם לעם ישראל, וגם על דוד נאמר: "וְהַמֶּלֶךְ דָּוִד זָקֵן בָּא בַּיָּמִים" בשעה שהיה עסוק לחזק את יורשו הראוי, שלמה, לשושלת מלכות בית דוד שינהיג את עם ישראל כפי רצון ה׳. אבל מכאן ואילך יש הבדלים גדולים ביניהם.

יצחק ואליעזר היו נאמנים לאברהם וסרים למשמעתו, כי ידעו שהוא עבד נאמן לה׳ ושרצונו אינו אלא רצון ה׳, וכעין שאמרו חז״ל במסכת אבות (ב, ד): "בַּטֵּל רְצוֹנְךָ מִפְּנֵי רְצוֹנוֹ [של ה׳], כְּדֵי שֶׁיְּבַטֵּל רְצוֹן אֲחֵרִים מִפְּנֵי רְצוֹנֶךָ".

אבל מצב שונה היה בימי דוד המלך. כאשר בני ישראל מושפעים מעושר וכבוד, אזי גם הנסיונות לרדוף אחר גדולה ושררה גדולים פי כמה. בשעה שדוד היה זקן וחלש ומוטל על ערש דוי, זמם בנו הגדול, אדוניהו בן חגית, למרוד בו ולישב על כסא מלכותו. אדוניהו התנהג בנימוסי מלכות והתפאר ביופיו (רד״ק לפסוק ה) ובמה שתמכו בו חשובים מן העם. בכך ניסה להפקיע את המלכות משלמה, אותו בחר דוד בשבועה למלוך אחריו על פי ה׳ [כפי שאמר דוד לשלמה לפני מותו (דברי הימים־א כב, ח-י): "וַיְהִי עָלַי דְּבַר ה׳ לֵאמֹר ... הִנֵּה בֵן נוֹלָד לָךְ, הוּא יִהְיֶה אִישׁ מְנוּחָה ... כִּי שְׁלֹמֹה יִהְיֶה שְׁמוֹ ... וַהֲכִינוֹתִי כִּסֵּא מַלְכוּתוֹ עַל יִשְׂרָאֵל עַד עוֹלָם"]. האם יתכן לצייר את התוצאות אם אדוניהו היה מצליח בנסיונו, אשר אצלו פירוש המלכות הוא להרבות כבוד ותענוג, לעומת שלמה המלך, החכם מכל אדם, שמורשתו היתה בית המקדש, וספרי משלי, שיר השירים וקהלת?!

אמנם, ה׳ השומר ישראל לא ינום ולא יישן. נתן הנביא ובת שבע באו לדוד וספרו לו את כל אשר אירע, ועל אף שדוד היה זקן ותש כח, התחזק בחכמתו וכוחו, ונשבע להם שיקיים את שבועתו ששלמה ימלוך אחריו על ידי שימליכנו עוד בחייו (מצודת לפסוק ל, וכפי שמסופר בהמשך הפסוקים). לימוד נוסף משתקף מהפטרה זו ממה שחכמינו ז״ל לא ראו צורך להכניס את סיום הסיפור מה שאירע לאדוניהו ותומכיו, ורק סיימו בהבטחת דוד לבת שבע ששלמה בנה ימלוך. שכן מה שאנו צריכים ללמוד מסיפור זה הוא ש"עֲצַת ה׳ הִיא תָקוּם" (משלי יט, כא); שהקב״ה מסבב את האירועים ומובילם אל המסקנא הנדרשת.

פרק א א וְהַמֶּ֫לֶךְ דָּוִד֙ זָקֵ֔ן בָּ֖א בַּיָּמִ֑ים וַיְכַסֻּ֙הוּ֙ בַּבְּגָדִ֔ים וְלֹ֥א יִחַ֖ם לֽוֹ׃
ב וַיֹּ֧אמְרוּ ל֣וֹ עֲבָדָ֗יו יְבַקְשׁ֞וּ לַאדֹנִ֤י הַמֶּ֙לֶךְ֙ נַעֲרָ֣ה בְתוּלָ֔ה וְעָֽמְדָה֙
לִפְנֵ֣י הַמֶּ֔לֶךְ וּתְהִי־ל֖וֹ סֹכֶ֑נֶת וְשָׁכְבָ֣ה בְחֵיקֶ֔ךָ וְחַ֖ם לַאדֹנִ֥י הַמֶּֽלֶךְ׃
ג וַיְבַקְשׁוּ֙ נַעֲרָ֣ה יָפָ֔ה בְּכֹ֖ל גְּב֣וּל יִשְׂרָאֵ֑ל וַֽיִּמְצְא֗וּ אֶת־אֲבִישַׁג֙

רש״י

(א) ולא יחם לו. אמרו רבותינו (ברכות סב, ב), כל המבזה בגדים, אינו נהנה מהם לסוף, לפי שקרע את כנף המעיל לשאול. ומדרש אגדה, אמר רבי שמואל בר נחמני, כשראה דוד את המלאך עומד בירושלים וחרבו בידו, נצטנן דמו מיראתו (מדרש תהלים [שוחר] יח): **(ב) בתולה.** בתוליה מחממין את בשרה: **סוכנת.** מחממת, וכן (קהלת י, ט), בּוֹקֵעַ עֵצִים יִסָּכֶן בָּם:

מצודת דוד

(א) זקן בא בימים. כי זקן יאמר בלשון בני אדם על המוחש הנראה באדם, מלובן השער והקמטת הפנים, ולפעמים תקדים לבוא בלא עת; ולזה פירש ואמר בא בימים, כאומר הזקנה בא בזמנו לפי הימים: **ויכסהו.** עם שהיו מכסים אותו בבגדים, מכל מקום לא היה בשרו מתחמם: **(ב) נערה בתולה ועמדה לפני המלך.** להיות מוכנת לו: **(ג) נערה יפה.** כי היופי יורה על רבוי הדם, המוליד רב החום.

מצודת ציון

(א) יחם. מלשון חמימות: **(ב) סכנת.** מחממת, כמו (קהלת י, ט) בּוֹקֵעַ עֵצִים יִסָּכֶן בָּם:

הַשּׁוּנַמִּית וַיָּבִאוּ אֹתָהּ לַמֶּלֶךְ: ד וְהַנַּעֲרָה יָפָה עַד־מְאֹד וַתְּהִי לַמֶּלֶךְ
סֹכֶנֶת וַתְּשָׁרְתֵהוּ וְהַמֶּלֶךְ לֹא יְדָעָהּ: ה וַאֲדֹנִיָּה בֶן־חַגִּית מִתְנַשֵּׂא
לֵאמֹר אֲנִי אֶמְלֹךְ וַיַּעַשׂ לוֹ רֶכֶב וּפָרָשִׁים וַחֲמִשִּׁים אִישׁ רָצִים
לְפָנָיו: ו וְלֹא־עֲצָבוֹ אָבִיו מִיָּמָיו לֵאמֹר מַדּוּעַ כָּכָה עָשִׂיתָ וְגַם־הוּא
טוֹב־תֹּאַר מְאֹד וְאֹתוֹ יָלְדָה אַחֲרֵי אַבְשָׁלוֹם: ז וַיִּהְיוּ דְבָרָיו עִם
יוֹאָב בֶּן־צְרוּיָה וְעִם אֶבְיָתָר הַכֹּהֵן וַיַּעְזְרוּ אַחֲרֵי אֲדֹנִיָּה: ח וְצָדוֹק
הַכֹּהֵן וּבְנָיָהוּ בֶן־יְהוֹיָדָע וְנָתָן הַנָּבִיא וְשִׁמְעִי וְרֵעִי וְהַגִּבּוֹרִים אֲשֶׁר
לְדָוִד לֹא הָיוּ עִם־אֲדֹנִיָּהוּ: ט וַיִּזְבַּח אֲדֹנִיָּהוּ צֹאן וּבָקָר וּמְרִיא עִם
אֶבֶן הַזֹּחֶלֶת אֲשֶׁר־אֵצֶל עֵין רֹגֵל וַיִּקְרָא אֶת־כָּל־אֶחָיו בְּנֵי הַמֶּלֶךְ

רש"י

(ד) לא ידעה. שהבתולה יפה לחמם מן הבעולה. ורבותינו אמרו (סנהדרין כב, א) משום לֹא יַרְבֶּה לּוֹ נָשִׁים (דברים יז, יז), וכבר היו לו שמונה עשר (רש"י שם): **(ה) מתנשא.** מתפאר: **וחמשים איש.** נטולי טחול וחקוקי כפות רגלים (סנהדרין כא, ב): **(ו) ולא עצבו.** לא הכעיסו, למדך שהמונע תוכחה מבנו, מביאו לידי מיתה: **וגם הוא טוב תואר.** כאבשלום, שנאמר (שמואל-ב יד, כה), וּכְאַבְשָׁלוֹם לֹא הָיָה אִישׁ יָפֶה, היא גרמה להם שנתגאו: **ואותו ילדה.** אמו: **אחרי אבשלום.** כלומר גדלתו אחר תרבות שגדלה אמו של אבשלום: **(ז) עם יואב בן צרויה.** לפי שהיה יודע שלבו של דוד עליו, על שהרג את אבנר ועמשא ואבשלום, וסופו שיצוה את בנו המולך תחתיו עליו, לפיכך היה רוצה שימלוך זה על ידו, ויאהבנו: **ועם אביתר הכהן.** שנסתלק מן הכהונה משברח דוד מירושלים מפני אבשלום, ששאל באורים ותומים ולא עלתה לו, שנאמר (שמואל-ב טו, כד), וַיַּעַל אֶבְיָתָר, והיה מבני בניו של עלי, וידע שלא ישמש בימי שלמה, שהרי נאמר לעלי (שמואל-א ב, לה) וַהֲקִימֹתִי לִי כֹּהֵן נֶאֱמָן... וְהִתְהַלֵּךְ לִפְנֵי מְשִׁיחִי, והיה חפץ שיעמוד זה על ידו: **(ח) ונתן הנביא.** שנבא לדוד ששלמה ימלוך, כמו שנאמר בדברי הימים (א כב, ט), [כִּי] (ו)שְׁלֹמֹה יִהְיֶה שְׁמוֹ: **(ט) ומריא.** שור של פטם: **אבן הזוחלת.** אבן גדולה, שהיו הבחורים מנסין בה את כחם להזיזה ולגררה, לשון מים זוחלין (שבת סה, ב), זֹחֲלֵי עָפָר (דברים לב, כד). ויונתן תרגם, אֶבֶן סְכוּתָא, שעומדין עליה וצופין למרחוק: **עין רוגל.** תרגם יונתן: עֵין קַצְרָא, הוא כובס, שמתקן בגדי צמר ברגליו, על ידי בעיטה:

מצודת דוד

(ד) ותשרתהו. בדבר החמום: **לא ידעה.** כי הבעולה לא תחמם עוד כבתולה, ורבותינו זכרונם לברכה אמרו (סנהדרין כב, א) שהיתה אסורה עליו, משום שנאמר (דברים יז, יז), לֹא יַרְבֶּה לּוֹ נָשִׁים: **(ה) מתנשא לאמר וגו'.** היה מראה בעצמו נשיאות וגדולה, וכאילו אמר אני אמלוך. כי הגדולה שהיה מראה בעצמו, לא תתכן אלא למי שמעותד למלוך: **רכב.** לרכוב בו: **(ו) ולא עצבו וכו'.** רוצה לומר: מעודו, עם כי עשה דבר מה שלא כהוגן, לא היה אביו מעציבו לומר למה עשית כזאת, ובעבור זה חשב שכל מעשיו הגונים, וראוי הוא למלוכה: **וגם הוא טוב תואר.** רוצה לומר גם בעבור היופי חשב שהגון הוא למלכות: **ואותו ילדה.** אמו ילדה אותו מיד אחר שנולד אבשלום, ואם כן היה עתה גדול האחים, כי אמנון ודניאל ואבשלום הגדולים ממנו כבר מתו, ובעבור זה חשב גם כן אשר לו משפט המלוכה: **(ז) ויהיו דבריו.** עצתו היה עם יואב, על כי ידע בעצמו שנבאש בעיני דוד בדבר אבנר ועמשא, והשכיל לדעת את אשר יצוה את שלמה עליו לבל ינקהו, וכאשר באמת צוה עליו וכמו שכתוב למטה (ב, ו). לזה היה נוטה אחר אדניה, בחשבו שהוא יאהב אותו בעבור זה. וגם אביתר נסתלק על ידי דוד מלהיות עוד כהן גדול בימי שלמה, וחשב שאדניה יחזירו: **(ח) ושמעי.** אולי הוא שמעי בן גרא: **ורעי.** יתכן שהוא חושי הארכי, הנקרא ריע המלך: **והגבורים אשר לדוד.** הם עדינו ואלעזר ושמה, אשר היו בתמידות עם דוד (כמו שנאמר בסוף שמואל ב): **(ט) עם אבן הזוחלת.** סמוך לאבן הזוחלת,

מצודת ציון

(ד) ידעה. הוא כינוי למשכב: **(ט) ומריא.** שור פטם: **אבן הזוחלת.** נקרא כן על שם שהיו המים זוחלין ונגרים סמוך לה:

וּלְכָל־אַנְשֵׁי יְהוּדָה עַבְדֵי הַמֶּלֶךְ: י וְאֶת־נָתָן הַנָּבִיא וּבְנָיָהוּ וְאֶת־
הַגִּבּוֹרִים וְאֶת־שְׁלֹמֹה אָחִיו לֹא קָרָא: יא וַיֹּאמֶר נָתָן אֶל־בַּת־
שֶׁבַע אֵם־שְׁלֹמֹה לֵאמֹר הֲלוֹא שָׁמַעַתְּ כִּי מָלַךְ אֲדֹנִיָּהוּ בֶן־חַגִּית
וַאֲדֹנֵינוּ דָוִד לֹא יָדָע: יב וְעַתָּה לְכִי אִיעָצֵךְ נָא עֵצָה וּמַלְּטִי אֶת־
נַפְשֵׁךְ וְאֶת־נֶפֶשׁ בְּנֵךְ שְׁלֹמֹה: יג לְכִי וּבֹאִי | אֶל־הַמֶּלֶךְ דָּוִד וְאָמַרְתְּ
אֵלָיו הֲלֹא־אַתָּה אֲדֹנִי הַמֶּלֶךְ נִשְׁבַּעְתָּ לַאֲמָתְךָ לֵאמֹר כִּי־שְׁלֹמֹה
בְנֵךְ יִמְלֹךְ אַחֲרַי וְהוּא יֵשֵׁב עַל־כִּסְאִי וּמַדּוּעַ מָלַךְ אֲדֹנִיָהוּ:
יד הִנֵּה עוֹדָךְ מְדַבֶּרֶת שָׁם עִם־הַמֶּלֶךְ וַאֲנִי אָבוֹא אַחֲרַיִךְ וּמִלֵּאתִי
אֶת־דְּבָרָיִךְ: טו וַתָּבֹא בַת־שֶׁבַע אֶל־הַמֶּלֶךְ הַחַדְרָה וְהַמֶּלֶךְ זָקֵן
מְאֹד וַאֲבִישַׁג הַשּׁוּנַמִּית מְשָׁרַת אֶת־הַמֶּלֶךְ: טז וַתִּקֹּד בַּת־שֶׁבַע
וַתִּשְׁתַּחוּ לַמֶּלֶךְ וַיֹּאמֶר הַמֶּלֶךְ מַה־לָּךְ: יז וַתֹּאמֶר לוֹ אֲדֹנִי אַתָּה
נִשְׁבַּעְתָּ בַּיהוָה אֱלֹהֶיךָ לַאֲמָתֶךָ כִּי־שְׁלֹמֹה בְנֵךְ יִמְלֹךְ אַחֲרָי וְהוּא
יֵשֵׁב עַל־כִּסְאִי: יח וְעַתָּה הִנֵּה אֲדֹנִיָּה מָלָךְ וְעַתָּה אֲדֹנִי הַמֶּלֶךְ לֹא
יָדָעְתָּ: יט וַיִּזְבַּח שׁוֹר וּמְרִיא־וְצֹאן לָרֹב וַיִּקְרָא לְכָל־בְּנֵי הַמֶּלֶךְ
וּלְאֶבְיָתָר הַכֹּהֵן וּלְיֹאָב שַׂר הַצָּבָא וְלִשְׁלֹמֹה עַבְדְּךָ לֹא קָרָא:
כ וְאַתָּה אֲדֹנִי הַמֶּלֶךְ עֵינֵי כָל־יִשְׂרָאֵל עָלֶיךָ לְהַגִּיד לָהֶם מִי
יֵשֵׁב עַל־כִּסֵּא אֲדֹנִי־הַמֶּלֶךְ אַחֲרָיו: כא וְהָיָה כִּשְׁכַב אֲדֹנִי־הַמֶּלֶךְ

רש"י

(י) ואת שלמה אחיו לא קרא. שידע היה שהסכים עליו הכל למלוך: **(יב) ומלטי את נפשך.** מן המחלוקת לאחר מות המלך שירצה בנך למלוך כמה שהבטיחו הקדוש ברוך הוא:

מצודת דוד

שעמדה אצל עין רוגל: **ולכל אנשי וכו'.** מאותם שנטו אחריו: **(יא) הלא שמעת.** באמת בודאי שמעת אשר אדוניה רוצה למלוך, והדבר קרוב: **לא ידע.** כאומר לא תחשוב שבדבר המלך נעשה ואין להשיב, כי המלך לא ידע מזה: **(יב) ומלטי.** בכדי שתמלטי את נפשך וכו', כי אם ימלוך אדוניה, בוודאי יהרג אתכם, למען לא תהיו לו לשטן בדבר המלוכה: **(יד) עודך.** בעוד שתדברי עם המלך, אבוא גם אני להשלים דבריך: **החדרה.** לחדר משכבו, ולשלא נחשוב שבאה לשכב אצלו, אמר, והמלך זקן מאוד, והחום הטבעי הלך ממנו, עד שאבישג היתה משרתת אותו בדבר החמום: **(טז) מה לך.** היות לא היתה רגילה לבוא אליו: **(יח) ועתה.** דבר הנעשה עתה, הנה לא ידעת מזה, רוצה לומר, לא אחשוד אותך שעברת על השבועה, והדבר נעשה בידיעתך: **(יט) ויזבח וכו'.** הביאה ראיה לדבריה, ואמרה שעשה משתה וקרא לכל בני המלך, ולשלמה לא קרא, ואם לא היתה המשתה בעבור דבר המלוכה, היה אם כן קורא גם לשלמה: **(כ) עיני כל ישראל עליך.** רוצה לומר, ופן תחשוב שכולם בחרו בו ולא תוכל להם, לא כן הוא, כי הכל תולים עיניהם בך, להגיד להם וכו', ויקבלו מאמריך: **(כא) והיה.** רוצה לומר, אבל כאשר כן יהיה,

מצודת ציון

(יד) ומלאתי. ענין השלמה: **(טז) ותקד.** כפפה הקדקוד:

עִם־אֲבֹתָיו וְהָיִיתִי אֲנִי וּבְנִי שְׁלֹמֹה חַטָּאִים: כב וְהִנֵּה עוֹדֶנָּה
מְדַבֶּרֶת עִם־הַמֶּלֶךְ וְנָתָן הַנָּבִיא בָּא: כג וַיַּגִּידוּ לַמֶּלֶךְ לֵאמֹר
הִנֵּה נָתָן הַנָּבִיא וַיָּבֹא לִפְנֵי הַמֶּלֶךְ וַיִּשְׁתַּחוּ לַמֶּלֶךְ עַל־אַפָּיו
אָרְצָה: כד וַיֹּאמֶר נָתָן אֲדֹנִי הַמֶּלֶךְ אַתָּה אָמַרְתָּ אֲדֹנִיָּהוּ יִמְלֹךְ
אַחֲרָי וְהוּא יֵשֵׁב עַל־כִּסְאִי: כה כִּי | יָרַד הַיּוֹם וַיִּזְבַּח שׁוֹר וּמְרִיא־
וְצֹאן לָרֹב וַיִּקְרָא לְכָל־בְּנֵי הַמֶּלֶךְ וּלְשָׂרֵי הַצָּבָא וּלְאֶבְיָתָר
הַכֹּהֵן וְהִנָּם אֹכְלִים וְשֹׁתִים לְפָנָיו וַיֹּאמְרוּ יְחִי הַמֶּלֶךְ אֲדֹנִיָּהוּ:
כו וְלִי אֲנִי־עַבְדֶּךָ וּלְצָדֹק הַכֹּהֵן וְלִבְנָיָהוּ בֶן־יְהוֹיָדָע וְלִשְׁלֹמֹה
עַבְדְּךָ לֹא קָרָא: כז אִם מֵאֵת אֲדֹנִי הַמֶּלֶךְ נִהְיָה הַדָּבָר הַזֶּה וְלֹא
הוֹדַעְתָּ אֶת־עַבְדְּךָ [עבדיך כ׳] מִי יֵשֵׁב עַל־כִּסֵּא אֲדֹנִי־הַמֶּלֶךְ
אַחֲרָיו: כח וַיַּעַן הַמֶּלֶךְ דָּוִד וַיֹּאמֶר קִרְאוּ־לִי לְבַת־שָׁבַע וַתָּבֹא
לִפְנֵי הַמֶּלֶךְ וַתַּעֲמֹד לִפְנֵי הַמֶּלֶךְ: כט וַיִּשָּׁבַע הַמֶּלֶךְ וַיֹּאמַר חַי־
יְהוָה אֲשֶׁר־פָּדָה אֶת־נַפְשִׁי מִכָּל־צָרָה: ל כִּי כַּאֲשֶׁר נִשְׁבַּעְתִּי לָךְ
בַּיהוָה אֱלֹהֵי יִשְׂרָאֵל לֵאמֹר כִּי־שְׁלֹמֹה בְנֵךְ יִמְלֹךְ אַחֲרַי וְהוּא
יֵשֵׁב עַל־כִּסְאִי תַּחְתָּי כִּי כֵּן אֶעֱשֶׂה הַיּוֹם הַזֶּה: לא וַתִּקֹּד בַּת־שֶׁבַע
אַפַּיִם אֶרֶץ וַתִּשְׁתַּחוּ לַמֶּלֶךְ וַתֹּאמֶר יְחִי אֲדֹנִי הַמֶּלֶךְ דָּוִד לְעֹלָם:

רש״י

(כא) חטאים. חסרים ומנועין מן הגדולה, כמו אֶל הַשַּׂעֲרָה וְלֹא יַחֲטִא (שופטים כ, טז): **(כד) אתה אמרת.** בתמיה: **(כה) כי ירד היום.** שהעיר היתה גבוהה, ואבן הזוחלת למטה בגיחון:

מצודת דוד

מבלי הגיד מי ימלוך, אז כשכב המלך וכו׳, נהיה אני ובני חסרים מן העולם, כי ימלוך אדוניה וישלח בנו יד: **(כב) בא.** אל חצר בית המלך: **(כג) ויבוא.** מן החצר בא לפניו אל הבית, אחר שצוה המלך לבוא לפניו. וקצר בדבר המובן מאליו: **(כד) אתה.** תחסר ה״א השאלה, והוא כמו האתה אמרת וכו׳: **(כה) כי ירד היום וכו׳.** ובוודאי המשתה ההיא נעשתה לשמחת המלכות: **ויאמרו וכו׳.** רוצה לומר, בוודאי אמרו יחי המלך אדוניהו: **(כו) ולי אני עבדך וכו׳.** הביא ראיה שהמשתה נעשתה לשמחת המלכות, שהרי קרא לכל בני המלך וכו׳, ולי וכו׳ לא קרא, ואם לא היתה בדבר המלוכה, היה קורא גם לנו: **(כז) אם מאת וכו׳.** אם המלכת אדוניה היא במצותך, תמה אני, למה לא הודעתני מי ישב וכו׳: **(כח) קראו לי לבת שבע.** כי רצה לתת לה התשובה, על כי הדבר נוגעת אל נפשה, ובעבור כי נתרחקה מאצלו בבוא נתן, שלא ירגיש המלך שבאת בעצתו, לזה צוה לקרותה אליו: **(ל) כאשר נשבעתי וכו׳.** רצה לומר, כאשר נשבעתי מאז, להמליכו אחר מותי, כן אעשה היום, להמליכו מיד בחיי: **(לא) יחי אדוני.** רוצה לומר, בחיי הנפשות, וזה שאמרה לעולם:

מצודת ציון

(כא) חטאים. הוא מענין חסרון, וכן (שופטים כ, טז) קֹלֵעַ (בָּאֶבֶן) אֶל הַשַּׂעֲרָה וְלֹא יַחֲטִא: **(כב) עודנה.** מלשון עדיין: **(ל) תחתי.** במקומי:

פרשת תולדת

יט וְאֵלֶּה תּוֹלְדֹת יִצְחָק בֶּן־אַבְרָהָם אַבְרָהָם הוֹלִיד אֶת־יִצְחָק׃ כ וַיְהִי יִצְחָק בֶּן־אַרְבָּעִים שָׁנָה בְּקַחְתּוֹ אֶת־רִבְקָה בַּת־בְּתוּאֵל הָאֲרַמִּי מִפַּדַּן אֲרָם אֲחוֹת לָבָן הָאֲרַמִּי

אונקלוס

יט וְאִלֵּין תּוֹלְדַת יִצְחָק בַּר אַבְרָהָם אַבְרָהָם אוֹלִיד יָת יִצְחָק׃ כ וַהֲוָה יִצְחָק בַּר אַרְבְּעִין שְׁנִין כַּד נְסֵיב יָת רִבְקָה בַּת בְּתוּאֵל אֲרַמָּאָה מִפַּדַּן אֲרָם אֲחָתֵהּ דְּלָבָן אֲרַמָּאָה

רש"י

[פסוק יט] **וְאֵלֶּה תּוֹלְדֹת יִצְחָק.** יַעֲקֹב וְעֵשָׂו הָאֲמוּרִים בַּפָּרָשָׁה: **אַבְרָהָם הוֹלִיד אֶת יִצְחָק.** [לְאַחַר שֶׁקָּרָא הקב"ה שְׁמוֹ אַבְרָהָם אח"כ הוֹלִיד אֶת יִצְחָק (אגדת בראשית לז). ד"א] ע"י שֶׁכָּתַב הַכָּתוּב יִצְחָק בֶּן אַבְרָהָם הוּזְקַק לוֹמַר אַבְרָהָם הוֹלִיד אֶת יִצְחָק. לְפִי שֶׁהָיוּ לֵיצָנֵי הַדּוֹר אוֹמְרִים מֵאֲבִימֶלֶךְ נִתְעַבְּרָה שָׂרָה, א שֶׁהֲרֵי כַּמָּה שָׁנִים שָׁהֲתָה עִם אַבְרָהָם וְלֹא נִתְעַבְּרָה הֵימֶנּוּ. מֶה עָשָׂה הקב"ה, צָר קְלַסְתֵּר פָּנָיו שֶׁל יִצְחָק דּוֹמֶה לְאַבְרָהָם וְהֵעִידוּ הַכֹּל אַבְרָהָם הוֹלִיד אֶת יִצְחָק. וְזֶהוּ שֶׁכָּתַב כָּאן, יִצְחָק בֶּן אַבְרָהָם הָיָה, שֶׁהֲרֵי עֵדוּת יֵשׁ שֶׁאַבְרָהָם הוֹלִיד אֶת יִצְחָק (שם; תנחומא א; ב"מ פז.): [פסוק כ] **בֶּן אַרְבָּעִים שָׁנָה.** שֶׁהֲרֵי כְּשֶׁבָּא אַבְרָהָם מֵהַר הַמּוֹרִיָּה נִתְבַּשֵּׂר שֶׁנּוֹלְדָה רִבְקָה, וְיִצְחָק הָיָה בֶּן ל"ז שָׁנָה שֶׁהֲרֵי בּוֹ בַּפֶּרֶק מֵתָה שָׂרָה, וּמִשֶּׁנּוֹלַד יִצְחָק עַד הָעֲקֵידָה שֶׁמֵּתָה שָׂרָה ל"ז שָׁנָה, כִּי בַּת צ' הָיְתָה כְּשֶׁנּוֹלַד יִצְחָק וּבַת קכ"ז כְּשֶׁמֵּתָה שנא' וַיִּהְיוּ חַיֵּי שָׂרָה וגו', הֲרֵי לְיִצְחָק ל"ז שָׁנִים. וּבוֹ בַּפֶּרֶק נוֹלְדָה רִבְקָה, הִמְתִּין לָהּ עַד שֶׁתְּהֵא רְאוּיָה לְבִיאָה ג' שָׁנִים ב וּנְשָׂאָהּ (סדר עולם פ"א, ועי' ילק"ש קי, ויבמות סא: תוד"ה אין; סוף מס' סופרים): **בַּת בְּתוּאֵל מִפַּדַּן אֲרָם אֲחוֹת לָבָן.** וְכִי עֲדַיִין לֹא נִכְתַּב שֶׁהִיא בַּת בְּתוּאֵל וַאֲחוֹת לָבָן וּמִפַּדַּן אֲרָם, אֶלָּא לְהַגִּיד שִׁבְחָהּ, שֶׁהָיְתָה בַּת רָשָׁע וַאֲחוֹת רָשָׁע וּמְקוֹמָהּ אַנְשֵׁי רֶשַׁע וְלֹא לָמְדָה מִמַּעֲשֵׂיהֶם (ב"ר סג:ד): **מִפַּדַּן אֲרָם.** עַל שֵׁם שֶׁשְּׁנֵי אֲרָם הָיוּ, אֲרַם נַהֲרַיִם וַאֲרַם צוֹבָה קוֹרֵא אוֹתוֹ פַּדָּן, [לְשׁוֹן] צֶמֶד בָּקָר (שמואל-א יא:ז), תַּרְגּוּם פַּדַּן תּוֹרִין. וְיֵשׁ פּוֹתְרִין פַּדַּן אֲרָם כְּמוֹ שְׂדֵה אֲרָם (הושע יב:יג), שֶׁבִּלְשׁוֹן יִשְׁמָעֵאל קוֹרִין לְשָׂדֶה פַּדָּן:

בעל הטורים

(יט) **הוליד.** בגימטריא דומה. שהיה זיו איקונין של יצחק דומין לאברהם: (כ) **בקחתו.** ב׳ במסורת – ״בקחתו את רבקה״; ״בקחתו אתו והוא אסור באזקים״ גבי ירמיה. מה ״קחתו״ דהתם אסור, אף הכא אסור, ללמד שאף יצחק עקור היה. וילפינן ממנוח יצחק, כתיב הכא ״ויעתר יצחק״ וכתוב התם ״ויעתר מנוח״: **לבן הארמי.** אותיות הרמאי:

עיקר שפתי חכמים

א והיו מחזקים את דבריהם מדהוליד יצחק את יעקב ועשו א׳ צדיק וא׳ רשע, אמרו כי הצדיק בא מכח שרה והרשע מכח אבימלך, כי אילו היה מאברהם היו שניהם צדיקים. ולכן מסיים רש״י וז״ש כאן, ר״ל בלידת יעקב ועשו, כי כאן בתולדות יצחק נכללו שניהם כמ״ש לעיל: **ב** אע״פ שאינה ראויה להריון:

לִו לְאִשָּׁה: כא וַיֶּעְתַּר יִצְחָק
לַיהוָה לְנֹכַח אִשְׁתּוֹ כִּי עֲקָרָה
הִוא וַיֵּעָתֶר לוֹ יהוה וַתַּהַר
רִבְקָה אִשְׁתּוֹ: כב וַיִּתְרֹצְצוּ
הַבָּנִים בְּקִרְבָּהּ וַתֹּאמֶר אִם־
כֵּן לָמָּה זֶּה אָנֹכִי וַתֵּלֶךְ לִדְרֹשׁ אֶת־יהוה: ❖
כג וַיֹּאמֶר יהוה לָהּ שְׁנֵי גוֹיִם [גיים כ׳] בְּבִטְנֵךְ

לַהּ לְאִנְתּוּ: כא וְצַלִּי יִצְחָק
קֳדָם יְיָ לְקָבֵל אִתְּתֵהּ אֲרֵי
עֲקָרָה הִיא וְקַבֵּל צְלוֹתֵהּ
יְיָ וְעַדִּיאַת רִבְקָה אִתְּתֵהּ:
כב וּדְחָקִין בְּנַיָּא בִּמְעַהָא
וַאֲמֶרֶת אִם כֵּן לְמָא דְנָן
אֲנָא וַאֲזָלַת לְמִתְבַּע
אוּלְפַן מִן קֳדָם יְיָ: כג וַאֲמַר
יְיָ לַהּ תְּרֵין עַמְמִין בִּמְעַיְכִי

רש״י

[פסוק כא] **וַיֶּעְתַּר.** הִרְבָּה וְהִפְצִיר בִּתְפִלָּה: **וַיֵּעָתֶר לוֹ.** נִתְפַּצֵּר [וְנִתְפַּיֵּס] וְנִתְפַּתָּה לוֹ. וְאוֹמֵר אֲנִי, כָּל לְשׁוֹן עֶתֶר [ג] לְשׁוֹן הַפְצָרָה וְרִבּוּי הוּא. וְכֵן וַעֲתַר עֲנַן הַקְּטֹרֶת (יחזקאל ח:יא) מַרְבִּית עֲלִיַּת הֶעָשָׁן, וְכֵן וְהַעְתַּרְתֶּם עָלַי דִּבְרֵיכֶם (שם לה:יג), וְכֵן וְנַעְתָּרוֹת נְשִׁיקוֹת שׂוֹנֵא (משלי כז:ו) [ד] דּוֹמוֹת לִמְרוּבּוֹת וְהֵנָּם לְמַשָּׂא, אנקרישׁ״א בלע״ז: **לְנֹכַח אִשְׁתּוֹ.** זֶה עוֹמֵד בְּזָוִית זוֹ וּמִתְפַּלֵּל וְזוֹ עוֹמֶדֶת [ה] בְּזָוִית זוֹ וּמִתְפַּלֶּלֶת (ב״ר שם ה, ועי׳ תענית כג:): **וַיֵּעָתֶר לוֹ.** לוֹ [ו] וְלֹא לָהּ, שֶׁאֵין דּוֹמָה תְּפִלַּת צַדִּיק בֶּן רָשָׁע לִתְפִלַּת צַדִּיק בֶּן צַדִּיק, לְפִיכָךְ לוֹ וְלֹא לָהּ (יבמות סד.): [פסוק כב] **וַיִּתְרֹצְצוּ.** עַל כָּרְחֲךָ הַמִּקְרָא הַזֶּה אוֹמֵר דָּרְשֵׁנִי, שֶׁסָּתַם מַה הִיא רְצִיצָה זוֹ וְכָתַב [ז] אִם כֵּן לָמָּה זֶּה אָנֹכִי. רַבּוֹתֵינוּ דְּרָשׁוּהוּ לְשׁוֹן רִיצָה, כְּשֶׁהָיְתָה עוֹבֶרֶת עַל פִּתְחֵי תּוֹרָה שֶׁל שֵׁם וָעֵבֶר יַעֲקֹב רָץ וּמְפַרְכֵּס לָצֵאת, עוֹבֶרֶת עַל פִּתְחֵי ע״ז עֵשָׂו מְפַרְכֵּס לָצֵאת (ב״ר שם ו). ד״א, מִתְרוֹצְצִים זֶה עִם זֶה וּמְרִיבִים בְּנַחֲלַת שְׁנֵי עוֹלָמוֹת (ילק״ש קי): **וַתֹּאמֶר אִם כֵּן.** גָּדוֹל צַעַר הָעִבּוּר: **לָמָּה זֶּה אָנֹכִי.** מִתְאַוָּה וּמִתְפַּלֶּלֶת עַל הֵרָיוֹן: **וַתֵּלֶךְ לִדְרֹשׁ.** לְבֵית מִדְרָשׁוֹ שֶׁל שֵׁם [ח] (תרגום יונתן) [וָעֵבֶר] (ב״ר שם): **לִדְרֹשׁ אֶת ה׳.** שֶׁיַּגִּיד לָהּ [ס״א לְהַגִּיד] מַה תְּהֵא בְּסוֹפָהּ (אונקלוס): [פסוק כג] **וַיֹּאמֶר ה׳ לָהּ.** ע״י שָׁלִיחַ. [ט] לְשֵׁם נֶאֱמַר בְּרוּחַ הַקֹּדֶשׁ וְהוּא אָמַר לָהּ (ב״ר שם ז): **שְׁנֵי גוֹיִם בְּבִטְנֵךְ.** גֵּיִים כְּתִיב [י], אֵלּוּ

בעל הטורים

(כא) כי עקרה הוא. "הוא" כתיב – לומר לך שאף הוא היה עקור. ואית דדרשי המקרא, לומר היא ולא הוא, דהא כתיב "כי ביצחק יקרא לך זרע", אלמא לאו עקור היה: **ותהר רבקה אשתו.** אשתו בגימטריא קש ואש. "והיה בית יעקב אש ... ובית עשו לקש": **(כב) ויתרצצו.** זה הולך אחר "צו את בני ישראל" וזה הולך אחר עבודה זרה, דכתיב "הואיל הלך אחרי צו". זה מתיר צוויו של זה, וזה מתיר צוויו של זה: **לדרוש.** בגימטריא מן שם בן נח: **(כג) גוים.** גיים כתיב – רמז לי׳

עיקר שפתי חכמים

ג כי פה דמדבר על מקבל התפלה אי אפשר לפרשו מענין רבוי כי אם מענין הפצרה, הקרוב בענינו לרבוי: **ד** כי לא יתכן שהשונא ינשק הרבה, כי אם הם דומות למרובות ולמשא אף שינשק רק פ״א: **ה** כי אין דרך המתפללים להתפלל פנים כנגד פנים: **ו** מדלא כתיב ויעתר להם: **ז** כי אם נפרש ויתרוצצו מלשון רציצה כדרך שאר נשים המעוברות, א״כ מה זה שאמרה א״כ למה זה אנכי, הלא דרך נשים גם לה. לכ״פ שהוא מלשון ריצה, והוא שלא כדרך שאר הנשים, ע״כ אמרה א״כ גדול צער העיבור יותר משאר נשים למה זה אנכי: **ח** כי לדרוש את ה׳ לא שייך לשון ותלך דהלא מלא כל הארץ כבודו, לכן פי׳ שהלכה לבית מדרש של שם: **ט** מדלא כתיב ויאמר לה ה׳, לכ״פ שאמר ה׳ לשם שהוא יאמר לה: **י** יו״ד במקום אל״ף:

וּשְׁנֵ֣י לְאֻמִּ֔ים מִמֵּעַ֖יִךְ יִפָּרֵ֑דוּ וּלְאֹם֙ מִלְאֹ֣ם יֶֽאֱמָ֔ץ וְרַ֖ב יַעֲבֹ֥ד צָעִֽיר׃ כד וַיִּמְלְא֥וּ יָמֶ֖יהָ לָלֶ֑דֶת וְהִנֵּ֥ה תוֹמִ֖ם בְּבִטְנָֽהּ׃ כה וַיֵּצֵ֤א הָרִאשׁוֹן֙ אַדְמוֹנִ֔י כֻּלּ֖וֹ כְּאַדֶּ֣רֶת שֵׂעָ֑ר וַיִּקְרְא֥וּ שְׁמ֖וֹ עֵשָֽׂו׃ כו וְאַֽחֲרֵי־כֵ֞ן יָצָ֣א אָחִ֗יו

וְתַרְתֵּין מַלְכְוָן מִמְּעַיְכִי יִתְפָּרְשָׁן וּמַלְכוּ מִמַּלְכוּ יִתְקַף וְרַבָּא יִשְׁתַּעְבֵּיד לִזְעֵירָא: כד וּשְׁלִימוּ יוֹמַהָא לְמֵילַד וְהָא תְיוֹמִין בִּמְעַהָא: כה וּנְפַק קַדְמָאָה סְמוֹק כֻּלֵּהּ כִּגְלִים (נ״א כִּכְלָן) דִּשְׂעַר וּקְרוֹ שְׁמֵהּ עֵשָׂו: כו וּבָתַר כֵּן נְפַק אֲחוּהִי

רש״י

אנטונינוס ורבי ב שלא פסקו מעל שולחנם לא צנון ולא חזרת לא בימות החמה ולא בימות הגשמים (עבודה זרה יא.): **ושני לאמים.** אין לאום אלא ל מלכות (שם ב:): **ממעיך יפרדו.** מן המעים הם נפרדים, מ זה לרשעו וזה לתומו: **מלאם יאמץ.** לא ישוו בגדולה, נ כשזה קם זה נופל, וכן הוא אומר אמלאה החרבה (יחזקאל כו:ב), לא נתמלאה צור אלא מחרבנה של ירושלים (מגילה ו.): **[פסוק כד] וימלאו ימיה.** אבל בתמר כתיב ויהי בעת לדתה (להלן לח:כז), שלא מלאו ימיה כי לז׳ חדשים ילדתם (ב״ר סג:ח): **והנה תומם.** חסר, ובתמר תאומים, מלא, לפי ששניהם צדיקים, אבל כאן אחד צדיק ואחד רשע (שם): **[פסוק כה] אדמוני.** סימן הוא שיהא שופך דמים (שם): **כלו כאדרת שער.** מלא ס שער כטלית של צמר המלאה שער, פלוקי״ר בלע״ז: **ויקראו שמו עשו.** הכל קראו לו כן, לפי שהיה נעשה ונגמר בשערו כבן שנים הרבה (תרגום יונתן): **[פסוק כו] ואחרי כן יצא אחיו וגו׳.** שמעתי מדרש אגדה הדורשו לפי פשוטו. בדין היה אוחז בו לעכבו, יעקב נוצר ע מטיפה ראשונה ועשו מן השנייה. צא ולמד משפופרת שפיה קצרה, תן בה שתי אבנים זו תחת זו, הנכנסת ראשונה תצא אחרונה והנכנסת אחרונה תצא ראשונה.

בעל הטורים

אומות שבאו להחריב בית המקדש, דכתיב "אהלי אדום וישמעאלים וכו׳" והם י׳: דבר אחר — "גיים" עולה ס״ג. זה נתברך בן ס״ג, וזה בא בס״ג אומות בחרבן בית שני, דז׳ אמות נעקרו. והיינו דכתיב "כלו סג יחדו נאלחו": **שני גיים.** בגימטריא רבי יהודה ואנטונס: **ולאם מלאם יאמץ.** יתגבר על חברו ויחריבו. והינו דכתיב "אמלאה החרבה": **(כד) תומם.** חסר יו״ד ואל״ף — שחסרה י״א כנגד י״א שבטים שהיתה ראויה להוליד, כדאיתא במדרש: **(כה) אדמוני.** ב׳ במסורת — הכא "ויצא הראשון אדמוני"; "והוא אדמוני עם יפה עינים" גבי דוד. כשראה שמואל את דוד אדמוני, אמר, זה שופך דמים כעשו. ועל כן נאמר "עם יפה עינים", עם דעת סנהדרין הוא עושה, שנקראו עינים, שנאמר "אם מעיני העדה": **אדמוני.** מלמד שהשחית רחם אמו ונתגולל בדם: דבר אחר — "אדמוני" מלשון אדם, שיצא בעל שער כאדם גדול. והיינו "כאדרת שער", שהיה מלא שערות כאדרת; שאם הוא מלשון אודם, אדרת שער אינה אדומה: **שמו עשו.** שהיה עשוי ונגמר: **עשו.** בגימטריא שלום. שאלמלא שמו שהוא שלום, היה מחריב העולם: דבר אחר — עשו, ע׳ שו. כלומר, שוא זה השלים לע׳ אומות. שוא שבראתי בעולם: **(כו) ואחרי כן יצא אחיו.** "כן" עולה שבעים. ששבעים אומות הן

עיקר שפתי חכמים

ב שילאו מיעקב ועשו: **ל** כי יאמן לא שייך רק אלל מלכים: **מ** כי על שני בנים כבר נאמר לה שני גוים בבטנך, לכן פי׳ כי יפרדו מורה זה לרשעו וזה לתומו: **נ** ומ״ם מלאום הוא כמו מ״ם מכל מלמדי, ר״ל שכל אחד יקח האומן והממשלה מחברו, וכשזה קם זה נופל: **ס** ושער מוסב על כולו ולא על כאדרת, ויתפרש כולו שער כאדרת: **ע** כי לבכורה הל״ל ואחרי כן יצא השני, דכתיב לפני זה ויצא הראשון. ע״כ דורשו כי לא היה שני רק ראשון:

וִידֵהּ אֲחִידָא בְּעִקְבָא דְעֵשָׂו וּקְרָא שְׁמֵהּ יַעֲקֹב וְיִצְחָק בַּר שִׁתִּין שְׁנִין כַּד יְלִידַת יָתְהוֹן: כז וּרְבִיוּ עוּלֵמַיָּא וַהֲוָה עֵשָׂו גְּבַר נַחְשִׁירְכָן גְּבַר נָפֵק לְחַקְלָא וְיַעֲקֹב גְּבַר שְׁלִים מְשַׁמֵּשׁ בֵּית אוּלְפָנָא: כח וּרְחֵם יִצְחָק יָת עֵשָׂו אֲרֵי מִצֵּידֵהּ הֲוָה אָכֵיל

וְיָד֤וֹ אֹחֶ֙זֶת֙ בַּעֲקֵ֣ב עֵשָׂ֔ו וַיִּקְרָ֥א שְׁמ֖וֹ יַעֲקֹ֑ב וְיִצְחָ֛ק בֶּן־שִׁשִּׁ֥ים שָׁנָ֖ה בְּלֶ֥דֶת אֹתָֽם׃ ❖ כז וַֽיִּגְדְּלוּ֙ הַנְּעָרִ֔ים וַיְהִ֣י עֵשָׂ֗ו אִ֛ישׁ יֹדֵ֥עַ צַ֖יִד אִ֣ישׁ שָׂדֶ֑ה וְיַעֲקֹב֙ אִ֣ישׁ תָּ֔ם יֹשֵׁ֖ב אֹהָלִֽים׃ כח וַיֶּאֱהַ֥ב יִצְחָ֛ק אֶת־עֵשָׂ֖ו כִּי־צַ֣יִד בְּפִ֑יו

רש"י

כמלא עשו הנולד באחרונה יצא ראשון, ויעקב שנולד ראשונה יצא אחרון, ויעקב בא לעכבו שיהא ראשון ללידה כראשון ליצירה ויפטור את רחמה ויטול את הבכורה מן הדין (ב"ר שם): **בעקב עשו.** סימן פ שאין זה מספיק לגמור מלכותו עד שזה עומד ונוטלה הימנו (פדר"א פל"ב; ילק"ש קי): **ויקרא שמו יעקב.** צ הקב"ה [אמר אתם קריתון לבכורכם שם אף אני אקרא לבני בכורי שם הה"ד ויקרא שמו יעקב] (ב"ר שם; תנחומא שמות ד). ד"א, אביו קרא לו יעקב על שם אחיזת העקב: **בן ששים שנה.** י' שנים משנשאה עד שנעשית בת י"ג שנה וראויה להריון, וי' שנים הללו ציפה והמתין לה כמו שעשה אביו לשרה (לעיל טז:ג). כיון שלא נתעברה ידע שהיא עקרה והתפלל עליה. ושפחה לא רצה לישא, לפי שנתקדש בהר המוריה להיות עולה תמימה (ב"ר סד:ג): [פסוק כז] **ויגדלו הנערים ויהי עשו.** כל זמן שהיו קטנים ק לא היו ניכרים במעשיהם ואין אדם מדקדק בהם מה טיבם. כיון שנעשו בני י"ג שנה, זה פירש לבתי מדרשות וזה פירש לע"ז (ב"ר סג:י): **ידע ציד.** לצוד ר ולרמות את אביו בפיו, ושואלו, אבא, היאך מעשרין את המלח ואת התבן. כסבור אביו שהוא מדקדק במצות (שם): **איש שדה.** כמשמעו אדם בטל, וצודה בקשתו ש חיות ועופות: **תם.** אינו בקי בכל אלה אלא כלבו כן פיו. מי שאינו חריף לרמות קרוי תם: **ישב אהלים.** אהלו של שם ואהלו של עבר (ב"ר שם): [פסוק כח] **[כי ציד] בפיו.** כתרגומו, בפיו של יצחק. ומדרשו, בפיו של עשו, שהיה צד אותו ומרמהו בדבריו (תנחומא ח):

בעל הטורים

חוץ מיעקב: **וידו.** ג' במסורת — הכא "וידו אחזת בעקב עשו"; ואידך "וידו הנטויה ומי ישיבנה" במפלת האומות; ואידך "וידו חלקתה להם" בישעיה במפלת אדום. שבשעת לידתן רמז לו שיפלו בידו האומות: **יעקב.** בגימטריא מלאך האלהים. ובגימטריא הגן עדן. ובגימטריא [לא יאסף. זהו דכתיב] "וירחך לא יאסף": **(כז) איש תם.** סופי תבות שם. לומר שישב באהלי שם ללמוד: ת"ם שנים יושב, משנכנסו לארץ עד שנבנה הבית. רמז — לאחר ת"ם שנים יושב אהלים של שכינה: **יושב אוהלים.** עולה ת"י, שכך שרתה שכינה באהל:

ראה הטבלא "**שְׁנֵי חַיֵּי יַעֲקֹב אָבִינוּ**" (עמוד 533).

עיקר שפתי חכמים

פ דאל"כ הל"ל וידו אוחזת בו: **צ** מאחר דאחר זה כתיב ויצחק בן ס' שנה ש"מ דעד השתא לאו ביצחק משתעי, ומי קרא אותו, על כרחך הקב"ה: **ק** אע"פ שמיד כשיצאו מבטן נפרדו זה לרשעו כו' כמ"ש לעיל, עכ"ז אמרו כי רק מעשה נערות הוא, ולא היו נכרים במעשיהם עד שנעשו בני י"ג שנה כו': **ר** ולפ"ז יהיה איש ציד ההפך מן איש תם: **ש** ולכן נקרא איש שדה ולא עובד בשדה, או איש אדמה כמו בנח, או עובד אדמה כמו בקין:

וְרִבְקָה אֹהֶבֶת אֶת־יַעֲקֹב: כט וַיָּזֶד
יַעֲקֹב נָזִיד וַיָּבֹא עֵשָׂו מִן־הַשָּׂדֶה
וְהוּא עָיֵף: ל וַיֹּאמֶר עֵשָׂו אֶל־
יַעֲקֹב הַלְעִיטֵנִי נָא מִן־הָאָדֹם
הָאָדֹם הַזֶּה כִּי עָיֵף אָנֹכִי עַל־
כֵּן קָרָא־שְׁמוֹ אֱדוֹם: לא וַיֹּאמֶר
יַעֲקֹב מִכְרָה כַיּוֹם אֶת־בְּכֹרָתְךָ לִי: לב וַיֹּאמֶר
עֵשָׂו הִנֵּה אָנֹכִי הוֹלֵךְ לָמוּת וְלָמָּה־זֶּה לִי

וְרִבְקָה רְחִימַת יָת יַעֲקֹב:
כט וּבַשִּׁיל יַעֲקֹב תַּבְשִׁילָא
וַאֲתָא (נ״א וְעַל) עֵשָׂו
מִן חַקְלָא וְהוּא מְשַׁלְהֵי:
ל וַאֲמַר עֵשָׂו לְיַעֲקֹב
אַטְעֲמִנִי כְעַן מִן סְמוֹקָא
סְמוֹקָא הָדֵין אֲרֵי מְשַׁלְהֵי
אֲנָא עַל כֵּן קְרָא שְׁמֵהּ
אֱדוֹם: לא וַאֲמַר יַעֲקֹב זַבִּין
כְּיוֹם דִּלְהֵן יָת בְּכֵרוּתָךְ
לִי: לב וַאֲמַר עֵשָׂו הָא אֲנָא
אָזֵל לִמְמָת וּלְמָה דְּנָן לִי

רש״י

[פסוק כט] **וַיָּזֶד.** לְשׁוֹן בִּשּׁוּל, כְּתַרְגּוּמוֹ: **וְהוּא עָיֵף.** בִּרְצִיחָה, כְּמָה דְּתֵימָא כִּי עָיְפָה נַפְשִׁי לְהֹרְגִים (ירמיה ד:לא; ב״ר סג:יב): **[פסוק ל] הַלְעִיטֵנִי.** אֶפְתַּח פִּי וּשְׁפוֹךְ הַרְבֵּה לְתוֹכָהּ, כְּמוֹ שֶׁשָּׁנִינוּ אֵין אוֹבְסִין אֶת הַגָּמָל אֲבָל מַלְעִיטִין אוֹתוֹ (שבת קנה:; ב״ר שם): **מִן הָאָדֹם הָאָדֹם.** ת עֲדָשִׁים אֲדוּמוֹת. וְאוֹתוֹ הַיּוֹם מֵת אַבְרָהָם (ב״ר יא) שֶׁלֹּא יִרְאֶה אֶת עֵשָׂו בֶּן בְּנוֹ יוֹצֵא לְתַרְבּוּת רָעָה וְאֵין זוֹ שֵׂיבָה טוֹבָה שֶׁהִבְטִיחוֹ הקב״ה, לְפִיכָךְ קִצֵּר הקב״ה ה׳ שָׁנִים מִשְּׁנוֹתָיו, שֶׁיִּצְחָק חַי ק״פ שָׁנָה וְזֶה קע״ה שָׁנָה, וּבִשֵּׁל יַעֲקֹב עֲדָשִׁים לְהַבְרוֹת אֶת הָאָבֵל (שם יב). וְלָמָּה עֲדָשִׁים, שֶׁדּוֹמוֹת לְגַלְגַּל, שֶׁהָאֲבֵלוּת גַּלְגַּל הַחוֹזֵר בָּעוֹלָם (בבא בתרא טז:). [וְעוֹד מָה עֲדָשִׁים אֵין לָהֶם פֶּה כַּךְ הָאָבֵל אֵין לוֹ פֶּה שֶׁאָסוּר לְדַבֵּר (שם; ב״ר שם יד). וּלְפִיכָךְ הַמִּנְהָג לְהַבְרוֹת אֶת הָאָבֵל בִּתְחִלַּת מַאֲכָלוֹ בֵּיצִים, שֶׁהֵם עֲגוּלִים וְאֵין לָהֶם פֶּה כַּךְ אָבֵל אֵין לוֹ פֶּה, כִּדְאָמְרִינָן בְּמוֹעֵד קָטָן (כא:) אָבֵל כָּל שְׁלֹשָׁה יָמִים הָרִאשׁוֹנִים אֵינוֹ מֵשִׁיב שָׁלוֹם לְכָל אָדָם וכ״ש שֶׁאֵינוֹ שׁוֹאֵל בַּתְּחִלָּה, מג׳ וְעַד ז׳ מֵשִׁיב וְאֵינוֹ שׁוֹאֵל וכו׳]: **[פסוק לא] מִכְרָה כַיּוֹם.** כְּתַרְגּוּמוֹ, כְּיוֹם דִּילְהֵן, כַּיּוֹם שֶׁהוּא בָּרוּר כַּךְ מְכוֹר לִי מְכִירָה בְּרוּרָה: **בְּכֹרָתְךָ.** לְפִי שֶׁהָעֲבוֹדָה בִּבְכוֹרוֹת אָמַר יַעֲקֹב אֵין רָשָׁע זֶה כְּדַאי שֶׁיַּקְרִיב לְהקב״ה (ב״ר סג:יג): **[פסוק לב] הִנֵּה אָנֹכִי הוֹלֵךְ לָמוּת.** [מִתְנוֹדֶדֶת וְהוֹלֶכֶת הִיא הַבְּכוֹרָה, שֶׁלֹּא תְהֵא כָּל עֵת הָעֲבוֹדָה בִּבְכוֹרוֹת כִּי שֵׁבֶט לֵוִי יִטּוֹל אוֹתָהּ. וְעוֹד] אָמַר עֵשָׂו מַה טִּיבָהּ שֶׁל עֲבוֹדָה זוֹ. א״ל, כַּמָּה אַזְהָרוֹת וְעוֹנָשִׁין וּמִיתוֹת תְּלוּיִן בָּהּ, כְּאוֹתָהּ שֶׁשָּׁנִינוּ אֵלּוּ

בעל הטורים

(כט) **נזיד.** בגימטריא אל אבלו: (ל) **הלעיטני נא מן.** ראשי תבות המן. לומר, כשם שיעקב קנה מעשו בכורתו בלחם ועדשים, כך קנה מרדכי את המן לעבד בפת לחם: (לב) **ולמה זה.** ב׳ במסורת — ״ולמה זה לי בכורה״; ״ולמה זה הבל תהבלו״. מלמד שכפר בעיקר והלך אחרי ההבל:

עיקר שפתי חכמים

ת כדכתיב בסמוך נזיד עדשים:

בְּכֹרָה: לג וַיֹּאמֶר יַעֲקֹב הִשָּׁבְעָה
לִּי כַּיּוֹם וַיִּשָּׁבַע לוֹ וַיִּמְכֹּר אֶת־
בְּכֹרָתוֹ לְיַעֲקֹב: לד וְיַעֲקֹב נָתַן
לְעֵשָׂו לֶחֶם וּנְזִיד עֲדָשִׁים וַיֹּאכַל
וַיֵּשְׁתְּ וַיָּקָם וַיֵּלַךְ וַיִּבֶז עֵשָׂו אֶת־
הַבְּכֹרָה: פ

פרק כו א וַיְהִי רָעָב בָּאָרֶץ מִלְּבַד
הָרָעָב הָרִאשׁוֹן אֲשֶׁר הָיָה
בִּימֵי אַבְרָהָם וַיֵּלֶךְ יִצְחָק אֶל־
אֲבִימֶלֶךְ מֶלֶךְ־פְּלִשְׁתִּים גְּרָרָה:
ב וַיֵּרָא אֵלָיו יְהוָה וַיֹּאמֶר אַל־תֵּרֵד מִצְרָיְמָה
שְׁכֹן בָּאָרֶץ אֲשֶׁר אֹמַר אֵלֶיךָ: ג גּוּר בָּאָרֶץ הַזֹּאת
וְאֶהְיֶה עִמְּךָ וַאֲבָרְכֶךָּ כִּי־לְךָ וּלְזַרְעֲךָ אֶתֵּן

בְּכֵרוּתָא: לג וַאֲמַר יַעֲקֹב
קַיֵּם לִי כְּיוֹם דִּלְהֵן
וְקַיֵּים לֵהּ וְזַבִּין יָת
בְּכֵרוּתֵהּ לְיַעֲקֹב:
לד וְיַעֲקֹב יְהַב לְעֵשָׂו
לְחֵם וְתַבְשִׁיל דִּטְלוֹפְחִין
וַאֲכַל וּשְׁתִי וְקָם וַאֲזַל
וְשָׁט עֵשָׂו יָת בְּכֵרוּתָא:
א וַהֲוָה כַפְנָא בְּאַרְעָא
בַּר מִכַּפְנָא קַדְמָאָה דִּי
הֲוָה בְּיוֹמֵי דְאַבְרָהָם
וַאֲזַל יִצְחָק לְוָת אֲבִימֶלֶךְ
מַלְכָּא דִפְלִשְׁתָּאֵי
לִגְרָר: ב וְאִתְגְּלִי לֵהּ יְיָ
וַאֲמַר לָא תֵחוּת
לְמִצְרָיִם שְׁרִי בְּאַרְעָא
דִּי אֵימַר לָךְ: ג דּוּר
בְּאַרְעָא הָדָא וִיהֵי
מֵימְרִי בְסַעְדָּךְ וַאֲבָרְכִנָּךְ
אֲרֵי לָךְ וְלִבְנָךְ אֶתֵּן

רש"י

הֵן שֶׁבְּמִיתָה שְׁתוּיֵי יַיִן וּפְרוּעֵי רֹאשׁ (סנהדרין כב:). אָמַר, אֲנִי הוֹלֵךְ לָמוּת עַל יָדָהּ, אִם כֵּן מַה חֵפֶץ לִי בָּהּ: [פסוק לד] **וַיִּבֶז עֵשָׂו.** הֵעִיד הַכָּתוּב עַל רִשְׁעוֹ א שֶׁבִּיזָה עֲבוֹדָתוֹ שֶׁל מָקוֹם: [פסוק ב] **אַל תֵּרֵד מִצְרָיְמָה.** שֶׁהָיָה דַעְתּוֹ לָרֶדֶת לְמִצְרַיִם כְּמוֹ שֶׁיָּרַד אָבִיו בִּימֵי הָרָעָב, אָמַר לוֹ אַל תֵּרֵד מִצְרָיְמָה, שֶׁאַתָּה עוֹלָה תְמִימָה וְאֵין חוּצָה לָאָרֶץ כְּדַאי לָךְ (ב"ר סד:ג; תנחומא ישן ו):

בעל הטורים

(לד) ויבז. ב׳ — "ויבז עשו"; "ויבז בעיניו" גבי המן. דהינו, בוזה בן בוזה, זה המן הרשע שיצא מעשו: **(א) ויהי רעב.** סמך ל"ויבז עשו". וזהו שנאמר "בבוא רשע בא גם בוז":

עיקר שפתי חכמים

א שכיון שמכר את בכורתו ש"מ שלא רצה בה, ול"ל לכתוב עוד ויבז. אלא להעיד על רשעו בא הכתוב שבזה כו':

אֶת־כָּל־הָאֲרָצֹת הָאֵל וַהֲקִמֹתִי
אֶת־הַשְּׁבֻעָה אֲשֶׁר נִשְׁבַּעְתִּי
לְאַבְרָהָם אָבִיךָ: ד וְהִרְבֵּיתִי אֶת־
זַרְעֲךָ כְּכוֹכְבֵי הַשָּׁמַיִם וְנָתַתִּי
לְזַרְעֲךָ אֵת כָּל־הָאֲרָצֹת הָאֵל
וְהִתְבָּרְכוּ בְזַרְעֲךָ כֹּל גּוֹיֵי הָאָרֶץ:
ה עֵקֶב אֲשֶׁר־שָׁמַע אַבְרָהָם בְּקֹלִי וַיִּשְׁמֹר
מִשְׁמַרְתִּי מִצְוֹתַי חֻקּוֹתַי וְתוֹרֹתָי: ❖ שני ו וַיֵּשֶׁב
יִצְחָק בִּגְרָר: ז וַיִּשְׁאֲלוּ אַנְשֵׁי הַמָּקוֹם לְאִשְׁתּוֹ

יָת כָּל אַרְעָתָא הָאִלֵּין
וְאָקֵם יָת קְיָמָא דִּי קַיֵּמִית
לְאַבְרָהָם אֲבוּךְ: ד וְאַסְגֵּי
יָת בְּנָךְ סַגִּיאִין כְּכוֹכְבֵי
שְׁמַיָּא וְאֶתֵּן לִבְנָךְ יָת כָּל
אַרְעָתָא הָאִלֵּין וְיִתְבָּרְכוּן
בְּדִיל בְּנָךְ כֹּל עַמְמֵי אַרְעָא:
ה חֲלָף דִּי קַבִּיל אַבְרָהָם
בְּמֵימְרִי וּנְטַר מַטְּרַת מֵימְרִי
פִּקּוֹדֵי קְיָמַי וְאוֹרָיְתָי: ו וִיתֵב
יִצְחָק בִּגְרָר: ז וּשְׁאִילוּ
אֱנָשֵׁי אַתְרָא לְאִתְּתֵהּ

רש"י

[פסוק ג] **הָאֵל.** כְּמוֹ הָאֵלֶּה: [פסוק ד] **וְהִתְבָּרְכוּ בְזַרְעֲךָ.** אָדָם אוֹמֵר לִבְנוֹ ב יְהֵא זַרְעֲךָ כְּזַרְעוֹ שֶׁל יִצְחָק, וְכֵן בְּכָל הַמִּקְרָא, וְזֶה אָב לְכוּלָּן, בְּךָ יְבָרֵךְ יִשְׂרָאֵל לֵאמֹר יְשִׂמְךָ וגו' (להלן מח:כ). וְאַף לְעִנְיַן הַקְּלָלָה מָצִינוּ כֵּן, וְהָיְתָה הָאִשָּׁה לְאָלָה (במדבר ה:כז), שֶׁהַמְקַלֵּל שׂוֹנְאוֹ אוֹמֵר תְּהֵא כִּפְלוֹנִית. וְכֵן וְהִנַּחְתֶּם שִׁמְכֶם לִשְׁבוּעָה לִבְחִירַי (ישעיה סה:טו), שֶׁהַנִּשְׁבָּע אוֹמֵר אֱהֵא כִּפְלוֹנִי אִם עָשִׂיתִי כָּךְ וָכָךְ (ספרי נשא יח): [פסוק ה] **שָׁמַע אַבְרָהָם בְּקֹלִי.** כְּשֶׁנִּסִּיתִי אוֹתוֹ (פדר"א פל"א): **וַיִּשְׁמֹר מִשְׁמַרְתִּי.** גְּזֵרוֹת לְהַרְחָקָה עַל הָאַזְהָרוֹת שֶׁבַּתּוֹרָה, כְּגוֹן ג שְׁנִיּוֹת לָעֲרָיוֹת וּשְׁבוּת לַשַּׁבָּת (יבמות כא.): **מִצְוֹתַי.** דְּבָרִים שֶׁאִלּוּ לֹא נִכְתְּבוּ רְאוּיִין הֵם לְהִצְטַוּוֹת, כְּגוֹן גָּזֵל וּשְׁפִיכוּת דָּמִים (יומא סז:): **חֻקּוֹתַי.** דְּבָרִים שֶׁיֵּצֶר הָרָע וְאוּמּוֹת הָעוֹלָם מְשִׁיבִין עֲלֵיהֶם, כְּגוֹן אֲכִילַת חֲזִיר וּלְבִישַׁת שַׁעַטְנֵז, שֶׁאֵין טַעַם בַּדָּבָר אֶלָּא גְּזֵירַת הַמֶּלֶךְ וְחֻקּוֹתָיו עַל עֲבָדָיו (שם): **וְתוֹרֹתָי.** לְהָבִיא תּוֹרָה שֶׁבְּעַל פֶּה הֲלָכָה לְמֹשֶׁה מִסִּינַי (שם כח:; ב"ר סד:ד): [פסוק ז] **לְאִשְׁתּוֹ.** ד עַל אִשְׁתּוֹ, כְּמוֹ אִמְרִי לִי אָחִי הוּא (לעיל כ:יג):

בעל הטורים

(ג) **הארצת האל.** רמז ל"א מלכים: **הארצת.** חסר וי"ו — שיתננה לו לאחר ו' דורות, והם — יצחק, יעקב, לוי, קהת, עמרם, משה: **(ה) עקב אשר שמע אברהם.** יש בפסוק עשר תבות, כנגד עשרת הדברות שבהם עק"ב תבות, וכנגדם נתנסה עשרה נסיונות, וקיים עולם שנברא בעשרה מאמרות: עק"ב שנים שמע בקולי, דבן ג' שנים הכיר בוראו, ושנותיו קע"ה: **עקב אשר שמע אברהם.** בגימטריא קִיֵּם אף ערובי תבשילין. ונתוסף לו ה"א יתירה על שמו, כנגד "בקולי", "משמרתי", "מצותי", חקותי" "ותורתי":

עיקר שפתי חכמים

ב כי אם היתה כוונתו שיתברכו בזכות זרעך הול"ל והתברכו מזרעך: **ג** ואף שמצינו שיעקב נשא ב' אחיות ושמעון נשא אחותו דינה ועמרם יוכבד אחות אביו. י"ל דלא קיימו רק בא"י והם היו בח"ל (הרמב"ן): **ד** כ"א שאלו לרבקה היה לה להשיב ג"כ:

וַיֹּאמֶר אֲחֹתִי הִוא כִּי יָרֵא לֵאמֹר אִשְׁתִּי פֶּן־יַהַרְגֻנִי אַנְשֵׁי הַמָּקוֹם עַל־רִבְקָה כִּי־טוֹבַת מַרְאֶה הִוא: ח וַיְהִי כִּי אָרְכוּ־לוֹ שָׁם הַיָּמִים וַיַּשְׁקֵף אֲבִימֶלֶךְ מֶלֶךְ פְּלִשְׁתִּים בְּעַד הַחַלּוֹן וַיַּרְא וְהִנֵּה יִצְחָק מְצַחֵק אֵת רִבְקָה אִשְׁתּוֹ: ט וַיִּקְרָא אֲבִימֶלֶךְ לְיִצְחָק וַיֹּאמֶר אַךְ הִנֵּה אִשְׁתְּךָ הִוא וְאֵיךְ אָמַרְתָּ אֲחֹתִי הִוא וַיֹּאמֶר אֵלָיו יִצְחָק כִּי אָמַרְתִּי פֶּן־אָמוּת עָלֶיהָ: י וַיֹּאמֶר אֲבִימֶלֶךְ מַה־זֹּאת עָשִׂיתָ לָּנוּ כִּמְעַט שָׁכַב אַחַד הָעָם אֶת־אִשְׁתֶּךָ וְהֵבֵאתָ עָלֵינוּ אָשָׁם:

(נ"א עַל עֵיסַק אִתְּתֵהּ) וַאֲמַר אֲחָתִי הִיא אֲרֵי דְחִיל לְמֵימַר אִתְּתִי דִּלְמָא יְקַטְלֻנַּנִי אֲנָשֵׁי אַתְרָא עַל רִבְקָה אֲרֵי שַׁפִּירַת חֵיזוּ הִיא: ח וַהֲוָה כַּד סַגִּיאוּ לֵהּ תַּמָּן יוֹמַיָּא וְאַסְתְּכִי אֲבִימֶלֶךְ מַלְכָּא דִפְלִשְׁתָּאֵי מִן חֲרַכָּא וַחֲזָא וְהָא יִצְחָק מְחַיֵּךְ עִם רִבְקָה אִתְּתֵהּ: ט וּקְרָא אֲבִימֶלֶךְ לְיִצְחָק וַאֲמַר בְּרַם הָא אִתְּתָךְ הִיא וְאֵכְדֵין אֲמַרְתָּ אֲחָתִי הִיא וַאֲמַר לֵהּ יִצְחָק אֲרֵי אֲמָרִית דִּלְמָא אֵימוּת עֲלַהּ: י וַאֲמַר אֲבִימֶלֶךְ מָה דָא עֲבַדְתְּ לָנָא כִּזְעֵיר פּוֹן שָׁכֵיב דִּמְיַחַד בְּעַמָּא עִם אִתְּתָךְ וְאַיְתֵיתָא עֲלָנָא חוֹבָא:

רש"י

[פסוק ח] כִּי אָרְכוּ. אָמַר, מֵעַתָּה אֵין לִי לִדְאֹג מֵאַחַר שֶׁלֹּא אֲנָסוּהָ עַד עַכְשָׁיו, וְלֹא נִזְהַר לִהְיוֹת נִשְׁמָר (ב"ר סד:ה): וַיַּשְׁקֵף אֲבִימֶלֶךְ וְגו'. שֶׁרָאָהוּ

ה מְשַׁמֵּשׁ מִטָּתוֹ (שם): [פסוק י] אַחַד הָעָם. הַמְּיֻחָד בָּעָם (אונקלוס) זֶה הַמֶּלֶךְ (תרגום יונתן): וְהֵבֵאתָ עָלֵינוּ אָשָׁם. אִם שָׁכַב ז כְּבָר הֵבֵאתָ שָׁם עָלֵינוּ:

בעל הטורים

(ח) מְצַחֵק. ב' – "וְהִנֵּה יִצְחָק מְצַחֵק"; "אֲשֶׁר יָלְדָה לְאַבְרָהָם מְצַחֵק". מְלַמֵּד שֶׁהָיָה יִשְׁמָעֵאל צָד נָשִׁים תַּחַת בַּעֲלֵיהֶן וּמְעַנֶּה עִמָּהֶן. מַה מְּצַחֵק דְּהָכָא אֵשֶׁת אִישׁ, אַף הָתָם אֵשֶׁת אִישׁ: (י) אַחַד הָעָם. ב' – הָכָא; וְאִידָךְ "כִּי בָא אַחַד הָעָם לְהַשְׁחִית אֶת הַמֶּלֶךְ" כְּשֶׁלָּקַח הַחֲנִית מְרַאֲשׁוֹתָיו שֶׁל שָׁאוּל. מַה הָתָם אַיְירֵי בְמֶלֶךְ אַף הָכָא אָמַר בִּשְׁבִיל עַצְמוֹ שֶׁהוּא הַמֶּלֶךְ:

עיקר שפתי חכמים

ה מְדַּכְתִּיב מִלְּתוֹ אַתְּ אִשְׁתּוֹ מַשְׁמַע דְּנָהַג בָּהּ מִנְהַג אִישׁוּת: ו מִדִּכְתִּיב אַחַד בִּשְׁנֵי פַּתָּחִ"ן וְלֹא כְּתִיב אַחַד בְּסֶגּוֹל וְקָמַ"ץ. ז שֶׁכַּב הוּא זְמַן עָבַר, מַזֶּה מוּכָח כִּי גַּם וְהֵבֵאתָ אֵינוֹ וי"ו הַהִפּוּךְ מֵעַבָר לֶעָתִיד, אֲבָל הָוי"ו הוּא וי"ו הַחִבּוּר, וְהַכֹּל בִּלְשׁוֹן עָבָר:

יא וַיְצַו אֲבִימֶלֶךְ אֶת־כָּל־
הָעָם לֵאמֹר הַנֹּגֵעַ בָּאִישׁ הַזֶּה
וּבְאִשְׁתּוֹ מוֹת יוּמָת: יב וַיִּזְרַע
יִצְחָק בָּאָרֶץ הַהִוא וַיִּמְצָא
בַּשָּׁנָה הַהִוא מֵאָה שְׁעָרִים
וַיְבָרְכֵהוּ יהוה: שלישי יג וַיִּגְדַּל
הָאִישׁ וַיֵּלֶךְ הָלוֹךְ וְגָדֵל עַד כִּי־
גָדַל מְאֹד: יד וַיְהִי־לוֹ מִקְנֵה־
צֹאן וּמִקְנֵה בָקָר וַעֲבֻדָּה רַבָּה וַיְקַנְאוּ אֹתוֹ
פְּלִשְׁתִּים: טו וְכָל־הַבְּאֵרֹת אֲשֶׁר חָפְרוּ עַבְדֵי
אָבִיו בִּימֵי אַבְרָהָם אָבִיו סִתְּמוּם פְּלִשְׁתִּים

יא וּפַקִּיד אֲבִימֶלֶךְ יָת
כָּל עַמָּא לְמֵימַר דְּיַנְזֵק
בְּגַבְרָא הָדֵין וּבְאִתְּתֵהּ
אִתְקְטָלָא יִתְקְטֵל: יב וּזְרַע
יִצְחָק בְּאַרְעָא הַהִיא
וְאַשְׁכַּח בְּשַׁתָּא הַהִיא
עַל חַד מְאָה בִּדְשַׁעֲרוֹהִי
וּבָרְכֵהּ יְיָ: יג וּרְבָא גַּבְרָא
וַאֲזַל אָזֵל (נ״א סָגֵי) וְרָבֵי
עַד דִּי רְבָא לַחֲדָא: יד וַהֲוָה
לֵהּ גֵּיתֵי עָנָא וְגֵיתֵי תוֹרִין
וּפָלְחָנָא (נ״א וַעֲבוּדָה)
סַגִּיָא וְקַנִּיאוּ בֵהּ פְּלִשְׁתָּאֵי:
טו וְכָל בֵּירִין דִּי חֲפַרוּ עַבְדֵי
אֲבוּהִי בְּיוֹמֵי אַבְרָהָם
אֲבוּהִי טַמּוֹנוּן פְּלִשְׁתָּאֵי

רש״י

[פסוק יב] **בָּאָרֶץ הַהִוא.** אע״פ ח שֶׁאֵינָהּ חֲשׁוּבָה כא״י עַצְמָהּ, כְּאֶרֶץ שִׁבְעָה גוֹיִם: **בַּשָּׁנָה הַהִוא.** אע״פ שֶׁאֵינָהּ כְּתִקְנָהּ, שֶׁהָיְתָה שְׁנַת רְעָבוֹן: **בָּאָרֶץ הַהִוא בַּשָּׁנָה הַהִוא.** שְׁנֵיהֶם לָמָּה. לוֹמַר שֶׁהָאָרֶץ קָשָׁה וְהַשָּׁנָה קָשָׁה (ב״ר סד:ו): **מֵאָה שְׁעָרִים.** שֶׁאֲמָדוּהָ כַּמָּה רְאוּיָה לַעֲשׂוֹת ט וְעָשְׂתָה עַל אַחַת שֶׁאֲמָדוּהָ מֵאָה. וְרַבּוֹתֵינוּ אָמְרוּ, אוֹמֶד זֶה י לְמַעַשְׂרוֹת הָיָה (ב״ר שם): [פסוק יג] **כִּי גָדַל מְאֹד.** שֶׁהָיוּ אוֹמְרִים, זֶבֶל פִּרְדוֹתָיו שֶׁל יִצְחָק וְלֹא כַסְפּוֹ וּזְהָבוֹ שֶׁל אֲבִימֶלֶךְ (שם ז): [פסוק יד] **וַעֲבֻדָּה רַבָּה.** פְּעוּלָּה רַבָּה, בִּלְשׁוֹן לע״ז אובריי״ה. עֲבוֹדָה מַשְׁמַע עֲבוֹדָה אַחַת, עֲבֻדָּה מַשְׁמַע פְּעוּלָּה רַבָּה: [פסוק טו] **סִתְּמוּם פְּלִשְׁתִּים.** מִפְּנֵי שֶׁאָמְרוּ כ תַּקָּלָה

בעל הטורים

(יג) **ויגדל האיש, וילך הלוך וגדל עד כי גדל.** ג׳ גדולות, כנגד ג׳ ברכות שנתברך בעקדה, ״כי ברך אברכך״; ״והתברכו בזרעך״: **(יד) ועבדה רבה.** ב׳ במסורת — הכא; ואידך באיוב. מה התם גדול מכל בני קדם, אף הכא היה גדול מכל, אף מאבימלך שהיה מלך: **(טו) וימלאום.** ב׳ — הכא; ״וימלאום למלך״ גבי מאה ערלות פלשתים. רמז למה שנותנין הערלה בעפר: דבר אחר — לפי שעבר אבימלך על שבועתו ומילא הבארות עפר, מלא דוד לשאול מאה ערלות פלשתים בכפלים ונתן לו מאתים במקום מאה:

עיקר שפתי חכמים

ח דהא גרר הוי נמי א״י: **ט** ושערים לשון שיעור מה ששערו בנפשם: **י** דק״ל למה אמדוה, והלא אין הברכה שולט בדבר המנוי. ל״פ שאומד זה היה למעשרות: **כ** באמת סתמום מפני הקנאה, כדכתיב בפסוק הסמוך לזה ויקנאו אותו פלשתים. אך שלא להראות קנאתם אמרו תקלה כו׳ ולכן סתמום, ולא מפני הקנאה:

וַיְמַלְאוּם עָפָר: טז וַיֹּאמֶר
אֲבִימֶלֶךְ אֶל־יִצְחָק לֵךְ מֵעִמָּנוּ
כִּי־עָצַמְתָּ מִמֶּנּוּ מְאֹד: יז וַיֵּלֶךְ
מִשָּׁם יִצְחָק וַיִּחַן בְּנַחַל־גְּרָר
וַיֵּשֶׁב שָׁם: יח וַיָּשָׁב יִצְחָק וַיַּחְפֹּר ׀
אֶת־בְּאֵרֹת הַמַּיִם אֲשֶׁר חָפְרוּ
בִּימֵי אַבְרָהָם אָבִיו וַיְסַתְּמוּם
פְּלִשְׁתִּים אַחֲרֵי מוֹת אַבְרָהָם
וַיִּקְרָא לָהֶן שֵׁמוֹת כַּשֵּׁמֹת אֲשֶׁר־
קָרָא לָהֶן אָבִיו: יט וַיַּחְפְּרוּ עַבְדֵי־
יִצְחָק בַּנָּחַל וַיִּמְצְאוּ־שָׁם בְּאֵר מַיִם חַיִּים:
כ וַיָּרִיבוּ רֹעֵי גְרָר עִם־רֹעֵי יִצְחָק לֵאמֹר לָנוּ
הַמָּיִם וַיִּקְרָא שֵׁם־הַבְּאֵר עֵשֶׂק כִּי הִתְעַשְּׂקוּ עִמּוֹ:

וּמְלוֹנוּן עַפְרָא: טז וַאֲמַר
אֲבִימֶלֶךְ לְיִצְחָק אִיזֵיל
מֵעִמָּנָא אֲרֵי תְקֵפְתָּא
מִנָּנָא לַחֲדָא: יז וַאֲזַל
מִתַּמָּן יִצְחָק וּשְׁרָא
בְּנַחֲלָא דִגְרָר וִיתֵב תַּמָּן:
יח וְתָב יִצְחָק וַחֲפַר יָת
בֵּירֵי דְמַיָּא דִּי חֲפָרוּ
בְּיוֹמֵי אַבְרָהָם אֲבוּהִי
וְטַמּוּנוּן פְּלִשְׁתָּאֵי בָּתַר
דְּמִית אַבְרָהָם וּקְרָא לְהֵין
שְׁמָהָן כִּשְׁמָהָן דִּי הֲוָה
קָרֵי לְהֵין אֲבוּהִי: יט וַחֲפָרוּ
עַבְדֵי יִצְחָק בְּנַחֲלָא
וְאַשְׁכַּחוּ תַמָּן בֵּירָא מַיָּא
נָבְעִין: כ וּנְצוֹ רַעֲוָתָא
דִגְרָר עִם רַעֲוָתָא דְיִצְחָק
לְמֵימַר דִּי לָנָא מַיָּא וּקְרָא
שְׁמָא דְבֵירָא עִסְקָא
אֲרֵי אִתְעַסִּיקוּ עִמֵּהּ:

רש"י

הֵם לָנוּ מִפְּנֵי הַגְּיָיסוֹת הַבָּאוֹת עָלֵינוּ (תוספתא סוטה י:ג). [וּמְתַרְגְּמִינָן] טַמּוּנוּן פְּלִשְׁתָּאֵי, לְשׁוֹן סְתִימָה, וּבִלְשׁוֹן מִשְׁנָה מְטַמְטֵם אֶת הַלֵּב (פסחים מב.): **[פסוק יז] בְּנַחַל גְּרָר.** ל רָחוֹק מִן הָעִיר: **[פסוק יח] וַיָּשָׁב וַיַּחְפֹּר.** הַבְּאֵרוֹת אֲשֶׁר חָפְרוּ בִּימֵי אַבְרָהָם אָבִיו, וּפְלִשְׁתִּים סִתְּמוּם קוֹדֶם שֶׁנָּסַע יִצְחָק מִגְּרָר, חָזַר וַחֲפָרָן: **[פסוק כ] עֵשֶׂק.** עִרְעוּר (עי' ב"מ יד.): **כִּי הִתְעַשְּׂקוּ עִמּוֹ.** נִתְעַסְּקוּ עִמּוֹ עָלֶיהָ בִּמְרִיבָה וְעִרְעוּר:

בעל הטורים

(כ־כב) עשק. כנגד בבל, שעשקו את בית יהודה, "ומיד עשקיהם כח": "שטנה" כנגד המן, שכתב שטנה על ירושלים. ולכן שטנה ב' — דהכא; וההיא דהתם: "רחובות" כנגד יון, שגזרו שלא יטבלו כדי למנעם

עיקר שפתי חכמים

ל כי הלא אבימלך מלך גרר אמר לו לך מעמנו, לכן פי' כי נחל גרר הוא רחוק מן העיר גרר:

כא וַיַּחְפְּרוּ בְּאֵר אַחֶרֶת וַיָּרִיבוּ
גַּם־עָלֶיהָ וַיִּקְרָא שְׁמָהּ שִׂטְנָה׃
כב וַיַּעְתֵּק מִשָּׁם וַיַּחְפֹּר בְּאֵר
אַחֶרֶת וְלֹא רָבוּ עָלֶיהָ וַיִּקְרָא
שְׁמָהּ רְחֹבוֹת וַיֹּאמֶר כִּי־עַתָּה
הִרְחִיב יהוה לָנוּ וּפָרִינוּ בָאָרֶץ׃
רביעי כג וַיַּעַל מִשָּׁם בְּאֵר שָׁבַע׃
כד וַיֵּרָא אֵלָיו יהוה בַּלַּיְלָה הַהוּא
וַיֹּאמֶר אָנֹכִי אֱלֹהֵי אַבְרָהָם
אָבִיךָ אַל־תִּירָא כִּי־אִתְּךָ אָנֹכִי
וּבֵרַכְתִּיךָ וְהִרְבֵּיתִי אֶת־זַרְעֲךָ בַּעֲבוּר אַבְרָהָם
עַבְדִּי׃ כה וַיִּבֶן שָׁם מִזְבֵּחַ וַיִּקְרָא בְּשֵׁם יהוה
וַיֶּט־שָׁם אָהֳלוֹ וַיִּכְרוּ־שָׁם עַבְדֵי־יִצְחָק בְּאֵר׃
כו וַאֲבִימֶלֶךְ הָלַךְ אֵלָיו מִגְּרָר וַאֲחֻזַּת מֵרֵעֵהוּ

כא וַחֲפַרוּ בֵּירָא אָחֳרִי
וּנְצוֹ אַף עֲלַהּ וּקְרָא שְׁמַהּ
שִׂטְנָה: כב וְאִסְתַּלַּק מִתַּמָּן
וַחֲפַר בֵּירָא אָחֳרִי וְלָא נְצוֹ
עֲלַהּ וּקְרָא שְׁמַהּ רְחֹבוֹת
וַאֲמַר אֲרֵי כְעַן אַפְתֵּי יְיָ
לָנָא וְנִיפּוּשׁ (נ"א וְיַפְשְׁנָנָא)
בְּאַרְעָא: כג וְאִסְתַּלַּק מִתַּמָּן
בְּאֵר שָׁבַע: כד וְאִתְגְּלִי לֵהּ
יְיָ בְּלֵילְיָא הַהוּא וַאֲמַר
אֲנָא אֱלָהֵהּ דְּאַבְרָהָם
אֲבוּךְ לָא תִדְחַל אֲרֵי
בְסַעְדָּךְ מֵימְרִי וַאֲבָרְכִנָּךְ
וְאַסְגֵּי יָת בְּנָךְ בְּדִיל
אַבְרָהָם עַבְדִּי: כה וּבְנָא
תַמָּן מַדְבְּחָא וְצַלִּי בִּשְׁמָא
דַייָ וּפְרַס תַּמָּן מַשְׁכְּנֵהּ וּכְרוֹ
תַמָּן עַבְדֵי יִצְחָק בֵּירָא:
כו וַאֲבִימֶלֶךְ אֲזַל לְוָתֵהּ
מִגְּרָר וְסִיעַת מְרַחֲמוֹהִי

רש"י

[פסוק כא] שִׂטְנָה. כויסמנ"ט: **[פסוק כב] וּפָרִינוּ בָאָרֶץ.** כְּתַרְגּוּמוֹ, מ וְנִיפּוּשׁ בְּאַרְעָא: **[פסוק כו] וַאֲחֻזַּת מֵרֵעֵהוּ.** כְּתַרְגּוּמוֹ וְסִיעַת מְרַחֲמוֹהִי (ב"ר סד:ט) סִיעַת מֵאוֹהֲבָיו. וְיֵשׁ פּוֹתְרִין מֵרֵעֵהוּ מ' מִיסוֹד הַתֵּיבָה, כְּמוֹ שְׁלֹשִׁים מֵרֵעִים (שופטים יד:יא) דְּשִׁמְשׁוֹן. כְּדֵי שֶׁתְּהֵא תֵּיבַת וַאֲחֻזַּת

בעל הטורים

מפריה ורביה, ונעשה להם נס ונזדמן להם מקוה, כל אחד ואחד, וזהו "ופרינו בארץ": "שבעה" כנגד אדום. על כן בכולם כתיב "שמה" או "שם", וכאן כתיב "ויקרא אתה שבעה" ולא כתיב שם, משום "קטן נתתיך בגוים", "ולא שם לו על פני חוץ": **(כד) אנכי אלהי אברהם אביך.** ולא כתוב "ה' אלהים" כמו באברהם ויעקב, לפי שנתיסר ביסורין בלי מדת רחמים:

עיקר שפתי חכמים

מ כדמלינו בכמה מקומות דהעתיד משמש בלשון עבר:

וּפִיכֹל שַׂר־צְבָאוֹ׃ כז וַיֹּאמֶר אֲלֵהֶם יִצְחָק מַדּוּעַ בָּאתֶם אֵלָי וְאַתֶּם שְׂנֵאתֶם אֹתִי וַתְּשַׁלְּחוּנִי מֵאִתְּכֶם׃ כח וַיֹּאמְרוּ רָאוֹ רָאִינוּ כִּי־הָיָה יְהֹוָה | עִמָּךְ וַנֹּאמֶר תְּהִי נָא אָלָה בֵּינוֹתֵינוּ בֵּינֵינוּ וּבֵינֶךָ וְנִכְרְתָה בְרִית עִמָּךְ׃ כט אִם־תַּעֲשֵׂה עִמָּנוּ רָעָה כַּאֲשֶׁר לֹא נְגַעֲנוּךָ וְכַאֲשֶׁר עָשִׂינוּ עִמְּךָ רַק־טוֹב וַנְּשַׁלֵּחֲךָ בְּשָׁלוֹם אַתָּה עַתָּה בְּרוּךְ יְהֹוָה׃ חמישי ל וַיַּעַשׂ לָהֶם מִשְׁתֶּה

וּפִיכֹל רַב חֵילֵהּ׃ כז וַאֲמַר לְהוֹן יִצְחָק מָא דֵין אֲתֵיתוּן לְוָתִי וְאַתּוּן סְנֵאתוּן יָתִי וְשַׁלַּחְתּוּנִי מִלְּוָתְכוֹן׃ כח וַאֲמָרוּ מֶחֱזָא חֲזֵינָא אֲרֵי הֲוָה מֵימְרָא דַייָ בְּסַעְדָּךְ וַאֲמַרְנָא תִּתְקַיַּם כְּעַן מוֹמָתָא דַהֲוָת בֵּין אֲבָהָתָנָא בֵּינָנָא וּבֵינָךְ וְנִגְזַר קְיָם עִמָּךְ׃ כט אִם תַּעְבֵּד עִמָּנָא בִּישָׁא כְּמָא דִי לָא אַנְזֵיקְנָךְ וּכְמָא דִי עֲבַדְנָא עִמָּךְ לְחוֹד טַב וְשַׁלַּחְנָךְ בִּשְׁלָם אַתְּ כְּעַן בְּרִיכָא דַייָ׃ ל וַעֲבַד לְהוֹן מִשְׁתְּיָא

רש"י

דְּבוּקָה. אֲבָל אֵין דֶּרֶךְ אֶרֶץ לְדַבֵּר עַל הַמַּלְכוּת כֵּן, סִיעַת אוֹהֲבָיו, שֶׁאִם כֵּן כָּל סִיעַת אוֹהֲבָיו הוֹלִיךְ עִמּוֹ וְלֹא הָיָה לוֹ אֶלָּא סִיעָה אַחַת שֶׁל אוֹהֲבִים. לָכֵן יֵשׁ לְפוֹתְרוֹ כַּלָּשׁוֹן הָרִאשׁוֹן. וְאַל תִּתְמַהּ עַל תָּי"ו שֶׁל וַאֲחֻזַּת וְאַף עַל פִּי שֶׁאֵין הַתֵּיבָה סְמוּכָה, יֵשׁ דּוּגְמָתָהּ בַּמִּקְרָא, עֶזְרָת מִצָּר (תהלים ס:יג) וּשְׁכֻרַת וְלֹא מִיָּיִן (ישעיה נא:כא):

אֲחֻזַּת. לְשׁוֹן קְבִיצָה וַאֲגוּדָה, שֶׁנֶּאֱחָזִין יַחַד: **[פסוק כח] רָאוֹ רָאִינוּ.** רָאוֹ בְּאָבִיךָ רָאִינוּ בָּךְ (ב"ר סד י): **תְּהִי נָא אָלָה בֵּינוֹתֵינוּ וגו'.** הָאָלָה אֲשֶׁר בֵּינוֹתֵינוּ [נ] מִימֵי אָבִיךָ תְּהִי גַּם עַתָּה בֵּינֵינוּ וּבֵינֶךָ (אונקלוס): **[פסוק כט] לֹא נְגַעֲנוּךָ.** כְּשֶׁאָמַרְנוּ לְךָ לֵךְ מֵעִמָּנוּ (לעיל פסוק טז): **אַתָּה.** [ס] גַּם אַתָּה [עַתָּה] עֲשֵׂה לָנוּ כְּמוֹ כֵן:

בעל הטורים

(כח) ראו. ד' במסורת, וב' כתיבי בוי"ו וב' בה"א — "ראו ראינו"; "וראו ראו"; "ראה ראיתי"; "אם ראה תראה בעני אמתך". וחד "שבתי וראה תחת השמש". הנך דאיירי ברבים, כמו "ראו ראינו", "וראו ראו", כתיבי בוי"ו, והנך דאיירי ביחיד כתיבי בה"א. דיש אם למקרא, קרי ביה ראה שהוא לשון יחיד: **(כט) אתה עתה.** ג' במסורת — הכא "אתה עתה ברוך ה' "; ואידך "אתה עתה תעשה מלוכה"; ואידך "ואתה עתה הקל מעבדת אביך וגו' ומעלו הכבד". שהמליכו ליצחק עליהם. וזהו "אתה עתה תעשה מלוכה", והקילו עולם מעליך: **ברוך ה'.** ב' במסורת — הכא "אתה עתה ברוך ה' "; ואידך "בוא ברוך ה' ". לומר, כמו שכוונתם של לבן ובתואל להרוג לאליעזר, כדפרישית מ"ויישם לפניו לאכל", כך היתה כוונת אבימלך להרוג את יצחק. והכי מוכח קרא דכתיב "כאשר לא נגענוך", כלומר, לא עשינו עמך רעה כמו שהיה בדעתנו, ו"עשינו עמך רק טוב":

עיקר שפתי חכמים

נ דאל"כ בינותינו ובינינו הוא כפל לשון: **ס** הוסיף מלת גם בפסוק לחבר את הכתוב היטב, ויתפרש אחרי כי אנחנו לא עשינו עמך רק טוב לכן, גם אתה, כאשר כי עתה ברוך ה' אתה עשה גם עמנו טוב:

וַיֹּאכְלוּ וַיִּשְׁתּוּ: לא וַיַּשְׁכִּימוּ בַבֹּקֶר
וַיִּשָּׁבְעוּ אִישׁ לְאָחִיו וַיְשַׁלְּחֵם
יִצְחָק וַיֵּלְכוּ מֵאִתּוֹ בְּשָׁלוֹם:
לב וַיְהִי | בַּיּוֹם הַהוּא וַיָּבֹאוּ עַבְדֵי
יִצְחָק וַיַּגִּדוּ לוֹ עַל־אֹדוֹת הַבְּאֵר
אֲשֶׁר חָפָרוּ וַיֹּאמְרוּ לוֹ מָצָאנוּ
מָיִם: לג וַיִּקְרָא אֹתָהּ שִׁבְעָה
עַל־כֵּן שֵׁם־הָעִיר בְּאֵר שֶׁבַע
עַד הַיּוֹם הַזֶּה: ס לד וַיְהִי
עֵשָׂו בֶּן־אַרְבָּעִים שָׁנָה וַיִּקַּח
אִשָּׁה אֶת־יְהוּדִית בַּת־בְּאֵרִי הַחִתִּי וְאֶת־
בָּשְׂמַת בַּת־אֵילֹן הַחִתִּי: לה וַתִּהְיֶיןָ מֹרַת רוּחַ
לְיִצְחָק וּלְרִבְקָה: ס פרק כז א וַיְהִי כִּי־זָקֵן יִצְחָק

וַאֲכָלוּ וּשְׁתִיאוּ:
לא וְאַקְדִּימוּ בְּצַפְרָא
וְקַיִּימוּ גְּבַר לַאֲחוּהִי
וְשַׁלְּחִנּוּן יִצְחָק וַאֲזָלוּ
מִינֵּיהּ בִּשְׁלָם: לב וַהֲוָה
בְּיוֹמָא הַהוּא וַאֲתוֹ עַבְדֵי
יִצְחָק וְחַוִּיאוּ לֵהּ עַל
עֵיסַק בֵּירָא דִּי חֲפַרוּ
וַאֲמָרוּ לֵהּ אַשְׁכַּחְנָא מַיָּא:
לג וּקְרָא יָתַהּ שִׁבְעָה עַל
כֵּן שְׁמָא דְקַרְתָּא בֵּארָא
דְשֶׁבַע (נ״א בְּאֵר שֶׁבַע)
עַד יוֹמָא הָדֵין: לד וַהֲוָה
עֵשָׂו בַּר אַרְבְּעִין שְׁנִין
וּנְסִיב אִתְּתָא יָת יְהוּדִית
בַּת בְּאֵרִי חִתָּאָה וְיָת
בָּשְׂמַת בַּת אֵילוֹן חִתָּאָה:
לה וַהֲוָאָה מְסָרְבָן וּמַרְגְּזָן
עַל מֵימַר יִצְחָק וְרִבְקָה:
א וַהֲוָה כַּד סִיב יִצְחָק

רש״י

[פסוק לג] שִׁבְעָה. ע״ש הַבְּרִית (תנחומא ישן וילא ט): **[פסוק לד] בֶּן אַרְבָּעִים שָׁנָה.** עֵשָׂו הָיָה נִמְשָׁל לַחֲזִיר, שֶׁנֶּא׳ יְכַרְסְמֶנָּה חֲזִיר מִיָּעַר (תהלים פ:יד). הַחֲזִיר הַזֶּה כְּשֶׁהוּא שׁוֹכֵב פּוֹשֵׁט טְלָפָיו לוֹמַר רְאוּ שֶׁאֲנִי טָהוֹר, כַּךְ אֵלּוּ גּוֹזְלִים וְחוֹמְסִים וּמַרְאִים עַצְמָם כְּשֵׁרִים. כָּל מ׳ שָׁנָה הָיָה עֵשָׂו צָד נָשִׁים מִתַּחַת יַד בַּעְלֵיהֶן וּמְעַנֶּה אוֹתָם, כְּשֶׁהָיָה בֶּן מ׳ אָמַר אַבָּא בֶּן מ׳ שָׁנָה נָשָׂא אִשָּׁה אַף אֲנִי כֵּן (ב״ר סה:א): **[פסוק לה] מֹרַת רוּחַ.** לְשׁוֹן ע הַמְרָאַת רוּחַ, כְּמוֹ מַמְרִים הֱיִיתֶם (דברים ט:כד), כָּל מַעֲשֵׂיהֶן הָיוּ לְהַכְעִיס וּלְעַצָּבוֹן **לְיִצְחָק וּלְרִבְקָה,** שֶׁהָיוּ עוֹבְדוֹת ע״ז (ב״ר סה:ד):

בעל הטורים

(לד) **בארי.** ב׳ במסורת — הכא "בת בארי החתי"; ואידך "הושע

עיקר שפתי חכמים

ע פי׳ ולא מלשון מרירות וכמו מרת נפש:

וַתִּכְהֶיןָ עֵינָיו מֵרְאֹת וַיִּקְרָא אֶת־עֵשָׂו ׀ בְּנוֹ הַגָּדֹל וַיֹּאמֶר אֵלָיו בְּנִי וַיֹּאמֶר אֵלָיו הִנֵּנִי׃ ב וַיֹּאמֶר הִנֵּה־נָא זָקַנְתִּי לֹא יָדַעְתִּי יוֹם מוֹתִי׃ ג וְעַתָּה שָׂא־נָא כֵלֶיךָ תֶּלְיְךָ וְקַשְׁתֶּךָ וְצֵא הַשָּׂדֶה וְצוּדָה לִּי צָיִד [צידה כ׳]׃ ד וַעֲשֵׂה־לִי מַטְעַמִּים כַּאֲשֶׁר אָהַבְתִּי וְהָבִיאָה לִּי וְאֹכֵלָה בַּעֲבוּר תְּבָרֶכְךָ נַפְשִׁי בְּטֶרֶם אָמוּת׃

וְכַהֲן עֵינוֹהִי מִלְּמֶחֱזֵי וּקְרָא יָת עֵשָׂו בְּרֵהּ רַבָּא וַאֲמַר לֵהּ בְּרִי וַאֲמַר לֵהּ הָא אֲנָא׃ ב וַאֲמַר הָא כְעַן סֵיבִית לֵית אֲנָא יָדַע יוֹמָא דְאֵימוּת׃ ג וּכְעַן סַב כְּעַן זֵינָךְ סַיְפָּךְ וְקַשְׁתָּךְ וּפוּק לְחַקְלָא וְצוּד לִי צֵידָא׃ ד וַעֲבֵיד לִי תַבְשִׁילִין כְּמָא דִי רְחֵימִית וְאַעֵיל לִי וְאֵיכוֹל בְּדִיל דִּי תְבָרְכִנָּךְ נַפְשִׁי עַד לָא אֵימוּת׃

רש"י

[פסוק א] ותכהין. בעשנן של אלו [שהיו מעשנות ומקטירות לע"ז] (תנחומא ח; פס"ר יב; פיוט לפ' זכור). ד"א, כשנעקד ע"ג המזבח והיה אביו רוצה לשחטו, באותה שעה נפתחו השמים וראו מלאכי השרת והיו בוכים, וירדו דמעותיהם ונפלו על עיניו לפיכך כהו עיניו (ב"ר סה י). דבר אחר, כדי שיטול יעקב את הברכות (תנחומא שם): **[פסוק ב] לא ידעתי יום מותי.** א"ר יהושע בן קרחה, אם מגיע אדם לפרק אבותיו ידאג חמש שנים לפניהן וחמש שנים לאחר כן. ויצחק היה בן קכ"ג, אמר, שמא לפרק אמי אני מגיע והיא בת קכ"ז מתה, והריני בן ה' שנים סמוך לפרקה. לפיכך לא ידעתי יום מותי, שמא לפרק אמי שמא לפרק אבא (ב"ר שם יג): **[פסוק ג] שא נא.** לשון השחזה, כאותה ששנינו אין משחיזין את הסכין אבל משיאה על גבי חברתה (ביצה כח.). חדד סכינך ושחוט יפה, שלא תאכילני נבלה (ב"ר סה:יג): **תליך.** חרבך שדרך לתלותה: **וצודה לי [ציד].** מן ההפקר, פ ולא מן הגזל (שם).

בעל הטורים

בן בארי". אמר הושע לפני הקדוש ברוך הוא, החליפם באמה אחרת, בזרעו של עשו: **(א) ותכהין עיניו מראת.** משום דכתיב "כי השוחד יעור", והוא לקח שוחד מעשו: **ותכהין עיניו.** בגימטריא בעשן הצלמים: **(ג) שא נא כליך.** כלומר, חדד סכינך, כמו משיאה על גבי חברתה: **וצא.** ב' במסורת — "וצא השדה"; "וצא הלחם בעמלק". כדאיתא בבראשית רבה — "כליך" זה בבל שבאו שם כלי בית המקדש, "תליך" זה מדי על שם המן שהיה ממדי, "קשתך" זה יון, "השדה" זה אדום. ורמז לו כל ארבע גליות ושעתידין ליפול ביד ישראל, שהקדוש ברוך הוא ילחם בהם, והיינו דכתיב "וצא הלחם בעמלק": **ציד.** צידה כתיב, ה"א יתירה, שלימדו ה' סימני הלכות שחיטה: וה' סימני טהרה: בעוף — אינו דורס, אצבע יתרה, זפק, קורקבנו נקלף, אינו חולק את אצבעות רגליו. ובחיה — מפרסת פרסה, מעלת גרה, ואין לה שנים למעלה, וקרנים, ובשרה הולך שתי וערב תחת העוקץ:

עיקר שפתי חכמים

פ כי הוראת וצודה לי ציד משמע הציד אשר שייך גם לי ולא שיש לו בעלים:

ה וְרִבְקָה שֹׁמַעַת בְּדַבֵּר יִצְחָק
אֶל־עֵשָׂו בְּנוֹ וַיֵּלֶךְ עֵשָׂו הַשָּׂדֶה
לָצוּד צַיִד לְהָבִיא׃ ו וְרִבְקָה
אָמְרָה אֶל־יַעֲקֹב בְּנָהּ לֵאמֹר
הִנֵּה שָׁמַעְתִּי אֶת־אָבִיךָ מְדַבֵּר
אֶל־עֵשָׂו אָחִיךָ לֵאמֹר׃ ז הָבִיאָה
לִּי צַיִד וַעֲשֵׂה־לִי מַטְעַמִּים
וְאֹכֵלָה וַאֲבָרֶכְכָה לִפְנֵי יְהוָה
לִפְנֵי מוֹתִי׃ ח וְעַתָּה בְנִי שְׁמַע
בְּקֹלִי לַאֲשֶׁר אֲנִי מְצַוָּה אֹתָךְ׃ ט לֶךְ־נָא אֶל־
הַצֹּאן וְקַח־לִי מִשָּׁם שְׁנֵי גְּדָיֵי עִזִּים טֹבִים
וְאֶעֱשֶׂה אֹתָם מַטְעַמִּים לְאָבִיךָ כַּאֲשֶׁר אָהֵב׃

ה וְרִבְקָה שְׁמַעַת כַּד
מַלֵּיל יִצְחָק לְוָת עֵשָׂו
בְּרֵהּ וַאֲזַל עֵשָׂו לְחַקְלָא
לְמֵיצַד צֵידָא לְאַיְתָאָה׃
ו וְרִבְקָה אֲמֶרֶת לְוָת יַעֲקֹב
בְּרַהּ לְמֵימַר הָא שְׁמָעִית
מִן אֲבוּךְ מְמַלֵּל עִם עֵשָׂו
אֲחוּךְ לְמֵימָר׃ ז אֱתִי לִי
צֵידָא וְעֲבֵיד לִי תַּבְשִׁילִין
וְאֵיכוּל וַאֲבָרְכִנָּךְ קֳדָם יְיָ
קֳדָם מוֹתִי׃ ח וּכְעַן בְּרִי
קַבֵּל מִנִּי לְמָא דִי אֲנָא
מְפַקֵּד יָתָךְ׃ ט אִיזֵיל כְּעַן
לְוָת עָנָא וְסַב לִי מִתַּמָּן
תְּרֵין גַּדְיֵי (בַּר) עִזִּין טָבִין
וְאֶעְבֵּד יָתְהוֹן תַּבְשִׁילִין
לַאֲבוּךְ כְּמָא דִי רְחֵם׃

רש"י

[פסוק ה] **לָצוּד צַיִד לְהָבִיא.** מַהוּ לְהָבִיא. אִם לֹא יִמְצָא צַיִד יָבִיא מִן הַגָּזֵל (שם): [פסוק ז] **לִפְנֵי ה'.** בִּרְשׁוּתוֹ, שֶׁיַּסְכִּים עַל יָדִי: [פסוק ט] **וְקַח לִי.** מִשֶּׁלִּי הֵם וְאֵינָם גָּזֵל, שֶׁכָּךְ כָּתַב לָהּ יִצְחָק בִּכְתֻבָּתָהּ לִיטּוֹל שְׁנֵי גְּדָיֵי עִזִּים בְּכָל יוֹם (שם יד): [**שְׁנֵי גְּדָיֵי עִזִּים.** וְכִי שְׁנֵי גְּדָיֵי עִזִּים הָיָה מַאֲכָלוֹ שֶׁל יִצְחָק. אֶלָּא צ פֶּסַח הָיָה, הָאֶחָד הִקְרִיב לְפִסְחוֹ וְהָאֶחָד עָשָׂה מַטְעַמִּים. בְּפִרְקֵי דְרַבִּי אֱלִיעֶזֶר (פל"ב): **כַּאֲשֶׁר אָהֵב.** כִּי טַעַם הַגְּדִי כְּטַעַם הַצְּבִי:]

בעל הטורים

(ה) בדבר. ב' — "ורבקה שומעת בדבר יצחק אל עשו בנו"; ואידך "ותעלזונה כליותי בדבר שפתיך מישרים". שאמרה ליעקב, תעלזונה [כליותי] אם תדבר מישרים ליצחק, כדי שיברכך: **לצוד.** בגימטריא מן גזל: **להביא.** בגימטריא בגזל: **(ז) הביאה.** ג' — הכא "הביאה לי ציד"; "הביאה למוסר לבך"; "האמרת לאדניהם הביאה ונשתה". שאמרה לו רבקה, הביאה למוסר לבך וקח מוסרי ושמע בקולי, והביאה לאביך שיאכל וישתה: **(ט) לך נא אל הצאן.** ראשי תבות נאה. פירוש, נאה לך ונאה לבניך, כי פסח היה. ולקח שנים, אחד לפסח ואחד לחגיגה: **וקח לי משם שני.** ראשי תבות משלו: **משם.** בגימטריא משלי. שכך כתב לה בכתובתה:

עיקר שפתי חכמים

צ כידוע שהקב"ה ממלא שנותיהם של צדיקים מיום ליום, ובאותו יום שנולדו באותו יום ימותו, כדכתיב גבי משה בן מאה ועשרים שנה אנכי היום ופירש"י היום מלאו ימי, כי הקב"ה ממלא ימיהם של

י וְהֵבֵאתָ֥ לְאָבִ֖יךָ וְאָכָ֑ל בַּעֲבֻ֛ר
אֲשֶׁ֥ר יְבָרֶכְךָ֖ לִפְנֵ֥י מוֹתֽוֹ: יא וַיֹּ֣אמֶר
יַעֲקֹ֔ב אֶל־רִבְקָ֖ה אִמּ֑וֹ הֵ֚ן עֵשָׂ֣ו
אָחִ֔י אִ֣ישׁ שָׂעִ֔ר וְאָנֹכִ֖י אִ֥ישׁ
חָלָֽק: יב אוּלַ֤י יְמֻשֵּׁ֙נִי֙ אָבִ֔י וְהָיִ֥יתִי
בְעֵינָ֖יו כִּמְתַעְתֵּ֑עַ וְהֵבֵאתִ֥י עָלַ֛י
קְלָלָ֖ה וְלֹ֥א בְרָכָֽה: יג וַתֹּ֤אמֶר
לוֹ֙ אִמּ֔וֹ עָלַ֥י קִלְלָתְךָ֖ בְּנִ֑י אַ֛ךְ
שְׁמַ֥ע בְּקֹלִ֖י וְלֵ֥ךְ קַֽח־לִֽי: יד וַיֵּ֙לֶךְ֙
וַיִּקַּ֔ח וַיָּבֵ֖א לְאִמּ֑וֹ וַתַּ֤עַשׂ אִמּוֹ֙
מַטְעַמִּ֔ים כַּאֲשֶׁ֖ר אָהֵ֥ב אָבִֽיו:
טו וַתִּקַּ֣ח רִ֠בְקָה אֶת־בִּגְדֵ֨י עֵשָׂ֜ו בְּנָ֤הּ הַגָּדֹל֙
הַחֲמֻדֹ֔ת אֲשֶׁ֥ר אִתָּ֖הּ בַּבָּ֑יִת וַתַּלְבֵּ֥שׁ אֶת־יַעֲקֹ֖ב
בְּנָ֥הּ הַקָּטָֽן: טז וְאֵ֗ת עֹרֹת֙ גְּדָיֵ֣י הָֽעִזִּ֔ים הִלְבִּ֖ישָׁה

י וְתֵיתֵי (נ"א וְתָעֵיל)
לַאֲבוּךְ וְיֵיכוּל בְּדִיל
דִּי יְבָרְכִנָּךְ קֳדָם מוֹתֵהּ:
יא וַאֲמַר יַעֲקֹב לְרִבְקָה
אִמֵּהּ הָא עֵשָׂו אֲחִי גְּבַר
שַׂעֲרָן וַאֲנָא גְּבַר שְׁעִיעַ:
יב מָאִים יְמֻשְׁנַּנִי אַבָּא
וָאֱהֵי בְעֵינוֹהִי כְּמִתְלָעֵב
וְאֵהֵי (נ"א וָאֱהֵי) מַיְתֵי
עֲלַי לְוָטִין וְלָא בִרְכָן:
יג וַאֲמֶרֶת לֵהּ אִמֵּהּ עֲלַי
אִתְאֲמַר בִּנְבוּאָה דְּלָא
יֵיתוֹן לְוָטַיָּא עֲלָךְ בְּרִי
בְּרַם קַבֵּל מִנִּי וְאִיזֵיל סַב
לִי: יד וַאֲזַל וּנְסִיב וְאַיְתִי
לְאִמֵּהּ וַעֲבַדַת אִמֵּהּ
תַּבְשִׁילִין כְּמָא דִּי רְחֵם
אֲבוּהִי: טו וּנְסִיבַת רִבְקָה
יָת לְבוּשֵׁי עֵשָׂו בְּרַהּ רַבָּא
דָּכְיָתָא דִּי עִמַּהּ בְּבֵיתָא
וְאַלְבִּישַׁת יָת יַעֲקֹב בְּרַהּ
זְעֵירָא: טז וְיָת מַשְׁכֵי
דְגַדְיֵי (בַּר) עִזֵּי אַלְבִּישַׁת

רש"י

[פסוק יא] **אִישׁ שָׂעִר.** בַּעַל שֵׂעָר: [פסוק יב] **יְמֻשֵּׁנִי.** כְּמוֹ ק מְמַשֵּׁשׁ בַּצָּהֳרָיִם (דברים כח:כט): [פסוק טו] **הַחֲמֻדֹת.** הַנְּקִיּוֹת, כְּתַרְגּוּמוֹ, דָּכְיָתָא. דָּבָר אַחֵר, שֶׁחָמַד אוֹתָן מִן נִמְרוֹד (ב"ר סה:טז): **אֲשֶׁר אִתָּהּ בַּבָּיִת.** וַהֲלֹא כַּמָּה נָשִׁים הָיוּ לוֹ וְהוּא מַפְקִיד אֵצֶל אִמּוֹ. אֶלָּא שֶׁהָיָה בָּקִי

עיקר שפתי חכמים

צדיקים למות בחותו יום שנולדו. ויצחק נולד בפסח וימות ג"כ בפסח, ומדחמר לח ידעתי יום מותי וחשש שמח ימות היום מכלל דפסח היה: ק רש"י בח לפרש כי לח נפרשו משרש מוש המורה על הסרה והרחקה, כי השי"ן הנדגש מורה כי הוח מן הכפולים ושרשו משש וכמו ממשש בצהרים. וחמר זחת על יצחק יען כי קמו עיניו מלרחות וימשש בידיו:

עַל־יָדָ֔יו וְעַ֖ל חֶלְקַ֥ת צַוָּארָֽיו׃
יז וַתִּתֵּ֧ן אֶת־הַמַּטְעַמִּ֛ים וְאֶת־
הַלֶּ֖חֶם אֲשֶׁ֣ר עָשָׂ֑תָה בְּיַ֖ד יַעֲקֹ֥ב
בְּנָֽהּ׃ יח וַיָּבֹ֥א אֶל־אָבִ֖יו וַיֹּ֣אמֶר
אָבִ֑י וַיֹּ֣אמֶר הִנֶּ֔נִּי מִ֥י אַתָּ֖ה בְּנִֽי׃
יט וַיֹּ֨אמֶר יַעֲקֹ֜ב אֶל־אָבִ֗יו אָנֹכִי֙
עֵשָׂ֣ו בְּכֹרֶ֔ךָ עָשִׂ֕יתִי כַּאֲשֶׁ֥ר
דִּבַּ֖רְתָּ אֵלָ֑י קֽוּם־נָ֣א שְׁבָ֗ה וְאָכְלָה֙
מִצֵּידִ֔י בַּעֲב֖וּר תְּבָרְכַ֥נִּי נַפְשֶֽׁךָ׃
כ וַיֹּ֤אמֶר יִצְחָק֙ אֶל־בְּנ֔וֹ מַה־
זֶּ֛ה מִהַ֥רְתָּ לִמְצֹ֖א בְּנִ֑י וַיֹּ֕אמֶר כִּ֥י הִקְרָ֛ה יְהֹוָ֥ה
אֱלֹהֶ֖יךָ לְפָנָֽי׃ כא וַיֹּ֤אמֶר יִצְחָק֙ אֶל־יַעֲקֹ֔ב גְּשָׁה־
נָּ֥א וַאֲמֻשְׁךָ֖ בְּנִ֑י הַאַתָּ֥ה זֶ֛ה בְּנִ֥י עֵשָׂ֖ו אִם־לֹֽא׃

עַל יְדוֹהִי וְעַל שְׁעִיעוּת
צַוְּרֵיהּ׃ יז וִיהָבַת יָת
תַּבְשִׁילַיָּא וְיָת לַחְמָא דִּי
עֲבָדַת בִּידָא דְּיַעֲקֹב בְּרַהּ׃
יח וְעַל לְוָת אֲבוּהִי וַאֲמַר
אַבָּא וַאֲמַר הָא אֲנָא מָן
אַתְּ בְּרִי׃ יט וַאֲמַר יַעֲקֹב
לַאֲבוּהִי אֲנָא עֵשָׂו בּוּכְרָךְ
עֲבָדִית כְּמָא דִּי מַלֵּילְתָּא
עִמִּי (נ״א לִי) קוּם כְּעַן
אִסְתְּחַר וְתֵיכוּל מִצֵּידִי
בְּדִיל דִּי תְּבָרְכִנַּנִי נַפְשָׁךְ׃
כ וַאֲמַר יִצְחָק לִבְרֵהּ מָא
דֵּין אוֹחֵיתָא לְאַשְׁכָּחָא
בְּרִי וַאֲמַר אֲרֵי זַמִּין יְיָ
אֱלָהָךְ קֳדָמָי׃ כא וַאֲמַר
יִצְחָק לְיַעֲקֹב קְרֵיב
כְּעַן וְאֶמְשְׁנָךְ בְּרִי הַאַתְּ
דֵּין בְּרִי עֵשָׂו אִם לָא׃

רש״י

בְּמַעֲשֵׂיהֶן וְחוֹטְדָן (שם): **[פסוק יט] אָנֹכִי עֵשָׂו בְּכֹרֶךָ.** אָנֹכִי הוּא הַמֵּבִיא לְךָ, וְעֵשָׂו הוּא ד בְּכוֹרֶךָ (תנחומא ישן ז): **עָשִׂיתִי.** כַּמָּה דְּבָרִים **כַּאֲשֶׁר דִּבַּרְתָּ אֵלָי: שְׁבָה.** לְשׁוֹן מֵיסֵב עַל הַשֻּׁלְחָן, לְכָךְ מְתוּרְגָּם אִסְתְּחַר: **[פסוק כא] גְּשָׁה נָּא וַאֲמֻשְׁךָ.** אָמַר יִצְחָק בְּלִבּוֹ, אֵין דֶּרֶךְ עֵשָׂו לִהְיוֹת שֵׁם שָׁמַיִם שָׁגוּר בְּפִיו, וְזֶה אָמַר כִּי הִקְרָה ה׳ אֱלֹהֶיךָ (ב״ר סה:יט):

בעל הטורים

(יט) **בכרך.** ב׳ – ״עשו בכרך״; ״אנכי הרג את בנך בכרך״. שאמר יעקב, אני הוא שנאמר עלי ״בני בכרי ישראל״. אבל עשו בנך בכרך נאמר עליו ״הנה אנכי הרג את בנך בכרך״:

עיקר שפתי חכמים

ד ר״ל בכור ללידה. ולפ״ז לא היה משקר יעקב בדבריו:

כב וַיִּגַּשׁ יַעֲקֹב אֶל־יִצְחָק אָבִיו
וַיְמֻשֵּׁהוּ וַיֹּאמֶר הַקֹּל קוֹל יַעֲקֹב
וְהַיָּדַיִם יְדֵי עֵשָׂו: כג וְלֹא הִכִּירוֹ
כִּי־הָיוּ יָדָיו כִּידֵי עֵשָׂו אָחִיו
שְׂעִרֹת וַיְבָרְכֵהוּ: כד וַיֹּאמֶר
אַתָּה זֶה בְּנִי עֵשָׂו וַיֹּאמֶר אָנִי:
כה וַיֹּאמֶר הַגִּשָׁה לִּי וְאֹכְלָה
מִצֵּיד בְּנִי לְמַעַן תְּבָרֶכְךָ נַפְשִׁי
וַיַּגֶּשׁ־לוֹ וַיֹּאכַל וַיָּבֵא לוֹ יַיִן
וַיֵּשְׁתְּ: כו וַיֹּאמֶר אֵלָיו יִצְחָק אָבִיו
גְּשָׁה־נָּא וּשְׁקָה־לִּי בְּנִי: כז וַיִּגַּשׁ
וַיִּשַּׁק־לוֹ וַיָּרַח אֶת־רֵיחַ בְּגָדָיו וַיְבָרְכֵהוּ וַיֹּאמֶר
רְאֵה רֵיחַ בְּנִי כְּרֵיחַ שָׂדֶה אֲשֶׁר בֵּרְכוֹ יְהוָה:

כב וּקְרֵיב יַעֲקֹב לְוָת יִצְחָק
אֲבוּהִי וּמַשְׁיֵהּ וַאֲמַר קָלָא
קָלָא דְיַעֲקֹב וִידַיָּא יְדֵי
(נ"א יְדוֹהִי דְ)עֵשָׂו: כג וְלָא
אִשְׁתְּמוֹדְעֵהּ אֲרֵי הֲוָאָה
יְדוֹהִי כִּידֵי עֵשָׂו אֲחוּהִי
שְׂעִירָן (נ"א שַׂעֲרָנִין)
וּבָרְכֵהּ: כד וַאֲמַר אַתְּ דֵּין
בְּרִי עֵשָׂו וַאֲמַר הָא אֲנָא:
כה וַאֲמַר קָרֵיב קֳדָמַי
וְאֵיכוּל מִצֵּידָא דִבְרִי
בְּדִיל דִּי תְבָרְכִנָּךְ נַפְשִׁי
וְקָרֵיב לֵהּ וַאֲכַל וְאַיְתִי
(נ"א וְאָעֵיל) לֵהּ חַמְרָא
וּשְׁתִי: כו וַאֲמַר לֵהּ יִצְחָק
אֲבוּהִי קְרֵיב כְּעַן וּנְשַׁק
לִי (נ"א וְשַׁק לִי) בְּרִי:
כז וּקְרֵב וּנְשַׁק לֵהּ וַאֲרַח
יָת רֵיחָא דִלְבוּשׁוֹהִי
וּבָרְכֵהּ וַאֲמַר (חֲזֵי) הֲוֹו
רֵיחָא דִבְרִי כְּרֵיחָא
דְחַקְלָא דִּי בָרְכֵהּ יְיָ:

רש"י

[פסוק כב] קוֹל יַעֲקֹב. שֶׁמְּדַבֵּר בִּלְשׁוֹן ש תַּחֲנוּנִים, קוּם נָא, אֲבָל עֵשָׂו בִּלְשׁוֹן קַנְטוּרְיָא דִּבֵּר, יָקוּם אָבִי (תנחומא יח): **[פסוק כד] וַיֹּאמֶר אָנִי.** לֹא אָמַר אֲנִי עֵשָׂו אֶלָּא אָנִי (ברב"ת): **[פסוק כז] וַיָּרַח וגו'.** וַהֲלֹא אֵין רֵיחַ רַע יוֹתֵר מִשֶּׁטֶף הָעִזִּים, אֶלָּא מְלַמֵּד שֶׁנִּכְנַס עִמּוֹ רֵיחַ גַּן עֵדֶן (ב"ר סה:כב): **כְּרֵיחַ שָׂדֶה אֲשֶׁר בֵּרְכוֹ ה'.** שֶׁנָּתַן בּוֹ ת רֵיחַ טוֹב, וְזֶהוּ שְׂדֵה תַּפּוּחִים. כָּךְ

בעל הטורים

(כז) וירח. ב' במסורת – "וירח את ריח בגדיו", "וירח ה' את ריח הניחח". מלמד שנכנס עמו ריח גן עדן: **וירח.** בגימטריא ליל פסח: **כריח.** ב' – "כריח שדה", "כריח לבנון". שזכות ריח ניחוח העולה מן הלבנון, פירוש בית המקדש, עמד לו:

עיקר שפתי חכמים

ש אבל מקולו לא הכירו, ולכן בשמעו מפי יעקב אנכי עשו בכורך לא אמר לו מיד הקול קול יעקב: **ת** ואשר ברכו ה' קאי על השדה:

ששי כח וְיִתֶּן־לְךָ הָאֱלֹהִים מִטַּל
הַשָּׁמַיִם וּמִשְׁמַנֵּי הָאָרֶץ וְרֹב
דָּגָן וְתִירֹשׁ: כט יַעַבְדוּךָ עַמִּים
וְיִשְׁתַּחֲוּוּ [וישתחו כ׳] לְךָ לְאֻמִּים
הֱוֵה גְבִיר לְאַחֶיךָ וְיִשְׁתַּחֲווּ לְךָ
בְּנֵי אִמֶּךָ אֹרְרֶיךָ אָרוּר וּמְבָרְכֶיךָ
בָּרוּךְ: ל וַיְהִי כַּאֲשֶׁר כִּלָּה יִצְחָק לְבָרֵךְ אֶת־
יַעֲקֹב וַיְהִי אַךְ יָצֹא יָצָא יַעֲקֹב מֵאֵת פְּנֵי יִצְחָק

כח וְיִתֶּן לָךְ יְיָ מִטַּלָּא דִשְׁמַיָּא וּמִטּוּבָא דְאַרְעָא וּסְגִיאוּת (נ״א וְסַגְיוּת) עִיבוּר וַחֲמָר: כט יִפְלְחֻנָּךְ עַמְמִין וְיִשְׁתַּעְבְּדוּן לָךְ מַלְכְוָן הֱוֵי רַב לְאַחָיךְ וְיִסְגְּדוּן לָךְ בְּנֵי אִמָּךְ לִיטָיךְ יְהוֹן לִיטִין וּבָרִיכָיךְ יְהוֹן בְּרִיכִין: ל וַהֲוָה כַּד שֵׁיצִי יִצְחָק לְבָרָכָא יָת יַעֲקֹב וַהֲוָה בְּרַם מִפַּק נְפַק יַעֲקֹב מִלְוָת אַפֵּי יִצְחָק

רש״י

[פסוק כח] ויתן לך. יתן א ויחזור ויתן (ב״ר סו:ג). ולפי פשוטו מוסב לענין הראשון, ראה ריח בני שנתן לו הקב״ה כריח שדה וגו׳ ועוד יתן לך מטל השמים וגו׳: **מטל השמים.** כמשמעו, ומ״א יש להרבה פנים. [ד״א, מהו האלהים, בדין. אם ראוי לך יתן לך ואם לאו לא יתן לך, אבל לעשו אמר משמני הארץ יהיה מושבך (להלן פס׳ לט), בין צדיק בין רשע יתן לך. וממנו למד שלמה כשעשה הבית סידר תפלתו, ישראל שהוא בעל אמונה ומצדיק עליו הדין לא יקרא עליך תגר, לפיכך ונתת לאיש ככל דרכיו אשר תדע את לבבו (מלכים א ח:לט), אבל נכרי מחוסר אמנה, לפיכך אמר אתה תשמע השמים וגו׳ ועשית ככל אשר יקרא אליך הנכרי (שם פסוק מג) בין ראוי בין שאינו ראוי תן לו כדי שלא יקרא עליך תגר, (תנחומא ישן יד)]: **[פסוק כט] בני אמך.** ויעקב אמר ליהודה בני אביך (להלן מט:ח), לפי שהיו לו בנים מכמה אמהות, וכאן שלא נשא אלא אשה אחת אמר בני אמך (ב״ר שם ד): **אורריך ארור ומברכיך ברוך.** ובבלעם הוא אומר מברכיך ברוך ואורריך ארור (במדבר כד:ט). הצדיקים תחלתם יסורי׳ וסופן שלוה ואורריהם ומצעריהם קודמים למברכיהם, לפיכך יצחק הקדים קללת אוררים לברכת מברכים. והרשעים תחלתן שלוה וסופן יסורין, לפיכך בלעם הקדים ברכה לקללה (ב״ר שם): **[פסוק ל] יצא יצא.** זה יוצא ב וזה בא (תנחומא יא; ב״ר שם ה):

בעל הטורים

(כח) ויתן לך. עשר תבות בפסוק, ובי׳ ברכות נתברך — כנגד עשרת הדברות שעתידין בניו לקבל: **(כט) וישתחו לך לאמים.** חסר וי״ו, כנגד ו׳ דורות שמדוד עד יורם שעבדו אדום את ישראל, ומכאן ואילך פשעו בו: ויש בזו הברכה כ״ו תבות, לומר לך שבירכו בשם הנכבד שעולה כ״ו: **הוה.** ב׳ במסורת — ״הוה גביר לאחיך״; ״כי לשלג יאמר

עיקר שפתי חכמים

א ולהכי כתיב ויתן בוי״ו החבור, כי מלבד הברכה אשר ברכו כדכתיב ויברכהו הוסיף ג״כ ברכה על ברכה ויתן לך, וזה יתן ויחזור ויתן: ב דשתי יציאות ל״ל, אלא להגיד לנו שזה יצא מאהל אביו וזה יצא מן השדה:

אָבִ֖יו וְעֵשָׂ֣ו אָחִ֔יו בָּ֖א מִצֵּידֽוֹ:
לא וַיַּ֤עַשׂ גַּם־הוּא֙ מַטְעַמִּ֔ים
וַיָּבֵ֖א לְאָבִ֑יו וַיֹּ֣אמֶר לְאָבִ֗יו יָקֻ֤ם
אָבִי֙ וְיֹאכַל֙ מִצֵּ֣יד בְּנ֔וֹ בַּעֲב֖וּר
תְּבָרְכַ֥נִּי נַפְשֶֽׁךָ: לב וַיֹּ֥אמֶר ל֛וֹ
יִצְחָ֥ק אָבִ֖יו מִי־אָ֑תָּה וַיֹּ֕אמֶר
אֲנִ֛י בִּנְךָ֥ בְכֹרְךָ֖ עֵשָֽׂו: לג וַיֶּחֱרַ֨ד
יִצְחָ֣ק חֲרָדָה֮ גְּדֹלָ֣ה עַד־מְאֹד֒
וַיֹּ֡אמֶר מִֽי־אֵפ֡וֹא ה֣וּא הַצָּֽד־
צַיִד֩ וַיָּ֨בֵא לִ֜י וָאֹכַ֤ל מִכֹּל֙ בְּטֶ֣רֶם
תָּב֔וֹא וָאֲבָרְכֵ֑הוּ גַּם־בָּר֖וּךְ יִהְיֶֽה: לד כִּשְׁמֹ֤עַ עֵשָׂו֙
אֶת־דִּבְרֵ֣י אָבִ֔יו וַיִּצְעַ֣ק צְעָקָ֔ה גְּדֹלָ֥ה וּמָרָ֖ה
עַד־מְאֹ֑ד וַיֹּ֣אמֶר לְאָבִ֔יו בָּרְכֵ֥נִי גַם־אָ֖נִי אָבִֽי:

אֲבוּהִי וְעֵשָׂו אֲחוּהִי אֲתָא
(נ״א עַל) מִצֵּידֵהּ: לא וַעֲבַד
אַף הוּא תַּבְשִׁילִין וְאַיְתִי
לְוָת אֲבוּהִי וַאֲמַר לַאֲבוּהִי
יְקוּם אַבָּא וְיֵיכוּל מִצֵּידָא
דִבְרֵהּ בְּדִיל דִּי תְבָרְכִנַּנִי
נַפְשָׁךְ: לב וַאֲמַר לֵהּ יִצְחָק
אֲבוּהִי מַן אַתְּ וַאֲמַר אֲנָא
בְּרָךְ בּוּכְרָךְ עֵשָׂו: לג וּתְוַהּ
יִצְחָק תִּוְהָא רַבָּא עַד
לַחֲדָא וַאֲמַר מָן הוּא
דֵיכִי דְּצָד צֵידָא וְאָעֵיל
לִי וַאֲכָלִית מִכֹּלָּא עַד
לָא תֵעוֹל וּבָרֵיכְתֵּהּ אַף
בְּרִיךְ יְהֵי: לד כַּד שְׁמַע
עֵשָׂו יָת פִּתְגָּמֵי אֲבוּהִי
וּצְוַח צְוָחָא רַבָּא וּמְרִירָא
עַד לַחֲדָא וַאֲמַר לַאֲבוּהִי
בָּרְכְנִי אַף אֲנָא אַבָּא:

רש״י

[פסוק לג] **וַיֶּחֱרַד.** כְּתַרְגּוּמוֹ, וּתְוַהּ, לְשׁוֹן תְּמִיָּה. וּמִדְרָשׁוֹ, רָאָה [ג] גֵּיהִנֹּם פְּתוּחָה [ד] מִתַּחְתָּיו (תנחומא שם; ב״ר סז:ב): **מִי אֵפוֹא.** לָשׁוֹן לְעַצְמוֹ, מְשַׁמֵּשׁ עִם כַּמָּה דְּבָרִים. [ד״א,] אֵיפוֹא, אַיֵּה פֹּה, מִי הוּא וְאֵיפוֹא הוּא הַצָּד צַיִד: **וָאֹכַל מִכֹּל.** מִכָּל טְעָמִים שֶׁבִּקַּשְׁתִּי לִטְעוֹם טָעַמְתִּי בּוֹ (ב״ר שם): **גַּם בָּרוּךְ יִהְיֶה.** שֶׁלֹּא תֹּאמַר אִילּוּלֵי שֶׁרִימָּה יַעֲקֹב לְאָבִיו לֹא נָטַל אֶת הַבְּרָכוֹת, לְכַךְ הִסְכִּים [ה] וּבֵרְכוֹ מִדַּעְתּוֹ (שם):

בעל הטורים

הוא ארץ״. בזכות יעקב יורד גשם ושלג: **(לג) ויאמר מי אפוא.** ראשי תבות אמו. מי נעשה סרסור בדבר? רבקה: **איפוא.** בגימטריא גהנם, שנכנס גיהנם עמו: **ואברכהו.** ב׳ – ״בטרם תבוא ואברכהו״; ״כי אחד קראתיו ואברכהו״ גבי אברהם. רמז, ברכת אברהם ברך את יעקב, וכתיב נמי ״ויתן לך את ברכת אברהם״:

עיקר שפתי חכמים

ג ולפי המדרש יתפרש חרדה לשון פחד כמשמעו: **ד** ר״ל מתחתיו של עשו: **ה** דאל״כ גם ברוך יהיה ל״ל הא כבר ברכו:

לה וַיֹּאמֶר בָּא אָחִיךָ בְּמִרְמָה
וַיִּקַּח בִּרְכָתֶךָ׃ לו וַיֹּאמֶר הֲכִי
קָרָא שְׁמוֹ יַעֲקֹב וַיַּעְקְבֵנִי זֶה
פַעֲמַיִם אֶת־בְּכֹרָתִי לָקָח וְהִנֵּה
עַתָּה לָקַח בִּרְכָתִי וַיֹּאמַר הֲלֹא־
אָצַלְתָּ לִּי בְּרָכָה׃ לז וַיַּעַן יִצְחָק
וַיֹּאמֶר לְעֵשָׂו הֵן גְּבִיר שַׂמְתִּיו
לָךְ וְאֶת־כָּל־אֶחָיו נָתַתִּי לוֹ
לַעֲבָדִים וְדָגָן וְתִירֹשׁ סְמַכְתִּיו וּלְכָה אֵפוֹא
מָה אֶעֱשֶׂה בְּנִי׃ לח וַיֹּאמֶר עֵשָׂו אֶל־אָבִיו

לה וַאֲמַר עַל אֲחוּךְ
בְּחָכְמְתָא וְקַבִּיל בִּרְכְתָךְ׃
לו וַאֲמַר יָאוּת קְרָא
שְׁמֵהּ יַעֲקֹב וְחַכְּמַנִי
(נ״א וְכַמְנִי) דְּנַן תַּרְתֵּין
זִמְנִין יָת בְּכֵירוּתִי נְסִיב
וְהָא כְעַן קַבִּיל בִּרְכְתִי
וַאֲמַר הֲלָא שְׁבַקְתְּ לִי
בִּרְכְתָא׃ לז וַאֲתֵיב יִצְחָק
וַאֲמַר לְעֵשָׂו הָא רַב שַׁוִּיתֵהּ
לָךְ (נ״א עֲלָךְ) וְיָת כָּל
אֲחוֹהִי יְהָבִית לֵהּ לְעַבְדִין
וְעִיבוּר וַחֲמַר סְעַדְתֵּהּ
וְלָךְ הָכָא מָה אַעְבֵּד בְּרִי׃
לח וַאֲמַר עֵשָׂו לַאֲבוּהִי

רש״י

[פסוק לה] **בְּמִרְמָה.** בְּחָכְמָה (אונקלוס; ב"ר סז ד): [פסוק לו] **הֲכִי קָרָא שְׁמוֹ.** לְשׁוֹן תְּמִיהָה הוּא, כְּמוֹ הֲכִי אָחִי אַתָּה (להלן כט:טו). שֶׁמָּא לְכָךְ נִקְרָא שְׁמוֹ יַעֲקֹב ע"ש סוֹפוֹ, שֶׁהָיָה עָתִיד ו לַעֲקְבֵנִי. תַּנְחוּמָא (ישן כג) לָמָּה חָרַד יִצְחָק. אָמַר, שֶׁמָּא עָוֹן יֵשׁ בִּי שֶׁבֵּרַכְתִּי קָטָן לִפְנֵי גָּדוֹל וְשִׁנִּיתִי סֵדֶר הַיַּחַס. הִתְחִיל עֵשָׂו מְצַעֵק וַיַּעְקְבֵנִי זֶה פַעֲמַיִם. אָמַר לוֹ אָבִיו מָה עָשָׂה לְךָ. אָמַר לוֹ אֶת בְּכֹרָתִי לָקָח. אָמַר, בְּכָךְ הָיִיתִי מֵצֵר וְחָרֵד שֶׁמָּא עָבַרְתִּי עַל שׁוּרַת הַדִּין, עַכְשָׁיו לַבְּכוֹר בֵּרַכְתִּי, גַּם בָּרוּךְ יִהְיֶה: **וַיַּעְקְבֵנִי.** כְּתַרְגּוּמוֹ וְכַמְנִי אֲרָבַנִי. וְאָרַב (דברים יט:יא) וְכַמַן [ס"א וְיִכְמוֹן]. וְיֵשׁ מְתַרְגְּמִין וְחַכְּמַנִי, נִתְחַכֵּם לִי: **אָצַלְתָּ.** לְשׁוֹן הַפְרָשָׁה כְּמוֹ וַיָּאצֶל (במדבר יא:כה) [ס"א וַיַּצֵּל (להלן לא:ט)]: [פסוק לז] **הֵן גְּבִיר.** בְּרָכָה זוֹ שְׁבִיעִית הִיא וְהוּא עוֹשֶׂה אוֹתָהּ רִאשׁוֹנָה. אֶלָּא אָמַר לוֹ, מָה תּוֹעֶלֶת לְךָ בִּבְרָכָה, אִם תִּקְנֶה נְכָסִים שֶׁלּוֹ הֵם, שֶׁהֲרֵי גְּבִיר שַׂמְתִּיו לְךָ וּמַה שֶּׁקָּנָה עֶבֶד קָנָה רַבּוֹ (ב"ר סז:ה): **וּלְכָה אֵפוֹא מָה אֶעֱשֶׂה.** אַיֵּה [אֵי]פֹה אֲבַקֵּשׁ מָה לַעֲשׂוֹת לְךָ:

בעל הטורים

(לה) במרמה. ב׳ במסורת — ״בא אחיך במרמה״; ״ויענו בני יעקב וגו׳ במרמה״. בשביל שהוא בא לאביו במרמה, באו בניו במרמה: **ברכתך.** ב׳ במסורת — ״ויקח ברכתך״; ״על עמך ברכתך סלה״. שמוצאת הברכה היה לבניו ברכה סלה: **(לו) ברכתי.** ג׳ במסורת — ״לקח ברכתי״; ״קח נא את ברכתי״; ״וצויתי את ברכתי״. והקדוש ברוך הוא צוה את ברכתו ולא חסר כלום מכל הדורון, כדכתיב ״ויבא יעקב שלם״.

עיקר שפתי חכמים

ו ר"ל כאשר שמע עשו את דברי אביו, שגם אחר שידע שרמהו טכ"ז אמר גם ברוך יהיה ולא השגיח בו, אז אמר הכי קרא שמו יעקב ע"ש העתיד שהוא עתיד לעקבני:

הַבְּרָכָה אַחַת הִוא־לְךָ אָבִי
בָּרְכֵנִי גַם־אָנִי אָבִי וַיִּשָּׂא עֵשָׂו
קֹלוֹ וַיֵּבְךְּ:
לט וַיַּעַן יִצְחָק אָבִיו
וַיֹּאמֶר אֵלָיו הִנֵּה מִשְׁמַנֵּי הָאָרֶץ
יִהְיֶה מוֹשָׁבֶךָ וּמִטַּל הַשָּׁמַיִם
מֵעָל: *
מ וְעַל־חַרְבְּךָ תִחְיֶה
וְאֶת־אָחִיךָ תַּעֲבֹד וְהָיָה כַּאֲשֶׁר
תָּרִיד וּפָרַקְתָּ עֻלּוֹ מֵעַל צַוָּארֶךָ:
מא וַיִּשְׂטֹם עֵשָׂו אֶת־יַעֲקֹב עַל־
הַבְּרָכָה אֲשֶׁר בֵּרְכוֹ אָבִיו וַיֹּאמֶר עֵשָׂו בְּלִבּוֹ
יִקְרְבוּ יְמֵי אֵבֶל אָבִי וְאַהַרְגָה אֶת־יַעֲקֹב אָחִי:
מב וַיֻּגַּד לְרִבְקָה אֶת־דִּבְרֵי עֵשָׂו בְּנָהּ הַגָּדֹל

הֲבִרְכְתָא חֲדָא הִיא לָךְ
אַבָּא בָּרֵיךְ לִי אַף אֲנָא
אַבָּא וַאֲרִים עֵשָׂו קָלֵהּ
וּבְכָא:
לט וַאֲתֵיב יִצְחָק
אֲבוּהִי וַאֲמַר לֵהּ הָא
מְטוּבָא דְאַרְעָא יְהֵא
מוֹתְבָךְ וּמִטַּלָּא דִשְׁמַיָּא
מִלְּעֵלָּא:
מ וְעַל חַרְבָּךְ תֵּיחֵי
וְיָת אָחוּךְ תִּפְלַח וִיהֵי כַּד
יַעְבְּרוּן בְּנוֹהִי עַל פִּתְגָּמֵי
אוֹרַיְתָא וְתַעְדֵּי נִירֵהּ מֵעַל
צַוְּרָךְ:
מא וּנְטַר עֵשָׂו דְּבָבוּ
לְיַעֲקֹב עַל בִּרְכְתָא דִּי
בָרְכֵהּ אֲבוּהִי וַאֲמַר עֵשָׂו
בְּלִבֵּהּ יִקְרְבוּן יוֹמֵי אֶבְלֵהּ
דְּאַבָּא וְאֶקְטוֹל יָת יַעֲקֹב
אָחִי:
מב וְאִתְחַוָּה לְרִבְקָה
יָת פִּתְגָּמֵי עֵשָׂו בְּרַהּ רַבָּא

* חצי הספר בפסוקים

רש"י

[פסוק לח] הַבְרָכָה אַחַת. הֵ"א זוֹ מְשַׁמֶּשֶׁת לְשׁוֹן תֵּימָהּ, כְּמוֹ הַבְּמַחֲנִים (במדבר יג:יט) הַשְּׁמֵנָה הִיא (שם כ) הַכְּמוֹת נָבָל (שמואל ב ג:לג): **[פסוק לט] מִשְׁמַנֵּי הָאָרֶץ וגו'.** זוֹ [ז] אִיטַלְיָא"ה שֶׁל יָוָן (ב"ר שם ו): **[פסוק מ] וְעַל חַרְבְּךָ.** כְּמוֹ בְּחַרְבְּךָ. יֵשׁ עַל שֶׁהוּא בִּמְקוֹם אוֹת ב', כְּמוֹ עֲמַדְתֶּם עַל חַרְבְּכֶם (יחזקאל לג:כו) בְּחַרְבְּכֶם. עַל צִבְאֹתָם (שמות ו:כו) בְּצִבְאֹתָם: **וְהָיָה כַּאֲשֶׁר תָּרִיד.** לְשׁוֹן צַעַר, כְּמוֹ אָרִיד בְּשִׂיחִי (תהלים נה:ג). כְּלוֹמַר, כְּשֶׁיַּעַבְרוּ יִשְׂרָאֵל עַל הַתּוֹרָה וְיִהְיֶה לְךָ פִּתְחוֹן פֶּה לְהִצְטַעֵר עַל הַבְּרָכוֹת שֶׁנָּטַל, **וּפָרַקְתָּ עֻלּוֹ וגו'** (אונקלוס; ב"ר שם ז): **[פסוק מא] יִקְרְבוּ יְמֵי אֵבֶל אָבִי.** כְּמַשְׁמָעוֹ, שֶׁלֹּא אֲצַעֵר אֶת אַבָּא (ב"ר שם ח). וּמִ"א לְכַמָּה פָנִים יֵשׁ: **[פסוק מב] וַיֻּגַּד לְרִבְקָה.** בְּרוּחַ

עיקר שפתי חכמים

ז כי ומשמני הארץ דלעיל קאי אפירות הארץ, שהתבואה והפירות שבארצך יהיו שמנים. אבל כאן שאמר מושבך נאמר על המקום, שיהיה מושבך במקום דשן ושמן שבארץ, ולא יקשה עוד הא כבר ברך את יעקב בברכת משמני הארץ:

וַתִּשְׁלַח וַתִּקְרָא לְיַעֲקֹב בְּנָהּ
הַקָּטָן וַתֹּאמֶר אֵלָיו הִנֵּה עֵשָׂו
אָחִיךָ מִתְנַחֵם לְךָ לְהָרְגֶךָ׃
מג וְעַתָּה בְנִי שְׁמַע בְּקֹלִי וְקוּם
בְּרַח־לְךָ אֶל־לָבָן אָחִי חָרָנָה׃
מד וְיָשַׁבְתָּ עִמּוֹ יָמִים אֲחָדִים עַד
אֲשֶׁר־תָּשׁוּב חֲמַת אָחִיךָ׃ מה עַד־
שׁוּב אַף־אָחִיךָ מִמְּךָ וְשָׁכַח אֵת
אֲשֶׁר־עָשִׂיתָ לּוֹ וְשָׁלַחְתִּי וּלְקַחְתִּיךָ מִשָּׁם
לָמָה אֶשְׁכַּל גַּם־שְׁנֵיכֶם יוֹם אֶחָד׃ מו וַתֹּאמֶר
רִבְקָה אֶל־יִצְחָק *קַצְתִּי בְּחַיַּי מִפְּנֵי בְּנוֹת חֵת

וּשְׁלַחַת וּקְרַת לְיַעֲקֹב
בְּרַהּ זְעֵירָא וַאֲמֶרֶת לַהּ
הָא עֵשָׂו אָחוּךְ כָּמֵן לָךְ
לְמִקְטְלָךְ: מג וּכְעַן בְּרִי
קַבֵּל מִנִּי וְקוּם אִיזֵיל לָךְ
לְוָת לָבָן אָחִי לְחָרָן:
מד וְתֵתִיב עִמֵּהּ יוֹמִין
זְעֵירִין עַד דְּיֵתוּב רוּגְזָא
דְאָחוּךְ: מה עַד תּוּב רוּגְזָא
דְאָחוּךְ מִנָּךְ וְיִנְשֵׁי יָת
דִּי עֲבַדְתָּ לֵהּ וְאֶשְׁלַח
וְאֶדְבְּרִנָּךְ מִתַּמָּן לְמָא
אֶתְכַּל אַף תַּרְוֵיכוֹן יוֹמָא
חַד: מו וַאֲמֶרֶת רִבְקָה
לְיִצְחָק עָקִית בְּחַיַּי
מִן קֳדָם בְּנַת חִתָּאָה

*ק׳ זעירא

רש״י

הַקּוֹדֶשׁ הוּגַּד לָהּ מַה שֶּׁעֵשָׂו מְהַרְהֵר בְּלִבּוֹ (ב״ר סס ט): **מתנחם לך.** נִחָם עַל הָאַחֲוָה לַחְשׁוֹב מַחֲשָׁבָה אַחֶרֶת לְהִתְנַכֵּר לְךָ וּלְהָרְגְךָ. ומ״א, כְּבָר אַתָּה מֵת בְּעֵינָיו וְשָׁתָה עָלֶיךָ כּוֹס שֶׁל תַּנְחוּמִים (סס). וּלְפִי פְּשׁוּטוֹ לְשׁוֹן תַּנְחוּמִים, ח מִתְנַחֵם הוּא עַל הַבְּרָכוֹת בַּהֲרִיגָתְךָ (תנחומא ישן וילא א): **[פסוק מד] אחדים.** מוּעָטִים (אונקלוס): **[פסוק מה] למה אשכל.** אֶהְיֶה שְׁכוּלָה מִשְּׁנֵיכֶם. לִימֵּד עַל הַקּוֹבֵר אֶת בָּנָיו שֶׁקָּרוּי שָׁכוּל, וְכֵן בְּיַעֲקֹב אָמַר כַּאֲשֶׁר שָׁכֹלְתִּי שָׁכָלְתִּי (להלן מג:יד): **גם שניכם.** אִם יָקוּם עָלֶיךָ וְאַתָּה תַהַרְגֶנּוּ יַעַמְדוּ בָנָיו וְיַהַרְגוּךָ. וְרוּחַ הַקֹּדֶשׁ נִזְרְקָה בָּהּ וְנִתְנַבְּאָה שֶׁבְּיוֹם אֶחָד יָמוּתוּ, כְּמוֹ שֶׁמְּפוֹרָשׁ בפ׳ הַמְקַנֵּא לְאִשְׁתּוֹ (סוטה יג.): **[פסוק מו] קצתי בחיי.** מָאַסְתִּי בְּחַיַּי:

בעל הטורים

(מו) קצתי בחיי. קו״ף קטנה – שראתה שעתיד להחריב הבית שגבהו ק׳ אמה. וקו״ף של ״ודרור קן לה״ גדולה, שבקש דוד על ההיכל שגבהו ק׳ אמה שלא יחרב:

עיקר שפתי חכמים

ח ר״ל וה״ל לדורשו על כוס של תנחומין:

אִם־לֹקֵחַ יַעֲקֹב אִשָּׁה מִבְּנוֹת־
חֵת כָּאֵלֶּה מִבְּנוֹת הָאָרֶץ לָמָּה
לִּי חַיִּים: פרק כח א וַיִּקְרָא יִצְחָק
אֶל־יַעֲקֹב וַיְבָרֶךְ אֹתוֹ וַיְצַוֵּהוּ
וַיֹּאמֶר לוֹ לֹא־תִקַּח אִשָּׁה
מִבְּנוֹת כְּנָעַן: ב קוּם לֵךְ פַּדֶּנָה
אֲרָם בֵּיתָה בְתוּאֵל אֲבִי אִמֶּךָ
וְקַח־לְךָ מִשָּׁם אִשָּׁה מִבְּנוֹת
לָבָן אֲחִי אִמֶּךָ: ג וְאֵל שַׁדַּי יְבָרֵךְ
אֹתְךָ וְיַפְרְךָ וְיַרְבֶּךָ וְהָיִיתָ לִקְהַל
עַמִּים: ד וְיִתֶּן־לְךָ אֶת־בִּרְכַּת אַבְרָהָם לְךָ
וּלְזַרְעֲךָ אִתָּךְ לְרִשְׁתְּךָ אֶת־אֶרֶץ מְגֻרֶיךָ אֲשֶׁר־
נָתַן אֱלֹהִים לְאַבְרָהָם: שביעי ה וַיִּשְׁלַח יִצְחָק אֶת־
יַעֲקֹב וַיֵּלֶךְ פַּדֶּנָה אֲרָם אֶל־לָבָן בֶּן־בְּתוּאֵל

אִם נָסֵיב יַעֲקֹב אִתְּתָא
מִבְּנַת חִתָּאָה כְּאִלֵּין
מִבְּנַת אַרְעָא לְמָא לִי
חַיִּין: א וּקְרָא יִצְחָק
לְיַעֲקֹב וּבָרֵיךְ יָתֵהּ וּפַקְדֵהּ
וַאֲמַר לֵהּ לָא תִסַּב אִתְּתָא
מִבְּנַת כְּנָעַן: ב קוּם אֱזֵיל
לְפַדַּן אֲרָם לְבֵית בְּתוּאֵל
אֲבוּהָא דְאִמָּךְ וְסַב לָךְ
מִתַּמָּן אִתְּתָא מִבְּנַת לָבָן
אֲחוּהָא דְאִמָּךְ: ג וְאֵל
שַׁדַּי יְבָרֵךְ יָתָךְ וְיַפֵּשָׁךְ
וְיַסְגִּנָּךְ וּתְהֵי לִכְנִשַׁת
שִׁבְטִין: ד וְיִתֵּן לָךְ יָת
בִּרְכְּתָא דְאַבְרָהָם לָךְ
וְלִבְנָיךְ עִמָּךְ לְמֵירְתָךְ יָת
אֲרַע תּוֹתָבוּתָךְ דִּי יְהַב יְיָ
לְאַבְרָהָם: ה וּשְׁלַח יִצְחָק
יָת יַעֲקֹב וַאֲזַל לְפַדַּן
אֲרָם לְוָת לָבָן בַּר בְּתוּאֵל

רש"י

[פסוק ב] פַּדֶּנָה. כְּמוֹ לְפַדַּן: **בֵּיתָה בְתוּאֵל.** לְבֵית בְּתוּאֵל. כָּל תֵּיבָה שֶׁצְּרִיכָה לָמֶ"ד בִּתְחִלָּתָהּ הִטִּיל לָהּ ה"א בְּסוֹפָהּ (יבמות יג:): **[פסוק ג] וְאֵל שַׁדַּי.** מִי שֶׁדַּי בְּבִרְכוֹתָיו לַמִּתְבָּרְכִין מִפִּיו **יְבָרֵךְ אֹתְךָ: [פסוק ד] אֶת בִּרְכַּת אַבְרָהָם.** שֶׁאָמַר לוֹ וְאֶעֶשְׂךָ לְגוֹי גָּדוֹל (לעיל יב:ב). וְהִתְבָּרְכוּ בְזַרְעֲךָ (שם כב:יח). יְהִי אוֹתָן בְּרָכוֹת [הָ]אֲמוּרוֹת ט לְךָ [ס"א בִּשְׁבִילְךָ], מִמְּךָ יֵצֵא אוֹתוֹ הַגּוֹי וְאוֹתוֹ הַזֶּרַע

עיקר שפתי חכמים

ט דאל"כ הי' לו לומר כברכת אברהם מהו את ברכת:

הָאֲרַמִּי אֲחִי רִבְקָה אֵם יַעֲקֹב
וְעֵשָׂו: ו וַיַּרְא עֵשָׂו כִּי־בֵרַךְ
יִצְחָק אֶת־יַעֲקֹב וְשִׁלַּח אֹתוֹ
פַּדֶּנָה אֲרָם לָקַחַת־לוֹ מִשָּׁם
אִשָּׁה בְּבָרְכוֹ אֹתוֹ וַיְצַו עָלָיו
לֵאמֹר לֹא־תִקַּח אִשָּׁה מִבְּנוֹת
כְּנָעַן: מפטיר ז וַיִּשְׁמַע יַעֲקֹב אֶל־
אָבִיו וְאֶל־אִמּוֹ וַיֵּלֶךְ פַּדֶּנָה אֲרָם:
ח וַיַּרְא עֵשָׂו כִּי רָעוֹת בְּנוֹת כְּנָעַן בְּעֵינֵי יִצְחָק
אָבִיו: ט וַיֵּלֶךְ עֵשָׂו אֶל־יִשְׁמָעֵאל וַיִּקַּח אֶת־
מָחֲלַת | בַּת־יִשְׁמָעֵאל בֶּן־אַבְרָהָם אֲחוֹת נְבָיוֹת

אֲרַמָּאָה אֲחוּהָא דְרִבְקָה
אִמֵּהּ דְּיַעֲקֹב וְעֵשָׂו: ו וַחֲזָא
עֵשָׂו אֲרֵי בָרִיךְ יִצְחָק יָת
יַעֲקֹב וְשַׁלַּח יָתֵהּ לְפַדַּן
אֲרָם לְמִסַּב לֵהּ מִתַּמָּן
אִתְּתָא כַּד בָּרִיךְ יָתֵהּ
וּפַקֵּיד עֲלוֹהִי לְמֵימַר לָא
תִסַּב אִתְּתָא מִבְּנָת כְּנָעַן:
ז וְקַבִּיל יַעֲקֹב מִן אֲבוּהִי
וּמִן אִמֵּהּ וַאֲזַל לְפַדַּן
אֲרָם: ח וַחֲזָא עֵשָׂו אֲרֵי
בִישָׁא בְּנָת כְּנַעַן בְּעֵינֵי
יִצְחָק אֲבוּהִי: ט וַאֲזַל עֵשָׂו
לְוָת יִשְׁמָעֵאל וּנְסִיב יָת
מַחֲלַת בַּת יִשְׁמָעֵאל בַּר
אַבְרָהָם אֲחָתֵהּ דִּנְבָיוֹת

רש"י

הַמְבוֹרָךְ: [פסוק ה] **אם יעקב ועשו.** אֵינִי יוֹדֵעַ מַה מְּלַמְּדֵנוּ: [פסוק ז] **וישמע יעקב.** מְחוּבָּר לְעִנְיָן שֶׁלְּמַעְלָה, וַיַּרְא עֵשָׂו כִּי בֵרַךְ יִצְחָק וגו' וְכִי שִׁלַּח אוֹתוֹ פַּדֶּנָה אֲרָם וְכִי שָׁמַע יַעֲקֹב אֶל אָבִיו וְהָלַךְ פַּדֶּנָה אֲרָם וְכִי רָעוֹת בְּנוֹת כְּנַעַן, וְהָלַךְ גַּם הוּא אֶל יִשְׁמָעֵאל: [פסוק ט] **אחות נביות.** מִמַּשְׁמַע שֶׁנֶּאֱמַר בַּת יִשְׁמָעֵאל אֵינִי יוֹדֵעַ שֶׁהִיא אֲחוֹת נְבָיוֹת. אֶלָּא לִמְּדָנוּ שֶׁמֵּת יִשְׁמָעֵאל מִשֶּׁיְּעָדָהּ לְעֵשָׂו קוֹדֶם נִשּׂוּאֶיהָ, וְהִשִּׂיאָהּ נְבָיוֹת אָחִיהָ. וְלִמְּדָנוּ שֶׁהָיָה יַעֲקֹב בְּאוֹתוֹ הַפֶּרֶק בֶּן ס"ג שָׁנִים. שֶׁהֲרֵי יִשְׁמָעֵאל בֶּן ע"ד שָׁנִים הָיָה כְּשֶׁנּוֹלַד יַעֲקֹב. שֶׁי"ד שָׁנָה הָיָה גָּדוֹל יִשְׁמָעֵאל מִיִּצְחָק וְיִצְחָק בֶּן ס' שָׁנָה בְּלֶדֶת אוֹתָם, הֲרֵי ע"ד. וּשְׁנוֹתָיו הָיוּ קל"ז, שֶׁנֶּאֱמַר וְאֵלֶּה שְׁנֵי חַיֵּי יִשְׁמָעֵאל וגו' (לעיל כה:יז), נִמְצָא יַעֲקֹב כְּשֶׁמֵּת יִשְׁמָעֵאל בֶּן ס"ג שָׁנִים הָיָה. וְלָמַדְנוּ מִכָּאן שֶׁנִּטְמַן בְּבֵית [י] עֵבֶר י"ד שָׁנָה וְאַחַר כָּךְ הָלַךְ לְחָרָן. שֶׁהֲרֵי לֹא שָׁהָה בְּבֵית לָבָן לִפְנֵי לֵידָתוֹ שֶׁל יוֹסֵף אֶלָּא י"ד שָׁנָה, שֶׁנֶּאֱמַר עֲבַדְתִּיךָ אַרְבַּע עֶשְׂרֵה שָׁנָה בִּשְׁתֵּי בְנוֹתֶיךָ וְשֵׁשׁ שָׁנִים בְּצֹאנֶךָ (להלן לא:מא), וּשְׂכַר הַצֹּאן מִשֶּׁנּוֹלַד יוֹסֵף

עיקר שפתי חכמים

י אֲבָל שָׁם כְּבָר מֵת בְּאוֹתָהּ שָׁעָה:

ראה הטבלא "**משפחת עשו**" (עמוד 534).

עַל נְשׁוּהִי לֵהּ לְאִנְתּוּ: **עַל־נָשָׁיו לוֹ לְאִשָּׁה:** ססס

ק״ו פסוקים. על״ו סימן.

רש״י

הָיָה, הָא כֵּיצַד, וַיְהִי כַּאֲשֶׁר יָלְדָה רָחֵל אֶת יוֹסֵף וגו׳ (שם ל:כה). וְיוֹסֵף בֶּן ל׳ שָׁנָה הָיָה כְּשֶׁמָּלַךְ, וּמִשָּׁם עַד שֶׁיָּרַד יַעֲקֹב לְמִצְרַיִם ט׳ שָׁנִים, ז׳ שֶׁל שׂוֹבַע וּב׳ שֶׁל רָעָב, וְיַעֲקֹב אָמַר לְפַרְעֹה יְמֵי שְׁנֵי מְגוּרַי שְׁלֹשִׁים וּמְאַת שָׁנָה (שם מז:ט). צֵא וַחֲשׁוֹב י״ד שָׁנָה שֶׁלִּפְנֵי לֵידַת יוֹסֵף וְל׳ שֶׁל יוֹסֵף וְט׳ מִשֶּׁמָּלַךְ עַד שֶׁבָּא יַעֲקֹב הֲרֵי נ״ג. וּכְשֶׁפֵּירַשׁ מֵאָבִיו הָיָה בֶּן ס״ג, הֲרֵי קט״ז, וְהוּא אוֹמֵר שְׁלֹשִׁים וּמְאַת שָׁנָה, הֲרֵי חֲסֵרִים י״ד שָׁנִים. הָא לָמַדְתָּ שֶׁאַחַר שֶׁקִּבֵּל הַבְּרָכוֹת נִטְמַן בְּבֵית עֵבֶר י״ד שָׁנִים [אֲבָל לֹא נֶעֱנַשׁ עֲלֵיהֶם בִּזְכוּת הַתּוֹרָה, שֶׁהֲרֵי לֹא פֵּירַשׁ יוֹסֵף מֵאָבִיו אֶלָּא כ״ב שָׁנָה, דְּהַיְינוּ מִי״ז עַד ל״ט, כְּנֶגֶד כ״ב שֶׁפֵּירַשׁ יַעֲקֹב מֵאָבִיו וְלֹא כִבְּדוֹ.

וְהֵם כ׳ שָׁנִים בְּבֵית לָבָן וּשְׁתֵּי שָׁנִים שֶׁשָּׁהָה בַּדֶּרֶךְ, כְּדִכְתִיב וַיִּבֶן לוֹ בָּיִת וּלְמִקְנֵהוּ עָשָׂה סֻכֹּת (להלן לג:יז) וּפֵי׳ רז״ל מִזֶּה הַפָּסוּק שֶׁשָּׁהָה י״ח חֳדָשִׁים בַּדֶּרֶךְ, דְּבַיִת הֲוָה בִּימוֹת הַגְּשָׁמִים וְסֻכּוֹת הֲוָה בִּימוֹת הַחַמָּה. וּלְחֶשְׁבּוֹן הַפְּסוּקִים שֶׁחִשַּׁבְנוּ לְעֵיל מִשֶּׁפֵּירַשׁ מֵאָבִיו עַד שֶׁיָּרַד לְמִצְרַיִם שֶׁהָיָה בֶּן ק״ל שָׁנִים שֶׁשָּׁם אָנוּ מוֹצְאִים עוֹד י״ד שָׁנִים. אֶלָּא וַדַּאי נִטְמַן בְּבֵית עֵבֶר בַּהֲלִיכָתוֹ לְבֵית לָבָן, לִלְמוֹד תּוֹרָה מִמֶּנּוּ, וּבִשְׁבִיל זְכוּת הַתּוֹרָה לֹא נֶעֱנַשׁ עֲלֵיהֶם וְלֹא פֵּירַשׁ יוֹסֵף מִמֶּנּוּ אֶלָּא כ״ב שָׁנָה, מִדָּה כְּנֶגֶד מִדָּה] (מגילה טז:-יז.): **עַל נָשָׁיו.** הוֹסִיף רִשְׁעָה עַל רִשְׁעָתוֹ שֶׁלֹּא גֵּרַשׁ אֶת הָרִאשׁוֹנוֹת (ב״ר סז:יג):

הפטרת תולדת

כשחל ערב ראש חודש כסלו בשבת פרשת תולדות,
קוראים במקום ההפטרה הרגילה את ההפטרה לשבת ערב ראש חודש, עמוד 426.

מלאכי א:א — ב:ז

ה׳ ה״קֹרֵא הַדֹּרוֹת מֵרֹאשׁ״ (ישעיה מא, ד) סיבב את גורלם הנצחי של כלל ישראל על ידי בחירת יעקב, בנו הצעיר של יצחק אבינו, להיות אב לאומה הישראלית שייעד לקבל את התורה. אולם, בחירה זו לא היתה טבעית, שהרי עשו היה הבכור, ויצחק [שאהב את עשו מפני שרימה אותו — רש״י בראשית כה, כז; ראה גם רבינו בחיי שם כח] בחר בו ורצה למסור לו את הברכות. אבל רצונו של ה׳ יצא מכח אל הפועל על ידי רבקה, וכך השיג יעקב את מורשת האבות.

הנביא פותח את נבואתו בכך שבחירת יעקב על פני עשו סימן הוא על אהבת ה׳ ליעקב ושנאתו לעשו [ראה רד״ק לפסוק ג, ששנאת ה׳ לעשיו הוא בגלל מעשיו ומעשי זרעו הרעים]. משום כך לא תצליח אדום, אומה הרשעה שיצאה מצאצאי עשיו, אלא נידונית היא להיחרב כפי שהבטיח ה׳: ״הֵמָּה יִבְנוּ וַאֲנִי אֶהֱרוֹס״. מלכות רומי שגרמה לנו את הגלות הארוך הנוכחי, ושאר המלכויות שקמו עלינו במשך הדורות ורדפו והציקו את ישראל, נחשבו לדעת חכמינו ז״ל כצאצאי אדום או כיורשיו הרוחניים (ראה מהרש״א מכות יב, א בשם אברבנאל, שהמלך הראשון של מלכות רומי היה מזרעו של עשו שהוא אדום; אבל ראה אבן עזרא בראשית מ, כז והציונים במהדורתנו עבודה זרה ח, ב הערה 15). על כולן נאמרה נבואה זו, ולמרות אריכות הגלות יודעים אנו שתתקיים.

הנביא אמנם מזהיר את בני ישראל שאהבת ה׳ אליהם וגאולתם אינן תלויות בזכות אבותם בלבד, וגם אין להם לסמוך על שנאת ה׳ לעשו; אלא זקוקים הם להיות ראויים לכך בזכות עצמם כדי לזכות לייעודם (ראה מלבי״ם לפסוקים ב-ג). משום כך הוא

מוכיח את הכהנים המקריבים על המזבח בעלי מומים ופסולים, שייטיבו את מעשיהם וישובו מצביעותם — וכי יעשו כך למלך בשר ודם?!

בסיכום ההפטרה, מוכיח הנביא את הכהנים שלא יפירו את הברית שכרת עמהם ה', אלא ישמשו כדוגמא ומופת לעם ישראל, שכן שבט לוי הובדל מאז לעבוד את ה', לשרתו ולהורות דרכיו הישרים ומשפטיו הצדיקים לרבים (רמב"ם הלכות שמיטה ויובל יג, יב), ורק אז יוכלו לרומם את בני ישראל למדרגתם הראויה — תוכחה השייכת למנהיגי ישראל בכל דור ודור.

פרק א א מַשָּׂא דְבַר־יְהוָה אֶל־יִשְׂרָאֵל בְּיַד מַלְאָכִי׃ ב אָהַבְתִּי
אֶתְכֶם אָמַר יְהוָה וַאֲמַרְתֶּם בַּמָּה אֲהַבְתָּנוּ הֲלוֹא־אָח עֵשָׂו לְיַעֲקֹב
נְאֻם־יְהוָה וָאֹהַב אֶת־יַעֲקֹב׃ ג וְאֶת־עֵשָׂו שָׂנֵאתִי וָאָשִׂים אֶת־הָרָיו
שְׁמָמָה וְאֶת־נַחֲלָתוֹ לְתַנּוֹת מִדְבָּר׃ ד כִּי־תֹאמַר אֱדוֹם רֻשַּׁשְׁנוּ
וְנָשׁוּב וְנִבְנֶה חֳרָבוֹת כֹּה אָמַר יְהוָה צְבָאוֹת הֵמָּה יִבְנוּ וַאֲנִי
אֶהֱרוֹס וְקָרְאוּ לָהֶם גְּבוּל רִשְׁעָה וְהָעָם אֲשֶׁר־זָעַם יְהוָה עַד־עוֹלָם׃
ה וְעֵינֵיכֶם תִּרְאֶינָה וְאַתֶּם תֹּאמְרוּ יִגְדַּל יְהוָה מֵעַל לִגְבוּל יִשְׂרָאֵל׃

רש"י

(א) משא דבר ה'. פורפור"ט בלע"ז דבר הנמסר למלאכי לשאת אותו אל בני ישראל: **ביד מלאכי.** כבר היה מסור בידו זה ימים רבים. מכאן דרשו רבותינו בברייתא דמכילתא שכל הנביאים עמדו על הר סיני ושם נמסרו להם הנבואות, וכן (ישעיה מח, טז) אומר מֵעֵת הֱיוֹתָהּ שָׁם אָנִי וְעַתָּה אֲדֹנָי אֱלֹהִים שְׁלָחַנִי: **(ב) ואוהב את יעקב.** לתת לו את אֶרֶץ חֶמְדָּה נַחֲלַת צְבִי צִבְאוֹת גּוֹיִם (ירמיה ג, יט), ארץ שלבין כל צבאות העכו"ם בה: **(ג) ואת עשו שנאתי.** לדוחפו אל ארץ שעיר מפני יעקב אחיו, ומנהג שבעולם מי שיש לו שני בנים לבכור הוא בורר לו מנה יפה: **ואשים הריו שממה.** אינן דומין להרי ישראל: **לתנות מדבר.** מעון תנים: **(ד) כי תאמר אדום רוששנו.** ואם יאמרו מחריבי המקדש, מתחלתינו רשים היינו, אבל מעתה שהעשרנו מביזת ירושלים ונשוב ונבנה חרבות שלנו, כה אמר ה' וגו': **(ה) יגדל ה' מעל לגבול ישראל.** יראה גדולתו מעל לגבולינו

מצודת דוד

(א) ביד מלאכי. הנשלח ביד מלאכי: **(ב) ואמרתם.** רצונו לומר: ואם תאמרו במה אהבת אותנו מפאת עצמינו, כלומר עם כי עשית עמנו הרבה חסד אין זה מפאת אהבת עצמינו כי אם מפאת אהבת האבות והאמהות: **הלוא אח וגו'.** כאומר על זה אשיב לכם: הלוא אח עשו ליעקב מן האב ומן האם ויחס אחד להם עם האבות והאמהות, ועם כל זאת אהבתי את יעקב לבד: **(ג) ואת עשו שנאתי.** ואם היה מפאת אהבת האבות והאמהות לבדה היה לי לאהוב גם את עשו, אבל האמת הוא שאהבתי אתכם גם מפאת עצמיכם בצרוף אהבתי לכם מפאת האבות והאמהות: **ואשים וגו'.** עכשיו מפרש במה שנא את עשו; ואמר ראו עתה כי שניכם גליתם על ידי נבוכדנצר, והנה אתם הלא שבתם לארציכם, ואת יושבי שעיר אשים עוד שממה ונחלתו יהיה למדור לחנות המצויות במדבר: **(ד) כי תאמר אדום.** אם יאמרו מחריבי המקדש הנה עתה אנו רשים ודלים וארצנו חרבה אבל נשוב עוד ונבנה החרבות כי יאמרו אין זה בא מפאת שנאת ה' אותנו להיות החורבן מתמדת כי במקרה בא וכאשר בא כן תלך: **המה יבנו.** רצונו לומר באמת המה יבנו החרבות וימשלו ממשל רב, אבל בסוף הדבר אהרוס אני מכל וכל ולא תשובנה עוד לקדמותן: **וקראו להם.** מהפלגת חרבונם יכירו הכל שמה' באה על שהרשיעו לו, ויקרא להם גבול והעם אשר זעם את ה', ועד עולם יקראו כן כי לא תשוב עוד להתכונן: **(ה) ועיניכם תראינה.** בהפלגת חרבונה: **ואתם תאמרו וגו'.** רצונו לומר: כשתהיו מעל לגבול ישראל בזמן הגאולה העתידה, אז תאמרו עתה יגדל ה' בעשות נפלאות

מצודת ציון

(א) משא. נבואה, ולתוספת ביאור אמר דבר ה': **(ג) לתנות.** מלשון תנין, והוא מין נחש: **(ד) רששנו.** מלשון רש ועני, וכן מִתְרוֹשֵׁשׁ וְהוֹן רָב (משלי יג, ז): **גבול.** ענין מחוז: **זעם.** ענין כעס:

ו בֵּ֛ן יְכַבֵּ֥ד אָ֖ב וְעֶ֣בֶד אֲדֹנָ֑יו וְאִם־אָ֣ב אָ֗נִי אַיֵּ֤ה כְבוֹדִי֙ וְאִם־אֲדוֹנִ֣ים
אָ֗נִי אַיֵּ֤ה מוֹרָאִי֙ אָמַ֣ר ׀ יְהוָ֣ה צְבָא֔וֹת לָכֶם֙ הַכֹּֽהֲנִים֙ בּוֹזֵ֣י שְׁמִ֔י
וַאֲמַרְתֶּ֕ם בַּמֶּ֥ה בָזִ֖ינוּ אֶת־שְׁמֶֽךָ׃ ז מַגִּישִׁ֤ים עַל־מִזְבְּחִי֙ לֶ֣חֶם מְגֹאָ֔ל
וַאֲמַרְתֶּ֖ם בַּמֶּ֣ה גֵֽאַלְנ֑וּךָ בֶּאֱמָרְכֶ֕ם שֻׁלְחַ֥ן יְהוָ֖ה נִבְזֶ֥ה הֽוּא׃ ח וְכִֽי־
תַגִּשׁ֨וּן עִוֵּ֤ר לִזְבֹּ֙חַ֙ אֵ֣ין רָ֔ע וְכִ֥י תַגִּ֛ישׁוּ פִּסֵּ֥חַ וְחֹלֶ֖ה אֵ֣ין רָ֑ע הַקְרִיבֵ֨הוּ
נָ֜א לְפֶחָתֶ֗ךָ הֲיִרְצְךָ֙ א֚וֹ הֲיִשָּׂ֣א פָנֶ֔יךָ אָמַ֖ר יְהוָ֥ה צְבָאֽוֹת׃ ט וְעַתָּ֛ה
חַלּוּ־נָ֥א פְנֵי־אֵ֖ל וִיחָנֵ֑נוּ מִיֶּדְכֶם֙ הָ֣יְתָה זֹּ֔את הֲיִשָּׂ֥א מִכֶּם֙ פָּנִ֔ים

רש"י

להודיע כי אנחנו עמו. ויונתן תרגם: יְסַגַּא יְקָרָא דַה׳ וְאַפְּתֵּי יָת תְּחוּם אַרְעָא דְיִשְׂרָאֵל: **(ו) בן.** יש עליו לכבד אב וכן עבד אדוניו, ואתם קרויין בנים ועבדים, ועתה אם אב אני לכם איה כבודי: **אמר ה׳ צבאות לכם.** אתם הכהנים הבוזים את שמי: **ואמרתם במה בזינו.** כלומר ידעתי שתאמרו לי במה בזינו? הרי הבזיון: **(ז) מגישים על מזבחי וגו׳ ואמרתם.** כלומר: ואם תאמרון במה גאלנו לך את לחם מזבחך? אני משיב לכם כי בזאת גאלתם אותי: בֶּאֱמָרְכֶם שֻׁלְחַן ה׳ נִבְזֶה הוּא, בוזים היו לחלוק איש באחיו במנחות ובקדשים, ואומר מאחר שהוא אסור לנו לחלוק מנחה כנגד מנחה וזבח כנגד זבח וטורח ועמל הוא לחלוק כל מנחה ומנחה בשביל כזית או כפול המגיע לכל אחד ואחד: **(ח) אין רע.** וכי אין דבר זה רע: **(ט) ועתה חלו נא פני.** ועתה אתם הכהנים העושים הרעה הזאת איך יעלה בלבבכם להיות שלוחי ישראל לבקש עליהם רחמים, הרי מידכם היתה זאת הרעה: **הישא את פניכם.** לשמוע תפלה מפיכם ולחון את שולחיכם:

מצודת דוד

מתמיד: **(ו) בן יכבד.** מוסב למעלה, לומר: הואיל וכן הוא שאני אוהב אתכם מפאת עצמיכם, הלא דרך הבן לכבד אביו, על כי אביו אהבו ודרך העבד לכבד את אדוניו עם כי לא יחשוש כל כך על אהבת אדוניו אליו עם כל זאת מוכח הוא לכבדו כי יפחד ממנו לבל יעשה בו נקם: **ואם אב אני.** ואם אתם מחזיקים אותי לאב איה כבודי הראוי לי בעבור אהבתי לכם? ואם אתם מחזיקים אותי לאדון, איה המורא הראוי לירוא מפני? כי אם יראתם מפני לא עזבתם אם כן כבודי: **לכם הכהנים.** רצונו לומר: הדבר הזה אומר אני ה׳ לכם אתם הכהנים המבזים את שמי: **ואמרתם.** ואם תאמרו בדבר מה אנו מבזין את שמך: **(ז) מגישים וגו׳.** רצונו לומר: אשיב לכם, בדבר זה אתם מבזין את שמי, במה שאתם מקריבים על מזבחי קרבן מתועב ומטונף: **ואמרתם.** ואם תאמרו בדבר מה אנו מתעבים ומטנפים קרבנך: **באמרכם.** רצונו לומר: אשיב לכם, במה שאתם אומרים שלחן ה׳ והוא המזבח שמסדרים עליו הקרבן לגבוה הוא נבזה, כי נזרק עליו הדם ונקטר עליו החלב שנפשו של אדם קצה בהם: **(ח) וכי תגישון.** ובעבור זה גם כי תגישון עִוֵּר לזבוח אין רע בעיניכם, הואיל והמזבח הוא מבוזה בעיניכם. וכאומר הנה בזה אתם מתעבים קרבני וזהו בזיון שמי: **הקריבהו.** בחון אתה הדבר, והקרב מאחת מאלה לדורון לפחתך, האם יהיה מרוצה לך בזה הדורון להעביר ממך אשמתך אשר פשעת למולו, או אם ישא פניך לכבדך בעבור מתן כזה אם תביא לו מבלי הקדמת פשע: **אמר ה׳.** רצונו לומר: כן אמר ה׳: **(ט) ועתה חלו נא.** עשו בחינה והעתירו בעדינו אל ה׳ אם יחנן אותנו

מצודת ציון

(ו) אדונים. דרך המקרא להזכיר שם אדנות בלשון רבים וכן אֲדֹנֵי יוֹסֵף (בראשית לט, כ): **(ז) מגישים.** מקריבים: **לחם.** כן יקרא כל הקרב על המזבח, וכן אֶת־קָרְבָּנִי לַחְמִי (במדבר כח, ב): **מגואל.** מתועב ומטונף, כמו מֹרְאָה וְנִגְאָלָה (צפניה ג, א): **גאלנוך.** רצונו לומר: גאלנו ותעבנו קרבניך: **שלחן.** רצונו לומר: המזבח שמסדרין עליו הקרבן לה׳ כעין שמסדרין על השולחן, וכמו שכתוב וַיְדַבֵּר אֵלַי זֶה הַשֻּׁלְחָן וגו׳ (יחזקאל מא, כב): **(ח) פסח.** חגר וצולע: **לפחתך.** ענין שר ושליט, כמו פַּחַת יְהוּדָה (חגי א, א): **הישא פניך.** זה הלשון יאמר על הכבוד, וכן זָקֵן וּנְשׂוּא פָנִים (ישעיה ג, יד): **(ט) חלו.** ענין תפלה, כמו וַיְחַל מֹשֶׁה (שמות לב, יא): **ויחננו.** מלשון חנינה וחמלה:

אָמַר יְהוָה צְבָאוֹת׃ י מִי גַם־בָּכֶם וְיִסְגֹּר דְּלָתַיִם וְלֹא־תָאִירוּ
מִזְבְּחִי חִנָּם אֵין־לִי חֵפֶץ בָּכֶם אָמַר יְהוָה צְבָאוֹת וּמִנְחָה לֹא־
אֶרְצֶה מִיֶּדְכֶם׃ יא כִּי מִמִּזְרַח־שֶׁמֶשׁ וְעַד־מְבוֹאוֹ גָּדוֹל שְׁמִי
בַּגּוֹיִם וּבְכָל־מָקוֹם מֻקְטָר מֻגָּשׁ לִשְׁמִי וּמִנְחָה טְהוֹרָה כִּי־
גָדוֹל שְׁמִי בַּגּוֹיִם אָמַר יְהוָה צְבָאוֹת׃ יב וְאַתֶּם מְחַלְּלִים אוֹתוֹ
בֶּאֱמָרְכֶם שֻׁלְחַן אֲדֹנָי מְגֹאָל הוּא וְנִיבוֹ נִבְזֶה אָכְלוֹ׃ יג וַאֲמַרְתֶּם

רש"י

(י) מי גם בכם ויסגור דלתים. הלואי ויקום איש טוב בכם שיסגור דלתי מקדשי לבלתי הביא שם קרבן מתועבה הזאת: **ולא תאירו מזבחי חנם.** באישים שאיני מתרצה בהם, שהרי אין לי חפץ בכם. ורבותינו דרשו בתורת כהנים: אדם אומר לחבירו הגף לי את הדלת הזו, אין תובע עליה שכר; הדליק לי את הנר הזה, אין שואל עליה שכר; ואתם, מי בכם שסגר דלתי חנם ולא הארתם מזבחי חנם? קל וחומר שלא עשיתם חנם דברים שדרכן לעשותן בשכר, לפיכך אין לי חפץ בכם: **(יא) גדול שמי בגוים.** אמרו רבותינו: דקרו לי' אלהא דאלהיא; אפילו מי שיש לו עכו"ם יודע (שיש אלוה) שהוא על כולם, ובכל מקום מתנדבים לשמי אף העכו"ם. ורבותינו פירשו: אלו תלמידי חכמים העוסקים בהלכות עבודה בכל מקום, וכן כל תפלות ישראל שמתפללין בכל מקום הרי הן לי כמנחה טהורה. וכן תרגם יונתן: וְכָל עִידָן דְּאַתּוּן עָבְדִין רְעוּתִי הֲוָה מְקַבֵּל צְלוֹתְכוֹן וּשְׁמִי רַבָּא מִתְקַדַּשׁ עַל יְדֵיכוֹן וּצְלוֹתְכוֹן כְּקָרְבַּן דְּכֵי קֳדָמַי. וכן פירש המקרא: ולמה אתם מחללין שמי? והלא גדול הוא בגוים, ואני אהבתי וחיבתי עליכם שבכל מקום שאתם מתפללין לפני ואף בגולה מוקטר ומוגש הוא לשמי: **ומנחה טהורה.** הוא לי כי על ידכם שמי נורא בגוים ואתם מחללין אותי ואת שמי: **(יב) וניבו נבזה אכלו.** ניבו של מזבח השגור בשפתותיכם, זהו תמיד נבזה אכלו, אתם אומרים עליו; כלומר, כבר הוצאתם עליו דבה זו וניב זה החזקתם למזבחי: **אכלו.** מאכלו:

מצודת דוד

בעבור תפלתכם, הלא המארה המשתלחת באה היא בעבורכם, וכי מחמתכם ישא לנו פנים? הלא אין קטגור נעשה סנגור: **(י) מי גם בכם.** הלואי ימצא מי גם בכם ויסגור דלתי בית המקדש שלא יבוא מי שמם לרמוס חצר: **ולא תאירו.** לא תבעירו אש על מזבחי בחנם: **אין לי חפץ בכם.** לבוא להראות לפני בבית המקדש, והיה אם כן מהראוי לסגור דלתות בית המקדש: **לא ארצה.** לא אקבלם מידכם ברצון, וכאומר ולמה אם כן תבעירו אש על מזבחי בחנם: **(יא) כי ממזרח שמש.** אשר ממקום זריחת השמש עד מקום שקיעתו גדול שמי בין העכו"ם, כי כולם מודים בו יתברך שהוא הסיבה הראשונה המשפעת בכולם; רק איזה מהם יחשבו שהנהגת העולם השפל בא הכל ממערכת השמים: **ובכל מקום מוקטר מגש לשמי.** רצונו לומר: מה שהעובדי כו"ם מקטירים למערכת השמים להתרצות לפניהם, כוונתם הוא שבזה יכבדו ויעבדו את סבתם הראשונה ובזה באמת יטעו כי לא נגה עליהם אור התורה והנבואה: **ומנחה טהורה.** ומה שמביאים לקרבן ותשורה היא טהורה ונקיה לפי דעתם הנראה בעיניהם: **כי גדול שמי בגוים.** ולכן לפי טעותם יקריבו למערכות השמים מנחה טהורה: **(יב) ואתם.** אבל אתם מחללים את ה' במה שאתם אומרים שלחן ה' והוא המזבח מתועב הוא על כי נזרק עליו הדם ונקטר עליו החלב דברים שנפש האדם קצה בהם, ובעבור זה תקריבו גם בעלי מומין כמו שכתוב למעלה: **וניבו.** רצונו לומר: ניב אמרי המזבח השגור בפיכם לדבר בו הוא לומר הנה מאכלו ההושם עליו הוא נבזה ומתועב, והוא כפל ענין במילים שונות:

מצודת ציון

(י) תאירו. תבעירו, כמו נָשִׁים בָּאוֹת מְאִירוֹת אוֹתָהּ (ישעיה כז, יא): **חפץ.** ענין רצון: **ומנחה.** כן יקראו כל הקרבנות שבאים למנחה ולדורון, וכן וְעָרְבָה לַה' מִנְחַת (לקמן ג, ד): **(יא) מבואו.** ענין שקיעה, כמו כִּי־בָא הַשֶּׁמֶשׁ (בראשית כח, יא): **מקטר.** לשון הקטרה: **מגש.** ענין הקרבה: **(יב) וניבו.** ענין אמירה, כמו בּוֹרֵא נִיב שְׂפָתָיִם (ישעיה נז, יט): **אכלו.** מאכלו:

הִנֵּה מַתְּלָאָה וְהִפַּחְתֶּם אוֹתוֹ אָמַר יְהוָה צְבָאוֹת וַהֲבֵאתֶם גָּזוּל
וְאֶת־הַפִּסֵּחַ וְאֶת־הַחוֹלֶה וַהֲבֵאתֶם אֶת־הַמִּנְחָה הַאֶרְצֶה אוֹתָהּ
מִיֶּדְכֶם אָמַר יְהוָה: יד וְאָרוּר נוֹכֵל וְיֵשׁ בְּעֶדְרוֹ זָכָר וְנֹדֵר וְזֹבֵחַ
מָשְׁחָת לַאדֹנָי כִּי מֶלֶךְ גָּדוֹל אָנִי אָמַר יְהוָה צְבָאוֹת וּשְׁמִי נוֹרָא
בַגּוֹיִם: פרק ב א וְעַתָּה אֲלֵיכֶם הַמִּצְוָה הַזֹּאת הַכֹּהֲנִים: ב אִם־לֹא
תִשְׁמְעוּ וְאִם־לֹא תָשִׂימוּ עַל־לֵב לָתֵת כָּבוֹד לִשְׁמִי אָמַר יְהוָה
צְבָאוֹת וְשִׁלַּחְתִּי בָכֶם אֶת־הַמְּאֵרָה וְאָרוֹתִי אֶת־בִּרְכוֹתֵיכֶם וְגַם
אָרוֹתִיהָ כִּי אֵינְכֶם שָׂמִים עַל־לֵב: ג הִנְנִי גֹעֵר לָכֶם אֶת־הַזֶּרַע וְזֵרִיתִי

רש"י

(יג) ואמרתם הנה מתלאה. בהמה כחושה, ואנו עניים ואין יכולת להשיג למבחר נדרים. וכן תרגם יונתן: הָא דְּחַיְיתָא מְלֵיאוּתָנָא: **והפחתם אותו.** זו אחת מי"ח תיבות של תיקון סופרים; הפחתם **אותו**, **אותי** נכתב, אלא שכינה הכתוב וכתבו אותו, והפחתם והדאבתם לשון מַפַּח נָפֶשׁ (איוב יא, כ): **אותי.** ואת שולחני: **(יד) נוכל.** מתנכל במרמה בדברי שקר לפני, לאמר: אין לי טובה מזו: **ויש בעדרו זכר.** איל ההגון לעולה והוא נודר זבח: **משחת.** בעל מום, כמו (ויקרא כב, כה) מָשְׁחָתָם בָּהֶם: **(א) אליכם.** הכהנים אני מצוה המצוה הזאת, שלא תקריבו אלה על מזבחי: **(ב) וארותי.** וקללתי את ברכותיכם, מה שצריך לברך לכם הדגן והתירוש והיצהר: **וגם ארותיה.** ובאמת אין לתלות הדבר על תנאי שתליתי באם לא ישמע, כי ידעתי שלא תשמעו, לפיכך אני מעתה ארותיה:

מצודת דוד

(יג) ואמרתם הנה מתלאה. רצונו לומר כאשר תביאו לקרבן כבש כחוש ורזה תכחשו לומר: הנה נעשיתי נלאה ועיף ממשא הכבש שנשאתי על כתפי כי הוא שמן ובעל בשר, ודבריכם המה למפח נפש למקום ברוך הוא, כי תעיזו לשקר לפניו: **והפחתם אותו.** הוא תקון סופרים, והראוי אותי ובלא תקון יאמר שאמר הנה איננו בעל בשר וכבד במשא כי הוא כחוש וקל במשא עד שתוכלו לנדנדו בהפחת רוח הפה, והוא ענין גוזמא: **והבאתם.** גם אתם מביאים לפני קרבן גזול ופסח וחולה: **והבאתם את המנחה.** רצונו לומר: הואיל ומאחת מאלה תביאו את הקרבן והתשורה וכי אקבלה ברצון מידכם: **(יד) וארור נוכל.** ארור המערים לומר שאין בידו יותר מובחר להקרבה ממה שהביא, אבל באמת יש בעדרו זכר מובחר וטוב הראוי לעולה: **ונודר.** והוא מנדר וזובח לה' שם נשחת וכחוש: **כי מלך גדול אני.** ומהראוי אם כן להקריב לפני מן המובחר: **ושמי נורא בגוים.** כל העכו"ם יראים מלפני: **(א) ועתה אליכם.** אליכם הכהנים אצוה המצוה הזאת לבל תקבלו קרבן נשחת וכחוש: **(ב) לתת כבוד לשמי.** לבל לחללו בקרבן שאין ראוי לי: **ושלחתי בכם.** בכהנים ובהעם: **וארותי את ברכותיכם.** רצונו לומר: את הברכה שברכתי אתכם מעת הוסד היכל ה' כמו שכתוב בחגי, אהפך לקללה: **וגם ארותיה.** רצונו לומר: גם המארה המשמשת עתה איננה במקרה כי אני ארותיה, כי אינכם שמים על לב להזהר בכבודי: **(ג) הנני גוער לכם.** בעבורכם אגער את הזרע לבל תצמח: **וזריתי.** אפזר זבל על פניכם, וחוזר ומפרש זבל מהבהמות שאתם מקריבים לפני שהוא הדבר היותר נמאס בבהמה, אותו אפזר לבזות אתכם בו כדרך שאתם מבזים שמי:

מצודת ציון

(יג) מתלאה. ענין עיפות ויגיעה כמו אֵת כָּל־הַתְּלָאָה (שמות יח, ח): **והפחתם.** ענין דאבון ותוגה, כמו מַפַּח־נָפֶשׁ (איוב יא, כ), או הוא מלשון הפחה ונשיבת רוח: **(יד) וארור.** ענין קללה: **נוכל.** ענין ערמימות, כמו וַיִּתְנַכְּלוּ אֹתוֹ (בראשית לז, יח): **(ב) המארה וארותי.** מלשון ארירה וקללה: **(ג) גוער.** ענין זעקת נזיפה: **וזריתי.** אפזר, כמו מְזָרֵה יִשְׂרָאֵל (ירמיה לא, ט):

פֶּרֶשׁ עַל־פְּנֵיכֶם פֶּרֶשׁ חַגֵּיכֶם וְנָשָׂא אֶתְכֶם אֵלָיו: ד וִידַעְתֶּם כִּי
שִׁלַּחְתִּי אֲלֵיכֶם אֵת הַמִּצְוָה הַזֹּאת לִהְיוֹת בְּרִיתִי אֶת־לֵוִי אָמַר
יְהוָה צְבָאוֹת: ה בְּרִיתִי | הָיְתָה אִתּוֹ הַחַיִּים וְהַשָּׁלוֹם וָאֶתְּנֵם־לוֹ
מוֹרָא וַיִּירָאֵנִי וּמִפְּנֵי שְׁמִי נִחַת הוּא: ו תּוֹרַת אֱמֶת הָיְתָה בְּפִיהוּ
וְעַוְלָה לֹא־נִמְצָא בִשְׂפָתָיו בְּשָׁלוֹם וּבְמִישׁוֹר הָלַךְ אִתִּי וְרַבִּים
הֵשִׁיב מֵעָוֹן: ז כִּי־שִׂפְתֵי כֹהֵן יִשְׁמְרוּ־דַעַת וְתוֹרָה יְבַקְשׁוּ מִפִּיהוּ
כִּי מַלְאַךְ יְהוָה־צְבָאוֹת הוּא:

רש"י

(ג) וזריתי פרש. של בהמות חגיכם על פניכם, כלומר: לא תקבלו שכר מאתי, כי אם לרעה לבושת ולגעור לכם את זרע השדה: **ונשא אתכם אליו.** פרש בהמות קרבנותיכם ישאו אתכם אליו להיות זוללים ונבזים כמוהו: **(ד) להיות בריתי את לוי.** שאני חפץ שתתקיימו (אתי) בברית שכרתי לשבט לוי: **(ה) החיים והשלום.** שנאמר לפנחס אֶת בְּרִיתִי שָׁלוֹם (במדבר כה, יב), והוסעה לו ולזרעו אחריו הרי שיהא זרעו בקיים: **ואתנם לו.** שיקבלם במורא וכן עשה וייראני: **נחת.** לשון חתת, יתירה: **(ו) בשלום ובמישור הלך אתי.** אהרן ואלעזר ופנחס, וכן במעשה העגל השיבו כל שבטיהם מעון, שנאמר וַיֵּאָסְפוּ אֵלָיו כָּל בְּנֵי לֵוִי (שמות לב, כו): **(ז) כי שפתי כהן.** עליהם מוטל לשמור דעת; למה? שהרי תורה יבקשו מפיהו, שכבר דבר זה מסור להם, יורו מִשְׁפָּטֶיךָ לְיַעֲקֹב (דברים לג, י): **כי מלאך.** שלוחו של הקדוש ברוך הוא כמלאכי השרת, לשרת לפניו וליכנס לפנים במחילתו:

מצודת דוד

ונשא. העון הזה שבידכם ישא אתכם אל הבזיון הזה: **(ד) וידעתם.** דעו לכם אשר שלחתי אליכם המצוה הזאת להיות נזהרים בכבודי הוא למען תקבלו גמול טוב להיות מתקיים הברית אשר כרתי עם שבט לוי; רצונו לומר עם אהרן ראש השבט, כי עמו כרתי הברית להיות הכהונה לו ולזרעו אחריו: **(ה) בריתי היתה אתו.** הברית שהיתה לי עמו הוסיפה לו החיים והשלום: **ואתנם לו מורא וייראני.** רצונו לומר: את אלה נתתים לו בעבור המורא שהיה בלבו ויירא מפני וכפל המלות לחוזק הענין: **נחת הוא.** היה מתפחד ונרעד: **(ו) תורת.** למד תורה עם העם ולא נטה מדרך האמת: **ועולה וגומר.** כפל הדבר במילים שונות: **הלך אתי.** רצונו לומר: בעבור מצותי היה רודף לעשות שלום בין הבריות ולהדריכם בדרך מישור: **ורבים.** על ידי תוכחותיו השיב בני אדם מרובים לבל יעשו העון אשר חשבו לעשות: **(ז) כי שפתי הכהן.** רצונו לומר: הנה כל זה ראוי לכל כהן, כי שפתי כהן ראוים שישמרו את הדעת לדבר בם והראוי הוא שכל בני ישראל יבקשו תורה מפיהו ושהוא ילמדם: **כי מלאך.** כי הוא שלוחו של מקום להורותם הדרך הישר וכמו שכתוב וּלְלֵוִי אָמַר וגו׳ (דברים לג, ח) יוֹרוּ מִשְׁפָּטֶיךָ לְיַעֲקֹב (שם פסוק י):

מצודת ציון

פרש. זבל וצואה, כמו וְקִרְבּוֹ וּפִרְשׁוֹ (ויקרא ד, יא): **חגיכם.** כן יקראו הקרבנות לפי שרובם באים בחג, וכן אִסְרוּ־חַג בַּעֲבֹתִים (תהלים קיח, כז): **(ה) נחת.** ענין פחד, כמו וַיְהִי חִתַּת אֱלֹהִים (בראשית לה, ה): **(ו) ובמישור.** מלשון ישר: **(ז) מלאך.** שליח, כמו וַיֹּאמֶר חַגַּי מַלְאַךְ ה׳ (חגי א, יג):

פרשת ויצא

אונקלוס

י וּנְפַק יַעֲקֹב מִבְּאֵרָא דְשָׁבַע וַאֲזַל לְחָרָן: יא וַעֲרַע בְּאַתְרָא וּבָת תַּמָּן אֲרֵי עַל שִׁמְשָׁא וּנְסִיב מֵאַבְנֵי אַתְרָא וְשַׁוִּי אִסָּדוֹהִי וּשְׁכִיב בְּאַתְרָא הַהוּא:

י וַיֵּצֵ֥א יַעֲקֹ֖ב מִבְּאֵ֣ר שָׁ֑בַע וַיֵּ֖לֶךְ חָרָֽנָה׃ יא וַיִּפְגַּ֨ע בַּמָּק֜וֹם וַיָּ֤לֶן שָׁם֙ כִּי־בָ֣א הַשֶּׁ֔מֶשׁ וַיִּקַּח֙ מֵאַבְנֵ֣י הַמָּק֔וֹם וַיָּ֖שֶׂם מְרַאֲשֹׁתָ֑יו וַיִּשְׁכַּ֖ב בַּמָּק֥וֹם הַהֽוּא׃

רש"י

[פסוק י] **וַיֵּצֵא יַעֲקֹב.** עַל יְדֵי שֶׁבִּשְׁבִיל שֶׁרָעוֹת בְּנוֹת כְּנַעַן בְּעֵינֵי יִצְחָק אָבִיו הָלַךְ עֵשָׂו אֶל יִשְׁמָעֵאל הִפְסִיק הָעִנְיָן בְּפָרָשָׁתוֹ שֶׁל יַעֲקֹב וְכָתַב וַיַּרְא עֵשָׂו כִּי בֵרַךְ וגו', וּמִשֶּׁגָּמַר [א] חָזַר לָעִנְיָן הָרִאשׁוֹן: **וַיֵּצֵא.** לֹא הָיָה צָרִיךְ לִכְתּוֹב אֶלָּא וַיֵּלֶךְ יַעֲקֹב חָרָנָה, וְלָמָּה הִזְכִּיר [ב] יְצִיאָתוֹ, אֶלָּא מַגִּיד שֶׁיְּצִיאַת צַדִּיק מִן הַמָּקוֹם עוֹשָׂה רוֹשֶׁם, שֶׁבִּזְמַן שֶׁהַצַּדִּיק בָּעִיר הוּא הוֹדָהּ הוּא זִיוָהּ הוּא הֲדָרָהּ, יָצָא מִשָּׁם פָּנָה הוֹדָהּ פָּנָה זִיוָהּ פָּנָה הֲדָרָהּ. וְכֵן וַתֵּצֵא מִן הַמָּקוֹם (רות א:ז) הָאָמוּר בְּנָעֳמִי וְרוּת (ב"ר סח:ו): **וַיֵּלֶךְ חָרָנָה.** יָצָא [ג] לָלֶכֶת לְחָרָן (שם ח): [פסוק יא] **וַיִּפְגַּע בַּמָּקוֹם.** לֹא הִזְכִּיר הַכָּתוּב בְּאֵיזֶה מָקוֹם, אֶלָּא [ד] בַּמָּקוֹם הַנִּזְכָּר בְּמָקוֹם אַחֵר, הוּא הַר הַמּוֹרִיָּה שֶׁנֶּאֱמַר בּוֹ וַיַּרְא אֶת הַמָּקוֹם מֵרָחוֹק (לעיל כב:ד; פסחים פח.): **וַיִּפְגַּע.** כְּמוֹ [ה] וּפָגַע בִּירִיחוֹ (יהושע טז:ז) וּפָגַע בְּדַבָּשֶׁת (שם יט:יא; אונקלוס). וְרַבּוֹתֵינוּ פֵּירְשׁוּ לְשׁוֹן תְּפִלָּה, כְּמוֹ וְאַל תִּפְגַּע בִּי (ירמיה ז:טז) [ו], וְלִמְּדָנוּ שֶׁתִּקֵּן תְּפִלַּת עַרְבִית (ברכות כו:; ב"ר שם ט). וְשִׁינָּה הַכָּתוּב וְלֹא כָתַב וַיִּתְפַּלֵּל לְלַמֶּדְךָ [ז] שֶׁקָּפְצָה לוֹ הָאָרֶץ, כְּמוֹ שֶׁמְּפוֹרָשׁ בפ' גִּיד הַנָּשֶׁה (חולין צא:): **כִּי בָא הַשֶּׁמֶשׁ.** הָיָה לוֹ לִכְתּוֹב וַיָּבֹא הַשֶּׁמֶשׁ וַיָּלֶן שָׁם, כִּי בָא הַשֶּׁמֶשׁ מַשְׁמַע שֶׁשָּׁקְעָה לוֹ חַמָּה פִּתְאוֹם, שֶׁלֹּא בְּעוֹנָתָהּ, כְּדֵי שֶׁיָּלִין שָׁם (שם; ב"ר שם י): **וַיָּשֶׂם מְרַאֲשֹׁתָיו.** עֲשָׂאָן כְּמִין מַרְזֵב [ח] סָבִיב לְרֹאשׁוֹ שֶׁיָּרֵא מִפְּנֵי חַיּוֹת רָעוֹת (ב"ר שם יא). הִתְחִילוּ מְרִיבוֹת זוֹ עִם זוֹ, זֹאת אוֹמֶרֶת עָלַי יַנִּיחַ צַדִּיק אֶת רֹאשׁוֹ וְזֹאת אוֹמֶרֶת עָלַי יַנִּיחַ, מִיָּד עֲשָׂאָן הקב"ה [ט] אֶבֶן אַחַת, וְזֶהוּ שֶׁנֶּאֱ' וַיִּקַּח אֶת הָאֶבֶן אֲשֶׁר שָׂם מְרַאֲשֹׁתָיו (להלן פסוק יח; חולין שם): **וַיִּשְׁכַּב בַּמָּקוֹם הַהוּא.** לְשׁוֹן מִעוּט. בְּאוֹתוֹ מָקוֹם שָׁכַב, אֲבָל י"ד שָׁנִים שֶׁשִּׁמֵּשׁ בְּבֵית [ס"א אֶת] עֵבֶר לֹא שָׁכַב בַּלַּיְלָה, שֶׁהָיָה עוֹסֵק בַּתּוֹרָה (ב"ר שם):

בעל הטורים

(י) **ויצא יעקב.** יש אומרים שפרשה זו סתומה, והטעם, לפי שיצא בסתר וברח בהחבא: לעיל מיניה כתיב "לו לאשה", וסמיך לה "ויצא יעקב", שיצא לישא אשה: **ויצא יעקב מבאר שבע.** בגימטריא פנה זיוה, פנה הדרה: **יעקב מבאר שבע.** סופי תבות עבר. שנטמן בבית עבר: **ויצא יעקב מבאר שבע.** סופי תבות ארבע. "מבאר שבע" ושי"ן של "שבע" עשר. שארבע עשרה שנים נטמן בבית עבר: **מבאר שבע** ראשי תבות שם, שגם נטמן בבית שם: **וילך.** בגימטריא בו ביום: **(יא) ויפגע במקום.** שלש פעמים כתיב "מקום" בפסוק — רמז לשלש רגלים שיעלו בניו למקום ההוא: **כי בא השמש.** ראשי תבות כבה, שכבה מאור השמש שלא בעונתו:

עיקר שפתי חכמים

א דק"ל למה חזר וכתב ויצא יעקב גו', והלא כבר כתיב וישלח יצחק גו' וילך פדנה ארם. לכ"פ לפי שהפסיק כו' חזר לענין הראשון: **ב** דהוי כאילו נכתב ב' יציאות, ללמד שביציאתו יצא ג"כ הודה זיוה והדרה: **ג** דהלא לא בא תיכף לחרן כי שהה בהליכתו, אבל בדעתו הי' ללכת לחרן: **ד** והכתוב הלא בא לפרש ולא לסתום: **ה** שפירושו ל' חנייה ולא פגישה: **ו** ויתפרש ויפגע במקום בהקב"ה שנקרא מקומו של עולם: **ז** ולכך כתב לשון ויפגע הכולל בקרבו שתי ההוראות, הוראת תפלה והוראת פגיעת המקום במהירות: **ח** כי לתת תחת מראשותיו ממש די באבן א': **ט** שלא יכחישו הכתובים זא"ז, דהכא כתיב מאבני המקום גו' ולהלן כתיב ויקח את האבן גו'. לכן פירש"י

ראה הטבלא "**שְׁנֵי חַיֵּי יַעֲקֹב אָבִינוּ**" (עמוד 533), והמפה "**מְגוּרֵי יַעֲקֹב אָבִינוּ וּבָנָיו**" (עמוד 532).

יב וַיַּחֲלֹם וְהִנֵּה סֻלָּם מֻצָּב אַרְצָה
וְרֹאשׁוֹ מַגִּיעַ הַשָּׁמָיְמָה וְהִנֵּה
מַלְאֲכֵי אֱלֹהִים עֹלִים וְיֹרְדִים
בּוֹ: ❖ יג וְהִנֵּה יהוה נִצָּב עָלָיו
וַיֹּאמַר אֲנִי יהוה אֱלֹהֵי אַבְרָהָם
אָבִיךָ וֵאלֹהֵי יִצְחָק הָאָרֶץ אֲשֶׁר
אַתָּה שֹׁכֵב עָלֶיהָ לְךָ אֶתְּנֶנָּה וּלְזַרְעֶךָ: יד וְהָיָה
זַרְעֲךָ כַּעֲפַר הָאָרֶץ וּפָרַצְתָּ יָמָּה וָקֵדְמָה

יב וַחֲלָם וְהָא סוּלָמָא נָעִיץ בְּאַרְעָא וְרֵישֵׁהּ מָטֵי עַד צֵית שְׁמַיָּא וְהָא מַלְאֲכַיָּא דַייָ סָלְקִין וְנָחֲתִין בֵּהּ:
יג וְהָא יְקָרָא דַייָ מְעַתַּד עִלָּווֹהִי וַאֲמַר אֲנָא יְיָ אֱלָהֵהּ דְּאַבְרָהָם אָבוּךְ וֵאלָהֵהּ דְּיִצְחָק אַרְעָא דִּי אַתְּ שָׁרֵי עֲלַהּ לָךְ אֶתְּנִנַּהּ וְלִבְנָיךְ:
יד וִיהוֹן בְּנָיךְ סַגִּיאִין כְּעַפְרָא דְּאַרְעָא וְתִתְקֵף לְמַעַרְבָא וּלְמָדִינְחָא

רש"י

[פסוק יב] **עלים וירדים.** עוֹלִים תְּחִלָּה וְאַחַ"כ יוֹרְדִים. מַלְאָכִים שֶׁלִּוּוּהוּ בָּאָרֶץ אֵין יוֹצְאִים חוּצָה לָאָרֶץ, י וְעָלוּ לָרָקִיעַ, וְיָרְדוּ מַלְאֲכֵי חוּצָה לָאָרֶץ כ לְלַוּוֹתוֹ (שם יב): [פסוק יג] **נצב עליו.** לְשָׁמְרוֹ (שם סט:ג): **ואלהי יצחק.** אַעַ"פ שֶׁלֹּא מָצִינוּ בַּמִּקְרָא שֶׁיִּחֵד הקב"ה שְׁמוֹ עַל הַצַּדִּיקִים בְּחַיֵּיהֶם לִכְתּוֹב אֱלֹהֵי פְּלוֹנִי, מִשּׁוּם שֶׁנֶּאֱ' הֵן בִּקְדוֹשָׁיו לֹא יַאֲמִין (איוב טו:טו), כָּאן יִיחֵד שְׁמוֹ עַל יִצְחָק, לְפִי שֶׁכָּהוּ עֵינָיו וְכָלוּא בַּבַּיִת וַהֲרֵי הוּא כְּמֵת, וְיֵצֶר הָרָע פָּסַק מִמֶּנּוּ. תַּנְחוּמָא (תולדות ז): **שכב עליה.** קִיפֵּל הקב"ה ל כָּל א"י תַּחְתָּיו, רָמַז לוֹ שֶׁתְּהֵא נוֹחָה לִיכָּבֵשׁ לְבָנָיו [כד' אַמּוֹת שֶׁזֶּה מְקוֹמוֹ שֶׁל אָדָם] (חולין צא): [פסוק יד] **ופרצת.** מ וְתַתְקֵף (אונקלוס), כְּמוֹ וְכֵן יִפְרֹץ (שמות א:יב):

בעל הטורים

(יב) **חלום.** בגימטריא זהו בנבואה: **סלם.** בגימטריא זה כסא הכבוד: **סלם.** בגימטריא קול. שקול תפלת הצדיקים הוא סולם למלאכים לעלות בו. וכן עלה המלאך בלהב הקרבן. והתפלה היא העבודה, לכך כל מי שמתכוון בתפלתו, הסולם שלם בשליבותיו ויכולים לעלות בו: **סלם.** בגימטריא ממון. ובגימטריא עוני, כי "זה ישפיל וזה ירים": **סלם.** אותיות סמל, שהראהו האיך בניו עובדים עבודה זרה: **והנה סלם.** בגימטריא וקץ, שהראהו קץ הגלויות: **סלם.** בגימטריא סיני, שהראהו מעמד הר סיני: **סולם מצב.** בגימטריא מרכבו: **מצב.** ג' — הכא; ואידך "אלון מצב אשר בשכם"; "וצרתי עליך מצב". שהראהו ביאת הארץ, הינו "מצב אשר בשכם" שאותו מקום כבשו תחלה; והגלות ממנה, היינו "וצרתי עליך מצב": **סלם.** אותיות למס. שרמז לו הגלות: ורמז לו הקרבנות — "והנה סלם מצב" בגימטריא הכבש. "ארצה" רמז למזבח אדמה. "וראשו מגיע השמימה" רמז לריח הקרבנות שעולה לשמים: דבר אחר — "והנה סלם" בגימטריא וזהו מזבח העולה. "והנה מלאכי" אותיות אלו הכהנים, שעולין ויורדין בכבש: **מצב ארצה וראשו מגיע השמימה.** רמז למי שמושלך לארץ לפי שעה, יעלה השמימה: **מלאכי אלהים.** ב' דסמיכי — הכא; ואידך "ויפגעו בו מלאכי אלהים". זהו שאמרו במדרש, מלאכים שליווהו בארץ לא ליווהו חוצה לארץ. זהו "מלאכי אלהים עלים", אותם שליווהו בארץ. "ויפגעו בו מלאכי אלהים", היינו מלאכי אלהים שעלו אז, פגעו בו עתה ללוותו בארץ: **עלים ויורדים בו.** בגימטריא בבל ומדי ויון ורומי: **(יג) והנה ה'.** ד' במסורת — "והנה ה' נצב עליו"; "והנה אדני נצב" על המזבח; "והנה ה' עשה ארבות בשמים"; "ועמדת בהר לפני ה' והנה ה' עבר". וכן "והנה ה' עבר" דאיירי במרכבה, אף הכא "והנה סלם מצב ארצה" במעשה מרכבה: **ואלהי יצחק.** תימה, למה לא אמר יצחק אביך כמו באברהם? ויש אומרים, לפי שאמר באברהם "אני ה' ", אמר "אלהי אברהם אביך", וביצחק שלא אמר "אני ה' ", לא אמר "אלהי יצחק אביך": **(יד) ופרצת ימה.** בגימטריא קריעת ים. וזהו "וירא ישראל", ישראל סבא:

עיקר שפתי חכמים

כי מהאבנים הרבות נעשו אבן אחת: **י** דאל"כ יורדים ועולים מבע"ל, דמושבם למעלה הוא ויורדים המה תחלה: **כ** כי מלאכי א"י היו עולים ומלאכי ח"ל יורדים ולא היו אלו לשמרו: **ל** דאל"כ מאי רבותיה דיתן לו הארץ אשר הוא שוכב עלי' כי במה נחשב הוא: **מ** ולא מהוראת הריסה כמו שכתוב פן יפרץ בם:

ראה הציור **"סולם יַעֲקֹב אָבִינוּ"** (עמוד 527).

וְצָפֹנָה וָנֶגְבָּה וְנִבְרְכוּ בְךָ כָּל־
מִשְׁפְּחֹת הָאֲדָמָה וּבְזַרְעֶךָ׃
טו וְהִנֵּה אָנֹכִי עִמָּךְ וּשְׁמַרְתִּיךָ
בְּכֹל אֲשֶׁר־תֵּלֵךְ וַהֲשִׁבֹתִיךָ אֶל־
הָאֲדָמָה הַזֹּאת כִּי לֹא אֶעֱזָבְךָ
עַד אֲשֶׁר אִם־עָשִׂיתִי אֵת אֲשֶׁר־
דִּבַּרְתִּי לָךְ׃ טז וַיִּיקַץ יַעֲקֹב מִשְּׁנָתוֹ
וַיֹּאמֶר אָכֵן יֵשׁ יְהוָה בַּמָּקוֹם
הַזֶּה וְאָנֹכִי לֹא יָדָעְתִּי׃ יז וַיִּירָא וַיֹּאמַר מַה־
נּוֹרָא הַמָּקוֹם הַזֶּה אֵין זֶה כִּי אִם־בֵּית אֱלֹהִים

וּלְצִפּוּנָא וּלְדָרוֹמָא
וְיִתְבָּרְכוּן בְּדִילָךְ כָּל
זַרְעֲיַת אַרְעָא וּבְדִיל בְּנָיךְ׃
טו וְהָא מֵימְרִי בְּסַעְדָּךְ
וְאֶטְרִנָּךְ בְּכֹל אֲתַר דִּי תְהָךְ
וַאֲתֵיבִנָּךְ לְאַרְעָא הָדָא
אֲרֵי לָא אֶשְׁבְּקִנָּךְ עַד דִּי
אֶעְבֵּד יָת דִּי מַלֵּילִית לָךְ׃
טז וְאִתְּעַר יַעֲקֹב מִשְּׁנְתֵהּ
וַאֲמַר בְּקוּשְׁטָא (אִית)
יְקָרָא דַייָ שָׁרֵי בְּאַתְרָא
הָדֵין וַאֲנָא לָא הֲוֵיתִי יָדַע׃
יז וּדְחִיל וַאֲמַר מָה דְּחִילוּ
אַתְרָא הָדֵין לֵית דֵּין
אֲתַר הֶדְיוֹט אֱלָהֵן אֲתַר
דְּרַעֲוָא בֵהּ מִן קֳדָם יְיָ

רש"י

[פסוק טו] אנכי עמך. לפי שהיה ירא מעשו ומלבן (ב"ר סח:א; תנחומא ישן ג, וישלח י): **עד אשר אם עשיתי.** אם משמש בלשון נ כי: **דברתי לך.** לצרכך ועליך. מה שהבטחתי לאברהם על זרעו לך הבטחתי ולא לעשו, שלא אמרתי לו כי יצחק יקרא לך זרע אלא כי ביצחק (לעיל כא:יב) ולא כל יצחק (נדרים לא.). וכן כל לי ולך ולו ולהם הסמוכים אצל דבור משמשים לשון על, וזה יוכיח, שהרי עם יעקב לא דבר קודם לכן: **[פסוק טז] ואנכי לא ידעתי.** שאם ידעתי לא ישנתי במקום קדוש כזה (מדרש אגדה; ברב"ת; ירושלמי מגילה ג:ג): **[פסוק יז] כי אם בית אלהים.** א"ר אלעזר בשם רבי יוסי בן זמרא, ס הסולם הזה עומד בבאר שבע ואמצע שפועו מגיע כנגד בית המקדש. שבאר שבע עומד בדרומה של יהודה, וירושלים בצפונה בגבול שבין יהודה ובנימין, ובית אל היה בצפון של נחלת בנימין בגבול שבין בנימין ובין בני יוסף. נמצא סולם שרגליו בבאר שבע וראשו בבית אל מגיע אמצע שפועו נגד ירושלים (ב"ר סט:ז). ולפי שאמרו רבותינו שאמר הקב"ה צדיק זה בא לבית מלוני ויפטר בלא לינה (חולין צא:), ועוד

בעל הטורים

(טו) והשבתיך אל האדמה. בגימטריא זה מארבע מלכויות: **(טז) וייקץ יעקב משנתו ויאמר.** סופי תבות צבור. לומר שאין תפלתו של אדם נשמעת אלא בציבור: **משנתו.** קרי בה ממשנתו. מתוך שהיה הוגה בתורה ביום, גם בלילה לא שכב לבו מלהגות בה בחלומו:

עיקר שפתי חכמים

נ כמו שמצא כי משמש בלשון אם כמ"ש לעיל פ' תולדות: **ס** דכאן משמע שהי' בבית אל, ולעיל דכתיב וילך חרנה משמע דהי' בבאר שבע הכתוב בסמוך. לכ"פ הסולם כו':

וְזֶה שַׁעַר הַשָּׁמָיִם: ❖ יח וַיַּשְׁכֵּם
יַעֲקֹב בַּבֹּקֶר וַיִּקַּח אֶת־הָאֶבֶן
אֲשֶׁר־שָׂם מְרַאֲשֹׁתָיו וַיָּשֶׂם אֹתָהּ
מַצֵּבָה וַיִּצֹק שֶׁמֶן עַל־רֹאשָׁהּ:
יט וַיִּקְרָא אֶת־שֵׁם־הַמָּקוֹם הַהוּא
בֵּית־אֵל וְאוּלָם לוּז שֵׁם־
הָעִיר לָרִאשֹׁנָה: כ וַיִּדַּר יַעֲקֹב נֶדֶר לֵאמֹר
אִם־יִהְיֶה אֱלֹהִים עִמָּדִי וּשְׁמָרַנִי בַּדֶּרֶךְ הַזֶּה

וְדֵין תְּרַע קֳבֵל שְׁמַיָּא:
יח וְאַקְדֵּים יַעֲקֹב בְּצַפְרָא
וּנְסֵיב יָת אַבְנָא דִּי
שַׁוִּי אִסָּדוֹהִי וְשַׁוִּי יָתַהּ
קָמָא וַאֲרִיק מִשְׁחָא עַל
רֵישַׁהּ: יט וּקְרָא יָת שְׁמָא
דְאַתְרָא הַהוּא בֵּית אֵל
וּבְרַם לוּז שְׁמָא דְקַרְתָּא
בְּקַדְמֵיתָא: כ וְקַיֵּים
יַעֲקֹב קְיָם לְמֵימַר אִם
יְהֵא מֵימְרָא דַיְיָ בְּסַעְדִּי
וְיִטְּרִנַּנִי בְּאָרְחָא הָדֵין

רש"י

אָמְרוּ, יַעֲקֹב קְרָאוֹ לִירוּשָׁלַיִם בֵּית אֵל (פסחים פח.), וְזוֹ לוּז הָיְתָה וְלֹא יְרוּשָׁלַיִם, וּמֵהֵיכָן לָמְדוּ לוֹמַר כֵּן. אוֹמֵר אֲנִי שֶׁנֶּעֱקַר הַר הַמּוֹרִיָּה וּבָא לְכָאן, וְזוֹ הִיא קְפִיצַת הָאָרֶץ הָאֲמוּרָה בִּשְׁחִיטַת חוּלִּין (צא:), שֶׁבָּא בֵּית הַמִּקְדָּשׁ לִקְרָאתוֹ עַד בֵּית אֵל, וְזֶהוּ וַיִּפְגַּע בַּמָּקוֹם. וְאִם תֹּאמַר, וּכְשֶׁעָבַר יַעֲקֹב עַל בֵּית הַמִּקְדָּשׁ מַדּוּעַ לֹא עִכְּבוֹ שָׁם. אִיהוּ לֹא יָהִיב לִבֵּיהּ לְהִתְפַּלֵּל בַּמָּקוֹם שֶׁהִתְפַּלְּלוּ אֲבוֹתָיו וּמִן הַשָּׁמַיִם יְעַכְּבוּהוּ, אִיהוּ עַד חָרָן אֲזַל, כִּדְאָמְרִינַן בְּפֶרֶק גִּיד הַנָּשֶׁה (חולין צא:), וּקְרָא מוֹכִיחַ, וַיֵּלֶךְ חָרָנָה. כִּי מְטָא לְחָרָן אָמַר, אֶפְשָׁר שֶׁעָבַרְתִּי עַל מָקוֹם שֶׁהִתְפַּלְּלוּ אֲבוֹתַי וְלֹא הִתְפַּלַּלְתִּי בּוֹ. יָהַב דַּעְתֵּיהּ לְמֶהְדַּר, וְחָזַר עַד בֵּית אֵל וְקָפְצָה לוֹ הָאָרֶץ. [בֵּית אֵל לֹא זֶה הוּא הַסָּמוּךְ לְעַי, אֶלָּא לִירוּשָׁלַיִם, וְעַל שֵׁם שֶׁהָיְתָה עִיר הָאֱלֹהִים קְרָאָהּ בֵּית אֵל. וְהוּא הַר הַמּוֹרִיָּה שֶׁהִתְפַּלֵּל בּוֹ אַבְרָהָם, וְהוּא הַשָּׂדֶה שֶׁהִתְפַּלֵּל בּוֹ יִצְחָק. וְכֵן אָמְרוּ בַּגְּמָרָא, לְכוּ וְנַעֲלֶה וְגוֹ' (ישעיה ב:ג) לֹא כְּאַבְרָהָם שֶׁקְּרָאוֹ הַר, וְלֹא כְּיִצְחָק שֶׁקְּרָאוֹ שָׂדֶה, אֶלָּא כְּיַעֲקֹב שֶׁקְּרָאוֹ בֵּית אֵל (פסחים פח.)]: **מַה נּוֹרָא.** תַּרְגּוּם מָה דְּחִילוּ אַתְרָא הָדֵין. דְּחִילוּ שֵׁם דָּבָר הוּא, כְּמוֹ ע סוּכְלְתָנוּ, וּכְסוּ לְמִלְבָּשׁ: **וְזֶה שַׁעַר הַשָּׁמָיִם.** מְקוֹם תְּפִלָּה לַעֲלוֹת תְּפִלָּתָם [ס"א תְּפִלּוֹת] הַשָּׁמַיְמָה. וּמִדְרָשׁוֹ, שֶׁבֵּית הַמִּקְדָּשׁ שֶׁל מַעְלָה מְכֻוָּן פ כְּנֶגֶד בֵּית הַמִּקְדָּשׁ שֶׁל מַטָּה (ב"ר סט:ז; תרגום יונתן; ירושלמי ברכות ד:ה): **[פסוק כ] אִם יִהְיֶה אֱלֹהִים עִמָּדִי.** אִם יִשְׁמוֹר לִי הַבְטָחוֹת הַלָּלוּ שֶׁהִבְטִיחַנִי לִהְיוֹת עִמָּדִי, כְּמוֹ שֶׁאָמַר לִי וְהִנֵּה אָנֹכִי עִמָּךְ (לעיל פסוק טו; ב"ר ע:ד): **וּשְׁמָרַנִי.** כְּמוֹ שֶׁאָמַר לִי וּשְׁמַרְתִּיךָ בְּכֹל אֲשֶׁר תֵּלֵךְ (לעיל שם; ב"ר סט:ו):

בעל הטורים

(יז — יח) **וזה שער השמים. וישכם.** לומר שבעלות השחר פותחין שער השמים והוא זמן טוב לתפלה: (כ) **וידר.** ג' במסורת — "וידר יעקב", "וידר ישראל", "וידר יפתח". לומר שהצדיקים היו נודרים,

עיקר שפתי חכמים

ע מביא ראיה שדחילו אינו לשון רבים בלשון התרגום כ"א שם דבר, וכמו סוכלתנו וכסו שבלה"ק יקראו תבונה ובגד בלשון יחיד: פ ולפיכך הוא ג"כ שער לעליית התפלה:

אֲשֶׁר אָנֹכִי הוֹלֵךְ וְנָתַן־לִי לֶחֶם
לֶאֱכֹל וּבֶגֶד לִלְבֹּשׁ: כא וְשַׁבְתִּי
בְשָׁלוֹם אֶל־בֵּית אָבִי וְהָיָה יְהוָה
לִי לֵאלֹהִים: כב וְהָאֶבֶן הַזֹּאת
אֲשֶׁר־שַׂמְתִּי מַצֵּבָה יִהְיֶה בֵּית
אֱלֹהִים וְכֹל אֲשֶׁר תִּתֶּן־לִי עַשֵּׂר
אֲעַשְּׂרֶנּוּ לָךְ: ❖ שני פרק כט א וַיִּשָּׂא
יַעֲקֹב רַגְלָיו וַיֵּלֶךְ אַרְצָה בְנֵי־קֶדֶם: ב וַיַּרְא
וְהִנֵּה בְאֵר בַּשָּׂדֶה וְהִנֵּה־שָׁם שְׁלֹשָׁה עֶדְרֵי־

דִּי אֲנָא אָזֵל וְיִתֶּן לִי
לַחְמָא (נ״א לְחֵם) לְמֵיכַל
וּכְסוּ לְמִלְבָּשׁ: כא וְאֵיתוּב
בִּשְׁלָם לְבֵית אַבָּא וִיהֵא
מֵימְרָא דַייָ לִי לֶאֱלָהָא:
כב וְאַבְנָא הָדָא דִּי שַׁוֵּיתִי
קָמָא תְּהֵי דִּי אֱהֵי פָּלַח
עֲלַהּ (מִן) קֳדָם יְיָ וְכֹל דִּי
תִּתֶּן לִי חַד מִן עַסְרָא
אַפְרְשִׁנֵּהּ קֳדָמָךְ: א וּנְטַל
יַעֲקֹב רַגְלוֹהִי (נ״א רִיגְלוֹהִי)
וַאֲזַל לַאֲרַע בְּנֵי מָדִינְחָא:
ב וַחֲזָא וְהָא בֵירָא בְחַקְלָא
וְהָא תַמָּן תְּלָתָא עֶדְרִין

רש״י

וְנָתַן לִי לֶחֶם לֶאֱכֹל. כְּמוֹ שֶׁאָמַר כִּי לֹא אֶעֱזָבְךָ (שם ושם), וְהַמְבַקֵּשׁ לֶחֶם הוּא קָרוּי נֶעֱזָב, שֶׁנֶּאֱמַר וְלֹא רָאִיתִי צַדִּיק נֶעֱזָב וְזַרְעוֹ מְבַקֶּשׁ לָחֶם (תהלים לז:כה; ב״ר שם): **[פסוק כא] וְשַׁבְתִּי.** כְּמוֹ שֶׁאָמַר לִי וַהֲשִׁבֹתִיךָ אֶל הָאֲדָמָה (לעיל שם): **בְשָׁלוֹם.** שָׁלֵם מִן הַחֵטְא, שֶׁלֹּא אֶלְמַד מִדַּרְכֵי לָבָן: **וְהָיָה ה׳ לִי לֵאלֹהִים.** צ שֶׁיָּחוּל שְׁמוֹ עָלַי מִתְּחִלָּה וְעַד סוֹף, שֶׁלֹּא יִמָּצֵא פְסוּל בְּזַרְעִי (ספרי ואתחנן לא), כמ״ש אֲשֶׁר דִּבַּרְתִּי לָךְ (לעיל שם), וְהַבְטָחָה זוֹ הִבְטִיחַ לְאַבְרָהָם, שֶׁנֶּאֱמַר לִהְיוֹת לְךָ לֵאלֹהִים וּלְזַרְעֲךָ אַחֲרֶיךָ (שם יז:ז) [זַרְעֲךָ מְיוּחָס שֶׁלֹּא יִמָּצֵא בּוֹ שׁוּם פְּסוּל]: **[פסוק כב] וְהָאֶבֶן הַזֹּאת.** כָּךְ מְפוֹרָשׁ וי״ו זוֹ שֶׁל וְהָאֶבֶן, אִם תַּעֲשֶׂה לִי אֶת אֵלֶּה וְאַף אֲנִי אֶעֱשֶׂה זֹאת: **וְהָאֶבֶן הַזֹּאת אֲשֶׁר שַׂמְתִּי מַצֵּבָה וגו׳.** כְּתַרְגּוּמוֹ אֱהֵי פָּלַח עֲלַהּ קֳדָם ה׳. וְכֵן עָשָׂה בְּשׁוּבוֹ מִפַּדַּן אֲרָם כְּשֶׁאָמַר לוֹ קוּם עֲלֵה בֵית אֵל (להלן לה:א), מַה נֶּאֱמַר שָׁם, וַיַּצֵּב יַעֲקֹב מַצֵּבָה וגו׳ וַיִּסֵּךְ עָלֶיהָ נֶסֶךְ (שם יד): **[פסוק א] וַיִּשָּׂא יַעֲקֹב רַגְלָיו.** מִשֶּׁנִּתְבַּשֵּׂר בְּשׂוֹרָה טוֹבָה שֶׁהוּבְטַח בִּשְׁמִירָה נָשָׂא לִבּוֹ אֶת רַגְלָיו וְנַעֲשָׂה קַל לָלֶכֶת. כָּךְ מְפוֹרָשׁ בִּבְרֵאשִׁית רַבָּה (ע:ח):

בעל הטורים

והראשון שנדר היה יעקב. וזהו ״אשר נשבע לה׳, נדר לאביר יעקב״. למה אמר ״אביר יעקב״? לפי שהוא פתח בנדרים תחלה: **ללבוש.** ב׳ במסורת — הכא; ואידך ״ללבוש את הבגדים״. מלמד שיעקב היה כהן גדול, כדאיתא בבראשית רבה, אמר הקדוש ברוך הוא למיכאל, אתה עשית יעקב כהן גדול שלי בעל מום, שהוא צולע על ירכו, חייך שאתה צריך להיות כהן גדול למעלה במקומו. וזהו שאמר ״ונתן לי לחם לאכל ובגד ללבש״, כלומר, שתתקיים לי הכהונה שקניתי מעשו, שהעבודה היתה בבכורות: **(כב) עשר אעשרנו.** בגימטריא זה כל המבזבז, אל יבזבז ביותר מחומש: **(ב) וירא והנה באר בשדה.** אמרה לו אמו, כמו שאנכי יפת תאר ונזדמנתי על הבאר, כן יהיה לך סימן מבנות אחי. אם תראה שהיא כתארי, היא בת מזלך: **והנה באר בשדה.** רמז לבאר שהיה

עיקר שפתי חכמים

צ ר״ל שגם הוא מכלל ההבטחות והכל נכלל בהתנאי, ואין תשובת התנאי:

צֹאן רֹבְצִים עָלֶיהָ כִּי מִן־הַבְּאֵר
הַהִוא יַשְׁקוּ הָעֲדָרִים וְהָאֶבֶן
גְּדֹלָה עַל־פִּי הַבְּאֵר: ג וְנֶאֶסְפוּ־
שָׁמָּה כָל־הָעֲדָרִים וְגָלֲלוּ אֶת־
הָאֶבֶן מֵעַל פִּי הַבְּאֵר וְהִשְׁקוּ
אֶת־הַצֹּאן וְהֵשִׁיבוּ אֶת־הָאֶבֶן
עַל־פִּי הַבְּאֵר לִמְקֹמָהּ: ד וַיֹּאמֶר
לָהֶם יַעֲקֹב אַחַי מֵאַיִן אַתֶּם
וַיֹּאמְרוּ מֵחָרָן אֲנָחְנוּ: ה וַיֹּאמֶר
לָהֶם הַיְדַעְתֶּם אֶת־לָבָן בֶּן־נָחוֹר וַיֹּאמְרוּ
יָדָעְנוּ: ו וַיֹּאמֶר לָהֶם הֲשָׁלוֹם לוֹ וַיֹּאמְרוּ שָׁלוֹם
וְהִנֵּה רָחֵל בִּתּוֹ בָּאָה עִם־הַצֹּאן: ז וַיֹּאמֶר

דְּעָן רְבִיעִין עֲלַהּ אֲרֵי
מִן בֵּירָא הַהִיא מַשְׁקַן
עֶדְרַיָּא וְאַבְנָא רַבְּתָא עַל
פּוּמָא דְבֵירָא: ג וּמִתְכַּנְּשִׁין
לְתַמָּן כָּל עֶדְרַיָּא
וּמְגַנְדְּרִין יָת אַבְנָא מֵעַל
פּוּמָא דְבֵירָא וּמַשְׁקַן יָת
עָנָא וּמְתִיבִין יָת אַבְנָא
עַל פּוּמָא דְבֵירָא לְאַתְרַהּ:
ד וַאֲמַר לְהוֹן יַעֲקֹב אַחַי
מְנָן אַתּוּן וַאֲמָרוּ מֵחָרָן
אֲנַחְנָא: ה וַאֲמַר לְהוֹן
הַיְדַעְתּוּן יָת לָבָן בַּר נָחוֹר
וַאֲמָרוּ יְדַעְנָא: ו וַאֲמַר
לְהוֹן הַשְׁלָם לֵהּ וַאֲמָרוּ
שְׁלָם וְהָא רָחֵל בְּרַתֵּהּ
אָתְיָא עִם עָנָא: ז וַאֲמַר

רש"י

[פסוק ב] **יַשְׁקוּ הָעֲדָרִים.** ק מַשְׁקִים הָרוֹעִים אֶת הָעֲדָרִים, וְהַמִּקְרָא דִּבֵּר בִּלְשׁוֹן קְצָרָה: [פסוק ג] **וְנֶאֶסְפוּ.** רְגִילִים הָיוּ לְהֵאָסֵף, לְפִי שֶׁהָיְתָה הָאֶבֶן גְּדוֹלָה: **וְגָלְלוּ.** ר וְגוֹלְלִין, וְתַרְגּוּמוֹ וּמְגַנְדְּרִין. כָּל לְשׁוֹן הֹוֶה מִשְׁתַּנֶּה לְדַבֵּר בִּלְשׁוֹן עָתִיד וּבִלְ' עָבָר, לְפִי שֶׁכָּל דָּבָר הַהֹוֶה תָּמִיד כְּבָר הָיָה וְעָתִיד לִהְיוֹת: **וְהֵשִׁיבוּ.** תַּרְגּוּמוֹ וּמְתִיבִין: [פסוק ו] **בָּאָה עִם הַצֹּאן.** הַטַּעַם בָּאָלֶ"ף, וְתַרְגּוּמוֹ אָתְיָא. וְרָחֵל בָּאָה הַטַּעַם לְמַעְלָה בַּבֵּי"ת, וְתַרְגּוּמוֹ אֲתָת. הָרִאשׁוֹן

בעל הטורים

לישראל במדבר: **שלשה עדרי.** בגימטריא זה אהרן ומשה ומרים: **כי מן הבאר ההוא.** בגימטריא משה: **והאבן.** ב' בפרשה — על שם שני לוחות האבן: (ב — י) שבע פעמים "באר" בפרשה, כנגד שבעת ימי החג שמנסכים בהם מים, וכנגד שבעה שקורין בתורה בשבת. וחמש מהם "פי הבאר", כנגד חמשה שקורין ביום טוב. ושלש מהם "מעל פי הבאר", כנגד שלשה שקורין בחול: (ו) **ויאמרו שלום.** ולא אמרו שלום לו. כי "אין שלום אמר אלהי לרשעים":

עיקר שפתי חכמים

ק פי' היו משקים. וכן ונאספו, וגללו, פי' היו נאספים והיו גוללין תמיד: ר לפי שב' פעמים כתיב וגללו בקרא, פה ובכתוב ח, והתרגום שינה בתרגומו, כאן תרגם ומגנדרין בלשון הוה, ולהלן ויגנדרון בלשון עתיד. לכ"פ את דבריו לפי התרגום:

הֵן עוֹד הַיּוֹם גָּדוֹל לֹא־עֵת
הֵאָסֵף הַמִּקְנֶה הַשְׁקוּ הַצֹּאן
וּלְכוּ רְעוּ: ח וַיֹּאמְרוּ לֹא נוּכַל
עַד אֲשֶׁר יֵאָסְפוּ כָל־הָעֲדָרִים
וְגָלְלוּ אֶת־הָאֶבֶן מֵעַל פִּי
הַבְּאֵר וְהִשְׁקִינוּ הַצֹּאן: ט עוֹדֶנּוּ
מְדַבֵּר עִמָּם וְרָחֵל | בָּאָה עִם־
הַצֹּאן אֲשֶׁר לְאָבִיהָ כִּי רֹעָה
הִוא: י וַיְהִי כַּאֲשֶׁר רָאָה יַעֲקֹב
אֶת־רָחֵל בַּת־לָבָן אֲחִי אִמּוֹ וְאֶת־צֹאן לָבָן
אֲחִי אִמּוֹ וַיִּגַּשׁ יַעֲקֹב וַיָּגֶל אֶת־הָאֶבֶן מֵעַל
פִּי הַבְּאֵר וַיַּשְׁקְ אֶת־צֹאן לָבָן אֲחִי אִמּוֹ:

הָא עוֹד יוֹמָא סַגִּי לָא
עִדָּן לְמִכְנַשׁ בְּעִיר אַשְׁקוֹ
עָנָא וְאִזִילוּ רְעוֹ: ח וַאֲמַרוּ
לָא נִכּוֹל עַד דִּי יִתְכַּנְּשׁוּן
(נ"א מִתְכַּנְּשִׁין) כָּל עֶדְרַיָּא
וִיגַנְדְּרוּן (נ"א וּמְגַנְדְּרִין)
יָת אַבְנָא מֵעַל פּוּמָא
דְבֵירָא וְנַשְׁקֵי עָנָא: ט עַד
דְּהוּא מְמַלֵּל עִמְּהוֹן וְרָחֵל
אֲתַת עִם עָנָא דִּי לַאֲבוּהָא
אֲרֵי רָעִיתָא הִיא: י וַהֲוָה
כַּד חֲזָא יַעֲקֹב יָת רָחֵל
בַּת לָבָן אֲחוּהָא דְאִמֵּהּ
וְיָת עָנָא דְלָבָן אֲחוּהָא
דְאִמֵּהּ וּקְרֵב יַעֲקֹב וְגַנְדַּר
יָת אַבְנָא מֵעַל פּוּמָא
דְבֵירָא וְאַשְׁקֵי יָת עָנָא
דְלָבָן אֲחוּהָא דְאִמֵּהּ:

רש"י

לְשׁוֹן עוֹשָׂה וְהַשֵּׁנִי לְשׁוֹן עָשְׂתָה: **[פסוק ז] הֵן עוֹד הַיּוֹם גָּדוֹל.** לְפִי שֶׁרָאָה אוֹתָם רוֹבְצִים, כִּסְבוּר שֶׁרוֹצִים לֶאֱסוֹף הַמִּקְנֶה הַבַּיְתָה וְלֹא יִרְעוּ עוֹד. אָמַר לָהֶם הֵן עוֹד הַיּוֹם גָּדוֹל, כְּלוֹמַר, אִם שְׂכִירֵי יוֹם אַתֶּם לֹא הִשְׁלַמְתֶּם פְּעוּלַּת הַיּוֹם, וְאִם הַבְּהֵמוֹת שֶׁלָּכֶם אעפ"כ ש לֹא עֵת הֵאָסֵף הַמִּקְנֶה וגו' (ב"ר ע:יא): **[פסוק ח] לֹא נוּכַל.** לְהַשְׁקוֹת, לְפִי שֶׁהָאֶבֶן גְּדוֹלָה: **וְגָלְלוּ.** זֶה מְתוּרְגָּם וִיגַנְדְּרוּן, לְפִי שֶׁהוּא לְשׁוֹן עָתִיד: **[פסוק י] וַיִּגַּשׁ יַעֲקֹב וַיָּגֶל.** ת כְּאָדָם שֶׁמַּעֲבִיר אֶת הַפְּקָק מֵעַל פִּי צְלוֹחִית, לְהוֹדִיעֲךָ שֶׁכֹּחוֹ גָּדוֹל (ב"ר ע:יב):

בעל הטורים

(ט) כי רעה הוא. ב׳ במסורת – הכא; ואידך "שן רעה ורגל מועדת". אותו פסוק נדרש בגלויות, אף "כי רעה הוא" נדרש בבראשית רבה בגלויות: **(י) ויגל.** ב׳ במסורת – הכא; ואידך "ויגל כבודי". שכיון שראה אותה, שרתה עליו רוח הקודש. וזהו "ויגל כבודי", כדכתיב "עורה כבודי". דבר אחר – אימתי "ויגל כבודי"? כשיתקיים "ויגל את האבן", כשיסיר יצר הרע שדומה לאבן:

עיקר שפתי חכמים

ש דאל"כ למאי כפל בלשונו, כיון שאמר עוד היום גדול למה אמר עוד לא עת וגו': **ת** לכך כתיב ויגל לשון גילוי ולא כתיב ויגל הג' בפת"ח או ויגלגל:

יא וַיִּשַּׁק יַעֲקֹב לְרָחֵל וַיִּשָּׂא אֶת־קֹלוֹ וַיֵּבְךְּ: יב וַיַּגֵּד יַעֲקֹב לְרָחֵל כִּי אֲחִי אָבִיהָ הוּא וְכִי בֶן־רִבְקָה הוּא וַתָּרָץ וַתַּגֵּד לְאָבִיהָ: יג וַיְהִי כִשְׁמֹעַ לָבָן אֶת־שֵׁמַע | יַעֲקֹב בֶּן־אֲחֹתוֹ וַיָּרָץ לִקְרָאתוֹ וַיְחַבֶּק־לוֹ וַיְנַשֶּׁק־לוֹ וַיְבִיאֵהוּ אֶל־בֵּיתוֹ וַיְסַפֵּר לְלָבָן אֵת כָּל־הַדְּבָרִים הָאֵלֶּה: יד וַיֹּאמֶר לוֹ לָבָן אַךְ עַצְמִי וּבְשָׂרִי אָתָּה

אונקלוס

יא וּנְשַׁק יַעֲקֹב לְרָחֵל וַאֲרֵים יָת קָלֵהּ וּבְכָה: יב וְחַוִּי יַעֲקֹב לְרָחֵל אֲרֵי בַר אֲחָת (נ״א אֲרֵי אֲחִי) דַּאֲבוּהָא הוּא וַאֲרֵי בַר רִבְקָה הוּא וּרְהַטַת וְחַוִּיאַת לַאֲבוּהָא: יג וַהֲוָה כַּד שְׁמַע לָבָן יָת שְׁמַע יַעֲקֹב בַּר אֲחָתֵהּ וּרְהַט לְקַדָּמוּתֵהּ וְגַפֵּף לֵהּ וְנַשִׁיק לֵהּ וְאַעֲלֵהּ לְבֵיתֵהּ וְאִשְׁתָּעֵי לְלָבָן יָת כָּל פִּתְגָּמַיָּא הָאִלֵּין: יד וַאֲמַר לֵהּ לָבָן בְּרַם קָרִיבִי וּבִשְׂרִי אָתְּ

רש"י

[פסוק יא] **וַיֵּבְךְּ.** לְפִי שֶׁצָּפָה בְּרוּחַ הַקּוֹדֶשׁ שֶׁאֵינָה נִכְנֶסֶת עִמּוֹ לִקְבוּרָה (שם). ד"א, לְפִי שֶׁבָּא בְּיָדִים רֵיקָנִיּוֹת. אָמַר, אֱלִיעֶזֶר עֶבֶד אֲבִי אַבָּא הָיוּ בְיָדָיו נְזָמִים וּצְמִידִים וּמִגְדָּנוֹת, וַאֲנִי אֵין בְּיָדִי כְּלוּם (שם). לְפִי שֶׁרָדַף אֱלִיפַז בֶּן עֵשָׂו בְּמִצְוַת אָבִיו אַחֲרָיו לְהוֹרְגוֹ, וְהִשִּׂיגוֹ, וּלְפִי שֶׁגָּדַל אֱלִיפַז בְּחֵיקוֹ שֶׁל יִצְחָק (דברים רבה ב:כ) מָשַׁךְ יָדוֹ. א"ל, מָה אֶעֱשֶׂה לְצִוּוּי שֶׁל אַבָּא. אָמַר לוֹ יַעֲקֹב, טוֹל מַה שֶּׁבְּיָדִי, וְהֶעָנִי חָשׁוּב כַּמֵּת (נדרים סד:ח). [פסוק יב] **כִּי אֲחִי אָבִיהָ הוּא.** קָרוֹב לְאָבִיהָ, כְּמוֹ אֲנָשִׁים אַחִים אֲנָחְנוּ (לעיל יג:ח; פדר"א פל"ו). וּמִדְרָשׁוֹ, אִם לְרַמָּאוּת הוּא בָּא גַּם אֲנִי אָחִיו בְּרַמָּאוּת,

וְאִם אָדָם כָּשֵׁר הוּא גַּם אֲנִי בֶן רִבְקָה אֲחוֹתוֹ הַכְּשֵׁרָה (ב"ר שם יג; ב"ב קכג.): **וַתַּגֵּד לְאָבִיהָ.** לְפִי שֶׁאִמָּהּ מֵתָה וְלֹא הָיָה לָהּ לְהַגִּיד אֶלָּא לוֹ (ב"ר שם): [פסוק יג] **וַיָּרָץ לִקְרָאתוֹ.** כְּסָבוּר מָמוֹן הוּא טָעוּן, שֶׁהֲרֵי עֶבֶד הַבַּיִת בָּא לְכָאן בַּעֲשָׂרָה גְּמַלִּים טְעוּנִים (שם): **וַיְחַבֶּק [לוֹ].** כְּשֶׁלֹּא רָאָה עִמּוֹ כְּלוּם אָמַר שֶׁמָּא זְהוּבִים הֵבִיא וְהִנָּם בְּחֵיקוֹ (שם): **וַיְנַשֶּׁק לוֹ.** אָמַר שֶׁמָּא מַרְגָּלִיּוֹת הֵבִיא וְהֵם בְּפִיו (שם): **וַיְסַפֵּר לְלָבָן.** שֶׁלֹּא בָא אֶלָּא מִתּוֹךְ אוֹנֶס אָחִיו, וְשֶׁנָּטְלוּ מָמוֹנוֹ מִמֶּנּוּ (ב"ר ע:יג): [פסוק יד] **אַךְ עַצְמִי וּבְשָׂרִי.** מֵעַתָּה אֵין לִי לְאָסְפְּךָ הַבַּיְתָה הוֹאִיל וְאֵין בְּיָדְךָ

בעל הטורים

(יג) שמע. ב' במסורת – "שמע יעקב"; "כאשר שמע למצרים יחילו כשמע צר": מתי יהיה זה מקורים? כשתצא שמועת גאולת יעקב: **ויחבק לו וינשק לו.** תחלה חבק לראות אם היה חגור מעות במתניו. וכשלא מצא נשקו, לראות אם יש אבן טובה או מרגליות בפיו: **ויחבק לו וינשק לו.** בגימטריא חבקו לגזול מה שעליו:

עיקר שפתי חכמים

א לפיכך רץ לקראתו: ב וזהו את כל הדברים האלה אשר קרה שעמדו בבית אביו:

וַיֵּשֶׁב עִמּוֹ חֹדֶשׁ יָמִים׃ טו וַיֹּאמֶר לָבָן לְיַעֲקֹב הֲכִי־אָחִי אַתָּה וַעֲבַדְתַּנִי חִנָּם הַגִּידָה לִּי מַה־מַּשְׂכֻּרְתֶּךָ׃ טז וּלְלָבָן שְׁתֵּי בָנוֹת שֵׁם הַגְּדֹלָה לֵאָה וְשֵׁם הַקְּטַנָּה רָחֵל׃ יז וְעֵינֵי לֵאָה רַכּוֹת וְרָחֵל הָיְתָה יְפַת־תֹּאַר וִיפַת מַרְאֶה׃
שלישי יח וַיֶּאֱהַב יַעֲקֹב אֶת־רָחֵל וַיֹּאמֶר אֶעֱבָדְךָ
שֶׁבַע שָׁנִים בְּרָחֵל בִּתְּךָ הַקְּטַנָּה׃ יט וַיֹּאמֶר לָבָן

וִיתֵיב עִמֵּהּ יְרַח יוֹמִין׃ טו וַאֲמַר לָבָן לְיַעֲקֹב הֲמִדְּאָחִי אַתְּ וְתִפְלְחִנַּנִי מַגָּן חַוִּי לִי מָה אַגְרָךְ׃ טז וּלְלָבָן תַּרְתֵּין בְּנָן שׁוּם רַבְּתָא לֵאָה וְשׁוּם זְעֶרְתָּא רָחֵל׃ יז וְעֵינֵי לֵאָה יָאְיָן וְרָחֵל הֲוָת שַׁפִּירָא בְרֵיוָא וְיָאָה בְּחֶזְוָא׃ יח וּרְחֵים יַעֲקֹב יָת רָחֵל וַאֲמַר אֶפְלְחִנָּךְ שְׁבַע שְׁנִין בְּרָחֵל בְּרַתָּךְ זְעֶרְתָּא׃ יט וַאֲמַר לָבָן

רש"י

כלום, אלא מפני קורבה תטפל בך חדש ימים ג (שם יד) וכן עשה, ואף זו לא לחנם, שהיה רועה צאנו: [פסוק טו] **הכי אחי אתה.** לשון תימה. וכי בשביל שאחי אתה ד תעבדני חנם: **ועבדתני.** כמו ותעבדני (אונקלוס). וכן כל תיבה שהיא לשון עבר הוסף וי"ו בראשה והיא הופכת התיבה להבא: [פסוק יז] **רכות.** שהיתה סבורה לעלות בגורלו של עשו ובוכה, שהיו הכל אומרים שני בנים לרבקה ושתי בנות ללבן הגדולה לגדול והקטנה לקטן (ב"ר שם טז; ב"ב קכג.): [**תאר.** הוא צורת הפרצוף, לשון יתארהו בשרד (ישעיה מד:יג), קונפ"ס בלע"ז: **מראה.** הוא זיו קלסתר:] [פסוק יח] **אעבדך שבע שנים.** הם ימים אחדים שאמרה לו אמו, וישבת עמו ימים אחדים (לעיל כז:מד). ותדע שכן הוא, שהרי כתיב ה ויהיו בעיניו כימים אחדים (ב"ר שם יז): **ברחל בתך הקטנה.** כל הסימנים הללו למה. לפי שהיה יודע בו שהוא רמאי. אמר לו אעבדך ברחל. ושמא תאמר רחל אחרת מן השוק, ת"ל בתך. ושמא תאמר אחליף ללאה שמה ואקרא שמה רחל, ת"ל הקטנה. ואעפ"כ לא הועיל, שהרי רמהו (שם):

בעל הטורים

(יז) ועיני לאה רכות. ג' ראשי פסוקים – "ועיני לאה רכות"; ואידך "ועיני ישראל כבדו מזקן"; ואידך "ועיני רשעים תכלינה". למה היו עיניה רכות? לפי שהיתה יראה שמא תנשא לעשו. וכן "עיני ישראל כבדו מזקן"; לפי שראה ירבעם ואחאב יצאו ממנו. וזהו "ועיני לאה רכות", "ועיני ישראל כבדו", בשביל "ועיני רשעים": **רכות.** ב' – "ועיני לאה רכות"; "אם ידבר אליך רכות". אף על פי כן לא היה אוהב אותה:

עיקר שפתי חכמים

ג כמ"ש וישב עמו חדש ימים: **ד** והתימה הוא על ועבדתני חנם ולא על אחי אתה: **ה** דלכאורה הסברא נותנת כי באהבתו אותה יחשב אף זמן מועט למרובה, כמ"ש תוחלת ממושכה גו', לכ"פ דכימים אחדים היינו הימים אחדים שאמרה לו אמו:

טוֹב תִּתִּי אֹתָהּ לָךְ מִתִּתִּי אֹתָהּ
לְאִישׁ אַחֵר שְׁבָה עִמָּדִי: כ וַיַּעֲבֹד
יַעֲקֹב בְּרָחֵל שֶׁבַע שָׁנִים וַיִּהְיוּ
בְעֵינָיו כְּיָמִים אֲחָדִים בְּאַהֲבָתוֹ
אֹתָהּ: כא וַיֹּאמֶר יַעֲקֹב אֶל־לָבָן
הָבָה אֶת־אִשְׁתִּי כִּי מָלְאוּ יָמָי
וְאָבוֹאָה אֵלֶיהָ: כב וַיֶּאֱסֹף לָבָן
אֶת־כָּל־אַנְשֵׁי הַמָּקוֹם וַיַּעַשׂ
מִשְׁתֶּה: כג וַיְהִי בָעֶרֶב וַיִּקַּח
אֶת־לֵאָה בִתּוֹ וַיָּבֵא אֹתָהּ אֵלָיו וַיָּבֹא אֵלֶיהָ:
כד וַיִּתֵּן לָבָן לָהּ אֶת־זִלְפָּה שִׁפְחָתוֹ לְלֵאָה בִתּוֹ
שִׁפְחָה: כה וַיְהִי בַבֹּקֶר וְהִנֵּה־הִוא לֵאָה וַיֹּאמֶר
אֶל־לָבָן מַה־זֹּאת עָשִׂיתָ לִּי הֲלֹא בְרָחֵל

טַב דְּאֶתֵּן יָתַהּ לָךְ מִדְּאֶתֵּן
יָתַהּ לִגְבַר אָחֳרָן תִּיב עִמִּי:
כ וּפְלַח יַעֲקֹב בְּרָחֵל שְׁבַע
שְׁנִין וַהֲווֹ בְעֵינוֹהִי כְּיוֹמִין
זְעִירִין בִּדְרַחֲמֵהּ יָתַהּ:
כא וַאֲמַר יַעֲקֹב לְלָבָן הַב
יָת אִתְּתִי אֲרֵי אַשְׁלֵמִית
יוֹמֵי פָלְחָנִי וְאֵיעוֹל לְוָתַהּ:
כב וּכְנַשׁ לָבָן יָת כָּל אֱנָשֵׁי
אַתְרָא וַעֲבַד מִשְׁתְּיָא:
כג וַהֲוָה בְרַמְשָׁא וּדְבַר יָת
לֵאָה בְרַתֵּהּ וְאָעֵל יָתַהּ
לְוָתֵהּ וְעַל לְוָתַהּ: כד וִיהַב
לָבָן לַהּ יָת זִלְפָּה אַמְתֵּהּ
לְלֵאָה בְרַתֵּהּ לְאַמְהוּ:
כה וַהֲוָה בְצַפְרָא וְהָא
הִיא לֵאָה וַאֲמַר לְלָבָן מָה
דָא עֲבַדְתְּ לִי הֲלָא בְרָחֵל

רש"י

[פסוק כא] מָלְאוּ יָמַי. ו שֶׁאָמְרָה לִי אִמִּי. וְעוֹד, מָלְאוּ יָמַי, שֶׁהֲרֵי אֲנִי בֶּן פ"ד שָׁנָה, וְאֵימָתַי אַעֲמִיד י"ב שְׁבָטִים. וְזֶהוּ שֶׁאָמַר וְאָבוֹאָה אֵלֶיהָ, וַהֲלֹא קַל שֶׁבַּקַּלִּים אֵינוֹ אוֹמֵר כֵּן, אֶלָּא לְהוֹלִיד תּוֹלָדוֹת אָמַר כָּךְ (שם יח): **[פסוק כה] וַיְהִי בַבֹּקֶר וְהִנֵּה הִוא לֵאָה.** אֲבָל בַּלַּיְלָה לֹא הָיְתָה לֵאָה. לְפִי שֶׁמָּסַר יַעֲקֹב סִימָנִים לְרָחֵל. וּכְשֶׁרָאֲתָה רָחֵל שֶׁמַּכְנִיסִין לוֹ לֵאָה אָמְרָה עַכְשָׁיו תִּכָּלֵם אֲחוֹתִי, עָמְדָה וּמָסְרָה לָהּ אוֹתָן סִימָנִים (מגילה יג:; ב"ב קכג.):

עיקר שפתי חכמים

ו שאין מדרך המוסר שהשכיר יבקש תיכף אחר כלות עבודתו את שכרו:

עָבַדְתִּי עִמָּךְ וְלָמָּה רִמִּיתָנִי׃
כו וַיֹּאמֶר לָבָן לֹא־יֵעָשֶׂה כֵן
בִּמְקוֹמֵנוּ לָתֵת הַצְּעִירָה לִפְנֵי
הַבְּכִירָה׃ כז מַלֵּא שְׁבֻעַ זֹאת
וְנִתְּנָה לְךָ גַּם־אֶת־זֹאת בַּעֲבֹדָה
אֲשֶׁר תַּעֲבֹד עִמָּדִי עוֹד שֶׁבַע־
שָׁנִים אֲחֵרוֹת׃ כח וַיַּעַשׂ יַעֲקֹב כֵּן
וַיְמַלֵּא שְׁבֻעַ זֹאת וַיִּתֶּן־לוֹ אֶת־
רָחֵל בִּתּוֹ לוֹ לְאִשָּׁה׃ כט וַיִּתֵּן לָבָן
לְרָחֵל בִּתּוֹ אֶת־בִּלְהָה שִׁפְחָתוֹ לָהּ לְשִׁפְחָה׃
ל וַיָּבֹא גַּם אֶל־רָחֵל וַיֶּאֱהַב גַּם־אֶת־רָחֵל
מִלֵּאָה וַיַּעֲבֹד עִמּוֹ עוֹד שֶׁבַע־שָׁנִים אֲחֵרוֹת׃

פְּלַחִית עִמָּךְ וּלְמָא
שַׁקַּרְתְּ בִּי׃ כו וַאֲמַר
לָבָן לָא אִתְעֲבֵיד כְּדֵין
בְּאַתְרָנָא לְמִתַּן זְעֶרְתָּא
קֳדָם רַבְּתָא׃ כז אַשְׁלֵים
שְׁבוּעֲתָא דְדָא וְנִתֵּן לָךְ
אַף יָת דָּא בְּפָלְחָנָא דִּי
תִפְלַח עִמִּי עוֹד שְׁבַע שְׁנִין
אָחֳרָנִין׃ כח וַעֲבַד יַעֲקֹב
כֵּן וְאַשְׁלֵים שְׁבוּעֲתָא דְדָא
וִיהַב לֵהּ יָת רָחֵל בְּרַתֵּהּ
לֵהּ לְאִנְתּוּ׃ כט וִיהַב לָבָן
לְרָחֵל בְּרַתֵּהּ יָת בִּלְהָה
אַמְתֵהּ לַהּ לְאַמְהוּ׃ ל וְעַל
אַף לְוָת רָחֵל וּרְחֵים אַף
יָת רָחֵל מִלֵּאָה וּפְלַח עִמֵּהּ
עוֹד שְׁבַע שְׁנִין אָחֳרָנִין׃

רש"י

[פסוק כז] **מַלֵּא שְׁבֻעַ זֹאת.** דָּבוּק הוּא, שֶׁהֲרֵי נָקוּד בַּחֲטָף. שָׁבוּעַ שֶׁל זֹאת (אונקלוס) וְהֵן שִׁבְעַת יְמֵי הַמִּשְׁתֶּה. בגמ' יְרוּשַׁלְמִית במ"ק (א:ז). [וא"א לוֹמַר שָׁבוּעַ מַמָּשׁ, שֶׁאִם כֵּן הָיָה צָרִיךְ לִינָּקֵד בְּפַתַּח הַשִּׁי"ן. וְעוֹד, שֶׁשָּׁבוּעַ לְשׁוֹן זָכָר, כִּדְכְתִיב שִׁבְעָה שָׁבוּעוֹת תִּסְפָּר לָךְ (דברים טז:ט). לְפִיכָךְ אֵין מַשְׁמַע שָׁבוּעַ אֶלָּא שִׁבְעָה, שטייג"א בלע"ז]: **וְנִתְּנָה לְךָ.** לְשׁוֹן רַבִּים כְּמוֹ וְנִשְׂרְפָה, נֵרְדָה וְנָבְלָה (לעיל יא:ג,ז) אַף זוֹ לְשׁוֹן וְנִתֵּן ז (אונקלוס): **וְנִתְּנָה וגו' גַּם אֶת זֹאת.** מִיָּד ח [לְאַחַר שִׁבְעַת יְמֵי הַמִּשְׁתֶּה], וְתַעֲבוֹד לְאַחַר נִשּׂוּאֶיהָ: [פסוק ל] **עוֹד שֶׁבַע שָׁנִים אֲחֵרוֹת.** הִקִּישָׁן ט לָרִאשׁוֹנוֹת, מָה רִאשׁוֹנוֹת בֶּאֱמוּנָה אַף הָאַחֲרוֹנוֹת בֶּאֱמוּנָה, וְאַע"פ שֶׁבְּרַמָּאוּת בָּא עָלָיו (ב"ר ע:כ):

עיקר שפתי חכמים

ז אבל לא יתפרש ונתנה הנו"ן לנפעל ויתפרש כי רחל תנתן לך, כי ונתנה הוא פעל עבר ורחל עדיין לא נתנה לו: **ח** כמ"ש וימלא שבוע זאת ויתן לו וגו': **ט** כי הלשון עוד שבע שנים משמע שוות לראשונות:

לא וַיַּרְא יְהוָה כִּי־שְׂנוּאָה לֵאָה
וַיִּפְתַּח אֶת־רַחְמָהּ וְרָחֵל עֲקָרָה:
לב וַתַּהַר לֵאָה וַתֵּלֶד בֵּן וַתִּקְרָא
שְׁמוֹ רְאוּבֵן כִּי אָמְרָה כִּי־רָאָה
יְהוָה בְּעָנְיִי כִּי עַתָּה יֶאֱהָבַנִי
אִישִׁי: לג וַתַּהַר עוֹד וַתֵּלֶד בֵּן
וַתֹּאמֶר כִּי־שָׁמַע יְהוָה כִּי־
שְׂנוּאָה אָנֹכִי וַיִּתֶּן־לִי גַּם־אֶת־
זֶה וַתִּקְרָא שְׁמוֹ שִׁמְעוֹן: לד וַתַּהַר עוֹד וַתֵּלֶד
בֵּן וַתֹּאמֶר עַתָּה הַפַּעַם יִלָּוֶה אִישִׁי אֵלַי כִּי־
יָלַדְתִּי לוֹ שְׁלֹשָׁה בָנִים עַל־כֵּן קָרָא־שְׁמוֹ לֵוִי:

לא וַחֲזָא יְיָ אֲרֵי שְׂנִיאֲתָא
לֵאָה וִיהַב לַהּ עִדּוּי
וְרָחֵל עַקְרָא: לב וְעַדִּיאַת
לֵאָה וִילֵידַת בַּר וּקְרַת
שְׁמֵהּ רְאוּבֵן אֲרֵי אֲמֶרֶת
אֲרֵי גְלִי קֳדָם יְיָ עֻלְבּוֹנִי
אֲרֵי כְעַן יְרַחֲמִנַּנִי בַּעְלִי:
לג וְעַדִּיאַת עוֹד וִילֵידַת בַּר
וַאֲמֶרֶת אֲרֵי שְׁמִיעַ קֳדָם יְיָ
אֲרֵי שְׂנִיאֲתָא אֲנָא וִיהַב
לִי אַף יָת דֵּין וּקְרַת שְׁמֵהּ
שִׁמְעוֹן: לד וְעַדִּיאַת עוֹד
וִילֵידַת בַּר וַאֲמֶרֶת הָדָא
זִמְנָא יִתְחַבַּר לִי בַּעְלִי
אֲרֵי יְלֵידִית לֵהּ תְּלָתָא
בְנִין עַל כֵּן קְרָא שְׁמֵהּ לֵוִי:

רש"י

[פסוק לב] וַתִּקְרָא שְׁמוֹ רְאוּבֵן. רַבּוֹתֵינוּ פֵּירְשׁוּ, אָמְרָה, רְאוּ מַה בֵּין בְּנִי לְבֶן חָמִי שֶׁמָּכַר הַבְּכוֹרָה לְיַעֲקֹב, וְזֶה לֹא מְכָרָהּ לְיוֹסֵף וְלֹא עִרְעֵר עָלָיו, וְלֹא עוֹד שֶׁלֹּא עִרְעֵר עָלָיו אֶלָּא שֶׁבִּקֵּשׁ לְהוֹצִיאוֹ מִן הַבּוֹר (ברכות ז:): **[פסוק לד] הַפַּעַם יִלָּוֶה אִישִׁי.** לְפִי שֶׁהָאִמָּהוֹת י נְבִיאוֹת הָיוּ וְיוֹדְעוֹת שֶׁי"ב שְׁבָטִים יוֹצְאִים מִיַּעֲקֹב וד' נָשִׁים יִשָּׂא, אָמְרָה, מֵעַתָּה אֵין לוֹ פִּתְחוֹן פֶּה עָלַי שֶׁהֲרֵי נָטַלְתִּי כָּל חֶלְקִי בַּבָּנִים (ברב"ת; תנחומא ט): **עַל כֵּן.** כָּל מִי שֶׁנֶּאֱמַר בּוֹ עַל כֵּן מְרוּבֶּה בְּאוּכְלוּסִין, חוּץ מִלֵּוִי, שֶׁהָאָרוֹן ב הָיָה מְכַלֶּה בָּהֶם (ב"ר עה:ד): **קָרָא שְׁמוֹ לֵוִי.** בְּכוּלָּם כְּתִיב וַתִּקְרָא, [שֶׁהִיא] קָרְאָה, וְזֶה כָּתַב בּוֹ קָרָא. וְיֵשׁ מ"א בְּאֵלֶּה הַדְּבָרִים רַבָּה שֶׁשָּׁלַח הקב"ה גַּבְרִיאֵל וֶהֱבִיאוֹ לְפָנָיו וְקָרָא לוֹ שֵׁם זֶה, וְנָתַן לוֹ כ"ד מַתְּנוֹת כְּהוּנָּה, וְעַל שֵׁם שֶׁלִּוָּהוּ בְּמַתָּנוֹת

בעל הטורים

(לא) **וירא ה' כי שנואה.** סופי תבות אהיה. לפי שחשדה יעקב, כמו שהפקירה עצמה לו כך הפקירה עצמה לאחר, לכך העיד הקדוש ברוך הוא שמו עליה: (לב) **ותקרא שמו ראובן.** ואחר כך כתיב "כי אמרה". ובאחרים אינו כן, אלא תחלה הוא מפרש טעם השם ואחר כך השם:

ראה הטבלא "**הַשְּׁבָטִים כְּסֵדֶר תּוֹלְדוֹתָם**" (עמוד 531).

עיקר שפתי חכמים

י אף שלא נחשבו במספר הנביאות בפ"ק דמגלה, היינו שלא היו מתנבאות על אחרים, אבל מה שיבוא עליהן היו יודעות [מהרש"ל]: ב דשבט לוי היו נושאים הארון:

לה וַתַּ֨הַר ע֜וֹד וַתֵּ֣לֶד בֵּ֗ן וַתֹּ֙אמֶר֙
הַפַּ֙עַם֙ אוֹדֶ֣ה אֶת־יְהוָ֔ה עַל־
כֵּ֛ן קָרְאָ֥ה שְׁמ֖וֹ יְהוּדָ֑ה וַֽתַּעֲמֹ֖ד
מִלֶּֽדֶת׃ פרק ל א וַתֵּ֣רֶא רָחֵ֗ל כִּ֣י
לֹ֤א יָֽלְדָה֙ לְיַעֲקֹ֔ב וַתְּקַנֵּ֥א רָחֵ֖ל
בַּאֲחֹתָ֑הּ וַתֹּ֤אמֶר אֶֽל־יַעֲקֹב֙
הָֽבָה־לִּ֣י בָנִ֔ים וְאִם־אַ֖יִן מֵתָ֥ה
אָנֹֽכִי׃ ב וַיִּֽחַר־אַ֥ף יַעֲקֹ֖ב בְּרָחֵ֑ל
וַיֹּ֗אמֶר הֲתַ֤חַת אֱלֹהִים֙ אָנֹ֔כִי אֲשֶׁר־מָנַ֥ע מִמֵּ֖ךְ
פְּרִי־בָֽטֶן׃ ג וַתֹּ֕אמֶר הִנֵּ֛ה אֲמָתִ֥י בִלְהָ֖ה בֹּ֣א
אֵלֶ֑יהָ וְתֵלֵד֙ עַל־בִּרְכַּ֔י וְאִבָּנֶ֥ה גַם־אָנֹכִ֖י מִמֶּֽנָּה׃

לה וְעַדִּיאַת עוֹד וִילִידַת
בָּר וַאֲמֶרֶת הָדָא זִמְנָא
אוֹדֶה קֳדָם יְיָ עַל כֵּן
קְרַת שְׁמֵהּ יְהוּדָה וְקָמַת
מִלְּמֵילַד: א וַחֲזַת רָחֵל אֲרֵי
לָא יְלִידַת לְיַעֲקֹב וְקַנִּיאַת
רָחֵל בַּאֲחָתַהּ וַאֲמֶרֶת
לְיַעֲקֹב הַב לִי בְנִין וְאִם לָא
מֵיתָא אֲנָא: ב וּתְקֵיף רוּגְזָא
דְיַעֲקֹב בְּרָחֵל וַאֲמַר הָא
מִנִּי (נ״א הֲמִנִּי) אַתְּ בַּעְיָא
הֲלָא מִן קֳדָם יְיָ תִּבְעִין דִּי
מְנַע מִנִּיךְ וַלְדָּא דִמְעִין:
ג וַאֲמֶרֶת הָא אַמְתִי בִלְהָה
עוֹל לְוָתַהּ וּתְלִיד וַאֲנָא
אֲרַבֵּי וְאֶתְבְּנֵי אַף אֲנָא מִנַּהּ:

רש״י

קְרָאוֹ לֵוִי (עי׳ ברכ״ת; ופדר״א פל״ז): **[פסוק לה] הַפַּעַם אוֹדֶה.** שֶׁנָּטַלְתִּי יוֹתֵר מֵחֶלְקִי מֵעַתָּה יֵשׁ לִי לְהוֹדוֹת (ב״ר שם): **[פסוק א] וַתְּקַנֵּא רָחֵל בַּאֲחֹתָהּ.** קִנְּאָה בְּמַעֲשֶׂיהָ הַטּוֹבִים. אָמְרָה, אִלּוּלֵי שֶׁצָּדְקָה מִמֶּנִּי לֹא זָכְתָה לְבָנִים (ב״ר שם:ו): **הָבָה לִי.** וְכִי כַּךְ עָשָׂה אָבִיךְ לְאִמֵּךְ ל וַהֲלֹא הִתְפַּלֵּל עָלֶיהָ (ב״ר עא:ז): **מֵתָה אָנֹכִי.** מִכָּאן לְמִי שֶׁאֵין לוֹ בָּנִים מ שֶׁחָשׁוּב כְּמֵת (ב״ר עא:ו; נדרים סד:): **[פסוק ב] הֲתַחַת.** וְכִי בִּמְקוֹמוֹ אֲנִי: **אֲשֶׁר מָנַע מִמֵּךְ.** אַתְּ אוֹמֶרֶת שֶׁאֶעֱשֶׂה כְּאַבָּא אֲנִי אֵינִי כְּאַבָּא. אַבָּא נ לֹא הָיוּ לוֹ בָּנִים אֲנִי יֵשׁ לִי בָּנִים. מִמֵּךְ מָנַע וְלֹא מִמֶּנִּי (ב״ר שם ז): **[פסוק ג] עַל בִּרְכַּי.** כְּתַרְגּוּמוֹ וַאֲנָא אֲרַבֵּי: **וְאִבָּנֶה גַם אָנֹכִי.** מַהוּ גַּם. אָמְרָה לוֹ זְקֵנְךָ אַבְרָהָם הָיוּ לוֹ בָנִים מֵהָגָר וְחָגַר מָתְנָיו כְּנֶגֶד שָׂרָה. אָמַר לָהּ זְקֶנְתִּי הִכְנִיסָה צָרָתָהּ לְבֵיתָהּ. אָמְרָה לוֹ אִם הַדָּבָר הַזֶּה מְעַכֵּב **הִנֵּה אֲמָתִי [בִלְהָה] וְאִבָּנֶה גַם אָנֹכִי מִמֶּנָּה** כְּשָׂרָה (שם):

בעל הטורים

(ג) **הנה אמתי בלהה.** ולא אמרה שפחתי כדכתיב בהגר, לפי שהיתה בת לבן מפלגש:

עיקר שפתי חכמים

ל מתשובתו של יעקב שהשיב לה אשר מנע ממך [פי׳ ולא ממני] אנו למידין שהזכירה לו את אביו כי אני איני כאבא כו׳: מ ומלת מתה הוא תואר כי אנכי נחשבת כמתה: נ ר״ל שהיה שם זכות שניהם לכן הועילה תפלת אבא, משא״כ כאן שלא היה אלא זכותה לבד כי ליעקב היו לו בנים:

ד וַתִּתֶּן־ל֛וֹ אֶת־בִּלְהָ֥ה שִׁפְחָתָ֖הּ
לְאִשָּׁ֑ה וַיָּבֹ֥א אֵלֶ֖יהָ יַעֲקֹֽב׃
ה וַתַּ֣הַר בִּלְהָ֔ה וַתֵּ֥לֶד לְיַעֲקֹ֖ב
בֵּֽן׃ ו וַתֹּ֤אמֶר רָחֵל֙ דָּנַ֣נִּי אֱלֹהִ֔ים
וְגַם֙ שָׁמַ֣ע בְּקֹלִ֔י וַיִּתֶּן־לִ֖י בֵּ֑ן עַל־
כֵּ֛ן קָרְאָ֥ה שְׁמ֖וֹ דָּֽן׃ ז וַתַּ֣הַר ע֔וֹד
וַתֵּ֕לֶד בִּלְהָ֖ה שִׁפְחַ֣ת רָחֵ֑ל בֵּ֥ן
שֵׁנִ֖י לְיַעֲקֹֽב׃ ח וַתֹּ֣אמֶר רָחֵ֗ל
נַפְתּוּלֵ֨י אֱלֹהִ֧ים | נִפְתַּ֛לְתִּי
עִם־אֲחֹתִ֖י גַּם־יָכֹ֑לְתִּי וַתִּקְרָ֥א שְׁמ֖וֹ נַפְתָּלִֽי׃
ט וַתֵּ֣רֶא לֵאָ֔ה כִּ֥י עָמְדָ֖ה מִלֶּ֑דֶת וַתִּקַּח֙ אֶת־
זִלְפָּ֣ה שִׁפְחָתָ֔הּ וַתִּתֵּ֥ן אֹתָ֛הּ לְיַעֲקֹ֖ב לְאִשָּֽׁה׃

ד וִיהָבַת לֵהּ יָת בִּלְהָה
אַמְתַהּ לְאִנְתּוּ וְעַל לְוָתַהּ
יַעֲקֹב: ה וְעַדִּיאַת בִּלְהָה
וִילִידַת לְיַעֲקֹב בָּר:
ו וַאֲמֶרֶת רָחֵל דָּנַנִּי יְיָ
וְאַף קַבִּיל צְלוֹתִי וִיהַב
לִי בַּר עַל כֵּן קְרַת שְׁמֵהּ
דָּן: ז וְעַדִּיאַת עוֹד וִילִידַת
בִּלְהָה אַמְתָא דְרָחֵל בַּר
תִּנְיָן לְיַעֲקֹב: ח וַאֲמֶרֶת
רָחֵל קַבִּיל יְיָ בָּעוּתִי
בְּאִתְחַנָּנוּתִי בִּצְלוֹתִי
חֲמִידַת דִּיהֵי לִי וְלַד
כַּאֲחָתִי אַף אִתְיְהִיב לִי
וּקְרַת שְׁמֵהּ נַפְתָּלִי: ט וַחֲזַת
לֵאָה אֲרֵי קָמַת מִלְּמֵילַד
וּדְבָרַת יָת זִלְפָּה אַמְתַהּ
וִיהָבַת יָתַהּ לְיַעֲקֹב לְאִנְתּוּ:

רש"י

[פסוק ו] **דָּנַנִּי אֱלֹהִים.** דָּנַנִי וְחִיְּיבַנִי וְזִכַּנִי (שם): ס [פסוק ח] **נַפְתּוּלֵי אֱלֹהִים.** מְנַחֵם בֶּן סָרוּק פֵּירְשׁוֹ בְּמַחְבֶּרֶת צָמִיד ע פָּתִיל (במדבר יט:טו), חִבּוּרִים מֵאֵת הַמָּקוֹם נִתְחַבַּרְתִּי עִם אֲחוֹתִי לִזְכּוֹת לְבָנִים. וַאֲנִי מְפָרְשׁוֹ לְשׁוֹן עִקֵּשׁ וּפְתַלְתֹּל (דברים לב:ה), נִתְעַקַּשְׁתִּי וְהִפְצַרְתִּי פְּצִירוֹת וְנַפְתּוּלִים הַרְבֵּה לַמָּקוֹם לִהְיוֹת שָׁוָה לַאֲחוֹתִי: **גַּם יָכֹלְתִּי.** הִסְכִּים עַל יָדִי. וְאוּנְקְלוּס תִּרְגֵּם לְשׁוֹן תְּפִלָּה, פ כְּלוֹמַר, בַּקָּשׁוֹת הַחֲבִיבוֹת לְפָנָיו נִתְקַבַּלְתִּי וְנֶעֱתַּרְתִּי כַּאֲחוֹתִי. נִפְתַּלְתִּי, נִתְקַבְּלָה תְּפִלָּתִי. ומ"א יֵשׁ רַבִּים בִּלְשׁוֹן נוֹטָרִיקוֹן (ב"ר עא:ח):

עיקר שפתי חכמים

ס לשון הב"ר, דנני וחייבני ורחל עקרה. דנני וזכני ויתן לי בן: ע ר"ל שלדעתו נפתולי ופתיל הם מענין וחיבור אחד: פ ל"ל כמו נתפולי אלהים נתפלתי, התי"ו קודם לפ"א, כמו כבש כשב, ואח"כ מפרש הפשט. [שמעתי וכן ראיתי באיזה נוסחאות ישנות]:

י וַתֵּ֗לֶד זִלְפָּה֙ שִׁפְחַ֣ת לֵאָ֔ה
לְיַעֲקֹ֖ב בֵּֽן: יא וַתֹּ֥אמֶר לֵאָ֖ה
בָּ֣א גָ֑ד [בגד כ׳] וַתִּקְרָ֥א אֶת־
שְׁמ֖וֹ גָּֽד: יב וַתֵּ֗לֶד זִלְפָּה֙ שִׁפְחַ֣ת
לֵאָ֔ה בֵּ֥ן שֵׁנִ֖י לְיַעֲקֹֽב: יג וַתֹּ֣אמֶר
לֵאָ֔ה בְּאָשְׁרִ֕י כִּ֥י אִשְּׁר֖וּנִי
בָּנ֑וֹת וַתִּקְרָ֥א אֶת־שְׁמ֖וֹ אָשֵֽׁר:
רביעי יד וַיֵּ֨לֶךְ רְאוּבֵ֜ן בִּימֵ֣י קְצִיר־
חִטִּ֗ים וַיִּמְצָ֤א דֽוּדָאִים֙ בַּשָּׂדֶ֔ה וַיָּבֵ֣א אֹתָ֔ם אֶל־
לֵאָ֖ה אִמּ֑וֹ וַתֹּ֤אמֶר רָחֵל֙ אֶל־לֵאָ֔ה תְּנִי־נָ֣א לִ֔י
מִדּוּדָאֵ֖י בְּנֵֽךְ: טו וַתֹּ֣אמֶר לָ֗הּ הַמְעַט֙ קַחְתֵּ֣ךְ

י וִילִידַת זִלְפָּה אַמְתָא
דְלֵאָה לְיַעֲקֹב בָּר:
יא וַאֲמֶרֶת לֵאָה אֲתָא
גָד וּקְרָת יָת שְׁמֵהּ גָּד:
יב וִילִידַת זִלְפָּה אַמְתָא
דְלֵאָה בַּר תִּנְיָן לְיַעֲקֹב:
יג וַאֲמֶרֶת לֵאָה תֻּשְׁבַּחְתָּא
הֲוַת לִי אֲרֵי בְכֵן יְשַׁבְּחֻנַּנִי
נְשַׁיָּא וּקְרָת יָת שְׁמֵהּ
אָשֵׁר: יד וַאֲזַל רְאוּבֵן
בְּיוֹמֵי חֲצַד חִטִּין וְאַשְׁכַּח
יַבְרוּחִין בְּחַקְלָא וְאַיְתִי
יָתְהוֹן לְלֵאָה אִמֵּהּ וַאֲמֶרֶת
רָחֵל לְלֵאָה הָבִי כְעַן לִי
מִיַּבְרוּחֵי דִבְרִיךְ: טו וַאֲמֶרֶת
לַהּ הַזְעֵיר דִּדְבַרְתְּ

רש״י

[פסוק י] וַתֵּלֶד זִלְפָּה. בְּכוּלָּן נֶאֱמַר הֵרָיוֹן חוּץ מִזִּלְפָּה, לְפִי שֶׁהָיְתָה בַּחוּרָה מִכּוּלָּן וְתִינוֹקֶת בְּשָׁנִים וְאֵין הֵרָיוֹן נִיכָּר בָּהּ (ב״ר עא:ט). וּכְדֵי לְרַמּוֹת [לְ]יַעֲקֹב נְתָנָהּ לָבָן לְלֵאָה, שֶׁלֹּא יָבִין שֶׁמַּכְנִיסִין לוֹ אֶת לֵאָה, שֶׁכָּךְ מִנְהָגָן לִיתֵּן שִׁפְחָה הַגְּדוֹלָה לַגְּדוֹלָה וְהַקְּטַנָּה לַקְּטַנָּה: **[פסוק יא] בָּא גָד.** בָּא מַזָּל טוֹב (תרגום יונתן), כְּמוֹ גַּד גַּדֵּי וְסָנוּק לָא (שבת סז:), וְדוֹמֶה לוֹ הָעוֹרְכִים לַגַּד שֻׁלְחָן (ישעיה סה:יא). וּמִדְרַשׁ אַגָּדָה, שֶׁנּוֹלַד מָהוּל, כְּמוֹ גֹּדּוּ אִילָנָא צ (דניאל ד:יא; מדרש אגדה). וְלֹא יָדַעְתִּי עַל מָה נִכְתַּב תֵּיבָה אַחַת. [דָּבָר אַחֵר, לָמָּה נִקְרֵאת תֵּיבָה אַחַת, בָּגַד כְּמוֹ בָּגַדְתָּ בִּי כְּשֶׁבָּאתָ אֶל שִׁפְחָתִי, כְּאִישׁ שֶׁבּוֹגֵד בְּאֵשֶׁת נְעוּרִים]: **[פסוק יד] בִּימֵי קְצִיר חִטִּים.** לְהַגִּיד שִׁבְחָן שֶׁל שְׁבָטִים, שֶׁעֵת הַקָּצִיר הָיָה וְלֹא פָּשַׁט יָדוֹ בְּגָזֵל לְהָבִיא חִטִּים וּשְׂעוֹרִים אֶלָּא דָּבָר הֶפְקֵר שֶׁאֵין אָדָם מַקְפִּיד בּוֹ (ב״ר עב:ב; ועי׳ סנהדרין לט:): **דּוּדָאִים.** סִיגְלֵי, וְעֵשֶׂב הוּא, וּבִלְשׁוֹן יִשְׁמָעֵאל יסמי״ן (סנהדרין סט:):

בעל הטורים

(יד) דודאים. בגימטריא כאדם: בכל שמות השבטים אין סמ״ך אלא ביוסף, רמז שהוא שטנו של עשו: ובכולם אין עי״ן אלא בשמעון, על שם ״ועין נאף שמרה נשף״ משום מעשה דזמרי:

עיקר שפתי חכמים

צ וגד הוא לשון חתוך, שבא לעולם חתוך ומהול:

אֶת־אִישִׁי וְלָקַחַת גַּם אֶת־דּוּדָאֵי
בְּנִי וַתֹּאמֶר רָחֵל לָכֵן יִשְׁכַּב
עִמָּךְ הַלַּיְלָה תַּחַת דּוּדָאֵי בְנֵךְ:
טז וַיָּבֹא יַעֲקֹב מִן־הַשָּׂדֶה בָּעֶרֶב
וַתֵּצֵא לֵאָה לִקְרָאתוֹ וַתֹּאמֶר
אֵלַי תָּבוֹא כִּי שָׂכֹר שְׂכַרְתִּיךָ
בְּדוּדָאֵי בְּנִי וַיִּשְׁכַּב עִמָּהּ בַּלַּיְלָה
הוּא: יז וַיִּשְׁמַע אֱלֹהִים אֶל־לֵאָה
וַתַּהַר וַתֵּלֶד לְיַעֲקֹב בֵּן חֲמִישִׁי:
יח וַתֹּאמֶר לֵאָה נָתַן אֱלֹהִים שְׂכָרִי אֲשֶׁר־נָתַתִּי
שִׁפְחָתִי לְאִישִׁי וַתִּקְרָא שְׁמוֹ יִשָּׂשכָר: יט וַתַּהַר
עוֹד לֵאָה וַתֵּלֶד בֵּן־שִׁשִּׁי לְיַעֲקֹב: כ וַתֹּאמֶר לֵאָה

יָת בַּעְלִי וְתִסְּבִין (נ״א
וּלְמִסַּב) אַף יָת יַבְרוּחֵי
דִּבְרִי וַאֲמֶרֶת רָחֵל בְּכֵן
יִשְׁכּוּב עִמָּךְ בְּלֵילְיָא
חֲלַף יַבְרוּחֵי דִּבְרִיךְ:
טז וַאֲתָא (נ״א וְעַל) יַעֲקֹב
מִן חַקְלָא בְּרַמְשָׁא וּנְפַקַת
לֵאָה לְקַדָּמוּתֵהּ וַאֲמֶרֶת
לְוָתִי תֵיעוֹל אֲרֵי מֵיגַר
אֲגַרְתִּיךְ בְּיַבְרוּחֵי דִּבְרִי
וּשְׁכִיב עִמַּהּ בְּלֵילְיָא הוּא:
יז וְקַבִּיל יְיָ צְלוֹתַהּ דְּלֵאָה
וְעַדִּיאַת וִילִידַת לְיַעֲקֹב
בַּר חֲמִישָׁאי: יח וַאֲמֶרֶת
לֵאָה יְהַב יְיָ אַגְרִי דִּי יְהָבִית
אַמְתִי לְבַעְלִי וּקְרַת שְׁמֵהּ
יִשָּׂשכָר: יט וְעַדִּיאַת עוֹד
לֵאָה וִילִידַת בַּר שְׁתִיתָאי
לְיַעֲקֹב: כ וַאֲמֶרֶת לֵאָה

רש״י

[פסוק טו] **וְלָקַחַת גַּם אֶת דּוּדָאֵי בְּנִי.** בִּתְמִיָּה, וְלַעֲשׂוֹת עוֹד זֹאת לִיקַּח גַּם אֶת דּוּדָאֵי בְּנִי. וְתַרְגּוּמוֹ וּלְמִיסַּב: **לָכֵן יִשְׁכַּב עִמָּךְ הַלַּיְלָה.** שֶׁלִּי הָיְתָה שְׁכִיבַת לַיְלָה זוֹ וַאֲנִי נוֹתְנָהּ לָךְ תַּחַת דּוּדָאֵי בְנֵךְ. וּלְפִי שֶׁזִּלְזְלָה בְּמִשְׁכַּב הַצַּדִּיק לֹא זָכְתָה לְהִקָּבֵר עִמּוֹ (ב״ר עב:ג): [פסוק טז] **שָׂכֹר שְׂכַרְתִּיךָ.** נָתַתִּי לְרָחֵל שְׂכָרָהּ: **בַּלַּיְלָה הוּא.** ק הקב״ה סִיְּעוֹ [ס״א סִיַּע לָהּ] שֶׁיָּצָא מִשָּׁם יִשָּׂשכָר (נדה לא.): [פסוק יז] **וַיִּשְׁמַע אֱלֹהִים אֶל לֵאָה.** שֶׁהָיְתָה ר מִתְאַוָּה וּמְחַזֶּרֶת לְהַרְבּוֹת שְׁבָטִים (ב״ר שם ה):

בעל הטורים

(טו) **לכן ישכב עמך הלילה.** ועל כן לא נקברה עמו במערה ״לכן״ בגימטריא ״מדה במדה״:

עיקר שפתי חכמים

ק והוא הייגו הקב״ה, דאל״כ ההוא מבע״ל. ועי׳ בב״ר ע״פ יששכר חמור גרס: **ר** כי שמע לא שייך רק על תפלה ודבור, ופה לא התפללה ולא דברה מאומה, ונופל הלשון שמע רק על חשקה ורצונה:

זְבָדַנִי אֱלֹהִים | אֹתִי זֵבֶד טוֹב
הַפַּעַם יִזְבְּלֵנִי אִישִׁי כִּי־יָלַדְתִּי
לוֹ שִׁשָּׁה בָנִים וַתִּקְרָא אֶת־שְׁמוֹ
זְבֻלוּן׃ כא וְאַחַר יָלְדָה בַּת וַתִּקְרָא
אֶת־שְׁמָהּ דִּינָה׃ כב וַיִּזְכֹּר אֱלֹהִים
אֶת־רָחֵל וַיִּשְׁמַע אֵלֶיהָ אֱלֹהִים
וַיִּפְתַּח אֶת־רַחְמָהּ׃ כג וַתַּהַר וַתֵּלֶד
בֵּן וַתֹּאמֶר אָסַף אֱלֹהִים אֶת־חֶרְפָּתִי׃ כד וַתִּקְרָא
אֶת־שְׁמוֹ יוֹסֵף לֵאמֹר יֹסֵף יְהוָה לִי בֵּן אַחֵר׃

יְהַב יְיָ יָתַהּ לִי חֳלָק טָב
הָדָא זִמְנָא יְהֵי מְדוֹרֵהּ
דְּבַעְלִי לְוָתִי אֲרֵי יְלֵידִית
לֵהּ שִׁתָּא בְּנִין וּקְרָת יָת
שְׁמֵהּ זְבוּלֻן׃ כא וּבָתַר
כֵּן יְלִידַת בַּת וּקְרָת
יָת שְׁמַהּ דִּינָה׃ כב וְעַל
דּוּכְרָנָא דְרָחֵל קֳדָם יְיָ
וְקַבִּיל צְלוֹתַהּ יְיָ וִיהַב
לַהּ עִדּוּי׃ כג וְעַדִּיאַת
וִילִידַת בַּר וַאֲמֶרֶת כְּנַשׁ
יְיָ יָת חִסוּדִי׃ כד וּקְרָת
יָת שְׁמֵהּ יוֹסֵף לְמֵימַר
יוֹסֵף יְיָ לִי בַּר אָחֳרָן׃

רש"י

[פסוק כ] זֶבֶד טוֹב. כְּתַרְגּוּמוֹ: **יִזְבְּלֵנִי.** לְשׁוֹן בֵּית זְבוּל (מלכים א ח:יג). הירבירגי"א בלע"ז, בֵּית מָדוֹר. מֵעַתָּה לֹא תְהֵא עִיקַּר דִּירָתוֹ אֶלָּא עִמִּי (אונקלוס) שֶׁיֵּשׁ לִי בָּנִים כְּנֶגֶד כָּל נָשָׁיו (עי' פירש"י לעיל כט:לד-לה): **[פסוק כא] דִּינָה.** פֵּירְשׁוּ רַבּוֹתֵינוּ שֶׁדָּנָה לֵאָה דִּין בְּעַצְמָהּ, אִם זֶה זָכָר לֹא תְהֵא רָחֵל אֲחוֹתִי כְּאַחַת הַשְּׁפָחוֹת, וְהִתְפַּלְּלָה עָלָיו וְנֶהֱפַךְ לִנְקֵבָה (ברכות ס.; תנחומא ח): **[פסוק כב] וַיִּזְכֹּר אֱלֹהִים אֶת רָחֵל.** זָכַר לָהּ שֶׁמָּסְרָה סִימָנֶיהָ לַאֲחוֹתָהּ (ב"ב קכג.; ב"ר עג:ד). וְשֶׁהָיְתָה מְצֵירָה שֶׁלֹּא תַעֲלֶה בְּגוֹרָלוֹ שֶׁל עֵשָׂו שֶׁמָּא יְגָרְשֶׁנָּה יַעֲקֹב לְפִי שֶׁאֵין לָהּ בָּנִים (תנחומא ישן כ), וְאַף עֵשָׂו הָרָשָׁע כַּךְ עָלָה בְּלִבּוֹ כְּשֶׁשָּׁמַע שֶׁאֵין לָהּ בָּנִים, הוּא שֶׁיִּסֵּד הַפַּיְּטָן (בקרובות ליום א' דר"ה שחרית) הָאַדְמוֹן כְּבָט שֶׁלֹּא חָלָה, נָבָה לְקַחְתָּהּ לוֹ וְנִתְבַּהֲלָה ש: **[פסוק כג] אָסַף.** הִכְנִיסָהּ ת בִּמְקוֹם שֶׁלֹּא תֵרָאֶה. וְכֵן אָסַף חֶרְפָּתֵנוּ (ישעיה ד:א) וְלֹא יֵאָסֵף הַבַּיְתָה (שמות ט:יט) אָסְפוּ נָגְהָם (יואל ד:טו) וִירֵחֵךְ לֹא יֵאָסֵף (ישעיה ס:כ) לֹא יִטָּמֵן: **חֶרְפָּתִי.** שֶׁהָיִיתִי לְחֶרְפָּה שֶׁאֲנִי עֲקָרָה, וְהָיוּ אוֹמְרִים עָלַי שֶׁאֶעֱלֶה לְחֶלְקוֹ שֶׁל עֵשָׂו הָרָשָׁע (תנחומא ישן שם). וּמִדְרַשׁ אַגָּדָה, כָּל זְמַן שֶׁאֵין לָאִשָּׁה בֵּן אֵין לָהּ בְּמִי לִתְלוֹת סִרְחוֹנָהּ, מִשֶּׁיֵּשׁ לָהּ בֵּן תּוֹלָה בוֹ. מִי שָׁבַר כְּלִי זֶה, בִּנְךָ. מִי אָכַל תְּאֵנִים הַלָּלוּ, בִּנְךָ (ב"ר שם ה): **[פסוק כד] יֹסֵף ה' לִי בֵּן אַחֵר.** יוֹדַעַת הָיְתָה בִּנְבוּאָה שֶׁאֵין יַעֲקֹב עָתִיד

בעל הטורים

(כ) בלוי כתיב "כי ילדתי לו שלשה בנים", ובזבולן כתיב "כי ילדתי לו ששה בנים". כשילדה שלשה אמרה, הרי ילדתי שלשה שהם חלקי. וכשילדה עוד שלשה אמרה, הרי ילדתי שני חלקים:

עיקר שפתי חכמים

ש ר"ל עשו שהוא אדמוני, כשהביט שלא היו לרחל חבלי לידה, רצה לקחתה כו': **ת** לא מלשון כנוס וקבוצה להשתמר אך להסתתר:

כה וַיְהִ֕י כַּאֲשֶׁ֛ר יָלְדָ֥ה רָחֵ֖ל
אֶת־יוֹסֵ֑ף וַיֹּ֤אמֶר יַעֲקֹב֙ אֶל־
לָבָ֔ן שַׁלְּחֵ֙נִי֙ וְאֵ֣לְכָ֔ה אֶל־מְקוֹמִ֖י
וּלְאַרְצִֽי׃ כו תְּנָ֞ה אֶת־נָשַׁ֣י וְאֶת־
יְלָדַ֗י אֲשֶׁ֨ר עָבַ֧דְתִּי אֹֽתְךָ֛ בָּהֵ֖ן
וְאֵלֵ֑כָה כִּ֚י אַתָּ֣ה יָדַ֔עְתָּ אֶת־
עֲבֹדָתִ֖י אֲשֶׁ֥ר עֲבַדְתִּֽיךָ׃ כז וַיֹּ֤אמֶר
אֵלָיו֙ לָבָ֔ן אִם־נָ֛א מָצָ֥אתִי חֵ֖ן
בְּעֵינֶ֑יךָ נִחַ֕שְׁתִּי וַיְבָרְכֵ֥נִי יְהוָ֖ה בִּגְלָלֶֽךָ׃ חמישי
כח וַיֹּאמַ֑ר נָקְבָ֧ה שְׂכָרְךָ֛ עָלַ֖י וְאֶתֵּֽנָה׃ כט וַיֹּ֣אמֶר
אֵלָ֔יו אַתָּ֣ה יָדַ֔עְתָּ אֵ֖ת אֲשֶׁ֣ר עֲבַדְתִּ֑יךָ וְאֵ֛ת
אֲשֶׁר־הָיָ֥ה מִקְנְךָ֖ אִתִּֽי׃ ל כִּ֣י מְעַ֞ט אֲשֶׁר־הָיָ֧ה

כה וַהֲוָה כַּד יְלִידַת רָחֵל
יָת יוֹסֵף וַאֲמַר יַעֲקֹב לְלָבָן
שַׁלְּחַנִי וְאֵיהַךְ לְאַתְרִי
וּלְאַרְעִי: כו הַב יָת נְשַׁי
וְיָת בְּנַי דִּי פְלָחִית יָתָךְ
בְּהוֹן וְאֵהָךְ אֲרֵי אַתְּ יְדַעְתְּ
יָת פָּלְחָנִי דִּי פְלַחְתָּךְ:
כז וַאֲמַר לֵהּ לָבָן אִם כְּעַן
אַשְׁכָּחִית רַחֲמִין קֳדָמָךְ
נַסֵּיתִי וּבָרְכַנִי יְיָ בְּדִילָךְ:
כח וַאֲמַר פָּרֵישׁ אַגְרָךְ
עֲלַי וְאֶתֵּין: כט וַאֲמַר לֵהּ
אַתְּ יְדַעְתְּ יָת דִּי פְלַחְתָּךְ
וְיָת דִּי הֲוָה בְעִירָךְ עִמִּי:
ל אֲרֵי זְעֵיר דִּי הֲוָה

רש"י

להעמיד אלא שנים עשר שבטים. אמרה, יהי רצון שאותו שהוא עתיד להעמיד יהא ממני, לכך לא נתפללה אלא על בן אחר (שם עב:ו): **[פסוק כה] כאשר ילדה רחל את יוסף.** משנולד שטנו של עשו, שנאמר והיה בית יעקב אש ובית יוסף להבה ובית עשו לקש (עובדיה א:יח), אש בלא להבה אינו שולט למרחוק, משנולד יוסף בטח יעקב בהקב"ה ורצה לשוב (תנחומא ישן כג; ב"ר עג:ז; ב"ב קכג:): **[פסוק כו] תנה את נשי וגו'.** איני רוצה לצאת כי אם ברשות (עי' תנחומא ישן כד):

[פסוק כז] נחשתי. מנחש הייתי, נסיתי בנחוש שלי שעל ידך באה לי ברכה. כשבאת לכאן לא היו לי בנים, שנאמר והנה רחל בתו באה עם הצאן (לעיל כט:ו), אפשר יש לו בנים והוא שולח בתו אצל הרועים, ועכשיו היו לו בנים, שנאמר וישמע את דברי בני לבן (להלן לא:א; תנחומא שמות טז): **[פסוק כח] נקבה שכרך.** כתרגומו, פריש אגרך: **[פסוק כט] ואת אשר היה מקנך אתי.** את חשבון מעוט מקנך שבא לידי מתחלה כמה היו:

לְךָ לְפָנַי וַיִּפְרֹץ לָרֹב וַיְבָרֶךְ יְהוָה
אֹתְךָ לְרַגְלִי וְעַתָּה מָתַי אֶעֱשֶׂה
גַם־אָנֹכִי לְבֵיתִי: לא וַיֹּאמֶר מָה
אֶתֶּן־לָךְ וַיֹּאמֶר יַעֲקֹב לֹא־
תִתֶּן־לִי מְאוּמָה אִם־תַּעֲשֶׂה־
לִּי הַדָּבָר הַזֶּה אָשׁוּבָה אֶרְעֶה
צֹאנְךָ אֶשְׁמֹר: לב אֶעֱבֹר בְּכָל־
צֹאנְךָ הַיּוֹם הָסֵר מִשָּׁם כָּל־שֶׂה | נָקֹד וְטָלוּא
וְכָל־שֶׂה־חוּם בַּכְּשָׂבִים וְטָלוּא וְנָקֹד בָּעִזִּים
וְהָיָה שְׂכָרִי: לג וְעָנְתָה־בִּי צִדְקָתִי בְּיוֹם מָחָר

לָךְ קֳדָמַי וּתְקֵיף לְמִסְגֵּי
וּבָרֵיךְ יְיָ יָתָךְ בְּדִילִי וּכְעַן
אֵימָתַי אֶעְבֵּד אַף אֲנָא
לְבֵיתִי: לא וַאֲמַר מָא אֶתֵּן
לָךְ וַאֲמַר יַעֲקֹב לָא תִתֵּן
לִי מִדָּעַם אִם תַּעְבֵּד לִי
פִּתְגָּמָא הָדֵין אֱתוּב אֶרְעֵי
עָנָךְ אֶטַּר: לב אֶעְבַּר בְּכָל
עָנָךְ יוֹמָא דֵין הַעֲדֵי (נ"א
אַעְדֵּי) מִתַּמָּן כָּל אִמַּר נְמוֹר
וּרְקוֹעַ וְכָל אִמַּר שְׁחוֹם
בְּאִמְּרַיָּא וּרְקוֹעַ וּנְמוֹר
בְּעִזַּיָּא וִיהֵי אַגְרִי: לג וְתַסְהֵד
בִּי זָכְוָתִי בְּיוֹם דִּמְחַר

רש"י

[פסוק ל] לרגלי. עם רגלי, בשביל ביאת רגלי באת אליך הברכה. כמו העם אשר ברגליך (שמות יא:ח) לעם אשר ברגלי (שופטים ח:ה) הבאים עמי (ב"ר עג:ח): **גם אנכי לביתי.** לצורך ביתי (תרגום יונתן). עכשיו אין עושין לצרכי אלא בניי, וצריך אני להיות עושה גם אני עמהם לסמכן, א וזהו גם (ב"ר שם): **[פסוק לב] נקד.** מנומר בחברבורות דקות כמו נקודות, פויינטור"א בלע"ז: **טלוא.** לשון טלאי, חברבורות רחבות: **חום.** שחום (אונקלוס) דומה ב לאדום, רו"ס בלע"ז. לשון שחמה, שחמתית ונמלאת לבנה (בבא בתרא פג:) לענין התבואה: **והיה שכרי.** אותן שיוולדו מכאן ולהבא נקודים וטלואים ג בעזים ושחומים בכשבים יהיו שלי, ואותן שישנן עכשיו הפרש מהם והפקידם ביד בניך, שלא תאמר לי על הנולדים מעתה אלו היו שם מתחלה, ועוד, שלא תאמר לי ד ע"י הזכרים שהם נקודים וטלואים תלדנה הנקבות דוגמתן מכאן ואילך: **[פסוק לג] וענתה בי וגו'.** אם תחשדני שאני נוטל משלך כלום תענה בי צדקתי, כי

בעל הטורים

(לג) ביום מחר. ב' במסורת — הכא; ואידך "אל תתהלל ביום מחר". אמר הקדוש ברוך הוא ליעקב, וכי אתה יודע מה יהיה ביום [מחר]? "אל תתהלל ביום מחר", למחר בתך דינה יוצאה ממך:

עיקר שפתי חכמים

א וזהו גם אנכי, שצריך לסייען: **ב** ר"ל התרגום שמתרגם חום בכשבים שחום באמריא ר"ל אדום: **ג** ומה שאמר יעקב להלן כל שה נקוד וטלוא דמשמע שגם בכשבים הוא סימן. אפשר לומר דיעקב א"ל דאף שנקוד וטלוא בכשבים הוא שלו עכ"ז רוצה להסיר ממנו עקשות פה ומוותר ג"כ עליהם, שגם אותם יסור מהעדר ומה שיולדו אח"כ יהיו שייכים לו: **ד** דאל"כ היו יכולים לעבור את הצאן במנין ומה שיהיו יותר מהמנוים האלו יהיו ליעקב. לכ"פ שלא תאמר כו':

ראה הציור "מַשְׂכֹּרֶת יַעֲקֹב אָבִינוּ" (עמוד 528)

כִּֽי־תָב֥וֹא עַל־שְׂכָרִ֖י לְפָנֶ֑יךָ כֹּ֣ל
אֲשֶׁר־אֵינֶנּוּ֩ נָקֹ֨ד וְטָל֜וּא בָּֽעִזִּ֗ים
וְחוּם֙ בַּכְּשָׂבִ֔ים גָּנ֥וּב ה֖וּא אִתִּֽי׃
לד וַיֹּ֥אמֶר לָבָ֖ן הֵ֑ן ל֖וּ יְהִ֥י כִדְבָרֶֽךָ׃
לה וַיָּ֣סַר בַּיּוֹם֩ הַה֨וּא אֶת־הַתְּיָשִׁ֜ים
הָֽעֲקֻדִּ֣ים וְהַטְּלֻאִ֗ים וְאֵ֤ת כָּל־
הָֽעִזִּים֙ הַנְּקֻדּ֣וֹת וְהַטְּלֻאֹ֔ת
כֹּ֤ל אֲשֶׁר־לָבָן֙ בּ֔וֹ וְכָל־ח֖וּם
בַּכְּשָׂבִ֑ים וַיִּתֵּ֖ן בְּיַד־בָּנָֽיו׃ לו וַיָּ֗שֶׂם דֶּ֚רֶךְ שְׁלֹ֣שֶׁת
יָמִ֔ים בֵּינ֖וֹ וּבֵ֣ין יַעֲקֹ֑ב וְיַעֲקֹ֗ב רֹעֶ֛ה אֶת־צֹ֥אן
לָבָ֖ן הַנּוֹתָרֹֽת׃ לז וַיִּֽקַּֽח־ל֣וֹ יַעֲקֹ֗ב מַקַּ֥ל לִבְנֶ֛ה לַ֖ח

אֲרֵי תֵיעוֹל עַל אַגְרִי
קֳדָמָךְ כֹּל דִּי לֵיתוֹהִי נְמוֹר
וּרְקוֹעַ בְּעִזַּיָּא וּשְׁחוּם
בְּאִמְּרַיָּא גְּנוּבָא הוּא עִמִּי:
לד וַאֲמַר לָבָן בְּרַם לְוַי
יְהֵי כְפִתְגָּמָךְ: לה וְאַעְדִּי
בְּיוֹמָא הַהוּא יָת תְּיָשַׁיָּא
רְגוֹלַיָּא וּרְקוֹעַיָּא וְיָת כָּל
עִזַּיָּא נְמוֹרַיָּא וּרְקוֹעַיָּא
כֹּל דִּי חִוָּר בֵּהּ וְכָל שְׁחוּם
בְּאִמְּרַיָּא וִיהַב בְּיַד בְּנוֹהִי:
לו וְשַׁוִּי מַהֲלַךְ תְּלָתָא
יוֹמִין בֵּינוֹהִי וּבֵין יַעֲקֹב
וְיַעֲקֹב רָעֵי יָת עָנָא דְלָבָן
דְּאִשְׁתְּאָרַן: לז וּנְסִיב לֵהּ
יַעֲקֹב חוּטְרִין דִּלְבַן רַטִּיבִין

רש"י

תָבוֹא [ה] לִצְדָקָתִי וְתָעִיד עַל שְׂכָרִי לְפָנֶיךָ שֶׁלֹּא תִמְצָא בְּעֶדְרִי כִּי אִם נְקוּדִּים וּטְלוּאִים, וְכָל שֶׁתִּמְצָא בָהֶן שֶׁאֵינוֹ נָקוֹד אוֹ טָלוּא אוֹ חוּם בְּיָדוּעַ שֶׁגְּנַבְתִּיו לְךָ וּבִגְנֵיבָה הוּא שָׁרוּי אֶצְלִי: **[פסוק לד] הֵן.** לְ' [ו] קַבָּלַת דְּבָרִים (תרגום יונתן): **לוּ יְהִי כִדְבָרֶךָ.** הַלְוַאי שֶׁתַּחְפּוֹץ בְּכָךְ (שם ואונקלוס): **[פסוק לה] וַיָּסַר.** [ז] לָבָן בַּיּוֹם הַהוּא וגו': **הַתְּיָשִׁים.** עִזִּים זְכָרִים: **כֹּל אֲשֶׁר לָבָן בּוֹ.** כֹּל אֲשֶׁר הָיְתָה בּוֹ חֲבַרְבּוּרֶת לְבָנָה (תרגום יונתן): **וַיִּתֵּן.** לָבָן **בְּיַד בָּנָיו: [פסוק לו] הַנּוֹתָרֹת.** הָרְעוּעוֹת שֶׁבָּהֶן, הַחוֹלוֹת וְהָעֲקָרוֹת שֶׁאֵינָן אֶלָּא שִׁירַיִים, אוֹתָן מָסַר לוֹ (תנחומא ישן כד; ב"ר עג:ט): **[פסוק לז] מַקַּל לִבְנֶה.** עֵץ הוּא [ח] וּשְׁמוֹ לִבְנֶה (אונקלוס), כְּמוֹ דְּתֵימָא תַּחַת אַלּוֹן וְלִבְנֶה (הושע ד: יג). וְאוֹמֵר אֲנִי, הוּא שֶׁקּוֹרִין טרינבל"א שֶׁהוּא לָבָן: **לַח.** כְּשֶׁהוּא רָטוֹב:

עיקר שפתי חכמים

ה והתי"ו מן תבוא הוא כינוי לנקבה נסתרת, ומוסב על לדקתי, ולא בא לנוכח: ו ולא מלשון הנה: ז ולא קאי ויסר על יעקב, שהרי כתיב ויתן ביד בניו וישם דרך שלשת ימים בינו ובין יעקב: ח דאי הוראתו ממראה לבן הול"ל לבנה בשוא הל' ובקמץ הבי"ת. גם לא היה צריך לקלוף אותו אם הוא לבן בעצמו:

וְלוּז וְעַרְמוֹן וַיְפַצֵּל בָּהֵן פְּצָלוֹת
לְבָנוֹת מַחְשֹׂף הַלָּבָן אֲשֶׁר עַל־
הַמַּקְלוֹת׃ לח וַיַּצֵּג אֶת־הַמַּקְלוֹת
אֲשֶׁר פִּצֵּל בָּרְהָטִים בְּשִׁקֲתוֹת
הַמָּיִם אֲשֶׁר תָּבֹאןָ הַצֹּאן
לִשְׁתּוֹת לְנֹכַח הַצֹּאן וַיֵּחַמְנָה
בְּבֹאָן לִשְׁתּוֹת׃ לט וַיֶּחֱמוּ
הַצֹּאן אֶל־הַמַּקְלוֹת וַתֵּלַדְןָ הַצֹּאן עֲקֻדִּים
נְקֻדִּים וּטְלֻאִים׃ מ וְהַכְּשָׂבִים הִפְרִיד יַעֲקֹב

וּדְלוּז וְדִדְלוּף וְקַלִּיף
בְּהוֹן קִלְפִין חִוָּרִין קִלּוּף
חִוָּר דִּי עַל חוּטְרַיָּא׃
לח וּדְעִיץ יָת חוּטְרַיָּא
דִּי קַלִּיף בִּרְהָטַיָּא אֲתַר
בֵּית שָׁקְיָא דְמַיָּא אֲתַר
דְּאָתָן (נ״א דְּאָתְיָן) עָנָא
לְמִשְׁתֵּי לְקִבְלֵיהוֹן דְּעָנָא
וּמִתְיַחֲמָן בְּמֵיתֵיהוֹן
לְמִשְׁתֵּי׃ לט וּמִתְיַחֲמָן עָנָא
לְחוּטְרַיָּא וִילִידָא עָנָא
רְגוֹלִין נְמוֹרִין וּרְקוֹעִין׃
מ וְאִמְּרַיָּא אַפְרֵשׁ יַעֲקֹב

רש״י

וְלוּז. וְעוֹד לָקַח מַקַּל לוּז, עֵץ שֶׁגְּדֵלִין בּוֹ אֱגוֹזִים דַּקִּים, קולדר״י בלע״ז: **וְעַרְמוֹן.** קשטניי״ר בלע״ז: **פְּצָלוֹת.** קִלּוּפִים קִלּוּפִים, שֶׁהָיָה עוֹשֵׂהוּ מְנוּמָּר: **מַחְשֹׂף הַלָּבָן.** גִּלּוּי לוֹבֶן [ס״א לָבָן] שֶׁל מַקֵּל. כְּשֶׁהָיָה קוֹלְפוֹ הָיָה נִרְאֶה וְנִגְלֶה לוֹבֶן שֶׁלּוֹ בִּמְקוֹם הַקָּלוּף (תרגום יונתן): [פסוק לח] **וַיַּצֵּג.** תַּרְגּוּמוֹ וּדְעִיץ. לְשׁוֹן תְּחִיבָה וּנְעִיצָה הוּא בְּלָשׁוֹן אֲרַמִּי. וְהַרְבֵּה יֵשׁ בַּתַּלְמוּד דָּצָה וְשַׁלְפָהּ (שבת כ:) דָּץ בֵּיהּ מִידֵּי (חולין נג:). דָּצָה כְּמוֹ דְּעָצָה, אֶלָּא שֶׁמְּקַצֵּר אֶת לְשׁוֹנוֹ: **בָּרְהָטִים.** ט בִּמְרוּצוֹת הַמַּיִם. **[בְּשִׁקֲתוֹת.]** בִּבְרֵיכוֹת הָעֲשׂוּיוֹת בָּאָרֶץ לְהַשְׁקוֹת שָׁם הַצֹּאן: **אֲשֶׁר תָּבֹאןָ וגו׳.** בָּרְהָטִים **אֲשֶׁר תָּבֹאןָ הַצֹּאן לִשְׁתּוֹת,** שָׁם הִצִּיג הַמַּקְלוֹת **לְנֹכַח הַצֹּאן** (אונקלוס): **וַיֵּחַמְנָה וגו׳.** הַבְּהֵמָה רוֹאָה אֶת הַמַּקְלוֹת וְהִיא נִרְתַּעַת לַאֲחוֹרֶיהָ י וְהַזָּכָר רוֹבְעָהּ וְיוֹלֶדֶת כַּיּוֹצֵא בוֹ. רַבִּי אוֹשַׁעְיָא אוֹמֵר, הַמַּיִם נַעֲשִׂין זֶרַע בִּמְעֶיהָן וְלֹא הָיוּ צְרִיכוֹת לְזָכָר, וְזֶהוּ כ וַיֵּחַמְנָה בְּבוֹאָן לִשְׁתּוֹת (ב״ר עג:י): [פסוק לט] **אֶל הַמַּקְלוֹת.** אֶל ל מַרְאוֹת הַמַּקְלוֹת (שם): **עֲקֻדִּים.** מְשׁוּנִּים בִּמְקוֹם עֲקִידָתָן, הֵם קַרְסוּלֵי יְדֵיהֶם וְרַגְלֵיהֶם (תרגום יונתן): [פסוק מ] **וְהַכְּשָׂבִים הִפְרִיד יַעֲקֹב.** הַנּוֹלָדִים עֲקוּדִים וּנְקוּדִים הִבְדִּיל וְהִפְרִישׁ

עיקר שפתי חכמים

ט דתרגום וירן ורהט: י אבל לא מן המים דאין דרך המים לחמם. ולדעת ר׳ אושעיא החמום הוא העבור: כ ר״ל שבאה ביו״ד ברתשה וזה סימן זכר ונו״ן ה״א בסופה הבאות לרבות נקבות והראוי ותחמנה. ויו״ד הבא בגיר״י הוא תמורת יו״ד פ״א הפעל [מכלל יופי]:

ל ולא תקשה איך עשה יעקב רמאות כזה בהמקלות. וי״ל דלא עשה זאת רק עבור נאמו, דמן הדין היו כל הנולדים מנאמו שלו, אך לבן רצה ליקח ממנו אף הנולדים מנאמו אותן שלא היו נקודים כו׳. לכך עשה זאת התחבולה על נאמו [מהרש״ל]:

וַיִּתֵּן פְּנֵי הַצֹּאן אֶל־עָקֹד וְכָל־
חוּם בְּצֹאן לָבָן וַיָּשֶׁת לוֹ עֲדָרִים
לְבַדּוֹ וְלֹא שָׁתָם עַל־צֹאן
לָבָן׃ מא וְהָיָה בְּכָל־יַחֵם הַצֹּאן
הַמְקֻשָּׁרוֹת וְשָׂם יַעֲקֹב אֶת־
הַמַּקְלוֹת לְעֵינֵי הַצֹּאן בָּרְהָטִים
לְיַחְמֵנָּה בַּמַּקְלוֹת׃ מב וּבְהַעֲטִיף
הַצֹּאן לֹא יָשִׂים וְהָיָה הָעֲטֻפִים
לְלָבָן וְהַקְּשֻׁרִים לְיַעֲקֹב׃ מג וַיִּפְרֹץ הָאִישׁ מְאֹד
מְאֹד וַיְהִי־לוֹ צֹאן רַבּוֹת וּשְׁפָחוֹת וַעֲבָדִים
וּגְמַלִּים וַחֲמֹרִים׃ פרק לא א וַיִּשְׁמַע אֶת־דִּבְרֵי

וִיהַב בְּרֵישׁ עָנָא כָּל דִּרְגוֹל
וְכָל דִּשְׁחוּם בְּעָנָא דְלָבָן
וְשַׁוִּי לֵהּ עֶדְרִין בִּלְחוֹדוֹהִי
וְלָא עָרְבִנּוּן עִם עָנָא
דְלָבָן׃ מא וַהֲוֵי בְּכָל עִדָּן
דְּמִתְיַחֲמָן עָנָא מְבַכַּרְתָּא
וּמְשַׁוֵּי יַעֲקֹב יָת חוּטְרַיָּא
קֳדָם עָנָא בְּרַהֲטַיָּא
לְיַחֲמוּתְהוֹן בְּחוּטְרַיָּא׃
מב וּבְלַקִּישׁוּת עָנָא לָא
מְשַׁוֵּי וִיהוֹן לַקִּישַׁיָּא לְלָבָן
וּבַכִּירַיָּא לְיַעֲקֹב׃ מג וּתְקֵיף
גֻּבְרָא לַחֲדָא לַחֲדָא וַהֲוָה
לֵהּ עָן סַגִּיאָן וְאַמְהָן
וְעַבְדִּין וְגַמְלִין וַחֲמָרִין׃
א וּשְׁמַע יָת פִּתְגָּמֵי

רש"י

לְעַצְמָן וְעָשָׂה אוֹתָן עֵדֶר עֵדֶר לְבַדּוֹ, וְהוֹלִיךְ אוֹתוֹ הָעֵדֶר הֶעָקוֹד לִפְנֵי הַצֹּאן. וּפְנֵי הַצֹּאן הַהוֹלְכוֹת אַחֲרֵיהֶם צוֹפוֹת אֲלֵיהֶם. זֶהוּ שֶׁנֶּאֱמַר **וַיִּתֵּן פְּנֵי הַצֹּאן אֶל עָקֹד**, שֶׁהָיוּ פְּנֵי הַצֹּאן אֶל הָעֲקוּדִּים, וְאֶל **כָּל חוּם** שֶׁמָּצָא מ **בְּצֹאן לָבָן, וַיָּשֶׁת לוֹ עֲדָרִים**, כְּמוֹ שֶׁפֵּירַשְׁתִּי: **[פסוק מא] הַמְקֻשָּׁרוֹת.** כְּתַרְגּוּמוֹ, הַבְּכִירוֹת, וְאֵין לוֹ עֵד בַּמִּקְרָא. וּמְנַחֵם חִבְּרוֹ עִם אֲחִיתֹפֶל בַּקּוֹשְׁרִים (שמואל־ב טו:לא) וַיְהִי הַקֶּשֶׁר אַמִּץ (שם יב), אוֹתָן הַמִּתְקַשְּׁרוֹת יַחַד לְמַהֵר עִבּוּרָן: **[פסוק מב] וּבְהַעֲטִיף.** לְשׁוֹן אִיחוּר, כְּתַרְגּוּמוֹ, [וּבְלַקִּישׁוּת.] וּמְנַחֵם חִבְּרוֹ עִם הַמַּחֲלָצוֹת וְהַמַּעֲטָפוֹת (ישעיה ג:כב) לְשׁוֹן עֲטִיפַת כְּסוּת, כְּלוֹמַר, מִתְעַטְּפוֹת בְּעוֹרָן וְצַמְרָן וְאֵינָן מִתְאַוּוֹת לְהִתְיַיחֵם ע"י הַזְּכָרִים: **[פסוק מג] צֹאן רַבּוֹת.** נ פָּרוֹת וְרָבוֹת [יוֹתֵר] מִשְּׁאָר צֹאן: **וּשְׁפָחוֹת וַעֲבָדִים.** מָכַר צֹאנוֹ בְּדָמִים יְקָרִים ס וְלוֹקֵחַ לוֹ כָּל אֵלֶּה (תנחומא ישן כד):

בעל הטורים

(מב) **העטפים.** ב׳ במסורת — "העטפים ללבן"; "העטופים ברעב". פירוש, שנתן לו הכחושים שמתו ברעב: אי נמי — בשביל שעשה יעקב דבר זה, שנראה כרמאות, גרם לבניו שנתעטפו ברעב;

עיקר שפתי חכמים

מ ר"ל חום בעזים ועקודים וטלואים בכשבים שלא הפריד לבן מעדרו: נ דאין לפרש כמשמעו כי צאן רב היו לו הלא כבר כתיב ויפרוץ האיש גו׳: ס כי מאין היו לו שפחות ועבדים:

בְּנֵי־לָבָן לֵאמֹר לָקַח יַעֲקֹב
אֵת כָּל־אֲשֶׁר לְאָבִינוּ וּמֵאֲשֶׁר
לְאָבִינוּ עָשָׂה אֵת כָּל־הַכָּבֹד
הַזֶּה: ב וַיַּרְא יַעֲקֹב אֶת־פְּנֵי לָבָן
וְהִנֵּה אֵינֶנּוּ עִמּוֹ כִּתְמוֹל שִׁלְשׁוֹם:
ג וַיֹּאמֶר יהוה אֶל־יַעֲקֹב שׁוּב
אֶל־אֶרֶץ אֲבוֹתֶיךָ וּלְמוֹלַדְתֶּךָ
וְאֶהְיֶה עִמָּךְ: ד וַיִּשְׁלַח יַעֲקֹב
וַיִּקְרָא לְרָחֵל וּלְלֵאָה הַשָּׂדֶה
אֶל־צֹאנוֹ: ה וַיֹּאמֶר לָהֶן רֹאֶה
אָנֹכִי אֶת־פְּנֵי אֲבִיכֶן כִּי־אֵינֶנּוּ אֵלַי כִּתְמֹל
שִׁלְשֹׁם וֵאלֹהֵי אָבִי הָיָה עִמָּדִי: ו וְאַתֵּנָה יְדַעְתֶּן
כִּי בְּכָל־כֹּחִי עָבַדְתִּי אֶת־אֲבִיכֶן: ז וַאֲבִיכֶן הֵתֶל

בְּנֵי לָבָן לְמֵימַר נְסֵיב
יַעֲקֹב יָת כָּל דִּי לַאֲבוּנָא
וּמִדִּי לַאֲבוּנָא קְנָא יָת כָּל
נִכְסַיָּא הָדֵין: ב וַחֲזָא יַעֲקֹב
יָת סְבַר אַפֵּי לָבָן וְהָא
לֵיתוֹהִי עִמֵּהּ כְּמֵאִתְמָלֵי
וּמִדְּקַמּוֹהִי: ג וַאֲמַר יְיָ
לְיַעֲקֹב תּוּב לְאַרְעָא
דַּאֲבָהָתָךְ וּלְיַלָּדוּתָךְ וִיהֵי
מֵימְרִי בְּסַעְדָּךְ: ד וּשְׁלַח
יַעֲקֹב וּקְרָא לְרָחֵל
וּלְלֵאָה לְחַקְלָא לְוָת עָנֵהּ:
ה וַאֲמַר לְהֵן חָזֵי אֲנָא יָת
סְבַר אַפֵּי אֲבוּכֵן אֲרֵי
לֵיתוֹהִי עִמִּי כְּמֵאִתְמָלֵי
וּמִדְּקַמּוֹהִי וֵאלָהֵהּ דְּאַבָּא
הֲוָה מֵימְרֵהּ בְּסַעְדִּי:
ו וְאַתִּין יְדַעְתִּין אֲרֵי
בְּכָל חֵילִי פְּלָחִית יָת
אֲבוּכֵן: ז וַאֲבוּכֵן שַׁקַּר

רש"י

[פסוק א] עָשָׂה. כָּנַס, כְּמוֹ וַיַּעַשׂ חַיִל וַיַּךְ אֶת עֲמָלֵק (שמואל א יד:מח): **[פסוק ג] שׁוּב אֶל אֶרֶץ אֲבוֹתֶיךָ.** וְשָׁם אֶהְיֶה עִמְּךָ, אֲבָל בְּעוֹדְךָ מְחֻבָּר לַטָּמֵא אִי אֶפְשָׁר ע לְהַשְׁרוֹת שְׁכִינָתִי עָלֶיךָ (פדר"א פל"ו; תנחומא י): **[פסוק ד] וַיִּקְרָא לְרָחֵל וּלְלֵאָה.** לְרָחֵל תְּחִלָּה וְאַחַר כָּךְ לְלֵאָה, שֶׁהִיא הָיְתָה עִיקַּר הַבַּיִת, שֶׁבִּשְׁבִילָהּ נִזְדַּוֵּג יַעֲקֹב עִם לָבָן. וְאַף בָּנֶיהָ שֶׁל לֵאָה

בעל הטורים

(ו) ואתנה. ג׳ — "ואתנה ידעתן"; "ואתן צאני צאן מרעיתי"; "גשם שוטף ואתנה אבני אלגביש". מה "צאן מרעיתי" דלהלן מדבר בישראל, אף צאן האמור כאן דורש במדרש על הגלות. "גשם שוטף ואתנה אבני אלגביש", שאמר להן, אתנה ידעתן שהיה גשם שוטף ואבנים יורדים עלי בהיותי בשדה עם הצאן:

עיקר שפתי חכמים

ע דעל השמירה בדרך כבר הוכחה בבית אל:

כִּי וְהֶחֱלִף אֶת־מַשְׂכֻּרְתִּי עֲשֶׂרֶת
מֹנִים וְלֹא־נְתָנוֹ אֱלֹהִים לְהָרַע
עִמָּדִי: ח אִם־כֹּה יֹאמַר נְקֻדִּים
יִהְיֶה שְׂכָרֶךָ וְיָלְדוּ כָל־הַצֹּאן
נְקֻדִּים וְאִם־כֹּה יֹאמַר עֲקֻדִּים
יִהְיֶה שְׂכָרֶךָ וְיָלְדוּ כָל־הַצֹּאן
עֲקֻדִּים: ט וַיַּצֵּל אֱלֹהִים אֶת־מִקְנֵה
אֲבִיכֶם וַיִּתֶּן־לִי: י וַיְהִי בְּעֵת יַחֵם
הַצֹּאן וָאֶשָּׂא עֵינַי וָאֵרֶא בַּחֲלוֹם
וְהִנֵּה הָעַתֻּדִים הָעֹלִים עַל־הַצֹּאן עֲקֻדִּים
נְקֻדִּים וּבְרֻדִּים: יא וַיֹּאמֶר אֵלַי מַלְאַךְ הָאֱלֹהִים
בַּחֲלוֹם יַעֲקֹב וָאֹמַר הִנֵּנִי: יב וַיֹּאמֶר שָׂא־נָא עֵינֶיךָ

בִּי וְאַשְׁנִי יָת אַגְרִי עֲשַׂר
זִמְנִין וְלָא שַׁבְקֵהּ יְיָ
לְאַבְאָשָׁא עִמִּי: ח אִם
כְּדֵין הֲוָה אֲמַר נְמוֹרִין
יְהֵא אַגְרָךְ וִילִידָן כָּל
עָנָא נְמוֹרִין וְאִם כְּדֵין
הֲוָה אֲמַר רְגוֹלִין יְהֵא
אַגְרָךְ וִילִידָן כָּל עָנָא
רְגוֹלִין: ט וְאַפְרֵשׁ יְיָ יָת
גֵּיתֵי דַאֲבוּכוֹן וִיהַב לִי:
י וַהֲוָה בְּעִדָּן דְּאִתְיַחֲמָא
עָנָא וּזְקָפִית עֵינַי וַחֲזֵית
בְּחֶלְמָא וְהָא תְּיָשַׁיָּא
דְּסָלְקִין עַל עָנָא רְגוֹלִין
נְמוֹרִין וּפְצִיחִין: יא וַאֲמַר
לִי מַלְאֲכָא דַייָ בְּחֶלְמָא
יַעֲקֹב וַאֲמָרִית הָא אֲנָא:
יב וַאֲמַר זְקוֹף כְּעַן עֵינָךְ

רש"י

מוֹדִים בַּדָּבָר, שֶׁהֲרֵי בּוֹעַז וּבֵית דִּינוֹ מִשֵּׁבֶט יְהוּדָה אוֹמְרִים כְּרָחֵל וּכְלֵאָה אֲשֶׁר בָּנוּ שְׁתֵּיהֶם וגו' (רות ד:יא) הִקְדִּימוּ רָחֵל לְלֵאָה (ב"ר עא:ב; רות רבה ז:יג): **[פסוק ז] עֲשֶׂרֶת מֹנִים.** אֵין מוֹנִים פָּחוּת מֵעֲשָׂרָה (ב"ר עד:ג). מוֹנִים לְשׁוֹן סְכוּם כְּלַל הַחֶשְׁבּוֹן, וְהֵן פ עֲשִׂירִיּוֹת. לִמְּדָנוּ שֶׁהֶחֱלִיף תְּנָאוֹ מֵאָה פְּעָמִים (ב"ר עג:ב): **[פסוק י] וְהִנֵּה הָעַתֻּדִים.** אַף עַל פִּי שֶׁהִבְדִּילָם לָבָן כּוּלָם שֶׁלֹּא יִתְעַבְּרוּ הַצֹּאן דּוּגְמָתָן, הָיוּ הַמַּלְאָכִים מְבִיאִין אוֹתָן מֵעֵדֶר הַמָּסוּר בְּיַד בְּנֵי לָבָן צ לְעֵדֶר שֶׁבְּיַד יַעֲקֹב (שם עג:י): **וּבְרֻדִּים.** כְּתַרְגּוּמוֹ, וּפַצִּיחִין, פיי"ר בלע"ז. חוּט שֶׁל לָבָן מַקִּיף אֶת גּוּפָן סָבִיב, וַחֲבַרְבּוּרוֹת שֶׁלּוֹ פְּתוּחָה וּמְפוּלֶּשֶׁת מִזּוֹ אֶל זוֹ [ס"א מִזַּן אֶל זַן], וְאֵין לִי לְהָבִיא עֵד מִן הַמִּקְרָא:

עיקר שפתי חכמים

פ ויתפרש מונים מלשון מנין והוא עשרה: צ דאם היו משל יעקב מאי רבותיה:

וּרְאֵה כָּל־הָעַתֻּדִים הָעֹלִים עַל־
הַצֹּאן עֲקֻדִּים נְקֻדִּים וּבְרֻדִּים כִּי
רָאִיתִי אֵת כָּל־אֲשֶׁר לָבָן עֹשֶׂה
לָּךְ: יג אָנֹכִי הָאֵל בֵּית־אֵל אֲשֶׁר
מָשַׁחְתָּ שָּׁם מַצֵּבָה אֲשֶׁר נָדַרְתָּ לִּי
שָׁם נֶדֶר עַתָּה קוּם צֵא מִן־הָאָרֶץ
הַזֹּאת וְשׁוּב אֶל־אֶרֶץ מוֹלַדְתֶּךָ:
יד וַתַּעַן רָחֵל וְלֵאָה וַתֹּאמַרְנָה
לוֹ הַעוֹד לָנוּ חֵלֶק וְנַחֲלָה בְּבֵית
אָבִינוּ: טו הֲלוֹא נָכְרִיּוֹת נֶחְשַׁבְנוּ לוֹ כִּי מְכָרָנוּ
וַיֹּאכַל גַּם־אָכוֹל אֶת־כַּסְפֵּנוּ: טז כִּי כָל־הָעֹשֶׁר

וַחֲזֵי כָּל תֵּיָשַׁיָּא דְּסָלְקִין
עַל עָנָא רְגוֹלִין נְמוֹרִין
וּפַצִּיחִין אֲרֵי גְלֵי קֳדָמַי יָת
כָּל דִּי לָבָן עָבֵד לָךְ: יג אֲנָא
אֱלָהָא דְּאִתְגְּלֵיתִי עֲלָךְ
בְּבֵית אֵל דִּי מְשַׁחְתָּא
תַמָּן קָמָא דִּי קַיֶּמְתָּא
קֳדָמַי תַּמָּן קְיָם כְּעַן קוּם
פּוּק מִן אַרְעָא הָדָא
וְתוּב לְאַרְעָא דִּילָדוּתָךְ:
יד וַאֲתִיבַת רָחֵל וְלֵאָה
וַאֲמָרָן לֵהּ הַעַד (כְּעַן)
לָנָא חֳלָק וְאַחֲסָנָא בְּבֵית
אֲבוּנָא: טו הֲלָא נוּכְרָאִין
אִתְחֲשַׁבְנָא לֵהּ אֲרֵי
זַבְּנָנָא וַאֲכַל אַף מֵיכַל יָת
כַּסְפָּנָא: טז אֲרֵי כָל עוּתְרָא

רש"י

[פסוק יג] הָאֵל בֵּית אֵל. כְּמוֹ אֶל בֵּית אֵל הַהֵ"א יְתֵירָה. וְדֶרֶךְ מִקְרָאוֹת לְדַבֵּר כֵּן, כְּמוֹ כִּי אַתֶּם בָּאִים אֶל הָאָרֶץ כְּנָעַן (במדבר לד:ב): **מָשַׁחְתָּ שָּׁם.** לְשׁוֹן רִבּוּי וּגְדוּלָּה (תרגום יונתן) כֵּ[ן]כְּמִשְׁחָה לְמַלְכוּת, כָּךְ וַיִּצֹק שֶׁמֶן עַל רֹאשָׁהּ (לעיל כח:יח) לִהְיוֹת מְשׁוּחָה לְמִזְבֵּחַ (תנחומא וישלח ח): **אֲשֶׁר נָדַרְתָּ לִּי.** וְצָרִיךְ אַתָּה לְשַׁלְּמוֹ (שם) שֶׁאָמַרְתָּ יִהְיֶה בֵּית אֱלֹהִים (שם כב) שֶׁתַּקְרִיב שָׁם קָרְבָּנוֹת (פדר"א פל"ב): **[פסוק יד] הַעוֹד לָנוּ.** לָמָּה נְעַכֵּב עַל יָדְךָ מִלָּשׁוּב, כְּלוּם אָנוּ מְיַיחֲלוֹת לִירַשׁ מִנִּכְסֵי אָבִינוּ כְּלוּם בֵּין הַזְּכָרִים: **[פסוק טו] הֲלוֹא נָכְרִיּוֹת נֶחְשַׁבְנוּ לוֹ.** אֲפִילּוּ בְּשָׁעָה שֶׁדֶּרֶךְ בְּנֵי אָדָם לָתֵת נְדוּנְיָא לִבְנוֹתָיו, בִּשְׁעַת נִשּׂוּאִין, נָהַג עִמָּנוּ כְּנָכְרִיּוֹת, כִּי מְכָרָנוּ לְךָ [שֶׁעָבַדְתָּ אוֹתוֹ בָּנוּ י"ד שָׁנָה וְלֹא נְתָנָנוּ לְךָ אֶלָּא] בִּשְׂכַר הַפְּעֻלָּה: **אֶת כַּסְפֵּנוּ.** שֶׁעִכֵּב דְּמֵי ק שְׂכַר פְּעֻלָּתֶךָ: **[פסוק טז] כִּי כָל הָעֹשֶׁר.** כִּי זֶה מְשַׁמֵּשׁ בִּלְשׁוֹן אֶלָּא. כְּלוֹמַר מִשֶּׁל אָבִינוּ אֵין לָנוּ כְּלוּם אֶלָּא מַה שֶּׁהִצִּיל הקב"ה מֵאָבִינוּ שֶׁלָּנוּ הוּא:

עיקר שפתי חכמים

ק ר"ל מאותן השש שנים האחרונים:

אֲשֶׁר הִצִּיל אֱלֹהִים מֵאָבִינוּ
לָנוּ הוּא וּלְבָנֵינוּ וְעַתָּה כֹּל
אֲשֶׁר אָמַר אֱלֹהִים אֵלֶיךָ עֲשֵׂה:
ששי יז וַיָּקָם יַעֲקֹב וַיִּשָּׂא אֶת־בָּנָיו
וְאֶת־נָשָׁיו עַל־הַגְּמַלִּים: יח וַיִּנְהַג
אֶת־כָּל־מִקְנֵהוּ וְאֶת־כָּל־רְכֻשׁוֹ
אֲשֶׁר רָכָשׁ מִקְנֵה קִנְיָנוֹ אֲשֶׁר
רָכַשׁ בְּפַדַּן אֲרָם לָבוֹא אֶל־
יִצְחָק אָבִיו אַרְצָה כְּנָעַן: יט וְלָבָן
הָלַךְ לִגְזֹז אֶת־צֹאנוֹ וַתִּגְנֹב רָחֵל אֶת־הַתְּרָפִים
אֲשֶׁר לְאָבִיהָ: כ וַיִּגְנֹב יַעֲקֹב אֶת־לֵב לָבָן הָאֲרַמִּי
עַל־בְּלִי הִגִּיד לוֹ כִּי בֹרֵחַ הוּא: כא וַיִּבְרַח הוּא
וְכָל־אֲשֶׁר־לוֹ וַיָּקָם וַיַּעֲבֹר אֶת־הַנָּהָר וַיָּשֶׂם אֶת־

דִּי אַפְרֵשׁ יְיָ מֵאֲבוּנָא לָנָא
הוּא וּלְבְנָנָא וּכְעַן כֹּל דִּי
אֲמַר יְיָ לָךְ עֲבֵד: יז וְקָם
יַעֲקֹב וּנְטַל יָת בְּנוֹהִי וְיָת
נְשׁוֹהִי עַל גַּמְלַיָּא: יח וּדְבַר
יָת כָּל גֵּיתֵיהּ וְיָת כָּל
קִנְיָנֵהּ דִּי קְנָא גֵּיתֵי קִנְיָנֵהּ
דִּי קְנָא בְּפַדַּן אֲרָם לְמֵיעַל
לְוָת יִצְחָק אֲבוּהִי לְאַרְעָא
דִכְנָעַן: יט וְלָבָן אֲזַל לְמִגַּז
יָת עָנֵהּ וְכַסִּיאַת (נ״א
וּנְסִיבַת) רָחֵל יָת צַלְמָנַיָּא
דִּי לַאֲבוּהָא: כ וְכַסִּי
יַעֲקֹב מִן (לִבָּא דְ)לָבָן
אֲרַמָּאָה עַל דְּלָא חַוִּי לֵהּ
אֲרֵי אָזֵל הוּא: כא וַאֲזַל
הוּא וְכָל דִּי לֵהּ וְקָם
וַעֲבַר יָת פְּרָת וְשַׁוִּי יָת

רש״י

הִצִּיל. לְשׁוֹן הִפְרִישׁ (אונקלוס). וְכֵן כָּל לְשׁוֹן הַצָּלָה שֶׁבַּמִּקְרָא לְשׁוֹן הַפְרָשָׁה, שֶׁמַּפְרִישׁוֹ מִן הָרָעָה וּמִן הָאוֹיֵב: **[פסוק יז] אֶת בָּנָיו וְאֶת נָשָׁיו.** הִקְדִּים זְכָרִים לִנְקֵבוֹת, וְעֵשָׂו הִקְדִּים נְקֵבוֹת לִזְכָרִים, שֶׁנֶּאֱמַר וַיִּקַּח עֵשָׂו אֶת נָשָׁיו וְאֶת בָּנָיו וגו' (להלן לו:ו; ב״ר עד:ה): **[פסוק יח] מִקְנֵה קִנְיָנוֹ.** מַה שֶּׁקָּנָה מִצֹּאנוֹ, עֲבָדִים וּשְׁפָחוֹת וּגְמַלִּים וַחֲמוֹרִים (ב״ר שם): **[פסוק יט] לִגְזֹז אֶת צֹאנוֹ.** שֶׁנָּתַן בֵּין בָּנָיו דֶּרֶךְ ר שְׁלֹשֶׁת יָמִים בֵּינוֹ וּבֵין יַעֲקֹב: **וַתִּגְנֹב רָחֵל אֶת הַתְּרָפִים.** לְהַפְרִישׁ אֶת ש אָבִיהָ מֵעֲבוֹדַת כּוֹכָבִים נִתְכַּוְּנָה (ב״ר עד:ה):

עיקר שפתי חכמים

ר ולכך לא נודע לו עד יום השלישי: ש וזהו חסר לאביה:

ראה הטבלא "**שְׁנֵי חַיֵּי יַעֲקֹב אָבִינוּ**" (עמוד 533).

פָּנָיו הַר הַגִּלְעָד: כב וַיֻּגַּד לְלָבָן בַּיּוֹם
הַשְּׁלִישִׁי כִּי בָרַח יַעֲקֹב: כג וַיִּקַּח
אֶת־אֶחָיו עִמּוֹ וַיִּרְדֹּף אַחֲרָיו דֶּרֶךְ
שִׁבְעַת יָמִים וַיַּדְבֵּק אֹתוֹ בְּהַר
הַגִּלְעָד: כד וַיָּבֹא אֱלֹהִים אֶל־לָבָן
הָאֲרַמִּי בַּחֲלֹם הַלָּיְלָה וַיֹּאמֶר לוֹ
הִשָּׁמֶר לְךָ פֶּן־תְּדַבֵּר עִם־יַעֲקֹב
מִטּוֹב עַד־רָע: כה וַיַּשֵּׂג לָבָן אֶת־
יַעֲקֹב וְיַעֲקֹב תָּקַע אֶת־אָהֳלוֹ
בָּהָר וְלָבָן תָּקַע אֶת־אֶחָיו בְּהַר
הַגִּלְעָד: כו וַיֹּאמֶר לָבָן לְיַעֲקֹב מֶה עָשִׂיתָ וַתִּגְנֹב
אֶת־לְבָבִי וַתְּנַהֵג אֶת־בְּנֹתַי כִּשְׁבֻיוֹת חָרֶב:

אַפּוֹהִי לְטוּרָא דְגִלְעָד:
כב וְאִתְחֲוָא לְלָבָן בְּיוֹמָא
תְלִיתָאָה אֲרֵי אֲזַל יַעֲקֹב:
כג וּדְבַר יָת אֲחוּהִי עִמֵּהּ
וּרְדַף בַּתְרוֹהִי מַהֲלַךְ
שִׁבְעַת יוֹמִין וְאַדְבֵּק
יָתֵהּ בְּטוּרָא דְגִלְעָד:
כד וַאֲתָא מֵימַר מִן קֳדָם
יְיָ לְוָת לָבָן אֲרַמָּאָה
בְּחֶלְמָא דְלֵילְיָא וַאֲמַר
לֵהּ אִסְתַּמַּר לָךְ דִּילְמָא
תְמַלֵּיל עִם יַעֲקֹב מִטַּב
עַד בִּישׁ: כה וְאַדְבֵּיק
לָבָן יָת יַעֲקֹב וְיַעֲקֹב
פְּרַס יָת מַשְׁכְּנֵהּ בְּטוּרָא
וְלָבָן אַשְׁרֵי עִם אֲחוּהִי
בְּטוּרָא דְגִלְעָד: כו וַאֲמַר
לָבָן לְיַעֲקֹב מָה עֲבַדְתְּ
וְכַסֵּיתָא מִנִּי וְדַבַּרְתְּ יָת
בְּנָתַי כִּשְׁבִיּוֹת חַרְבָּא:

רש"י

[פסוק כב] בַּיּוֹם הַשְּׁלִישִׁי. שֶׁהֲרֵי דֶּרֶךְ שְׁלֹשֶׁת יָמִים הָיָה בֵּינֵיהֶם: **[פסוק כג] אֶת אֶחָיו.** קְרוֹבָיו: **דֶּרֶךְ שִׁבְעַת יָמִים.** כָּל אוֹתָן ג' יָמִים שֶׁהָלַךְ הַמַּגִּיד לְהַגִּיד לְלָבָן הָלַךְ יַעֲקֹב לְדַרְכּוֹ, נִמְצָא יַעֲקֹב רָחוֹק מִלָּבָן שִׁשָּׁה יָמִים, וּבַשְּׁבִיעִי הִשִּׂיגוֹ לָבָן. לָמַדְנוּ שֶׁכָּל מַה שֶּׁהָלַךְ יַעֲקֹב בְּשִׁבְעָה יָמִים הָלַךְ לָבָן בְּיוֹם אֶחָד [שנא' וַיִּרְדֹּף אַחֲרָיו דֶּרֶךְ שִׁבְעַת יָמִים, וְלֹא נֶאֱמַר וַיִּרְדּוֹף אַחֲרָיו ז' יָמִים] (ב"ר עד ו): **[פסוק כד] מִטּוֹב עַד רָע.** כָּל טוֹבָתָן שֶׁל רְשָׁעִים ת רָעָה הִיא אֵצֶל הַצַּדִּיקִים (יבמות קג:): **[פסוק כו] כִּשְׁבֻיוֹת חָרֶב.** כָּל חַיִל הַבָּא לַמִּלְחָמָה א קָרוּי חֶרֶב:

בעל הטורים

(כב) **כי ברח.** ב' במסורת – "כי ברח יעקב"; "כי ברח העם". איתא במדרש, שעמלק הגיד ללבן על בריחת יעקב, וגם לפרעה על בריחת ישראל: "כי ברח" בגימטריא עמלק:

עיקר שפתי חכמים

ת ור"ל מה שטוב בעיניך הוא רע אליו: א כי הוא"ל כשבוית חיל, לכ"פ כי חיל כו' קרוי חרב:

כז לָמָּה נַחְבֵּאתָ לִבְרֹחַ וַתִּגְנֹב
אֹתִי וְלֹא־הִגַּדְתָּ לִּי וָאֲשַׁלֵּחֲךָ
בְּשִׂמְחָה וּבְשִׁרִים בְּתֹף וּבְכִנּוֹר:
כח וְלֹא נְטַשְׁתַּנִי לְנַשֵּׁק לְבָנַי
וְלִבְנֹתָי עַתָּה הִסְכַּלְתָּ עֲשׂוֹ:
כט יֶשׁ־לְאֵל יָדִי לַעֲשׂוֹת עִמָּכֶם
רָע וֵאלֹהֵי אֲבִיכֶם אֶמֶשׁ | אָמַר
אֵלַי לֵאמֹר הִשָּׁמֶר לְךָ מִדַּבֵּר
עִם־יַעֲקֹב מִטּוֹב עַד־רָע: ל וְעַתָּה
הָלֹךְ הָלַכְתָּ כִּי־נִכְסֹף נִכְסַפְתָּה
לְבֵית אָבִיךָ לָמָּה גָנַבְתָּ אֶת־אֱלֹהָי: לא וַיַּעַן
יַעֲקֹב וַיֹּאמֶר לְלָבָן כִּי יָרֵאתִי כִּי אָמַרְתִּי פֶּן־
תִּגְזֹל אֶת־בְּנוֹתֶיךָ מֵעִמִּי: לב עִם אֲשֶׁר תִּמְצָא

כז לְמָא אִטְמַרְתְּ לְמֵיזַל
וְכַסֵּיתָא מִנִּי וְלָא חַוֵּיתָא
לִי וְשַׁלַּחְתָּךְ פּוּן בְּחֶדְוָא
וּבְתוּשְׁבְּחָן בְּתוּפִּין
וּבְכִנָּרִין: כח וְלָא שְׁבַקְתַּנִי
לְנַשָּׁקָא לִבְנַי וְלִבְנָתַי כְּעַן
אַסְכֶּלְתָּא לְמֶעְבַּד: כט אִית
חֵילָא בִידִי לְמֶעְבַּד עִמְּכוֹן
בִּישׁ וֵאלָהָא דַאֲבוּכוֹן
בְּרַמְשָׁא אֲמַר לִי לְמֵימַר
אִסְתַּמַּר לָךְ מִלְּמַלָּלָא
עִם יַעֲקֹב מִטַּב עַד בִּישׁ:
ל וּכְעַן מֵיזַל אֲזַלְתְּ אֲרֵי
חַמָּדָא חַמֵּדְתָּא לְבֵית
אָבוּךְ לְמָא נְסַבְתָּא יָת
דַּחַלְתִּי: לא וַאֲתֵיב יַעֲקֹב
וַאֲמַר לְלָבָן אֲרֵי דְחֵילִית
אֲרֵי אֲמָרִית דִּילְמָא תָנֵיס
יָת בְּנָתָךְ מִנִּי: לב עִם
(נ״א אֲתַר) דִּי תַשְׁכַּח

רש״י

[פסוק כז] וַתִּגְנֹב אֹתִי. גָּנַבְתָּ אֶת דַּעְתִּי (תרגום יונתן): **[פסוק כט] יֶשׁ לְאֵל יָדִי.** יֵשׁ כֹּחַ וְחַיִל בְּיָדִי לַעֲשׂוֹת עִמָּכֶם רָע (אונקלוס) וְכָל אֵל שֶׁהוּא לְשׁוֹן קֹדֶשׁ עַל שֵׁם עֱזוּז וְרוֹב אוֹנִים הוּא: **[פסוק ל] נִכְסַפְתָּה.** חָמַדְתָּ (אונקלוס). וְהַרְבֵּה יֵשׁ בַּמִּקְרָא, נִכְסְפָה וְגַם כָּלְתָה נַפְשִׁי (תהלים פד:ג), לְמַעֲשֵׂה יָדֶיךָ תִכְסֹף (איוב יד:טו): **[פסוק לא] כִּי יָרֵאתִי וגו׳.** הֵשִׁיבוֹ עַל רִאשׁוֹן רִאשׁוֹן, שֶׁאָמַר לוֹ וַתִּנְהַג אֶת בְּנוֹתַי וגו׳ (לעיל פסוק כו; חדר״ג לז):

בעל הטורים

(כח) עשו. ד׳ במסורת — ״הסכלת עשו״; ואידך ״למען עשה כיום הזה״; ״עשה סטים שנאתי״; ״עשה צדקה״. הכא איירי ברמאותו של לבן, וכן ביוסף שחשדוהו אחיו ברמאות, כדכתיב ״ואתם חשבתם עלי רעה״. וכן ״עשה סטים שנאתי״, אותן שעושין רמאות כלבן וכיוצא בו. ״עשה צדקה״, זה יוסף שעשה צדקה עם אחיו, שהם חשבוהו לרעה והוא חשבה לטובה:

אֶת־אֱלֹהֶ֙יךָ֙ לֹ֣א יִחְיֶ֔ה נֶ֥גֶד
אַחֵ֛ינוּ הַכֶּר־לְךָ֛ מָ֥ה עִמָּדִ֖י וְקַח־
לָ֑ךְ וְלֹֽא־יָדַ֣ע יַעֲקֹ֔ב כִּ֥י רָחֵ֖ל
גְּנָבָֽתַם׃ לג וַיָּבֹ֨א לָבָ֜ן בְּאֹ֥הֶל־
יַעֲקֹ֣ב ׀ וּבְאֹ֣הֶל לֵאָ֗ה וּבְאֹ֛הֶל
שְׁתֵּ֥י הָאֲמָהֹ֖ת וְלֹ֣א מָצָ֑א וַיֵּצֵא֙
מֵאֹ֣הֶל לֵאָ֔ה וַיָּבֹ֖א בְּאֹ֥הֶל רָחֵֽל׃
לד וְרָחֵ֞ל לָקְחָ֣ה אֶת־הַתְּרָפִ֗ים
וַתְּשִׂמֵ֛ם בְּכַ֥ר הַגָּמָ֖ל וַתֵּ֣שֶׁב עֲלֵיהֶ֑ם וַיְמַשֵּׁ֥שׁ
לָבָ֛ן אֶת־כָּל־הָאֹ֖הֶל וְלֹ֥א מָצָֽא׃ לה וַתֹּ֣אמֶר
אֶל־אָבִ֗יהָ אַל־יִ֙חַר֙ בְּעֵינֵ֣י אֲדֹנִ֔י כִּ֣י ל֤וֹא

יָת דַּחֲלָתָךְ לָא יִתְקַיַּם
קֳדָם אֲחָנָא אִשְׁתְּמוֹדַע לָךְ
מָה דְעִמִּי וְסַב לָךְ וְלָא יְדַע
יַעֲקֹב אֲרֵי רָחֵל נְסִיבַתְנוּן:
לג וְעַל לָבָן בְּמַשְׁכְּנָא
דְיַעֲקֹב וּבְמַשְׁכְּנָא דְלֵאָה
וּבְמַשְׁכְּנָא דְתַרְתֵּין לְחֵינָתָא
וְלָא אַשְׁכַּח וּנְפַק מִמַּשְׁכְּנָא
דְלֵאָה וְעַל בְּמַשְׁכְּנָא
דְרָחֵל: לד וְרָחֵל נְסִיבַת
יָת צַלְמַנַיָּא וְשַׁוִּיתְנוּן
בַּעֲבִיטָא דְגַמְלָא וִיתִיבַת
עֲלֵיהוֹן וּמַשִּׁישׁ לָבָן יָת
כָּל מַשְׁכְּנָא וְלָא אַשְׁכַּח:
לה וַאֲמֶרֶת לַאֲבוּהָא לָא
יִתְקֵף בְּעֵינֵי רִבּוֹנִי אֲרֵי לָא

רש"י

[פסוק לב] לֹא יִחְיֶה. וּמֵאוֹתָהּ קְלָלָה מֵתָה רָחֵל בַּדֶּרֶךְ (ב"ר סח ד, ט): **מָה עִמָּדִי.** מִשֶּׁלְּךָ (תרגום יונתן): **[פסוק לג] בְּאֹהֶל יַעֲקֹב.** הוּא ב אֹהֶל רָחֵל (ב"ר סח ט) שֶׁהָיָה יַעֲקֹב תָּדִיר אֶצְלָהּ, וְכֵן הוּא אוֹמֵר בְּנֵי רָחֵל אֵשֶׁת יַעֲקֹב (להלן מו:יט) וּבְכוּלָּן לֹא נֶאֱמַר אֵשֶׁת יַעֲקֹב (ב"ר עג:ב): **וַיָּבֹא בְּאֹהֶל רָחֵל.** כְּשֶׁיָּצָא מֵאֹהֶל לֵאָה חָזַר לוֹ לְאֹהֶל רָחֵל קוֹדֶם שֶׁחִפֵּשׂ בְּאֹהֶל הָאֲמָהוֹת [ס"א הַשְּׁפָחוֹת], וְכָל כָּךְ לָמָּה, לְפִי שֶׁהָיָה מַכִּיר בָּהּ שֶׁהִיא מַשְׁמְשָׁנִית (שם עד:ט): **[פסוק לד] בְּכַר הַגָּמָל.** לְשׁוֹן כָּרִים וּכְסָתוֹת, כְּתַרְגּוּמוֹ, בַּעֲבִיטָא דְּגַמְלָא, וְהִיא מַרְדַּעַת הָעֲשׂוּיָה כְּמִין כַּר. וּבְעֵירוּבִין (טו.) הִקִּיפוּהָ בַּעֲבִיטִין, וְהֵן עֲבִיטֵי גְמַלִּים (כלים כג:ב), בשטי"ל בלע"ז:

בעל הטורים

(לג) מאהל. ד׳ במסורת – ״ויצא מאהל לאה״; ״מאהל מועד לאמר״; ״ואהיה (מתהלך) מאהל אל אהל״; ״יתצך לנצח וגו׳ ויסחך מאהל״. פירוש, בשעה שהוקם המשכן נאסרו הבמות, והיינו ״ויקרא אליו מאהל מועד״ דוקא. לאחר שעברו הירדן הותרו הבמות, עד שבאו לשילה. והיינו ״ויצא מאהל לאה״, דהיינו המשכן שעשאו בצלאל, שבא משבט יהודה, שיצא מלאה. ״ויבא באהל רחל״, זה שילה שבחלק יוסף, ואז ״ואהיה מתהלך מאהל אל אהל״, משילה לנב ומנב לגבעון ומשם לבית העולמים, ואז נאסרו הבמות. והיינו ״יתצך לנצח וגו׳ ויסחך מאהל״, שלא היה שוב היתר. אדוני אבי הרא״ש ז״ל: **(לה) לוא.** ב׳ במסורת מלאים – ״לוא אוכל לקום מפניך״; ״אם לוא יגיד ונשא עונו״. לומר, ״לוא אוכל לקום מפניך״ מפני התרפים,

עיקר שפתי חכמים

ב כי את יעקב בעצמו בוודאי לא חשד בזה כי יעבוד את התרפים:

אוּכַל לָקוּם מִפָּנֶיךָ כִּי־דֶרֶךְ
נָשִׁים לִי וַיְחַפֵּשׂ וְלֹא מָצָא
אֶת־הַתְּרָפִים: לו וַיִּחַר לְיַעֲקֹב
וַיָּרֶב בְּלָבָן וַיַּעַן יַעֲקֹב וַיֹּאמֶר
לְלָבָן מַה־פִּשְׁעִי מַה חַטָּאתִי
כִּי דָלַקְתָּ אַחֲרָי: לז כִּי־מִשַּׁשְׁתָּ
אֶת־כָּל־כֵּלַי מַה־מָּצָאתָ מִכֹּל
כְּלֵי־בֵיתֶךָ שִׂים כֹּה נֶגֶד אַחַי
וְאַחֶיךָ וְיוֹכִיחוּ בֵּין שְׁנֵינוּ: לח זֶה
עֶשְׂרִים שָׁנָה אָנֹכִי עִמָּךְ רְחֵלֶיךָ וְעִזֶּיךָ לֹא
שִׁכֵּלוּ וְאֵילֵי צֹאנְךָ לֹא אָכָלְתִּי: לט טְרֵפָה לֹא־
הֵבֵאתִי אֵלֶיךָ אָנֹכִי אֲחַטֶּנָּה מִיָּדִי תְּבַקְשֶׁנָּה

אֲכוּל לְמֵיקַם מִן קֳדָמָךְ
אֲרֵי אֹרַח נְשִׁין לִי וּבְלַשׁ
וְלָא אַשְׁכַּח יָת צַלְמָנַיָּא:
לו וּתְקֵיף לְיַעֲקֹב וּנְצָא
עִם לָבָן וַאֲתֵיב יַעֲקֹב
וַאֲמַר לְלָבָן מַה חוֹבִי
מַה סוּרְחָנִי אֲרֵי רְדַפְתָּא
בַּתְרָי: לז אֲרֵי מַשֵּׁשְׁתָּא
יָת כָּל מָנַי מָה אַשְׁכַּחְתָּא
מִכֹּל מָנֵי בֵיתָךְ שַׁוִּי הָכָא
קֳדָם אַחַי וְאַחָיךְ וְיוֹכְחוּן
בֵּין תַּרְוַנָא: לח דְּנַן עַסְרִין
שְׁנִין אֲנָא עִמָּךְ רַחְלָיךְ
וְעִזָּיךְ לָא אַתְכִּילוּ
וְדִכְרֵי עָנָךְ לָא אֲכָלִית:
לט דִּתְבִירָא לָא אַיְתֵיתִי
לָךְ דַּהֲוָה (נ״א דַּהֲוַת) שָׁגְיָא
מִמִּנְיָנָא מִנִּי אַתְּ בָּעֵי לַהּ

רש״י

[פסוק לו] **דלקת.** רדפת (אונקלוס), כמו על ההרים דלקנו (איכה ד:יט), וכמו מדלוק אחרי פלשתים (שמואל א יז:נג): [פסוק לז] **ויוכיחו.** ג ויבררו עם מי הדין, אפרובי״ר בלע״ז: [פסוק לח] **לא שכלו.** לא הפילו עיבורם, כמו רחם משכיל (הושע ט:יד) תפלט פרתו ולא תשכל (איוב כא:י): **ואילי צאנך.** מכאן אמרו איל ד בן יומו קרוי איל, שאל״כ מה שבחו, אילים לא אכל אבל כבשים אכל, א״כ גזלן הוא (בבא קמא סה:): [פסוק לט] **טרפה.** ע״י ארי וזאב (אונקלוס; תרגום יונתן): **אנכי אחטנה.** לשון קולע באבן אל השערה ולא יחטא (שופטים כ:טז) אני ובני שלמה חטאים (מלכים א א:כא) חסרים. אנכי אחסרנה, אם חסרה חסרה לי, שמידי תבקשנה: **אנכי אחטנה.** תרגומו דהות שגיא ממנינא, שהיתה נפקדת ומחוסרת, כמו

בעל הטורים

אבל מפני אחר אקום. כי היכי דדרשינן התם, "אם לא יגיד", פירוש לדיינים, "ונשא עונו", אבל לאחר אם לא יגיד, בשביל זה לא ישא עוונו:

עיקר שפתי חכמים

ג מלשון אותה הוכחה. ולא מלשון תוכחה: ד לא לענין קרבן. שאם לא נקרא איל אלא בן י״ג חודש:

גְּנֻבְתִי יוֹם וּגְנֻבְתִי לָיְלָה׃ מ הָיִיתִי בַיּוֹם אֲכָלַנִי חֹרֶב וְקֶרַח בַּלָּיְלָה וַתִּדַּד שְׁנָתִי מֵעֵינָי׃ מא זֶה־לִּי עֶשְׂרִים שָׁנָה בְּבֵיתֶךָ עֲבַדְתִּיךָ אַרְבַּע־עֶשְׂרֵה שָׁנָה בִּשְׁתֵּי בְנֹתֶיךָ וְשֵׁשׁ שָׁנִים בְּצֹאנֶךָ וַתַּחֲלֵף אֶת־מַשְׂכֻּרְתִּי עֲשֶׂרֶת מֹנִים׃ מב לוּלֵי אֱלֹהֵי אָבִי אֱלֹהֵי אַבְרָהָם וּפַחַד יִצְחָק הָיָה לִי כִּי עַתָּה רֵיקָם שִׁלַּחְתָּנִי אֶת־עָנְיִי וְאֶת־יְגִיעַ כַּפַּי רָאָה אֱלֹהִים וַיּוֹכַח אָמֶשׁ׃ שביעי מג וַיַּעַן לָבָן וַיֹּאמֶר אֶל־יַעֲקֹב הַבָּנוֹת בְּנֹתַי וְהַבָּנִים בָּנַי

נְטַרִית בִּימָמָא וּנְטַרִית בְּלֵילְיָא׃ מ הֲוֵיתִי בִימָמָא אֲכָלַנִי שַׁרְבָא וּגְלִידָא (הֲוָה) נָחִית עֲלַי בְּלֵילְיָא וּנְדַד שִׁנְתִּי מֵעֵינָי׃ מא דְּנַן לִי עֶסְרִין שְׁנִין בְּבֵיתָךְ פְּלַחְתָּךְ אַרְבַּע עַסְרֵי שְׁנִין בְּתַרְתֵּין בְּנָתָךְ וְשִׁית שְׁנִין בְּעָנָךְ וְאַשְׁנֵיתָא יָת אַגְרִי עֲשַׂר זִמְנִין׃ מב אִילוּלָא פּוּן אֱלָהֵהּ דְּאַבָּא אֱלָהֵהּ דְּאַבְרָהָם וּדְדָחִיל (לֵהּ) יִצְחָק הֲוָה בְּסַעְדִּי אֲרֵי כְעַן רֵיקָן שַׁלַּחְתָּנִי יָת עַמְלִי וְיָת לֵיאוּת יְדַי גְּלֵי קֳדָם יְיָ וְאוֹכַח בְּרַמְשָׁא׃ מג וַאֲתֵיב לָבָן וַאֲמַר לְיַעֲקֹב בְּנָתָא בְּנָתִי וּבְנַיָּא בְּנַי

רש"י

וְלֹא נִפְקַד מִמֶּנּוּ אִישׁ (במדבר לא:מט) תַּרְגּוּמוֹ וְלָא שְׁגָא: **גְּנֻבְתִי יוֹם וּגְנֻבְתִי לָיְלָה.** גְּנוּבַת יוֹם אוֹ גְּנוּבַת לַיְלָה, הַכֹּל שִׁלַּמְתִּי (תרגום יונתן וירושלמי): **גְּנֻבְתִי.** כְּמוֹ רַבָּתִי בַגּוֹיִם שָׂרָתִי בַּמְּדִינוֹת (איכה א:א) מְלֵאֲתִי מִשְׁפָּט (ישעיה א:כא) אֹהַבְתִּי לָדוּשׁ (הושע י:יא): **[פסוק מ] אֲכָלַנִי חֹרֶב.** לְשׁוֹן אֵשׁ אֹכְלָה (דברים ד:כד): **וְקֶרַח.** כְּמוֹ מַשְׁלִיךְ קַרְחוֹ (תהלים קמז:יז) תַּרְגּוּמוֹ גְּלִידָא: **שְׁנָתִי.** לְשׁוֹן שֵׁינָה: **[פסוק מא] וַתַּחֲלֵף אֶת מַשְׂכֻּרְתִּי.** הָיִיתָ מְשַׁנֶּה תְּנָאִי שֶׁבֵּינֵינוּ מִנָּקֹד לִטְלוּאִים וּמֵעֲקֻדִּים לִבְרֻדִּים (לעיל פסוקים ז-ח): **[פסוק מב] וּפַחַד יִצְחָק.** לֹא רָצָה לוֹמַר אֱלֹהֵי יִצְחָק, שֶׁאֵין הקב"ה מְיַחֵד שְׁמוֹ עַל הַצַּדִּיקִים בְּחַיֵּיהֶם. וְאַעַ"פ שֶׁאָמַר לוֹ בְּצֵאתוֹ מִבְּאֵר שֶׁבַע אֲנִי ה' אֱלֹהֵי אַבְרָהָם אָבִיךָ וֵאלֹהֵי יִצְחָק (לעיל כח:יג), בִּשְׁבִיל שֶׁכָּהוּ עֵינָיו וַהֲרֵי הוּא כְּמֵת (תנחומא תולדות ז), וְיַעֲקֹב נִתְיָרֵא לוֹמַר וֵאלֹהֵי, וְאָמַר וּפַחַד: **וַיּוֹכַח.** לְשׁוֹן תּוֹכָחָה הוּא וְלֹא לְשׁוֹן הוֹכָחָה (תרגום יונתן):

וְהַצֹּאן צֹאנִי וְכֹל אֲשֶׁר־אַתָּה
רֹאֶה לִי־הוּא וְלִבְנֹתַי מָה־אֶעֱשֶׂה
לָאֵלֶּה הַיּוֹם אוֹ לִבְנֵיהֶן אֲשֶׁר
יָלָדוּ: מד וְעַתָּה לְכָה נִכְרְתָה בְרִית
אֲנִי וָאָתָּה וְהָיָה לְעֵד בֵּינִי וּבֵינֶךָ:
מה וַיִּקַּח יַעֲקֹב אָבֶן וַיְרִימֶהָ מַצֵּבָה:
מו וַיֹּאמֶר יַעֲקֹב לְאֶחָיו לִקְטוּ
אֲבָנִים וַיִּקְחוּ אֲבָנִים וַיַּעֲשׂוּ־גָל
וַיֹּאכְלוּ שָׁם עַל־הַגָּל: מז וַיִּקְרָא־
לוֹ לָבָן יְגַר שָׂהֲדוּתָא וְיַעֲקֹב קָרָא
לוֹ גַּלְעֵד: מח וַיֹּאמֶר לָבָן הַגַּל הַזֶּה עֵד בֵּינִי וּבֵינְךָ
הַיּוֹם עַל־כֵּן קָרָא־שְׁמוֹ גַּלְעֵד: מט וְהַמִּצְפָּה אֲשֶׁר
אָמַר יִצֶף יְהוָה בֵּינִי וּבֵינֶךָ כִּי נִסָּתֵר אִישׁ מֵרֵעֵהוּ:

וְעָנָא עָנִי וְכֹל דִּי אַתְּ חָזֵי
דִּילִי הוּא וְלִבְנָתַי מָה
אֶעְבֵּד לְאִלֵּין יוֹמָא דֵין אוֹ
לִבְנֵיהֶן דִּי יְלִידָא: מד וּכְעַן
אֱתָא נִגְזַר קְיָם אֲנָא וְאַתְּ
וִיהֵי לְסָהִיד בֵּינִי וּבֵינָךְ:
מה וּנְסֵיב יַעֲקֹב אַבְנָא
וּזְקָפַהּ קָמָא: מו וַאֲמַר
יַעֲקֹב לַאֲחוֹהִי לְקוּטוּ
אַבְנִין וּנְסִיבוּ אַבְנִין
וַעֲבָדוּ דְגוֹרָא וַאֲכַלוּ תַמָּן
עַל דְּגוֹרָא: מז וּקְרָא לֵהּ
לָבָן יְגַר שַׂהֲדוּתָא וְיַעֲקֹב
קְרָא לֵהּ גַּלְעֵד: מח וַאֲמַר
לָבָן דְּגוֹרָא הָדֵין סָהִיד
בֵּינִי וּבֵינָךְ יוֹמָא דֵין עַל
כֵּן קְרָא שְׁמֵהּ גַּלְעֵד:
מט וְסָכוּתָא דִּי אֲמַר יִסֵּךְ
מֵימְרָא דַיְיָ בֵּינִי וּבֵינָךְ
אֲרֵי נִתְכַּסֵּי גְּבַר מֵחַבְרֵהּ:

רש"י

[פסוק מג] **מה אעשה לאלה.** איך תעלה על לבי להרע להן: [פסוק מד] **והיה לעד.** ה הקב"ה: [פסוק מו] **לאחיו.** הם בניו שהיו לו אחים נגשים לצרה ולמלחמה עליו (ב"ר עד:יג): [פסוק מז] **יגר שהדותא.** תרגומו של גלעד (תרגום יונתן): **גלעד.** גל עד: [פסוק מט] **והמצפה אשר אמר וגו'.** והמצפה אשר בהר הגלעד, כמ"ש ויעבר את מצפה גלעד (שופטים יא:כט), למה נקראת שמה מצפה, לפי שאמר כל אחד מהם לחברו **יצף ה' ביני ובינך.** אם תעבור את הברית: **כי נסתר.** ולא נראה איש את רעהו:

עיקר שפתי חכמים

ה דאי קאי אברית והיתה מבע"ל:

נ אִם־תְּעַנֶּה אֶת־בְּנֹתַי וְאִם־תִּקַּח
נָשִׁים עַל־בְּנֹתַי אֵין אִישׁ עִמָּנוּ
רְאֵה אֱלֹהִים עֵד בֵּינִי וּבֵינֶךָ׃
נא וַיֹּאמֶר לָבָן לְיַעֲקֹב הִנֵּה ׀
הַגַּל הַזֶּה וְהִנֵּה הַמַּצֵּבָה אֲשֶׁר
יָרִיתִי בֵּינִי וּבֵינֶךָ׃ נב עֵד הַגַּל
הַזֶּה וְעֵדָה הַמַּצֵּבָה אִם־אָנִי
לֹא־אֶעֱבֹר אֵלֶיךָ אֶת־הַגַּל הַזֶּה
וְאִם־אַתָּה לֹא־תַעֲבֹר אֵלַי אֶת־
הַגַּל הַזֶּה וְאֶת־הַמַּצֵּבָה הַזֹּאת
לְרָעָה׃ נג אֱלֹהֵי אַבְרָהָם *וֵאלֹהֵי נָחוֹר יִשְׁפְּטוּ
בֵינֵינוּ *אֱלֹהֵי אֲבִיהֶם וַיִּשָּׁבַע יַעֲקֹב בְּפַחַד אָבִיו
יִצְחָק׃ נד וַיִּזְבַּח יַעֲקֹב זֶבַח בָּהָר וַיִּקְרָא לְאֶחָיו

*חול

נ אִם תְּעַנֵּי יָת בְּנָתַי וְאִם
תִּסַּב נְשִׁין עַל בְּנָתַי לֵית
אֱנָשׁ עִמָּנָא חֲזֵי מֵימְרָא
דַיְיָ סָהִיד בֵּינִי וּבֵינָךְ׃
נא וַאֲמַר לָבָן לְיַעֲקֹב
הָא דְגוֹרָא הָדֵין וְהָא
קָמְתָא דִּי אֲקֵימִית בֵּינִי
וּבֵינָךְ׃ נב סָהִיד דְּגוֹרָא
הָדֵין וְסָהֲדָא קָמָא אִם
אֲנָא לָא אֶעְבַּר לְוָתָךְ
יָת דְּגוֹרָא הָדֵין וְאִם
אַתְּ לָא תִעְבַּר לְוָתִי יָת
דְּגוֹרָא הָדֵין וְיָת קָמְתָא
הָדָא לְבִישׁוּ׃ נג אֱלָהֵהּ
דְּאַבְרָהָם וֵאלָהֵהּ דְּנָחוֹר
יְדוּנוּן בֵּינָנָא אֱלָהֵהּ
דַּאֲבוּהוֹן וְקַיֵּים יַעֲקֹב
בִּדְדָחִיל לֵהּ אֲבוּהִי יִצְחָק׃
נד וּנְכַס יַעֲקֹב נִכְסָתָא
בְּטוּרָא וּקְרָא לַאֲחוֹהִי

רש"י

[פסוק נ] בְּנֹתַי בְּנֹתַי. ב׳ פְּעָמִים, אַף בִּלְהָה וְזִלְפָּה בְּנוֹתָיו הָיוּ מִפִּלֶגֶשׁ (ב"ר עד:יג; פדר"א פל"ו): **אם תענה את בנתי.** לִמְנוֹעַ מֵהֶן עוֹנַת תַּשְׁמִישׁ (יומא עז.): **[פסוק נא] ירִיתִי.** כְּמוֹ יָרָה בַיָּם (שמות טו:ד). כָּזֶה שֶׁהוּא יוֹרֶה הַחֵץ [ס"א הַחֲנִית] (ב"ר שם טו): **[פסוק נב] אם אני.** הֲרֵי אִם מְשַׁמֵּשׁ בִּל׳ אֲשֶׁר, כְּמוֹ עַד אִם דִּבַּרְתִּי דְּבָרַי (לעיל כד:לג), וּפֵירוּשׁוֹ עַד אֲשֶׁר דִּבַּרְתִּי דְּבָרַי: **לרעה.** לְרָעָה אִי אַתָּה עוֹבֵר אֲבָל אַתָּה עוֹבֵר לִפְרַקְמַטְיָא (ב"ר שם): **[פסוק נג] אלהי אברהם.** ו קֹדֶשׁ: **ואלהי נחור.** חוֹל: **אלהי אביהם.** חוֹל (מסכת סופרים ד:ה): **[פסוק נד] ויזבח יעקב זבח.** שָׁחַט בְּהֵמוֹת לְמִשְׁתֶּה: **לאחיו.** ז לְאוֹהֲבָיו שֶׁעִם לָבָן (תרגום יונתן):

עיקר שפתי חכמים

ו פי׳ ואין רש"י למוחקו: ז ולא פירש לבניו כמ"ש למעלה, דאין לומר שעשה משתה לבניו:

לֶאֱכָל־לָחֶם וַיֹּאכְלוּ לֶחֶם וַיָּלִינוּ
בָּהָר: מפטיר פרק לב א וַיַּשְׁכֵּם לָבָן
בַּבֹּקֶר וַיְנַשֵּׁק לְבָנָיו וְלִבְנוֹתָיו
וַיְבָרֶךְ אֶתְהֶם וַיֵּלֶךְ וַיָּשָׁב לָבָן
לִמְקֹמוֹ: ב וְיַעֲקֹב הָלַךְ לְדַרְכּוֹ
וַיִּפְגְּעוּ־בוֹ מַלְאֲכֵי אֱלֹהִים:
ג וַיֹּאמֶר יַעֲקֹב כַּאֲשֶׁר רָאָם מַחֲנֵה אֱלֹהִים זֶה
וַיִּקְרָא שֵׁם־הַמָּקוֹם הַהוּא מַחֲנָיִם: פ פ פ

לְמֵיכַל לַחְמָא וַאֲכָלוּ
לַחְמָא וּבִיתוּ בְּטוּרָא:
א וְאַקְדֵּם לָבָן בְּצַפְרָא
וּנְשַׁק לִבְנוֹהִי וְלִבְנָתֵהּ
וּבָרֵיךְ יָתְהֵן וַאֲזַל וְתָב
לָבָן לְאַתְרֵהּ: ב וְיַעֲקֹב
אֲזַל לְאָרְחֵהּ וְעָרְעוּ בֵהּ
מַלְאֲכַיָּא דַייָ: ג וַאֲמַר
יַעֲקֹב כַּד חֲזָנוּן מַשְׁרִיתָא
מִן קֳדָם יְיָ דֵּין וּקְרָא שְׁמָא
דְּאַתְרָא הַהוּא מַחֲנָיִם:

קמ"ח פסוקים. חלק"י סימן. מחני"ם סימן.

רש"י

לֶאֱכָל לָחֶם. כָּל דְּבַר מַאֲכָל קָרוּי לֶחֶם, כְּמוֹ ח עֲבַד לְחֶם רַב (דניאל ה:א) נַשְׁחִיתָה עֵץ בְּלַחְמוֹ (ירמיה יא:יט): **[פסוק ב] וַיִּפְגְּעוּ בוֹ מַלְאֲכֵי אֱלֹהִים.** מַלְאָכִים שֶׁל אֶרֶץ יִשְׂרָאֵל בָּאוּ לִקְרָאתוֹ לְלַוּוֹתוֹ לָאָרֶץ (תנחומא וישלח ג): **[פסוק ג] מַחֲנָיִם.** שְׁתֵּי מַחֲנוֹת, שֶׁל חוּצָה לָאָרֶץ שֶׁבָּאוּ עִמּוֹ ט עַד כָּאן, וְשֶׁל אֶרֶץ יִשְׂרָאֵל שֶׁבָּאוּ לִקְרָאתוֹ (שם):

בעל הטורים

(ג) **מחנים.** נוטריקון מאותם חילים נטל יעקב מלאכים:

עיקר שפתי חכמים

ח כי פה היה ג"כ זבח: **ט** כי טכבן יחד בע"כ: חסלת פרשת ויצא

הפטרת ויצא

הושע יא:ז — יד:י

הושע הנביא ניבא בזמן אחד עם שאר נביאים — ישעיה, עמוס ומיכה — אבל עליו העידו חכמינו ז"ל שהיה הגדול שבכולם (פסחים פז, א). כמותם, גם הוא הוכיח את ממלכת עשרת השבטים בשומרון על מעשיהם המושחתים והתחנן אליהם שישובו לה׳. הושע מביע את חסדי ה׳ לעם ישראל בעבר והימנעות בני ישראל מלהכיר את חסדיו. ולמרות כל זאת, אומר הנביא: "לֹא אֶעֱשֶׂה חֲרוֹן אַפִּי, לֹא אָשׁוּב לְשַׁחֵת אֶפְרָיִם". כלומר, הוא מבטיח בשם הקב"ה שלעולם לא יזניח את בניו (ראה תנא דבי אליהו זוטא, יא), שכן "בְּקִרְבְּךָ קָדוֹשׁ" — בטוח הוא בפנימיות הטוב הטמון בבני ישראל (ראה אוצרות רמח"ל, פרשת תרומה ד"ה ואומר אח"כ ועשו לי מקדש), ועוד ישובו בניהם אליו, וכלשון הנביא: "אַחֲרֵי ה׳ יֵלְכוּ כְּאַרְיֵה יִשְׁאָג, כִּי הוּא יִשְׁאַג וְיֶחֶרְדוּ בָנִים מִיָּם".

הנביא מוכיח את ממלכת יהודה שגם היא תיענש על מעשיה, שכן על אף רחמיו הגדולים

של ה׳, ועל אף שהם צאצאי יעקב אבינו אשר ניצח את שרו של עשיו, תגבר עליהם מדת הדין שיגלו בגלות בגלל עוונותיהם. הנביא מפנה את תוכחתו לממלכת אפרים על ששכחו את צדקתו ונאמנותו של יעקב אבינו, אשר היה רועה את צאן לבן בשכר שנשא את בנותיו (ראה רמב״ם הלכות שכירות יג, ז), ומזכיר להם שעלייתו של ירבעם למלכות היתה מתנת ה׳ רק עבור קנאתו לה׳ (רש״י יג, א), אבל אחר כך מעל בשליחותו, הכעיס את בוראו, ביזה את נביאיו והסית את ישראל לעבוד עבודה זרה. כאשר הנביא ראה שאינם חוזרים בתשובה ואין ה׳ חוזר בו מגזירתו (שם, פסוק יד), כי אין הוא שוכח את העוונות אלא שומרם עד שתתמלא הסאה, ואמר על כך: ״תֶּאְשַׁם שֹׁמְרוֹן כִּי מָרְתָה בֵּאלֹהֶיהָ״ — רק ממלכת שומרון [השרים והשלטון] שהסיתה את ישראל תשא את האשמה ותיענש, ולא המון העם (מלבי״ם, בביאור הענין, יד, א).

על אף חטאיהם החמורים של בני ישראל, ״לֹא יִטֹּשׁ ה׳ עַמּוֹ וְנַחֲלָתוֹ לֹא יַעֲזֹב״ (תהלים צד, יד). תוכחתו הנוראה והאיומה של הנביא מסתיימת בקריאה של חיבה ואהבה בלתי־מוגבלת המתחננת אל בני ישראל שישובו לה׳; באותם הפסוקים הפותחים את הפטרת שבת שובה: ״שׁוּבָה יִשְׂרָאֵל עַד ה׳ אֱלֹהֶיךָ״, כי רוצה ומחכה ה׳ לתשובת בניו, ומוכן לקבלם באהבה ולמחול על עוונותיהם.

הספרדים וחסידי חב״ד מתחילים כאן, והאשכנזים מתחילים מ״ויברח יעקב״.

פרק יא ז וְעַמִּי תְלוּאִים לִמְשׁוּבָתִי וְאֶל־עַל יִקְרָאֻהוּ יַחַד לֹא
יְרוֹמֵם: ח אֵיךְ אֶתֶּנְךָ אֶפְרַיִם אֲמַגֶּנְךָ יִשְׂרָאֵל אֵיךְ אֶתֶּנְךָ כְאַדְמָה
אֲשִׂימְךָ כִּצְבֹאיִם נֶהְפַּךְ עָלַי לִבִּי יַחַד נִכְמְרוּ נִחוּמָי: ט לֹא אֶעֱשֶׂה
חֲרוֹן אַפִּי לֹא אָשׁוּב לְשַׁחֵת אֶפְרָיִם כִּי אֵל אָנֹכִי וְלֹא־אִישׁ

רש״י

(ז) ועמי תלואים למשובתי. כשהנביאים מלמדים אותם לשוב אלי, תלואים הם אם לשוב אם לא לשוב; בקושי ישובון אלי: **ואל על יקראוהו יחד לא ירומם.** ואל הדבר אשר עליו יקראוהו הנביאים יחד לא ירוממוהו עמי ולא יאות לעשותו. ויש מפרש ואל על יקראוהו, פגעים קשים יפגעום; ואל כמו יֶשׁ לְאֵל יָדִי (בראשית לא, כט). ואין זאת, שהרי נקוד בפתח, ואם היה ואל שם דבר היה נקוד בצירי. ויונתן תרגם: בְּמִרְעָא קַשְׁיָא יִתְעָרְעוּן עשה אל (סא״א על), לשון קשה. ולי נראה שפרשתי כהוגן: **יחד לא ירומם.** כחדא לא יהכון בקומא זקופא: **(ח) אמגנך.** אמסרך ביד אויביך, כמו אֲשֶׁר מִגֵּן צָרֶיךָ (שם יד, כ): **נכמרו.** נתחממו לשון ארמי, וכן עוֹרֵנוּ כְּתַנּוּר נִכְמָרוּ (איכה ה, י): **(ט) לא אשוב.** מדברי הטוב אשר אמרתי לא מאסתים ולא געלתים להיות משחית את אפרים: **כי אל אנכי.** המקיים דבר טובתי ואין מדתי להנחם על הטוב:

מצודת דוד

(ז) ועמי תלואים למשובתי. עמי תלויים ומסופקים לשוב אלי וממתינים עד שאשוב אליהם תחלה להטיב עמהם: **ואל על יקראוהו.** רצונו לומר: עם כי הנביאים כולם קוראים אליו שהוא ישוב תחלה אל העליון ברוך הוא כי הוא רם ונשא, הנה הם כולם יחד אין בהם מי שירומם אותו העליון לכבדו לשוב אליו תחלה: **(ח) איך אתנך אפרים.** רצונו לומר הנה עם כל זה רחמתי עליך ואומר איך אתנך אפרים ביד הבבליים? איך אמסרך בידם? איך אתנך להיות הפוכה כאדמה וכו׳? כלומר איך אוכל לראות באבדן עמי: **נהפך עלי לבי.** עם כי בעסתי עליהם, הנה נהפך עלי לבי לרחם אותם: **יחד נכמרו נחומי.** כל מדות תנחומין שיש בי לנחם על הרעה כולם יחד נתחממו ונתעוררו בלי מצוא צד הפכו: **(ט) כי אל אנכי.** ובכל עת ידי משלה עליהם לכן אאריך עוד אפי: **ולא איש.** שממהר להנקם בחושבו פן לאחר זמן לא יהיה לאל ידו:

מצודת ציון

(ז) תלואים. מלשון תלוי ומסופק: **למשובתי.** מלשון השבה: **על.** מלשון עליון, וכן עַל־עוֹלָה (איוב לו, לב): **(ח) אמגנך.** ענין מסירה, כמו אֲשֶׁר־מִגֵּן צָרֶיךָ (בראשית יד, כ): **כאדמה כצבואים.** הן חברותיהן של סדום ועמורה: **נכמרו.** ענין חמום כמו עוֹרֵנוּ כְּתַנּוּר נִכְמָרוּ (איכה ה, י), וזה הלשון יאמר על החמלה: **נחומי.** מלשון תנחומין וחרטה:

בְּקִרְבְּךָ קָדוֹשׁ וְלֹא אָבוֹא בְּעִיר׃ י אַחֲרֵי יְהוָה יֵלְכוּ כְּאַרְיֵה
יִשְׁאָג כִּי־הוּא יִשְׁאַג וְיֶחֶרְדוּ בָנִים מִיָּם׃ יא יֶחֶרְדוּ כְצִפּוֹר
מִמִּצְרַיִם וּכְיוֹנָה מֵאֶרֶץ אַשּׁוּר וְהוֹשַׁבְתִּים עַל־בָּתֵּיהֶם נְאֻם־יְהוָה׃
פרק יב א סְבָבֻנִי בְכַחַשׁ אֶפְרַיִם וּבְמִרְמָה בֵּית יִשְׂרָאֵל וִיהוּדָה עֹד
רָד עִם־אֵל וְעִם־קְדוֹשִׁים נֶאֱמָן׃ ב אֶפְרַיִם רֹעֶה רוּחַ וְרֹדֵף קָדִים
כָּל־הַיּוֹם כָּזָב וָשֹׁד יַרְבֶּה וּבְרִית עִם־אַשּׁוּר יִכְרֹתוּ וְשֶׁמֶן לְמִצְרַיִם
יוּבָל׃ ג וְרִיב לַיהוָה עִם־יְהוּדָה וְלִפְקֹד עַל־יַעֲקֹב כִּדְרָכָיו כְּמַעֲלָלָיו
יָשִׁיב לוֹ׃ ד בַּבֶּטֶן עָקַב אֶת־אָחִיו וּבְאוֹנוֹ שָׂרָה אֶת־אֱלֹהִים׃

רש"י

בקרבך קדוש ולא אבוא בעיר. אחרת כבר הבטחתי להשרות שכינתי בקרבך בירושלים ולא אשרה אותה עוד על עיר אחרת. ויש מפרש בעיר לשון שנאה, כמו (שמואל א כח, טז) וַיְהִי עָרֶךָ: **(י) כאריה ישאג.** עוד ישאג להם כאריה שילאו מן הגליות וילכו אחריו: **ויחרדו בנים מים.** וְיִתְכַּנְּשׁוּן גָּלְוָתְהוֹן מִמַּעַרְבָא: **(א) סבבוני.** כבר בכחש ובמרמה אפרים ובית ישראל מלכי עשרת השבטים וכל העם, אבל יהודה עודנו רד עם אל מושל עוד ביראת אלהים. רד כמו (במדבר כד, יט) וְיֵרְדְּ מִיַּעֲקֹב; עוד מלכיהם עם הקדוש ברוך הוא: **(ב) רועה רוח.** לשון ריע מתחבר לדברי רוח להעכו"ם ושמן שלהם למצרים מובילים לתת שוחד למצרים לעזור אותם: **(ג) וריב לה' עם יהודה.** אליהם הוא מגיד את דברי ריבו אשר עשו לו אחיהם בית ישראל ולא יתמהו בפקדו על יעקב כדרכיו: **(ד) בבטן עקב את אחיו.** כל זה עשיתי לו אחז בעקבו סימן שהוא יהיה לו גביר:

מצודת דוד

בקרבך קדוש. רצונו לומר: לכן עוד אשרה בקרבך קדושת שכינתי ולא אבוא בעיר אחרת מערי העכו"ם: **(י) אחרי ה'.** רצונו לומר: זאת אעשה להם בבוא זמן הגאולה בימי המשיח ילכו אז אחרי ה' אל ארצם: **כאריה ישאג.** כמו שעל ידי שאגת האריה מתאספים אליו כל החיות כי הוא המלך עליהם כן יתאספו כולם אחרי ה': **כי הוא ישאג.** רצונו לומר יעורר הלבבות כאלו ישאג בקול לישראל הנקראים בנים למקום ימהרו לבוא מפאת הים: **(יא) יחרדו.** וכן ימהרו לבוא ממצרים ומאשור כצפור וכיונה הממהרים לעוף: **והושבתים.** ואני אושיב אותם לבטח על בתיהם: **(א) סבבוני בכחש אפרים.** הנה מלכות אפרים סבבו אותי כאלו שבים אלי אבל יכחשו בי כי לבם בל עמם: **ובמרמה וגו'.** כפל הדבר במילים שונות: **ויהודה.** אבל יהודה עדיין הוא מושל עם האל, רצונו לומר מכריח את העם ללכת עם האל בדרכי התורה: **ועם קדושים.** עם אלהים קדושים הוא הנאמן לקיים מאמרו: **(ב) רועה רוח.** הוא מרעה את הרוח, רצונו לומר עוסק הוא בדברי הבל: **ורודף קדים.** הוא כפל ענין במילים שונות: **כזב ושוד ירבה.** מרבה לדבר כזב ולעשוק בני אדם: **וברית וגו'.** להיות בעזרתו: **ושמן וגו'.** לשחדו לעזור לו מול האויב: **(ג) וריב לה'.** רצונו לומר: הואיל וגם יהודה סרח אחר כך, לכן יהיה ריב לה' גם עם יהודה, ולזכור על כל בני יעקב כפי דרכיו שהלך בו וכפי מעלליו ישיב לו גמול: **(ד) בבטן עקב את אחיו.** רצונו לומר: הלא יעקב אביהם עודו בבטן אמו אחז בעקב עשו אחיו והפלא הזה היה לאות: **ובאונו.** ובכחו נעשה שר אל אלהים הוא המלאך שרו של עשו הנאבק עמו, כי יעקב התגבר עליו:

מצודת ציון

(י) ויחרדו. ענין מהירות ההליכה בחפזון רב, וכן וַיֶּחֶרְדוּ זִקְנֵי הָעִיר לִקְרָאתוֹ (שמואל-א טז,ד): **(יא) והושבתים.** מלשון ישיבה: **(א) רד.** ענין ממשלה, כמו רְדֵה בְּקֶרֶב אֹיְבֶיךָ (תהלים קי, ב): **(ב) רועה.** מלשון מרעה: **קדים.** רצונו לומר רוח קדים: **ושוד.** ענין עושק: **יובל.** ענין הבאה כמו יוּבַל־שַׁי (ישעיה יח, ז): **(ד) עקב.** רצונו לומר: אחז בעקבו הוא סוף הרגל: **ובאונו.** ענין אומץ וכח, כמו וְאֹנוֹ בִּשְׁרִירֵי בִטְנוֹ (איוב מ, טז): **שרה.** מלשון שררה:

ה וַיָּשַׂר אֶל־מַלְאָךְ וַיֻּכָל בָּכָה וַיִּתְחַנֶּן־לוֹ בֵּית־אֵל יִמְצָאֶנּוּ
וְשָׁם יְדַבֵּר עִמָּנוּ: ו וַיהוָה אֱלֹהֵי הַצְּבָאוֹת יהוָה זִכְרוֹ: ז וְאַתָּה
בֵּאלֹהֶיךָ תָשׁוּב חֶסֶד וּמִשְׁפָּט שְׁמֹר וְקַוֵּה אֶל־אֱלֹהֶיךָ תָּמִיד:
ח כְּנַעַן בְּיָדוֹ מֹאזְנֵי מִרְמָה לַעֲשֹׁק אָהֵב: ט וַיֹּאמֶר אֶפְרַיִם אַךְ
עָשַׁרְתִּי מָצָאתִי אוֹן לִי כָּל־יְגִיעַי לֹא יִמְצְאוּ־לִי עָוֹן אֲשֶׁר־חֵטְא:

רש"י

(ה) בכה. המלאך: **ויתחנן לו.** כשאמר לו לא אֲשַׁלֵּחֲךָ כִּי אִם בֵּרַכְתָּנִי (בראשית לב, כז). המלאך היה מבקש ממנו הנח לי עכשיו, סופו של הקדוש ברוך הוא ליגלות עליך בבית אל ושם ימצאנו; ושם ידבר עמנו, והוא ואני נסכים לך על הברכות שבירכך יצחק, ואותו מלאך שרו של עשו היה והיה מערער על הברכות: **(ו) וה' אלהי הצבאות ה' זכרו.** כאשר הייתי מאז כן אני עתה, ואם הייתם הולכים עמי בתמימות כיעקב אביכם הייתי נוהג עמכם כאשר נהגתי עמו: **(ז) ואתה באלהיך תשוב.** בהבטחתו ובמשענתו שהוא מבטיחך אתה יכול לסמוך ותשוב אליו, רק חסד ומשפט שמור ומובטח אתה לקוות לישעו תמיד: **(ח) כנען בידו מאזני מרמה.** אתם סמוכים על בצעכם שאתם סוחרים ורמאים, ועל עשריכם אתם אומרים אך עשרתי ולא אעבוד את הקדוש ברוך הוא: **(ט) מצאתי און לי.** און כח. ומדרש אגדה היה דורש רבי שמעון זכר צדיק לברכה מצאתי און לי, מצאתי לי שטר חוב שיש לי מלכות על ישראל, וַיֵּלְכוּ גַּם אֶחָיו וַיִּפְּלוּ וגו' הִנֶּנּוּ לְךָ לַעֲבָדִים (בראשית נ, יח), און לי, דיני שטר; כמו כותבין עליו אונו (גיטין מג, ב), וכמו באוני אחד ובטימי אחת בב"ר. וזה פירושו: וַיֹּאמֶר אֶפְרַיִם אַךְ עָשַׁרְתִּי מָצָאתִי אוֹן לִי, ירבעם בן נבט שהיה משבט אפרים מתפאר בעצמו ואומר: אך עשרתי מצאתי און לי, שטר אחד שכל ישראל עבדים לי שאבי קנה אותם, דכתיב וַיֵּלְכוּ גַּם אֶחָיו וַיִּפְּלוּ לְפָנָיו וַיֹּאמְרוּ הִנֶּנּוּ לְךָ לַעֲבָדִים (שם), ומה שקנה עבד קנה רבו, וכל ממונם שלי, לפיכך אין בי חטא אם אטול כל אשר להם כי הם עבדי. מה כתיב אחריו? וְאָנֹכִי ה' אֱלֹהֶיךָ מֵאֶרֶץ מִצְרָיִם. גדולה הבאה לאביך במצרים מאתי היתה. אמר הקדוש ברוך הוא: הכנו לך לעבדים לא שכחת, אבל אָנֹכִי ה' אֱלֹהֶיךָ שנא' בעשרת הדברות (שמות כ, ב) שכחת, שהעמדת שני עגלים, אחד בבית אל ואחד בדן. ולענין פשוטו של מקרא, אתה אומר מצאתי און לי על ידי עושק ומאזני מרמה, ואנכי ה' אלהיך מארץ מצרים, שם הבחנתי בין טיפה של בכור לטיפה שאינה של בכור, אף אני היודע ונפרע ממאזני מרמה העשויין מבלי הבין ומהטומן משקלותיו במלח כדי לרמות: **כל יגיעי לא ימצאו לי.** טוב לך אם אמרת בלבך כל ממוני לא יהא בו ספוק לכפר על עוני אשר חטאתי. כן תרגם יונתן: נביא אמר להון כל עותריכון לא יתקיים לכון ביום תושלמת חוביכון: **לא ימצאו.** לא יספיקו, כמו (במדבר יא, כב) וּמָצָא לָהֶם. ולא יתכן לפרש כל יגיעי כל היגיעים לבקש עוני ולא ימצא לי עון, שאם כן היה ראוי לכתוב כל יגיע בלא יו"ד ולנקוד בציר"י. אבל עתה אינו לשון יגע אלא לשון יגיע:

מצודת דוד

(ה) וישר. וכאשר נעשה שר אל המלאך ולתוספת ביאור אמר ויוכל לו, רצונו לומר, נצחו והתגבר עליו, אז המלאך בכה לפניו והתחנן לו להניחו ללכת וכה אמר הנה בבית אל ימצא ה' אותנו ושם ידבר עמנו ושם יברכך ואהיה שם גם אני ואודה לך על הברכות. כן דרשו רבותינו זכרונם לברכה, וכאלו יאמר בזה אם נתתי הכח ביד יעקב להתגבר על המלאך מדוע אם כן לא תבטחו בי ותלכו לבקש עזרה ממצרים ומאשור: **(ו) וה'.** רצונו לומר: הלא ה' הוא האלהים על צבאות מעלה ומטה והכל שלו ובידו: **ה' זכרו.** שמו הוא ה' המורה שהוא אדון הכל: **(ז) ואתה.** וגם אתה במשענת אלהיך תשב בשובה בנחת רק שמור חסד ומשפט ואז קוה תמיד אל אלהיך כי בטוח תהיה שימלא תקותך: **(ח) כנען.** רצונו לומר: אבל אתם כסוחר הרמאי אשר בידו מאזני מרמה ואוהב לעשוק את הבריות ואינך חפץ בחסד ובמשפט: **(ט) ויאמר אפרים.** רצונו לומר: ועוד יוסף פשע, כי יאמר אפרים אך הסבה שעשרתי הוא בעבור

מצודת ציון

(ה) ויוכל. מלשון יכולת: **(ו) זכרו.** שמו כי בשם יזכר: **(ז) תשוב.** ענין השקט ומרגוע, כמו בְּשׁוּבָה וָנַחַת (ישעיה ל, טו): **(ח) כנען.** תגר וסוחר, וכן וַחֲגוֹר נָתְנָה לַכְּנַעֲנִי (משלי לא, כד): **מאזני.** מלשון מאזני משקל: **(ט) און.** ענין כח ואומץ: **כל יגיעי.** בכל יגיעי, ותחסר בי"ת השמוש:

י וְאָנֹכִ֛י יְהוָ֥ה אֱלֹהֶ֖יךָ מֵאֶ֣רֶץ מִצְרָ֑יִם עֹ֛ד אוֹשִֽׁיבְךָ֥ בָאֳהָלִ֖ים
כִּימֵ֥י מוֹעֵֽד׃ יא וְדִבַּ֙רְתִּי֙ עַל־הַנְּבִיאִ֔ים וְאָנֹכִ֖י חָז֣וֹן הִרְבֵּ֑יתִי וּבְיַ֥ד
הַנְּבִיאִ֖ים אֲדַמֶּֽה׃ יב אִם־גִּלְעָ֥ד אָ֙וֶן֙ אַךְ־שָׁ֣וְא הָי֔וּ בַּגִּלְגָּ֖ל שְׁוָרִ֣ים
זִבֵּ֑חוּ גַּ֤ם מִזְבְּחוֹתָם֙ כְּגַלִּ֔ים עַ֖ל תַּלְמֵ֥י שָׂדָֽי׃

הספרדים מסיימים כאן, והאשכנזים מתחילים כאן:

יג וַיִּבְרַ֥ח יַעֲקֹ֖ב שְׂדֵ֣ה אֲרָ֑ם וַיַּעֲבֹ֤ד יִשְׂרָאֵל֙ בְּאִשָּׁ֔ה וּבְאִשָּׁ֖ה
שָׁמָֽר׃ יד וּבְנָבִ֕יא הֶעֱלָ֧ה יְהוָ֛ה אֶת־יִשְׂרָאֵ֖ל מִמִּצְרָ֑יִם וּבְנָבִ֖יא
נִשְׁמָֽר׃

חסידי חב״ד מסיימים כאן, והאשכנזים ממשיכים:

רש״י

(י) עוד אושיבך באהלים. אכרית מתוך סוחרי מרמה ואושיבך באהלים, אעמיד מתוך תלמידים עוסקים בתורה: **כימי מועד.** כימי מועד הראשון שהיה יעקב איש תם יושב אוהלים: **(יא) ודברתי על הנביאים.** להוכיח אתכם ולהחזיר אתכם למוטב: **וביד הנביאים אדמה.** נראיתי להם בכמה דמיות, דבר אחר אדמה להם דברי על ידי משלים כדי לישבם על שומעיהם: **(יב) אם גלעד און.** אם בא להם שבר ואונס הם גרמו לעצמם, כי אך שוא היו ובגלגל שורים זבחו לעכו״ם: **גם מזבחותם.** רבים כגלים שעל תלמי שדי. תלמי שדי היא מענית המחרישה קרויה תלם: **(יג) ויברח יעקב שדה ארם וגו׳.** כאדם שאומר נחזור על הראשונות שדברנו למעלה, וישר אל המלאך. ועוד זאת עשיתי לו הולרך לברוח שדה ארם ידעתם איך שמרתיו: **ובאשה שמר.** את הצאן: **(יד) ובנביא העלה ה׳ וגו.** ועל שאתם מבזין את הנביאים ומלעיגין בדבריהם, הלא בנביא העלה וגו׳:

מצודת דוד

כי מצאתי לי און וכח לאסוף הון ולא ה׳ פעל כל זאת. ויאמר עוד בכל יגיעי הוא העושר הבא ביגיעי הנה בכולו לא ימצא לי און אשר יחטא אדם בהנה, רצונו לומר: אין בו שום נדנוד עון גזל ואונאה כי יחשוב שאין המקום ב״ה מכיר במעשיו: **(י) ואנכי.** אבל הלא אנכי ה׳ אלהיך מעת הוצאתיך מארץ מצרים, ומאז אני בעצמי משפיע לך טובה ומשגיח במעשיך בהשגחה פרטית לא על ידי אמצעים מלאכי מעלה כדרך הבבליים: **עוד אושיבך באהלים.** עוד יבוא זמן אשר תצא מהגולה ואושיב אותך בדרך באהלים כמו בימי הזמן ההוא שיצאת מארץ מצרים, כי עד עולם לא תסור השגחתי ממך: **(יא) דברתי.** על עסקיכם דברתי אל הנביאים והרביתי דברי חזון: **אדמה.** רצונו לומר: דברתי בדמיון ובמשל להיות מקובל על הלב כי מאד אני משגיח בך: **(יב) אם גלעד און.** אם און בא על גלעד הנה לא באה במקרה כי אם בהשגחה לתשלום גמול כי מעשיהם היו אך שוא כי בגלגל מקום שעמד המקדש בתחלה שם זבחו שוורים לעבודת כוכבים וגם מזבחותם שעשו לעבודת כוכבים היו מרובות כמו מספר הגלים שהם על תלמי שדה: **(יג) ויברח יעקב.** הלא כשברח יעקב מפני עשו אל ארם אז עבד ללבן בעבור אשה היא רחל ואחר זה חזר עוד לשמור צאן לבן בעבור אשה אחרת, וכל זה היה מגודל עוני, כי בא בידים ריקניות; וכאומר הלא חזר ברכוש גדול, ומי נתן לו זה הרכוש? הלא אני, ואיך תאמר אך עשרתי מצאתי און לי: **(יד) ובנביא.** הלא על ידי משה נביאי העלה וכו׳ ועל ידי היה נשמר בדרך, וכאומר הכל בא בהשגחתי ואיך תכחשו לומר שאינני משגיח ומכיר מעשה האדם:

מצודת ציון

(י) אושיבך. מלשון ישיבה: **מועד.** ענין זמן, כמו כִּי־אֶקַּח מוֹעֵד (תהלים עה, ג): **(יא) חזון.** ענין מראה נבואה: **אדמה.** מלשון דמיון ומשל: **(יב) און.** ענין עמל ויגיעה, כמו כִּי לֹא־יֵצֵא מֵעָפָר אָוֶן (איוב ה, ו): **כגלים.** ענין תל ודגור: **תלמי.** היא הערוגה הנעשה בחרישה וכן תְּלָמֶיהָ רַוֵּה (תהלים סה, יא): **שדי.** כמו שדה: **(יג) שדה ארם.** כמו ארץ ארם:

טו הִכְעִ֥יס אֶפְרַ֖יִם תַּמְרוּרִ֑ים וְדָמָיו֙ עָלָ֣יו יִטּ֔וֹשׁ וְחֶ֨רְפָּת֔וֹ יָשִׁ֥יב ל֖וֹ
אֲדֹנָֽיו׃ פרק יג א כְּדַבֵּ֤ר אֶפְרַ֙יִם֙ רְתֵ֔ת נָשָׂ֥א ה֖וּא בְּיִשְׂרָאֵ֑ל וַיֶּאְשַׁ֥ם
בַּבַּ֖עַל וַיָּמֹֽת׃ ב וְעַתָּ֣ה ׀ יוֹסִ֣פוּ לַחֲטֹ֗א וַיַּעֲשׂ֣וּ לָהֶם֩ מַסֵּכָ֨ה מִכַּסְפָּ֤ם
כִּתְבוּנָם֙ עֲצַבִּ֔ים מַעֲשֵׂ֥ה חָרָשִׁ֖ים כֻּלֹּ֑ה לָהֶם֙ הֵ֣ם אֹמְרִ֔ים זֹבְחֵ֣י
אָדָ֔ם עֲגָלִ֖ים יִשָּׁקֽוּן׃ ג לָכֵ֗ן יִֽהְיוּ֙ כַּעֲנַן־בֹּ֔קֶר וְכַטַּ֖ל מַשְׁכִּ֣ים הֹלֵ֑ךְ
כְּמֹץ֙ יְסֹעֵ֣ר מִגֹּ֔רֶן וּכְעָשָׁ֖ן מֵאֲרֻבָּֽה׃ ד וְאָנֹכִ֛י יְהוָ֥ה אֱלֹהֶ֖יךָ מֵאֶ֣רֶץ

רש"י

(טו) הכעיס אפרים. לבוראו לבזות את נביאיו ולבגוד בו: **תמרורים.** הם לו, כי דמיו אשר שפך בהחטיאו את ישראל להאמיד לעכו"ם, והמחטיאו לאדם קשה לו מן ההורגו כאשר אנו למידין מעמון ומואב שהטעו את ישראל להאמד לבעל פעור ועגשן הכתוב יותר ממצרי ואדומי שטבעום בנהר ויצאו בחרב לקראתם: **עליו יטוש.** עליו יטילם הקדוש ברוך הוא: **וחרפתו.** שחירף את שלמה, כענין שנאמר (מלכים-א יא, כו) וַיָּרֶם יָד בַּמֶּלֶךְ שהוכיחו ברבים על אשר בנה שלמה את המלוא כדמפורש בחלק: **ישיב לו אדוניו.** הקדוש ברוך הוא שהרי הוא הרע לעשות יותר ממנו: **(א) כדבר אפרים רתת.** כשקנא ירבעם למקום ודבר כנגד שלמה דברים קשים וברעדה, שהרי מלך גדול היה שלמה: **נשא הוא בישראל.** משם זכה להנשא להיות מלך ישראל: **ויאשם בבעל.** כיון שעלה לגדולה ויאשם בעכו"ם: **וימות.** נכרת בית ירבעם וכן בית אחאב. ויונתן תרגם: כַּד מְמַלֵּל חַד מִדְּבֵית אֶפְרַיִם רְתֵיתָא אֲחִיד לְהוֹן לְעַמְמַיָּא מִתְרַבְרְבִין הֲווֹ בְּיִשְׂרָאֵל וְכַדוּ דְחָבוּ בְּפוּלְחַן טָעוּתָא מִתְקַטְלִין: **(ב) עתה.** בית יהוא שראו כל זאת, יוסיפו לחטוא: **כתבונם.** כתבניתם: **זובחי אדם עגלים ישקון.** לומדי המולך אומרים לישראל: מי שזובח בנו לעכו"ם כדאי הוא להיות נושק העגל, שהרי דורון חביב הקריב לו; כך פירשו רבותינו בסנהדרין, ומיושב הוא על לשון המקרא יותר מתרגום של יונתן: **(ג) וכטל משכים הולך.** וּכְטַלָּא דְמוֹחֵי פָסֵיק: **כמוץ יסוער מגורן.** כמוצא דנשבה רוח מאידרא: **יסוער.** אשר סערה תשאנו: **(ד) ואנכי ה' אלהיך.** ולא היה לך למרוד בי:

מצודת דוד

(טו) הכעיס. רצונו לומר אחר שכל זה ידוע לאפרים ועם כל זה הכעיס לה' במעשים רעים: **ודמיו.** לכן הדם ששפך יתפשט עליו לקחת נקם: **וחרפתו.** מה שחרף כלפי מעלה להחליפו בעגלי הזהב הנה האל הוא אדוניו ומושל בו וגמול מעשיו ישיב לו: **(א) כדבר אפרים.** ירבעם הבא מאפרים, כשדבר ברעדה דברים קשים להוכיח את שלמה כמו שכתוב במלכים א, על ידי זה זכה להתרומם בישראל למלוך עליהם, וכאשר חטא בבעל נטרד מן העולם: **(ב) ועתה.** בני הדור הזה הוסיפו לחטוא ולא הספיק להם עגלי הזהב שעשה ירבעם כי עוד עשו לעצמם כל אחד בביתו, עשה מסכה מכספם כדמות העצבים שעשה ירבעם: **מעשה חרשים כלה.** כל מעשה המסכה היה מעשה חרשים להדמות להעגלים של ירבעם: **להם וגו'.** על העגלים היו אומרים: מי שמנשק אותם שכרו הרבה מאד, כאילו היה זובח לו בן אדם שהוא אצלם הגדולה שבעבודות, ולכן עשה כל אחד בביתו שיהא מצוי לו לנשקו בכל עת: **(ג) לכן.** לזאת יהיו כלים מהר כענן בוקר שהולך לו מהרה וכטל המשכים ללכת בזורח השמש כי אז נפסק בשעה אחת: **כמוץ.** כמו מוץ התבואה הפורח מן הגורן על ידי רוח סערה, וכמו העשן הממהר לעלות דרך ארובה: **(ד) ואנכי.** רצונו לומר: ראויים הם לכליון, כי הלא אנכי ה' אלהיך מעת הוצאתיך מארץ מצרים כי אז קבלתם אותי לאלוה ומהראוי שלא תדע אלהים זולתי הואיל ואין מושיע בלתי:

מצודת ציון

(טו) תמרורים. מלשון מר: **יטוש.** ענין התפשטות כמו וַיִּטֹּשׁ עַל־הַמַּחֲנֶה (במדבר יא, לא): **(א) רתת.** ענין רעד כי יֹאחֲזֵמוֹ רָעַד (שמות טו, טו) תרגם אונקולוס: אחדינון רתיתא: **נשא.** ענין הרמה: **ויאשם.** מלשון אשמה ורשע: **(ב) מסכה.** הנעשה מיציקת המתכת, וכן אֱלֹהֵי מַסֵּכָה (שמות לד, יז): **כתבונם.** כמו כתבניתם, והוא ענין דמות כמו תַּבְנִית (דברים ד, טז): **עצבים.** כן יקראו העכו"ם: **חרשים.** אומנים: **ישקון.** מלשון נשיקה: **(ג) כמוץ.** הוא פסולת התבואה, כמו אִם־כַּמֹּץ (תהלים א, ד): **יסוער.** מלשון רוח סערה: **מגרן.** הוא מקום התבואה: **מארובה.** כן יקרא החלון אשר ממעל בתקרת הבית, כמו וַאֲרֻבֹּת הַשָּׁמַיִם (בראשית ז, יא):

מִצְרָיִם וֵאלֹהִים זוּלָתִי לֹא תֵדָע וּמוֹשִׁיעַ אַיִן בִּלְתִּי: ה אֲנִי
יְדַעְתִּיךָ בַּמִּדְבָּר בְּאֶרֶץ תַּלְאֻבוֹת: ו כְּמַרְעִיתָם וַיִּשְׂבָּעוּ שָׂבְעוּ
וַיָּרָם לִבָּם עַל־כֵּן שְׁכֵחוּנִי: ז וָאֱהִי לָהֶם כְּמוֹ־שָׁחַל כְּנָמֵר עַל־
דֶּרֶךְ אָשׁוּר: ח אֶפְגְּשֵׁם כְּדֹב שַׁכּוּל וְאֶקְרַע סְגוֹר לִבָּם וְאֹכְלֵם שָׁם
כְּלָבִיא חַיַּת הַשָּׂדֶה תְּבַקְּעֵם: ט שִׁחֶתְךָ יִשְׂרָאֵל כִּי־בִי בְעֶזְרֶךָ:
י אֱהִי מַלְכְּךָ אֵפוֹא וְיוֹשִׁיעֲךָ בְּכָל־עָרֶיךָ וְשֹׁפְטֶיךָ אֲשֶׁר אָמַרְתָּ
תְּנָה־לִּי מֶלֶךְ וְשָׂרִים: יא אֶתֶּן־לְךָ מֶלֶךְ בְּאַפִּי וְאֶקַּח בְּעֶבְרָתִי:

רש"י

(ה) אני ידעתיך. נתתי לב לדעת צרכך וספקתיך: **תלאובות.** אין לו דמיון, ופתרונו לפי ענינו של שאובין בו כל טובה ואין מולאין: **(ו) כמרעיתם.** כאשר באו לארץ מרעיתם והיו שבעים אז: **שבעו וירם לבם.** כמו וַיָּרֶם בַּמַּטֶּה (שמות ז, כ), לשון מריס. דבר אחר וירס בכאן ויגבה הוא עצמו: **(ז) על דרך אשור.** כל אשור שבמקרא דגש וזה רפי, שאינו שם מקום אלא אחרוב ואשקוד, כמו אֲשׁוּרֶנּוּ וְלֹא קָרוֹב (במדבר כד, יז): **(ח) כדוב שכול.** כמו שוכל, כאשר תאמר חנון ורחום כך שכול; כלומר כלו לבוש שכולים ומוכן לשכל אנשים: **ואקרע סגור לבם.** כדרך הדוב אוחז לפרניו בחזה וקורע עד הלב. לשון אחר סגור לבם, את לבם הסגור מלהבין לשוב אלי: **(ט) שחתך ישראל.** חבלת עצמך ישראל כי בי פשעת מרדת בעזרך, ומקרא קצר הוא זה והמבין בלשון המקרא מיושב הוא על הלב: **כי בי.** כי בי היה המרד אשר מרדת. ואם תאמר מה איכפת לך בעזרך, מרדת כשמרדת בי: **(י) אהי מלכך איפוא.** יונתן תרגם הַיֵּא מַלְכָּךְ, ואני אומר אינו צריך לעקרו ממשמעותו, אהי עומד מנגד לראות איפא מלכך שאתשה עלמי רואה מה אחריתך איפא מושיעך:

מצודת דוד

(ה) אני ידעתיך. נתתי לבי לדעת צרכך במדבר ולהזמין לך וכאומר הואיל ומתחלה ועד סוף השגחתי עליך ופנית לעבודת כוכבים לכן ראוי אתה לכליון: **בארץ תלאובת.** כפל הדבר במילים שונות: **(ו) כמרעיתם.** כאשר באו אל מקום מרעיתם היא ארץ ישראל, נשבעו שם בטובה וכאשר נשבעו רם לבבם ולכן שכחו בי: **(ז) ואהי.** לכן אהיה למולם כשחל הטורף טרף: **כנמר.** כמו הנמר הצופה ומביט בדרך למצוא טרף כן אראה אני להסתכל בדרך מהלכם להכשילם ולאבדם: **(ח) אפגשם.** אפגוש בהם להרע להם כדוב השכול מבניו שדרכו להזיק את כל מי שיפגוש: **סגור לבם.** לפי שהמשילו לדוב אמר לשון הנופל בו שקורע עד הלב הסגור תחת החזה: **ואוכלם שם.** במקום שאמצאם אוכלם כלביא: **חית השדה.** הכ"ף של כלביא משמשת בשתים, ורצונו לומר: אהיה כחית השדה אשר תבקעם כלומר הרגילים לבקעות: **(ט) שחתך ישראל.** אתה ישראל חבלת בעצמך כי בי תלוי עזרך, ולמה לא פנית אלי: **(י) אהי.** רצונו לומר: אני אהיה עומד ומתקיים לעד, אבל מלכך שהעמדתי לך אפוא הוא? וכי יושיעך בכל עריך שבא האויב עליהן: **ושופטיך.** גם שופטיך איפוא הם אשר שאלת בימי שמואל הנביא ליתן לך מלך ושרים? מה תועלת בהם אם אינך פונה אלי: **(יא) אתן וגו'.** רצונו לומר: כמו מה שנתתי לך מלך היה באפי כי היה רע בעיני ה' על ששאלו להם מלך כמו שכתוב בשמואל א: **ואקח.** וכל כך לקחתיו מן העולם בעברתי, כי שאול המלך הראשון מת במלחמה בקצרות שנים:

מצודת ציון

(ד) זולתי בלתי. ענינם אחד, כמו בלעדי: **(ה) תלאובות.** ענין צמאון, ואין לו דמיון. ויתכן שהוא כמו תל אובת, רצונו לומר: תל שתואבים בו לכל דבר, כי לא ימצא שם מה: **(ו) כמרעיתם.** מלשון מרעה: **(ז) ואהי.** כמו ואהיה: **שחל.** שם משמות האריה: **כנמר.** שם חיה: **אשור.** ענין הבטה וראיה, כמו אֲשׁוּרֶנּוּ וְלֹא קָרוֹב (במדבר כד, יז): **(ח) אפגשם.** ענין פגיעה: **כדוב.** שם חיה: **שכול.** מי שבניו מתים קרוי שכול, כמו וַאֲנִי כַּאֲשֶׁר שָׁכֹלְתִּי שָׁכָלְתִּי (בראשית מג, יד): **כלביא.** שם משמות האריה: **תבקעם.** מלשון בקיעה: **(ט) בעזרך.** הבי"ת נוספת, וכן וּבְמִצְנֶפֶת בַּד יִצְנֹף (ויקרא טז, ד). ותרגם אונקולוס: וּמִצְנֶפְתָּא: **(י) אהי.** אהיה בהויתו ואתקיים, ודוגמתו וַיְהִי רִיב וּמָדוֹן יִשָּׂא (חבקוק א, ג): **אפוא.** איה פה: **(יא) בעברתי.** מלשון עברה וזעם:

יב צְרוּר֙ עֲוֹ֣ן אֶפְרָ֔יִם צְפוּנָ֖ה חַטָּאתֽוֹ: יג חֶבְלֵ֥י יֽוֹלֵדָ֖ה יָבֹ֣אוּ ל֑וֹ הוּא־בֵן֙ לֹ֣א חָכָ֔ם כִּֽי־עֵ֥ת לֹֽא־יַעֲמֹ֖ד בְּמִשְׁבַּ֥ר בָּנִֽים: יד מִיַּ֤ד שְׁאוֹל֙ אֶפְדֵּ֔ם מִמָּ֖וֶת אֶגְאָלֵ֑ם אֱהִ֨י דְבָרֶ֜יךָ מָ֗וֶת אֱהִ֤י קָֽטָבְךָ֙ שְׁא֔וֹל נֹ֖חַם יִסָּתֵ֥ר מֵעֵינָֽי: טו כִּ֣י ה֔וּא בֵּ֥ין אַחִ֖ים יַפְרִ֑יא יָב֣וֹא קָדִים֩ ר֨וּחַ יהוה מִמִּדְבָּ֣ר עֹלֶ֗ה וְיֵב֤וֹשׁ מְקוֹרוֹ֙ וְיֶחֱרַ֣ב מַעְיָנ֔וֹ ה֣וּא יִשְׁסֶ֔ה אוֹצַ֖ר כָּל־כְּלִ֥י חֶמְדָּֽה:
פרק יד א תֶּאְשַׁם֙ שֹֽׁמְר֔וֹן כִּ֥י מָרְתָ֖ה בֵּאלֹהֶ֑יהָ בַּחֶ֣רֶב יִפֹּ֔לוּ עֹלְלֵיהֶ֣ם

רש"י

(יב) צרור עון אפרים. לא ויתרתי עליו, לפון הוא אתי: **(יג) כי עת.** צרה באה לו אשר לא יוכל לעמוד ולהתקיים: **במשבר בנים.** שהיולדת יושבת עליו לילד, ובלע"ז קורין למשבר שילשון. במשבר בנים, כמשבר העשוי ללידת בנים: **(יד) מיד שאול אפדם.** אני הוא שהייתי פודם מיד שאול וגואלם ממות, אבל עתה אהי דבריך מות, אהיה עלמי לדבר עליך דברי מות: **אהי.** קוטב עליך גזרת שאול: **נוחם יסתר מעיני.** לא אנחם על הרעה הזאת. נוחם לשון ניחום, והמ"ם משורש התיבה כמו מ"ם של נועם, שהרי הטעם למעלה והחי"ת נקוד פתח. ואם היה לשון נח והמ"ם משמש בו לשון רבים היה טעמו תחת החי"ת ונקודה קמץ, נוחם רוחם: **(טו) כי הוא בן אחים יפריא.** תרגם יונתן: אֲרֵי אִינוּן מִתְקָרְיָין בְּנִין וְעוֹבָדִין מְקַלְקְלִין אַסְגִּיאוּ. אחים לשון דבר רע, כמו אָח עֲשׂוּיָה לְבָרָק (יחזקאל כא, כ), וֶאֱמָר אָח אֶל כָּל תּוֹעֲבוֹת (שם ו, יא): **יפריא.** לשון פֹּרֶה רֹאשׁ וְלַעֲנָה (דברים כט, יז). ואני אומר אחים לשון וַתְּרְעֶינָה בָּאָחוּ (בראשית מא, ב). בין אחים יפריא, מפריח וצומח באחו בין הגמל בפלגי מים אשר תמיד יפריא. ולפי שדימהו לאחו הוא אומר יבא קדים ויבוש מקורו. דבר אחר כי הוא בין אחים יפריא, ירבעם הוא בן שהפריא אחוותן של ישראל על ידו נחלקו לשני ממלכות, יפריא לשון פֶּרֶא אָדָם (בראשית טז, יב): **יבוא קדים.** מלך תקיף, כְּרוּחַ קִידוּמָא בְּמֵימְרָא דַה' מֵאוֹרַח מַדְבְּרָא יִסַּק: **הוא ישסה.** אותו המלך ישסה אוצרות כל כלי חמדתו: **(א) תאשם שומרון.** מעתה תגלה אשמתם: **הריותיו.** נשים מעוברות שבתוכה:

מצודת דוד

(יב) צרור. אל תחשבו ששכחתי עון אפרים, כי צרור הוא בקשר מעולה וחטאתו צפונה אצלי לשמרם עד שתתמלא הסאה: **(יג) חבלי יולדה.** מכאובות יבואו עליו כחבלי יולדה: **הוא בן לא חכם.** לראות את הנולד אשר תגיע העת אשר לא יוכל עמוד כשישב על המשבר להוליד בנים; רצונו לומר: בעת הגמול כאשר תתמלא הסאה. ולפי שהמשילו לאשה יולדת אמר לשון הנופל בה: **(יד) מיד שאול אפדם.** הנה מעולם פדיתים מן השאול וגאלתים מן המות, אבל כשתתמלא הסאה אהיה אני מדבר עליך דברי מות, אהיה אני מכריחך לרדת שאולה: **נחם יסתר מעיני.** רצונו לומר: עד הנה נחמתי על הרעה, אבל מאז יהיה התנחומין נסתר מעיני כי לא אנחם עוד: **(טו) כי הוא.** כי מתחלה היה אפרים מגדל פרי בין האחים, רצונו לומר: שהיה גדול וחשוב בין האחים, כמו שכתוב ואולם וְאוּלָם אָחִיו הַקָּטֹן יִגְדַּל מִמֶּנּוּ (בראשית מח, יט): **יבוא קדים.** עתה משחטא בעגלי הזהב יבוא רוח קדים, רוח חזק הבא מה' העולה מן המדבר שאין שם דבר לעכב לעצור נשיבת הרוח והרוח הזה ייבש המקור ויחרב המעין. ועל שאמר דבריו במשל יפרש לומר הוא, רצונו לומר: הרוח הזה והוא אשור, ישלול האוצר של כל כלי: **(א) תאשם שומרון.** תהיה שממה כי מרדה באלהיה: **עולליהם.** קטניהם יתבקעו על ידי הבבליים וגם הנשים ההרות יתבקעו כרסם להוציא הולדות:

מצודת ציון

(יב) צרור. ענין קשירה, כמו צְרוֹר־כַּסְפּוֹ (בראשית מב, לה): **צפונה.** ענין הטמנה כמו וְצָפוּן לַצַּדִּיק (משלי יג, יב): **(יג) חבלי.** כן יקראו מכאובי היולדת, וכן תִּזְעַק בַּחֲבָלֶיהָ (ישעיה כו, יז): **במשבר.** הוא מקום מושב היולדת כשכורעת ללדת, וכן כִּי בָאוּ בָנִים עַד־מַשְׁבֵּר (שם לז, ג): **(יד) קטבך.** ענין כריתה, וכן מִקֶּטֶב יָשׁוּד צָהֳרָיִם (תהלים צא, ו): **נחם.** מלשון תנחומין: **(טו) יפריא.** מלשון פרי: **ויבוש.** מלשון יבשות: **מקורו.** הוא המעיין: **ויחרב.** מלשון חורב ויובש: **ישסה.** ענין בזה ושלל, כמו וּמְשַׂנְאֵינוּ שָׁסוּ לָמוֹ: (שם מד, יא): **(א) תאשם.** מלשון שממון: **מרתה.** מלשון מרי ומרד: **עולליהם.** קטניהם:

יִרָשׁוּ וְהֶרְיוֹתָיו יְבֻקָּעוּ: ב שׁוּבָה יִשְׂרָאֵל עַד יְהוָה אֱלֹהֶיךָ כִּי
כָשַׁלְתָּ בַּעֲוֺנֶךָ: ג קְחוּ עִמָּכֶם דְּבָרִים וְשׁוּבוּ אֶל־יְהוָה אִמְרוּ אֵלָיו
כָּל־תִּשָּׂא עָוֺן וְקַח־טוֹב וּנְשַׁלְּמָה פָרִים שְׂפָתֵינוּ: ד אַשּׁוּר | לֹא
יוֹשִׁיעֵנוּ עַל־סוּס לֹא נִרְכָּב וְלֹא־נֹאמַר עוֹד אֱלֹהֵינוּ לְמַעֲשֵׂה
יָדֵינוּ אֲשֶׁר־בְּךָ יְרֻחַם יָתוֹם: ה אֶרְפָּא מְשׁוּבָתָם אֹהֲבֵם נְדָבָה
כִּי שָׁב אַפִּי מִמֶּנּוּ: ו אֶהְיֶה כַטַּל לְיִשְׂרָאֵל יִפְרַח כַּשּׁוֹשַׁנָּה וְיַךְ

רש"י

(ב) שובה ישראל. שבארץ יהודה פן יקרה אתכם כשומרון, לכך נסמכו הענינים. משל למלך שמרדה עליו מדינה, שלח המלך פולימרכוס ואמר להחריבה. היה אותו פולימרכוס בקי ומיושב, אמר להם טלו לכם ימים, ואם לאו אני עושה לכם כדרך שעשיתי למדינה פלונית ולחברותיה ולאיפרכיא פלונית ולחברותיה, לכך נאמר תאשם שומרון. ואומר שובה ישראל עד ה' אלהיך כדאיתא בסיפרי בפ' וישב ישראל בשטים (במדבר פרק כה): **עד ה' אלהיך.** תני בשם רבי מאיר: שובה ישראל בעוד שהוא ה' במדת הרחמים, ואם לאו אלהיך מדת הדין, עד דלא יתעבד סניגוריא קטיגוריא: **כי כשלת.** באו לך מכשולים בעד עוונך: **(ג) כל תשא עון.** כל עוונותינו סלח: **וקח טוב.** ולמדנו דרך טוב, דבר אחר מעט מעשים טובים שבידינו קח בידך ושפטנו אחריהם וכן דוד אומר, מִלְּפָנֶיךָ מִשְׁפָּטִי יֵצֵא עֵינֶיךָ תֶּחֱזֶינָה מֵישָׁרִים (תהלים יז, ב) דבר אחר וקח טוב וקבל הודיה מאתנו שנאמר טוב להודות לה' (שם צב, ב): **ונשלמה פרים.** שהיה לנו להקריב לפניך נשלם אותם בריצוי דברי שפתינו: **(ד) אשור לא יושיענו.** עוד זאת אמרו לפניו לא נבקש עוד עזרת אדם לא מאשור ולא ממצרים: **על סוס לא נרכב.** זו היא עזרת מצרים שהיו שולחים להם סוסים כמו שאמרו לישעיה (ל, טז) לֹא כִּי עַל סוּס נָנוּס . . . וְעַל קַל נִרְכָּב: **ולא נאמר עוד למעשה ידינו.** שהם אלהינו: **אשר בך.** לבדך תהיה תקותינו המרחם יתומים: **(ה) ארפא משובתם.** אמר הנביא כך אמר לי רוח הקודש, מאחר שיאמרו לפני כן ארפא משובתם ואוהבם בנדבת רוחי, אף על פי שאינן ראויין לאהבה אתנדב לאהבתם, כי שב אפי ממנו: **(ו) ויך.** הטל את שרשיו וילכו כלבנון כשרשי אילני הלבנון שהם גדולים:

מצודת דוד

(ב) שובה ישראל. לכן שובה ישראל וכו' כי בעבור עוונך בא לך מכשול הצרה הזאת: **(ג) קחו עמכם דברים.** איני שואל מכם זבחים ועולות אלא קחו עמכם דברים שתתוודו לפניו ובזה תשובו אל ה': **כל תשא עון.** הוא הפוך כל עון תשא, רצונו לומר: אמרו בתפלה מחול כל העון ובמקום העון קח טוב תמורתו, כלומר מעשה הטוב שעשינו יגין מול העון: **ונשלמה פרים שפתינו.** רצונו לומר: במקום הקרבנות פרים נשלם בו וידוי שפתינו: **(ד) אשור לא יושיענו.** גם אמרו אשור וכו', רצונו לומר: עוד לא נבקש עזרה מאשור: **על סוס לא נרכב.** רצונו לומר: לא נבטח עוד בגבורת הסוס במלחמה: **ולא נאמר עוד אלהינו וגו'.** רצונו לומר: הפסל הנעשה במעשה ידינו לא נקבל עוד לאלוה: **אשר בך.** רצונו לומר כי ידענו אשר לבד בעזרתך ימצא היתום רחמים וחמלה עם כי חשש כוחו להתחזק מעצמו: **(ה) ארפא משובתם.** כאשר יאמרו כן אז אסלח על מה שהלכו בדרך שובב ומרדו בי: **אוהבם נדבה.** ואז אאהב אותם בנדבת לבי אף שאינם ראויים אל אהבה, כי הוידוי די להסיר האיבה ולא להביא אהבה: **כי שב אפי ממנו.** ותשאר אם כן האהבה הראשונה: **(ו) אהיה כטל לישראל.** רצונו לומר: לא תפסוק אהבתי מהם כמו שאין הטל נעצר מעולם: **יפרח כשושנה.** יעלה פרחים נעים כשושנה, ושרשיו יתפשטו כשרשי עצי לבנון:

מצודת ציון

ירושו. ענין בקיעה, כמו וְעֹלְלֵיהֶם תְּרֻטָּשׁ (מלכים־ב ח, יב): **והריותיו.** הנשים ההרות: **(ה) משובתם.** ענין מרידה והליכה בדרכי הלב, כמו שׁוּבוּ בָנִים שׁוֹבָבִים (ירמיה ג, יד): **(ו) כשושנה.** הוא הורד: **ויך.** יאמר כן בדרך השאלה על התפשטות, ודוגמתו וּמָחָה עַל־כֶּתֶף יָם־כִּנֶּרֶת (במדבר לד, יא). ומחה הוא תרגום של מכה:

שָׁרָשָׁיו כַּלְּבָנוֹן: ז יֵלְכוּ יֹנְקוֹתָיו וִיהִי כַזַּיִת הוֹדוֹ וְרֵיחַ לוֹ כַּלְּבָנוֹן:
ח יָשֻׁבוּ יֹשְׁבֵי בְצִלּוֹ יְחַיּוּ דָגָן וְיִפְרְחוּ כַגָּפֶן זִכְרוֹ כְּיֵין לְבָנוֹן:
ט אֶפְרַיִם מַה־לִּי עוֹד לָעֲצַבִּים אֲנִי עָנִיתִי וַאֲשׁוּרֶנּוּ אֲנִי כִּבְרוֹשׁ
רַעֲנָן מִמֶּנִּי פֶּרְיְךָ נִמְצָא: י מִי חָכָם וְיָבֵן אֵלֶּה נָבוֹן וְיֵדָעֵם כִּי־
יְשָׁרִים דַּרְכֵי יהוה וְצַדִּקִים יֵלְכוּ בָם וּפֹשְׁעִים יִכָּשְׁלוּ בָם:

רש"י

(ז) ילכו יונקותיו. יִסְגּוֹן בְּנִין וּבְנָן וִיהֵי כְזִיו מְנָרְתָא דְקוּדְשָׁא זִיוְהוֹן וְרֵיחֵהוֹן כְּרֵיחַ קְטֹרֶת בּוּסְמַיָּא: **כלבנון.** כְּבֵית מַקְדְּשָׁא: **(ח) ישובו יושבי בצלו.** אותן שהיו כבר יושבים בצל הלבנון שדימה בו ישראל ובית המקדש ועכשיו גלו מעמו ישובו אליו: **זכרו כיין לבנון.** כדוכרן יבבות חצוצרתא דעל חמר עתיק דמתנסך בבית מקדשא שהיו תוקעין בחצוצרות על הנסכים כשהלוים אומרים בשיר: **(ט) אפרים.** יאמר מה לי עוד ללכת אחרי העצבים וישובו מעכו"ם אני אענהו מצרתו: **ואשורנו.** אראה בעניו: **אני כברוש רענן.** אני לו נכפף להיות אוחז ידו בי כברוש רענן הנכפף לארץ שאדם אוחז בענפיו כלומר אהיה מצוי לו: **ממני פריך נמצא.** והלא אני הוא שכל טובתך מאתי באה: **(י) מי חכם.** בכם: **ויבן אלה.** מי חכם בכם ויתבונן לתת לב לכל אלה וישוב אלי: **ופושעים יכשלו בם.** בשבילם על שלא הלכו בהן כן תרגם יונתן:

מצודת דוד

(ז) ילכו יונקותיו. ענפיו יתפשטו למרחוק והוד יפיו יהיה כאילן זית שעליו לחים כל השנה, וריחו יהיה נודף כריח לבנון המריח ביותר לפי מרבית העשבים והאילנות הגדילים שמה, רצונו לומר: יהיו משופעים בהרבה מיני טובות: **(ח) ישובו יושבי בצלו.** אלו שישובו ויחסו בצלו של מקום יהיה בשובה ונחת: **יחיו דגן.** יחיו את עצמם בנחת ועדן כדגן המחיה את הבריות: **ויפרחו.** ירבו פרחים: **זכרו.** זכרון שמו יהיה כיין הגדל בלבנון המוזכר לשבח: **(ט) אפרים וגו'.** רצונו לומר: כשיאמר אפרים מה לי עוד לפנות אל העבודת כוכבים הלא עתה טוב לי מאז: **אני עניתי.** רצונו לומר אז אני אענה לו על כל מה שישאל ממני: **ואשורנו.** אסתכל ואשגיח בו לתת לו די מחסוריו: **אני כברוש רענן.** רצונו לומר: כמו ברוש הלח והרטוב שכופפין ראשו אצל שרשיו כן אני שוכן מרום ואני משפיל עיני להשגיח בך וכל פרי הצלחתך נמצא לך ממני: **(י) מי חכם.** כהתימו דברי תוכחותיו אמר מי שהוא חכם יבין אלה הדברים, ואם הוא נבון להבין דבר מתוך דבר ידע וישכיל אשר דרכי ה' המה ישרים אין בהם נפתל ועקש וצדיקים ילכו בהם כדרך מהלכם מבלי כשלון, אבל הפושעים יכשלו בהם כאילו היה בהם מקום נפתל ועקש, כי יצר מחשבות לבם יסלף להם הדרכים, ולא כן אל הצדיקים המיישרים ארחותם:

מצודת ציון

כלבנון. שם יער: **(ז) יונקותיו.** ענפיו הרכים, וכן וַיַּעַל כַּיּוֹנֵק לְפָנָיו (ישעיה נג, ב): **הודו.** ענין הדר ונאה: **(ח) ישובו.** ענין ההשקט ומרגוע, כמו בְּשׁוּבָה וָנַחַת (שם ל, טו): **יחיו.** ענין השבת הנפש מן החולשה, ודומה לו עַד חֱיוֹתָם (יהושע ה, ח): **דגן.** כדגן, ותחסר כ"ף הדמיון וכן יֵיטִב גֵּהָה (משלי יז, כב), ומשפטו כגהה: **(ט) לעצבים.** הם העכו"ם: **עניתי.** מלשון עניים ותשובת שאלה: **ואשורנו.** ענין הבטה וראיה, כמו אֲשׁוּרֶנּוּ וְלֹא קָרוֹב (במדבר כד, יז): **כברוש.** שם אילן: **רענן.** ענין לחות ורטיבות, כמו בְּשֶׁמֶן רַעֲנָן (תהלים צב, יא):

פרשת וישלח

ד וַיִּשְׁלַח יַעֲקֹב מַלְאָכִים לְפָנָיו אֶל־עֵשָׂו אָחִיו אַרְצָה שֵׂעִיר שְׂדֵה אֱדוֹם: ה וַיְצַו אֹתָם לֵאמֹר כֹּה תֹאמְרוּן לַאדֹנִי לְעֵשָׂו כֹּה אָמַר עַבְדְּךָ יַעֲקֹב עִם־לָבָן גַּרְתִּי וָאֵחַר עַד־עָתָּה: ו וַיְהִי־לִי שׁוֹר וַחֲמוֹר צֹאן וְעֶבֶד וְשִׁפְחָה וָאֶשְׁלְחָה לְהַגִּיד לַאדֹנִי לִמְצֹא־חֵן בְּעֵינֶיךָ: ❖ ז וַיָּשֻׁבוּ הַמַּלְאָכִים

אונקלוס

ד וּשְׁלַח יַעֲקֹב אִזְגַּדִּין קֳדָמוֹהִי לְוָת עֵשָׂו אֲחוּהִי לְאַרְעָא דְשֵׂעִיר לַחֲקַל אֱדוֹם: ה וּפַקִּיד יָתְהוֹן לְמֵימַר כִּדְנַן תֵּימְרוּן לְרִבּוֹנִי לְעֵשָׂו כִּדְנַן אֲמַר עַבְדָּךְ יַעֲקֹב עִם לָבָן דָּרִית וְאוֹחָרִית עַד כְּעָן: ו וַהֲוָה לִי תּוֹרִין וַחֲמָרִין עָאן וְעַבְדִּין וְאַמְהָן וּשְׁלָחִית לְחַוָּאָה לְרִבּוֹנִי לְאַשְׁכָּחָא רַחֲמִין בְּעֵינָךְ: ז וְתָבוּ אִזְגַּדַּיָּא

רש"י

[פסוק ד] **וישלח יעקב מלאכים.** מלאכים [א] ממש (ב"ר עה:ד): **ארצה שעיר.** לארץ שעיר, כל תיבה שצריכה למ"ד בתחלתה הטיל לה הכתוב ה"א בסופה (יבמות יג:): [פסוק ה] **גרתי.** לא נעשיתי שר וחשוב אלא גר. אינך כדאי לשנוא אותי על ברכות אביך שברכני הוה גביר לאחיך (לעיל כז:כט), שהרי לא נתקיימה בי (תנחומא ישן ה). [ד"א, גרתי בגימטריא תרי"ג (בר"ב"ת), כלומר, עם לבן הרשע גרתי ותרי"ג מצות שמרתי [ב] ולא למדתי ממעשיו הרעים:] [פסוק ו] **ויהי לי שור וחמור.** אבא אמר לי מטל השמים ומשמני הארץ (לעיל כז:כח), זו אינה לא מן השמים ולא מן הארץ (תנחומא ישן ה): **שור וחמור.** דרך ארץ לומר על שוורים הרבה שור. אדם אומר לחבירו בלילה, קרא התרנגול, ואינו אומר קראו התרנגולים (שם): **ואשלחה להגיד לאדני.** להודיע [ג] שאני בא אליך: **למצא חן בעיניך.** שאני שלם עמך ומבקש אהבתך:

בעל הטורים

(ה) **עם לבן גרתי.** כלומר, אף על פי שהייתי בבית לבן, קיימתי תרי"ג מצות: **ואחר עד עתה.** ואם תאמר, אם כן שקיימת המצות, בוא והלחם עמי? "ואחר עד עתה". כלומר, אני צריך להתאחר עד שיעברו "עתה" — ע' של בבל ות' של מצרים וה' אלפים, ויבוא אלף הששי שהם ימות המשיח, ואחר כך "ועלו מושיעים בהר ציון לשפוט את הר עשו": דבר אחר — "גרתי" אותיות תגרי. שהייתי עם לבן, שהיה לי עמו תגרי, ואני איש ריב ובעל מלחמה. והכל כדי להפחידו: **גרתי.** ב' במסורת — הכא; ואידך "אויה לי כי גרתי משך". בשביל שיעקב ירא מעשו וקראו "אדני", והקדוש ברוך הוא הבטיחו כבר, "ושמרתיך בכל אשר תלך", גרם לבניו שנעשו גרים בין האומות:

עיקר שפתי חכמים

א דאל"כ לפניו ל"ל. לכ"פ מלאכים ממש, ופי' לפניו אותן שהיו לפניו, שנא' ויפגעו בו מלאכי אלהים אותם שלח: **ב** כלומר ולא תוכל לי, כי הברכה שברכך אביו ועל חרבך תחיה הוא על התנאי והיה כאשר תריד, אבל אנכי שמרתי תרי"ג מצות לכן לא תוכל לי: **ג** ולא נוכל לפרש כי שלח להגיד לו עם לבן גרתי כו', דאין להגדה זו סיבה למציאת חן. אלא דהשליחות היתה להודיעו מביאתו אליו ובזה ימצא חן בעיניו:

אֶל־יַעֲקֹב לֵאמֹר בָּאנוּ אֶל־אָחִיךָ אֶל־עֵשָׂו וְגַם הֹלֵךְ לִקְרָאתְךָ וְאַרְבַּע־מֵאוֹת אִישׁ עִמּוֹ׃ ח וַיִּירָא יַעֲקֹב מְאֹד וַיֵּצֶר לוֹ וַיַּחַץ אֶת־הָעָם אֲשֶׁר־אִתּוֹ וְאֶת־הַצֹּאן וְאֶת־הַבָּקָר וְהַגְּמַלִּים לִשְׁנֵי מַחֲנוֹת׃

לְוָת יַעֲקֹב לְמֵימַר אֲתֵינָא לְוָת אֲחוּךְ לְוָת עֵשָׂו וְאַף אָתֵי לְקַדָּמוּתָךְ וְאַרְבַּע מְאָה גוּבְרִין עִמֵּהּ: ח וּדְחֵיל יַעֲקֹב לַחֲדָא וַעֲקַת לֵהּ וּפַלֵּיג יָת עַמָּא דִּי עִמֵּהּ וְיָת עָנָא וְיָת תּוֹרֵי וְגַמְלַיָּא לִתְרֵין מַשְׁרְיָן: ט וַאֲמַר אִם יֵיתֵי עֵשָׂו לְמַשְׁרִיתָא חֲדָא וְיִמְחִנַּהּ ויהי (נ״א וְיִמְחִנַּהּ וּתְהֵי) מַשְׁרִיתָא דְּיִשְׁתְּאַר לְשֵׁיזָבָא:

ט וַיֹּאמֶר אִם־יָבוֹא עֵשָׂו אֶל־הַמַּחֲנֶה הָאַחַת וְהִכָּהוּ וְהָיָה הַמַּחֲנֶה הַנִּשְׁאָר לִפְלֵיטָה׃ ❖

רש"י

[פסוק ז] באנו אל אחיך אל עשו. שהיית אומר אחי הוא (ב"ר סס ד) אבל הוא נוהג עמך כעשו הרשע, ד עודנו בשנאתו (תנחומא ישן ו; ב"ר סס ז): **[פסוק ח] ויירא ויצר.** ויירא שמא ייהרג, ויצר לו אם יהרוג הוא את ה אחרים (תנחומא ד; ב"ר עו:ב): **[פסוק ט] המחנה האחת והכהו.** מחנה משמש לשון זכר ולשון נקבה. אם תחנה עלי מחנה (תהלים כז:ג) הרי לשון נקבה, המחנה הזה (להלן לג:ח) לשון זכר. וכן יש שאר דברים משמשים לשון זכר ולשון נקבה. השמש יצא על הארץ (לעיל יט:כג), מקצה השמים מוצאו (תהלים יט:ז) הרי לשון זכר, והשמש זרחה על המים (מלכים ב ג:כב) הרי לשון נקבה. וכן רוח, והנה רוח גדולה באה (איוב א:יט) הרי לשון נקבה, ויגע בארבע פנות הבית (שם) הרי לשון זכר, ורוח גדולה וחזק מפרק הרים (מלכים א יט:יא) הרי לשון זכר ולשון נקבה. וכן אש, ואש יצאה מאת ה' (במדבר טז:לה) לשון נקבה, אש לוהט (תהלים קד:ד) לשון זכר: **והיה המחנה הנשאר לפליטה.** על כרחו, כי ו אלחם עמו. התקין עצמו לשלשה דברים, לדורון לתפלה ולמלחמה. לדורון, ותעבור המנחה על פניו (להלן פסוק כב). לתפלה, אלהי אבי אברהם (פסוק י). למלחמה, והיה המחנה הנשאר לפליטה (תנחומא ישן ו):

בעל הטורים

(ו) **ויהי לי שור וחמור.** ולא הזכיר מינים אחרים. אלא רמז ליוסף, שהוא שטנו של עשו, ולישכר שעוסקין בתורה, לקיים "הקול קול יעקב" בבתי מדרשות: **לי שור.** בגימטריא שנולד יוסף: **שור.** בגימטריא קרן יוסף: **ויהי לי שור וחמור.** וי לי שיתחברו עתה השור והחמור, כלומר "הטמא והטהור יחדו": (ח) **ויירא יעקב.** אף על פי שנאמר לו "והיה זרעך כעפר הארץ", אפשר שיתקיים בזרע אחר שיוליד אחר כך:

עיקר שפתי חכמים

ד ולכן כפל הכתוב שתי פעמים אל, אל אחיך אל עשו, לכן פירש"י כי הוא עדנה עשו בשנאתו אף כי אחיך הוא: **ה** ר"ל פן יהרוג האנשים שבאו עם עשו והם לא באו להרגו: **ו** ולא יהיה עת למחנה השניה להמלט. ודייק מן מלת והיה שהוא עתיד מוחלט, ולא כתב ויהיה שהיה משמעו אולי יהיה:

י וַיֹּאמֶר יַעֲקֹב אֱלֹהֵי אָבִי
אַבְרָהָם וֵאלֹהֵי אָבִי יִצְחָק
יהוה הָאֹמֵר אֵלַי שׁוּב לְאַרְצְךָ
וּלְמוֹלַדְתְּךָ וְאֵיטִיבָה עִמָּךְ:
יא קָטֹנְתִּי מִכֹּל הַחֲסָדִים וּמִכָּל־
הָאֱמֶת אֲשֶׁר עָשִׂיתָ אֶת־עַבְדֶּךָ
כִּי בְמַקְלִי עָבַרְתִּי אֶת־הַיַּרְדֵּן הַזֶּה וְעַתָּה הָיִיתִי
לִשְׁנֵי מַחֲנוֹת: יב הַצִּילֵנִי נָא מִיַּד אָחִי מִיַּד עֵשָׂו

י וַאֲמַר יַעֲקֹב אֱלָהֵהּ
דְּאַבָּא אַבְרָהָם וֵאלָהֵהּ
דְּאַבָּא יִצְחָק יְיָ דִּי אֲמַר
לִי תּוּב לְאַרְעָךְ וּלְיַלָּדוּתָךְ
וְאוֹטֵיב עִמָּךְ: יא זְעֵירָן
זַכְוָתִי מִכֹּל חִסְדִּין וּמִכָּל
טַבְוָן דִּי עֲבַדְתָּ עִם עַבְדָּךְ
אֲרֵי יְחִידִי עֲבָרִית יָת
יַרְדְּנָא הָדֵין וּכְעַן הֲוֵיתִי
לִתְרֵין (נ״א לְתַרְתֵּין)
מַשְׁרְיָן: יב שֵׁזְבִנִי כְעַן
מִידָא דְאָחִי מִידָא דְעֵשָׂו

רש״י

[פסוק י] **וֵאלֹהֵי אָבִי יִצְחָק.** וּלְהַלָּן הוּא אוֹמֵר וּפַחַד יִצְחָק (לעיל לא:מב, ועי׳ רש״י שם). וְעוֹד מַהוּ שֶׁחָזַר וְהִזְכִּיר שֵׁם הַמְיוּחָד, הָיָה לוֹ לִכְתּוֹב הָאוֹמֵר אֵלַי שׁוּב לְאַרְצְךָ וגו׳. אֶלָּא כָּךְ אָמַר יַעֲקֹב לִפְנֵי הקב״ה, שְׁתֵּי הַבְטָחוֹת הִבְטַחְתַּנִי, אַחַת בְּצֵאתִי מִבֵּית אָבִי מִבְּאֵר שֶׁבַע, שֶׁאָמַרְתָּ לִי אֲנִי ה׳ אֱלֹהֵי אַבְרָהָם אָבִיךָ וֵאלֹהֵי יִצְחָק (כח:יג) וְשָׁם אָמַרְתָּ לִי וּשְׁמַרְתִּיךָ בְּכֹל אֲשֶׁר תֵּלֵךְ (שם טו), וּבְבֵית לָבָן אָמַרְתָּ לִי שׁוּב אֶל אֶרֶץ אֲבוֹתֶיךָ וּלְמוֹלַדְתֶּךָ וְאֶהְיֶה עִמָּךְ (לא:ג), וְשָׁם נִגְלֵיתָ אֵלַי ז בְּשֵׁם הַמְיוּחָד לְבַדּוֹ, שֶׁנֶּאֱמַר וַיֹּאמֶר ה׳ אֶל יַעֲקֹב שׁוּב אֶל אֶרֶץ אֲבוֹתֶיךָ וגו׳ (שם). בִּשְׁתֵּי הַבְטָחוֹת הָאֵלּוּ אֲנִי בָא לְפָנֶיךָ: [פסוק יא] **קָטֹנְתִּי מִכֹּל הַחֲסָדִים.** נִתְמַעֲטוּ זְכֻיּוֹתַי ע״י הַחֲסָדִים וְהָאֱמֶת שֶׁעָשִׂיתָ עִמִּי (תענית כ:; שבת לב.). לְכָךְ אֲנִי יָרֵא, שֶׁמָּא מִשֶּׁהִבְטַחְתַּנִי נִתְלַכְלַכְתִּי בְּחֵטְא וְיִגְרוֹם לִי לְהִמָּסֵר בְּיַד עֵשָׂו (תנחומא בשלח כח; ברכות ד.; במ״ר יט:לב): **וּמִכָּל הָאֱמֶת.** אֲמִתַּת דְּבָרֶיךָ שֶׁשָּׁמַרְתָּ לִי כָּל הַהַבְטָחוֹת שֶׁהִבְטַחְתָּנִי: **כִּי בְמַקְלִי.** לֹא הָיָה עִמִּי לֹא כֶסֶף וְלֹא זָהָב וְלֹא מִקְנֶה אֶלָּא מַקְלִי לְבַדּוֹ. וּמִדְרַשׁ אַגָּדָה נָתַן מַקְלוֹ בַּיַּרְדֵּן ח וְנִבְקַע הַיַּרְדֵּן (תנחומא ישן ויצא ג): [פסוק יב] **מִיַּד אָחִי מִיַּד עֵשָׂו.** מִיַּד אָחִי שֶׁאֵין נוֹהֵג עִמִּי כְּאָח אֶלָּא כְּעֵשָׂו הָרָשָׁע:

בעל הטורים

(י) **ואיטיבה.** מלא יו״ד – התפלל שיעמדו לו עשרה נסיונות של אברהם: (יא) **קטנתי.** יו״ד כפופה – אף על פי שנתברכתי בעשרה ברכות, ירא אני שמא יגרום לי החטא: **במקלי.** בגימטריא יעקב. פירוש, בגופי לבדי: דבר אחר – בזכות יעקב עברו ישראל את הירדן: (יב) **הצילני נא מיד.** ראשי תבות המן. רמז להמן, שיצא להכות אם על בנים, כדכתיב ״טף ונשים״: **והכני.** ב׳ במסורת – ״והכני אם על בנים״; ״אם יוכל להלחם אתי והכני״ גבי גלית הפלשתי. לומר, מה יעקב נתיירא אף דוד נתיירא, מה יעקב נרדף אף דוד נרדף. וכשם שיעקב ניצל מעשו, אף דוד ניצל מגלית, וזכות יעקב עמד לדוד. וכשם שגבי דוד היה מלחמה, אף יעקב הכין עצמו למלחמה, שהתקין עצמו לשלשה דברים:

עיקר שפתי חכמים

ז והלא הוא הבטיחני שאשוב לאבותי בשלום: **ח** ולפ״ז פי׳ ועתה וגו׳ כמו ועוד, כלומר שעשה לו שתי טובות, א׳ שנבקע לו הירדן והשנית שיהיה לב׳ מחנות. כי לפי פשוטו שפירש״י ז״ל לפני זה אין כאן אלא חסד א׳:

כִּי־יָרֵא אָנֹכִי אֹתוֹ פֶּן־יָבוֹא וְהִכַּנִי
אֵם עַל־בָּנִים: יג וְאַתָּה אָמַרְתָּ
הֵיטֵב אֵיטִיב עִמָּךְ וְשַׂמְתִּי אֶת־
זַרְעֲךָ כְּחוֹל הַיָּם אֲשֶׁר לֹא־יִסָּפֵר
מֵרֹב: ❖ שני יד וַיָּלֶן שָׁם בַּלַּיְלָה
הַהוּא וַיִּקַּח מִן־הַבָּא בְיָדוֹ
מִנְחָה לְעֵשָׂו אָחִיו: טו עִזִּים מָאתַיִם וּתְיָשִׁים
עֶשְׂרִים רְחֵלִים מָאתַיִם וְאֵילִים עֶשְׂרִים:

אֲרֵי דָחֵל אֲנָא מִנֵּהּ
דִּילְמָא יֵיתֵי וְיִמְחִנַּנִי
אִמָּא עַל בְּנַיָּא: יג וְאַתְּ
אֲמַרְתָּ אוֹטָבָא אוֹטֵיב
עִמָּךְ וַאֲשַׁוֵּי יָת בְּנָךְ
סַגִּיאִין כְּחָלָא דְיַמָּא דִּי
לָא יִתְמְנוּן מִסְּגֵי: יד וּבָת
תַּמָּן בְּלֵילְיָא הַהוּא וּנְסֵיב
מִן דְּאַיְתִי בִידֵהּ תִּקְרֻבְתָּא
לְעֵשָׂו אֲחוּהִי: טו עִזֵּי מָאתַן
וּתְיָשַׁיָּא עֶסְרִין רְחֵלִין
מָאתַן וּדְכְרִין עֶסְרִין:

רש"י

[פסוק יג] **הֵיטֵב אֵיטִיב.** הֵיטֵב בִּזְכוּתְךָ, אֵיטִיב ט בִּזְכוּת אֲבוֹתֶיךָ (ב"ר עו:ז): **וְשַׂמְתִּי אֶת זַרְעֲךָ כְּחוֹל הַיָּם.** וְהֵיכָן אָ"ל כֵּן, וַהֲלֹא לֹא אָ"ל אֶלָּא וְהָיָה זַרְעֲךָ כַּעֲפַר הָאָרֶץ (לעיל כח:יד). אֶלָּא שֶׁאָ"ל כִּי לֹא אֶעֱזָבְךָ עַד אֲשֶׁר אִם עָשִׂיתִי אֵת אֲשֶׁר דִּבַּרְתִּי לָךְ (שם טו, ועיין רש"י שם), וּלְאַבְרָהָם אָמַר הַרְבָּה אַרְבֶּה אֶת זַרְעֲךָ כְּכוֹכְבֵי הַשָּׁמַיִם וְכַחוֹל אֲשֶׁר עַל שְׂפַת הַיָּם (שם כב:יז; ברב"ת): [פסוק יד] **הַבָּא בְיָדוֹ.** בִּרְשׁוּתוֹ, וְכֵן וַיִּקַּח אֶת כָּל אַרְצוֹ מִיָּדוֹ (במדבר כא:כו; מכילתא משפטים נזיקין פ"ה). ומ"א, מִן הַבָּא בְיָדוֹ, אֲבָנִים טוֹבוֹת וּמַרְגָּלִיּוֹת שֶׁאָדָם צָר בִּצְרוֹר וְנוֹשְׂאָם בְּיָדוֹ (תנחומא ישן יא). [דָּבָר אַחֵר, מִן הַבָּא בְיָדוֹ, מִן הַחוּלִּין, שֶׁנָּטַל מַעֲשֵׂר, כְּמָה דְּאַתְּ אָמַר עַשֵּׂר אֲעַשְּׂרֶנּוּ לָךְ (לעיל כח:כב), וַהֲדַר לָקַח מִנְחָה (פס"ז, ועי' פדר"א פל"ז)]: [פסוק טו] **עִזִּים מָאתַיִם וּתְיָשִׁים עֶשְׂרִים.** מָאתַיִם עִזִּים צְרִיכוֹת עֶשְׂרִים תְּיָשִׁים, וְכֵן כֻּלָּם הַזְּכָרִים כְּדֵי צֹרֶךְ הַנְּקֵבוֹת. ובב"ר (שם) דּוֹרֵשׁ מִכָּאן לָעוֹנָה הָאֲמוּרָה בַּתּוֹרָה. הַטַּיָּלִים בְּכָל יוֹם, הַפּוֹעֲלִים שְׁתַּיִם בְּשַׁבָּת, הַחַמָּרִים אַחַת בְּשַׁבָּת, הַגַּמָּלִים אַחַת לִשְׁלֹשִׁים יוֹם. הַסַּפָּנִים אַחַת לְשִׁשָּׁה חֳדָשִׁים (כתובות סא:). וְאֵינִי יוֹדֵעַ לְכַוֵּן הַמִּדְרָשׁ הַזֶּה בְּכִוּוּן, אַךְ נִרְאֶה בְעֵינַי שֶׁלָּמַדְנוּ מִכָּאן שֶׁאֵין הָעוֹנָה שָׁוָה בְּכָל אָדָם אֶלָּא לְפִי טֹרַח הַמּוּטָל עָלָיו, שֶׁמָּצִינוּ כָּאן שֶׁמָּסַר לְכָל תַּיִשׁ עֶשֶׂר עִזִּים וְכֵן לְכָל אַיִל, לְפִי

בעל הטורים

אם על בנים. ב' במסורת – [הכא;] ואידך "אם על בנים רוטשה", בסנחריב מלך אשור שאמר להשחית את ישראל, כמו עשו שבא להלחם עם יעקב. וכן "לא תקח האם על הבנים" רמז לגלויות: **(יד) מן הבא בידו מנחה לעשו.** ששלח לו אבנים טובות, שאדם צורר בידו. "מנחה" בגימטריא אבנים: **(טו) עזים מאתים.** כל תבה של זה הפסוק מסיים במ"ם, וכן בפסוק של "ומנחתם ונסכיהם". שבשביל הדורון ששלח לעשו, והם תקן קרבנות בשנה, חוץ מן התמידין כדמפרש בפרשת פינחס: והם שמונה ממי"ן, וכנגדם מלכו שמונה מלכים באדום לפני מלך מלך בישראל: דבר אחר – לכך מסיים הכל במ"ם, לפי שכל הבהמות ששלח לו היו בעלי מומים, שלא יקריב מהם קרבן:

עיקר שפתי חכמים

ט ר"ל אף שאולי נתמעטו זכיותי כמ"ש לעיל, תיטיב לי עכ"פ בזכות אבותי:

ראה הציורים "מַתְּנוֹת יַעֲקֹב אָבִינוּ לְעֵשָׂו" (עמוד 530)

טז גְּמַלִּים מֵינִיקוֹת וּבְנֵיהֶם שְׁלֹשִׁים פָּרוֹת אַרְבָּעִים וּפָרִים עֲשָׂרָה אֲתֹנֹת עֶשְׂרִים וַעְיָרִם עֲשָׂרָה: יז וַיִּתֵּן בְּיַד־עֲבָדָיו עֵדֶר עֵדֶר לְבַדּוֹ וַיֹּאמֶר אֶל־עֲבָדָיו עִבְרוּ לְפָנַי וְרֶוַח תָּשִׂימוּ בֵּין עֵדֶר וּבֵין עֵדֶר: יח וַיְצַו אֶת־הָרִאשׁוֹן לֵאמֹר כִּי יִפְגָּשְׁךָ עֵשָׂו אָחִי וּשְׁאֵלְךָ לֵאמֹר לְמִי־אַתָּה וְאָנָה תֵלֵךְ וּלְמִי אֵלֶּה לְפָנֶיךָ:

טז גמלי מינקתא ובניהון תלתין תורתא ארבעין ותורי עסרא אתנן עסרין ועירי עסרא: יז ויהב ביד עבדוהי עדרא עדרא בלחודוהי ואמר לעבדוהי עברו קדמי ורוחא תשוון בין עדרא ובין עדרא: יח ופקיד ית קדמאה למימר ארי יערענך עשו אחי וישאלנך למימר למן את (נ״א דמאן את) ולאן את אזל ולמן אלין דקדמך:

רש״י

שהם פנויים ממלאכה דרכן להרבות תשמיש י ולעבר עשר נקבות, ובהמה שמתעברה אינה מקבלת זכר. ופרים שעוסקין במלאכה לא מסר לזכר אלא ארבע נקבות, ולחמור שהולך בדרך רחוקה שתי נקבות לזכר, ולגמלים שהולכים דרך יותר רחוקה נקבה אחת לזכר (ירושלמי כתובות ה:ז): [פסוק טז] **גמלים מיניקות ובניהם שלשים.** ובניהם כ עמהם. ומדרש אגדה, ובניהם בנאיהם, זכר כנגד נקבה, ולפי שצנוע בתשמיש לא פרסמו הכתוב (ב״ר שם): **ועירם.** חמורים זכרים (שם): [פסוק יז] **עדר עדר לבדו.** כל מין ומין לעצמו (שם ח): **עברו לפני.** דרך ל יום או פחות ואני אבוא מ אחריכם: **ורוח תשימו.** עדר לפני חברו נ מלא עין, כדי להשביע עינו של אותו רשע ולתווהו על רבוי הדורון (שם): [פסוק יח] **למי אתה.** של מי אתה, מי שולחך, ותרגום דמאן את: **ולמי אלה לפניך.** ואלה שלפניך של מי

בעל הטורים

(יז) **ורוח.** ב׳ — הכא; ואידך ״רוח והצלה יעמוד ליהודים״. רמז לדורות הבאים, שיתנו שוחד לשריהם: (יח) **ויצו את הראשון.** ארבע פעמים, כנגד ארבע מלכויות: **ולמי.** ג׳ במסורת — ״ולמי אלה לפניך״; ״ולמי כל חמדת ישראל״; ״ולמי אני עמל״. לומר, כל חמדת ישראל ועמלם נטלו בני עשו. וזהו ״ולמי כל חמדת ישראל״, ״ולמי אני עמל״, ״ולמי אלה לפניך״: דבר אחר — כך אמר יעקב, למי אני עמל

עיקר שפתי חכמים

י ר״ל כי הבהמה ישמשו רק לקיום המין, ואלה הפנויים ממלאכה יעברו גם עשר נקבות עד אשר יתמלא תאוותן, אבל הנקבה משנתעברה אינה מקבלת עוד זכר: **כ** כי אין לומר שלא היו רק שלשים עם הבנים ביחד, היה להכתוב להגיס אחר הפרות, שהפ׳ חושב כסדר מקודם מספר המרובה ואח״ז מספר המועט. והפרות הלא היו ארבעים. ועתה שהיו בס״ה ששים, גמלים שלשים ובניהם שלשים, מכוון הסדר בהמספר, עזים מאתים ועשרים, ואח״כ גמלים ששים, ואח״כ פרות חמשים, ואח״כ אתונות שלשים. [שמעתי]: **ל** לא לפני ממש כי בסמוך כתיב ותעבור המנחה על פניו והוא לן גו׳ בלילה ההוא במחנה, ואם היה לפניו ממש אז הלא לנו יחד במלון אחד: **מ** כמו שאמרו עבדיו לעשו והנה גם הוא אחרינו: **נ** ר״ל באורך הדרך ולא ברוחב, כי ברוחב לא שייך ראשון שני שלישי כי כולם ראשונים הם:

יט וְאָמַרְתָּ֙ לְעַבְדְּךָ֣ לְיַעֲקֹ֔ב מִנְחָ֥ה
הִוא֙ שְׁלוּחָ֔ה לַֽאדֹנִ֖י לְעֵשָׂ֑ו וְהִנֵּ֥ה
גַם־ה֖וּא אַחֲרֵֽינוּ׃ כ וַיְצַ֞ו גַּ֣ם אֶת־
הַשֵּׁנִ֗י גַּ֚ם אֶת־הַשְּׁלִישִׁ֔י גַּ֚ם אֶת־
כָּל־הַהֹ֣לְכִ֔ים אַחֲרֵ֥י הָעֲדָרִ֖ים
לֵאמֹ֑ר כַּדָּבָ֤ר הַזֶּה֙ תְּדַבְּר֣וּן אֶל־
עֵשָׂ֔ו בְּמֹצַאֲכֶ֖ם אֹתֽוֹ׃ כא וַאֲמַרְתֶּ֕ם
גַּ֗ם הִנֵּ֛ה עַבְדְּךָ֥ יַעֲקֹ֖ב אַחֲרֵ֑ינוּ
כִּֽי־אָמַ֞ר אֲכַפְּרָ֣ה פָנָ֗יו בַּמִּנְחָה֙ הַהֹלֶ֣כֶת
לְפָנָ֔י וְאַחֲרֵי־כֵן֙ אֶרְאֶ֣ה פָנָ֔יו אוּלַ֖י יִשָּׂ֥א פָנָֽי׃

יט וְתֵימַר לְעַבְדָּךְ לְיַעֲקֹב
(נ״א דְּעַבְדָּךְ דְּיַעֲקֹב)
תִּקְרֻבְתָּא הִיא דִּמְשַׁלְּחָא
לְרִבּוֹנִי לְעֵשָׂו וְהָא אַף הוּא
אָתֵי בַּתְרָנָא׃ כ וּפַקֵּיד אַף
יָת תִּנְיָנָא אַף יָת תְּלִיתָאָה
אַף יָת כָּל דְּאָזְלִין
בָּתַר עֶדְרַיָּא לְמֵימַר
כְּפִתְגָּמָא הָדֵין תְּמַלְּלוּן
עִם עֵשָׂו כַּד תַּשְׁכְּחוּן
יָתֵהּ׃ כא וְתֵימְרוּן אַף הָא
עַבְדָּךְ יַעֲקֹב אָתֵי בַּתְרָנָא
אֲרֵי אֲמַר אֲנִחֵנֵּהּ לְרוּגְזֵהּ
בְּתִקְרֻבְתָּא דְּאָזְלַת
לְקֳדָמַי וּבָתַר כֵּן אֶחֱזֵי
אַפּוֹהִי מָאִים יִסַּב אַפָּי׃

רש״י

הס], ס למי המנחה הזאת שלוחה. למ״ד משמשת בראש התיבה במקום של. כמו וכל אשר אתה רואה לי הוא (לעיל לא:מג) שלי הוא. לה׳ הארץ ומלואה (תהלים כד:א) של ה׳: **[פסוק יט] ואמרת לעבדך ליעקב.** על ראשון ראשון ועל אחרון אחרון. ששאלת למי אתה, לעבדך ליעקב אני, ותרגומו דעבדך דיעקב. וששאלת ולמי אלה לפניך. מנחה היא שלוחה וגו׳: **והנה גם הוא [אחרינו].** ע יעקב: **[פסוק כא] אכפרה פניו.** אבטל רוגזו. וכן וכפר בריתכם את מות (ישעיה כח:יח) לא תוכלי כפרה (שם מז:יא). ונראה בעיני שכל כפרה שאצל עון וחטא ואצל פנים כולן לשון קנוח והעברה הן, ולשון ארמי הוא, והרבה בתלמוד, וכפר ידיה (ב״מ כד.) בעי לכפורי ידיה בההוא גברא (גיטין נו.). וגם בלשון המקרא נקראים המזרקים של קדש כפורי זהב (עזרא א:י) על שם שהכהן מקנח ידיו בהן בשפת המזרק (זבחים צג:):

בעל הטורים

לתת כל חמדת ישראל, ״ולמי אלה לפניך״: **(יט) שלוחה.** ג׳ במסורת – ״מנחה הוא שלוחה״; ״נפתלי אילה שלוחה״; ״והנה יד שלוחה״. פירוש, מה התם ״אמרי שפר״, אף כאן, שעל ידי המנחה נתן לו אמרי שפר וכיבדו ואמר לו ״מנחה הוא שלוחה לאדני לעשו כה אמר עבדך יעקב״. וכמו התם ״יד שלוחה״, אף כאן, שאף על פי שלא רצה בפיו לקבלה, הנה ידו שלוחה לקבלה:

עיקר שפתי חכמים

ס וא״כ היתה התשובה ע״ז לאדוני לעשו, כמ״ש לקמן על ראשון ראשון כו׳: ע כמפורש בפ׳ כ״א ואמרתם גם הנה עבדך יעקב אחרינו, ופירש דבריו שיזכירו בדבריהם עבדך יעקב:

כב וַתַּעֲבֹ֥ר הַמִּנְחָ֖ה עַל־פָּנָ֑יו
וְה֛וּא לָ֥ן בַּלַּֽיְלָה־הַה֖וּא בַּֽמַּחֲנֶֽה׃
כג וַיָּ֣קָם ׀ בַּלַּ֣יְלָה ה֗וּא וַיִּקַּ֞ח אֶת־
שְׁתֵּ֤י נָשָׁיו֙ וְאֶת־שְׁתֵּ֣י שִׁפְחֹתָ֔יו
וְאֶת־אַחַ֥ד עָשָׂ֖ר יְלָדָ֑יו וַֽיַּעֲבֹ֔ר
אֵ֖ת מַעֲבַ֥ר יַבֹּֽק׃ כד וַיִּ֨קָּחֵ֔ם
וַיַּעֲבִרֵ֖ם אֶת־הַנָּ֑חַל וַֽיַּעֲבֵ֖ר אֶת־
אֲשֶׁר־לֽוֹ׃ כה וַיִּוָּתֵ֥ר יַעֲקֹ֖ב לְבַדּ֑וֹ וַיֵּאָבֵ֥ק אִישׁ֙ עִמּ֔וֹ
עַ֖ד עֲל֥וֹת הַשָּֽׁחַר׃ כו וַיַּ֗רְא כִּ֣י לֹ֤א יָכֹל֙ לוֹ֔ וַיִּגַּ֖ע

כב וַעֲבַרַת תִּקְרֻבְתָּא עַל
אַפּוֹהִי וְהוּא בָת בְּלֵילְיָא
הַהוּא בְּמַשְׁרִיתָא: כג וְקָם
בְּלֵילְיָא הוּא וּדְבַר
יָת תַּרְתֵּין נְשׁוֹהִי וְיָת
תַּרְתֵּין לְחֵינָתֵהּ וְיָת חַד
עֲסַר בְּנוֹהִי וַעֲבַר יָת
מַעֲבַר יוּבְקָא: כד וּדְבַרְנוּן
וְעַבַּרְנוּן יָת נַחֲלָא וְאַעְבַּר
יָת דִּי לֵהּ: כה וְאִשְׁתְּאַר
יַעֲקֹב בִּלְחוֹדוֹהִי וְאִשְׁתַּדַּל
גַּבְרָא עִמֵּהּ עַד דִּסְלֵק
צַפְרָא: כו וַחֲזָא אֲרֵי
לָא יָכִיל לֵהּ וּקְרֵב

רש"י

[פסוק כב] **עַל פָּנָיו.** כְּמוֹ לְפָנָיו, וְכֵן חָמָס וָשֹׁד יִשָּׁמַע בָּהּ עַל פָּנַי תָּמִיד (ירמיה ו:ז), וְכֵן הַמַּכְעִיסִים אוֹתִי עַל פָּנַי (ישעיה סה:ג). וּמִדְרַשׁ אַגָּדָה, עַל פָּנָיו, אַף הוּא שָׁרוּי פ בְּכַעַס שֶׁהָיָה צָרִיךְ לְכָל זֶה (ב"ר עו:ח): [פסוק כג] **וְאֶת אַחַד עָשָׂר יְלָדָיו.** וְדִינָה הֵיכָן הָיְתָה, נְתָנָהּ בְּתֵיבָה וְנָעַל בְּפָנֶיהָ שֶׁלֹּא יִתֵּן בָּהּ עֵשָׂו עֵינָיו. וּלְכָךְ נֶעֱנַשׁ יַעֲקֹב שֶׁמְּנָעָהּ מֵאָחִיו, שֶׁמָּא תַּחֲזִירֶנּוּ לְמוּטָב, וְנָפְלָה בְּיַד שְׁכֶם (שם ט): **יַבֹּק.** שֵׁם הַנָּהָר: [פסוק כד] **אֶת אֲשֶׁר לוֹ.** הַבְּהֵמָה וְהַמִּטַּלְטְלִים. עָשָׂה עַצְמוֹ כְּגֶשֶׁר, נוֹטֵל מִכָּאן וּמַנִּיחַ כָּאן (שם):

[פסוק כה] **וַיִּוָּתֵר יַעֲקֹב.** שָׁכַח צ פַּכִּים קְטַנִּים וְחָזַר עֲלֵיהֶם [מִכָּאן שֶׁהַצַּדִּיקִים חָסִים עַל מָמוֹנָם, שֶׁלֹּא יִשְׁלְחוּ יְדֵיהֶם בְּגָזֵל] (חולין צא.): **וַיֵּאָבֵק אִישׁ.** מְנַחֵם פֵּי' וַיִּתְעַפֵּר אִישׁ, מִלְּ' אָבָק, שֶׁהָיוּ מַעֲלִים עָפָר בְּרַגְלֵיהֶם ע"י נַעֲנוּעָם. וְלִי נִרְאֶה שֶׁהוּא לְשׁוֹן וַיִּתְקַשֵּׁר, וּלְשׁוֹן אֲרַמִּי הוּא, בָּתַר דְּאַבִיקוּ בֵּיהּ (סנהדרין סג:) וְאָבֵק לֵיהּ מֵיבַק (מנחות מב.) ל' עֲנִיבָה, שֶׁכֵּן דֶּרֶךְ שְׁנַיִם שֶׁמִּתְעַצְּמִים לְהַפִּיל אִישׁ אֶת רֵעֵהוּ שֶׁחוֹבְקוֹ וְאוֹבְקוֹ בִּזְרוֹעוֹתָיו (חולין שם). וּפֵירְשׁוּ רז"ל שֶׁהוּא שָׂרוֹ שֶׁל עֵשָׂו (ב"ר עז:ג; תנחומא ח):

בעל הטורים

(כג) **ילדיו.** ג' במסורת – "אחד עשר ילדיו"; "כי בראותו ילדיו"; "ילדו אל אל ישוער". זהו שיש במדרש, שראה יעקב שלשים רבואות מבני בניו; כמו שראה אחד עשר ילדיו כך ראה [כ"י] רבואות מילדיו. וכמו התם "ילדו אל אל ישוער", גם בכאן אמר לילדיו שיתפללו לאל שיצילם מיד עשו. כמו שיש בבראשית רבה, שהציג כל אחד לבדו ואמר, כל אחד יתפלל לבדו בפני עצמו: (כד) **ויעברם.** ב' במסורת – הכא; ואידך "בקע ים ויעבירם". מלמד שנבקע לו מעבר יבוק ועבר ביבשה: (כה) **ויאבק.** בגימטריא כסא הכבוד. מלמד שהעלו אבק עד כסא הכבוד: **איש עמו.** בגימטריא עשו אדום: **ויאבק איש עמו.** סופי תבות קשו. על שם "ובית עשו לקש":

עיקר שפתי חכמים

פ מדלא כתיב לפניו: צ ולבדו כמו לבדו, בחילוף ב' בכ' [שמעתי בשם הרב אזולאי]:

ראה המפה "מְגוּרֵי יַעֲקֹב אָבִינוּ וּבָנָיו" (עמוד 532).

בְּכַף־יְרֵכוֹ וַתֵּקַע כַּף־יֶרֶךְ יַעֲקֹב בְּהֵאָבְקוֹ עִמּוֹ:
כז וַיֹּאמֶר שַׁלְּחֵנִי כִּי עָלָה הַשָּׁחַר וַיֹּאמֶר לֹא אֲשַׁלֵּחֲךָ כִּי אִם־בֵּרַכְתָּנִי:
כח וַיֹּאמֶר אֵלָיו מַה־שְּׁמֶךָ וַיֹּאמֶר יַעֲקֹב:
כט וַיֹּאמֶר לֹא יַעֲקֹב יֵאָמֵר עוֹד שִׁמְךָ כִּי אִם־יִשְׂרָאֵל כִּי־שָׂרִיתָ עִם־אֱלֹהִים וְעִם־אֲנָשִׁים וַתּוּכָל:
ל וַיִּשְׁאַל יַעֲקֹב וַיֹּאמֶר הַגִּידָה־נָּא שְׁמֶךָ וַיֹּאמֶר לָמָּה זֶּה תִּשְׁאַל לִשְׁמִי

בְּפָתֵי יַרְכֵּהּ וְזָע פְּתֵי יַרְכָּא דְיַעֲקֹב בְּאִשְׁתַּדָּלוּתֵהּ עִמֵּהּ:
כז וַאֲמַר שַׁלְּחַנִי אֲרֵי סְלִיק צַפְרָא וַאֲמַר לָא אֲשַׁלְּחִנָּךְ אֱלָהֵן בָּרֶכְתָּנִי:
כח וַאֲמַר לֵהּ מַה שְׁמָךְ וַאֲמַר יַעֲקֹב:
כט וַאֲמַר לָא יַעֲקֹב יִתְאֲמַר עוֹד שְׁמָךְ אֱלָהֵן יִשְׂרָאֵל אֲרֵי רַבְרְבַת קֳדָם יְיָ וְעִם גֻּבְרַיָּא וִיכֵלְתָּא:
ל וּשְׁאֵל יַעֲקֹב וַאֲמַר חַוִּי כְעַן שְׁמָךְ וַאֲמַר לְמָא דְנַן אַתְּ שָׁאֵל לִשְׁמִי

רש"י

[פסוק כו] וַיִּגַּע בְּכַף יְרֵכוֹ. קוּלִית הַיָּרֵךְ הַתְּקוּעָה בַּקִּילְבּוֹסֶת קָרוּי כַּף, ע"ש שֶׁהַבָּשָׂר שֶׁעָלֶיהָ כְּמִין כַּף שֶׁל קְדֵירָה: **וַתֵּקַע.** נִתְקַעְקְעָה מִמְּקוֹם מַחְבַּרְתָּהּ. וְדוֹמֶה לוֹ פֶּן תֵּקַע נַפְשִׁי מִמֵּךְ (ירמיה ו:ח), לְשׁוֹן הֲסָרָה (ב"ר שם). וּבַמִּשְׁנָה, לְקַעְקֵעַ בֵּילָתָן (ויק"ר כו:ח) לְשָׁרֵשׁ שָׁרְשֵׁיהֶן: **[פסוק כז] כִּי עָלָה הַשָּׁחַר.** וְצָרִיךְ אֲנִי לוֹמַר שִׁירָה בַּיּוֹם (ב"ר עח:א; חולין צא:): **בֵּרַכְתָּנִי.** הוֹדֶה לִי עַל הַבְּרָכוֹת שֶׁבֵּרְכַנִי אָבִי, שֶׁעֵשָׂו מְעַרְעֵר עֲלֵיהֶן: **[פסוק כט] לֹא יַעֲקֹב.** לֹא יֵאָמֵר עוֹד שֶׁהַבְּרָכוֹת בָּאוּ לְךָ בְּעָקְבָה וּרְמִיָּה כִּי אִם בִּשְׂרָרָה וְגִלּוּי פָּנִים, וְסוֹפְךָ שֶׁהקב"ה נִגְלֶה עָלֶיךָ בְּבֵית אֵל ק וּמַחֲלִיף שִׁמְךָ וְשָׁם הוּא מְבָרֶכְךָ, וַאֲנִי שָׁם אֶהְיֶה וְאוֹדֶה לְךָ עֲלֵיהֶן. וְזֶה שֶׁכָּתוּב וַיָּשַׂר אֶל מַלְאָךְ וַיֻּכָל בָּכָה וַיִּתְחַנֶּן לוֹ (הושע יב:ה), בָּכָה הַמַּלְאָךְ וַיִּתְחַנֶּן לוֹ (חולין צב.). וּמַה נִּתְחַנֶּן לוֹ, בֵּית אֵל יִמְצָאֶנּוּ וְשָׁם יְדַבֵּר עִמָּנוּ (הושע יב:ה), הַמְתֵּן לִי עַד שֶׁיְּדַבֵּר עִמָּנוּ שָׁם. וְלֹא רָצָה יַעֲקֹב, וְעַל כָּרְחוֹ הוֹדָה לוֹ עֲלֵיהֶן. וְזֶהוּ וַיְבָרֶךְ אוֹתוֹ שָׁם, שֶׁהָיָה מִתְחַנֵּן לְהַמְתִּין לוֹ וְלֹא רָצָה (ב"ר שם ג): **וְעִם אֲנָשִׁים.** עֵשָׂו וְלָבָן (פס"ז; ב"ר שם ג, ועי' שם סח:א,ג): **וַתּוּכָל.** לָהֶם (ב"ר עח:ג): **[פסוק ל] לָמָּה זֶּה תִּשְׁאַל.** אֵין לָנוּ שֵׁם קָבוּעַ, מִשְׁתַּנִּין שְׁמוֹתֵינוּ [הַכֹּל] לְפִי מִצְוַת עֲבוֹדַת הַשְּׁלִיחוּת שֶׁאָנוּ מִשְׁתַּלְּחִים (ב"ר שם ד):

בעל הטורים

(כו) ויגע בכף ירכו. לראות אם הוא מלאך כמותו אם היו לו קפצים, שהמלאכים אין להם קפצים: אי נמי – לפסלו מן העבודה, לפי שקנה מעשו הבכורה, שבהן העבודה. "בכף ירכו" בגימטריא לפוסלו מכהונה: **(כז) ברכתני.** בגימטריא הודה לברכתי, ששרו של עשו היה:

עיקר שפתי חכמים

ק ומה שאמר המלאך לא יעקב כו' היינו שבשרו שהקב"ה יחליף את שמו:

וַיְבָרֶךְ אֹתוֹ שָׁם: שלישי לא וַיִּקְרָא
יַעֲקֹב שֵׁם הַמָּקוֹם פְּנִיאֵל כִּי־
רָאִיתִי אֱלֹהִים פָּנִים אֶל־פָּנִים
וַתִּנָּצֵל נַפְשִׁי: לב וַיִּזְרַח־לוֹ הַשֶּׁמֶשׁ
כַּאֲשֶׁר עָבַר אֶת־פְּנוּאֵל וְהוּא צֹלֵעַ
עַל־יְרֵכוֹ: לג עַל־כֵּן לֹא־יֹאכְלוּ
בְנֵי־יִשְׂרָאֵל אֶת־גִּיד הַנָּשֶׁה אֲשֶׁר
עַל־כַּף הַיָּרֵךְ עַד הַיּוֹם הַזֶּה כִּי
נָגַע בְּכַף־יֶרֶךְ יַעֲקֹב בְּגִיד הַנָּשֶׁה:

וּבָרֵיךְ יָתֵהּ תַּמָּן: לא וּקְרָא
יַעֲקֹב שְׁמָא דְאַתְרָא
פְּנִיאֵל אֲרֵי חֲזֵיתִי
מַלְאֲכַיָּא דַייָ אַפִּין בְּאַפִּין
וְאִשְׁתֵּזָבַת נַפְשִׁי: לב וּדְנַח
לֵהּ שִׁמְשָׁא כַּד עֲבַר יָת
פְּנוּאֵל וְהוּא מַטְלַע
עַל יַרְכֵּהּ: לג עַל כֵּן לָא
יֵיכְלוּן בְּנֵי יִשְׂרָאֵל יָת
גִּידָא דְנַשְׁיָא דִּי עַל פֻּתֵּי
יַרְכָּא עַד יוֹמָא הָדֵין אֲרֵי
קְרֵיב בְּפֻתֵּי יַרְכָּא דְיַעֲקֹב
בְּגִידָא דְנַשְׁיָא: א וּזְקַף
יַעֲקֹב עֵינוֹהִי וַחֲזָא וְהָא
עֵשָׂו אָתֵא וְעִמֵּהּ אַרְבַּע
מְאָה גֻּבְרִין וּפַלֵּיג יָת
בְּנַיָּא עַל לֵאָה וְעַל רָחֵל
וְעַל תַּרְתֵּין לְחֵינָתָא:

פרק לג א וַיִּשָּׂא יַעֲקֹב עֵינָיו וַיַּרְא וְהִנֵּה עֵשָׂו
בָּא וְעִמּוֹ אַרְבַּע מֵאוֹת אִישׁ וַיַּחַץ אֶת־הַיְלָדִים
עַל־לֵאָה וְעַל־רָחֵל וְעַל שְׁתֵּי הַשְּׁפָחוֹת:

רש"י

[פסוק לב] **וַיִּזְרַח לוֹ הַשֶּׁמֶשׁ.** לְשׁוֹן בְּנֵי אָדָם הוּא, כְּשֶׁהִגַּעְנוּ לְמָקוֹם פְּלוֹנִי הֵאִיר לָנוּ הַשַּׁחַר. זֶהוּ פְּשׁוּטוֹ. ומ"א, וַיִּזְרַח לוֹ, לְצָרְכּוֹ, ר לְרַפְּאוֹת אֶת צַלְעָתוֹ, כְּמָה דְּתֵימָא שֶׁמֶשׁ צְדָקָה וּמַרְפֵּא בִּכְנָפֶיהָ (מלאכי ג:כ; ב"ר שם ה; תנחומא ישן י), וְאוֹתָן שָׁעוֹת שֶׁמִּיהֲרָה לִשְׁקוֹעַ בִּשְׁבִילוֹ כְּשֶׁיָּצָא מִבְּאֵר שֶׁבַע מִיהֲרָה לִזְרוֹחַ בִּשְׁבִילוֹ (ב"ר סח:י; תנחומא ישן שם; סנהדרין צה:): **וְהוּא צֹלֵעַ.** הָיָה צוֹלֵעַ כְּשֶׁזָּרְחָה הַשֶּׁמֶשׁ: [פסוק לג] **גִּיד הַנָּשֶׁה.** וְלָמָּה נִקְרָא שְׁמוֹ גִּיד הַנָּשֶׁה. לְפִי שֶׁנָּשָׁה מִמְּקוֹמוֹ וְעָלָה, וְהוּא לְשׁוֹן קְפִיצָה, וְכֵן נָשְׁתָה גְבוּרָתָם (ירמיה נא:ל; חולין צא.), וְכֵן כִּי נַשַּׁנִי אֱלֹהִים אֶת כָּל עֲמָלִי (להלן מא:נא): **[עַל כַּף הַיָּרֵךְ.** פולפ"א בלע"ז. כָּל בָּשָׂר גָּבוֹהַּ וְתָלוּל וְעָגוֹל קָרוּי כַּף, כְּמוֹ עַד שֶׁתִּתְמָרֵךְ הַכַּף בְּסִימָנֵי בַגְּרוּת (נדה מז.):]

עיקר שפתי חכמים

ר ר"ל כשהשמש התחיל לזרוח הי' צולע ומיד אחר זריחת השמש נתרפא:

ראה הציור "גִּיד הַנָּשֶׁה" (עמוד 531).

ב וְשַׁוִּי יָת לְחֵינָתָא וְיָת בְּנֵיהֶן קַדְמָאִין וְיָת לֵאָה וּבְנָהָא בַּתְרָאִין וְיָת רָחֵל וְיָת יוֹסֵף בַּתְרָאִין: ג וְהוּא עֲבַר קֳדָמֵיהוֹן וּסְגִיד עַל אַרְעָא שְׁבַע זִמְנִין עַד מִקְרְבֵהּ עַד (נ"א לְוַת) אֲחוּהִי: ד וּרְהַט עֵשָׂו לְקַדָּמוּתֵהּ וְגַפְּפֵהּ וּנְפַל עַל צַוְּארֵהּ וְנַשְׁקֵהּ וּבְכוֹ: ה וּזְקַף יָת עֵינוֹהִי וַחֲזָא יָת נְשַׁיָּא וְיָת בְּנַיָּא וַאֲמַר מָן אִלֵּין לָךְ וַאֲמַר בְּנַיָּא דִי חָס יְיָ עַל (נ"א חַן יְיָ יָת) עַבְדָּךְ: ו וּקְרִיבַת לְחֵינָתָא אִנִּין וּבְנֵיהֶן וּסְגִידָא:

ב וַיָּשֶׂם אֶת־הַשְּׁפָחוֹת וְאֶת־יַלְדֵיהֶן רִאשֹׁנָה וְאֶת־לֵאָה וִילָדֶיהָ אַחֲרֹנִים וְאֶת־רָחֵל וְאֶת־יוֹסֵף אַחֲרֹנִים: ג וְהוּא עָבַר לִפְנֵיהֶם וַיִּשְׁתַּחוּ אַרְצָה שֶׁבַע פְּעָמִים עַד־גִּשְׁתּוֹ עַד־אָחִיו: ד וַיָּרָץ עֵשָׂו לִקְרָאתוֹ וַיְחַבְּקֵהוּ וַיִּפֹּל עַל־צַוָּארָו [צַוָּארוֹ כ'] וַיִּשָּׁקֵהוּ* וַיִּבְכּוּ: ה וַיִּשָּׂא אֶת־עֵינָיו וַיַּרְא אֶת־הַנָּשִׁים וְאֶת־הַיְלָדִים וַיֹּאמֶר מִי־אֵלֶּה לָּךְ וַיֹּאמַר הַיְלָדִים אֲשֶׁר־חָנַן אֱלֹהִים אֶת־עַבְדֶּךָ: רביעי ו וַתִּגַּשְׁןָ הַשְּׁפָחוֹת הֵנָּה וְיַלְדֵיהֶן וַתִּשְׁתַּחֲוֶיןָ:

*נָקוּד עַל וַיִּשָּׁקֵהוּ

— רש"י —

[פסוק ב] וְאֶת לֵאָה וִילָדֶיהָ אַחֲרֹנִים. אַחֲרוֹן אַחֲרוֹן חָבִיב (ב"ר עח:ח): [פסוק ג] עָבַר לִפְנֵיהֶם. אָמַר, אִם יָבֹא אוֹתוֹ רָשָׁע לְהִלָּחֵם, יִלָּחֵם בִּי תְּחִלָּה (שם): [פסוק ד] וַיְחַבְּקֵהוּ. נִתְגַּלְגְּלוּ רַחֲמָיו כְּשֶׁרָאָהוּ מִשְׁתַּחֲוֶה כָּל הִשְׁתַּחֲוָאוֹת הַלָּלוּ (שם): וַיִּשָּׁקֵהוּ.

נָקוּד עָלָיו. וְיֵשׁ חוֹלְקִין בַּדָּבָר הַזֶּה בַּבָּרַיְיתָא דְסִפְרֵי (בהעלותך סט), יֵשׁ שֶׁדָּרְשׁוּ נְקוּדָה זוֹ לוֹמַר שֶׁלֹּא נְשָׁקוֹ בְּכָל לִבּוֹ. אָמַר רַבִּי שִׁמְעוֹן בֶּן יוֹחַאי, הֲלָכָה הִיא, בְּיָדוּעַ שֶׁעֵשָׂו שׂוֹנֵא לְיַעֲקֹב, אֶלָּא שֶׁנִּכְמְרוּ רַחֲמָיו בְּאוֹתָהּ שָׁעָה וּנְשָׁקוֹ בְּכָל לִבּוֹ: [פסוק ה] מִי אֵלֶּה לָּךְ. מִי אֵלֶּה לִהְיוֹת שֶׁ שֶׁלְּךָ:

— עיקר שפתי חכמים —

ש דְּמִי אֵלֶּה מַשְׁמַע שֶׁלֹּא יָדַע שֶׁל מִי הָיוּ, וְאֵ"ח אָמַר לְךָ מַשְׁמַע שֶׁיּוֹדֵעַ כִּי שֶׁלּוֹ הוּא, לְפִיכָךְ לִהְיוֹת שֶׁלְּךָ אֵם בָּנֶיךָ הֵם אוֹ עֲבָדֶיךָ:

— בעל הטורים —

(ג) וישתחו ארצה שבע פעמים. עַל שֵׁם "כִּי שֶׁבַע יִפּוֹל צַדִּיק וָקָם". וּלְהַעֲבִיר "שֶׁבַע תּוֹעֵבוֹת בְּלִבּוֹ": (ד) וישקהו. נָקוּד לְמַעְלָה, שֶׁכִּיוֵן לְנַשְּׁכוֹ. "וישקהו" בְּגִימַטְרִיָּא לְנַשְּׁכוֹ בָּא. "דּוֹר חֲרֵבוֹת שִׁנָּיו" שִׁינָיו בְּגִימַטְרִיָּא עֵשָׂו:

ז וַתִּגַּשׁ גַּם־לֵאָה וִילָדֶיהָ וַיִּשְׁתַּחֲווּ
וְאַחַר נִגַּשׁ יוֹסֵף וְרָחֵל וַיִּשְׁתַּחֲווּ׃
ח וַיֹּאמֶר מִי לְךָ כָּל־הַמַּחֲנֶה הַזֶּה
אֲשֶׁר פָּגָשְׁתִּי וַיֹּאמֶר לִמְצֹא־
חֵן בְּעֵינֵי אֲדֹנִי׃ ט וַיֹּאמֶר עֵשָׂו
יֶשׁ־לִי רָב אָחִי יְהִי לְךָ אֲשֶׁר־
לָךְ׃ י וַיֹּאמֶר יַעֲקֹב אַל־נָא אִם־
נָא מָצָאתִי חֵן בְּעֵינֶיךָ וְלָקַחְתָּ מִנְחָתִי מִיָּדִי
כִּי עַל־כֵּן רָאִיתִי פָנֶיךָ כִּרְאֹת פְּנֵי אֱלֹהִים

ז וְקְרִיבָא אַף לֵאָה
וּבְנָהָא וּסְגִידוּ וּבָתַר כֵּן
קְרִיב יוֹסֵף וְרָחֵל וּסְגִידוּ׃
ח וַאֲמַר מַן לָךְ כָּל
מַשְׁרִיתָא הָדֵין דִּי עֲרָעִית
וַאֲמַר לְאַשְׁכָּחָא רַחֲמִין
בְּעֵינֵי רִבּוֹנִי׃ ט וַאֲמַר עֵשָׂו
אִית לִי סַגִּי אָחִי אַצְלַח
בְּדִילָךְ׃ י וַאֲמַר יַעֲקֹב
בְּבָעוּ אִם כְּעַן אַשְׁכָּחִית
רַחֲמִין בְּעֵינָיךְ תְּקַבֵּל
תִּקְרֻבְתִּי מִן יְדִי אֲרֵי
עַל כֵּן חֲזֵתִנּוּן לְאַפָּיךְ
כְּחֵיזוּ אַפֵּי רַבְרְבַיָּא

רש"י

[פסוק ז] נִגַּשׁ יוֹסֵף וְרָחֵל. בְּכֻלָּן הָאִמָּהוֹת נִגָּשׁוֹת לִפְנֵי הַבָּנִים, אֲבָל בְּרָחֵל יוֹסֵף נִגַּשׁ לְפָנֶיהָ. אָמַר, אִמִּי יְפַת תֹּאַר, שֶׁמָּא יִתְלֶה בָּהּ עֵינָיו אוֹתוֹ רָשָׁע, אֶעֱמוֹד כְּנֶגְדָּהּ וַאֲעַכְּבֶנּוּ מִלְּהִסְתַּכֵּל בָּהּ. מִכָּאן זָכָה יוֹסֵף לְבִרְכַּת עֲלֵי עָיִן (להלן מט:כב; ב"ר עח:י; פס"ר יב): **[פסוק ח] מִי לְךָ כָּל הַמַּחֲנֶה.** מִי כָּל הַמַּחֲנֶה אֲשֶׁר פָּגַשְׁתִּי שֶׁהוּא שֶׁלְּךָ, כְּלוֹמַר ת לָמָּה הוּא לָךְ. פְּשׁוּטוֹ שֶׁל מִקְרָא עַל מוֹלִיכֵי הַמִּנְחָה, וּמִדְרָשׁוֹ, כִּתּוֹת שֶׁל מַלְאָכִים פָּגַע שֶׁהָיוּ דּוֹחֲפִין אוֹתוֹ וְאֶת אֲנָשָׁיו וְאוֹמְרִים לָהֶם שֶׁל מִי אַתֶּם, וְהֵם אוֹמְרִים לָהֶם שֶׁל עֵשָׂו, וְהֵן אוֹמְרִים הַכּוּ הַכּוּ. וְאֵלּוּ אוֹמְרִים הַנִּיחוּ, בְּנוֹ שֶׁל יִצְחָק הוּא, וְלֹא הָיוּ מַשְׁגִּיחִים עָלָיו. בֶּן בְּנוֹ שֶׁל אַבְרָהָם הוּא, וְלֹא הָיוּ מַשְׁגִּיחִים. אָחִיו שֶׁל יַעֲקֹב הוּא, אוֹמְרִים לָהֶם א"כ מִשֶּׁלָּנוּ אַתֶּם (ב"ר שם יא): **[פסוק ט] יְהִי לְךָ אֲשֶׁר לָךְ.** כָּאן הוֹדָה לוֹ עַל הַבְּרָכוֹת (שם): **[פסוק י] אַל נָא.** אַל נָא א תֹּאמַר לִי כֵּן (תרגום יונתן): **אִם נָא מָצָאתִי חֵן בְּעֵינֶיךָ וְלָקַחְתָּ מִנְחָתִי מִיָּדִי כִּי עַל כֵּן רָאִיתִי פָנֶיךָ וגו'.** כִּי כְּדַאי וְהָגוּן לְךָ שֶׁתְּקַבֵּל מִנְחָתִי, ב עַל אֲשֶׁר רָאִיתִי פָנֶיךָ וְהֵן חֲשׁוּבִין לִי כִּרְאִיַּית פְּנֵי הַמַּלְאָךְ, שֶׁרָאִיתִי שַׂר

בעל הטורים

(ח) מי לך. ג' במסורת – "מי לך כל המחנה"; "ומי לך פה כי חצבת לך פה קבר"; "עוד מי לך פה חתן ובניך [ובנותיך]". וזהו שיש במדרש, שהיו כתות של מלאכי השרת פוגעין בעשו ובאנשיו ומכים בהם. וזהו "מי לך כל המחנה", שהיו מכים בהם עד שהיו חוצבים להם קבר לקבור המתים: וכשפגע בו וראה לו בנים ובנות, אמר "מי לך פה חתן ובניך ובנותיך". לא כך אמרת כשהיינו בבטן אמנו ומריבים על שני עולמות, שאתה היית בוחר בעולם הבא שאין בו פריה ורביה. אם כן מי לך פה אלו הבנים: **(ט) אחי יהי לך אשר לך.** בגימטריא זה הברכות: **(י) כראת פני אלהים.** בגימטריא שר שלך. שרמז לו שראה שרו וניצל ממנו:

עיקר שפתי חכמים

ת כי כאן אין לפרש שאלא אם המה בניו או עבדיו כדלעיל, כי מעצמו היה יכול להבין שהם עבדיו כדרך מוליכי מנחה, וגם תשובתו למצוא חן אינו מעין השאלה: **א** שמלת אַל דבוק תמיד עם אזהרה אחריו: **ב** ופי' כי על כן כמו כי על אשר ראיתי גו':

וַתִּרְצֵנִי: יא קַח־נָא אֶת־בִּרְכָתִי אֲשֶׁר הֻבָאת לָךְ כִּי־חַנַּנִי אֱלֹהִים וְכִי יֶשׁ־לִי־כֹל וַיִּפְצַר־בּוֹ וַיִּקָּח: יב וַיֹּאמֶר נִסְעָה וְנֵלֵכָה וְאֵלְכָה לְנֶגְדֶּךָ: יג וַיֹּאמֶר אֵלָיו אֲדֹנִי יֹדֵעַ כִּי־הַיְלָדִים רַכִּים וְהַצֹּאן וְהַבָּקָר עָלוֹת עָלָי

וְאִתְרְעִית לִי: יא קַבֵּל כְּעַן יָת תִּקְרֻבְתִּי דִּי אִתּוֹתִיאַת לָךְ אֲרֵי רַחִים עֲלַי (קֳדָם) יְיָ וַאֲרֵי אִית לִי כֹּלָּא וּתְקֵף בֵּהּ וְקַבִּיל: יב וַאֲמַר נְטַל (נ"א טוּל) וּנְהָךְ וְאֵיהָךְ לְקִבְלָךְ: יג וַאֲמַר לֵהּ רִבּוֹנִי יָדַע אֲרֵי יַנְקַיָּא רַכִּיכִין וְעָנָא וְתוֹרֵי מֵינְקָתָא עָלָי

רש"י

שֶׁלְּךָ, וְעוֹד, עַל שֶׁנִּתְרַצֵּיתָ לִי לִמְחוֹל עַל סוּרְחָנִי. וְלָמָּה הִזְכִּיר לוֹ רְאִיַּית הַמַּלְאָךְ, כְּדֵי שֶׁיִּתְיָירֵא הֵימֶנּוּ וְיֹאמַר רָאָה מַלְאָכִי[ם] וְנִיצּוֹל, אֵינִי יָכוֹל לוֹ מֵעַתָּה (סוטה מא:; ב"ר עז:ג): **וַתִּרְצֵנִי.** ג נִתְפַּיַּיסְתָּ לִי. וְכֵן כָּל רָצוֹן שֶׁבַּמִּקְרָא לְשׁוֹן פִּיּוּס, אפיימנ"ט בלע"ז. וְכֵן כִּי לֹא לְרָצוֹן יִהְיֶה לָכֶם (ויקרא כב:כ) הַקָּרְבָּנוֹת בָּאוֹת לְפַיֵּיס וּלְרַצּוֹת. וְכֵן שִׂפְתֵי צַדִּיק יֵדְעוּן רָצוֹן (משלי י:לב) יוֹדְעִים לְפַיֵּיס וּלְרַצּוֹת: [פסוק יא] **בִּרְכָתִי.** מִנְחָתִי, מִנְחָה זוֹ הַבָּאָה עַל רְאִיַּית פָּנִים, וְלִפְרָקִים אֵינָהּ בָּאָה אֶלָּא לִשְׁאֵילַת שָׁלוֹם. וְכָל בְּרָכָה שֶׁהִיא לִרְאִיַּית פָּנִים, כְּגוֹן וַיְבָרֶךְ יַעֲקֹב אֶת פַּרְעֹה (להלן מז:י), עֲשׂוּ אִתִּי בְרָכָה (מלכים ב יח:לא) דְּסַנְחֵרִיב, וְכֵן לִשְׁאוֹל לוֹ לְשָׁלוֹם וּלְבָרְכוֹ (שמואל ב ח:י) דְּתוֹעִי מֶלֶךְ חֲמָת, כּוּלָּם לְשׁוֹן בִּרְכַּת שָׁלוֹם הֵן, שֶׁקּוֹרִין בלע"ז שלודי"ר [ס"א שלוא"ר], אַף זוֹ, בִּרְכָתִי, מו"ן שלו"ד: **אֲשֶׁר הֻבָאת לָךְ.** לֹא טָרַחְתָּ בָּהּ וַאֲנִי יָגַעְתִּי לְהַגִּיעָהּ עַד שֶׁבָּאָה לְיָדֶךָ (ב"ר עח:יב): **חַנַּנִי.** נו"ן רִאשׁוֹנָה מוּדְגֶּשֶׁת לְפִי שֶׁהִיא מְשַׁמֶּשֶׁת בִּמְקוֹם שְׁתֵּי נוּנִי"ן שֶׁהָיָה לוֹ לוֹמַר חֲנָנַנִי. שֶׁאֵין חָנַן בְּלֹא שְׁנֵי נוּנִי"ן וְהַשְּׁלִישִׁית לְשִׁימּוּשׁ כְּמוֹ עָשַׂנִי זְבָדַנִי: **יֶשׁ לִי כֹל.** כָּל סִפּוּקִי. וְעֵשָׂו דִּבֵּר בִּלְשׁוֹן גַּאֲוָה, יֶשׁ לִי רָב (לעיל פסוק ט), יוֹתֵר וְיוֹתֵר מִכְּדֵי צָרְכִּי (תנחומא ג): [פסוק יב] **נִסְעָה.** כְּמוֹ שְׁמָעָה, סְלָחָה, (דניאל ט:יט) שֶׁהוּא כְּמוֹ שְׁמַע, סְלַח, [ס"א כְּמוֹ שִׁמְעָה תְפִלָּתִי (תהלים לט:יג) שִׁלְחָה הַנַּעַר (להלן מג:ח)] אַף כָּאן נִסְעָה כְּמוֹ נְסַע, וְהַנּוּ"ן יְסוֹד בַּתֵּיבָה. וְתַרְגּוּם שֶׁל אוּנְקְלוֹס טוּל וּנְהָךְ, עֵשָׂו אָמַר לְיַעֲקֹב נְסַע מִכָּאן וְנֵלֵךְ: **וְאֵלְכָה לְנֶגְדֶּךָ.** בְּשָׁוֶה לָךְ. טוֹבָה זוֹ אֶעֱשֶׂה לָךְ שֶׁאַאֲרִיךְ יְמֵי מַהֲלָכִי לָלֶכֶת לְאַט כַּאֲשֶׁר אַתָּה צָרִיךְ. וְזֶהוּ לְנֶגְדֶּךָ, בְּשָׁוֶה לָךְ: [פסוק יג] **עָלוֹת עָלָי.** הַצֹּאן וְהַבָּקָר שֶׁהֵן עָלוֹת מוּטָּלוֹת עָלַי לְנַהֲלָן לְאַט: **עָלוֹת.** מְגַדְּלוֹת עוֹלְלֵיהֶן, (אונקלוס ותרגום יונתן)

בעל הטורים

(יב) לנגדך. ב׳ במסורת – ״ואלכה לנגדך״; ״שתה עוונותינו לנגדך״. שעשו רצה לילך עם יעקב. ואמר יעקב, למה תלך עמי ותזכור עוונותי שפשעתי נגדך? וכשלא אהיה עמך, שמא תשכח: **(יג) עלות.** ה׳ במסורת – הכא; ואידך בשמואל ״פרות עלות״ שתי פעמים; ובדוד ״מאחר עלות הביאו״; ואידך ״ובחיקו ישא, עלות ינהל״. אמרו רבותינו ז״ל, דוד המלך ויעקב היו מרחמין על הצאן, והיו מרעין אותן במרעה רך. וזהו שכתב כאן ״עלות״, ובדוד ״מאחר עלות הביאו״. ומה היו עושין? ״כרועה עדרו ירעה״:

עיקר שפתי חכמים

ג ר"ל בזה אדע שנתפייסת אם תקבל מנחתי, והוי"ו של ותרצני הוא כמו ועוד:

וּדְפָקוּם יוֹם אֶחָד וָמֵתוּ כָּל־הַצֹּאן:
יד יַעֲבָר־נָא אֲדֹנִי לִפְנֵי עַבְדּוֹ וַאֲנִי
אֶתְנַהֲלָה לְאִטִּי לְרֶגֶל הַמְּלָאכָה
אֲשֶׁר־לְפָנַי וּלְרֶגֶל הַיְלָדִים עַד
אֲשֶׁר־אָבֹא אֶל־אֲדֹנִי שֵׂעִירָה:
טו וַיֹּאמֶר עֵשָׂו אַצִּיגָה־נָּא עִמְּךָ מִן־
הָעָם אֲשֶׁר אִתִּי וַיֹּאמֶר לָמָּה זֶּה אֶמְצָא־חֵן בְּעֵינֵי
אֲדֹנִי: טז וַיָּשָׁב בַּיּוֹם הַהוּא עֵשָׂו לְדַרְכּוֹ שֵׂעִירָה:

וִדְחוֹקְנוּן יוֹמָא חַד
וּמִיתוּ כָּל עָנָא: יד יִעְבַּר
כְּעַן רִבּוֹנִי קֳדָם עַבְדֵּהּ
וַאֲנָא אֱדַבַּר בְּנִיחַ לְרֶגֶל
עוֹבַדְתָּא דִּי קֳדָמַי וּלְרֶגֶל
יָנְקַיָּא עַד דִּי אֵיעוֹל לְוָת
רִבּוֹנִי לְשֵׂעִיר: טו וַאֲמַר
עֵשָׂו אֶשְׁבּוֹק כְּעַן עִמָּךְ מִן
עַמָּא דִּי עִמִּי וַאֲמַר לְמָא
דְנַן אַשְׁכַּח רַחֲמִין בְּעֵינֵי
רִבּוֹנִי: טז וְתָב בְּיוֹמָא הַהוּא
עֵשָׂו לְאָרְחֵהּ לְשֵׂעִיר:

רש"י

לְשׁוֹן עוֹלֵל וְיוֹנֵק (איכה ב:יא) עוּל יָמִים (ישעי' סה:כ) שְׁתֵּי פָרוֹת עָלוֹת (ש"א ו:י), ובלע"ז אנפנטיי"ש: **וּדְפָקוּם יוֹם אֶחָד.** וְאִם יִדְפְּקוּם יוֹם אֶחָד לְיַגְּעָם בַּדֶּרֶךְ בִּמְרוּצָה וָמֵתוּ כָּל הַצֹּאן: **וּדְפָקוּם.** כְּמוֹ קוֹל דּוֹדִי דוֹפֵק (שיר השירים ה:ב) נוֹקֵשׁ בַּדֶּלֶת: [פסוק יד] **יַעֲבָר נָא אֲדֹנִי.** אַל נָא תַּאֲרִיךְ יְמֵי הֲלִיכָתְךָ, עֲבוֹר כְּפִי דַרְכְּךָ וְאַף אִם תִּתְרַחֵק: **אֶתְנַהֲלָה.** אֶתְנַהֵל, הֵ"א יְתֵירָה, כְּמוֹ אֵרְדָה (לעיל יח:כא) אֶשְׁמְעָה (במדבר ט:ח): **לְאִטִּי.** לְאַט שֶׁלִּי, לְשׁוֹן נַחַת, כְּמוֹ הַהוֹלְכִים לְאַט (ישעיה ח:ו) לְאַט לִי לַנַּעַר (שמואל ב יח:ה). לְאִטִּי הַלָּמֶ"ד מִן הַיְסוֹד וְאֵינָהּ מְשַׁמֶּשֶׁת, אֶתְנַהֵל נַחַת שֶׁלִּי: **לְרֶגֶל הַמְּלָאכָה.** לְפִי צוֹרֶךְ הֲלִיכַת רַגְלֵי הַמְּלָאכָה הַמּוּטֶּלֶת עָלַי [ס"א לְפָנַי] לְהוֹלִיךְ: **וּלְרֶגֶל הַיְלָדִים.** לְפִי רַגְלֵיהֶם שֶׁהֵם יְכוֹלִים לֵילֵךְ: **עַד אֲשֶׁר אָבֹא אֶל אֲדֹנִי שֵׂעִירָה.** הִרְחִיב לוֹ הַדֶּרֶךְ, שֶׁלֹּא הָיָה דַעְתּוֹ לָלֶכֶת אֶלָּא עַד סוּכּוֹת. אָמַר, אִם דַּעְתּוֹ לַעֲשׂוֹת לִי רָעָה יַמְתִּין עַד בּוֹאִי אֶצְלוֹ (עבודה זרה כה:). וְהוּא לֹא הָלַךְ, וְאֵימָתַי יֵלֵךְ, בִּימֵי הַמָּשִׁיחַ, שֶׁנֶּא' וְעָלוּ מוֹשִׁיעִים בְּהַר צִיּוֹן לִשְׁפּוֹט אֶת הַר עֵשָׂו (עובדיה א:כא; ב"ר שם יד). ומ"א יֵשׁ לְפָרָשָׁה זוֹ רַבִּים: [פסוק טו] **וַיֹּאמֶר לָמָּה זֶּה.** [ד] תַּעֲשֶׂה לִי טוֹבָה זוֹ שֶׁאֵינִי צָרִיךְ לָהּ: **אֶמְצָא חֵן בְּעֵינֵי אֲדֹנִי.** וְלֹא תְשַׁלֵּם לִי עַתָּה שׁוּם גְּמוּל: [פסוק טז] **וַיָּשָׁב בַּיּוֹם הַהוּא עֵשָׂו לְדַרְכּוֹ.** עֵשָׂו לְבַדּוֹ, וד' מֵאוֹת אִישׁ

בעל הטורים

(יד) שעירה. ג' במסורת — "אל אדני שעירה"; "וישב וגו' עשו לדרכו שעירה"; "ועד ההר החלק העולה שעירה". ["ההר החלק" זה יעקב, "ואנכי איש חלק"; "העולה שעירה" זה עשו,] שנאמר "ועלו מושיעים בהר ציון [לשפוט את הר עשו]", וזהו "עד אשר אבא אל אדוני שעירה": **אבא אל אדוני שעירה.** סופי תבות אליה. "אבא" עולה ד', רמז לאחר ארבע גלויות יבוא אליה, "לפני בוא יום ה' הגדול והנורא". ואז "ועלו מושיעים בהר ציון לשפוט את הר עשו":

עיקר שפתי חכמים

ד כלומר שלמה זה אינו מוסב על אמצא חן וגו', כי אדרבה יעקב עשה כל טלדקי למצוא חן בעיניו. ע"כ מפסיק את הפסוק לשנים, ויתפרש למה זה תעשה לי הטובה, חפלי הוא כי אמצא חן וגו' [גם הטעמים מסייעים לזה]:

יז וְיַעֲקֹב נָסַע סֻכֹּתָה וַיִּבֶן לוֹ בָּיִת
וּלְמִקְנֵהוּ עָשָׂה סֻכֹּת עַל־כֵּן קָרָא
שֵׁם־הַמָּקוֹם סֻכּוֹת׃ ס יח וַיָּבֹא
יַעֲקֹב שָׁלֵם עִיר שְׁכֶם אֲשֶׁר
בְּאֶרֶץ כְּנַעַן בְּבֹאוֹ מִפַּדַּן אֲרָם
וַיִּחַן אֶת־פְּנֵי הָעִיר׃ יט וַיִּקֶן אֶת־
חֶלְקַת הַשָּׂדֶה אֲשֶׁר נָטָה־שָׁם
אָהֳלוֹ מִיַּד בְּנֵי־חֲמוֹר אֲבִי שְׁכֶם
בְּמֵאָה קְשִׂיטָה׃ כ וַיַּצֶּב־שָׁם מִזְבֵּחַ וַיִּקְרָא־
לוֹ אֵל אֱלֹהֵי יִשְׂרָאֵל׃ ס חמישי **פרק לד** א וַתֵּצֵא

יז וְיַעֲקֹב נְטַל לְסֻכּוֹת
וּבְנָא לֵהּ בֵּיתָא וּלְבְעִירֵהּ
עֲבַד מְטַלָּן עַל כֵּן קְרָא
שְׁמָא דְאַתְרָא סֻכּוֹת:
יח וַאֲתָא יַעֲקֹב שְׁלִים
קַרְתָּא דִשְׁכֶם דִּי בְּאַרְעָא
דִכְנַעַן בְּמֵיתֵהּ מִפַּדַּן
דַּאֲרָם וּשְׁרָא לָקֳבֵל
(אַפֵּי) קַרְתָּא: יט וּזְבַן יָת
אַחְסָנַת חַקְלָא דִּי פְרַס
תַּמָּן מַשְׁכְּנֵהּ מִידָא דִבְנֵי
חֲמוֹר אֲבוּהִי דִשְׁכֶם
בְּמָאָה חוּרְפָן: כ וַאֲקֵם
תַּמָּן מַדְבְּחָא וּפְלַח
עֲלוֹהִי קֳדָם אֵל אֱלָהָא
דְיִשְׂרָאֵל: א וּנְפַקַת

רש"י

שהלכו עמו כשמטו מאללו אחד אחד. והיכן פרע להם הקב"ה, בימי דוד, שנא' כי אם ארבע מאות איש נער אשר רכבו על הגמלים (שמואל א ל:יז; ב"ר עח:טו): **[פסוק יז] ויבן לו בית.** שהה שם [ה] י"ח חדש, קיץ וחורף וקיץ. סכות קיץ, בית חורף, סכות קיץ (ב"ר שם טז; מגילה יז.): **[פסוק יח] שלם.** שלם בגופו, שנתרפא מצלעתו. שלם בממונו, שלא חסר כלום מכל אותו דורון. שלם בתורתו, שלא שכח תלמודו בבית לבן [ו] (שבת לג:; ב"ר עט:ה): **עיר שכם.** כמו לעיר (אונקלוס) וכמוהו עד בואנה בית לחם (רות א:יט): **בבאו מפדן ארם.** כאדם האומר לחבירו יצא פלוני מבין שיני אריות ובא שלם. אף כאן ויבא שלם מפדן ארם, מלבן ומעשו שנזדווג[ו] לו בדרך: **[ויחן את פני העיר.** ערב שבת היה. בשחשכה דרך אחאי (ב"ר שם ו):] **[פסוק יט] קשיטה.** מעה. אר"ע, כשהלכתי לכרכי הים היו קורין למעה קשיטה (ראש השנה כו.). [ותרגומו [ז] חורפן, טובים, חריפים בכל מקום, כגון עובר לסוחר (לעיל כג:טז)]: **[פסוק כ] ויקרא לו אל אלהי ישראל.** לא שהמזבח קרוי אלהי ישראל, אלא על שם שהיה הקב"ה עמו והצילו

עיקר שפתי חכמים

ה הביא זה המדרש כי שהה שם י"ח חדש [אף שאינו לפי פשוטו] כדי לכוין מספר הכ"ב שנה שלא קיים יעקב כבוד או"א, כמ"ש בסוף פ' תולדות ע"ש. [רא"ם]: **ו** מדכתיב שלם סתם משמע בכל מיני שלמות. [מהרש"ל]: **ז** ולעיל [בפ' וירא כ"א כ"ח] ת"א על כבשות האלו חורפן:

ראה הטבלא **"שְׁנֵי חַיֵּי יַעֲקֹב אָבִינוּ"** (עמוד 533), והמפה **"מְגוּרֵי יַעֲקֹב אָבִינוּ וּבָנָיו"** (עמוד 532).

דִּינָה֙ בַּת־לֵאָ֔ה אֲשֶׁ֥ר יָלְדָ֖ה
לְיַעֲקֹ֑ב לִרְא֖וֹת בִּבְנ֥וֹת הָאָֽרֶץ׃
ב וַיַּ֨רְא אֹתָ֜הּ שְׁכֶ֧ם בֶּן־חֲמ֛וֹר
הַֽחִוִּ֖י נְשִׂ֣יא הָאָ֑רֶץ וַיִּקַּ֥ח אֹתָ֛הּ
וַיִּשְׁכַּ֥ב אֹתָ֖הּ וַיְעַנֶּֽהָ׃ ג וַתִּדְבַּ֣ק
נַפְשׁ֔וֹ בְּדִינָ֖ה בַּֽת־יַעֲקֹ֑ב וַיֶּֽאֱהַב֙
אֶת־הַֽנַּעֲרָ֔ה [הנער כ׳] וַיְדַבֵּ֖ר עַל־
לֵ֥ב הַֽנַּעֲרָֽה [הנער כ׳]׃ ד וַיֹּ֣אמֶר שְׁכֶ֗ם אֶל־חֲמ֥וֹר
אָבִ֖יו לֵאמֹ֑ר קַח־לִ֛י אֶת־הַיַּלְדָּ֥ה הַזֹּ֖את לְאִשָּֽׁה׃
ה וְיַעֲקֹ֣ב שָׁמַ֗ע כִּ֤י טִמֵּא֙ אֶת־דִּינָ֣ה בִתּ֔וֹ וּבָנָ֛יו

דִּינָה בַּת לֵאָה דִּי יְלֵידַת
לְיַעֲקֹב לְמֶחֱזֵי בִּבְנָת
אַרְעָא: ב וַחֲזָא יָתַהּ שְׁכֶם
בַּר חֲמוֹר חִוָּאָה רַבָּא
דְּאַרְעָא וּדְבַר יָתַהּ וּשְׁכִיב
יָתַהּ וְעַנְיַהּ: ג וְאִתְרְעִיאַת
נַפְשֵׁהּ בְּדִינָה בַּת יַעֲקֹב
וּרְחֵים יָת עוּלֶמְתָּא
וּמַלֵּיל תַּנְחוּמִין עַל לִבָּא
דְעוּלֶמְתָּא: ד וַאֲמַר שְׁכֶם
לַחֲמוֹר אֲבוּהִי לְמֵימַר סַב
לִי יָת עוּלֶמְתָּא הָדָא לְאִנְתּוּ:
ה וְיַעֲקֹב שְׁמַע אֲרֵי סָאֵיב
יָת דִּינָה בְּרַתֵּהּ וּבְנוֹהִי

רש״י

קָרָא שֵׁם הַמִּזְבֵּחַ עַל שֵׁם הַנֵּס, לִהְיוֹת שִׁבְחוֹ שֶׁל מָקוֹם נִזְכָּר בִּקְרִיאַת הַשֵּׁם. כְּלוֹמַר, מִי שֶׁהוּא אֵל, הוּא הקב״ה, הוּא לֵאלֹהִים לִי שֶׁשְּׁמִי יִשְׂרָאֵל. וְכֵן מָצִינוּ בְּמֹשֶׁה וַיִּקְרָא שְׁמוֹ ה׳ נִסִּי (שמות יז:טו) לֹא שֶׁהַמִּזְבֵּחַ קָרוּי ה׳, אֶלָּא עַל שֵׁם הַנֵּס קָרָא שֵׁם הַמִּזְבֵּחַ לְהַזְכִּיר שִׁבְחוֹ שֶׁל הקב״ה, ה׳ הוּא נִסִּי. וְרַבּוֹתֵינוּ דָּרְשׁוּ שֶׁהַקָּדוֹשׁ בָּרוּךְ הוּא קְרָאוֹ לְיַעֲקֹב ח אֵל (מגילה יח.), וְדִבְרֵי תוֹרָה כְּפַטִּישׁ יְפוֹצֵץ סָלַע (ירמיה כג:כט) מִתְחַלְּקִים לְכַמָּה טְעָמִים (שבת פח:), וַאֲנִי לְיַשֵּׁב פְּשׁוּטוֹ שֶׁל מִקְרָא בָּאתִי:

[פסוק א] **בַּת לֵאָה.** וְלֹא בַּת יַעֲקֹב, אֶלָּא עַל שֵׁם יְצִיאָתָהּ נִקְרֵאת בַּת לֵאָה, שֶׁאַף הִיא יַצְאָנִית הָיְתָה שֶׁנֶּאֱמַר וַתֵּצֵא לֵאָה לִקְרָאתוֹ (לעיל ל:טז) [וְעָלֶיהָ מָשְׁלוּ הַמָּשָׁל כְּאִמָּא כְּבִתָּהּ] (ב״ר פ:א): [פסוק ב] **וַיִּשְׁכַּב אֹתָהּ.** כְּדַרְכָּהּ: **וַיְעַנֶּהָ.** שֶׁלֹּא כְדַרְכָּהּ (ב״ר שם ה): [פסוק ג] **עַל לֵב הַנַּעֲרָה.** דְּבָרִים הַמִּתְיַשְּׁבִים עַל הַלֵּב. רְאִי, אָבִיךְ בְּחֶלְקַת שָׂדֶה קְטַנָּה כַּמָּה מָמוֹן בִּזְבֵּז, אֲנִי אֶשָּׂאֵךְ וְתִקְנִי הָעִיר וְכָל שְׂדוֹתֶיהָ (ב״ר פ:ז):

בעל הטורים

לד (א) בבנות. ב׳ במסורת — ״בבנות הארץ״; ״האין בבנות אחיך וגו׳ אשה״ גבי שמשון. לומר, בשביל שלא רצה ליתן לאחיו מבנותיו, כדאיתא במדרש, שהטמינה בתבה מפניו, נענש, שיצאה לראות בבנות הארץ ובעלה שכם:

עיקר שפתי חכמים

ח ופי׳ ויקרא לו [ליעקב] אל, [ומי קראו, אלהי ישראל:

הָיוּ אֶת־מִקְנֵהוּ בַּשָּׂדֶה וְהֶחֱרִשׁ
יַעֲקֹב עַד־בֹּאָם: ו וַיֵּצֵא חֲמוֹר
אֲבִי־שְׁכֶם אֶל־יַעֲקֹב לְדַבֵּר
אִתּוֹ: ז וּבְנֵי יַעֲקֹב בָּאוּ מִן־הַשָּׂדֶה
כְּשָׁמְעָם וַיִּתְעַצְּבוּ הָאֲנָשִׁים
וַיִּחַר לָהֶם מְאֹד כִּי נְבָלָה עָשָׂה
בְיִשְׂרָאֵל לִשְׁכַּב אֶת־בַּת־יַעֲקֹב
וְכֵן לֹא יֵעָשֶׂה: ח וַיְדַבֵּר חֲמוֹר
אִתָּם לֵאמֹר שְׁכֶם בְּנִי חָשְׁקָה
נַפְשׁוֹ בְּבִתְּכֶם תְּנוּ נָא אֹתָהּ
לוֹ לְאִשָּׁה: ט וְהִתְחַתְּנוּ אֹתָנוּ
בְּנֹתֵיכֶם תִּתְּנוּ־לָנוּ וְאֶת־בְּנֹתֵינוּ תִּקְחוּ לָכֶם:
י וְאִתָּנוּ תֵּשֵׁבוּ וְהָאָרֶץ תִּהְיֶה לִפְנֵיכֶם שְׁבוּ
וּסְחָרוּהָ וְהֵאָחֲזוּ בָּהּ: יא וַיֹּאמֶר שְׁכֶם אֶל־אָבִיהָ
וְאֶל־אַחֶיהָ אֶמְצָא־חֵן בְּעֵינֵיכֶם וַאֲשֶׁר תֹּאמְרוּ

הֲווֹ עִם גֵּיתוֹהִי בְּחַקְלָא
וּשְׁתִיק יַעֲקֹב עַד מֵיתֵיהוֹן:
ו וּנְפַק חֲמוֹר אֲבוּהִי
דִשְׁכֶם לְוָת יַעֲקֹב לְמַלָּלָא
עִמֵּהּ: ז וּבְנֵי יַעֲקֹב עָלוּ
מִן חַקְלָא כַּד שְׁמָעוּ
וְאִתְנְסִיסוּ גֻּבְרַיָּא וּתְקֵיף
לְהוֹן לַחֲדָא אֲרֵי קְלָנָא
עֲבַד בְּיִשְׂרָאֵל לְמִשְׁכַּב
עִם בַּת יַעֲקֹב וְכֵן לָא כָשַׁר
לְאִתְעֲבָדָא: ח וּמַלִּיל
חֲמוֹר עִמְּהוֹן לְמֵימַר שְׁכֶם
בְּרִי אִתְרְעִיאַת נַפְשֵׁהּ
בִּבְרַתְּכוֹן הָבוּ כְעַן יָתַהּ
לֵהּ לְאִנְתּוּ: ט וְאִתְחַתְּנוּ
בָנָא בְּנָתֵיכוֹן תִּתְּנוּן לָנָא
וְיָת בְּנָתָנָא תִּסְּבוּן לְכוֹן:
י וְעִמָּנָא תִּתְּבוּן וְאַרְעָא
תְּהֵי קֳדָמֵיכוֹן תִּיבוּ וְעִבִידוּ
בַהּ סְחוֹרָא וְאִתְחֲסִינוּ בַהּ:
יא וַאֲמַר שְׁכֶם לַאֲבוּהָא
וּלְאַחָהָא אַשְׁכַּח רַחֲמִין
בְּעֵינֵיכוֹן וְדִי תֵּימְרוּן

רש"י

[פסוק ז] וְכֵן לֹא יֵעָשֶׂה. לְעַנּוֹת אֶת הַבְּתוּלוֹת, שֶׁהָאֻמּוֹת גָּדְרוּ עַצְמָן מִן הָעֲרָיוֹת ט עַל יְדֵי הַמַּבּוּל (ב"ר פ ו): **[פסוק ח] חָשְׁקָה.** חָפְצָה:

עיקר שפתי חכמים

ט ואף שפנויה אינה בכלל עריות, אך כיון שנגזלה מבית אביה ובא עליה נתחייב הריגה:

אֵלַ֖י אֶתֵּ֑ן׃ יב הַרְבּ֨וּ עָלַ֤י מְאֹד֙ מֹ֣הַר
וּמַתָּ֔ן וְאֶ֨תְּנָ֔ה כַּאֲשֶׁ֥ר תֹּאמְר֖וּ
אֵלָ֑י וּתְנוּ־לִ֥י אֶת־הַֽנַּעֲרָ֖ה [הנער כ׳]
לְאִשָּֽׁה׃ יג וַיַּעֲנ֨וּ בְנֵֽי־יַעֲקֹ֜ב אֶת־
שְׁכֶ֨ם וְאֶת־חֲמ֥וֹר אָבִ֛יו בְּמִרְמָ֖ה
וַיְדַבֵּ֑רוּ אֲשֶׁ֣ר טִמֵּ֔א אֵ֖ת דִּינָ֥ה
אֲחֹתָֽם׃ יד וַיֹּאמְר֣וּ אֲלֵיהֶ֗ם לֹ֤א
נוּכַל֙ לַעֲשׂוֹת֙ הַדָּבָ֣ר הַזֶּ֔ה לָתֵת֙
אֶת־אֲחֹתֵ֔נוּ לְאִ֖ישׁ אֲשֶׁר־ל֣וֹ
עָרְלָ֑ה כִּי־חֶרְפָּ֥ה הִ֖וא לָֽנוּ׃ טו אַךְ־בְּזֹ֖את נֵא֣וֹת
לָכֶ֑ם אִ֚ם תִּהְי֣וּ כָמֹ֔נוּ לְהִמֹּ֥ל לָכֶ֖ם כָּל־זָכָֽר׃
טז וְנָתַ֤נּוּ אֶת־בְּנֹתֵ֨ינוּ֙ לָכֶ֔ם וְאֶת־בְּנֹתֵיכֶ֖ם נִקַּֽח־לָ֑נוּ

לִי אֶתֵּין: יב אַסְגּוֹ עֲלַי
לַחֲדָא מוֹהֲרִין וּמַתְּנָן
וְאֶתֵּין כְּמָא דִּי תֵימְרוּן
לִי וְהָבוּ לִי יָת עוּלֶמְתָּא
לְאִנְתּוּ: יג וַאֲתִיבוּ בְּנֵי
יַעֲקֹב יָת שְׁכֶם וְיָת
חֲמוֹר אֲבוּהִי בְּחָכְמְתָא
וּמַלִּילוּ דִּי סָאֵב יָת
דִּינָה אֲחָתְהוֹן: יד וַאֲמַרוּ
לְהוֹן לָא נִכּוּל לְמֶעְבַּד
פִּתְגָּמָא הָדֵין לְמִתַּן יָת
אֲחָתָנָא לִגְבַר דִּי לֵהּ
עָרְלְתָא אֲרֵי חִסּוּדָא הִיא
לָנָא: טו בְּרַם בְּדָא נִתְפֵּס
לְכוֹן אִם תֶּהֱווֹן כְּוָתָנָא
לְמִגְזַר לְכוֹן כָּל דְּכוּרָא:
טז וְנִתֵּן יָת בְּנָתָנָא לְכוֹן
וְיָת בְּנָתֵיכוֹן נִסַּב לָנָא

רש"י

[פסוק יב] מֹהַר. כְּתוּבָּה (ב"ר פ ז; מכילתא משפטים נזיקין ז): **[פסוק יג] בְּמִרְמָה.** בְּחָכְמָה: **אֲשֶׁר טִמֵּא.** הַכָּתוּב אוֹמֵר שֶׁלֹּא הָיְתָה רְמִיָּה, שֶׁהֲרֵי טִמֵּא אֶת דִּינָה אֲחוֹתָם (ב"ר שם ח): **[פסוק יד] חֶרְפָּה הִוא [לָנוּ].** שֶׁמֶץ פְּסוּל הוּא אֶצְלֵנוּ. הַבָּא לְחָרֵף חֲבֵרוֹ אוֹמֵר לוֹ עָרֵל אַתָּה אוֹ בֶּן עָרֵל. חֶרְפָּה בְּכָל מָקוֹם גִּדּוּף: **[פסוק טו] נֵאוֹת לָכֶם.** נִתְרַצֶּה לָכֶם, לְשׁוֹן וַיֵּאֹתוּ הַכֹּהֲנִים (מלכים ב יב:ט) [בִּיהוֹיָדָע]: **לְהִמֹּל.** לִהְיוֹת נִמּוֹל. אֵינוֹ לְשׁוֹן לִפְעוֹל אֶלָּא לְשׁוֹן [י] לְהִפָּעֵל: **[פסוק טז] וְנָתַנּוּ.** נוּ"ן שְׁנִיָּה מוּדְגֶּשֶׁת לְפִי שֶׁהִיא מְשַׁמֶּשֶׁת בִּמְקוֹם שְׁתֵּי נוּנִי"ן, וְנָתַנְנוּ: **וְאֶת בְּנֹתֵיכֶם נִקַּח לָנוּ.** אַתָּה מוֹצֵא בַּתְּנָאִי שֶׁאָמַר חֲמוֹר לְיַעֲקֹב וּבִתְשׁוּבַת

בעל הטורים

(יב) הרבו. ב׳ במסורת – "הרבו עלי מאד מוהר"; "הגלגל הרבו לפשוע". אף על פי שהרבו במוהר, במה שהירבו בגלגל, דהיינו בעבודה זרה, הירבו גם אלו לפשוע. שהתנו עמם שלא לעבוד עבודה זרה:

עיקר שפתי חכמים

י פי׳ מבנין נפעל, ושרשו מול מנחי העי"ן, והדגש במ"ס לתשלום נו"ן נפעל:

וְיָשַׁבְנוּ אִתְּכֶם וְהָיִינוּ לְעַם אֶחָד׃
יז וְאִם־לֹא תִשְׁמְעוּ אֵלֵינוּ לְהִמּוֹל
וְלָקַחְנוּ אֶת־בִּתֵּנוּ וְהָלָכְנוּ׃
יח וַיִּיטְבוּ דִבְרֵיהֶם בְּעֵינֵי חֲמוֹר
וּבְעֵינֵי שְׁכֶם בֶּן־חֲמוֹר׃ יט וְלֹא־
אֵחַר הַנַּעַר לַעֲשׂוֹת הַדָּבָר כִּי
חָפֵץ בְּבַת־יַעֲקֹב וְהוּא נִכְבָּד
מִכֹּל בֵּית אָבִיו׃ כ וַיָּבֹא חֲמוֹר
וּשְׁכֶם בְּנוֹ אֶל־שַׁעַר עִירָם
וַיְדַבְּרוּ אֶל־אַנְשֵׁי עִירָם לֵאמֹר׃
כא הָאֲנָשִׁים הָאֵלֶּה שְׁלֵמִים הֵם
אִתָּנוּ וְיֵשְׁבוּ בָאָרֶץ וְיִסְחֲרוּ אֹתָהּ וְהָאָרֶץ
הִנֵּה רַחֲבַת־יָדַיִם לִפְנֵיהֶם אֶת־בְּנֹתָם נִקַּח־לָנוּ
לְנָשִׁים וְאֶת־בְּנֹתֵינוּ נִתֵּן לָהֶם׃ כב אַךְ־בְּזֹאת

וְנִתּוּב עִמְּכוֹן וּנְהֵי לְעַמָּא
חַד׃ יז וְאִם לָא תְקַבְּלוּן
מִנַּנָא לְמִגְזַר וּנְדַבַּר יָת
בְּרַתָּנָא וְנֵזִיל׃ יח וּשְׁפַרוּ
פִתְגָמֵיהוֹן בְּעֵינֵי חֲמוֹר
וּבְעֵינֵי שְׁכֶם בַּר חֲמוֹר׃
יט וְלָא אוֹחַר עוּלֵימָא
לְמֶעְבַּד פִּתְגָּמָא אֲרֵי
אִתְרְעִי בְּבַת יַעֲקֹב וְהוּא
יַקִּיר מִכֹּל בֵּית אֲבוּהִי׃
כ וַאֲתָא חֲמוֹר וּשְׁכֶם
בְּרֵהּ לִתְרַע קַרְתְּהוֹן
וּמַלִּילוּ עִם אֱנָשֵׁי קַרְתְּהוֹן
לְמֵימַר׃ כא גֻּבְרַיָּא הָאִלֵּין
שְׁלְמִין אִנּוּן עִמָּנָא
וְיִתִּיבוּן בְּאַרְעָא וְיַעְבְּדוּן
בַּהּ סְחוֹרְתָא וְאַרְעָא
הָא פְתִיוּת יְדִין קֳדָמֵיהוֹן
יָת בְּנָתֵיהוֹן נִסַּב לָנָא
לִנְשִׁין וְיָת בְּנָתָנָא נִתֵּן
לְהוֹן׃ כב בְּרַם בְּדָא

רש"י

בְּנֵי יַעֲקֹב לַחֲמוֹר שֶׁתָּלוּ הַחֲשִׁיבוּת בִּבְנֵי יַעֲקֹב לִיקַּח בְּנוֹת שְׁכֶם אֶת שֶׁיִּבְחֲרוּ לָהֶם וּבְנוֹתֵיהֶם יִתְּנוּ לָהֶם לְפִי דַעְתָּם, דִּכְתִיב וְנָתַנּוּ אֶת בְּנֹתֵינוּ, לְפִי דַעְתֵּנוּ, וְאֶת בְּנוֹתֵיכֶם נִקַּח לָנוּ, כְּכָל אֲשֶׁר נַחְפֹּץ. וּכְשֶׁדִּבְּרוּ חֲמוֹר וּשְׁכֶם בְּנוֹ אֶל יוֹשְׁבֵי עִירָם הָפְכוּ הַדְּבָרִים, אֶת בְּנֹתָם נִקַּח לָנוּ לְנָשִׁים וְאֶת בְּנֹתֵינוּ נִתֵּן לָהֶם (להלן פסוק כא) כְּדֵי לְרַצּוֹתָם שֶׁיֵּאוֹתוּ לְהִמּוֹל: **[פסוק כא] שְׁלֵמִים.** בְּשָׁלוֹם וּבְלֵב שָׁלֵם: **וְהָאָרֶץ הִנֵּה רַחֲבַת יָדַיִם.** כְּאָדָם שֶׁיָּדוֹ רְחָבָה וּוַתְּרָנִית. כְּלוֹמַר, לֹא תַפְסִידוּ כְלוּם, פְּרַקְמַטְיָא הַרְבֵּה בָּאָה לְכָאן וְאֵין לָהּ קוֹנִים:

יֵאֹתוּ לָנוּ הָאֲנָשִׁים לָשֶׁבֶת
אִתָּנוּ לִהְיוֹת לְעַם אֶחָד בְּהִמּוֹל
לָנוּ כָּל־זָכָר כַּאֲשֶׁר הֵם נִמֹּלִים:
כג מִקְנֵהֶם וְקִנְיָנָם וְכָל־בְּהֶמְתָּם
הֲלוֹא לָנוּ הֵם אַךְ נֵאוֹתָה לָהֶם
וְיֵשְׁבוּ אִתָּנוּ: כד וַיִּשְׁמְעוּ אֶל־
חֲמוֹר וְאֶל־שְׁכֶם בְּנוֹ כָּל־יֹצְאֵי
שַׁעַר עִירוֹ וַיִּמֹּלוּ כָּל־זָכָר כָּל־
יֹצְאֵי שַׁעַר עִירוֹ: כה וַיְהִי בַיּוֹם
הַשְּׁלִישִׁי בִּהְיוֹתָם כֹּאֲבִים וַיִּקְחוּ
שְׁנֵי־בְנֵי־יַעֲקֹב שִׁמְעוֹן וְלֵוִי אֲחֵי
דִינָה אִישׁ חַרְבּוֹ וַיָּבֹאוּ עַל־הָעִיר בֶּטַח וַיַּהַרְגוּ
כָּל־זָכָר: כו וְאֶת־חֲמוֹר וְאֶת־שְׁכֶם בְּנוֹ הָרְגוּ
לְפִי־חָרֶב וַיִּקְחוּ אֶת־דִּינָה מִבֵּית שְׁכֶם וַיֵּצֵאוּ:

יִתְפַּסוּן לָנָא גּוּבְרַיָּא
לְמִתַּב עִמָּנָא לְמֶהֱוֵי
לְעַמָּא חַד לְמִגְזַר לָנָא
כָּל דְּכוּרָא כְּמָא דִּי אִנּוּן
גְּזִירִין: כג גֵּיתֵיהוֹן וְקִנְיָנְהוֹן
וְכָל בְּעִירְהוֹן הֲלָא לָנָא
אִנּוּן בְּרַם נִתְפַּס לְהוֹן
וְיִתִיבוּן עִמָּנָא: כד וְקַבִּילוּ
מִן חֲמוֹר וּמִן שְׁכֶם בְּרֵהּ
כָּל נָפְקֵי תְּרַע קַרְתֵּהּ וּגְזָרוּ
כָּל דְּכוּרָא כָּל נָפְקֵי תְּרַע
קַרְתֵּהּ: כה וַהֲוָה בְיוֹמָא
תְלִיתָאָה כַּד תְּקִיפוּ
עֲלֵיהוֹן כֵּיבֵיהוֹן וּנְסִיבוּ
תְרֵין בְּנֵי יַעֲקֹב שִׁמְעוֹן
וְלֵוִי אֲחֵי דִינָה גְּבַר
חַרְבֵּהּ וְעָלוּ עַל קַרְתָּא
דְּיָתְבָא לְרַחֲצָן וּקְטַלוּ
כָּל דְּכוּרָא: כו וְיָת חֲמוֹר
וְיָת שְׁכֶם בְּרֵהּ קְטַלוּ
לְפִתְגָּם דְּחָרֶב וּדְבָרוּ יָת
דִּינָה מִבֵּית שְׁכֶם וּנְפָקוּ:

רש"י

[פסוק כב] **בְּהִמּוֹל.** בִּהְיוֹת נִמּוֹל: [פסוק כג] **אַךְ נֵאוֹתָה לָהֶם.** לְדָבָר זֶה וְעַל יְדֵי כֵן **יֵשְׁבוּ אִתָּנוּ:** [פסוק כה] **שְׁנֵי בְנֵי יַעֲקֹב.** בָּנָיו הָיוּ, וְאַעַפ"כ נָהֲגוּ עַצְמָן **שִׁמְעוֹן וְלֵוִי** ב כִּשְׁאָר אֲנָשִׁים שֶׁאֵינָם בָּנָיו, שֶׁלֹּא נָטְלוּ עֵצָה הֵימֶנּוּ (ב"ר פ:י): **אֲחֵי דִינָה.** לְפִי שֶׁמָּסְרוּ עַצְמָן עָלֶיהָ נִקְרְאוּ ל אַחֶיהָ (שם): **בֶּטַח.** שֶׁהָיוּ כוֹאֲבִים. וּמִדְרַשׁ אַגָּדָה, בְּטוּחִים הָיוּ עַל כֹּחוֹ שֶׁל מ זָקֵן (שם):

עיקר שפתי חכמים

ב דשני בני יעקב ל"ל, אלא להורות לנו כי נהגו מעצמם כשאר אנשים אף שהיו שני בניו: ל דריש מאחי דינה דמיותר, ובא לומר שמלד האחוה עשו כן: מ ר"ל יעקב, או תפלת אברהם שהתפלל עליהם כפרש"י בריש פ' לך לך:

כז בְּנֵי יַעֲקֹב בָּאוּ עַל־הַחֲלָלִים
וַיָּבֹזּוּ הָעִיר אֲשֶׁר טִמְּאוּ אֲחוֹתָם:
כח אֶת־צֹאנָם וְאֶת־בְּקָרָם וְאֶת־
חֲמֹרֵיהֶם וְאֵת אֲשֶׁר־בָּעִיר וְאֶת־
אֲשֶׁר בַּשָּׂדֶה לָקָחוּ: כט וְאֶת־כָּל־
חֵילָם וְאֶת־כָּל־טַפָּם וְאֶת־נְשֵׁיהֶם
שָׁבוּ וַיָּבֹזּוּ וְאֵת כָּל־אֲשֶׁר בַּבָּיִת:
ל וַיֹּאמֶר יַעֲקֹב אֶל־שִׁמְעוֹן וְאֶל־
לֵוִי עֲכַרְתֶּם אֹתִי לְהַבְאִישֵׁנִי
בְּיֹשֵׁב הָאָרֶץ בַּכְּנַעֲנִי וּבַפְּרִזִּי וַאֲנִי מְתֵי מִסְפָּר
וְנֶאֶסְפוּ עָלַי וְהִכּוּנִי וְנִשְׁמַדְתִּי אֲנִי וּבֵיתִי:
לא וַיֹּאמְרוּ הַכְזוֹנָה יַעֲשֶׂה אֶת־אֲחוֹתֵנוּ: פ

כז בְּנֵי יַעֲקֹב עָלוּ לְחַלָּצָא
קְטִילַיָּא וּבְזוֹ קַרְתָּא דִּי
סָאִיבוּ אֲחָתְהוֹן: כח יָת
עָנְהוֹן וְיָת תּוֹרְהוֹן וְיָת
חֲמָרֵיהוֹן וְיָת דִּי בְקַרְתָּא
וְיָת דִּי בְחַקְלָא בְּזוֹ:
כט וְיָת כָּל נִכְסֵיהוֹן וְיָת
כָּל טַפְלְהוֹן וְיָת נְשֵׁיהוֹן
שְׁבוֹ וּבְזוֹ וְיָת כָּל דִּי
בְּבֵיתָא: ל וַאֲמַר יַעֲקֹב
לְשִׁמְעוֹן וּלְלֵוִי עֲכַרְתּוּן
יָתִי לְמִתַּן דְּבָבוּ בֵּינָנָא
וּבֵין יָתֵב אַרְעָא בִּכְנַעֲנָאָה
וּבִפְרִזָּאָה וַאֲנָא עַם דְּמִנְיָן
וְיִתְכַּנְשׁוּן עֲלַי וְיִמְחֲנַנִי
וְאֶשְׁתֵּיצֵי אֲנָא וֶאֱנָשׁ
בֵּיתִי: לא וַאֲמַרוּ הַכְנַפְקַת
בָּרָא יִתְעֲבֵד לַאֲחָתַנָא
(נ"א יַעְבֵּד יָת אֲחָתַנָא):

רש"י

[פסוק כז] **על החללים.** לְפַשֵּׁט אֶת הַחֲלָלִים. [וְכֵן ת"א, לְחַלָּצָא קְטִילַיָּא]: [פסוק כט] **חילם.** מָמוֹנָם (אונקלוס). וְכֵן עָשָׂה לִי אֶת הַחַיִל הַזֶּה (דברים ח:יז) וְיִשְׂרָאֵל עֹשֶׂה חָיִל (במדבר כד:יח) וְעָזְבוּ לַאֲחֵרִים חֵילָם (תהלים מט:יא): **שבו.** לְשׁוֹן שְׁבִיָּה (אונקלוס) נ לְפִיכָךְ טַעְמוֹ מִלְּרַע: [פסוק ל] **עכרתם.** ל' מַיִם עֲכוּרִים (ברכות כה:) אֵין דַּעְתִּי צְלוּלָה עַכְשָׁיו. וְהַגָּדָה, צְלוּלָה הָיְתָה הֶחָבִית וַעֲכַרְתֶּם אוֹתָהּ. מְסוֹרֶת הָיְתָה בְּיַד כְּנַעֲנִים שֶׁיִּפְּלוּ בְּיַד בְּנֵי יַעֲקֹב אֶלָּא שֶׁהָיוּ אוֹמְרִים ס עַד אֲשֶׁר תִּפְרֶה וְנָחַלְתָּ אֶת הָאָרֶץ (שמות כג:ל) לְפִיכָךְ הָיוּ ע שׁוֹתְקִין (ב"ר שם יב): **מתי מספר.** אֲנָשִׁים מוּעָטִים: [פסוק לא] **הכזונה.** פ הֶפְקֵר (שם): **את אחותנו.** צ יָת אֲחָתַנָא:

בעל הטורים

(כז) **טמאו.** ג' במסורת – "טמאו אחותם"; "טמאו את מקדשי"; "טמאו את היכל קדשך". כולם למדים מזה. טמאו מקדשי לעשות מעשה שכם, וכן "טמאו את היכל קדשך", כדכתיב "נשים בציון ענו": **טמאו אחותם.** וסמיך לה את צאנם. לומר לך שעשו מעשה בהמה:

עיקר שפתי חכמים

נ והוא משורש שבה מגזרת נחי הלמ"ד. אבל בוז הוא מנחי העי"ן ע"כ טעמו מלעיל: **ס** פסוק הוא בפ' משפטים: **ע** אבל עתה יהיו סבורין שהגיע הזמן ובאין עליהו: **פ** שהיא לא היתה זונה, רק עשאה כהפקר: **צ** ר"ל לפי התרגום שתרגם את ית, ע"כ פי' הכזונה הוא

פרק לה א וַיֹּאמֶר אֱלֹהִים אֶל־יַעֲקֹב
קוּם עֲלֵה בֵית־אֵל וְשֶׁב־שָׁם
וַעֲשֵׂה־שָׁם מִזְבֵּחַ לָאֵל הַנִּרְאֶה
אֵלֶיךָ בְּבָרְחֲךָ מִפְּנֵי עֵשָׂו אָחִיךָ:
ב וַיֹּאמֶר יַעֲקֹב אֶל־בֵּיתוֹ וְאֶל
כָּל־אֲשֶׁר עִמּוֹ הָסִרוּ אֶת־אֱלֹהֵי
הַנֵּכָר אֲשֶׁר בְּתֹכְכֶם וְהִטַּהֲרוּ
וְהַחֲלִיפוּ שִׂמְלֹתֵיכֶם: ג וְנָקוּמָה
וְנַעֲלֶה בֵּית־אֵל וְאֶעֱשֶׂה־שָּׁם
מִזְבֵּחַ לָאֵל הָעֹנֶה אֹתִי בְּיוֹם
צָרָתִי וַיְהִי עִמָּדִי בַּדֶּרֶךְ אֲשֶׁר הָלָכְתִּי: ד וַיִּתְּנוּ
אֶל־יַעֲקֹב אֵת כָּל־אֱלֹהֵי הַנֵּכָר אֲשֶׁר בְּיָדָם
וְאֶת־הַנְּזָמִים אֲשֶׁר בְּאָזְנֵיהֶם וַיִּטְמֹן אֹתָם יַעֲקֹב

א וַאֲמַר יְיָ לְיַעֲקֹב קוּם סַק
לְבֵית אֵל וְתִיב תַּמָּן וְעִבֵד
תַּמָּן מַדְבְּחָא לֶאֱלָהָא
דְּאִתְגְּלִי לָךְ בְּמֵעֲרָקָךְ מִן
קֳדָם עֵשָׂו אָחוּךְ: ב וַאֲמַר
יַעֲקֹב לֶאֱנָשׁ בֵּיתֵהּ וּלְכֹל
דִּי עִמֵּהּ אַעְדּוֹ יָת טַעֲוַת
עַמְמַיָּא דִּי בֵינֵיכוֹן (נ״א
בִּידֵיכוֹן) וְאִדַּכּוֹ וְשַׁנּוֹ
כְּסוּתְכוֹן: ג וּנְקוּם וְנִסַּק
לְבֵית אֵל וְאַעְבֵּד תַּמָּן
מַדְבְּחָא לֶאֱלָהָא דְּקַבִּיל
צְלוֹתִי בְּיוֹמָא דְעָקְתִי
וַהֲוָה מֵימְרֵהּ בְּסַעְדִּי
בְּאָרְחָא דִּי אֲזָלִית:
ד וִיהַבוּ לְיַעֲקֹב יָת כָּל
טַעֲוַת עַמְמַיָּא דִּי בִידֵיהוֹן
וְיָת קָדָשַׁיָּא דִּי בְאֻדְנֵיהוֹן
וּטְמַר יָתְהוֹן יַעֲקֹב

רש״י

[פסוק א] **קוּם עֲלֵה.** לְפִי שֶׁאֵחַרְתָּ בַּדֶּרֶךְ [ס״א כְּדַרְכְּךָ] נֶעֱנַשְׁתָּ וּבָא לְךָ זֹאת מִבִּתְּךָ (תנחומא ח; ב״ר פא:ג): [פסוק ב] **הַנֵּכָר.** שֶׁיֵּשׁ בְּיֶדְכֶם מִשְּׁלַל שֶׁל שְׁכֶם: **וְהִטַּהֲרוּ.** מֵע״ז: **וְהַחֲלִיפוּ שִׂמְלֹתֵיכֶם.** שֶׁמָּא יֵשׁ בְּיֶדְכֶם כְּסוּת שֶׁל ע״ז (ב״ר שם ג):

בעל הטורים

(ב־ג) **והחליפו שמלתיכם. ונקומה ונעלה בית אל.** רמז להא דאיתא בפרק קמא דשבת, רמי פוזמקי ומצלי: **ונקומה.** ג׳ במסורת — ״ונקומה ונעלה בית אל״; ״שלחה הנער אתי ונקומה״; ״ונקומה עליה למלחמה״. שאמר יהודה, בזכות ״ונקומה ונעלה בית אל״, ״שלחה הנער אתי ונקומה״. וכן באותה זכות ״ונקומה עליה למלחמה״:

עיקר שפתי חכמים

הפקר, ופירושו הא״ס יעשה כהפקר את אחותנו. ובלא התרגום יש לפרש את כמו עם, ופירושו הא״ס כמו שעושין עם הזונה [והכזונה הוא כמו הכבזונה] יעשה עם אחותנו, ויתפרש זונה ממש: ק כי לעלות בית אל לא הוצריך לצוותו כי כבר נדר ע״ז, אלא שלא יתאחר עוד בדרך:

תַּ֣חַת הָֽאֵלָ֔ה אֲשֶׁ֖ר עִם־שְׁכֶֽם׃
ה וַיִּסָּ֑עוּ וַיְהִ֣י ׀ חִתַּ֣ת אֱלֹהִ֗ים עַל־
הֶֽעָרִים֙ אֲשֶׁר֙ סְבִיבֽוֹתֵיהֶ֔ם וְלֹ֣א
רָֽדְפ֔וּ אַחֲרֵ֖י בְּנֵ֥י יַעֲקֹֽב׃ ו וַיָּבֹ֨א
יַעֲקֹ֜ב ל֗וּזָה אֲשֶׁר֙ בְּאֶ֣רֶץ כְּנַ֔עַן הִ֖וא
בֵּֽית־אֵ֑ל ה֖וּא וְכָל־הָעָ֥ם אֲשֶׁר־
עִמּֽוֹ׃ ז וַיִּ֤בֶן שָׁם֙ מִזְבֵּ֔חַ וַיִּקְרָא֙
לַמָּק֔וֹם אֵ֖ל בֵּֽית־אֵ֑ל כִּ֣י שָׁ֗ם נִגְל֤וּ אֵלָיו֙ הָֽאֱלֹהִ֔ים
בְּבָרְח֖וֹ מִפְּנֵ֥י אָחִֽיו׃ ח וַתָּ֤מָת דְּבֹרָה֙ מֵינֶ֣קֶת
רִבְקָ֔ה וַתִּקָּבֵ֛ר מִתַּ֥חַת לְבֵֽית־אֵ֖ל תַּ֣חַת הָֽאַלּ֑וֹן

תְּחוֹת בְּטַמָּא דִּי עִם שְׁכֶם:
ה וּנְטַלוּ וַהֲוַת דַּחֲלָא דַּייָ
עַל קִרְוֵי דִּי בְּסַחֲרָנֵיהוֹן
וְלָא רְדַפוּ בָּתַר בְּנֵי
יַעֲקֹב: ו וַאֲתָא יַעֲקֹב לְלוּז
דִּי בְּאַרְעָא דִכְנַעַן הִיא
בֵּית אֵל הוּא וְכָל עַמָּא דִּי
עִמֵּהּ: ז וּבְנָא תַמָּן מַדְבְּחָא
וּקְרָא לְאַתְרָא אֵל בֵּית
אֵל אֲרֵי תַמָּן אִתְגְּלִי לֵהּ יְיָ
בְּמֵעֲרְקֵהּ מִן קֳדָם אֲחוּהִי:
ח וּמִיתַת דְּבוֹרָה מֵינִקְתָּא
דְּרִבְקָה וְאִתְקְבַרַת מִלְּרַע
לְבֵית אֵל בְּשִׁפּוֹלֵי מֵישְׁרָא

רש"י

[פסוק ד] האלה. מין אילן ר סרק (אונקלוס): **עם שכם.** אצל שכם (תרגום יונתן): **[פסוק ה] חתת.** פחד (אונקלוס): **[פסוק ז] אל בית אל.** הקב"ה ש בבית אל, גילוי שכינתו בבית אל. יש תיבה חסרה בי"ת המשמשת בראשה, כמו הנה הוא בית מכיר בן עמיאל (שמואל ב ט:ד) כמו בבית מכיר, בית אביך (להלן לח:יא) כמו בבית אביך: **נגלו אליו האלהים.** במקומות הרבה יש שם אלהות ואדנות בל' רבים, כמו אדני יוסף (להלן לט:כ), אם בעליו עמו (שמות כב:יד), ולא נאמר בעלו, וכן אלהות שהוא ל' שופט ומרות נזכר בל' רבים (שמות כב:ז-ח). אבל אחד מכל שאר השמות לא תמצא בל' רבים (עי' סנהדרין לח:): **[פסוק ח] ותמת דבורה.** מה ענין דבורה בבית יעקב. אלא לפי שאמרה רבקה ליעקב ושלחתי ולקחתיך משם (לעיל כז:מה) שלחה דבורה אצלו לפדן ארם לצאת משם, ומתה בדרך. מדברי ר' משה הדרשן למדתיה (ברב"ח): **מתחת לבית אל.** העיר יושבת בהר ונקברה ברגלי ההר: **תחת האלון.** בשיפולי מישרא (אונקלוס), שהיה מישור מלמעלה בשפוע ההר והקבורה מלמטה. ומישור של בית

בעל הטורים

(ה) ויסעו. ב' במסורת, חד ריש פסוק וחד סוף פסוק — "ויסעו ויהי חתת אלהים", "אלה מסעי בני ישראל ... ויסעו". מלמד שהיו הדגלים נוסעים כעין מטתו של יעקב. לומר, מה כאן "חתת אלהים על הערים", אף להלן היו כל האומות יראים מהם:

ראה המפה "מגורי יַעֲקֹב אָבִינוּ וּבָנָיו" (עמוד 532)

עיקר שפתי חכמים

ר כי תחת אילן סרק לא ילכו בני אדם ולא יראו את הקבורה, אבל תחת אילן מאכל ילכו בני אדם ויראו את הקבורה ויפתחו אותה וימלאו את הנזמים: **ש** ולפיכך טעם אל בטפחא שהוא טעם מוכרת:

וַיִּקְרָא שְׁמוֹ אַלּוֹן בָּכוּת: פ
ט וַיֵּרָא אֱלֹהִים אֶל־יַעֲקֹב עוֹד
בְּבֹאוֹ מִפַּדַּן אֲרָם וַיְבָרֶךְ אֹתוֹ:
י וַיֹּאמֶר־לוֹ אֱלֹהִים שִׁמְךָ יַעֲקֹב
לֹא־יִקָּרֵא שִׁמְךָ עוֹד יַעֲקֹב כִּי
אִם־יִשְׂרָאֵל יִהְיֶה שְׁמֶךָ וַיִּקְרָא
אֶת־שְׁמוֹ יִשְׂרָאֵל: יא וַיֹּאמֶר לוֹ
אֱלֹהִים אֲנִי אֵל שַׁדַּי פְּרֵה וּרְבֵה גּוֹי וּקְהַל
גּוֹיִם יִהְיֶה מִמֶּךָּ וּמְלָכִים מֵחֲלָצֶיךָ יֵצֵאוּ:

וּקְרָא שְׁמֵהּ מֵישַׁר
בָּכִיתָא: ט וְאִתְגְּלִי יְיָ
לְיַעֲקֹב עוֹד בְּמֵיתֵהּ מִפַּדַּן
אֲרָם וּבָרִיךְ יָתֵהּ: י וַאֲמַר
לֵהּ יְיָ שְׁמָךְ יַעֲקֹב לָא
יִתְקְרֵי שְׁמָךְ עוֹד יַעֲקֹב
אֱלָהֵן יִשְׂרָאֵל יְהֵא שְׁמָךְ
וּקְרָא יָת שְׁמֵהּ יִשְׂרָאֵל:
יא וַאֲמַר לֵהּ יְיָ אֲנָא אֵל
שַׁדַּי פּוּשׁ וּסְגֵי עַם וְכִנְשַׁת
שִׁבְטִין יְהֵא (נ"א יְהוֹן)
מִנָּךְ וּמַלְכִין דְּשַׁלִּיטִין
בְּעַמְמַיָּא מִנָּךְ יִפְקוּן:

רש"י

אל היו קורין לו אלון. ואגדה, נתבשר שם באבל שני, שהוגד לו על אמו ת שמתה, א ואלון בל' יוני אחר [ס"א אבל] (ב"ר פא:ה). ולפיכך העלימו [ס"א ולפי שהעלימו] את יום מותה ב שלא יקללו הבריות הכרס שיצא ממנו עשו, אף הכתוב לא פרסמה (תנחומא כי תצא ד): **[פסוק ט] עוד.** פעם שנית במקום הזה, אחד בלכתו ואחד בשובו (תנחומא ישן כז; ב"ר פב:ג): **ויברך אתו.** ברכת אבלים (ב"ר שם פא:ה): **[פסוק י] לא יקרא שמך עוד יעקב.** ל' אדם הבא במארב ועקבה, אלא ל' שר ונגיד (חולין צב.): **[פסוק יא] אני אל שדי.** שאני ג כדאי לברך, שהברכות שלי [די למתברכים]: **פרה ורבה.** ע"ש שעדיין לא נולד בנימין ואע"פ שכבר נתעברה ממנו (ב"ר פב:ד): **גוי.** בנימין: **גוים.** מנשה ואפרים שעתידים לצאת מיוסף והם במנין השבטים (שם): **ומלכים.** שאול ואיש בושת שהיו משבט בנימין שעדיין ד לא נולד (שם). [ופסוק זה דרש אבנר כשהמליך איש בושת, ואף השבטים דרשוהו וקרבו בנימין, דכתיב איש ממנו לא יתן את בתו לבנימין לאשה (שופטים כא:א), וחזרו ואמרו אלמלא היה עולה מן השבטים לא היה הקב"ה אומר ליעקב ומלכים מחלציך יצאו (ב"ר שם; תנחומא ישן כט): **גוי וקהל גוים.** שגוים

בעל הטורים

(יא) **אני אל שדי פרה ורבה.** הוא שם של פריה ורביה. כי נעלם שלו שי"ן דל"ת יו"ד עולה ת"ק, כמנין אברים שבאיש ושבאשה: **גוי וקהל גוים יהיה ממך.** בגימטריא ירבעם ויהוא:

עיקר שפתי חכמים

ת כי קודם לכן לא מתה, שסלחה את דבורה אצלו. וכשבא אל בית אביו, כתיב ויבא יעקב אל יצחק אביו ולא אל רבקה אמו, ש"מ שמתה עתה: **א** ואלון בלשון יווני אחר כצ"ל וכ"ה ברש"י תהלים ק"ט. ור"ל בל' יווני נקרא אחר בשם אלון: **ב** ר"ל כדי שלא ישמע עשו ויבוא מארץ שעיר לעסוק בקבורתה, וע"י זה יקללו את הכרס שיצא ממנה: **ג** לפיכך אמר שמו כאן שדי: **ד** לכך כתיב מחלציך שעודו בבטן, והוא בנימין שלא נולד עוד:

ששי יב וְאֶת־הָאָרֶץ אֲשֶׁר נָתַתִּי
לְאַבְרָהָם וּלְיִצְחָק לְךָ אֶתְּנֶנָּה
וּלְזַרְעֲךָ אַחֲרֶיךָ אֶתֵּן אֶת־
הָאָרֶץ: יג וַיַּעַל מֵעָלָיו אֱלֹהִים
בַּמָּקוֹם אֲשֶׁר־דִּבֶּר אִתּוֹ: יד וַיַּצֵּב
יַעֲקֹב מַצֵּבָה בַּמָּקוֹם אֲשֶׁר־דִּבֶּר
אִתּוֹ מַצֶּבֶת אָבֶן וַיַּסֵּךְ עָלֶיהָ נֶסֶךְ
וַיִּצֹק עָלֶיהָ שָׁמֶן: טו וַיִּקְרָא יַעֲקֹב
אֶת־שֵׁם הַמָּקוֹם אֲשֶׁר דִּבֶּר אִתּוֹ
שָׁם אֱלֹהִים בֵּית־אֵל: טז וַיִּסְעוּ מִבֵּית אֵל וַיְהִי־
עוֹד כִּבְרַת־הָאָרֶץ לָבוֹא אֶפְרָתָה וַתֵּלֶד רָחֵל
וַתְּקַשׁ בְּלִדְתָּהּ: יז וַיְהִי בְהַקְשֹׁתָהּ בְּלִדְתָּהּ

יב וְיָת אַרְעָא דִּי יְהָבִית
לְאַבְרָהָם וּלְיִצְחָק לָךְ
אֶתְּנִנַּהּ וְלִבְנָיךְ בָּתְרָךְ
אֶתֵּן יָת אַרְעָא: יג וְאִסְתַּלַּק
מֵעִלָּוֹהִי יְקָרָא דַייָ בְּאַתְרָא
דִּי מַלֵּיל עִמֵּהּ: יד וַאֲקֵים
יַעֲקֹב קָמְתָא בְּאַתְרָא דִּי
מַלֵּיל עִמֵּהּ קָמַת אַבְנָא
וְאַסֵּיךְ עֲלַהּ נִסּוּכִין וַאֲרֵיק
עֲלַהּ מִשְׁחָא: טו וּקְרָא
יַעֲקֹב יָת שְׁמָא דְּאַתְרָא
דִּי מַלֵּיל עִמֵּהּ תַּמָּן יְיָ בֵּית
אֵל: טז וּנְטַלוּ מִבֵּית אֵל
וַהֲוָה עוֹד כְּרוּבַת אַרְעָא
לְמֵיעַל לְאֶפְרָת וִילֵידַת
רָחֵל וְקַשִּׁיאַת בְּמֵילְדַהּ:
יז וַהֲוָה בְּקַשְׁיוּתַהּ בְּמֵילְדַהּ

רש"י

עֲתִידִים בָּנָיו לֵיעָשׂוֹת כְּמִנְיַן הַגּוֹיִם שֶׁהֵם ע' אוּמּוֹת. וְכֵן כָּל הַסַּנְהֶדְרִין שִׁבְעִים (תנחומא ישן ל). ד"א, שֶׁעֲתִידִים בָּנָיו לְהַקְרִיב בִּשְׁעַת אִיסּוּר בָּמוֹת כַּגּוֹיִם בִּימֵי אֵלִיָּהוּ (תנחומא שם; שם ה:) [פסוק יג] **בַּמָּקוֹם אֲשֶׁר דִּבֶּר אִתּוֹ.** ה אֵינִי יוֹדֵעַ מַה מְּלַמְּדֵנוּ: [פסוק טז] **כִּבְרַת הָאָרֶץ.** מְנַחֵם פֵּי' ל' כַּבִּיר, רִבּוּי, מַהֲלָךְ רַב. וְאַגָּדָה, בִּזְמַן שֶׁהָאָרֶץ חֲלוּלָה וּמְנוּקֶּבֶת כִּכְבָרָה, שֶׁהַכִּיר מָצוּי, הַסְּתָיו עָבַר ו וְהַשָּׁרָב עֲדַיִין לֹא בָא (שם ז). וְאֵין זֶה פְּשׁוּטוֹ שֶׁל מִקְרָא, שֶׁהֲרֵי בְּנַעֲמָן מָצִינוּ וַיֵּלֶךְ מֵאִתּוֹ כִּבְרַת אָרֶץ (מלכים ב ה:יט). וְאוֹמֵר אֲנִי שֶׁהוּא שֵׁם מִדַּת קַרְקַע כְּמוֹ מַהֲלַךְ פַּרְסָה אוֹ יוֹתֵר, כְּמוֹ שֶׁאַתָּה אוֹמֵר צֶמֶד כֶּרֶם (ישעיה ה: י), חֶלְקַת שָׂדֶה (לעיל לג:יט), כָּךְ בְּמַהֲלַךְ אָדָם נוֹתֵן שֵׁם מִדָּה [ס"א מִדַּת קַרְקַע כְּמוֹ מַהֲלַךְ מִיל] כִּבְרַת אָרֶץ:

עיקר שפתי חכמים

ה כי גבי אברהם שכתוב ג"כ ויעל אלהים מעל אברהם, לא נאמר במקום אשר דבר אתו: ו וא"כ הזמן יפה ללכת בדרך, עכ"ז לא נשאה לאפרת כ"א קברה בדרך. והטעם כמו שפירש"י ע"ז בריש פ' ויחי ע"ש:

וַתֹּאמֶר לָהּ הַמְיַלֶּדֶת אַל־תִּירְאִי
כִּי־גַם־זֶה לָךְ בֵּן׃ יח וַיְהִי בְּצֵאת
נַפְשָׁהּ כִּי מֵתָה וַתִּקְרָא שְׁמוֹ
בֶּן־אוֹנִי וְאָבִיו קָרָא־לוֹ בִנְיָמִין׃
יט וַתָּמָת רָחֵל וַתִּקָּבֵר בְּדֶרֶךְ
אֶפְרָתָה הִוא בֵּית לָחֶם׃ כ וַיַּצֵּב
יַעֲקֹב מַצֵּבָה עַל־קְבֻרָתָהּ הִוא
מַצֶּבֶת קְבֻרַת־רָחֵל עַד־הַיּוֹם׃
כא וַיִּסַּע יִשְׂרָאֵל וַיֵּט אָהֳלֹה
מֵהָלְאָה לְמִגְדַּל־עֵדֶר׃ כב וַיְהִי בִּשְׁכֹּן יִשְׂרָאֵל
בָּאָרֶץ הַהִוא וַיֵּלֶךְ רְאוּבֵן וַיִּשְׁכַּב אֶת־בִּלְהָה
פִּילֶגֶשׁ אָבִיו וַיִּשְׁמַע יִשְׂרָאֵל פ [פסקא באמצע פסוק]

וַאֲמֶרֶת לַהּ חָיְתָא לָא
תִדְחֲלִי אֲרֵי אַף דֵּין לִיךְ
בָּר׃ יח וַהֲוָה בְּמִפַּק נַפְשַׁהּ
אֲרֵי מִיתַת (נ״א מֵיתָא)
וּקְרָת שְׁמֵהּ בַּר דָּוָי
וַאֲבוּהִי קְרָא לֵהּ בִּנְיָמִין׃
יט וּמִיתַת רָחֵל וְאִתְקְבָרַת
בְּאֹרַח אֶפְרָת הִיא בֵּית
לָחֶם׃ כ וַאֲקִים יַעֲקֹב
קָמְתָא עַל קְבֻרְתַּהּ הִיא
קָמַת קְבֻרְתָּא דְרָחֵל עַד
יוֹמָא דֵין׃ כא וּנְטַל יִשְׂרָאֵל
וּפְרַס מַשְׁכְּנֵהּ מִלְּהָלְּאָ
לְמִגְדְּלָא דְעֵדֶר׃ כב וַהֲוָה
כַּד שְׁרָא יִשְׂרָאֵל בְּאַרְעָא
הַהִיא וַאֲזַל רְאוּבֵן וּשְׁכִיב
עִם בִּלְהָה לְחֵינָתָא
דַאֲבוּהִי וּשְׁמַע יִשְׂרָאֵל

רש״י

[פסוק יז] **כי גם זה.** נוסף לך על יוסף. ורבותינו דרשו, עם כל שבט נולדה תאומה, ועם בנימין נולדה תאומה יתירה (ב״ר פב ח): [פסוק יח] **בן אוני.** בן צערי (שם ט): **בנימין.** נראה בעיני לפי שהוא לבדו נולד בארץ כנען שהיא בנגב כשאדם בא מארם נהרים, כמו שנאמר בנגב בארץ כנען (במדבר לג:מ), הלוך ונסוע הנגבה (לעיל יב:ט): **בנימין.** בן ימין. ל׳ צפון וימין אתה בראתם (תהלים פט:יג). לפיכך הוא מלא. [ד״א, בנימין, בן ימים, שנולד לעת זקנתו, ונכתב בנו״ן כמו לקץ הימין (דניאל יב:יג)]: [פסוק כב] **בשכן ישראל בארץ ההוא.** עד שלא בא לחברון אצל יצחק ז ארעוהו כל אלה (עי׳ רש״י לעיל פסוק ח): **וישכב.** מתוך שבלבל משכבו מעלה עליו הכתוב כאילו שכבה. ולמה בלבל וחלל יצועיו, שכשמתה רחל

עיקר שפתי חכמים

ז ר״ל לפי שאיחר ביאתו לבית אביו אירע לו כל אלה:

וַיִּהְיוּ בְנֵי־יַעֲקֹב שְׁנֵים עָשָׂר: כג בְּנֵי לֵאָה בְּכוֹר יַעֲקֹב רְאוּבֵן וְשִׁמְעוֹן וְלֵוִי וִיהוּדָה וְיִשָּׂשכָר וּזְבֻלוּן: כד בְּנֵי רָחֵל יוֹסֵף וּבִנְיָמִן: כה וּבְנֵי בִלְהָה שִׁפְחַת רָחֵל דָּן וְנַפְתָּלִי: כו וּבְנֵי זִלְפָּה שִׁפְחַת לֵאָה גָּד וְאָשֵׁר אֵלֶּה בְּנֵי יַעֲקֹב אֲשֶׁר יֻלַּד־לוֹ בְּפַדַּן אֲרָם: כז וַיָּבֹא יַעֲקֹב אֶל־יִצְחָק אָבִיו מַמְרֵא קִרְיַת הָאַרְבַּע הִוא חֶבְרוֹן אֲשֶׁר־גָּר־שָׁם אַבְרָהָם וְיִצְחָק: כח וַיִּהְיוּ

וַהֲווֹ בְּנֵי יַעֲקֹב תְּרֵי עֲסַר: כג בְּנֵי לֵאָה בּוּכְרָא דְיַעֲקֹב רְאוּבֵן וְשִׁמְעוֹן וְלֵוִי וִיהוּדָה וְיִשָּׂשכָר וּזְבֻלוּן: כד בְּנֵי רָחֵל יוֹסֵף וּבִנְיָמִן: כה וּבְנֵי בִלְהָה אַמְתָא דְרָחֵל דָּן וְנַפְתָּלִי: כו וּבְנֵי זִלְפָּה אַמְתָא דְלֵאָה גָּד וְאָשֵׁר אִלֵּין בְּנֵי יַעֲקֹב דִּי אִתְיְלִידוּ לֵהּ בְּפַדַּן אֲרָם: כז וַאֲתָא יַעֲקֹב לְוָת יִצְחָק אֲבוּהִי מַמְרֵא קִרְיַת אַרְבַּע הִיא חֶבְרוֹן דִּי דָר תַּמָּן אַבְרָהָם וְיִצְחָק: כח וַהֲווֹ

רש"י

נָטַל יַעֲקֹב מִטָּתוֹ שֶׁהָיְתָה נְתוּנָה תָּדִיר בְּאֹהֶל רָחֵל וְלֹא בִשְׁאָר אֹהָלִים וּנְתָנָהּ בְּאֹהֶל בִּלְהָה. בָּא רְאוּבֵן וְתָבַע עֶלְבּוֹן אִמּוֹ, אָמַר, אִם אֲחוֹת אִמִּי הָיְתָה צָרָה לְאִמִּי, שִׁפְחַת אֲחוֹת אִמִּי תְּהֵא צָרָה לְאִמִּי, לְכָךְ בִּלְבֵּל (שבת נה:): וַיִּהְיוּ בְנֵי יַעֲקֹב שְׁנֵים עָשָׂר. מַתְחִיל לְעִנְיָן רִאשׁוֹן, מִשֶּׁנּוֹלַד בִּנְיָמִין נִשְׁלְמָה הַמִּטָּה וּמֵעַתָּה רְאוּיִים לְהִמָּנוֹת, וּמְנָאָן. וְרַבּוֹתֵינוּ דָרְשׁוּ, לְלַמְּדֵנוּ בָּא שֶׁכֻּלָּם שָׁוִין וְכֻלָּם צַדִּיקִים, שֶׁלֹּא חָטָא רְאוּבֵן (שם): [פסוק כג] בְּכוֹר יַעֲקֹב. אֲפִילוּ בִּשְׁעַת הַקַּלְקָלָה קְרָאוֹ בְּכוֹר (ב"ר פד:יא): בְּכוֹר יַעֲקֹב. בְּכוֹר

לַנַּחֲלָה, בְּכוֹר לָעֲבוֹדָה, בְּכוֹר לַמִּנְיָן. וְלֹא נִתְּנָה בְּכוֹרָה לְיוֹסֵף אֶלָּא לְעִנְיַן הַשְּׁבָטִים, שֶׁנַּעֲשָׂה לִשְׁנֵי שְׁבָטִים (בבא בתרא קכג.): [פסוק כז] מַמְרֵא. שֵׁם הַמִּישׁוֹר: קִרְיַת אַרְבַּע. שֵׁם הָעִיר: מַמְרֵא קִרְיַת הָאַרְבַּע. אֶל מִישׁוֹר שֶׁל קִרְיַת אַרְבַּע. וְאִם תֹּאמַר הָיָה לוֹ לִכְתֹּב מַמְרֵא הַקִּרְיַת אַרְבַּע. כֵּן דֶּרֶךְ הַמִּקְרָא בְּכָל דָּבָר שֶׁשְּׁמוֹ כָּפוּל, כְּגוֹן זֶה, וּכְגוֹן בֵּית לֶחֶם, אֲבִי עֶזֶר, בֵּית אֵל, אִם הוּצְרַךְ לְהַטִּיל בּוֹ ה"א נוֹתְנָהּ בְּרֹאשׁ הַתֵּיבָה הַשְּׁנִיָּה. בֵּית הַלַּחְמִי (שמואל א טז:א) בְּעָפְרָת אֲבִי הָעֶזְרִי (שופטים ו:כד) בָּנָה חִיאֵל בֵּית הָאֱלִי (מלכים א טז:לד):

עיקר שפתי חכמים

ח ר"ל על בגדי כ"ג החתן והאפוד היה שמו נקבע ראשון: ט ר"ל שנמנה ראשון לכל השבטים: י ר"ל המישור נקרא ממרא, והעיר נקראת קרית הארבע. ופירושו בא אל מישור [ממרא] הסמוך לעיר [קרית הארבע]:

יְמֵי יִצְחָק מְאַת שָׁנָה וּשְׁמֹנִים
שָׁנָה: כט וַיִּגְוַע יִצְחָק וַיָּמָת וַיֵּאָסֶף
אֶל־עַמָּיו זָקֵן וּשְׂבַע יָמִים וַיִּקְבְּרוּ
אֹתוֹ עֵשָׂו וְיַעֲקֹב בָּנָיו: פ
פרק לו א וְאֵלֶּה תֹּלְדוֹת עֵשָׂו הוּא
אֱדוֹם: ב עֵשָׂו לָקַח אֶת־נָשָׁיו
מִבְּנוֹת כְּנָעַן אֶת־עָדָה בַּת־אֵילוֹן הַחִתִּי וְאֶת־
אָהֳלִיבָמָה בַּת־עֲנָה בַּת־צִבְעוֹן הַחִוִּי: ג וְאֶת־

יוֹמֵי יִצְחָק מְאָה וּתְמָנַן
שְׁנִין: כט וְאִתְנְגִיד יִצְחָק
וּמִית וְאִתְכְּנֵישׁ לְעַמֵּהּ
סִיב וּשְׂבַע יוֹמִין וּקְבָרוּ
יָתֵהּ עֵשָׂו וְיַעֲקֹב בְּנוֹהִי:
א וְאִלֵּין תּוּלְדָת עֵשָׂו
הוּא אֱדוֹם: ב עֵשָׂו נְסֵיב
יָת נְשׁוֹהִי מִבְּנַת כְּנַעַן יָת
עָדָה בַּת אֵילוֹן חִתָּאָה
וְיָת אָהֳלִיבָמָה בַּת עֲנָה
בַּת צִבְעוֹן חִוָּאָה: ג וְיָת

רש"י

[פסוק כט] **וַיִּגְוַע יִצְחָק.** אֵין מוּקְדָּם וּמְאוּחָר בַּתּוֹרָה (פסחים ו:). מְכִירָתוֹ שֶׁל יוֹסֵף קָדְמָה לְמִיתָתוֹ שֶׁל יִצְחָק י"ב שָׁנָה, שֶׁהֲרֵי כְּשֶׁנּוֹלַד יַעֲקֹב הָיָה יִצְחָק בֶּן ס' שָׁנָה, שנא' וְיִצְחָק בֶּן שִׁשִּׁים שָׁנָה וגו' (לעיל כה:כו) וְיִצְחָק מֵת בִּשְׁנַת ק"כ לְיַעֲקֹב, אִם תּוֹצִיא שִׁשִּׁים מִק"פ שָׁנָה נִשְׁאֲרוּ ק"ך. וְיוֹסֵף נִמְכַּר בֶּן י"ז שָׁנָה וְאוֹתָהּ שָׁנָה שְׁנַת מֵאָה וּשְׁמוֹנֶה לְיַעֲקֹב. כֵּיצַד, בֶּן שִׁשִּׁים וְשָׁלֹשׁ נִתְבָּרֵךְ, י"ד שָׁנָה נִטְמַן בְּבֵית עֵבֶר. הֲרֵי שִׁבְעִים וָשֶׁבַע. וְאַרְבַּע עֶשְׂרֵה עָבַד בְּאִשָּׁה, וּבְסוֹף אַרְבַּע עֶשְׂרֵה נוֹלַד יוֹסֵף, שנא' וַיְהִי כַּאֲשֶׁר יָלְדָה רָחֵל אֶת יוֹסֵף וגו' (לעיל ל:כה), הֲרֵי תִּשְׁעִים וְאַחַת, וי"ז עַד שֶׁלֹּא נִמְכַּר יוֹסֵף, הֲרֵי מֵאָה וּשְׁמוֹנֶה. [עוֹד מְפוֹרָשׁ הוּא] מִן הַמִּקְרָא, מִשֶּׁנִּמְכַּר יוֹסֵף עַד שֶׁבָּא יַעֲקֹב מִצְרַיְמָה כ"ב שָׁנָה, שנא' וְיוֹסֵף בֶּן שְׁלֹשִׁים שָׁנָה וגו' (להלן מא:מו). וְז' שָׁנִים שׂוֹבַע וּשְׁנָתַיִם רָעָב, הֲרֵי כ"ב. וּכְתִיב יְמֵי שְׁנֵי מְגוּרַי שְׁלֹשִׁים וּמְאַת שָׁנָה (להלן מז:ט), נִמְצָא יַעֲקֹב בִּמְכִירָתוֹ [שֶׁל יוֹסֵף] ק"ח: [פסוק ב] **עָדָה בַּת אֵילוֹן.** הִיא בָּשְׂמַת בַּת אֵילוֹן. וְנִקְרֵאת בָּשְׂמַת ע"ש שֶׁהָיְתָה מְקַטֶּרֶת בְּשָׂמִים לע"ז (עי' רש"י לעיל כו:לה־כז:ח): **אָהֳלִיבָמָה.** הִיא יְהוּדִית, וְהוּא כִּינָּה שְׁמָהּ יְהוּדִית לוֹמַר שֶׁהִיא כּוֹפֶרֶת בע"ז (עי' מגילה יג.), כְּדֵי לְהַטְעוֹת אֶת אָבִיו: **בַּת עֲנָה בַּת צִבְעוֹן.** אִם בַּת עֲנָה לֹא בַּת צִבְעוֹן, עֲנָה בְּנוֹ שֶׁל צִבְעוֹן, שנא' וְאֵלֶּה בְנֵי צִבְעוֹן וְאַיָּה וַעֲנָה (להלן פסוק כד). מְלַמֵּד שֶׁבָּא צִבְעוֹן עַל כַּלָּתוֹ אֵשֶׁת עֲנָה וְיָצְאת אָהֳלִיבָמָה מִבֵּין שְׁנֵיהֶם, וְהוֹדִיעֲךָ הַכָּתוּב שֶׁכֻּלָּן בְּנֵי מַמְזֵרוּת הָיוּ (ב"ר פב:טו; תנחומא וישב א):

בעל הטורים

(כט) **זקן ושבע ימים.** ב׳ במסורת — ביצחק ובאיוב. [לומר] ששניהם היו צדיקים. וכן באברהם "זקן ושבע". ובצדיקים נאמר כן לשבח, וברשעים לגנאי, "אדם ילוד אשה, קצר ימים ושבע רוגז":

עיקר שפתי חכמים

ב אע"ג דלעיל כתיב בת בארי החתי וכאן בת ענה החוי, אולי באו שתיהם על אשה אחת ונולדה אהליבמה מביניהם. [רא"ם]. ומדכתיב נשיו, משמע אותן הנשים שנכתבו למעלה:

ראה הטבלא "**מִשְׁפַּחַת עֵשָׂו**" (עמוד 534).

בָּשְׂמַת בַּת־יִשְׁמָעֵאל אֲחוֹת
נְבָיוֹת׃ ד וַתֵּלֶד עָדָה לְעֵשָׂו
אֶת־אֱלִיפָז וּבָשְׂמַת יָלְדָה אֶת־
רְעוּאֵל׃ ה וְאָהֳלִיבָמָה יָלְדָה אֶת־
יעוש [יעיש כ׳] וְאֶת־יַעְלָם וְאֶת־
קֹרַח אֵלֶּה בְּנֵי עֵשָׂו אֲשֶׁר יֻלְּדוּ־
לוֹ בְּאֶרֶץ כְּנָעַן׃ ו וַיִּקַּח עֵשָׂו אֶת־
נָשָׁיו וְאֶת־בָּנָיו וְאֶת־בְּנֹתָיו וְאֶת־
כָּל־נַפְשׁוֹת בֵּיתוֹ וְאֶת־מִקְנֵהוּ
וְאֶת־כָּל־בְּהֶמְתּוֹ וְאֵת כָּל־קִנְיָנוֹ אֲשֶׁר רָכַשׁ
בְּאֶרֶץ כְּנָעַן וַיֵּלֶךְ אֶל־אֶרֶץ מִפְּנֵי יַעֲקֹב אָחִיו׃
ז כִּי־הָיָה רְכוּשָׁם רָב מִשֶּׁבֶת יַחְדָּו וְלֹא יָכְלָה

בָּשְׂמַת בַּת יִשְׁמָעֵאל
אֲחָתֵהּ דִּנְבָיוֹת׃ ד וִילִידַת
עָדָה לְעֵשָׂו יָת אֱלִיפָז
וּבָשְׂמַת יְלִידַת יָת רְעוּאֵל׃
ה וְאָהֳלִיבָמָה יְלִידַת יָת
יְעוּשׁ וְיָת יַעְלָם וְיָת קֹרַח
אִלֵּין בְּנֵי עֵשָׂו דִּי אִתְיְלִידוּ
לֵהּ בְּאַרְעָא דִכְנָעַן׃ ו וּדְבַר
עֵשָׂו יָת נְשׁוֹהִי וְיָת בְּנוֹהִי
וְיָת בְּנָתֵהּ וְיָת כָּל נַפְשָׁת
בֵּיתֵהּ וְיָת גֵּיתוֹהִי וְיָת
כָּל בְּעִירֵהּ וְיָת כָּל קִנְיָנֵהּ
דִּי קְנָא בְּאַרְעָא דִכְנָעַן
וַאֲזַל לְאַרְעָא אוּחֳרֵי
מִן קֳדָם יַעֲקֹב אֲחוּהִי׃
ז אֲרֵי הֲוָה קִנְיָנְהוֹן סַגִּי
מִלְּמִתַּב כַּחֲדָא וְלָא יְכִילַת

רש"י

[פסוק ג] בשמת בת ישמעאל. ולהלן קורא לה מחלת (לעיל כח:ט). מצינו באגדת מדרש ספר שמואל (פי"ז) ג׳ מוחלים להן עונותיהן, גר שנתגייר, והעולה לגדולה, והנושא אשה. ולמד הטעם מכאן, לכך נקראת מחלת שנמחלו עונותיו: **אחות נביות.** על שם שהוא השיאה לו משמת ישמעאל נקראת על שמו (מגילה יז.): **[פסוק ה] ואהליבמה ילדה וגו׳.** קרח זה ממזר היה ובן אליפז היה שבא על אשת אביו [על אהליבמה אשת עשו], שהרי הוא מנוי ל עם אלופי אליפז בסוף הענין (ב"ר פב:יב): **[פסוק ו] וילך אל ארץ.** לגור באשר ימצא:

בעל הטורים

(ד) ותלד עדה. בבני יעקב כשמייחסם אומר "בני לאה", "בני רחל", וכן בכולן. לפי שהם בנינו של עולם, ולכך נקראו בנים. אבל בני עשו אינם נקראים בנים אלא ולדות, כמו ולדי בהמה: **(ה) יעוש.** יעיש כתיב. לפי שקבץ יו"ד אומות לבוא על ישראל בחורבן הבית, והם "אהלי אדום וגו׳". עשר גליות גלו ישראל על ידו:

עיקר שפתי חכמים

ל ואין לומר דשני קרח היו, שהרי לא חשב אותו בפסוק י"א בין בניו של אליפז:

אֶרֶץ מְגוּרֵיהֶם לָשֵׂאת אֹתָם
מִפְּנֵי מִקְנֵיהֶם: ח וַיֵּשֶׁב עֵשָׂו
בְּהַר שֵׂעִיר עֵשָׂו הוּא אֱדוֹם:
ט וְאֵלֶּה תֹּלְדוֹת עֵשָׂו אֲבִי אֱדוֹם
בְּהַר שֵׂעִיר: י אֵלֶּה שְׁמוֹת בְּנֵי־
עֵשָׂו אֱלִיפַז בֶּן־עָדָה אֵשֶׁת עֵשָׂו
רְעוּאֵל בֶּן־בָּשְׂמַת אֵשֶׁת עֵשָׂו:
יא וַיִּהְיוּ בְּנֵי אֱלִיפָז תֵּימָן אוֹמָר
צְפוֹ וְגַעְתָּם וּקְנַז: יב וְתִמְנַע | הָיְתָה פִילֶגֶשׁ
לֶאֱלִיפַז בֶּן־עֵשָׂו וַתֵּלֶד לֶאֱלִיפַז אֶת־עֲמָלֵק

אֲרַע תּוֹתָבוּתְהוֹן
לְסוֹבָרָא יָתְהוֹן מִן קֳדָם
גֵּיתֵיהוֹן: ח וִיתֵיב עֵשָׂו
בְּטוּרָא דְשֵׂעִיר עֵשָׂו הוּא
אֱדוֹם: ט וְאִלֵּין תּוֹלְדַת
עֵשָׂו אֲבוּהוֹן דֶּאֱדוֹמָאֵי
בְּטוּרָא דְשֵׂעִיר: י אִלֵּין
שְׁמָהַת בְּנֵי עֵשָׂו אֱלִיפַז
בַּר עָדָה אִתַּת עֵשָׂו
רְעוּאֵל בַּר בָּשְׂמַת אִתַּת
עֵשָׂו: יא וַהֲווֹ בְּנֵי אֱלִיפָז
תֵּימָן אוֹמָר צְפוֹ וְגַעְתָּם
וּקְנַז: יב וְתִמְנַע הֲוַת
לְחֵינָתָא לֶאֱלִיפַז בַּר עֵשָׂו
וִילִידַת לֶאֱלִיפַז יָת עֲמָלֵק

רש"י

[פסוק ז] **וְלֹא יָכְלָה אֶרֶץ מְגוּרֵיהֶם.** לְהַסְפִּיק מִרְעֶה לַבְּהֵמוֹת שֶׁלָּהֶם. וּמִדְרַשׁ אַגָּדָה, **מִפְּנֵי יַעֲקֹב אָחִיו,** מִפְּנֵי שְׁטַר חוֹב שֶׁל גְּזֵרַת כִּי גֵר יִהְיֶה זַרְעֲךָ הַמּוּטָל עַל זַרְעוֹ שֶׁל יִצְחָק. אָמַר, אֵלֵךְ לִי מִכָּאן, אֵין לִי חֵלֶק לֹא בַּמַּתָּנָה שֶׁנִּתְּנָה לוֹ הָאָרֶץ הַזֹּאת וְלֹא בְּפִרְעוֹן הַשְּׁטָר, וּמִפְּנֵי הַבּוּשָׁה שֶׁמָּכַר בְּכוֹרָתוֹ (ב"ר שם יג): [פסוק ט] **וְאֵלֶּה.** הַתּוֹלָדוֹת שֶׁהוֹלִידוּ בָנָיו [עַכְשָׁיו] מִשֶּׁהָלַךְ לְשֵׂעִיר: [פסוק יב] **וְתִמְנַע הָיְתָה פִּילֶגֶשׁ.** לְהוֹדִיעַ גְּדוּלָּתוֹ שֶׁל אַבְרָהָם כַּמָּה הָיוּ תְּאֵבִים לִידָּבֵק בְּזַרְעוֹ. תִּמְנַע זוֹ בַּת אַלּוּפִים הָיְתָה, שֶׁנֶּא' וַאֲחוֹת לוֹטָן תִּמְנָע (להלן פסוק כב) וְלוֹטָן מֵאַלּוּפֵי יוֹשְׁבֵי שֵׂעִיר הָיָה מִן הַחוֹרִים שֶׁיָּשְׁבוּ בָהּ לְפָנִים. אָמְרָה, אֵינִי זוֹכָה לְהִנָּשֵׂא לְךָ, הַלְוַאי מ שֶׁאֶהְיֶה פִּילֶגֶשׁ (ב"ר פב:יד, ועי' סנהדרין צט:). וּבְדִבְרֵי הַיָּמִים (א א:לו) מוֹנֶה אוֹתָהּ בִּבְנָיו שֶׁל אֱלִיפַז, מְלַמֵּד שֶׁבָּא עַל אִשְׁתּוֹ שֶׁל שֵׂעִיר נ וְיָלְדָה תִּמְנַע מִבֵּינֵיהֶם, וּכְשֶׁגָּדְלָה נַעֲשֵׂית פִּילַגְשׁוֹ. וְזֶהוּ וַאֲחוֹת

בעל הטורים

(ז) **ולא יכלה.** ב' – "ולא יכלה ארץ מגוריהם"; "ולא יכלה עוד הצפינו". לפי שיעקב שרתה עליו שכינה, ומצרים עבדו עבודה זרה ולא היה יכול לסבול:

עיקר שפתי חכמים

מ כי למה מזכיר אמו של עמלק יותר מאמות שאר בניו: **נ** אף שיש לומר כי אחר שמת שעיר החורי נשא אליפז אשתו והוליד ממנה את תמנע. תירץ הרא"ם דכל המשפחות הללו לא נכתבו אלא להודיע קלונם ופסולתם, לכך כל היכא דאיכא למיתלי בהו קלקולא תלינן. ובזה יתורץ לקמן ג"כ מה שפרש"י על ענה שבא על אמו כו', דלמא שעיר אביו של צבעון בא על כלתו והוליד את ענה, והעולם היו סבורין שהוא בנו של צבעון. אך מה שנוכל לתלות קלקלה במקולקל, וצבעון הוא מקולקל שבא על אשתו של ענה:

אֵ֣לֶּה בְּנֵ֥י עָדָ֖ה אֵ֥שֶׁת עֵשָֽׂו׃ יג וְאֵ֨לֶּה
בְּנֵ֣י רְעוּאֵ֔ל נַ֥חַת וָזֶ֖רַח שַׁמָּ֣ה וּמִזָּ֑ה
אֵ֣לֶּה הָי֔וּ בְּנֵ֥י בָשְׂמַ֖ת אֵ֥שֶׁת עֵשָֽׂו׃
יד וְאֵ֣לֶּה הָי֗וּ בְּנֵ֨י אָהֳלִיבָמָ֧ה בַת־
עֲנָ֛ה בַּת־צִבְע֖וֹן אֵ֣שֶׁת עֵשָׂ֑ו וַתֵּ֣לֶד
לְעֵשָׂ֗ו אֶת־יְע֥וּשׁ [יעיש כ׳] וְאֶת־
יַעְלָ֖ם וְאֶת־קֹֽרַח׃ טו אֵ֖לֶּה אַלּוּפֵ֣י
בְנֵֽי־עֵשָׂ֑ו בְּנֵ֤י אֱלִיפַז֙ בְּכ֣וֹר עֵשָׂ֔ו
אַלּ֤וּף תֵּימָן֙ אַלּ֣וּף אוֹמָ֔ר אַלּ֥וּף
צְפ֖וֹ אַלּ֥וּף קְנַֽז׃ טז אַלּֽוּף־קֹ֛רַח
אַלּ֥וּף גַּעְתָּ֖ם אַלּ֣וּף עֲמָלֵ֑ק אֵ֣לֶּה אַלּוּפֵ֤י אֱלִיפַז֙
בְּאֶ֣רֶץ אֱד֔וֹם אֵ֖לֶּה בְּנֵ֥י עָדָֽה׃ יז וְאֵ֗לֶּה בְּנֵ֣י רְעוּאֵל֮
בֶּן־עֵשָׂו֒ אַלּ֥וּף נַ֙חַת֙ אַלּ֣וּף זֶ֔רַח אַלּ֥וּף שַׁמָּ֖ה אַלּ֣וּף
מִזָּ֑ה אֵ֜לֶּה אַלּוּפֵ֤י רְעוּאֵל֙ בְּאֶ֣רֶץ אֱד֔וֹם אֵ֕לֶּה
בְּנֵ֥י בָשְׂמַ֖ת אֵ֥שֶׁת עֵשָֽׂו׃ יח וְאֵ֗לֶּה בְּנֵ֤י אָהֳלִיבָמָה֙

אִלֵּין בְּנֵי עָדָה אִתַּת עֵשָׂו:
יג וְאִלֵּין בְּנֵי רְעוּאֵל נַחַת
וָזֶרַח שַׁמָּה וּמִזָּה אִלֵּין
הֲווֹ בְּנֵי בָשְׂמַת אִתַּת עֵשָׂו:
יד וְאִלֵּין הֲווֹ בְּנֵי אָהֳלִיבָמָה
בַת עֲנָה בַּת צִבְעוֹן אִתַּת
עֵשָׂו וִילִידַת לְעֵשָׂו יָת
יְעוּשׁ וְיָת יַעְלָם וְיָת קֹרַח:
טו אִלֵּין רַבְּנֵי בְנֵי עֵשָׂו בְּנֵי
אֱלִיפַז בּוּכְרָא דְעֵשָׂו רַבָּא
תֵימָן רַבָּא אוֹמָר רַבָּא צְפוֹ
רַבָּא קְנַז: טז רַבָּא קֹרַח
רַבָּא גַעְתָּם רַבָּא עֲמָלֵק
אִלֵּין רַבְּנֵי דֶאֱלִיפַז בְּאַרְעָא
דֶאֱדוֹם אִלֵּין בְּנֵי עָדָה:
יז וְאִלֵּין בְּנֵי רְעוּאֵל בַּר עֵשָׂו
רַבָּא נַחַת רַבָּא זֶרַח רַבָּא
שַׁמָּה רַבָּא מִזָּה אִלֵּין רַבְּנֵי
רְעוּאֵל בְּאַרְעָא (דֶ)אֱדוֹם
אִלֵּין בְּנֵי בָשְׂמַת אִתַּת עֵשָׂו:
יח וְאִלֵּין בְּנֵי אָהֳלִיבָמָה

רש״י

לוֹטָן תִּמְנָע, וְלֹא מְנָאָהּ עִם בְּנֵי שֵׂעִיר, שֶׁהָיְתָה אֲחוֹתוֹ מִן הָאֵם וְלֹא מִן הָאָב (תנחומא וישב ח):

[פסוק טו] **אֵלֶּה אַלּוּפֵי בְּנֵי עֵשָׂו.** ס רָאשֵׁי מִשְׁפָּחוֹת:

עיקר שפתי חכמים

ס ר״ל נשיאים וראשי בתי אבות:

אֵשֶׁת עֵשָׂו אַלּוּף יְעוּשׁ אַלּוּף
יַעְלָם אַלּוּף קֹרַח אֵלֶּה אַלּוּפֵי
אָהֳלִיבָמָה בַּת־עֲנָה אֵשֶׁת עֵשָׂו:
יט אֵלֶּה בְנֵי־עֵשָׂו וְאֵלֶּה אַלּוּפֵיהֶם
הוּא אֱדוֹם: ס שביעי כ אֵלֶּה בְנֵי־
שֵׂעִיר הַחֹרִי יֹשְׁבֵי הָאָרֶץ לוֹטָן
וְשׁוֹבָל וְצִבְעוֹן וַעֲנָה: כא וְדִשׁוֹן
וְאֵצֶר וְדִישָׁן אֵלֶּה אַלּוּפֵי הַחֹרִי
בְּנֵי שֵׂעִיר בְּאֶרֶץ אֱדוֹם: כב וַיִּהְיוּ
בְנֵי־לוֹטָן חֹרִי וְהֵימָם וַאֲחוֹת לוֹטָן תִּמְנָע:
כג וְאֵלֶּה בְּנֵי שׁוֹבָל עַלְוָן וּמָנַחַת וְעֵיבָל שְׁפוֹ
וְאוֹנָם: כד וְאֵלֶּה בְנֵי־צִבְעוֹן וְאַיָּה וַעֲנָה הוּא עֲנָה
אֲשֶׁר מָצָא אֶת־הַיֵּמִם בַּמִּדְבָּר בִּרְעֹתוֹ אֶת־

אִתַּת עֵשָׂו רַבָּא יְעוּשׁ רַבָּא
יַעְלָם רַבָּא קֹרַח אִלֵּין
רַבָּנֵי אָהֳלִיבָמָה בַּת עֲנָה
אִתַּת עֵשָׂו: יט אִלֵּין בְּנֵי
עֵשָׂו וְאִלֵּין רַבָּנֵיהוֹן הוּא
אֱדוֹם: כ אִלֵּין בְּנֵי שֵׂעִיר
חוֹרָאָה יָתְבֵי דְאַרְעָא
לוֹטָן וְשׁוֹבָל וְצִבְעוֹן וַעֲנָה:
כא וְדִשׁוֹן וְאֵצֶר וְדִישָׁן
אִלֵּין רַבָּנֵי חוֹרָאָה בְּנֵי
שֵׂעִיר בְּאַרְעָא דֶאֱדוֹם:
כב וַהֲווֹ בְנֵי לוֹטָן חוֹרִי
וְהֵימָם וַאֲחָתֵהּ דְּלוֹטָן
תִּמְנָע: כג וְאִלֵּין בְּנֵי
שׁוֹבָל עַלְוָן וּמָנַחַת וְעֵיבָל
שְׁפוֹ וְאוֹנָם: כד וְאִלֵּין בְּנֵי
צִבְעוֹן וְאַיָּה וַעֲנָה הוּא
עֲנָה דִּי אַשְׁכַּח יָת גִּבָּרַיָּא
בְּמַדְבְּרָא כַּד הֲוָה רָעֵי יָת

רש"י

[פסוק כ] **יֹשְׁבֵי הָאָרֶץ.** שֶׁהָיוּ יוֹשְׁבֶיהָ ע קוֹדֶם שֶׁבָּא עֵשָׂו לְשָׁם (תרגום יונתן). וְרַבּוֹתֵינוּ דָּרְשׁוּ שֶׁהָיוּ בְּקִיאִין בְּיִשּׁוּבָהּ שֶׁל אֶרֶץ, מְלֹא קָנֶה זֶה לְזֵיתִים, מְלֹא קָנֶה זֶה לִגְפָנִים, שֶׁהָיוּ טוֹעֲמִין הֶעָפָר וְיוֹדְעִין אֵי זוֹ נְטִיעָה רְאוּיָה לוֹ (שבת פה.): [פסוק כד] **וְאַיָּה וַעֲנָה.** וי"ו יְתֵירָה, וְהוּא כְּמוֹ אַיָּה וַעֲנָה. וְהַרְבֵּה יֵשׁ בַּמִּקְרָא, אֵת וְקֹדֶשׁ וְצָבָא מִרְמָס (דניאל ח:יג), נִרְדָּם וְרֶכֶב וָסוּס (תהלים עו:ז): **הוּא עֲנָה.** הָאָמוּר לְמַעְלָה שֶׁהוּא אָחִיו שֶׁל צִבְעוֹן, וְכָאן הוּא קוֹרֵא אוֹתוֹ בְּנוֹ. מְלַמֵּד שֶׁבָּא צִבְעוֹן עַל אִמּוֹ וְהוֹלִיד אֶת עֲנָה (תנחומא שם; ב"ר שם טו; פסחים נד.): **אֶת הַיֵּמִם.** פְּרָדִים. הִרְבִּיעַ חֲמוֹר עַל סוּס נְקֵבָה

בעל הטורים

(כ) **יושבי הארץ.** בגימטריא היו מריחים הארץ:

עיקר שפתי חכמים

ע וכן כתיב בפ' דברים ובשעיר ישבו החורים לפנים [דבק טוב]:

הַחֲמֹרִים לְצִבְעוֹן אָבִיו: כה וְאֵלֶּה
בְנֵי־עֲנָה דִּשֹׁן וְאָהֳלִיבָמָה בַּת־
עֲנָה: כו וְאֵלֶּה בְּנֵי דִישָׁן חֶמְדָּן
וְאֶשְׁבָּן וְיִתְרָן וּכְרָן: כז אֵלֶּה בְּנֵי־
אֵצֶר בִּלְהָן וְזַעֲוָן וַעֲקָן: כח אֵלֶּה
בְנֵי־דִישָׁן עוּץ וַאֲרָן: כט אֵלֶּה
אַלּוּפֵי הַחֹרִי אַלּוּף לוֹטָן אַלּוּף
שׁוֹבָל אַלּוּף צִבְעוֹן אַלּוּף עֲנָה:
ל אַלּוּף דִּשֹׁן אַלּוּף אֵצֶר אַלּוּף דִּישָׁן אֵלֶּה
אַלּוּפֵי הַחֹרִי לְאַלֻּפֵיהֶם בְּאֶרֶץ שֵׂעִיר: פ
לא וְאֵלֶּה הַמְּלָכִים אֲשֶׁר מָלְכוּ בְּאֶרֶץ אֱדוֹם

חֲמָרַיָּא לְצִבְעוֹן אֲבוּהִי:
כה וְאִלֵּין בְּנֵי עֲנָה דִּשׁוֹן
וְאָהֳלִיבָמָה בַּת עֲנָה:
כו וְאִלֵּין בְּנֵי דִישָׁן חֶמְדָּן
וְאֶשְׁבָּן וְיִתְרָן וּכְרָן:
כז אִלֵּין בְּנֵי אֵצֶר בִּלְהָן
וְזַעֲוָן וַעֲקָן: כח אִלֵּין בְּנֵי
דִישָׁן עוּץ וַאֲרָן: כט אִלֵּין
רַבְּנֵי חוֹרָאָה רַבָּא לוֹטָן
רַבָּא שׁוֹבָל רַבָּא צִבְעוֹן
רַבָּא עֲנָה: ל רַבָּא דִשׁוֹן
רַבָּא אֵצֶר רַבָּא דִישָׁן
אִלֵּין רַבְּנֵי חוֹרָאָה
לְרַבָּנֵיהוֹן בְּאַרְעָא
דְשֵׂעִיר: לא וְאִלֵּין מַלְכַיָּא
דִּי מְלִיכוּ בְּאַרְעָא דֶאֱדוֹם

רש"י

וְיָלְדָה פֶּרֶד (עי' ב"ר שם), וְהוּא הָיָה מַמְזֵר וְהֵבִיא פְּסוּלִין לָעוֹלָם (פסחים שם). וְלָמָּה נִקְרָא שְׁמָם יֵמִים, שֶׁאֵימָתָן מוּטֶּלֶת עַל הַבְּרִיּוֹת, דְּאָמַר רַבִּי חֲנִינָא מִיָּמַי לֹא שְׁאָלַנִי אָדָם עַל מַכַּת פִּרְדָּה לְבָנָה וְחָיָה [וַהֲלֹא קָא חָזִינַן דְּחָיָה, אַל תִּקְרֵי וְחָיָה אֶלָּא וְחָיְתָה, כִּי הַמַּכָּה לֹא תִּתְרַפֵּא לְעוֹלָם] (חולין ז:). [פסוק כט] **הַחֹרִי.** [וְ]לֹא הוּזְקַק לִכְתּוֹב לָנוּ מִשְׁפְּחוֹת הַחוֹרִי אֶלָּא מִפְּנֵי תִמְנַע וּלְהוֹדִיעַ גְּדוּלַּת אַבְרָהָם כְּמוֹ שֶׁפֵּירַשְׁתִּי לְמַעְלָה (פסוק יב): [פסוק לא] **וְאֵלֶּה הַמְּלָכִים וגו'.** שְׁמֹנָה הָיוּ, וּכְנֶגְדָּן הֶעֱמִיד יַעֲקֹב (ב"ר פג:ב) פ וּבִטֵּל מַלְכוּת עֵשָׂו בִּימֵיהֶם, וְאֵלּוּ הֵן, שָׁאוּל וְאִישׁ בֹּשֶׁת, דָּוִד וּשְׁלֹמֹה, רְחַבְעָם, אֲבִיָּה, אָסָא, יְהוֹשָׁפָט. וּבִימֵי יוֹרָם בְּנוֹ כְּתִיב בְּיָמָיו פָּשַׁע אֱדוֹם מִתַּחַת יַד יְהוּדָה וַיַּמְלִיכוּ עֲלֵיהֶם מֶלֶךְ (מלכים ב ח:כ). וּבִימֵי צ שָׁאוּל [ס"א יוֹרָם] כְּתִיב, וּמֶלֶךְ אֵין בֶּאֱדוֹם, נִצָּב מֶלֶךְ (מלכים א כב:מח):

בעל הטורים

(לא) **ואלה המלכים.** בשביל שאמר יעקב לעשו שמונה פעמים "אדני", מלכו שמונה מלכים קודם ישראל. וכנגדם מלכו שמונה מלכים עד יהורם, ובימיו פשע אדום:

עיקר שפתי חכמים

פ כיון דכתיב ולאום מלאום יאמץ, לא יוכלו להיות שוים בגדולה. לכן כשמלכו ח' מלכי ישראל בטלה מלכותו של עשו: **צ** נ"ל ובימי יהושפט כתיב [מלכים א כ"ב מ"ח] ומלך אין באדום נצב מלך, כי בימי שאול לא מצינו כתוב כזה. ור"ל דבימי יהושפט שהוא היה המלך השמיני לא היה עוד באדום מלך כנ"ל, ובימי יורם בנו המליכו עליהם מלך:

לִפְנֵי מְלָךְ־מֶלֶךְ לִבְנֵי יִשְׂרָאֵל:
לב וַיִּמְלֹךְ בֶּאֱדוֹם בֶּלַע בֶּן־בְּעוֹר
וְשֵׁם עִירוֹ דִּנְהָבָה: לג וַיָּמָת בָּלַע
וַיִּמְלֹךְ תַּחְתָּיו יוֹבָב בֶּן־זֶרַח
מִבָּצְרָה: לד וַיָּמָת יוֹבָב וַיִּמְלֹךְ
תַּחְתָּיו חֻשָׁם מֵאֶרֶץ הַתֵּימָנִי:
לה וַיָּמָת חֻשָׁם וַיִּמְלֹךְ תַּחְתָּיו
הֲדַד בֶּן־בְּדַד הַמַּכֶּה אֶת־מִדְיָן
בִּשְׂדֵה מוֹאָב וְשֵׁם עִירוֹ עֲוִית:
לו וַיָּמָת הֲדָד וַיִּמְלֹךְ תַּחְתָּיו
שַׂמְלָה מִמַּשְׂרֵקָה: לז וַיָּמָת שַׂמְלָה וַיִּמְלֹךְ
תַּחְתָּיו שָׁאוּל מֵרְחֹבוֹת הַנָּהָר: לח וַיָּמָת שָׁאוּל
וַיִּמְלֹךְ תַּחְתָּיו בַּעַל חָנָן בֶּן־עַכְבּוֹר: לט וַיָּמָת

קֳדָם דִּי מְלַךְ מַלְכָּא לִבְנֵי
יִשְׂרָאֵל: לב וּמְלַךְ בֶּאֱדוֹם
בֶּלַע בַּר בְּעוֹר וְשׁוּם
קַרְתֵּהּ דִּנְהָבָה: לג וּמִית
בָּלַע וּמְלַךְ תְּחוֹתוֹהִי
יוֹבָב בַּר זֶרַח מִבָּצְרָה:
לד וּמִית יוֹבָב וּמְלַךְ
תְּחוֹתוֹהִי חֻשָׁם מֵאַרְעָא
דָרוֹמָא: לה וּמִית חֻשָׁם
וּמְלַךְ תְּחוֹתוֹהִי הֲדַד בַּר
בְּדַד דִּקְטִיל יָת מִדְיָנָאֵי
בַּחֲקַל מוֹאָב וְשׁוּם קַרְתֵּהּ
עֲוִית: לו וּמִית הֲדַד
וּמְלַךְ תְּחוֹתוֹהִי שַׂמְלָה
מִמַּשְׂרֵקָה: לז וּמִית
שַׂמְלָה וּמְלַךְ תְּחוֹתוֹהִי
שָׁאוּל מֵרְחוֹבֵי דְעַל
פְּרָת: לח וּמִית שָׁאוּל
וּמְלַךְ תְּחוֹתוֹהִי בַּעַל
חָנָן בַּר עַכְבּוֹר: לט וּמִית

רש״י

[פסוק לג] **יוֹבָב בֶּן זֶרַח מִבָּצְרָה.** בָּצְרָה מֵעָרֵי מוֹאָב הִיא, שֶׁנֶּאֱמַר וְעַל קְרִיּוֹת וְעַל בָּצְרָה וְגוֹ׳ (ירמיה מח:כד), וּלְפִי שֶׁהֶעֱמִידָה מֶלֶךְ לֶאֱדוֹם עֲתִידָה לִלְקוֹת עִמָּהֶם, שֶׁנֶּאֱ׳ כִּי זֶבַח לַה׳ בְּבָצְרָה (ישעיה לד:ו; ב״ר פג:ג): **[פסוק לה] הַמַּכֶּה אֶת מִדְיָן בִּשְׂדֵה מוֹאָב.** שֶׁבָּא מִדְיָן עַל מוֹאָב לַמִּלְחָמָה וְהָלַךְ מֶלֶךְ אֱדוֹם לַעֲזוֹר אֶת מוֹאָב. וּמִכָּאן אָנוּ לְמֵדִים שֶׁהָיוּ מִדְיָן וּמוֹאָב מְרִיבִים זֶה עִם זֶה וּבִימֵי בִּלְעָם עָשׂוּ שָׁלוֹם לְהִתְקַשֵּׁר עַל יִשְׂרָאֵל (ספרי מטות קנז; תנחומא בלק ג; סנהדרין קה.):

בעל הטורים

(לג) מבצרה. ב׳ – ״יובב בן זרח מבצרה״; ״חמוץ בגדים מבצרה״. לעתיד לבוא תלקה בצרה עם אדום לפי שהעמידה להם מלך. וזהו ״חמוץ בגדים מבצרה״, תלקה בצרה שהעמידה מלך, שנאמר ״יובב בן זרח מבצרה״: **(לח)** בכולם מזכיר שמות מקומותיהם, חוץ מבעל חנן בן עכבור. לפי שלא היה לו מקום ידוע, שהיו לו אויבים רבים והיה מתחבא, היום כאן ולמחר כאן, ולא היה יושב במקום ידוע:

בְּעַל חָנָן בֶּן־עַכְבּוֹר וַיִּמְלֹךְ
תַּחְתָּיו הֲדַר וְשֵׁם עִירוֹ פָּעוּ
וְשֵׁם אִשְׁתּוֹ מְהֵיטַבְאֵל בַּת־
מַטְרֵד בַּת מֵי זָהָב: מפטיר מ וְאֵלֶּה
שְׁמוֹת אַלּוּפֵי עֵשָׂו לְמִשְׁפְּחֹתָם
לִמְקֹמֹתָם בִּשְׁמֹתָם אַלּוּף תִּמְנָע
אַלּוּף עַלְוָה אַלּוּף יְתֵת: מא אַלּוּף
אָהֳלִיבָמָה אַלּוּף אֵלָה אַלּוּף
פִּינֹן: מב אַלּוּף קְנַז אַלּוּף תֵּימָן אַלּוּף מִבְצָר:
מג אַלּוּף מַגְדִּיאֵל אַלּוּף עִירָם אֵלֶּה | אַלּוּפֵי
אֱדוֹם לְמֹשְׁבֹתָם בְּאֶרֶץ אֲחֻזָּתָם הוּא עֵשָׂו
אֲבִי אֱדוֹם: פ פ פ

בַּעַל חָנָן בַּר עַכְבּוֹר
וּמְלַךְ תְּחוֹתוֹהִי הֲדַר
וְשׁוּם קַרְתֵּהּ פָּעוּ וְשׁוּם
אִתְּתֵהּ מְהֵיטַבְאֵל בַּת
מַטְרֵד בַּת מְצָרֵף דַּהֲבָא:
מ וְאִלֵּין שְׁמָהַת רַבָּנֵי עֵשָׂו
לְזַרְעֲיָתְהוֹן לְאַתְרֵיהוֹן
בִּשְׁמָהָתְהוֹן רַבָּא תִמְנָע
רַבָּא עַלְוָה רַבָּא יְתֵת:
מא רַבָּא אָהֳלִיבָמָה רַבָּא
אֵלָה רַבָּא פִינֹן: מב רַבָּא
קְנַז רַבָּא תֵימָן רַבָּא
מִבְצָר: מג רַבָּא מַגְדִּיאֵל
רַבָּא עִירָם אִלֵּין רַבָּנֵי
אֱדוֹם לְמוֹתְבָנְהוֹן
בְּאַרְעָא אַחֲסַנְתְּהוֹן הוּא
עֵשָׂו אֲבוּהוֹן דֶּאֱדוֹמָאֵי:

קנ"ד פסוקים. קליט"ה סימן.

רש"י

[פסוק לט] בַּת מֵי זָהָב. מַהוּ זָהָב, עָשִׁיר הָיָה וְאֵין זָהָב חָשׁוּב בְּעֵינָיו לִכְלוּם (ב"ר סה:ז): **[פסוק מ] וְאֵלֶּה שְׁמוֹת אַלּוּפֵי עֵשָׂו.** שֶׁנִּקְרְאוּ עַל שֵׁם ק מְדִינוֹתֵיהֶם לְאַחַר מוֹת הֲדַר וּפָסְקָה מֵהֶם מַלְכוּת, וְהָרִאשׁוֹנִים הַנִּזְכָּרִים לְמַעְלָה הֵם שְׁמוֹת תּוֹלְדוֹתָם. וְכֵן מְפוֹרָשׁ בְּדִבְרֵי הַיָּמִים (א א:נא) וַיָּמָת הֲדַד וַיִּהְיוּ אַלּוּפֵי אֱדוֹם אַלּוּף תִּמְנָע וגו': **[פסוק מג] מַגְדִּיאֵל.** הִיא רוֹמִי (פדר"א פל"ח):

בעל הטורים

(לט) ושם אשתו. מזכיר שם אשתו, מלמד שהומלך על ידה, שהיתה בת גדולים ועשירים: **(מג)** מונה כאן שמונה מלכים ואחד עשר אלופים, וכנגדן עמדו בישראל אחד עשר שופטים, מיהושע עד שמואל, ושמונה מלכים עד יורם. וזהו "ואלכה לנגדך":

עיקר שפתי חכמים

ק ר"ל שלא תקשה הא כבר מנה למעלה אלופי בני עשו, וכן אין שוים בשמותם. לכ"פ לקמן על מגדיאל שהוא רומי [והוא בב"ר], ונקרא ג"כ על שם מדינתו: חסלת פרשת וישלח

הפטרת וישלח

עבדיה א:א־כא

ספר עובדיה נקרא בשלמותו כהפטרה של פרשתנו העוסקת בפגישת יעקב ועשיו. הנושא של ההפטרה היא רוגזו של ה׳ על מלכות אדום, צאצאי עשו, וחורבנה בעתיד. מכל הנביאים, נבחר דוקא עובדיה להינבא על מפלת אדום, וכמה טעמים נתנו בזה חכמינו ז״ל: (א) עובדיה היה גר צדק מצאצאי אדום (סנהדרין לט, ב; ילקוט איוב תתצז; זוהר לח, א) ובחר ה׳ דוקא אחד מהם שינבא עליהם; (ב) הוא סימל את ההיפך של עשו — שהרי עשו נתגדל אצל הוריו הצדיקים, יצחק ורבקה, ולא למד ממעשיהם הטובים; לעומת זאת, עובדיה היה הממונה על ביתו של רשעים מפורסמים בדברי הימים של כלל ישראל, אחאב המלך ואשתו איזבל, ואף על פי כן נשאר בצדקתו ולא הושפע מסביבתו; כמו שמעיד עליו הפסוק (מלכים־א יח, ג) ש״הָיָה יָרֵא אֶת ה׳ מְאֹד״. לכן אמר ה׳: ״יבא עובדיהו הדר בין שני רשעים ולא למד ממעשיהם, וינבא על עשו הרשע שדר בין שני צדיקים ולא למד ממעשיהם״ (סנהדרין לט, ב). ולא עוד, אלא שכאשר נהרגו כמעט כל הנביאים, סיכן עובדיה את נפשו להציל מאה נביאים ממות. לכן זכה הוא לנבואה, אף שבדרך כלל אין הנבואה שורה אלא על המיוחסים (סנהדרין לט, ב, רש״י מפני מה).

ההפטרה מספרת על תקופת גדולתה של מלכות אדום ומסיימת במפלתה שתתקיים בימות המשיח. מלכותה התחילה בהר שעיר, השוכנת בדרומו של ארץ ישראל, כאומה בזויה וקטנה. מרידתה בה׳ קנתה לה שם בין שאר האומות, עד אשר חשבה שאי אפשר להורידה מגדולתה. כאשר באו האומות להילחם בישראל, שמחה על צרת ישראל וסבלו ולא באה לעזרתם של בני אחיה. בנבואתו על העתיד, מתנבא עובדיה על ממלכת רומי והתנהגותה האכזרית עם בני ישראל שהיו תחת ממשלתה. יצחק בירך את עשו ״וְעַל חַרְבְּךָ תִחְיֶה״ (בראשית כז, מ), וצאצאיו ניצלו זאת במשך הדורות לשפוך דם נקי מישראל.

הנביא מסכם נבואתו, שעוד יבוא זמן שאדום ויורשיו ייענשו על כל רציחותיה ואכזריותיה, ״וּבְהַר צִיּוֹן תִּהְיֶה פְלֵיטָה וְהָיָה קֹדֶשׁ, וְיָרְשׁוּ בֵּית יַעֲקֹב אֵת מוֹרָשֵׁיהֶם״. למרות כל הרדיפות והסבל, מובטחים בני ישראל על ״נֵצַח יִשְׂרָאֵל״ (על פי שמואל־א טו, כט) — נצחיותו, ואילו אדום הגדולה והגאה תיפול. בני ישראל ישובו לארצם, ושם ישפטו את אדום, כסיום הנבואה של עובדיה: ״וְעָלוּ מוֹשִׁעִים בְּהַר צִיּוֹן לִשְׁפֹּט אֶת הַר עֵשָׂו וְהָיְתָה לַה׳ הַמְּלוּכָה״.

פרק א א חֲז֖וֹן עֹֽבַדְיָ֑ה כֹּֽה־אָמַר֩ אֲדֹנָ֨י יֱהֹוִ֜ה לֶאֱד֗וֹם שְׁמוּעָ֨ה שָׁמַ֜עְנוּ
מֵאֵ֤ת יהוה֙ וְצִיר֙ בַּגּוֹיִ֣ם שֻׁלָּ֔ח ק֥וּמוּ וְנָק֥וּמָה עָלֶ֖יהָ לַמִּלְחָמָֽה׃
ב הִנֵּ֥ה קָטֹ֛ן נְתַתִּ֖יךָ בַּגּוֹיִ֑ם בָּז֥וּי אַתָּ֖ה מְאֹֽד׃ ג זְד֤וֹן לִבְּךָ֙ הִשִּׁיאֶ֔ךָ

רש״י

(א) חזון עובדיה. מאי שנא עובדיה לאדום ולא ניבא נבואה אחרת? אמרו חכמים, עובדיה גר אדומי היה. אמר הקדוש ברוך הוא, מהם ובהם אביא עליהם, יבא עובדיה שדר בין שני רשעים אחאב ואיזבל, ולא למד ממעשיהם (סנהדרין לט, ב), ויפרע מעשו הרשע שדר בין שני צדיקים, יצחק ורבקה ולא למד ממעשיהם: **(ב) הנה קטן נתתיך.** כלפי שקראו אביו בנו הגדול ואמו בנה הגדול אמר הקדוש ברוך הוא לפני קטן הוא. רבותינו דרשו קטן, שלא היה להם לא כתב ולא לשון (גיטין פ, א): **בזוי.** שלא היו מעמידין

מצודת דוד

(א) חזון עובדיה. זהו מראה הנבואה של עובדיה: לאדום. על אדום: **שמועה שמענו.** רצונו לומר: אני ושאר נביאים שמענו שמועה מאת ה׳, כי הרבה נביאים התנבאו על חורבן אדום: **וציר.** רצונו לומר: כאשר שמענו כן הוא, כי כל העכו״ם התעוררו לבוא עליה למלחמה ושלחו שלוחיהם זה לזה לאמר קומו אתם ונקומה גם אנו ללכת עליה למלחמה: **(ב) הנה קטן נתתיך.** בתחילת ממשלתך בארץ שעיר הנה אז היית קטן בעכו״ם ומבוזה מאד ביניהם כי היתה ממלכה שפלה: **(ג) זדון לבך השיאך.** כאומר הנה עתה שנתגדלת

מצודת ציון

(א) וציר. ענין שליח, כמו וְצִיר אֱמוּנִים (משלי יג, יז): **(ב) בזוי.** מבוזה: **(ג) השיאך.** ענין הסתה, כמו הַנָּחָשׁ הִשִּׁיאַנִי (בראשית ג, יג):

שֹׁכְנִי בְחַגְוֵי־סֶלַע מְרוֹם שִׁבְתּוֹ אֹמֵר בְּלִבּוֹ מִי יוֹרִדֵנִי אָרֶץ:
ד אִם־תַּגְבִּיהַּ כַּנֶּשֶׁר וְאִם־בֵּין כּוֹכָבִים שִׂים קִנֶּךָ מִשָּׁם אוֹרִידְךָ
נְאֻם־יהוה: ה אִם־גַּנָּבִים בָּאוּ־לְךָ אִם־שׁוֹדְדֵי לַיְלָה אֵיךְ נִדְמֵיתָה
הֲלוֹא יִגְנְבוּ דַּיָּם אִם־בֹּצְרִים בָּאוּ לָךְ הֲלוֹא יַשְׁאִירוּ עֹלֵלוֹת:
ו אֵיךְ נֶחְפְּשׂוּ עֵשָׂו נִבְעוּ מַצְפֻּנָיו: ז עַד־הַגְּבוּל שִׁלְּחוּךָ כֹּל
אַנְשֵׁי בְרִיתֶךָ הִשִּׁיאוּךָ יָכְלוּ לְךָ אַנְשֵׁי שְׁלֹמֶךָ לַחְמְךָ יָשִׂימוּ

רש"י

מלך בן מלך: **(ג) שוכני בחגוי סלע.** סומך על משענת אבותיו אברהם ויצחק והם לא יועילו לו. חגוי כמו (ישעיה יט, יז) וְהָיְתָה אַדְמַת יְהוּדָה לְמִצְרַיִם לְחָגָּא, ברייטייצ"א בלעז. ואל תתמה על וי"ו של חגוי, שהיא כוי"ו של קַוֵּי (תהלים סה, ו), וכוי"ו של כְּמִתְלַהְלֵהַּ (בראשית כא, טז), שאין יסוד בתיבה אלא טי"ת וחי"ת: **(ה) באו לך.** עליך: **איך נדמיתה.** למה נכרתה דומם עד שגנבו כל רצונם: **הלא בוצרים ישאירו עוללות.** ואלה לא ישאירו לך כלום כי יחפשו ויגלו וידרשו מצפוניך: **(ו) נבעו.** תרגום יונתן: אִיתְגַּלְיָין, ולשון ארמית נבעו, נתבקשו; וכן אִם־תִּבְעָיוּן בְּעָיוּ (ישעיה כא, יב): **(ז) עד הגבול שלחוך.** אותם שהבטיחוך לעזרה באו עמך ולווך עד גבול ארצך עד הספר, שמשם באו עליך למלחמה וזאת השיאוך והגליאו: **יכלו לך.** לפתותך לצאת ושבו מאחריך:

מצודת דוד

למשול ממשל רב כאשר באת אל הר שעיר וכו', לכן זדון לבך הסית אותך להתגאות יותר מדאי: **שוכני.** כאלו אתה שוכן בבקעי הסלע עד שלא יוכל מי לקרוב אליך וכאלו היה מקום מושבו במקום מרום ונשא: **אומר בלבו.** לכן חושב בלבו מי הוא אשר יוכל להוריד אותי בשפל הארץ: **(ד) אם תגביה כנשר.** אפילו אם תגביה לשבת כנשר העושה מדורו במקום גבוה ואם תשים מדורך בין הכוכבים משם אורידך לארץ ותהיה נמסר ביד הבבליים: **(ה) באו לך.** באו עליך: **שודדי לילה.** הם המתפחדים לגזול ביום וגוזלים בלילה: **איך נדמיתה.** איך נכרת מכל וכל (אמר בלשון עבר כדרך הרבה מן הנבואות כי הנביא ראה כאלו כבר נעשתה): **הלא יגנבו דים.** רצונו לומר הלוא אין דרכם לגנוב אלא די ספוקם ויניחו המותר ומדוע אם כן נכרת מכל וכל מבלי שארית: **אם בוצרים.** אם על כרמיך באו בוצרים: **הלא ישאירו עוללות.** ומדוע לא השאירו לך מאומה: **(ו) איך נחפשו עשו.** איך נחפשו בתי עשו לקחת הכל ואיך נתבקשו ונדרשו מקומות מסתרים שלו לקחת כל הנמצא והוא כפל ענין במילים שונות: **(ז) עד הגבול וגו'.** כשיצא למלחמה מול העכו"ם ליוו אותו כל אנשי בריתו שהיה לו עמהם כריתת ברית, הם ליוו אותו עד קצה גבול ארצו ומשם חזרו ולא הלכו למלחמה להיות לו לעזרה והטעו אותו כי הבטיחו ללכת עמו: **השיאוך.** האנשים שהיית עמהם בשלום הם הסיתו אותך ללכת למלחמה ויכלו לך כי שמעת להם והלכת: **לחמך.** אוכלי לחמך הלוקחים פרס ממך הם ישימו מכה תחתיך, רצונו לומר במקומך הכינו לך כליון ואבדון כי ייעצו עליך רעה ואין בו תבונה להרגיש בדבר להיות נשמר מהם:

מצודת ציון

שוכני. היו"ד יתירה: **בחגוי.** ענין בקוע וחריץ, כמו יוֹנָתִי בְּחַגְוֵי הַסֶּלַע (שיר השירים ב, יד): **(ד) קנך.** מלשון קן, והוא מדור העופות: **(ה) שודדי.** ענין גזל ועושק: **נדמיתה.** ענין כריתה ואבדון, כמו עָר מוֹאָב נִדְמָה (ישעיה טו, א): **דים.** די הספוק, כמו וְהַמְּלָאכָה הָיְתָה דַיָּם (שמות לו, ז): **בוצרים.** כן יקראו תולשי ענבי כרם, כמו כִּי תִבְצֹר כַּרְמְךָ (דברים כד, כא): **עוללות.** הם הענבים הקטנים הגרועים, כמו לֹא תְעוֹלֵל (שם): **(ו) נחפשו.** מלשון חפוש וחקירה, כמו מִשָּׁם אֲחַפֵּשׂ (עמוס ט, ג): **נבעו.** ענין דרישה וחפוש, ודומה לו אם אִם־תִּבְעָיוּן בְּעָיוּ (ישעיה כא, יב), שהוא ענין דרישת שאלה, וכמו שמלת בקשה הונח לדרישת שאלה ולחפוש, כן מלת בעה הונח לשניהם: **מצפוניו.** מלשון צפון ונסתר: **(ז) שלחוך.** ענין לויה כמו וְאַבְרָהָם הֹלֵךְ עִמָּם לְשַׁלְּחָם (בראשית יח, טז): **השיאך.** ענין הסתה: **יכלו.** מלשון יכולת ונצחון: **לחמך.** רצונו לומר: אוכלי לחמך:

מָזוֹר תַּחְתֶּיךָ אֵין תְּבוּנָה בּוֹ: ח הֲלוֹא בַּיּוֹם הַהוּא נְאֻם־יְהוָה
וְהַאֲבַדְתִּי חֲכָמִים מֵאֱדוֹם וּתְבוּנָה מֵהַר עֵשָׂו: ט וְחַתּוּ גִבּוֹרֶיךָ
תֵּימָן לְמַעַן יִכָּרֶת־אִישׁ מֵהַר עֵשָׂו מִקָּטֶל: י מֵחֲמַס אָחִיךָ יַעֲקֹב
תְּכַסְּךָ בוּשָׁה וְנִכְרַתָּ לְעוֹלָם: יא בְּיוֹם עֲמָדְךָ מִנֶּגֶד בְּיוֹם שְׁבוֹת
זָרִים חֵילוֹ וְנָכְרִים בָּאוּ שְׁעָרָיו [שערו] וְעַל־יְרוּשָׁלִַם יַדּוּ גוֹרָל
גַּם־אַתָּה כְּאַחַד מֵהֶם: יב וְאַל־תֵּרֶא בְיוֹם־אָחִיךָ בְּיוֹם נָכְרוֹ
וְאַל־תִּשְׂמַח לִבְנֵי־יְהוּדָה בְּיוֹם אָבְדָם וְאַל־תַּגְדֵּל פִּיךָ בְּיוֹם
צָרָה: יג אַל־תָּבוֹא בְשַׁעַר־עַמִּי בְּיוֹם אֵידָם אַל־תֵּרֶא גַם־אַתָּה

רש"י

לחמך ישימו מזור תחתיך. אף מאכלך שם לך אחיך יעקב למזור שנתן לך לחם ונזיד עדשים ועל ידו בזית הבכורה: **מזור.** חולי: **(ט) וחתו גבוריך תימן.** יחתו ויפחדו לנוס אל ארץ ישמעאל. ויונתן תרגם: וְיִתַּבְּרוּן גִּבָּרָךְ יָתְבֵי אַרְעָא דָרוֹמָא: **למען יכרת.** כל איש גבור: **מהר עשו מקטל.** מרוב הרג שיבא עליכם: **(י) מחמס אחיך יעקב.** בשביל חמס שעשית ליעקב: **(יא) ביום עמדך מנגד.** שלא באת לעזור לו: **גם אתה כאחד מהם.** מעלה אני עליך כאילו אתה מן הבאים עליהם: **(יב) ואל תרא ביום אחיך.** לא היה לך (להביט) ולעמוד מנגד: **ביום נכרו.** ביום הסגירו ביד אויב הוא הבבליים, וכן הוא אומר בשאול (שמואל־א כג, ז) נִכַּר אֹתוֹ אֱלֹהִים בְּיָדִי, הסגיר אותו בידי:

מצודת דוד

(ח) ביום ההוא. ביום בוא הפורעניות: **והאבדתי חכמים.** לא יתחכמו בתחבולות המלחמה להציל נפשם: **ותבונה וגו׳.** כפל הדבר במילים שונות: **(ט) וחתו גבוריך תימן.** אתה שמקור מחצבתך מאדום היושבת בדרומה של ארץ ישראל הנה וישברו במלחמה: **למען יכרת.** באופן שיכרת איש מאותם שמקום מושבם הוא בהר שעיר רצונו לומר לא ישאר מהם איש: **מקטל.** רצונו לומר הכריתה תהיה מן ההרג שיעשו בהם ולא שימותו על מטתם: **(י) מחמס אחיך יעקב.** בעבור החמס שעשית לאחיך יעקב תכסה אותך הבושה ותהיה נכרת עד עולם ולא תוסיף לקום: **(יא) ביום עמדך מנגד.** עתה יפרש מהו החמס שעשה, ואמר: הנה ביום שעמדת מנגד בעת ששבו הזרים העושר של יעקב, ועל נבוכדנצר יאמר, המחריב הבית הראשון והוא ראה זה ועמד מנגד ולא עזר ליעקב אחיו: **שעריו.** של יעקב: **ידו גורל.** השליכו גורל וחלקו ביניהם לחלקים: **גם אתה.** רצונו לומר: הואיל ועמדת מנגד ולא עזרת לישראל מעלה אני עליך כאלו היית גם אתה כאחד מן הנלחמים והשוללים וזהו החמס: **(יב) ואל תרא.** לא היה ראוי לך לראות ביום צרת אחיך בעת שנתנכר מארצו ונתגרש ממנו, וכאומר ואם לא מצאה ידך לעזור לו על כל פנים, היה לך לשבת בית ולא להסתכל בבשתו להכלימו: **ואל תשמח.** רצונו לומר: וכל שכן שלא היה לך לשמוח על בני יהודה בעת שנאבדו ונשמדו: **ואל תגדל פיך.** כל שכן שלא היה לך להגדיל פה ולהטיח דברי לעג ביום בוא להם הצרה, וכאומר הנה באמת את כל אלה עשית ותחשב אם כן לחמס: **(יג) אל תבוא.** וכל שכן שלא היה לך לבוא בשער עמי ביום שבא עליהם אידם, רצונו לומר לא היה מהראוי לך שתבוא בשערי הערים לכבוש אותם כאשר עשית בחורבן הבית השני: **אל תרא גם אתה.** זה יאמר על בני עכו״ם היושבים בהר שעיר

מצודת ציון

מזור. ענין מכה, ותקרא כן על שם שזורים עליה אבק מסממנים המרפאים, וכן וְלֹא־יִגְהֶה מִכֶּם מָזוֹר (הושע ה, יג): **תחתיך.** במקומך: **(ט) וחתו.** ענין שבירה, כמו וְהַחִתֹּתִי אֶת־עֵילָם (ירמיה מט, לז): **תימן.** הוא אדום היושב בהר שעיר בדרומה של ארץ ישראל: **מקטל.** ענין הרג, כמו הֵן יִקְטְלֵנִי (איוב יג, טו): **(י) מחמס.** ענין עושק: **(יא) מנגד.** ממרחק: **שבות.** מלשון שבי: **זרים.** מלשון זר ונכרי: **חילו.** ענין עושר, כמו וְעָזְבוּ לַאֲחֵרִים חֵילָם (תהלים מט, יא): **ידו.** ענין השלכה והפלה, כמו וַיַּדּוּ אֶלֶיהָ (ירמיה נ, יד): **(יב) נכרו.** מלשון נכר וזר:

בְּרָעָתוֹ בְּיוֹם אֵידוֹ וְאַל־תִּשְׁלַחְנָה בְחֵילוֹ בְּיוֹם אֵידוֹ: יד וְאַל־
תַּעֲמֹד עַל־הַפֶּרֶק לְהַכְרִית אֶת־פְּלִיטָיו וְאַל־תַּסְגֵּר שְׂרִידָיו בְּיוֹם
צָרָה: טו כִּי־קָרוֹב יוֹם־יְהוָה עַל־כָּל־הַגּוֹיִם כַּאֲשֶׁר עָשִׂיתָ יֵעָשֶׂה
לָּךְ גְּמֻלְךָ יָשׁוּב בְּרֹאשֶׁךָ: טז כִּי כַּאֲשֶׁר שְׁתִיתֶם עַל־הַר קָדְשִׁי
יִשְׁתּוּ כָל־הַגּוֹיִם תָּמִיד וְשָׁתוּ וְלָעוּ וְהָיוּ כְּלוֹא הָיוּ: יז וּבְהַר צִיּוֹן
תִּהְיֶה פְלֵיטָה וְהָיָה קֹדֶשׁ וְיָרְשׁוּ בֵּית יַעֲקֹב אֵת מוֹרָשֵׁיהֶם: יח וְהָיָה
בֵית־יַעֲקֹב אֵשׁ וּבֵית יוֹסֵף לֶהָבָה וּבֵית עֵשָׂו לְקַשׁ וְדָלְקוּ בָהֶם

רש"י

(יג) ואל תשלחנה בחילו. אל תשלחנה ידך בנכסיו, כן תרגם יונתן. ומקרא קצר הוא וצריך להוסיף עליו ידך: **(יד) ואל תעמוד על הפרק.** מקום שהבורחים יוצאים דרך שם לימלט, ובלשון לע"ז קורחים אותו טרו"ג (אל תעמוד על הפרק, מכאן שאסור להפסיק בקריאת שמע בין פרק לפרק הג"ה דר"ט): **(טז) כאשר שתיתם על הר קדשי.** כְּמָא דַחֲדִיתוּן עַל מַחַת טוּרָא דְקוּדְשִׁי: **ולעו.** כתרגומו וְיִסְתַּלְּעַמוּן לשון מהומה ושממון וטירוף דעת, איסטורדישו"ן בלע"ז: **(יז) את מורשיהם.** נִכְסֵי עַמְמַיָּא דַהֲווֹ מַחְסְנִין לְהוֹן:

מצודת דוד

שכיני ישראל, כי ביום שכבש את ירושלים באו גם המה ושלחו ידם לשלול שלל ולבוז בז כמוזכר ביוסיפון. ולזה אמר ואל תרא גם אתה וגו׳, רצונו לומר: כמו שלא היה ראוי לבוא בשעריו לכבשם, כן גם אתה היושב בשעיר לא היה ראוי לך לראות ברעת ישראל ביום שבא עליו האיד, כי אין מהראוי להסתכל בבשתו להכלימו: **ואל תשלחנה.** וכל שכן שלא היה לך לשלוח ידך בעשרו לשללו לעצמך ביום שבא עליו האיד: **(יד) ואל תעמוד על הפרק.** זה יאמר על אנשי טיטוס שגלו את ישראל, ואמר: על כל פנים לא היה לך לעמוד ולהתחזק על השבר להכרית את פליטיו; רצונו לומר: על כל פנים בהיותו בגולה לא היה לך לאבד ולהכרית את יתר הפליטה כאשר האבדת והכרת: **ואל תסגר.** לא היה לך לאסרם במאסר כאשר עשית: **(טו) כי קרוב יום ה׳.** רצונו לומר: היה לך לחשוב אשר יום התשלומין מה׳ המיועד להביא על כל הבבליים שהרעו לישראל הוא קרוב ומזומן לפניו להביא, וכאשר עשית אתה לישראל כן יעשה לך: **גמולך.** הגמול הראוי לך ישוב בראשך: **(טז) כי כאשר שתיתם.** אל מול יהודה יאמר: כמו שאתם שתיתם על הר קדשי מכוס התרעלה, כן הבבליים שהרעו לכם ישתו תמיד את כוס התרעלה עד אשר יתמו: **ושתו ולעו.** וכאשר ישתו את הכוס יהיו נשחתים ומבולבלים, והוא ענין מליצה; ורצונו לומר: יהיו מבולבלים מן הפורעניות כאלו שתו כוס משקה המטמטם ומבלבל: **והיו כלוא היו.** רצונו לומר: יהיו כלים כאלו לא היו מעולם: **(יז) ובהר ציון.** אבל בהר ציון תהיה פליטה ושארית, רצונו לומר, אנשיה ישארו: **והיה קדש.** כי לא יוסיף לבוא בה טמא: **את מורשיהם.** את הבבליים שירשו אותם מאז: **(יח) אש.** ישרפו כמו אש: **ובית יוסף להבה.** הוא כפל ענין במילים שונות: **לקש.** הכשדים יהיו דומים לקש הנשרף מהר: **ודלקו בהם.** ישראל ידליקו את בית הכשדים וישרפם, רצונו לומר: הם יגמרו בהם הכליון ולא יהיה שארית להם:

מצודת ציון

(יג) אידם. ענין צער ומקרה רע, כמו הֲלֹא־אֵיד לְעַוָּל (איוב לא, ג): **בחילו.** בעשרו: **(יד) תעמוד.** ענינו התחזקות על הדבר וההשתדלות עליו, ודומה לו אַךְ יוֹנָתָן וגו׳ עָמְדוּ עַל־זֹאת (עזרא י, טו): **הפרק.** ענין שבירה, כמו וּפַרְסֵיהֶן יְפָרֵק (זכריה יא, טז): **פליטיו.** ענין שארית, כמו פָּלִיט וְשָׂרִיד (איכה ב, כב): **תסגר.** רצונו לומר מסגר המאסר: **שרידיו.** ענין שארית: **(טו) קרוב.** רצונו לומר: נכון ומזומן לפניו, וכן כִּי קָרוֹב יוֹם אֵידָם (דברים לב, לה): **(טז) ולעו.** ענין השחתה ובלבול, וכן עַל־כֵּן דְּבָרַי לָעוּ (איוב ו, ג): **(יז) מורשיהם.** מלשון ירושה: **(יח) להבה.** שלהבת: **לקש.** הוא תבן הדק: **ודלקו.** ענין שרפה והבערה:

וַאֲכָלוּם וְלֹא־יִהְיֶה שָׂרִיד לְבֵית עֵשָׂו כִּי יהוה דִּבֵּר: יט וְיָרְשׁוּ הַנֶּגֶב
אֶת־הַר עֵשָׂו וְהַשְּׁפֵלָה אֶת־פְּלִשְׁתִּים וְיָרְשׁוּ אֶת־שְׂדֵה אֶפְרַיִם
וְאֵת שְׂדֵה שֹׁמְרוֹן וּבִנְיָמִן אֶת־הַגִּלְעָד: כ וְגָלֻת הַחֵל־הַזֶּה לִבְנֵי
יִשְׂרָאֵל אֲשֶׁר־כְּנַעֲנִים עַד־צָרְפַת וְגָלֻת יְרוּשָׁלַםִ אֲשֶׁר בִּסְפָרַד
יִרְשׁוּ אֵת עָרֵי הַנֶּגֶב: כא וְעָלוּ מוֹשִׁעִים בְּהַר צִיּוֹן לִשְׁפֹּט אֶת־הַר
עֵשָׂו וְהָיְתָה לַיהוה הַמְּלוּכָה:

רש״י

(יח) כי ה׳ דבר. והיכן דבר (במדבר כד, יט) וְיֵרְדְּ מִיַּעֲקֹב וְהֶאֱבִיד שָׂרִיד וגו׳: **(יט) וירשו הנגב.** ישראל שהיו יושבין בדרומה של ארץ ישראל ירשו את הר עשו שהוא במצר דרום, ובני השפלה ירשו את ארץ פלשתים ואת הר אפרים ואת הר שומרון: **ובנימין את הגלעד ובני מנשה שהיתה ארץ גלעד.** שלהם יפשטו להם מהלאה לגבולותיה של ארץ ישראל במזרחה: **(כ) וגלות החל הזה.** תרגם יונתן עמא הדין. החל לשון חיל. כמו (ישעיה לו, ב) (ויבא ירושלמה) בְּחֵיל כָּבֵד דרבשקה, אלא שזה חסר יו״ד. ויש עוד לפרש החל הזה, גלות הגיא הזה: **לבני ישראל אשר כנענים עד צרפת.** גלות אשר הוא מבני ישראל שגלו מעשרת השבטים לארץ כנענים עד צרפת: **וגלות ירושלים אשר בספרד.** שהם מבני יהודה אשר גלו לספרד, הם ירשו את ערי הנגב שבדרומה של ארץ ישראל. ואומרים הפותרים צרפת הוא המלכות שקורין פרנצ״א בלע״ז, ספרד תרגם יונתן אספמיא: **(כא) ועלו.** שרי ישראל מושיעים בהר ציון: **לשפוט את הר עשו.** ליפרע מהר עשו אשר עשו לישראל. לשפוט יושטיציי״ר בלע״ז: **הר עשו.** יונתן תרגם: כַּרְכָּא רַבָּא דְעֵשָׂו: **והיתה לה׳ המלוכה.** לימדך שאין מלכותו שלימה עד שיפרע מעמלק:

מצודת דוד

כי ה׳ דבר. ובודאי כן יהיה: **(יט) וירשו הנגב.** בית יעקב הנזכר במקרא שלפניו הם ירשו את הנגב וחוזר ומפרש את הר עשו שהיא בדרומה של ארץ ישראל: **והשפלה.** גם ירשו את השפלה וחוזר ומפרש את פלשתים כי ארץ פלשתים היתה בשפלה: **את שדה אפרים.** כי בימי יהושע לא ירשו כי אם הר אפרים, ולא יכלו להוריש את העמק, כי רכב ברזל לו כמו שכתוב שם, ולכן אמר שיירשו גם שדות העמק: **ואת שדה שומרון.** במלכים־א נאמר שעמרי מלך ישראל קנה את ההר שומרון, ואמר שלעתיד יירשו הכל ואף השדות: **ובנימין את הגלעד.** בנימין יירש את ארץ הגלעד (וזהו מלבד חלק רצועה הניתן לו בארץ ישראל בעבר הירדן המערבי כמו שכתוב בסוף יחזקאל בני מנשה יושבי הגלעד יעמדו על נחלתם בעבר הירדן המערבי יהיו היורשים, ואמר בני הגולה של החיל הזה של בני ישראל אשר עם כל השבטים כמו שכתוב שם): **(כ) וגלות החל הזה וגו׳.** במקרא שלפניו נאמר שבית יעקב ירשו הנגב וגומר, ויפרש עתה מי ומי מהם יהיו היורשים. ואמר בני הגולה של החיל הזה של בני ישראל אשר ישבו עם הכנענים שברחו מארצם בימי יהושע אשר מקום מושבם עד צרפת וגם בני הגולה של ירושלים אשר ישבו בספרד הם יירשו את ערי הנגב הוא הר עשו ארץ אדום (אבל ארץ פלשתים ושדות אפרים ושומרון המה בתוך גבולי ארץ ישראל ויחולק אחר כך כמו שכתוב בסוף יחזקאל): **(כא) ועלו מושיעים.** רצונו לומר: המושיעים שבהר ציון הם מלך המשיח ושריו, כאשר יעלו בהר שעיר לעשות בהם משפט על מה שהרעו לישראל, אז תהיה לה׳ המלוכה, רצונו לומר: אז הכל יודו במלכותו ויקבלוהו:

מצודת ציון

(יט) והשפלה. העמק: **(כ) החל.** כמו החיל ונפלה היו״ד:

פרשת וישב

אונקלוס

א וִיתֵיב יַעֲקֹב בְּאַרְעָא תּוֹתָבוּת אֲבוּהִי בְּאַרְעָא דִכְנָעַן: ב אִלֵּין תּוֹלְדַת יַעֲקֹב יוֹסֵף בַּר שְׁבַע עַסְרֵי שְׁנִין (כַּד) הֲוָה רָעֵי עִם אֲחוֹהִי בְּעָנָא

פרק לז א וַיֵּשֶׁב יַעֲקֹב בְּאֶרֶץ מְגוּרֵי אָבִיו בְּאֶרֶץ כְּנָעַן: ב אֵלֶּה | תֹּלְדוֹת יַעֲקֹב יוֹסֵף בֶּן־שְׁבַע־עֶשְׂרֵה שָׁנָה הָיָה רֹעֶה אֶת־אֶחָיו בַּצֹּאן

רש"י

[פסוק א] **וַיֵּשֶׁב יַעֲקֹב וגו'.** אַחַר שֶׁכָּתַב לְךָ יִשּׁוּבֵי עֵשָׂו וְתוֹלְדוֹתָיו בְּדֶרֶךְ קְצָרָה, שֶׁלֹּא הָיוּ סְפוּנִים וַחֲשׁוּבִים לְפָרֵשׁ הֵיאַךְ נִתְיַשְּׁבוּ וְסֵדֶר מִלְחֲמוֹתֵיהֶם אֵיךְ הוֹרִישׁוּ אֶת הַחוֹרִי (דברים ב:יב), פֵּירַשׁ לְךָ יִשּׁוּבֵי יַעֲקֹב א וְתוֹלְדוֹתָיו בְּדֶרֶךְ אֲרוּכָּה כָּל גִּלְגּוּלֵי סִבָּתָם, לְפִי שֶׁהֵם חֲשׁוּבִים לִפְנֵי הַמָּקוֹם לְהַאֲרִיךְ בָּהֶם. וְכֵן אַתָּה מוֹצֵא בַּעֲשָׂרָה דוֹרוֹת שֶׁמֵּאָדָם וְעַד נֹחַ פְּלוֹנִי הוֹלִיד פְּלוֹנִי, וּכְשֶׁבָּא לְנֹחַ הֶאֱרִיךְ בּוֹ. וְכֵן בַּעֲשָׂרָה דוֹרוֹת שֶׁמִּנֹּחַ וְעַד אַבְרָהָם קִצֵּר בָּהֶם, וּמִשֶּׁהִגִּיעַ אֵצֶל אַבְרָהָם הֶאֱרִיךְ בּוֹ. מָשָׁל לְמַרְגָּלִית שֶׁנָּפְלָה בֵּין הַחוֹל אָדָם מְמַשְׁמֵשׁ בַּחוֹל וְכוֹבְרוֹ בִּכְבָרָה עַד שֶׁמּוֹצֵא אֶת הַמַּרְגָּלִית וּמִשֶּׁמְּצָאָהּ הוּא מַשְׁלִיךְ אֶת הַצְּרוֹרוֹת מִיָּדוֹ וְנוֹטֵל הַמַּרְגָּלִית (תנחומא א; ב"ר לט:י). [ד"א, וַיֵּשֶׁב יַעֲקֹב, הַפִּשְׁתָּנִי הַזֶּה נִכְנְסוּ גְּמַלָּיו טְעוּנִים פִּשְׁתָּן. הַפֶּחָמִי תָּמַהּ, אָנָה יִכָּנֵס כָּל הַפִּשְׁתָּן הַזֶּה. הָיָה פִּיקֵּחַ אֶחָד מֵשִׁיב לוֹ, נִיצוֹץ אֶחָד יוֹצֵא מִמַּפּוּחַ שֶׁלְּךָ שֶׁשּׂוֹרֵף אֶת כּוּלּוֹ. כָּךְ יַעֲקֹב רָאָה כָּל הָאַלּוּפִים הַכְּתוּבִים לְמַעְלָה, תָּמַהּ וְאָמַר מִי יָכוֹל לִכְבּוֹשׁ אֶת כּוּלָּן. מַה כְּתִיב לְמַטָּה, אֵלֶּה תֹּלְדוֹת יַעֲקֹב יוֹסֵף (פסוק ב), וּכְתִיב וְהָיָה בֵית יַעֲקֹב אֵשׁ וּבֵית יוֹסֵף לֶהָבָה וּבֵית עֵשָׂו לְקַשׁ (עובדיה א:יח) נִיצוֹץ יוֹצֵא מִיּוֹסֵף שֶׁמְּכַלֶּה וְשׂוֹרֵף אֶת כּוּלָּם (תנחומא א; ב"ר פד:ה)]: [פסוק ב] **אֵלֶּה תֹּלְדוֹת יַעֲקֹב.** וְאֵלֶּה שֶׁל תּוֹלְדוֹת יַעֲקֹב, אֵלֶּה יִשּׁוּבֵיהֶם וְגִלְגּוּלֵיהֶם עַד שֶׁבָּאוּ לִכְלָל יִשּׁוּב. סִבָּה רִאשׁוֹנָה **יוֹסֵף בֶּן שְׁבַע עֶשְׂרֵה וגו',** עַל יְדֵי זֶה נִתְגַּלְגְּלוּ וְיָרְדוּ לְמִצְרַיִם. זֶהוּ אַחַר יִשּׁוּב פְּשׁוּטוֹ שֶׁל מִקְרָא לִהְיוֹת דָּבָר דָּבוּר עַל אָפְנָיו. וּמִדְרַשׁ אַגָּדָה דּוֹרֵשׁ, תָּלָה הַכָּתוּב תּוֹלְדוֹת יַעֲקֹב בְּיוֹסֵף מִפְּנֵי כַּמָּה דְבָרִים. אַחַת, שֶׁכָּל עַצְמוֹ שֶׁל יַעֲקֹב לֹא עָבַד אֵצֶל לָבָן אֶלָּא ב בְּרָחֵל (ב"ר פד:ה). וְשֶׁהָיָה זִיו ג אִיקוּנִין שֶׁל יוֹסֵף דּוֹמֶה לוֹ (שם ח; תנחומא פקודי יא). וְכָל מַה שֶּׁאֵירַע לְיַעֲקֹב אֵירַע לְיוֹסֵף, זֶה

בעל הטורים

(א) וישב יעקב. זהו שאמר הכתוב "הסיר ה' משפטיך, פנה אויבך". משל לשדה שנקצרה והזורה מפריש התבן והמוץ ומשליכן, והתבואה נשארת במקומה, כדכתיב בעשו "וילך אל ארץ". אבל יעקב, כתיב ביה "וישב יעקב": **מגורי.** ב' במסורת — הכא; ואידך "מגורי אל חרב". אף על פי שהיה לו "מגורי אל חרב", ישב לו ביניהם. משל לאחד שראה כת של כלבים ורצו לנשכו, וישב ביניהם, כך ישב לו יעקב בין עשו ואלופיו: **מגורי אביו.** בגימטריא זה חברון: **וישב יעקב בארץ מגורי אביו.** בגימטריא וישב לקיים מצות כבוד. אמר, בשכר הכיבוד זכה עשו לכל הכבוד הזה: **מגורי.** יו"ד כפופה כמין כ"ף. אמר, מה שזכה עשו לכל הכבוד הזה — בשכר הכיבוד. אף על פי שברכני אבי בעשרה ברכות, הוצרכתי לשלוח עשרה דברים, כדכתיב "עזים מאתים וגו' " — אלך ואכוף עצמי ואכבד אבי את אבי בחברון:

עיקר שפתי חכמים

א כלומר שמה שכת' פה אלה תולדות יעקב גו' אין הכוונה למנות תולדותיו ואלאפיו, רק פי' תולדות המקרים והמאורעות שאירע לו ולבניו עד בואם למצרים: **ב** ואף שגם בנימין נולד מרחל, אך כאשר ילדה רחל את יוסף אמר ללבן שלחני וגו': **ג** כמ"ש לקמן על בן זקונים ג' שהי' זיו איקונין כו':

ראה הטבלא "**שְׁנֵי חַיֵּי יַעֲקֹב אָבִינוּ**" (עמוד 533), והמפה "**מְגוּרֵי יַעֲקֹב אָבִינוּ וּבָנָיו**" (עמוד 532).

וְהוּא נַעַר אֶת־בְּנֵי בִלְהָה וְאֶת־
בְּנֵי זִלְפָּה נְשֵׁי אָבִיו וַיָּבֵא יוֹסֵף
אֶת־דִּבָּתָם רָעָה אֶל־אֲבִיהֶם׃
ג וְיִשְׂרָאֵל אָהַב אֶת־יוֹסֵף מִכָּל־
בָּנָיו כִּי־בֶן־זְקֻנִים הוּא לוֹ וְעָשָׂה לוֹ כְּתֹנֶת

וְהוּא מְרַבֵּי עִם בְּנֵי בִלְהָה
וְעִם בְּנֵי זִלְפָּה נְשֵׁי אֲבוּהִי
וְאַיְתִי יוֹסֵף יָת דִּבְהוֹן
בִּישָׁא לְוַת אֲבוּהוֹן׃
ג וְיִשְׂרָאֵל רְחֵם יָת יוֹסֵף
מִכָּל בְּנוֹהִי אֲרֵי בַר חַכִּים
הוּא לֵהּ וַעֲבַד לֵהּ כִּתּוּנָא

רש"י

כשטס וזה כשטס, זה אחיו מבקש להרגו וזה אחיו מבקשים להרגו, וכן הרבה בב"ר (שם ו). ועוד כדרש בו, וישב, ביקש יעקב לישב בשלוה קפץ עליו רוגזו [ד] של יוסף. לדיקים מבקשים לישב בשלוה, אומר הקב"ה, לא דיין לצדיקים מה שמתוקן להם לעולם הבא אלא שמבקשים לישב בשלוה בעולם הזה (עי' שם ג; תנ"י מבוא כ"ג:יג): **והוא נער.** שהיה עושה מעשה נערות, מתקן בשערו, ממשמש בעיניו, כדי שיהיה נראה יפה (ב"ר שם ז): **את בני בלהה.** כלומר [ה] רגיל אצל בני בלהה, לפי שהיו אחיו מבזין אותן והוא מקרבן (תנחומא ז): **את דבתם רעה.** כל רעה שהיה [ו] רואה באחיו בני לאה היה מגיד לאביו. שהיו אוכלין אבר מן החי ומזלזלין [ז] בבני השפחות לקרותן עבדים וחשודים על העריות. ובשלשתן [ח] לקה, על אבר מן החי וישחטו שעיר עזים (להלן פסוק לא) במכירתו [ט] ולא אכלוהו חי [כדי שילקה בשחיטה]. ועל דבה שספר עליהם שקורין לאחיהם עבדים, לעבד נמכר יוסף (תהלים קה:יז). ועל העריות שספר עליהם, ותשא אשת אדניו וגו' (להלן לט:ז; ב"ר שם ז; תנחומא ז): **דבתם.** כל לשון דבה פרלרי"ן בלע"ז. כל מה שהיה יכול לדבר בהם רעה היה מספר: **דבה.** ל' דובב שפתי ישנים (שיר השירים ז:י): [פסוק ג] **בן זקנים.** שנולד לו [י] לעת זקנתו. ואונקלוס תרגם בר חכים הוא ליה כל מה שלמד משם ועבר מסר לו (ב"ר שם ח). ד"א, שהיה זיו איקונין שלו דומה לו (שם):

בעל הטורים

(ב) **נער.** בגימטריא שוטה. זהו שאמר הפסוק "ומוצא דבה הוא כסיל": **דבתם רעה.** בגימטריא שהם אכלו באבר מן החי: **דבתם.** בגימטריא מות. מלמד שלשון הרע הורג שלשה: (ג) **בן זקנים.** זקנים כתיב, שמסר לו כל מה שקבל מזקנים, שהם שם ועבר: **בן זקנים הוא לו.** סופי תבות אמון. שמסר לו סתרי תורה, שנאמר בה "ואהיה אצלו אמון ואהיה שעשועים": **זקנים.** בגימטריא רז, שמסר לו רזי תורה. ובגימטריא זר, על שם "עטרת זקנים בני בנים": **זקנים.** נוטריקון זרעים קדשים נשים ישועות מועד:

עיקר שפתי חכמים

ד לכך סמך הכתוב ואלה תולדות יעקב יוסף לוישב יעקב, ללמד לנו שזאת גרם לו שלא תקוים מחשבתו לישב בשלוה: **ה** דה"ל לכתוב והוא נתגדל את בני בלהה גו' ולמה כתיב והוא נער גו', לכך פי' שהם ב' ענינים, והוא נער שעושה מעשה נערות, את בני בלהה הוא ענין אחר: **ו** כי בכ"מ מלינו אצל דבה ל' הוצאה, גבי מרגלים ויוציאו דבת הארץ, ומוציא דבה גו', וכאן כתיב ויבא ולא כתיב ויוצא יוסף את דבתם. ע"כ דריש דהוא לא הוציא דבה לאמור דבר שלא ראה ושלא שמע, כ"א מה שהיה רואה הגיד לאביו: **ז** כי הוא הי' מקרב ומחבב את בני השפחות כמ"ש לעיל: **ח** ובאמת טעה בכל הג' דברים, שספט רק למראה עינו, אבל לא היו החטאים האלה בשבטי יה, כאשר האריכו המפרשים: **ט** כי לא היו נצרכים לאכילת השעיר עזים כ"א לדמו, ובכ"ז שחטוהו למען ילקה הוא בשחיטה: **י** אף שבנימין נולד לו אחר יוסף, אך לאשר שהה לידת בנימין אחר יוסף יותר משאר השבטים אשר נולדו כולם זא"ז, והיו סבורין העולם שלא יהיה לו בן אחר, קראו ליוסף בן זקונים ונשתקע כן בשמו:

פַּסִּים׃ ❖ ד וַיִּרְאוּ אֶחָיו כִּי־אֹתוֹ
אָהַב אֲבִיהֶם מִכָּל־אֶחָיו וַיִּשְׂנְאוּ
אֹתוֹ וְלֹא יָכְלוּ דַּבְּרוֹ לְשָׁלֹם׃
ה וַיַּחֲלֹם יוֹסֵף חֲלוֹם וַיַּגֵּד לְאֶחָיו
וַיּוֹסִפוּ עוֹד שְׂנֹא אֹתוֹ׃ ו וַיֹּאמֶר
אֲלֵיהֶם שִׁמְעוּ־נָא הַחֲלוֹם הַזֶּה
אֲשֶׁר חָלָמְתִּי׃ ז וְהִנֵּה אֲנַחְנוּ
מְאַלְּמִים אֲלֻמִּים בְּתוֹךְ הַשָּׂדֶה וְהִנֵּה קָמָה
אֲלֻמָּתִי וְגַם־נִצָּבָה וְהִנֵּה תְסֻבֶּינָה אֲלֻמֹּתֵיכֶם
וַתִּשְׁתַּחֲוֶיןָ לַאֲלֻמָּתִי׃ ❖ ח וַיֹּאמְרוּ לוֹ אֶחָיו

דְּפַסֵּי׃ ד וַחֲזוֹ אֲחוֹהִי אֲרֵי
יָתֵהּ רְחֵם אֲבוּהוֹן מִכָּל
אֲחוֹהִי וּסְנוֹ יָתֵהּ וְלָא
צְבַן לְמַלָּלָא עִמֵּהּ לִשְׁלָם׃
ה וַחֲלַם יוֹסֵף חֶלְמָא וְחַוִּי
לַאֲחוֹהִי וְאוֹסִיפוּ עוֹד
סְנוֹ יָתֵהּ׃ ו וַאֲמַר לְהוֹן
שְׁמַעוּ כְעַן חֶלְמָא הָדֵין
דִּי חֲלֵמִית׃ ז וְהָא אֲנַחְנָא
מְאַסְּרִין אֱסָרָן בְּגוֹ חַקְלָא
וְהָא קָמַת אֱסַרְתִּי וְאַף
אִזְדְּקֶפֶת וְהָא מִסְתַּחֲרָן
אֱסָרָתְכוֹן וְסָגְדָן לֶאֱסַרְתִּי׃
ח וַאֲמַרוּ לֵהּ אֲחוֹהִי

רש"י

פַּסִּים. לְשׁוֹן כְּלִי מֵלָת (שבת י:), כְּמוֹ כַּרְפַּס וּתְכֵלֶת (אסתר א:ו) וּכְמוֹ כְּתֹנֶת הַפַּסִּים (שמואל ב יג:יח) דְּתָמָר וְאַמְנוֹן. ומ"א, עַל שֵׁם צָרוֹתָיו, שֶׁנִּמְכַּר לְפוֹטִיפַר וְלַסּוֹחֲרִים וְלַיִּשְׁמְעֵאלִים וְלַמִּדְיָנִים (ב"ר פד:ח): [פסוק ד] **וְלֹא יָכְלוּ דַּבְּרוֹ לְשָׁלֹם.** מִתּוֹךְ גְּנוּתָם לָמַדְנוּ שִׁבְחָם, שֶׁלֹּא דִּבְּרוּ אַחַת בַּפֶּה וְאַחַת בַּלֵּב (שם ט): **דַּבְּרוֹ.** לְדַבֵּר עִמּוֹ (אונקלוס): [פסוק ז] **מְאַלְּמִים אֲלֻמִּים.** כְּתַרְגּוּמוֹ מְאַסְּרִין אֱסָרָן, עֳמָרִין. וְכֵן נוֹשֵׂא אֲלֻמֹּתָיו (תהלים קכו:ו). וְכָמוֹהוּ בִּלְשׁוֹן מִשְׁנָה וְהָאֲלֻמּוֹת נוֹטֵל וּמַכְרִיז (בבא מציעא כב:): **קָמָה אֲלֻמָּתִי.** נִזְקְפָה: **וְגַם נִצָּבָה.** לַעֲמוֹד ב עַל עָמְדָהּ בִּזְקִיפָה (אונקלוס):

בעל הטורים

פסים. נוטריקון פוטיפר סוחרים ישמעאלים מדינים: **פסים.** עולה בגימטריא קץ. רמז לו שעל ידו ירדו למצרים וישתעבדו בניו, והקדוש ברוך הוא יחסר מנין קץ מן השעבוד. ורמז לו, שמסר לו הקץ: ורמז לו שימלוך פ׳ שנים ממנין סי"ם, שהוא מנין שנותיו: דבר אחר — פסים, לשון "פסר" "תמו", שעל ידו מת קודם לאחיו: "פסים", שגרם פיוסים בינו לבין אחיו: "פסים", בגימטריא פס יד לו: **לו ועשה לו כתונת פסים.** בגימטריא משקל שני סלעים מילת. זהו שאמרו בפרק קמא דשבת, בשביל משקל שני סלעים מילת שהוסיף יעקב ליוסף יותר משאר אחיו, נתגלגל הדבר וירדו אבותינו למצרים: **(ד) אותו אהב אביהם מכל אחיו.** בגימטריא שגלה לו סוד בלבד ולא להם: **לשלם.** חסר [ו׳], ועולה ארבע מאות. שגרם לארבע מאות של שעבוד: דבר אחר — קרי כאן לשלם, ששלמו לו גמולו: **(ז) נצבה.** ב׳ במסורת — הכא; ואידך "בית נתיבות נצבה", לומר שעל ידי זה החלום הציב ביתן של ישראל, שכלכלם בשנת רעבון: **ותשתחוין.** ב׳ במסורת — הכא; ואידך לעיל "ותגשן השפחות ... ותשתחוין". לומר, שאף על פי שלא ראה בחלום הראשון אלא רמז להשתחוות י"א אחיו, אף על פי כן כל בית אביו השתחוו לו, כדכתיב "ותגשן השפחות הנה וילדיהן וגו׳":

עיקר שפתי חכמים

ב וזו החילוק בין קמה לנצבה, כי קמה ר"ל עמדה לפי שעה משכיבתה, ונצבה פי׳ שעמדה כן על מצבה בזקיפה:

הֲמָלֹךְ תִּמְלֹךְ עָלֵינוּ אִם־מָשׁוֹל
תִּמְשֹׁל בָּנוּ וַיּוֹסִפוּ עוֹד שְׂנֹא
אֹתוֹ עַל־חֲלֹמֹתָיו וְעַל־דְּבָרָיו׃
ט וַיַּחֲלֹם עוֹד חֲלוֹם אַחֵר וַיְסַפֵּר
אֹתוֹ לְאֶחָיו וַיֹּאמֶר הִנֵּה חָלַמְתִּי
חֲלוֹם עוֹד וְהִנֵּה הַשֶּׁמֶשׁ וְהַיָּרֵחַ
וְאַחַד עָשָׂר כּוֹכָבִים מִשְׁתַּחֲוִים
לִי׃ י וַיְסַפֵּר אֶל־אָבִיו וְאֶל־
אֶחָיו וַיִּגְעַר־בּוֹ אָבִיו וַיֹּאמֶר לוֹ
מָה הַחֲלוֹם הַזֶּה אֲשֶׁר חָלָמְתָּ הֲבוֹא נָבוֹא
אֲנִי וְאִמְּךָ וְאַחֶיךָ לְהִשְׁתַּחֲוֺת לְךָ אָרְצָה׃
יא וַיְקַנְאוּ־בוֹ אֶחָיו וְאָבִיו שָׁמַר אֶת־הַדָּבָר׃ ❖

המלכו את מדמי לממלך
עלנא או שולטן את סביר
למשלט בנא ואוסיפו
עוד סנו יתה על חלמוהי
ועל פתגמוהי: ט וחלם
עוד חלמא אחרנא
ואשתעי יתה לאחוהי
ואמר הא חלמית חלמא
עוד והא שמשא וסהרא
וחד עשר כוכביא סגדן
לי: י ואשתעי לאבוהי
ולאחוהי ונזף בה אבוהי
ואמר לה מה חלמא
הדין די חלמתא המיתא
ניתי אנא ואמך ואחיך
למסגד לך על ארעא:
יא וקניאו בה אחוהי
ואבוהי נטר ית פתגמא:

רש"י

[פסוק ח] **ועל דבריו.** על דבתם רעה שהיה מביא לאביהם: [פסוק י] **ויספר אל אביו ואל אחיו.** לאחר שספר אותו לאחיו ל חזר וספרו לאביו בפניהם: **ויגער בו.** לפי שהיה מטיל שנאה עליו: **הבוא נבוא.** והלא אמך כבר מתה והוא לא היה יודע שהדברים מגיעין לבלהה שגדלתו כאמו (ב"ר פד יא). ורבותינו למדו מכאן שאין חלום בלא דברים בטלים (ברכות נה.), ויעקב נתכוין מ להוציא הדבר מלב בניו שלא יקנאוהו, לכך אמר לו הבוא נבוא וגו', כשם שאי אפשר באמך כך השאר הוא בטל: [פסוק יא] **שמר את הדבר.** היה ממתין ומצפה מתי יבוא. וכן שומר אמונים (ישעיה כו:ב), וכן לא תשמור על חטאתי (איוב יד:טז) לא תמתין:

בעל הטורים

(י) **ויגער.** ב׳ — הכא; ואידך "ויגער בים סוף ויחרב". לומר לך, מה "ויגער" דהכא יעקב, אף "ויגער" דהתם איירי ביעקב, שבזכותו חרב. וזהו שדרשו "וירא ישראל" — ישראל סבא:

עיקר שפתי חכמים

ל ומה שלא ספר לאביו את חלומו הראשון הוא מפני שכבר פתרו לו אחיו לטובה כי מלוך ימלוך, אבל בחלום השני שלא פתרו לו אחיו ספר אותו ג"כ לאביו למען יפתור אותו לטובה: מ ר"ל וגם יעקב היה יודע שאין חלום בלי דברים בטלים, אך נתכוין להוציא מלב בניו:

שני יב וַיֵּלְכוּ אֶחָיו לִרְעוֹת *אֶת־
צֹאן אֲבִיהֶם בִּשְׁכֶם׃ יג וַיֹּאמֶר
יִשְׂרָאֵל אֶל־יוֹסֵף הֲלוֹא אַחֶיךָ
רֹעִים בִּשְׁכֶם לְכָה וְאֶשְׁלָחֲךָ
אֲלֵיהֶם וַיֹּאמֶר לוֹ הִנֵּנִי׃ יד וַיֹּאמֶר
לוֹ לֶךְ־נָא רְאֵה אֶת־שְׁלוֹם אַחֶיךָ
וְאֶת־שְׁלוֹם הַצֹּאן וַהֲשִׁבֵנִי דָּבָר
וַיִּשְׁלָחֵהוּ מֵעֵמֶק חֶבְרוֹן וַיָּבֹא
שְׁכֶמָה׃ טו וַיִּמְצָאֵהוּ אִישׁ וְהִנֵּה תֹעֶה בַּשָּׂדֶה
וַיִּשְׁאָלֵהוּ הָאִישׁ לֵאמֹר מַה־תְּבַקֵּשׁ׃ טז וַיֹּאמֶר

יב וַאֲזַלוּ אֲחוֹהִי לְמִרְעֵי
יָת עָנָא דַאֲבוּהוֹן בִּשְׁכֶם׃
יג וַאֲמַר יִשְׂרָאֵל לְיוֹסֵף
הֲלָא אַחָיךְ רָעַן בִּשְׁכֶם
אֱתָא וְאֶשְׁלְחִנָּךְ לְוָתְהוֹן
וַאֲמַר לֵהּ הָא אֲנָא׃
יד וַאֲמַר לֵהּ אִיזֵיל כְּעַן
חֲזֵי יָת שְׁלָמָא דַאֲחָיךְ
וְיָת שְׁלָמָא דְעָנָא
וַאֲתֵבְנִי פִּתְגָּמָא וְשַׁלְחֵהּ
מִמֵּישַׁר חֶבְרוֹן וַאֲתָא
לִשְׁכֶם׃ טו וְאַשְׁכְּחֵהּ
גַּבְרָא וְהָא תָעֵי בְּחַקְלָא
וּשְׁאָלְהִי גַּבְרָא לְמֵימַר
מָה אַתְּ בָּעֵי׃ טז וַאֲמַר

* נקוד על את

רש"י

[פסוק יב] לִרְעוֹת אֶת צֹאן. נָקוּד עַל אֶת נ שֶׁלֹּא הָלְכוּ אֶלָּא לִרְעוֹת אֶת עַצְמָן (ב"ר פד:יג): **[פסוק יג] הִנֵּנִי.** לְשׁוֹן עֲנָוָה וּזְרִיזוּת (תנחומא וירא כב). כִּזְדָּרֵז לְמִצְוַת אָבִיו וְאַעַ"פ שֶׁהָיָה יוֹדֵעַ בְּאֶחָיו שֶׁשּׂוֹנְאִין אוֹתוֹ (ב"ר שם): **[פסוק יד] מֵעֵמֶק חֶבְרוֹן.** וַהֲלֹא חֶבְרוֹן בָּהָר שֶׁנֶּאֱמַר וַיַּעֲלוּ בַנֶּגֶב וַיָּבֹא עַד חֶבְרוֹן (במדבר יג:כב). אֶלָּא מֵעֵצָה עֲמוּקָּה שֶׁל אוֹתוֹ צַדִּיק הַקָּבוּר בְּחֶבְרוֹן לְקַיֵּים מַה שֶּׁנֶּאֱ' לְאַבְרָהָם בֵּין הַבְּתָרִים כִּי גֵר יִהְיֶה זַרְעֲךָ (לעיל טו:יג; ב"ר שם; סוטה יא.): **וַיָּבֹא שְׁכֶמָה.** ס מָקוֹם מוּכָן לְפוּרְעָנוּת. שָׁם קִלְקְלוּ הַשְּׁבָטִים, שָׁם עִנּוּ אֶת דִּינָה, שָׁם נֶחְלְקָה מַלְכוּת בֵּית דָּוִד שֶׁנֶּאֱ' וַיֵּלֶךְ רְחַבְעָם שְׁכֶמָה (דברי הימים ב י:א; סנהדרין קב.): **[פסוק טו] וַיִּמְצָאֵהוּ אִישׁ.** ע זֶה גַּבְרִיאֵל,

בעל הטורים

(יד) **לך נא ראה.** לומר שלא יצא אלא ב"כי טוב", בשעה שיוכל לראות: **והשבני דבר.** נצנצה בו רוח הקדש, שסופו לחזור אליו: [**מעמק.**] עמק בגימטריא רד"ו, שעל ידי זה נשתעבדו רד"ו שנים: ליוהו עד חברון. אמר לו: אבא, חזור בך! אמר ליה: כתיב "ידינו לא שפכה את הדם הזה", שלא פטרנוהו בלא לויה. ובזה נפטר ממנו, ומתוך כך זוכרו. והיינו דכתיב "וירא את העגלות אשר שלח יוסף". וזהו שאמרו, אל יפטר אדם מחברו אלא מתוך דבר הלכה, שמתוך כך זוכרהו: (טו) **תעה.** ג' במסורת — הכא; ואידך "חמורו תועה"; ואידך "אדם תועה מדרך השכל". לומר לך שתעה ויצא מאם הדרך ונכנס בשדות לבקשם: "או חמרו תעה", ואמרינן, כל שכן אבידת גופו. שאם ראהו חברו שתעה בדרך, שצריך להשיבו. ואחיו לא חשו לאבידת גופו, על כן תעו מדרך השכל: **וישאלהו האיש.** בגימטריא מלאך גבריאל שאלו:

עיקר שפתי חכמים

נ כי מאחר שהנקודה ממעטת את הכתב, וה"ל כאילו לא נכתב את, וא"כ לאן אינו דבוק לתיבת לרעות. ודריש הפסוק כאילו כתיב וילכו אחיו לרעות [את עצמן], ולאן אביהם [היה] בשכם: **ס** דאל"כ שכמה ל"ל, הל"ל ויבא שמה, ור"ל למקום ששלחו. לכך דריש מקום מוכן כו': **ע** מדאמר לו הגידה לי ולא אמר לו הידעת איפה הם רועים, ש"מ שידע יוסף שהוא יודע ודאי, כי הוא היה מלאך ואיש מצינו אצל גבריאל:

אֶת־אַחַי אָנֹכִי מְבַקֵּשׁ הַגִּידָה־
נָּא לִי אֵיפֹה הֵם רֹעִים׃ יז וַיֹּאמֶר
הָאִישׁ נָסְעוּ מִזֶּה כִּי שָׁמַעְתִּי
אֹמְרִים נֵלְכָה דֹּתָיְנָה וַיֵּלֶךְ יוֹסֵף
אַחַר אֶחָיו וַיִּמְצָאֵם בְּדֹתָן׃
יח וַיִּרְאוּ אֹתוֹ מֵרָחֹק וּבְטֶרֶם
יִקְרַב אֲלֵיהֶם וַיִּתְנַכְּלוּ אֹתוֹ
לַהֲמִיתוֹ׃ יט וַיֹּאמְרוּ אִישׁ אֶל־
אָחִיו הִנֵּה בַּעַל הַחֲלֹמוֹת הַלָּזֶה בָּא׃ כ וְעַתָּה ׀
לְכוּ וְנַהַרְגֵהוּ וְנַשְׁלִכֵהוּ בְּאַחַד הַבֹּרוֹת וְאָמַרְנוּ
חַיָּה רָעָה אֲכָלָתְהוּ וְנִרְאֶה מַה־יִּהְיוּ חֲלֹמֹתָיו׃

יָת אַחַי אֲנָא בָעֵי חֲוִי
כְעַן לִי הֵיכָן אִנּוּן רָעַן׃
יז וַאֲמַר גֻּבְרָא נְטַלוּ מִכָּא
אֲרֵי שְׁמָעִית דְּאָמְרִין נֵיזֵיל
לְדֹתָן וַאֲזַל יוֹסֵף בָּתַר
אֲחוֹהִי וְאַשְׁכַּחִנּוּן בְּדֹתָן׃
יח וַחֲזוֹ יָתֵהּ מֵרַחִיק
וְעַד לָא קְרֵיב לְוָתְהוֹן
וְחַשִּׁיבוּ עֲלוֹהִי לְמִקְטְלֵהּ׃
יט וַאֲמָרוּ גְּבַר לַאֲחוּהִי הָא
מָרֵי חֶלְמַיָּא דֵיכִי אֲתָא׃
כ וּכְעַן אִיתוֹ וְנִקְטְלִנֵּהּ
וְנִרְמְנֵהּ בַּחֲדָא מִן גֻּבַּיָּא
וְנֵימַר חַיְתָא בִישְׁתָא
אֲכַלְתֵּהּ וְנֶחֱזֵי מָא יְהוֹן
(נ״א יְהֵי) בְּסוֹף חֶלְמוֹהִי׃

רש״י

שֶׁנֶּאֱמַר וְהָאִישׁ גַּבְרִיאֵל (דניאל ט:כא; תנחומא ב): **[פסוק יז] נָסְעוּ מִזֶּה.** פ הִסִּיעוּ עַצְמָן מִן הָאַחֲוָה: **נֵלְכָה דֹּתָיְנָה.** צ לְבַקֵּשׁ לְךָ נִכְלֵי דָתוֹת שֶׁיְּמִיתוּךָ בָּהֶם. וּלְפִי פְשׁוּטוֹ שֵׁם מָקוֹם הוּא, וְאֵין מִקְרָא יוֹצֵא מִידֵי פְשׁוּטוֹ: **[פסוק יח] וַיִּתְנַכְּלוּ.** נִתְמַלְּאוּ נְכָלִים וְעַרְמוּמִיּוּת: **אֹתוֹ.** כְּמוֹ אִתּוֹ עִמּוֹ כְּלוֹמַר ק אֵלָיו: **[פסוק כ] וְנִרְאֶה מַה יִּהְיוּ חֲלֹמֹתָיו** אָמַר רַבִּי יִצְחָק מִקְרָא זֶה אוֹמֵר דָּרְשֵׁנִי, רוּחַ הַקֹּדֶשׁ אוֹמֶרֶת כֵּן. הֵם אוֹמְרִים נַהַרְגֵהוּ, וְהַכָּתוּב מְסַיֵּים וְנִרְאֶה מַה יִּהְיוּ חֲלֹמֹתָיו, נִרְאֶה דְּבַר מִי יָקוּם אִם שֶׁלָּכֶם אוֹ שֶׁלִּי. וא״א שֶׁיֹּאמְרוּ הֵם וְנִרְאֶה מַה יִּהְיוּ חֲלוֹמוֹתָיו, שֶׁמֵּכֵיוָן שֶׁיַּהַרְגוּהוּ בָּטְלוּ חֲלוֹמוֹתָיו (תנחומא ישן יג):

בעל הטורים

(טז) איפה הם רעים. כתיב חסר – רמז, פה התחילו ברעה בימי ירבעם, שהמליכוהו בשכם: **(יז) וימצאם בדתן.** ושם למד עליו יהודה זכות. ועל כן זכה שמלכו מזרעו שנים כמנין דת״ן, מדוד ועד צדקיהו: **(יח) ובטרם.** ג׳ במסורת – הכא; ואידך ״ובטרם יתנגפו רגליכם״; ״ובטרם תצא מרחם״. שבעוון זה נתגלגלו הגלויות ונתנגפו

עיקר שפתי חכמים

פ דאל״כ נסעו מזה ל״ל הלא גם יוסף ידע שאינם פה: **צ** דכיון דדריש הסיעו עצמן מהאחוה, מאי כי שמעתי כו׳, לכ״פ לבקש כו׳: **ק** כי על ויתנכלו שהוא ל׳ התפעל אין נופל ל׳ אותו אלא אליו. לכך פי׳ רש״י שאותו כתיב חסר והוה כמו דכתיב אתו, ואתו הוא כמו עמו, כי הם משותפים, ועמו הוא קרוב לאליו במובן. והכתוב לא רצה לכתוב אתו או עמו כי היו במשמעותו אשר גם הוא ערום וערום בתחבולותיו להמיתם כאשר זממו לעשות לו:

כא וַיִּשְׁמַע רְאוּבֵן וַיַּצִּלֵהוּ מִיָּדָם
וַיֹּאמֶר לֹא נַכֶּנּוּ נָפֶשׁ: כב וַיֹּאמֶר
אֲלֵהֶם | רְאוּבֵן אַל־תִּשְׁפְּכוּ־דָם
הַשְׁלִיכוּ אֹתוֹ אֶל־הַבּוֹר הַזֶּה
אֲשֶׁר בַּמִּדְבָּר וְיָד אַל־תִּשְׁלְחוּ־
בוֹ לְמַעַן הַצִּיל אֹתוֹ מִיָּדָם
לַהֲשִׁיבוֹ אֶל־אָבִיו: שלישי כג וַיְהִי
כַּאֲשֶׁר־בָּא יוֹסֵף אֶל־אֶחָיו
וַיַּפְשִׁיטוּ אֶת־יוֹסֵף אֶת־כֻּתָּנְתּוֹ
אֶת־כְּתֹנֶת הַפַּסִּים אֲשֶׁר עָלָיו: כד וַיִּקָּחֻהוּ
וַיַּשְׁלִכוּ אֹתוֹ הַבֹּרָה וְהַבּוֹר רֵק אֵין בּוֹ מָיִם:
כה וַיֵּשְׁבוּ לֶאֱכָל־לֶחֶם וַיִּשְׂאוּ עֵינֵיהֶם וַיִּרְאוּ

כא וּשְׁמַע רְאוּבֵן וְשֵׁזְבֵהּ
מִידֵיהוֹן וַאֲמַר לָא
נִקְטְלִנֵּהּ נְפָשׁ: כב וַאֲמַר
לְהוֹן רְאוּבֵן לָא תוֹשְׁדוּן
דְּמָא רְמוֹ יָתֵהּ לְגֻבָּא
הָדֵין דִּי בְּמַדְבְּרָא וִידָא
לָא תוֹשְׁטוּן בֵּהּ בְּדִיל
לְשֵׁיזָבָא יָתֵהּ מִידֵיהוֹן
לַאֲתָבוּתֵהּ לְוַת אֲבוּהִי:
כג וַהֲוָה כַּד עַל יוֹסֵף
לְוַת אֲחוּהִי וְאַשְׁלִיחוּ
מִן יוֹסֵף יָת כִּתּוּנֵהּ יָת
כִּתּוּנָא דְפַסֵּי דִּי עֲלוֹהִי:
כד וְנָסְבוּהִי וּרְמוֹ יָתֵהּ
לְגֻבָּא וְגֻבָּא רֵיקָא לֵית בֵּהּ
מַיָּא: כה וְאַסְחָרוּ לְמֵיכַל
לַחְמָא וּזְקָפוּ עֵינֵיהוֹן וַחֲזוֹ

רש"י

[פסוק כא] לא נַכֶּנּוּ נָפֶשׁ. מַכַּת נֶפֶשׁ זוֹ הִיא מִיתָה (אונקלוס): **[פסוק כב] לְמַעַן הַצִּיל אֹתוֹ.** ר רוּחַ הַקֹּדֶשׁ הֵעִידָה עַל רְאוּבֵן שֶׁלֹּא אָמַר זֹאת אֶלָּא לְהַצִּיל אוֹתוֹ (תנחומא יג) שֶׁיָּבֹא הוּא וְיַעֲלֶנּוּ מִשָּׁם (פדר"א פל"ח). אָמַר, אֲנִי בְּכוֹר וְגָדוֹל שֶׁבְּכוּלָּן, לֹא יִתָּלֶה הַסִּרְחוֹן אֶלָּא בִּי (ב"ר פד:טו): **[פסוק כג] אֶת כֻּתָּנְתּוֹ.** ש זֶה חָלוּק: **אֶת כְּתֹנֶת הַפַּסִּים.** הוּא שֶׁהוֹסִיף לוֹ אָבִיו יוֹתֵר עַל אֶחָיו (שם טז): **[פסוק כד] וְהַבּוֹר רֵק אֵין בּוֹ מָיִם.** מִמַּשְׁמָע שֶׁנֶּא' וְהַבּוֹר רֵק אֵינִי יוֹדֵעַ שֶׁאֵין בּוֹ מָיִם, מַה ת"ל אֵין בּוֹ מָיִם. מַיִם אֵין בּוֹ, אֲבָל ת נְחָשִׁים וְעַקְרַבִּים יֵשׁ בּוֹ (שבת כב.):

בעל הטורים

רגליהם. "ובטרם תצא מרחם", כדאיתא במדרש שנולד יוסף מהול: **(כג) כתנתו.** ב׳ במסורת — "ויפשיטו את יוסף את כתנתו"; "קרוע כתנתו" גבי שאול. לומר שגם בכאן קרעו כותנתו מעליו למהר הדבר: **(כד) ויקחהו.** כתיב חסר וי"ו, שלא לקחו אלא אחד, והוא היה שמעון, ועל כן "ויקח מאתם את שמעון": **רק.** ב׳ במסורת — "והבור רק"; ואידך "כי לא דבר רק הוא". לומר, "לא דבר רק הוא", שלא היה הבור ריקן, שהרי היו בו נחשים ועקרבים, מים אין בו אבל יש נחשים ועקרבים. ועוד, דגמרינן "אין... מים" דהכא ממאי דכתיב "נחש שרף ועקרב וצימאון אשר אין מים":

עיקר שפתי חכמים

ר ולא שראובן אמר זאת בעצמו: **ש** ואשר עליו קאי על הכתונת זה החלוק. ולפ"ז לא הי׳ עליו רק כתונת אחת אשר היתה כתונת פסים: **ת** ועכ"ז נאמר והבור רק, כי המה נכנסים לחורי ולסדק הבור:

וְהִנֵּה אֹרְחַת יִשְׁמְעֵאלִים
בָּאָה מִגִּלְעָד וּגְמַלֵּיהֶם נֹשְׂאִים
נְכֹאת וּצְרִי וָלֹט הוֹלְכִים
לְהוֹרִיד מִצְרָיְמָה: כו וַיֹּאמֶר
יְהוּדָה אֶל־אֶחָיו מַה־בֶּצַע כִּי
נַהֲרֹג אֶת־אָחִינוּ וְכִסִּינוּ אֶת־
דָּמוֹ: כז לְכוּ וְנִמְכְּרֶנּוּ לַיִּשְׁמְעֵאלִים וְיָדֵנוּ אַל־
תְּהִי־בוֹ כִּי־אָחִינוּ בְשָׂרֵנוּ הוּא וַיִּשְׁמְעוּ אֶחָיו:
כח וַיַּעַבְרוּ אֲנָשִׁים מִדְיָנִים סֹחֲרִים וַיִּמְשְׁכוּ

וְהָא שְׁיָרַת עֲרָבָאֵי אָתְיָא
מִגִּלְעָד וְגַמְלֵיהוֹן טְעִינִין
שְׁעַף וּקְטַף וּלְטוֹם אָזְלִין
לַאֲחָתָא לְמִצְרָיִם: כו וַאֲמַר
יְהוּדָה לַאֲחוֹהִי מָה מָמוֹן
מִתַּהֲנֵי לָנָא אֲרֵי נִקְטוֹל
יָת אֲחוּנָא וּנְכַסֵּי עַל דְּמֵהּ:
כז אֱתוֹ וּנְזַבְּנִנֵּהּ לַעֲרָבָאֵי
וִידָנָא לָא תְהֵי בֵהּ אֲרֵי
אֲחוּנָא בִסְרָנָא הוּא וְקַבִּילוּ
מִנֵּהּ אֲחוֹהִי: כח וַעֲבָרוּ
גַּבְרֵי מִדְיָנָאֵי תַּגָּרֵי וּנְגִידוּ

רש"י

[פסוק כה] **אֹרְחַת.** כְּתַרְגּוּמוֹ שְׁיָרַת, עַל שֵׁם הוֹלְכֵי אוֹרַח: **וּגְמַלֵּיהֶם נשְׂאִים וגו'.** לָמָּה פִּרְסֵם הַכָּתוּב אֶת מַשָּׂאָם. לְהוֹדִיעַ מַתַּן שְׂכָרָן שֶׁל צַדִּיקִים שֶׁאֵין דַּרְכָּן שֶׁל עַרְבִיִּים לָשֵׂאת אֶלָּא נֵפְטְ וְעִטְרָן שֶׁרֵיחָן רַע. וְלָזֶה נִזְדַּמְּנוּ בְּשָׂמִים שֶׁלֹּא יוּזַק מֵרֵיחַ רָע (ב"ר פד:יז; מכילתא בשלח מס' ב פ' ה): **נְכֹאת.** כָּל כִּנּוּסֵי בְּשָׂמִים הַרְבֵּה קָרוּי נְכֹאת וְכֵן וַיַּרְאֵם אֶת כָּל בֵּית נְכֹתֹה (מלכים ב כ:יג) מִרְקַחַת בְּשָׂמָיו. וְאוּנְקְלוֹס תִּרְגֵּם לְשׁוֹן שַׁעֲוָה: **וּצְרִי.** שְׂרָף הַנּוֹטֵף מֵעֲצֵי הַקְּטָף (כריתות ו.), וְהוּא נָטָף (שמות ל:לד) הַנִּמְנֶה עִם סַמָּנֵי הַקְּטוֹרֶת: **וָלֹט.** לוּטִיתָא [ס"א לוֹטֶס; ס"א לוטוס] שְׁמוֹ בִּלְשׁוֹן מִשְׁנָה (שביעית ז:ו). וְרַבּוֹתֵינוּ פֵּי' שֹׁרֶשׁ עֵשֶׂב וּשְׁמוֹ אשטרולוזיא"ה במס' נִדָּה (ח.): [פסוק כו] **מַה בֶּצַע.** מַה מָּמוֹן כְּתַרְגּוּמוֹ: **וְכִסִּינוּ אֶת דָּמוֹ.** א וְנַעֲלִים אֶת מִיתָתוֹ: [פסוק כז] **וַיִּשְׁמְעוּ.** וְקַבִּילוּ מִנֵּיהּ (אונקלוס), וְכָל שְׁמִיעָה שֶׁהִיא קַבָּלַת דְּבָרִים, כְּגוֹן זֶה, וּכְגוֹן וַיִּשְׁמַע יַעֲקֹב אֶל אָבִיו (לעיל כח:ז) נַעֲשֶׂה וְנִשְׁמָע (שמות כד:ז), מְתוּרְגָּם נְקַבֵּל. וְכָל שֶׁהִיא שְׁמִיעַת הָאֹזֶן, כְּגוֹן וַיִּשְׁמְעוּ אֶת קוֹל ה' אֱלֹהִים מִתְהַלֵּךְ בַּגָּן (לעיל ג:ח) וְרִבְקָה שֹׁמַעַת (שם כז:ה) וַיִּשְׁמַע יִשְׂרָאֵל (שם לה:כב) שָׁמַעְתִּי אֶת תְּלוּנֹּת (שמות טז:יב), כֻּלָּן מְתוּרְגָּם וּשְׁמָעוּ, וּשְׁמַעַת, וּשְׁמַע, שְׁמִיעַ קֳדָמַי: [פסוק כח] **וַיַּעַבְרוּ אֲנָשִׁים מִדְיָנִים.** זוֹ הִיא שַׁיָּרָא אַחֶרֶת, וְהוֹדִיעֲךָ הַכָּתוּב שֶׁנִּמְכַּר פְּעָמִים הַרְבֵּה: **וַיִּמְשְׁכוּ.** ב בְּנֵי יַעֲקֹב

בעל הטורים

(כו) מה בצע. ב' במסורת – [דין;] ואידך "מה בצע בדמי". וזהו מה בצע בדמי אם אהרוג את אחי: **(כח) וימשכו.** ב' במסורת – הכא; ואידך "וימשכו את ירמיהו ויעלו". שנפרע מירמיה מה שעשו ליוסף:

עיקר שפתי חכמים

א כי הם לא שפכו את דמו בהשליכם אותו הבורה: **ב** ובשם ס' הישר מובא אשר המדינים משכו את יוסף מן הבור, כפשט הכתוב. ואחרי שראו האחים את יוסף בידם חפצו לקחתו בחזקה מידם התרצו

וַיַּעֲלוּ אֶת־יוֹסֵף מִן־הַבּוֹר
וַיִּמְכְּרוּ אֶת־יוֹסֵף לַיִּשְׁמְעֵאלִים
בְּעֶשְׂרִים כָּסֶף וַיָּבִיאוּ אֶת־יוֹסֵף
מִצְרָיְמָה: כט וַיָּשָׁב רְאוּבֵן אֶל־
הַבּוֹר וְהִנֵּה אֵין־יוֹסֵף בַּבּוֹר
וַיִּקְרַע אֶת־בְּגָדָיו: ל וַיָּשָׁב אֶל־
אֶחָיו וַיֹּאמַר הַיֶּלֶד אֵינֶנּוּ וַאֲנִי
אָנָה אֲנִי־בָא: לא וַיִּקְחוּ אֶת־כְּתֹנֶת
יוֹסֵף וַיִּשְׁחֲטוּ שְׂעִיר עִזִּים וַיִּטְבְּלוּ אֶת־הַכֻּתֹּנֶת
בַּדָּם: לב וַיְשַׁלְּחוּ אֶת־כְּתֹנֶת הַפַּסִּים וַיָּבִיאוּ אֶל־
אֲבִיהֶם וַיֹּאמְרוּ זֹאת מָצָאנוּ הַכֶּר־נָא הַכְּתֹנֶת

וְאַסִּיקוּ יָת יוֹסֵף מִן גֻּבָּא
וְזַבִּינוּ יָת יוֹסֵף לַעֲרָבָאֵי
בְּעֶסְרִין כְּסַף וְאַיְתִיוּ יָת
יוֹסֵף לְמִצְרָיִם: כט וְתָב
רְאוּבֵן לְגֻבָּא וְהָא לֵית
יוֹסֵף בְּגֻבָּא וּבְזַע יָת
לְבוּשׁוֹהִי: ל וְתָב לְוַת
אֲחוֹהִי וַאֲמַר עוּלֵימָא
לֵיתוֹהִי וַאֲנָא לְאָן אֲנָא
אָתֵי: לא וּנְסִיבוּ יָת כִּתּוּנָא
דְיוֹסֵף וּנְכִיסוּ צְפִיר בַּר עִזֵּי
וּטְבָלוּ יָת כִּתּוּנָא בִּדְמָא:
לב וְשַׁלָּחוּ יָת כִּתּוּנָא
דְפַסֵּי וְאַיְתִיוּ לְוַת אֲבוּהוֹן
וַאֲמָרוּ דָּא אַשְׁכַּחְנָא
אִשְׁתְּמוֹדַע כְּעַן הֲכִתּוּנָא

רש"י

את יוסף מן הבור וַיִּמְכְּרוּהוּ **לַיִּשְׁמְעֵאלִים** וְהַיִּשְׁמְעֵאלִים לַמִּדְיָנִים וְהַמִּדְיָנִים מָכְרוּ אוֹתוֹ לְמִצְרַיִם (תנחומא ישן יג): **[פסוק כט] וַיָּשָׁב רְאוּבֵן.** וּבִמְכִירָתוֹ לֹא הָיָה שָׁם שֶׁהִגִּיעַ יוֹמוֹ לֵילֵךְ וּלְשַׁמֵּשׁ אֶת אָבִיו (ב"ר פד:טו). ד"א, עָסוּק הָיָה בְּשַׂקּוֹ וּבְתַעֲנִיתוֹ עַל שֶׁבִּלְבֵּל יְצוּעֵי אָבִיו (שם יט): **[פסוק ל] אָנָה אֲנִי בָא.** אָנָה ג אֶבְרַח מִצַּעֲרוֹ שֶׁל אַבָּא: **[פסוק לא] שְׂעִיר עִזִּים.** דָּמוֹ דּוֹמֶה לְשֶׁל אָדָם (שם): **הַכֻּתֹּנֶת.** זֶה שְׁמָהּ, וּכְשֶׁהִיא דְבוּקָה לְתֵיבָה אַחֶרֶת כְּגוֹן כְּתֹנֶת יוֹסֵף, כְּתֹנֶת פַּסִּים

בעל הטורים

בעשרים כסף. שהוסיף לו אביו משקל שני סלעים מילת, ומכרוהו בעשרים סלעים, שהגיע לכל אחד שני סלעים: דבר אחר — דמי עבד הם שלשים סלעים, והם שמכרוהו בסתר, הוצרכו לזלזל בו שליש: דבר אחר — שכן ערך מבן חמש עד בן עשרים, עשרים סלעים: **(ל) ואני אנה אני בא.** שאמר, לא יתלה הסרחון אלא בי, יאמר קנאתי לבכורה שניתנה לו: **(לב) הכר נא.** ב' במסורת — הכא; ואידך "הכר נא למי החותמת והפתילים". בלשון שרימה יהודה את אביו, באותו לשון נפרע ממנו:

עיקר שפתי חכמים

לקנותו בעשרים כסף מידם, אך אחרי כן בהיותם בדרך התנחמו על מקחם ומכרו אותו לישמעאלים בעשרים הכסף, וז"ש וימכרו [המדינים] כו' בעשרים כסף. והישמעאלים מכרוהו אח"כ סמוך למצרים להמדנים, והמדנים מכרוהו לפוטיפר. אך פוטיפר לא רצה לקחתו מידם, באמרו אולי גנוב הוא אתם, הביאו לו את הישמעאלים אשר מכרוהו לו, וז"ש אצל פוטיפר מיד הישמעאלים כו'. הארכתי בזה למען התר הספקות מהפסוקים שנראין כסותרין זא"ז: ג דאל"כ, וכי מפני שהילד איננו לא נשאר מקום עבורו, לכ"פ אנה אברח מצערו כו':

בִּנְךָ הִוא אִם־לֹא: לג וַיַּכִּירָהּ
וַיֹּאמֶר כְּתֹנֶת בְּנִי חַיָּה רָעָה
אֲכָלָתְהוּ טָרֹף טֹרַף יוֹסֵף:
לד וַיִּקְרַע יַעֲקֹב שִׂמְלֹתָיו וַיָּשֶׂם
שַׂק בְּמָתְנָיו וַיִּתְאַבֵּל עַל־
בְּנוֹ יָמִים רַבִּים: לה וַיָּקֻמוּ כָל־
בָּנָיו וְכָל־בְּנֹתָיו לְנַחֲמוֹ וַיְמָאֵן
לְהִתְנַחֵם וַיֹּאמֶר כִּי־אֵרֵד אֶל־בְּנִי אָבֵל שְׁאֹלָה

דִּבְרָךְ הִיא אִם לָא:
לג וְאִשְׁתְּמוֹדְעַהּ וַאֲמַר
כִּתּוּנָא דִּבְרִי חַיְתָא
בִישְׁתָא אֲכָלְתֵּהּ מִקְטַל
קְטִיל יוֹסֵף: לד וּבְזַע
יַעֲקֹב לְבוּשׁוֹהִי וַאֲסַר
שַׂקָּא בְּחַרְצֵהּ וְאִתְאַבַּל
עַל בְּרֵהּ יוֹמִין סַגִּיאִין:
לה וְקָמוּ כָּל בְּנוֹהִי וְכָל
בְּנָתֵהּ לְנַחֲמוּתֵהּ וְסָרֵיב
לְקַבָּלָא תַנְחוּמִין וַאֲמַר
אֲרֵי אֵחוּת לְוָת (נ״א עַל)
בְּרִי כַּד אֲבִילָא לִשְׁאוֹל

רש״י

כתנת בד (ויקרא טז:ד) נקוד כתנת: **[פסוק לג] ויאמר כתנת בני.** היא זו: **חיה רעה אכלתהו.** [ד] נצנצה בו רוח הקדש, סופו שתתגרה בו אשת פוטיפר (ב״ר שם). ולמה לא גלה לו הקב״ה, לפי שהחרימו וקללו את כל מי שיגלה ושתפו [ה] להקב״ה עמהם (תנחומא ב; פדר״א פל״ח). אבל יצחק היה יודע שהוא חי, אמר היאך אגלה והקב״ה אינו רוצה לגלות לו (ב״ר פד:כא): **[פסוק לד] ימים רבים.** כ״ב שנה (שם כ), משפירש ממנו עד שירד יעקב למצרים. שנא׳ יוסף בן שבע עשרה שנה וגו׳ (לעיל פסוק ב), ובן שלשים שנה היה בעמדו לפני פרעה, ושבע שני השבע ושנתים הרעב כשבא יעקב למצרים הרי כ״ב שנה, כנגד כ״ב שנה שלא קיים יעקב כבוד אב ואם. כ׳ שנה שהיה בבית לבן, וב׳ שנה בדרך בשובו מבית לבן שנה וחצי בסכות וששה חדשים בבית אל (מגילה טז:-יז.). וזהו שאמר ללבן זה לי עשרים שנה בביתך (לעיל לא:מא) לי הן ועלי הן, סופי ללקות כנגדן: **[פסוק לה] וכל בנתיו.** רבי יהודה אומר אחיות תאומות נולדו עם כל שבט ושבט [ו] ונשאום. רבי נחמיה אומר כנעניות היו, אלא מהו וכל בנותיו, כלותיו, שאין אדם נמנע מלקרוא לחתנו בנו ולכלתו בתו (תנחומא ישן י; ב״ר פד:כא): **וימאן להתנחם.** אין אדם מקבל תנחומין על החי וסבור שמת, שעל המת נגזרה גזירה שישתכח מן הלב ולא על החי (ב״ר שם; פסחים נד:): **ארד אל בני.** כמו [ז] על בני (אונקלוס). והרבה אל משמשין בלשון על, אל שאול ואל בית הדמים (שמואל ב כא:א) אל הלקח ארון האלהים ואל מות חמיה ואישה (שם א ד:כא): **אבל שאלה.** כפשוטו לשון קבר

עיקר שפתי חכמים

ד דמנ״ל שחיה רעה אכלתהו, אולי נהרג מלסטים: **ה** ר״ל שגם הקב״ה הסכים על ידם, כדי שיתגלגל הדבר שירדו למצרים, ויעקב ילטער א״ע כ״ב שנה: **ו** ר״ל כ״א נשא התאומה שנולדה עם אחיו שהיתה לו אחות מן האב ולא מן האם, וב״כ לא נלטוו ע״ז: **ז** ר״ל בעבור בני:

וַיֵּבְךְּ אֹתוֹ אָבִיו׃ לו וְהַמְּדָנִים
מָכְרוּ אֹתוֹ אֶל־מִצְרָיִם לְפוֹטִיפַר
סְרִיס פַּרְעֹה שַׂר הַטַּבָּחִים׃ פ
רביעי פרק לח א וַיְהִי בָּעֵת הַהִוא וַיֵּרֶד
יְהוּדָה מֵאֵת אֶחָיו וַיֵּט עַד־אִישׁ
עֲדֻלָּמִי וּשְׁמוֹ חִירָה׃ ב וַיַּרְא־שָׁם
יְהוּדָה בַּת־אִישׁ כְּנַעֲנִי וּשְׁמוֹ
שׁוּעַ וַיִּקָּחֶהָ וַיָּבֹא אֵלֶיהָ׃ ג וַתַּהַר
וַתֵּלֶד בֵּן וַיִּקְרָא אֶת־שְׁמוֹ עֵר׃ ד וַתַּהַר עוֹד
וַתֵּלֶד בֵּן וַתִּקְרָא אֶת־שְׁמוֹ אוֹנָן׃ ה וַתֹּסֶף עוֹד
וַתֵּלֶד בֵּן וַתִּקְרָא אֶת־שְׁמוֹ שֵׁלָה וְהָיָה בִכְזִיב

וּבְכָא יָתֵהּ אֲבוּהִי׃
לו וּמִדְיָנָאֵי זַבִּינוּ יָתֵהּ
לְמִצְרַיִם לְפוֹטִיפַר רַבָּא
דְפַרְעֹה רַב קָטוֹלַיָּא׃
א וַהֲוָה בְּעִדָּנָא הַהִיא וּנְחַת
יְהוּדָה מִלְוַת אֲחוֹהִי וּסְטָא
עַד גַּבְרָא עֲדֻלָּמָאָה וּשְׁמֵהּ
חִירָה׃ ב וַחֲזָא תַמָּן יְהוּדָה
בַּת גְּבַר תַּגָּרָא וּשְׁמֵהּ
שׁוּעַ וְנַסְבַהּ וְעַל לְוָתַהּ׃
ג וְעַדִּיאַת וִילִידַת בַּר וּקְרָא
יָת שְׁמֵהּ עֵר׃ ד וְעַדִּיאַת
עוֹד וִילִידַת בַּר וּקְרַת יָת
שְׁמֵהּ אוֹנָן׃ ה וְאוֹסִיפַת
עוֹד וִילִידַת בַּר וּקְרַת יָת
שְׁמֵהּ שֵׁלָה וַהֲוָה בִכְזִיב

רש"י

הוּא, ח בְּאֶבְלִי אֶקָּבֵר וְלֹא אֶתְנַחֵם כָּל יָמַי. וּמִדְרָשׁוֹ גֵּיהִנֹּם, סִימָן זֶה הָיָה מָסוּר בְּיָדִי מִפִּי הַגְּבוּרָה, אִם לֹא יָמוּת אֶחָד מִבָּנַי בְּחַיַּי מֻבְטָח אֲנִי שֶׁאֵינִי רוֹאֶה גֵּיהִנֹּם (תנחומא ויגש ט): **וַיֵּבְךְּ אֹתוֹ אָבִיו.** יִצְחָק הָיָה בוֹכֶה מִפְּנֵי צָרָתוֹ שֶׁל יַעֲקֹב אֲבָל ט לֹא הָיָה מִתְאַבֵּל שֶׁהָיָה יוֹדֵעַ שֶׁהוּא חַי (ב"ר פד:כא): **[פסוק לו] הַטַּבָּחִים.** שׁוֹחֲטֵי בַּהֲמוֹת הַמֶּלֶךְ: **[פסוק א] וַיְהִי בָּעֵת הַהִוא.** לָמָּה נִסְמְכָה פָּרָשָׁה זוֹ לְכָאן וְהִפְסִיק בְּפָרָשָׁתוֹ שֶׁל יוֹסֵף, לְלַמֵּד שֶׁהוֹרִידוּהוּ אֶחָיו מִגְּדֻלָּתוֹ כְּשֶׁרָאוּ בְּצָרַת אֲבִיהֶם. אָמְרוּ, אַתָּה אָמַרְתָּ לְמָכְרוֹ, אִלּוּ אָמַרְתָּ לַהֲשִׁיבוֹ הָיִינוּ שׁוֹמְעִים לָךְ (תנחומא ישן ח; שמות רבה מב:ג): **וַיֵּט.** מֵאֵת אֶחָיו: **עַד אִישׁ עֲדֻלָּמִי.** נִשְׁתַּתֵּף עִמּוֹ: **[פסוק ב] כְּנַעֲנִי.** י תַּגְּרָא (פסחים נ.): **[פסוק ה] וְהָיָה בִכְזִיב.** שֵׁם הַמָּקוֹם. וְאוֹמֵר אֲנִי עַל שֵׁם שֶׁפָּסְקָה מִלֶּדֶת נִקְרָא כְּזִיב, לְשׁוֹן הָיוֹ תִהְיֶה לִּי כְּמוֹ אַכְזָב (ירמיה טו:יח) אֲשֶׁר לֹא יְכַזְּבוּ מֵימָיו (ישעיה נח:יא), וְאִם לֹא כֵן

עיקר שפתי חכמים

ח פי' שהאבלות תתארך עד רדתו בקבר: ט כי לא כתיב בקרא רק ויבך ולא ויתאבל: י כן ת"א, דבוודאי היה יהודה ג"כ נזהר שלא לישא בת כנעני, כאשר מצינו באברהם בהשיאו אשה ליצחק:

בְּלִדְתָּהּ אֹתוֹ׃ ו וַיִּקַּח יְהוּדָה
אִשָּׁה לְעֵר בְּכוֹרוֹ וּשְׁמָהּ
תָּמָר׃ ז וַיְהִי עֵר בְּכוֹר יְהוּדָה
רַע בְּעֵינֵי יְהוָה וַיְמִתֵהוּ יְהוָה׃
ח וַיֹּאמֶר יְהוּדָה לְאוֹנָן בֹּא אֶל־
אֵשֶׁת אָחִיךָ וְיַבֵּם אֹתָהּ וְהָקֵם
זֶרַע לְאָחִיךָ׃ ט וַיֵּדַע אוֹנָן כִּי לֹּא
לוֹ יִהְיֶה הַזָּרַע וְהָיָה אִם־בָּא
אֶל־אֵשֶׁת אָחִיו וְשִׁחֵת אַרְצָה
לְבִלְתִּי נְתָן־זֶרַע לְאָחִיו׃ י וַיֵּרַע בְּעֵינֵי יְהוָה
אֲשֶׁר עָשָׂה וַיָּמֶת גַּם־אֹתוֹ׃ יא וַיֹּאמֶר יְהוּדָה
לְתָמָר כַּלָּתוֹ שְׁבִי אַלְמָנָה בֵית־אָבִיךְ עַד־יִגְדַּל

כַּד יְלִידַת יָתֵהּ: ו וּדְבַר
יְהוּדָה אִתְּתָא לְעֵר
בּוּכְרֵהּ וּשְׁמַהּ תָּמָר:
ז וַהֲוָה עֵר בּוּכְרָא דִיהוּדָה
בִּישׁ קֳדָם יְיָ וַאֲמִיתֵהּ יְיָ:
ח וַאֲמַר יְהוּדָה לְאוֹנָן עוֹל
לְוָת אִתַּת אָחוּךְ וְיַבֵּם
יָתַהּ וַאֲקִים בַּר זַרְעָא
לְאָחוּךְ: ט וִידַע אוֹנָן אֲרֵי
לָא עַל שְׁמֵהּ מִתְקְרֵי בַּר
זַרְעָא וַהֲוָה כַּד עָלֵיל
לְוָת אִתַּת אֲחוּהִי וּמְחַבֵּל
אָרְחֵהּ עַל אַרְעָא בְּדִיל
דְּלָא לְקַיָּמָא זַרְעָא
לַאֲחוּהִי: י וּבְאֵישׁ קֳדָם יְיָ
דִּי עֲבַד וַאֲמִית אַף יָתֵהּ:
יא וַאֲמַר יְהוּדָה לְתָמָר
כַּלְּתֵהּ תִּיבִי אַרְמְלָא
בֵּית אֲבוּךְ עַד דְּיִרְבֵּא

רש"י

מַה בָּא לְהוֹדִיעֵנוּ. וּבב"ר (פה:ד) רָאִיתִי וַתִּקְרָא שְׁמוֹ שֵׁלָה וגו', פָּסְקָה: **[פסוק ז] רע בעיני ה'.** כְּרָעָתוֹ שֶׁל אוֹנָן, מַשְׁחִית זַרְעוֹ, שֶׁנֶּאֱ' בְּאוֹנָן וַיָּמֶת גַּם אוֹתוֹ (פסוק י) כְּמִיתָתוֹ שֶׁל עֵר מִיתָתוֹ שֶׁל ב אוֹנָן וְלָמָּה הָיָה עֵר מַשְׁחִית זַרְעוֹ, כְּדֵי שֶׁלֹּא תִתְעַבֵּר וְיֻכְחַשׁ יָפְיָהּ (יבמות לד:): **[פסוק ח] והקם זרע.** הַבֵּן יִקָּרֵא עַל שֵׁם הַמֵּת (תרגום יונתן): **[פסוק ט] ושחת ארצה.** דָּשׁ מִבִּפְנִים וְזוֹרֶה מִבַּחוּץ (יבמות שם; ב"ר פה:ה): **[פסוק יא] כי אמר וגו'.** כְּלוֹמַר, דּוֹחֶה הָיָה אוֹתָהּ בְּקַשׁ, ל שֶׁלֹּא הָיָה בְּדַעְתּוֹ לְהַשִּׂיאָהּ לוֹ: **כי אמר פן ימות.** מוּחְזֶקֶת הָיְתָה זוֹ שֶׁיָּמוּתוּ אֲנָשֶׁיהָ (ב"ר שם; עי' יבמות סד:):

עיקר שפתי חכמים

ב דעל אונן מפרש הכתוב הטעם לבלתי נתן זרע: ל דמדאמר תחלה עד יגדל שלה בני משמע שהי' בדעתו שתנשא לשלה, ואח"כ אמר פן ימות גו' נראה כי לא רצה לתת אותה לשלה כלל. ומזה מוכח שמה שאמר לה עד יגדל וגו' היה רק דחיה לה, ובאמת לא הי' בדעתו כן כי אמר גו' יען דהיא מוחזקת שימותו אנשיה:

שֵׁלָה בְנִי כִּי אָמַר פֶּן־יָמוּת גַּם־
הוּא כְּאֶחָיו וַתֵּלֶךְ תָּמָר וַתֵּשֶׁב
בֵּית אָבִיהָ׃ יב וַיִּרְבּוּ הַיָּמִים
וַתָּמָת בַּת־שׁוּעַ אֵשֶׁת־יְהוּדָה
וַיִּנָּחֶם יְהוּדָה וַיַּעַל עַל־גֹּזְזֵי צֹאנוֹ
הוּא וְחִירָה רֵעֵהוּ הָעֲדֻלָּמִי
תִּמְנָתָה׃ יג וַיֻּגַּד לְתָמָר לֵאמֹר
הִנֵּה חָמִיךְ עֹלֶה תִמְנָתָה לָגֹז
צֹאנוֹ׃ יד וַתָּסַר בִּגְדֵי אַלְמְנוּתָהּ
מֵעָלֶיהָ וַתְּכַס בַּצָּעִיף וַתִּתְעַלָּף וַתֵּשֶׁב בְּפֶתַח
עֵינַיִם אֲשֶׁר עַל־דֶּרֶךְ תִּמְנָתָה כִּי רָאֲתָה
כִּי־גָדַל שֵׁלָה וְהוּא לֹא־נִתְּנָה לוֹ לְאִשָּׁה׃

שֵׁלָה בְרִי אֲרֵי אֲמַר
דִּלְמָא יְמוּת אַף הוּא
כַּאֲחוֹהִי וַאֲזַלַת תָּמָר
וִיתִיבַת בֵּית אֲבוּהָא׃
יב וּסְגִיאוּ יוֹמַיָּא וּמִיתַת
בַּת שׁוּעַ אִתַּת יְהוּדָה
וְאִתְנְחֵם יְהוּדָה וּסְלֵיק
עַל גּוֹזְזֵי עָנֵהּ הוּא וְחִירָה
רַחֲמֵהּ עֲדֻלָּמָאָה לְתִמְנָת׃
יג וְאִתְחַוָּא לְתָמָר לְמֵימַר
הָא חֲמוּךְ סָלֵק לְתִמְנַת
לְמִיגַז עָנֵהּ׃ יד וְאַעְדִּיאַת
לְבוּשֵׁי אַרְמְלוּתַהּ מִנַּהּ
וּכְסִיאַת בְּעֵיפָא וְאִתְקַנַּת
וִיתִיבַת בְּפָרָשׁוּת עַיְנִין דִּי
עַל אֹרַח תִּמְנָת אֲרֵי חֲזָת
אֲרֵי רְבָא שֵׁלָה וְהִיא לָא
אִתְיְהִיבַת לֵהּ לְאִנְתּוּ׃

רש"י

[פסוק יב] **וַיַּעַל עַל גֹּזְזֵי צֹאנוֹ.** וַיַּעַל תִּמְנָתָה לַעֲמוֹד עַל גּוֹזְזֵי צֹאנוֹ: [פסוק יג] **עֹלֶה תִמְנָתָה.** וּבְשִׁמְשׁוֹן הוּא אוֹמֵר וַיֵּרֶד שִׁמְשׁוֹן תִּמְנָתָה (שופטים יד:א). בְּשִׁפּוּעַ הָהָר הָיְתָה יוֹשֶׁבֶת, עוֹלִין לָהּ מִכָּאן וְיוֹרְדִין לָהּ מִכָּאן (סוטה י.): [פסוק יד] **וַתִּתְעַלָּף.** מ כִּסְּתָה פָנֶיהָ שֶׁלֹּא יַכִּיר בָּהּ: **וַתֵּשֶׁב בְּפֶתַח עֵינַיִם.** בִּפְתִיחַת עֵינַיִם, בְּפָרָשַׁת דְּרָכִים שֶׁעַל דֶּרֶךְ תִּמְנָתָה. וְרַבּוֹתֵינוּ דָּרְשׁוּ, נ בְּפִתְחוֹ שֶׁל אַבְרָהָם אָבִינוּ שֶׁכָּל עֵינַיִם מְצַפּוֹת לִרְאוֹתוֹ (שם): **כִּי רָאֲתָה כִּי גָדַל שֵׁלָה וגו׳.** לְפִיכָךְ הִפְקִירָה עַצְמָהּ אֵצֶל יְהוּדָה שֶׁהָיְתָה מִתְאַוָּה לְהַעֲמִיד מִמֶּנּוּ בָּנִים (הוריות י:; מבוא לתנ"י כ"י ג:יח):

בעל הטורים

(יד) בפתח עינים אשר. סופי תבות רמ"ח, כמנין אברהם. שאמרה, יהי רצון שאזקק לזרע אברהם: **כי גדל.** ג׳ במסורת — הכא; ואידך "[הלוך וגדל] עד כי גדל מאוד"; "כי גדל הכאב מאד". בשביל שראתה כי גדל שלה, גדל הכאב שלה מאד, ובזכות זה יצא ממנה מלכות בית דוד שהיה "הלוך וגדל עד כי גדל מאד":

ראה המפה "**מְגוּרֵי יַעֲקֹב אָבִינוּ וּבָנָיו**" (עמוד 532).

עיקר שפתי חכמים

מ ועי"ז נאמר להלן כי כסתה פניה: **נ** הוא גמ׳ פ"ק דסוטה, ופרש"י שם בביתו של א"א שהי׳ פתוח לרווחה ע"ש. והרא"ם פי׳ במערתו של א"א, ועי׳ שם ברש"א בא"א:

טו וַיִּרְאֶ֤הָ יְהוּדָה֙ וַיַּחְשְׁבֶ֣הָ לְזוֹנָ֔ה
כִּ֥י כִסְּתָ֖ה פָּנֶֽיהָ׃ טז וַיֵּ֨ט אֵלֶ֜יהָ אֶל־
הַדֶּ֗רֶךְ וַיֹּ֙אמֶר֙ הָֽבָה־נָּא֙ אָב֣וֹא
אֵלַ֔יִךְ כִּ֚י לֹ֣א יָדַ֔ע כִּ֥י כַלָּת֖וֹ הִ֑וא
וַתֹּ֙אמֶר֙ מַה־תִּתֶּן־לִּ֔י כִּ֥י תָב֖וֹא
אֵלָֽי׃ יז וַיֹּ֕אמֶר אָנֹכִ֛י אֲשַׁלַּ֥ח גְּדִֽי־
עִזִּ֖ים מִן־הַצֹּ֑אן וַתֹּ֕אמֶר אִם־
תִּתֵּ֥ן עֵרָב֖וֹן עַ֥ד שָׁלְחֶֽךָ׃ יח וַיֹּ֗אמֶר מָ֣ה הָעֵרָבוֹן֮
אֲשֶׁ֣ר אֶתֶּן־לָּךְ֒ וַתֹּ֗אמֶר חֹתָֽמְךָ֙ וּפְתִילֶ֔ךָ וּמַטְּךָ֖
אֲשֶׁ֣ר בְּיָדֶ֑ךָ וַיִּתֶּן־לָ֛הּ וַיָּבֹ֥א אֵלֶ֖יהָ וַתַּ֥הַר לֽוֹ׃

טו וַחֲזָאַהּ יְהוּדָה וְחַשְׁבַהּ
לְנָפְקַת בָּרָא אֲרֵי כַסִיאַת
אַפָּהָא: טז וּסְטָא לְוָתַהּ
לְאָרְחָא וַאֲמַר הָבִי כְעַן
אֵיעוֹל לְוָתִיךְ אֲרֵי לָא
יְדַע אֲרֵי כַלְּתֵהּ הִיא
וַאֲמֶרֶת מַה תִּתֵּן לִי אֲרֵי
תֵיעוֹל לְוָתִי: יז וַאֲמַר אֲנָא
אֲשַׁלַּח גְּדִי בַר עִזֵּי מִן עָנָא
וַאֲמֶרֶת אִם תִּתֵּן מַשְׁכּוֹנָא
עַד דְּתִשְׁלָח: יח וַאֲמַר
מָה מַשְׁכּוֹנָא דִּי אֶתֵּן לָךְ
וַאֲמֶרֶת עִזְקָתָךְ וְשׁוֹשִׁפָּךְ
וְחוּטְרָךְ דִּי בִידָךְ וִיהַב לַהּ
וְעַל לְוָתַהּ וְעַדִּיאַת לֵהּ:

רש"י

[פסוק טו] **וַיַּחְשְׁבֶהָ לְזוֹנָה.** ס לְפִי שֶׁיּוֹשֶׁבֶת בְּפָרָשַׁת דְּרָכִים: **כִּי כִסְּתָה פָּנֶיהָ.** וְלֹא יָכוֹל לִרְאוֹתָהּ וּלְהַכִּירָהּ. וּמִדְרַשׁ רַבּוֹתֵינוּ, כִּי כִסְּתָה פָּנֶיהָ, כְּשֶׁהָיְתָה בְּבֵית חָמִיהָ הָיְתָה ע צְנוּעָה לְפִיכָךְ לֹא חֲשָׁדָהּ (סוטה י:): [פסוק טז] **וַיֵּט אֵלֶיהָ אֶל הַדֶּרֶךְ.** מִדֶּרֶךְ שֶׁהָיָה בָּהּ נָטָה אֶל הַדֶּרֶךְ אֲשֶׁר הִיא בָּהּ. וּבִל' לע"ז דשטורני"ר: **הָבָה נָּא.** הָכִינִי עַצְמֵךְ וְדַעְתֵּךְ לְכָךְ. כָּל לְשׁוֹן הָבָה ל' הַזְמָנָה הוּא חוּץ מִמָּקוֹם שֶׁיֵּשׁ לְתַרְגְּמוֹ בִּלְשׁוֹן נְתִינָה, וְאַף אוֹתָן שֶׁל הַזְמָנָה קְרוֹבִים לִלְשׁוֹן נְתִינָה הֵם: [פסוק יז] **עֵרָבוֹן.** מַשְׁכּוֹן (אונקלוס): [פסוק יח] **חֹתָמְךָ וּפְתִילֶךָ.** עִזְקָתָךְ וְשׁוֹשִׁפָּךְ (שם). טַבַּעַת שֶׁאַתָּה חוֹתֵם בָּהּ וְשִׂמְלָתְךָ שֶׁאַתָּה מִתְכַּסֶּה בָּהּ: **וַתַּהַר לוֹ.** גִּבּוֹרִים פ כַּיּוֹצֵא בוֹ צַדִּיקִים כַּיּוֹצֵא בוֹ (ב"ר פה:ט):

בעל הטורים

(טו) ויחשבה. ג' במסורת – הכא; ואידך בפרשת לך לך "ויחשבה לו צדקה"; ואידך "ויחשבה עלי לשכורה", עיין בפרשת לך: **לזונה.** ב' במסורת – "ויחשבה לזונה"; "איכה היתה לזונה". מה תמר בבזיון ולבסוף בכבוד, אף ירושלים סופה בכבוד, כדכתיב "ולכבוד אהיה בתוכה". וזהו "זאת קומתך דמתה לתמר": **(יח) ומטך.** ב' במסורת – "ומטך אשר בידך"; "ומטך אשר הכית בו את היאור". מלמד שזה המטה שנתן בידה הוא המטה שהוכה בו היאור ונעשו בו כל הנסים: **ופתילך.** אותיות ותפליך. "הפתילים" בגימטריא התפלין:

עיקר שפתי חכמים

ס וא"ת יהודה איך בא על הזונה הלא האבות ובניהם קיימו את התורה. תי' הרא"ם שאולי קדשה בכסף או בשטר, או בא עליה לשם קידושין: ע דרשו כן על צניעותה, כי בוודאי אם לא מפני דלא הכיר בה גם לפני זה לאחר כן גלתה פניה והיה לו להכירה: פ דהל"ל ותהר ממנו, וכתיב לו להשוות אליו:

יט וַתָּקָם וַתֵּלֶךְ וַתָּסַר צְעִיפָהּ
מֵעָלֶיהָ וַתִּלְבַּשׁ בִּגְדֵי אַלְמְנוּתָהּ׃
כ וַיִּשְׁלַח יְהוּדָה אֶת־גְּדִי הָעִזִּים
בְּיַד רֵעֵהוּ הָעֲדֻלָּמִי לָקַחַת
הָעֵרָבוֹן מִיַּד הָאִשָּׁה וְלֹא מְצָאָהּ׃
כא וַיִּשְׁאַל אֶת־אַנְשֵׁי מְקֹמָהּ
לֵאמֹר אַיֵּה הַקְּדֵשָׁה הִוא בָעֵינַיִם
עַל־הַדָּרֶךְ וַיֹּאמְרוּ לֹא־הָיְתָה
בָזֶה קְדֵשָׁה׃ כב וַיָּשָׁב אֶל־יְהוּדָה
וַיֹּאמֶר לֹא מְצָאתִיהָ וְגַם אַנְשֵׁי הַמָּקוֹם אָמְרוּ
לֹא־הָיְתָה בָזֶה קְדֵשָׁה׃ כג וַיֹּאמֶר יְהוּדָה תִּקַּח־
לָהּ פֶּן נִהְיֶה לָבוּז הִנֵּה שָׁלַחְתִּי הַגְּדִי הַזֶּה
וְאַתָּה לֹא מְצָאתָהּ׃ כד וַיְהִי | כְּמִשְׁלֹשׁ חֳדָשִׁים

יט וְקָמַת וַאֲזַלַת וְאַעְדִּיאַת
עֵיפַהּ מִנַּהּ וּלְבֵישַׁת לְבוּשֵׁי
אַרְמְלוּתַהּ: כ וְשַׁדַּר יְהוּדָה
יָת גַּדְיָא בַּר עִזֵּי בִּידָא
רַחְמֵהּ עֲדֻלָּמָאָה לְמִסַּב
מַשְׁכּוֹנָא מִידָא דְאִתְּתָא
וְלָא אַשְׁכְּחַהּ: כא וּשְׁאֵיל
יָת אֱנָשֵׁי אַתְרַהּ לְמֵימַר
אָן מְקַדַּשְׁתָּא הִיא בְעֵינַיִן
עַל אָרְחָא וַאֲמַרוּ לֵית
הָכָא מְקַדַּשְׁתָּא: כב וְתָב
לְוָת יְהוּדָה וַאֲמַר לָא
אַשְׁכַּחְתַּהּ וְאַף אֱנָשֵׁי
אַתְרָא אֲמַרוּ לֵית הָכָא
מְקַדַּשְׁתָּא: כג וַאֲמַר יְהוּדָה
תִּסַּב לַהּ דִּילְמָא נְהֵי
לְחוּךְ הָא שַׁדָּרִית גַּדְיָא
הָדֵין וְאַתְּ לָא אַשְׁכַּחְתַּהּ:
כד וַהֲוָה כִּתְלָתוּת יַרְחַיָּא

רש"י

[פסוק כא] הַקְּדֵשָׁה. מְקוּדֶּשֶׁת וּמְזוּמֶּנֶת לִזְנוּת: **[פסוק כג] תִּקַּח לָהּ.** יִהְיֶה שֶׁלָּהּ צ מַה שֶּׁבְּיָדָהּ: **פֶּן נִהְיֶה לָבוּז.** אִם תְּבַקְשֶׁנָּה עוֹד יִתְפַּרְסֵם הַדָּבָר וְיִהְיֶה גְּנַאי, כִּי מָה עָלַי לַעֲשׂוֹת עוֹד לְאַמֵּת דְּבָרַי: **הִנֵּה שָׁלַחְתִּי הַגְּדִי הַזֶּה.** וּלְפִי שֶׁרִמָּה יְהוּדָה אֶת אָבִיו בִּגְדִי עִזִּים שֶׁהִטְבִּיל כְּתֹנֶת יוֹסֵף בְּדָמוֹ, רִמּוּהוּ גַּם אוֹתוֹ בִּגְדִי עִזִּים (ב"ר פה:ט): **[פסוק כד] כְּמִשְׁלֹשׁ חֳדָשִׁים.** רוּבּוֹ שֶׁל רִאשׁוֹן

בעל הטורים

(כ) מצאה. ב׳ במסורת — הכא; ואידך "כי בשדה מצאה". לומר, בשביל שבשדה מצאה תחלה, ועתה חזרה לביתה, על כן לא מצאה:

(כג) לבוז. ב׳ במסורת — "פן נהיה לבוז"; "ונעוה לב יהיה לבוז". בשביל שעיוה לב אביו לומר "הכר נא הכתונת בנך הוא", היה לבוז, שאמרה לו "הכר נא למי החותמת":

עיקר שפתי חכמים

צ כי לא נוכל לפרש תקח שתקח עתה, דהא כבר לקחה:

וַיְּגַּד לִיהוּדָה לֵאמֹר זָנְתָה תָּמָר
כַּלָּתֶךָ וְגַם הִנֵּה הָרָה לִזְנוּנִים
וַיֹּאמֶר יְהוּדָה הוֹצִיאוּהָ וְתִשָּׂרֵף:
כה הִוא מוּצֵאת וְהִיא שָׁלְחָה אֶל־
חָמִיהָ לֵאמֹר לְאִישׁ אֲשֶׁר־אֵלֶּה
לּוֹ אָנֹכִי הָרָה וַתֹּאמֶר הַכֶּר־
נָא לְמִי הַחֹתֶמֶת וְהַפְּתִילִים וְהַמַּטֶּה הָאֵלֶּה:

וְאִתְחַוָּא לִיהוּדָה לְמֵימַר זַנִּיאַת תָּמָר כַּלְּתָךְ וְאַף הָא מַעְדְּיָא לִזְנוּתָא וַאֲמַר יְהוּדָה אַפְּקוּהַא וְתִתּוֹקַד: כה הִיא מִתַּפְּקָא וְהִיא שְׁלַחַת לַחֲמוּהָא לְמֵימַר לִגְבַר דִּי אִלֵּין דִּילֵהּ מִנֵּהּ אֲנָא מַעְדְּיָא וַאֲמֶרֶת אִשְׁתְּמוֹדַע כְּעַן לְמָן עִזְקְתָא וְשׁוֹשִׁפָּא וְחוּטְרָא הָאִלֵּין:

רש"י

ורובו של אחרון והאמצעי שלם (שם י) ק. ול' כמשלש חדשים כהשתלש החדשים, כמו ומשלוח מנות (אסתר ט:כב) משלוח ידם (ישעיה יא:יד). וכן תרגם אונקלוס כתלתות ירחיא: **הרה לזנונים.** שם דבר, מעוברת, כמו אשה הרה (שמות כא:כב), וכמו ברה כחמה (שיר השירים ו:י): **ותשרף.** אמר אפרים מקשאה משום רבי מאיר, ר בתו של שם היתה שהוא כהן, לפיכך דנוה ש בשריפה (ב"ר פה:י): [פסוק כה] **הוא מוצאת.** לישרף: **והיא שלחה אל חמיה.** לא רצתה להלבין פניו ולומר ממך אני מעוברת, אלא **לאיש אשר אלה לו.** אמרה, אם יודה מעצמו, יודה, ואם לאו ישרפוני, ואל אלבין פניו. מכאן אמרו נוח לו לאדם שיפיל עצמו לכבשן האש ואל ילבין פני חבירו ברבים (סוטה י:): **הכר נא.** אין נא אלא לשון בקשה, הכר נא בוראך ואל תאבד שלש

בעל הטורים

(כד) **ויאמר יהודה הוציאוה ותשרף. הוא.** ראשי תבות שם בן ארבע. מלמד שהקדוש ברוך הוא זימן לה הסימנין, שנאבדו ממנה: **הוציאוה ותשרף.** פירש רש"י: לפי שבתו של שם היתה, ובת כהן שזינתה — בשריפה. והקשה הרמב"ן דמה שכתוב בת כהן שזינתה בשריפה, היינו ארוסה או נשואה, אבל שומרת יבם, [בין ישראלית] בין כהנת, אינה אלא בלאו: וכי תימא, משום שהיה יבום [נוהג] בבני נח, ואזהרתן הוא מיתתן. הא מוכח בסנהדרין שאין יבמה נוהג בבני נח כלל. ועוד קשה, דכל מיתה האמורה בבני נח אינה אלא סייף. ועוד, מה שאמר "צדקה ממני", כל שכן שהיה לה להתחייב. ופירש הוא, בשביל שהיה קצין ומושל בארץ, והכלה אשר תזנה עליו אינה נידונת כמשפט שאר נשים הזונות, אך כמבזה את המלכות. ועל כן אמר "הוציאוה ותשרף", כי באו לפניו לעשות לה כל אשר יצוה, והוא חייב אותה מיתה, למעלת המלכות: ועל דרך הפשט — שהיה המשפט, [שהאשה] אשר תזנה תחת אישה, שמוסרין אותה לבעלה והוא דן אותה לחיים או למות כרצונו. והנה תמר היתה מייעדת לשלה בנו, והיא להם כאשת איש בנימוסיהם: ורבנו יהודה החסיד פירש, כי לא דנה לשריפה, אלא שישרפו לה רושם בין פניה לסימן שהיא זונה. וכאשר ידע שהיה ממנו ולא היתה זונה, לא עשו לה דבר: עוד מקשים על מה שאמר יהודה "הוציאוה ותשרף" — והלא יהודה היה מלך, ומלך לא דן ולא דנין אותו. ועוד, בדיני נפשות מתחילין מן הצד. ועוד היאך היה דן על כלתו. ומתרצים שיצחק ויעקב ויהודה דנוה, והתחילו ביהודה מן הצד: ובמדרש יש, ששם בעצמו דנה. ואי אפשר להיות, שכשתדקדק בחשבון שנות דור ודור תמצא שמת כבר. ומה שאמרו בעבודה זרה, פנוי הבא על הפנויה, בית דינו של שם גזרו מפני מעשה דתמר. לא שהיה קיים, אלא כל בית דינו אחריו נקרא על שמו: **(כה) היא מוצת.** כתיב חסר אל"ף. שאמרה שאפילו אם יציתו בה האור לא תודה: **הכר נא למי החתמת.** סופי תבות תירא. שאמרה לו, תירא את השם ותודה:

עיקר שפתי חכמים

ק דאע"ג שאין הולד ניכר אלא לשליש ימיה שהוא ג' חדשים, היינו היכא דיולדת לתשעה, אבל תמר ילדה לשבעה, והוא ב' חדשים ושליש, שליש עבורה: ר ל"ד בתו אלא ממשפחתו: ש אף שלא נתחייבה שרפה כי לא היתה לא ארוסה ולא נשואה, אך מיתתה היתה כדי לאיים על הדור. וכיון דדנוה במיתה דנוה בשרפה, לפי שמלינו שרפה בבת כהן:

כו וַיַּכֵּר יְהוּדָה וַיֹּאמֶר צָדְקָה
מִמֶּנִּי כִּי־עַל־כֵּן לֹא־נְתַתִּיהָ
לְשֵׁלָה בְנִי וְלֹא־יָסַף עוֹד
לְדַעְתָּהּ: כז וַיְהִי בְּעֵת לִדְתָּהּ
וְהִנֵּה תְאוֹמִים בְּבִטְנָהּ: כח וַיְהִי
בְלִדְתָּהּ וַיִּתֶּן־יָד וַתִּקַּח הַמְיַלֶּדֶת
וַתִּקְשֹׁר עַל־יָדוֹ שָׁנִי לֵאמֹר זֶה
יָצָא רִאשֹׁנָה: כט וַיְהִי | כְּמֵשִׁיב
יָדוֹ וְהִנֵּה יָצָא אָחִיו וַתֹּאמֶר מַה־פָּרַצְתָּ עָלֶיךָ
פָּרֶץ וַיִּקְרָא שְׁמוֹ פָּרֶץ: ל וְאַחַר יָצָא אָחִיו

כו וְאִשְׁתְּמוֹדַע יְהוּדָה
וַאֲמַר זַכָּאָה מִנִּי מְעַדְּיָא
אֲרֵי עַל כֵּן לָא יְהַבְתַּהּ
לְשֵׁלָה בְרִי וְלָא אוֹסִיף
עוֹד לְמִידְעַהּ: כז וַהֲוָה
בְּעִדַּן דְּמֵילְדַהּ וְהָא
תְיוֹמִין בִּמְעָהָא: כח וַהֲוָה
בְּמֵילְדַהּ וִיהַב יְדָא
וּנְסֵיבַת חָיְתָא וּקְטָרַת
עַל יְדֵהּ זְהוֹרִיתָא לְמֵימַר
דֵּין נְפַק בְּקַדְמֵיתָא:
כט וַהֲוָה כַּד אֲתֵיב יְדֵהּ
וְהָא נְפַק אֲחוּהִי וַאֲמֶרֶת
מָא תְקוֹף סַגִּי עֲלָךְ
לְמִתְקַף וּקְרָא שְׁמֵהּ פָּרֶץ:
ל וּבָתַר כֵּן נְפַק אֲחוּהִי

רש"י

נְפָשׁוֹת (שם; ב"ר פה:יא): **[פסוק כו] צָדְקָה.** בִּדְבָרֶיהָ: **מִמֶּנִּי.** ת הִיא מְעוּבֶּרֶת (אונקלוס; מבוא לתנ"י כ"י ג:כ). ורז"ל דָּרְשׁוּ שֶׁיָּצְאָה בַּת קוֹל וְאָמְרָה מִמֶּנִּי וּמֵאִתִּי יָצְאוּ הַדְּבָרִים (סוטה שם). לְפִי שֶׁהָיְתָה צְנוּעָה בְּבֵית חָמִיהָ גָּזַרְתִּי שֶׁיֵּצְאוּ מִמֶּנָּה מְלָכִים, וּמִשֵּׁבֶט יְהוּדָה גָּזַרְתִּי לְהַעֲמִיד מְלָכִים בְּיִשְׂרָאֵל: **כִּי עַל כֵּן לֹא נְתַתִּיהָ.** כִּי בַּדִּין עָשְׂתָה, עַל אֲשֶׁר לֹא נְתַתִּיהָ לְשֵׁלָה בְנִי: **וְלֹא יָסַף עוֹד.** יֵשׁ אוֹמְרִים לֹא הוֹסִיף (ספרי בהעלתך פח) וְיֵשׁ אוֹמְרִים לֹא פָסַק (סוטה י:), [וַחֲבֵירוֹ גַּבֵּי אֶלְדָּד וּמֵידָד וְלֹא יָסָפוּ (במדבר יא:כה) וּמְתַרְגְּמִינַן וְלָא פְסָקוּ]: **[פסוק כז] בְּעֵת לִדְתָּהּ.** וּבְרִבְקָה הוּא אוֹמֵר וַיִּמְלְאוּ יָמֶיהָ לָלֶדֶת (לעיל כה:כד). לְהַלָּן לִמְלֵאִים וְכָאן לַחֲסֵרִים (ב"ר פה:יג): **וְהִנֵּה תְאוֹמִים.** מָלֵא וּלְהַלָּן (לעיל כה:כד) תוֹמִם חָסֵר. לְפִי שֶׁהָאֶחָד רָשָׁע אֲבָל אֵלּוּ שְׁנֵיהֶם צַדִּיקִים (ב"ר שם): **[פסוק כח] וַיִּתֶּן יָד.** הוֹצִיא הָאֶחָד יָדוֹ לַחוּץ וּלְאַחַר שֶׁקָּשְׁרָה עַל יָדוֹ הַשָּׁנִי הֶחֱזִירָהּ: **[פסוק כט] פָּרַצְתָּ.** חִזַּקְתָּ עָלֶיךָ חוֹזֶק (אונקלוס):

בעל הטורים

(כט) מה פרצת. רמז שהמלך פורץ גדר לעשות לו דרך ואין ממחין בידו: **פרץ.** בא"ת ב"ש [וג"ה, ו]עולה י"ד, והוא בגימטריא דוד:

עיקר שפתי חכמים

ת רש"י מחלק השתי תיבות לשני מובנים. כי צדקה בא להצדיקה בדבריה, וממני מורה על הריונה, כי בצ"ל לא שייך לומר שהיא צדקה יותר ממנו:

אֲשֶׁ֤ר עַל־יָדוֹ֙ הַשֵּׁנִ֔י וַיִּקְרָ֥א שְׁמ֖וֹ

זָ֑רַח: ס   חמישי פרק לט א וְיוֹסֵף֙

הוּרַ֣ד מִצְרָ֑יְמָה וַיִּקְנֵ֡הוּ פּֽוֹטִיפַ֩ר

סְרִ֨יס פַּרְעֹ֜ה שַׂ֤ר הַטַּבָּחִים֙ אִ֣ישׁ

מִצְרִ֔י מִיַּד֙ הַיִּשְׁמְעֵאלִ֔ים אֲשֶׁ֥ר

הוֹרִדֻ֖הוּ שָֽׁמָּה: ב וַיְהִ֤י יְהוָֹה֙ אֶת־

יוֹסֵ֔ף וַיְהִ֖י אִ֣ישׁ מַצְלִ֑יחַ וַיְהִ֕י

בְּבֵ֖ית אֲדֹנָ֥יו הַמִּצְרִֽי: ג וַיַּ֣רְא

אֲדֹנָ֔יו כִּ֥י יְהוָֹ֖ה אִתּ֑וֹ וְכֹל֙ אֲשֶׁר־ה֣וּא עֹשֶׂ֔ה יְהוָֹ֖ה

מַצְלִ֥יחַ בְּיָדֽוֹ: ד וַיִּמְצָ֨א יוֹסֵ֥ף חֵ֛ן בְּעֵינָ֖יו וַיְשָׁ֣רֶת

אֹת֑וֹ וַיַּפְקִדֵ֨הוּ֙ עַל־בֵּית֔וֹ וְכָל־יֶשׁ־ל֖וֹ נָתַ֥ן בְּיָדֽוֹ:

דִּי עַל יְדַהּ זְהוֹרִיתָא וּקְרָא שְׁמַהּ זָרַח: א וְיוֹסֵף אִתְּחַת לְמִצְרַיִם וְזַבְנֵהּ פּוֹטִיפַר רַבָּא דְפַרְעֹה רַב קְטוֹלַיָּא גְּבַר מִצְרָאָה מִידָא דְּעַרְבָאֵי דִּי אַחְתּוֹהִי לְתַמָּן: ב וַהֲוָה מֵימְרָא דַיְיָ בְּסַעְדֵּהּ דְּיוֹסֵף וַהֲוָה גְּבַר מַצְלַח וַהֲוָה בְּבֵית רִבּוֹנֵהּ מִצְרָאָה: ג וַחֲזָא רִבּוֹנֵהּ אֲרֵי מֵימְרָא דַיְיָ בְּסַעְדֵּהּ וְכֹל דִּי הוּא עָבֵד יְיָ מַצְלַח בִּידֵהּ: ד וְאַשְׁכַּח יוֹסֵף רַחֲמִין בְּעֵינוֹהִי וְשַׁמֵּשׁ יָתֵהּ וּמַנְּיֵהּ עַל בֵּיתֵהּ וְכָל דִּי אִית לֵהּ מְסַר בִּידֵהּ:

רש״י

[פסוק ל] **אֲשֶׁר עַל יָדוֹ הַשֵּׁנִי.** אַרְבַּע יָדוֹת כְּתוּבוֹת כַּאן כְּנֶגֶד אַרְבַּע חֲרָמִים שֶׁמָּעַל עָכָן שֶׁיָּצָא מִמֶּנּוּ. וְי״א כְּנֶגֶד אַרְבָּעָה דְּבָרִים שֶׁלָּקַח, אַדֶּרֶת שִׁנְעָר וּשְׁנֵי חֲתִיכוֹת כֶּסֶף שֶׁל מָאתַיִם שְׁקָלִים וּלְשׁוֹן זָהָב (יהושע ז:כא, ב״ר סס יד): **וַיִּקְרָא שְׁמוֹ זָרַח.** עַל שֵׁם א זְרִיחַת מַרְאִית הַשָּׁנִי:

[פסוק א] **וְיוֹסֵף הוּרַד.** חוֹזֵר לְעִנְיָן רִאשׁוֹן, אֶלָּא שֶׁהִפְסִיק בּוֹ כְּדֵי לִסְמוֹךְ יְרִידָתוֹ שֶׁל יְהוּדָה

לִמְכִירָתוֹ שֶׁל יוֹסֵף, לוֹמַר לְךָ שֶׁבִּשְׁבִילוֹ הוֹרִידוּהוּ מִגְּדוּלָּתוֹ. וְעוֹד, כְּדֵי לִסְמוֹךְ מַעֲשֵׂה אִשְׁתּוֹ שֶׁל פּוֹטִיפַר לְמַעֲשֵׂה תָמָר לוֹמַר לְךָ מַה זּוֹ לְשֵׁם שָׁמַיִם אַף זוֹ לְשֵׁם שָׁמַיִם, שֶׁרָאֲתָה בְּאִיצְטְרוֹלוֹגִין שֶׁלָּהּ שֶׁעֲתִידָה לְהַעֲמִיד בָּנִים מִמֶּנּוּ, וְאֵינָהּ יוֹדַעַת אִם מִמֶּנָּה אִם מִבִּתָּהּ (ב״ר פה:ב): **[פסוק ג] כִּי ה׳ אִתּוֹ.** שֵׁם שָׁמַיִם שָׁגוּר בְּפִיו (תנחומא ח): **[פסוק ד] וְכָל יֶשׁ לוֹ.** הֲרֵי לָשׁוֹן קָצָר חָסֵר אֲשֶׁר:

בעל הטורים

(א) **הורד.** ב׳ במסורת – ״ויוסף הורד״: ״הורד שאול״. לומר שׁשְּׁקוּל הֲגָלוּת כְּנֶגֶד גֵּיהִנֹּם: **הורדהו.** ב׳ בְּמָסֹרֶת – ״אֲשֶׁר הוֹרִידוּהוּ שָׁמָּה״: ״הוֹרִידוּהוּ אֵלַי״ גַּבֵּי בִנְיָמִין. בִּשְׁבִיל שֶׁגָּרַם יְהוּדָה שֶׁהוֹרִידוּהוּ שָׁמָּה הוּא הֻצְרַךְ גַּם הוּא לְהוֹרִיד אֶת בִּנְיָמִין שָׁמָּה: (ד) **וכל יש לו נתן בידו.** סוֹפֵי תֵּבוֹת לְשׁוֹנוֹ. מְלַמֵּד שֶׁבָּא גַּבְרִיאֵל וְלִמֵּד לוֹ שִׁבְעִים לָשׁוֹן, וּלְכָךְ צָלִיחַ בְּיָדוֹ:

עיקר שפתי חכמים

א כְּמוֹ שֶׁנִּקְרָא פֶּרֶן ע״שׁ הַפְּרִלָה:

ראה הטבלא **״שְׁנֵי חַיֵּי יַעֲקֹב אָבִינוּ״** (עמוד 533).

ה וַיְהִי מֵאָז הִפְקִיד אֹתוֹ בְּבֵיתוֹ
וְעַל כָּל־אֲשֶׁר יֶשׁ־לוֹ וַיְבָרֶךְ
יְהוָה אֶת־בֵּית הַמִּצְרִי בִּגְלַל
יוֹסֵף וַיְהִי בִּרְכַּת יְהוָה בְּכָל־
אֲשֶׁר יֶשׁ־לוֹ בַּבַּיִת וּבַשָּׂדֶה׃
ו וַיַּעֲזֹב כָּל־אֲשֶׁר־לוֹ בְּיַד יוֹסֵף
וְלֹא־יָדַע אִתּוֹ מְאוּמָה כִּי אִם־
הַלֶּחֶם אֲשֶׁר־הוּא אוֹכֵל וַיְהִי
יוֹסֵף יְפֵה־תֹאַר וִיפֵה מַרְאֶה׃
ששי ז וַיְהִי אַחַר הַדְּבָרִים הָאֵלֶּה וַתִּשָּׂא אֵשֶׁת־
אֲדֹנָיו אֶת־עֵינֶיהָ אֶל־יוֹסֵף וַתֹּאמֶר שִׁכְבָה
עִמִּי׃ ח וַיְמָאֵן | וַיֹּאמֶר אֶל־אֵשֶׁת אֲדֹנָיו הֵן אֲדֹנִי
לֹא־יָדַע אִתִּי מַה־בַּבָּיִת וְכֹל אֲשֶׁר־יֶשׁ־לוֹ נָתַן

ה וַהֲוָה מֵעִדָּן דְּמַנִּי יָתֵהּ
בְּבֵיתֵהּ וְעַל כָּל דִּי אִית לֵהּ
וּבָרֵיךְ יְיָ יָת בֵּית מִצְרָאָה
בְּדִיל יוֹסֵף וַהֲוָה בִּרְכְתָא
דַייָ בְּכָל דִּי אִית לֵהּ
בְּבֵיתָא וּבְחַקְלָא׃ ו וּשְׁבַק
כָּל דִּי לֵהּ בִּידָא דְיוֹסֵף
וְלָא יְדַע עִמֵּהּ מִדַּעַם
אֱלָהֵן לַחְמָא דִּי הוּא אָכֵל
וַהֲוָה יוֹסֵף שַׁפִּיר בְּרֵיוָא
וְיָאֵי בְּחֶזְוָא׃ ז וַהֲוָה בָּתַר
פִּתְגָּמַיָּא הָאִלֵּין וּזְקָפַת
אִתַּת רִבּוֹנֵהּ יָת עֵינַהָא
לְיוֹסֵף וַאֲמֶרֶת שְׁכוּב
עִמִּי׃ ח וְסָרֵיב וַאֲמַר לְוָת
אִתַּת רִבּוֹנֵהּ הָא רִבּוֹנִי
לָא יָדַע עִמִּי מָה דִבְבֵיתָא
וְכֹל דִּי אִית לֵהּ מְסַר

רש"י

[פסוק ו] **וְלֹא יָדַע אִתּוֹ מְאוּמָה.** לֹא הָיָה נוֹתֵן לִבּוֹ לִכְלוּם: **כִּי אִם הַלֶּחֶם.** ב הִיא אִשְׁתּוֹ, אֶלָּא שֶׁדִּבֵּר בְּלָשׁוֹן נְקִיָּה (ב"ר פו:ו): **וַיְהִי יוֹסֵף יְפֵה תֹאַר.** כֵּיוָן שֶׁרָאָה עַצְמוֹ מוֹשֵׁל הִתְחִיל אוֹכֵל וְשׁוֹתֶה ג וּמְסַלְסֵל בִּשְׂעָרוֹ. אָמַר הקב"ה אָבִיךָ מִתְאַבֵּל וְאַתָּה מְסַלְסֵל בִּשְׂעָרְךָ, אֲנִי מְגָרֶה בְּךָ אֶת הַדֹּב. מִיָּד: [פסוק ז] **וַתִּשָּׂא אֵשֶׁת אֲדֹנָיו וגו'.** כָּל מָקוֹם שֶׁנֶּאֱמַר אַחַר סָמוּךְ (ב"ר מד:ה; תנחומא ח; ב"ר פז:ג־ד):

בעל הטורים

(ו) **כי אם הלחם אשר הוא אוכל.** בגימטריא היא אשתו:

עיקר שפתי חכמים

ב כי מצינו ג"כ להלן שאמר יוסף ולא חשך ממני מאומה כי אם אותך גו': ג דויהי משמע שנהיה עתה דבר חדש, ובאמת משעת לידתו הי' יפה מראה, לכך דרשו כן:

בְּיָדִי: ט אֵינֶנּוּ גָדוֹל בַּבַּיִת הַזֶּה מִמֶּנִּי וְלֹא־חָשַׂךְ מִמֶּנִּי מְאוּמָה כִּי אִם־אוֹתָךְ בַּאֲשֶׁר אַתְּ־אִשְׁתּוֹ וְאֵיךְ אֶעֱשֶׂה הָרָעָה הַגְּדֹלָה הַזֹּאת וְחָטָאתִי לֵאלֹהִים: י וַיְהִי כְּדַבְּרָהּ אֶל־יוֹסֵף יוֹם | יוֹם וְלֹא־שָׁמַע אֵלֶיהָ לִשְׁכַּב אֶצְלָהּ לִהְיוֹת עִמָּהּ: יא וַיְהִי כְּהַיּוֹם הַזֶּה וַיָּבֹא הַבַּיְתָה לַעֲשׂוֹת מְלַאכְתּוֹ וְאֵין אִישׁ מֵאַנְשֵׁי הַבַּיִת שָׁם בַּבָּיִת: יב וַתִּתְפְּשֵׂהוּ בְּבִגְדוֹ לֵאמֹר שִׁכְבָה עִמִּי וַיַּעֲזֹב בִּגְדוֹ בְּיָדָהּ וַיָּנָס וַיֵּצֵא הַחוּצָה: יג וַיְהִי כִּרְאוֹתָהּ כִּי־עָזַב בִּגְדוֹ בְּיָדָהּ וַיָּנָס הַחוּצָה:

בְּיָדִי: ט לֵית רַב בְּבֵיתָא הָדֵין מִנִּי וְלָא מְנַע מִנִּי מִדַּעַם אֱלָהֵן יָתִיךְ בְּדִיל אַתְּ אִתְּתֵהּ וְאֶכְדֵין אֶעֱבֵּד בִּשְׁתָּא רַבְּתָא הָדָא וְאֵחוֹב קֳדָם יְיָ: י וַהֲוָה כַּד מַלֵּילַת עִם יוֹסֵף יוֹם יוֹם וְלָא קַבֵּיל מִנַּהּ לְמִשְׁכַּב לְוָתַהּ לְמֶהֱוֵי עִמַּהּ: יא וַהֲוָה בְּיוֹמָא הָדֵין וְעַל לְבֵיתָא לְמִבְדַּק בְּכִתְבֵי חֻשְׁבָּנֵהּ וְלֵית אֱנַשׁ מֵאֲנָשֵׁי בֵיתָא תַּמָּן בְּבֵיתָא: יב וַאֲחָדַתֵּהּ בִּלְבוּשֵׁהּ לְמֵימַר שְׁכוּב עִמִּי וְשַׁבְקֵהּ לִלְבוּשֵׁהּ בִּידַהּ וַעֲרַק וּנְפַק לְשׁוּקָא: יג וַהֲוָה כַּד חֲזַת אֲרֵי שָׁבְקֵהּ לִלְבוּשֵׁהּ בִּידַהּ וַעֲרַק לְשׁוּקָא:

— רש"י —

[פסוק ט] **וְחָטָאתִי לֵאלֹהִים.** בְּנֵי נֹחַ נִצְטַוּוּ עַל הָעֲרָיוֹת (סנהדרין נו.): [פסוק י] **לִשְׁכַּב אֶצְלָהּ.** אֲפִי' בְּלֹא תַשְׁמִישׁ (ב"ר פז:ו): **לִהְיוֹת עִמָּהּ.** לְעוֹלָם הַבָּא (שם; סוטה ג:): [פסוק יא] **וַיְהִי כְּהַיּוֹם הַזֶּה.** כְּלוֹמַר וַיְהִי כַּאֲשֶׁר הִגִּיעַ יוֹם מְיֻחָד, יוֹם צְחוֹק, יוֹם אֵיד שֶׁלָּהֶם שֶׁהָלְכוּ כֻלָּם לְבֵית ע"ז,

אָמְרָה אֵין לִי יוֹם הָגוּן לְהִזָּקֵק לְיוֹסֵף כַּיּוֹם הַזֶּה. אָמְרָה לָהֶם חוֹלָה אֲנִי וְאֵינִי יְכוֹלָה לֵילֵךְ (סוטה לו:): **לַעֲשׂוֹת מְלַאכְתּוֹ.** רַב וּשְׁמוּאֵל, חַד אָמַר מְלַאכְתּוֹ מַמָּשׁ, וְחַד אָמַר ד לַעֲשׂוֹת צְרָכָיו עִמָּהּ, אֶלָּא שֶׁנִּרְאֵית לוֹ ה דְּמוּת דְּיוֹקְנוֹ שֶׁל אָבִיו וְכוּ' כִּדְאֵי' בְּמַס' סוֹטָה (שם; ב"ר שם; תנחומא רטו):

— בעל הטורים —

(יב) **לְהְיוֹת עִמָהּ.** בְּגִימַטְרִיָּא לְתוֹךְ גֵּיהִנֹּם. **(יב) בְּבִגְדוֹ.** ב' בְּמָסוֹרֶת — עַיִן בְּפָרָשַׁת מִשְׁפָּטִים:

— עיקר שפתי חכמים —

ד פִּי' הַתּוֹס' מַדְכְּתִיב וַיָּבוֹא הַבַּיְתָה שֶׁהוּא מַלְשׁוֹן בִּיאָה, כִּי בַּל"ז הוּא לְמוּתָר: ה פִּי' הַתּוֹס' בְּשֵׁם ר"מ הַדַּרְשָׁן מַדְכְּתִיב וְאֵין אִישׁ מֵאַנְשֵׁי הַבַּיִת שָׁם בַּבַּיִת, מַשְׁמַע דְּאִישׁ אַחֵר הָיָה בַּבַּיִת, וּמַנּוּ יַעֲקֹב:

יד וַתִּקְרָ֞א לְאַנְשֵׁ֣י בֵיתָ֗הּ וַתֹּ֤אמֶר
לָהֶם֙ לֵאמֹ֔ר רְא֗וּ הֵ֥בִיא לָ֛נוּ
אִ֥ישׁ עִבְרִ֖י לְצַ֣חֶק בָּ֑נוּ בָּ֤א אֵלַי֙
לִשְׁכַּ֣ב עִמִּ֔י וָאֶקְרָ֖א בְּק֥וֹל גָּדֽוֹל׃
טו וַיְהִ֣י כְשָׁמְע֔וֹ כִּֽי־הֲרִימֹ֥תִי קוֹלִ֖י
וָאֶקְרָ֑א וַיַּעֲזֹ֤ב בִּגְדוֹ֙ אֶצְלִ֔י וַיָּ֖נָס
וַיֵּצֵ֥א הַחֽוּצָה׃ טז וַתַּנַּ֥ח בִּגְד֖וֹ
אֶצְלָ֑הּ עַד־בּ֥וֹא אֲדֹנָ֖יו אֶל־בֵּיתֽוֹ׃
יז וַתְּדַבֵּ֣ר אֵלָ֔יו כַּדְּבָרִ֥ים הָאֵ֖לֶּה
לֵאמֹ֑ר בָּ֣א אֵלַ֞י הָעֶ֧בֶד הָֽעִבְרִ֛י
אֲשֶׁר־הֵבֵ֥אתָ לָּ֖נוּ לְצַ֥חֶק בִּֽי׃

יד וּקְרַת לַאֲנָשֵׁי בֵיתַהּ
וַאֲמַרַת לְהוֹן לְמֵימַר
חֲזוֹ אַיְתִי לָנָא גַּבְרָא
עִבְרָאָה לְחַיָּכָא בָנָא עַל
לְוָתִי לְמִשְׁכַּב עִמִּי וּקְרֵית
בְּקָלָא רַבָּא: טו וַהֲוָה כַּד
שְׁמַע אֲרֵי אֲרֵימִית קָלִי
וּקְרֵית וְשַׁבְקֵהּ לִלְבוּשֵׁהּ
לְוָתִי וַעֲרַק וּנְפַק לְשׁוּקָא:
טז וְאַחְתֵּתֵהּ לִלְבוּשֵׁהּ
לְוָתַהּ עַד עַל רִבּוֹנֵהּ
לְבֵיתֵהּ: יז וּמַלֵּילַת
עִמֵּהּ כְּפִתְגָּמַיָּא הָאִלֵּין
לְמֵימַר עַל לְוָתִי עַבְדָּא
עִבְרָאָה דִּי אַיְתֵיתָא
לָנָא לְחַיָּכָא בִי: יח וַהֲוָה
כַּד אֲרֵימִית קָלִי וּקְרֵית
וְשַׁבְקֵהּ לִלְבוּשֵׁהּ לְוָתִי
וַעֲרַק לְשׁוּקָא: יט וַהֲוָה כַּד
שְׁמַע רִבּוֹנֵהּ יָת פִּתְגָּמֵי
אִתְּתֵהּ דִּי מַלֵּילַת עִמֵּהּ
לְמֵימַר כְּפִתְגָּמַיָּא הָאִלֵּין

יח וַיְהִ֕י כַּהֲרִימִ֥י קוֹלִ֖י וָאֶקְרָ֑א וַיַּעֲזֹ֥ב בִּגְד֛וֹ אֶצְלִ֖י
וַיָּ֥נָס הַחֽוּצָה׃ יט וַיְהִי֩ כִשְׁמֹ֨עַ אֲדֹנָ֜יו אֶת־דִּבְרֵ֣י
אִשְׁתּ֗וֹ אֲשֶׁ֨ר דִּבְּרָ֤ה אֵלָיו֙ לֵאמֹ֔ר כַּדְּבָרִ֥ים הָאֵ֖לֶּה

רש"י

[פסוק יד] **ראו הביא לנו.** ה"ז לשון קצרה, הביא לנו ולא פירש מי הביאו, ועל בעלה אומרת כן: **עברי.** מעבר הנהר, מבני עבר (עי' ב"ר מב:ח): [פסוק טז] **אדניו.** של יוסף: [פסוק יז] **בא אלי.** לצחק בי, ו **העבד העברי אשר הבאת לנו:** [פסוק יט] **ויהי כשמע אדניו וגו'.** בשעת תשמיש אמרה לו כן. וזהו שאמרה **כדברים האלה**

בעל הטורים

(טו) הרימתי. ב' במסורת — עיין בפרשת לך לך:

עיקר שפתי חכמים

ו ויהי' סדר הכתוב לפי כוונתו, בא אלי העבד העברי אשר הבאת לנו לצחק בי:

עָשָׂה לִי עַבְדֶּךָ וַיִּחַר אַפּוֹ:
כ וַיִּקַּח אֲדֹנֵי יוֹסֵף אֹתוֹ וַיִּתְּנֵהוּ
אֶל־בֵּית הַסֹּהַר מְקוֹם אֲשֶׁר־
אֲסִירֵי [אסורי כ׳] הַמֶּלֶךְ אֲסוּרִים
וַיְהִי־שָׁם בְּבֵית הַסֹּהַר: כא וַיְהִי
יהוה אֶת־יוֹסֵף וַיֵּט אֵלָיו חָסֶד
וַיִּתֵּן חִנּוֹ בְּעֵינֵי שַׂר בֵּית־הַסֹּהַר:
כב וַיִּתֵּן שַׂר בֵּית־הַסֹּהַר בְּיַד־
יוֹסֵף אֵת כָּל־הָאֲסִירִם אֲשֶׁר
בְּבֵית הַסֹּהַר וְאֵת כָּל־אֲשֶׁר עֹשִׂים שָׁם הוּא
הָיָה עֹשֶׂה: כג אֵין | שַׂר בֵּית־הַסֹּהַר רֹאֶה אֶת־
כָּל־מְאוּמָה בְּיָדוֹ בַּאֲשֶׁר יהוה אִתּוֹ וַאֲשֶׁר־
הוּא עֹשֶׂה יהוה מַצְלִיחַ: פ

עֲבַד לִי עַבְדָּךְ וּתְקֵף רֻגְזֵהּ:
כ וּנְסִיב רִבּוֹנֵהּ דְּיוֹסֵף יָתֵהּ
וּמַנְיֵהּ לְבֵית אֲסִירֵי אֲתַר
דִּי אֲסִירֵי מַלְכָּא אֲסִירִין
וַהֲוָה תַּמָּן בְּבֵית אֲסִירֵי:
כא וַהֲוָה מֵימְרָא דַייָ
בְּסַעְדֵּהּ דְּיוֹסֵף וּנְגַד לֵהּ
חִסְדָּא וִיהָבֵהּ לְרַחֲמִין
בְּעֵינֵי רַב בֵּית אֲסִירֵי:
כב וּמַנֵּי רַב בֵּית אֲסִירֵי
בִּידָא דְיוֹסֵף יָת כָּל
אֲסִירַיָּא דִּי בְּבֵית אֲסִירֵי
וְיָת כָּל דִּי עָבְדִין תַּמָּן
בְּמֵימְרֵהּ הֲוָה מִתְעֲבֵד:
כג לֵית רַב בֵּית אֲסִירֵי חָזֵי
יָת כָּל סָרְחָן בִּידֵהּ בְּדִי
מֵימְרָא דַייָ בְּסַעְדֵּהּ וְדִי
הוּא עָבֵד יְיָ מַצְלַח:

רש״י

עָשָׂה לִי עַבְדֶּךָ, עִנְיְנֵי תַּשְׁמִישׁ כָּאֵלֶּה (ב״ר פז:ט): **[פסוק כא] וַיֵּט אֵלָיו חָסֶד.** שֶׁהָיָה מְקוּבָּל לְכָל רוֹאָיו, לְשׁוֹן כַּלָּה נָאָה וַחֲסוּדָה שֶׁבַּמִּשְׁנָה (כתובות יז. ברכ״ח): **[פסוק כב] הוּא הָיָה עֹשֶׂה.** כְּתַרְגּוּמוֹ, בְּמֵימְרֵיהּ הֲוָה ז מִתְעֲבֵיד: **[פסוק כג] בַּאֲשֶׁר ה׳ אִתּוֹ.** בִּשְׁבִיל שֶׁה׳ אִתּוֹ (תרגום יונתן):

בעל הטורים

(כ) אשר אסירי המלך אסורים. ״אסורי״ כתיב ו״אסירי״ קרי. מלמד שעשר שנים היה אסור, על שהוציא דיבה על עשרת אחיו, ועוד שתי שנים, על שאמר לשר המשקים ״כי אם זכרתני״: **אסורים.** ג׳ במסורת — שנים גבי יוסף; ואחד ״ה׳ מתיר אסורים״. וזהו שאמרו חכמינו ז״ל, שאמרה לו אשתו של פוטיפר, אני חובשך בבית האסורים. אמר לה ״ה׳ מתיר אסורים״: **(כג) ואשר הוא עשה ה׳ מצליח.** ולא כתיב ״מצליח בידו״ כמו למעלה. לפי שכאן היה בבית האסורים ולא היה לו עסק בידו כמו למעלה שהיה בבית אדוניו ומתעסק בשל אדוניו:

עיקר שפתי חכמים

ז הוסיף התרגום במלת מתעביד, דר״ל שהיו לו עבדים תחתיו והוא הי׳ רק המלווה והמפקד עליהם מה לעשות:

שביעי פרק מ א וַיְהִ֗י אַחַר֙ הַדְּבָרִ֣ים
הָאֵ֔לֶּה חָֽטְא֛וּ מַשְׁקֵ֥ה מֶֽלֶךְ־
מִצְרַ֖יִם וְהָאֹפֶ֑ה לַאֲדֹנֵיהֶ֖ם לְמֶ֥לֶךְ
מִצְרָֽיִם׃ ב וַיִּקְצֹ֣ף פַּרְעֹ֔ה עַ֖ל
שְׁנֵ֣י סָרִיסָ֑יו עַ֚ל שַׂ֣ר הַמַּשְׁקִ֔ים
וְעַ֖ל שַׂ֥ר הָאוֹפִֽים׃ ג וַיִּתֵּ֨ן אֹתָ֜ם
בְּמִשְׁמַ֗ר בֵּ֛ית שַׂ֥ר הַטַּבָּחִ֖ים אֶל־
בֵּ֣ית הַסֹּ֑הַר מְק֕וֹם אֲשֶׁ֥ר יוֹסֵ֖ף
אָס֥וּר שָֽׁם׃ ד וַ֠יִּפְקֹד שַׂ֣ר הַטַּבָּחִ֧ים אֶת־יוֹסֵ֛ף
אִתָּ֖ם וַיְשָׁ֣רֶת אֹתָ֑ם וַיִּֽהְי֥וּ יָמִ֖ים בְּמִשְׁמָֽר׃
ה וַיַּֽחַלְמוּ֩ חֲל֨וֹם שְׁנֵיהֶ֜ם אִ֤ישׁ חֲלֹמוֹ֙ בְּלַ֣יְלָה

א וַהֲוָה בָּתַר פִּתְגָּמַיָּא
הָאִלֵּין סְרָחוּ שָׁקְיָא
מַלְכָּא דְמִצְרַיִם וְנַחְתּוֹמֵי
לְרִבּוֹנֵיהוֹן לְמַלְכָּא
דְמִצְרָיִם: ב וּרְגַז פַּרְעֹה
עַל תְּרֵין רַבְרְבָנוֹהִי עַל
רַב שָׁקֵי וְעַל רַב נַחְתּוֹמֵי:
ג וִיהַב יָתְהוֹן בְּמַטְּרָא בֵּית
רַב קָטוֹלַיָּא לְבֵית אֲסִירֵי
אֲתַר דִּי יוֹסֵף אֲסִיר
תַּמָּן: ד וּמַנִּי רַב קָטוֹלַיָּא
יָת יוֹסֵף עִמְּהוֹן וְשַׁמֵּשׁ
יָתְהוֹן וַהֲווֹ יוֹמִין בְּמַטְּרָא:
ה וַחֲלָמוּ חֶלְמָא תַּרְוֵיהוֹן
גְּבַר חֶלְמֵהּ בְּלֵילְיָא

רש"י

[פסוק א] אחר הדברים האלה. לפי שהרגילה אותה ארורה את הצדיק בפי כלם לדבר בו בגנותו, הביא להם הקב"ה סורחנם של אלו שיפנו אליהם ולא אליו (ב"ר פח:א), ועוד שתבוא הרווחה לצדיק על ידיהם (שם ג; ברב"ת; פס"ז): **חטאו.** זה נמצא זבוב בפיילי [ח] פוטירין שלו, וזה נמצא צרור [ט] בגלוסקין שלו (ב"ר פח:ב): **והאפה.** את פת המלך, ואין לשון אפייה אלא בפת. ובלע"ז פישטו"ר: **[פסוק ד] ויפקד שר הטבחים את יוסף.** להיות [י] אתם: **ויהיו ימים במשמר.** שנים עשר חדש (פס"ז; עי' כתובות נז:): **[פסוק ה] ויחלמו חלום שניהם.** ויחלמו שניהם חלום, [כ] זהו פשוטו. ומדרשו, כל אחד חלם חלום שניהם, שחלם את חלומו ופתרון חבירו (ב"ר פח:ד). וזה שנאמר ויירא שר האפים כי טוב פתר (ברכות נה:):

בעל הטורים

(א) לאדניהם. ב' במסורת – "לאדוניהם למלך מצרים"; "האומרות לאדוניהם הביאה ונשתה". מה להלן על עסקי שתיה, אף כאן על עסקי שתיה. כמו שדרשו רבותינו ז"ל, שנמצא זבוב בכוס של פרעה:

עיקר שפתי חכמים

ח פיילי הוא כוס בל' תרגום, ובלשון יון הוא פוטירי, וזה שחברם יחד פיילי פוטירין: **ט** מטושין של אלו הסריס אתה למד מה היה חטאם. שמה שנמצא זבוב בהמשקה אינו חטא חמור, דהזבוב נפל מעצמו בלא ראות להכוס, לכן הושב על כנו. אבל חטא שר האופים הי' בפשיעה, שעליו לברור את הסולת בתחלה, ולכן נתלה: **י** ויתפרש הכתוב כאלו כתיב בו להיות אתם: **כ** מסרס הכתוב כפי פשוטו, שכ"א חלם חלום שלו:

אֶחָד אִישׁ כְּפִתְרוֹן חֲלֹמוֹ
הַמַּשְׁקֶה וְהָאֹפֶה אֲשֶׁר לְמֶלֶךְ
מִצְרַיִם אֲשֶׁר אֲסוּרִים בְּבֵית
הַסֹּהַר: ו וַיָּבֹא אֲלֵיהֶם יוֹסֵף
בַּבֹּקֶר וַיַּרְא אֹתָם וְהִנָּם זֹעֲפִים:
ז וַיִּשְׁאַל אֶת־סְרִיסֵי פַרְעֹה
אֲשֶׁר אִתּוֹ בְמִשְׁמַר בֵּית אֲדֹנָיו
לֵאמֹר מַדּוּעַ פְּנֵיכֶם רָעִים הַיּוֹם:
ח וַיֹּאמְרוּ אֵלָיו חֲלוֹם חָלַמְנוּ
וּפֹתֵר אֵין אֹתוֹ וַיֹּאמֶר אֲלֵהֶם
יוֹסֵף הֲלוֹא לֵאלֹהִים פִּתְרֹנִים סַפְּרוּ־נָא לִי:
ט וַיְסַפֵּר שַׂר־הַמַּשְׁקִים אֶת־חֲלֹמוֹ לְיוֹסֵף וַיֹּאמֶר
לוֹ בַּחֲלוֹמִי וְהִנֵּה־גֶפֶן לְפָנָי: י וּבַגֶּפֶן שְׁלֹשָׁה
שָׂרִיגִם וְהִוא כְפֹרַחַת עָלְתָה נִצָּהּ הִבְשִׁילוּ

חַד גְּבַר כְּפוּשְׁרָן חֶלְמֵהּ
שָׁקְיָא וְנַחְתּוֹמֵי דִּי לְמַלְכָּא
דְמִצְרַיִם דִּי אֲסִירִין בְּבֵית
אֲסִירֵי: ו וַאֲתָא לְוָתְהוֹן
יוֹסֵף בְּצַפְרָא וַחֲזָא יָתְהוֹן
וְהָא אִנּוּן נְסִיסִין: ז וּשְׁאֵל
יָת רַבְרְבֵי פַרְעֹה דִּי
עִמֵּהּ בְּמַטְּרָא בֵּית רִבּוֹנֵהּ
לְמֵימַר מָה דֵין אַפֵּיכוֹן
בִּישִׁין יוֹמָא דֵין: ח וַאֲמָרוּ
לֵהּ חֶלְמָא חֲלַמְנָא וּפָשַׁר
לֵית לֵהּ וַאֲמַר לְהוֹן יוֹסֵף
הֲלָא מִן קֳדָם יְיָ פּוּשְׁרַן
חֶלְמַיָּא אִשְׁתָּעוּ כְעַן לִי:
ט וְאִשְׁתָּעִי רַב שָׁקֵי יָת
חֶלְמֵהּ לְיוֹסֵף וַאֲמַר לֵהּ
בְּחֶלְמִי וְהָא גוּפְנָא קֳדָמָי:
י וּבְגוּפְנָא תְּלָתָא שִׁבְשִׁין
וְהִיא כַד אַפְרַחַת אַפֵּקַת
לַבְלְבִין וַאֲנִיצַת נֵץ בַּשִּׁילוּ

רש"י

אִישׁ כְּפִתְרוֹן חֲלֹמוֹ. כָּל אֶחָד חָלַם חֲלוֹם הַדּוֹמֶה לַפִּתְרוֹן הֶעָתִיד לָבֹא עֲלֵיהֶם: **[פסוק ו] זֹעֲפִים.** עֲצֵבִים כְּמוֹ סַר וְזָעֵף (מלכים א כ:ד) זַעַף ה' אֶשָּׂא (מיכה ז:ט): **[פסוק י] שָׂרִיגִם.** זְמוֹרוֹת אֲרוּכּוֹת שֶׁקּוֹרִין וידי"ץ: **וְהִוא כְפֹרַחַת.** ל דּוֹמָה לְפוֹרַחַת. וְהִיא כְּפוֹרַחַת, נִדְמֶה לִי בַּחֲלוֹמִי

בעל הטורים

(ז) זעפים. ב׳ במסורת – הכא; ואידך "למה יראה את פניכם זועפים". מה התם על עסקי אכילה, בשביל שלא ירצו לאכול יהיו פניהם זועפים, אף הכא על עסקי אכילה, שנמצא זבוב: **(ח) ספרו.** ג׳: "ספרו נא לי", ואידך "ספרו בגוים את כבודו", חד בתהלים וחד בדברי הימים. שעל ידי זה הסיפור שסיפרו לו, סיפרו בגוים כבוד יוסף, ששיבחוהו לפני פרעה: **(י) שריגם.** כתיב חסר, בגימטריא אבות העולם. דאיכא מאן דאמר, אלו האבות:

עיקר שפתי חכמים

ל והכ"ף של כפורחת היא כ"ף הדמיון:

ראה הציורים "**חֲלוֹם שַׂר הַמַּשְׁקִים**" (עמוד 534).

אַשְׁכְּלֹתֶיהָ עֲנָבִים: יא וְכוֹס פַּרְעֹה
בְּיָדִי וָאֶקַּח אֶת־הָעֲנָבִים וָאֶשְׂחַט
אֹתָם אֶל־כּוֹס פַּרְעֹה וָאֶתֵּן אֶת־
הַכּוֹס עַל־כַּף פַּרְעֹה: יב וַיֹּאמֶר לוֹ
יוֹסֵף זֶה פִּתְרֹנוֹ שְׁלֹשֶׁת הַשָּׂרִגִים
שְׁלֹשֶׁת יָמִים הֵם: יג בְּעוֹד |
שְׁלֹשֶׁת יָמִים יִשָּׂא פַרְעֹה אֶת־
רֹאשֶׁךָ וַהֲשִׁיבְךָ עַל־כַּנֶּךָ וְנָתַתָּ
כוֹס־פַּרְעֹה בְּיָדוֹ כַּמִּשְׁפָּט
הָרִאשׁוֹן אֲשֶׁר הָיִיתָ מַשְׁקֵהוּ: יד כִּי אִם־זְכַרְתַּנִי
אִתְּךָ כַּאֲשֶׁר יִיטַב לָךְ וְעָשִׂיתָ־נָּא עִמָּדִי חָסֶד
וְהִזְכַּרְתַּנִי אֶל־פַּרְעֹה וְהוֹצֵאתַנִי מִן־הַבַּיִת הַזֶּה:

אַתְכְּלָתָהָא עִנְּבִין: יא וְכַסָּא
דְפַרְעֹה בִּידִי וּנְסֵיבִית יָת
עִנְבַיָּא וְעַצְרִית יָתְהוֹן עַל
כַּסָּא דְפַרְעֹה וִיהָבִית יָת
כַּסָּא עַל יְדָא דְפַרְעֹה:
יב וַאֲמַר לֵהּ יוֹסֵף דֵּין
פִּשְׁרָנֵהּ תְּלָתָא שִׁבְשִׁין
תְּלָתָא יוֹמִין אִנּוּן: יג בְּסוֹף
תְּלָתָא יוֹמִין יִדְכַּר פַּרְעֹה
יָת רֵישָׁךְ וִיתֵיבִנָּךְ עַל
שִׁמּוּשָׁךְ וְתִתֵּן כַּסָּא
דְפַרְעֹה בִּידֵהּ כְּהִלְכְתָא
קַדְמָאָה דִּי הֲוֵיתָא מַשְׁקֵי
לֵהּ: יד אֱלָהֵן תִּדְכְּרִנַּנִי
עִמָּךְ כַּד יֵיטַב לָךְ וְתַעְבֵּד
כְּעַן עִמִּי טֵיבוּ וְתִדְכַּר
עֲלַי קֳדָם פַּרְעֹה וְתַפְּקִנַּנִי
מִן בֵּית אֲסִירָא הָדֵין:

רש"י

כְּאִילּוּ הָיְתָה פּוֹרַחַת, וְאַחַר הַפֶּרַח עָלְתָה נִצָּהּ וְנַעֲשׂוּ סְמָדַר, אִשְׁפני"ר בלע"ז, וְאַחַר כַּךְ הִבְשִׁילוּ. וְהָיָה כַּד אַפְרַחַת אֲפֵיקַת לַבְלְבִין, עַד כָּאן תַּרְגּוּם שֶׁל פּוֹרַחַת. כֵּן גָּדוֹל מֶפְרַח, כִּדְכְתִיב וּבֹסֶר גֹּמֵל יִהְיֶה נִצָּה (ישעיה יח:ה), וּכְתִיב וַיֹּוצֵא פֶרַח וַיָּצֵץ צִיץ (במדבר יז:כג): [פסוק יא] **וָאֶשְׂחַט.** כְּתַרְגּוּמוֹ וְעַצָּרִית, וְהַרְבֵּה יֵשׁ בִּלְשׁוֹן מִשְׁנָה: [פסוק יב] **שְׁלֹשֶׁת יָמִים הֵם.** סִימָן הֵם לְךָ לִשְׁלֹשֶׁת יָמִים, וְיֵשׁ מִדְרְשֵׁי אַגָּדָה הַרְבֵּה (ב"ר פח:ה; חולין צב.): [פסוק יג] **יִשָּׂא פַרְעֹה אֶת רֹאשֶׁךָ.** לְשׁוֹן חֶשְׁבּוֹן, כְּשֶׁיִּפְקוֹד שְׁאָר עֲבָדָיו לְשָׁרֵת לְפָנָיו בִּסְעוּדָה יִמְנֶה אוֹתְךָ עִמָּהֶם: **כַּנֶּךָ.** בָּסִיס שֶׁלְּךָ וּמוֹשָׁבֶךָ: [פסוק יד] **כִּי אִם זְכַרְתַּנִי אִתְּךָ.** מ אֲשֶׁר אִם זְכַרְתַּנִי אִתְּךָ, מֵאַחַר נ שֶׁיִּיטַב לְךָ כְּפִתְרוֹנִי: **וְעָשִׂיתָ נָּא עִמָּדִי חָסֶד.** אֵין נָא אֶלָּא לְ' בַּקָּשָׁה [הֲרֵי אַתָּה עוֹשֶׂה עִמִּי חֶסֶד] (ברכות ט.):

עיקר שפתי חכמים

מ ר"ל שפרעה ישא את ראשך ויכבדך עד אשר אם רק תזכירני לפרעה ועשית נא עמדי חסד. ר"ל שבזה תעשה עמדי חסד אם תזכרני, כי בודאי לא תשוב בקשתך ריקם: נ ר"ל לא אבקש ממך אשר תיכף כשתשוב אל כנך תזכירני מיד, כ"א כאשר כבר ייטב לך אז והזכרתני כו':

טו כִּי־גֻנֹּב גֻּנַּבְתִּי מֵאֶרֶץ הָעִבְרִים
וְגַם־פֹּה לֹא־עָשִׂיתִי מְאוּמָה כִּי־
שָׂמוּ אֹתִי בַּבּוֹר: טז וַיַּרְא שַׂר־
הָאֹפִים כִּי טוֹב פָּתָר וַיֹּאמֶר
אֶל־יוֹסֵף אַף־אֲנִי בַּחֲלוֹמִי וְהִנֵּה
שְׁלֹשָׁה סַלֵּי חֹרִי עַל־רֹאשִׁי:
יז וּבַסַּל הָעֶלְיוֹן מִכֹּל מַאֲכַל פַּרְעֹה
מַעֲשֵׂה אֹפֶה וְהָעוֹף אֹכֵל אֹתָם
מִן־הַסַּל מֵעַל רֹאשִׁי: יח וַיַּעַן יוֹסֵף
וַיֹּאמֶר זֶה פִּתְרֹנוֹ שְׁלֹשֶׁת הַסַּלִּים
שְׁלֹשֶׁת יָמִים הֵם: יט בְּעוֹד | שְׁלֹשֶׁת
יָמִים יִשָּׂא פַרְעֹה אֶת־רֹאשְׁךָ מֵעָלֶיךָ וְתָלָה
אוֹתְךָ עַל־עֵץ וְאָכַל הָעוֹף אֶת־בְּשָׂרְךָ מֵעָלֶיךָ:
מפטיר כ וַיְהִי | בַּיּוֹם הַשְּׁלִישִׁי יוֹם הֻלֶּדֶת אֶת־פַּרְעֹה

טו אֲרֵי מִגְנַב גְּנֵבְנָא
מֵאַרְעָא דְעִבְרָאֵי וְאַף
הָכָא לָא עֲבָדִית מִדַּעַם
אֲרֵי שַׁוִּיאוּ יָתִי בְּבֵית
אֲסִירֵי: טז וַחֲזָא רַב
נַחְתּוֹמֵי אֲרֵי יָאוּת פְּשַׁר
וַאֲמַר לְיוֹסֵף אַף אֲנָא
בְּחֶלְמִי וְהָא תְּלָתָא סַלִּין
דְּחִירוּ עַל רֵישִׁי: יז וּבְסַלָּא
עִלָּאָה מִכֹּל מֵיכַל פַּרְעֹה
עוֹבַד נַחְתּוֹם וְעוֹפָא
אָכֵל יָתְהוֹן מִן סַלָּא
מֵעִלָּוֵי רֵישִׁי: יח וַאֲתֵיב
יוֹסֵף וַאֲמַר דֵּין פֻּשְׁרָנֵהּ
תְּלָתָא סַלִּין תְּלָתָא יוֹמִין
אִנּוּן: יט בְּסוֹף תְּלָתָא
יוֹמִין יַעְדֵּי פַרְעֹה יָת
רֵישָׁךְ מִנָּךְ וְיִצְלוֹב יָתָךְ
עַל צְלִיבָא וְיֵכוּל עוֹפָא
יָת בִּשְׂרָךְ מִנָּךְ: כ וַהֲוָה
בְּיוֹמָא תְּלִיתָאָה יוֹמָא
בֵּית וַלְדָא דְפַרְעֹה

רש"י

[פסוק טז] סלי חרי. סלים של נצרים קלופים חורין חורין, ובמקומנו יש הרבה, ודרך מוכרי פת כסנין שקורין אובלידי"ש לתתם באותם סלים: **[פסוק כ] יום הלדת את פרעה.** יום לידתו וקורין לו יום ס גינוסיא (ב"ר פח:ו; ע"ז י.). ולשון הולדת לפי שאין הולד נולד אלא על ידי אחרים, שהחיה מילדת את האשה, ועל כן החיה נקראת מילדת. וכן ומולדותיך ביום הולדת אותך (יחזקאל טז:ד), וכן אחרי הכבס את הנגע (ויקרא יג:נה) שכיבוסו על ידי אחרים:

עיקר שפתי חכמים

ס גנוסיא יום הלידה בלשון יון:

וַיַּעַשׂ מִשְׁתֶּה לְכָל־עֲבָדָיו וַיִּשָּׂא
אֶת־רֹאשׁ | שַׂר הַמַּשְׁקִים וְאֶת־
רֹאשׁ שַׂר הָאֹפִים בְּתוֹךְ עֲבָדָיו:
כא וַיָּשֶׁב אֶת־שַׂר הַמַּשְׁקִים עַל־
מַשְׁקֵהוּ וַיִּתֵּן הַכּוֹס עַל־כַּף
פַּרְעֹה: כב וְאֵת שַׂר הָאֹפִים תָּלָה כַּאֲשֶׁר פָּתַר
לָהֶם יוֹסֵף: כג וְלֹא־זָכַר שַׂר־הַמַּשְׁקִים אֶת־
יוֹסֵף וַיִּשְׁכָּחֵהוּ: פ פ פ קי״ב פסוקים. יב״ק סימן.

וַעֲבַד מִשְׁתְּיָא לְכָל
עַבְדּוֹהִי וּדְכַר יָת רֵישׁ רַב
שָׁקֵי וְיָת רֵישׁ רַב נַחְתּוֹמֵי
בְּגוֹ עַבְדּוֹהִי: כא וַאֲתֵיב יָת
רַב שָׁקֵי עַל שַׁקְיוּתֵהּ וִיהַב
יָת כָּסָא עַל יְדָא דְּפַרְעֹה:
כב וְיָת רַב נַחְתּוֹמֵי צְלַב
כְּמָא דִּי פָשַׁר לְהוֹן
יוֹסֵף: כג וְלָא דְכִיר רַב
שָׁקֵי יָת יוֹסֵף וְאַנְשְׁיֵהּ:

רש״י

וַיִּשָּׂא אֶת רֹאשׁ וגו׳. מְנָאָם עִם שְׁאָר עֲבָדָיו, שֶׁהָיָה מוֹנֶה הַמְשָׁרְתִים שֶׁיְּשָׁרְתוּ לוֹ בִּסְעוּדָתוֹ, וְזָכַר אֶת אֵלּוּ בְּתוֹכָם, כְּמוֹ שְׂאוּ אֶת רֹאשׁ (במדבר א:ב) לְשׁוֹן מִנְיָן: **[פסוק כג] וְלֹא זָכַר שַׂר הַמַּשְׁקִים.** בּוֹ בַּיּוֹם (ב״ר פח:ז): **וַיִּשְׁכָּחֵהוּ.** לְאַחַר מִכָּאן. מִפְּנֵי שֶׁתָּלָה בּוֹ יוֹסֵף לְזָכְרוֹ הוּזְקַק לִהְיוֹת אָסוּר ע שְׁתֵּי שָׁנִים, שֶׁנֶּאֱמַר אַשְׁרֵי הַגֶּבֶר אֲשֶׁר שָׂם ה׳ מִבְטַחוֹ וְלֹא פָנָה אֶל רְהָבִים (תהלים מ:ה), וְלֹא בָּטַח עַל מִצְרַיִם הַקְּרוּיִים רַהַב (ב״ר פט:ג):

בעל הטורים

(כג) ולא זכר שר המשקים. ג׳ במסורת — הכא; ואידך ״ולא זכר יואש המלך החסד״; ואידך ״ולא זכר הדום רגליו״. לומר, ששר המשקים היה כפוי טובה ולא זכר הטובה שעשה לו יוסף; וכן יואש היה כפוי טובה ולא זכר הטובה שעשה לו יהוידע הכהן, והרג לזכריה בנו, ועל זה נהרגו כמה נפשות מישראל, שהיה דמו תוסס עד שנחרב הבית. וזהו ״ולא זכר הדום רגליו ביום אפו״:

עיקר שפתי חכמים

ע ולכך סמך לו ויהי מקץ שנתים כו׳: חסלת פרשת וישב

הפטרת וישב

כשחל חנוכה בשבת פרשת וישב, קוראים במקום המפטיר הרגיל את קריאת חנוכה:
ליום ראשון של חנוכה – עמוד 449; ליום שני של חנוכה – עמוד 451.
במקום ההפטרה הרגילה קוראים את ההפטרה לשבת ראשונה של חנוכה עמוד 453.

עמוס ב:ו — ג:ח

הנביא עמוס פותח את נבואתו בסיבת מפלת הממלכות השוכנות סביב ארץ ישראל — דמשק, עזה, צור, אדום, עמון ומואב. לכל שש הממלכות האלו מאריך ה׳ את אפו ומוותר על שלשה סוגי חטאים, אבל לא על הסוג הרביעי, ולכולן הוא מדבר באותו לשון — ״כֹּה אָמַר ה׳ עַל שְׁלֹשָׁה פִּשְׁעֵי ... וְעַל אַרְבָּעָה לֹא אֲשִׁיבֶנּוּ״. לאחר מכן פונה הנביא לממלכת יהודה וממלכת ישראל, ומזהיר גם אותן בלשון זה.

על ממלכת יהודה לא פירט הפסוק חטאה הרביעי; הוא רק אומר שכאשר יענישם יפרע מהם גם על שהם ואבותיהם מאסו בתורה (רד"ק ב, ד). לממלכת ישראל הוא אומר, שה' יכבוש את כעסו על אף שחטאו בשלשת החטאים החמורים (רד"ק שם פסוק ו), אבל על החטא הרביעי לא יוותר. מהו החטא? "עַל מִכְרָם בַּכֶּסֶף צַדִּיק וְאֶבְיוֹן בַּעֲבוּר נַעֲלָיִם", שהציקו לעניים על ידי נתינת שוחד לדיין לחייבם בדין, וכפו אותם שימכרו את זכויותיהם עבור כסף מועט — וכפי שעשו אחי יוסף בעת מכירתו, כמו שנדרש במדרש (ילקוט שמעוני בראשית, קמב) על פסוק זה (ראה גם דעת זקנים מבעלי התוספות בראשית לז, כח).

הנביא מזהירם שלא יחשבו שחזקים הם ואין להם ממה לפחד, שהרי את האמורי, שהיתה האומה החזקה ביותר משבע האומות, השמיד ה' כדי ליתן ארצה לבני ישראל, ואחר שירשו את ארצה חטאו ישראל בחטאי האמורי ולא זכרו את מה שהזהיר ה' בתורתו (ויקרא יח, כח): "וְלֹא תָקִיא הָאָרֶץ אֶתְכֶם בְּטַמַּאֲכֶם אֹתָהּ כַּאֲשֶׁר קָאָה אֶת הַגּוֹי אֲשֶׁר לִפְנֵיכֶם" (רד"ק ב, ט). על אף הטובות שעשה ה' עם בני ישראל המשיכו בחטאם, לא נתנו לנביאים שינבאו ולנזירים שינהגו בפרישותם (רד"ק שם פסוק יא).

בסיום דבריו קורא הנביא לבני ישראל בדברי התעוררות, שיתנו לב להבין שה' הוא המנהיג הקובע את מאורעות העולם, ולא יתכן שהנביאים ינבאו מלבם מבלי לדעת את מה שה' עתיד לעשות. כי כמו שמובן לכל ששאגת אריה ביער היא סימן שהטרף שלו סמוך אליו, כל שכן צריכים להבין שה' שואג אליהם על פי הנביאים שישובו אליו, שכן "אַרְיֵה שָׁאָג מִי לֹא יִירָא, ה' אלקים דִּבֶּר מִי לֹא יִנָּבֵא"! (מלבי"ם ג, ח בבאור הענין).

פרק ב ו כֹּה אָמַר יְהוָה עַל־שְׁלֹשָׁה פִּשְׁעֵי יִשְׂרָאֵל וְעַל־אַרְבָּעָה לֹא
אֲשִׁיבֶנּוּ עַל־מִכְרָם בַּכֶּסֶף צַדִּיק וְאֶבְיוֹן בַּעֲבוּר נַעֲלָיִם: ז הַשֹּׁאֲפִים
עַל־עֲפַר־אֶרֶץ בְּרֹאשׁ דַּלִּים וְדֶרֶךְ עֲנָוִים יַטּוּ וְאִישׁ וְאָבִיו יֵלְכוּ
אֶל־הַנַּעֲרָה לְמַעַן חַלֵּל אֶת־שֵׁם קָדְשִׁי: ח וְעַל־בְּגָדִים חֲבֻלִים יַטּוּ

רש"י

(ו) על מכרם בכסף צדיק. הדיינין היו מוכרים את מי שהיה זכאי בדין בכסף שוחד שהיו מקבלים מיד בעל דינו: **ואביון בעבור נעלים.** תרגם יונתן בשני מקומות (עמוס ב, ו, ח, ו) בְּדִיל דְּיַחְסְנוּן. ואומר אני שכך פירושו: מטין משפט האביון כדי שיצטרך למכור שדהו שהיה לו בין שדות הדיינין, וזה עוקף עליו ונוטלה בדמים קלים כדי לגדור ולנעול כל שדותיו יחד ולא יפסיק ביניהם: **(ז) השואפים על עפר ארץ.** על עפר ארץ שהם הולכים עליהם, כל שאפם וכל מחשבתם בראש דלים הוא, איך יגזלו אותם ויטלו את שלהם, שאיפה גולוסי"ר בלע"ז: **ודרך ענוים יטו וגו'.** החלשים נוטים מדרכם והולכין דרך עקלתון מפני יראתם, כמה דאת אמר (איוב כד, ד) יַטּוּ אֶבְיֹנִים מִדָּרֶךְ:

מצודת דוד

(ו) על מכרם וגו'. רצונו לומר: מטין דין הצדיק ומוכרים אותו במחיר שוחד הכסף: **ואביון.** מטין דין האביון בעבור מחיר שוחד מנעלים לרגליהם, רצונו לומר: אף במעט שוחד מטין את הדין: **(ז) השואפים.** אשר מביטים אל עפר הארץ להיות מושבם בראש הדלים, כי השופטים ההם משימים שוטרים תחתיהם לכוף הדלים לקיים דבר המשפט, ואם ימאנו יקחום בשער ראשם ויפילום בארץ וירמסום ברגליהם; והנה עפר הארץ בראש הדלים: **ודרך ענוים יטו.** מטים דרך ענוים להסב מדרך הפשוטה להטות דרך עקלתון, כי יפחדו מהם ויסתתרו לבל יראום: **ואיש ואביו.** שניהם יחד, ולא יבושו זה מזה: **אל הנערה.** רצונו לומר: אל נערה המאורסה לזנות עמה: **למען חלל.** כאלו יתכוונו לחלל שם קדשי, כי אם היה בעבור הנאה לבד מה להם ללכת אל ארוסה ושניהם יחד: **(ח) ועל בגדים חבולים יטו.** ממשכנין בגדי המסרבים במשפטם ומטים עצמן לסמוך עליהם בעת הסעודה מה שהם סועדים אצל כל מזבח העשוי לפסילים:

מצודת ציון

(ז) השואפים. ענין הבטה אל הדבר והתוחלת לה, וכן כְּעֶבֶד יִשְׁאַף־צֵל (איוב ז, ב): **(ח) חבולים.** ענין משכון כמו לֹא־יַחֲבֹל רֵחַיִם (דברים כד, ו): **יטו.** מלשון הטייה, רצונו לומר ישענו:

אֵ֫צֶל כָּל־מִזְבֵּ֫חַ וְיֵ֣ין עֲנוּשִׁ֔ים יִשְׁתּ֔וּ בֵּ֖ית אֱלֹהֵיהֶֽם׃ ט וְאָנֹכִ֞י הִשְׁמַ֤דְתִּי
אֶת־הָֽאֱמֹרִי֙ מִפְּנֵיהֶ֔ם אֲשֶׁ֨ר כְּגֹ֤בַהּ אֲרָזִים֙ גָּבְה֔וֹ וְחָסֹ֥ן ה֖וּא כָּֽאַלּוֹנִ֑ים
וָאַשְׁמִ֤יד פִּרְיוֹ֙ מִמַּ֔עַל וְשָׁרָשָׁ֖יו מִתָּֽחַת׃ י וְאָנֹכִ֛י הֶעֱלֵ֥יתִי אֶתְכֶ֖ם
מֵאֶ֣רֶץ מִצְרָ֑יִם וָאוֹלֵ֨ךְ אֶתְכֶ֤ם בַּמִּדְבָּר֙ אַרְבָּעִ֣ים שָׁנָ֔ה לָרֶ֖שֶׁת
אֶת־אֶ֥רֶץ הָאֱמֹרִֽי׃ יא וָאָקִ֤ים מִבְּנֵיכֶם֙ לִנְבִיאִ֔ים וּמִבַּחוּרֵיכֶ֖ם
לִנְזִרִ֑ים הַאַ֥ף אֵין־זֹ֛את בְּנֵ֥י יִשְׂרָאֵ֖ל נְאֻם־יְהוָֽה׃ יב וַתַּשְׁק֥וּ אֶת־
הַנְּזִרִ֖ים יָ֑יִן וְעַל־הַנְּבִיאִים֙ צִוִּיתֶ֣ם לֵאמֹ֔ר לֹ֖א תִּנָּבְאֽוּ׃ יג הִנֵּ֛ה
אָנֹכִ֥י מֵעִ֖יק תַּחְתֵּיכֶ֑ם כַּאֲשֶׁ֤ר תָּעִיק֙ הָעֲגָלָ֔ה הַמְלֵאָ֥ה לָ֖הּ עָמִֽיר׃

רש"י

אל הנערה. המאורסה: **(ח) ועל בגדים חבולים יטו.** תרגם יונתן: עַל מִטּוֹת שָׁוְיָין דְּמַשְׁכּוֹן מְסַחֲרִין. זוקפין מלוה על העניים וממשכנים אותם ועושים בגדיהם מלמות ומסובין עליהם בהטייה בעת סעודתם: **בית אלהיהם.** בבית עכו"ם שהיתה להם אצל מזבח: **יטו.** לשון מסיבה, שכל מסיבת סעודה בהטייה היא שהוא נסמך על שמאלו: **ויין ענושים.** שעונשים אותם ממון ושותים בו יין: **(ט) כאלונים.** קיישנ"ש בלע"ז: **ואשמיד פריו ממעל.** שרים העליונים: **ושרשיו מתחת.** שרים התחתונים דבר אחר, הגרעה היתה מסמא עיניהם מלמעלה ומסרסתן מלמטן: **(יא) לנזרים.** תרגם יונתן: לְמַלְפִין, שהיו פרושין מדרכי עם הארץ ועוסקים בתורה. אין נזירה בכל מקום אלא לשון פרישה: **האף אין זאת.** בתמיה כלומר כלום אתם יכולים להכחיש את זאת: **(יב) ותשקו את הנזירים יין.** שלא יורו אתכם שהשיכור אסור להורות. ותשקו את הנזירים יין, תרגם יונתן: וְאַטְעִיתוּן יָת מַלְפֵיכוֹן בְּחַמְרָא: **לא תנבאו.** לעמוס לוה כן, חֲמַצְיָה כהן בית אל אֱל (עָמוֹס) חֹזֶה (לֵךְ) בְּרַח־לְךָ אֶל־אֶרֶץ יְהוּדָה (עמוס ז, יב): **(יג) מעיק.** תרגום של מציק: **תחתיכם.** את תנייתכם: **תעיק העגלה.** מכובד משא שעליה:

מצודת דוד

ויין ענושים ישתו. מענשים את המסרב לתת כסף ובו יקנו יין ושותין בבית העכו"ם: **(ט) ואנכי השמדתי.** רצונו לומר: הלא אף את העכו"ם אשר לא ידעוני אני מענשם בעונם כי הלא השמדתי מפניהם את האמורי שהיה גבהו כארז וחזק כאילן אלון: **ואשמיד וגו'.** רצונו לומר: השמדתיו בתכלית, ולפי שהמשילו לאילן אמר לשון הנופל בהשחתת עץ פרי, שמשירים הפירות ועוקרים השרשים: **(י) ואנכי העליתי.** רצונו לומר: ואתם הלא ידעתם אותי כי אנכי העליתי אתכם וגו' וספקתי צרכיכם במדבר ארבעים שנה לבוא לרשת את ארץ האמורי: **(יא) ואקים וגו'.** בכל ימי הדורות הקמתי מבניכם לנביאים והשריתי שכינתי עליהם: **ומבחוריכם לנזירים.** נתתי בלבם רוח טהרה להיות נזירים: **האף אין זאת.** רצונו לומר: וכי גם זאת תכחשו לומר שלא היה זאת? וכאומר הלא הוא דבר מפורסם ואי אפשר לכחש בו: **(יב) ותשקו.** רצונו לומר: פתיתם את הנזירים לשתות יין ומחיתם ביד הנביאים שלא ינבאו: **(יג) הנה אנכי.** מוסב למעלה שאמר אם שלמתי גמול להעכו"ם אשר לא ידעוני כל שכן אתם שהרביתי להטיב עמכם ועם כל זה פשעתם בי, כל שכן שאשלם לכם גמול; ולכן הנה אני מביא עליכם צוקה במקומכם ולא תוכלו לברוח, כי בכל מקום שתהיו תשיג לכם הצוקה: **כאשר תעיק העגלה.** אמר דרך משל, כי העגלה אינה בעלת חיים שתעיק לה; ורצונו לומר: כמו העגלה המלאה עמיר שהמשא קשה ונפוחה רב וכאילו תעיק אל העגלה בכל מקום מהלכתה, כן יעיק להם במקומם בכל מקום שיהיו:

מצודת ציון

ענושים. מלשון עונש ממון: **(ט) השמדתי.** ענין כליון ואבדון: **וחסון.** ענין חוזק, כמו וְהָיָה הֶחָסֹן לִנְעֹרֶת (ישעיה א, לא): **כאלונים.** שם אילן החזק ביותר: **(יא) לנזירים.** הוא ענין פרישה, כי פורש עצמו מן היין והטומאה: **(יג) מעיק.** ענין צוקה וצרה, כמו מִפְּנֵי עָקַת רָשָׁע (תהלים נה, ד): **תחתיכם.** במקומכם:

יד וְאָבַד מָנוֹס מִקָּל וְחָזָק לֹא־יְאַמֵּץ כֹּחוֹ וְגִבּוֹר לֹא־יְמַלֵּט נַפְשׁוֹ:
טו וְתֹפֵשׂ הַקֶּשֶׁת לֹא יַעֲמֹד וְקַל בְּרַגְלָיו לֹא יְמַלֵּט וְרֹכֵב הַסּוּס
לֹא יְמַלֵּט נַפְשׁוֹ: טז וְאַמִּיץ לִבּוֹ בַּגִּבּוֹרִים עָרוֹם יָנוּס בַּיּוֹם־הַהוּא
נְאֻם־יְהוָה: פרק ג א שִׁמְעוּ אֶת־הַדָּבָר הַזֶּה אֲשֶׁר דִּבֶּר יְהוָה עֲלֵיכֶם
בְּנֵי יִשְׂרָאֵל עַל כָּל־הַמִּשְׁפָּחָה אֲשֶׁר הֶעֱלֵיתִי מֵאֶרֶץ מִצְרַיִם
לֵאמֹר: ב רַק אֶתְכֶם יָדַעְתִּי מִכֹּל מִשְׁפְּחוֹת הָאֲדָמָה עַל־כֵּן אֶפְקֹד
עֲלֵיכֶם אֵת כָּל־עֲוֺנֹתֵיכֶם: ג הֲיֵלְכוּ שְׁנַיִם יַחְדָּו בִּלְתִּי אִם־נוֹעָדוּ:
ד הֲיִשְׁאַג אַרְיֵה בַּיַּעַר וְטֶרֶף אֵין לוֹ הֲיִתֵּן כְּפִיר קוֹלוֹ מִמְּעֹנָתוֹ
בִּלְתִּי אִם־לָכָד: ה הֲתִפֹּל צִפּוֹר עַל־פַּח הָאָרֶץ וּמוֹקֵשׁ אֵין לָהּ

רש״י

(טו) וקל ברגליו לא ימלט. את נפשו: **(טז) ערום ינוס וגו׳.** ערטילאי בלא כלי זיין: **(ב) רק אתכם ידעתי.** אהבתי, ואתם פשעתם בי על כן וגו׳. ורבותינו דרשוהו לגד אחר במסכת עכו״ם: **(ג) הילכו שנים יחדיו.** שאתם אומרים לנביאים לא תנבאו, כלום הנביאים מתנבאים מלבם אלא אם כן נלמדו? כלום דברים נעשים אלא על פי דרכם: **בלתי אם נועדו.** אלא אם כן קבעו מועד ללכת יחדיו למקום פלוני: **(ד) הישאג אריה ביער וטרף אין לו.** כשאריה אוחז טרף דרכו לשאוג ואינו שואג אלא אם כן לכך; וכן הוא אומר (ישעיה ה, כט) יִשְׁאַג כַּכְּפִירִים וְיִנְהֹם וְיֹאחֵז טֶרֶף וכן (שם לא, ד) כַּאֲשֶׁר יֶהְגֶּה הָאַרְיֵה וְהַכְּפִיר עַל־טַרְפּוֹ: **הישאג אריה.** הוא נבוכדנאצר; דבר אחר הנביאים מדמין את רוח הקודש הבא עליהם לשאגת אריה כמו שאמרו למטה אריה שאג מי לא יירא. וכאן זה פירוש הדוגמא: היבא רוח הקודש בפי הנביאים לדבר דבר מאת הקדוש ברוך הוא לרעה אלא אם כן הפורענות נגזר מלפניו וזהו הטרף? היתן הקדוש ברוך הוא קולו לדבר קשה בלתי אם לכד אתכם במוקש עון: **(ה) התפול צפור על פח הארץ ומוקש אין לה.** בפח שנפלה עליו ומוקש אין לה:

מצודת דוד

(יד) ואבד מנוס מקל. אף הקל ברגליו לא יציל עצמו במה שינוס מפני האויב הואיל וימצא אויב בכל מקום שיהיה: **לא יאמץ.** לא יוכל לחזק כחו במלחמה: **(טו) לא יעמוד.** רצה לומר: לא יעמוד על עמדו בקשרי המלחמה כי ירך לבבו וינוס לנפשו: **לא ימלט נפשו.** על ידי מרוצת הסוס: **(טז) ואמיץ לבו בגבורים.** רצונו לומר: אף מי שדרכו לאמץ ולחזק לבבו גם בין הגבורים הנה אז ינוס ערום, כי יפשוט כליו להיות קל לברוח כי המורך יבוא בלבו: **(א) על כל המשפחה.** כפל הדבר במילים שונות, כי לשון משפחה יאמר על כל העם וכן וְאִם־מִשְׁפַּחַת מִצְרַיִם (זכריה יד, יח): **(ב) רק אתכם ידעתי.** לבד אתכם אהבתי מכל העכו״ם ואתם פשעתם בי, לכן אזכור עליכם את כל עונותיכם לשלם גמול על כולם: **(ג) הילכו.** וכי ילכו שני אנשים יחד בדרך אחד אם לא שקבעו והזמינו מתחילה זמן קבוע ללכת יחד: **(ד) הישאג.** וכי ישאג אריה ביער ולא ימצא טרף? כי בשמוע החיות קול שאגתו יעמדו במקומם מפחדו ויבוא בהם לטרוף טרף כרצונו: **היתן.** וכי הכפיר ישמיע קול שמחה ממעונתו אם לא שלכד מה? כי אז יגיל וישמח ולא כשעדיין לא לכד: **(ה) התפול.** וכי תשכון צפור על הפח הפרושה

מצודת ציון

עמיר. אלומות התבואה, כמו וְשָׁכַחְתָּ עֹמֶר (דברים כד, יט): **(יד) מנוס.** ענין בריחה: **יאמץ.** ענין חוזק, כמו יֹסִיף אֹמֶץ (איוב יז, ט): **(טו) ותופש.** ענין אחיזה: **(ב) ידעתי.** ענין אהבה, וכן מָה־אָדָם וַתֵּדָעֵהוּ (תהלים קמד, ג): **אפקוד.** ענין זכרון: **(ג) נועדו.** ענין קביעות זמן והזמנה, וכן נוֹעֲדוּ עָבְרוּ יַחְדָּו (שם מח, ה): **(ד) כפיר.** ארי בחור: **ממעונתו.** ענין מדור, כמו אֲדֹנָי מָעוֹן אַתָּה הָיִיתָ לָּנוּ (שם צ, א): **(ה) התפול.** התשכון, וכן עַל־פְּנֵי כָל־אֶחָיו נָפָל (בראשית כה, יח): **פח.** הוא הרשת:

הֲיַֽעֲלֶה־פַּח֙ מִן־הָ֣אֲדָמָ֔ה וְלָכ֖וֹד לֹ֥א יִלְכּֽוֹד: ו אִם־יִתָּקַ֤ע שׁוֹפָר֙
בְּעִ֔יר וְעָ֖ם לֹ֣א יֶחֱרָ֑דוּ אִם־תִּהְיֶ֤ה רָעָה֙ בְּעִ֔יר וַֽיהוָ֖ה לֹ֥א עָשָֽׂה: ז כִּ֣י
לֹ֧א יַעֲשֶׂ֛ה אֲדֹנָ֥י יֱהוִ֖ה דָּבָ֑ר כִּ֚י אִם־גָּלָ֣ה סוֹד֔וֹ אֶל־עֲבָדָ֖יו הַנְּבִיאִֽים:
ח אַרְיֵ֥ה שָׁאָ֖ג מִ֣י לֹ֣א יִירָ֑א אֲדֹנָ֤י יֱהוִה֙ דִּבֶּ֔ר מִ֖י לֹ֥א יִנָּבֵֽא:

רש"י

היעלה פח מן האדמה. ממקום שהוטל שם אלא אם כן נאחז בו העוף? כשהוא רוצה לברוח עוקר את הפח ומעלהו ממקומו מעט, ואותה שעה כבר נלכד: **התפול צפור על פח.** ואין הפח מכשילה? כלומר, וכי אפשר שאתם עוברים עבירות ולא יהיה לכם למוקש: **היעלה פח וגו'.** כך היעלה עונותיכם למעלה ולא ילכדו אתכם: **(ו) אם יתקע שופר.** שהצופה רואה גייסות באים בעיר ותוקע בשופר להזהיר את העם. אין אלו אלא דברי משל ודמיון: **אם יתקע שופר בעיר.** כך היה לכם להיות חרדים אל דברי הנביאים שהם צופים לכם למלט אתכם מן הרעה שלא תבא, וכשתבא לכם הרעה הלא תדעו כי הקדוש ברוך הוא עושה לכם על שלא נזהרתם בנביאיו: **(ז) כי לא יעשה אדני אלהים דבר אלא אם כן גלה סודו.** אותו סוד אל עבדיו הנביאים: **(ח) אריה שאג מי לא יירא.** כך הקדוש ברוך הוא דבר אל הנביאים להנבא מי לא ינבא:

מצודת דוד

בארץ ולא מצאה מוקש להלכד בה? וכי לחנם מזורה הרשת: **היעלה פח.** דרך הצפור כשהוא נלכד ורוצה להציל נפשו מנדנד הפח ומעלהו קצת מן האדמה. ואמר וכי הפח יעלה מן האדמה ולא לכד דבר? וכי מי מעלה את הפח: **(ו) אם יתקע.** בעת המלחמה מעמידים הצופה לראות אם בא האויב וכאשר יבוא יתקע בשופר להזהיר את העם. ואמר האם יתקע שופר בעיר ועם לא יחרדו? הלא בודאי למאד יחרדו: **אם תהיה רעה בעיר וה' לא עשה.** רצונו לומר: כמו שכל אלו הדברים הנזכרים אי אפשר שיהיו בזולת הדבר הראוי לכל אחד ואחד, כן אי אפשר שתהיה רעה בעיר במקרה וה' לא עשהו בגמול המעשה: **(ז) כי לא יעשה.** מביא ראיה שהכל בא בהשגחה, כי אין ה' עושה דבר כי אם יגלה סודו בתחילה אל הנביאים: **(ח) אריה שאג.** רצונו לומר: והלא הנביאים בודאי מתנבאים הדבר אל העם ואינם כובשים הנבואה, כי כמו שאם ישאג האריה לא ימצא מי שלא יירא מקול שאגתו, כן אם ה' מדבר מה אל הנביאים לא ימצא מי שלא ינבא. אם כן כל דבר הבא נשמע מפי הנביא עד לא בא, אם כן אין זה מקרה כי אם בהשגחה; ומוסב לתחילת הענין שאמר על כן אפקוד עליכם וגו' לשלם גמול, כי הואיל והכל בהשגחה יש גמול על המעשה:

מצודת ציון

(ו) אם יתקע. האם יתקע, ותחסר ה"א התימה, וכן אם תהיה:

פרשת מקץ

פרק מא א וַיְהִ֕י מִקֵּ֖ץ שְׁנָתַ֣יִם יָמִ֑ים
וּפַרְעֹ֣ה חֹלֵ֔ם וְהִנֵּ֖ה עֹמֵ֥ד עַל־
הַיְאֹֽר׃ ב וְהִנֵּ֣ה מִן־הַיְאֹ֗ר עֹלֹת֙
שֶׁ֣בַע פָּר֔וֹת יְפ֥וֹת מַרְאֶ֖ה
וּבְרִיאֹ֣ת בָּשָׂ֑ר וַתִּרְעֶ֖ינָה בָּאָֽחוּ׃
ג וְהִנֵּ֞ה שֶׁ֧בַע פָּר֣וֹת אֲחֵר֗וֹת
עֹל֤וֹת אַחֲרֵיהֶן֙ מִן־הַיְאֹ֔ר רָע֥וֹת מַרְאֶ֖ה וְדַקּ֣וֹת
בָּשָׂ֑ר וַתַּעֲמֹ֛דְנָה אֵ֥צֶל הַפָּר֖וֹת עַל־שְׂפַ֥ת הַיְאֹֽר׃
ד וַתֹּאכַ֣לְנָה הַפָּר֗וֹת רָע֤וֹת הַמַּרְאֶה֙ וְדַקֹּ֣ת הַבָּשָׂ֔ר

אונקלוס

א וַהֲוָה מִסּוֹף תַּרְתֵּין
שְׁנִין וּפַרְעֹה חָלֵם וְהָא
קָאֵם עַל נַהֲרָא: ב וְהָא מִן
נַהֲרָא סָלְקָן שְׁבַע תּוֹרָן
שַׁפִּירָן לְמֶחֱזֵי וּפַטִּימָן
בְּשַׂר וְרָעְיָן בְּאַחֲוָה: ג וְהָא
שְׁבַע תּוֹרָן אָחֳרָנְיָן סָלְקָא
בַּתְרֵיהוֹן מִן נַהֲרָא בִּישָׁן
לְמֶחֱזֵי וַחֲסִירַן בְּשַׂר וְקָמָן
לְקִבְלֵיהוֹן דְתוֹרָן עַל כֵּיף
נַהֲרָא: ד וַאֲכָלַן תּוֹרָתָא
בִּישָׁן לְמֶחֱזֵי וַחֲסִירַן בְּשַׂר

רש"י

[פסוק א] **וַיְהִי מִקֵּץ.** כְּתַרְגּוּמוֹ, מִסּוֹף. וְכָל לְשׁוֹן קֵץ סוֹף הוּא (עי' ערכין כח:): **עַל הַיְאֹר.** כָּל שְׁאָר נְהָרוֹת אֵינָם קְרוּיִן יְאוֹרִים חוּץ א מִנִּילוּס, מִפְּנֵי שֶׁכָּל הָאָרֶץ עֲשׂוּיָה יְאוֹרִים יְאוֹרִים בִּידֵי אָדָם וְנִילוּס עוֹלֶה בְּתוֹכָם וּמַשְׁקֶה אוֹתָם (עי' שמות ז:יט רש"י ד"ה יאריהם) לְפִי שֶׁאֵין גְּשָׁמִים יוֹרְדִין בְּמִצְרַיִם תָּדִיר כִּשְׁאָר אֲרָצוֹת (דברים יא:י-יא): [פסוק ב] **יְפוֹת מַרְאֶה.** סִימָן הוּא לִימֵי הַשּׂוֹבַע שֶׁהַבְּרִיּוֹת נִרְאוֹת יָפוֹת זוֹ לָזוֹ, שֶׁאֵין עַיִן בְּרִיָּה צָרָה בַּחֲבֶרְתָּהּ (ב"ר פט:ד): **בָּאָחוּ.** בָּאֲגַם מריש"ק בלע"ז כְּמוֹ יִשְׂגֶּא אָחוּ (איוב ח:יא): [פסוק ג] **וְדַקּוֹת בָּשָׂר.** טינבי"ש בלע"ז ב ל' דַּק: [פסוק ד] **וַתֹּאכַלְנָה.** סִימָן שֶׁתְּהֵא כָּל שִׂמְחַת הַשּׂוֹבַע נִשְׁכַּחַת בִּימֵי הָרָעָב (להלן פסוק ל, ורש"י שם):

בעל הטורים

(א) ויהי מקץ. נאמר כאן "מקץ" ונאמר באברהם "מקץ עשר שנים", מה להלן עשר, אף כאן לסוף עשר שנים. ופירוש "ויהי מקץ", דהיינו לסוף עשר ועוד שנתים. "ויהי מקץ שנתים ימים [ופרעה חלם]" בגימטריא מקץ עשר שנתים: **(ב) שבע פרות.** על שם "עגלה יפה-פיה מצרים". ולמה שבע? על שם מצרים, לודים, ענמים, להבים, נפתוחים, פתרוסים, כסלוחים, שהם שבעה. ושבעה עממים מארץ כנען יתפרנסו ממצרים:

עיקר שפתי חכמים

א ר"ל דהיאור עם ה"א הידיעה מורה על יאור הנזכר והידוע במקום אחר, והוא אחד מהד' נהרות שנזכרו בפ' בראשית, כי פישון הוא נילוס. ומה שנקרא כאן בלשון יאור סתם ואין נקרא בשמו, הוא מפני שכל הארץ כו', ולזה נקרא הוא ג"כ בשם יאור סתם וידוע: **ב** דלכאורה אין שייך לשון דק על כחישת הבהמה, ע"כ מביא ראיה מלשון לעז שנקרא בהמה כחושה בלשון טינב"ש שהוא ג"כ לשון דק, ולשון דק שברש"י קאי אטינב"ש:

ראה הטבלא "**שְׁנֵי חַיֵּי יַעֲקֹב אָבִינוּ**" (עמוד 533).

אֶת שֶׁבַע הַפָּרוֹת יְפֹת הַמַּרְאֶה
וְהַבְּרִיאֹת וַיִּיקַץ פַּרְעֹה:
ה וַיִּישָׁן וַיַּחֲלֹם שֵׁנִית וְהִנֵּה |
שֶׁבַע שִׁבֳּלִים עֹלוֹת בְּקָנֶה אֶחָד
בְּרִיאוֹת וְטֹבוֹת: ו וְהִנֵּה שֶׁבַע
שִׁבֳּלִים דַּקּוֹת וּשְׁדוּפֹת קָדִים
צֹמְחוֹת אַחֲרֵיהֶן: ז וַתִּבְלַעְנָה
הַשִּׁבֳּלִים הַדַּקּוֹת אֵת שֶׁבַע הַשִּׁבֳּלִים
הַבְּרִיאוֹת וְהַמְּלֵאוֹת וַיִּיקַץ פַּרְעֹה וְהִנֵּה חֲלוֹם:
ח וַיְהִי בַבֹּקֶר וַתִּפָּעֶם רוּחוֹ וַיִּשְׁלַח וַיִּקְרָא
אֶת־כָּל־חַרְטֻמֵּי מִצְרַיִם וְאֶת־כָּל־חֲכָמֶיהָ

יָת שְׁבַע תּוֹרָתָא שַׁפִּירָן
לְמֶחֱזֵי וּפַטִּימָתָא וְאִתְּעַר
פַּרְעֹה: ה וּדְמוּךְ וַחֲלַם
תִּנְיָנוּת וְהָא שְׁבַע שֻׁבְלַיָּא
סָלְקָן בְּקַנְיָא חַד פַּטִּימָן
וְטָבָן: ו וְהָא שְׁבַע שֻׁבְלַיָּא
לָקְיָן וּשְׁקִיפָן קִדּוּם צָמְחָן
בַּתְרֵיהֶן: ז וּבְלָעָא שֻׁבְלַיָּא
לַקְיָתָא יָת שְׁבַע שֻׁבְלַיָּא
פַּטִּימָתָא וּמַלְיָתָא וְאִתְּעַר
פַּרְעֹה וְהָא חֶלְמָא: ח וַהֲוָה
בְּצַפְרָא וּמִטָּרְפָא רוּחֵהּ
וּשְׁלַח וּקְרָא יָת כָּל חָרָשֵׁי
מִצְרַיִם וְיָת כָּל חַכִּימַהָא

רש"י

[פסוק ה] **בְּקָנֶה אֶחָד.** טודי"ל בלע"ז: **בְּרִיאוֹת.** ג שיינ"ש בלע"ז: [פסוק ו] **וּשְׁדוּפֹת.** השליד"ש בלע"ז. ד שְׁקִיפָן קִדּוּם (אונקלוס) חֲבוּטוֹת, לְשׁוֹן מַשְׁקוֹף הֶחָבוּט תָּמִיד עַל יְדֵי הַדֶּלֶת הַמַּכָּה עָלָיו: **קָדִים.** רוּחַ מִזְרָחִית [דְּרוֹמִית] שֶׁקּוֹרִין בִּיס"א: [פסוק ז] **הַבְּרִיאוֹת.** שיינ"ש בלע"ז: **וְהִנֵּה חֲלוֹם.** וְהִנֵּה ה נִשְׁלַם חֲלוֹם שָׁלֵם לְפָנָיו וְהוּלְכַךְ לְפוֹתְרִים (עי' ברב"ת): [פסוק ח] **וַתִּפָּעֶם רוּחוֹ.** וּמִטַּרְפָא רוּחֵיהּ (אונקלוס). מְקַשְׁקֶשֶׁת בְּתוֹכוֹ ו כְּפַעֲמוֹן. וּבִנְבוּכַדְנֶצַּר אוֹמֵר וַתִּתְפָּעֶם רוּחוֹ (דניאל ב:א) לְפִי שֶׁהָיוּ שָׁם שְׁתֵּי פְּעִימוֹת שִׁכְחַת הַחֲלוֹם וְהַעֲלָמַת פִּתְרוֹנוֹ (ב"ר שם ה): **חַרְטֻמֵּי.** הַנִּחֲרִים ז בְּטִימֵי מֵתִים שֶׁשּׁוֹאֲלִים בַּעֲצָמוֹת (תנחומא). טִימֵי הֵן עֲצָמוֹת בל' אֲרַמִּי. וּבַמִּשְׁנָה,

בעל הטורים

(ה) בקנה אחד. ג' במסורת – תרי הכא; ואידך גבי מנורה. שהשובע הוא אור לעולם. ולכך ראה בטובות "בקנה אחד", ובשדופות לא ראה בקנה אחד:

עיקר שפתי חכמים

ג לשון בריאות לא שייך על שבלים, ומביא ג"כ ראיה מלשון לע"ז שנקראו שיינ"ש שהוא ג"כ לשון בריאות: **ד** הוא ת"א שקיפן קידום ור"ל חבוטות מרוח מזרחית: **ה** כי היקיצה השנית היתה סמוך לבוקר, ורואה שכבר נשלם חלומו: **ו** ותפעם הוא מלשון פעמון, כי רוחו נפעמה בקרבו כעינבל בתוך הזוג: **ז** ר"ל מחממין עצמם [שהיו מניחין אותם תחת בית השחי] בעצמות המתים. וחרטומי הייננו חר [מחמם] טומי [עצמות]:

וַיְסַפֵּר פַּרְעֹה לָהֶם אֶת־חֲלֹמוֹ
וְאֵין־פּוֹתֵר אוֹתָם לְפַרְעֹה׃
ט וַיְדַבֵּר שַׂר הַמַּשְׁקִים אֶת־פַּרְעֹה
לֵאמֹר אֶת־חֲטָאַי אֲנִי מַזְכִּיר
הַיּוֹם׃ י פַּרְעֹה קָצַף עַל־עֲבָדָיו
וַיִּתֵּן אֹתִי בְּמִשְׁמַר בֵּית שַׂר
הַטַּבָּחִים אֹתִי וְאֵת שַׂר הָאֹפִים׃
יא וַנַּחַלְמָה חֲלוֹם בְּלַיְלָה אֶחָד
אֲנִי וָהוּא אִישׁ כְּפִתְרוֹן חֲלֹמוֹ
חָלָמְנוּ׃ יב וְשָׁם אִתָּנוּ נַעַר עִבְרִי עֶבֶד לְשַׂר
הַטַּבָּחִים וַנְּסַפֶּר־לוֹ וַיִּפְתָּר־לָנוּ אֶת־חֲלֹמֹתֵינוּ
אִישׁ כַּחֲלֹמוֹ פָּתָר׃ יג וַיְהִי כַּאֲשֶׁר פָּתַר־לָנוּ

וְאִשְׁתָּעִי פַּרְעֹה לְהוֹן
יָת חֶלְמֵהּ וְלֵית דְּפָשַׁר
יָתְהוֹן לְפַרְעֹה: ט וּמַלֵּיל
רַב שָׁקֵי לְפַרְעֹה (נ"א
עִם פַּרְעֹה) לְמֵימַר יָת
סָרְחָנַי אֲנָא מַדְכַּר יוֹמָא
דֵין: י פַּרְעֹה רְגִיז עַל
עַבְדּוֹהִי וּמַנִּי יָתִי בְּמַטְּרַת
בֵּית רַב קָטוֹלַיָּא יָתִי וְיָת
רַב נַחְתּוֹמֵי: יא וַחֲלֶמְנָא
חֶלְמָא בְּלֵילְיָא חַד אֲנָא
וָהוּא גְּבַר כְּפֻשְׁרַן חֶלְמֵהּ
חֲלֶמְנָא: יב וְתַמָּן עִמָּנָא
עוּלֵם עִבְרָאָה עַבְדָּא
לְרַב קָטוֹלַיָּא וְאִשְׁתָּעֵינָא
לֵהּ וּפָשַׁר לָנָא יָת חֶלְמָנָא
גְּבַר כְּחֶלְמֵהּ פְּשַׁר:
יג וַהֲוָה כְּמָא דִי פָשַׁר לָנָא

רש"י

בית שהוא מלא טמיא (אהלות יז:ג) מלא עצמות: **ואין פותר אותם לפרעה.** פותרים היו אותם אבל לא לפרעה, שלא היה קולן נכנס באזניו ח ולא היה לו קורת רוח בפתרונם. שהיו אומרים שבע בנות אתה מוליד, שבע בנות אתה קובר (ב"ר פט:ו): **[פסוק יא] איש כפתרון חלמו.** חלום הראוי לפתרון שנפתר לנו ודומה לו (עי' ברכות נה:): **[פסוק יב] נער עברי עבד.** ארורים הרשעים שאין טובתם שלמה שמזכירו בלשון בזיון. **נער,** שוטה ואין ראוי לגדולה. **עברי,** אפילו לשוננו אינו מכיר. **עבד,** וכתוב בנימוסי מצרים שאין עבד מולך ולא לובש בגדי שרים [ס"א שיראים] (ב"ר שם ז): **איש כחלמו.** לפי החלום וקרוב לענינו (ברכות שם):

בעל הטורים

(יג) **כאשר פתר.** בגימטריא שחלומות הולכים אחר הפה:

עיקר שפתי חכמים

ח שהבין שחלום המלך הוא ענין כולל לכל המלוכה ולא רק לעצמו, ומזה הבין כי רק פתרון יוסף אמת הוא כי הרעב נוגע לכל העם:

כֵּן הָיָה אֹתִי הֵשִׁיב עַל־כַּנִּי וְאֹתוֹ
תָלָה: יד וַיִּשְׁלַח פַּרְעֹה וַיִּקְרָא
אֶת־יוֹסֵף וַיְרִיצֻהוּ מִן־הַבּוֹר
וַיְגַלַּח וַיְחַלֵּף שִׂמְלֹתָיו וַיָּבֹא
אֶל־פַּרְעֹה: ❖ שני טו וַיֹּאמֶר פַּרְעֹה
אֶל־יוֹסֵף חֲלוֹם חָלַמְתִּי וּפֹתֵר
אֵין אֹתוֹ וַאֲנִי שָׁמַעְתִּי עָלֶיךָ
לֵאמֹר תִּשְׁמַע חֲלוֹם לִפְתֹּר
אֹתוֹ: טז וַיַּעַן יוֹסֵף אֶת־פַּרְעֹה לֵאמֹר בִּלְעָדָי
אֱלֹהִים יַעֲנֶה אֶת־שְׁלוֹם פַּרְעֹה: יז וַיְדַבֵּר פַּרְעֹה
אֶל־יוֹסֵף בַּחֲלֹמִי הִנְנִי עֹמֵד עַל־שְׂפַת הַיְאֹר:

כֵּן הֲוָה יָתִי אֲתֵיב עַל
שִׁמּוּשִׁי וְיָתֵהּ צְלָב:
יד וּשְׁלַח פַּרְעֹה וּקְרָא
יָת יוֹסֵף וְאַרְהִיטוּהִי מִן
בֵּית אֲסִירֵי וְסַפַּר וְשַׁנִּי
כְּסוּתֵהּ וְעַל לְוָת פַּרְעֹה:
טו וַאֲמַר פַּרְעֹה לְיוֹסֵף
חֶלְמָא חֲלֵמִית וּפָשַׁר לֵית
לֵהּ וַאֲנָא שִׁמְעֵית עֲלָךְ
לְמֵימַר דְּאַתְּ שָׁמַע חֶלְמָא
לְמִפְשַׁר יָתֵהּ: טז וַאֲתֵיב
יוֹסֵף יָת פַּרְעֹה לְמֵימַר בַּר
מִן חָכְמְתִי אֱלָהֵן מִן קֳדָם יְיָ
יִתְּתַב יָת שְׁלָמָא דְּפַרְעֹה:
יז וּמַלֵּיל פַּרְעֹה לְיוֹסֵף
(נ"א עִם יוֹסֵף) בְּחֶלְמִי הָא
אֲנָא קָאֵם עַל כֵּיף נַהֲרָא:

רש"י

[פסוק יג] הֵשִׁיב עַל כַּנִּי. פַּרְעֹה הַנִּזְכָּר לְמַעְלָה, כְּמוֹ שֶׁאָמַר פַּרְעֹה קָצַף עַל עֲבָדָיו (לעיל י). הֲרֵי מִקְרָא קָצָר לָשׁוֹן, וְלֹא פֵּירֵשׁ מִי הֵשִׁיב, לְפִי שֶׁאֵין צָרִיךְ לְפָרֵשׁ, מִי הֵשִׁיב, מִי שֶׁבְּיָדוֹ לְהָשִׁיב וְהוּא פַּרְעֹה. וְכֵן דֶּרֶךְ כָּל מִקְרָאוֹת קְצָרִים, עַל מִי שֶׁעָלָיו לַעֲשׂוֹת הֵם סוֹתְמִים אֶת הַדָּבָר: **[פסוק יד] מִן הַבּוֹר.** מִן ט בֵּית הַסּוֹהַר (אונקלוס) שֶׁהוּא עָשׂוּי כְּעֵין גּוּמָא. וְכֵן כָּל בּוֹר שֶׁבַּמִּקְרָא לְשׁוֹן גּוּמָא הוּא, וְאַף אִם אֵין בּוֹ מַיִם קָרוּי בּוֹר, פוס"א בלע"ז: **וַיְגַלַּח [וַיְחַלֵּף שִׂמְלֹתָיו].** מִפְּנֵי כְּבוֹד הַמַּלְכוּת (ב"ר פט ט): **[פסוק טו] תִּשְׁמַע חֲלוֹם לִפְתֹּר אֹתוֹ.** תַּאֲזִין וְתָבִין חֲלוֹם לִפְתּוֹר אוֹתוֹ. **תִּשְׁמַע,** לְשׁוֹן הֲבָנָה וְהַאֲזָנָה, כְּמוֹ שׁוֹמֵעַ יוֹסֵף (להלן מב:כג), אֲשֶׁר לֹא תִשְׁמַע לְשׁוֹנוֹ (דברים כח:מט), אנטנדר"ה בלע"ז: **[פסוק טז] בִּלְעָדָי.** י אֵין הַחָכְמָה מִשֶּׁלִּי אֶלָּא **אֱלֹהִים יַעֲנֶה,** יִתֵּן עֲנִיָּה בְּפִי **לִשְׁלוֹם פַּרְעֹה:**

עיקר שפתי חכמים

ט וכאשר כתב למעלה שמוהו בבית הסהר: י ויתפרש בלעדי כמו ב' תיבות, בל עדי, אינו שלי:

יח וְהִנֵּה מִן־הַיְאֹר עֹלֹת שֶׁבַע
פָּרוֹת בְּרִיאוֹת בָּשָׂר וִיפֹת תֹּאַר
וַתִּרְעֶינָה בָּאָחוּ: יט וְהִנֵּה שֶׁבַע־
פָּרוֹת אֲחֵרוֹת עֹלוֹת אַחֲרֵיהֶן
דַּלּוֹת וְרָעוֹת תֹּאַר מְאֹד וְרַקּוֹת
בָּשָׂר לֹא־רָאִיתִי כָהֵנָּה בְּכָל־
אֶרֶץ מִצְרַיִם לָרֹעַ: כ וַתֹּאכַלְנָה
הַפָּרוֹת הָרַקּוֹת וְהָרָעוֹת אֵת
שֶׁבַע הַפָּרוֹת הָרִאשֹׁנוֹת
הַבְּרִיאֹת: כא וַתָּבֹאנָה אֶל־
קִרְבֶּנָה וְלֹא נוֹדַע כִּי־בָאוּ אֶל־קִרְבֶּנָה וּמַרְאֵיהֶן
רַע כַּאֲשֶׁר בַּתְּחִלָּה וָאִיקָץ: כב וָאֵרֶא בַּחֲלֹמִי
וְהִנֵּה | שֶׁבַע שִׁבֳּלִים עֹלֹת בְּקָנֶה אֶחָד מְלֵאֹת
וְטֹבוֹת: כג וְהִנֵּה שֶׁבַע שִׁבֳּלִים צְנֻמוֹת דַּקּוֹת

יח וְהָא מִן נַהֲרָא סָלְקָן
שְׁבַע תּוֹרָתָא פַּטִּימָן בְּשַׂר
וְשַׁפִּירָן לְמֶחֱזֵי וְרָעְיָן
בְּאַחֲוָה: יט וְהָא שְׁבַע
תּוֹרָתָא אָחֳרָנְיָן סָלְקָן
בָּתְרֵיהֶן חֲסִיכָן וּבִישָׁן
לְמֶחֱזֵי לַחֲדָא וַחֲסִירָן
בְּשַׂר לָא חֲזֵיתִי כְוָתְהֵן
בְּכָל אַרְעָא דְמִצְרַיִם
לְבִישׁוּ: כ וַאֲכַלָן תּוֹרָתָא
חֲסִיכָתָא וּבִישָׁתָא יָת
שְׁבַע תּוֹרָתָא קַדְמָיָתָא
פַּטִּימָתָא: כא וְעָלָא
לִמְעֵיהֶן וְלָא אִתְיְדַע אֲרֵי
עָלּוּ לִמְעֵיהֶן וּמֶחֱזֵיהֶן בִּישׁ
כַּד בְּקַדְמֵיתָא וְאִתְּעָרִית:
כב וַחֲזֵית בְּחֶלְמִי וְהָא
שְׁבַע שֻׁבְּלַיָּא סָלְקָן בְּקַנְיָא
חַד מַלְיָן וְטָבָן: כג וְהָא
שְׁבַע שֻׁבְּלַיָּא נָצָן לָקְיָן

רש"י

[פסוק יט] **דַּלּוֹת.** כְּחוּשׁוֹת. כְּמוֹ מַדּוּעַ אַתָּה כָּכָה דַּל (שמואל ב יג:ד) דְּאַמְנוֹן: **וְרַקּוֹת בָּשָׂר.** כָּל לְשׁוֹן רַקּוֹת שֶׁבַּמִּקְרָא חֲסֵרִין בָּשָׂר, בלוש"ש בלע"ז: [פסוק כג] **צְנֻמוֹת.** צוּנְמָה בִּלְשׁוֹן אֲרַמִּי סֶלַע (ב"ב יח.). הֲרֵי הֵן כְּעֵץ בְּלִי לַחְלוּחַ וְקָשׁוֹת כְּסֶלַע. וְתַרְגּוּמוֹ נָצָן לָקְיָן, נָצָן, אֵין בָּהֶן אֶלָּא הַקָּנֶה לְפִי שֶׁנִּתְרוֹקְנוּ מִן הַזֶּרַע:

בעל הטורים

(יט) כהנה. ב׳ במסורת — הכא; ואידך "ואם מעט ואוסיפה לך כהנה" גבי דוד. זהו שאמר הכתוב "ומוצא אני מר ממות את האשה", וזהו "ואוסיפה לך כהנה", שאם היתה רעה "לא ראיתי כהנה ... לרוע".

שְׁדֻפוֹת קָדִים צֹמְחוֹת אַחֲרֵיהֶם׃
כד וַתִּבְלַעְןָ הַשִּׁבֳּלִים הַדַּקֹּת אֵת
שֶׁבַע הַשִּׁבֳּלִים הַטֹּבוֹת וָאֹמַר
אֶל־הַחַרְטֻמִּים וְאֵין מַגִּיד לִי׃
כה וַיֹּאמֶר יוֹסֵף אֶל־פַּרְעֹה חֲלוֹם
פַּרְעֹה אֶחָד הוּא אֵת אֲשֶׁר
הָאֱלֹהִים עֹשֶׂה הִגִּיד לְפַרְעֹה׃
כו שֶׁבַע פָּרֹת הַטֹּבֹת שֶׁבַע שָׁנִים
הֵנָּה וְשֶׁבַע הַשִּׁבֳּלִים הַטֹּבֹת
שֶׁבַע שָׁנִים הֵנָּה חֲלוֹם אֶחָד
הוּא׃ כז וְשֶׁבַע הַפָּרוֹת הָרַקּוֹת
וְהָרָעֹת הָעֹלֹת אַחֲרֵיהֶן שֶׁבַע שָׁנִים הֵנָּה וְשֶׁבַע
הַשִּׁבֳּלִים הָרֵקוֹת שְׁדֻפוֹת הַקָּדִים יִהְיוּ שֶׁבַע
שְׁנֵי רָעָב׃ כח הוּא הַדָּבָר אֲשֶׁר דִּבַּרְתִּי אֶל־
פַּרְעֹה אֲשֶׁר הָאֱלֹהִים עֹשֶׂה הֶרְאָה אֶת־פַּרְעֹה׃

שְׁקִיפָן קִדּוּם צָמְחָן
בַּתְרֵיהוֹן: כד וּבְלָעָן
שֻׁבְלַיָּא לַקְיָתָא יָת שְׁבַע
שֻׁבְלַיָּא טָבָתָא וַאֲמָרִית
לְחָרָשַׁיָּא וְלֵית דִּי מְחַוֵּי
לִי: כה וַאֲמַר יוֹסֵף לְפַרְעֹה
חֶלְמָא (ד)פַרְעֹה חַד הוּא
יָת דִּי יְיָ עָתִיד לְמֶעְבַּד
חַוִּי לְפַרְעֹה: כו שְׁבַע
תּוֹרָתָא טָבָתָא שְׁבַע שְׁנִין
אִנִּין וּשְׁבַע שֻׁבְלַיָּא טָבָתָא
שְׁבַע שְׁנִין אִנִּין חֶלְמָא
חַד הוּא: כז וּשְׁבַע תּוֹרָתָא
חֲסִיכָתָא וּבִישָׁתָא
דְּסָלְקָן בַּתְרֵיהוֹן שְׁבַע
(נ"א שַׁבְעָא) שְׁנִין אִנִּין
וּשְׁבַע שֻׁבְלַיָּא לַקְיָתָא
דִּשְׁקִיפָן קִדּוּם יְהֶוְיָן
שְׁבַע שְׁנֵי כַפְנָא: כח הוּא
פִּתְגָּמָא דִּי מַלֵּילִית
עִם פַּרְעֹה דִּי יְיָ עָתִיד
לְמֶעְבַּד אַחֲזֵי לְפַרְעֹה:

רש"י

[פסוק כו] שֶׁבַע שָׁנִים. וְשֶׁבַע שָׁנִים. כֻּלָּן אֵינָן אֶלָּא שֶׁבַע, וַאֲשֶׁר נִשְׁנָה הַחֲלוֹם פַּעֲמַיִם לְפִי שֶׁהַדָּבָר מְזוּמָּן, כְּמוֹ שֶׁפֵּירֵשׁ לוֹ בַּסּוֹף וְעַל הִשָּׁנוֹת הַחֲלוֹם וגו' (פסוק לב). בְּשֶׁבַע שָׁנִים הַטּוֹבוֹת נֶאֱמַר הִגִּיד לְפַרְעֹה, לְפִי שֶׁהָיָה סָמוּךְ. וּבְשֶׁבַע שְׁנֵי רָעָב נֶאֱמַר הֶרְאָה אֶת פַּרְעֹה, לְפִי שֶׁהָיָה הַדָּבָר מוּפְלָג וְרָחוֹק נוֹפֵל בּוֹ לְשׁוֹן מַרְאֶה:

כט הִנֵּ֛ה שֶׁ֥בַע שָׁנִ֖ים בָּא֑וֹת שָׂבָ֥ע
גָּד֖וֹל בְּכָל־אֶ֥רֶץ מִצְרָֽיִם׃ ל וְ֠קָמוּ
שֶׁ֨בַע שְׁנֵ֤י רָעָב֙ אַחֲרֵיהֶ֔ן וְנִשְׁכַּ֥ח
כָּל־הַשָּׂבָ֖ע בְּאֶ֣רֶץ מִצְרָ֑יִם וְכִלָּ֥ה
הָרָעָ֖ב אֶת־הָאָֽרֶץ׃ לא וְלֹֽא־יִוָּדַ֤ע
הַשָּׂבָע֙ בָּאָ֔רֶץ מִפְּנֵ֛י הָרָעָ֥ב הַה֖וּא
אַחֲרֵי־כֵ֑ן כִּֽי־כָבֵ֥ד ה֖וּא מְאֹֽד׃
לב וְעַ֨ל הִשָּׁנ֧וֹת הַחֲל֛וֹם אֶל־
פַּרְעֹ֖ה פַּעֲמָ֑יִם כִּֽי־נָכ֤וֹן הַדָּבָר֙
מֵעִ֣ם הָאֱלֹהִ֔ים וּמְמַהֵ֥ר הָאֱלֹהִ֖ים
לַעֲשֹׂתֽוֹ׃ לג וְעַתָּה֙ יֵרֶ֣א פַרְעֹ֔ה
אִ֖ישׁ נָב֣וֹן וְחָכָ֑ם וִישִׁיתֵ֖הוּ עַל־אֶ֥רֶץ מִצְרָֽיִם׃
לד יַעֲשֶׂ֣ה פַרְעֹ֔ה וְיַפְקֵ֥ד פְּקִדִ֖ים עַל־הָאָ֑רֶץ
וְחִמֵּשׁ֙ אֶת־אֶ֣רֶץ מִצְרַ֔יִם בְּשֶׁ֖בַע שְׁנֵ֥י הַשָּׂבָֽע׃

כט הָא שְׁבַע שְׁנִין אָתְיָן
שִׂבְעָא (נ״א שַׂבְעָא) רַבָּא
בְּכָל אַרְעָא דְמִצְרָיִם:
ל וִיקוּמוּן שְׁבַע שְׁנֵי
כַפְנָא בָּתְרֵיהֶן וְיִתְנְשֵׁי
כָּל שִׂבְעָא (נ״א שַׂבְעָא)
בְּאַרְעָא דְמִצְרָיִם וִישֵׁיצֵי
כַפְנָא יָת (עַמָּא דְ)אַרְעָא:
לא וְלָא יִתְיְדַע שׂוֹבְעָא
(נ״א שִׂבְעָא) בְּאַרְעָא מִן
קֳדָם כַּפְנָא הַהוּא דִּיהֵי
בָּתַר כֵּן אֲרֵי תַקִּיף הוּא
לַחֲדָא: לב וְעַל דְּאִתְּנֵית
חֶלְמָא לְוָת פַּרְעֹה תַּרְתֵּין
זִמְנִין אֲרֵי תַקִּין פִּתְגָמָא מִן
קֳדָם יְיָ וְאוֹחִי יְיָ לְמֶעְבְּדֵהּ:
לג וּכְעַן יֶחֱזֵי פַרְעֹה גְּבַר
סוּכְלְתָן וְחַכִּים וִימַנִּינֵיהּ
עַל אַרְעָא דְמִצְרָיִם:
לד יַעְבֵּד פַּרְעֹה וִימַנֵּי
מְהֵימְנִין עַל אַרְעָא וְיִזָרֵז
יָת אַרְעָא דְמִצְרַיִם בְּשֶׁבַע
שְׁנֵי שׂוֹבְעָא (נ״א שִׂבְעָא):

רש"י

[פסוק ל] **וְנִשְׁכַּח כָּל הַשָּׂבָע.** הוּא פִּתְרוֹן הַבְּלִיעָה: [פסוק לא] **וְלֹא יִוָּדַע הַשָּׂבָע.** הוּא פִּתְרוֹן וְלֹא נוֹדַע כִּי בָאוּ אֶל קִרְבֶּנָה: [פסוק לב] **נָכוֹן.** מְזוּמָּן (אונקלוס): [פסוק לד] **וְחִמֵּשׁ.** כְּתַרְגּוּמוֹ, [ב] וִיזָרֵז וְכֵן וַחֲמֻשִׁים (שמות יג:יח):

בעל הטורים

(כט) שבע. ב׳ במסורת – הכא; ואידך ״וימלאו אסמיך שבע״. לומר שכל כך יהיה השבע שיתמלאו כל האוצרות: **(לד) ויפקד.** ב׳ במסורת – ״יעשה פרעה ויפקד פקידים״; ואידך גבי אחשורוש ״ויפקד המלך פקידים״. אחשורוש הפקיד פקידים לקבץ לו נשים, על כן נתרושש,

עיקר שפתי חכמים

ב ולא מלשון חומש, כי לא מצאנו בכתובים הבאים שחמש, ורק אחר

לה וְיִקְבְּצוּ אֶת־כָּל־אֹכֶל הַשָּׁנִים
הַטֹּבֹת הַבָּאֹת הָאֵלֶּה וְיִצְבְּרוּ־
בָר תַּחַת יַד־פַּרְעֹה אֹכֶל בֶּעָרִים
וְשָׁמָרוּ: לו וְהָיָה הָאֹכֶל לְפִקָּדוֹן
לָאָרֶץ לְשֶׁבַע שְׁנֵי הָרָעָב אֲשֶׁר
תִּהְיֶיןָ בְּאֶרֶץ מִצְרָיִם וְלֹא־
תִכָּרֵת הָאָרֶץ בָּרָעָב: לז וַיִּיטַב
הַדָּבָר בְּעֵינֵי פַרְעֹה וּבְעֵינֵי כָּל־
עֲבָדָיו: לח וַיֹּאמֶר פַּרְעֹה אֶל־
עֲבָדָיו הֲנִמְצָא כָזֶה אִישׁ אֲשֶׁר
רוּחַ אֱלֹהִים בּוֹ: שלישי לט וַיֹּאמֶר פַּרְעֹה אֶל־
יוֹסֵף אַחֲרֵי הוֹדִיעַ אֱלֹהִים אוֹתְךָ אֶת־כָּל־זֹאת

לה וִיכַנְשׁוּן יָת כָּל
עִיבוּר שְׁנַיָּא טַבְתָא
דְאָתְיָן הָאִלֵּין וְיִצְרוּן
(נ״א וְיִצְבְּרוּן) עִיבוּרָא
תְּחוֹת יְדָא מְהֵימְנֵי
דְפַרְעֹה עִיבוּר בְּקִירְוַיָּא
וְיִטְּרוּן: לו וִיהֵי עִיבוּרָא
גְנִיז לְאַרְעָא (נ״א לְעַמָּא
דְאַרְעָא) לִשְׁבַע שְׁנֵי
כַפְנָא דִּי תְהֶוְיָן בְּאַרְעָא
דְמִצְרָיִם וְלָא תִשְׁתֵּיצֵי
עַמָּא דְאַרְעָא בְּכַפְנָא:
לז וּשְׁפַר פִּתְגָמָא בְּעֵינֵי
פַרְעֹה וּבְעֵינֵי כָּל עַבְדוֹהִי:
לח וַאֲמַר פַּרְעֹה לְעַבְדוֹהִי
הֲיִשְׁתְּכַח (נ״א הֲנִשְׁכַּח)
כְּדֵין גְּבַר דִּי רוּחַ נְבוּאָה
מִן קֳדָם יְיָ בֵּהּ: לט וַאֲמַר
פַּרְעֹה לְיוֹסֵף בָּתַר
דְּהוֹדַע יְיָ יָתָךְ יָת כָּל דָּא

רש״י

[פסוק לה] **אֶת כָּל אֹכֶל.** שֵׁם דָּבָר הוּא, לְפִיכָךְ טַעְמוֹ בָּאָלֶ״ף וְנָקוּד בְּפַתָּח קָטָן. וְאוֹכֵל שֶׁהוּא פּוֹעֵל, כְּגוֹן כִּי כָּל אוֹכֵל חֵלֶב (ויקרא ז:כה), טַעְמוֹ בַּכָ׳ וְנָקוּד קָמַץ קָטָן: **תַּחַת יַד פַּרְעֹה.** בִּרְשׁוּתוֹ וּבְאוֹצְרוֹתָיו (עי׳ מכילתא משפטים נזיקין יג; ספרי מטות קנז): [פסוק לו] **וְהָיָה הָאֹכֶל.** הַצָּבוּר כִּשְׁאָר פִּקָּדוֹן הַגָּנוּז לְקִיּוּם הָאָרֶץ (אונקלוס): [פסוק לח] **הֲנִמְצָא כָזֶה.** [כְּתַרְגּוּמוֹ] מ הֲנִשְׁכַּח כְּדֵין. אִם נֵלֵךְ וּנְבַקְשֶׁנּוּ הֲנִמְצָא כָמוֹהוּ (ב״ר צ:א). הֲנִמְצָא לְשׁוֹן תְּמִיהָה, וְכֵן כָּל הֵ״א הַמְשַׁמֶּשֶׁת

בעל הטורים

כמו שדרשו חכמינו ז״ל: ״וישם המלך אחשורוש מס״, שנעשה רש, והיינו דכתיב ״אל תתן לנשים חילך״; אבל יוסף הפקיד פקידים לקבץ בר, על כן העשיר וליקט כל הכסף: **(לה) ויקבצו.** ב׳ במסורת – ״ויקבצו את כל אוכל״; ״ויקבצו את כל נערה [בתולה]״. זהו שאמר הכתוב ״דגן ... ותירוש ינובב בתולות״:

עיקר שפתי חכמים

זמן הרעב באה הפקודה (ויגש מ״ז כ״ד) לתת החומש לפרעה: **ל** עמ״ש בבראשית על פסוק לוטש כל חורש נחושת: **מ** כי נמצא יש לו שני מובנים, עבר נסתר מבנין נפעל, או עתיד מדבר בעדו מהקל. לכך מביא התרגום כי תרגמו מלשון עתיד מדבר בעדו, דאם היה עבר היה תרגומו האישתכח, והה״א ה״א התמוה:

אֵין־נָבוֹן וְחָכָם כָּמוֹךָ: מ אַתָּה
תִּהְיֶה עַל־בֵּיתִי וְעַל־פִּיךָ יִשַּׁק
כָּל־עַמִּי רַק הַכִּסֵּא אֶגְדַּל מִמֶּךָּ:
מא וַיֹּאמֶר פַּרְעֹה אֶל־יוֹסֵף רְאֵה
נָתַתִּי אֹתְךָ עַל כָּל־אֶרֶץ מִצְרָיִם:
מב וַיָּסַר פַּרְעֹה אֶת־טַבַּעְתּוֹ מֵעַל
יָדוֹ וַיִּתֵּן אֹתָהּ עַל־יַד יוֹסֵף
וַיַּלְבֵּשׁ אֹתוֹ בִּגְדֵי־שֵׁשׁ וַיָּשֶׂם רְבִד הַזָּהָב
עַל־צַוָּארוֹ: מג וַיַּרְכֵּב אֹתוֹ בְּמִרְכֶּבֶת הַמִּשְׁנֶה

לֵית סַכְלְתָן וְחַכִּים כְּוָתָךְ:
מ אַתְּ תְּהֵי מְמַנָּא עַל בֵּיתִי
וְעַל מֵימְרָךְ יִתְּזַן כָּל עַמִּי
לְחוֹד כָּרְסֵי מַלְכוּתָא
הָדֵין אֵיהֵי יַקִּיר מִנָּךְ:
מא וַאֲמַר פַּרְעֹה לְיוֹסֵף
חֲזֵי מַנֵּיתִי יָתָךְ עַל כָּל
אַרְעָא דְמִצְרָיִם: מב וְאַעְדִּי
פַּרְעֹה יָת עִזְקְתֵהּ מֵעַל
יְדֵהּ וִיהַב יָתַהּ עַל יְדָא
דְיוֹסֵף וְאַלְבֵּישׁ יָתֵהּ
לְבוּשִׁין דְּבוּץ וְשַׁוִּי מָנִיכָא
דְדַהֲבָא עַל צַוְּארֵהּ:
מג וְאַרְכֵּיב יָתֵהּ בִּרְתִכָּא
תִּנְיֵתָא (נ״א תִּנְיָנָא)

רש״י

בְּרֹאשׁ תֵּיבָה וּנְקוּדָה בַּחֲטַף פַּתָּח: **[פסוק לט] אֵין נָבוֹן וְחָכָם כָּמוֹךָ.** לְבַקֵּשׁ אִישׁ נָבוֹן וְחָכָם שֶׁאָמַרְתָּ, לֹא נִמְצָא כָּמוֹךָ: **[פסוק מ] יִשַּׁק.** נ יִתְּזַן (אונקלוס) יִתְפַּרְנֵס. כָּל צָרְכֵי עַמִּי יִהְיוּ נַעֲשִׂים עַל יָדְךָ, כְּמוֹ וּבֶן מֶשֶׁק בֵּיתִי (לעיל טו:ב), וּכְמוֹ נַשְּׁקוּ בַר (תהלים ב:יב), גרניסו״ן בלע״ז: **רַק הַכִּסֵּא.** שֶׁיִּהְיוּ קוֹרִין לִי מֶלֶךְ: **כִּסֵּא.** לְשׁוֹן שֵׁם הַמְּלוּכָה. כְּמוֹ וִיגַדֵּל אֶת כִּסְאוֹ מִכִּסֵּא אֲדוֹנִי הַמֶּלֶךְ (מלכים א א:לז): **[פסוק מא] נָתַתִּי אֹתְךָ.** מַנֵּיתִי יָתָךְ (אונקלוס). ואעפ״כ לְשׁוֹן נְתִינָה הוּא. כְּמוֹ וּלְתִתְּךָ עֶלְיוֹן (דברים כו:יט), בֵּין לִגְדוּלָּה בֵּין לִשְׁפְלוּת נוֹפֵל לְשׁוֹן נְתִינָה עָלָיו, כְּמוֹ נָתַתִּי אֶתְכֶם נִבְזִים וּשְׁפָלִים (מלאכי ב:ט): **[פסוק מב] וַיָּסַר פַּרְעֹה אֶת טַבַּעְתּוֹ.** נְתִינַת טַבַּעַת הַמֶּלֶךְ הִיא אוֹת לְמִי שֶׁנּוֹתְנָהּ לוֹ לִהְיוֹת שֵׁנִי לוֹ לִגְדוּלָּה: **בִּגְדֵי שֵׁשׁ.** דָּבָר ס חֲשִׁיבוּת הוּא בְּמִצְרַיִם: **רְבִד.** עֲנָק, וְעַל שֶׁהוּא רָצוּף בְּטַבָּעוֹת קָרוּי רָבִיד. וְכֵן מַרְבַדִּים רָבַדְתִּי עַרְשִׂי (משלי ז:טז) רָצַפְתִּי עַרְשִׂי מַרְבָדוֹת. בִּלְשׁוֹן מִשְׁנָה, מוּקָּף רוֹבְדִין שֶׁל אֶבֶן (מדות א:ח) עַל ע הָרוֹבֶד שֶׁבָּעֲזָרָה (יומא מג:), וְהִיא רִצְפָּה: **[פסוק מג] בְּמִרְכֶּבֶת הַמִּשְׁנֶה.** הַשְּׁנִיָּה לְמֶרְכַּבְתּוֹ (אונקלוס) הַמְּהַלֶּכֶת אֵצֶל שֶׁלּוֹ:

בעל הטורים

(מ) ישק. ב׳ במסורת – הכא ״ועל פיך ישק כל עמי״; ״שפתים ישק משיב דברים נכוחים״. בשביל שהשיב דברים נחוכים, זכה כי ״על פיך ישק כל עמי״:

עיקר שפתי חכמים

נ פי׳ כך תרגומו, ופירושו יתפרנס: **ס** דמצרים היו עובדים לנילוס ונילוס הוא פישון, ולכך נקרא פישון משום שהוא מגדל פשתן כדפירש״י בפ׳ בראשית, הלכך בגדי פשתן חשובין להן וק״ל. [דב״ט]: **ע** ר״ל דכך נאמר שם על הרובד, והיא רצפה:

אֲשֶׁר־לוֹ וַיִּקְרְאוּ לְפָנָיו אַבְרֵךְ
וְנָתוֹן אֹתוֹ עַל כָּל־אֶרֶץ מִצְרָיִם׃
מד וַיֹּאמֶר פַּרְעֹה אֶל־יוֹסֵף אֲנִי
פַרְעֹה וּבִלְעָדֶיךָ לֹא־יָרִים
אִישׁ אֶת־יָדוֹ וְאֶת־רַגְלוֹ בְּכָל־
אֶרֶץ מִצְרָיִם׃ מה וַיִּקְרָא פַרְעֹה
שֵׁם־יוֹסֵף צָפְנַת פַּעְנֵחַ וַיִּתֶּן־
לוֹ אֶת־אָסְנַת בַּת־פּוֹטִי פֶרַע
כֹּהֵן אֹן לְאִשָּׁה וַיֵּצֵא יוֹסֵף עַל־אֶרֶץ מִצְרָיִם׃
מו וְיוֹסֵף בֶּן־שְׁלֹשִׁים שָׁנָה בְּעָמְדוֹ לִפְנֵי פַּרְעֹה

דִּי לֵהּ וְאַכְרִיזוּ קֳדָמוֹהִי
דֵּין אַבָּא לְמַלְכָּא וּמַנִּי יָתֵהּ
עַל כָּל אַרְעָא דְמִצְרָיִם:
מד וַאֲמַר פַּרְעֹה לְיוֹסֵף אֲנָא
פַרְעֹה וּבַר מִמֵּימְרָךְ לָא
יְרִים גְּבַר יָת יְדֵהּ לְמֵיחַד
זֵין וְיָת רִגְלֵהּ לְמִרְכַּב
עַל סוּסְיָא בְּכָל אַרְעָא
דְמִצְרָיִם: מה וּקְרָא פַרְעֹה
שׁוּם יוֹסֵף גַּבְרָא דְמִטַּמְרָן
גַּלְיָן לֵהּ וִיהַב לֵהּ יָת אָסְנַת
בַּת פּוֹטִי פֶרַע רַבָּא דְאוֹן
לְאִתְּתָא וּנְפַק יוֹסֵף (שַׁלִּיט)
עַל אַרְעָא דְמִצְרָיִם:
מו וְיוֹסֵף בַּר תְּלָתִין שְׁנִין
כַּד קָם קֳדָם פַּרְעֹה

רש"י

אַבְרֵךְ. כְּתַרְגּוּמוֹ דֵּין פ אַבָּא לְמַלְכָּא. רֵךְ בִּלְשׁוֹן אֲרַמִּי מֶלֶךְ, בְּהַשּׁוּתָפִין (בבא בתרא ד.) לָא רֵיכָא וְלָא בַּר רֵיכָא. וּבְדִבְרֵי אַגָּדָה, דָּרַשׁ ר' יְהוּדָה, אַבְרֵךְ זֶה יוֹסֵף, שֶׁהוּא אָב בְּחָכְמָה וְרַךְ בַּשָּׁנִים. אָמַר לוֹ [ר' יוֹסֵי] בֶּן דּוּרְמַסְקִית, עַד מָתַי אַתָּה צ מְעַוֵּת עָלֵינוּ אֶת הַכְּתוּבִים, אֵין אַבְרֵךְ אֶלָּא לְשׁוֹן בִּרְכַּיִם, שֶׁהַכֹּל הָיוּ נִכְנָסִין וְיוֹצְאִין תַּחַת יָדוֹ, כָּעִנְיָן שֶׁנֶּאֱ' וְנָתוֹן אוֹתוֹ וגו' (ספרי דברים סוף פסקא א): **[פסוק מד] אֲנִי פַרְעֹה.** שֶׁיֵּשׁ יְכוֹלֶת בְּיָדִי לִגְזוֹר גְּזֵרָה עַל מַלְכוּתִי וַאֲנִי גוֹזֵר **שֶׁלֹּא יָרִים אִישׁ אֶת יָדוֹ בִּלְעָדֶיךָ**, שֶׁלֹּא בִּרְשׁוּתְךָ. ד"א, אֲנִי פַרְעֹה, אֲנִי אֶהְיֶה מֶלֶךְ, **וּבִלְעָדֶיךָ וגו'**, וְזֶהוּ דוּגְמַת רַק הַכִּסֵּא (לעיל פסוק מ) [אֶלָּא שֶׁהוּצְרַךְ לְפָרְשָׁהּ בִּשְׁעַת נְתִינַת הַטַּבַּעַת] (ב"ר שם ג): **אֶת יָדוֹ וְאֶת רַגְלוֹ.** כְּתַרְגּוּמוֹ: **[פסוק מה] צָפְנַת פַּעְנֵחַ.** מְפָרֵשׁ הַצְּפוּנוֹת (שם ד; אונקלוס; תרגום יונתן). וְאֵין לְפַעְנֵחַ דִּמְיוֹן בַּמִּקְרָא: **פּוֹטִי פֶרַע.** הוּא פּוֹטִיפַר, וְנִקְרָא פּוֹטִיפֶרַע עַל ק שֶׁנִּסְתָּרֵס מֵאֵלָיו לְפִי שֶׁחָמַד אֶת יוֹסֵף לְמִשְׁכַּב זָכוּר (סוטה יג:):

בעל הטורים

(מה) צפנת פענח. בגימטריא מגלה מסתרים: **צפנת פענח.** נוטריקון צדיק פטפט נפש תאוה, פוטיפר ענה נפשו חנם: דבר אחר – צופה פודה נביא תומך פותר ענו נבון חוזה:

עיקר שפתי חכמים

פ זה חבר למלך: **צ פי'** לדידך צריך אתה לחלק את התיבה לשתי תיבות, וזה דוחק, אחרי דשניהם אב ורך הוא עברית. אבל לדעת התרגום דמולא התיבה הוא ארמית אין דוחק לחבר שתי תיבות יחד: ק והסירוס נלמד מלשון פרע ולא מלשון פוטיפר:

מֶלֶךְ־מִצְרָיִם וַיֵּצֵא יוֹסֵף מִלִּפְנֵי
פַרְעֹה וַיַּעֲבֹר בְּכָל־אֶרֶץ
מִצְרָיִם: מז וַתַּעַשׂ הָאָרֶץ בְּשֶׁבַע
שְׁנֵי הַשָּׂבָע לִקְמָצִים: מח וַיִּקְבֹּץ
אֶת־כָּל־אֹכֶל | שֶׁבַע שָׁנִים אֲשֶׁר
הָיוּ בְּאֶרֶץ מִצְרַיִם וַיִּתֶּן־אֹכֶל
בֶּעָרִים אֹכֶל שְׂדֵה־הָעִיר אֲשֶׁר
סְבִיבֹתֶיהָ נָתַן בְּתוֹכָהּ: מט וַיִּצְבֹּר
יוֹסֵף בָּר כְּחוֹל הַיָּם הַרְבֵּה מְאֹד
עַד כִּי־חָדַל לִסְפֹּר כִּי־אֵין מִסְפָּר: נ וּלְיוֹסֵף
יֻלַּד שְׁנֵי בָנִים בְּטֶרֶם תָּבוֹא שְׁנַת הָרָעָב
אֲשֶׁר יָלְדָה־לּוֹ אָסְנַת בַּת־פּוֹטִי פֶרַע כֹּהֵן אוֹן:

מַלְכָּא דְמִצְרָיִם וּנְפַק
יוֹסֵף מִן קֳדָם פַּרְעֹה וַעֲבַר
(שַׁלִּיט) בְּכָל אַרְעָא
דְמִצְרָיִם: מז וּכְנַשׁוּ דָיְרֵי
אַרְעָא בְּשְׁבַע שְׁנֵי שׂוֹבְעָא
(נ״א שִׂבְעָא) עִיבוּרָא
לְאוֹצְרִין: מח וּכְנַשׁ יָת כָּל
עִיבוּר שְׁבַע שְׁנִין דִּי הֲווֹ
בְּאַרְעָא דְמִצְרַיִם וִיהַב
עִיבוּר בְּקִרְוַיָּא עִיבוּר
חֲקַל קַרְתָּא דִּי בְסַחְרָנָהָא
יְהַב בְּגַוַּהּ: מט וּכְנַשׁ יוֹסֵף
עִיבוּרָא כְּחָלָא דְיַמָּא סַגִּי
לַחֲדָא עַד דִּי פְסַק לְמִמְנֵי
אֲרֵי לֵית מִנְיָן: נ וּלְיוֹסֵף
אִתְיְלִיד תַּרְתֵּין בְּנִין עַד
לָא עַלַּת שַׁתָּא דְכַפְנָא
דִּי יְלִידַת לֵהּ אָסְנַת בַּת
פּוֹטִי פֶּרַע רַבָּא דְאוֹן:

רש״י

[פסוק מז] **וַתַּעַשׂ הָאָרֶץ.** ר כְּתַרְגּוּמוֹ, וְאֵין הַלָּשׁוֹן נֶעֱקָר מִלְּשׁוֹן עֲשִׂיָּה: **לִקְמָצִים.** קוֹמֶץ עַל קוֹמֶץ, יָד עַל יָד הָיוּ אוֹצְרִים: **[פסוק מח] אֹכֶל שְׂדֵה הָעִיר [אֲשֶׁר סְבִיבוֹתֶיהָ] נָתַן בְּתוֹכָהּ.** שֶׁכָּל אֶרֶץ וְאֶרֶץ מַעֲמֶדֶת פֵּירוֹתֶיהָ, וְנוֹתְנִין בַּתְּבוּאָה מֵעֲפַר הַמָּקוֹם וּמַעֲמִיד אֶת הַתְּבוּאָה מִלֵּירָקֵב (ב״ר צ:ה): **[פסוק מט] עַד כִּי חָדַל לִסְפֹּר.** עַד כִּי ש חָדַל לוֹ הַסּוֹפֵר לִסְפּוֹר, וה״ז מִקְרָא קָצָר: **כִּי אֵין מִסְפָּר.** לְפִי שֶׁאֵין מִסְפָּר, וַהֲרֵי כִּי מְשַׁמֵּשׁ בִּלְשׁוֹן דְּהָא (ר״ה ג.): **[פסוק נ] בְּטֶרֶם תָּבוֹא שְׁנַת הָרָעָב.** מִכָּאן שֶׁאָדָם אָסוּר לְשַׁמֵּשׁ מִטָּתוֹ בִּשְׁנֵי רְעָבוֹן (תענית יא.):

בעל הטורים

(נ) וליוסף. ב׳ במסורת — ״וליוסף ילד שני בנים״; ״וליוסף אמר מברכת ה׳ ארצו״. כדאמרינן כל המשתף עצמו עם הציבור בצרתם, זוכה ורואה בנחמת הציבור:

עיקר שפתי חכמים

ר פירוש ותעש הארץ שעשתה אוצרות, ופירוש הארץ אנשי הארץ, כמו ארץ כי תחטא: **ש** דחדל משמע שמעצמו חדל, ולמה לא ספר יותר, מפני כי אין מספר, כלומר שכל כך הרבה היה לכן חדל מתחלה הסופר לספור. מהרש״ל.

נא וַיִּקְרָא יוֹסֵף אֶת־שֵׁם הַבְּכוֹר מְנַשֶּׁה כִּי־נַשַּׁנִי אֱלֹהִים אֶת־כָּל־עֲמָלִי וְאֵת כָּל־בֵּית אָבִי: נב וְאֵת שֵׁם הַשֵּׁנִי קָרָא אֶפְרָיִם כִּי־הִפְרַנִי אֱלֹהִים בְּאֶרֶץ עָנְיִי: רביעי נג וַתִּכְלֶינָה שֶׁבַע שְׁנֵי הַשָּׂבָע אֲשֶׁר הָיָה בְּאֶרֶץ מִצְרָיִם: נד וַתְּחִלֶּינָה שֶׁבַע שְׁנֵי הָרָעָב לָבוֹא כַּאֲשֶׁר אָמַר יוֹסֵף וַיְהִי רָעָב בְּכָל־הָאֲרָצוֹת וּבְכָל־אֶרֶץ מִצְרַיִם הָיָה לָחֶם: נה וַתִּרְעַב כָּל־אֶרֶץ מִצְרַיִם וַיִּצְעַק הָעָם אֶל־פַּרְעֹה לַלָּחֶם וַיֹּאמֶר פַּרְעֹה לְכָל־מִצְרַיִם לְכוּ אֶל־יוֹסֵף אֲשֶׁר־יֹאמַר לָכֶם תַּעֲשׂוּ:

נא וּקְרָא יוֹסֵף יָת שׁוּם בּוּכְרָא מְנַשֶּׁה אֲרֵי אַנְשַׁנִי יְיָ יָת כָּל עַמְלִי וְיָת כָּל בֵּית אַבָּא: נב וְיָת שׁוּם תִּנְיָנָא קְרָא אֶפְרָיִם אֲרֵי אַפְּשַׁנִי יְיָ בְּאַרְעָא שִׁעְבּוּדִי: נג וּשְׁלִימָת שְׁבַע שְׁנֵי שֻׂבְעָא (נ"א שֻׂבְעָא) דִּי הֲוָה בְּאַרְעָא דְמִצְרָיִם: נד וְשָׁרִיאָה שְׁבַע שְׁנֵי כַפְנָא לְמֵיעַל כְּמָא דִי אֲמַר יוֹסֵף וַהֲוָה כַפְנָא בְּכָל אַרְעָתָא וּבְכָל אַרְעָא דְמִצְרַיִם הֲוָה לַחְמָא: נה וּכְפַנַת כָּל אַרְעָא דְמִצְרַיִם וּצְוַח עַמָּא לְפַרְעֹה לְלַחְמָא (נ"א קֳדָם פַּרְעֹה עַל לַחְמָא) וַאֲמַר פַּרְעֹה לְכָל מִצְרָאֵי אֱזִילוּ לְוָת יוֹסֵף דִּי יֵימַר לְכוֹן תַּעְבְּדוּן:

רש"י

[פסוק נה] **וַתִּרְעַב כָּל אֶרֶץ מִצְרָיִם.** שֶׁהִרְקִיבָה תְּבוּאָתָם שֶׁאָצְרוּ חוּץ מִשֶּׁל יוֹסֵף (ב"ר צא:ה): **אֲשֶׁר יֹאמַר לָכֶם תַּעֲשׂוּ.** לְפִי שֶׁהָיָה יוֹסֵף אוֹמֵר לָהֶם שֶׁיִּמּוֹלוּ. וּכְשֶׁבָּאוּ אֵצֶל פַּרְעֹה וְאוֹמְרִים כָּךְ הוּא אוֹמֵר לָנוּ,

אָמַר לָהֶם לָמָּה לֹא נִצְבַּרְתֶּם בָּר וַהֲלֹא הִכְרִיז לָכֶם שֶׁשְּׁנֵי הָרָעָב בָּאִים. אָמְרוּ לוֹ אָסַפְנוּ הַרְבֵּה וְהִרְקִיבָה. אָמַר לָהֶם אִם כֵּן כָּל אֲשֶׁר יֹאמַר לָכֶם תַּעֲשׂוּ, הֲרֵי גָּזַר עַל הַתְּבוּאָה וְהִרְקִיבָה, מָה אִם יִגְזֹר עָלֵינוּ וְנָמוּת (שם):

בעל הטורים

(נה) **לכם תעשו.** בגימטריא המילה תעשו, שציויה אותם למול:

נו וְהָרָעָב הָיָה עַל כָּל־פְּנֵי הָאָרֶץ
וַיִּפְתַּח יוֹסֵף אֶת־כָּל־אֲשֶׁר
בָּהֶם וַיִּשְׁבֹּר לְמִצְרַיִם וַיֶּחֱזַק
הָרָעָב בְּאֶרֶץ מִצְרָיִם: נז וְכָל־
הָאָרֶץ בָּאוּ מִצְרַיְמָה לִשְׁבֹּר
אֶל־יוֹסֵף כִּי־חָזַק הָרָעָב בְּכָל־
הָאָרֶץ: פרק מב א וַיַּרְא יַעֲקֹב כִּי
יֶשׁ־שֶׁבֶר בְּמִצְרָיִם וַיֹּאמֶר יַעֲקֹב
לְבָנָיו לָמָּה תִּתְרָאוּ: ב וַיֹּאמֶר הִנֵּה שָׁמַעְתִּי
כִּי יֶשׁ־שֶׁבֶר בְּמִצְרָיִם רְדוּ־שָׁמָּה וְשִׁבְרוּ־לָנוּ

נו וְכַפְנָא הֲוָה עַל כָּל אַפֵּי
אַרְעָא וּפְתַח יוֹסֵף יָת כָּל
(אוֹצְרַיָּא) דִּי בְהוֹן עִיבוּרָא
וְזַבִּין לְמִצְרַיִם וּתְקֵיף
כַּפְנָא בְּאַרְעָא דְמִצְרָיִם:
נז וְכָל דָּיְרֵי אַרְעָא עַלּוּ
(נ"א אֲתוֹ) לְמִצְרַיִם לְמִזְבַּן
עִיבוּרָא מִן יוֹסֵף אֲרֵי
תְקֵיף כַּפְנָא בְּכָל אַרְעָא:
א וַחֲזָא יַעֲקֹב אֲרֵי אִית
עִיבוּרָא מִזְדַּבַּן בְּמִצְרַיִם
וַאֲמַר יַעֲקֹב לִבְנוֹהִי לְמָא
תִתְחֲזוּן: ב וַאֲמַר הָא
שְׁמָעִית (אָמְרִין) אֲרֵי אִית
עִיבוּרָא מִזְדַּבַּן בְּמִצְרַיִם
חוּתוּ תַמָּן וּזְבוּנוּ לָנָא

רש"י

[פסוק נו] על כל פני הארץ. מי הם פני הארץ, אלו ת העשירים (ס"ס): **את כל אשר בהם.** כתרגומו, די בהון עיבורא: **וישבר למצרים.** שבר לשון מכר ולשון קנין הוא. כאן משמש לשון מכר. שברו לנו מעט אוכל (להלן מג:ב) לשון קנין. ואל תאמר אינו כי אם בתבואה, שאף יין וחלב מצינו ולכו שברו בלא כסף ובלא מחיר יין וחלב (ישעיה נה:א): **[פסוק נז] וכל הארץ באו מצרימה. אל יוסף לשבור.** ואם תדרשהו כסדרו היה צריך לכתוב לשבור מן יוסף: **[פסוק א] וירא יעקב כי יש שבר במצרים.** ומהיכן ראה, והלא לא ראה אלא שמע, שנאמר הנה שמעתי וגו'. ומהו וירא, ראה באספקלריא של קודש שעדיין יש לו שבר במצרים ולא היתה נבואה ממש להודיעו בפי' שזה יוסף (ב"ר צא:ו): **למה תתראו.** למה תראו עצמכם בפני בני ישמעאל ובני עשו [כאילו אתם] שבעים, כי באותה שעה עדיין היה להם תבואה (תענית י:). [ול"נ פשוטו, למה תתראו, למה יהיו הכל מסתכלין בכם ומתמיהים בכם שאין אתם מבקשים לכם אוכל בטרם שיכלה מה שבידכם.] ומפי אחרים שמעתי שהוא לשון כחישה, למה תהיו כחושים ברעב. ודומה לו ומרוה גם הוא יורא (משלי יא:כה): **[פסוק ב] רדו שמה.** ולא אמר לכו,

עיקר שפתי חכמים

ת כי פני הארץ הוא יקירי וחשובי הארץ, וכמו פני הדור בגמ':

מִשָּׁ֖ם וְנִחְיֶ֥ה וְלֹ֥א נָמֽוּת׃ ג וַיֵּרְד֥וּ
אֲחֵֽי־יוֹסֵ֖ף עֲשָׂרָ֑ה לִשְׁבֹּ֥ר בָּ֖ר
מִמִּצְרָֽיִם׃ ד וְאֶת־בִּנְיָמִין֙ אֲחִ֣י
יוֹסֵ֔ף לֹֽא־שָׁלַ֥ח יַעֲקֹ֖ב אֶת־
אֶחָ֑יו כִּ֣י אָמַ֔ר פֶּן־יִקְרָאֶ֖נּוּ
אָסֽוֹן׃ ה וַיָּבֹ֙אוּ֙ בְּנֵ֣י יִשְׂרָאֵ֔ל
לִשְׁבֹּ֖ר בְּת֣וֹךְ הַבָּאִ֑ים כִּֽי־הָיָ֥ה
הָרָעָ֖ב בְּאֶ֥רֶץ כְּנָֽעַן׃ ו וְיוֹסֵ֗ף
ה֚וּא הַשַּׁלִּ֣יט עַל־הָאָ֔רֶץ ה֥וּא הַמַּשְׁבִּ֖יר לְכָל־
עַ֣ם הָאָ֑רֶץ וַיָּבֹ֙אוּ֙ אֲחֵ֣י יוֹסֵ֔ף וַיִּשְׁתַּֽחֲווּ־ל֥וֹ
אַפַּ֖יִם אָֽרְצָה׃ ז וַיַּ֥רְא יוֹסֵ֛ף אֶת־אֶחָ֖יו וַיַּכִּרֵ֑ם

מִתַּמָּן וְנֵחֵי וְלָא נְמוּת׃
ג וּנְחָתוּ אֲחֵי יוֹסֵף עַסְרָא
לְמִזְבַּן עִיבוּרָא מִמִּצְרָיִם׃
ד וְיָת בִּנְיָמִין אֲחוּהִי דְיוֹסֵף
לָא שְׁלַח יַעֲקֹב עִם אֲחוּהִי
אֲרֵי אֲמַר דִּלְמָא יְעָרְעִנֵּהּ
מוֹתָא׃ ה וַאֲתוֹ בְּנֵי יִשְׂרָאֵל
לְמִזְבַּן עִיבוּרָא בְּגוֹ עָלַיָּא
אֲרֵי הֲוָה כַפְנָא בְּאַרְעָא
דִכְנָעַן׃ ו וְיוֹסֵף הוּא
דְּשַׁלִּיט עַל אַרְעָא הוּא
דְּמַזְבֵּן עִיבוּרָא לְכָל עַמָּא
דְאַרְעָא וַאֲתוֹ אֲחֵי יוֹסֵף
וּסְגִידוּ לֵהּ עַל אַפֵּיהוֹן
עַל אַרְעָא׃ ז וַחֲזָא יוֹסֵף
יָת אֲחוּהִי וְאִשְׁתְּמוֹדְעִנּוּן

רש"י

רֶמֶז לְמָאתַיִם וָעֶשֶׂר שָׁנִים שֶׁנִּשְׁתַּעְבְּדוּ לְמִצְרַיִם כְּמִנְיַן רד"ו (ב"ר שם ב): **[פסוק ג] וַיֵּרְדוּ אֲחֵי יוֹסֵף.** וְלֹא כָתַב בְּנֵי יַעֲקֹב, מְלַמֵּד שֶׁהָיוּ מִתְחָרְטִים בִּמְכִירָתוֹ וְנָתְנוּ לִבָּם לְהִתְנַהֵג עִמּוֹ בְּאַחֲוָה וְלִפְדּוֹתוֹ בְּכָל מָמוֹן שֶׁיִּפְסְקוּ עֲלֵיהֶם (ב"ר שם ו; תנחומא ח): **עֲשָׂרָה.** מַה ת"ל, וַהֲלֹא כְתִיב וְאֶת בִּנְיָמִין אֲחִי יוֹסֵף לֹא שָׁלַח. אֶלָּא לְעִנְיַן הָאַחֲוָה הָיוּ חֲלוּקִין לַעֲשָׂרָה, שֶׁלֹּא הָיְתָה אַהֲבַת כֻּלָּם וְשִׂנְאַת כֻּלָּם שָׁוָה לוֹ. אֲבָל לְעִנְיַן לִשְׁבּוֹר בָּר כֻּלָּם לֵב אֶחָד לָהֶם (ב"ר לא:ב): **[פסוק ד] פֶּן יִקְרָאֶנּוּ אָסוֹן.** וּבַבַּיִת לֹא יִקְרָאֶנּוּ אָסוֹן, א"ר אֱלִיעֶזֶר בֶּן יַעֲקֹב מִכָּאן שֶׁהַשָּׂטָן מְקַטְרֵג בִּשְׁעַת הַסַּכָּנָה (ב"ר לא:ט; תנחומא ויגש ח): **[פסוק ה] בְּתוֹךְ הַבָּאִים.** מַטְמִינִין עַצְמָן שֶׁלֹּא יַכִּירוּם (תנחומא ו), לְפִי שֶׁצִּוָּה לָהֶם אֲבִיהֶם שֶׁלֹּא יִתְרָאוּ כֻּלָּם בְּפֶתַח אֶחָד, אֶלָּא שֶׁיִּכָּנֵס כָּל אֶחָד בְּפִתְחוֹ כְּדֵי שֶׁלֹּא תִשְׁלוֹט בָּהֶם עַיִן הָרַע, שֶׁכֻּלָּם נָאִים וְכֻלָּם גִּבּוֹרִים (תנחומא ח; ב"ר שם ו): **[פסוק ו] וַיִּשְׁתַּחֲווּ לוֹ אַפַּיִם.** נִשְׁתַּטְּחוּ לוֹ עַל פְּנֵיהֶם. וְכֵן כָּל הִשְׁתַּחֲוָאָה פִּשּׁוּט יָדַיִם וְרַגְלַיִם הוּא (מגילה כב:; שבועות טז:):

בעל הטורים

(ו) וישתחוו לו. בגימטריא בכאן נתקיים החלום: **(ז) ויכרם.** ובקש לקבלם בסבר פנים יפות, ובא המלאך שמצאו תועה והזכירו, מיד "ויתנכר אליהם". ולכך כתוב אחר כך "ויכר", לשון יחיד. "ויתנכר" בגימטריא על ידי האיש גבריאל:

וַיִּתְנַכֵּר אֲלֵיהֶם וַיְדַבֵּר אִתָּם
קָשׁוֹת וַיֹּאמֶר אֲלֵהֶם מֵאַיִן
בָּאתֶם וַיֹּאמְרוּ מֵאֶרֶץ כְּנַעַן
לִשְׁבָּר־אֹכֶל׃ ח וַיַּכֵּר יוֹסֵף
אֶת־אֶחָיו וְהֵם לֹא הִכִּרֻהוּ׃
ט וַיִּזְכֹּר יוֹסֵף אֵת הַחֲלֹמוֹת
אֲשֶׁר חָלַם לָהֶם וַיֹּאמֶר אֲלֵהֶם
מְרַגְּלִים אַתֶּם לִרְאוֹת אֶת־עֶרְוַת הָאָרֶץ
בָּאתֶם׃ י וַיֹּאמְרוּ אֵלָיו לֹא אֲדֹנִי וַעֲבָדֶיךָ בָּאוּ
לִשְׁבָּר־אֹכֶל׃ יא כֻּלָּנוּ בְּנֵי אִישׁ־אֶחָד נָחְנוּ

וְחַשִּׁיב מָא דִימַלֵּל לְהוֹן
וּמַלֵּיל עִמְּהוֹן קַשְׁיָן וַאֲמַר
לְהוֹן מְנָן אֲתֵיתוּן וַאֲמַרוּ
מֵאַרְעָא דִכְנַעַן לְמִזְבַּן
עִיבוּרָא׃ ח וְאִשְׁתְּמוֹדַע
יוֹסֵף יָת אֲחוֹהִי וְאִנּוּן לָא
אִשְׁתְּמוֹדְעוּהִי׃ ט וּדְכִיר
יוֹסֵף יָת חֶלְמַיָּא דִּי חֲלֵים
לְהוֹן וַאֲמַר לְהוֹן אַלִּילֵי
אַתּוּן לְמֶחֱזֵי יָת בִּדְקָא
דְאַרְעָא אֲתֵיתוּן׃ י וַאֲמַרוּ
לֵהּ לָא רִבּוֹנִי וְעַבְדָּיךְ אֲתוֹ
לְמִזְבַּן עִיבוּרָא׃ יא כֻּלָּנָא
בְּנֵי גַבְרָא חַד נָחְנָא

רש"י

[פסוק ז] **וַיִּתְנַכֵּר אֲלֵיהֶם.** [א] נַעֲשָׂה לָהֶם כְּנָכְרִי בִּדְבָרִים לְדַבֵּר קָשׁוֹת (תנחומא שם וב"ר שם): [פסוק ח] **וַיַּכֵּר יוֹסֵף וגו'.** לְפִי שֶׁהִנִּיחָם חֲתוּמֵי זָקָן: **וְהֵם לֹא הִכִּרֻהוּ.** שֶׁיָּצָא מֵאֶצְלָם בְּלֹא חֲתִימַת זָקָן וְעַכְשָׁיו מְצָאוּהוּ בַּחֲתִימַת זָקָן (כתובות כז:; יבמות פח.; ב"ר צא:ז). ומ"א, וַיַּכֵּר יוֹסֵף אֶת אֶחָיו, כְּשֶׁנִּמְסְרוּ בְּיָדוֹ הִכִּיר שֶׁהֵם אֶחָיו וְרִיחֵם עֲלֵיהֶם, וְהֵם לֹא הִכִּירוּהוּ, כְּשֶׁנָּפַל בְּיָדָם לִנְהוֹג בּוֹ אַחֲוָה (ב"ר שם): [פסוק ט] **אֲשֶׁר חָלַם לָהֶם.** עֲלֵיהֶם (תרגום יונתן) וְיָדַע שֶׁנִּתְקַיְּימוּ שֶׁהֲרֵי הִשְׁתַּחֲווּ לוֹ: **עֶרְוַת הָאָרֶץ.** גִּלּוּי הָאָרֶץ, מֵהֵיכָן הִיא נוֹחָה לִיכָּבֵשׁ, כְּמוֹ אֶת מְקוֹרָהּ הֶעֱרָה (ויקרא כ:יח), וּכְמוֹ עֵרֹם וְעֶרְיָה (יחזקאל טז:ז). וְכֵן כָּל עֶרְוָה שֶׁבַּמִּקְרָא לְשׁוֹן גִּילּוּי. ות"א בִּדְקָא דְאַרְעָא [ב], כְּמוֹ בֶּדֶק הַבַּיִת (מלכים ב יב:ו) רְעוּעַ הַבַּיִת. אֲבָל לֹא דִקְדֵּק לְפָרְשׁוֹ אַחַר לְשׁוֹן הַמִּקְרָא: [פסוק י] **לֹא אֲדֹנִי.** לֹא תֹאמַר כֵּן, שֶׁהֲרֵי עֲבָדֶיךָ בָּאוּ לִשְׁבָּר אוֹכֶל: [פסוק יא] **כֻּלָּנוּ בְּנֵי אִישׁ אֶחָד נָחְנוּ.** נִצְנְצָה בָהֶם רוּחַ הַקֹּדֶשׁ

בעל הטורים

(ח) והם לא הכרהו. ב' במסורת – הכא; ואידך גבי איוב "מרחוק ולא הכירהו". מה התם לא הכירוהו בשביל שנשתנה מחמת היסורין, אף כאן לא הכירוהו בשביל שנשתנה, שהיה עבד ונעשה שר וגדול בכל הארץ. ומיהו, התם לא הכירוהו מרחוק, אבל כשקרבו אליו הכירוהו, אבל הכא לא הכירוהו כלל, שלא העלו על דעתם שיגיע יוסף למעלה כזו: **(ט) מרגלים אתם.** פירוש, אתם ולא אני. שיהושע שיצא ממני לא היה בעצת מרגלים. והם אמרו "לא היו עבדיך מרגלים", פירוש יהודה השיבו, כי הוא ראש המדברים, גם ממני יצא כלב, שלא היה בעצת מרגלים. "לא היו" בגימטריא כלב: **(יא) בני איש אחד נחנו.** ולא אמרו אנחנו, רמז שאחד ממנו חסר, ונחנו פשענו: **נחנו.** ג' במסורת – הכא; ואידך "נחנו נעבר חלוצים"; "נחנו פשענו". וזהו שדרשו, שאמרו נחנו להרוג כל העיר באנו אם לא יתנו לנו, וזהו בשביל [שנחנו פשענו בו], "נחנו

עיקר שפתי חכמים

א ופי' ויתנכר הרא"ה עצמו נכרי: **ב** פירוש סדק של עיר:

כֵּנִ֣ים אֲנַ֔חְנוּ לֹא־הָי֥וּ עֲבָדֶ֖יךָ
מְרַגְּלִֽים׃ יב וַיֹּ֖אמֶר אֲלֵהֶ֑ם לֹ֕א
כִּֽי־עֶרְוַ֥ת הָאָ֖רֶץ בָּאתֶ֥ם לִרְאֽוֹת׃
יג וַיֹּאמְר֗וּ שְׁנֵ֣ים עָשָׂ֣ר עֲ֠בָדֶיךָ
אַחִ֨ים ׀ אֲנַ֧חְנוּ בְּנֵ֛י אִישׁ־אֶחָ֖ד
בְּאֶ֣רֶץ כְּנָ֑עַן וְהִנֵּ֨ה הַקָּטֹ֤ן אֶת־
אָבִ֙ינוּ֙ הַיּ֔וֹם וְהָאֶחָ֖ד אֵינֶֽנּוּ׃ יד וַיֹּ֥אמֶר אֲלֵהֶ֖ם יוֹסֵ֑ף
ה֗וּא אֲשֶׁ֨ר דִּבַּ֧רְתִּי אֲלֵכֶ֛ם לֵאמֹ֖ר מְרַגְּלִ֥ים אַתֶּֽם׃

כֵּינֵי אֲנַחְנָא לָא הֲווֹ
עַבְדָּךְ אַלִּילֵי׃ יב וַאֲמַר
לְהוֹן לָא אֱלָהֵן בִּדְקָא
דְאַרְעָא אֲתֵיתוּן לְמֶחֱזֵי׃
יג וַאֲמָרוּ תְּרֵין עֲסַר
עַבְדָּךְ אַחִין אֲנַחְנָא בְּנֵי
גַבְרָא חַד בְּאַרְעָא דִכְנָעַן
וְהָא זְעֵירָא עִם אֲבוּנָא
יוֹמָא דֵין וְחַד לֵיתוֹהִי׃
יד וַאֲמַר לְהוֹן יוֹסֵף
הוּא דִּי מַלֵּילִית עִמְּכוֹן
לְמֵימַר אַלִּילֵי אַתּוּן׃

רש״י

וְכִלְּלוּהוּ עִמָּהֶם שֶׁאַף הוּא בֶּן אֲבִיהֶם (ב״ר נא:ו): **כֵּנִים.** אֲמִתִּיִּים, כְּמוֹ כֵּן דִּבַּרְתָּ (שמות י:כט) כֵּן בְּנוֹת צְלָפְחָד דֹּבְרוֹת (במדבר כז:ז). וְעֶבְרָתוֹ לֹא כֵן בַּדָּיו (ישעיה טז:ו): **[פסוק יב] כִּי עֶרְוַת הָאָרֶץ בָּאתֶם לִרְאוֹת.** שֶׁהֲרֵי נִכְנַסְתֶּם ג בַּעֲשָׂרָה שַׁעֲרֵי הָעִיר, לָמָּה לֹא נִכְנַסְתֶּם בְּשַׁעַר אֶחָד (תנחומא ח; ב״ר שם ו): **[פסוק יג] וַיֹּאמְרוּ שְׁנֵים עָשָׂר עֲבָדֶיךָ וגו׳.** וּבִשְׁבִיל אוֹתוֹ א׳ שֶׁאֵינֶנּוּ נִתְפַּזַּרְנוּ בָּעִיר לְבַקְּשׁוֹ (שם ושם): **[פסוק יד] הוּא אֲשֶׁר דִּבַּרְתִּי.** הַדָּבָר אֲשֶׁר דִּבַּרְתִּי שֶׁאַתֶּם מְרַגְּלִים הוּא הָאֱמֶת וְהַנָּכוֹן, ד זֶהוּ לְפִי פְּשׁוּטוֹ. וּמִדְרָשׁוֹ, אָמַר לָהֶם וְאִילּוּ מְצָאתֶם אוֹתוֹ וְיִפְסְקוּ עֲלֵיכֶם מָמוֹן הַרְבֵּה, תִּפְדּוּהוּ. אָמְרוּ לוֹ הֵן. אָמַר לָהֶם וְאִם יֹאמְרוּ לָכֶם שֶׁלֹּא יַחֲזִירוּהוּ בְּשׁוּם מָמוֹן מַה תַּעֲשׂוּ. אָמְרוּ לְכָךְ בָּאנוּ, לַהֲרוֹג אוֹ לֵיהָרֵג. אָמַר לָהֶם הוּא אֲשֶׁר דִּבַּרְתִּי אֲלֵיכֶם, לַהֲרוֹג בְּנֵי הָעִיר בָּאתֶם (ב״ר שם ז). מְנַחֵשׁ אֲנִי בִּגְבִיעַ שֶׁלִּי שֶׁשְּׁנַיִם מִכֶּם הֶחֱרִיבוּ כְּרַךְ גָּדוֹל שֶׁל שְׁכֶם (תנחומא שם; ב״ר שם ו):

בעל הטורים

נעבור חלוצים״ להלחם אם לא יתנו לנו לפדותו: **(יג-יד) והאחד אינגו.** וסמיך לה ״ויאמר אליהם יוסף״. שהיה מכה בגביע ואומר, אני מנחש ששמו יוסף:

עיקר שפתי חכמים

ג שיוסף היה יודע שאחיו באין לשבור אוכל והיה מצוה לשומרי השער שכל מי שיבא לעיר יכתוב שמו ושם אביו ויבאו ויראו לו. ועשרה שומרי שער באו, ובכל מקום היה מולא, בזה ראובן בן יעקב ובזה שמעון בן יעקב, ובזה היה יודע שבעשר שערים נכנסו: **ד** ויתפרש הכתובים כן. כי הוא אמר מרגלים אתם בשביל שנכנסתם בעשרה שערי העיר, והמה אמרו כולנו בני איש אחד נחנו, וזה ראי׳ כי כנים אנחנו, כי אב אחד לא ישים נפש כל בניו בסכנה לשלחם לרגל ארץ זרה. ויוסף לא פנה לדבריהם והוכיח מזה כי ערות הארץ באו לראות, כי למה לא עזב האב אחד או שנים לשמשו. ויאמרו לו כי באמת נשאר הקטן אצל אביו והאחד איננו, לכן נכנסו בעשרה שערים לבקשו. וזה אשר תפשם יוסף בדברים הוא אשר דברתי וגו׳, כלומר אחרי כי עד היום לא בקשתם את אחיכם האובד מוכח כי לא יחוס האחד על חיי רעהו, ולכן לא חסתם לבא יחד לרגל את הארץ ושמתם נפשכם בכפיכם. ורק אם תביאו את הקטן ואחזה כי עוד לכם אח, אז יהיה הדבר בגדר הספק, אבל בלא זה נראה מכל צד כי מרגלים אתם:

טו בְּזֹאת תִּבָּחֵנוּ חֵי פַרְעֹה אִם־
תֵּצְאוּ מִזֶּה כִּי אִם־בְּבוֹא אֲחִיכֶם
הַקָּטֹן הֵנָּה: טז שִׁלְחוּ מִכֶּם אֶחָד
וְיִקַּח אֶת־אֲחִיכֶם וְאַתֶּם הֵאָסְרוּ
וְיִבָּחֲנוּ דִּבְרֵיכֶם הַאֱמֶת אִתְּכֶם
וְאִם־לֹא חֵי פַרְעֹה כִּי מְרַגְּלִים
אַתֶּם: יז וַיֶּאֱסֹף אֹתָם אֶל־מִשְׁמָר
שְׁלֹשֶׁת יָמִים: יח וַיֹּאמֶר אֲלֵהֶם
יוֹסֵף בַּיּוֹם הַשְּׁלִישִׁי זֹאת עֲשׂוּ
וִחְיוּ אֶת־הָאֱלֹהִים אֲנִי יָרֵא: חמישי
יט אִם־כֵּנִים אַתֶּם אֲחִיכֶם אֶחָד יֵאָסֵר בְּבֵית
מִשְׁמַרְכֶם וְאַתֶּם לְכוּ הָבִיאוּ שֶׁבֶר רַעֲבוֹן

טו בְּדָא תִּתְבַּחֲרוּן חֵי
פַרְעֹה אִם תִּפְּקוּן מִכָּא
אֱלָהֵין בְּמֵיתֵי אֲחוּכוֹן
זְעֵירָא הָכָא: טז שְׁלַחוּ
מִנְּכוֹן חַד וְיִדְבַּר יָת
אֲחוּכוֹן וְאַתּוּן תִּתְאַסְרוּן
וְיִתְבַּחֲרוּן פִּתְגָּמֵיכוֹן
הַקְשׁוֹט אַתּוּן אָמְרִין
וְאִם לָא חַיֵּי פַרְעֹה
אֲרֵי מְאַלִּילֵי אַתּוּן:
יז וּכְנַשׁ יָתְהוֹן לְמַטְּרָא
(נ״א לְבֵית מַטְּרָא) תְּלָתָא
יוֹמִין: יח וַאֲמַר לְהוֹן
יוֹסֵף בְּיוֹמָא תְלִיתָאָה
דָּא עִיבִידוּ וְאִתְקַיָּמוּ
מִן קֳדָם יְיָ אֲנָא דָחֵל:
יט אִם כֵּיוָנֵי אַתּוּן אֲחוּכוֹן
חַד יִתְאֲסַר בְּבֵית
מַטַּרְתְּכוֹן וְאַתּוּן אֱזִילוּ
אוֹבִילוּ עִיבוּרָא דַּחֲסִיר

רש״י

[פסוק טו] **חֵי פַרְעֹה.** [ה] אִם יִחְיֶה פַרְעֹה. כְּשֶׁהָיָה נִשְׁבָּע לַשֶּׁקֶר הָיָה נִשְׁבָּע בְּחַיֵּי פַרְעֹה (ב״ר שם ז): **אִם תֵּצְאוּ מִזֶּה.** מִן הַמָּקוֹם הַזֶּה: [פסוק טז] **הַאֱמֶת אִתְּכֶם.** אִם אֱמֶת אִתְּכֶם. לְפִיכָךְ הֵ״א נָקוּד פַּתָּח שֶׁהוּא כְּמוֹ בִּלְשׁוֹן תֵּימָה, **וְאִם לֹא** תְּבִיאוּהוּ **חֵי פַרְעֹה כִּי מְרַגְּלִים אַתֶּם:** [פסוק יז] **מִשְׁמָר.** [ו] בֵּית הָאֲסוּרִים: [פסוק יט] **בְּבֵית מִשְׁמַרְכֶם.** [ז] שֶׁאַתֶּם אֲסוּרִים בּוֹ עַכְשָׁיו: **וְאַתֶּם לְכוּ הָבִיאוּ.** לְבֵית אֲבִיכֶם: **שֶׁבֶר רַעֲבוֹן בָּתֵּיכֶם.** [ח] מַה שֶּׁקְּנִיתֶם לְרַעֲבוֹן אַנְשֵׁי בָּתֵּיכֶם (תרגום יונתן):

בעל הטורים

(טו) **כי אם בבוא.** ״בבוא״ עולה למנין י״א. שלא תצאו מזה עד שיבואו י״א אחיו: (יז) **ויאסף אתם אל משמר שלשת ימים.** כנגד שלשה דברים שעשו לו — ״ויפשיטו את יוסף את כתנתו״, ״וישלכו״, ״וימכרו״:

עיקר שפתי חכמים

ה פי׳ לפי פשוטו של קרא אין לו הבנה, מש״ה הוסיף מלת אם, ויהיה טעמו אם חי פרעה לא תצאו מזה: **ו** פי׳ ולא שהם שומרים עליהם, דהא כתי׳ אחריו יאסר בבית משמרכם: **ז** שלא נחשב שהכינוי מורה שמתחלה נעשה בשבילם: **ח** ומלת שבר פה מורה על קנייה, לא על מכר:

בָּתֵּיכֶם׃ כ וְאֶת־אֲחִיכֶם הַקָּטֹן
תָּבִיאוּ אֵלַי וְיֵאָמְנוּ דִבְרֵיכֶם וְלֹא
תָמוּתוּ וַיַּעֲשׂוּ־כֵן׃ כא וַיֹּאמְרוּ
אִישׁ אֶל־אָחִיו אֲבָל אֲשֵׁמִים ׀
אֲנַחְנוּ עַל־אָחִינוּ אֲשֶׁר רָאִינוּ
צָרַת נַפְשׁוֹ בְּהִתְחַנְנוֹ אֵלֵינוּ
וְלֹא שָׁמָעְנוּ עַל־כֵּן בָּאָה אֵלֵינוּ
הַצָּרָה הַזֹּאת׃ כב וַיַּעַן רְאוּבֵן
אֹתָם לֵאמֹר הֲלוֹא אָמַרְתִּי
אֲלֵיכֶם ׀ לֵאמֹר אַל־תֶּחֶטְאוּ
בַיֶּלֶד וְלֹא שְׁמַעְתֶּם וְגַם־דָּמוֹ הִנֵּה נִדְרָשׁ׃ כג וְהֵם
לֹא יָדְעוּ כִּי שֹׁמֵעַ יוֹסֵף כִּי הַמֵּלִיץ בֵּינֹתָם׃

בְּבָתֵּיכוֹן: כ וְיָת אֲחוּכוֹן
זְעֵירָא תֵּיתוֹן לְוָתִי
וְיִתְהֵימְנוּן פִּתְגָּמֵיכוֹן
וְלָא תְמוּתוּן וַעֲבַדוּ כֵן:
כא וַאֲמַרוּ גְּבַר לַאֲחוּהִי
בְּקוּשְׁטָא חַיָּבִין אֲנַחְנָא
עַל אֲחוּנָא דִּי חֲזֵינָא עָקַת
נַפְשֵׁהּ כַּד הֲוָה מִתְחַנַּן
לָנָא וְלָא קַבֵּילְנָא מִנֵּהּ
עַל כֵּן אֲתָא לְוָתָנָא (נ״א
אֲתַת לָנָא) עָקְתָא הָדָא:
כב וַאֲתֵיב רְאוּבֵן יָתְהוֹן
לְמֵימַר הֲלָא אֲמָרִית
לְוָתְכוֹן לְמֵימַר לָא
תְחוֹבוּן (נ״א תֶחְטְאוּן)
בְּעוּלֵימָא וְלָא קַבֶּלְתּוּן
וְאַף דְּמֵהּ הָא מִתְבְּעֵי:
כג וְאִנּוּן לָא יָדְעִין
אֲרֵי שָׁמַע יוֹסֵף אֲרֵי
מְתֻרְגְּמָן הֲוָה בֵּינֵיהוֹן:

רש״י

[פסוק כ] וְיֵאָמְנוּ דִבְרֵיכֶם. יִתְאַמְּתוּ וְיִתְקַיְּימוּ, כְּמוֹ אָמֵן אָמֵן (במדבר ה:כב), וּכְמוֹ יֵאָמֶן נָא דְּבָרְךָ (מלכים א ח:כו): **[פסוק כא] אֲבָל.** כְּתַרְגּוּמוֹ, בְּקוּשְׁטָא. רָאִיתִי בב״ר (צא:ח) לִישְׁנָא דְרוֹמָאָה [לְשׁוֹן בְּנֵי הַנֶּגֶב] הוּא, אֲבָל, בְּרַם: **בָּאָה אֵלֵינוּ.** טַעְמוֹ בַּבֵּי״ת לְפִי שֶׁהוּא בִּלְשׁוֹן עָבַר, שֶׁכְּבָר בָּאָה, וְתַרְגּוּמוֹ אֲתַת לָנָא: **[פסוק כב] וְגַם דָּמוֹ.** אָתֵין וְגַמִּין רִבּוּיִין (ב״ר צא:ח). דָּמוֹ וְגַם דַּם הַזָּקֵן (שם צא:ח): **[פסוק כג] וְהֵם לֹא יָדְעוּ כִּי שֹׁמֵעַ יוֹסֵף.** ט מֵבִין לְשׁוֹנָם, וּבְפָנָיו הָיוּ מְדַבְּרִים כֵּן (תרגום יונתן): **כִּי הַמֵּלִיץ בֵּינֹתָם.** כִּי כְּשֶׁהָיוּ מְדַבְּרִים עִמּוֹ הָיָה הַמֵּלִיץ בֵּינֵיהֶם הַיּוֹדֵעַ לְשׁוֹן עִבְרִי וּלְשׁוֹן מִצְרִי וְהָיָה מֵלִיץ דִּבְרֵיהֶם לְיוֹסֵף וְדִבְרֵי יוֹסֵף לָהֶם, לְכָךְ הָיוּ סְבוּרִים שֶׁאֵין יוֹסֵף מַכִּיר בִּלְשׁוֹן עִבְרִי (שם): **הַמֵּלִיץ.** זֶה מְנַשֶּׁה בְּנוֹ (שם; ב״ר שם):

עיקר שפתי חכמים

ט ר״ל דבכל פעם כשדברו עמו קודם לכן היה מליץ ביניהם, ועתה לא היה המליץ ביניהם והיו סבורין שיוסף אינו מבין לשה״ק:

כד וַיִּסֹּ֥ב מֵעֲלֵיהֶ֖ם וַיֵּ֑בְךְּ וַיָּ֤שָׁב
אֲלֵהֶם֙ וַיְדַבֵּ֣ר אֲלֵהֶ֔ם וַיִּקַּ֤ח
מֵֽאִתָּם֙ אֶת־שִׁמְע֔וֹן וַיֶּאֱסֹ֥ר אֹת֖וֹ
לְעֵינֵיהֶֽם׃ כה וַיְצַ֣ו יוֹסֵ֗ף וַיְמַלְא֣וּ
אֶת־כְּלֵיהֶם֮ בָּר֒ וּלְהָשִׁ֤יב כַּסְפֵּיהֶם֙
אִ֣ישׁ אֶל־שַׂקּ֔וֹ וְלָתֵ֥ת לָהֶ֛ם צֵדָ֖ה
לַדָּ֑רֶךְ וַיַּ֥עַשׂ לָהֶ֖ם כֵּֽן׃ כו וַיִּשְׂא֥וּ
אֶת־שִׁבְרָ֖ם עַל־חֲמֹרֵיהֶ֑ם וַיֵּלְכ֖וּ
מִשָּֽׁם׃ כז וַיִּפְתַּ֨ח הָאֶחָ֜ד אֶת־
שַׂקּ֗וֹ לָתֵ֥ת מִסְפּ֛וֹא לַחֲמֹר֖וֹ בַּמָּל֑וֹן וַיַּרְא֙ אֶת־
כַּסְפּ֔וֹ וְהִנֵּה־ה֖וּא בְּפִ֥י אַמְתַּחְתּֽוֹ׃ כח וַיֹּ֣אמֶר
אֶל־אֶחָיו֙ הוּשַׁ֣ב כַּסְפִּ֔י וְגַ֖ם הִנֵּ֣ה בְאַמְתַּחְתִּ֑י

כד וְאִסְתַּחַר מֵעִלָּוֵיהוֹן וּבְכָא וְתָב לְוָתְהוֹן וּמַלִּיל עִמְּהוֹן וּדְבַר מִלְּוָתְהוֹן יָת שִׁמְעוֹן וַאֲסַר יָתֵהּ לְעֵינֵיהוֹן: כה וּפַקִּיד יוֹסֵף וּמְלוֹ יָת מָנֵיהוֹן עִיבוּרָא וּלְאָתָבָא כַּסְפֵּיהוֹן גְּבַר לְסַקֵּהּ וּלְמִתַּן לְהוֹן זְוָדִין לְאָרְחָא וַעֲבַד לְהוֹן כֵּן: כו וּנְטַלוּ יָת עִיבוּרְהוֹן עַל חֲמָרֵיהוֹן וַאֲזַלוּ מִתַּמָּן: כז וּפְתַח חַד יָת סַקֵּהּ לְמִתַּן כִּסְתָּא לַחֲמָרֵהּ בְּבֵית מְבָתָא וַחֲזָא יָת כַּסְפֵּהּ וְהָא הוּא בְּפוּם טוֹעֲנֵהּ: כח וַאֲמַר לַאֲחוֹהִי אִתּוֹתַב כַּסְפִּי וְאַף הָא בְטוֹעֲנִי

רש"י

[פסוק כד] **וַיִּסֹּב מֵעֲלֵיהֶם.** נִתְרַחֵק מֵעֲלֵיהֶם שֶׁלֹּא יִרְאוּהוּ בוֹכֶה: **וַיֵּבְךְּ.** לְפִי שֶׁשָּׁמַע שֶׁהָיוּ מִתְחָרְטִין [י]: **אֶת שִׁמְעוֹן.** הוּא הִשְׁלִיכוֹ לַבּוֹר, הוּא [כ] שֶׁאָמַר לְלֵוִי הִנֵּה בַּעַל הַחֲלוֹמוֹת הַלָּזֶה בָּא (לעיל לז:יט; תנחומא ישן יז). ד"א, נִתְכַּוֵּן יוֹסֵף לְהַפְרִידוֹ מִלֵּוִי שֶׁמָּא יִתְיַעֲצוּ שְׁנֵיהֶם לַהֲרוֹג אוֹתוֹ (תנחומא ויגש ד): **וַיֶּאֱסֹר אֹתוֹ לְעֵינֵיהֶם.** לֹא אֲסָרוֹ אֶלָּא לְעֵינֵיהֶם וְכֵיוָן שֶׁיָּצְאוּ הוֹצִיאוֹ וְהֶאֱכִילוֹ וְהִשְׁקָהוּ (ב"ר צא:ח): [פסוק כז] **וַיִּפְתַּח הָאֶחָד.** הוּא [ל] לֵוִי שֶׁנִּשְׁאַר יָחִיד מִשִּׁמְעוֹן בֶּן זוּגוֹ (תרגום יונתן): **בַּמָּלוֹן.** [מ] בַּמָּקוֹם שֶׁלָּנוּ בַּלַּיְלָה: **אַמְתַּחְתּוֹ.** הוּא הַשַּׂק: [פסוק כח] **וְגַם הִנֵּה בְאַמְתַּחְתִּי.** גַּם הַכֶּסֶף בּוֹ עִם הַתְּבוּאָה:

עיקר שפתי חכמים

י ולכן לא רגז עליהם, כי התחרטו: כ דייק מדכתיב בפ' וישב ויאמרו איש אל אחיו הנה בעל החלומות וגו' וכתיב שמעון ולוי אחים. רא"ם: ל דאל"כ מאי האחד בה"א: מ מדכתיב במלון בפת"ח משמע במלון שלנו כבר:

וַיֵּצֵא לִבָּם וַיֶּחֶרְדוּ אִישׁ אֶל־
אָחִיו לֵאמֹר מַה־זֹּאת עָשָׂה
אֱלֹהִים לָנוּ: כט וַיָּבֹאוּ אֶל־יַעֲקֹב
אֲבִיהֶם אַרְצָה כְּנָעַן וַיַּגִּידוּ לוֹ
אֵת כָּל־הַקֹּרֹת אֹתָם לֵאמֹר:
ל דִּבֶּר הָאִישׁ אֲדֹנֵי הָאָרֶץ אִתָּנוּ
קָשׁוֹת וַיִּתֵּן אֹתָנוּ כִּמְרַגְּלִים אֶת־
הָאָרֶץ: לא וַנֹּאמֶר אֵלָיו כֵּנִים
אֲנָחְנוּ לֹא הָיִינוּ מְרַגְּלִים:
לב שְׁנֵים־עָשָׂר אֲנַחְנוּ אַחִים בְּנֵי
אָבִינוּ הָאֶחָד אֵינֶנּוּ וְהַקָּטֹן הַיּוֹם אֶת־אָבִינוּ
בְּאֶרֶץ כְּנָעַן: לג וַיֹּאמֶר אֵלֵינוּ הָאִישׁ אֲדֹנֵי
הָאָרֶץ בְּזֹאת אֵדַע כִּי כֵנִים אַתֶּם אֲחִיכֶם הָאֶחָד
הַנִּיחוּ אִתִּי וְאֶת־רַעֲבוֹן בָּתֵּיכֶם קְחוּ וָלֵכוּ:

וּנְפַק מַדַּע לִבְּהוֹן וּתְוָהוּ
גְּבַר לַאֲחוּהִי לְמֵימַר מָה
דָא עֲבַד יְיָ לָנָא: כט וַאֲתוֹ
לְוַת יַעֲקֹב אֲבוּהוֹן אַרְעָא
דִכְנָעַן וְחַוִּיאוּ לֵהּ יָת כָּל
דְּאַרְעָן יָתְהוֹן לְמֵימָר:
ל מַלֵּיל גַּבְרָא רִבּוֹנָא
דְאַרְעָא עִמָּנָא קַשְׁיָן
וִיהַב יָתָנָא כִּמְאַלְּלֵי יָת
אַרְעָא: לא וַאֲמַרְנָא לֵהּ
כֵּיוָנֵי אֲנַחְנָא לָא הֲוֵינָא
אַלָּלֵי: לב תְּרֵין עֲסַר
אֲנַחְנָא אַחִין בְּנֵי אֲבוּנָא
חַד לֵיתוֹהִי וּזְעֵירָא יוֹמָא
דֵין עִם אֲבוּנָא בְּאַרְעָא
דִכְנָעַן: לג וַאֲמַר לָנָא
גַּבְרָא רִבּוֹנָא דְאַרְעָא
בְּדָא אִדַּע אֲרֵי כֵּיוָנֵי
אַתּוּן אֲחוּכוֹן חַד שְׁבוּקוּ
לְוָתִי וְיָת עִיבוּרָא דְחַסִּיר
בְּבָתֵּיכוֹן סִיבוּ וְאֱזִילוּ:

רש"י

מַה זֹּאת עָשָׂה אֱלֹהִים לָנוּ. לַהֲבִיאֵנוּ לִידֵי נ עֲלִילָה זוֹ, שֶׁלֹּא הוּשַׁב אֶלָּא לְהִתְעוֹלֵל עָלֵינוּ:

בעל הטורים

(כח) עשה אלהים. ב׳ במסורת – ״מה זאת עשה אלהים לנו״; ואידך ״כל אשר עשה אלהים למשה״, עיין מ״ש בפרשת יתרו: **(לג) ולכו.** ג׳ במסורת – ״ואת רעבון בתיכם קחו ולכו״; ״גם צאנכם גם בקרכם קחו ... ולכו״; ״ואור לכם ולכו״. מלמד שהרשה אותם להוליך צאן ובקר, אף על פי שאין יוצאה ממצרים, וזהו ״גם צאנכם גם בקרכם קחו ... ולכו״: ואמר להם שלא יצאו אלא ב״כי טוב״, וזהו ״ואור לכם ולכו״:

עיקר שפתי חכמים

נ ופי׳ מה זאת מה רעה היא זאת, ולכן כתיב ויחרדו על הרעה:

לד וְהֲבִ֨יאוּ אֶת־אֲחִיכֶ֣ם הַקָּטֹן֮
אֵלַי֒ וְאֵֽדְעָ֗ה כִּ֣י לֹ֤א מְרַגְּלִים֙ אַתֶּ֔ם
כִּ֥י כֵנִ֖ים אַתֶּ֑ם אֶת־אֲחִיכֶם֙ אֶתֵּ֣ן
לָכֶ֔ם וְאֶת־הָאָ֖רֶץ תִּסְחָֽרוּ׃ לה וַיְהִ֗י
הֵ֚ם מְרִיקִ֣ים שַׂקֵּיהֶ֔ם וְהִנֵּה־אִ֥ישׁ
צְרֽוֹר־כַּסְפּ֖וֹ בְּשַׂקּ֑וֹ וַיִּרְא֞וּ אֶת־
צְרֹר֧וֹת כַּסְפֵּיהֶ֛ם הֵ֥מָּה וַאֲבִיהֶ֖ם
וַיִּירָֽאוּ׃ לו וַיֹּ֣אמֶר אֲלֵהֶם֮ יַעֲקֹ֣ב
אֲבִיהֶם֒ אֹתִ֖י שִׁכַּלְתֶּ֑ם יוֹסֵ֤ף
אֵינֶ֙נּוּ֙ וְשִׁמְע֣וֹן אֵינֶ֔נּוּ וְאֶת־בִּנְיָמִ֣ן
תִּקָּ֔חוּ עָלַ֖י הָי֥וּ כֻלָּֽנָה׃ לז וַיֹּ֤אמֶר רְאוּבֵן֙ אֶל־אָבִ֣יו
לֵאמֹ֔ר אֶת־שְׁנֵ֤י בָנַי֙ תָּמִ֔ית אִם־לֹ֥א אֲבִיאֶ֖נּוּ
אֵלֶ֑יךָ תְּנָ֤ה אֹתוֹ֙ עַל־יָדִ֔י וַאֲנִ֖י אֲשִׁיבֶ֥נּוּ אֵלֶֽיךָ׃

לד וְאַיְתוֹ יָת אֲחוּכוֹן
זְעֵירָא לְוָתִי וְאִדַּע אֲרֵי
לָא אַלִּילֵי אַתּוּן אֲרֵי כֵיוָנֵי
אַתּוּן יָת אֲחוּכוֹן אֶתֵּן
לְכוֹן וְיָת אַרְעָא תַּעְבְּדוּן
בַּהּ סְחוֹרְתָא׃ לה וַהֲוָה
אִנּוּן מְרִיקִין סַקֵּיהוֹן וְהָא
גְּבַר צְרָר כַּסְפֵּהּ בְּסַקֵּהּ
וַחֲזוֹ יָת צְרָרֵי כַסְפֵּיהוֹן
אִנּוּן וַאֲבוּהוֹן וּדְחִילוּ׃
לו וַאֲמַר לְהוֹן יַעֲקֹב
אֲבוּהוֹן יָתִי אַתְכֵּלְתּוּן
יוֹסֵף לֵיתוֹהִי וְשִׁמְעוֹן לָא
הֲוָה הָכָא (נ״א לֵיתוֹהִי)
וְיָת בִּנְיָמִן תִּדְבְּרוּן עֲלַי
הֲווֹ כֻּלְּהוֹן׃ לז וַאֲמַר
רְאוּבֵן לְוָת אֲבוּהִי לְמֵימַר
יָת תְּרֵין בְּנַי תְּמִית אִם
לָא אַיְתִנֵּהּ לְוָתָךְ הַב יָתֵהּ
עַל יְדִי וַאֲנָא אֲתֵבִנֵּהּ לָךְ׃

רש״י

[פסוק לד] **וְאֶת הָאָרֶץ תִּסְחָרוּ.** תְּסוֹבְבוּ. וְכָל לְשׁוֹן סוֹחֲרִים וּסְחוֹרָה עַל שֵׁם שֶׁמְּחַזְּרִים וְסוֹבְבִים אַחַר הַפְּרַקְמַטְיָא: **[פסוק לה] צְרוֹר כַּסְפּוֹ.** קֶשֶׁר כַּסְפּוֹ (תרגום יונתן): **[פסוק לו] אֹתִי שִׁכַּלְתֶּם.** מְלַמֵּד שֶׁחֲשָׁדָן שֶׁמָּא [י]הֲרָגוּהוּ אוֹ [י]מְכָרוּהוּ כְּיוֹסֵף (שם; ב״ר צא:ט): **שִׁכַּלְתֶּם.** כָּל

בעל הטורים

(לו) כלנה. ב׳ במסורת — הכא; ואידך ״ואת עלית על כלנה״. לומר מה ששאלו על בנימין עלה על כל הצער שנצטער, יותר משמעון ויוסף, לפי שהוחזק בו שלש פעמים. ואמרינן, תינוק, אף על פי שאין נחש יש סימן: דבר אחר — ״כלנה״ כתיב חסר, קרי בה כלנה, שעלי מוטל מזון נשותיהם, שהם כלותי: **(לז) תמית.** ב׳ במסורת — הכא ״את שני בני תמית״; ואידך ״ופתה תמית קנאה״. דורש אותו במדרש בעדת קרח דכתיב בהו קנאה ״ויקנאו למשה במחנה״, אלו דתן ואבירם. בשביל שאמר ״שני בני תמית״, שנתקיים בשני בניו דתן ואבירם, ״את שני״ בגימטריא דתן ואבירם:

לח וַיֹּאמֶר לֹא־יֵרֵד בְּנִי עִמָּכֶם
כִּי־אָחִיו מֵת וְהוּא לְבַדּוֹ נִשְׁאָר
וּקְרָאָהוּ אָסוֹן בַּדֶּרֶךְ אֲשֶׁר
תֵּלְכוּ־בָהּ וְהוֹרַדְתֶּם אֶת־שֵׂיבָתִי
בְּיָגוֹן שְׁאוֹלָה: פרק מג א וְהָרָעָב
כָּבֵד בָּאָרֶץ: ב וַיְהִי כַּאֲשֶׁר
כִּלּוּ לֶאֱכֹל אֶת־הַשֶּׁבֶר אֲשֶׁר
הֵבִיאוּ מִמִּצְרָיִם וַיֹּאמֶר אֲלֵיהֶם
אֲבִיהֶם שֻׁבוּ שִׁבְרוּ־לָנוּ מְעַט־אֹכֶל: ג וַיֹּאמֶר
אֵלָיו יְהוּדָה לֵאמֹר הָעֵד הֵעִד בָּנוּ הָאִישׁ
לֵאמֹר לֹא־תִרְאוּ פָנַי בִּלְתִּי אֲחִיכֶם אִתְּכֶם:

לח וַאֲמַר לָא יֵחוֹת בְּרִי
עִמְּכוֹן אֲרֵי אֲחוּהִי מִית
וְהוּא בִלְחוֹדוֹהִי אִשְׁתְּאַר
וִיעָרְעִנֵּהּ מוֹתָא בְּאָרְחָא
דִּי תְהָכוּן בַּהּ וְתַחֲתוּן יָת
שֵׂיבְתִי בִּדְווֹנָא לִשְׁאוֹל:
א וְכַפְנָא תַּקִּיף בְּאַרְעָא:
ב וַהֲוָה כַּד סַפִּיקוּ (נ"א
שֵׁיצִיאוּ) לְמֵיכַל יָת עִיבוּרָא
דִּי אַיְתִיאוּ מִמִּצְרָיִם
וַאֲמַר לְהוֹן אֲבוּהוֹן תּוּבוּ
זְבוּנוּ לָנָא זְעֵיר עִיבוּרָא:
ג וַאֲמַר לֵהּ יְהוּדָה לְמֵימַר
אַסְהָדָא אַסְהֵד בָּנָא גַּבְרָא
לְמֵימַר לָא תֶחֱזוֹן אַפַּי
אֱלָהֵן כַּד אֲחוּכוֹן עִמְּכוֹן:

רש"י

מי שבניו אבודים קרוי שכול: **[פסוק לח] לא ירד בני עמכם.** לא קבל דבריו של ראובן, אמר, בכור שוטה הוא זה, הוא אומר להמית בניו, וכי בניו הם ולא בני (שם): **[פסוק ב] כאשר כלו לאכל.** ס יהודה אמר להם המתינו לזקן עד שתכלה פת מן הבית (תנחומא ח): **כאשר כלו.** כד שיציאו, והמתרגם כד ספיקו טועה. כאשר כלו הגמלים לשתות (לעיל כד:כב) מתורגם כד ספיקו, כששתו די ספוקם הוא גמר שתייתם, אבל זה, כאשר כלו לאכול, כאשר תם האוכל הוא, ומתרגמינן כד שיציאו: **[פסוק ג] העד העד.** לשון התראה, שסתם התראה מתרה בו בפני עדים. [וכן העדתי בכם היום (דברים ח:יט, ל:יט)] וכן העד העדותי באבותיכם (ירמיה יא:ז) רד העד בעם (שמות יט:כא): **לא תראו פני בלתי אחיכם אתכם.** ע לא תראוני בלא אחיכם אתכם (תרגום יונתן). ואונקלוס תרגם אלהין כד אחוכון עמכון, יישב הדבר על

עיקר שפתי חכמים

ס דאל"כ למה ענה יהודה לבדו על שובו שברו, שזה נאמר לכלם: ע שלא תאמר שכך פירוש שלא תראוני בלתי אחיכם לבד יראוני, לכ"פ שאינו כן רק שלא תראוני בלתי אחיכם אתכם:

ד אִם־יֶשְׁךָ מְשַׁלֵּחַ אֶת־אָחִינוּ
אִתָּנוּ נֵרְדָה וְנִשְׁבְּרָה לְךָ אֹכֶל:
ה וְאִם־אֵינְךָ מְשַׁלֵּחַ לֹא נֵרֵד כִּי־
הָאִישׁ אָמַר אֵלֵינוּ לֹא־תִרְאוּ
פָנַי בִּלְתִּי אֲחִיכֶם אִתְּכֶם:
ו וַיֹּאמֶר יִשְׂרָאֵל לָמָה הֲרֵעֹתֶם
לִי לְהַגִּיד לָאִישׁ הַעוֹד לָכֶם
אָח: ז וַיֹּאמְרוּ שָׁאוֹל שָׁאַל־
הָאִישׁ לָנוּ וּלְמוֹלַדְתֵּנוּ לֵאמֹר
הַעוֹד אֲבִיכֶם חַי הֲיֵשׁ לָכֶם אָח וַנַּגֶּד־לוֹ עַל־פִּי
הַדְּבָרִים הָאֵלֶּה הֲיָדוֹעַ נֵדַע כִּי יֹאמַר הוֹרִידוּ
אֶת־אֲחִיכֶם: ח וַיֹּאמֶר יְהוּדָה אֶל־יִשְׂרָאֵל אָבִיו

ד אִם אִיתָךְ מְשַׁלַּח יָת
אֲחוּנָא עִמָּנָא נֵיחוֹת
וְנִזְבֵּן לָךְ עִיבוּרָא: ה וְאִם
לֵיתָךְ מְשַׁלַּח לָא נֵיחוֹת
אֲרֵי גַבְרָא אֲמַר לָנָא
לָא תֶחֱזוֹן אַפַּי אֶלָּהֵן כַּד
אֲחוּכוֹן עִמְּכוֹן: ו וַאֲמַר
יִשְׂרָאֵל לְמָא אַבְאֶשְׁתּוּן
לִי לְחַוָּאָה לְגַבְרָא הַעַד
כְּעַן לְכוֹן אָח: ז וַאֲמָרוּ
מִשְׁאַל שָׁאֵל גַּבְרָא לָנָא
וּלְיַלָּדוּתָנָא לְמֵימַר
הַעַד כְּעַן אֲבוּכוֹן קַיָּם
הַאִית לְכוֹן אֲחָא וְחַוֵּינָא
לֵהּ עַל מֵימַר פִּתְגָמַיָּא
הָאִלֵּין הֲמִדַּע הֲוֵינָא
יָדְעִין אֲרֵי יֵימַר אוֹחִיתוּ
יָת אֲחוּכוֹן: ח וַאֲמַר
יְהוּדָה לְיִשְׂרָאֵל אֲבוּהִי

רש"י

אוֹפְנוֹ פ וְלֹא דִקְדֵּק לְתַרְגֵּם אַחַר לְשׁוֹן הַמִּקְרָא: [פסוק ז] **לָנוּ וּלְמוֹלַדְתֵּנוּ.** לְמִשְׁפְּחוֹתֵינוּ. וּמִדְרָשׁוֹ, צ אֲפִילּוּ עֲצֵי עֲרִיסוֹתֵינוּ גִּלָּה לָנוּ (ב"ר צא:י): **וַנַּגֶּד לוֹ.** שֶׁיֵּשׁ לָנוּ אָב וְאָח: **עַל פִּי הַדְּבָרִים הָאֵלֶּה.** ע"פ שְׁאֵלוֹתָיו אֲשֶׁר שָׁאַל הוּזְקַקְנוּ לְהַגִּיד: **כִּי יֹאמַר.** אֲשֶׁר יֹאמַר. כִּי מְשַׁמֵּשׁ בִּלְשׁוֹן אִם וְאִם מְשַׁמֵּשׁ בִּלְשׁוֹן אֲשֶׁר, ה"ז שִׁמּוּשׁ אֶחָד מֵאַרְבַּע לְשׁוֹנוֹת שֶׁמְּשַׁמֵּשׁ כִּי וְהוּא אִי (ר"ה השנה ג.), שֶׁהֲרֵי כִּי זֶה כְּמוֹ אִם, כְּמוֹ עַד אִם דִּבַּרְתִּי דְּבָרַי (לעיל כד:לג):

בעל הטורים

(ד) **נרדה.** ג' במסורת — "נרדה ונשברה לך אכל"; "נרדה ונבלה שם שפתם"; "נרדה אחרי פלשתים לילה". שאמר, "אם ישך משלח ... נרדה" מיד, ונרדה ביום ובלילה למהר הדבר, כמו התם "נרדה לילה". וגם רמז למה שדרשו, שירדו להרוג ארץ מצרים, דכתיב "נרדה ונבלה שם שפתם": (ז) **על פי.** ב' במסורת — "על פי הדברים"; "על פי שנים עדים". שהוצרכנו להגיד לו "על פי הדברים האלה", כאלו היו עדים בדבר:

עיקר שפתי חכמים

פ כי לא תרגם מלת בלתי. אבל תרגם את הכוונה ולא שמר את המלות: **צ** ר"ל אפי' הילדים הקטנים השוכבים בעריסה:

שִׁלְחָה הַנַּעַר אִתִּי וְנָקוּמָה
וְנֵלֵכָה וְנִחְיֶה וְלֹא נָמוּת גַּם־
אֲנַחְנוּ גַם־אַתָּה גַּם־טַפֵּנוּ׃
ט אָנֹכִי אֶעֶרְבֶנּוּ מִיָּדִי תְּבַקְשֶׁנּוּ
אִם־לֹא הֲבִיאֹתִיו אֵלֶיךָ
וְהִצַּגְתִּיו לְפָנֶיךָ וְחָטָאתִי לְךָ כָּל־
הַיָּמִים׃ י כִּי לוּלֵא הִתְמַהְמָהְנוּ
כִּי־עַתָּה שַׁבְנוּ זֶה פַעֲמָיִם׃
יא וַיֹּאמֶר אֲלֵהֶם יִשְׂרָאֵל אֲבִיהֶם אִם־כֵּן |
אֵפוֹא זֹאת עֲשׂוּ קְחוּ מִזִּמְרַת הָאָרֶץ בִּכְלֵיכֶם
וְהוֹרִידוּ לָאִישׁ מִנְחָה מְעַט צֳרִי וּמְעַט דְּבַשׁ

שְׁלַח עוּלֵימָא עִמִּי וּנְקוּם
וּנְהָךְ וְנֵיחֵי וְלָא נְמוּת אַף
אֲנַחְנָא אַף אַתְּ אַף טַפְלָנָא:
ט אֲנָא מְעָרַבְנָא בֵהּ מִן יְדִי
תִּבְעִנֵּהּ אִם לָא אַיְתֵנֵּהּ
לָךְ וַאֲקִימִנֵּהּ קֳדָמָךְ וְאֵהֵי
חָטֵי לָךְ כָּל יוֹמַיָּא: י אֲרֵי
אִלּוּלָפוֹן בְּדָא אִיתְעַכַּבְנָא
אֲרֵי כְעַן תַּבְנָא דְּנַן
תַּרְתֵּין זִמְנִין: יא וַאֲמַר
לְהוֹן יִשְׂרָאֵל אֲבוּהוֹן
אִם כֵּן הָכָא דָּא עִיבִידוּ
סִיבוּ מִדִּמְשַׁבַּח אַרְעָא
(נ"א בְּאַרְעָא) בְּמָנֵיכוֹן
וְאוֹחִיתוּ לְגַבְרָא תִּקְרֻבְתָּא
זְעֵיר קְטַף וּזְעֵיר דְּבַשׁ

רש"י

[פסוק ח] **ונחיה.** נִגְלָה בּוֹ רוּה"ק, ק עַל יְדֵי הֲלִיכָה זוֹ תְּחִי רוּחֲךָ, שֶׁנֶּא' וַתְּחִי רוּחַ יַעֲקֹב אֲבִיהֶם (להלן מה:כז): **ולא נמות.** בָּרָעָב. ר בִּנְיָמִין סָפֵק יִתָּפֵשׂ סָפֵק לֹא יִתָּפֵשׂ, וְאָנוּ כֻּלָּנוּ מֵתִים בָּרָעָב אִם לֹא נֵלֵךְ. מוּטָב שֶׁנַּנִּיחַ אֶת הַסָּפֵק וְנִתְפּוֹשׂ אֶת הַוַּדַּאי (תנחומא ח): [פסוק ט] **והצגתיו לפניך.** שֶׁלֹּא אֲבִיאֶנּוּ אֵלֶיךָ מֵת כִּי אִם חַי (עי' תמורה לג:): **וחטאתי לך כל הימים.** לָעוה"ב (ב"ר שם): [פסוק י] **לולא התמהמהנו.** עַל יָדְךָ כְּבָר הָיִינוּ שָׁבִים עִם שִׁמְעוֹן וְלֹא נִצְטַעַרְתָּ כָּל הַיָּמִים הַלָּלוּ: [פסוק יא] **אפוא.** כָּל לְשׁוֹן אֵפוֹא לְשׁוֹן יֶתֶר הוּא לְתַקֵּן הַמִּלָּה בְּלָשׁוֹן עִבְרִי. **אם כן** אֶזְדַּקֵּק לַעֲשׂוֹת שֶׁאֶשְׁלָחֶנּוּ עִמָּכֶם צָרִיךְ אֲנִי לַחֲזוֹר וּלְבַקֵּשׁ אַיֵּה פֹה תַּקָּנָה וְעֵצָה לְהַשִּׂיאֲכֶם, וְאוֹמֵר אֲנִי **זאת עשו: מזמרת הארץ.** מְתוּרְגָּם מִדִּמְשַׁבַּח בְּאַרְעָא, שֶׁהַכֹּל מְזַמְּרִים עָלָיו כְּשֶׁהוּא בָא לָעוֹלָם (ב"ר שם יא):

בעל הטורים

(ט) **לך כל הימים.** בגימטריא בעולם הזה ולבא: (י) **כי עתה שבנו זה.** סופי תבות שם בן ארבע. לומר שהשם מלוה לצדיקים: (יא) **מעט צרי ומעט דבש.** ששה מינים הביאו לו מנחה, כנגד ששת בני הגבירות, כל אחד מין אחד:

עיקר שפתי חכמים

ק דמדאמר ולא נמות פשיטא דנחיה ולמ"ל ונחיה, אלא וכו': **ר** דק"ל מה מהדר ליה ולא נמות דהא מש"ה שולח אותם לקנות תבואה, ועז"פ בנימין ספק וכו' לכן אמר ולא נמות. מהרש"ל:

נְכֹאת וָלֹט בָּטְנִים וּשְׁקֵדִים:
יב וְכֶסֶף מִשְׁנֶה קְחוּ בְיֶדְכֶם וְאֶת־
הַכֶּסֶף הַמּוּשָׁב בְּפִי אַמְתְּחֹתֵיכֶם
תָּשִׁיבוּ בְיֶדְכֶם אוּלַי מִשְׁגֶּה הוּא:
יג וְאֶת־אֲחִיכֶם קָחוּ וְקוּמוּ שׁוּבוּ
אֶל־הָאִישׁ: יד וְאֵל שַׁדַּי יִתֵּן לָכֶם
רַחֲמִים לִפְנֵי הָאִישׁ וְשִׁלַּח לָכֶם
אֶת־אֲחִיכֶם אַחֵר וְאֶת־בִּנְיָמִין
וַאֲנִי כַּאֲשֶׁר שָׁכֹלְתִּי שָׁכָלְתִּי: טו וַיִּקְחוּ הָאֲנָשִׁים
אֶת־הַמִּנְחָה הַזֹּאת וּמִשְׁנֶה־כֶּסֶף לָקְחוּ בְיָדָם

שְׁעַף וּלְטוֹם בָּטְנִין וְשִׁגְדִּין:
יב וְכַסְפָּא עַל חַד תְּרֵין
סִיבוּ בִּידְכוֹן וְיָת כַּסְפָּא
דְּאִתּוֹתַב בְּפוּם טוֹעֲנֵיכוֹן
תְּתִיבוּן בִּידְכוֹן מָאִים
שָׁלוּ הוּא: יג וְיָת אֲחוּכוֹן
דְּבָרוּ וְקוּמוּ תּוּבוּ לְוָת
גַּבְרָא: יד וְאֵל שַׁדַּי יִתֵּן
לְכוֹן רַחֲמִין קֳדָם גַּבְרָא
וְיִפְטַר לְכוֹן יָת אֲחוּכוֹן
אָחֳרָנָא וְיָת בִּנְיָמִין וַאֲנָא
כְּמָא דִּי אִתְכֵּלִית תְּכֵלִית:
טו וּנְסִיבוּ גֻבְרַיָּא יָת
תִּקְרֻבְתָּא הָדָא וְעַל חַד
תְּרֵין כַּסְפָּא נְסִיבוּ בִידֵיהוֹן

רש"י

נְכֹאת. שַׁעֲוָה (שם): **בָּטְנִים.** לֹא יָדַעְתִּי מַה הֵם. וּבְפֵירוּשׁ א"ב שֶׁל רַבִּי מָכִיר רָאִיתִי פִּיסְטַלִי"שׂ, וְדוֹמֶה לִי שֶׁהֵם אֲפַרְסְקִין: [פסוק יב] **וְכֶסֶף מִשְׁנֶה.** ש פִּי שְׁנַיִם כָּרִאשׁוֹן (אונקלוס): **קְחוּ בְיֶדְכֶם.** לִשְׁבּוֹר אוֹכֶל שֶׁמָּא הוּקַר הַשַּׁעַר (ב"ר שם): **אוּלַי מִשְׁגֶּה הוּא.** שֶׁמָּא הַמְמוּנֶּה עַל הַבַּיִת שְׁכָחוֹ שׁוֹגֵג: [פסוק יד] **וְאֵל שַׁדַּי.** מֵעַתָּה אֵינְכֶם חֲסֵרִים כְּלוּם אֶלָּא תְּפִלָּה, הֲרֵינִי מִתְפַּלֵּל עֲלֵיכֶם (שם): **וְאֵל שַׁדַּי.** שֶׁדַּי בִּנְתִינַת רַחֲמָיו וּכְדֵי הַיְכוֹלֶת בְּיָדוֹ לִיתֵּן, יִתֵּן לָכֶם רַחֲמִים, זֶהוּ פְּשׁוּטוֹ. וּמִדְרָשׁוֹ, מִי שֶׁאָמַר לָעוֹלָם דַּי יֹאמַר דַּי לְצָרוֹתַי, שֶׁלֹּא שָׁקַטְתִּי מִנְּעוּרַי, צָרַת לָבָן, צָרַת עֵשָׂו, צָרַת רָחֵל, צָרַת דִּינָה, צָרַת יוֹסֵף, צָרַת שִׁמְעוֹן, צָרַת בִּנְיָמִין (תנחומא י): **וְשִׁלַּח לָכֶם.** וְיִפְטַר לְכוֹן, כְּתַרְגּוּמוֹ. וְיִפְטְרֶנּוּ מֵאֲסוּרָיו, לְשׁוֹן (שמות כא:כו) לַחָפְשִׁי יְשַׁלְּחֶנּוּ. וְאֵינוֹ נוֹפֵל בְּתַרְגּוּם לְשׁוֹן וִישַׁלַּח, שֶׁהֲרֵי לְשָׁם הֵם הוֹלְכִים אֶצְלוֹ: **אֶת אֲחִיכֶם.** זֶה שִׁמְעוֹן: **אַחֵר.** רוּחַ הַקּוֹדֶשׁ נִזְרְקָה בוֹ, לְרַבּוֹת יוֹסֵף (אדר"נ נו"ב פמ"ג): **וַאֲנִי.** ת עַד שׁוּבְכֶם אֶהְיֶה שָׁכוּל מִסָּפֵק: **כַּאֲשֶׁר שָׁכֹלְתִּי.** מִיּוֹסֵף וּמִשִּׁמְעוֹן: **שָׁכָלְתִּי.** מִבִּנְיָמִין:

בעל הטורים

(טו) ומשנה. ב׳ במסורת – "ומשנה כסף"; "ומשנה שברון". לומר לך קל וחמר, ומה הכא שבשגגה בא הכסף לידי אחי יוסף, באו לשלמו בכפלים, כל שכן שעתידין האומות לשלם כל הכסף שלוקחים מישראל כפלי כפלים:

עיקר שפתי חכמים

ש אבל לא תפרש כסף שני חוץ מכסף המושב, דא"כ הול"ל תחלה ואת הכסף המושב ואח"כ וכסף משנה וגו׳: **ת** לא שאני שכול מעתה דא"כ מאי ואל שדי יתן לכם רחמים וגו׳:

וְאֶת־בִּנְיָמִן וַיָּקֻמוּ וַיֵּרְדוּ מִצְרַיִם
וַיַּעַמְדוּ לִפְנֵי יוֹסֵף: ששי טז וַיַּרְא
יוֹסֵף אִתָּם אֶת־בִּנְיָמִין וַיֹּאמֶר
לַאֲשֶׁר עַל־בֵּיתוֹ הָבֵא אֶת־
הָאֲנָשִׁים הַבָּיְתָה וּטְבֹחַ טֶבַח
וְהָכֵן כִּי אִתִּי יֹאכְלוּ הָאֲנָשִׁים
בַּצָּהֳרָיִם: יז וַיַּעַשׂ הָאִישׁ כַּאֲשֶׁר
אָמַר יוֹסֵף וַיָּבֵא הָאִישׁ אֶת־
הָאֲנָשִׁים בֵּיתָה יוֹסֵף: יח וַיִּירְאוּ הָאֲנָשִׁים כִּי
הוּבְאוּ בֵּית יוֹסֵף וַיֹּאמְרוּ עַל־דְּבַר הַכֶּסֶף
הַשָּׁב בְּאַמְתְּחֹתֵינוּ בַּתְּחִלָּה אֲנַחְנוּ מוּבָאִים

וּדְבָרוּ יָת בִּנְיָמִן וְקָמוּ
וּנְחָתוּ לְמִצְרַיִם וְקָמוּ קֳדָם
יוֹסֵף: טז וַחֲזָא יוֹסֵף עִמְּהוֹן
יָת בִּנְיָמִין וַאֲמַר לְדִי
מְמַנָּא עַל בֵּיתֵהּ אָעֵיל
יָת גֻּבְרַיָּא לְבֵיתָא וּנְכוֹס
נִכְסְתָא וְאַתְקֵין אֲרֵי עִמִּי
יֵיכְלוּן גֻּבְרַיָּא בְּשֵׁירוּתָא:
יז וַעֲבַד גַּבְרָא כְּמָא דִי
אֲמַר יוֹסֵף וְאָעֵיל גַּבְרָא
יָת גֻּבְרַיָּא לְבֵית יוֹסֵף:
יח וּדְחִילוּ גֻּבְרַיָּא אֲרֵי
אִתָּעֲלוּ לְבֵית יוֹסֵף וַאֲמָרוּ
עַל עֵסַק כַּסְפָּא דְּאִתּוֹתַב
בְּטוֹעֲנָנָא בְּקַדְמֵיתָא
אֲנַחְנָא מִתַּעֲלִין

רש"י

[פסוק טו] **וְאֶת בִּנְיָמִן.** מְתַרְגְּמִינַן וּדְבָרוּ יָת בִּנְיָמִין. לְפִי שֶׁאֵין לְקִיחַת הַכֶּסֶף וּלְקִיחַת הָאָדָם שָׁוֶה בִּלְשׁוֹן אֲרַמִּי. בְּדָבָר הַנִּקָּח בַּיָּד מְתַרְגְּמִינַן וּנְסִיב, וְדָבָר הַנִּקָּח בְּהַנְהָגַת דְּבָרִים מְתַרְגְּמִינַן וּדְבַר: [פסוק טז] **וּטְבֹחַ טֶבַח וְהָכֵן.** כְּמוֹ וְלִטְבּוֹחַ טֶבַח וּלְהָכֵן. וְאֵין טְבוֹחַ לְשׁוֹן צִוּוּי שֶׁהָיָה לוֹ לוֹמַר וּטְבַח: **בַּצָּהֳרָיִם.** זֶה מְתוּרְגָּם בְּשֵׁירוּתָא שֶׁהוּא לְשׁוֹן סְעוּדָה א רִאשׁוֹנָה בִּלְשׁוֹן אֲרַמִּי, ובלע"ז דישני"ר. וְיֵשׁ הַרְבֵּה בַּגְּמָרָא, שְׁדָא לְכַלְבָּא שֵׁירוּתֵיהּ (תענית יא:) בָּלַע אַכּוּלָא שֵׁירוּתָא (ברכות לט:), אֲבָל כָּל תַּרְגּוּם שֶׁל צָהֳרַיִם טִיהֲרָא: [פסוק יח] **וַיִּירְאוּ הָאֲנָשִׁים.** כָּתוּב הוּא בִּשְׁנֵי יוּדִי"ן, וְתַרְגּוּמוֹ וּדְחִילוּ: **כִּי הוּבְאוּ בֵּית יוֹסֵף.** וְאֵין דֶּרֶךְ שְׁאָר הַבָּאִים לִשְׁבּוֹר בָּר לָלוּן בְּבֵית יוֹסֵף כִּי אִם בְּפוּנְדְּקָאוֹת שֶׁבָּעִיר, [עַל כֵּן] וַיִּירְאוּ, שֶׁאֵין זֶה אֶלָּא לְאָסְפָם אֶל מִשְׁמָר: **אֲנַחְנוּ מוּבָאִים.** אֶל תּוֹךְ הַבַּיִת הַזֶּה:

עיקר שפתי חכמים

א פי' בשחרית, אבל אין פירושו כשאר צהרים שבמקרא משום דדרך העולם לאכול ד' שעות על היום כדאמרינן בגמ' בשבת:

לְהִתְגֹּלֵל עָלֵינוּ וּלְהִתְנַפֵּל עָלֵינוּ
וְלָקַחַת אֹתָנוּ לַעֲבָדִים וְאֶת־
חֲמֹרֵינוּ׃ יט וַיִּגְּשׁוּ אֶל־הָאִישׁ
אֲשֶׁר עַל־בֵּית יוֹסֵף וַיְדַבְּרוּ אֵלָיו
פֶּתַח הַבָּיִת׃ כ וַיֹּאמְרוּ בִּי אֲדֹנִי
יָרֹד יָרַדְנוּ בַּתְּחִלָּה לִשְׁבָּר־
אֹכֶל׃ כא וַיְהִי כִּי־בָאנוּ אֶל־הַמָּלוֹן
וַנִּפְתְּחָה אֶת־אַמְתְּחֹתֵינוּ וְהִנֵּה
כֶסֶף־אִישׁ בְּפִי אַמְתַּחְתּוֹ כַּסְפֵּנוּ
בְּמִשְׁקָלוֹ וַנָּשֶׁב אֹתוֹ בְּיָדֵנוּ׃
כב וְכֶסֶף אַחֵר הוֹרַדְנוּ בְיָדֵנוּ לִשְׁבָּר־אֹכֶל לֹא
יָדַעְנוּ מִי־שָׂם כַּסְפֵּנוּ בְּאַמְתְּחֹתֵינוּ׃ כג וַיֹּאמֶר
שָׁלוֹם לָכֶם אַל־תִּירָאוּ אֱלֹהֵיכֶם וֵאלֹהֵי אֲבִיכֶם

לְאִתְרַבְרָבָא עֲלָנָא
וּלְאִסְתַּקָּפָא עֲלָנָא וּלְמִסַּב
יָתָנָא לְעַבְדִין וּלְמִדְבַּר
יָת חֲמָרָנָא׃ יט וּקְרִיבוּ
לְוָת גַּבְרָא דִּי מְמַנָּא עַל
בֵּית יוֹסֵף וּמַלִּילוּ עִמֵּהּ
בִּתְרַע בֵּיתָא׃ כ וַאֲמָרוּ
בְּבָעוּ רִבּוֹנִי מֵיחַת נְחֵתְנָא
בְּקַדְמֵיתָא לְמִזְבַּן עִיבוּרָא׃
כא וַהֲוָה כַּד אֲתֵינָא לְבֵית
מְבָתָא וּפְתַחְנָא יָת
טוֹעֲנָנָא וְהָא כְסַף גְּבַר
בְּפוּם טוֹעֲנֵהּ כַּסְפָּנָא
בְּמַתְקְלֵהּ וַאֲתֵיבְנָא יָתֵהּ
בִּידָנָא׃ כב וְכַסְפָּא אָחֳרָנָא
אוֹחֵיתְנָא בִידָנָא לְמִזְבַּן
עִיבוּרָא לָא יְדַעְנָא מָן שַׁוִּי
כַסְפָּנָא בְּטוֹעֲנָנָא׃ כג וַאֲמַר
שְׁלָם לְכוֹן לָא תִדְחֲלוּן
אֱלָהֲכוֹן וֶאֱלָהָא דַאֲבוּכוֹן

רש"י

לְהִתְגֹּלֵל. לִהְיוֹת מִתְגַּלְגֶּלֶת עָלֵינוּ עֲלִילַת הַכֶּסֶף וְלִהְיוֹתָהּ נוֹפֶלֶת עָלֵינוּ. וְאוּנְקְלוֹס שֶׁתִּרְגֵּם וּלְאִסְתַּקָּפָא עֲלָנָא הוּא ל׳ ב לְהִתְעוֹלֵל, כִּדְמִתַּרְגְּמִינַן עֲלִילַת דְּבָרִים (דברים כב:יד) תַּסְקוּפֵי מִלִּין, וְלֹא תִרְגְּמוּ אַחַר לְשׁוֹן הַמִּקְרָא. וּלְהִתְגּוֹלֵל שֶׁתִּרְגֵּם לְאִתְרַבְרָבָא הוּא לְשׁוֹן גֻּלַּת הַזָּהָב (קהלת יב:ו) וְהֻצַּב גֻּלְּתָה הֹעֲלָתָה (נחום ב:ח) שֶׁהוּא לְשׁוֹן מַלְכוּת: **[פסוק כ] בִּי אֲדֹנִי.** לְשׁוֹן בְּעָיָא וְתַחֲנוּנִים הוּא (אונקלוס) וּבִלְשׁוֹן אֲרַמִּי בָּיָיא בָּיָיא (יומא סט.): **יָרֹד יָרַדְנוּ.** יְרִידָה הוּא לָנוּ, רְגִילִים הָיִינוּ לְפַרְנֵס אֲחֵרִים עַכְשָׁיו אָנוּ צְרִיכִים לָךְ (ב״ר לג:ז): **[פסוק כג] אֱלֹהֵיכֶם.** בִּזְכוּתְכֶם, וְאִם אֵין זְכוּתְכֶם כְּדַאי **אֱלֹהֵי אֲבִיכֶם,** בִּזְכוּת אֲבִיכֶם נָתַן לָכֶם מַטְמוֹן (שם):

עיקר שפתי חכמים

ב ר״ל על, ולהתנפל תירגם כן:

נָתַן לָכֶם מַטְמוֹן בְּאַמְתְּחֹתֵיכֶם
כַּסְפְּכֶם בָּא אֵלָי וַיּוֹצֵא אֲלֵהֶם
אֶת־שִׁמְעוֹן: כד וַיָּבֵא הָאִישׁ אֶת־
הָאֲנָשִׁים בֵּיתָה יוֹסֵף וַיִּתֶּן־מַיִם
וַיִּרְחֲצוּ רַגְלֵיהֶם וַיִּתֵּן מִסְפּוֹא
לַחֲמֹרֵיהֶם: כה וַיָּכִינוּ אֶת־
הַמִּנְחָה עַד־בּוֹא יוֹסֵף בַּצָּהֳרָיִם
כִּי שָׁמְעוּ כִּי־שָׁם יֹאכְלוּ לָחֶם:
כו וַיָּבֹא יוֹסֵף הַבַּיְתָה *וַיָּבִיאּוּ
לוֹ אֶת־הַמִּנְחָה אֲשֶׁר־בְּיָדָם
הַבָּיְתָה וַיִּשְׁתַּחֲווּ־לוֹ אָרְצָה: כז וַיִּשְׁאַל לָהֶם
לְשָׁלוֹם וַיֹּאמֶר הֲשָׁלוֹם אֲבִיכֶם הַזָּקֵן אֲשֶׁר
אֲמַרְתֶּם הַעוֹדֶנּוּ חָי: כח וַיֹּאמְרוּ שָׁלוֹם לְעַבְדְּךָ
לְאָבִינוּ עוֹדֶנּוּ חָי וַיִּקְּדוּ וַיִּשְׁתַּחֲוֻּ [וישתחו כ׳]:

יְהַב לְכוֹן סִימָא
בְּטוֹעֲנֵיכוֹן כַּסְפְּכוֹן אֲתָא
לְוָתִי וְאַפֵּיק לְוָתְהוֹן יָת
שִׁמְעוֹן: כד וְאָעֵיל גֻּבְרָא
יָת גֻּבְרַיָּא לְבֵית יוֹסֵף
וִיהַב מַיָּא וְאַסְחוֹ רִגְלֵיהוֹן
וִיהַב כִּסְתָּא לַחֲמָרֵיהוֹן:
כה וְאַתְקִינוּ יָת תִּקְרֻבְתָּא
עַד עַל יוֹסֵף בְּשֵׁירוּתָא
אֲרֵי שְׁמַעוּ אֲרֵי תַּמָּן
אָכְלִין לַחְמָא: כו וְעַל
יוֹסֵף לְבֵיתָא וְאַיְתִיוּ לֵהּ
יָת תִּקְרֻבְתָּא דִּי בִידֵיהוֹן
לְבֵיתָא וּסְגִידוּ לֵהּ עַל
אַרְעָא: כז וּשְׁאֵיל לְהוֹן
לִשְׁלָם וַאֲמַר הֲשְׁלָם
אֲבוּכוֹן סָבָא דִּי אֲמַרְתּוּן
הַעַד כְּעַן קַיָּם: כח וַאֲמַרוּ
שְׁלָם לְעַבְדָּךְ לְאָבוּנָא עַד
כְּעַן קַיָּם וּכְרַעוּ וּסְגִידוּ:

*א׳ דגושה

רש"י

[פסוק כד] וַיָּבֵא הָאִישׁ. הֲבָאָה אַחַר הֲבָאָה, לְפִי שֶׁהָיוּ דּוֹחֲפִים אוֹתוֹ חוּץ עַד שֶׁדִּבְּרוּ אֵלָיו פֶּתַח הַבַּיִת (שם), וּמִשֶּׁאָמַר לָהֶם שָׁלוֹם לָכֶם נִמְשְׁכוּ וּבָאוּ אַחֲרָיו: **[פסוק כה] וַיָּכִינוּ.** הֵזְמִינוּ, עִטְּרוּהָ בִּכְלִים נָאִים: **[פסוק כו] הַבָּיְתָה.** מִפְּרוֹזְדוֹר לִטְרַקְלִין: **[פסוק כח] וַיִּקְּדוּ וַיִּשְׁתַּחֲוּוּ.** עַל שְׁאֵלַת שָׁלוֹם. קִידָה כְּפִיפַת קָדְקֹד, הִשְׁתַּחֲוָאָה ג מִשְׁתַּטֵּחַ לָאָרֶץ (מגילה כב:):

עיקר שפתי חכמים

ג מדכתיב לעיל וישתחוו לו אפים ארצה מוכח כי השתחואה הוא לארץ:

כט וַיִּשָּׂ֣א עֵינָ֗יו וַיַּ֞רְא אֶת־בִּנְיָמִ֣ין
אָחִיו֮ בֶּן־אִמּוֹ֒ וַיֹּ֗אמֶר הֲזֶה֙
אֲחִיכֶ֣ם הַקָּטֹ֔ן אֲשֶׁ֥ר אֲמַרְתֶּ֖ם
אֵלָ֑י וַיֹּאמַ֕ר אֱלֹהִ֥ים יָחְנְךָ֖ בְּנִֽי׃
שביעי ל וַיְמַהֵ֣ר יוֹסֵ֗ף כִּֽי־נִכְמְר֤וּ
רַחֲמָיו֙ אֶל־אָחִ֔יו וַיְבַקֵּ֖שׁ לִבְכּ֑וֹת
וַיָּבֹ֥א הַחַ֖דְרָה וַיֵּ֥בְךְּ שָֽׁמָּה׃
לא וַיִּרְחַ֥ץ פָּנָ֖יו וַיֵּצֵ֑א וַיִּתְאַפַּ֕ק
וַיֹּ֖אמֶר שִׂ֥ימוּ לָֽחֶם׃ לב וַיָּשִׂ֥ימוּ ל֛וֹ לְבַדּ֖וֹ וְלָהֶ֣ם

כט וּזְקַף עֵינוֹהִי וַחֲזָא יָת
בִּנְיָמִין אֲחוּהִי בַּר אִמֵּהּ
וַאֲמַר הֲדֵין אֲחוּכוֹן
זְעֵירָא דִּי אֲמַרְתּוּן לִי
וַאֲמַר מִן קֳדָם יְיָ יִתְרַחַם
עֲלָךְ בְּרִי: ל וְאוֹחִי יוֹסֵף
אֲרֵי אִתְגּוֹלַלוּ רַחֲמוֹהִי
לְוָת אֲחוּהִי וּבְעָא
לְמִבְכֵּי וְעַל לְאִדְרוֹן
בֵּית מִשְׁכְּבָא וּבְכָא
תַּמָּן: לא וְאַסְחֵי אַפּוֹהִי
וּנְפַק וְאִתְחַסִּין וַאֲמַר
שַׁווּ לַחְמָא: לב וְשַׁוִּיאוּ
לֵהּ בִּלְחוֹדוֹהִי וּלְהוֹן

רש"י

[פסוק כט] אֱלֹהִים יָחְנְךָ בְּנִי. בִּשְׁאָר שְׁבָטִים שָׁמַעְנוּ חֲנִינָה, אֲשֶׁר חָנַן אֱלֹהִים אֶת עַבְדֶּךָ (לעיל לג:ה), וּבִנְיָמִין עֲדַיִן לֹא נוֹלַד, לְכָךְ בֵּרְכוֹ יוֹסֵף בַּחֲנִינָה (ב"ר לב:ה): **[פסוק ל] כִּי נִכְמְרוּ רַחֲמָיו.** שְׁאָלוֹ, יֵשׁ לְךָ אָח מֵאֵם. אָמַר לוֹ אָח הָיָה לִי וְאֵינִי יוֹדֵעַ הֵיכָן הוּא. יֵשׁ לְךָ בָּנִים. אָמַר לוֹ יֵשׁ לִי עֲשָׂרָה. אָמַר לוֹ וּמַה שְּׁמָם. אָמַר לוֹ בֶּלַע וָבֶכֶר וְכוּ'. אָמַר לוֹ מַה טִּיבָן שֶׁל שֵׁמוֹת הַלָּלוּ. אָמַר לוֹ כֻּלָּם עַל שֵׁם אָחִי וְהַצָּרוֹת אֲשֶׁר מְצָאוּהוּ. בֶּלַע שֶׁנִּבְלַע בֵּין הָאֻמּוֹת, בֶּכֶר שֶׁהָיָה בְּכוֹר לְאִמּוֹ, אַשְׁבֵּל שֶׁשְּׁבָאוֹ אֵל, גֵּרָא שֶׁנִּתְגַּיֵּר בְּאַכְסַנְיָא, וְנַעֲמָן שֶׁהָיָה נָעִים בְּיוֹתֵר, אֵחִי וָרֹאשׁ אָחִי הָיָה וְרֹאשִׁי הָיָה, מֻפִּים מִפִּי אָבִי לָמַד, וְחֻפִּים שֶׁלֹּא רָאָה חֻפָּתִי וְלֹא רָאִיתִי אֲנִי חֻפָּתוֹ, וָאָרְדְּ שֶׁיָּרַד לְבֵין הָאֻמּוֹת, כִּדְאִיתָא בְּמַס' סוֹטָה (לו:). מִיָּד נִכְמְרוּ רַחֲמָיו: **נִכְמְרוּ.** נִתְחַמְּמוּ, וּבִלְשׁוֹן מִשְׁנָה עַל הַכּוֹמֶר שֶׁל זֵיתִים (בבא מציעא עד.). וּבִלְשׁוֹן אֲרַמִּי מִשּׁוּם מִכְמַר בִּשְׂרָא (פסחים נח.). וּבַמִּקְרָא עוֹרֵנוּ כְּתַנּוּר נִכְמָרוּ (איכה ה:י) נִתְחַמְּמוּ וְנִקְמְטוּ קְמָטִים קְמָטִים, מִפְּנֵי זַלְעֲפוֹת רָעָב (שם). וְכֵן דֶּרֶךְ כָּל עוֹר כְּשֶׁמְּחַמְּמִין אוֹתוֹ נִקְמָט וְנִתְכַּוֵּץ: **[פסוק לא] וַיִּתְאַפַּק.** נִתְאַמֵּץ. וְהוּא לְשׁוֹן אֲפִיקֵי מְגִנִּים (איוב מא:ז), חוֹזֶק, וְכֵן וּמְזִיחַ אֲפִיקִים רִפָּה (שם יב:כא):

בעל הטורים

(כט) יחנך. ב' במסורת — הכא; ואידך "חנון יחנך לקול זעקך". זהו שיש במדרש ששאל, כמה בנים יש לך ומה שמם. ואמר לו שכולם קרא להם שמות על שם הצרות שאירעו לאחיו. וזהו "לקול זעקך", שאמר לו שהיה מצטער על אחיו. [מיד] נכמרו רחמיו ואמר לו "אלהים יחנך בני": **(לא) ויתאפק.** ב' במסורת — הכא; ואידך "ויתאפק המן ויבוא אל ביתו". מה הכא תחלה צער וסופו שמחה כשהודיעם שהוא יוסף, אף התם תחלה צער וסופו "שמחה וששון ליהודים":

ראה הטבלא "**שְׁמוֹת בְּנֵי בִנְיָמִן וְהִשְׁתַּיְּכוּתָם לְצָרוֹת יוֹסֵף**" (עמוד 538)

לְבַדָּם וְלַמִּצְרִים הָאֹכְלִים אִתּוֹ
לְבַדָּם כִּי לֹא יוּכְלוּן הַמִּצְרִים
לֶאֱכֹל אֶת־הָעִבְרִים לֶחֶם כִּי־
תוֹעֵבָה הִוא לְמִצְרָיִם׃ לג וַיֵּשְׁבוּ
לְפָנָיו הַבְּכֹר כִּבְכֹרָתוֹ וְהַצָּעִיר
כִּצְעִרָתוֹ וַיִּתְמְהוּ הָאֲנָשִׁים
אִישׁ אֶל־רֵעֵהוּ׃ לד וַיִּשָּׂא מַשְׂאֹת
מֵאֵת פָּנָיו אֲלֵהֶם וַתֵּרֶב מַשְׂאַת
בִּנְיָמִן מִמַּשְׂאֹת כֻּלָּם חָמֵשׁ יָדוֹת
וַיִּשְׁתּוּ וַיִּשְׁכְּרוּ עִמּוֹ׃ פרק מד א וַיְצַו
אֶת־אֲשֶׁר עַל־בֵּיתוֹ לֵאמֹר
מַלֵּא אֶת־אַמְתְּחֹת הָאֲנָשִׁים אֹכֶל כַּאֲשֶׁר
יוּכְלוּן שְׂאֵת וְשִׂים כֶּסֶף־אִישׁ בְּפִי אַמְתַּחְתּוֹ׃

בִּלְחוֹדֵיהוֹן וּלְמִצְרָאֵי דְּאָכְלִין עִמֵּהּ בִּלְחוֹדֵיהוֹן אֲרֵי לָא יָכְלִין מִצְרָאֵי לְמֵיכַל עִם עִבְרָאֵי לַחְמָא אֲרֵי בְעִירָא (נ״א מְרַחֲקָא) דְּמִצְרָאֵי דָּחֲלִין לֵהּ עִבְרָאֵי אָכְלִין׃ לג וְאַסְחַרוּ קֳדָמוֹהִי רַבָּא כִּרְבֵיוּתֵהּ וּזְעֵירָא כִּזְעֵירוּתֵהּ וּתְמַהוּ גֻּבְרַיָּא גְּבַר לְחַבְרֵהּ׃ לד וּנְטַל חֻלָקִין מִלְּוַת אַפּוֹהִי לְוָתְהוֹן וּסְגִיאַת חֻלָקָא דְבִנְיָמִן מֵחֻלָקֵי דְכֻלְּהוֹן חַמְשָׁא חֻלָקִין וּשְׁתִיאוּ וּרְוִיאוּ עִמֵּהּ׃ א וּפַקֵּיד יָת דִּי מְמַנָּא עַל בֵּיתֵהּ לְמֵימַר מְלֵי יָת טוֹעֲנֵי גֻבְרַיָּא עִיבוּרָא כְּמָה דִי יָכְלִין לְמִיטְעַן וְשַׁוִּי כְּסַף גְּבַר בְּפוּם טוֹעֲנֵהּ׃

רש״י

[פסוק לב] **כִּי תוֹעֵבָה הִוא.** דָּבָר שָׂנאוּי הוּא לְמִצְרִים לֶאֱכוֹל אֶת הָעִבְרִים, וְאוּנְקְלוֹס נָתַן טַעַם לַדָּבָר: [פסוק לג] **הַבְּכֹר כִּבְכֹרָתוֹ.** מַכֶּה בַּגָּבִיעַ וְקוֹרֵא רְאוּבֵן שִׁמְעוֹן לֵוִי יְהוּדָה יִשָּׂשכָר וּזְבוּלוּן בְּנֵי אֵם אַחַת, הָסֵבּוּ כַּסֵּדֶר הַזֶּה שֶׁהוּא סֵדֶר תּוֹלְדֹתֵיכֶם, וְכֵן כֻּלָּם. כֵּיוָן שֶׁהִגִּיעַ לְבִנְיָמִין אָמַר זֶה אֵין לוֹ אֵם וַאֲנִי אֵין לִי אֵם, יֵשֵׁב אֶצְלִי (ב״ר צב:ה): [פסוק לד] **מַשְׂאֹת.** מָנוֹת (תנחומא ויגש ד): **חָמֵשׁ יָדוֹת.** חֶלְקוֹ עִם אֶחָיו וּמַשְׂאַת יוֹסֵף וְאָסְנַת וּמְנַשֶּׁה וְאֶפְרַיִם (שם): **וַיִּשְׁכְּרוּ עִמּוֹ.** וּמִיּוֹם שֶׁמְּכָרוּהוּ לֹא שָׁתוּ יַיִן וְלֹא הוּא שָׁתָה יַיִן וְאוֹתוֹ הַיּוֹם שָׁתוּ (שם, שבת קלט.):

בעל הטורים

(לג) **והצעיר.** ב׳ במסורת — ״והצעיר כצערתו״; ״והצעיר לגוי עצום״. בנימין שהיה צעיר, עשאו גדול מכולם, כדכתיב ״ותרב משאת בנימין ממשאת כלם״: (לד) **משאת.** ב׳ במסורת — ״וישא משאת״; ״משאת שוא ומדוחם״. כדאיתא במדרש, שהיה מכה בגביע ואומר, פלוני ופלוני מאם אחת, ישבו ביחד. ואני אין לי אח מאמי ובנימין אין לו אח מאמו, נשב ביחד. וזה היה ״משאות שוא ומדוחם״:

ב וְאֶת־גְּבִיעִי גְּבִיעַ הַכֶּסֶף תָּשִׂים
בְּפִי אַמְתַּחַת הַקָּטֹן וְאֵת כֶּסֶף
שִׁבְרוֹ וַיַּעַשׂ כִּדְבַר יוֹסֵף אֲשֶׁר
דִּבֵּר׃ ג הַבֹּקֶר אוֹר וְהָאֲנָשִׁים
שֻׁלְּחוּ הֵמָּה וַחֲמֹרֵיהֶם׃ ד הֵם
יָצְאוּ אֶת־הָעִיר לֹא הִרְחִיקוּ
וְיוֹסֵף אָמַר לַאֲשֶׁר עַל־בֵּיתוֹ קוּם
רְדֹף אַחֲרֵי הָאֲנָשִׁים וְהִשַּׂגְתָּם
וְאָמַרְתָּ אֲלֵהֶם לָמָּה שִׁלַּמְתֶּם
רָעָה תַּחַת טוֹבָה׃ ה הֲלוֹא זֶה
אֲשֶׁר יִשְׁתֶּה אֲדֹנִי בּוֹ וְהוּא נַחֵשׁ
יְנַחֵשׁ בּוֹ הֲרֵעֹתֶם אֲשֶׁר עֲשִׂיתֶם׃ ו וַיַּשִּׂגֵם וַיְדַבֵּר
אֲלֵהֶם אֶת־הַדְּבָרִים הָאֵלֶּה׃ ז וַיֹּאמְרוּ אֵלָיו לָמָּה
יְדַבֵּר אֲדֹנִי כַּדְּבָרִים הָאֵלֶּה חָלִילָה לַעֲבָדֶיךָ
מֵעֲשׂוֹת כַּדָּבָר הַזֶּה׃ ח הֵן כֶּסֶף אֲשֶׁר מָצָאנוּ

ב וְיָת כַּלִּידִי כַּלִּידָא
דְכַסְפָּא תְּשַׁוֵּי בְּפוּם
טוֹעֲנָא דִזְעֵירָא וְיָת כַּסְפָּא
זְבִינוֹהִי וַעֲבַד כְּפִתְגָּמָא
דְיוֹסֵף דִּי מַלִּיל׃ ג צַפְרָא
נְהַר וְגֻבְרַיָּא אִתְפַּטַּרוּ אִנּוּן
וַחֲמָרֵיהוֹן׃ ד אִנּוּן נְפַקוּ מִן
קַרְתָּא לָא אַרְחִיקוּ וְיוֹסֵף
אֲמַר לְדִי מְמַנָּא עַל בֵּיתֵהּ
קוּם רְדַף בָּתַר גֻּבְרַיָּא
וְתַדְבְּקִנּוּן וְתֵימַר לְהוֹן
לְמָא אַשְׁלֶמְתּוּן בִּישָׁא
חֲלָף טַבְתָּא׃ ה הֲלָא דֵּין
דְּשָׁתֵי רִבּוֹנִי בֵּהּ וְהוּא
בָּדָקָא מְבָדֵק בֵּהּ אַבְאֶשְׁתּוּן
דִּי עֲבַדְתּוּן׃ ו וְאַדְבֵּיקִנּוּן
וּמַלִּיל עִמְּהוֹן יָת פִּתְגָּמַיָּא
הָאִלֵּין׃ ז וַאֲמָרוּ לֵהּ לְמָא
יְמַלֵּל רִבּוֹנִי כְּפִתְגָּמַיָּא
הָאִלֵּין חַס לְעַבְדָּךְ
מִלְּמֶעְבַּד כְּפִתְגָּמָא הָדֵין׃
ח הָא כַסְפָּא דִּי אַשְׁכַּחְנָא

רש"י

[פסוק ב] **גְּבִיעַ.** כּוֹס אָרוֹךְ וְקוֹרִין לוֹ מדרינ"ק: [פסוק ז] **חָלִילָה לַעֲבָדֶיךָ.** חוּלִּין הוּא לָנוּ, לְשׁוֹן גְּנַאי. וְתַרְגּוּם, חַס לְעַבְדָּךְ, חַס מֵאֵת הקב"ה יְהִי עָלֵינוּ מֵעֲשׂוֹת זֹאת. וְהַרְבֵּה יֵשׁ בַּתַּלְמוּד חַס וְשָׁלוֹם: [פסוק ח] **הֵן כֶּסֶף אֲשֶׁר מָצָאנוּ.** זֶה אֶחָד מֵעֲשָׂרָה קַל וָחוֹמֶר הָאֲמוּרִים בַּתּוֹרָה, וְכֻלָּן מְנוּיִין בִּבְרֵאשִׁית רַבָּה (צב:ז):

בְּפִי אַמְתְּחֹתֵינוּ הֱשִׁיבֹנוּ אֵלֶיךָ
מֵאֶרֶץ כְּנָעַן וְאֵיךְ נִגְנֹב מִבֵּית
אֲדֹנֶיךָ כֶּסֶף אוֹ זָהָב: ט אֲשֶׁר
יִמָּצֵא אִתּוֹ מֵעֲבָדֶיךָ וָמֵת וְגַם־
אֲנַחְנוּ נִהְיֶה לַאדֹנִי לַעֲבָדִים:
י וַיֹּאמֶר גַּם־עַתָּה כְדִבְרֵיכֶם כֶּן־
הוּא אֲשֶׁר יִמָּצֵא אִתּוֹ יִהְיֶה־
לִּי עָבֶד וְאַתֶּם תִּהְיוּ נְקִיִּם:
יא וַיְמַהֲרוּ וַיּוֹרִדוּ אִישׁ אֶת־
אַמְתַּחְתּוֹ אָרְצָה וַיִּפְתְּחוּ אִישׁ
אַמְתַּחְתּוֹ: יב וַיְחַפֵּשׂ בַּגָּדוֹל הֵחֵל וּבַקָּטֹן כִּלָּה
וַיִּמָּצֵא הַגָּבִיעַ בְּאַמְתַּחַת בִּנְיָמִן: יג וַיִּקְרְעוּ
שִׂמְלֹתָם וַיַּעֲמֹס אִישׁ עַל־חֲמֹרוֹ וַיָּשֻׁבוּ הָעִירָה:

בְּפוּם טוֹעֲנָנָא אֲתֵיבְנוּהִי
לָךְ מֵאַרְעָא דִכְנָעַן וְאֶכְדֵּין
נִגְנוֹב מִבֵּית רִבּוֹנָךְ כַּסְפָּא
אוֹ דַהֲבָא (נ״א מָנִין דִּכְסַף
אוֹ מָנִין דִּדְהַב): ט דִּי
יִשְׁתְּכַח עִמֵּהּ מֵעַבְדָּיךְ
וּמוּת (נ״א יִתְקְטֵל) וְאַף
אֲנַחְנָא נְהֵי לְרִבּוֹנִי
לְעַבְדִּין: י וַאֲמַר אַף כְּעַן
כְּפִתְגָּמֵיכוֹן כֵּן הוּא דִּי
יִשְׁתְּכַח עִמֵּהּ יְהֵי לִי
עַבְדָּא וְאַתּוּן תְּהוֹן זַכָּאִין:
יא וְאוֹחִיאוּ וְאוֹחִיתוּ גְּבַר
יָת טוֹעֲנֵהּ לְאַרְעָא וּפְתָחוּ
גְּבַר טוֹעֲנֵהּ: יב וּבְלַשׁ
בְּרַבָּא שָׁרֵי וּבִזְעֵירָא
שֵׁצִי וְאִשְׁתְּכַח כַּלִּידָא
בְּטוֹעֲנָא דְבִנְיָמִן: יג וּבְזַעוּ
לְבוּשֵׁיהוֹן וּרְמוֹ גְּבַר עַל
חֲמָרֵהּ וְתָבוּ לְקַרְתָּא:

רש״י

[פסוק י] **גַּם עַתָּה כְדִבְרֵיכֶם.** אַף זוֹ מִן הַדִּין אֱמֶת כְּדִבְרֵיכֶם כֵּן הוּא ד שֶׁכֻּלְּכֶם חַיָּיבִים בַּדָּבָר, עֲשָׂרָה שֶׁנִּמְצֵאת גְּנֵיבָה בְּיַד אֶחָד מֵהֶם כֻּלָּם נִתְפָּסִים. אֲבָל אֲנִי אֶעֱשֶׂה לָכֶם לִפְנִים מִשּׁוּרַת הַדִּין, אֲשֶׁר יִמָּצֵא אִתּוֹ יִהְיֶה לִּי עָבֶד (שם ח): [פסוק יב] **בַּגָּדוֹל הֵחֵל.** שֶׁלֹּא יַרְגִּישׁוּ שֶׁהָיָה יוֹדֵעַ הֵיכָן הוּא (שם): [פסוק יג] **וַיַּעֲמֹס אִישׁ עַל חֲמֹרוֹ.** בַּעֲלֵי זְרוֹעַ הָיוּ וְלֹא הוּצְרְכוּ לְסַיֵּיעַ זֶה אֶת זֶה לִטְעוֹן (תנחומא ו; ב״ר צב:ח): **וַיָּשֻׁבוּ הָעִירָה.** מֶטְרָפּוֹלִין הָיְתָה וְהוּא אוֹמֵר הָעִירָה, הָעִיר כָּל שֶׁהוּא. אֶלָּא שֶׁלֹּא הָיְתָה חֲשׁוּבָה בְּעֵינֵיהֶם אֶלָּא כְּעִיר בֵּינוֹנִית שֶׁל עֲשָׂרָה בְּנֵי

עיקר שפתי חכמים

ד פי׳ שמאמר כדבריכם כן הוא אינו שב על אשר ימצא אתו מעבדיך ומת, כי המה לא אמרו ומת רק על דרך גוזמא מרוב מרירותם. ויוסף אשר ביאר דבריהם ואמר אשר ימצא אתו יהי׳ לי עבד עשה לפנים משורת הדין, ולא חפץ לענוש כפי דברי פיהם:

מפטיר יד וַיָּבֹא יְהוּדָה וְאֶחָיו בֵּיתָה
יוֹסֵף וְהוּא עוֹדֶנּוּ שָׁם וַיִּפְּלוּ
לְפָנָיו אָרְצָה׃ טו וַיֹּאמֶר לָהֶם
יוֹסֵף מָה־הַמַּעֲשֶׂה הַזֶּה אֲשֶׁר
עֲשִׂיתֶם הֲלוֹא יְדַעְתֶּם כִּי־נַחֵשׁ
יְנַחֵשׁ אִישׁ אֲשֶׁר כָּמֹנִי׃ טז וַיֹּאמֶר
יְהוּדָה מַה־נֹּאמַר לַאדֹנִי מַה־
נְּדַבֵּר וּמַה־נִּצְטַדָּק הָאֱלֹהִים
מָצָא אֶת־עֲוֺן עֲבָדֶיךָ הִנֶּנּוּ עֲבָדִים לַאדֹנִי
גַּם־אֲנַחְנוּ גַּם אֲשֶׁר־נִמְצָא הַגָּבִיעַ בְּיָדוֹ׃

יד וַעֲאל יְהוּדָה וַאֲחוֹהִי
לְבֵית יוֹסֵף וְהוּא עַד
דְּהוּא (נ״א כְּעַן) תַּמָּן
וּנְפַלוּ קֳדָמוֹהִי עַל אַרְעָא׃
טו וַאֲמַר לְהוֹן יוֹסֵף מָה
עוֹבָדָא הָדֵין דִּי עֲבַדְתּוּן
הֲלָא יְדַעְתּוּן אֲרֵי בָדָקָא
מְבַדֵּק גַּבְרָא דִּי כְוָתִי׃
טז וַאֲמַר יְהוּדָה מַה נֵּימַר
לְרִבּוֹנִי מַה נְּמַלֵּל וּמַה
נִּזְכֵּי מִן קֳדָם יְיָ אִשְׁתְּכַח
יָת חוֹבָא דְעַבְדָיךְ
הָא אֲנַחְנָא עַבְדִין
לְרִבּוֹנִי אַף אֲנַחְנָא אַף
דְּאִשְׁתְּכַח כַּלִּידָא בִּידֵהּ׃

רש״י

אדם לענין המלחמה (ב"ר שם): **[פסוק יד] עודנו שם.** שהיה ממתין להם: **[פסוק טו] הלוא ידעתם כי נחש ינחש וגו'.** הלא ידעתם כי איש חשוב כמוני יודע לנחש ולדעת [ה] מדעת ומסברא ובינה כי אתם גנבתם הגביע (עי' אונקלוס): **[פסוק טז] האלהים מצא.** יודעים אנו שלא סרחנו, אבל מאת המקום היתה להביא לנו זאת. מצא בעל חוב מקום לגבות שטר חובו (ב"ר שם ט): **ומה נצטדק.** לשון צדק, וכן כל תיבה שתחלת יסודה צד"י והיא באה לדבר בלשון מתפעל או נתפעל נותן טי"ת במקום תי"ו, ואינו נותנה לפני אות ראשונה של יסוד התיבה אלא באמצע אותיות העיקר, כגון נצטדק מגזרת צדק. ויצטבע (דניאל ד:ל) מגזרת צבע. ויצטירו (יהושע ט:ד) מגזרת ציר אמונים (משלי יג:יז). הצטיידנו (יהושע ט:יב) מגזרת צדה לדרך. ותיבה שתחלתה סמ"ך או שי"ן כשהיא מתפעלת התי"ו מפרדת את אותיות העיקר, כגון ויסתבל החגב (קהלת יב:ה) מגזרת סבל. משתכל הוית בקרניא (דניאל ז:ח) מגזרת סכל. וישתמר חקות עמרי (מיכה ו:טז) מגזרת שמר. וסר מרע משתולל (ישעיה נט:טו) מגזרת מוליך יועצים שולל (איוב יב:יז). מסתולל בעמי (שמות ט:יז) מגזרת דרך לא סלולה (ירמיה יח:טו):

עיקר שפתי חכמים

ה כלומר אע"פ שגנבתם הכוס שאני מנחש בו וא"כ מהיכן יש לי לידע שאתם גנבתם אפ"ה מסברא היה לכם לידע זה כי איש כמוני וכו' וק"ל: חסלת פרשת מקץ

יז וַיֹּאמֶר חָלִילָה לִּי מֵעֲשׂוֹת זֹאת הָאִישׁ אֲשֶׁר נִמְצָא הַגָּבִיעַ בְּיָדוֹ הוּא יִהְיֶה־לִּי עָבֶד וְאַתֶּם עֲלוּ לְשָׁלוֹם אֶל־אֲבִיכֶם: ססס

יז וַאֲמַר חַס לִי מִלְּמֶעְבַּד דָּא גַּבְרָא דִּי אִשְׁתְּכַח כַּלִּידָא בִּידֵהּ הוּא יְהֵי לִי עַבְדָּא וְאַתּוּן סַקוּ לִשְׁלָם לְוָת אֲבוּכוֹן:

קמ״ו פסוקים. יחזקיה״ו סימן. אמצי״ה סימן. יהי״ה ל״י עב״ד סימן.
ותיבות אלפים כ״ה.

הפטרת מקץ

כשחל חנוכה בשבת פרשת מקץ, קוראים במקום המפטיר הרגיל את קריאת חנוכה:
ליום שלישי של חנוכה – עמוד 451; ליום רביעי של חנוכה – עמוד 451;
ליום ששי של חנוכה – מחלקים את פרשת מקץ ל-6 עליות,
והעליה השביעית היא קריאת ראש חודש – עמוד 452, וקריאת חנוכה – עמוד 452 למפטיר.
ליום שביעי של חנוכה – עמוד 452.
בכל הימים הללו קוראים במקום ההפטרה הרגילה את ההפטרה לשבת ראשונה של חנוכה – עמוד 453.
כשחל היום האחרון של חנוכה בשבת זו, קוראים את המפטיר – עמוד 458,
וההפטרה לשבת שניה של חנוכה – עמוד 460.

מלכים א ג:טו — ד:א

ההפטרה, ופרשתנו, שתיהן עוסקות בחלומות של מלכים ותוצאותיהם. בפרשתנו, חולם פרעה חלום שפתר אותו יוסף הצדיק בחכמתו שחלק לו ה׳. התוצאה היתה שכולם הכירו שיוסף הוא החכם המוכשר ביותר להיות מושל על ארץ מצרים, וכמו שאמר פרעה (מא, לח): ״הֲנִמְצָא כָזֶה אִישׁ אֲשֶׁר רוּחַ אֱלֹהִים בּוֹ״.

סיפור ההפטרה מתחיל במלך שלמה שהתעורר מחלום שהיה יסוד למלכותו ובו משמעות רבה לעתידם של בני ישראל. בחלומו אמר ה׳ לשלמה, שזה עתה הוכתר למלך (ג, ה): ״שְׁאַל מָה אֶתֶּן לָךְ״? המלך הצעיר, שהיה בן שתים עשרה שנה (רש״י ג, ז) ביקש שיתן לו ה׳ חכמה ובינה כדי שיוכל לשפוט את בני ישראל כראוי; ״לְהָבִין בֵּין טוֹב לְרָע, כִּי מִי יוּכַל לִשְׁפֹּט אֶת עַמְּךָ הַכָּבֵד הַזֶּה״ (שם פסוק ט). ״וַיִּיטַב הַדָּבָר בְּעֵינֵי ה׳ ״, ששאל שלמה ברכה לטובת בני ישראל ולא לטובת עצמו — כגון אריכת ימים, עשירות או שינצח את אויביו. משום כך בישר לו ה׳ שיתן לו חכמה ובינה כזו, ״אֲשֶׁר כָּמוֹךָ לֹא הָיָה לְפָנֶיךָ, וְאַחֲרֶיךָ לֹא יָקוּם כָּמוֹךָ״, וגם הבטיח לו בברכתו שיוסיף לו עשירות וכבוד ששום מלך בזמנו לא זכה לכך.

אחר החלום סיבב ה׳ משפט לפני שלמה שבירר לו אמיתות החלום (מלבי״ם טז), בעת שבא לפניו דין קשה ומסובך שקשה היה להכריעו. פסקו של המלך הביא הערצה רבה בלבם של בני ישראל שראו והכירו את חכמתו המופלאה שהשפיע עליו ה׳ — שהניחה את חותמו על בני ישראל בתקופת מלכותו ולדורות אחריהם על ידי ספריו הקדושים שהוכנסו בכתבי הקודש, המלאים חכמה ובינה: משלי, שיר השירים וקהלת.

פרק ג טו וַיִּקַץ שְׁלֹמֹה וְהִנֵּה חֲלוֹם וַיָּבוֹא יְרוּשָׁלַםִ וַיַּעֲמֹד | לִפְנֵי |
אֲרוֹן בְּרִית־אֲדֹנָי וַיַּעַל עֹלוֹת וַיַּעַשׂ שְׁלָמִים וַיַּעַשׂ מִשְׁתֶּה לְכָל־
עֲבָדָיו׃ טז אָז תָּבֹאנָה שְׁתַּיִם נָשִׁים זֹנוֹת אֶל־הַמֶּלֶךְ וַתַּעֲמֹדְנָה
לְפָנָיו׃ יז וַתֹּאמֶר הָאִשָּׁה הָאַחַת בִּי אֲדֹנִי אֲנִי וְהָאִשָּׁה הַזֹּאת יֹשְׁבֹת
בְּבַיִת אֶחָד וָאֵלֵד עִמָּהּ בַּבָּיִת׃ יח וַיְהִי בַּיּוֹם הַשְּׁלִישִׁי לְלִדְתִּי
וַתֵּלֶד גַּם־הָאִשָּׁה הַזֹּאת וַאֲנַחְנוּ יַחְדָּו אֵין־זָר אִתָּנוּ בַּבַּיִת זוּלָתִי
שְׁתַּיִם־אֲנַחְנוּ בַּבָּיִת׃ יט וַיָּמָת בֶּן־הָאִשָּׁה הַזֹּאת לָיְלָה אֲשֶׁר שָׁכְבָה
עָלָיו׃ כ וַתָּקָם בְּתוֹךְ הַלַּיְלָה וַתִּקַּח אֶת־בְּנִי מֵאֶצְלִי וַאֲמָתְךָ יְשֵׁנָה
וַתַּשְׁכִּיבֵהוּ בְּחֵיקָהּ וְאֶת־בְּנָהּ הַמֵּת הִשְׁכִּיבָה בְחֵיקִי׃ כא וָאָקֻם
בַּבֹּקֶר לְהֵינִיק אֶת־בְּנִי וְהִנֵּה־מֵת וָאֶתְבּוֹנֵן אֵלָיו בַּבֹּקֶר וְהִנֵּה לֹא־
הָיָה בְנִי אֲשֶׁר יָלָדְתִּי׃ כב וַתֹּאמֶר הָאִשָּׁה הָאַחֶרֶת לֹא כִי בְּנִי הַחַי
וּבְנֵךְ הַמֵּת וְזֹאת אֹמֶרֶת לֹא כִי בְּנֵךְ הַמֵּת וּבְנִי הֶחָי וַתְּדַבֵּרְנָה
לִפְנֵי הַמֶּלֶךְ׃ כג וַיֹּאמֶר הַמֶּלֶךְ זֹאת אֹמֶרֶת זֶה־בְּנִי הַחַי וּבְנֵךְ הַמֵּת
וְזֹאת אֹמֶרֶת לֹא כִי בְּנֵךְ הַמֵּת וּבְנִי הֶחָי׃ כד וַיֹּאמֶר הַמֶּלֶךְ קְחוּ
לִי־חָרֶב וַיָּבִאוּ הַחֶרֶב לִפְנֵי הַמֶּלֶךְ׃ כה וַיֹּאמֶר הַמֶּלֶךְ גִּזְרוּ אֶת־
הַיֶּלֶד הַחַי לִשְׁנָיִם וּתְנוּ אֶת־הַחֲצִי לְאַחַת וְאֶת־הַחֲצִי לְאֶחָת׃

רש"י

(טו) ויקץ שלמה והנה חלום. והכה הבין שחלומו אמת, שומע עוף מלפלף ומבין לשונו, כלב נובח ומבין לשונו (שיר השירים רבה א, [א], ט): **ויעש משתה.** משמחת לבו, שהבין שחלומו אמת: **(כא) ואתבונן אליו.** נתתי לב להסתכל בו:

מצודת דוד

(טו) ויקץ וגו'. כשהקיץ ידע שהוא חלום, אולם בחלומו נדמה לו כאלו הדברים נעשו בהקיץ: **(יז) בי אדוני.** להאזין דברי: **(יח) אין זר אתנו וגו'.** להיות עד בדבר: **(יט) אשר שכבה.** מיתתו היה, על אשר שכבה עליו והעמיסה עליו ומת, כי אם היה על ידי חולי, היו הנשים המבקרות יודעות בן מי הוא: **(כ) ואמתך ישנה.** ולא הרגשתי בדבר: **(כב) ותדברנה.** היו מתווכחות על הדבר: **(כג) זאת אומרת.** כאומר מה לי בהויכוח, עיקר המשפט הוא בדבר הה**(טו) ויקץ.** ענין הערה משינה: **(יז) בי.** הוא ענין בקשה: **(כא) ואתבונן.** ענין הסתכלות בעיון רב, וכן (ישעיהו יד, טז) אֵלֶיךָ יִתְבּוֹנָנוּ: **(כה) גזרו.** חתכו: **(כו) נכמרו.** נתחממו, כמו (איכה ה, י) עוֹרֵנוּ כְּתַנּוּר נִכְמָרוּ, והוא ענין חמלה. וכן (בראשית מג, ל) נִכְמְרוּ רַחֲמָיו: כחשה, של מי הוא הילד החי: **(כה) גזרו.** מתוך דבריהן הכיר המלך בחכמתו, הדין עם מי, ואמר להיושבים לפניו, שכן הוא האמת שהאחת גנבה הילד החי, ולאמת דבריו עשה הבחינה:

מצודת ציון

(טו) ויקץ. ענין הערה משינה: **(יז) בי.** הוא ענין בקשה: **(כא) ואתבונן.** ענין הסתכלות בעיון רב, וכן (ישעיהו יד, טז) אֵלֶיךָ יִתְבּוֹנָנוּ: **(כה) גזרו.** חתכו:

כו וַתֹּאמֶר הָאִשָּׁה אֲשֶׁר־בְּנָהּ הַחַי אֶל־הַמֶּלֶךְ כִּי־נִכְמְרוּ רַחֲמֶיהָ
עַל־בְּנָהּ וַתֹּאמֶר | בִּי אֲדֹנִי תְּנוּ־לָהּ אֶת־הַיָּלוּד הַחַי וְהָמֵת אַל־
תְּמִיתֻהוּ וְזֹאת אֹמֶרֶת גַּם־לִי גַם־לָךְ לֹא יִהְיֶה גְּזֹרוּ: כז וַיַּעַן הַמֶּלֶךְ
וַיֹּאמֶר תְּנוּ־לָהּ אֶת־הַיָּלוּד הַחַי וְהָמֵת לֹא תְמִיתֻהוּ הִיא אִמּוֹ:
כח וַיִּשְׁמְעוּ כָל־יִשְׂרָאֵל אֶת־הַמִּשְׁפָּט אֲשֶׁר שָׁפַט הַמֶּלֶךְ וַיִּרְאוּ
מִפְּנֵי הַמֶּלֶךְ כִּי רָאוּ כִּי־חָכְמַת אֱלֹהִים בְּקִרְבּוֹ לַעֲשׂוֹת מִשְׁפָּט:
פרק ד א וַיְהִי הַמֶּלֶךְ שְׁלֹמֹה מֶלֶךְ עַל־כָּל־יִשְׂרָאֵל:

רש"י

(כז) היא אמו. בת קול הופיעה ואמרה, היא אמו (מכות כג, ב): **(א) מלך על כל ישראל.** משראו בחכמתו, שמחו כולם במלכותו:

מצודת דוד

(כו) גם לי וגו'. היות עצם כוונתה היתה לבל תשמח חברתה במיתת בנה, כי מה לה להניק בן אשה אחרת, ובשמעה שצוה המלך להמיתו, רצתה יותר בזה, כי אז לא תשמח עוד חברתה, והיא לא תניק בן אשה אחרת. והמלך השכיל מדעתו מתחילה שתחפוץ יותר בזה: **(כז) תנו לה.** להאשה שאמרה תנו לה את הילוד וגו': **היא אמו.** הואיל ומרחמת עליו: **(כח) ויראו.** בראותם כי בחכמתו מבין תעלומות לב: **לעשות משפט.** להבין האמת עם מי, ולבררו על ידי בחינה: **(א) על כל ישראל.** רוצה לומר, מעתה קבלוהו כולם באהבה, בראותם בחכמתו:

מצודת ציון

(כו) נכמרו. נתחממו, כמו (איכה ה, י) עוֹרֵנוּ כְּתַנּוּר נִכְמָרוּ, והוא ענין חמלה. וכן (בראשית מג, ל) נִכְמְרוּ רַחֲמָיו:

פרשת ויגש

יח וַיִּגַּשׁ אֵלָיו יְהוּדָה וַיֹּאמֶר בִּי
אֲדֹנִי יְדַבֶּר־נָא עַבְדְּךָ דָבָר בְּאָזְנֵי
אֲדֹנִי וְאַל־יִחַר אַפְּךָ בְּעַבְדֶּךָ כִּי
כָמוֹךָ כְּפַרְעֹה׃ יט אֲדֹנִי שָׁאַל
אֶת־עֲבָדָיו לֵאמֹר הֲיֵשׁ־לָכֶם
אָב אוֹ־אָח׃ כ וַנֹּאמֶר אֶל־אֲדֹנִי
יֶשׁ־לָנוּ אָב זָקֵן וְיֶלֶד זְקֻנִים קָטָן וְאָחִיו מֵת

אונקלוס

יח וּקְרֵיב לְוָתֵיהּ יְהוּדָה
וַאֲמַר בְּבָעוּ רִבּוֹנִי יְמַלֵּל
כְּעַן עַבְדָּךְ פִּתְגָּמָא קֳדָם
רִבּוֹנִי וְלָא יִתְקַף רוּגְזָךְ
בְּעַבְדָּךְ אֲרֵי כְּפַרְעֹה כֵּן
אַתְּ׃ יט רִבּוֹנִי שְׁאֵיל יָת
עַבְדּוֹהִי לְמֵימַר הַאִית
לְכוֹן אַבָּא אוֹ אֲחָא׃
כ וַאֲמַרְנָא לְרִבּוֹנִי אִית
לָנָא אַבָּא סָבָא וּבַר
סִיבְתִין זְעֵיר וַאֲחוּהִי מִית

רש"י

[פסוק יח] ויגש אליו. דבר באזני אדני. א יכנסו דברי באזניך (ב"ר צג:ו): **ואל יחר אפך.** מכאן אתה למד ב שדבר אליו קשות: **כי כמוך כפרעה.** חשוב אתה בעיני כמלך, זהו פשוטו. ומדרשו ג סופך ללקות עליו בצרעת כמו שלקה פרעה על ידי זקנתו שרה על לילה אחת שעכבה (שם). ד"א, מה פרעה גוזר ד ואינו מקיים מבטיח ואינו עושה אף אתה כן, וכי זו היא שימת עין שאמרת לשום עינך עליו. ד"א, כי כמוך כפרעה, אם תקניטני אהרוג אותך ואת אדונך (שם): **[פסוק יט] אדני שאל את עבדיו.** מתחלה בעלילה באת עלינו, למה היה לך לשאול כל אלה, ה בתך היינו מבקשים או אחותנו אתה מבקש, ואעפ"כ כן ונאמר אל אדוני, לא כחדנו ממך דבר (שם ח): **[פסוק כ] ואחיו מת.** מפני היראה ו היה מוציא דבר שקר מפיו. אמר אם אומר לו שהוא קיים יאמר הביאהו אלי (שם):

בעל הטורים

(יח) ויגש אליו [יהודה]. בגימטריא זהו להלחם עם יוסף. ובגימטריא גם נכנס לפייסו, דלשלשה דברים נכנס: **ויגש אליו יהודה.** סופי תבות שוה. שאמר לו, אני שוה לך, שכמו שאתה מלך גם אני מלך. ועל זה דורש במדרש, "כי הנה המלכים נועדו": **בי אדני.** פירוש, "בי" עשה מה שתרצה, "והנער יעל עם אחיו": **ואל יחר.** ב׳ במסורת — "ואל יחר אפך בעבדך"; ואידך "ואל יחר בעיניכם כי מכרתם אתי הנה, כי למחיה שלחני אלהים לפניכם". ודרשינן, מלמד שנשתנו פניהם בקדרה, כי על מי היה לחרות. הכא נמי אמר לו יהודה, אל ישתנו פניך, צריך אתה ואני לדבר מעט: **כמוך כפרעה.** בגימטריא בך אתחיל: **(יט) היש לכם אב או אח.** ועל אמם לא שאל, כי ידע שכבר מתה: **(כ) וילד.** ב׳ במסורת — הכא "וילד זקנים קטן"; ואידך "כי איש הרגתי לפצעי וילד לחברתי". אמר, שאם נניח לבנימין כאן, הרי כאלו הרגתי איש דהיינו יעקב לפצעי, וילד דהיינו בנימין לחברתי, כי אי אפשר להם לחיות זה בלא זה: **וילד זקנים.** חסר — לומר שמסר לו כל מה שלמד מזקנים, דהיינו שם ועבר:

עיקר שפתי חכמים

א משום דאין כבוד למלך שאדם שפל ילחוש לו באוזן. רא"ס: **ב** ולכן פחד פן יחרה אפו: **ג** ולפי פי' זה נ"ל דכי כמוך כפרעה קאי אמה שאמר לו ידבר נא עבדך דבר, ומהו הדבר שאדבר לך, כי כמוך כפרעה, כלומר שסופך ללקות וכו': **ד** פי' שהרי כתב בפנקסו שאין עבד מולך ולא לובש בגדי משי, ולא קיים, שהרי המליך אותך שאתה היית עבד: **ה** משום דאין דרך לשאול על הבנים ועל הבנות ועל האבות ועל האמהות אלא בחתון: **ו** ואף כי בפעם ראשונה אמרו והאחד איננו [מקץ מב יג] ולא אמרו שמת, אך עתה מפני היראה ביאר את דברי' בשקר. כי מה שאמרו איננו הכוונה שמת:

וַיִּוָּתֵר הוּא לְבַדּוֹ לְאִמּוֹ וְאָבִיו
אֲהֵבוֹ׃ ❖ כא וַתֹּאמֶר אֶל־עֲבָדֶיךָ
הוֹרִדֻהוּ אֵלָי וְאָשִׂימָה עֵינִי
עָלָיו׃ כב וַנֹּאמֶר אֶל־אֲדֹנִי לֹא־
יוּכַל הַנַּעַר לַעֲזֹב אֶת־אָבִיו
וְעָזַב אֶת־אָבִיו וָמֵת׃ כג וַתֹּאמֶר
אֶל־עֲבָדֶיךָ אִם־לֹא יֵרֵד אֲחִיכֶם
הַקָּטֹן אִתְּכֶם לֹא תֹסִפוּן לִרְאוֹת
פָּנָי׃ כד וַיְהִי כִּי עָלִינוּ אֶל־עַבְדְּךָ
אָבִי וַנַּגֶּד־לוֹ אֵת דִּבְרֵי אֲדֹנִי׃ ❖
כה וַיֹּאמֶר אָבִינוּ שֻׁבוּ שִׁבְרוּ־לָנוּ
מְעַט־אֹכֶל׃ כו וַנֹּאמֶר לֹא נוּכַל לָרֶדֶת אִם־יֵשׁ
אָחִינוּ הַקָּטֹן אִתָּנוּ וְיָרַדְנוּ כִּי־לֹא נוּכַל לִרְאוֹת
פְּנֵי הָאִישׁ וְאָחִינוּ הַקָּטֹן אֵינֶנּוּ אִתָּנוּ׃ כז וַיֹּאמֶר

וְאִשְׁתְּאַר הוּא בִלְחוֹדוֹהִי
לְאִמֵּהּ וַאֲבוּהִי רָחֵים
לֵהּ׃ כא וַאֲמַרְתְּ לְעַבְדָּךְ
אַחֲתוּהִי לְוָתִי וְאֶשַׁוֵּי
עֵינִי עֲלוֹהִי׃ כב וַאֲמַרְנָא
לְרִבּוֹנִי לָא יִכּוּל עוּלֵימָא
לְמִשְׁבַּק יָת אֲבוּהִי וְאִם
יִשְׁבּוֹק יָת אֲבוּהִי וּמִית׃
כג וַאֲמַרְתְּ לְעַבְדָךְ אִם
לָא יֵחוֹת אֲחוּכוֹן זְעֵירָא
עִמְּכוֹן לָא תוֹסְפוּן לְמֶחֱזֵי
אַפָּי׃ כד וַהֲוָה כַּד סְלֵיקְנָא
לְעַבְדָּךְ אַבָּא וְחַוֵּינָא
לֵהּ יָת פִּתְגָמֵי רִבּוֹנִי׃
כה וַאֲמַר אֲבוּנָא תּוּבוּ
זְבוּנוּ לָנָא זְעֵיר עִיבוּרָא׃
כו וַאֲמַרְנָא לָא נִכּוּל
לְמֵיחַת אִם אִית אֲחוּנָא
זְעֵירָא עִמָּנָא וְנֵחוֹת אֲרֵי
לָא נִכּוּל לְמֶחֱזֵי אַפֵּי
גַּבְרָא וַאֲחוּנָא זְעֵירָא
לֵיתוֹהִי עִמָּנָא׃ כז וַאֲמַר

רש״י

לבדו לאמו. ז מאותה האם אין לו עוד אח (תרגום יונתן): **[פסוק כב] ועזב את אביו ומת.** אם יעזוב את אביו דואגים אנו שמא ימות בדרך, שהרי אמו בדרך מתה:

בעל הטורים

ויותר. ב׳ במסורת — הכא ״ויותר הוא לבדו״; ואידך ״ויותר יעקב לבדו״. מה התם מלחמה, דכתיב ״ויאבק איש עמו״, אף הכא הכין עצמו למלחמה: **(כג) לא תספון לראות פני.** ב׳ במסורת — הכא; ואידך ״לא תספון לשוב בדרך הזה עוד״. שאמר להם, לא די שלא תראו את פני עוד, אלא בכל הדרך לא תספון לשוב עוד:

עיקר שפתי חכמים

ז ר״ל דהאי לאמו פירושו מאמו:

עַבְדְּךָ֥ אָבִ֖י אֵלֵ֑ינוּ אַתֶּ֣ם יְדַעְתֶּ֔ם
כִּ֥י שְׁנַ֖יִם יָֽלְדָה־לִּ֥י אִשְׁתִּֽי׃ כח וַיֵּצֵ֤א
הָֽאֶחָד֙ מֵֽאִתִּ֔י וָֽאֹמַ֕ר אַ֖ךְ טָרֹ֣ף
טֹרָ֑ף וְלֹ֥א רְאִיתִ֖יו עַד־הֵֽנָּה׃
כט וּלְקַחְתֶּ֧ם גַּם־אֶת־זֶ֛ה מֵעִ֥ם
פָּנַ֖י וְקָרָ֣הוּ אָס֑וֹן וְהֽוֹרַדְתֶּ֧ם אֶת־
שֵֽׂיבָתִ֛י בְּרָעָ֖ה שְׁאֹֽלָה׃ ל וְעַתָּ֗ה
כְּבֹאִי֙ אֶל־עַבְדְּךָ֣ אָבִ֔י וְהַנַּ֖עַר
אֵינֶ֣נּוּ אִתָּ֑נוּ וְנַפְשׁ֖וֹ קְשׁוּרָ֥ה
בְנַפְשֽׁוֹ׃ ❖ שני לא וְהָיָ֗ה כִּרְאוֹת֛וֹ כִּי־אֵ֥ין הַנַּ֖עַר וָמֵ֑ת
וְהוֹרִ֨ידוּ עֲבָדֶ֜יךָ אֶת־שֵׂיבַ֨ת עַבְדְּךָ֥ אָבִ֛ינוּ בְּיָג֖וֹן
שְׁאֹֽלָה׃ לב כִּ֤י עַבְדְּךָ֙ עָרַ֣ב אֶת־הַנַּ֔עַר מֵעִ֥ם אָבִ֖י

עַבְדָּךְ אַבָּא לָנָא אַתּוּן
יְדַעְתּוּן אֲרֵי תְרֵין יְלֵידַת לִי
אִתְּתִי: כח וּנְפַק חַד מִלְּוָתִי
וַאֲמָרִית בְּרַם מִקְטַל
קְטִיל וְלָא חֲזֵיתֵהּ עַד כְּעָן:
כט וְתִדְבְּרוּן אַף יָת דֵּין מִן
קֳדָמַי וִיעַרְעִנֵּהּ מוֹתָא
וְתַחֲתוּן יָת שֵׂיבְתִי בְּבִישְׁתָא
לִשְׁאוֹל: ל וּכְעַן כְּמֵיתִי
לְוַת עַבְדָּךְ אַבָּא וְעוּלֵימָא
לֵיתוֹהִי עִמָּנָא וְנַפְשֵׁהּ
חֲבִיבָא לֵהּ כְּנַפְשֵׁהּ: לא וִיהֵי
כַּד חָזֵי אֲרֵי לֵית עוּלֵימָא
וִימוּת וְיַחֲתוּן עַבְדָיךְ
יָת שֵׂיבַת עַבְדָּךְ אֲבוּנָא
בְּדַאֲבוֹנָא (נ״א בְּדָווֹנָא)
לִשְׁאוֹל: לב אֲרֵי עַבְדָּךְ
מְעָרֵב בְּעוּלֵימָא מִן אַבָּא

רש״י

[פסוק כט] **וְקָרָהוּ אָסוֹן.** שֶׁהַשָּׂטָן מְקַטְרֵג בִּשְׁעַת הַסַּכָּנָה (ב״ר צא:ט): **וְהוֹרַדְתֶּם אֶת שֵׂיבָתִי וגו׳.** ח עַכְשָׁיו כְּשֶׁהוּא אֶצְלִי אֲנִי מִתְנַחֵם בּוֹ עַל אִמּוֹ וְעַל אָחִיו וְאִם יָמוּת זֶה דּוֹמֶה עָלַי שֶׁשְּׁלָשְׁתָּן מֵתוּ בְּיוֹם אֶחָד (שם ח): [פסוק לא] **וְהָיָה כִּרְאוֹתוֹ כִּי אֵין הַנַּעַר וָמֵת.** אָבִיו מִצָּרָתוֹ (ברב״ת): [פסוק לב] **כִּי עַבְדְּךָ עָרַב אֶת הַנַּעַר [וגו׳].** וְאִם תֹּאמַר לָמָּה אֲנִי נִכְנָס לְתִגָּר יוֹתֵר מִשְּׁאָר אַחַי. הֵם כֻּלָּם מִבַּחוּץ, וַאֲנִי נִתְקַשַּׁרְתִּי בְּקֶשֶׁר חָזָק לִהְיוֹת מְנוּדֶּה בְּב׳ עוֹלָמוֹת (ב״ר נג:ח;

בעל הטורים

(כט) והורדתם. ב׳ במסורת – ״והורדתם את שיבתי״; ״והורדתם את אבי הנה״. משל לפרה שאינה רוצה להכנס לשחיטה, הכניסו את ולדה והיא נכנסה; כך יעקב לא רצה לירד למצרים, וכששמע שיוסף שם נכנס מיד: **(ל) קשורה.** בגימטריא תורה, שלמד מפיו תורה: **קשורה.** ב׳ במסורת – הכא; ואידך ״אולת קשורה בלב נער״. שהוא נער. ואף אם לקח הגביע, מפני אולתו שקשורה בו: אי נמי – מפני שאולתו קשורה, צריך שתהא נפשו קשורה בנפשו של אביו כדי לחנכו:

עיקר שפתי חכמים

ח דקשה לרש״י דכאן כתיב בשביל בנימין והורדתם את שיבתי ברעה שאולה, ולעיל בפרשת וישב כתיב כן בשביל יוסף, דכתיב כי ארד אל בני אבל שאולה. ומתרץ דודאי כבר בשביל יוסף הורידו שיבתו ברעה שאולה, אלא עכשיו כשהוא כו׳:

לֵאמֹ֑ר אִם־לֹ֤א אֲבִיאֶ֙נּוּ֙ אֵלֶ֔יךָ
וְחָטָ֥אתִי לְאָבִ֖י כָּל־הַיָּמִֽים׃
לג וְעַתָּ֗ה יֵֽשֶׁב־נָ֤א עַבְדְּךָ֙ תַּ֣חַת
הַנַּ֔עַר עֶ֖בֶד לַֽאדֹנִ֑י וְהַנַּ֖עַר יַ֥עַל
עִם־אֶחָֽיו׃ לד כִּי־אֵיךְ֙ אֶֽעֱלֶ֣ה אֶל־
אָבִ֔י וְהַנַּ֖עַר אֵינֶ֣נּוּ אִתִּ֑י פֶּ֚ן אֶרְאֶ֣ה
בָרָ֔ע אֲשֶׁ֥ר יִמְצָ֖א אֶת־אָבִֽי׃
פרק מה א וְלֹֽא־יָכֹ֨ל יוֹסֵ֜ף לְהִתְאַפֵּ֗ק
לְכֹ֤ל הַנִּצָּבִים֙ עָלָ֔יו וַיִּקְרָ֕א
הוֹצִ֥יאוּ כָל־אִ֖ישׁ מֵעָלָ֑י וְלֹא־
עָ֤מַד אִישׁ֙ אִתּ֔וֹ בְּהִתְוַדַּ֥ע יוֹסֵ֖ף אֶל־אֶחָֽיו׃ ב וַיִּתֵּ֥ן
אֶת־קֹל֖וֹ בִּבְכִ֑י וַיִּשְׁמְע֣וּ מִצְרַ֔יִם וַיִּשְׁמַ֖ע בֵּ֥ית
פַּרְעֹֽה׃ ג וַיֹּ֨אמֶר יוֹסֵ֤ף אֶל־אֶחָיו֙ אֲנִ֣י יוֹסֵ֔ף הַע֥וֹד

לְמֵימַר אִם לָא אַיְתִנֵּהּ לְוָתָךְ וָאֱהֵי חָטֵי לְאַבָּא כָּל יוֹמַיָּא:
לג וּכְעַן יִתֵּב כְּעַן עַבְדָּךְ תְּחוֹת עוּלֵימָא עַבְדָּא לְרִבּוֹנִי וְעוּלֵימָא יִסַּק עִם אֲחוֹהִי:
לד אֲרֵי אֶכְדֵּין אֶסַּק לְוָת אַבָּא וְעוּלֵימָא לֵיתוֹהִי עִמִּי דִּלְמָא אֶחֱזֵי בְּבִישׁוּ דְּיִשְׁכַּח יָת אַבָּא:
א וְלָא יְכֵיל יוֹסֵף לְאִתְחַסָּנָא לְכֹל דְּקָיְמִין עִלָּווֹהִי וּקְרָא אַפִּיקוּ כָּל גְּבַר מִלְוָתִי וְלָא קָם אֱנָשׁ עִמֵּהּ כַּד אִתְיְדַע יוֹסֵף לְוָת אֲחוֹהִי:
ב וִיהַב יָת קָלֵהּ בִּבְכִיתָא וּשְׁמָעוּ מִצְרַיִם וּשְׁמַע אֱנָשׁ בֵּית פַּרְעֹה:
ג וַאֲמַר יוֹסֵף לַאֲחוֹהִי אֲנָא יוֹסֵף הַעַד כְּעַן

רש"י

תנחומא ישן ד): **[פסוק לג] יֵשֶׁב נָא עַבְדְּךָ וגו'.** לְכָל דָּבָר אֲנִי מְעֻלֶּה מִמֶּנּוּ ט לִגְבוּרָה וּלְמִלְחָמָה וּלְשַׁמֵּשׁ (ב"ר צג ו): **[פסוק א] וְלֹא יָכֹל יוֹסֵף לְהִתְאַפֵּק לְכֹל הַנִּצָּבִים.** לֹא הָיָה יָכוֹל י לִסְבּוֹל שֶׁיִּהְיוּ מִצְרִים נִצָּבִים עָלָיו וְשׁוֹמְעִין שֶׁאֶחָיו מִתְבַּיְּשִׁין בְּהִוָּדְעוֹ לָהֶם (תנחומא ה): **[פסוק ב] וַיִּשְׁמַע בֵּית פַּרְעֹה.** בֵּיתוֹ שֶׁל פַּרְעֹה, כְּלוֹמַר כ עֲבָדָיו וּבְנֵי בֵיתוֹ (אונקלוס). וְאֵין זֶה לְשׁוֹן בַּיִת מַמָּשׁ אֶלָּא כְּמוֹ בֵּית יִשְׂרָאֵל (תהלים קטו:יב) בֵּית יְהוּדָה (מלכים א יב:כא). מישכיד"א בלע"ז:

עיקר שפתי חכמים

ט לגבורה ואוכל לעבוד עבודה קשה, ולמלחמה לעשות חיל נגד הקמים עליך, ולשמש ולא איעף יומם ולילה: י ויתפרש הפסוק, ולא יכול יוסף להתאפק ולמשול ברוחו להראות חרפת אחיו לכל הנצבים עליו, לכן קרא להוציא כל איש: כ לקמן בפסוק ט"ז כתיב הקול נשמע בית פרעה ופירש"י כי הוא כמו בבית פרעה. כי שמה כתיב נשמע בנפעל, א"כ אם נוסף הב'. אבל פה כתיב וישמע בקל, גם אם נוסף הבי"ת לא יתפרש הכתוב היטב. לכן פירש כי בית פרעה הוא יושבי בית פרעה, המה שמעו את קול הבכי:

אָבִ֣י חָ֑י וְלֹֽא־יָכְל֤וּ אֶחָיו֙ לַעֲנ֣וֹת
אֹת֔וֹ כִּ֥י נִבְהֲל֖וּ מִפָּנָֽיו׃ ד וַיֹּ֨אמֶר
יוֹסֵ֧ף אֶל־אֶחָ֛יו גְּשׁוּ־נָ֥א אֵלַ֖י
וַיִּגָּ֑שׁוּ וַיֹּ֗אמֶר אֲנִי֙ יוֹסֵ֣ף אֲחִיכֶ֔ם
אֲשֶׁר־מְכַרְתֶּ֥ם אֹתִ֖י מִצְרָֽיְמָה׃
ה וְעַתָּ֣ה ׀ אַל־תֵּעָצְב֗וּ וְאַל־
יִ֙חַר֙ בְּעֵ֣ינֵיכֶ֔ם כִּֽי־מְכַרְתֶּ֥ם אֹתִ֖י
הֵ֑נָּה כִּ֣י לְמִֽחְיָ֔ה שְׁלָחַ֥נִי אֱלֹהִ֖ים
לִפְנֵיכֶֽם׃ ו כִּי־זֶ֛ה שְׁנָתַ֥יִם הָֽרָעָ֖ב
בְּקֶ֣רֶב הָאָ֑רֶץ וְעוֹד֙ חָמֵ֣שׁ שָׁנִ֔ים
אֲשֶׁ֥ר אֵין־חָרִ֖ישׁ וְקָצִֽיר׃ ז וַיִּשְׁלָחֵ֤נִי אֱלֹהִים֙
לִפְנֵיכֶ֔ם לָשׂ֥וּם לָכֶ֛ם שְׁאֵרִ֖ית בָּאָ֑רֶץ וּלְהַחֲי֣וֹת
לָכֶ֔ם לִפְלֵיטָ֖ה גְּדֹלָֽה׃ שלישי ח וְעַתָּ֗ה לֹֽא־אַתֶּ֞ם

אַבָּא קַיָּם וְלָא יְכִילוּ
אֲחוֹהִי לַאֲתָבָא יָתֵהּ
פִּתְגָּם אֲרֵי אִתְבְּהִילוּ מִן
קֳדָמוֹהִי׃ ד וַאֲמַר יוֹסֵף
לַאֲחוֹהִי קְרִיבוּ כְּעַן
לְוָתִי וּקְרִיבוּ וַאֲמַר אֲנָא
יוֹסֵף אֲחוּכוֹן דִּי זַבֶּנְתּוּן
יָתִי לְמִצְרָיִם׃ ה וּכְעַן
לָא תִתְנַסְסוּן וְלָא יִתְקֵף
בְּעֵינֵיכוֹן אֲרֵי זַבֶּנְתּוּן
יָתִי הָכָא אֲרֵי לְקַיָּמָא
שַׁלְחַנִי יְיָ קֳדָמֵיכוֹן׃
ו אֲרֵי דְּנָן תַּרְתֵּין שְׁנִין
כַּפְנָא בְּגוֹ אַרְעָא וְעוֹד
חָמֵשׁ שְׁנִין דִּי לֵית
זְרוֹעָא וַחֲצָדָא׃ ז וְשַׁלְחַנִי
יְיָ קֳדָמֵיכוֹן לְשַׁוָּאָה
לְכוֹן שְׁאָרָא בְּאַרְעָא
וּלְקַיָּמָא לְכוֹן לְשֵׁיזָבָא
רַבְּתָא׃ ח וּכְעַן לָא אַתּוּן

רש"י

[פסוק ג] נִבְהֲלוּ מִפָּנָיו. מִפְּנֵי הַבּוּשָׁה (תנחומא שם): **[פסוק ד] גְּשׁוּ נָא אֵלַי.** רָאָה אוֹתָם נְסוֹגִים לְאָחוֹר, אָמַר עַכְשָׁיו אַחַי נִכְלָמִים, קָרָא לָהֶם [ל] בְּלָשׁוֹן רַכָּה וְתַחֲנוּנִים וְהֶרְאָה לָהֶם שֶׁהוּא מָהוּל (שם; ב"ר שם ח): **[פסוק ה] לְמִחְיָה.** לִהְיוֹת לָכֶם לְמִחְיָה (תרגום יונתן): **[פסוק ו] כִּי זֶה שְׁנָתַיִם הָרָעָב.** עָבְרוּ מִשְּׁנֵי הָרָעָב:

בעל הטורים

(ו) **וקציר.** ב׳ במסורת — הכא "אשר אין חריש וקציר"; ואידך "עד כל ימי הארץ זרע וקציר". ודאי לא בא יוסף לבטל גזירת המקום "זרע וקציר ... לא ישבתו", על כן אמר "אשר אין חריש וקציר", כי ודאי לא ישבתו זרע וקציר וכשיזרעו יקצורו. וכאן לא רצו לזרוע, שאמרו מוטב שנאכל מה שבידנו, ממה שנזרע אותו ואולי לא נחיה עד שנקצור

עיקר שפתי חכמים

ל כי המה נבהלו מפניו בחשבם כי רוחו זרה להם, אחרי כי אמר אני יוסף ולא אמר אני יוסף אחיכם, ולכן נסוגו אחור. ולקרבם אליו אמר אני יוסף אחיכם, והראה להם שהוא מהול כי זה הוא ברית אחוה בישראל אשר לא תופר לעד:

שְׁלַחְתֶּם אֹתִי הֵנָּה כִּי הָאֱלֹהִים
וַיְשִׂימֵנִי לְאָב לְפַרְעֹה וּלְאָדוֹן
לְכָל־בֵּיתוֹ וּמֹשֵׁל בְּכָל־אֶרֶץ
מִצְרָיִם: ט מַהֲרוּ וַעֲלוּ אֶל־אָבִי
וַאֲמַרְתֶּם אֵלָיו כֹּה אָמַר בִּנְךָ
יוֹסֵף שָׂמַנִי אֱלֹהִים לְאָדוֹן
לְכָל־מִצְרָיִם רְדָה אֵלַי אַל־
תַּעֲמֹד: י וְיָשַׁבְתָּ בְאֶרֶץ־גֹּשֶׁן
וְהָיִיתָ קָרוֹב אֵלַי אַתָּה וּבָנֶיךָ וּבְנֵי בָנֶיךָ וְצֹאנְךָ
וּבְקָרְךָ וְכָל־אֲשֶׁר־לָךְ: יא וְכִלְכַּלְתִּי אֹתְךָ שָׁם
כִּי־עוֹד חָמֵשׁ שָׁנִים רָעָב פֶּן־תִּוָּרֵשׁ אַתָּה
וּבֵיתְךָ וְכָל־אֲשֶׁר־לָךְ: יב וְהִנֵּה עֵינֵיכֶם רֹאוֹת

שְׁלַחְתּוּן יָתִי הָכָא אֱלָהֵן
מִן קֳדָם יְיָ וְשַׁוְּיַנִי לְאַבָּא
לְפַרְעֹה וּלְרִבּוֹן לְכָל אֱנַשׁ
בֵּיתֵהּ וְשַׁלִּיט בְּכָל אַרְעָא
דְמִצְרָיִם: ט אוֹחוּ וּסְקוּ לְוַת
אַבָּא וְתֵימְרוּן לֵהּ כִּדְנַן
אֲמַר בְּרָךְ יוֹסֵף שַׁוְּיַנִי יְיָ
לְרִבּוֹן לְכָל מִצְרָיִם חוּת
לְוָתִי לָא תִתְעַכַּב: י וְתֵתֵיב
בְּאַרְעָא דְגֹשֶׁן וּתְהֵי קָרִיב
לִי אַתְּ וּבְנָךְ וּבְנֵי בְנָךְ וְעָנָךְ
וְתוֹרָךְ וְכָל דִּי לָךְ: יא וְאֵזוּן
יָתָךְ תַּמָּן אֲרֵי עוֹד חֲמֵשׁ
שְׁנִין כַּפְנָא דִּלְמָא תִתְמַסְכַּן
אַתְּ וֶאֱנַשׁ בֵּיתָךְ וְכָל דִּי
לָךְ: יב וְהָא עֵינֵיכוֹן חָזְן

רש"י

[פסוק ח] **לְאָב.** לְחָבֵר וּלְפַטְרוֹן (ב"ר צג:י): [פסוק ט] **וַעֲלוּ אֶל אָבִי.** אֶרֶץ יִשְׂרָאֵל גְּבוֹהָה מִכָּל הָאֲרָצוֹת (זבחים נד:): [פסוק יא] **פֶּן תִּוָּרֵשׁ.** דִּלְמָא תִתְמַסְכַּן (אונקלוס). לְשׁוֹן מוֹרִישׁ וּמַעֲשִׁיר (שמואל א ב:ז): [פסוק יב] **וְהִנֵּה עֵינֵיכֶם רֹאוֹת.** בִּכְבוֹדִי (ב"ר צג:ח) וְשֶׁאֲנִי אֲחִיכֶם מ שֶׁאֲנִי מָהוּל כָּכֶם,

בעל הטורים

אותו, על כן אמר "חריש וקציר" ולא אמר "זרע וקציר": **(ט) רדה.** ב' במסורת – הכא "רדה אלי אל תעמד"; ואידך "רדה והשכבה את ערלים" גבי נבוכדנצר כשירד לגיהנם. לומר לך ששקול הגלות כנגד גיהנם: **(יא) פן תורש.** ב' במסורת – הכא; ואידך "אל תאהב שנה פן תורש". זהו שאמרו "וקרעים תלביש נומה", ללמדך, כל הישן בבית המדרש תורתו נעשית קרעים קרעים, וזהו "אל תאהב שנה" בבית המדרש "פן תורש" מלמודך. וכן אמר יוסף ליעקב, מוטב שתבוא בכאן, אף ללכת חוצה לארץ, "פן תורש" מתורה כי לא תוכלו ללמוד שם מפני הרעב: **(יב) עיניכם ראות.** בגימטריא הראיתי לכם המילה:

עיקר שפתי חכמים

מ הנה ממה שהוא מהול הראה להם כי ברית האחוה לא תופר. וממה שידבר עמהם בל' הקודש הראה להם כי לא יבוש במקור מחלבתו ולא יסתתר מעמו וממולדתו:

וְעֵינֵי אָחִי בִנְיָמִין כִּי־פִי הַמְדַבֵּר
אֲלֵיכֶם: יג וְהִגַּדְתֶּם לְאָבִי אֶת־
כָּל־כְּבוֹדִי בְּמִצְרַיִם וְאֵת
כָּל־אֲשֶׁר רְאִיתֶם וּמִהַרְתֶּם
וְהוֹרַדְתֶּם אֶת־אָבִי הֵנָּה:
יד וַיִּפֹּל עַל־צַוְּארֵי בִנְיָמִן־אָחִיו
וַיֵּבְךְּ וּבִנְיָמִן בָּכָה עַל־צַוָּארָיו:
טו וַיְנַשֵּׁק לְכָל־אֶחָיו וַיֵּבְךְּ עֲלֵהֶם
וְאַחֲרֵי כֵן דִּבְּרוּ אֶחָיו אִתּוֹ: טז וְהַקֹּל נִשְׁמַע
בֵּית פַּרְעֹה לֵאמֹר בָּאוּ אֲחֵי יוֹסֵף וַיִּיטַב בְּעֵינֵי
פַרְעֹה וּבְעֵינֵי עֲבָדָיו: יז וַיֹּאמֶר פַּרְעֹה אֶל־יוֹסֵף

וְעֵינֵי אָחִי בִנְיָמִין אֲרֵי
בְלִישָׁנְכוֹן אֲנָא מְמַלֵּל
עִמְּכוֹן: יג וּתְחַוּוֹן לְאַבָּא
יָת כָּל יְקָרִי בְּמִצְרַיִם וְיָת
כָּל דִּי חֲזֵיתוּן וְתוֹחוֹן
וְתַחֲתוּן יָת אַבָּא הָכָא:
יד וּנְפַל עַל צַוְּרֵי בִנְיָמִן
אֲחוּהִי וּבְכָא וּבִנְיָמִן בְּכָא
עַל צַוְּרֵהּ: טו וּנְשִׁיק לְכָל
אֲחוּהִי וּבְכָא עֲלֵיהוֹן
וּבָתַר כֵּן מַלִּילוּ אֲחוּהִי
עִמֵּהּ: טז וְקָלָא אִשְׁתְּמַע
לְבֵית פַּרְעֹה לְמֵימַר אֲתוֹ
אֲחֵי יוֹסֵף וּשְׁפַר בְּעֵינֵי
פַרְעֹה וּבְעֵינֵי עַבְדוֹהִי:
יז וַאֲמַר פַּרְעֹה לְיוֹסֵף

רש"י

וְעוֹד **כִּי פִי הַמְדַבֵּר אֲלֵיכֶם** בִּלְשׁוֹן הַקֹּדֶשׁ (ב"ר שם; תנחומא ה): **וְעֵינֵי אָחִי בִנְיָמִין.** הִשְׁוָה אֶת כּוּלָּם יַחַד, לוֹמַר שֶׁכְּשֵׁם שֶׁאֵין לִי שִׂנְאָה עַל בִּנְיָמִין אָחִי, שֶׁהֲרֵי לֹא הָיָה בִּמְכִירָתִי, כָּךְ אֵין בְּלִבִּי שִׂנְאָה עֲלֵיכֶם (מגילה טז:): **[פסוק יד] וַיִּפֹּל עַל צַוְּארֵי בִנְיָמִן אָחִיו וַיֵּבְךְּ.** עַל שְׁנֵי נ מִקְדָּשׁוֹת שֶׁעֲתִידִין לִהְיוֹת בְּחֶלְקוֹ שֶׁל בִּנְיָמִין וְסוֹפָן לֵיחָרֵב (שם): **וּבִנְיָמִן בָּכָה עַל צַוָּארָיו.** עַל מִשְׁכַּן שִׁילֹה שֶׁעָתִיד לִהְיוֹת בְּחֶלְקוֹ שֶׁל יוֹסֵף וְסוֹפוֹ לֵיחָרֵב (שם): **[פסוק טו]** [**וַיְנַשֵּׁק.** הוֹסִיף בִּנְשִׁיקָה, מְנַשֵּׁק וְהוֹלֵךְ, דיבייש"ר בלעז:] **וְאַחֲרֵי כֵן.** מֵאַחַר שֶׁרָאוּהוּ בוֹכֶה וְלִבּוֹ שָׁלֵם עִמָּהֶם: **דִּבְּרוּ אֶחָיו אִתּוֹ.** שֶׁמִּתְּחִלָּה הָיוּ בוֹשִׁים מִמֶּנּוּ (תנחומא שם): **[פסוק טז] וְהַקֹּל נִשְׁמַע בֵּית פַּרְעֹה.** כְּמוֹ בְּבֵית פַּרְעֹה, וְזֶהוּ לְשׁוֹן בֵּית מַמָּשׁ:

בעל הטורים

כי פי המדבר אליכם. בגימטריא בעגלה ערופה. שסימן זה מסר להם לאביו, שפירש ממנו בעגלה ערופה:

עיקר שפתי חכמים

נ כי נאמר הוא על המקדש, כמו שפירש"י בשיר השירים את הכתוב נאמר כמגדל השן:

אֱמֹר אֶל־אַחִיךָ זֹאת עֲשׂוּ טַעֲנוּ
אֶת־בְּעִירְכֶם וּלְכוּ־בֹאוּ אַרְצָה
כְּנָעַן: יח וּקְחוּ אֶת־אֲבִיכֶם וְאֶת־
בָּתֵּיכֶם וּבֹאוּ אֵלָי וְאֶתְּנָה לָכֶם
אֶת־טוּב אֶרֶץ מִצְרַיִם וְאִכְלוּ
אֶת־חֵלֶב הָאָרֶץ: רביעי יט וְאַתָּה
צֻוֵּיתָה זֹאת עֲשׂוּ קְחוּ־לָכֶם
מֵאֶרֶץ מִצְרַיִם עֲגָלוֹת לְטַפְּכֶם
וְלִנְשֵׁיכֶם וּנְשָׂאתֶם אֶת־אֲבִיכֶם
וּבָאתֶם: כ וְעֵינְכֶם אַל־תָּחֹס עַל־
כְּלֵיכֶם כִּי־טוּב כָּל־אֶרֶץ מִצְרַיִם
לָכֶם הוּא: כא וַיַּעֲשׂוּ־כֵן בְּנֵי יִשְׂרָאֵל וַיִּתֵּן לָהֶם
יוֹסֵף עֲגָלוֹת עַל־פִּי פַרְעֹה וַיִּתֵּן לָהֶם צֵדָה
לַדָּרֶךְ: כב לְכֻלָּם נָתַן לָאִישׁ חֲלִפוֹת שְׂמָלֹת

אֱמַר לַאֲחָךְ דָּא עִיבִידוּ
טְעוּנוּ יָת בְּעִירְכוֹן וְאֶזִילוּ
אוּבִילוּ לְאַרְעָא דִכְנָעַן:
יח וּדְבָרוּ יָת אֲבוּכוֹן וְיָת
אֱנָשׁ בָּתֵּיכוֹן וְעוּלוּ לְוָתִי
וְאֶתֵּן לְכוֹן יָת טוּב אַרְעָא
דְמִצְרַיִם וְתֵיכְלוּן יָת
טוּבָא דְאַרְעָא: יט וְאַתְּ
מְפַקַּד דָּא עִיבִידוּ סִיבוּ
לְכוֹן מֵאַרְעָא דְמִצְרַיִם
עֶגְלָן לְטַפְלְכוֹן וְלִנְשֵׁיכוֹן
וְתִטְלוּן יָת אֲבוּכוֹן
וְתֵיתוּן: כ וְעֵינְכוֹן לָא
תְחוּס עַל מָנֵיכוֹן אֲרֵי
טַב כָּל אַרְעָא דְמִצְרַיִם
דִּלְכוֹן הוּא: כא וַעֲבַדוּ כֵן
בְּנֵי יִשְׂרָאֵל וִיהַב לְהוֹן
יוֹסֵף עֶגְלָן עַל מֵימַר
פַּרְעֹה וִיהַב לְהוֹן זְוָדִין
לְאָרְחָא: כב לְכֻלְּהוֹן יְהַב
לִגְבַר אִצְטְלָן דִּלְבוּשִׁין

רש"י

[פסוק יז] טַעֲנוּ אֶת בְּעִירְכֶם. ס תְּבוּאָה: **[פסוק יח] אֶת טוּב אֶרֶץ מִצְרָיִם.** אֶרֶץ גֹּשֶׁן (להלן מז:ו). נִבָּא וְאֵינוֹ יוֹדֵעַ מַה נִּבָּא, סוֹפָהּ לַעֲשׂוֹתָהּ כִּמְצוּלָה ע שֶׁאֵין בָּהּ דָּגִים (ברכות ט:): **חֵלֶב הָאָרֶץ.** כָּל חֵלֶב לְשׁוֹן מֵיטַב הוּא (אונקלוס): **[פסוק יט] וְאַתָּה צֻוֵּיתָה.** מִפִּי לוֹמַר לָהֶם: **זֹאת עֲשׂוּ.** פ כָּךְ אֱמוֹר לָהֶם שֶׁבִּרְשׁוּתִי הוּא (תרגום יונתן):

עיקר שפתי חכמים

ס כלומר שיטענו הבהמות בתבואה [רא"ם]: ע פירוש דבמים עמוקים אין דגים בעומק אלא הולכים למעלה: פ דק"ל למה כתב ואתה צויתה בל' יחיד וזאת עשו בל' רבים, לכ"פ כי אמר לו' מהם לאמור להם כי יעשו:

וּלְבִנְיָמִ֤ן נָתַן֙ שְׁל֣שׁ מֵא֣וֹת כֶּ֔סֶף
וְחָמֵ֖שׁ חֲלִפֹ֥ת שְׂמָלֹֽת׃ כג וּלְאָבִ֞יו
שָׁלַ֤ח כְּזֹאת֙ עֲשָׂרָ֣ה חֲמֹרִ֔ים
נֹשְׂאִ֖ים מִטּ֣וּב מִצְרָ֑יִם וְעֶ֣שֶׂר
אֲתֹנֹ֡ת נֹֽשְׂאֹת֩ בָּ֨ר וָלֶ֧חֶם וּמָז֛וֹן
לְאָבִ֖יו לַדָּֽרֶךְ׃ כד וַיְשַׁלַּ֥ח אֶת־
אֶחָ֖יו וַיֵּלֵ֑כוּ וַיֹּ֣אמֶר אֲלֵהֶ֔ם אַֽל־
תִּרְגְּז֖וּ בַּדָּֽרֶךְ׃ כה וַֽיַּעֲל֖וּ מִמִּצְרָ֑יִם
וַיָּבֹ֙אוּ֙ אֶ֣רֶץ כְּנַ֔עַן אֶֽל־יַעֲקֹ֖ב
אֲבִיהֶֽם׃ כו וַיַּגִּ֨דוּ ל֜וֹ לֵאמֹ֗ר ע֚וֹד יוֹסֵ֣ף חַ֔י וְכִֽי־
ה֥וּא מֹשֵׁ֖ל בְּכָל־אֶ֣רֶץ מִצְרָ֑יִם וַיָּ֣פָג לִבּ֔וֹ כִּ֥י לֹא־

וּלְבִנְיָמִן יְהַב תְּלָת מְאָה
סִלְעִין דִּכְסַף וַחֲמֵשׁ
אִצְטְלָוָן דִּלְבוּשִׁין:
כג וְלַאֲבוּהִי שְׁלַח כְּדָא
עַסְרָא חֲמָרִין טְעִינִין
מִטּוּבָא דְמִצְרָיִם וַעֲסַר
אַתְנָן טְעִינָן עִיבוּר וּלְחֵם
וּזְוָדִין לַאֲבוּהִי לְאָרְחָא:
כד וְשַׁלַּח יָת אֲחוֹהִי וַאֲזָלוּ
וַאֲמַר לְהוֹן לָא תִתְנַצּוּן
בְּאָרְחָא: כה וּסְלִיקוּ
מִמִּצְרָיִם וַאֲתוֹ לְאַרְעָא
דִכְנַעַן לְוָת יַעֲקֹב אֲבוּהוֹן:
כו וְחַוִּיאוּ לֵהּ לְמֵימַר
עוֹד כְּעַן יוֹסֵף קַיָּם וַאֲרֵי
הוּא שַׁלִּיט בְּכָל אַרְעָא
דְמִצְרָיִם וַהֲוָה מְלַיָּא
פִּיגָן עַל לִבֵּהּ אֲרֵי לָא

רש"י

[פסוק כג] **שָׁלַח כְּזֹאת.** כַּחֶשְׁבּוֹן הַזֶּה וּמַהוּ הַחֶשְׁבּוֹן עֲשָׂרָה חֲמוֹרִים וגו': **מִטּוּב מִצְרָיִם.** מָצִינוּ בַּגְּמָרָא שֶׁשָּׁלַח לוֹ יַיִן יָשָׁן שֶׁדַּעַת זְקֵנִים נוֹחָה הֵימֶנּוּ (מגילה טז:). ומ"א, גְּרִיסִין שֶׁל פּוֹל (ב"ר צד:ב): **בָּר וָלֶחֶם.** כְּתַרְגּוּמוֹ: **וּמָזוֹן.** לִפְתָּן (שם): [פסוק כד] **אַל תִּרְגְּזוּ בַּדָּרֶךְ.** אַל תִּתְעַסְּקוּ צ בִּדְבַר הֲלָכָה שֶׁלֹּא תִרְגַּז עֲלֵיכֶם הַדֶּרֶךְ. ד"א, אַל תַּפְסִיעוּ פְּסִיעָה גַסָּה, וְהִכָּנְסוּ בַּחַמָּה לָעִיר (תענית י:; ב"ר צד:ב). וּלְפִי פְשׁוּטוֹ שֶׁל מִקְרָא יֵשׁ לוֹמַר לְפִי שֶׁהָיוּ נִכְלָמִים הָיָה דוֹאֵג שֶׁמָּא יָרִיבוּ בַּדֶּרֶךְ עַל דְּבַר מְכִירָתוֹ לְהִתְוַכֵּחַ זֶה עִם זֶה וְלוֹמַר עַל יָדְךָ נִמְכַּר אַתָּה סִפַּרְתָּ לָשׁוֹן הָרָע עָלָיו וְגָרַמְתָּ לָנוּ לִשְׂנֹאתוֹ (אונקלוס; תרגום יונתן): [פסוק כו] **וְכִי הוּא מֹשֵׁל.** ק וַאֲשֶׁר הוּא מוֹשֵׁל: **וַיָּפָג לִבּוֹ.** נֶחֱלַף

בעל הטורים

(כג) **ומזון.** ב' במסורת – הכא "בר ולחם ומזון לאביו"; ואידך "ומזון לכלא בה". אף על פי שאמר "ומזון לאביו" – "ומזון לכלא בה", ששלח מזון לפרנס כולם: **(כד) אל תרגזו.** יש מפרשים, אל תסמכו עלי לומר, אחינו גדול הארץ, לעשות עוול לשום אדם. אלא אל תרגזו לשום אדם בדרך לילך על שדה זרועה: דבר אחר – אמר להם, אל תתעסקו בדבר הלכה. "אליהם אל תרגזו בדרך". בגימטריא זהו אל תדברו בהלכה [בדרך]: **אליהם אל תרגזו בדרך.** בגימטריא אל תפסיעו פסיעה גסה: **(כו) ויגדו לו.** חסר יו"ד – שלא הגידו לו עד שהתירו החרם שהחרימו בעשרה:

עיקר שפתי חכמים

צ פי' אם אתם עוסקים בדבר הלכה צריכים אתם לעיין בו יותר ואין דעתכם על הדרך, ומתוך כך טועה אתכם הדרך כלומר תתעו: ק לפי שפי' של כי הוא אם ואם הוא אשר. מהרש"ל:

הֶאֱמִין לָהֶם: כז וַיְדַבְּרוּ אֵלָיו אֵת
כָּל־דִּבְרֵי יוֹסֵף אֲשֶׁר דִּבֶּר אֲלֵהֶם
וַיַּרְא אֶת־הָעֲגָלוֹת אֲשֶׁר־שָׁלַח
יוֹסֵף לָשֵׂאת אֹתוֹ וַתְּחִי רוּחַ
יַעֲקֹב אֲבִיהֶם: חמישי כח וַיֹּאמֶר
יִשְׂרָאֵל רַב עוֹד־יוֹסֵף בְּנִי חָי
אֵלְכָה וְאֶרְאֶנּוּ בְּטֶרֶם אָמוּת:
פרק מו א וַיִּסַּע יִשְׂרָאֵל וְכָל־אֲשֶׁר־לוֹ וַיָּבֹא בְּאֵרָה
שָּׁבַע וַיִּזְבַּח זְבָחִים לֵאלֹהֵי אָבִיו יִצְחָק:
ב וַיֹּאמֶר אֱלֹהִים | לְיִשְׂרָאֵל בְּמַרְאֹת הַלַּיְלָה

הֵימִין לְהוֹן: כז וּמַלִּילוּ
עִמֵּהּ יָת כָּל פִּתְגָּמֵי יוֹסֵף
דִּי מַלֵּיל עִמְּהוֹן וַחֲזָא יָת
עֲגַלָתָא דִּי שְׁלַח יוֹסֵף
לְמִטַּל יָתֵהּ וּשְׁרַת רוּחַ
נְבוּאָה עַל יַעֲקֹב אֲבוּהוֹן:
כח וַאֲמַר יִשְׂרָאֵל סַגִּי לִי
חֶדְוָא עַד כְּעַן יוֹסֵף בְּרִי
קַיָּם אֵיזִיל וְאֶחֱזֵנֵּהּ עַד לָא
אֵמוּת: א וּנְטַל יִשְׂרָאֵל וְכָל
דִּי לֵהּ וַאֲתָא לִבְאֵר שֶׁבַע
וּדְבַח דִּבְחִין לֵאלָהָא
דַּאֲבוּהִי יִצְחָק: ב וַאֲמַר יְיָ
לְיִשְׂרָאֵל בְּחֶזְוֵי דְלֵילְיָא

רש"י

לָבוֹ וְהָלַךְ מִלְּהַאֲמִין, לֹא הָיָה לִבּוֹ פּוֹנֶה אֶל הַדְּבָרִים, ל' מְפִיגִין טַעְמָן בִּלְשׁוֹן מִשְׁנָה (ביצה יד.), וּכְמוֹ מֵאֵין הֲפֻגוֹת (איכה ג:מט) וְרֵיחוֹ לֹא נָמָר (ירמיה מח:יא) מִתַּרְגְּמִינַן וְרֵיחֵיהּ לָא פָּג: [פסוק כז] אֵת כָּל דִּבְרֵי יוֹסֵף. סִימָן מָסַר לָהֶם בַּמֶּה הָיָה עוֹסֵק כְּשֶׁפֵּירַשׁ מִמֶּנּוּ, בְּפָרָשַׁת ר עֶגְלָה עֲרוּפָה (ב"ר צד:ג; נה:ג; תנחומא יא). וְזֶהוּ שֶׁנֶּאֱמַר וַיַּרְא אֶת הָעֲגָלוֹת אֲשֶׁר שָׁלַח יוֹסֵף, וְלֹא נֶאֱמַר אֲשֶׁר שָׁלַח פַּרְעֹה: וַתְּחִי רוּחַ יַעֲקֹב. ש שָׁרְתָה עָלָיו שְׁכִינָה שֶׁפֵּירְשָׁה מִמֶּנּוּ (אונקלוס; תנחומא ויגש ב): [פסוק כח] רַב [עוֹד]. רַב לִי [עוֹד] שִׂמְחָה וְחֶדְוָה הוֹאִיל וְעוֹד יוֹסֵף בְּנִי חָי: [פסוק א] בְּאֵרָה שָׁבַע. כְּמוֹ לִבְאֵר שָׁבַע. הֵ"א בְּסוֹף תֵּיבָה בִּמְקוֹם לָמֶ"ד בִּתְחִלָּתָהּ (יבמות יג:): לֵאלֹהֵי אָבִיו יִצְחָק. ת חַיָּיב אָדָם בִּכְבוֹד אָבִיו יוֹתֵר מִבִּכְבוֹד זְקֵנוֹ (ב"ר צד:ה) לְפִיכָךְ תָּלָה בְּיִצְחָק וְלֹא בְּאַבְרָהָם:

בעל הטורים

(כז) ארבע פעמים כתיב "עגלות" בפרשה זו, וארבע פעמים כתיב "עגלה" ערופה. שפירש ממנו בהלכות עגלה ערופה. "וירא את העגלות" בגימטריא ראה בהלכת עגלה ערופה: **(ב) לישראל במראות הלילה.** ד' תגין בשי"ן, על שם "כי שבע יפול צדיק וקם". שבאו עליו שבע צרות וניצול מהם — עשו לבן מלאך דינה יוסף שמעון ובנימין:

עיקר שפתי חכמים

ר כן דרשו בפרק עגלה ערופה, ור"ל העגלות דכתי' בקרא קרינן עגלות בסגו"ל תחת העין ושו"א תחת הג'. ומליצו לפניו כי דברו ברמזים באופן זה כאשר מליצו בע"ז דף י' גבי רבי ואנטונינוס: **ש** ר"ל דרוח היינו נבואה כדכתיב ורוח לבשה את עמשי: **ת** דק"ל דהל"ל לאלהי אבותיו:

ראה המפה "מגורי יַעֲקֹב אָבִינוּ וּבָנָיו" (עמוד 532)

וַיֹּאמֶר יַעֲקֹב | יַעֲקֹב וַיֹּאמֶר הִנֵּנִי׃
ג וַיֹּאמֶר אָנֹכִי הָאֵל אֱלֹהֵי אָבִיךָ
אַל־תִּירָא מֵרְדָה מִצְרַיְמָה כִּי־
לְגוֹי גָּדוֹל אֲשִׂימְךָ שָׁם׃ ד אָנֹכִי
אֵרֵד עִמְּךָ מִצְרַיְמָה וְאָנֹכִי
אַעַלְךָ גַם־עָלֹה וְיוֹסֵף יָשִׁית יָדוֹ
עַל־עֵינֶיךָ׃ ה וַיָּקָם יַעֲקֹב מִבְּאֵר
שָׁבַע וַיִּשְׂאוּ בְנֵי־יִשְׂרָאֵל אֶת־
יַעֲקֹב אֲבִיהֶם וְאֶת־טַפָּם וְאֶת־
נְשֵׁיהֶם בָּעֲגָלוֹת אֲשֶׁר־שָׁלַח פַּרְעֹה לָשֵׂאת
אֹתוֹ׃ ו וַיִּקְחוּ אֶת־מִקְנֵיהֶם וְאֶת־רְכוּשָׁם אֲשֶׁר
רָכְשׁוּ בְּאֶרֶץ כְּנַעַן וַיָּבֹאוּ מִצְרָיְמָה יַעֲקֹב וְכָל־
זַרְעוֹ אִתּוֹ׃ ז בָּנָיו וּבְנֵי בָנָיו אִתּוֹ בְּנֹתָיו וּבְנוֹת

וַאֲמַר יַעֲקֹב יַעֲקֹב וַאֲמַר
הָא אֲנָא׃ ג וַאֲמַר אֲנָא אֵל
אֱלָהָא דַאֲבוּךְ לָא תִדְחַל
מִלְּמֵיחַת לְמִצְרַיִם אֲרֵי
לְעַם סַגִּי אֲשַׁוֵּנָּךְ תַּמָּן׃
ד אֲנָא אֵחוֹת עִמָּךְ לְמִצְרַיִם
וַאֲנָא אַסֵּקִנָּךְ אַף אַסָּקָא
וְיוֹסֵף יְשַׁוֵּי יְדוֹהִי עַל עֵינָיךְ׃
ה וְקָם יַעֲקֹב מִבְּאֵרָא דְשָׁבַע
וּנְטַלוּ בְּנֵי יִשְׂרָאֵל יָת יַעֲקֹב
אֲבוּהוֹן וְיָת טַפְלְהוֹן וְיָת
נְשֵׁיהוֹן בַּעֲגָלָתָא דִּי שְׁלַח
פַּרְעֹה לְמִטַּל יָתֵהּ׃ ו וּנְסִיבוּ
יָת גֵּיתֵיהוֹן וְיָת קִנְיָנְהוֹן
דִּי קְנוֹ בְּאַרְעָא דִכְנַעַן
וַאֲתוֹ לְמִצְרַיִם יַעֲקֹב וְכָל
בְּנוֹהִי עִמֵּהּ׃ ז בְּנוֹהִי וּבְנֵי
בְנוֹהִי עִמֵּהּ בְּנָתֵהּ וּבְנַת

רש"י

[פסוק ב] יַעֲקֹב יַעֲקֹב. לְשׁוֹן חִבָּה (תורת כהנים ויקרא א:יב): **[פסוק ג] אַל תִּירָא מֵרְדָה מִצְרַיְמָה.** לְפִי שֶׁהָיָה מֵצֵר עַל שֶׁנִּזְקַק לָצֵאת לְחוּצָה לָאָרֶץ (פדר"א פל"ט): **[פסוק ד] וְאָנֹכִי אַעַלְךָ.** הִבְטִיחוֹ לִהְיוֹת נִקְבָּר א בָּאָרֶץ (ירושלמי סוטה א:י; קה"ר ז:ב): **[פסוק ו] אֲשֶׁר רָכְשׁוּ בְּאֶרֶץ כְּנַעַן.** אֲבָל מַה שֶּׁרָכַשׁ בְּפַדַּן אֲרָם נָתַן הַכֹּל לְעֵשָׂו בִּשְׁבִיל חֶלְקוֹ בִּמְעָרַת הַמַּכְפֵּלָה, אָמַר, נִכְסֵי חוּצָה לָאָרֶץ אֵינָן כְּדַאי לִי. וְזֶהוּ אֲשֶׁר כָּרִיתִי לִי (להלן נ:ה), הֶעֱמִיד לוֹ צִבּוּרִין שֶׁל זָהָב וְשֶׁל כֶּסֶף כְּמִין כְּרִי וְאָמַר לוֹ טוֹל אֶת אֵלּוּ (תנחומא ישן וישלח יא):

בעל הטורים

(ד) גם עלה. כתוב בה"א. רמז, לאחר ה' דורות יגאלם — יעקב לוי קהת עמרם משה: **ויוסף ישית ידו על עיניך,** יעצים עיניך כשתמות. הבטיחו שלא ימות בחייו:

עיקר שפתי חכמים

א דייק מדכתיב אעלך, משמע לא"י שהיא גבוהה מכל הארצות וק"ל:

בָּנָיו וְכָל־זַרְעוֹ הֵבִיא אִתּוֹ
מִצְרָיְמָה: ס ח וְאֵלֶּה שְׁמוֹת
בְּנֵי־יִשְׂרָאֵל הַבָּאִים מִצְרַיְמָה
יַעֲקֹב וּבָנָיו בְּכֹר יַעֲקֹב רְאוּבֵן:
ט וּבְנֵי רְאוּבֵן חֲנוֹךְ וּפַלּוּא וְחֶצְרֹן
וְכַרְמִי: י וּבְנֵי שִׁמְעוֹן יְמוּאֵל
וְיָמִין וְאֹהַד וְיָכִין וְצֹחַר וְשָׁאוּל
בֶּן־הַכְּנַעֲנִית: יא וּבְנֵי לֵוִי גֵּרְשׁוֹן
קְהָת וּמְרָרִי: יב וּבְנֵי יְהוּדָה עֵר
וְאוֹנָן וְשֵׁלָה וָפֶרֶץ וָזָרַח וַיָּמָת
עֵר וְאוֹנָן בְּאֶרֶץ כְּנַעַן וַיִּהְיוּ בְנֵי־
פֶרֶץ חֶצְרֹן וְחָמוּל: יג וּבְנֵי יִשָּׂשכָר תּוֹלָע וּפֻוָּה
וְיוֹב וְשִׁמְרֹן: יד וּבְנֵי זְבֻלוּן סֶרֶד וְאֵלוֹן וְיַחְלְאֵל:
טו אֵלֶּה | בְּנֵי לֵאָה אֲשֶׁר יָלְדָה לְיַעֲקֹב בְּפַדַּן
אֲרָם וְאֵת דִּינָה בִתּוֹ כָּל־נֶפֶשׁ בָּנָיו וּבְנוֹתָיו

בְּנוֹהִי וְכָל זַרְעֵהּ אַיְתִי
עִמֵּהּ לְמִצְרָיִם: ח וְאִלֵּין
שְׁמָהַת בְּנֵי יִשְׂרָאֵל דְּעַלּוּ
לְמִצְרַיִם יַעֲקֹב וּבְנוֹהִי
בּוּכְרָא דְיַעֲקֹב רְאוּבֵן:
ט וּבְנֵי רְאוּבֵן חֲנוֹךְ וּפַלּוּא
וְחֶצְרֹן וְכַרְמִי: י וּבְנֵי
שִׁמְעוֹן יְמוּאֵל וְיָמִין
וְאֹהַד וְיָכִין וְצֹחַר וְשָׁאוּל
בַּר כְּנַעֲנֵיתָא: יא וּבְנֵי
לֵוִי גֵּרְשׁוֹן קְהָת וּמְרָרִי:
יב וּבְנֵי יְהוּדָה עֵר וְאוֹנָן
וְשֵׁלָה וָפֶרֶץ וָזָרַח וּמִית
עֵר וְאוֹנָן בְּאַרְעָא דִכְנָעַן
וַהֲווֹ בְנֵי פֶרֶץ חֶצְרֹן
וְחָמוּל: יג וּבְנֵי יִשָּׂשכָר
תּוֹלָע וּפֻוָּה וְיוֹב וְשִׁמְרוֹן:
יד וּבְנֵי זְבוּלוּן סֶרֶד וְאֵלוֹן
וְיַחְלְאֵל: טו אִלֵּין בְּנֵי לֵאָה
דִּי יְלִידַת לְיַעֲקֹב בְּפַדַּן
אֲרָם וְיָת דִּינָה בְרַתֵּהּ
כָּל נֶפֶשׁ בְּנוֹהִי וּבְנָתֵהּ

רש"י

[פסוק ז] **וּבְנוֹת בָּנָיו.** סֶרַח בַּת אָשֵׁר וְיוֹכֶבֶד בַּת לֵוִי: [פסוק ח] **הַבָּאִים מִצְרַיְמָה.** עַל שֵׁם הַשָּׁעָה קוֹרֵא לָהֶם הַכָּתוּב בָּאִים. וְאֵין לִתְמוֹהַּ עַל אֲשֶׁר לֹא כָתַב אֲשֶׁר בָּאוּ: [פסוק י] **בֶּן הַכְּנַעֲנִית.** בֶּן דִּינָה שֶׁנִּבְעֲלָה לִכְנַעֲנִי. כְּשֶׁהָרְגוּ אֶת שְׁכֶם לֹא הָיְתָה דִּינָה רוֹצָה לָצֵאת עַד שֶׁנִּשְׁבַּע לָהּ שִׁמְעוֹן שֶׁיִּשָּׂאֶנָּה (ב"ר פ:יא): [פסוק טו] **אֵלֶּה בְּנֵי לֵאָה וְאֵת דִּינָה בִתּוֹ.** הַזְּכָרִים תָּלָה בְלֵאָה

ראה הטבלא "כָּל הַנֶּפֶשׁ לְבֵית יַעֲקֹב הַבָּאָה מִצְרַיְמָה שִׁבְעִים" (עמוד 535), והטבלא "מִשְׁפְּחוֹת בְּנֵי יַעֲקֹב אָבִינוּ" (עמוד 536).

שְׁלֹשִׁ֥ים וְשָׁלֹֽשׁ׃ טז וּבְנֵ֣י גָ֔ד צִפְי֥וֹן
וְחַגִּ֖י שׁוּנִ֣י וְאֶצְבֹּ֑ן עֵרִ֥י וַאֲרוֹדִ֖י
וְאַרְאֵלִֽי׃ יז וּבְנֵ֣י אָשֵׁ֗ר יִמְנָ֧ה וְיִשְׁוָ֛ה
וְיִשְׁוִ֥י וּבְרִיעָ֖ה וְשֶׂ֣רַח אֲחֹתָ֑ם
וּבְנֵ֣י בְרִיעָ֔ה חֶ֖בֶר וּמַלְכִּיאֵֽל׃
יח אֵ֚לֶּה בְּנֵ֣י זִלְפָּ֔ה אֲשֶׁר־נָתַ֥ן
לָבָ֖ן לְלֵאָ֣ה בִתּ֑וֹ וַתֵּ֤לֶד אֶת־אֵ֙לֶּה֙
לְיַעֲקֹ֔ב שֵׁ֥שׁ עֶשְׂרֵ֖ה נָֽפֶשׁ׃ יט בְּנֵ֤י
רָחֵל֙ אֵ֣שֶׁת יַעֲקֹ֔ב יוֹסֵ֖ף וּבִנְיָמִֽן׃
כ וַיִּוָּלֵ֣ד לְיוֹסֵף֮ בְּאֶ֣רֶץ מִצְרַיִם֒ אֲשֶׁ֤ר יָֽלְדָה־
לּוֹ֙ אָֽסְנַ֔ת בַּת־פּ֥וֹטִי פֶ֖רַע כֹּהֵ֣ן אֹ֑ן אֶת־מְנַשֶּׁ֖ה
וְאֶת־אֶפְרָֽיִם׃ כא וּבְנֵ֣י בִנְיָמִ֗ן בֶּ֤לַע וָבֶ֙כֶר֙ וְאַשְׁבֵּ֔ל
גֵּרָ֖א וְנַעֲמָ֑ן אֵחִ֣י וָרֹ֔אשׁ מֻפִּ֥ים וְחֻפִּ֖ים וָאָֽרְדְּ׃

תְּלָתִין וּתְלָת: טז וּבְנֵי גָד
צִפְיוֹן וְחַגִּי שׁוּנִי וְאֶצְבּוֹן
עֵרִי וַאֲרוֹדִי וְאַרְאֵלִי:
יז וּבְנֵי אָשֵׁר יִמְנָה וְיִשְׁוָה
וְיִשְׁוִי וּבְרִיעָה וְשֶׂרַח
אֲחַתְהוֹן וּבְנֵי בְרִיעָה חֶבֶר
וּמַלְכִּיאֵל: יח אִלֵּין בְּנֵי
זִלְפָּה דִּי יְהַב לָבָן לְלֵאָה
בְרַתֵּהּ וִילִידַת יָת אִלֵּין
לְיַעֲקֹב שִׁית עֶשְׂרֵי נַפְשָׁא:
יט בְּנֵי רָחֵל אִתַּת יַעֲקֹב
יוֹסֵף וּבִנְיָמִן: כ וְאִתְיְלִיד
לְיוֹסֵף בְּאַרְעָא דְמִצְרַיִם
דִּי יְלִידַת לֵהּ אָסְנַת בַּת
פּוֹטִי פֶּרַע רַבָּא דְאוֹן
יָת מְנַשֶּׁה וְיָת אֶפְרָיִם:
כא וּבְנֵי בִנְיָמִן בֶּלַע וָבֶכֶר
וְאַשְׁבֵּל גֵּרָא וְנַעֲמָן אֵחִי
וְרֹאשׁ מֻפִּים וְחֻפִּים וָאָרְד:

רש״י

וְהַנְּקֵבוֹת תָּלָה בְּיַעֲקֹב, לְלַמֶּדְךָ, אִשָּׁה מַזְרַעַת תְּחִלָּה יוֹלֶדֶת זָכָר, אִישׁ מַזְרִיעַ תְּחִלָּה יוֹלֶדֶת נְקֵבָה (נדה לא.): **שְׁלֹשִׁים וְשָׁלֹשׁ.** וּבִפְרָטָן אִי אַתָּה מוֹצֵא אֶלָּא ל״ב. אֶלָּא זוֹ יוֹכֶבֶד שֶׁנּוֹלְדָה בֵּין הַחוֹמוֹת בִּכְנִיסָתָן לָעִיר שֶׁנֶּאֱמַר אֲשֶׁר יָלְדָה אֹתָהּ לְלֵוִי בְּמִצְרָיִם (במדבר כו:נט) לֵידָתָהּ בְּמִצְרַיִם וְאֵין הוֹרָתָהּ בְּמִצְרַיִם (ב״ב קכג.): **[פסוק יט] בְּנֵי רָחֵל אֵשֶׁת יַעֲקֹב.** וּבְכֻלָּן לֹא נֶאֱמַר בָּהֶן אֵשֶׁת, אֶלָּא שֶׁהָיְתָה עִיקָּרוֹ שֶׁל בַּיִת (ב״ר עג:ב; תנחומא ישן ויגש טו):

בעל הטורים

(כא) וראש. ב׳ במסורת — הכא ״אחי וראש״; ואידך ״זכר עניי ומרודי לענה וראש״. כדאיתא במדרש, שקרא בנימין לכל בניו על שם הצרות שאירעו ליוסף. וזהו על שם ״וראש״ אזכור ״עניי ומרודי לענה וראש״:

ראה הטבלא ״שְׁמוֹת בְּנֵי בִנְיָמִן וְהִשְׁתַּיְּכוּתָם לְצָרוֹת יוֹסֵף״ (עמוד 538).

כב אֵלֶּה בְּנֵי רָחֵל אֲשֶׁר יֻלַּד
לְיַעֲקֹב כָּל־נֶפֶשׁ אַרְבָּעָה עָשָׂר׃
כג וּבְנֵי־דָן חֻשִׁים׃ כד וּבְנֵי נַפְתָּלִי
יַחְצְאֵל וְגוּנִי וְיֵצֶר וְשִׁלֵּם׃ כה אֵלֶּה
בְּנֵי בִלְהָה אֲשֶׁר־נָתַן לָבָן לְרָחֵל
בִּתּוֹ וַתֵּלֶד אֶת־אֵלֶּה לְיַעֲקֹב
כָּל־נֶפֶשׁ שִׁבְעָה׃ כו כָּל־הַנֶּפֶשׁ
הַבָּאָה לְיַעֲקֹב מִצְרַיְמָה יֹצְאֵי
יְרֵכוֹ מִלְּבַד נְשֵׁי בְנֵי־יַעֲקֹב כָּל־נֶפֶשׁ שִׁשִּׁים
וָשֵׁשׁ׃ כז וּבְנֵי יוֹסֵף אֲשֶׁר־יֻלַּד־לוֹ בְמִצְרַיִם
נֶפֶשׁ שְׁנָיִם כָּל־הַנֶּפֶשׁ לְבֵית־יַעֲקֹב הַבָּאָה

כב אֵלֵין בְּנֵי רָחֵל דִּי
אִתְיְלִידוּ לְיַעֲקֹב כָּל
נַפְשָׁתָא אַרְבְּעָה עֲשַׂר׃
כג וּבְנֵי דָן חֻשִׁים׃ כד וּבְנֵי
נַפְתָּלִי יַחְצְאֵל וְגוּנִי וְיֵצֶר
וְשִׁלֵּם׃ כה אִלֵּין בְּנֵי בִלְהָה
דִּי יְהַב לָבָן לְרָחֵל בְּרַתֵּהּ
וִילִידַת יָת אִלֵּין לְיַעֲקֹב
כָּל נַפְשָׁתָא שִׁבְעָא׃ כו כָּל
נַפְשָׁא (נ״א נַפְשָׁתָא) דְעָלָא
לְיַעֲקֹב לְמִצְרַיִם נָפְקֵי
יַרְכֵּהּ בַּר מִנְּשֵׁי בְנֵי יַעֲקֹב
כָּל נַפְשָׁתָא שִׁתִּין וְשִׁית׃
כז וּבְנֵי יוֹסֵף דִּי אִתְיְלִידוּ לֵהּ
בְּמִצְרַיִם נַפְשָׁתָא תַּרְתֵּין כָּל
נַפְשָׁתָא לְבֵית יַעֲקֹב דְּעָלָא

רש״י

[פסוק כו] **כל הנפש הבאה ליעקב.** שיצאו מארץ כנען לבא למצרים. ואין הבאה זו לשון עבר אלא לשון הווה, כמו בערב היא באה (אסתר ב:יד), וכמו והנה רחל בתו באה עם הצאן (לעיל כט:ו), לפיכך טעמו למטה בה״א, לפי שכשיצאו לבוא מארץ כנען לא היו אלא ששים ושש. והשני, כל הנפש לבית יעקב הבאה מצרימה שבעים, הוא לשון עבר, לפיכך טעמו למעלה בבי״ת. לפי שמשבאו שם היו שבעים, שמצאו שם יוסף ושני בניו ונתוספה להם יוכבד בין החומות. ולדברי האומר תאומות נולדו עם השבטים (ב״ר פב:ח; עי׳ לעיל לה:יז) צריכים אנו לומר ב שמתו לפני ירידתן למצרים, שהרי לא נמנו כאן. [מצאתי בויקרא רבה (ד:ו) עשו שש נפשות היו לו והכתוב קורא אותן ג נפשות ביתו (לעיל לו:ו) לשון רבים, לפי שהיו עובדין לאלהות הרבה. יעקב שבעים היו לו והכתוב קורא אותן נפש, לפי שהיו עובדים לאל אחד]:

בעל הטורים

(כג) חשים. ב׳ במסורת מתרי לישני — "ובני דן חשים"; "ואנחנו נחלץ חשים". דאמרינן בפרק מי שמת, שהיו בני דן כחושים של קנה. פירוש, מלמטה הוא אחד ולמעלה מתפצל לכמה קנים, שמבן אחד שהיה לו יצאו רבים. וכן נמי, "נחלץ חשים", שדרך הנלחמים להדבק אלו עם אלו, שלא יפרידו אותם האויבים:

עיקר שפתי חכמים

ב דאל״כ למה לא חשב אותן בחשבון שאר בנים: ג כדכתיב בפ׳ וישלח ויקח עשו וגו׳ ואת כל נפשות ביתו:

מִצְרַיְמָה שִׁבְעִים׃ ס ששי כח וְאֶת־
יְהוּדָה שָׁלַח לְפָנָיו אֶל־יוֹסֵף
לְהוֹרֹת לְפָנָיו גֹּשְׁנָה וַיָּבֹאוּ
אַרְצָה גֹּשֶׁן׃ כט וַיֶּאְסֹר יוֹסֵף
מֶרְכַּבְתּוֹ וַיַּעַל לִקְרַאת־יִשְׂרָאֵל
אָבִיו גֹּשְׁנָה וַיֵּרָא אֵלָיו וַיִּפֹּל ו
עַל־צַוָּארָיו וַיֵּבְךְּ עַל־צַוָּארָיו
עוֹד׃ ל וַיֹּאמֶר יִשְׂרָאֵל אֶל־יוֹסֵף
אָמוּתָה הַפָּעַם אַחֲרֵי רְאוֹתִי אֶת־פָּנֶיךָ כִּי עוֹדְךָ
חָי׃ לא וַיֹּאמֶר יוֹסֵף אֶל־אֶחָיו וְאֶל־בֵּית אָבִיו
אֶעֱלֶה וְאַגִּידָה לְפַרְעֹה וְאֹמְרָה אֵלָיו אַחַי וּבֵית־

לְמִצְרַיִם שִׁבְעִין׃ כח וְיָת
יְהוּדָה שְׁלַח קֳדָמוֹהִי
לְוַת יוֹסֵף לְפַנָּאָה קֳדָמוֹהִי
לְגֹשֶׁן וַאֲתוֹ לְאַרְעָא דְגֹשֶׁן׃
כט וְטַקֵּיס יוֹסֵף רְתִכּוֹהִי
וּסְלֵיק לְקַדָּמוּת יִשְׂרָאֵל
אֲבוּהִי לְגֹשֶׁן וְאִתְגְּלִי לֵהּ
וּנְפַל עַל צַוְּרֵהּ וּבְכָא עַל
צַוְּרֵהּ עוֹד׃ ל וַאֲמַר יִשְׂרָאֵל
לְיוֹסֵף אִלּוּ אֲנָא מָיִת זִמְנָא
הָדָא מְנַחֵם אֲנָא בָּתַר
דַּחֲזֵיתִינוּן לְאַפָּיךְ אֲרֵי עַד
כְּעַן אַתְּ קַיָּם׃ לא וַאֲמַר
יוֹסֵף לַאֲחוֹהִי וּלְבֵית
אֲבוּהִי אֶסַּק וְאֶחַוֵּי לְפַרְעֹה
וְאֵימַר לֵהּ אַחַי וּבֵית

רש"י

[פסוק כח] **לְהוֹרֹת לְפָנָיו.** כְּתַרְגּוּמוֹ. לְפַנּוֹת לוֹ מָקוֹם וּלְהוֹרוֹת הֵיאַךְ יִתְיַשֵּׁב בָּהּ: **לְפָנָיו.** קוֹדֶם שֶׁיַּגִּיעַ לְשָׁם. ומ"א, לְהוֹרוֹת לְפָנָיו, לְתַקֵּן לוֹ בֵּית תַּלְמוּד שֶׁמִּשָּׁם תֵּצֵא הוֹרָאָה (תנחומא יא; ב"ר צה:ג): [פסוק כט] **וַיֶּאְסֹר יוֹסֵף מֶרְכַּבְתּוֹ.** הוּא עַצְמוֹ אָסַר אֶת הַסּוּסִים לַמֶּרְכָּבָה לְהִזְדָּרֵז לִכְבוֹד אָבִיו (מכילתא בשלח פ"א; ב"ר נה:ח): **וַיֵּרָא אֵלָיו.** ד יוֹסֵף נִרְאָה אֶל אָבִיו: **וַיֵּבְךְּ עַל צַוָּארָיו עוֹד.** לְשׁוֹן הַרְבּוֹת בְּכִיָּה, וְכֵן כִּי לֹא עַל אִישׁ יָשִׂים עוֹד (איוב לד: כג) ל' רִבּוּי הוּא, אֵינוֹ שָׂם עָלָיו עֲלִילוֹת נוֹסָפוֹת עַל חֲטָאָיו, אַף כָּאן הִרְבָּה וְהוֹסִיף בִּבְכִי יוֹתֵר עַל הָרָגִיל. אֲבָל יַעֲקֹב לֹא נָפַל עַל צַוְּארֵי יוֹסֵף וְלֹא נְשָׁקוֹ, וְאָמְרוּ רַבּוֹתֵינוּ שֶׁהָיָה קוֹרֵא אֶת שְׁמַע (מס' דא"ז (היגער) א:י): [פסוק ל] **אָמוּתָה הַפָּעַם.** פְּשׁוּטוֹ ה כְּתַרְגּוּמוֹ. וּמִדְרָשׁוֹ סָבוּר הָיִיתִי לָמוּת שְׁתֵּי מִיתוֹת, בעוה"ז וְלָעוֹלָם הַבָּא, שֶׁנִּסְתַּלְּקָה מִמֶּנִּי שְׁכִינָה וְהָיִיתִי אוֹמֵר שֶׁיִּתְבָּעֵנִי הקב"ה מִיתָתְךָ. עַכְשָׁיו שֶׁעוֹדְךָ חַי לֹא אָמוּת אֶלָּא פַּעַם אַחַת (תנחומא ט): [פסוק לא] **וְאֹמְרָה אֵלָיו אַחַי וגו'.** וְעוֹד ו

עיקר שפתי חכמים

ד דאין שייך לומר שיעקב נראה ליוסף שהרי הכתוב מדבר מן יוסף שעלה לקראת אביו: ה כי אמר גם אם אמות אנוח ואשקוט אחרי ראותי פניך, אבל לא כי בקש למות, דאדרבה בראות פני בנו טוב לו החיים: ו ר"ל דלא תפרש כי והאנשים רעי צאן הוא דברי הכתוב:

אָבִ֛י אֲשֶׁ֥ר בְּאֶֽרֶץ־כְּנַ֖עַן בָּ֥אוּ אֵלָֽי׃
לב וְהָאֲנָשִׁים֙ רֹ֣עֵי צֹ֔אן כִּֽי־אַנְשֵׁ֥י
מִקְנֶ֖ה הָי֑וּ וְצֹאנָ֧ם וּבְקָרָ֛ם וְכָל־
אֲשֶׁ֥ר לָהֶ֖ם הֵבִֽיאוּ׃ לג וְהָיָ֕ה כִּֽי־
יִקְרָ֥א לָכֶ֖ם פַּרְעֹ֑ה וְאָמַ֖ר מַה־
מַּעֲשֵׂיכֶֽם׃ לד וַאֲמַרְתֶּ֗ם אַנְשֵׁ֨י
מִקְנֶ֜ה הָי֤וּ עֲבָדֶ֙יךָ֙ מִנְּעוּרֵ֣ינוּ וְעַד־
עַ֔תָּה גַּם־אֲנַ֖חְנוּ גַּם־אֲבֹתֵ֑ינוּ
בַּעֲב֗וּר תֵּשְׁבוּ֙ בְּאֶ֣רֶץ גֹּ֔שֶׁן כִּֽי־
תוֹעֲבַ֥ת מִצְרַ֖יִם כָּל־רֹ֥עֵה צֹֽאן׃

אַבָּא דִּי בְּאַרְעָא דִכְנַעַן
אֲתוֹ לְוָתִי: לב וְגֻבְרַיָּא רָעֵי
עָנָא אֲרֵי גֻּבְרֵי מָרֵי גֵיתֵי
הֲווֹ וְעָנְהוֹן וְתוֹרְהוֹן וְכָל דִּי
לְהוֹן אַיְתִיאוּ: לג וִיהֵי אֲרֵי
יִקְרֵי לְכוֹן פַּרְעֹה וְיֵימַר
מָה עוֹבָדֵיכוֹן: לד וְתֵימְרוּן
גֻּבְרֵי מָרֵי גֵיתֵי הֲווֹ עַבְדָיךְ
מֵעוּלֵמָנָא וְעַד כְּעַן אַף
אֲנַחְנָא אַף אֲבָהָתָנָא בְּדִיל
דִּי תֵיתְבוּן בְּאַרְעָא דְגֹשֶׁן
אֲרֵי בְעִירָא דְמִצְרָאֵי
דָּחֲלִין לֵהּ (נ״א אֲרֵי
מְרַחֲקִין מִצְרָאֵי) כָּל רָעֵי
עָנָא: א וַאֲתָא יוֹסֵף וְחַוִּי
לְפַרְעֹה וַאֲמַר אַבָּא וְאַחַי
וְעָנְהוֹן וְתוֹרְהוֹן וְכָל דִּי
לְהוֹן אֲתוֹ מֵאַרְעָא דִכְנַעַן
וְהָא אִנּוּן בְּאַרְעָא דְגֹשֶׁן:
ב וּמִקְצָת מִן אֲחוֹהִי

פרק מז א וַיָּבֹ֣א יוֹסֵף֮ וַיַּגֵּ֣ד לְפַרְעֹה֒ וַיֹּ֗אמֶר אָבִ֨י
וְאַחַ֜י וְצֹאנָ֤ם וּבְקָרָם֙ וְכָל־אֲשֶׁ֣ר לָהֶ֔ם בָּ֖אוּ
מֵאֶ֣רֶץ כְּנָ֑עַן וְהִנָּ֖ם בְּאֶ֥רֶץ גֹּֽשֶׁן׃ ב וּמִקְצֵ֣ה אֶחָ֔יו

רש״י

אוֹמֵר לוֹ **וְהָאֲנָשִׁים רֹעֵי צֹאן וגו׳:** **[פסוק לד] בַּעֲבוּר תֵּשְׁבוּ בְּאֶרֶץ גֹּשֶׁן.** וְהִיא צְרִיכָה לָכֶם שֶׁהִיא אֶרֶץ מִרְעֶה. וּכְשֶׁתֹּאמְרוּ לוֹ שֶׁאֵין אַתֶּם בְּקִיאִין בִּמְלָאכָה אַחֶרֶת יַרְחִיקְכֶם מֵעָלָיו וְיוֹשִׁיבְכֶם שָׁם: **כִּי תוֹעֲבַת מִצְרַיִם כָּל רֹעֵה צֹאן.** לְפִי שֶׁהֵם לָהֶם אֱלוֹהוּת: **[פסוק ב] וּמִקְצֵה אֶחָיו.** מִן הַפְּחוּתִים שֶׁבָּהֶם לִגְבוּרָה שֶׁאֵין נִרְאִים גִּבּוֹרִים, שֶׁאִם יִרְאֶה אוֹתָם גִּבּוֹרִים יַעֲשֶׂה אוֹתָם אַנְשֵׁי מִלְחַמְתּוֹ. וְאֵלֶּה הֵם, רְאוּבֵן שִׁמְעוֹן לֵוִי יִשָּׂשכָר וּבִנְיָמִן, אוֹתָן שֶׁלֹּא כָּפַל מֹשֶׁה שְׁמוֹתָם כְּשֶׁבֵּרְכָן. אֲבָל שְׁמוֹת הַגִּבּוֹרִים כָּפַל. וְזֹאת לִיהוּדָה שְׁמַע ה׳ קוֹל יְהוּדָה (דברים לג:ז). וּלְגָד אָמַר בָּרוּךְ מַרְחִיב גָּד (שם כ). וּלְנַפְתָּלִי אָמַר נַפְתָּלִי (שם כג). וּלְדָן אָמַר דָּן (שם כב). וְכֵן לִזְבוּלוּן. וְכֵן לְאָשֵׁר. זֶהוּ לְשׁוֹן בְּרֵאשִׁית רַבָּה (צה:ד) שֶׁהִיא אַגָּדַת אֶרֶץ יִשְׂרָאֵל. אֲבָל בִּגְמָרָא בַּבְלִית שֶׁלָּנוּ

לָקַח חֲמִשָּׁה אֲנָשִׁים וַיַּצִּגֵם
לִפְנֵי פַרְעֹה: ג וַיֹּאמֶר פַּרְעֹה
אֶל־אֶחָיו מַה־מַּעֲשֵׂיכֶם וַיֹּאמְרוּ
אֶל־פַּרְעֹה רֹעֵה צֹאן עֲבָדֶיךָ גַּם־
אֲנַחְנוּ גַּם־אֲבוֹתֵינוּ: ד וַיֹּאמְרוּ
אֶל־פַּרְעֹה לָגוּר בָּאָרֶץ בָּאנוּ
כִּי־אֵין מִרְעֶה לַצֹּאן אֲשֶׁר
לַעֲבָדֶיךָ כִּי־כָבֵד הָרָעָב בְּאֶרֶץ
כְּנָעַן וְעַתָּה יֵשְׁבוּ־נָא עֲבָדֶיךָ
בְּאֶרֶץ גֹּשֶׁן: ה וַיֹּאמֶר פַּרְעֹה
אֶל־יוֹסֵף לֵאמֹר אָבִיךָ וְאַחֶיךָ
בָּאוּ אֵלֶיךָ: ו אֶרֶץ מִצְרַיִם לְפָנֶיךָ הִוא בְּמֵיטַב
הָאָרֶץ הוֹשֵׁב אֶת־אָבִיךָ וְאֶת־אַחֶיךָ יֵשְׁבוּ
בְּאֶרֶץ גֹּשֶׁן וְאִם־יָדַעְתָּ וְיֶשׁ־בָּם אַנְשֵׁי־חַיִל

דְּבַר חַמְשָׁא גֻבְרִין
וַאֲקֵימִנּוּן קֳדָם פַּרְעֹה:
ג וַאֲמַר פַּרְעֹה לַאֲחוֹהִי
מָה עוֹבָדֵיכוֹן וַאֲמָרוּ
לְפַרְעֹה רָעֵי עָנָא עַבְדָּךְ
אַף אֲנַחְנָא אַף אֲבָהָתַנָא:
ד וַאֲמָרוּ לְוָת פַּרְעֹה
לְאִתּוֹתָבָא בְּאַרְעָא
אֲתֵינָא אֲרֵי לֵית רַעְיָא
לְעָנָא דִּי לְעַבְדָּךְ אֲרֵי
תַקִּיף כַּפְנָא בְּאַרְעָא
דִכְנָעַן וּכְעַן יִתְבוּן כְּעַן
עַבְדָּךְ בְּאַרְעָא דְגֹשֶׁן:
ה וַאֲמַר פַּרְעֹה לְיוֹסֵף
לְמֵימַר אֲבוּךְ וַאֲחָךְ אֲתוֹ
לְוָתָךְ: ו אַרְעָא דְמִצְרַיִם
קֳדָמָךְ הִיא בִּדְשַׁפִּיר
בְּאַרְעָא אוֹתֵיב יָת אֲבוּךְ
וְיָת אֲחָךְ יִתְבוּן בְּאַרְעָא
דְגֹשֶׁן וְאִם יְדַעְתְּ וְאִית
בְּהוֹן גֻּבְרִין דְּחֵילָא

רש"י

מָנִינוּ שֶׁאוֹתָן שֶׁכָּפַל מֹשֶׁה שְׁמוֹתָן הֵם הַחַלָּשִׁים וְאוֹתָן הֵבִיא לִפְנֵי פַרְעֹה, וִיהוּדָה שֶׁהוּכְפַּל שְׁמוֹ לֹא הוּכְפַּל מִשּׁוּם חַלָּשׁוּת אֶלָּא טַעַם יֵשׁ בַּדָּבָר, כִּדְאִיתָא בְּבָבָא קַמָּא (צב.). וּבְבָרַיְיתָא דְסִפְרֵי בְּזֹאת הַבְּרָכָה (שנד) שָׁנִינוּ כְּמוֹ בַּגְּמָרָא שֶׁלָּנוּ: **[פסוק ו] אַנְשֵׁי חַיִל.** ז בְּקִיאִין בְּאוּמָּנוּתָן לִרְעוֹת צֹאן:

בעל הטורים

(ב) ומקצה אחיו לקח. בגימטריא זה החלשים: **(ו) במיטב הארץ.** בגימטריא גושן:

עיקר שפתי חכמים

ז כי לא נוכל לפרש אנשי חיל כמו בכל מקום גבורי כח, דהא רש"י ז"ל כתב דהם היו הפחותים בגבורה:

וְשַׂמְתָּם שָׂרֵי מִקְנֶה עַל־אֲשֶׁר־
לִי׃ ז וַיָּבֵא יוֹסֵף אֶת־יַעֲקֹב אָבִיו
וַיַּעֲמִדֵהוּ לִפְנֵי פַרְעֹה וַיְבָרֶךְ
יַעֲקֹב אֶת־פַּרְעֹה׃ ח וַיֹּאמֶר
פַּרְעֹה אֶל־יַעֲקֹב כַּמָּה יְמֵי שְׁנֵי
חַיֶּיךָ׃ ט וַיֹּאמֶר יַעֲקֹב אֶל־פַּרְעֹה
יְמֵי שְׁנֵי מְגוּרַי שְׁלֹשִׁים וּמְאַת
שָׁנָה מְעַט וְרָעִים הָיוּ יְמֵי שְׁנֵי
חַיַּי וְלֹא הִשִּׂיגוּ אֶת־יְמֵי שְׁנֵי חַיֵּי
אֲבֹתַי בִּימֵי מְגוּרֵיהֶם׃ י וַיְבָרֶךְ יַעֲקֹב אֶת־פַּרְעֹה
וַיֵּצֵא מִלִּפְנֵי פַרְעֹה׃ שביעי יא וַיּוֹשֵׁב יוֹסֵף אֶת־אָבִיו
וְאֶת־אֶחָיו וַיִּתֵּן לָהֶם אֲחֻזָּה בְּאֶרֶץ מִצְרַיִם

וּתְמַנֵּינוּן רַבָּנֵי גֵיתַי עַל
דִּי לִי׃ ז וְאָעֵיל יוֹסֵף יָת
יַעֲקֹב אֲבוּהִי וַאֲקֵימִנֵּהּ
קֳדָם פַּרְעֹה וּבָרֵיךְ יַעֲקֹב
יָת פַּרְעֹה׃ ח וַאֲמַר
פַּרְעֹה לְיַעֲקֹב כַּמָּה
יוֹמֵי שְׁנֵי חַיָּיךְ׃ ט וַאֲמַר
יַעֲקֹב לְפַרְעֹה יוֹמֵי שְׁנֵי
תוֹתָבוּתִי מְאָה וּתְלָתִין
שְׁנִין זְעִירִין וּבִישִׁין הֲווֹ
יוֹמֵי שְׁנֵי חַיַּי וְלָא אַדְבִּיקוּ
יָת יוֹמֵי שְׁנֵי חַיֵּי אֲבָהָתַי
בְּיוֹמֵי תּוֹתָבוּתְהוֹן׃
י וּבָרֵיךְ יַעֲקֹב יָת פַּרְעֹה
וּנְפַק מִן קֳדָם פַּרְעֹה׃
יא וְאוֹתֵיב יוֹסֵף יָת אֲבוּהִי
וְיָת אֲחוֹהִי וִיהַב לְהוֹן
אַחֲסָנָא בְּאַרְעָא דְמִצְרַיִם

רש"י

עַל אֲשֶׁר לִי. עַל מַה שֶּׁלִּי (אונקלוס): **[פסוק ז] וַיְבָרֶךְ יַעֲקֹב.** הוּא שְׁאִילַת שָׁלוֹם, כְּדֶרֶךְ כָּל הַנִּרְאִים לִפְנֵי הַמְּלָכִים לִפְרָקִים, סלודי"ר בלע"ז: **[פסוק ט] שְׁנֵי מְגוּרַי.** יְמֵי גֵּרוּתִי. כָּל יָמַי הָיִיתִי גֵּר בָּאָרֶץ (תרגום יונתן): **וְלֹא הִשִּׂיגוּ.** בַּטּוֹבָה: **[פסוק י] וַיְבָרֶךְ יַעֲקֹב.** כְּדֶרֶךְ כָּל הַנִּפְטָרִים מִלִּפְנֵי שָׂרִים מְבָרְכִים אוֹתָם וְנוֹטְלִים רְשׁוּת. וּמַה בְּרָכָה בֵּרְכוֹ, שֶׁיַּעֲלֶה נִילוּס לְרַגְלָיו, לְפִי שֶׁאֵין אֶרֶץ מִצְרַיִם שׁוֹתָה מֵי גְשָׁמִים אֶלָּא נִילוּס עוֹלֶה וּמַשְׁקָהּ, וּמִבִּרְכָתוֹ שֶׁל יַעֲקֹב וְאֵילָךְ הָיָה פַּרְעֹה בָּא אֶל נִילוּס וְהוּא עוֹלֶה לִקְרָאתוֹ וּמַשְׁקֶה אֶת הָאָרֶץ. (תנחומא נשא כו; תנחומא ישן נשא כו):

בעל הטורים

ושמתם. ב׳ במסורת – ״ושמתם שרי מקנה על אשר לי״; ואידך ״ושמתם בארון״. מלמד שהיו ממונים ושרים על ראשי החיילים, והיו שמם כתובים ומונחים בארגז המלך. וזה הוא ״ושמתם בארון״: **(ז) ויעמדהו.** ב׳ במסורת – ״ויעמדהו לפני פרעה״; ואידך ״ויעמדהו לפני אלעזר הכהן״, ושניהם חסרים – לפי שיעקב היה זקן והיו צריכים לסמכו כדי שיוכל לעמוד. גם יהושע היה מתבייש שנעשה מנהיג בפני משה והיה ירא ממשה, פן יענישהו, והיו צריכים לסמכו. ולכך חסרים, שלא היתה עמידתן שלמה:

ראה הטבלא **״שְׁנֵי חַיֵּי יַעֲקֹב אָבִינוּ״** (עמוד 533).

בְּמֵיטַב הָאָרֶץ בְּאֶרֶץ רַעְמְסֵס
כַּאֲשֶׁר צִוָּה פַרְעֹה: יב וַיְכַלְכֵּל
יוֹסֵף אֶת־אָבִיו וְאֶת־אֶחָיו וְאֵת
כָּל־בֵּית אָבִיו לֶחֶם לְפִי הַטָּף:
יג וְלֶחֶם אֵין בְּכָל־הָאָרֶץ כִּי־
כָבֵד הָרָעָב מְאֹד וַתֵּלַהּ אֶרֶץ
מִצְרַיִם וְאֶרֶץ כְּנַעַן מִפְּנֵי
הָרָעָב: יד וַיְלַקֵּט יוֹסֵף אֶת־כָּל־
הַכֶּסֶף הַנִּמְצָא בְאֶרֶץ־מִצְרַיִם
וּבְאֶרֶץ כְּנַעַן בַּשֶּׁבֶר אֲשֶׁר־הֵם
שֹׁבְרִים וַיָּבֵא יוֹסֵף אֶת־הַכֶּסֶף בֵּיתָה פַּרְעֹה:
טו וַיִּתֹּם הַכֶּסֶף מֵאֶרֶץ מִצְרַיִם וּמֵאֶרֶץ כְּנַעַן
וַיָּבֹאוּ כָל־מִצְרַיִם אֶל־יוֹסֵף לֵאמֹר הָבָה־

בִּדְשַׁפִּיר בְּאַרְעָא בְּאַרְעָא
דְרַעְמְסֵס כְּמָא דִי פַקִּיד
פַּרְעֹה: יב וְזָן יוֹסֵף יָת
אֲבוּהִי וְיָת אֲחוּהִי וְיָת כָּל
בֵּית אֲבוּהִי לַחְמָא לְפוּם
טַפְלָא: יג וְלַחְמָא לֵית
בְּכָל אַרְעָא אֲרֵי תַקִּיף
כַּפְנָא לַחֲדָא וְאִשְׁתַּלְהֵי
עַמָּא דְאַרְעָא דְמִצְרַיִם
וְעַמָּא דְאַרְעָא דִכְנַעַן מִן
קֳדָם כַּפְנָא: יד וְלַקִּיט יוֹסֵף
יָת כָּל כַּסְפָּא דְאִשְׁתְּכַח
בְּאַרְעָא דְמִצְרַיִם
וּבְאַרְעָא דִכְנַעַן בְּעִיבוּרָא
דִי אִנּוּן זָבְנִין וְאַיְתִי יוֹסֵף
יָת כַּסְפָּא לְבֵית פַּרְעֹה:
טו וּשְׁלִים כַּסְפָּא מֵאַרְעָא
דְמִצְרַיִם וּמֵאַרְעָא
דִכְנַעַן וַאֲתוֹ כָל מִצְרַיִם
לְוָת יוֹסֵף לְמֵימַר הַב

רש"י

[פסוק יא] רַעְמְסֵס. מֵאֶרֶץ גֹּשֶׁן הִיא: **[פסוק יב] לְפִי הַטָּף.** ח לְפִי הַצָּרִיךְ לְכָל בְּנֵי בֵיתָם (תרגום יונתן): **[פסוק יג] וְלֶחֶם אֵין בְּכָל הָאָרֶץ.** חוֹזֵר לָעִנְיָן הָרִאשׁוֹן ט לִתְחִלַּת שְׁנֵי הָרָעָב: **וַתֵּלַהּ.** כְּמוֹ י וַתִּלְאֶה. לְשׁוֹן עֲיֵפוּת, כְּתַרְגּוּמוֹ, וְדוֹמֶה לוֹ כְּמִתְלַהְלֵהַּ הַיֹּרֶה זִקִּים (משלי כו:יח): **[פסוק יד] בַּשֶּׁבֶר אֲשֶׁר הֵם שֹׁבְרִים.** כ נוֹתְנִין לוֹ אֶת הַכֶּסֶף:

בעל הטורים

(יד) ביתה פרעה. ב׳ במסורת — "את הכסף ביתה פרעה"; "ערב כבד ביתה פרעה". בשביל שלא זכר הטובות שעשה לו יוסף, שהביא כל הכסף לביתו, על זה בא הערב תחלה ביתה פרעה: דבר אחר — לומר, כמו שמכניסין הכסף חדר בחדר, כי "ביתה" תרגום "מלגו", כך בא הערב בחדר פרעה לפנים חדר בחדר:

עיקר שפתי חכמים

ח כלומר דרך הטף הוא לפרר הלחם שלא לצורך, ותכלכלם גם ליותר מכדי צרכם ומכ"ש מה שצריך להם: **ט** דהא משבא יעקב למצרים כלה הרעב כדפירש"י בסמוך: **י** שהה"א הוא תמורת האל"ף כי אותיות אהו"י מתחלפים: **כ** ולא תפרש בשבר מלשון מכר רק מלשון קנין:

לָ֣נוּ לֶ֔חֶם וְלָ֥מָּה נָמ֖וּת נֶגְדֶּ֑ךָ כִּ֥י
אָפֵ֖ס כָּֽסֶף׃ טז וַיֹּ֤אמֶר יוֹסֵף֙ הָב֣וּ
מִקְנֵיכֶ֔ם וְאֶתְּנָ֥ה לָכֶ֖ם בְּמִקְנֵיכֶ֑ם
אִם־אָפֵ֖ס כָּֽסֶף׃ יז וַיָּבִ֣יאוּ אֶת־
מִקְנֵיהֶם֮ אֶל־יוֹסֵף֒ וַיִּתֵּ֣ן לָהֶם֩
יוֹסֵ֨ף לֶ֜חֶם בַּסּוּסִ֗ים וּבְמִקְנֵ֥ה
הַצֹּ֛אן וּבְמִקְנֵ֥ה הַבָּקָ֖ר וּבַחֲמֹרִ֑ים
וַיְנַהֲלֵ֤ם בַּלֶּ֙חֶם֙ בְּכָל־מִקְנֵהֶ֔ם
בַּשָּׁנָ֖ה הַהִֽוא׃ יח וַתִּתֹּם֮ הַשָּׁנָ֣ה
הַהִוא֒ וַיָּבֹ֨אוּ אֵלָ֜יו בַּשָּׁנָ֣ה הַשֵּׁנִ֗ית
וַיֹּ֤אמְרוּ לוֹ֙ לֹֽא־נְכַחֵ֣ד מֵֽאֲדֹנִ֔י כִּ֚י
אִם־תַּ֣ם הַכֶּ֔סֶף וּמִקְנֵ֥ה הַבְּהֵמָ֖ה אֶל־אֲדֹנִ֑י לֹ֤א
נִשְׁאַר֙ לִפְנֵ֣י אֲדֹנִ֔י בִּלְתִּ֥י אִם־גְּוִיָּתֵ֖נוּ וְאַדְמָתֵֽנוּ׃
יט לָ֧מָּה נָמ֣וּת לְעֵינֶ֗יךָ גַּם־אֲנַ֙חְנוּ֙ גַּ֣ם־אַדְמָתֵ֔נוּ
קְנֵֽה־אֹתָ֥נוּ וְאֶת־אַדְמָתֵ֖נוּ בַּלָּ֑חֶם וְנִֽהְיֶ֞ה אֲנַ֨חְנוּ

לָנָא לַחְמָא וּלְמָא נְמוּת
לָקֳבְלָךְ אֲרֵי שְׁלִים כַּסְפָּא׃
טז וַאֲמַר יוֹסֵף הָבוּ גֵיתֵיכוֹן
וְאֶתֵּן לְכוֹן בְּגֵיתֵיכוֹן אִם
שְׁלִים כַּסְפָּא׃ יז וְאַיְתִיו
יָת גֵּיתֵיהוֹן לְוָת יוֹסֵף
וִיהַב לְהוֹן יוֹסֵף לַחְמָא
בְּסוּסָוָתָא וּבְגֵיתֵי עָנָא
וּבְגֵיתֵי תוֹרִין וּבַחֲמָרִין
וְזַנְּנוּן בְּלַחְמָא בְּכָל
גֵּיתֵיהוֹן בְּשַׁתָּא הַהִיא׃
יח וּשְׁלִימַת שַׁתָּא הַהִיא
וַאֲתוֹ לְוָתֵהּ בְּשַׁתָּא תִנְיֵתָא
וַאֲמָרוּ לֵהּ לָא נְכַסֵּי מִן
רִבּוֹנִי אֱלָהֵן שְׁלִים כַּסְפָּא
וְגֵיתֵי בְעִירָא לְוָת רִבּוֹנִי
לָא אִשְׁתְּאַר קֳדָם רִבּוֹנִי
אֱלָהֵן גְּוִיָּתַנָא וְאַרְעֲנָא׃
יט לְמָא נְמוּת לְעֵינָיךְ
אַף אֲנַחְנָא אַף אַרְעֲנָא
קְנִי יָתָנָא וְיָת אַרְעֲנָא
בְּלַחְמָא וּנְהֵי אֲנַחְנָא

רש"י

[פסוק טו] אָפֵס. כְּתַרְגּוּמוֹ, שָׁלִים: **[פסוק יז] וַיְנַהֲלֵם.** כְּמוֹ וַיְנַהֲגֵם. וְדוֹמֶה לוֹ אֵין מְנַהֵל לָהּ (ישעיה נא:יח) עַל מֵי מְנוּחוֹת יְנַהֲלֵנִי (תהלים כג:ב): **[פסוק יח] בַּשָּׁנָה הַשֵּׁנִית.** שֵׁנִית לִשְׁנֵי הָרָעָב: **כִּי אִם תַּם הַכֶּסֶף וגו'.** כִּי אֲשֶׁר תַּם הַכֶּסֶף וְהַמִּקְנֶה וּבָא הַכֹּל אֶל יַד אֲדוֹנִי: **בִּלְתִּי אִם גְּוִיָּתֵנוּ.** כְּמוֹ אִם לֹא גְוִיָּתֵנוּ:

וְאַדְמָתֵנוּ עֲבָדִים לְפַרְעֹה וְתֶן־
זֶרַע וְנִחְיֶה וְלֹא נָמוּת וְהָאֲדָמָה
לֹא תֵשָׁם׃ כ וַיִּקֶן יוֹסֵף אֶת־כָּל־
אַדְמַת מִצְרַיִם לְפַרְעֹה כִּי־
מָכְרוּ מִצְרַיִם אִישׁ שָׂדֵהוּ כִּי־
חָזַק עֲלֵהֶם הָרָעָב וַתְּהִי הָאָרֶץ
לְפַרְעֹה׃ כא וְאֶת־הָעָם הֶעֱבִיר
אֹתוֹ לֶעָרִים מִקְצֵה גְבוּל־
מִצְרַיִם וְעַד־קָצֵהוּ׃ כב רַק אַדְמַת הַכֹּהֲנִים לֹא
קָנָה כִּי חֹק לַכֹּהֲנִים מֵאֵת פַּרְעֹה וְאָכְלוּ אֶת־
חֻקָּם אֲשֶׁר נָתַן לָהֶם פַּרְעֹה עַל־כֵּן לֹא מָכְרוּ

וְאַרְעֲנָא עַבְדִין לְפַרְעֹה
וְהַב בַּר זַרְעָא וְנֵיחֵי וְלָא
נְמוּת וְאַרְעָא לָא תְבוּר:
כ וּזְבַן יוֹסֵף יָת כָּל אַרְעָא
דְמִצְרַיִם לְפַרְעֹה אֲרֵי זַבִּינוּ
מִצְרַיִם גְּבַר חַקְלֵהּ אֲרֵי
תְקֵיף עֲלֵיהוֹן כַּפְנָא וַהֲוָת
אַרְעָא לְפַרְעֹה: כא וְיָת
עַמָּא אַעְבַּר יָתֵהּ מִקְּרֵי
לִקְרֵי מִסְּיָפֵי תְּחוּם מִצְרַיִם
וְעַד סוֹפֵהּ: כב לְחוֹד
אַרְעָא דְכֻמְרַיָּא לָא קְנָא
אֲרֵי חֻלָקָא לְכֻמְרַיָּא
מִלְּוָת פַּרְעֹה וְאָכְלִין יָת
חֻלָקְהוֹן דִּי יְהַב לְהוֹן
פַּרְעֹה עַל כֵּן לָא זַבִּינוּ

רש״י

[פסוק יט] **ותן זרע.** ל לזרוע האדמה. ואע״פ שאמר יוסף ועוד חמש שנים אשר אין חריש וקציר, מכיון שבא יעקב למצרים מ באה ברכה לרגליו והתחילו לזרוע וכלה הרעב. וכן שנינו בתוספתא דסוטה (י:ג): **לא תשם.** לא תהא שממה, לא תבור (אונקלוס) לשון שדה בור (פאה ב:א) שאינו חרוש: [פסוק כ] **ותהי הארץ לפרעה.** נ קנויה לו: [פסוק כא] **ואת העם העביר.** ס יוסף מעיר לעיר (אונקלוס) לזכרון שאין להם עוד חלק בארץ והושיב של עיר זו בחברתה. ולא הוצרך הכתוב לכתוב זאת אלא להודיעך שבחו של יוסף שנתכוין להסיר חרפה מעל אחיו שלא יהיו קורין אותם גולים (חולין ס:): **מקצה גבול מצרים וגו׳.** כן עשה לכל הערים אשר במלכות מצרים מקצה גבולה ועד קצה גבולה: [פסוק כב] **הכהנים.** הכומרים (אונקלוס). כל לשון ע כהן משרת לאלהות הוא חוץ מאותן שהם לשון גדולה, כמו כהן מדין (שמות ב:טז) כהן און (לעיל מא:מה): **חק לכהנים.** חק כך וכך לחם ליום (ביצה טז.):

עיקר שפתי חכמים

ל דאל״כ ותן לחם או בר מבעי״ל: מ פי׳ במצרים ולא בשאר ארצות שהיו ז׳ שני הרעב כאשר פתר יוסף: נ פי׳ ולא תחת ממשלתו, שגם קודם זה כן היה: ס שלא תאמר פרעה הסמוך לו, כי הכונס והמעביר והנותן זרע הכל יוסף היה: ע פי׳ כהן סתם אבל כהן מדין וכהן און הוא שר ונשיא:

אֶת־אַדְמָתָם: כג וַיֹּאמֶר יוֹסֵף
אֶל־הָעָם הֵן קָנִיתִי אֶתְכֶם הַיּוֹם
וְאֶת־אַדְמַתְכֶם לְפַרְעֹה הֵא־
לָכֶם זֶרַע וּזְרַעְתֶּם אֶת־הָאֲדָמָה:
כד וְהָיָה בַּתְּבוּאֹת וּנְתַתֶּם
חֲמִישִׁית לְפַרְעֹה וְאַרְבַּע
הַיָּדֹת יִהְיֶה לָכֶם לְזֶרַע הַשָּׂדֶה
וּלְאָכְלְכֶם וְלַאֲשֶׁר בְּבָתֵּיכֶם
וְלֶאֱכֹל לְטַפְּכֶם: מפטיר כה וַיֹּאמְרוּ
הֶחֱיִתָנוּ נִמְצָא־חֵן בְּעֵינֵי אֲדֹנִי
וְהָיִינוּ עֲבָדִים לְפַרְעֹה: כו וַיָּשֶׂם אֹתָהּ יוֹסֵף
לְחֹק עַד־הַיּוֹם הַזֶּה עַל־אַדְמַת מִצְרַיִם
לְפַרְעֹה לַחֹמֶשׁ רַק אַדְמַת הַכֹּהֲנִים לְבַדָּם לֹא

יָת אַרְעֲהוֹן: כג וַאֲמַר
יוֹסֵף לְעַמָּא הָא קְנֵיתִי
(נ״א זְבֵנִית) יָתְכוֹן
יוֹמָא דֵין וְיָת אַרְעֲכוֹן
לְפַרְעֹה הָא לְכוֹן בַּר
זַרְעָא וְתִזְרְעוּן יָת
אַרְעָא: כד וִיהֵי בְּאָעוֹלֵי
עֲלַלְתָּא וְתִתְּנוּן חַד מִן
חַמְשָׁא לְפַרְעֹה וְאַרְבַּע
חֻלְקִין יְהֵא לְכוֹן לְבַר
זְרַע חַקְלָא וּלְמֵיכַלְכוֹן
וְלֶאֱנָשׁ בָּתֵּיכוֹן וּלְמֵיכַל
לְטַפְלְכוֹן: כה וַאֲמָרוּ
קַיֶּמְתָּנָא נִשְׁכַּח רַחֲמִין
בְּעֵינֵי רִבּוֹנִי וּנְהֵי עַבְדִּין
לְפַרְעֹה: כו וְשַׁוִּי יָתַהּ
יוֹסֵף לִגְזֵרָא עַד יוֹמָא
הָדֵין עַל אַרְעָא דְמִצְרַיִם
דִּיהוֹן יָהֲבִין חַד מִן חַמְשָׁא
לְפַרְעֹה לְחוֹד אַרְעָא
דְּכֻמְרַיָּא בִּלְחוֹדֵיהוֹן לָא

רש״י

[פסוק כג] הֵא. כְּמוֹ הִנֵּה (כְּמוֹ וְגַם אֲנִי הֵא דַּרְכֵּךְ בְּרֹאשׁ נָתַתִּי (יחזקאל טז:מג)): **[פסוק כד] לְזֶרַע הַשָּׂדֶה.** פ שֶׁבְּכָל שָׁנָה: **וְלַאֲשֶׁר בְּבָתֵּיכֶם.** וְלֶאֱכוֹל צ הָעֲבָדִים וְהַשְּׁפָחוֹת אֲשֶׁר בְּבָתֵּיכֶם: **טַפְּכֶם.** בָּנִים קְטַנִּים: **[פסוק כה] נִמְצָא חֵן.** לַעֲשׂוֹת לָנוּ זֹאת כְּמוֹ שֶׁאָמַרְתָּ: **וְהָיִינוּ עֲבָדִים לְפַרְעֹה.** ק לְהַעֲלוֹת לוֹ הַמַּס הַזֶּה בְּכָל שָׁנָה: **[פסוק כו] לְחֹק.** שֶׁלֹּא יַעֲבוֹר:

בעל הטורים

(כג) הא. ג׳ במסורת — ״הא לכם זרע״, על שם ״ונתתם חמישית לפרעה״; וחדא ביחזקאל ״הא דרכך בראש נתתי״, על שם ״ואל תחמלו, זקן בחור ובתולה וטף ונשים״, הרי חמשה; וחדא בדניאל ״הא כדי ... פרזלא נחשא חספא כספא ודהבא״, הרי חמשה דברים:

עיקר שפתי חכמים

פ לא בשנה ראשונה לבדה: צ כי בנים קטנים כתיב בהדיא לטפכם: ק כי קנה רק אדמתם ולא אותם לקנין הגוף:

הָיְתָה לְפַרְעֹה: כז וַיֵּשֶׁב יִשְׂרָאֵל בְּאֶרֶץ מִצְרַיִם בְּאֶרֶץ גֹּשֶׁן וַיֵּאָחֲזוּ בָהּ וַיִּפְרוּ וַיִּרְבּוּ מְאֹד:

הֲוָת לְפַרְעֹה: כז וִיתֵיב יִשְׂרָאֵל בְּאַרְעָא דְמִצְרַיִם בְּאַרְעָא דְגֹשֶׁן וְאִתְחֲסִינוּ בַהּ וּנְפִישׁוּ וּסְגִיאוּ לַחֲדָא:

בס״ת אין כאן פיסקא כי אם ריוח אות אחת. ק״ו פסוקים. יהלל״ל סימן.

רש״י

[פסוק כז] וַיֵּשֶׁב יִשְׂרָאֵל בְּאֶרֶץ מִצְרַיִם. ר וְהֵיכָן, בְּאֶרֶץ גֹּשֶׁן, שֶׁהִיא מֵאֶרֶץ מִצְרַיִם: [וַיֵּאָחֲזוּ בָהּ. לְשׁוֹן אֲחִיזָה [ס״א אֲחוּזָה] (תרגום יונתן)]:

עיקר שפתי חכמים

ר שלא תאמר שישבו בשתי ארצות, במצרים ובגושן [ג״א]: חסלת פרשת ויגש

הפטרת ויגש

יחזקאל לז:טו-כח

פרשתנו מספרת איך שהתאחדו השבטים, אחר פרידה של שנים הרבה, עם יוסף אחיהם. גם ההפטרה מוסרת נבואה המבטיחה שעוד יתאחדו כל שנים עשר השבטים. הנביא יחזקאל, בדומה לירמיהו הנביא, ניבא על החורבן והצטרף אל בני ישראל בגלותם בבבל. בית המקדש הראשון חרב מאה וארבעים שנה אחר שהוגלו עשרת השבטים מארץ ישראל. נמצא שנבואה זו היתה נחמה גדולה לשבטים שנשארו, יהודה ובנימין; שכן אם ה׳ יחזיר את עשרת השבטים שהוגלו לפני זמן רב, בודאי שלא ישכח להחזיר גם אותם לארצם.

לדעת המהר״ל (גור אריה, בראשית מה, יד) היתה בכייתם של יוסף ובנימין רמז וסימן לבכיית בני בניהם (על פי מדרש רבה, בראשית צג, יב), שעוד יתאחדו למלכות אחת באחרית הימים. שכן ראשי ממלכת עשרת השבטים היו מבני יוסף [ירבעם בן נבט משבט אפרים] ואילו בני בנימין נשארו נאמנים לממלכת יהודה. על התאחדות זו ניבא ירמיה (לא, ח): ״בִּבְכִי יָבֹאוּ וּבְתַחֲנוּנִים אוֹבִילֵם״.

הנביא ממשיך בהבטחתו, שהתאחדות בין כל השבטים תהיה איחוד אמיתי של תורה ועול המצוות; בני ישראל יתאחדו תחת מלך אחד מבית דוד, והוא לבדו ימלוך עליהם לעבוד את ה׳ כאחד, והתוצאה מכך תהיה: ״וְיָדְעוּ הַגּוֹיִם כִּי אֲנִי ה׳ מְקַדֵּשׁ אֶת יִשְׂרָאֵל בִּהְיוֹת מִקְדָּשִׁי בְּתוֹכָם לְעוֹלָם״.

פרק לז טו וַיְהִי דְבַר־יְהוָה אֵלַי לֵאמֹר: טז וְאַתָּה בֶן־אָדָם קַח־לְךָ עֵץ אֶחָד וּכְתֹב עָלָיו לִיהוּדָה וְלִבְנֵי יִשְׂרָאֵל חֲבֵרָיו [חברו כ׳]

רש״י

(טו) ויהי. דבר ה׳ אלי לאמר: (טז) ואתה בן אדם קח לך עץ אחד וגו׳ וכתוב עליו ליהודה ולבני ישראל חבריו. ארבע תיבות הללו כתוב עליו לאמר עץ זה ליהודה ולשבט בנימין שנלוה עליו:

מצודת דוד

(טז) עץ אחד. חתיכת עץ אחד: ליהודה ולבני ישראל חבריו. המלות האלה כתוב עליו כאומר העץ ההוא מרמז על יהודה ועל בני ישראל חבריו הם בני בנימין שהתחברו עליו להיות מלכות אחת:

וּלְקַח֙ עֵ֣ץ אֶחָ֔ד וּכְת֣וֹב עָלָ֔יו לְיוֹסֵף֙ עֵ֣ץ אֶפְרַ֔יִם וְכָל־בֵּ֥ית יִשְׂרָאֵ֖ל
חֲבֵרָֽיו [חברו כ׳]: יז וְקָרַ֨ב אֹתָ֜ם אֶחָ֧ד אֶל־אֶחָ֛ד לְךָ֖ לְעֵ֣ץ אֶחָ֑ד וְהָי֥וּ
לַאֲחָדִ֖ים בְּיָדֶֽךָ: יח וְכַֽאֲשֶׁר֙ יֹאמְר֣וּ אֵלֶ֔יךָ בְּנֵ֥י עַמְּךָ֖ לֵאמֹ֑ר הֲלֽוֹא־
תַגִּ֥יד לָ֖נוּ מָה־אֵ֥לֶּה לָּֽךְ: יט דַּבֵּ֣ר אֲלֵהֶ֗ם כֹּֽה־אָמַר֮ אֲדֹנָ֣י יֱהֹוִה֒
הִנֵּה֩ אֲנִ֨י לֹקֵ֜חַ אֶת־עֵ֤ץ יוֹסֵף֙ אֲשֶׁ֣ר בְּיַד־אֶפְרַ֔יִם וְשִׁבְטֵ֥י יִשְׂרָאֵ֖ל
חֲבֵרָ֑יו [חברו כ׳] וְנָתַתִּ֨י אוֹתָ֜ם עָלָ֗יו אֶת־עֵ֤ץ יְהוּדָה֙ וַעֲשִׂיתִם֙
לְעֵ֣ץ אֶחָ֔ד וְהָי֥וּ אֶחָ֖ד בְּיָדִֽי: כ וְהָי֨וּ הָעֵצִ֜ים אֲשֶׁר־תִּכְתֹּ֧ב עֲלֵיהֶ֛ם
בְּיָדְךָ֖ לְעֵינֵיהֶֽם: כא וְדַבֵּ֣ר אֲלֵיהֶ֗ם כֹּֽה־אָמַר֮ אֲדֹנָ֣י יֱהֹוִה֒ הִנֵּ֨ה אֲנִ֤י
לֹקֵ֨חַ֙ אֶת־בְּנֵ֣י יִשְׂרָאֵ֔ל מִבֵּ֥ין הַגּוֹיִ֖ם אֲשֶׁ֣ר הָֽלְכוּ־שָׁ֑ם וְקִבַּצְתִּ֤י
אֹתָם֙ מִסָּבִ֔יב וְהֵבֵאתִ֥י אוֹתָ֖ם אֶל־אַדְמָתָֽם: כב וְעָשִׂ֨יתִי אֹ֜תָם לְג֤וֹי
אֶחָד֙ בָּאָ֙רֶץ֙ בְּהָרֵ֣י יִשְׂרָאֵ֔ל וּמֶ֧לֶךְ אֶחָ֛ד יִהְיֶ֥ה לְכֻלָּ֖ם לְמֶ֑לֶךְ וְלֹ֤א
יִֽהְיוּ־[יהיה כ׳] עוֹד֙ לִשְׁנֵ֣י גוֹיִ֔ם וְלֹ֨א יֵחָ֥צוּ ע֛וֹד לִשְׁתֵּ֥י מַמְלָכ֖וֹת
עֽוֹד: כג וְלֹ֧א יִֽטַּמְּא֣וּ ע֗וֹד בְּגִלּֽוּלֵיהֶם֙ וּבְשִׁקּ֣וּצֵיהֶ֔ם וּבְכֹ֖ל פִּשְׁעֵיהֶ֑ם

רש"י

ולקח עץ אחד וכתוב עליו. זה ליוסף עץ אפרים ושאר השבטים שהיו אחרי ירבעם שהיו משבט אפרים: **(יז) והיו לאחדים.** אני אחברם לשני העצים שיהא עץ אחד בידך: **(יט) הנה אני לוקח את עץ וגו׳.** שלא יהיו עוד לשתי ממלכות:

מצודת דוד

ולקח עץ אחד. ועוד לקח עץ אחד וכתוב עליו ליוסף עץ אפרים וכו׳, כאומר על יוסף מרמז העץ ההוא, והוא אפרים הבא מיוסף שמלכות ישראל נקראת על שמו לפי שמלך הראשון היה עליהם ירבעם הבא מאפרים ומרמז העץ ההוא עליו ועל שאר השבטים שהתחברו עמו להיות תחת ממשלתו: **(יז) וקרב אותם.** תקרב העצים זה אל זה להיות נראים לך כאלו המה חתיכת עץ אחד: **והיו לאחדים בידך.** כשיהיו עדיין בידך יתחברו יחד על פי נס ויהיו חתיכה אחת באמת: **(יח) הלא תגיד.** רצונו לומר: הלא מהראוי שתגיד לנו למה אלה לך על מה תרמז בזה: **(יט) את עץ יוסף.** רצונו לומר: שבט מלכות יוסף אשר היא ביד אפרים: **ושבטי ישראל חבריו.** רצונו לומר: וגם אקח שבטי ישראל שהתחברו עמו ואתן אותם עליו; רצונו לומר: עם אפרים אתנם להיות שבט מלכות יהודה ואעשה אותם לשבט מלכות אחד וכן תקום הדבר בידי החזקה: **(כ) והיו העצים.** רצונו לומר: העצים ההם אשר תכתוב עליהם הדברים האלה תאחזם בידך לפניהם: **(כא) ודבר אליהם.** בעת תאחז העצים ההם בידך תדבר אליהם כה אמר ה׳ וגו׳: **(כב) לגוי אחד בארץ.** כשיהיו בארץ, וחוזר ומפרש בהרי ישראל שם אעשם לגוי אחד ולא יהיו עוד חלוקים לשנים להיות יהודה עם לבד ועשרת השבטים עם לבד: **ולא יחצו וכו׳.** כפל הדבר במילים שונות: **עוד.** רצונו לומר עד עולם: **(כג) ולא יטמאו עוד.** לא יהיו נטמאים עוד בעבודת כוכבים וביתר הפשעים שנטמאו בהם בהיותם בבבל:

מצודת ציון

(יט) עץ. רצונו לומר: שבט מלוכה ולפי שעשה משל עץ אחז לשון עץ: **עליו.** רצונו לומר עמו בסמוך לו: את. עם: **(כב) יחצו.** ענין חלוקה, כמו וְתֵחָץ לְאַרְבַּע רוּחוֹת (דניאל יא, ד): **(כג) ובשקוציהם.** מלשון שקץ ותעוב:

וְהוֹשַׁעְתִּי אוֹתָם מִכֹּל מוֹשְׁבֹתֵיהֶם אֲשֶׁר חָטְאוּ בָהֶם וְטִהַרְתִּי
אוֹתָם וְהָיוּ־לִי לְעָם וַאֲנִי אֶהְיֶה לָהֶם לֵאלֹהִים: כד וְעַבְדִּי דָוִד מֶלֶךְ
עֲלֵיהֶם וְרוֹעֶה אֶחָד יִהְיֶה לְכֻלָּם וּבְמִשְׁפָּטַי יֵלֵכוּ וְחֻקּוֹתַי יִשְׁמְרוּ
וְעָשׂוּ אוֹתָם: כה וְיָשְׁבוּ עַל־הָאָרֶץ אֲשֶׁר נָתַתִּי לְעַבְדִּי לְיַעֲקֹב
אֲשֶׁר יָשְׁבוּ־בָהּ אֲבוֹתֵיכֶם וְיָשְׁבוּ עָלֶיהָ הֵמָּה וּבְנֵיהֶם וּבְנֵי בְנֵיהֶם
עַד־עוֹלָם וְדָוִד עַבְדִּי נָשִׂיא לָהֶם לְעוֹלָם: כו וְכָרַתִּי לָהֶם בְּרִית
שָׁלוֹם בְּרִית עוֹלָם יִהְיֶה אוֹתָם וּנְתַתִּים וְהִרְבֵּיתִי אוֹתָם וְנָתַתִּי
אֶת־מִקְדָּשִׁי בְּתוֹכָם לְעוֹלָם: כז וְהָיָה מִשְׁכָּנִי עֲלֵיהֶם וְהָיִיתִי לָהֶם
לֵאלֹהִים וְהֵמָּה יִהְיוּ־לִי לְעָם: כח וְיָדְעוּ הַגּוֹיִם כִּי אֲנִי יהוה מְקַדֵּשׁ
אֶת־יִשְׂרָאֵל בִּהְיוֹת מִקְדָּשִׁי בְּתוֹכָם לְעוֹלָם:

רש"י

(כה) לעבדי ליעקב. כעין שנתתיה ליעקב בלי מצרים:

מצודת דוד

והושעתי וכו'. כי רבים מהם נטמאו בין הבבליים במקום מושבותיהם בזמן הגולה והרשיעו כמוהם, ולכן אמר אושיע אותם להוציאם משם לחזור לדת ישראל ואטהר אותם מטומאת עוונם כי אסלח להם, ומאז יהיו לי לעם להאמין בי ולשמור מצותי ואני אהיה להם לאלהים להושיע להם ולעזור אותם: **(כד) ועבדי דוד.** מלך המשיח הבא מזרע דוד יהיה מלך עליהם: **ורועה אחד.** כי לא ימליכו עוד עשרת השבטים מלך לעצמם מבלעדי: **וחוקותי ישמרו.** ישמרו בלב ויעשום בפועל: **(כה) לעולם.** רצונו לומר: עד עולם לא תפסוק המלוכה מזרע דוד: **(כו) ברית שלום.** שישבו בארצם בשלום והברית הזה יהיה עמהם עד עולם: **ונתתים.** רצונו לומר: אתן אותם במקומם ולא יזוזו משם: **לעולם.** ולא תחרב עוד: **(כז) והיה משכני.** משכן שכינתי יהיה עליהם ואהיה להם לאלהים לעזור ולהושיע והמה יהיו לי לעם להאמין בי ולשמור מצותי: **(כח) וידעו וכו' בהיות וכו'.** רצונו לומר: כשתתמיד מקדשי בתוכם לעולם אז ידעו הגוים שאני ה' הקדשתי את ישראל להיות עמי:

מצודת ציון

(כד) ורועה. רצונו לומר: מנהיג: **(כז) משכני.** רצונו לומר: השראת שכינתי והוא מלשון משכן וחנייה:

פרשת ויחי

כח וַיְחִי יַעֲקֹב בְּאֶרֶץ מִצְרַיִם שְׁבַע
עֶשְׂרֵה שָׁנָה וַיְהִי יְמֵי־יַעֲקֹב שְׁנֵי
חַיָּיו שֶׁבַע שָׁנִים וְאַרְבָּעִים וּמְאַת
שָׁנָה: כט וַיִּקְרְבוּ יְמֵי־יִשְׂרָאֵל
לָמוּת וַיִּקְרָא | לִבְנוֹ לְיוֹסֵף
וַיֹּאמֶר לוֹ אִם־נָא מָצָאתִי חֵן בְּעֵינֶיךָ שִׂים־נָא
יָדְךָ תַּחַת יְרֵכִי וְעָשִׂיתָ עִמָּדִי חֶסֶד וֶאֱמֶת אַל־

אונקלוס

כח וַחֲיָא יַעֲקֹב בְּאַרְעָא
דְמִצְרַיִם שְׁבַע עַסְרֵי שְׁנִין
וַהֲווֹ יוֹמֵי יַעֲקֹב שְׁנֵי חַיּוֹהִי
מְאָה וְאַרְבְּעִין וּשְׁבַע שְׁנִין:
כט וּקְרִיבוּ יוֹמֵי יִשְׂרָאֵל
לִמְמָת וּקְרָא לִבְרֵהּ
לְיוֹסֵף וַאֲמַר לֵהּ אִם כְּעַן
אַשְׁכַּחִית רַחֲמִין בְּעֵינָךְ
שַׁוִּי כְעַן יְדָךְ תְּחוֹת יַרְכִּי
וְתַעְבֵּד עִמִּי טֵיבוּ וּקְשׁוֹט לָא

רש"י

[פסוק כח] וַיְחִי יַעֲקֹב. לָמָּה פָּרָשָׁה זוֹ א סְתוּמָה, לְפִי שֶׁכֵּיוָן שֶׁנִּפְטַר יַעֲקֹב אָבִינוּ נִסְתְּמוּ עֵינֵיהֶם וְלִבָּם שֶׁל יִשְׂרָאֵל ב מִצָּרַת הַשִּׁעְבּוּד, שֶׁהִתְחִילוּ לְשַׁעְבְּדָם. ד"א, שֶׁבִּקֵּשׁ לְגַלּוֹת אֶת הַקֵּץ לְבָנָיו וְנִסְתַּם מִמֶּנּוּ. בב"ר (צו:א): **[פסוק כט] וַיִּקְרְבוּ יְמֵי יִשְׂרָאֵל לָמוּת.** כָּל מִי שֶׁנֶּאֱמַר בּוֹ קְרִיבָה לָמוּת ג לֹא הִגִּיעַ לִימֵי אֲבוֹתָיו (שם ד) [יִצְחָק חַי ק"פ וְיַעֲקֹב קמ"ז. בְּדָוִד נֶאֱמַר קְרִיבָה אָבִיו חַי ת' [ס"א פ'] שָׁנִים וְהוּא חַי ע']: **וַיִּקְרָא לִבְנוֹ לְיוֹסֵף.** לְמִי שֶׁהָיְתָה יְכֹלֶת בְּיָדוֹ לַעֲשׂוֹת (שם ה): **שִׂים נָא יָדְךָ.** ד וְהִשָּׁבַע (תנחומא ישן חיי שרה ו; פדר"א פל"ט): **חֶסֶד וֶאֱמֶת.** חֶסֶד שֶׁעוֹשִׂין עִם הַמֵּתִים הוּא

בעל הטורים

(כח) ויחי יעקב. וירבו מאד ויחי יעקב. בגימטריא ראה ס׳ ריבוא. וזהו שנאמר ״בראותו ילדיו״. ״בראותו״ אותיות רבואות, ״ילדיו״ עולה ששים. לומר שראה ששים רבוא מילדיו: דבר אחר — ״וירבו מאד ויחי יעקב״ מלמד שראה יעקב שלשים רבוא. דלקמן קאמר ״במאד מאד״ והוא ששים רבוא. והכא לא כתיב אלא חד ״מאד״, דהיינו החצי. וכן כתיבי לקמן ו׳ לשונות, והם ״פרו וישרצו וירבו ויעצמו במאד מאד״, והכא לא כתיב אלא תלתא ״ויפרו וירבו מאד״. ולהאי לישנא דרוש הכי, ״כי בראותו ילדיו״, ״כי״ עולה שלשים. שראה שלשים רבואות מילדיו: דבר אחר — ״ויחי יעקב בארץ״. לומר שלא חיה ימים טובים בלא צער אלא כמנין ״ויחי״, י״ז שנה משנולד יוסף עד שנמכר, וי״ז שנה במצרים: דבר אחר — ״ויחי יעקב בארץ מצרים שבע עשרה שנה״. שהראשונים לא היו חיים, שהרי אמר ״כי ארד אל בני אבל שאלה״: **שבע עשרה שנה.** כנגד שבע עשרה שנים שגידל הוא ליוסף, כלכלו יוסף שבע עשרה שנה: **ויהי ימי יעקב.** בכל מקום שנאמר ״ויהי ימי״, לא הגיע לימי אבותיו. ״ויהי כל ימי חנוך״, ״ויהי כל ימי למך״, וכן בכל מקום שנאמר בו קריבה: **שבע שנים וארבעים ומאת שנה.** מנה המועט תחלה, מה שלא עשה כן באברהם ויצחק. בשביל שהיו ימיו מועטים ורעים, הזכיר המועט תחלה. וחי ל״ג שנים פחות מאביו, משום דכתיב ״קללת חנם לו תבא״, על שקלל רחל ואמר ״עם אשר תמצא את אלהיך לא יחיה״ חסרו לו מנין יחי״ה שהוא ל״ג משנותיו: **(כט) ויקרבו ימי.** ב׳ במסורת — הכא; ואידך גבי דוד. איתא במדרש, אמר הקדוש ברוך הוא לדוד, אתה עשית קמ״ז מזמורים, כמנין שנות יעקב, תזכה כמוהו. מה הוא ובנו מלכו ביחד, אף אתה ימלך שלמה בנך בחייך: דבר אחר — מה יעקב לא הגיע לימי אבותיו, אף דוד כן, דכתיב ביה ״והמלך דוד זקן בא בימים וכו׳ ״: **נא ידך.** בגימטריא מילה: **חסד ואמת.** פירש רש״י, חסד שעושין עם המתים, וזהו אמת. אמת נוטריקון ארון, מטה, תכריכין:

עיקר שפתי חכמים

א כלומר קבלה היא בידינו מעזרא ע״ה שפ׳ ויחי היא תחלת פסקא, ולא חדא פרשה היא עם וישב ישראל. ודרך פרשה סתומה שיעורה ריוח ט׳ אותיות, והכא כולה סתומה ואין בה ריוח כלל: **ב** ר״ל שלא היה להם שעבוד ממש אלא צרת השעבוד, שהיה מבקש מהם שיעבדו לו: **ג** כי ויקרבו ימי ישראל למות משמע דהימים קרבו ונתקצרו: **ד** דעת רש״י שלא תאמר דשימת יד הוא השבועה, כי שימת יד הוא רק נקיטת חפץ מלוה בשעת השבועה:

ראה הטבלא ״**שְׁנֵי חַיֵּי יַעֲקֹב אָבִינוּ**״ (עמוד 533).

נָא תִקְבְּרֵנִי בְּמִצְרָיִם׃ ל וְשָׁכַבְתִּי
עִם־אֲבֹתַי וּנְשָׂאתַנִי מִמִּצְרַיִם
וּקְבַרְתַּנִי בִּקְבֻרָתָם וַיֹּאמַר
אָנֹכִי אֶעֱשֶׂה כִדְבָרֶךָ׃ לא וַיֹּאמֶר
הִשָּׁבְעָה לִי וַיִּשָּׁבַע לוֹ וַיִּשְׁתַּחוּ
יִשְׂרָאֵל עַל־רֹאשׁ הַמִּטָּה׃ פ

כְּעַן תִּקְבְּרִנַּנִי בְּמִצְרָיִם:
ל וְאֶשְׁכּוּב עִם אֲבָהָתַי
וְתִטְּלִנַּנִי מִמִּצְרַיִם
וְתִקְבְּרִנַּנִי בִּקְבֻרַתְּהוֹן
וַאֲמַר אֲנָא אַעְבֵּד
כְּפִתְגָּמָךְ: לא וַאֲמַר קַיֵּם
לִי וְקַיֵּים לֵהּ וּסְגִיד
יִשְׂרָאֵל עַל רֵישׁ עַרְסָא:
א וַהֲוָה בָּתַר פִּתְגָּמַיָּא
הָאִלֵּין וַאֲמַר לְיוֹסֵף
הָא אֲבוּךְ שְׁכִיב מְרַע
וּדְבַר יָת תְּרֵין בְּנוֹהִי

פרק מח א וַיְהִי אַחֲרֵי הַדְּבָרִים הָאֵלֶּה וַיֹּאמֶר
לְיוֹסֵף הִנֵּה אָבִיךָ חֹלֶה וַיִּקַּח אֶת־שְׁנֵי בָנָיו

רש"י

חֶסֶד שֶׁל אֱמֶת ה שֶׁאֵינוֹ מְצַפֶּה לְתַשְׁלוּם גְּמוּל (ב"ר שם): **אַל נָא תִקְבְּרֵנִי בְּמִצְרָיִם.** סוֹפָהּ לִהְיוֹת עֲפָרָהּ כִּנִּים [וּמְרַחֲשִׁין תַּחַת גּוּפִי]. וְשֶׁאֵין מֵתֵי חוּצָה לָאָרֶץ חַיִּים אֶלָּא בְּצַעַר גִּלְגּוּל מְחִילוֹת. וְשֶׁלֹּא יַעֲשׂוּנִי מִצְרַיִם עֲבוֹדַת כּוֹכָבִים (שם): **[פסוק ל] וְשָׁכַבְתִּי עִם אֲבֹתַי.** ו וָי"ו זוֹ מְחוּבָּר לְמַעְלָה לִתְחִלַּת הַמִּקְרָא, שִׂים נָא יָדְךָ תַּחַת יְרֵכִי וְהִשָּׁבַע לִי וַאֲנִי סוֹפִי לִשְׁכַּב עִם אֲבוֹתַי וְאַתָּה תִּשָּׂאֵנִי מִמִּצְרַיִם. וְאֵין לוֹמַר וְשָׁכַבְתִּי עִם אֲבוֹתַי הַשְׁכִּיבֵנִי עִם אֲבוֹתַי בַּמְּעָרָה, שֶׁהֲרֵי כְּתִיב אַחֲרָיו ז וּנְשָׂאתַנִי מִמִּצְרַיִם וּקְבַרְתַּנִי בִּקְבוּרָתָם. וְעוֹד מָצִינוּ בְּכָל מָקוֹם ל' שְׁכִיבָה עִם אֲבוֹתָיו הִיא הַגְּוִיעָה וְלֹא הַקְּבוּרָה, כְּמוֹ וַיִּשְׁכַּב דָּוִד עִם אֲבוֹתָיו, וְאַחַר כָּךְ, ח וַיִּקָּבֵר בְּעִיר דָּוִד (מלכים א ב:י): **[פסוק לא] וַיִּשְׁתַּחוּ יִשְׂרָאֵל.** ט תַּעֲלָא בְּעִדָּנֵיהּ סְגִיד לֵיהּ (מגילה טז:): **עַל רֹאשׁ הַמִּטָּה.** הָפַךְ עַצְמוֹ י לְצַד הַשְּׁכִינָה (תנחומא ג), [מִכָּאן אָמְרוּ] שֶׁהַשְּׁכִינָה לְמַעְלָה מֵרַאֲשׁוֹתָיו שֶׁל חוֹלֶה (שבת יב:). ד"א, עַל רֹאשׁ הַמִּטָּה, עַל שֶׁהָיְתָה מִטָּתוֹ שְׁלֵמָה וְלֹא הָיָה בָהּ רָשָׁע (ספרי ואתחנן לא), שֶׁהֲרֵי יוֹסֵף מֶלֶךְ הָיָה וְעוֹד שֶׁנִּשְׁבָּה לְבֵין הַגּוֹיִם, וַהֲרֵי הוּא עוֹמֵד בְּצִדְקוֹ (שם האזינו שלד): **[פסוק א] וַיֹּאמֶר לְיוֹסֵף.** אֶחָד מִן הַמַּגִּידִים (עי' פס"ר פי"ב, מט:) וַהֲרֵי זֶה מִקְרָא קָצָר. וְיֵשׁ אוֹמְרִים, אֶפְרַיִם הָיָה רָגִיל לִפְנֵי יַעֲקֹב בְּתַלְמוּד, וּכְשֶׁחָלָה יַעֲקֹב בְּאֶרֶץ גֹּשֶׁן הָלַךְ כ אֶפְרַיִם אֵצֶל אָבִיו לְמִצְרַיִם לְהַגִּיד לוֹ (תנחומא ו):

בעל הטורים

(לא) **וישתחו.** בגימטריא מודים על בשורה טובה:

עיקר שפתי חכמים

ה לאו דווקא חסד שעושין עם המתים, אלא כל היכא דאינו מצפה לתשלום גמול אע"ג שהוא חי שייך ביה חסד ואמת: **ו** משום דרש"י פי' בסמוך ושכבתי הוא הגויעה, הי"ל מקודם ושכבתי שהיא המיתה ואח"כ הי"ל אל נא תקברני, ל"פ וי"ו זו וכו': **ז** ויהי' ונשאתני מיותר לגמרי כיון שאמר כבר השכיבני: **ח** מזה מוכח כי שכיבה לאו קבורה כיון שנקבר לא במקום ששכב: **ט** מצאתי בספר שיש חדש א' שהשועל הוא מלך על החיות ועל אותו חדש אמר תעלא בעידניה: **י** אע"ג ממה שכתב רש"י לפני זה תעלא בעידני' משמע דהשתחוה ליוסף ולא לשכינה, אבל מה שפנה לראש המטה הי' בשביל השכינה: **כ** ולפ"ז אין זה מקרא קצר:

עִמּוֹ אֶת־מְנַשֶּׁה וְאֶת־אֶפְרָיִם׃
ב וַיַּגֵּד לְיַעֲקֹב וַיֹּאמֶר הִנֵּה בִּנְךָ
יוֹסֵף בָּא אֵלֶיךָ וַיִּתְחַזֵּק יִשְׂרָאֵל
וַיֵּשֶׁב עַל־הַמִּטָּה׃ ג וַיֹּאמֶר יַעֲקֹב
אֶל־יוֹסֵף אֵל שַׁדַּי נִרְאָה־אֵלַי
בְּלוּז בְּאֶרֶץ כְּנָעַן וַיְבָרֶךְ אֹתִי׃ ❖
ד וַיֹּאמֶר אֵלַי הִנְנִי מַפְרְךָ
וְהִרְבִּיתִךָ וּנְתַתִּיךָ לִקְהַל עַמִּים
וְנָתַתִּי אֶת־הָאָרֶץ הַזֹּאת לְזַרְעֲךָ אַחֲרֶיךָ
אֲחֻזַּת עוֹלָם׃ ה וְעַתָּה שְׁנֵי־בָנֶיךָ הַנּוֹלָדִים
לְךָ בְּאֶרֶץ מִצְרַיִם עַד־בֹּאִי אֵלֶיךָ מִצְרַיְמָה

עִמֵּהּ יָת מְנַשֶּׁה וְיָת
אֶפְרָיִם: ב וְחַוִּי לְיַעֲקֹב
וַאֲמַר הָא בְרָךְ יוֹסֵף אָתָא
לְוָתָךְ וְאִתַּקַּף יִשְׂרָאֵל
וִיתֵיב עַל עַרְסָא: ג וַאֲמַר
יַעֲקֹב לְיוֹסֵף אֵל שַׁדַּי
אִתְגְּלִי לִי בְּלוּז בְּאַרְעָא
דִכְנַעַן וּבָרֵיךְ יָתִי: ד וַאֲמַר
לִי הָא אֲנָא מַפֵּישׁ לָךְ
וְאַסְגֵּנָךְ וְאֶתְּנִנָּךְ לִכְנִשַׁת
שִׁבְטִין וְאֶתֵּן יָת אַרְעָא
הָדָא לִבְנָיךְ בַּתְרָךְ
אַחֲסָנַת עָלַם: ה וּכְעַן
תְּרֵין בְּנָיךְ דְּאִתְיְלִידוּ
לָךְ בְּאַרְעָא דְמִצְרַיִם
עַד מֵיתִי לְוָתָךְ לְמִצְרַיִם

רש"י

וַיִּקַּח אֶת שְׁנֵי בָנָיו עִמּוֹ. ל כְּדֵי שֶׁיְּבָרְכֵם יַעֲקֹב לִפְנֵי מוֹתוֹ (שם ה): **[פסוק ב] וַיַּגֵּד.** הַמַּגִּיד לְיַעֲקֹב מ וְלֹא פֵּירַשׁ מִי, וְהַרְבֵּה מִקְרָאוֹת קְצָרֵי לָשׁוֹן: **וַיִּתְחַזֵּק יִשְׂרָאֵל.** אָמַר, אַעַ"פ שֶׁהוּא בְּנִי, מֶלֶךְ הוּא אַחֲלֹק לוֹ כָּבוֹד, מִכָּאן שֶׁחוֹלְקִין כָּבוֹד לַמַּלְכוּת. וְכֵן מֹשֶׁה חָלַק כָּבוֹד לַמַּלְכוּת, וְיָרְדוּ כָל עֲבָדֶיךָ אֵלֶּה אֵלַי (שמות יא:ח), וְכֵן אֵלִיָּהוּ וַיְשַׁנֵּס מָתְנָיו וגו' (מ"א יח:מו; מכילתא בא פי"ג; תנחומא בא ז; זבחים קב.): **[פסוק ד] וּנְתַתִּיךָ לִקְהַל עַמִּים.** בִּשְּׂרַנִי שֶׁעֲתִידִים לָצֵאת מִמֶּנִּי עוֹד קָהָל וְעַמִּים. וְאַעַ"פ שֶׁאָמַר לִי גּוֹי וּקְהַל גּוֹיִם (לעיל לה:יא). גּוֹי אָמַר לִי עַל בִּנְיָמִין. קְהַל גּוֹיִם הֲרֵי שְׁנַיִם לְבַד מִבִּנְיָמִין וְשׁוּב לֹא נוֹלַד לִי בֵן. לִמְּדַנִי שֶׁעָתִיד אֶחָד מִשְּׁבָטַי לְהֵחָלֵק וְעַתָּה אוֹתָהּ מַתָּנָה אֲנִי נוֹתֵן לָךְ (ב"ר פב:ד; פס"ר פ"ג): **[פסוק ה] הַנּוֹלָדִים לְךָ וגו' עַד בֹּאִי אֵלֶיךָ.** נ לִפְנֵי בוֹאִי אֵלֶיךָ כְּלוֹמַר

בעל הטורים

(ב) על המטה. ב׳ במסורת – ״וישב על המטה״; ״והמן נפל על המטה״. שהצדיקים אפלו כשהן חלשים, מתחזקים, שנאמר ״ויתחזק ישראל וישב על המטה״. והרשעים אפלו בתקפן הן נופלין, שנאמר ״והמן נפל על המטה״:

עיקר שפתי חכמים

ל כי הגידו לו שאביו הוא חולה ואמר בלבו פן הגיע יום מותו, לכן לקח שני בניו עמו לברכם: **מ** הכא לא מצי רש"י לפרש דאפרים היה, דהא ויקח את שני בניו עמו משמע דהיה אצל יוסף והלך עמו אל יעקב: **נ** לא עד בואי כמשמעו, דהא כתיב וליוסף יולד שני בנים בטרם תבוא שנת הרעב וכשבא יעקב ליוסף היו כבר שני שנים של רעב עוברים:

לִֽי־הֵ֑ם אֶפְרַ֨יִם֙ וּמְנַשֶּׁ֔ה כִּרְאוּבֵ֥ן
וְשִׁמְע֖וֹן יִֽהְיוּ־לִֽי׃ ו וּמוֹלַדְתְּךָ֛
אֲשֶׁר־הוֹלַ֥דְתָּ אַחֲרֵיהֶ֖ם לְךָ֣ יִהְי֑וּ
עַ֣ל שֵׁ֧ם אֲחֵיהֶ֛ם יִקָּרְא֖וּ בְּנַחֲלָתָֽם׃
ז וַאֲנִ֣י ׀ בְּבֹאִ֣י מִפַּדָּ֗ן מֵ֨תָה֩ עָלַ֨י
רָחֵ֜ל בְּאֶ֤רֶץ כְּנַ֨עַן֙ בַּדֶּ֔רֶךְ בְּע֥וֹד
כִּבְרַת־אֶ֖רֶץ לָבֹ֣א אֶפְרָ֑תָה וָאֶקְבְּרֶ֣הָ שָּׁ֔ם בְּדֶ֥רֶךְ

דִּילִי אִנּוּן אֶפְרַיִם וּמְנַשֶּׁה
כִּרְאוּבֵן וְשִׁמְעוֹן יְהוֹן
קֳדָמָי: ו וּבְנִין דִּי תוֹלִיד
בַּתְרֵיהוֹן דִּילָךְ יְהוֹן עַל
שׁוּם אֲחוּהוֹן יִתְקְרוֹן
בְּאַחְסַנְתְּהוֹן: ז וַאֲנָא
בְּמֵיתִי מִפַּדָּן מִיתַת עֲלַי
רָחֵל בְּאַרְעָא דִכְנַעַן
בְּאָרְחָא בְּעוֹד כְּרוּבָא
דְאַרְעָא (נ״א כְּרוּב
אַרְעָא) לְמֵיעַל לְאֶפְרָת
וּקְבַרְתַּהּ תַּמָּן בְּאֹרַח

רש״י

שֶׁנּוֹלְדוּ מִשֶּׁפֵּרַשְׁתָּ מִמֶּנִּי עַד שֶׁבָּאתִי אֶצְלְךָ: **לִי הֵם.** בְּחֶשְׁבּוֹן שְׁאָר בָּנַי הֵם לִיטּוֹל חֵלֶק בָּאָרֶץ אִישׁ כְּנֶגְדּוֹ: **[פסוק ו] וּמוֹלַדְתְּךָ וגו'.** ס אִם תּוֹלִיד עוֹד (אונקלוס) לֹא יִהְיוּ בְּמִנְיַן בָּנַי אֶלָּא בְּתוֹךְ שִׁבְטֵי אֶפְרַיִם וּמְנַשֶּׁה יִהְיוּ נִכְלָלִים וְלֹא יְהֵא לָהֶם שֵׁם בַּשְּׁבָטִים לְעִנְיַן הַנַּחֲלָה. וְאַע״פ שֶׁנֶּחְלְקָה הָאָרֶץ לְמִנְיַן גֻּלְגְּלוֹתָם, כְּדִכְתִיב לָרַב תַּרְבֶּה נַחֲלָתוֹ (במדבר כו:נד) וְכָל אִישׁ וְאִישׁ נָטַל בְּשָׁוֶה חוּץ מִן הַבְּכוֹרוֹת (ספרי פינחס קלה), מִכָּל מָקוֹם לֹא נִקְרְאוּ שְׁבָטִים ע אֶלָּא אֵלּוּ [לְהָטִיל גּוֹרַל הָאָרֶץ לְמִנְיַן שְׁמוֹת הַשְּׁבָטִים וְנָשִׂיא לְכָל שֵׁבֶט וְשֵׁבֶט וּדְגָלִים לָזֶה וְלָזֶה] (עי' הוריות ו:): **[פסוק ז] וַאֲנִי בְּבֹאִי מִפַּדָּן וגו'.** וְאַע״פ שֶׁאֲנִי מַטְרִיחַ עָלֶיךָ לְהוֹלִיכֵנִי לְהִקָּבֵר בְּאֶרֶץ כְּנַעַן וְלֹא כָּךְ עָשִׂיתִי לְאִמְּךָ שֶׁהֲרֵי מֵתָה סָמוּךְ לְבֵית לֶחֶם: **כִּבְרַת אֶרֶץ.** מִדַּת אֶרֶץ וְהֵם אַלְפַּיִם אַמָּה כְּמִדַּת תְּחוּם שַׁבָּת כְּדִבְרֵי ר' מֹשֶׁה הַדַּרְשָׁן. וְלֹא תֹאמַר שֶׁעִכְּבוּ עָלַי גְּשָׁמִים מִלְּהוֹלִיכָהּ וּלְקָבְרָהּ בְּחֶבְרוֹן, עֵת הַגָּרִיד הָיָה שֶׁהָאָרֶץ חֲלוּלָה וּמְנוּקֶּבֶת כִּכְבָרָה: **וָאֶקְבְּרֶהָ שָׁם.** לֹא הוֹלַכְתִּיהָ אֲפִילוּ לְבֵית לֶחֶם לְהַכְנִיסָהּ פ לָאָרֶץ וְיָדַעְתִּי שֶׁיֵּשׁ בְּלִבְּךָ עָלַי. אֲבָל דַּע לְךָ שֶׁעַל פִּי הַדִּבּוּר קְבַרְתִּיהָ שָׁם, שֶׁתְּהֵא לְעֶזְרָה לְבָנֶיהָ כְּשֶׁיַּגְלֶה אוֹתָם נְבוּזַרְאֲדָן וְהָיוּ עוֹבְרִים דֶּרֶךְ שָׁם, יָצְאת רָחֵל עַל קִבְרָהּ וּבוֹכָה וּמְבַקֶּשֶׁת עֲלֵיהֶם רַחֲמִים. שֶׁנֶּאֱמַר קוֹל בְּרָמָה נִשְׁמָע וגו' (ירמיה לא:יד), וְהקב״ה מְשִׁיבָהּ, יֵשׁ שָׂכָר לִפְעֻלָּתֵךְ נְאֻם ה' וגו' וְשָׁבוּ בָנִים לִגְבוּלָם (שם לא:טו־טז; ב״ר פב:י; פסיקתא רבתי פ״ג). וְאוּנְקְלוּס תִּרְגֵּם כְּרוּב אַרְעָא כְּדֵי שִׁיעוּר חֲרִישַׁת יוֹם [ס״א אָרֶץ] וְאוֹמֵר אֲנִי שֶׁהָיָה לָהֶם קֶצֶב שֶׁהָיוּ

בעל הטורים

(ה) אפרים ומנשה. בגימטריא ראובן ושמעון. **(ו) יקראו.** ב׳ במסורת — ״על שם אחיהם יקראו בנחלתם״; ״בניו יקראו על שבט הלוי״. כמו שבכאן נקראו בנחלתם על שם אחיהם, שהיו להם ערי מגרש מכל שבטי ישראל:

עיקר שפתי חכמים

ס דמלשון אשר משמע דודאי הוא שיוליד, לכן פי' אם תוליד דאשר הוא אם: ע כי נחלת כל שבט נקראת על שם השבט, נחלת ראובן נחלת שמעון, וגם נחלת אפרים ומנשה תקרא נחלת אפרים נחלת מנשה ולא נחלת יוסף: פ לארץ פי' בעיר שבני אדם יושבים בה, דהא היא נקברה בארץ ישראל:

אֶפְרָת הִוא בֵּית לָחֶם: ח וַיַּרְא יִשְׂרָאֵל אֶת־בְּנֵי יוֹסֵף וַיֹּאמֶר מִי־אֵלֶּה: ט וַיֹּאמֶר יוֹסֵף אֶל־אָבִיו בָּנַי הֵם אֲשֶׁר־נָתַן־לִי אֱלֹהִים בָּזֶה וַיֹּאמַר קָחֶם־נָא אֵלַי וַאֲבָרְכֵם: שני י וְעֵינֵי יִשְׂרָאֵל כָּבְדוּ מִזֹּקֶן לֹא יוּכַל לִרְאוֹת וַיַּגֵּשׁ אֹתָם אֵלָיו וַיִּשַּׁק לָהֶם וַיְחַבֵּק לָהֶם: יא וַיֹּאמֶר יִשְׂרָאֵל אֶל־יוֹסֵף רְאֹה פָנֶיךָ לֹא פִלָּלְתִּי וְהִנֵּה הֶרְאָה אֹתִי אֱלֹהִים גַּם אֶת־זַרְעֶךָ: יב וַיּוֹצֵא יוֹסֵף אֹתָם מֵעִם

אֶפְרָת הִיא בֵּית לָחֶם: ח וַחֲזָא יִשְׂרָאֵל יָת בְּנֵי יוֹסֵף וַאֲמַר מַן אִלֵּין: ט וַאֲמַר יוֹסֵף לַאֲבוּהִי בְּנַי אִנּוּן דִּי יְהַב לִי יְיָ הָכָא וַאֲמַר קָרֵבִנּוּן כְּעַן לְוָתִי וַאֲבָרֵכִנּוּן: י וְעֵינֵי יִשְׂרָאֵל יְקָרָן מְסֵיבוּ לָא יָכוֹל לְמֶחֱזֵי וְקָרֵיב יָתְהוֹן לְוָתֵהּ וְנַשִּׁיק לְהוֹן וְגַפִּיף לְהוֹן: יא וַאֲמַר יִשְׂרָאֵל לְיוֹסֵף לְמֶחֱזֵי אַפָּיךְ לָא סְבָרִית וְהָא אַחְזִי יָתִי יְיָ אַף יָת בְּנָיךְ: יב וְאַפֵּיק יוֹסֵף יָתְהוֹן מִן

רש״י

קוֹרִין אוֹתוֹ כְּדֵי מַחֲרֵישָׁה אַ׳, קרוביד״א בלע״ז, כדאמרי׳ כְּרוּב וְתָנֵי צ (בבא מציעא קז.), כַּמָּה דְּמַסִּיק תַּלְמָא מִבֵּי כַרְבָּא (יומא מג:): **[פסוק ח] וַיַּרְא יִשְׂרָאֵל אֶת בְּנֵי יוֹסֵף.** בִּקֵּשׁ לְבָרְכָם וְנִסְתַּלְּקָה שְׁכִינָה מִמֶּנּוּ, לְפִי שֶׁעָתִיד יָרָבְעָם וְאַחְאָב לָצֵאת מֵאֶפְרַיִם וְיֵהוּא וּבָנָיו מִמְּנַשֶּׁה (תנחומא ו): **וַיֹּאמֶר מִי אֵלֶּה.** מֵהֵיכָן יָצְאוּ אֵלּוּ (עי׳ תרגום יונתן) שֶׁאֵינָן רְאוּיִן לִבְרָכָה: **[פסוק ט] בָּזֶה.** הֶרְאָהוּ שְׁטַר אֵירוּסִין וּשְׁטַר כְּתוּבָּה (מסכת כלה ג:טו). וּבִקֵּשׁ יוֹסֵף רַחֲמִים עַל הַדָּבָר וְנָחָה עָלָיו רוּחַ הַקֹּדֶשׁ (תנחומא שם): **וַיֹּאמַר קָחֶם נָא אֵלַי וַאֲבָרְכֵם.** זֶה שֶׁאָמַר הַכָּתוּב וְאָנֹכִי תִרְגַּלְתִּי לְאֶפְרַיִם קָחָם עַל זְרוֹעוֹתָיו (הושע יא:ג), תִּרְגַּלְתִּי רוּחִי בְּיַעֲקֹב בִּשְׁבִיל אֶפְרַיִם עַד שֶׁלְּקָחָן עַל זְרוֹעוֹתָיו (תנחומא שם): **[פסוק יא] לֹא פִלָּלְתִּי.** לֹא מִלָּאַנִי לִבִּי לַחֲשׁוֹב [ס״א לַחֲקוֹר] מַחֲשָׁבָה שֶׁאֶרְאֶה פָּנֶיךָ עוֹד: **פִּלָּלְתִּי.** לְשׁוֹן מַחֲשָׁבָה, כְּמוֹ הָבִיאִי עֵצָה עֲשִׂי פְלִילָה (ישעיה טז:ג): **[פסוק יב] וַיּוֹצֵא יוֹסֵף אֹתָם.** לְאַחַר שֶׁנְּשָׁקָם הוֹצִיאָם יוֹסֵף מֵעִם בִּרְכָּיו כְּדֵי לִישָּׁבָם זֶה

בעל הטורים

(ט) קחם נא אלי ואברכם. ״קחם״ לית, וחד ״קחם״, ״ואנכי תרגלתי לאפרים קחם על זרועתיו״. פירוש ״תרגלתי לאפרים״, השריתי שכינתי עמו בשביל אפרים. אימתי, בשעה שנתברך מפי יעקב וקחם על זרועו, שנאמר ״קחם נא אלי ואברכם״: **(י) ועיני.** ג׳ במסורת — ופירשתי בפרשת ויצא: **מזקן.** כתיב חסר, על שם ״ויהי כי זקן יצחק ותכהין עיניו מראת״. כשם שרימה יעקב לאביו בברכתו כשכהו עיניו, כך עשו לו בניו בברכו אותם, שהחליף לו יוסף מנשה באפרים:

עיקר שפתי חכמים

צ פי׳ חורש ושונה:

בִּרְכָּיו וַיִּשְׁתַּחוּ לְאַפָּיו אָרְצָה׃
יג וַיִּקַּח יוֹסֵף אֶת־שְׁנֵיהֶם אֶת־
אֶפְרַיִם בִּימִינוֹ מִשְּׂמֹאל יִשְׂרָאֵל
וְאֶת־מְנַשֶּׁה בִשְׂמֹאלוֹ מִימִין
יִשְׂרָאֵל וַיַּגֵּשׁ אֵלָיו׃ יד וַיִּשְׁלַח
יִשְׂרָאֵל אֶת־יְמִינוֹ וַיָּשֶׁת עַל־
רֹאשׁ אֶפְרַיִם וְהוּא הַצָּעִיר
וְאֶת־שְׂמֹאלוֹ עַל־רֹאשׁ מְנַשֶּׁה
שִׂכֵּל אֶת־יָדָיו כִּי מְנַשֶּׁה הַבְּכוֹר׃ טו וַיְבָרֶךְ אֶת־
יוֹסֵף וַיֹּאמַר הָאֱלֹהִים אֲשֶׁר הִתְהַלְּכוּ אֲבֹתַי
לְפָנָיו אַבְרָהָם וְיִצְחָק הָאֱלֹהִים הָרֹעֶה אֹתִי
מֵעוֹדִי עַד־הַיּוֹם הַזֶּה׃ טז הַמַּלְאָךְ הַגֹּאֵל אֹתִי

קֳדָמוֹהִי וּסְגִיד עַל אַפּוֹהִי
עַל אַרְעָא: יג וּדְבַר יוֹסֵף יָת
תַּרְוֵיהוֹן יָת אֶפְרַיִם בִּימִינֵהּ
מִשְּׂמָאלָא דְּיִשְׂרָאֵל וְיָת
מְנַשֶּׁה בִּשְׂמָאלֵהּ מִימִינָא
דְּיִשְׂרָאֵל וְקָרֵיב לְוָתֵהּ:
יד וְאוֹשֵׁיט יִשְׂרָאֵל יָת
יְמִינֵהּ וְשַׁוִּי עַל רֵישָׁא
דְּאֶפְרַיִם וְהוּא זְעֵירָא
וְיָת שְׂמָאלֵהּ עַל רֵישָׁא
דִּמְנַשֶּׁה אַחְכְּמִנּוּן לִידוֹהִי
אֲרֵי מְנַשֶּׁה בּוּכְרָא:
טו וּבָרֵיךְ יָת יוֹסֵף וַאֲמַר יְיָ
דִּי פְלַחוּ אֲבָהָתִי קֳדָמוֹהִי
אַבְרָהָם וְיִצְחָק יְיָ דְּזָן יָתִי
מִדְּאִיתַי עַד יוֹמָא הָדֵין:
טז מַלְאֲכָא דִּי פְרַק יָתִי

רש"י

לַיָּמִין וְזֶה לַשְּׂמֹאל לִסְמוֹךְ יָדָיו עֲלֵיהֶם וּלְבָרְכָם: **וַיִּשְׁתַּחוּ לְאַפָּיו.** כְּשֶׁחָזַר לַאֲחוֹרָיו מִלִּפְנֵי אָבִיו: **[פסוק יג] את אפרים בימינו משמאל ישראל.** הַבָּא לִקְרַאת חֲבֵרוֹ יְמִינוֹ כְּנֶגֶד שְׂמֹאל חֲבֵרוֹ. וְכֵיוָן שֶׁיְּהֵא הַבְּכוֹר מְיוּמָּן לִבְרָכָה: **[פסוק יד] שכל את ידיו.** כְּתַרְגּוּמוֹ, אַחְכְּמִינוּן, בְּהַשְׂכֵּל וְחָכְמָה הִשְׂכִּיל אֶת יָדָיו לְכָךְ, וּמִדַּעַת, כִּי יוֹדֵעַ הָיָה כִּי מְנַשֶּׁה הַבְּכוֹר וְאעפ"כ לֹא שָׁת יְמִינוֹ עָלָיו: **[פסוק טז] המלאך הגאל אתי.** מַלְאָךְ ק הָרָגִיל לְהִשְׁתַּלֵּחַ אֵלַי בְּצָרָתִי, כָּעִנְיָן שֶׁנֶּא' וַיֹּאמֶר אֵלַי מַלְאַךְ הָאֱלֹהִים בַּחֲלוֹם יַעֲקֹב וגו' אָנֹכִי הָאֵל בֵּית אֵל (לעיל לא:יא-יג):

בעל הטורים

(יד) והוא הצעיר. בגימטריא הוא הקטין עצמו. לכך זכה ויצא ממנו יהושע, שהוא מלא חכמה. "וזרעו יהיה מלא" בגימטריא יהושע:

עיקר שפתי חכמים

ק שאין למלאך כח לגאול שום אדם בלא רשות הקב"ה:

מִכָּל בִּישָׁא יְבָרֵךְ יָת
עוּלֵימַיָּא וְיִתְקְרֵי בְהוֹן
שְׁמִי וְשׁוּם אֲבָהָתַי
אַבְרָהָם וְיִצְחָק וּכְנוּנֵי
יַמָּא יִסְגוֹן בְּגוֹ בְּנֵי אֱנָשָׁא
עַל אַרְעָא: יז וַחֲזָא יוֹסֵף
אֲרֵי שַׁוִּי אֲבוּהִי יַד יְמִינֵהּ
עַל רֵישָׁא דְאֶפְרַיִם
וּבְאֵישׁ בְּעֵינוֹהִי וּסְעָדָא
יְדָא דַאֲבוּהִי לְאַעְדָאָה
יָתַהּ מֵעַל רֵישָׁא דְאֶפְרַיִם
לְאַנָּחוּתַהּ עַל רֵישָׁא
דִמְנַשֶּׁה: יח וַאֲמַר יוֹסֵף
לַאֲבוּהִי לָא כֵן אַבָּא אֲרֵי
דֵין בּוּכְרָא שַׁוִּי יְמִינָךְ עַל
רֵישֵׁהּ: יט וְסָרֵיב אֲבוּהִי
וַאֲמַר יְדַעְנָא בְּרִי יְדַעְנָא
אַף הוּא יְהֵי לְעַמָּא וְאַף
הוּא יִסְגֵּי וּבְרַם אֲחוּהִי
זְעֵירָא יִסְגֵּי מִנֵּהּ וּבְנוֹהִי

מִכָּל־רָע יְבָרֵךְ֮ אֶת־הַנְּעָרִים֒
וְיִקָּרֵ֤א בָהֶם֙ שְׁמִ֔י וְשֵׁ֖ם אֲבֹתַ֥י
אַבְרָהָ֖ם וְיִצְחָ֑ק וְיִדְגּ֥וּ לָרֹ֖ב
בְּקֶ֥רֶב הָאָֽרֶץ׃ שלישי
יז וַיַּ֣רְא יוֹסֵ֗ף
כִּֽי־יָשִׁ֨ית אָבִ֧יו יַד־יְמִינ֛וֹ עַל־
רֹ֥אשׁ אֶפְרַ֖יִם וַיֵּ֣רַע בְּעֵינָ֑יו
וַיִּתְמֹ֣ךְ יַד־אָבִ֗יו לְהָסִ֥יר אֹתָ֛הּ
מֵעַ֥ל רֹאשׁ־אֶפְרַ֖יִם עַל־רֹ֥אשׁ
מְנַשֶּֽׁה׃
יח וַיֹּ֧אמֶר יוֹסֵ֛ף אֶל־
אָבִ֖יו לֹא־כֵ֣ן אָבִ֑י כִּי־זֶ֣ה הַבְּכֹ֔ר
שִׂ֥ים יְמִינְךָ֖ עַל־רֹאשֽׁוֹ׃
יט וַיְמָאֵ֣ן אָבִ֗יו וַיֹּ֙אמֶר֙
יָדַ֤עְתִּֽי בְנִי֙ יָדַ֔עְתִּי גַּם־ה֥וּא יִֽהְיֶה־לְּעָ֖ם וְגַם־
ה֣וּא יִגְדָּ֑ל וְאוּלָ֗ם אָחִ֤יו הַקָּטֹן֙ יִגְדַּ֣ל מִמֶּ֔נּוּ וְזַרְע֖וֹ

רש"י

יְבָרֵךְ אֶת הַנְּעָרִים. מְנַשֶּׁה וְאֶפְרַיִם: **וְיִדְגּוּ.** כַּדָּגִים הַלָּלוּ שֶׁפָּרִים וְרָבִים וְאֵין עַיִן הָרַע שׁוֹלֶטֶת בָּהֶם (ב"ר צז:ג; ברכות כ.): **[פסוק יז] וַיִּתְמֹךְ יַד אָבִיו.** ר הֱרִימָהּ מֵעַל רֹאשׁ בְּנוֹ וּתְמָכָהּ בְּיָדוֹ: **[פסוק יט] יָדַעְתִּי בְנִי יָדַעְתִּי.** שֶׁהוּא הַבְּכוֹר:

וְגַם הוּא יִהְיֶה לְּעָם, וְיִגְדַּל, שֶׁעָתִיד גִּדְעוֹן לָצֵאת מִמֶּנּוּ שֶׁהקב"ה עוֹשֶׂה נֵס עַל יָדוֹ (תנחומא ו): **וְאוּלָם אָחִיו הַקָּטֹן יִגְדַּל מִמֶּנּוּ.** שֶׁעָתִיד יְהוֹשֻׁעַ לָצֵאת מִמֶּנּוּ שֶׁיַּנְחִיל אֶת הָאָרֶץ וִילַמֵּד תּוֹרָה לְיִשְׂרָאֵל (שם):

בעל הטורים

(טז) ויקרא. ב׳ במסורת — ״ויקרא בהם שמי״; ״ויקרא שמו בישראל״. לומר, שכל שבטי ישראל ייקראו על שם יוסף, כדכתיב ״גאלת בזרוע עמך בני יעקב ויוסף סלה״: **(יט) ידעתי.** בגימטריא חמשה מלכים, שחמשה מלכים יצאו ממנשה:

עיקר שפתי חכמים

ר הוצרך לפרש כן מפני שהרמה שהיא ההסרה עם מלת ויתמוך שמורה על הסמיכה הם שני הפכים:

יִהְיֶה מְלֹא־הַגּוֹיִם׃ כ וַיְבָרְכֵם
בַּיּוֹם הַהוּא *לֵאמוֹר בְּךָ יְבָרֵךְ
יִשְׂרָאֵל לֵאמֹר יְשִׂמְךָ אֱלֹהִים
כְּאֶפְרַיִם וְכִמְנַשֶּׁה וַיָּשֶׂם אֶת־
אֶפְרַיִם לִפְנֵי מְנַשֶּׁה׃ כא וַיֹּאמֶר
יִשְׂרָאֵל אֶל־יוֹסֵף הִנֵּה אָנֹכִי
מֵת וְהָיָה אֱלֹהִים עִמָּכֶם וְהֵשִׁיב
אֶתְכֶם אֶל־אֶרֶץ אֲבֹתֵיכֶם׃ כב וַאֲנִי נָתַתִּי לְךָ
שְׁכֶם אַחַד עַל־אַחֶיךָ אֲשֶׁר לָקַחְתִּי מִיַּד
הָאֱמֹרִי בְּחַרְבִּי וּבְקַשְׁתִּי׃ פ

יְהוֹן שַׁלִּיטִין בְּעַמְמַיָּא׃
כ וּבָרֵיכִנּוּן בְּיוֹמָא הַהוּא
לְמֵימַר בָּךְ יְבָרֵךְ יִשְׂרָאֵל
לְמֵימַר יְשַׁוֵּינָךְ יְיָ כְּאֶפְרַיִם
וְכִמְנַשֶּׁה וְשַׁוִּי יָת אֶפְרַיִם
קֳדָם מְנַשֶּׁה׃ כא וַאֲמַר
יִשְׂרָאֵל לְיוֹסֵף הָא אֲנָא
מָאִית וִיהֵי מֵימְרָא דַיְיָ
בְּסַעְדְּכוֹן וְיָתֵיב יָתְכוֹן
לְאַרְעָא דַּאֲבָהַתְכוֹן׃
כב וַאֲנָא יְהָבִית לָךְ חוּלָק
חַד יַתִּיר עַל אֲחָךְ דִּי
נְסֵיבִית מִידָא דֶאֱמוֹרָאָה
בִּצְלוֹתִי וּבְבָעוּתִי׃

*מלא ו'

רש"י

וְזַרְעוֹ יִהְיֶה מְלֹא הַגּוֹיִם. ש כָּל הָעוֹלָם יִתְמַלֵּא בִּגְלַל שִׁמְעוֹ וּשְׁמוֹ כְּשֶׁיַּעֲמִיד חַמָּה בְּגִבְעוֹן וְיָרֵחַ בְּעֵמֶק אַיָּלוֹן (ב"ר שם ד; ע"ז כה.): **[פסוק כ] בְּךָ יְבָרֵךְ יִשְׂרָאֵל.** הַבָּא לְבָרֵךְ אֶת בָּנָיו יְבָרְכֵם בְּבִרְכָתָם וְיֹאמַר אִישׁ לִבְנוֹ יְשִׂמְךָ אֱלֹהִים כְּאֶפְרַיִם וְכִמְנַשֶּׁה: **וַיָּשֶׂם אֶת אֶפְרַיִם.** ת בְּבִרְכָתוֹ לִפְנֵי מְנַשֶּׁה, לְהַקְדִּימוֹ בַּדְּגָלִים וּבַחֲנוּכַּת הַנְּשִׂיאִים (ב"ר צז:ה): **[פסוק כב] וַאֲנִי נָתַתִּי לְךָ.** א לְפִי שֶׁאַתָּה טוֹרֵחַ לְהִתְעַסֵּק בִּקְבוּרָתִי וְגַם אֲנִי נָתַתִּי לְךָ נַחֲלָה שֶׁתִּקָּבֵר בָּהּ, וְאֵיזוֹ, זוֹ שְׁכֶם, שֶׁנֶּא' וְאֶת עַצְמוֹת יוֹסֵף אֲשֶׁר הֶעֱלוּ וגו' מִמִּצְרַיִם קָבְרוּ בִשְׁכֶם (יהושע כד:לב): **שְׁכֶם אַחַד עַל אַחֶיךָ.** שְׁכֶם מַמָּשׁ. הִיא תִּהְיֶה לְךָ חֵלֶק אֶחָד יְתֵרָה עַל אַחֶיךָ (ב"ר שם ו): **בְּחַרְבִּי וּבְקַשְׁתִּי.** כְּשֶׁהָרְגוּ שִׁמְעוֹן וְלֵוִי אֶת אַנְשֵׁי שְׁכֶם נִתְכַּנְּסוּ כָּל סְבִיבוֹתֵיהֶם לְהִזְדַּוֵּג לָהֶם. וְחָגַר יַעֲקֹב כְּלֵי מִלְחָמָה כְּנֶגְדָּן (שם פ:י). ד"א, שְׁכֶם אַחַד הִיא הַבְּכוֹרָה, שֶׁיִּטְּלוּ בָנָיו שְׁנֵי חֲלָקִים (שם צז:ו).

בעל הטורים

(כ) **ביום ההוא לאמור ... ישמך אלהים כאפרים וכמנשה.** "לאמור" מלא וי"ו, שבששה מקומות הקדים אפרים למנשה: אי נמי, כנגד ששה שופטים צדיקים שיצאו ממנו. ועל כן "אם משול תמשל בנו" מלא וי"ו. אבל "המלך תמלך עלינו", חסר וי"ו, שכל המלכים שיצאו ממנשה היו רשעים: **אפרים לפני.** בגימטריא בדגלים בנשיאים: (כב) **שכם אחד.** בגימטריא בחלק בכורה:

עיקר שפתי חכמים

ש כי לפי פשוטו שזרעו יהיו נפוצים בכל העולם הלא זה קללה הוא לו: ת ולפ"ז יתפרש וישם את אפרים לא ששם אותו במקום רק שם אותו גבוה במעלה: א בא לקשר את הכתוב הזה עם מה שלפניו:

רביעי **פרק מט** א וַיִּקְרָא יַעֲקֹב אֶל־
בָּנָיו וַיֹּאמֶר הֵאָסְפוּ וְאַגִּידָה
לָכֶם אֵת אֲשֶׁר־יִקְרָא אֶתְכֶם
בְּאַחֲרִית הַיָּמִים׃ ב הִקָּבְצוּ
וְשִׁמְעוּ בְּנֵי יַעֲקֹב וְשִׁמְעוּ
אֶל־יִשְׂרָאֵל אֲבִיכֶם׃ ג רְאוּבֵן
בְּכֹרִי אַתָּה כֹּחִי וְרֵאשִׁית אוֹנִי
יֶתֶר שְׂאֵת וְיֶתֶר עָז׃ ד פַּחַז כַּמַּיִם אַל־תּוֹתַר

א וּקְרָא יַעֲקֹב לִבְנוֹהִי
וַאֲמַר אִתְכַּנָּשׁוּ וַאֲחַוֵּי
לְכוֹן יָת דִּי יְעָרַע יָתְכוֹן
בְּסוֹף יוֹמַיָּא׃ ב אִתְכַּנָּשׁוּ
וּשְׁמָעוּ בְּנֵי יַעֲקֹב וְקַבִּילוּ
אוּלְפַן מִן יִשְׂרָאֵל
אֲבוּכוֹן׃ ג רְאוּבֵן בּוּכְרִי
אַתְּ חֵילִי וְרֵישׁ תָּקְפִּי
לָךְ הֲוָה חֲזֵי לְמִסַּב
תְּלָתָא חוּלָקִין בְּבֵירוּתָא
כְּהֻנְּתָא וּמַלְכוּתָא׃ ד עַל
דַּאֲזַלְתָּא לְקֳבֵל אַפָּךְ הָא
כְּמַיָּא בְּרַם לָא אַהֲנֵיתָא
חוּלָק יַתִּיר לָא תִסַּב

רש"י

ושכם [ב] ל' חלק הוא, כתרגומו, והרבה יש לו דומים במקרא, כי תשיתמו שכם (תהלים כא:יג) [ג] תשית שונאי לפני לחלקים. חלקה שכם (שם ס:ח) דרך ירצחו שכמה (הושע ו:ט) איש חלקו. לעבדו שכם אחד (צפניה ג:ט): **אשר לקחתי מיד האמרי.** מיד עשו שעשה מעשה אמורי (ב"ר צז:ו). ד"א, שהיה צד אביו באמרי פיו (עי' רש"י לעיל כה:כח): **בחרבי ובקשתי.** היא [ד] חכמתי ותפלתי (עי' בבא בתרא קכג.; תנחומא בשלח ט): **[פסוק א] ואגידה לכם.** בקש לגלות את [ה] הקץ ונסתלקה ממנו שכינה והתחיל אומר דברים אחרים (פסחים נו.; ב"ר צח:ב): **[פסוק ג] וראשית אוני.** היא טפה ראשונה שלו, שלא ראה קרי מימיו (ב"ר שם ד; יבמות עו.): **אוני.** כחי. כמו מצאתי און לי (הושע יב:ט) מרוב אונים (ישעיה מ:כו) ולאין אונים (שם כט): **יתר שאת.** ראוי היית להיות יתר על אחיך בכהונה, לשון נשיאות כפים (ב"ר צט:ו): **ויתר עז.** במלכות (שם), כמו ויתן עז למלכו (שמואל א ב:י). ומי גרם לך להפסיד כל אלה: **[פסוק ד] פחז כמים.** הפחז והבהלה אשר מהרת להראות כעסך כמים הללו הממהרים למרוצתם, לכך: **אל תותר.** אל תרבה ליטול כל היתרונות הללו שהיו ראויות לך (תנחומא ט). ומהו הפחז אשר פחזת:

בעל הטורים

(א) ויקרא יעקב אל בניו. שרצה לגלות הקץ ונסתם ממנו. אמר יעקב, שמא יש בכם חטא. אמרו לו, תדקדק בשמותינו ולא תמצא בהם אותיות ח"ט. ואמר להם, גם אין בהם אותיות ק"ץ: **(ב) ושמעו.** אותיות שמע ו'. שאמרו "שמע ישראל" שיש בו ששה תבות: **ושמעו בני יעקב ושמעו.** בגימטריא הוא בקש לגלות הקץ: **ושמעו אל ישראל.** בגימטריא זו קצו של מלך המשיח: **(ג) ראובן.** בגימטריא לא בכור. "יוסף" במלואו בגימטריא בכורה:

עיקר שפתי חכמים

ב כי לא יוכל לפרש שכם הוא שם העיר כי כל שמות העיירות בא"ס בלשון נקבה, והי' ל"ל שכם אחת ולא אחד: **ג** הוא פי' על כי תשיתמו שכם: **ד** כי חרב הוא דבר חריף וחד וזה משל על החכמה, וקשתי הוא מלשון בקשה: **ה** וכמו"ש באחרית הימים:

כִּי עָלִיתָ מִשְׁכְּבֵי אָבִיךָ אָז חִלַּלְתָּ יְצוּעִי עָלָה: פ

ה שִׁמְעוֹן וְלֵוִי אַחִים כְּלֵי חָמָס מְכֵרֹתֵיהֶם: ו בְּסֹדָם אַל־תָּבֹא נַפְשִׁי בִּקְהָלָם אַל־תֵּחַד כְּבֹדִי כִּי בְאַפָּם

אֲרֵי סְלֶקְתָּא בֵּית מִשְׁכְּבֵי אָבוּךְ בְּכֵן אֲחֶלְתָּא לְשִׁוּוּיֵי בְּרִי סְלֶקְתָּא: ה שִׁמְעוֹן וְלֵוִי אַחִין גַּבְרִין גִּבָּרִין בְּאַרַע תּוֹתָבוּתְהוֹן עֲבָדוּ גְבוּרָא: ו בְּרָזְהוֹן לָא הֲוַת נַפְשִׁי בְּאִתְכַּנְשֵׁהוֹן לְמֵהַךְ לָא נְחָתִית מִן יְקָרִי אֲרֵי בְרָגְזְהוֹן

רש"י

כי עלית משכבי אביך אז חללת. ו אותו שם שעלה על יצועי, והיא השכינה שהיה דרכו להיות עולה על יצועי (שבת נה:): **פחז.** שם דבר הוא, לפיכך טעמו למעלה וכלו נקוד פתח, ואילו היה לשון עבר היה נקוד חציו קמץ וחציו פתח וטעמו למטה: **יצועי.** ל' משכב. ע"ש שמציעים אותו על ידי לבדין וסדינין. והרבה דומים לו, אם זכרתיך על יצועי (תהלים סג:ז) אם אעלה על ערש יצועי (שם קלב:ג): **[פסוק ה] שמעון ולוי אחים.** בעצה אחת על שכם ועל יוסף, ויאמרו איש אל אחיו וגו' ועתה לכו ונהרגהו (לעיל לז:יט-כ). מי הם, אם תאמר ראובן או יהודה, הרי לא הסכימו בהריגתו. אם תאמר בני השפחות, הרי לא היתה שנאתן שלמה, שנאמר והוא נער את בני בלהה ואת בני זלפה וגו' (שם פסוק ב). יששכר וזבולון לא היו מדברים בפני אחיהם הגדולים מהם. על כרחך ז שמעון ולוי הם שקראם אביהם אחים: **כלי חמס.** אומנות זו של רציחה חמס הוא בידכם, מברכת עשו היא זו, אומנות שלו היא ואתם חמסתם אותה הימנו (תנחומא ט; ב"ר לט:ו): **מכרתיהם.** לשון כלי זיין הסייף בל' יוני מכי"ר (תנחומא שם). דבר אחר, מכרתיהם, בארץ ח מגורתם נהגו עצמן בכלי חמס, כמו מכרתיך ומלדתיך (יחזקאל טז:ג), וזה תרגום של אונקלוס: **[פסוק ו] בסדם אל תבא נפשי.** זה מעשה זמרי. כשנתקבצו שבטו של שמעון להביא את המדינית לפני משה ואמרו לו זו אסורה או מותרת, אם תאמר אסורה, בת יתרו ט מי התירה לך (סנהדרין פב.) אל יזכר שמי בדבר, שנאמר זמרי בן סלוא נשיא בית אב לשמעוני (במדבר כה:יד) ולא כתב בן יעקב (ב"ר לט:ו): **בקהלם.** כשיקהיל קרח שהוא משבטו של לוי את כל העדה על משה ועל אהרן: **אל תחד כבדי.** שם אל יתיחד עמהם שמי, שנאמר קרח בן יצהר בן קהת בן לוי (במדבר טז:א) ולא נאמר בן יעקב. אבל בדברי הימים (א ו:כב-כג) כשנתיחסו בני קרח על הדוכן נאמר בן קרח בן יצהר בן קהת בן לוי בן ישראל (ב"ר לח:ה):

בעל הטורים

(ה) **שמעון ולוי אחים.** בגימטריא אין להם חלק בארץ: (ו) **תחד.** ב' במסורת – הכא "אל תחד כבדי"; ואידך "לא תחד אתם בקבורה". שביקש יעקב, שאף לאחר הקבורה לא יהיו מזכירין אותו במעשה קרח, וזהו "בקהלם", שנאמר שם "ויקהל עליהם קרח". אבל כשמייחסם על הדוכן הזכירו ואמר "בן לוי בן ישראל":

עיקר שפתי חכמים

ו כי חלל נופל על לחלל קודש ולא על יצועי אשר הוא חול: ז ומה שדברו שמעון ולוי לפני ראובן הגדול מהם משום שראובן לא הי' שם באותו פעם שהלך לשמש את אביו: ח לפי שהכ"ף במלת מכרותיהם נחלפת בגימ"ל שהם מאותיות גיכ"ק: ט ובאמת לפורה גיורת היתה. עי"ל דמשה נשאה קודם מתן תורה:

הָרְגוּ אִישׁ וּבִרְצֹנָם עִקְּרוּ־שׁוֹר׃
ז אָרוּר אַפָּם כִּי עָז וְעֶבְרָתָם כִּי
קָשָׁתָה אֲחַלְּקֵם בְּיַעֲקֹב וַאֲפִיצֵם
בְּיִשְׂרָאֵל׃ פ
ח *יְהוּדָה אַתָּה יוֹדוּךָ אַחֶיךָ יָדְךָ
בְּעֹרֶף אֹיְבֶיךָ יִשְׁתַּחֲווּ לְךָ בְּנֵי

קְטָלוּ קְטוֹל וּבִרְעוּתְהוֹן
תַּרָעוּ שׁוּר סַנְאָה׃
ז לִיט רָגְזְהוֹן אֲרֵי תַקִּיף
וְחִמַתְהוֹן אֲרֵי קַשְׁיָא
אֱפַלְּגִנּוּן בְּיַעֲקֹב וְאֵבַדְּרִנּוּן
בְּיִשְׂרָאֵל׃ ח יְהוּדָה אַתְּ
אוֹדֵיתָא וְלָא בְהֵיתְתָא
בָּךְ יוֹדוּן אַחָיךְ יְדָךְ תִּתְקַף
עַל בַּעֲלֵי דְבָבָךְ יִתְבַּדְּרוּן
סַנְאָךְ יְהוֹן מְחַזְּרִין קְדַל
קֳדָמָךְ וִיהוֹן מְקַדְּמִין
לְמִשְׁאַל בִּשְׁלָמָךְ בְּנֵי

*בראש עמוד בי"ה שמ"ו סימן

רש"י

אַל תֵּחַד כְּבֹדִי. כָּבוֹד לְשׁוֹן זָכָר הוּא, וְעַל כָּרְחֲךָ אַתָּה צָרִיךְ לְפָרֵשׁ כִּמְדַבֵּר אֶל הַכָּבוֹד וְאוֹמֵר י אַתָּה כְּבוֹדִי אַל תִּתְיַחֵד עִמָּהֶם, כְּמוֹ לֹא תֵחַד אִתָּם בִּקְבוּרָה (ישעיה יד:כ): **כִּי בְאַפָּם הָרְגוּ אִישׁ.** אֵלּוּ חֲמוֹר וְאַנְשֵׁי שְׁכֶם, וְאֵינָן חֲשׁוּבִין כֻּלָּם אֶלָּא כְּאִישׁ אֶחָד. וְכֵן הוּא אוֹמֵר בְּגִדְעוֹן וְהִכִּיתָ אֶת מִדְיָן כְּאִישׁ אֶחָד (שופטים ו:טז), וְכֵן בְּמִצְרַיִם סוּס וְרֹכְבוֹ רָמָה בַיָּם (שמות טו:א). זֶהוּ מִדְרָשׁוֹ (ב"ר צט:ו). וּפְשׁוּטוֹ אֲנָשִׁים הַרְבֵּה קוֹרֵא אִישׁ כָּל אֶחָד לְעַצְמוֹ, בְּאַפָּם הָרְגוּ כָּל אִישׁ שֶׁכָּעֲסוּ עָלָיו, וְכֵן וַיִּלְמַד לִטְרָף טֶרֶף אָדָם אָכָל (יחזקאל יט:ג): **וּבִרְצֹנָם עִקְּרוּ שׁוֹר.** רָצוּ לַעֲקוֹר אֶת יוֹסֵף שֶׁנִּקְרָא שׁוֹר, שֶׁנֶּאֱמַר בְּכוֹר שׁוֹרוֹ הָדָר לוֹ (דברים לג:יז; עי' תרגום ירושלמי). עִקְּרוּ אשיירטי"ר בלע"ז, לְשׁוֹן אֶת סוּסֵיהֶם תְּעַקֵּר (יהושע יא:ו): [פסוק ז] **אָרוּר אַפָּם כִּי עָז.** אֲפִילוּ בִּשְׁעַת תּוֹכָחָה לֹא קִלֵּל אֶלָּא אֶת אַפָּם, וְזֶהוּ שֶׁאָמַר בִּלְעָם מָה אֶקֹּב לֹא קַבֹּה אֵל (במדבר כג:ח; ב"ר שם): **אֲחַלְּקֵם בְּיַעֲקֹב.** אַפְרִידֵם זֶה מִזֶּה שֶׁלֹּא יְהֵא לֵוִי בְּמִנְיַן הַשְּׁבָטִים, וַהֲרֵי הֵם חֲלוּקִים (ב"ר צח:ה). ד"א, אֵין לְךָ עֲנִיִּים וְסוֹפְרִים וּמְלַמְּדֵי תִינוֹקוֹת אֶלָּא מִשִּׁמְעוֹן, כְּדֵי שֶׁיִּהְיוּ נְפוֹצִים, וְשִׁבְטוֹ שֶׁל לֵוִי עֲשָׂאוֹ מְחַזֵּר עַל הַגְּרָנוֹת לִתְרוּמוֹת וּלְמַעַשְׂרוֹת, נָתַן לוֹ תְּפוּצָתוֹ כ דֶּרֶךְ כָּבוֹד (שם צט:ו): [פסוק ח] **יְהוּדָה אַתָּה יוֹדוּךָ אַחֶיךָ.** לְפִי שֶׁהוֹכִיחַ אֶת הָרִאשׁוֹנִים בְּקִנְטוּרִים הִתְחִיל יְהוּדָה לָסוֹג לַאֲחוֹרָיו [שֶׁלֹּא יוֹכִיחֶנּוּ עַל מַעֲשֵׂה תָמָר], וּקְרָאוֹ יַעֲקֹב בְּדִבְרֵי רִצּוּי, יְהוּדָה לֹא אַתָּה כְּמוֹתָם (ב"ר צח:ה, צט:ח): **יָדְךָ בְּעֹרֶף אֹיְבֶיךָ.** בִּימֵי דָוִד, וְאֹיְבַי תַּתָּה לִּי עֹרֶף (שמואל ב כב:מא; ב"ר צט:ח): **בְּנֵי אָבִיךָ.** עַל שֵׁם שֶׁהָיוּ מִנָּשִׁים הַרְבֵּה לֹא אָמַר בְּנֵי אִמְּךָ כְּדֶרֶךְ שֶׁאָמַר יִצְחָק (לעיל כז:כט; ב"ר שם):

בעל הטורים

כי באפם הרגו איש. בגימטריא זה שכם בן חמור: **(ח) יהודה.** בי"ה שמ"ו צריך להיות בראש הדף — בי"ת "בראשית"; יו"ד "יהודה אתה יודוך"; ה"א "הבאים אחריהם בים"; שי"ן "שמר לך"; מ"ם "מה טבו אהליך"; וי"ו "ואעידה בם את השמים", על שם "כי ביה ה' צור עולמים": **אחיך ידך בערף איביך.** ראשי תבות בגימטריא דוד, דכתיב בה "ואיבי תתה לי ערף": **ישתחוו לך.** ב' במסורת — הכא חד; ואידך "כל הארץ ישתחוו לך ויזמרו לך". וכן "ואדנינו" ב' במסורת — "ואדנינו מכל אלהים"; "ואדנינו דוד". על שם "וכסאו כשמש נגדי"; "ורבו רבון קדמוהי", אחד לי ואחד לדוד:

עיקר שפתי חכמים

י כי נוכח לזכר הוא נסתר לנקבה, כמו הכא דמלת תחד הוא ל' נסתר לנקבה וג"כ נוכח לזכר וק"ל: כ אחלקם ביעקב קאי אשמעון ואפילם בישראל קאי על לוי, לכן כתיב בישראל דהוא ל' אשיבות:

אָבִיךָ: ט גּוּר אַרְיֵה יְהוּדָה מִטֶּרֶף
בְּנִי עָלִיתָ כָּרַע רָבַץ כְּאַרְיֵה
וּכְלָבִיא מִי יְקִימֶנּוּ: י לֹא־יָסוּר
שֵׁבֶט מִיהוּדָה וּמְחֹקֵק מִבֵּין רַגְלָיו
עַד כִּי־יָבֹא שִׁילֹה וְלוֹ יִקְּהַת עַמִּים:

אֲבוּךְ: ט שִׁלְטוֹן יְהֵי בְּשֵׁרוּיָא וּבְסוֹפָא יִתְרַבָּא מַלְכָּא מִדְּבֵית יְהוּדָה אֲרֵי מִדִּין קַטְלָא בְּרִי נַפְשָׁךְ סְלֶקְתָּא יְנוּחַ יִשְׁרֵי בִתְקוֹף כְּאַרְיָא וּכְלֵיתָא וְלֵית מַלְכוּ דִּתְזַעְזְעִנֵּיהּ: י לָא יַעֲדֵי עָבֵד שֻׁלְטָן מִדְּבֵית יְהוּדָה וְסָפְרָא מִבְּנֵי בְנוֹהִי עַד עָלְמָא עַד דְּיֵיתֵי מְשִׁיחָא דְּדִילֵהּ הִיא מַלְכוּתָא וְלֵהּ יִשְׁתַּמְעוּן עַמְמַיָּא:

רש״י

[פסוק ט] **גּוּר אַרְיֵה.** עַל דָּוִד נִתְנַבֵּא. בַּתְּחִלָּה גּוּר, בִּהְיוֹת שָׁאוּל מֶלֶךְ עָלֵינוּ אַתָּה הָיִיתָ הַמּוֹצִיא וְהַמֵּבִיא אֶת יִשְׂרָאֵל (שמואל ב ה:ב). וּלְבַסּוֹף אַרְיֵה כְּשֶׁהִמְלִיכוּהוּ עֲלֵיהֶם. וְזֶהוּ שֶׁתִּרְגֵּם אוּנְקְלוֹס שִׁלְטוֹן יְהֵא בְּשֵׁרוּיָא, בִּתְחִלָּתוֹ: **מִטֶּרֶף.** מִמַּה שֶּׁחֲשַׁדְתִּיךָ בְּטָרֹף טֹרַף יוֹסֵף חַיָּה רָעָה אֲכָלָתְהוּ (לעיל לז:לג) וְזֶהוּ יְהוּדָה שֶׁנִּמְשַׁל לְאַרְיֵה (ב״ר צח:ז; תנחומא ויגש ט): **בְּנִי עָלִיתָ.** ל סִלַּקְתָּ אֶת עַצְמְךָ וְאָמַרְתָּ מַה בֶּצַע וגו׳ (לעיל לז:כו), וְכֵן בַּהֲרִיגַת תָּמָר שֶׁהוֹדָה צָדְקָה מִמֶּנִּי (לעיל לח:כו; תנחומא י; ב״ר לח:ז, לט:ח). לְפִיכָךְ: **כָּרַע רָבַץ וגו׳.** בִּימֵי שְׁלֹמֹה אִישׁ תַּחַת גַּפְנוֹ וגו׳ (מלכים א ה:ה): [פסוק י] **לֹא יָסוּר שֵׁבֶט מִיהוּדָה.** מ מִדָּוִד וְאֵילָךְ, אֵלּוּ רָאשֵׁי גָלֻיּוֹת שֶׁבְּבָבֶל שֶׁרוֹדִים אֶת הָעָם בַּשֵּׁבֶט, שֶׁמְּמוּנִּים [הָיוּ] ע״פ הַמַּלְכוּת (סנהדרין ה.): **וּמְחֹקֵק מִבֵּין רַגְלָיו.** תַּלְמִידִים, אֵלּוּ נְשִׂיאֵי א״י (שם): **עַד כִּי יָבֹא שִׁילֹה.** נ מֶלֶךְ הַמָּשִׁיחַ שֶׁהַמְּלוּכָה שֶׁלּוֹ (ב״ר צט:ח), וכן ת״א. וּמִדְרַשׁ אַגָּדָה, שִׁילוֹ, שַׁי לוֹ, שֶׁנֶּאֱמַר יוֹבִילוּ שַׁי לַמּוֹרָא (תהלים עו:יב; ילק״ש קס): **וְלוֹ יִקְּהַת עַמִּים.** אֲסִיפַת הָעַמִּים. שֶׁהַיּוּ״ד עִיקָר הִיא בַּיְסוֹד, כְּמוֹ יִפְעָתֵךְ (יחזקאל כח:יז), וּפְעָמִים שֶׁנּוֹפֶלֶת מִמֶּנּוּ. וְכַמָּה אוֹתִיּוֹת מְשַׁמְּשׁוֹת בְּל׳ זֶה וְהֵם נִקְרָאִים עִיקָר נוֹפֵל, כְּגוֹן נוּ״ן שֶׁל נוֹגֵף וְשֶׁל נוֹשֵׁךְ, וְאָלֶ״ף שֶׁבְּאַחֲוָתִי בְּאָזְנֵיכֶם (איוב יג:יז) וְשֶׁבְּאִבְחַת חָרֶב (יחזקאל כא:כ), וְאָסוּךְ שָׁמֶן (מלכים ב ד:ב). אַף זֶה, יִקְּהַת עַמִּים, אֲסִיפַת עַמִּים, שנא׳ אֵלָיו גּוֹיִם יִדְרֹשׁוּ (ישעיה יא:י; ב״ר שם). וְדוֹמֶה לוֹ עַיִן תִּלְעַג לְאָב וְתָבוּז לִיקְּהַת אֵם (משלי ל:יז), לְקִבּוּץ קְמָטִים שֶׁבְּפָנֶיהָ מִפְּנֵי זִקְנָתָהּ. וּבַתַּלְמוּד, דְּיָתְבֵי ס וּמַקְהוּ אַקְהָתָא

בעל הטורים

(ט) **גור אריה יהודה.** בגימטריא דוד ושלמה [בנו]: **גור אריה יהודה.** ראשי תבות בגימטריא דוד: **גור אריה.** בגימטריא זה נחשון: **עלית.** ג׳ במסורת – ״מטרף בני עלית״; ״כי עלית משכבי אביך״; ״עלית למרום״. לראובן אמר, ״עלית״, והיית ראוי ליקח מתנות כהונה ומלוכה, דכתיב ביה ״ויתן עוז למלכו״, ומי גרם לך שהפסדת אותו? ״כי עלית משכבי אביך״. וליהודה אמר, אבל אתה, ש״מטרף בני עלית״, זכית ועלית ולקחת מתנות מלוכה: (י) **ומחקק מבין רגליו.** בגימטריא תלמידי חכמים. ובגימטריא מחקק עולה רמ״ח, שרמ״ח איברים באדם, על שם ״ערוכה בכל ושמרה״: **יבא שילה.** בגימטריא משיח: **שילה.** בגימטריא משה, דכתיב ביה ״ויתא ראשי עם״, שאז ״היתה יהודה לקדשו״, דכתיב ״שרי יהודה רגמתם״:

עיקר שפתי חכמים

ל ר״ל בני קאי על יהודה משום דהוא סלק עצמו מטרף יוסף ותמר: **מ** דק״ל והא עד שאול לא היה מלך בישראל, ועז״פ מדוד ואילך שהוא משבט יהודה: **נ** קאי אדלעיל לא יסור שבט מושלים מיהודה ואפילו בזמן הגלות תהיה להם שררה מועטת וכל זה יתנהג עד כי יבא שילה מי שהשבט שלו, והרב נקט המלוכה תמורת השבט והיא היא: **ס** מקהילים קהלות:

יא אֹסְרִי לַגֶּפֶן עִירֹה [עירו כ׳]
וְלַשֹּׂרֵקָה בְּנִי אֲתֹנוֹ כִּבֵּס בַּיַּיִן
לְבֻשׁוֹ וּבְדַם־עֲנָבִים סוּתֹה
[סותו כ׳]: יב חַכְלִילִי עֵינַיִם מִיָּיִן
וּלְבֶן־שִׁנַּיִם מֵחָלָב: פ
יג זְבוּלֻן לְחוֹף יַמִּים יִשְׁכֹּן

יא יַסְחַר יִשְׂרָאֵל לְקַרְתֵּהּ
עַמָּא יִבְנוּן הֵיכְלֵהּ יְהוֹן
צַדִּיקַיָּא סְחוֹר סְחוֹר לֵהּ
וְעָבְדֵי אוֹרַיְתָא בְּאוּלְפַן
עִמֵּהּ יְהֵי אַרְגְּוָן טַב
לְבוּשׁוֹהִי כְּסוּתֵהּ מֵילָא
מֵילָא צְבַע זְהוֹרִי וְצִבְעוֹנִין:
יב יַסְמְקוּן טוּרוֹהִי בְּכַרְמוֹהִי
יִטּוּפוּן נַעֲווֹהִי בַּחֲמָר
יַחַוְּרָן בִּקְעָתֵיהּ בְּעִיבוּר
וּבְעֶדְרֵי עָנָא: יג זְבוּלֻן
עַל סְפַר יַמְמַיָּא יִשְׁרֵי

רש״י

בְּשׁוּקֵי דִנְהַרְדְּעָא [ס״א דְפוּמְבְּדִיתָא] בְּמַסֶּכֶת יְבָמוֹת (קיז:). וְיָכוֹל הָיָה לוֹמַר קְהִיַּית עַמִּים: [פסוק יא] **אֹסְרִי לַגֶּפֶן עִירֹה.** נִתְנַבֵּא עַל אֶרֶץ יְהוּדָה שֶׁתְּהֵא מוֹשֶׁכֶת יַיִן כְּמַעְיָן. אִישׁ יְהוּדָה יֶאֱסוֹר לְגֶפֶן עַיִר אֶחָד וְיִטְעֲנֶנּוּ מִגֶּפֶן אַחַת, וּמִשּׂוֹרֵק אֶחָד בֶּן אָתוֹן אֶחָד (ב״ר צח:ט): **שׂרֵקָה.** זְמוֹרָה אֲרוּכָּה, קורייד״א בלע״ז: **כִּבֵּס בַּיַּיִן.** כָּל זֶה לְשׁוֹן רִבּוּי יַיִן (ב״ר צט:ח; תנחומא י): **סוּתֹה.** לְשׁוֹן מִין בֶּגֶד הוּא (אונקלוס) וְאֵין לוֹ דִּמְיוֹן בַּמִּקְרָא: **אֹסְרִי.** כְּמוֹ אוֹסֵר. דּוּגְמָתוֹ מְקִימִי מֵעָפָר דָּל (תהלים קיג:ז) הַיּוֹשְׁבִי בַּשָּׁמָיִם (שם קכג:א), וְכֵן בְּנִי אֲתוֹנוֹ כְּעִנְיָן זֶה. וְאוּנְקְלוּס תִּרְגֵּם ע בַּמֶּלֶךְ הַמָּשִׁיחַ, **גֶּפֶן** הֵם יִשְׂרָאֵל, **עִירֹה** זוֹ יְרוּשָׁלַיִם, **שׂרֵקָה** אֵלּוּ יִשְׂרָאֵל, וְאָנֹכִי נְטַעְתִּיךְ שׂרֵק (ירמיה ב:כא), **בְּנִי אֲתֹנוֹ** יִבְנוּן הֵיכְלֵיהּ, לְ׳ שַׁעַר הָאִיתוֹן בְּסֵ׳ יְחֶזְקֵאל (מ:טו). וְעוֹד תִּרְגְּמוֹ בְּפָנִים אֲחֵרִים, **גֶּפֶן** אֵלּוּ צַדִּיקִים, **בְּנִי אֲתֹנוֹ** עָבְדֵי אוֹרַיְיתָא בְּאוּלְפַן, עַל שֵׁם פ רֹכְבֵי אֲתֹנוֹת צְחֹרוֹת (שופטים ה:י), **כִּבֵּס בַּיַּיִן** יְהֵא אַרְגְּוָן טַב לְבוּשׁוֹהִי, שֶׁלְּבוּשׁוֹ דּוֹמֶה לְיַיִן. וְצִבְעוֹנִין הוּא לְשׁוֹן **סוּתֹה**, שֶׁהָאִשָּׁה לוֹבַשְׁתָּן וּמְסִיתָה בָּהֶן אֶת הַזָּכָר לִיתֵּן עֵינָיו בָּהּ. וְאַף רַבּוֹתֵינוּ פֵּירְשׁוּ בַּגְּמָרָא לְשׁוֹן הֲסָתַת שִׁכְרוּת, בְּמַסֶּכֶת כְּתוּבוֹת (קיא:), וְעַל הַיַּיִן שֶׁמָּא תֹּאמַר אֵינוֹ מַרְוֶה, ת״ל סוּתֹה: [פסוק יב] **חַכְלִילִי.** לְשׁוֹן אוֹדֶם, כְּתַרְגּוּמוֹ. וְכֵן לְמִי חַכְלִלוּת עֵינָיִם (משלי כג:כט) שֶׁכֵּן דֶּרֶךְ שׁוֹתֵי יַיִן עֵינֵיהֶם מַאֲדִימִין: **מֵחָלָב.** מֵרוֹב חָלָב, שֶׁיְּהֵא בְּאַרְצוֹ מִרְעֶה טוֹב לְעֶדְרֵי צֹאן. וְכֵן פֵּירוּשׁ הַמִּקְרָא, אֲדוֹם עֵינַיִם יְהֵא מֵרוֹב יַיִן, וּלְבֶן שִׁנַּיִם יְהֵא מֵרוֹב חָלָב. וּלְפִי תַּרְגּוּמוֹ, עֵינַיִם לְ׳ הָרִים, שֶׁמִּשָּׁם צוֹפִים לְמֵרָחוֹק. וְעוֹד תִּרְגְּמוֹ בְּפָנִים אֲחֵרִים, לְשׁוֹן מַעְיָינוֹת וְקִילּוּחַ הַיְקָבִים, נַעֲווֹהִי, יְקָבִים שֶׁלּוֹ, וּלְשׁוֹן אֲרַמִּי הוּא בְּמַס׳ עֲבוֹדָה זָרָה (עד:) נַעֲוָה אַרְתְּחוּ. יַחַוְּרָן בִּקְעָתֵיהּ, תִּרְגֵּם שִׁנַּיִם לְשׁוֹן שִׁנֵּי הַסְּלָעִים (עי׳ שמואל א יד:ד): [פסוק יג] **זְבוּלֻן לְחוֹף יַמִּים.** עַל חוֹף יַמִּים תִּהְיֶה אַרְצוֹ. חוֹף כְּתַרְגּוּמוֹ סְפַר, מרק״א בלע״ז.

עיקר שפתי חכמים

ע והכי משמע הקרא, אוסרי לגפן עירה יסבבון ישראל על ירושלים, ולשורקה בני אתונו וישראל יבנון ב״ה: פ ופסוק זה קאי על תלמידי חכמים ומכנה את הת״ח בתאר לאורות משום דהת״ח לבשו בגדים לבנים. או דלאורות קאי ג״כ על אתונות, ופירושו כי ירכבו על אתונות לאורות ממקום למקום ללמוד תורה:

וְהוּא֙ לְח֣וֹף אֳנִיֹּ֔ת וְיַרְכָת֖וֹ עַל־צִידֹֽן׃ פ
יד יִשָּׂשכָ֖ר חֲמֹ֣ר גָּ֑רֶם רֹבֵ֖ץ בֵּ֥ין הַמִּשְׁפְּתָֽיִם׃ טו וַיַּ֤רְא מְנֻחָה֙ כִּ֣י ט֔וֹב וְאֶת־הָאָ֖רֶץ כִּ֣י נָעֵ֑מָה וַיֵּ֤ט שִׁכְמוֹ֙ לִסְבֹּ֔ל וַיְהִ֖י לְמַס־עֹבֵֽד׃ ס
טז דָּ֖ן יָדִ֣ין עַמּ֑וֹ כְּאַחַ֖ד

וְהוּא יְכַבֵּשׁ מְחוֹזִין בִּסְפִינַן וְטוּב יַמָּא יֵיכוּל וּתְחוּמֵהּ יְהֵי מָטֵי עַל צִידוֹן: יד יִשָּׂשכָר עֲתִיר בְּנִכְסִין וְאַחְסַנְתֵּהּ בֵּין תְּחוּמַיָּא: טו וַחֲזָא חוּלָקָא אֲרֵי טַב וְיָת אַרְעָא אֲרֵי מְעַבְּדָא פֵּירִין וִיכַבֵּשׁ מְחוֹזֵי עַמְמַיָּא וִישֵׁיצֵי יָת דַּיָּרֵיהוֹן וּדְאִשְׁתַּאֲרוּן בְּהוֹן יְהוֹן לֵהּ פַּלְחִין וּמַסְּקֵי מַסִּין: טז מִדְּבֵית דָּן יִתְבְּחַר וִיקוּם גַּבְרָא בְּיוֹמוֹהִי יִתְפְּרַק עַמֵּהּ וּבִשְׁנוֹהִי יְנוּחוּן כַּחֲדָא

רש"י

וְהוּא יִהְיֶה מָצוּי תָּדִיר אֵל **חוֹף אֳנִיּוֹת** בִּמְקוֹם הַנָּמֵל שֶׁאֳנִיּוֹת מְבִיאוֹת שָׁם פְּרַקְמַטְיָא, שֶׁהָיָה זְבוּלוּן עוֹסֵק בִּפְרַקְמַטְיָא וּמַמְצִיא מָזוֹן לְשֵׁבֶט יִשָּׂשכָר וְהֵם עוֹסְקִים בַּתּוֹרָה. הוּא שֶׁאָמַר מֹשֶׁה שְׂמַח זְבוּלֻן בְּצֵאתֶךָ וְיִשָּׂשכָר בְּאֹהָלֶיךָ (דברים לג:יח), זְבוּלוּן יוֹצֵא בִּפְרַקְמַטְיָא וְיִשָּׂשכָר עוֹסֵק בַּתּוֹרָה בְּאֹהָלִים (תנחומא יא; ב"ר צט:ט): **וְיַרְכָתוֹ עַל צִידֹן.** סוֹף גְּבוּלוֹ יִהְיֶה סָמוּךְ לְצִידוֹן. יַרְכָתוֹ, סוֹפוֹ, כְּמוֹ וּלְיַרְכְּתֵי הַמִּשְׁכָּן (שמות כו:כב): **[פסוק יד] יִשָּׂשכָר חֲמֹר גָּרֶם.** חֲמוֹר בַּעַל עֲצָמוֹת, סוֹבֵל עוֹל תּוֹרָה כַּחֲמוֹר חָזָק שֶׁמַּטְעִינִין אוֹתוֹ מַשּׂא כָּבֵד (ב"ר שם י): **רֹבֵץ בֵּין הַמִּשְׁפְּתָיִם.** כַּחֲמוֹר הַמְהַלֵּךְ בַּיּוֹם וּבַלַּיְלָה וְאֵין לוֹ לִינָה בַּבַּיִת. וּכְשֶׁהוּא רוֹצֶה לָנוּחַ רוֹבֵץ בֵּין הַתְּחוּמִין (אונקלוס) בִּתְחוּמֵי הָעֲיָירוֹת שֶׁמּוֹלִיךְ שָׁם פְּרַקְמַטְיָא: **[פסוק טו] וַיַּרְא מְנֻחָה כִּי טוֹב.** רָאָה לְחֶלְקוֹ אֶרֶץ מְבוֹרֶכֶת וְטוֹבָה לְהוֹצִיא פֵּירוֹת (שם): **וַיֵּט שִׁכְמוֹ לִסְבֹּל.** עוֹל תּוֹרָה: **וַיְהִי.** לְכָל אֶחָיו יִשְׂרָאֵל: **לְמַס עֹבֵד.** לִפְסוֹק לָהֶם הוֹרָאוֹת שֶׁל תּוֹרָה וְסִדְרֵי עִבּוּרִין, שֶׁנֶּאֱמַר וּמִבְּנֵי יִשָּׂשכָר יוֹדְעֵי בִינָה לָעִתִּים לָדַעַת מַה יַּעֲשֶׂה יִשְׂרָאֵל רָאשֵׁיהֶם מָאתַיִם (דברי הימים א יב:לג). מָאתַיִם רָאשֵׁי סַנְהֶדְרָאוֹת הֶעֱמִיד, וְכָל אֲחֵיהֶם עַל פִּיהֶם (שם; ב"ר עב:ה, צח:יב, צט:י; תנחומא יא; שהש"ר ו:ד): **וַיֵּט שִׁכְמוֹ.** הִשְׁפִּיל שִׁכְמוֹ. כְּמוֹ וַיֵּט שָׁמַיִם (שמואל ב כב:י) הַטּוּ אָזְנְכֶם (תהלים עח:א). וְאוּנְקְלוֹס תִּרְגֵּם בְּפָנִים אֲחֵרִים, וַיֵּט שִׁכְמוֹ לִסְבּוֹל מִלְחָמוֹת וְלִכְבּוֹשׁ מְחוֹזוֹת, שֶׁהֵם יוֹשְׁבִים עַל הַסְּפָר, וְיִהְיֶה הָאוֹיֵב כָּבוּשׁ תַּחְתָּיו לְמַס עוֹבֵד: **[פסוק טז] דָּן יָדִין עַמּוֹ.** יִנְקוֹם נִקְמַת עַמּוֹ מִפְּלִשְׁתִּים, כְּמוֹ

בעל הטורים

(יג) וירכתו על צידן. כתיב חסר צידן לשון צידה, שהיה מספיק מזון לישׂשכר: **(יד) ישׂשכר חמור גרם.** קרי בה חמור גורם, קולו של חמור גרם, ששמעה לאה קול צעקת החמור ויצאה לקראת יעקב והביאתו לאהלה: **בין המשפתים.** ב׳ במסורת — הכא; ואידך ״למה ישבת בין המשפתים״. כמו שהחמור נושא כל המשוי, כך היה ישׂשכר נושא משאו של ישראל בתורה. ורוב סנהדרין היו משל ישׂשכר, כתיב הכא ״בין המשפתים״ וכתיב התם ״למה ישבת בין המשפתים״: **רבץ.** שהיו מרביצין תורה בישראל, בלשכת הגזית, שהיתה חציה בקודש וחציה בחול. וכתיב התם ״למה ישבת בין המשפתים״, שהיתה נחלתו על שפת הים בין ים ליבשה, כדמתרגמינן ״ואחסנתה בין תחומיא״: **(טו) למס עבד.** ג׳ במסורת — הכא; ואידך ביהושע ״ולא הורישו וגו׳ למס עבד״; ״ויעלם שלמה למס עבד״. לומר, לא די שלימד תורה לכל ישראל, אלא שהעלה להם מס מממונו, שהיה מספיק להם לכל מי שיבוא ללמוד:

שִׁבְטֵי יִשְׂרָאֵל: יז יְהִי־דָן נָחָשׁ עֲלֵי־דֶרֶךְ שְׁפִיפֹן עֲלֵי־אֹרַח הַנֹּשֵׁךְ עִקְּבֵי־סוּס וַיִּפֹּל רֹכְבוֹ אָחוֹר: יח לִישׁוּעָתְךָ קִוִּיתִי יְהוָה: ס חמישי יט גָּד גְּדוּד יְגוּדֶנּוּ

שִׁבְטַיָּא דְיִשְׂרָאֵל: יז יְהֵי גַבְרָא דְיִתְבְּחַר וִיקוּם מִדְּבֵית דָּן אֵימְתֵהּ תִּתְרְמֵי עַל עַמְמַיָּא וּמְחָתֵהּ תִּתְקֵף בִּפְלִשְׁתָּאֵי כְּחִיוֵי חוּרְמָן יִשְׁרֵי עַל אָרְחָא וּכְפִתְנָא יִכְמוֹן עַל שְׁבִילָא יְקַטֵּל גִּבָּרֵי מַשְׁרְיַת פְּלִשְׁתָּאֵי פָּרָשִׁין עִם רַגְלָאִין יְעַקֵּר סוּסָוָן וּרְתִכִּין וִימַגֵּר רוֹכְבֵיהוֹן לַאֲחוֹרָא: יח לְפוּרְקָנָךְ סַבָּרִית יְיָ: יט דְּבֵית גָּד מַשְׁרְיַת מְזַיְּנִין כַּד יַעַבְרוּן יָת יַרְדְּנָא קֳדָם אֲחֵיהוֹן לִקְרָבָא

רש"י

כִּי יָדִין ה׳ עַמּוֹ (דברים לב:לו): **כְּאַחַד שִׁבְטֵי יִשְׂרָאֵל.** צ כָּל יִשְׂרָאֵל יִהְיוּ כְּאֶחָד עִמּוֹ וְאֶת כֻּלָּם יָדִין, וְעַל שִׁמְשׁוֹן נִבָּא נְבוּאָה זוֹ. וְעוֹד יֵשׁ לְפָרֵשׁ, כְּאַחַד שִׁבְטֵי יִשְׂרָאֵל, כַּמְיוּחָד שֶׁבַּשְּׁבָטִים, הוּא דָוִד שֶׁבָּא מִיהוּדָה (ב"ר צט:יא; תנחומא יב): **[פסוק יז] שְׁפִיפֹן.** הוּא נָחָשׁ וְאוֹמֵר אֲנִי שֶׁקָּרוּי כֵּן עַל שֵׁם שֶׁהוּא ק נוֹשֵׁף, כְּמוֹ וְאַתָּה תְּשׁוּפֶנּוּ עָקֵב (לעיל ג:טו): **הַנֹּשֵׁךְ עִקְּבֵי סוּס.** כָּךְ דַּרְכּוֹ שֶׁל נָחָשׁ, וְדִמָּהוּ לְנָחָשׁ הַנּוֹשֵׁךְ עִקְּבֵי סוּס, **וַיִּפֹּל רֹכְבוֹ אָחוֹר,** שֶׁלֹּא נָגַע בּוֹ. וְדוּגְמָתוֹ מָצִינוּ בְּשִׁמְשׁוֹן וַיִּלְפֹּת וגו׳ אֶת שְׁנֵי עַמּוּדֵי הַתָּוֶךְ וגו׳ (שופטים טז:כט) וְשֶׁעַל הַגַּג מֵתוּ. וְאוּנְקְלוֹס תִּרְגֵּם כְּחִיוֵי חוּרְמָן, שֵׁם מִין נָחָשׁ שֶׁאֵין רְפוּאָה לִנְשִׁיכָתוֹ וְהוּא צִפְעוֹנִי, וְקָרוּי חוּרְמָן עַל שֵׁם שֶׁעוֹשֶׂה הַכֹּל חֵרֶם, וּכְפִיתְנָא, כְּמוֹ פֶּתֶן, יִכְמוֹן, יֶאֱרוֹב: **[פסוק יח] לִישׁוּעָתְךָ קִוִּיתִי ה׳.** נִתְנַבֵּא שֶׁיְּנַקְּרוּ פְלִשְׁתִּים אֶת עֵינָיו וְסוֹפוֹ לוֹמַר זָכְרֵנִי נָא וְחַזְּקֵנִי נָא אַךְ הַפַּעַם (שם טז:כח): **[פסוק יט] גָּד גְּדוּד יְגוּדֶנּוּ.** כֻּלָּם לְשׁוֹן גְּדוּד הֵם וְכָךְ חִבְּרוֹ מְנַחֵם. וְאִם תֹּאמַר אֵין גְּדוּד בְּלֹא שְׁנֵי דַלְתִי"ן. יֵשׁ לוֹמַר, גְּדוּד שֵׁם דָּבָר צָרִיךְ שְׁנֵי דַלְתִי"ן, שֶׁכֵּן דֶּרֶךְ תֵּיבָה בַּת שְׁתֵּי אוֹתִיּוֹת לִכְפּוֹל בְּסוֹפָהּ וְאֵין יְסוֹדָהּ אֶלָּא שְׁתֵּי אוֹתִיּוֹת. וְכֵן אָמַר כַּצִּפּוֹר לָנוּד (משלי כו:ב) מִגִּזְרַת וְשָׂבַעְתִּי נְדֻדִים (איוב ז:ד), שָׁם נָפַל שָׁדוּד (שופטים ה:כז) מִגִּזְרַת יָשׁוּד צָהֳרָיִם (תהלים צא:ו), אַף יָגוּד יְגוּדֶנּוּ וּגְדוּד מִגִּזְרָה אַחַת הֵם. וּכְשֶׁהוּא מְדַבֵּר בִּלְשׁוֹן יִפְעַל אֵינוֹ כָפוּל, כְּמוֹ יָגוּד, יָנוּד, יָרוּם, יָשׁוּד, יָשׁוּב. וּכְשֶׁהוּא מִתְפָּעֵל אוֹ מַפְעִיל אֲחֵרִים הוּא כָפוּל, כְּמוֹ יִתְגּוֹדֵד, יִתְרוֹמֵם, יִתְבּוֹלֵל, יִתְעוֹדֵד. וּבִלְשׁוֹן מַפְעִיל, יָתוֹם וְאַלְמָנָה יְעוֹדֵד (שם קמו:ט) לְשׁוֹבֵב יַעֲקֹב אֵלָיו (ישעיה מט:ה) מְשׁוֹבֵב נְתִיבוֹת (שם נח:יב). (אַף) יְגוּדֶנּוּ הָאָמוּר כָּאן

בעל הטורים

(טז) באחד שבטי ישראל. פירוש, כדוד. ולכן אותיות של ראשי פסוקים דן, יהי, לישועתך, בגימטריא כדויד: **(יט) יגודנו.** ב׳ במסורת — הכא; ואידך "לעלות לעם יגודנו". פירוש, שבני גד לקחו נחלה מעבר לירדן, והיו באין עליו גדודים מהגוים שסביביו. וזהו פירושו, "גד גדוד יגודנו" יגוד אותו, "והוא יגד עקב", שהיו גבורים והיו נלחמים בהם ומחזירים אותם עלי עקבם. ולא די שמחזירים אותם, אלא שהיו עולים אחריהם לארצם לשלול שלל. וזהו "לעלות לעם יגודנו", שהיו עולים לעם אשר יגודנו אותו:

עיקר שפתי חכמים

צ ויתפרש הכתוב כמו שבטי ישראל כאחד, ופירושו כי יהיו כל ישראל יחד אז שמשון ידין ויריב את ריבם, וכידוע כי הוא נקם נקמת כל ישראל יחד. ורבה מאד בספרי הקדש השרש דון על נקמה וגמול: **ק** ולפי פירש"י ז"ל השרש מן שפיפון הוא נשף המורה על שריקה ושאיפת רוח וכמו נשפת ברוחך. אך זה לא יתכן או לדעת בעלי השניים. או כי חסר הנו"ן במשקל שם הזה כאשר נמצאים רבים מגזרת חסרי פ"א נו"ן החסרים הנוי"ן בלי השלמה:

וְה֖וּא יָגֻ֥ד עָקֵֽב׃ ס כ מֵאָשֵׁ֖ר שְׁמֵנָ֣ה לַחְמ֑וֹ וְה֥וּא יִתֵּ֖ן מַֽעֲדַנֵּי־מֶֽלֶךְ׃ ס כא נַפְתָּלִ֖י אַיָּלָ֣ה שְׁלֻחָ֑ה הַנֹּתֵ֖ן אִמְרֵי־שָֽׁפֶר׃ ס כב בֵּ֤ן פֹּרָת֙ יוֹסֵ֔ף בֵּ֥ן פֹּרָ֖ת עֲלֵי־עָ֑יִן בָּנ֕וֹת צָעֲדָ֖ה עֲלֵי־שֽׁוּר׃ כג וַֽיְמָרֲרֻ֖הוּ

וּבִנְכְסִין סַגִּיאִין יְתוּבוּן לְאַרְעֲהוֹן: כ דְּאָשֵׁר טָבָא אַרְעֵהּ וְהוּא מְרַבֵּי (נ"א וְהִיא מְרַבְיָא) תַּפְנוּקֵי מַלְכִין: כא נַפְתָּלִי בְּאַרַע טָבָא יִתְרְמֵי עַדְבֵהּ וְאַחְסַנְתֵּהּ תְּהֵי מַעְבְּדָא פֵירִין יְהוֹן מוֹדָן וּמְבָרְכִין עֲלֵיהוֹן: כב בְּרִי דִּיסְגֵּי יוֹסֵף בְּרִי דְּיִתְבָּרַךְ כְּגֻפֶן דִּנְצִיב עַל עֵינָא דְמַיָּא תְּרֵין שִׁבְטִין יִפְקוּן מִבְּנוֹהִי יְקַבְּלוּן חוּלָקָא וְאַחְסַנְתָּא: כג וְאִתְמָרְרוּ יָתֵהּ

רש"י

אין ל' שיפטילוהו אחרים אלא כמו יגוד הימנו, כמו בני יצאוני (ירמיה י:כ) יצאו ממני, גד גדוד יגודנו, גדודים יגודו הימנו שיעברו הירדן עם אחיהם למלחמה כל חלוץ עד שנכבשה הארץ: **והוא יגד עקב.** כל גדודיו ישובו על עקבם לנחלתם שלקחו בעבר הירדן ולא יפקד מהם איש (תרגום ירושלמי): **עקב.** בדרכם ובמסילותם שהלכו ישובו, כמו ועקבותיך לא נודעו (תהלים עז:כ), וכן בעקבי הצאן (שיר השירים א:ח). בלשון לע"ז טרלי"ש: [פסוק כ] **מאשר שמנה לחמו.** מאכל הבא מחלקו של אשר יהא שמן, שיהיו זיתים מרובים בחלקו והוא מושך שמן כמעין. וכן ברכו משה, וטובל בשמן רגלו (דברים לג:כד), כמו ששנינו במנחות (פה:) פעם אחת הוצרכו אנשי לודקיא לשמן וכו': [פסוק כא] **אילה שלחה.** זו בקעת גינוסר שהיא קלה לבשל פירותיה כאילה זו שהיא קלה לרוץ (ב"ר צט:יב). אילה שלחה, אילה משולחת לרוץ: **הנתן אמרי שפר.** ר כתרגומו. ד"א, על מלחמת סיסרא נתנבא, ולקחת עמך עשרת אלפים איש מבני נפתלי וגו' (שופטים ד:ו) והלכו שם בזריזות. וכן נאמר שם ל' שלוח, בעמק שלח ברגליו (שם ה:טו): **הנתן אמרי שפר.** על ידם שרו דבורה וברק שירה (ב"ר צח:יז). ורבותינו דרשוהו על יום קבורת יעקב כשערער עשו על המערה במסכת סוטה (יג.). ותרגומו יתרמי עדביה, יפול חבלו, והוא יודה על חלקו אמרים נאים ושבח: [פסוק כב] **בן פרת.** בן חן. והוא ל' ארמי, אפריון [ס"א אפריין] כמטייה לרבי שמעון, בסוף בבא מציעא (קיט.): **בן פרת עלי עין.** חנו נטוי על העין הרואה אותו: **בנות צעדה עלי שור.** בנות מצרים היו צועדות על החומה להסתכל ביפיו (עי' ב"ר שם יח), ש בנות הרבה צעדה כל אחת

בעל הטורים

(כא) נפתלי אילה שלחה. ניבא על מלחמת ברק עם סיסרא, שלקח עשרת אלפים מנפתלי. ואמר לשון נקבה "אילה שלחה", על שם דבורה: **הנתן אמרי שפר.** על שם "ותשר דבורה". "אמרי שפר", בגימטריא שיר ושבחה. "אילה שלוחה הנתן אמרי שפר", בגימטריא "ותשר דבורה וברק בן אבינעם ביום ההוא": **(כב) בן פרת יוסף.** לא הזכירו בשמו קודם כמו שעשה לאחרים. שחילק לו כבוד בשביל המלכות והתחיל בשם בניו. "בן פורת" בגימטריא מנשה ואפרים: דבר אחר — "בן פורת" בן פותר. על שם פתרון החלומות: **בנות צעדה עלי שור.** ניבא

עיקר שפתי חכמים

ר ר"ל התרגום מפרש את הכתוב נפתלי אילה שלוחה כי ארצו תהיה פוריה כאילה, אשר שלוחותיה תתן פרי למרבה. ומה שבא הנותן בלשון זכר על אילה שלוחה מפרש דזה קאי על נפתלי, כי הוא יודה לה' באמרי שפר: ש דק"ל דבנות משמע שהיו הרבה בנות וצעדה משמע אחת, ועל זה פירש בנות וכו' כאו"א:

וְרֹבּוּ וַיִּשְׂטְמֻהוּ בַּעֲלֵי חִצִּים:
כד וַתֵּשֶׁב בְּאֵיתָן קַשְׁתּוֹ וַיָּפֹזּוּ זְרֹעֵי יָדָיו מִידֵי אֲבִיר יַעֲקֹב מִשָּׁם רֹעֶה אֶבֶן יִשְׂרָאֵל:

וְנַקְמוּהִי וְאָעִיקוּ לֵהּ גֻּבְרִין גִּבָּרִין בַּעֲלֵי (נ״א מָרֵי) פַּלְגּוּתָא: כד וְתָבַת בְּהוֹן נְבִיאוּתֵהּ עַל דְּקַיֵּם אוֹרַיְתָא בְּסִתְרָא וְשַׁוִּי בְּתוּקְפָּא רוּחֲצָנֵהּ בְּכֵן יִתְרְמָא דְהַב עַל דְּרָעוֹהִי אַחֲסִין מַלְכוּתָא וּתְקֵיף דָּא הֲוַת לֵהּ מִן קֳדָם אֵל תַּקִּיפָא דְּיַעֲקֹב דִּי בְמֵימְרֵהּ זָן אֲבָהָן וּבְנִין זַרְעָא דְיִשְׂרָאֵל:

רש״י

וְאַתַּת בַּמָּקוֹם שֶׁתּוּכַל לִרְאוֹתוֹ מִשָּׁם. ד״א, עֲלֵי שׁוּר, עַל רְאִיָּיתוֹ, כְּמוֹ אֲשׁוּרֶנּוּ וְלֹא קָרוֹב (במדבר כד:יז). וּמִדְרַשׁ אַגָּדָה יֵשׁ רַבִּים וְזֶה נוֹטֶה לְיִישּׁוּב הַמִּקְרָא: **פֹּרָת.** ת תָּי״ו שֶׁבּוֹ הוּא תִּקּוּן הַלָּשׁוֹן, כְּמוֹ עַל דִּבְרַת בְּנֵי הָאָדָם (קהלת ג:יח): **שׁוּר.** כְּמוֹ לָשׁוּר. ד״א, עֲלֵי שׁוּר, בִּשְׁבִיל לָשׁוּר. וְתַרְגּוּם שֶׁל אוּנְקְלוֹס בָּנוֹת צָעֲדָה עֲלֵי שׁוּר, תְּרֵין שִׁבְטִין יִפְּקוּן מִבְּנוֹהִי וְכוּ׳. וְכָתַב בָּנוֹת עַל שֵׁם בְּנוֹת מְנַשֶּׁה בְּנוֹת צְלָפְחָד שֶׁנָּטְלוּ חֵלֶק בִּשְׁנֵי עֶבְרֵי הַיַּרְדֵּן (תנחומא פנחס ט). בְּרֵי דִּיסְגֵּי יוֹסֵף, פֹּרָת לְ׳ פְּרִיָּה וּרְבִיָּה. וְיֵשׁ מ״א בּוֹ הַמִּתְיַשְּׁבִים עַל הַלָּשׁוֹן, בְּשָׁעָה שֶׁבָּא עֵשָׂו לִקְרַאת יַעֲקֹב בַּכֹּל קָדְמוּ הָאִמָּהוֹת לָלֶכֶת לִפְנֵי בְנֵיהֶם לְהִשְׁתַּחֲווֹת, וּבְרָחֵל כְּתִיב נִגַּשׁ יוֹסֵף וְרָחֵל וַיִּשְׁתַּחֲווּ (לעיל לג:ז). אָמַר יוֹסֵף, הָרָשָׁע הַזֶּה עֵינוֹ רָמָה שֶׁמָּא יִתֵּן עֵינָיו בְּאִמִּי, יָצָא לְפָנֶיהָ וְשִׁרְבֵּב קוֹמָתוֹ לְכַסּוֹתָהּ. וְהוּא שֶׁבֵּרְכוֹ אָבִיו, **בֵּן פֹּרָת,** הִגְדַּלְתָּ עַצְמְךָ יוֹסֵף **עֲלֵי עַיִן** שֶׁל עֵשָׂו, לְפִיכָךְ זָכִיתָ לִגְדוּלָּה, **בָּנוֹת צָעֲדָה עֲלֵי שׁוּר** לְהִסְתַּכֵּל בְּךָ בְּצֵאתְךָ עַל מִצְרַיִם (ב״ר שם, עח:י). וְעוֹד דְּרָשׁוּהוּ לְעִנְיַן שֶׁלֹּא יִשְׁלוֹט בְּזַרְעוֹ עַיִן הָרָע, וְאַף כְּשֶׁבֵּרֵךְ מְנַשֶּׁה וְאֶפְרַיִם בֵּרְכָם כַּדָּגִים שֶׁאֵין עַיִן הָרָע שׁוֹלֶטֶת בָּהֶם (ברכות כ.): **[פסוק כג]** **וַיְמָרְרֻהוּ וָרֹבּוּ.** וַיְמָרְרוּהוּ אֶחָיו וַיְמָרְרוּהוּ פּוֹטִיפַר וְאִשְׁתּוֹ לְאָסְרוֹ, לְשׁוֹן וַיְמָרְרוּ אֶת חַיֵּיהֶם (שמות א:יד; ב״ר צח:יט): **וָרֹבּוּ.** נַעֲשׂוּ לוֹ אֶחָיו אַנְשֵׁי רִיב. וְאֵין הַלָּשׁוֹן הַזֶּה לְשׁוֹן פָּעֲלוּ שֶׁא״כ הָיָה לוֹ לִינָּקֵד וְרָבוּ, כְּמוֹ הֵמָּה מֵי מְרִיבָה אֲשֶׁר רָבוּ וְגוֹ׳ (במדבר כ:יג), וְאַף אִם לְשׁוֹן רְבִיַּית חִצִּים הוּא, כֵּן הָיָה לוֹ לְהִנָּקֵד. וְאֵינוֹ אֶלָּא לְשׁוֹן פּוּעֲלוּ, כְּמוֹ שֹׁמּוּ שָׁמַיִם (ירמיה ב:יב) שֶׁהוּא לְשׁוֹן הוּשַׁמּוּ, וְכֵן רוֹמּוּ מְעַט (איוב כד:כד) שֶׁהוּא לְשׁוֹן הוּרְמוּ. אֶלָּא שֶׁלְּשׁוֹן הוּרְמוּ וְהוּשַׁמּוּ ע״י אֲחֵרִים, וְל׳ שֹׁמּוּ רֹמּוּ רֹבּוּ מֵאֲלֵיהֶם הוּא, מְשׁוֹמְמִים אֶת עַצְמָם, נִתְרוֹמְמוּ מֵעַצְמָם, נַעֲשׂוּ אַנְשֵׁי רִיב. וְכֵן דֹּמּוּ יוֹשְׁבֵי אִי (ישעיה כג:ב) כְּמוֹ נָדַמּוּ. וְכֵן תִּרְגֵּם אוּנְקְלוֹס וְנַקְמוּהִי: **בַּעֲלֵי חִצִּים.** שֶׁלְּשׁוֹנָם כְּחֵץ (ב״ר שם). וְתַרְגּוּמוֹ מָרֵי פַלְגּוּתָא, לְשׁוֹן וַתְּהִי הַמֶּחֱצָה (במדבר לא:לו) אוֹתָן שֶׁהָיוּ רְאוּיִם לַחֲלוֹק עִמּוֹ נַחֲלָה: **[פסוק כד]** **וַתֵּשֶׁב בְּאֵיתָן קַשְׁתּוֹ.** נִתְיַשְּׁבָה בְּחוֹזֶק. קַשְׁתּוֹ, חָזְקוֹ: **וַיָּפֹזּוּ זְרֹעֵי יָדָיו.** זוֹ הִיא נְתִינַת טַבַּעַת עַל יָדוֹ, לְשׁוֹן זָהָב מוּפָז (מלכים־א י:יח). זֹאת הָיְתָה לוֹ **מִידֵי** הקב״ה שֶׁהוּא **אֲבִיר יַעֲקֹב.** **וּמִשָּׁם** עָלָה לִהְיוֹת **רֹעֶה אֶבֶן יִשְׂרָאֵל** עִקָּרָן שֶׁל יִשְׂרָאֵל, לְשׁוֹן הָאֶבֶן הָרֹאשָׁה (זכריה ד:ז) לְשׁוֹן מַלְכוּת.

בעל הטורים

על מלחמת יהושע ביריחו, שירו לו בחצים מן חחומה: **(כד) ותשב באיתן קשתו.** שנתחזק כנגדן:

עיקר שפתי חכמים

ת כלומר לא תי״ו הנקבה כי על הזכר הוא מדבר:

כה מֵאֵל אָבִיךָ וְיַעְזְרֶךָּ וְאֵת שַׁדַּי
וִיבָרְכֶךָּ בִּרְכֹת שָׁמַיִם מֵעָל בִּרְכֹת
תְּהוֹם רֹבֶצֶת תָּחַת בִּרְכֹת שָׁדַיִם
וָרָחַם: כו בִּרְכֹת אָבִיךָ גָּבְרוּ עַל־
בִּרְכֹת הוֹרַי עַד־תַּאֲוַת גִּבְעֹת עוֹלָם

כה מֵימַר אֱלָהָא
דַאֲבוּךְ יְהֵי בְסַעֲדָךְ
וְיָת שַׁדַּי וִיבָרְכִנָּךְ
בִּרְכָן דְּנָחֲתָן מִטַּלָּא
דִשְׁמַיָּא מִלְעֵלָּא
בִּרְכָן דְּנָגְדָן מִמַּעֲמַקֵּי
אַרְעָא מִלְרָע בִּרְכְתָא
דַאֲבוּךְ וּדְאִמָּךְ:
כו בִּרְכָתָא דַאֲבוּךְ
יִתּוֹסְפָן עַל בִּרְכָתָא
דְלִי בָּרִיכוּ אֲבָהָתַי דַּחֲמִידוּ לְהוֹן רַבְרְבַיָּא דְּמִן עָלְמָא

רש"י

ואונקלוס אף הוא כך תרגמו. ותשב, ותבת בהון נביאותיה, החלומות אשר חלם להם. על דקיים אורייתא בסתרא [א] תוספת הוא ולא מל' עברי שבמקרא. ושוי בתוקפא רוחצניה תרגום של באיתן קשתו. וכך לשון התרגום על העברי ותשב נביאותו בשביל שאיתנו של הקב"ה היתה לו לקשת ולמבטח. בכן יתרמא דהב על דרעוהי, לכך ויפזו זרועי ידיו, לשון פז. אבן ישראל [ב] לשון נוטריקון אב ובן אבהן ובנין יעקב ובניו: [פסוק כה] **מאל אביך.** היתה לך זאת, והוא **יעזרך: ואת שדי.** ועם הקב"ה היה לבך כשלא שמעת לדברי אדונתך והוא **יברכך** (ב"ר פז:ז): **ברכת שדים ורחם.** ברכתא דאבא ודאמא [כתרגום אונקלוס]. כלומר יתברכו המולידים והיולדות, שיהיו הזכרים מזריעין טיפה הראויה להריון והנקבות לא ישכלו את רחם שלהן להפיל עובריהן: **שדים.** ירה יירה (שמות יט:יג) מתרגמינן אשתדאה ישתדי, אף שדים כאן [ג] על שם שהזרע יורה כחץ: [פסוק כו] **ברכת אביך גברו וגו'.** הברכות שברכני הקב"ה גברו והלכו על הברכות שבירך את הורי (ברב"ת): **עד תאות גבעת עולם.** לפי שהברכות שלי גברו עד סוף גבולי גבעות עולם, שנתן לי ברכה פרוצה בלי מצרים מגעת עד ד' קצות העולם, שנאמר ופרצת ימה וקדמה וגו' (לעיל כח:יד) מה שלא אמר לאברהם אבינו וליצחק. לאברהם א"ל שא נא עיניך וראה צפונה וגו' כי את כל הארץ אשר אתה רואה לך אתננה (שם יג:יד-טו) ולא הראהו אלא ארץ ישראל בלבד. ליצחק אמר לו כי לך ולזרעך אתן את כל הארצות האל והקימותי את השבועה וגו' (שם כו:ג). זהו שאמר ישעיה (נח:יד) והאכלתיך נחלת יעקב אביך ולא אמר נחלת אברהם (שבת קיח:): **תאות.** אשמול"ץ, כך חברו מנחם בן סרוק: **הורי.** [ד] לשון הריון שהורוני במעי אמי. כמו הורה גבר (איוב ג:ג): **עד תאות.** עד קצות.

בעל הטורים

(כה) מעל. ג' במסורת – "ברכת שמים מעל"; "ומטל השמים מעל"; "יקרא אל השמים מעל ואל הארץ לדין עמו". פירוש, כי "לדין עמו", "יקרא אל השמים" למנוע טל ומטר, "ואל הארץ" למנוע מלתת יבולה, כדכתיב "כי בם ידין עמים": "ברכת שדים" הם השמים שיריקו מטר, "ורחם" היא הארץ שמולדת פרות: **רבצת.** ג' במסורת – הכא; "ברכות תהום רובצת תחת"; ואידך נמי ביוסף "ומתהום רובצת"; "והאם רובצת". והיינו דאמרינן בפרק ג' דתעניות, אין לך טפה שיורדת מלמעלה שאין טפחים עולה מלמטה מן התהום. והיינו "ומתהום רובצת תחת": "והאם רובצת" – יליף רובצת מ"תהום רובצת", לאשמועינן, שהמוצא קן בים חייב בשילוח:

עיקר שפתי חכמים

א ר"ל שהתרגום הוסיף על הקרא: **ב** ר"ל התרגום מתרגם על אבן אב ובנין, ומנ"ל לתרגם כן, ועז"פ ל' נוטריקון אב ובן: **ג** רצה לפרש היאך הוא מלת שדים לשון אב: **ד** רצה לפ' היאך שייך מלת הורי ללשון אב:

תִּהְיֶיןָ לְרֹאשׁ יוֹסֵף וּלְקָדְקֹד
נְזִיר אֶחָיו: פ
ששי כז בִּנְיָמִין זְאֵב יִטְרָף בַּבֹּקֶר
יֹאכַל עַד וְלָעֶרֶב יְחַלֵּק שָׁלָל:
כח כָּל־אֵלֶּה שִׁבְטֵי יִשְׂרָאֵל
שְׁנֵים עָשָׂר וְזֹאת אֲשֶׁר־דִּבֶּר

יְהוֹיָן כָּל אִלֵּין לְרֵישָׁא
דְּיוֹסֵף וּלְגַבְרָא פְּרִישָׁא
דַאֲחוֹהִי: כז בִּנְיָמִין
בְּאַרְעֵהּ תִּשְׁרֵי שְׁכִנְתָּא
וּבְאַחְסַנְתֵּהּ יִתְבְּנֵי
מַקְדְּשָׁא בְּצַפְרָא וּבְפַנְיָא
יְהוֹן מְקָרְבִין כַּהֲנַיָּא
קֻרְבָּנָא וּלְעִדַּן רַמְשָׁא יְהוֹן
מְפַלְּגִין מוֹתַר חוּלָקְהוֹן
מִשְּׁאָר קֻדְשַׁיָּא: כח כָּל
אִלֵּין שִׁבְטַיָּא דְיִשְׂרָאֵל
תְּרֵין עֲסַר וְדָא דִּי מַלִּיל

רש"י

כְּמוֹ וְהִתְאַוִּיתֶם לָכֶם לִגְבוּל קֵדְמָה (במדבר לד:י) תְּתָאוּ לְבֹא חֲמָת (שם ח): **תִּהְיֶיןָ.** כֻּלָּם לְרֹאשׁ יוֹסֵף: **נְזִיר אֶחָיו.** פְּרִישָׁא דַאֲחוֹהִי (אונקלוס) שֶׁנִּבְדַּל מֵאֶחָיו. כְּמוֹ וְיִנָּזְרוּ מִקָּדְשֵׁי בְנֵי יִשְׂרָאֵל (ויקרא כב:ב) נָזֹרוּ אָחוֹר (ישעיה א:ד). ור"ד, **וַתֵּשֶׁב בְּאֵיתָן קַשְׁתּוֹ**, עַל כְּבִישַׁת יִצְרוֹ בְּאֵשֶׁת אֲדוֹנָיו, וְקוֹרְאוֹ קֶשֶׁת ע"ש שֶׁהַזֶּרַע יוֹרֶה כַחֵץ. **וַיָּפֹזּוּ זְרֹעֵי יָדָיו**, כְּמוֹ ה וַיָּפוֹצוּ, שֶׁיָּצָא הַזֶּרַע מִבֵּין אֶצְבְּעוֹת יָדָיו. **מִידֵי אֲבִיר יַעֲקֹב**, שֶׁנִּרְאֲתָה לוֹ דְּמוּת דְּיוֹקְנוֹ שֶׁל אָבִיו וכו', כִּדְאִיתָא בְּסוֹטָה (לו:). וְאוּנְקְלוֹס תִּרְגֵּם תַּאֲוַת גִּבְעוֹת עוֹלָם לְשׁוֹן תַּאֲוָה וְחֶמְדָּה, וְגִבְעוֹת עוֹלָם ל' מְלָכֵי אֶרֶץ (שמואל א ב:ח), [וְהֵם הַבְּרָכוֹת] ו שֶׁחֲמָדָתַן אִמּוֹ וְהִזְקִיקַתּוּ לְקַבְּלָם: **[פסוק כז] בִּנְיָמִין זְאֵב יִטְרָף.** ז זְאֵב הוּא אֲשֶׁר יִטְרָף. נִבָּא עַל שֶׁיִּהְיוּ עֲתִידִין לִהְיוֹת חַטְפָנִין, וַחֲטַפְתֶּם לָכֶם אִישׁ אִשְׁתּוֹ (שופטים כא:כא) בְּפִילֶגֶשׁ בַּגִּבְעָה. וְנִבָּא עַל שָׁאוּל שֶׁיִּהְיֶה נוֹצֵחַ בְּאוֹיְבָיו סָבִיב שנא' וְשָׁאוּל לָכַד הַמְּלוּכָה וגו' וַיִּלָּחֶם וגו' בְּמוֹאָב וּבֶאֱדוֹם וגו' [וּבְכֹל אֲשֶׁר יִפְנֶה יַרְשִׁיעַ] (שמואל א יד:מז; תנחומא יד): **בַּבֹּקֶר יֹאכַל עַד.** לְשׁוֹן בִּזָּה וְשָׁלָל הַמְּתוּרְגָּם עֲדָאָה (אונקלוס במדבר לא:יא). וְעוֹד יֵשׁ לוֹ דּוֹמֶה בִּלְשׁוֹן עִבְרִית אָז חֻלַּק עַד שָׁלָל (ישעיה לג:כג). וְעַל שָׁאוּל הוּא אוֹמֵר שֶׁעָמַד בִּתְחִלַּת בּוֹקְרָן [ס"א פְּרִיחָתָן] וּזְרִיחָתָן שֶׁל יִשְׂרָאֵל: **וְלָעֶרֶב יְחַלֵּק שָׁלָל.** אַף מִשֶּׁתִּשְׁקַע שִׁמְשָׁן שֶׁל יִשְׂרָאֵל עַל יְדֵי נְבוּכַדְנֶצַּר שֶׁיִּגְלֵם לְבָבֶל: **יְחַלֵּק שָׁלָל.** מָרְדְּכַי וְאֶסְתֵּר שֶׁהֵם מִבִּנְיָמִין יְחַלְּקוּ אֶת שְׁלַל הָמָן, שֶׁנֶּאֱמַר הִנֵּה בֵית הָמָן נָתַתִּי לְאֶסְתֵּר (אסתר ח:ז; אסת"ר י:יג). וְאוּנְקְלוֹס תִּרְגֵּם עַל שְׁלַל הַכֹּהֲנִים בְּקָדְשֵׁי הַמִּקְדָּשׁ:

בעל הטורים

(כז) ולערב יחלק שלל. בגימטריא אלו הקרבנות: התחלת התבות שאחרי שמות השבטים, כגון, בכרי אחים אתה לחוף חמר ידין גדוד שמנה אילה בן זאב, עולה לחשבון שס"ה, כמנין ימות החמה. ואותיות האחרונות של סופי הפסוקים של הברכות, כגון, עלה בישראל מחלב צידן עבד ה' עקב מלך שפר אחיו שלל, עולה שנ"ד, כמנין ימות הלבנה. וזהו שנאמר "כה אמר ה' נתן שמש לאור יומם, חקת ירח וכוכבים לאור לילה וגו' אם ימשו החקים האלה מלפני נאם ה', גם זרע ישראל ישבתו מהיות גוי לפני כל הימים": יעקב הקדים דן לגד, כסדר תולדותם; ומשה הקדים גד לדן, לפי שהוא קבור בחלקו:

עיקר שפתי חכמים

ה ר"ל דזיי"ן וצד"י מתחלפין בכמה מקומות, כמו זעקת שהוא כמו צעקת: **ו** וכן פי' הפסוק עד תאות גבעות עולם פי' ברכות שברכני אבא גברו כלומר טובים על הברכות שבירך את הורי, לפי שהברכות שלי חמדו גדולי עולם. ומפרש רש"י מי חמדו שחמדתן אמו וכו'. מאחי: **ז** ויתפרש בנימין יטרף כזאב:

לָהֶם֙ אֲבִיהֶם֙ וַיְבָ֣רֶךְ אוֹתָ֔ם
אִ֛ישׁ אֲשֶׁ֥ר כְּבִרְכָת֖וֹ בֵּרַ֥ךְ אֹתָֽם׃
כט וַיְצַ֣ו אוֹתָ֗ם וַיֹּ֣אמֶר אֲלֵהֶם֙ אֲנִי֙
נֶאֱסָ֣ף אֶל־עַמִּ֔י קִבְר֥וּ אֹתִ֖י אֶל־
אֲבֹתָ֑י אֶֽל־הַמְּעָרָ֔ה אֲשֶׁ֥ר בִּשְׂדֵ֖ה
עֶפְר֥וֹן הַחִתִּֽי׃ ל בַּמְּעָרָ֞ה אֲשֶׁ֨ר
בִּשְׂדֵ֧ה הַמַּכְפֵּלָ֛ה אֲשֶׁר־עַל־
פְּנֵֽי־מַמְרֵ֖א בְּאֶ֣רֶץ כְּנָ֑עַן אֲשֶׁ֨ר
קָנָ֜ה אַבְרָהָ֤ם אֶת־הַשָּׂדֶה֙ מֵאֵ֛ת עֶפְרֹ֥ן הַחִתִּ֖י
לַאֲחֻזַּת־קָֽבֶר׃ לא שָׁ֣מָּה קָבְר֞וּ אֶת־אַבְרָהָ֗ם וְאֵת֙
שָׂרָ֣ה אִשְׁתּ֔וֹ שָׁ֛מָּה קָבְר֥וּ אֶת־יִצְחָ֖ק וְאֵ֣ת רִבְקָ֣ה

לְהוֹן אֲבוּהוֹן וּבָרֵיךְ
יָתְהוֹן גְּבַר דִּי כְבִרְכְתֵהּ
בָּרֵיךְ יָתְהוֹן: כט וּפַקֵּד
יָתְהוֹן וַאֲמַר לְהוֹן אֲנָא
מִתְכְּנֵשׁ לְעַמִּי קְבָרוּ יָתִי
לְוָת אֲבָהָתִי בִּמְעַרְתָּא
דִּי בַחֲקַל עֶפְרוֹן חִתָּאָה:
ל בִּמְעַרְתָּא דִּי בַחֲקַל
כָּפֶלְתָּא דִּי עַל אַפֵּי
מַמְרֵא בְּאַרְעָא דִכְנָעַן
דִּי זְבַן אַבְרָהָם יָת
חַקְלָא מִן עֶפְרֹן חִתָּאָה
לְאַחֲסָנַת קְבוּרָא: לא תַּמָּן
קְבָרוּ יָת אַבְרָהָם וְיָת
שָׂרָה אִתְּתֵהּ תַּמָּן קְבָרוּ
יָת יִצְחָק וְיָת רִבְקָה

רש"י

[פסוק כח] **וְזֹאת אֲשֶׁר דִּבֶּר לָהֶם אֲבִיהֶם וַיְבָרֶךְ אוֹתָם.** וַהֲלֹא יֵשׁ מֵהֶם שֶׁלֹּא בֵּרְכָם אֶלָּא קִנְטְרָן. אֶלָּא כָּךְ פֵּירוּשׁוֹ. וְזֹאת אֲשֶׁר דִּבֶּר לָהֶם אֲבִיהֶם, מַה שֶּׁאָמוּר בָּעִנְיָן. יָכוֹל שֶׁלֹּא בֵּרֵךְ לִרְאוּבֵן שִׁמְעוֹן וְלֵוִי, תַּ"ל וַיְבָרֶךְ אוֹתָם, כֻּלָּם בְּמַשְׁמָע (פסיקתא רבתי ז (כח.); במ"ר יג:ח): **אִישׁ אֲשֶׁר כְּבִרְכָתוֹ.** בְּרָכָה הָעֲתִידָה לָבֹא עַל כָּל אֶחָד וְאֶחָד: **בֵּרַךְ אֹתָם.** לֹא הָיָה לוֹ לוֹמַר אֶלָּא אִישׁ אֲשֶׁר כְּבִרְכָתוֹ בֵּרַךְ אוֹתוֹ, מַה תַּ"ל בֵּרַךְ אוֹתָם. לְפִי שֶׁנָּתַן לִיהוּדָה גְּבוּרַת אֲרִי וּלְבִנְיָמִין חֲטִיפָתוֹ שֶׁל זְאֵב וּלְנַפְתָּלִי קַלּוּתָהּ שֶׁל אַיָּלָה, יָכוֹל שֶׁלֹּא כְּלָלָן כֻּלָּם בְּכָל הַבְּרָכוֹת, תַּ"ל בֵּרַךְ אוֹתָם (תנחומא טז): [פסוק כט] **נֶאֱסָף אֶל עַמִּי.** עַל שֵׁם שֶׁמַּכְנִיסִין הַנְּפָשׁוֹת אֶל מְקוֹם גְּנִיזָתָן (עי' שבת קנב:). שֶׁיֵּשׁ אֲסִיפָה בִּלְשׁוֹן עִבְרִי שֶׁהִיא לְ' הַכְנָסָה, כְּגוֹן וְאֵין אִישׁ מְאַסֵּף אוֹתָם הַבַּיְתָה (שופטים יט:טו) וַאֲסַפְתּוֹ אֶל תּוֹךְ בֵּיתֶךָ (דברים כב:ב) בְּאָסְפְּכֶם אֶת תְּבוּאַת הָאָרֶץ (ויקרא כג:לט) הַכְנִסָתָם לַבַּיִת מִפְּנֵי הַגְּשָׁמִים, בְּאָסְפְּךָ אֶת מַעֲשֶׂיךָ (שמות כג:טז), וְכָל אֲסִיפָה הָאֲמוּרָה בְּמִיתָה אַף הִיא לְשׁוֹן הַכְנָסָה: **אֶל אֲבֹתָי.** עִם אֲבוֹתַי:

בעל הטורים

(כח) **וזאת אשר דבר להם אביהם.** סיים ב"וזאת", ובו פתח משה וברכם "וזאת הברכה". וזהו "מזקנים אתבונן":

אִשְׁתּוֹ וְשָׁמָּה קָבַרְתִּי אֶת־לֵאָה׃
לב מִקְנֵה הַשָּׂדֶה וְהַמְּעָרָה אֲשֶׁר־
בּוֹ מֵאֵת בְּנֵי־חֵת׃ לג וַיְכַל יַעֲקֹב
לְצַוֹּת אֶת־בָּנָיו וַיֶּאֱסֹף רַגְלָיו אֶל־
הַמִּטָּה וַיִּגְוַע וַיֵּאָסֶף אֶל־עַמָּיו׃
פרק נ א וַיִּפֹּל יוֹסֵף עַל־פְּנֵי אָבִיו
וַיֵּבְךְּ עָלָיו וַיִּשַּׁק־לוֹ׃ ב וַיְצַו יוֹסֵף
אֶת־עֲבָדָיו אֶת־הָרֹפְאִים לַחֲנֹט
אֶת־אָבִיו וַיַּחַנְטוּ הָרֹפְאִים אֶת־
יִשְׂרָאֵל׃ ג וַיִּמְלְאוּ־לוֹ אַרְבָּעִים
יוֹם כִּי כֵּן יִמְלְאוּ יְמֵי הַחֲנֻטִים וַיִּבְכּוּ אֹתוֹ
מִצְרַיִם שִׁבְעִים יוֹם׃ ד וַיַּעַבְרוּ יְמֵי בְכִיתוֹ וַיְדַבֵּר
יוֹסֵף אֶל־בֵּית פַּרְעֹה לֵאמֹר אִם־נָא מָצָאתִי

אִתְּתֵהּ וְתַמָּן קְבָרִית יָת
לֵאָה׃ לב זְבִינֵי חַקְלָא
וּמְעַרְתָּא דִּי בֵהּ מִן בְּנֵי
חִתָּאָה׃ לג וְשֵׁיצִי יַעֲקֹב
לְפַקָּדָא יָת בְּנוֹהִי וּכְנַשׁ
רַגְלוֹהִי לְעַרְסָא וְאִתְנְגִיד
וְאִתְכְּנִישׁ לְעַמֵּהּ׃ א וּנְפַל
יוֹסֵף עַל אַפֵּי אֲבוּהִי
וּבְכָא עֲלוֹהִי וּנְשַׁק לֵהּ׃
ב וּפַקֵּיד יוֹסֵף יָת עַבְדוֹהִי
יָת אָסְוָתָא לְמֶחְנַט יָת
אֲבוּהִי וַחֲנַטוּ אָסְוָתָא
יָת יִשְׂרָאֵל׃ ג וּשְׁלִימוּ
לֵהּ אַרְבְּעִין יוֹמִין אֲרֵי
כֵּן שָׁלְמִין יוֹמֵי חֲנִיטַיָּא
וּבְכוֹ יָתֵהּ מִצְרָאֵי שַׁבְעִין
יוֹמִין׃ ד וַעֲבַרוּ יוֹמֵי
בְכִיתֵהּ וּמַלִּיל יוֹסֵף
עִם בֵּית פַּרְעֹה לְמֵימַר
אִם כְּעַן אַשְׁכַּחִית

רש״י

[פסוק לג] **וַיֶּאֱסֹף רַגְלָיו.** הִכְנִיס רַגְלָיו: **וַיִּגְוַע וַיֵּאָסֶף.** ח וּמִיתָה לֹא נֶאֶמְרָה בּוֹ, וְאָמְרוּ רַזַ״ל יַעֲקֹב אָבִינוּ לֹא מֵת (תענית ה:): [פסוק ב] **לַחֲנֹט אֶת אָבִיו.** עִנְיַן מִרְקַחַת בְּשָׂמִים הוּא (תרגום יונתן): [פסוק ג] **וַיִּמְלְאוּ לוֹ.** הִשְׁלִימוּ לוֹ יְמֵי חֲנִיטָתוֹ עַד שֶׁמָּלְאוּ לוֹ אַרְבָּעִים יוֹם: **וַיִּבְכּוּ אֹתוֹ מִצְרַיִם שִׁבְעִים יוֹם.** אַרְבָּעִים לַחֲנִיטָה וּשְׁלֹשִׁים לִבְכִיָּה, לְפִי שֶׁבָּאָה לָהֶם בְּרָכָה לְרַגְלוֹ, שֶׁכָּלָה הָרָעָב וְהָיוּ מֵי נִילוּס מִתְבָּרְכִין (עי׳ רש״י לעיל מז:י, יט):

בעל הטורים

(ג) **וימלאו.** ב׳ במסורת – ״וימלאו לו ארבעים יום״; ״וימלאו ימיה ללדת״. רמז לסוף ארבעים יום הולד נוצר:

עיקר שפתי חכמים

ח פי׳ שלא טעם טעם מיתה כי בחמת חנטוהו וקברוהו:

ראה הטבלא ״**שְׁנֵי חַיֵּי יַעֲקֹב אָבִינוּ**״ (עמוד 533).

חֵן בְּעֵינֵיכֶם דַּבְּרוּ־נָא בְּאׇזְנֵי
פַרְעֹה לֵאמֹר: ה אָבִי הִשְׁבִּיעַנִי
לֵאמֹר הִנֵּה אָנֹכִי מֵת בְּקִבְרִי
אֲשֶׁר כָּרִיתִי לִי בְּאֶרֶץ כְּנַעַן
שָׁמָּה תִּקְבְּרֵנִי וְעַתָּה אֶעֱלֶה־
נָּא וְאֶקְבְּרָה אֶת־אָבִי וְאָשׁוּבָה:
ו וַיֹּאמֶר פַּרְעֹה עֲלֵה וּקְבֹר אֶת־
אָבִיךָ כַּאֲשֶׁר הִשְׁבִּיעֶךָ: ז וַיַּעַל
יוֹסֵף לִקְבֹּר אֶת־אָבִיו וַיַּעֲלוּ אִתּוֹ כׇּל־עַבְדֵי
פַרְעֹה זִקְנֵי בֵיתוֹ וְכֹל זִקְנֵי אֶרֶץ־מִצְרָיִם: ח וְכֹל
בֵּית יוֹסֵף וְאֶחָיו וּבֵית אָבִיו רַק טַפָּם וְצֹאנָם

רַחֲמִין בְּעֵינֵיכוֹן מַלִּילוּ
כְעַן קֳדָם פַּרְעֹה לְמֵימָר:
ה אַבָּא קַיֵּים עֲלַי לְמֵימַר
הָא אֲנָא מָיֵית בְּקִבְרִי
דִּי אַתְקֵנִית לִי בְּאַרְעָא
דִכְנַעַן תַּמָּן תִּקְבְּרִנַּנִי וּכְעַן
אֶסַּק כְּעַן וְאֶקְבַּר יָת אַבָּא
וְאֵיתוּב: ו וַאֲמַר פַּרְעֹה סַק
וּקְבוֹר יָת אֲבוּךְ כְּמָא דִי
קַיֵּים עֲלָךְ: ז וּסְלֵיק יוֹסֵף
לְמִקְבַּר יָת אֲבוּהִי וּסְלִיקוּ
עִמֵּהּ כָּל עַבְדֵי פַרְעֹה סָבֵי
בֵיתֵהּ וְכֹל סָבֵי אַרְעָא
דְמִצְרָיִם: ח וְכֹל בֵּית
יוֹסֵף וַאֲחוֹהִי וּבֵית אֲבוּהִי
לְחוֹד טַפְלְהוֹן וְעָנְהוֹן

רש"י

[פסוק ה] אֲשֶׁר כָּרִיתִי לִי. כִּפְשׁוּטוֹ כְּמוֹ כִּי יִכְרֶה אִישׁ (שמות כא:לג; תרגום יונתן). וּמִדְרָשׁוֹ עוֹד מִתְיַשֵּׁב עַל הַלָּשׁוֹן, כְּמוֹ אֲשֶׁר קָנִיתִי. אָמַר ר' עֲקִיבָא כְּשֶׁהָלַכְתִּי לִכְרַכֵּי הַיָּם הָיוּ קוֹרִין לִמְכִירָה כִּירָה (ראש השנה כו.). וְעוֹד מִדְרָשׁוֹ לְ' ט כְּרִי, דָּגוּר, שֶׁנָּטַל יַעֲקֹב כָּל כֶּסֶף וְזָהָב שֶׁהֵבִיא מִבֵּית לָבָן וְעָשָׂה אוֹתוֹ כְּרִי וְאָמַר לְעֵשָׂו טוֹל זֶה בִּשְׁבִיל חֶלְקְךָ בַּמְּעָרָה (שמות רבה לא:יז): **[פסוק ו] כַּאֲשֶׁר הִשְׁבִּיעֶךָ.** וְאִם לֹא בִּשְׁבִיל הַשְּׁבוּעָה לֹא הָיִיתִי מַנִּיחֲךָ. אֲבָל יָרֵא לוֹמַר עֲבוֹר עַל הַשְּׁבוּעָה, שֶׁלֹּא יֹאמַר א"כ אֶעֱבוֹר עַל שְׁבוּעָה שֶׁנִּשְׁבַּעְתִּי לְךָ שֶׁלֹּא אֲגַלֶּה עַל לְשׁוֹן הַקֹּדֶשׁ שֶׁאֲנִי מַכִּיר יוֹתֵר עַל שִׁבְעִים לָשׁוֹן וְאַתָּה אֵינְךָ מַכִּיר בּוֹ, כִּדְאִיתָא בְּמַסֶּכֶת סוֹטָה (לו:):

בעל הטורים

(ה) אנכי מת. ג' במסורת — חדא ביעקב; ואידך במשה; ואידך ביוסף. אף על פי שאמרו, יעקב לא מת, כיון שאמר משה "אנכי מת" אמר אותו גם הוא. ובלשון שאמר יעקב אמר גם כן יוסף: **(ז) וכל זקני.** ג' במסורת — "וכל זקני ארץ מצרים"; "ויבא אהרן וכל זקני ישראל לאכל לחם"; "וכל זקני העיר ההוא", גבי עגלה ערופה. וזהו שדרשו "לא שפכו", שלא פטרנוהו בלי מזון, דהיינו "וכל זקני ישראל לאכל לחם". ולא פטרנוהו בלא לויה, דהיינו "וכל זקני ארץ מצרים", שליוו לארונו של יעקב:

עיקר שפתי חכמים

ט פי' לאסוף, ודגור הוא בל' תרגום וכרי הוא בל' עברי:

וּבְקָרָם עָזְבוּ בְּאֶרֶץ גֹּשֶׁן: ט וַיַּעַל
עִמּוֹ גַּם־רֶכֶב גַּם־פָּרָשִׁים וַיְהִי
הַמַּחֲנֶה כָּבֵד מְאֹד: י וַיָּבֹאוּ עַד־
גֹּרֶן הָאָטָד אֲשֶׁר בְּעֵבֶר הַיַּרְדֵּן
וַיִּסְפְּדוּ־שָׁם מִסְפֵּד גָּדוֹל וְכָבֵד
מְאֹד וַיַּעַשׂ לְאָבִיו אֵבֶל שִׁבְעַת
יָמִים: יא וַיַּרְא יוֹשֵׁב הָאָרֶץ
הַכְּנַעֲנִי אֶת־הָאֵבֶל בְּגֹרֶן הָאָטָד
וַיֹּאמְרוּ אֵבֶל־כָּבֵד זֶה לְמִצְרָיִם
עַל־כֵּן קָרָא שְׁמָהּ אָבֵל מִצְרַיִם
אֲשֶׁר בְּעֵבֶר הַיַּרְדֵּן: יב וַיַּעֲשׂוּ בָנָיו לוֹ כֵּן כַּאֲשֶׁר
צִוָּם: יג וַיִּשְׂאוּ אֹתוֹ בָנָיו אַרְצָה כְּנַעַן וַיִּקְבְּרוּ

וְתוֹרֵיהוֹן שְׁבַקוּ בְּאַרְעָא
דְגֹשֶׁן: ט וּסְלִיקוּ עִמֵּהּ
אַף רְתִכִּין אַף פָּרָשִׁין
וַהֲוָה מַשְׁרִיתָא סַגִּי
לַחֲדָא: י וַאֲתוֹ עַד בֵּית
אִדְרֵי דְאָטָד דִּי בְּעִבְרָא
דְיַרְדְּנָא וּסְפַדוּ תַמָּן
מִסְפֵּד רַב וְתַקִּיף לַחֲדָא
וַעֲבַד לַאֲבוּהִי אֶבְלָא
שִׁבְעַת יוֹמִין: יא וַחֲזָא יָתֵב
אַרְעָא כְּנַעֲנָאָה יָת אֶבְלָא
בְּבֵית אִדְרֵי דְאָטָד וַאֲמַרוּ
אֲבַל תַּקִּיף דֵּין לְמִצְרָאֵי
עַל כֵּן קְרָא שְׁמַהּ אָבֵל
מִצְרַיִם דִּי בְּעִבְרָא
דְיַרְדְּנָא: יב וַעֲבַדוּ בְנוֹהִי
לֵהּ כֵּן כְּמָא דִי פַקְדִנּוּן:
יג וּנְטַלוּ יָתֵהּ בְּנוֹהִי
לְאַרְעָא דִכְנַעַן וּקְבַרוּ

רש"י

[פסוק י] גֹּרֶן הָאָטָד. מוּקָּף אֲטָדִין הָיָה. וְרַבּוֹתֵינוּ דָּרְשׁוּ עַל שֵׁם הַמְּאוֹרָע, שֶׁבָּאוּ כָּל מַלְכֵי כְנַעַן וּנְשִׂיאֵי יִשְׁמָעֵאל לַמִּלְחָמָה, וְכֵיוָן שֶׁרָאוּ כִּתְרוֹ שֶׁל יוֹסֵף תָּלוּי בַּאֲרוֹנוֹ שֶׁל יַעֲקֹב עָמְדוּ כֻלָּן וְתָלוּ בוֹ כִּתְרֵיהֶם וְהִקִּיפוּהוּ כְּתָרִים כְּגֹרֶן הַמּוּקָּף סְיָג שֶׁל קוֹצִים (סוטה יג.): **[פסוק יב] כַּאֲשֶׁר צִוָּם.** מַהוּ אֲשֶׁר צִוָּם: **[פסוק יג] וַיִּשְׂאוּ אֹתוֹ בָנָיו.** וְלֹא בְּנֵי בָנָיו. שֶׁכָּךְ צִוָּם, אַל יִשְּׂאוּ מִטָּתִי לֹא אִישׁ מִצְרִי וְלֹא אֶחָד מִבְּנֵיכֶם שֶׁהֵם מִבְּנוֹת כְּנַעַן אֶלָּא אַתֶּם. וְקָבַע לָהֶם מָקוֹם ג' לַמִּזְרָח וְכֵן לְאַרְבַּע רוּחוֹת. וּכְסִדְרָן לְמַסַּע וּמַחֲנֶה שֶׁל דְּגָלִים נִקְבְּעוּ כַּאן. לֵוִי לֹא יִשָּׂא, שֶׁהוּא עָתִיד לָשֵׂאת אֶת הָאָרוֹן, וְיוֹסֵף לֹא יִשָּׂא, שֶׁהוּא מֶלֶךְ, מְנַשֶּׁה וְאֶפְרַיִם יִהְיוּ תַחְתֵּיהֶם, וְזֶהוּ אִישׁ עַל דִּגְלוֹ בְאֹתֹת (במדבר ב:ב) בָּאוֹת

בעל הטורים

(יב) צום. ג' במסורת — "ויעשו בניו לו כן כאשר צוום"; "הקימו בני יהונדב בן רכב את מצות אביהם אשר צוום"; "פן תאמר עצבי עשם ופסלי ונסכי צוום". לומר, מה זה מדבר בעבודה זרה, "ופסלי ונסכי צוום", אף יונדב צוה לבניו שלא יעבדו עבודה זרה. וכן יעקב כשבקש לגלות הקץ לבניו ונעלם ממנו, אמר שמא יש בכם עובדי עבודה זרה, אמרו לו "שמע ישראל וגו'":

ראה הטבלא "**הַשְּׁבָטִים סְבִיב אֲרוֹנוֹ שֶׁל יַעֲקֹב אָבִינוּ**" (עמוד 538)

אֹת֔וֹ בִּמְעָרַ֖ת שְׂדֵ֣ה הַמַּכְפֵּלָ֑ה
אֲשֶׁ֣ר קָנָה֩ אַבְרָהָ֨ם אֶת־הַשָּׂדֶ֜ה
לַאֲחֻזַּת־קֶ֗בֶר מֵאֵ֛ת עֶפְרֹ֥ן הַחִתִּ֖י
עַל־פְּנֵ֥י מַמְרֵֽא׃ יד וַיָּ֨שָׁב יוֹסֵ֤ף
מִצְרַ֙יְמָה֙ ה֣וּא וְאֶחָ֔יו וְכָל־הָעֹלִ֥ים
אִתּ֖וֹ לִקְבֹּ֣ר אֶת־אָבִ֑יו אַֽחֲרֵ֖י
קָבְר֥וֹ אֶת־אָבִֽיו׃ טו וַיִּרְא֤וּ אֲחֵֽי־
יוֹסֵף֙ כִּי־מֵ֣ת אֲבִיהֶ֔ם וַיֹּ֣אמְר֔וּ ל֥וּ יִשְׂטְמֵ֖נוּ יוֹסֵ֑ף
וְהָשֵׁ֤ב יָשִׁיב֙ לָ֔נוּ אֵ֚ת כָּל־הָ֣רָעָ֔ה אֲשֶׁ֥ר גָּמַ֖לְנוּ

יָתֵהּ בִּמְעָרַת חֲקַל כָּפֶלְתָּא דִּי זְבַן אַבְרָהָם יָת חַקְלָא לְאַחֲסָנַת קְבוּרָא מִן עֶפְרֹן חִתָּאָה עַל אַפֵּי מַמְרֵא: יד וְתָב יוֹסֵף לְמִצְרַיִם הוּא וַאֲחוֹהִי וְכָל דִּסְלִיקוּ עִמֵּהּ לְמִקְבַּר יָת אֲבוּהִי בָּתַר דִּקְבַר יָת אֲבוּהִי: טו וַחֲזוֹ אֲחֵי יוֹסֵף אֲרֵי מִית אֲבוּהוֹן וַאֲמָרוּ דִּלְמָא יִטַּר לָנָא דְּבָבוּ יוֹסֵף וַאֲתָבָא יָתֵיב לָנָא יָת כָּל בִּישְׁתָא דִּי גְמַלְנָא

רש"י

שמסר להם אביהם לישא מטתו (תנחומא במדבר יב; ב"ר ק:ב): **[פסוק יד] הוא ואחיו וכל העלים אתו.** בחזרתן כאן הקדים אחיו למצרים העולים אתו, ובהליכתן הקדים מצרים לאחיו, שנאמר ויעלו אתו כל עבדי פרעה וגו' ואחר כך וכל בית יוסף ואחיו. אלא לפי שראו כבוד שעשו מלכי כנען, שתלו כתריהם בארונו של יעקב, נהגו בהם כבוד (סוטה שם): **[פסוק טו] ויראו אחי יוסף כי מת אביהם.** מהו ויראו, הכירו במיתתו אצל יוסף, שהיו רגילים לסעוד על שולחנו של יוסף והיה מקרבן בשביל כבוד אביו, ומשמת יעקב לא קרבן (תנחומא ישן שמות ב; ב"ר ק:ח): **לו ישטמנו.** י שמא ישטמנו. לו מתחלק לענינים הרבה יש לו משמש בלשון בקשה ולשון הלואי, כגון לו יהי כדברך (לעיל ל:לד) לו שמעני (שם כג:יג) ולו הואלנו (יהושע ז:ז) לו מתנו (במדבר יד:ב). ויש לו משמש בלשון אם ואולי, כגון לו חכמו (דברים לב:כט) לו הקשבת למצותי (ישעיה מח:יח) ולו אנכי שוקל על כפי (שמואל ב יח:יב). ויש לו משמש בלשון שמא, לו ישטמנו ואין לו עוד דומה במקרא, והוא לשון אולי כמו אולי לא תלך האשה אחרי (לעיל כד:לט) ל' שמא הוא. ויש ב אולי ל'

בעל הטורים

(טו) **לו ישטמנו יוסף.** כשחזרו מלקבר את אביהם, עבר יוסף על הבור שהשליכוהו בו ובירך בדרך, ברוך שעשה לי נס במקום הזה. אמרו, עדיין הוא זוכר בלבו מה שעשינו לו: יש מפרשים "לו ישטמנו יוסף", כלומר, הלואי ישטמנו יוסף בלבו ולא יעשה לנו מעשה. ואם חפץ לעשות לנו, ישיב לנו כל הרעה שגמלנוהו. כי מה עשינו לו? גרמנו לו שנעשה מלך מחמת שמכרנוהו, ונתגלגל הדבר ונעשה מלך במצרים, כן יעשה לנו:

עיקר שפתי חכמים

י אע"פ שאין לו דומה במקרא מ"מ מצינו למימר דלו ל' שמא, דהואיל ומצינו דלו הוא לשון אולי כמו שהביא רש"י פסוקים ע"ז ואולי מצינו נמי שהוא לשון שמא, אם כן לו נמי ל' שמא, דהא לו ואולי הכל ל' אחד: ב ר"ל מזה נמי מוכח דלו ואולי הכל אחד הוא, דהא לו בכמה מקומות ל' בקשה ויש אולי נמי ל' בקשה, וא"כ מצינו למימר שלו נמי לשון שמא כמו אולי, ויש אולי לשון אם, כמו שהביא רש"י לעיל, א"כ לו ואולי הכל א' הוא:

אֹתוֹ: טז וַיְצַוּוּ אֶל־יוֹסֵף לֵאמֹר
אָבִיךָ צִוָּה לִפְנֵי מוֹתוֹ לֵאמֹר:
יז כֹּה־תֹאמְרוּ לְיוֹסֵף *אָנָּא שָׂא
נָא פֶּשַׁע אַחֶיךָ וְחַטָּאתָם כִּי־
רָעָה גְמָלוּךָ וְעַתָּה שָׂא נָא
לְפֶשַׁע עַבְדֵי אֱלֹהֵי אָבִיךָ וַיֵּבְךְּ
יוֹסֵף בְּדַבְּרָם אֵלָיו: יח וַיֵּלְכוּ גַּם־
אֶחָיו וַיִּפְּלוּ לְפָנָיו וַיֹּאמְרוּ הִנֶּנּוּ
לְךָ לַעֲבָדִים: יט וַיֹּאמֶר אֲלֵהֶם
יוֹסֵף אַל־תִּירָאוּ כִּי הֲתַחַת אֱלֹהִים אָנִי: כ וְאַתֶּם
חֲשַׁבְתֶּם עָלַי רָעָה אֱלֹהִים חֲשָׁבָהּ לְטֹבָה

יָתֵהּ: טז וּפַקִּידוּ לְוַת
יוֹסֵף לְמֵימָר אָבוּךְ פַּקֵּד
קֳדָם מוֹתֵהּ לְמֵימָר:
יז כְּדֵין תֵּימְרוּן לְיוֹסֵף
בְּבָעוּ שְׁבוֹק כְּעַן חוֹבָא
אַחָיךְ וַחֲטָאֵהוֹן אֲרֵי
בִישָׁא גְמָלוּךְ וּכְעַן
שְׁבוֹק כְּעַן לְחוֹבָא עַבְדֵי
אֱלָהָא דְאָבוּךְ וּבְכָא
יוֹסֵף בְּמַלָּלוּתְהוֹן עִמֵּהּ:
יח וַאֲזָלוּ אַף אֲחוֹהִי
וּנְפָלוּ קֳדָמוֹהִי וַאֲמָרוּ
הָא אֲנַחְנָא לָךְ לְעַבְדִין:
יט וַאֲמַר לְהוֹן יוֹסֵף לָא
תִדַּחֲלוּן אֲרֵי דַחֲלָא דַייָ
אֲנָא: כ וְאַתּוּן חֲשַׁבְתּוּן
עֲלַי בִּישָׁא מִן קֳדָם
יְיָ אִתְחַשְּׁבָא לְטָבָא

* תרי טעמי

רש"י

בַּקָּשָׁה, כְּגוֹן אוּלַי יִרְאֶה ה' בְּעֵינִי (שמואל־ב טז:יב) אוּלַי ה' אוֹתִי (יהושע יד:יב), הֲרֵי הוּא כְּמוֹ לוּ יְהִי כִדְבָרֶךָ (לעיל ל: לד). וְיֵשׁ אוּלַי לְשׁוֹן אִם, אוּלַי יֵשׁ חֲמִשִּׁים צַדִּיקִים (לעיל יח:כד): **[פסוק טז] וַיְצַוּוּ אֶל יוֹסֵף.** כְּמוֹ וַיְצַוֵּם אֶל בְּנֵי יִשְׂרָאֵל (שמות ו:יג) צִוָּה לְמֹשֶׁה וּלְאַהֲרֹן לִהְיוֹת שְׁלוּחִים אֶל בְּנֵי יִשְׂרָאֵל. אַף זֶה וַיְצַוּוּ אֶל שְׁלוּחָם לִהְיוֹת שָׁלִיחַ אֶל יוֹסֵף לוֹמַר לוֹ כֵּן. וְאֶת מִי צִוּוּ, אֶת בְּנֵי בִלְהָה שֶׁהָיוּ רְגִילִין אֶצְלוֹ (עי' תנחומא ישן שמות ג), שֶׁנֶּאֱמַר וְהוּא נַעַר אֶת בְּנֵי בִלְהָה (לעיל לז:ב): **אָבִיךָ צִוָּה.** שִׁנּוּ בַּדָּבָר מִפְּנֵי הַשָּׁלוֹם, כִּי לֹא צִוָּה יַעֲקֹב כֵּן שֶׁלֹּא נֶחְשַׁד יוֹסֵף בְּעֵינָיו (יבמות סה:; תנחומא תולדות א; ב"ר ק:ח): **[פסוק יז] שָׂא נָא לְפֶשַׁע עַבְדֵי אֱלֹהֵי אָבִיךָ.** אִם אָבִיךָ מֵת אֱלֹהָיו קַיָּים (תנחומא ישן שמות ג) וְהֵם עֲבָדָיו: **[פסוק יח] וַיֵּלְכוּ גַּם אֶחָיו.** מוֹסָף עַל הַשְּׁלִיחוּת: **[פסוק יט] כִּי הֲתַחַת אֱלֹהִים אָנִי.** שֶׁמָּא בִּמְקוֹמוֹ אֲנִי, בִּתְמִיָּה, אִם הָיִיתִי רוֹצֶה לְהָרַע לָכֶם כְּלוּם אֲנִי

בעל הטורים

(יט) התחת אלהים אני. בלשון שהשיב יעקב לרחל כשבקשה ממנו שיבקש עליה רחמים וגער בה, בו בלשון השיב לאחיו. על כן הוא ג' במסורת, והשלישי "התחת זאת לא יומת שמעי". שבאותו לשון שאמר לאחיו נפרע משמעי, שאחיו למדו ממנו לדבר בלשונו:

לְמַ֗עַן עֲשֹׂ֛ה כַּיּ֥וֹם הַזֶּ֖ה לְהַחֲיֹ֥ת
עַם־רָֽב׃ שביעי כא וְעַתָּה֙ אַל־תִּירָ֔אוּ
אָנֹכִ֛י אֲכַלְכֵּ֥ל אֶתְכֶ֖ם וְאֶֽת־
טַפְּכֶ֑ם וַיְנַחֵ֣ם אוֹתָ֔ם וַיְדַבֵּ֖ר עַל־
לִבָּֽם׃ כב וַיֵּ֤שֶׁב יוֹסֵף֙ בְּמִצְרַ֔יִם
ה֖וּא וּבֵ֣ית אָבִ֑יו וַיְחִ֣י יוֹסֵ֔ף
מֵאָ֥ה וָעֶ֖שֶׂר שָׁנִֽים׃ מפטיר כג וַיַּ֤רְא
יוֹסֵף֙ לְאֶפְרַ֔יִם בְּנֵ֖י שִׁלֵּשִׁ֑ים גַּ֗ם
בְּנֵ֤י מָכִיר֙ בֶּן־מְנַשֶּׁ֔ה יֻלְּד֖וּ עַל־בִּרְכֵּ֥י יוֹסֵֽף׃
כד וַיֹּ֤אמֶר יוֹסֵף֙ אֶל־אֶחָ֔יו אָנֹכִ֖י מֵ֑ת וֵאלֹהִ֞ים
פָּקֹ֧ד יִפְקֹ֣ד אֶתְכֶ֗ם וְהֶעֱלָ֤ה אֶתְכֶם֙ מִן־הָאָ֣רֶץ
הַזֹּ֔את אֶל־הָאָ֕רֶץ אֲשֶׁ֥ר נִשְׁבַּ֛ע לְאַבְרָהָ֥ם

בְּדִיל לְמֶעְבַּד כְּיוֹמָא הָדֵין לְקַיָּמָא עַם סַגִּי: כא וּכְעַן לָא תִדַּחֲלוּן אֲנָא אֵזוּן יָתְכוֹן וְיָת טַפְלְכוֹן וְנַחֵם יָתְהוֹן וּמַלֵּל תַּנְחוּמִין עַל לִבְּהוֹן: כב וִיתֵיב יוֹסֵף בְּמִצְרַיִם הוּא וּבֵית אֲבוּהִי וַחֲיָא יוֹסֵף מְאָה וַעֲסַר שְׁנִין: כג וַחֲזָא יוֹסֵף לְאֶפְרַיִם בְּנִין תְּלִיתָאִין אַף בְּנֵי מָכִיר בַּר מְנַשֶּׁה אִתְיְלִידוּ וְרַבִּי יוֹסֵף: כד וַאֲמַר יוֹסֵף לַאֲחוֹהִי אֲנָא מָאִית וַייָ מִדְכַּר דְּכִיר יָתְכוֹן וְיַסֵּיק יָתְכוֹן מִן אַרְעָא הָדָא לְאַרְעָא דִּי קַיֵּים לְאַבְרָהָם

רש"י

יָכוֹל, וַהֲלֹא הֵם כּוֹלְכֵם חֲשַׁבְתֶּם עָלַי רָעָה והקב"ה חֲשָׁבָהּ לְטוֹבָה, וְהֵיאַךְ אֲנִי לְבַדִּי יָכוֹל לְהָרַע לָכֶם (ב"ר שם ט): **[פסוק כא] וַיְדַבֵּר עַל לִבָּם.** דְּבָרִים הַמִּתְקַבְּלִים עַל הַלֵּב. עַד שֶׁלֹּא יְרַדְתֶּם לְכָאן הָיוּ מְרַנְּנִים עָלַי שֶׁאֲנִי עֶבֶד וְעַל יְדֵיכֶם נוֹדַע שֶׁאֲנִי בֶּן חוֹרִין, וַאֲנִי הוֹרֵג אֶתְכֶם, מָה הַבְּרִיּוֹת אוֹמְרוֹת, כַּת שֶׁל בַּחוּרִים רָאָה וְנִשְׁתַּבַּח בָּהֶם וְאָמַר אַחַי הֵם וּלְבַסּוֹף הָרַג אוֹתָם, יֵשׁ לְךָ אָח שֶׁהוֹרֵג אֶת אֶחָיו (תנחומא ישן שם; ב"ר שם). ד"א, ל עֲשָׂרָה נֵרוֹת לֹא יָכְלוּ לְכַבּוֹת נֵר אֶחָד כו' (מגילה טז:): **[פסוק כג] עַל בִּרְכֵּי יוֹסֵף.** כְּתַרְגּוּמוֹ, גִּדְּלָן בֵּין בִּרְכָּיו:

בעל הטורים

(כד) אנכי מת, ואלהים פקד יפקד אתכם. פירוש, אנכי בשר ודם, היום כאן ומחר בקבר. אבל הקדוש ברוך הוא מלך אל חי וקיים, הוא יפקוד אתכם: ורמז שני פעמים פ"א פ"א, פירוש, כשם שמלכתי פ' שנים, כן יבוא לכם גואל בן פ' שנים: אי נמי — "יפקוד" לשון חסרון, כמו "ולא נפקד ממנו איש". רמז שמנין "פקוד" חסר מארבע מאות שנה וישאר רד"ו:

עיקר שפתי חכמים

ל כי י"ב שבטים כנגד י"ב כוכבים המאירים את כל העולם:

לְיִצְחָק וּלְיַעֲקֹב: כה וַיַּשְׁבַּע יוֹסֵף
אֶת־בְּנֵי יִשְׂרָאֵל לֵאמֹר פָּקֹד
יִפְקֹד אֱלֹהִים אֶתְכֶם וְהַעֲלִתֶם
אֶת־עַצְמֹתַי מִזֶּה: כו וַיָּמָת יוֹסֵף
בֶּן־מֵאָה וָעֶשֶׂר שָׁנִים וַיַּחַנְטוּ אֹתוֹ וַיִּישֶׂם
בָּאָרוֹן בְּמִצְרָיִם: **חזק חזק ונתחזק**

לְיִצְחָק וּלְיַעֲקֹב: כה וְאוֹמֵי
יוֹסֵף יָת בְּנֵי יִשְׂרָאֵל לְמֵימַר
מִדְכַּר דְּכִיר יְיָ יָתְכוֹן
וְתַסְּקוּן יָת גַּרְמַי מִכָּא:
כו וּמִית יוֹסֵף בַּר מְאָה
וַעֲסַר שְׁנִין וַחֲנַטוּ יָתֵהּ
וְשַׂמוּהִי בְּאָרוֹנָא בְּמִצְרָיִם:

פ״ה פסוקים. פ״ה אל פ״ה סימן. סכום פסוקי דספר בראשית אלף וחמש מאות ושלשים וארבעה **א״ך ל״ד** סימן. וחציו ועל חרבך תחיה. ופרשיותיו י״ב זה שמי לעלם סימן. וסדריו מ״ג **גם** ברוך יהיה סימן. **ידידיה** סימן. ופסקתותיו כ״ט. מנין הפתוחות שלש וארבעים והסתומות שמנה וארבעים הכל אחת ותשעים פרשיות **צא** אתה וכל העם אשר ברגליך סימן.

בעל הטורים

(כה) וישבע יוסף את בני ישראל. ולא השביע לבניו. אלא אמר להם, משכם לקחתם אותי ושמה תחזירוני: ובמדרש יש, שהשביעם שלא ידחקו את הקץ. כי יוסף ידע את הקץ, כי יעקב גלה לו: **(כו) ויחנטו.** שנים בהאי פרשה — "ויחנטו הרפאים את ישראל"; "ויחנטו אתו". כדאיתא בכתבות דיספד יספדונה, דדלה ידלונה. בשביל שחנט את אביו, חנטוהו גם כן: **ויישם בארון.** כדי שיהא מצוי להם בצאתם משם:

הפטרת ויחי

מלכים א ב:א־יב

ההפטרה וגם הפרשה עוסקות בצוואות של שנים מגדולי רועי ישראל; יעקב אבינו שהיה מובחר האבות ודוד המלך שהיה מובחר המלכים (מדרש הגדול, בראשית מז, כט). בפרשתנו בירך יעקב אבינו את בניו לפני מותו, וציוה לכל אחד מהם את תפקידו הקדוש המוטל עליו לתרום לכלל ישראל; בהפטרה מְצַווה דוד המלך את בנו, שלמה, שהוכתר להמשיך את מלכותו.

דוד מזהיר את בנו שרק אם ילך בדרך התורה וישמור מצוותיו יצליח במלכותו, וגם לא תופסק המלכות מזרעו. גם ציוהו שיגמול חסד עם משפחת ברזילי הגלעדי, כי הם עשו עמו חסד בתקופה הקשה ביותר של חייו (שמואל־ב יט, לב־מ). האזהרה על שמירת התורה מלמדת אותנו שעצם קיומו של ישראל הוא אך ורק על ידי התורה; כי בלי זה אין לו מציאות כלל (ראה מהר״ל נצח ישראל יד). גם הציווי להכיר טובה נחשבת כמדה יסודית שבני ישראל מוכתרים בה (ראה ספר החינוך לג). אולם, יש להתבונן על שאר הדברים של צוואתו, היינו הציווי ששלמה ינקום ביואב בן צרויה ושמעי בן גרא. האם מדת הנקמה היא מדה המתאימה למלך ישראל?

יתכן, שמטרת דבריו האחרונים של דוד היתה להעביר לשלמה הדרכה נכונה איך לדון ולשפוט אנשים הבוגדים בו ומתנהגים ברמאות. יואב, שהיה שר צבאו של דוד המלך ומן החשובים ביותר במלכותו, הרג את אבנר בן נר בערמה, שהכניסו לתוך שער העיר חברון כאילו הוא רוצה לדבר אתו בשלום (רד״ק שמואל־ב ג, כז), וגם את עמשא בן יתר הרג בערמה (שם כ, ט־י). דוד בעצמו אמנם נמנע מלהרוג את יואב כמו שאמר (שם ג, לט): "וְאָנֹכִי הַיּוֹם רַךְ וּמָשׁוּחַ מֶלֶךְ וְהָאֲנָשִׁים הָאֵלֶּה בְּנֵי צְרוּיָה קָשִׁים

מִמֶּנִּי" — דוד נחשב בעיני עצמו כצעיר כי רק הוכתר באותו יום כמלך על כל ישראל, ולכן לא היה בכוחו לבצע את דינו של יואב (רד"ק שם ומהר"י קרא לפסוק לח), אבל בכל זאת עודד את שלמה שינהוג עמהם במדת הדין, כי רצה ללמדו מוסר שלא יטה את הדין לאנשים חזקים ואלימים, וגם כדי למנוע לזות שפתים שדוד עצמו קָשַׁר קֶשֶׁר עם יואב להרוג את שרי הצבא החשודים בעיניו.

פרק ב א וַיִּקְרְבוּ יְמֵי־דָוִד לָמוּת וַיְצַו אֶת־שְׁלֹמֹה בְנוֹ לֵאמֹר:
ב אָנֹכִי הֹלֵךְ בְּדֶרֶךְ כָּל־הָאָרֶץ וְחָזַקְתָּ וְהָיִיתָ לְאִישׁ: ג וְשָׁמַרְתָּ
אֶת־מִשְׁמֶרֶת | יהוה אֱלֹהֶיךָ לָלֶכֶת בִּדְרָכָיו לִשְׁמֹר חֻקֹּתָיו
מִצְוֹתָיו וּמִשְׁפָּטָיו וְעֵדְוֹתָיו כַּכָּתוּב בְּתוֹרַת מֹשֶׁה לְמַעַן תַּשְׂכִּיל
אֵת כָּל־אֲשֶׁר תַּעֲשֶׂה וְאֵת כָּל־אֲשֶׁר תִּפְנֶה שָׁם: ד לְמַעַן יָקִים
יהוה אֶת־דְּבָרוֹ אֲשֶׁר דִּבֶּר עָלַי לֵאמֹר אִם־יִשְׁמְרוּ בָנֶיךָ אֶת־
דַּרְכָּם לָלֶכֶת לְפָנַי בֶּאֱמֶת בְּכָל־לְבָבָם וּבְכָל־נַפְשָׁם לֵאמֹר
לֹא־יִכָּרֵת לְךָ אִישׁ מֵעַל כִּסֵּא יִשְׂרָאֵל: ה וְגַם אַתָּה יָדַעְתָּ אֵת
אֲשֶׁר־עָשָׂה לִי יוֹאָב בֶּן־צְרוּיָה אֲשֶׁר עָשָׂה לִשְׁנֵי־שָׂרֵי צִבְאוֹת
יִשְׂרָאֵל לְאַבְנֵר בֶּן־נֵר וְלַעֲמָשָׂא בֶן־יֶתֶר וַיַּהַרְגֵם וַיָּשֶׂם דְּמֵי־
מִלְחָמָה בְּשָׁלֹם וַיִּתֵּן דְּמֵי מִלְחָמָה בַּחֲגֹרָתוֹ אֲשֶׁר בְּמָתְנָיו

רש"י

(ה) את אשר עשה לי. שהראה הספר ששלח דוד ביד אוריה, במדרש רבי תנחומא (שם): **דמי מלחמה בשלם.** שהיה להם שלום עמו, ולא היו נשמרים ממנו: **בחגרתו אשר במתניו.** שחגר חרבו מצומדת על מתניו, שלא כדרך החוגרים, בלאתו לקראת עמשא, ופיה למטה כדי שתפול, כמה שנאמר (שמואל־ב כ, ח), והוא יצא ותפל, וכשנפלה ונטלה, כסבור עמשא שלא נטלה אלא להגביהה מן הארץ, ולא נשמר מהחרב אשר ביד יואב:

מצודת דוד

(ב) בדרך וגו׳. רצה לומר: כמנהג הנהוג בכל הבריות: **והיית לאיש.** עם שאתה עודך נער, התחזק עצמך להיות כאיש השלם בשניו, הואיל ואמות, ואינני להדריכך בדרך תלך: **(ג) משמרת ה׳.** הדברים אשר צוה ה׳ לשמרם, ואל בינתך אל תשען: **ללכת בדרכיו.** להיות רחום ורב חסד כמוהו: **חקותיו.** הם המצות שלא נתגלו טעמיהם, והמה כחק וגזירה: **מצותיו.** מה שבין אדם למקום: **ומשפטיו.** מה שבין אדם לחברו: **ועדותיו.** הם המצות אשר טעמיהם להעיד על נפלאות ה׳, כשבת ומועדי ה׳ והדומים: **למען תשכיל.** רצה לומר: כשתשמור כל המצות, תשכיל עוד מהם את כל אשר תעשה, מהדברים אשר לא נאמרו בתורה, כי מהם חכמה תקח לעבוד את ה׳: **ואת וגו׳.** הוא כפל ענין במלות שונות: **(ד) לאמר לא יכרת.** לפי שארכו הדברים, אמר שוב לאמר: **(ה) וגם אתה ידעת.** רצה לומר: כמו שיודע אני, כמו כן אתה ידעת, ואין מהצורך לספר לך פרטי הדברים: **אשר עשה לי.** וחוזר ומפרש שזהו אשר עשה לשני שרי וגו׳, כי על כי הם באו בהבטחת דוד והלכו בשליחותו ועם כל זאת הרגם יואב, יחשב אם כן לדוד לכלימה בזה: **לשני שרי צבאות.** כי גם עמשא היה שר צבא לאבשלום, אף בדעת דוד היה להעמידו תחת יואב: **דמי מלחמה.** הדם הראוי לשפוך באנשי מלחמתי, שפך הוא באנשי שלומי: **ויתן דמי מלחמה.** הדם הראוי לשפוך במלחמה בגבורה מפורסמת, שפך באנשי שלומי בערמתו: **בחגורתו וגו׳.** רצה לומר: במה שחגר חרבו מצומדת במתניו לרחבו, בכדי שתהא נוחה ליפול בשחיה מועטת, וכשיצא מול עמשא שחה מעט לתקן מנעלו, ונפלה החרב מתערה, והגביה בידו והכהו נפש ועמשא לא נשמר, על כי ראה אשר מעצמה נפלה מתערה:

וּבְנַעֲלוֹ אֲשֶׁר בְּרַגְלָיו: ו וְעָשִׂיתָ כְּחָכְמָתֶךָ וְלֹא־תוֹרֵד שֵׂיבָתוֹ
בְּשָׁלֹם שְׁאֹל: ז וְלִבְנֵי בַרְזִלַּי הַגִּלְעָדִי תַּעֲשֶׂה־חֶסֶד וְהָיוּ בְּאֹכְלֵי
שֻׁלְחָנֶךָ כִּי־כֵן קָרְבוּ אֵלַי בְּבָרְחִי מִפְּנֵי אַבְשָׁלוֹם אָחִיךָ: ח וְהִנֵּה
עִמְּךָ שִׁמְעִי בֶן־גֵּרָא בֶן־הַיְמִינִי מִבַּחֻרִים וְהוּא קִלְלַנִי קְלָלָה
נִמְרֶצֶת בְּיוֹם לֶכְתִּי מַחֲנָיִם וְהוּא־יָרַד לִקְרָאתִי הַיַּרְדֵּן וָאֶשָּׁבַע
לוֹ בַיהוה לֵאמֹר אִם־אֲמִיתְךָ בֶּחָרֶב: ט וְעַתָּה אַל־תְּנַקֵּהוּ כִּי אִישׁ
חָכָם אָתָּה וְיָדַעְתָּ אֵת אֲשֶׁר תַּעֲשֶׂה־לּוֹ וְהוֹרַדְתָּ אֶת־שֵׂיבָתוֹ בְּדָם
שְׁאוֹל: י וַיִּשְׁכַּב דָּוִד עִם־אֲבֹתָיו וַיִּקָּבֵר בְּעִיר דָּוִד: יא וְהַיָּמִים
אֲשֶׁר מָלַךְ דָּוִד עַל־יִשְׂרָאֵל אַרְבָּעִים שָׁנָה בְּחֶבְרוֹן מָלַךְ שֶׁבַע
שָׁנִים וּבִירוּשָׁלַםִ מָלַךְ שְׁלֹשִׁים וְשָׁלֹשׁ שָׁנִים: יב וּשְׁלֹמֹה יָשַׁב עַל־
כִּסֵּא דָּוִד אָבִיו וַתִּכֹּן מַלְכֻתוֹ מְאֹד:

רש"י

ובנעלו אשר ברגליו. את הדבר הרג בערמה, שאלו גידמת היאך חולת, כמה שנאמר (שם ג כז), וַיַּטֵּהוּ יוֹאָב אֶל תּוֹךְ הַשַּׁעַר לְדַבֵּר אִתּוֹ בַּשֶּׁלִי, לשון של נעליך: **(ו) ולא תורד שיבתו בשלום שאול.** אל תניחהו למות מיתת עצמו וליפול בגיהנם. **(ח) קללה נמרצת.** מפורשת, כמו מַה יַּמְרִיצְךָ (איוב טז, ג), ומה נִּמְרְצוּ (שם ו, כה) כמו מה נִּמְלְצוּ (תהלים קיט, קג): **(ט) כי איש חכם אתה.** תן לבך למצוא לו עון מות בשביל דבר אחר, וזהו וְיָדַעְתָּ אֵת אֲשֶׁר תַּעֲשֶׂה לּוֹ: **(יב) ותכון מלכותו מאד.** אף על העליונים:

מצודת דוד

(ו) כחכמתך. לפי חכמתך תמצא לו עילה: **ולא תורד שיבתו.** רצה לומר: עם שהוא איש שיבה, לא תהדר פניו, וראה שלא ירד לקבר בשלום במיתת עצמו: **(ז) כי כן.** רצה לומר: בזה הדבר עצמו קרבו אותי, לאכול על שולחן אביהם. וכאומר עוד תעשה עמהם חסד זולת מה שיהיו באוכלי שולחנך, כי זהו תשלום גמול, ולא לחסד יקרא: **(ח) עמך.** ורצה לומר: אוהבך היושב עמך בתמידות ורבותינו זכרונם לברכה אמרו שהיה מלמדו תורה: **ביום לכתי מחנים.** כי כשברח מפני אבשלום, הלך עד מחנים, וישב בה עד חזרתו לירושלים: **והוא ירד.** לפייס אותי, ונשבעתי לו אז לבל אמיתו, ולזה לא אוכל בעצמי לקחת נקמתי ממנו: **(ט) ועתה.** הואיל ואתה תמלוך תחתי, אל תנקה אותו מהעון הזה, מבלי לשלם לו גמול הראוי: **כי איש חכם אתה.** ותוכל למצוא העילה, את אשר תעשה לו: **שיבתו.** רצה לומר: אל תחוש להדרו בעבור שיבתו: **בדם שאול.** רצה לומר: לא תניחו למות על מטתו, כי אם ישפך דמו בחרב: **(י) בעיר דוד.** היא ציון: **(יא) שבע שנים.** ובשמואל ב׳ (ב, יא) נאמר גם ששה חדשים, ולא חש למנותם כאן, על כי היה נרדף מאבשלום ששה חדשים למולם: **(יב) ותכון מלכותו.** לא כאביו, שהיה לפעמים נרדף בעת מלכותו, מאבשלום ושבע בן בכרי, כי מלכותו היה נכון מאד:

מצודת ציון

(ז) קרבו אלי. קרבו אותי: **(ח) קללני.** מלשון קלות ובזיון: **נמרצת.** חזקה, כמו (מיכה ב, י) וְחֶבֶל נִמְרָץ:

הפטרת שבת ערב ראש חודש

שמואל־א כ:יח־מב

חכמינו ז״ל אמרו באבות (ה, טז) שרק אהבה ״שֶׁאֵינָהּ תְּלוּיָה בְדָבָר, אֵינָהּ בְּטֵלָה לְעוֹלָם״ ונחשבת אמיתית. המשנה ממשיכה בדוגמא של אהבה שאינה תלויה בדבר: ״זוֹ אַהֲבַת דָּוִד וִיהוֹנָתָן״, המתבארת היטב בהפטרה זו.

אהבת דוד ויונתן היתה מנוגדת לטבע בני אדם, שהרי יונתן היה הנסיך המיועד לירש כסא המלכות של אביו ובמקומו נמשח דוד למלוך אחר שאול (שמואל־א טז, יב־יג). בכל זאת לא שנא יונתן את דוד אלא חיזק את ידידותו עמו. אחר נצחונו של דוד על גלית הפלישתי, פחד שאול המלך שיקח ממנו את המלכות (שם יח, ח) ורצה להרגו, וככל שראה שדוד הצליח בדרכיו וה׳ עמו הוסיף לפחוד ממנו (שם פסוק כט). על אף רוגזו של שאול על דוד, והשמועה שנמשח למלך (רד״ק שם כג, יז) היה יונתן אוהב נאמן לדוד, וכמו שמעיד הפסוק שבעת בואו לבית שאול (שמואל־א יח, א ר״ג): ״וְנֶפֶשׁ יְהוֹנָתָן נִקְשְׁרָה בְּנֶפֶשׁ דָּוִד וַיֶּאֱהָבֵהוּ יְהוֹנָתָן כְּנַפְשׁוֹ ... וַיִּכְרֹת יְהוֹנָתָן וְדָוִד בְּרִית בְּאַהֲבָתוֹ אֹתוֹ כְּנַפְשׁוֹ״, ונשאר לו אוהב נאמן עד מותו (ראה שם יט, א; כ, יז), ולא עוד, אלא שכאשר רדף שאול את דוד, הזהיר יונתן את דוד שלא להשתתף בסעודה שהיה שאול עומד לערוך ביום המחרת, שהיה ראש חודש, ומסר את נפשו להמציא תוכנית איך להציל את חייו.

הטעם הפשוט שקוראים הפטרה זו בערב ראש חודש, הוא משום שמוזכר בפסוק שסיפור זה אירע בערב ראש חודש: ״וַיֹּאמֶר לוֹ יְהוֹנָתָן מָחָר חֹדֶשׁ״. אבל יתכן שיש כאן כוונה נוספת, עמוקה ביותר.

התחדשות הלבנה בכל חודש וחודש מסמלת את קיומם של כלל ישראל ומלכות בית דוד. הלבנה מתחדשת והולכת במשך חמשה עשר יום עד שהיא נראית במלואה. אחר כך היא מתמעטת והולכת במשך חמשה עשר יום עד שהיא נעלמת מן האופק, ואחר כך היא שוב מתחדשת. חכמינו ז״ל ראו בכך סימן ורמז להתחדשותם של בני ישראל ומלכות בית דוד, שכן בחמשה עשר דורות מאברהם אבינו עד שלמה המלך, גדלו בני ישראל והלכו מעלה מעלה בתורה ומצוות, ולאחר מכן, בחמשה עשר דורות משלמה עד צדקיהו, היו יורדים והולכים ממדרגתם עד לחורבן בית המקדש וגלותם לבבל (מדרש רבה שמות טו, כו; ליקוטי תוספות שאנץ, סנהדרין אות קנג). אמנם, כשם שהלבנה אינה נשארת בהעלמתה, כך יחדש ה׳ שוב את מלכות בית דוד, ולכן אנו אומרים בנוסח ברכת קידוש הלבנה בכל חודש: ״שֶׁהֵם [בני ישראל] עֲתִידִים לְהִתְחַדֵּשׁ כְּמוֹתָהּ [הלבנה]״, וממשיכים בפסקא: ״דָּוִד מֶלֶךְ יִשְׂרָאֵל חַי וְקַיָּם״.

בדברי יונתן על הצלת דוד טמון רמז נפלא המתחיל במלים: ״מָחָר חֹדֶשׁ״, כלומר, על אף הרדיפות והצרות עוד יתחדשו מלכותם ומעלותם של בני ישראל.

[כ] יח וַיֹּאמֶר־לוֹ יְהוֹנָתָן מָחָר חֹדֶשׁ וְנִפְקַדְתָּ כִּי יִפָּקֵד מוֹשָׁבֶךָ:
יט וְשִׁלַּשְׁתָּ תֵּרֵד מְאֹד וּבָאתָ אֶל־הַמָּקוֹם אֲשֶׁר־נִסְתַּרְתָּ שָּׁם בְּיוֹם

רש״י

(יח) מחר חדש. ודרך כל אוכלי שולחן המלך לבא ביום מועד אל השולחן: **ונפקדת.** אבי יפקדך וישאל היכן אתה: **כי יפקד מושבך.** שיהיה מושבך חסר, שאתה יושב בו. וכן תרגם יונתן, וְתִתְבְּעֵי אֲרֵי יְהֵי מַרְוָח בֵּית מְסַחֲרוּתָךְ: **ונפקדת.** לשון זכרון: **כי יפקד.** לשון חסרון: **(יט) ושלשת.** שלשת ימים, ואז תרד מאד, כלומר לכשתגיע היום השלישי,

מצודת דוד

(יח) ויאמר לו יהונתן. עתה חזר להשיב על מה ששאלו דוד מי יגיד לו, ואמר לו מחר ראש חדש, ותהיה נזכר כאשר יחסר מקום מושבך מאין יושב בה, ורצה לומר, על ידי שמחר ראש חדש תהיה בודאי נזכר, אם למחר אם למחרתו, וכמו שכתוב למעלה: **(יט) ושלשת.** כל שלשת הימים, והם היום ומחר ומחרתו, תרד מאד להיות נסתר בהעמק, במקום שנסתרת שם ביום המעשה, והוא היום שהיה בו מעשה השבועה, אשר נשבע שאול ליהונתן לבל המית את דוד, כי גם אז היה נסתר במקום ההוא:

מצודת ציון

(יח) ונפקדת. ענין זכרון: **יפקד.** ענינו חסרון, כמו וְלֹא נִפְקַד מִמֶּנּוּ אִישׁ (במדבר לא, מט):

הַמַּעֲשֶׂה וְיָשַׁבְתָּ אֵצֶל הָאֶבֶן הָאָזֶל: כ וַאֲנִי שְׁלֹשֶׁת הַחִצִּים צִדָּה
אוֹרֶה לְשַׁלַּח־לִי לְמַטָּרָה: כא וְהִנֵּה אֶשְׁלַח אֶת־הַנַּעַר לֵךְ מְצָא
אֶת־הַחִצִּים אִם־אָמֹר אֹמַר לַנַּעַר הִנֵּה הַחִצִּים | מִמְּךָ וָהֵנָּה קָחֶנּוּ
וָבֹאָה כִּי־שָׁלוֹם לְךָ וְאֵין דָּבָר חַי־יְהוָה: כב וְאִם־כֹּה אֹמַר לָעֶלֶם
הִנֵּה הַחִצִּים מִמְּךָ וָהָלְאָה לֵךְ כִּי שִׁלַּחֲךָ יְהוָה: כג וְהַדָּבָר אֲשֶׁר
דִּבַּרְנוּ אֲנִי וָאָתָּה הִנֵּה יְהוָה בֵּינִי וּבֵינְךָ עַד־עוֹלָם: כד וַיִּסָּתֵר דָּוִד
בַּשָּׂדֶה וַיְהִי הַחֹדֶשׁ וַיֵּשֶׁב הַמֶּלֶךְ אֶל־[על כ׳] הַלֶּחֶם לֶאֱכוֹל: כה וַיֵּשֶׁב
הַמֶּלֶךְ עַל־מוֹשָׁבוֹ כְּפַעַם | בְּפַעַם אֶל־מוֹשַׁב הַקִּיר וַיָּקָם יְהוֹנָתָן

רש״י

תרד במקום סתר ותתחבא הרבה, כי אז יבקשוך, ובאת אל המקום הסתר הזה אשר אתה נסתר בו היום, שהוא יום מעשה מלאכה. וכן תרגם יונתן, בְּיוֹמָא דְחוֹלָא, שאותו היום נסתר, כמה שנאמר (פסוק כד), וַיִּסָּתֵר דָּוִד בַּשָּׂדֶה, מיד וַיְהִי הַחֹדֶשׁ, מחר: **האבן האזל.** אבן שהיתה אות להולכי דרכים: **האזל.** הולכי הדרך, וכן תרגם יונתן, אֶבֶן אָתָא, אבן האות: **(כ) צדה אורה.** לא מפיק ה״א, ופתרון צדה כמו לצד, כל תיבה שצריכה למ״ד בתחלתה, הטיל לה ה״א בסופה, בצד אותה אבן, אורה חצים למטרה, כדי שלא יבין הנער, וזה סימן יהיה לך לנחש אם אתה צריך לברוח: **(כא) והנה אשלח וגו׳.** ודרך המבקש חץ הירוי, הולך עד מקום שרואה שהחץ הולך, ואינו יכול לכוין יפה, פעמים שהוא מחפשה והחץ להלן ממנו, ופעמים שהוא הולך להלן מן החץ ומחפשה, והניחוש הזה יהיה לך: **אם אמר אמר לנער וגו׳ קחנו ובאה.** לא אתה בעצמך ממקום מחבואך, וקחנו ובוא אלי, כי אין לך לירא, כי שלום לך, הקדוש ברוך הוא חפץ שתהא כאן ולא תירא, ואפילו שמעתי מחשבה רעה: **(כב) ואם כה אמר וגו׳ לך כי שלחך.** הקדוש ברוך הוא אומר לך לברוח ולהמלט: **(כג) והדבר אשר דברנו.** ברית שכרתנו יחד: **הנה ה׳ ביני ובינך.** עד על אותו דבר: **(כה) אל מושב הקיר.** בראש המטה אצל הקיר: **ויקם יהונתן.** עמד ממקומו, לפי שאין דרך הבן להיות מיסב אצל אביו, שדרכן היה לאכול מסובין על המטות,

מצודת דוד

(כ) שלשת החצים. האחד לירות ראשון, והשני אחריו, אם להרחיקו אם להקריבו כפי הסימן האמור בענין, ואולי לא יכוין בהשני, לקח עוד אחד, ובו יכוין לפי הסימן הנרצה: **צדה אורה.** אשליך לצד האבן ההוא, כאלו אני מורה למטרה: **(כא) והנה אשלח.** לאחר זה אשלח הנער אשר עמדי למצוא החצים: **אם אמר אמר.** רצה לומר, הסימן הזה יהיה בידך, אם אומר לנער הנה החצים ממך והנה, רצה לומר קרובים אלי ממך, ועברת מהם ולהלאה, כי כשירצה לעשות זה הסימן, יזרוק שוב חץ להיות קרוב אליו מן הנער: **קחנו.** אז אתה קח החץ ובוא: **חי ה׳.** נשבע לו שבאם יאמר כזאת, בודאי שלום לו ואין דבר רע, ועם כל זה לא רצה לקרות לו, שלא יודע שבעצתו נסתר: **(כב) ממך והלאה.** להלן ממקום עמדך, כי כשירצה לעשות זה הסימן, יזרוק שוב חץ להיות רחוק מהראשון, וכאשר עשה באמת: **לך.** אז לך לדרכך וברח לך: **כי שלחך ה׳.** רצה לומר, ההליכה תהיה לך לטובה, ומה׳ היא: **(כג) והדבר.** כאומר ואם תלך לך, זכור תזכור הדבר אשר דברנו, והוא דברי הברית שכרתנו: **הנה ה׳.** רצה לומר, אין בינינו עד, ואך הנה העד יהיה ה׳ וכו׳: **(כה) על מושבו.** על המקום המיוחד לו לשבת בה, והוא במקום המושב שאצל הקיר: **ויקם יהונתן.** כי סדר הישיבה היה, אשר ישב דוד סמוך להמלך, ואחריו

מצודת ציון

(יט) האזל. ענין הלוך, כמו אָזְלוּ מַיִם מִנִּי יָם, (איוב יד, יא), ורצה לומר סימן להולכי אורח: **(כ) צדה.** מלשון צד: **אורה.** אשליך, כמו יָרָה בַיָּם (שמות טו, ד): **למטרה.** הוא הדבר אשר המורים מכוונים להשליך בו, כמו כַּמַּטָּרָא לַחֵץ (איכה ג, יב): **(כא) והנה.** להצד הזה: **(כב) לעלם.** לנער, כמו בֶּן מִי זֶה הָעָלֶם (שמואל-א יז, נו):

וַיֵּשֶׁב אַבְנֵר מִצַּד שָׁאוּל וַיִּפָּקֵד מְקוֹם דָּוִד: כו וְלֹא־דִבֶּר שָׁאוּל
מְאוּמָה בַּיּוֹם הַהוּא כִּי אָמַר מִקְרֶה הוּא בִּלְתִּי טָהוֹר הוּא כִּי־
לֹא טָהוֹר: כז וַיְהִי מִמָּחֳרַת הַחֹדֶשׁ הַשֵּׁנִי וַיִּפָּקֵד מְקוֹם דָּוִד וַיֹּאמֶר
שָׁאוּל אֶל־יְהוֹנָתָן בְּנוֹ מַדּוּעַ לֹא־בָא בֶן־יִשַׁי גַּם־תְּמוֹל גַּם־הַיּוֹם
אֶל־הַלָּחֶם: כח וַיַּעַן יְהוֹנָתָן אֶת־שָׁאוּל נִשְׁאֹל נִשְׁאַל דָּוִד מֵעִמָּדִי
עַד־בֵּית לָחֶם: כט וַיֹּאמֶר שַׁלְּחֵנִי נָא כִּי זֶבַח מִשְׁפָּחָה לָנוּ בָּעִיר
וְהוּא צִוָּה־לִי אָחִי וְעַתָּה אִם־מָצָאתִי חֵן בְּעֵינֶיךָ אִמָּלְטָה נָּא
וְאֶרְאֶה אֶת־אֶחָי עַל־כֵּן לֹא־בָא אֶל־שֻׁלְחַן הַמֶּלֶךְ: ל וַיִּחַר־אַף
שָׁאוּל בִּיהוֹנָתָן וַיֹּאמֶר לוֹ בֶּן־נַעֲוַת הַמַּרְדּוּת הֲלוֹא יָדַעְתִּי כִּי־בֹחֵר

רש"י

והיה דוד מיסב בין יהונתן ובין שאול, עכשיו שלא בא דוד, לא היסב יהונתן, עד שיסב אבנר אצל שאול, ואחר כך ישב יהונתן אצל אבנר. ואם תאמר לא ישב כלל, הרי הוא אומר וַיָּקָם יְהוֹנָתָן מֵעִם הַשֻּׁלְחָן (פסוק לד), מכלל שישב: **(כו) מקרה הוא.** קרי ראה: **בלתי טהור הוא.** ועדיין לא טבל לקריו, שאלו טבל לקריו, אין צריך הערב שמש לחולין: **כי לא טהור.** זו היא נתינת טעם לדבר, לפי שאינו טהור, לפיכך לא בא, שלא יטמא את הסעודה: **(כז) ממחרת החדש.** ממחרת חידוש הלבנה: **השני.** ביום שני לחדש: **(כט) והוא צוה לי אחי.** גדול הבית צוה לי שאהיה שם, והוא אחי אליאב: **אמלטה.** אשקמוני"ר בלע"ז, אלך יום אחד ואבוא: **(ל) נעות המרדות.** לשון נע, אשה נעה ונדה, יולאנית, כאשר תאמר זעוה מן זע, כן תאמר נעוה מן נע, והתי"ו מן הדיבוק, שהוא דבוק למרדות: **המרדות.** שהיא ראויה לרדות ולייסר. דבר אחר, כשחטפו בני בנימין מבנות שילה שילאו לחול בכרמים (שופטים כא, כא), היה שאול ביישן ולא רצה לחטוף, עד שבאתה היא עצמה והעיזה פניה ורדפה אחריו: **נעות.** על שם הכרמים, והיא

מצודת דוד

יהונתן, ואחריו אבנר. וישב עתה המלך במקומו, ויהונתן במקומו, ואבנר במקומו, וכשלא בא דוד, נשאר יהונתן יושב סמוך לאביו מבלי אמצעי, ואין מדרך הבן להסב אצל אביו, לזה קם יהונתן ממקומו לשבת במקום אבנר, והוא ישב במקום יהונתן מצד שאול, להיות הוא אמצעי בין שאול ליהונתן בנו. (ולא ישב אבנר במקום דוד ולהשאיר יהונתן במקומו, כי חשב פן יבוא עוד דוד וישב במקומו, ואף כי יהונתן ידע שלא יבוא, מכל מקום עשה עצמו בתחילה כלא יודע, עם שאמר בסוף שנשאל ממנו וכו׳, ומטעם זה ישב מתחילה במקומו, כאלו לא ידע): **ויפקד.** נחסר היה המקום מן היושב: **(כו) ולא דבר.** לא שאל מדוע לא בא דוד, כי חשב מקרה קרה לו שלא בא, ואותו מקרה בלתי טהור הוא, רצה לומר, שראה קרי ולזה לא בא, כי לא טהור הוא עדיין, כי לא טבל לקריו, ואין מהראוי לאכול בשלחן המלך הטמא והטהור יחדו: **(כז) ממחרת החדש השני.** רצה לומר, ממחרת ראש חדש, שהוא שני לחדש: **גם תמול.** כי חשב, אם היה מקרה, היה לו לבוא היום חלופו, עם שאין הדבר קבוע בכל יום מימות החול: **(כח) נשאל נשאל.** ממני שאל רשות ללכת עד בית לחם: **(כט) שלחני.** תן לי רשות ללכת: **זבח משפחה.** אותו היום היו בני משפחתו זובחים בעירו זבחי שלמים: **והוא צוה לי.** לבוא על הזבח, וחוזר ומפרש מי היה המצוה, ואמר אחי אליאב הבכור הוא היה המצוה: **אמלטה נא.** מעבודת המלך: **ואראה את אחי.** בשמחת הזבח: **על כן לא בא.** כי נתתי לו רשות ללכת, והלך לו: **(ל) בן נעות המרדות.** רצה לומר: כאשר אמך היא נפשעת בדבר המרידה למרוד בי, כן אתה בנה דומה לה לפשוע בדבר המרד: **הלוא ידעתי.** מאז ידעתי שאתה בוחר בבן ישי להיות מולך, וזה לבשתך ולבושת הגלות דופי אמך, כי הלא יאמרו הבריות, אין זה כי אם זנתה אמו והוא אינו בן שאול, ולזה יאהב לשונאי שאול:

מצודת ציון

(כה) ויפקד. מענין חסרון: **(כו) מאומה.** כלל לא: **בלתי.** ענינו כמו בל ולא: **(כט) אמלטה.** ענין הצלה והשמטה מדבר מה: **(ל) נעות.** מלשון עון ופשע: **המרדות.** מלשון מרד:

אַתָּה לְבֶן־יִשַׁי לְבָשְׁתְּךָ וּלְבֹשֶׁת עֶרְוַת אִמֶּךָ׃ לא כִּי כָל־הַיָּמִים
אֲשֶׁר בֶּן־יִשַׁי חַי עַל־הָאֲדָמָה לֹא תִכּוֹן אַתָּה וּמַלְכוּתֶךָ וְעַתָּה
שְׁלַח וְקַח אֹתוֹ אֵלַי כִּי בֶן־מָוֶת הוּא׃ לב וַיַּעַן יְהוֹנָתָן אֶת־שָׁאוּל
אָבִיו וַיֹּאמֶר אֵלָיו לָמָּה יוּמַת מֶה עָשָׂה׃ לג וַיָּטֶל שָׁאוּל אֶת־הַחֲנִית
עָלָיו לְהַכֹּתוֹ וַיֵּדַע יְהוֹנָתָן כִּי־כָלָה הִיא מֵעִם אָבִיו לְהָמִית אֶת־
דָּוִד׃ לד וַיָּקָם יְהוֹנָתָן מֵעִם הַשֻּׁלְחָן בָּחֳרִי־אָף וְלֹא־אָכַל בְּיוֹם־
הַחֹדֶשׁ הַשֵּׁנִי לֶחֶם כִּי נֶעְצַב אֶל־דָּוִד כִּי הִכְלִמוֹ אָבִיו׃ לה וַיְהִי
בַבֹּקֶר וַיֵּצֵא יְהוֹנָתָן הַשָּׂדֶה לְמוֹעֵד דָּוִד וְנַעַר קָטֹן עִמּוֹ׃ לו וַיֹּאמֶר
לְנַעֲרוֹ רֻץ מְצָא נָא אֶת־הַחִצִּים אֲשֶׁר אָנֹכִי מוֹרֶה הַנַּעַר רָץ
וְהוּא־יָרָה הַחֵצִי לְהַעֲבִרוֹ׃ לז וַיָּבֹא הַנַּעַר עַד־מְקוֹם הַחֵצִי אֲשֶׁר
יָרָה יְהוֹנָתָן וַיִּקְרָא יְהוֹנָתָן אַחֲרֵי הַנַּעַר וַיֹּאמֶר הֲלוֹא הַחֵצִי
מִמְּךָ וָהָלְאָה׃ לח וַיִּקְרָא יְהוֹנָתָן אַחֲרֵי הַנַּעַר מְהֵרָה חוּשָׁה אַל־
תַּעֲמֹד וַיְלַקֵּט נַעַר יְהוֹנָתָן אֶת־הַחִצִּים [החצי כ׳] וַיָּבֹא אֶל־אֲדֹנָיו׃

רש״י

גת, כמו נטוה תרתחו (עבודה זרה עד, ב). יטופון נטווהי בחמר (תרגום פרשת ויחי פסוק חַכְלִילִי עֵינַיִם) (בראשית מט, יב), ולא מן הסם: **(לד) נעצב אל דוד.** בשביל דוד: **כי הכלמו אביו.** בשביל דוד: **(לה) למועד דוד.** למועד אשר קבע לו דוד: **(לו) להעברו.** החצי עבר את הנער:

מצודת דוד

(לא) כי כל הימים. רצה לומר: כי אם לא בחרת בו שימלוך הוא, לא היית מצילו מידי, כי כל ימי חייו לא תתקיים, לא אתה ולא המלכות: **ועתה שלח.** הואיל ואתה נתת לו רשות ללכת, עליך להשיבו, כי הוא בן מות, ואמיתנו: **(לב) מה עשה.** אם ה׳ המליכו, מה עשה הוא: **(לג) כי כלה היא.** רצה לומר: סוף גמר דעת אביו הוא להמיתו: **(לד) ביום החדש השני.** רצה לומר, ביום השני להחדש: **אל דוד.** בראותו כי כלתה אליו הרעה: **כי הכלמו.** ובעבור כי הכלימו אביו שקראו בן נעות המרדות, והטיל עליו החנית: **(לה) ויהי בבקר.** ביום השלישי מהחדש, ולא ביום השני כאשר קבעו, כי חשב פן ירגיש מי בדבר, ולזה הלך בבוקר שאז הדרך לעשות טיול ולירות בחצים, ובעל כרחו ישב שם דוד עד בואו: **למועד דוד.** אל המקום המיועד, אשר דוד נועד להסתר בה: **(לו) הנער רץ.** אחר שירה החץ הראשון, רץ הנער אחריו, ובעודו רץ, ירה השני להעביר אותו להלאה מהחץ הראשון: **(לז) עד מקום החצי.** אשר ירה בראשונה: **הלוא החצי.** אשר יריתי באחרונה, הלא היא ממך והלאה: **(לח) מהרה חושה.** רוץ מהר אחר השניה, ולא תעמוד במקום הראשונה: **את החצים.** הראשונה והשניה:

מצודת ציון

לבן ישי. כמו בבן ישי, ובא הלמ״ד במקום הבי״ת, וכן יָשַׁבְתָּ לְכִסֵּא (תהלים ט, ה), ומשפטו, בכסא: **ערות.** ענינו הגלות הדופי, כמו עֶרְוַת דָּבָר (דברים כד, א): **(לא) תכון.** מלשון הכנה וקיום: **בן מות.** איש מות: **(לג) ויטל.** השליך: **(לה) למועד.** מקום המיועד וקבוע, וכאשר יאמר על זמן קבוע, כמו כן יאמר על מקום קבוע, וכן וּבֵית מוֹעֵד לְכָל חָי (איוב ל, כג): **(לו) מורה.** מלשון יריה והשלכה: **(לז) אחרי הנער.** רצה לומר אל הנער כשהוא אחריו: **(לח) חושה.** גם הוא ענין מהירות, כמו חוּשָׁה לְעֶזְרָתִי (תהלים לח, כג), וכפל הדבר במלות שונות:

לט וְהַנַּעַר לֹא־יָדַע מְאוּמָה אַךְ יְהוֹנָתָן וְדָוִד יָדְעוּ אֶת־הַדָּבָר: מ וַיִּתֵּן
יְהוֹנָתָן אֶת־כֵּלָיו אֶל־הַנַּעַר אֲשֶׁר־לוֹ וַיֹּאמֶר לוֹ לֵךְ הָבֵיא הָעִיר:
מא הַנַּעַר בָּא וְדָוִד קָם מֵאֵצֶל הַנֶּגֶב וַיִּפֹּל לְאַפָּיו אַרְצָה וַיִּשְׁתַּחוּ
שָׁלֹשׁ פְּעָמִים וַיִּשְּׁקוּ | אִישׁ אֶת־רֵעֵהוּ וַיִּבְכּוּ אִישׁ אֶת־רֵעֵהוּ עַד־
דָּוִד הִגְדִּיל: מב וַיֹּאמֶר יְהוֹנָתָן לְדָוִד לֵךְ לְשָׁלוֹם אֲשֶׁר נִשְׁבַּעְנוּ
שְׁנֵינוּ אֲנַחְנוּ בְּשֵׁם יהוה לֵאמֹר יהוה יִהְיֶה | בֵּינִי וּבֵינֶךָ וּבֵין זַרְעִי
וּבֵין זַרְעֲךָ עַד־עוֹלָם:

רש"י

(מא) מאצל הנגב. (תרגום), מִסְטַר אֲבֶן חָתָא דְלָקֳבֵיל דָרוֹמָא: **עד דוד הגדיל.** הרבה לבכות: **(מב) לך לשלום.** והשבועה אשר נשבענו, ה' יהיה עד עליה עד עולם:

מצודת דוד

(לט) לא ידע מאומה. מהסימן הנעשה ביריית אלו החצים: **(מ) את כליו.** הקשת והחצים: **(מא) הנער בא.** רצה לומר, הלך לבוא העירה: **ודוד קם.** היות מתחלה היו שם אנשים, ולא היה יכול לדבר עם דוד פנים אל פנים וכאשר חשש מזה מאז, ולכך עשה הסימן עם החצים, וכאשר גמר הסימן, הלכו להם האנשים, ושלח גם הוא את הנער, וכאשר שמע דוד בשלחו את הנער, הבין בדבר שאין שם איש, וקם ממקומו והלך אליו: **מאצל הנגב.** מצד הדרומי של אבן האזל, ויהונתן ירה החצים מול צד הצפוני: **לאפיו.** על פניו: **את רעהו.** עם רעהו, על כי היה קשה להם הפרידה: **עד דוד הגדיל.** הרבה לבכות יותר מיהונתן: **(מב) אשר נשבענו.** כאומר זכור תזכור אשר נשבענו ואמרנו, ה' יהיה לעד ביני ובינך וכו'.

מצודת ציון

(מא) הגדיל. מלשון גודל ורבוי:

קריאת התורה לראש חודש שחל להיות בחול

קריאת התורה לראש חודש טבת [חנוכה] תמצא לקמן, עמוד 445.

במדבר כח: א־טו

כהן [כח] א וַיְדַבֵּר יהוה אֶל־מֹשֶׁה לֵּאמֹר: ב צַו אֶת־בְּנֵי יִשְׂרָאֵל
וְאָמַרְתָּ אֲלֵהֶם אֶת־קָרְבָּנִי לַחְמִי לְאִשַּׁי רֵיחַ נִיחֹחִי תִּשְׁמְרוּ
לְהַקְרִיב לִי בְּמוֹעֲדוֹ: ג וְאָמַרְתָּ לָהֶם זֶה הָאִשֶּׁה אֲשֶׁר תַּקְרִיבוּ
לַיהוה כְּבָשִׂים בְּנֵי־שָׁנָה תְמִימִם שְׁנַיִם לַיּוֹם עֹלָה תָמִיד:

רש"י

(ב) צַו אֶת בְּנֵי יִשְׂרָאֵל. מה אמור למעלה (פסוק טז) יִפְקֹד ה'. אמר לו הקב"ה עד שאתה מצוני על בני צוה את בני עלי. משל לבת מלך שהיתה נפטרת מן העולם והיתה מפקדת לבעלה על בניה וכו' כדאיתא בספרי (קמב): **קָרְבָּנִי.** זה הדם (שם): **לַחְמִי.** אלו אמורין, וכן הוא אומר וְהִקְטִירָם הַכֹּהֵן הַמִּזְבֵּחָה לֶחֶם אִשֶּׁה (ויקרא ג:טו; ספרי שם): **לְאִשַּׁי.** הנתנין לאשי מזבחי: **תִּשְׁמְרוּ.** שיהיו כהנים ולוים וישראל עומדין על גביו מכאן למדו ותקנו מעמדות (ספרי שם; תענית כז.): **בְּמוֹעֲדוֹ.** בכל יום הוא מועד התמידים: **(ג) וְאָמַרְתָּ לָהֶם.** אזהרה לבית דין (ספרי שם): **שְׁנַיִם לַיּוֹם.** כפשוטו. ועיקר בא ללמד שיהיו נשחטין כנגד היום, תמיד של שחר במערב

לוי ג וְאָמַרְתָּ לָהֶם זֶה הָאִשֶּׁה אֲשֶׁר תַּקְרִיבוּ לַיהוָה כְּבָשִׂים בְּנֵי־
שָׁנָה תְמִימִם שְׁנַיִם לַיּוֹם עֹלָה תָמִיד: ד אֶת־הַכֶּבֶשׂ אֶחָד תַּעֲשֶׂה
בַבֹּקֶר וְאֵת הַכֶּבֶשׂ הַשֵּׁנִי תַּעֲשֶׂה בֵּין הָעַרְבָּיִם: ה וַעֲשִׂירִית הָאֵיפָה
סֹלֶת לְמִנְחָה בְּלוּלָה בְּשֶׁמֶן כָּתִית רְבִיעִת הַהִין:
ישראל ו עֹלַת תָּמִיד הָעֲשֻׂיָה בְּהַר סִינַי לְרֵיחַ נִיחֹחַ אִשֶּׁה לַיהוָה:
ז וְנִסְכּוֹ רְבִיעִת הַהִין לַכֶּבֶשׂ הָאֶחָד בַּקֹּדֶשׁ הַסֵּךְ נֶסֶךְ שֵׁכָר לַיהוָה:
ח וְאֵת הַכֶּבֶשׂ הַשֵּׁנִי תַּעֲשֶׂה בֵּין הָעַרְבָּיִם כְּמִנְחַת הַבֹּקֶר וּכְנִסְכּוֹ
תַּעֲשֶׂה אִשֵּׁה רֵיחַ נִיחֹחַ לַיהוָה: ט וּבְיוֹם הַשַּׁבָּת שְׁנֵי־כְבָשִׂים בְּנֵי־
שָׁנָה תְּמִימִם וּשְׁנֵי עֶשְׂרֹנִים סֹלֶת מִנְחָה בְּלוּלָה בַשֶּׁמֶן וְנִסְכּוֹ:
י עֹלַת שַׁבַּת בְּשַׁבַּתּוֹ עַל־עֹלַת הַתָּמִיד וְנִסְכָּהּ:
רביעי יא וּבְרָאשֵׁי חָדְשֵׁיכֶם תַּקְרִיבוּ עֹלָה לַיהוָה פָּרִים בְּנֵי־בָקָר
שְׁנַיִם וְאַיִל אֶחָד כְּבָשִׂים בְּנֵי־שָׁנָה שִׁבְעָה תְּמִימִם: יב וּשְׁלֹשָׁה
עֶשְׂרֹנִים סֹלֶת מִנְחָה בְּלוּלָה בַשֶּׁמֶן לַפָּר הָאֶחָד וּשְׁנֵי עֶשְׂרֹנִים
סֹלֶת מִנְחָה בְּלוּלָה בַשֶּׁמֶן לָאַיִל הָאֶחָד: יג וְעִשָּׂרֹן עִשָּׂרוֹן סֹלֶת
מִנְחָה בְּלוּלָה בַשֶּׁמֶן לַכֶּבֶשׂ הָאֶחָד עֹלָה רֵיחַ נִיחֹחַ אִשֶּׁה לַיהוָה:
יד וְנִסְכֵּיהֶם חֲצִי הַהִין יִהְיֶה לַפָּר וּשְׁלִישִׁת הַהִין לָאַיִל וּרְבִיעִת
הַהִין לַכֶּבֶשׂ יָיִן זֹאת עֹלַת חֹדֶשׁ בְּחָדְשׁוֹ לְחָדְשֵׁי הַשָּׁנָה: טו וּשְׂעִיר
עִזִּים אֶחָד לְחַטָּאת לַיהוָה עַל־עֹלַת הַתָּמִיד יֵעָשֶׂה וְנִסְכּוֹ:

רש"י

ושל בין הערבים במזרחן של טבעות (שם; יומא סב:): **(ד) אֶת הַכֶּבֶשׂ אֶחָד.** אע"פ שכבר נאמר בפרשת ואתה תצוה וְזֶה אֲשֶׁר תַּעֲשֶׂה וגו' (שמות כט:לח) היא היתה אזהרה לימי המלואים, וכאן צוה לדורות: **(ה) סֹלֶת לְמִנְחָה.** מנחת נסכים: **(ו) הָעֲשֻׂיָה בְּהַר סִינַי.** כאותן שנעשו בימי המלואים. דבר אחר, העשויה בהר סיני, מקיש עולת תמיד לעולת הר סיני, אותה שנקרבה לפני מתן תורה, שכתוב בה וַיָּשֶׂם בָּאַגָּנֹת (שמות כד:ו) מלמד שטעונה כלי (ת"כ צו פרק יח:ד־ח): **(ז) וְנִסְכּוֹ.** יין: **בַּקֹּדֶשׁ הַסֵּךְ.** על המזבח יתנסכו: **נֶסֶךְ שֵׁכָר.** יין המשכר, פרט ליין מגתו (ב"ב צז.): **(ח) רֵיחַ נִיחֹחַ.** נחת רוח לפני שאמרתי ונעשה רצוני (ספרי קמג): **(י) עֹלַת שַׁבַּת בְּשַׁבַּתּוֹ.** ולא עולת שבת בשבת אחרת. הרי שלא הקריב בשבת זו שומע אני יקריב שתים לשבת הבאה, ת"ל בְּשַׁבַּתּוֹ, מגיד שאם עבר יומו בטל קרבנו (שם קמד): **עַל עֹלַת הַתָּמִיד.** אלו מוספין לבד אותן שני כבשים של עולת התמיד. ומגיד שאין קרבין אלא בין שני התמידין, וכן בכל המוספין נאמר עַל עֹלַת הַתָּמִיד לתלמוד זה (שם): **(יב) וּשְׁלֹשָׁה עֶשְׂרֹנִים.** כמשפט נסכי פר, שכן הן קצובין בפרשת נסכים (לעיל טו:ח־י): **(יד) זֹאת עֹלַת חֹדֶשׁ בְּחָדְשׁוֹ.** שאם עבר יומו בטל קרבנו ושוב אין לו תשלומין (ספרי קמה):

מפטיר לשבת ראש חודש

במדבר כח: ט־טו

[כח] ט וּבְיוֹם֙ הַשַּׁבָּ֔ת שְׁנֵֽי־כְבָשִׂ֥ים בְּנֵֽי־שָׁנָ֖ה תְּמִימִ֑ם וּשְׁנֵ֣י עֶשְׂרֹנִ֗ים
סֹ֧לֶת מִנְחָ֛ה בְּלוּלָ֥ה בַשֶּׁ֖מֶן וְנִסְכּֽוֹ׃ י עֹלַ֥ת שַׁבַּ֖ת בְּשַׁבַּתּ֑וֹ עַל־עֹלַ֥ת
הַתָּמִ֖יד וְנִסְכָּֽהּ׃ יא וּבְרָאשֵׁי֙ חָדְשֵׁיכֶ֔ם תַּקְרִ֥יבוּ עֹלָ֖ה לַֽיהוָ֑ה פָּרִ֨ים
בְּנֵֽי־בָקָ֜ר שְׁנַ֗יִם וְאַ֣יִל אֶחָ֔ד כְּבָשִׂ֧ים בְּנֵֽי־שָׁנָ֛ה שִׁבְעָ֖ה תְּמִימִֽם׃
יב וּשְׁלֹשָׁ֣ה עֶשְׂרֹנִ֗ים סֹ֤לֶת מִנְחָה֙ בְּלוּלָ֣ה בַשֶּׁ֔מֶן לַפָּ֖ר הָאֶחָ֑ד וּשְׁנֵ֣י
עֶשְׂרֹנִ֗ים סֹ֤לֶת מִנְחָה֙ בְּלוּלָ֣ה בַשֶּׁ֔מֶן לָאַ֖יִל הָאֶחָֽד׃ יג וְעִשָּׂרֹ֣ן עִשָּׂר֗וֹן
סֹ֤לֶת מִנְחָה֙ בְּלוּלָ֣ה בַשֶּׁ֔מֶן לַכֶּ֖בֶשׂ הָאֶחָ֑ד עֹלָה֙ רֵ֣יחַ נִיחֹ֔חַ אִשֶּׁ֖ה
לַֽיהוָֽה׃ יד וְנִסְכֵּיהֶ֗ם חֲצִ֣י הַהִין֩ יִהְיֶ֨ה לַפָּ֜ר וּשְׁלִישִׁ֧ת הַהִ֣ין לָאַ֗יִל
וּרְבִיעִ֥ת הַהִ֛ין לַכֶּ֖בֶשׂ יָ֑יִן זֹ֣את עֹלַ֥ת חֹ֙דֶשׁ֙ בְּחָדְשׁ֔וֹ לְחָדְשֵׁ֖י הַשָּׁנָֽה׃
טו וּשְׂעִ֨יר עִזִּ֥ים אֶחָ֛ד לְחַטָּ֖את לַֽיהוָ֑ה עַל־עֹלַ֤ת הַתָּמִיד֙ יֵעָשֶׂ֖ה וְנִסְכּֽוֹ׃

הפטרת שבת ראש חודש

ישעיה סו:א־כד

כתבו הראשונים, שבארבעת הספרים הבאים: ישעיה, מלאכי, איכה וקהלת, נוהגים לחזור על הפסוק שלפני האחרון ולסיים בו את הספר, כדי שלא לחתום בפורענות [וסימן לדבר: יתק״ק — ישעיה, תרי עשר (היינו מלאכי, שהוא סיום תרי עשר), קהלת, קינות] (עיין רש״י סוף איכה, ראבי״ה צא, מנחת שי סוף ישעיה).

❖ ❖ ❖

הפטרה זו הינה סופו של ספר ישעיה, ונקבעה להפטיר בה בשבת ראש חודש בגלל הפסוק שלפני הפסוק האחרון (שכופלים אותו בסיומו) המבשר לבני ישראל: ״וְהָיָה מִדֵּי חֹדֶשׁ בְּחָדְשׁוֹ וּמִדֵּי שַׁבָּת בְּשַׁבַּתּוֹ יָבוֹא כָל בָּשָׂר לְהִשְׁתַּחֲוֹת לְפָנַי [בבית המקדש — מצודת דוד], אָמַר ה׳ ״.

ההפטרה מלאה בדברי תקוה ותנחומים לבני ישראל, שכן ישעיה ניבא על מלחמת גוג ומגוג ומפלת האומות שיתרחשו באחרית הימים. אולם, מלבד הנחמות יש בנבואה זו גם דברי תוכחה לישראל.

ההפטרה מתחילה: ״כֹּה אָמַר ה׳, הַשָּׁמַיִם כִּסְאִי וְהָאָרֶץ הֲדֹם רַגְלָי, אֵי זֶה בַיִת אֲשֶׁר תִּבְנוּ לִי וְאֵי זֶה מָקוֹם מְנוּחָתִי״. הנביא מוכיח את הרשעים, ואומר שאין ה׳ זקוק שיבנו לו בני אדם בית המקדש; וכי יעלה על דעתם שאפשר שאנשים יבנו בית שיהיה ראוי להשרות בו את שכינתו (רש״י)? דבריו מלמדים אותנו, שתכלית בנין בית המקדש אינה עבור ה׳ — שהוא גבוה מכל מיני כבוד שאנו יכולים לחלוק לו — אלא רק עבורינו, שנוכל לעבוד את ה׳ בתוכו. גם המצוה להקריב קרבנות אין תכליתה עבור ה׳ אלא למלאות רצונו יתברך, ואין הוא רוצה בקרבנות של הרשעים שאינם חוזרים ממעשיהם הרעים, שכן הקרבת קרבנם נחשבת כהריגת אדם. הנביא פונה ל״הַחֲרֵדִים אֶל דְּבָרוֹ״ ומבטיחם שהם עוד ישמחו ויקבלו שכר ואילו הרשעים יבושו, וממשיך בנחמת ציון: ״שִׂמְחוּ אֶת יְרוּשָׁלַיִם וְגִילוּ בָהּ כָּל אֹהֲבֶיהָ שִׂישׂוּ אִתָּהּ מָשׂוֹשׂ כָּל הַמִּתְאַבְּלִים עָלֶיהָ״, ומתאר את השמחה באחרית הימים כאשר ישובו כל ישראל מהארצות הרחוקות לירושלים, בה יבנה בית המקדש במהרה בימינו אמן.

[סו] א כֹּה אָמַר יְהוָה הַשָּׁמַיִם כִּסְאִי וְהָאָרֶץ הֲדֹם רַגְלָי אֵי־זֶה בַיִת
אֲשֶׁר תִּבְנוּ־לִי וְאֵי־זֶה מָקוֹם מְנוּחָתִי׃ ב וְאֶת־כָּל־אֵלֶּה יָדִי עָשָׂתָה
וַיִּהְיוּ כָל־אֵלֶּה נְאֻם־יְהוָה וְאֶל־זֶה אַבִּיט אֶל־עָנִי וּנְכֵה־רוּחַ וְחָרֵד
עַל־דְּבָרִי׃ ג שׁוֹחֵט הַשּׁוֹר מַכֵּה־אִישׁ זוֹבֵחַ הַשֶּׂה עֹרֵף כֶּלֶב מַעֲלֵה
מִנְחָה דַּם־חֲזִיר מַזְכִּיר לְבֹנָה מְבָרֵךְ אָוֶן גַּם־הֵמָּה בָּחֲרוּ בְּדַרְכֵיהֶם
וּבְשִׁקּוּצֵיהֶם נַפְשָׁם חָפֵצָה׃ ד גַּם־אֲנִי אֶבְחַר בְּתַעֲלֻלֵיהֶם וּמְגוּרֹתָם

רש"י

(א) השמים כסאי. איני צריך לבית המקדש שלכם: **איזה בית.** אשר הוא כדאי לשכינתי: **(ב) ואת כל אלה.** השמים והארץ ידי עשתה זאת, אשר לימלמתי שכינתי בתוככם בהיותכם נשמעים לי, לפי שכן דרכי להביט אל עני ונכה רוח וחרד על דברי. אבל עתה אין לי חפץ בכם, שהרי שוחט השור הכה את בעליו וגזלו ממנו. לפיכך זובח השה דומה לפני כעורף את הכלב, והמעלה את המנחה הרי הוא לפני כדם חזיר. והמזכיר לבונה, מקטיר לבונה; כמו, אַזְכָּרָתָהּ (ויקרא ה, יב), וְהָיְתָה לַלֶּחֶם לְאַזְכָּרָה (שם כד, ז): **(ג) מברך און.** מברך אותי בתשורת אונס. מְבָרֵךְ אָוֶן, מתשיר אונס, זהו פירושו. ולשון ברכה נופל בתשורה שהיא להקבלת פנים כמו קַח נָא אֶת בִּרְכָתִי (בראשית לג, יא), עשו אתי ברכה וצאו אלי: **גם המה בחרו בדרכיהם.** הם חפצים בדרכים הללו הרעים, וגם אני אבחר ואחפוץ בתעלוליהם. ואם תאמר מהו גם? כן דרך לשון עברי, לומר שני גמין זה אצל זה; כמו גַּם בָּחוּר גַּם בְּתוּלָה (דברים לב, כה), גַּם לִי גַם לָךְ (מלכים-א ג, כו), גַּם אַהֲבָה גַּם שִׂנְאָה (קהלת ט, א), וְלֹא יָמֻתוּ גַּם הֵם גַּם אַתֶּם (במדבר יח, ג). אף כאן גם הם בחרו, וגם אני אבחר: **(ד) בתעלוליהם.** להיות עולל בם, לשון כִּי הִתְעַלַּלְתְּ בִּי (במדבר כב, כט): **ומגורותם.** מה שהם יראים:

מצודת דוד

(א) השמים כסאי. עתה שב להוכיח ואמר, הלא השמים הוא מקום המכון לשבתי, והארץ היא הדום רגלי. ואחז במשל מבן אדם היושב על הכסא ורגליו יורדות לנוח על השרפרף: **אי זה בית.** מהו הבית אשר תוכלו לבנות לי שיהיה הגון לי לפי רוב גדולתי: **ואי זה מקום מנוחתי.** כפל הדבר במילים שונות: **(ב) ואת כל אלה.** אף השמים והארץ אינם קדומים כמוני כי ידי עשתה אותם: **ויהיו כל אלה.** ואחר זה היו כל אלה אבל אינם קדומים כמוני: **ואל זה אביט.** ועם שאני רם על רמים, עם כל זה אביט ואשגיח בשפלים אל העני ואל מי שרוחו נשברת בעבור הצער והיגון, ואל החרד על דברי לעשותם; וכאומר אבל לא על המקריבים קרבנות ולבם רחוק ממני: **(ג) שוחט השור.** רצונו לומר, כי קרבנות הרשעים אינם מקובלים לפני, והשוחט את השור הרי הוא כאילו מכה איש, כי דם יחשב ולא לרצון: **עורף כלב.** נמאס בעיני כאילו ערף את הכלב: **דם חזיר.** נתעב בעיני כאילו זרק דם חזיר: **מזכיר לבונה.** המקטיר לבונה הוא מביא תשורה דבר שאינו הגון וראוי: **גם המה בחרו.** רצה לומר, הואיל והמה גם בחרו בדרכיהם, ולא הלכו בהם כדרך קרי והזדמן, ונפשם חפצה לעשות לשקוצים הנראה להם, ולא בלא דעת ובלא לב יעשוה: **(ד) לכן גם אני אבחר.** לכן גם אני אבחר להתעולל בהם בהבאת הרעות, ולא אעזבם אל המקרה כי אם אבחר בהבאת הרעות: **ומגורותם.** מהדבר אשר הם יראים זה בעצמו אביא עליהם:

מצודת ציון

(א) הדום. ענין שרפרף הכסא הנתון תחת רגלי האדם כשהוא יושב; וכן, וְהִשְׁתַּחֲווּ לַהֲדֹם רַגְלָיו (תהלים צט, ה): **(ב) ונכה.** ענין שבור וכתות; כמו, וְנִכְאֵה לֵבָב (שם קט, טז): **וחרד.** ענין מהירות רב; וכן, וַיֶּחֶרְדוּ זִקְנֵי הָעִיר לִקְרָאתוֹ (שמואל-א טו, ד): **(ג) עורף.** רצונו לומר, כורת עורף, והוא אחורי הצואר; כמו, וְאִם לֹא תִפְדֶּה וַעֲרַפְתּוֹ (שמות יג, יג): **מזכיר.** כן נקרא הקטרת הלבונה כמו שכתוב, וְהָיְתָה לַלֶּחֶם לְאַזְכָּרָה (ויקרא כד, ז): **מברך.** הוא ענין תשורה הבאה להקבלת פנים; וכן, קַח נָא אֶת בִּרְכָתִי (בראשית לג, יא): **און.** ענין דבר שאינו ראוי והגון: **ובשקוציהם.** מלשון שקץ ותעוב: **(ד) בתעלוליהם.** ענין לעג והתול; כמו, כִּי הִתְעַלַּלְתְּ בִּי (במדבר כב, כט): **ומגורותם.** ענין פחד; כמו, וַיָּגָר מוֹאָב (שם כב, ג):

אָבִיא לָהֶם יַעַן קָרָאתִי וְאֵין עוֹנֶה דִּבַּרְתִּי וְלֹא שָׁמֵעוּ וַיַּעֲשׂוּ הָרַע
בְּעֵינַי וּבַאֲשֶׁר לֹא־חָפַצְתִּי בָּחָרוּ: ה שִׁמְעוּ דְּבַר־יהוה הַחֲרֵדִים
אֶל־דְּבָרוֹ אָמְרוּ אֲחֵיכֶם שֹׂנְאֵיכֶם מְנַדֵּיכֶם לְמַעַן שְׁמִי יִכְבַּד יהוה
וְנִרְאֶה בְשִׂמְחַתְכֶם וְהֵם יֵבֹשׁוּ: ו קוֹל שָׁאוֹן מֵעִיר קוֹל מֵהֵיכָל
קוֹל יהוה מְשַׁלֵּם גְּמוּל לְאֹיְבָיו: ז בְּטֶרֶם תָּחִיל יָלָדָה בְּטֶרֶם
יָבוֹא חֵבֶל לָהּ וְהִמְלִיטָה זָכָר: ח מִי־שָׁמַע כָּזֹאת מִי רָאָה כָּאֵלֶּה
הֲיוּחַל אֶרֶץ בְּיוֹם אֶחָד אִם־יִוָּלֵד גּוֹי פַּעַם אֶחָת כִּי־חָלָה גַּם־
יָלְדָה צִיּוֹן אֶת־בָּנֶיהָ: ט הַאֲנִי אַשְׁבִּיר וְלֹא אוֹלִיד יֹאמַר יהוה אִם־

רש"י

יען קראתי. שמעו שמוע ושובו אלי: **ואין עונה.** לאמר שמעתי: **(ה) החרדים אל דברו.** הצדיקים הממהרים בחרדה להתקרב אל דבריו. אִמְרוּ אֲחֵיכֶם. פושעי ישראל הנזכרים למעלה. דבר אחר, אִמְרוּ אֲחֵיכֶם מְנַדֵּיכֶם, אשר אמרו לכם, סורו טָמֵא (איכה ד, טו): **שנאיכם מנדיכם.** הָאֹמְרִים קְרַב אֵלֶיךָ אַל תִּגַּשׁ בִּי (לעיל סה, ה), למען שמי יכבד ה'. בגדולתנו הקדוש ברוך הוא מתכבד, שאנו קרובים לו יותר מכם: **ונראה בשמחתכם והם יבושו.** הנביא אומר, אבל לא כן הוא כדבריהם, כי בשמחתכם נראה והם יבושו. למה? כי קול שאון שלהם בא לפני הקדוש ברוך הוא ממה שעשו בעירו וקול יוצא מהיכלו ומקטרג על מחריביו, ואחרי כן קול ה' מְשַׁלֵּם גְּמוּל לְאֹיְבָיו: **(ז) בטרם תחיל.** ציון חיל היולדת ילדה את בניה. כלומר, יתקבצו בניה לתוכה אשר היתה שוממה מהם ושכולה, והרי הוא כאילו ילדתן עכשיו בלא חבלי יולדה, כי כל העכו"ם יביאום לתוכה: **והמליטה זכר.** כל יציאת דבר בלוע קרוי המלטה. וְהִמְלִיטָה אישקמולי"ר בלעז: **(ח) היוחל ארץ ביום אחד.** היבוא חיל ליולדת לילד מלא ארץ בנים ביום אחד: **(ט) האני אשביר ולא אוליד.** האני אביא את

מצודת דוד

יען. בעבור כי קראתי אליהם על ידי הנביאים להזהירם ליישר דרכם, ואין מי משיב לומר, איישר דרכי מעתה: **דברתי וכו'.** כפל הדבר במילים שונות: **הרע בעיני.** הדבר הרע בעיני: **ובאשר.** בהדבר אשר לא חפצתי אני בחרו הם: **(ה) שמעו וכו'.** אתם הצדיקים החרדים אל דבר ה' לעשותם, שמעו דבר ה': **אמרו וכו'.** פושעי ישראל: **אחיכם.** השונאים אתכם המנדים להרחיק אתכם; כמו שכתוב, הָאֹמְרִים קְרַב אֵלֶיךָ וכו' (ישעיה סה, ה), הנה הם אמרו לְמַעַן שְׁמִי יִכְבַּד ה'; רצונו לומר, בעבור פירסום שמי בא כבוד לה' כי אנו קרובים אליו ומתכבד הוא עמנו: **ונראה.** אבל לא כן הוא כדבריהם, כי בעינינו נראה בשמחתכם, והרשעים ההם יבושו על כי הלכו אחר ההבל: **(ו) קול שאון מעיר.** אז יצא קול שאון מעיר ציון, וחוזר ומפרש שיצא הקול מן היכל ה' העומד בציון; ולתוספת ביאור אמר שזהו קול ה' היוצא לאיים על עכו"ם לשלם גמול לאויביו; הם גוג ומגוג; כמו שכתוב, וְיָצָא ה' וְנִלְחַם בַּגּוֹיִם (זכריה יד, ג): **(ז) בטרם תחיל.** על ציון יאמר, בטרם תחיל חיל היולדה תלד רצונו לומר, יתקבצו בניה לתוכה כאלו ילדה אותם עכשיו מבלי חיל וחבלי לידה: **בטרם יבוא וכו'.** כפל הדבר במילים שונות: **והמליטה זכר.** ילדה זכר, ולפי שתרבה השמחה בלידת זכר מלידת נקבה אמר והמליטה זכר לפי גודל השמחה: **(ח) מי שמע כזאת.** מי שמע פלא כזאת ומי ראה פלא כאלה? האם מעולם בא חיל יולדה לכל נשי הארץ ביום אחד? האם מעולם נולדה אומה שלימה בפעם אחת: **כי חלה.** רצונו לומר, כי זה הפלא נעשה בציון, כי חלה מכל בניה וגם ילדתם בפעם אחת; רצונו לומר, כולם כאחד יצאו ממקום גלותם ובאו לציון באין שטן ובאין פגע רע: **(ט) האני אשביר.** האני אביא את אשה על

מצודת ציון

(ה) החרדים. הממהרים: **מנדיכם.** מלשון הנדה והנעה: **(ו) שאון.** ענין המייה: **(ז) תחיל.** היא כאב הלידה; וכן, לֹא חַלְתִּי וְלֹא יָלַדְתִּי (ישעיה כג, ד): **חבל.** צירים ומכאובי לידה; כמו, חֶבְלֵי יוֹלֵדָה (הושע יג, יג): **והמליטה.** כן נקרא לידת הולד; כמו, וַתְּמַלֵּט וּבָקְעָה (לעיל לד, טו): **(ח) היוחל חלה.** הם מלשון חיל: **(ט) אשביר.** מקום מושב היולדת נקרא משבר; כמו, לֹא־יַעֲמֹד בְּמִשְׁבַּר בָּנִים (הושע יג, יג):

אֲנִי הַמּוֹלִיד וְעָצַרְתִּי אָמַר אֱלֹהָיִךְ: י שִׂמְחוּ אֶת־יְרוּשָׁלַ͏ִם וְגִילוּ בָהּ
כָּל־אֹהֲבֶיהָ שִׂישׂוּ אִתָּהּ מָשׂוֹשׂ כָּל־הַמִּתְאַבְּלִים עָלֶיהָ: יא לְמַעַן
תִּינְקוּ וּשְׂבַעְתֶּם מִשֹּׁד תַּנְחֻמֶיהָ לְמַעַן תָּמֹצּוּ וְהִתְעַנַּגְתֶּם מִזִּיז
כְּבוֹדָהּ: יב כִּי־כֹה | אָמַר יהוה הִנְנִי נֹטֶה־אֵלֶיהָ כְּנָהָר שָׁלוֹם וּכְנַחַל
שׁוֹטֵף כְּבוֹד גּוֹיִם וִינַקְתֶּם עַל־צַד תִּנָּשֵׂאוּ וְעַל־בִּרְכַּיִם תְּשָׁעֳשָׁעוּ:
יג כְּאִישׁ אֲשֶׁר אִמּוֹ תְּנַחֲמֶנּוּ כֵּן אָנֹכִי אֲנַחֶמְכֶם וּבִירוּשָׁלַ͏ִם תְּנֻחָמוּ:
יד וּרְאִיתֶם וְשָׂשׂ לִבְּכֶם וְעַצְמוֹתֵיכֶם כַּדֶּשֶׁא תִפְרַחְנָה וְנוֹדְעָה
יַד־יהוה אֶת־עֲבָדָיו וְזָעַם אֶת־אֹיְבָיו: טו כִּי־הִנֵּה יהוה בָּאֵשׁ יָבוֹא

רש"י

האשה על המשבר ולא אפתח רחמה להוציא עוברה? כלומר, שמא אתחיל בדבר ולא אוכל לגמור? והלא אני המוליד את כל היולדות, ועכשיו שמא עצרתי? בתמיה: **(יא) משד.** לשון שדים: **תמוצו.** סוצ"ר בלעז: **מזיז כבודה.** מכבוד גדול הזז וממשמש לבא לה: **זיז.** אישמובימנ"ט בלעז: **(יב) וכנחל שוטף.** אני נוטה אליה כבוד גוים: **על צד.** על ידי אומניכם על גיססין: **תשעשעו.** תהיו משועשעין, כדרך שמשעשעין את התינוק. אישבניי"ר בלעז: **(יד) ונודעה יד ה׳.** בעשותו נקמותיו וגבורותיו, ידעו עבדיו את כח גבורת ידו: **(טו) באש יבוא.** בחמת אש יבוא על הרשעים:

מצודת דוד

המשבר ולא אפתח רחמה שתלד? רצונו לומר, שמא אתחיל בדבר ולא אוכל לגמור: **אם אני המוליד.** אם אמנם אני הוא המוליד את כל היולדות, ושמא עכשיו אעצור אותך? בתמיה. רצונו לומר, הלא לכל האומות אני הוא הנותן כח בידם, ואיך לא אתן הכח בידכם: **(י) שמחו.** אתם הבאים מן הגולה, שמחו את ירושלים בבואכם אליה: **כל אוהביה.** כל מי שאהב אותה ותאב לראותה בבניינה: **כל המתאבלים עליה.** בעת חורבנה: **(יא) למען תינקו.** התאבלתם עליה למען שתראו בשמחתה, ותינקו ותשבעו משדי תנחומיה, כי ידעתם אשר זה יהיה גמולכם: **למען תמוצו.** למען תהיו מוצצים ומתענגים מן הכבוד הזו והמשמש לבוא לה; והוא כפל ענין במילים שונות לומר, שהרבה טובה תקבלו בבוא עת בניינה: **(יב) נוטה אליה.** אטה אל ירושלים שלום הרבה כמי נהר, וכבוד הגוים ועשרם אטה לה לבוא במרוצה כנחל שוטף: **וינקתם.** אתם המתאבלים עליה תהיו יונקים את העושר הזה; והוא דרך משל לומר, כמו התינוק יונק חלב מאין עמל, כן תאכלו כבוד העכו"ם אשר לא יגעתם בה: **על צד תנשאו.** רצונו לומר, תהיו מכובדים מאד; ולפי שהמשילם לתינוק היונק אמר לשון הנופל בתינוק היונק; שנושאים אותו על הזרוע בצד הגוף ומשעשעים אותו על הברכים לשמחו: **(יג) אשר אמו תנחמנו.** דרך האם לנחם את בנה יותר מן האב: **ובירושלים תנוחמו.** כל התנחומין שלכם תהיה בירושלים, כי שם תקבלו הרבה טובה, וזה יחשב לתנחומין על הצרות שעברו עליכם: **(יד) וראיתם.** כאשר תראו ירושלים בבניינה ישיש לבכם: **כדשא תפרחנה.** יפרחו כעשב השדה; רצונו לומר, יתחזקו בבריאות ולפי שהדאגה והיגון מייבשים העצמות כמו שכתוב וְרוּחַ נְכֵאָה תְּיַבֶּשׁ גָּרֶם (משלי יז, כב) אמר בעת השמחה יתחזקו העצמות: **ונודעה יד ה׳.** אז ידעו עבדיו כח גבורת ה׳: **וזעם.** גם ידעו הזעם אשר זעם את אויביו: **(טו) באש יבוא.** לאבד בו את חיל גוג ומגוג:

מצודת ציון

ועצרתי. ענין עכוב ומניעה; כמו, עֲצָרַנִי ה׳ מִלֶּדֶת (בראשית טז, ב): **(י) המתאבלים.** מלשון אבלות וצער: **(יא) תינקו.** מלשון יניקה: **משד.** כמו משד בפת"ח; וכן, וְשֹׁד וכו׳ (ישעיה ס, טז): **תנחומים.** מלשון נחמה: **תמצו.** מלשון מציצה; כמו, שָׁתִית מָצִית (שם נא, יז): **והתענגתם.** מלשון תענוג: **מזיז.** מלשון הזזה ממקום למקום; וכן, וְזִיז שָׂדַי יִרְעֶנָּה (תהלים פ, יד): **(יב) שוטף.** ענין רדיפה ומהירות המשיכה: **כבוד.** ענין עושר; כמו, וּמֵאֲשֶׁר לְאָבִינוּ עָשָׂה אֵת כָּל הַכָּבֹד הַזֶּה (בראשית לא, א): **תנשאו.** מלשון משא וסבל: **תשעשעו.** ענין התעסקות לשמחה: **(יד) כדשא.** כעשב: **תפרחנה.** מלשון הפרחה וגדול: **וזעם.** ענין כעס:

וְכַסּוּפָה מַרְכְּבֹתָיו לְהָשִׁיב בְּחֵמָה אַפּוֹ וְגַעֲרָתוֹ בְּלַהֲבֵי־אֵשׁ:
טז כִּי בָאֵשׁ יהוה נִשְׁפָּט וּבְחַרְבּוֹ אֶת־כָּל־בָּשָׂר וְרַבּוּ חַלְלֵי יהוה:
יז הַמִּתְקַדְּשִׁים וְהַמִּטַּהֲרִים אֶל־הַגַּנּוֹת אַחַר אַחַת [אחד כ׳]
בַּתָּוֶךְ אֹכְלֵי בְּשַׂר הַחֲזִיר וְהַשֶּׁקֶץ וְהָעַכְבָּר יַחְדָּו יָסֻפוּ נְאֻם־יהוה:
יח וְאָנֹכִי מַעֲשֵׂיהֶם וּמַחְשְׁבֹתֵיהֶם בָּאָה לְקַבֵּץ אֶת־כָּל־הַגּוֹיִם
וְהַלְּשֹׁנוֹת וּבָאוּ וְרָאוּ אֶת־כְּבוֹדִי: יט וְשַׂמְתִּי בָהֶם אוֹת וְשִׁלַּחְתִּי
מֵהֶם | פְּלֵיטִים אֶל־הַגּוֹיִם תַּרְשִׁישׁ פּוּל וְלוּד מֹשְׁכֵי קֶשֶׁת

רש״י

להשיב. לאריו בחימה את אפו: **(טז) כי באש.** של גיהנם ה׳ נשפט עם אריו. ולפי שהוא בעל דין ודיין נופל בו לשון נשפט; שאף הוא טוען טענותיו למאוס עוונס ופשעס. וכן, וְנִשְׁפַּטְתִּי אִתּוֹ (יחזקאל לח, כב), הִנְנִי נִשְׁפָּט אוֹתָךְ (ירמיה ב, לה). לשון וויכוח הוא, דריסכיי״ר בלעז. ופשוטו, כי באש ה׳ וחרבו נשפט כל בשר, וכן רבים מסורסים במקראות: **(יז) המתקדשים.** המזדמנים, אני ואתה נלך ליום פלוני לעבוד לעכו״ם פלונית: **אל הגנות.** שזורעין שם ירק, ושם היו מעמידין עכו״ם: **אחר אחת.** כמה שתירגם יונתן, סִיעָא בָּתַר סִיעָא. מתקדשים ומטהרים לעבוד סיעה אחר, שגמרה חבירתה את עבודתה: **בתוך.** באמצע הגינה; כן היה דרכם להעמידם: **(יח) ואנכי מעשיהם ומחשבותיהם באה וגו׳.** ואנכי מה לי לעשות? מַעֲשֵׂיהֶם וּמַחְשְׁבֹתֵיהֶם בָּאָה אלי, והיא תזקיקני לְקַבֵּץ אֶת כָּל הַגּוֹיִם ולהודיע שמעשיהם הבל, ומחשבותם שהם חושבין למען (שמי) יכבד ה׳, יבינו שהוא שקר. והיכן הוא אותו קיבוץ? הוא האסיף שניבא זכריה, וְאָסַפְתִּי אֶת כָּל הַגּוֹיִם אֶל יְרוּשָׁלַםִ (זכריה יד, ב): **וראו את כבודי.** בהלחמי בהם במכת הָמֵק בְּשָׂרוֹ... וְעֵינָיו... וּלְשׁוֹנוֹ (זכריה יד, יב): **(יט) ושמתי בהם אות וגו׳.** פליטים ינצלו מן המלחמה, ואני אשגירם כדי לילך לבשר לאיים הרחוקים את כבודי אשר ראו במלחמה. ואף באותם פליטים אשים אחת מן האותות שנידונו

מצודת דוד

וכסופה. כרוח סופה יבוא מרכבותיו; רצונו לומר, יבוא בחימה שפוכה: **להשיב בחמה אפו.** להשיב לצריו גמול אף בחימה רבה: **וגערתו.** הגערה אשר יגער עליהם תהיה בלהבות אש: **(טז) נשפט.** יהיה מתווכח עמהם בהבאת אש ובחרבו יהיה מתווכח את כל בשר ויתרבו החללים אשר יהרג ה׳, וזה יחשב לויכוח, כי בזה יודיע שפשעו לו: **(יז) המתקדשים.** המזדמנים יחד ומטהרים עצמם ללכת אל העכו״ם העומדות בגנות: **אחר אחת בתוך.** סיעה אחר סיעה אחר שגמרה הראשונה את עבודתה נכנסת השניה באמצע הגנה מקום מעמד העכו״ם: **אוכלי.** בני ישראל האוכלים בשר החזיר וכו׳: **יחדיו.** כולם יחד יתמו מן העולם: **(יח) ואנכי מעשיהם ומחשבותיהם.** רצה לומר ואנכי עם מעשיהם ומחשבותיהם כלומר הן ידעתי כל מעשיהם ומחשבותיהם כאלו נמצאתי עמהם: **באה.** רצונו לומר, לכן באה העת לקבץ את כל העכו״ם והלשונות; כלומר אני אסבב שיבואו כל העכו״ם עם גוג ומגוג למען יראו את כבודי שאתכבד בהם בעשות בהם נקם, ויכירו שהבל נתלו: **(יט) ושמתי בהם אות.** בכל הבאים אשים אות וזהו מה שנאמר, וְעֵינָיו תִּמַּקְנָה בְחֹרֵיהֶן וכו׳ (זכריה יד, יב): **ושלחתי מהם פליטים.** כי רובם ימותו סביב ירושלים, ופליטים מהם אשלח לנפשם ללכת אל העכו״ם היושבים בתרשיש וכו׳: **מושכי קשת.** המלומדים לירות חיצים בקשת, ולפי שהדרך למשוך יתר הקשת למותחו לכן אמר מושכי קשת:

מצודת ציון

(טו) וכסופה. רוח סופה וסערה: **וגערתו.** ענין צעקת נזיפה: **(טז) נשפט.** ענין ויכוח; וכן, הִנְנִי נִשְׁפָּט אוֹתָךְ (ירמיה ב, לה): **(יז) המתקדשים.** ענין הזמנה; כמו, קַדְּשׁוּ עָלֶיהָ מִלְחָמָה (שם ו, ד): **בתוך.** באמצע; וכן, וַיָּבֹא אֹתָם בַּתָּוֶךְ (בראשית טו, י): **והשקץ.** רצונו לומר, כל מין שקץ, והוא שם כולל לכל השרצים: **והעכבר.** שם שרץ מה: **יספו.** ענין כליון; כמו, אָסֹף אֲסִיפֵם (ירמיה ח, יג): **(יח) והלשונות.** כן יקראו אומות חלוקות שיש לכל אחד שפת לשון בפני עצמו: **(יט) אות.** סימן: **פליטים.** ענין שארית; כמו, אַל יְהִי לָהּ פְּלֵטָה (שם נ, כט): **תרשיש וגו׳.** שמות ארצות:

תֻּבַל וְיָוָן הָאִיִּים הָרְחֹקִים אֲשֶׁר לֹא־שָׁמְעוּ אֶת־שִׁמְעִי וְלֹא־רָאוּ
אֶת־כְּבוֹדִי וְהִגִּידוּ אֶת־כְּבוֹדִי בַּגּוֹיִם׃ כ וְהֵבִיאוּ אֶת־כָּל־אֲחֵיכֶם
מִכָּל־הַגּוֹיִם | מִנְחָה | לַיהוָה בַּסּוּסִים וּבָרֶכֶב וּבַצַּבִּים וּבַפְּרָדִים
וּבַכִּרְכָּרוֹת עַל הַר קָדְשִׁי יְרוּשָׁלִַם אָמַר יהוה כַּאֲשֶׁר יָבִיאוּ בְנֵי
יִשְׂרָאֵל אֶת־הַמִּנְחָה בִּכְלִי טָהוֹר בֵּית יהוה׃ כא וְגַם־מֵהֶם אֶקַּח
לַכֹּהֲנִים לַלְוִיִּם אָמַר יהוה׃ כב כִּי כַאֲשֶׁר הַשָּׁמַיִם הַחֲדָשִׁים וְהָאָרֶץ
הַחֲדָשָׁה אֲשֶׁר אֲנִי עֹשֶׂה עֹמְדִים לְפָנַי נְאֻם־יהוה כֵּן יַעֲמֹד זַרְעֲכֶם
וְשִׁמְכֶם׃ כג וְהָיָה מִדֵּי־חֹדֶשׁ בְּחָדְשׁוֹ וּמִדֵּי שַׁבָּת בְּשַׁבַּתּוֹ יָבוֹא כָל־
בָּשָׂר לְהִשְׁתַּחֲוֺת לְפָנַי אָמַר יהוה׃ כד וְיָצְאוּ וְרָאוּ בְּפִגְרֵי הָאֲנָשִׁים

רש״י

חביריהם בהם, כדי להודיע לרחוקים, במגפה זו נגפו הנובאים על ירושלים: **(כ) ובצבים.** הם עגלות מקושות במחילות ואהל, ודומה לו, שֵׁשׁ עֶגְלֹת צָב (במדבר ז, ג): **ובכרכרות.** בשיר משחקים ומכרכרים; כמו, דָּוִד מְפַזֵּז וּמְכַרְכֵּר (שמואל־ב ו, טז), טריפי״ר בלעז. ומנחם פירשו לשון כבש; כמו, שִׁלְחוּ כַר מֹשֵׁל אֶרֶץ (ישעיה טז, א), כאשר יביאו. מנחה בכלי טהור לרצון, כן יביאו את אחיכם למנחת רצון: **(כא) וגם מהם אקח לכהנים ללוים.** מן העמים המביאים אותם ומן המובאים, אקח כהנים ולוים. ולפני גלוים הכהנים והלוים שבהם. ואברור אותן מתוכן ויהיו משמשין לפני אמר ה׳. והיכן אמר? הַנִּסְתָּרֹת לַה׳ אֱלֹהֵינוּ (דברים כט, כח). כך מפורש באגדת תהלים:

מצודת דוד

האיים הרחוקים. ואל היושבים בהאיים הרחוקים: **אשר לא שמעו.** אשר לא שמעו מעולם שמועת ה׳ ומעולם לא ראו כבוד ה׳: **והגידו.** אלה הפליטים אשר בהם האותות יבואו בכל המקומות ההם ויגידו את כבודי בין העכו״ם כי יראו את האותות ההושם בהם: **(כ) והביאו את כל אחיכם בני ישראל.** הרחוקים שלא עלו עם אחיהם, אותם העכו״ם שישראל הם בתוכם, כשישמעו הפלא הגדול שיעשה המקום במחנה גוג ומגוג, יביאו את ישראל בסוסים וברכב וכו׳ למנחה לה׳: **על הר קדשי.** אל הר קדשי, ולתוספות ביאור אמר ירושלים: **כאשר יביאו וכו׳ בכלי טהור.** כמו שמביאים ישראל את המנחה בית ה׳ בכלי טהור כן יביאו העכו״ם את ישראל בבגדים טהורים ונאים ובמרכבות נאות ומכובדות: **(כא) וגם מהם.** גם מהמובאים אקח להיות כהנים ולוים מאותם שיהיו ממשפחת כהונה ולויה עם כי נשכחת זכרם בהיותם בארץ רחוקה והיו מחזיקים עצמם בחזקת ישראל הנה לפני גלוי הכל: **(כב) אשר אני עושה.** בימים ההם: **עומדים לפני.** אשר יהיו עומדים וקיימים לפני; רצונו לומר, שיהיה עמידתם לעולם על ידי ולא יכלו עוד בקדמונים: **כן יעמוד.** כן יתקיים לעולם זרעכם ושמכם כי לא ימחה שם ישראל עד עולם: **(כג) והיה מדי חדש בחדשו.** מתי שיהיה ראש חדש והוסיף לומר בחדשו רצונו לומר, בראש חדש עצמו ולא יעבור הזמן וכן ומדי שבת בשבתו: **יבוא כל בשר.** רצונו לומר, כל בני אדם אפילו שאר העמים: **להשתחות לפני.** בבית המקדש: **(כד) ויצאו.** העכו״ם הבאים להשתחות לפני ה׳ יצאו מירושלים לעמק יהושפט לראות בפגרי מחנה גוג ומגוג שפשעו באל יתברך וחשבו להגלות את ישראל; וזה יהיה בתוך אותם שבעה חדשים בעוד שלא קברו אותם; וכמו שכתוב, וּקְבָרוּם וכו׳ שִׁבְעָה חֳדָשִׁים (יחזקאל לט, יב):

מצודת ציון

(כ) ברכב. במרכבות: **ובצבים.** עגלות מכוסות; וכן, עֶגְלֹת צָב (במדבר ז, ג): **ובפרדים.** הם הנולדים מן הסוס והחמור: **ובכרכרות.** ברקודים של שמחה; וכן, וְדָוִד מְכַרְכֵּר בְּכָל עֹז (שמואל־ב ו, יד): **(כג) מדי.** ענינו כמו מתי; וכן, מִדֵּי עָבְרוֹ (ישעיה כח, יט): **חדש.** כן יקרא ראש החדש; וכן, מָחָר חֹדֶשׁ (שמואל־א כ, יח): **(כד) בפגרי.** כן יקראו גופות ההרוגים; וכן, כְּפֶגֶר מוּבָס (ישעיה יד, יט):

הַפֹּשְׁעִים בִּי כִּי תוֹלַעְתָּם לֹא תָמוּת וְאִשָּׁם לֹא תִכְבֶּה וְהָיוּ דֵרָאוֹן לְכָל־בָּשָׂר: וְהָיָה מִדֵּי־חֹדֶשׁ בְּחָדְשׁוֹ וּמִדֵּי שַׁבָּת בְּשַׁבַּתּוֹ יָבוֹא כָל־בָּשָׂר לְהִשְׁתַּחֲוֺת לְפָנַי אָמַר יהוה:

כאשר יום שני של ראש חדש חל ביום ראשון, יש המוסיפים כאן פסוק ראשון ואחרון של הפטרת שבת ערב ראש חדש [עיין ש"ע ורמ"א או"ח סי' תכה ס"ב].

וַיֹּאמֶר־לוֹ יְהוֹנָתָן מָחָר חֹדֶשׁ וְנִפְקַדְתָּ כִּי יִפָּקֵד מוֹשָׁבֶךָ: וַיֹּאמֶר יְהוֹנָתָן לְדָוִד לֵךְ לְשָׁלוֹם אֲשֶׁר נִשְׁבַּעְנוּ שְׁנֵינוּ אֲנַחְנוּ בְּשֵׁם יהוה לֵאמֹר יהוה יִהְיֶה | בֵּינִי וּבֵינֶךָ וּבֵין זַרְעִי וּבֵין זַרְעֲךָ עַד־עוֹלָם:

רש"י

(כד) תולעתם. רמה האוכלת את בשרם: ואשם. בגיהנם: דראון. לשון בזיון. ויונתן תירגם, כמין שתי תיבות, די ראייה, עד דיימרון עליהון צדיקיא מיסת חזינא:

מצודת דוד

כי תולעתם. הרימה האוכלת בשר ההרוגים ההם לא תמות, והאש הבוער בהם לא תכבה: והיו דראון. פגרי מחנה גוג ומגוג יהיו לחרפה ולבזיון בעיני כל בשר הבאים להשתחות לפני ה':

מצודת ציון

תולעתם. מלשון תולעת ורימה: ואשם. מלשון אש: תכבה. מלשון כבוי: דראון. ענין בזיון; וכן, לְדִרְאוֹן עולם (דניאל יב, ב): לכל בשר. לכל אדם:

קריאת התורה לימי חנוכה בחול

המפטיר וההפטרה לשבת חנוכה תמצא לקמן, החל מעמוד 449.

ליום ראשון של חנוכה:

(במדבר ו:כב — ח:ד)

יש מתחילין כאן. ויש מתחילין לקמן (ז:א:)

כהן [ו] כב וַיְדַבֵּר יהוה אֶל־מֹשֶׁה לֵּאמֹר: כג דַּבֵּר אֶל־אַהֲרֹן וְאֶל־בָּנָיו לֵאמֹר כֹּה תְבָרְכוּ אֶת־בְּנֵי יִשְׂרָאֵל אָמוֹר לָהֶם: כד יְבָרֶכְךָ יהוה וְיִשְׁמְרֶךָ: כה יָאֵר יהוה | פָּנָיו אֵלֶיךָ וִיחֻנֶּךָּ: כו יִשָּׂא יהוה | פָּנָיו אֵלֶיךָ וְיָשֵׂם לְךָ שָׁלוֹם: כז וְשָׂמוּ אֶת־שְׁמִי עַל־בְּנֵי יִשְׂרָאֵל וַאֲנִי אֲבָרְכֵם:

רש"י

(כג) אָמוֹר לָהֶם. כמו זכור, שמור, בלע"ז דישנ"ט: אָמוֹר לָהֶם. שיהיו כולם שומעים (שם לט): אָמוֹר. מלא, לא תברכם בחפזון ובבהלות אלא בכוונה ובלב שלם (תנחומא י): (כד) יְבָרֶכְךָ. שיתברכו נכסיך (ספרי מ; תנחומא שם): וְיִשְׁמְרֶךָ. שלא יבואו עליך שודדים ליטול ממונך, שהנותן מתנה לעבדו אינו יכול לשמרו מכל אדם, וכיון שבאים לסטים עליו ונוטלין אותה ממנו מה הנאה יש לו במתנה זו, אבל הקב"ה הוא הנותן הוא השומר (תנחומא שם). והרבה מדרשים דרשו בו בספרי (שם): (כה) יָאֵר ה' פָּנָיו אֵלֶיךָ. יראה לך פנים שוחקות פנים צהובות: וִיחֻנֶּךָּ. יתן לך חן (ספרי מא): (כו) יִשָּׂא ה' פָּנָיו אֵלֶיךָ. יכבוש כעסו (ספרי מב): (כז) וְשָׂמוּ אֶת שְׁמִי. יברכום בשם המפורש (שם מג): וַאֲנִי אֲבָרְכֵם. לישראל ואסכים עם הכהנים. דבר אחר, ואני אברכם לכהנים (שם):

יש מתחילים כאן:

[ז] א וַיְהִי בְּיוֹם כַּלּוֹת מֹשֶׁה לְהָקִים אֶת־הַמִּשְׁכָּן וַיִּמְשַׁח אֹתוֹ
וַיְקַדֵּשׁ אֹתוֹ וְאֶת־כָּל־כֵּלָיו וְאֶת־הַמִּזְבֵּחַ וְאֶת־כָּל־כֵּלָיו וַיִּמְשָׁחֵם
וַיְקַדֵּשׁ אֹתָם: ב וַיַּקְרִיבוּ נְשִׂיאֵי יִשְׂרָאֵל רָאשֵׁי בֵּית אֲבֹתָם הֵם
נְשִׂיאֵי הַמַּטֹּת הֵם הָעֹמְדִים עַל־הַפְּקֻדִים: ג וַיָּבִיאוּ אֶת־קָרְבָּנָם
לִפְנֵי יהוה שֵׁשׁ־עֶגְלֹת צָב וּשְׁנֵי עָשָׂר בָּקָר עֲגָלָה עַל־שְׁנֵי הַנְּשִׂאִים
וְשׁוֹר לְאֶחָד וַיַּקְרִיבוּ אוֹתָם לִפְנֵי הַמִּשְׁכָּן: ד וַיֹּאמֶר יהוה אֶל־
מֹשֶׁה לֵּאמֹר: ה קַח מֵאִתָּם וְהָיוּ לַעֲבֹד אֶת־עֲבֹדַת אֹהֶל מוֹעֵד
וְנָתַתָּה אוֹתָם אֶל־הַלְוִיִּם אִישׁ כְּפִי עֲבֹדָתוֹ: ו וַיִּקַּח מֹשֶׁה אֶת־
הָעֲגָלֹת וְאֶת־הַבָּקָר וַיִּתֵּן אוֹתָם אֶל־הַלְוִיִּם: ז אֵת | שְׁתֵּי הָעֲגָלוֹת
וְאֵת אַרְבַּעַת הַבָּקָר נָתַן לִבְנֵי גֵרְשׁוֹן כְּפִי עֲבֹדָתָם: ח וְאֵת |
אַרְבַּע הָעֲגָלֹת וְאֵת שְׁמֹנַת הַבָּקָר נָתַן לִבְנֵי מְרָרִי כְּפִי עֲבֹדָתָם
בְּיַד אִיתָמָר בֶּן־אַהֲרֹן הַכֹּהֵן: ט וְלִבְנֵי קְהָת לֹא נָתָן כִּי־עֲבֹדַת
הַקֹּדֶשׁ עֲלֵהֶם בַּכָּתֵף יִשָּׂאוּ: י וַיַּקְרִיבוּ הַנְּשִׂאִים אֵת חֲנֻכַּת הַמִּזְבֵּחַ
בְּיוֹם הִמָּשַׁח אֹתוֹ וַיַּקְרִיבוּ הַנְּשִׂיאִם אֶת־קָרְבָּנָם לִפְנֵי הַמִּזְבֵּחַ:

רש"י

(א) וַיְהִי בְּיוֹם כַּלּוֹת מֹשֶׁה. כלות [ס"א כלת] כתיב, יום הקמת המשכן היו ישראל ככלה הנכנסת לחופה (תנחומא כו): **כַּלּוֹת מֹשֶׁה.** בגלאל ואהליאב וכל חכם לב עשו את המשכן, ותלאו הכתוב במשה, לפי שמסר נפשו עליו לראות תבנית כל דבר ודבר כמו שהראהו בהר להורות לעושי המלאכה, ולא טעה בתבנית אחת. וכן מצינו בדוד, לפי שמסר נפשו על בנין בהמ"ק, שנאמר זְכוֹר ה' לְדָוִד אֵת כָּל עֻנּוֹתוֹ אֲשֶׁר נִשְׁבַּע לַה' וגו' (תהלים קלב:א-ב) לפיכך נקרא על שמו (תנחומא יג) שנאמר רְאֵה בֵיתְךָ דָּוִד (מלכים א יב:טז): **בְּיוֹם כַּלּוֹת מֹשֶׁה לְהָקִים.** ולא נאמר ביום הקים, מלמד שכל שבעת ימי המלואים היה משה מעמידו ומפרקו, ובאותו היום העמידו ולא פרקו, לכך נאמר ביום כלות משה להקים, אותו היום כלו הקמותיו, וראש חודש ניסן היה. בשני נשרפה הפרה, בשלישי הזו הזיה ראשונה ובשביעי גלחו (ספרי מד): **(ב) הֵם נְשִׂיאֵי הַמַּטֹּת.** שהיו שוטרים עליהם במצרים והיו מוכים עליהם, שנאמר וַיֻּכּוּ שֹׁטְרֵי בְּנֵי יִשְׂרָאֵל וגו' (שמות ה:יד; ספרי מה): **הֵם הָעֹמְדִים עַל הַפְּקֻדִים.** שעמדו עם משה ואהרן כשמנו את ישראל, שנאמר וְאִתְּכֶם יִהְיוּ וגו' (במדבר א:ד): **(ג) שֵׁשׁ עֶגְלֹת צָב.** אין צב אלא מחופים, וכן בַּצַּבִּים וּבַפְּרָדִים (ישעיהו סו:כ) עגלות מכוסות קרויות צבים (ספרי שם): **וַיַּקְרִיבוּ אוֹתָם לִפְנֵי הַמִּשְׁכָּן.** שלא קבל משה מידם עד שנאמר לו מפי המקום. אמר רבי נתן מה ראו הנשיאים להתנדב כאן בתחלה ובמלאכת המשכן לא התנדבו תחלה. אלא כך אמרו הנשיאים, יתנדבו צבור מה שיתנדבו ומה שמחסרין אנו משלימין. כיון שראו שהשלימו צבור את הכל, שנא' וְהַמְּלָאכָה הָיְתָה דַיָּם (שמות לו:ז) אמרו מעתה מה לנו לעשות הביאו את אבני השהם והמלואים לאפוד ולחשן. לכך התנדבו כאן תחלה (ספרי שם): **(ח) כְּפִי עֲבֹדָתָם.** שהיה משא בני גרשון קל משל מררי, שהיו נושאים הקרשים והעמודים והאדנים (במ"ר יב:יט): **(ט) כִּי עֲבֹדַת הַקֹּדֶשׁ עֲלֵהֶם.** משא דבר הקדושה הארון והשלחן וגו' (לעיל ג:לא) לפיכך **בַּכָּתֵף יִשָּׂאוּ: (י) וַיַּקְרִיבוּ הַנְּשִׂאִים אֵת חֲנֻכַּת הַמִּזְבֵּחַ.** לאחר שהתנדבו העגלות והבקר לשאת המשכן, נשאם לבם להתנדב קרבנות המזבח לחנכו (ספרי מז): **וַיַּקְרִיבוּ הַנְּשִׂיאִם אֶת קָרְבָּנָם לִפְנֵי הַמִּזְבֵּחַ.** כי לא קבל משה מידם עד שנאמר לו מפי הגבורה (שם):

יא וַיֹּאמֶר יְהוָה אֶל־מֹשֶׁה נָשִׂיא אֶחָד לַיּוֹם נָשִׂיא אֶחָד לַיּוֹם
יַקְרִיבוּ אֶת־קָרְבָּנָם לַחֲנֻכַּת הַמִּזְבֵּחַ:
לוי יב וַיְהִי הַמַּקְרִיב בַּיּוֹם הָרִאשׁוֹן אֶת־קָרְבָּנוֹ נַחְשׁוֹן בֶּן־עַמִּינָדָב
לְמַטֵּה יְהוּדָה: יג וְקָרְבָּנוֹ קַעֲרַת־כֶּסֶף אַחַת שְׁלֹשִׁים וּמֵאָה מִשְׁקָלָהּ
מִזְרָק אֶחָד כֶּסֶף שִׁבְעִים שֶׁקֶל בְּשֶׁקֶל הַקֹּדֶשׁ שְׁנֵיהֶם | מְלֵאִים
סֹלֶת בְּלוּלָה בַשֶּׁמֶן לְמִנְחָה: יד כַּף אַחַת עֲשָׂרָה זָהָב מְלֵאָה קְטֹרֶת:
ישראל טו פַּר אֶחָד בֶּן־בָּקָר אַיִל אֶחָד כֶּבֶשׂ־אֶחָד בֶּן־שְׁנָתוֹ לְעֹלָה:
טז שְׂעִיר־עִזִּים אֶחָד לְחַטָּאת: יז וּלְזֶבַח הַשְּׁלָמִים בָּקָר שְׁנַיִם אֵילִם
חֲמִשָּׁה עַתּוּדִים חֲמִשָּׁה כְּבָשִׂים בְּנֵי־שָׁנָה חֲמִשָּׁה זֶה קָרְבַּן נַחְשׁוֹן
בֶּן־עַמִּינָדָב:

ליום שני של חנוכה:

כהן יח בַּיּוֹם הַשֵּׁנִי הִקְרִיב נְתַנְאֵל בֶּן־צוּעָר נְשִׂיא יִשָּׂשכָר: יט הִקְרִב
אֶת־קָרְבָּנוֹ קַעֲרַת־כֶּסֶף אַחַת שְׁלֹשִׁים וּמֵאָה מִשְׁקָלָהּ מִזְרָק אֶחָד
כֶּסֶף שִׁבְעִים שֶׁקֶל בְּשֶׁקֶל הַקֹּדֶשׁ שְׁנֵיהֶם | מְלֵאִים סֹלֶת בְּלוּלָה

רש"י

(יא) יַקְרִיבוּ אֶת קָרְבָּנָם לַחֲנֻכַּת הַמִּזְבֵּחַ. ועדיין לא היה יודע משה היאך יקריבו אם כסדר תולדותם אם כסדר המסעות, עד שנא' לו מפי הקב"ה יקריבו למסעות איש יומו (שם): **(יב) בַּיּוֹם הָרִאשׁוֹן.** אותו היום נטל עשר עטרות. ראשון למעשה בראשית, ראשון לנשיאים וכו', כדאי' בסדר עולם (פרק ז): **לְמַטֵּה יְהוּדָה.** יחסו הכתוב על שבטו, ולא שגבה משבטו והקריב. או אינו אומר למטה יהודה אלא שגבה משבטו והביא, ת"ל זה קרבן נחשון, משלו הביא (ספרי מח): **(יג) שְׁנֵיהֶם מְלֵאִים סֹלֶת.** למנחת נדבה (שם מט): **(יד) עֲשָׂרָה זָהָב.** כתרגומו, משקל עשר שקלי הקדש היה בה (שם): **מְלֵאָה קְטֹרֶת.** לא מצינו קטרת ליחיד ולא על מזבח החיצון אלא זו בלבד, והוראת שעה היתה (מנחות נ:): **(טו) פַּר אֶחָד.** מיוחד שבעדרו (ספרי נ): **(טז) שְׂעִיר עִזִּים אֶחָד לְחַטָּאת.** לכפר על קבר התהום (שם נא) טומאת ספק: **(יח) הִקְרִיב נְתַנְאֵל בֶּן צוּעָר. (יט) הִקְרִב אֶת קָרְבָּנוֹ.** מה ת"ל הקריב בשבטו של יששכר מה שלא נאמר בכל השבטים, לפי שבא ראובן וערער ואמר אחר שקדמני יהודה אחי אקריב אני אחריו. אמר לו משה, מפי הגבורה נאמר לי שיקריבו כסדר מסען לדגליהם, לכך אמר הקרב את קרבנו והוא חסר יו"ד, שהוא משמע הקרב, לשון צווי, שמפי הגבורה נצטוה הקרב. ומהו הקריב הקרב שני פעמים, שבשביל שני דברים זכה להקריב שני לשבטים, אחת שהיו יודעים בתורה, שנאמר וּמִבְּנֵי יִשָּׂשכָר יוֹדְעֵי בִינָה לָעִתִּים (דברי הימים־א יב:לג) ואחת שהם נתנו עצה לנשיאים להתנדב קרבנות הללו, ויסודו של רבי משה הדרשן מצאתי, אמר רבי פנחס בן יאיר, נתנאל בן צוער השיאן עצה זו (ספרי נב): **קַעֲרַת כֶּסֶף.** מנין אותיותיו בגימטריא תתק"ל, כנגד שנותיו של אדם הראשון (במ"ר יד:יב): **שְׁלֹשִׁים וּמֵאָה מִשְׁקָלָהּ.** על שם שכשהעמיד תולדות לקיום העולם בן מאה ושלשים שנה היה שנאמר וַיְחִי אָדָם שְׁלֹשִׁים וּמְאַת שָׁנָה וַיּוֹלֶד בִּדְמוּתוֹ וגו' (בראשית ה:ג; במ"ר שם): **מִזְרָק אֶחָד כֶּסֶף.** בגימ' תק"כ, על שם נח שהעמיד תולדות בן ת"ק שנה, ועל שם עשרים שנה שנגזרה גזרת המבול קודם תולדותיו, כמו שפירשתי אצל וְהָיוּ יָמָיו מֵאָה וְעֶשְׂרִים שָׁנָה (בראשית ו:ג). ולפיכך נאמר מזרק אחד כסף ולא נאמר מזרק כסף אחד כמו שנאמר בקערה, לומר שאף אותיות של אחד מצטרפות למנין (במ"ר שם): **שִׁבְעִים שֶׁקֶל.** כנגד שבעים אומות שיצאו מבניו (שם):

בַּשֶּׁמֶן לְמִנְחָה: כ כַּף אַחַת עֲשָׂרָה זָהָב מְלֵאָה קְטֹרֶת:
לוי כא פַּר אֶחָד בֶּן־בָּקָר אַיִל אֶחָד כֶּבֶשׂ־אֶחָד בֶּן־שְׁנָתוֹ לְעֹלָה:
כב שְׂעִיר־עִזִּים אֶחָד לְחַטָּאת: כג וּלְזֶבַח הַשְּׁלָמִים בָּקָר שְׁנַיִם
אֵילִם חֲמִשָּׁה עַתֻּדִים חֲמִשָּׁה כְּבָשִׂים בְּנֵי־שָׁנָה חֲמִשָּׁה זֶה קָרְבַּן
נְתַנְאֵל בֶּן־צוּעָר:
ישראל כד בַּיּוֹם הַשְּׁלִישִׁי נָשִׂיא לִבְנֵי זְבוּלֻן אֱלִיאָב בֶּן־חֵלֹן: כה קָרְבָּנוֹ
קַעֲרַת־כֶּסֶף אַחַת שְׁלֹשִׁים וּמֵאָה מִשְׁקָלָהּ מִזְרָק אֶחָד כֶּסֶף
שִׁבְעִים שֶׁקֶל בְּשֶׁקֶל הַקֹּדֶשׁ שְׁנֵיהֶם | מְלֵאִים סֹלֶת בְּלוּלָה בַשֶּׁמֶן
לְמִנְחָה: כו כַּף אַחַת עֲשָׂרָה זָהָב מְלֵאָה קְטֹרֶת: כז פַּר אֶחָד בֶּן־
בָּקָר אַיִל אֶחָד כֶּבֶשׂ־אֶחָד בֶּן־שְׁנָתוֹ לְעֹלָה: כח שְׂעִיר־עִזִּים אֶחָד
לְחַטָּאת: כט וּלְזֶבַח הַשְּׁלָמִים בָּקָר שְׁנַיִם אֵילִם חֲמִשָּׁה עַתֻּדִים
חֲמִשָּׁה כְּבָשִׂים בְּנֵי־שָׁנָה חֲמִשָּׁה זֶה קָרְבַּן אֱלִיאָב בֶּן־חֵלֹן:

ליום שלישי של חנוכה:

כהן כד בַּיּוֹם הַשְּׁלִישִׁי נָשִׂיא לִבְנֵי זְבוּלֻן אֱלִיאָב בֶּן־חֵלֹן: כה קָרְבָּנוֹ
קַעֲרַת־כֶּסֶף אַחַת שְׁלֹשִׁים וּמֵאָה מִשְׁקָלָהּ מִזְרָק אֶחָד כֶּסֶף
שִׁבְעִים שֶׁקֶל בְּשֶׁקֶל הַקֹּדֶשׁ שְׁנֵיהֶם | מְלֵאִים סֹלֶת בְּלוּלָה בַשֶּׁמֶן
לְמִנְחָה: כו כַּף אַחַת עֲשָׂרָה זָהָב מְלֵאָה קְטֹרֶת:
לוי כז פַּר אֶחָד בֶּן־בָּקָר אַיִל אֶחָד כֶּבֶשׂ־אֶחָד בֶּן־שְׁנָתוֹ לְעֹלָה:

רש"י

(כ) כַּף אַחַת. כנגד התורה שנתנה מידו של הקב"ה (שם יג;טז): **עֲשָׂרָה זָהָב.** כנגד עשרת הדברות (שם): **מְלֵאָה קְטֹרֶת.** גימטריא של קטרת תרי"ג מצות, ובלבד שתחליף קו"ף בדל"ת על ידי א"ת ב"ש ג"ר ד"ק (שם): **(כא) פַּר אֶחָד.** כנגד אברהם שנאמר בו וַיִּקַּח בֶּן בָּקָר (בראשית יח:ז; במ"ר שם יד): **אַיִל אֶחָד.** כנגד יצחק וַיִּקַּח אֶת הָאַיִל וגו' (בראשית כב:יג; במ"ר שם): **כֶּבֶשׂ אֶחָד.** כנגד יעקב וְהַכְּשָׂבִים הִפְרִיד יַעֲקֹב (בראשית ל:מ; במ"ר שם): **(כב) שְׂעִיר עִזִּים.** לכפר על מכירת יוסף שנאמר בה וַיִּשְׁחֲטוּ שְׂעִיר עִזִּים (בראשית לז:לא; במ"ר שם): **(כג) וּלְזֶבַח הַשְּׁלָמִים בָּקָר שְׁנָיִם.** כנגד משה ואהרן שנתנו שלום בין ישראל לאביהם שבשמים (במ"ר שם כ): **אֵילִם עַתֻּדִים כְּבָשִׂים.** שלשה מינים, כנגד כהנים ולוים וישראלים וכנגד תורה נביאים וכתובים. שלש חמשיות, כנגד חמשה חומשין וחמשת הדברות הכתובין על לוח אחד וחמשה הכתובין על השני (שם יד:י). עד כאן מיסודו של רבי משה הדרשן: **(כד) בַּיּוֹם הַשְּׁלִישִׁי נָשִׂיא וגו'.** ביום השלישי היה הנשיא המקריב לבני זבולן, וכן כלם. אבל בנתנאל שנאמר בו הִקְרִב נְתַנְאֵל (לעיל פסוק יח) נופל אחריו הלשון לומר נשיא יששכר, לפי שכבר הזכיר שמו והקרבתו, ובשאר שלא נאמר בהן הקריב נופל עליהן לשון זה נשיא לבני פלוני, אותו היום היה הנשיא המקריב לשבט פלוני:

כח שְׂעִיר־עִזִּים אֶחָד לְחַטָּאת: כט וּלְזֶבַח הַשְּׁלָמִים בָּקָר שְׁנַיִם
אֵילִם חֲמִשָּׁה עַתֻּדִים חֲמִשָּׁה כְּבָשִׂים בְּנֵי־שָׁנָה חֲמִשָּׁה זֶה קָרְבַּן
אֱלִיאָב בֶּן־חֵלֹן:
ישראל ל בַּיּוֹם הָרְבִיעִי נָשִׂיא לִבְנֵי רְאוּבֵן אֱלִיצוּר בֶּן־שְׁדֵיאוּר:
לא קָרְבָּנוֹ קַעֲרַת־כֶּסֶף אַחַת שְׁלֹשִׁים וּמֵאָה מִשְׁקָלָהּ מִזְרָק אֶחָד
כֶּסֶף שִׁבְעִים שֶׁקֶל בְּשֶׁקֶל הַקֹּדֶשׁ שְׁנֵיהֶם | מְלֵאִים סֹלֶת בְּלוּלָה
בַשֶּׁמֶן לְמִנְחָה: לב כַּף אַחַת עֲשָׂרָה זָהָב מְלֵאָה קְטֹרֶת: לג פַּר
אֶחָד בֶּן־בָּקָר אַיִל אֶחָד כֶּבֶשׂ־אֶחָד בֶּן־שְׁנָתוֹ לְעֹלָה: לד שְׂעִיר־
עִזִּים אֶחָד לְחַטָּאת: לה וּלְזֶבַח הַשְּׁלָמִים בָּקָר שְׁנַיִם אֵילִם חֲמִשָּׁה
עַתֻּדִים חֲמִשָּׁה כְּבָשִׂים בְּנֵי־שָׁנָה חֲמִשָּׁה זֶה קָרְבַּן אֱלִיצוּר בֶּן־
שְׁדֵיאוּר:

ליום רביעי של חנוכה:

כהן ל בַּיּוֹם הָרְבִיעִי נָשִׂיא לִבְנֵי רְאוּבֵן אֱלִיצוּר בֶּן־שְׁדֵיאוּר:
לא קָרְבָּנוֹ קַעֲרַת־כֶּסֶף אַחַת שְׁלֹשִׁים וּמֵאָה מִשְׁקָלָהּ מִזְרָק אֶחָד
כֶּסֶף שִׁבְעִים שֶׁקֶל בְּשֶׁקֶל הַקֹּדֶשׁ שְׁנֵיהֶם | מְלֵאִים סֹלֶת בְּלוּלָה
בַשֶּׁמֶן לְמִנְחָה: לב כַּף אַחַת עֲשָׂרָה זָהָב מְלֵאָה קְטֹרֶת:
לוי לג פַּר אֶחָד בֶּן־בָּקָר אַיִל אֶחָד כֶּבֶשׂ־אֶחָד בֶּן־שְׁנָתוֹ לְעֹלָה:
לד שְׂעִיר־עִזִּים אֶחָד לְחַטָּאת: לה וּלְזֶבַח הַשְּׁלָמִים בָּקָר שְׁנַיִם
אֵילִם חֲמִשָּׁה עַתֻּדִים חֲמִשָּׁה כְּבָשִׂים בְּנֵי־שָׁנָה חֲמִשָּׁה זֶה קָרְבַּן
אֱלִיצוּר בֶּן־שְׁדֵיאוּר:
ישראל לו בַּיּוֹם הַחֲמִישִׁי נָשִׂיא לִבְנֵי שִׁמְעוֹן שְׁלֻמִיאֵל בֶּן־צוּרִישַׁדָּי:
לז קָרְבָּנוֹ קַעֲרַת־כֶּסֶף אַחַת שְׁלֹשִׁים וּמֵאָה מִשְׁקָלָהּ מִזְרָק אֶחָד
כֶּסֶף שִׁבְעִים שֶׁקֶל בְּשֶׁקֶל הַקֹּדֶשׁ שְׁנֵיהֶם | מְלֵאִים סֹלֶת בְּלוּלָה
בַשֶּׁמֶן לְמִנְחָה: לח כַּף אַחַת עֲשָׂרָה זָהָב מְלֵאָה קְטֹרֶת: לט פַּר
אֶחָד בֶּן־בָּקָר אַיִל אֶחָד כֶּבֶשׂ־אֶחָד בֶּן־שְׁנָתוֹ לְעֹלָה: מ שְׂעִיר־
עִזִּים אֶחָד לְחַטָּאת: מא וּלְזֶבַח הַשְּׁלָמִים בָּקָר שְׁנַיִם אֵילִם חֲמִשָּׁה

עַתֻּדִים חֲמִשָּׁה כְּבָשִׂים בְּנֵי־שָׁנָה חֲמִשָּׁה זֶה קָרְבַּן שְׁלֻמִיאֵל בֶּן־
צוּרִישַׁדָּי׃

ליום חמישי של חנוכה:

כהן לו בַּיּוֹם הַחֲמִישִׁי נָשִׂיא לִבְנֵי שִׁמְעוֹן שְׁלֻמִיאֵל בֶּן־צוּרִישַׁדָּי׃
לז קָרְבָּנוֹ קַעֲרַת־כֶּסֶף אַחַת שְׁלֹשִׁים וּמֵאָה מִשְׁקָלָהּ מִזְרָק
אֶחָד כֶּסֶף שִׁבְעִים שֶׁקֶל בְּשֶׁקֶל הַקֹּדֶשׁ שְׁנֵיהֶם | מְלֵאִים סֹלֶת
בְּלוּלָה בַשֶּׁמֶן לְמִנְחָה׃ לח כַּף אַחַת עֲשָׂרָה זָהָב מְלֵאָה קְטֹרֶת׃
לוי לט פַּר אֶחָד בֶּן־בָּקָר אַיִל אֶחָד כֶּבֶשׂ־אֶחָד בֶּן־שְׁנָתוֹ לְעֹלָה׃
מ שְׂעִיר־עִזִּים אֶחָד לְחַטָּאת׃ מא וּלְזֶבַח הַשְּׁלָמִים בָּקָר שְׁנַיִם
אֵילִם חֲמִשָּׁה עַתֻּדִים חֲמִשָּׁה כְּבָשִׂים בְּנֵי־שָׁנָה חֲמִשָּׁה זֶה קָרְבַּן
שְׁלֻמִיאֵל בֶּן־צוּרִישַׁדָּי׃
ישראל מב בַּיּוֹם הַשִּׁשִּׁי נָשִׂיא לִבְנֵי גָד אֶלְיָסָף בֶּן־דְּעוּאֵל׃ מג קָרְבָּנוֹ
קַעֲרַת־כֶּסֶף אַחַת שְׁלֹשִׁים וּמֵאָה מִשְׁקָלָהּ מִזְרָק אֶחָד כֶּסֶף
שִׁבְעִים שֶׁקֶל בְּשֶׁקֶל הַקֹּדֶשׁ שְׁנֵיהֶם | מְלֵאִים סֹלֶת בְּלוּלָה בַשֶּׁמֶן
לְמִנְחָה׃ מד כַּף אַחַת עֲשָׂרָה זָהָב מְלֵאָה קְטֹרֶת׃ מה פַּר אֶחָד בֶּן־
בָּקָר אַיִל אֶחָד כֶּבֶשׂ־אֶחָד בֶּן־שְׁנָתוֹ לְעֹלָה׃ מו שְׂעִיר־עִזִּים אֶחָד
לְחַטָּאת׃ מז וּלְזֶבַח הַשְּׁלָמִים בָּקָר שְׁנַיִם אֵילִם חֲמִשָּׁה עַתֻּדִים
חֲמִשָּׁה כְּבָשִׂים בְּנֵי־שָׁנָה חֲמִשָּׁה זֶה קָרְבַּן אֶלְיָסָף בֶּן־דְּעוּאֵל׃

ליום ששי של חנוכה:

(יום זה הוא תמיד ראש חודש טבת) מוציאים ב' ספרי תורה, בספר הראשון קוראים:

במדבר כח:א־טו

כהן [כח] א וַיְדַבֵּר יְהֹוָה אֶל־מֹשֶׁה לֵּאמֹר׃ ב צַו אֶת־בְּנֵי יִשְׂרָאֵל
וְאָמַרְתָּ אֲלֵהֶם אֶת־קָרְבָּנִי לַחְמִי לְאִשַּׁי רֵיחַ נִיחֹחִי תִּשְׁמְרוּ
לְהַקְרִיב לִי בְּמוֹעֲדוֹ׃ ג וְאָמַרְתָּ לָהֶם זֶה הָאִשֶּׁה אֲשֶׁר תַּקְרִיבוּ
לַיהֹוָה כְּבָשִׂים בְּנֵי־שָׁנָה תְמִימִם שְׁנַיִם לַיּוֹם עֹלָה תָמִיד׃ ד אֶת־

הַכֶּבֶשׂ אֶחָד תַּעֲשֶׂה בַבֹּקֶר וְאֵת הַכֶּבֶשׂ הַשֵּׁנִי תַּעֲשֶׂה בֵּין הָעַרְבָּיִם:
ה וַעֲשִׂירִית הָאֵיפָה סֹלֶת לְמִנְחָה בְּלוּלָה בְּשֶׁמֶן כָּתִית רְבִיעִת
הַהִין:
לוי ו עֹלַת תָּמִיד הָעֲשֻׂיָה בְּהַר סִינַי לְרֵיחַ נִיחֹחַ אִשֶּׁה לַיהוָה:
ז וְנִסְכּוֹ רְבִיעִת הַהִין לַכֶּבֶשׂ הָאֶחָד בַּקֹּדֶשׁ הַסֵּךְ נֶסֶךְ שֵׁכָר לַיהוָה:
ח וְאֵת הַכֶּבֶשׂ הַשֵּׁנִי תַּעֲשֶׂה בֵּין הָעַרְבָּיִם כְּמִנְחַת הַבֹּקֶר וּכְנִסְכּוֹ
תַּעֲשֶׂה אִשֵּׁה רֵיחַ נִיחֹחַ לַיהוָה: ט וּבְיוֹם הַשַּׁבָּת שְׁנֵי־כְבָשִׂים בְּנֵי־
שָׁנָה תְּמִימִם וּשְׁנֵי עֶשְׂרֹנִים סֹלֶת מִנְחָה בְּלוּלָה בַשֶּׁמֶן וְנִסְכּוֹ:
י עֹלַת שַׁבַּת בְּשַׁבַּתּוֹ עַל־עֹלַת הַתָּמִיד וְנִסְכָּהּ:
ישראל יא וּבְרָאשֵׁי חָדְשֵׁיכֶם תַּקְרִיבוּ עֹלָה לַיהוָה פָּרִים בְּנֵי־בָקָר
שְׁנַיִם וְאַיִל אֶחָד כְּבָשִׂים בְּנֵי־שָׁנָה שִׁבְעָה תְּמִימִם: יב וּשְׁלֹשָׁה
עֶשְׂרֹנִים סֹלֶת מִנְחָה בְּלוּלָה בַשֶּׁמֶן לַפָּר הָאֶחָד וּשְׁנֵי עֶשְׂרֹנִים
סֹלֶת מִנְחָה בְּלוּלָה בַשֶּׁמֶן לָאַיִל הָאֶחָד: יג וְעִשָּׂרֹן עִשָּׂרוֹן סֹלֶת
מִנְחָה בְּלוּלָה בַשֶּׁמֶן לַכֶּבֶשׂ הָאֶחָד עֹלָה רֵיחַ נִיחֹחַ אִשֶּׁה לַיהוָה:
יד וְנִסְכֵּיהֶם חֲצִי הַהִין יִהְיֶה לַפָּר וּשְׁלִישִׁת הַהִין לָאַיִל וּרְבִיעִת
הַהִין לַכֶּבֶשׂ יָיִן זֹאת עֹלַת חֹדֶשׁ בְּחָדְשׁוֹ לְחָדְשֵׁי הַשָּׁנָה: טו וּשְׂעִיר
עִזִּים אֶחָד לְחַטָּאת לַיהוָה עַל־עֹלַת הַתָּמִיד יֵעָשֶׂה וְנִסְכּוֹ:

בספר השני קוראים:

רביעי [ז] מב בַּיּוֹם הַשִּׁשִּׁי נָשִׂיא לִבְנֵי גָד אֶלְיָסָף בֶּן־דְּעוּאֵל: מג קָרְבָּנוֹ
קַעֲרַת־כֶּסֶף אַחַת שְׁלֹשִׁים וּמֵאָה מִשְׁקָלָהּ מִזְרָק אֶחָד כֶּסֶף
שִׁבְעִים שֶׁקֶל בְּשֶׁקֶל הַקֹּדֶשׁ שְׁנֵיהֶם | מְלֵאִים סֹלֶת בְּלוּלָה
בַשֶּׁמֶן לְמִנְחָה: מד כַּף אַחַת עֲשָׂרָה זָהָב מְלֵאָה קְטֹרֶת: מה פַּר
אֶחָד בֶּן־בָּקָר אַיִל אֶחָד כֶּבֶשׂ־אֶחָד בֶּן־שְׁנָתוֹ לְעֹלָה: מו שְׂעִיר־
עִזִּים אֶחָד לְחַטָּאת: מז וּלְזֶבַח הַשְּׁלָמִים בָּקָר שְׁנַיִם אֵילִם חֲמִשָּׁה
עַתֻּדִים חֲמִשָּׁה כְּבָשִׂים בְּנֵי־שָׁנָה חֲמִשָּׁה זֶה קָרְבַּן אֶלְיָסָף
בֶּן־דְּעוּאֵל:

ליום שביעי של חנוכה (כשחל בראש חודש)

מוציאים ב׳ ספרי תורה, בספר הראשון קוראים:

כהן [כח] א וַיְדַבֵּר יְהוָה אֶל־מֹשֶׁה לֵּאמֹר: ב צַו אֶת־בְּנֵי יִשְׂרָאֵל
וְאָמַרְתָּ אֲלֵהֶם אֶת־קָרְבָּנִי לַחְמִי לְאִשַּׁי רֵיחַ נִיחֹחִי תִּשְׁמְרוּ
לְהַקְרִיב לִי בְּמוֹעֲדוֹ: ג וְאָמַרְתָּ לָהֶם זֶה הָאִשֶּׁה אֲשֶׁר תַּקְרִיבוּ
לַיהוָה כְּבָשִׂים בְּנֵי־שָׁנָה תְמִימִם שְׁנַיִם לַיּוֹם עֹלָה תָמִיד:
ד אֶת־הַכֶּבֶשׂ אֶחָד תַּעֲשֶׂה בַבֹּקֶר וְאֵת הַכֶּבֶשׂ הַשֵּׁנִי תַּעֲשֶׂה
בֵּין הָעַרְבָּיִם: ה וַעֲשִׂירִית הָאֵיפָה סֹלֶת לְמִנְחָה בְּלוּלָה בְּשֶׁמֶן
כָּתִית רְבִיעִת הַהִין:

לוי ו עֹלַת תָּמִיד הָעֲשֻׂיָה בְּהַר סִינַי לְרֵיחַ נִיחֹחַ אִשֶּׁה לַיהוָה:
ז וְנִסְכּוֹ רְבִיעִת הַהִין לַכֶּבֶשׂ הָאֶחָד בַּקֹּדֶשׁ הַסֵּךְ נֶסֶךְ שֵׁכָר לַיהוָה:
ח וְאֵת הַכֶּבֶשׂ הַשֵּׁנִי תַּעֲשֶׂה בֵּין הָעַרְבָּיִם כְּמִנְחַת הַבֹּקֶר וּכְנִסְכּוֹ
תַּעֲשֶׂה אִשֵּׁה רֵיחַ נִיחֹחַ לַיהוָה: ט וּבְיוֹם הַשַּׁבָּת שְׁנֵי־כְבָשִׂים בְּנֵי־
שָׁנָה תְּמִימִם וּשְׁנֵי עֶשְׂרֹנִים סֹלֶת מִנְחָה בְּלוּלָה בַשֶּׁמֶן וְנִסְכּוֹ:
י עֹלַת שַׁבַּת בְּשַׁבַּתּוֹ עַל־עֹלַת הַתָּמִיד וְנִסְכָּהּ:

ישראל יא וּבְרָאשֵׁי חָדְשֵׁיכֶם תַּקְרִיבוּ עֹלָה לַיהוָה פָּרִים בְּנֵי־בָקָר
שְׁנַיִם וְאַיִל אֶחָד כְּבָשִׂים בְּנֵי־שָׁנָה שִׁבְעָה תְּמִימִם: יב וּשְׁלֹשָׁה
עֶשְׂרֹנִים סֹלֶת מִנְחָה בְּלוּלָה בַשֶּׁמֶן לַפָּר הָאֶחָד וּשְׁנֵי עֶשְׂרֹנִים
סֹלֶת מִנְחָה בְּלוּלָה בַשֶּׁמֶן לָאַיִל הָאֶחָד: יג וְעִשָּׂרֹן עִשָּׂרוֹן סֹלֶת
מִנְחָה בְּלוּלָה בַשֶּׁמֶן לַכֶּבֶשׂ הָאֶחָד עֹלָה רֵיחַ נִיחֹחַ אִשֶּׁה לַיהוָה:
יד וְנִסְכֵּיהֶם חֲצִי הַהִין יִהְיֶה לַפָּר וּשְׁלִישִׁת הַהִין לָאַיִל וּרְבִיעִת
הַהִין לַכֶּבֶשׂ יָיִן זֹאת עֹלַת חֹדֶשׁ בְּחָדְשׁוֹ לְחָדְשֵׁי הַשָּׁנָה: טו וּשְׂעִיר
עִזִּים אֶחָד לְחַטָּאת לַיהוָה עַל־עֹלַת הַתָּמִיד יֵעָשֶׂה וְנִסְכּוֹ:

בספר השני קוראים:

רביעי [ז] מח בַּיּוֹם הַשְּׁבִיעִי נָשִׂיא לִבְנֵי אֶפְרָיִם אֱלִישָׁמָע בֶּן־עַמִּיהוּד:
מט קָרְבָּנוֹ קַעֲרַת־כֶּסֶף אַחַת שְׁלֹשִׁים וּמֵאָה מִשְׁקָלָהּ מִזְרָק אֶחָד

כֶּסֶף שִׁבְעִים שֶׁקֶל בְּשֶׁקֶל הַקֹּדֶשׁ שְׁנֵיהֶם | מְלֵאִים סֹלֶת בְּלוּלָה
בַשֶּׁמֶן לְמִנְחָה׃ נ כַּף אַחַת עֲשָׂרָה זָהָב מְלֵאָה קְטֹרֶת׃ נא פַּר
אֶחָד בֶּן־בָּקָר אַיִל אֶחָד כֶּבֶשׂ־אֶחָד בֶּן־שְׁנָתוֹ לְעֹלָה׃ נב שְׂעִיר־
עִזִּים אֶחָד לְחַטָּאת׃ נג וּלְזֶבַח הַשְּׁלָמִים בָּקָר שְׁנַיִם אֵילִם חֲמִשָּׁה
עַתֻּדִים חֲמִשָּׁה כְּבָשִׂים בְּנֵי־שָׁנָה חֲמִשָּׁה זֶה קָרְבַּן אֱלִישָׁמָע בֶּן־
עַמִּיהוּד׃

ליום שביעי של חנוכה (כשאינו חל בראש חודש)

כהן מח בַּיּוֹם הַשְּׁבִיעִי נָשִׂיא לִבְנֵי אֶפְרָיִם אֱלִישָׁמָע בֶּן־עַמִּיהוּד׃
מט קָרְבָּנוֹ קַעֲרַת־כֶּסֶף אַחַת שְׁלֹשִׁים וּמֵאָה מִשְׁקָלָהּ מִזְרָק אֶחָד
כֶּסֶף שִׁבְעִים שֶׁקֶל בְּשֶׁקֶל הַקֹּדֶשׁ שְׁנֵיהֶם | מְלֵאִים סֹלֶת בְּלוּלָה
בַשֶּׁמֶן לְמִנְחָה׃ נ כַּף אַחַת עֲשָׂרָה זָהָב מְלֵאָה קְטֹרֶת׃
לוי נא פַּר אֶחָד בֶּן־בָּקָר אַיִל אֶחָד כֶּבֶשׂ־אֶחָד בֶּן־שְׁנָתוֹ לְעֹלָה׃
נב שְׂעִיר־עִזִּים אֶחָד לְחַטָּאת׃ נג וּלְזֶבַח הַשְּׁלָמִים בָּקָר שְׁנַיִם
אֵילִם חֲמִשָּׁה עַתֻּדִים חֲמִשָּׁה כְּבָשִׂים בְּנֵי־שָׁנָה חֲמִשָּׁה זֶה קָרְבַּן
אֱלִישָׁמָע בֶּן־עַמִּיהוּד׃
ישראל נד בַּיּוֹם הַשְּׁמִינִי נָשִׂיא לִבְנֵי מְנַשֶּׁה גַּמְלִיאֵל בֶּן־פְּדָהצוּר׃
נה קָרְבָּנוֹ קַעֲרַת־כֶּסֶף אַחַת שְׁלֹשִׁים וּמֵאָה מִשְׁקָלָהּ מִזְרָק אֶחָד
כֶּסֶף שִׁבְעִים שֶׁקֶל בְּשֶׁקֶל הַקֹּדֶשׁ שְׁנֵיהֶם | מְלֵאִים סֹלֶת בְּלוּלָה
בַשֶּׁמֶן לְמִנְחָה׃ נו כַּף אַחַת עֲשָׂרָה זָהָב מְלֵאָה קְטֹרֶת׃ נז פַּר אֶחָד
בֶּן־בָּקָר אַיִל אֶחָד כֶּבֶשׂ־אֶחָד בֶּן־שְׁנָתוֹ לְעֹלָה׃ נח שְׂעִיר־עִזִּים אֶחָד
לְחַטָּאת׃ נט וּלְזֶבַח הַשְּׁלָמִים בָּקָר שְׁנַיִם אֵילִם חֲמִשָּׁה עַתֻּדִים
חֲמִשָּׁה כְּבָשִׂים בְּנֵי־שָׁנָה חֲמִשָּׁה זֶה קָרְבַּן גַּמְלִיאֵל בֶּן־פְּדָהצוּר׃

ליום שמיני של חנוכה

כהן נד בַּיּוֹם הַשְּׁמִינִי נָשִׂיא לִבְנֵי מְנַשֶּׁה גַּמְלִיאֵל בֶּן־פְּדָהצוּר׃
נה קָרְבָּנוֹ קַעֲרַת־כֶּסֶף אַחַת שְׁלֹשִׁים וּמֵאָה מִשְׁקָלָהּ מִזְרָק אֶחָד

כֶּסֶף שִׁבְעִים שֶׁקֶל בְּשֶׁקֶל הַקֹּדֶשׁ שְׁנֵיהֶם | מְלֵאִים סֹלֶת בְּלוּלָה
בַשֶּׁמֶן לְמִנְחָה: נו כַּף אַחַת עֲשָׂרָה זָהָב מְלֵאָה קְטֹרֶת:
לוי נז פַּר אֶחָד בֶּן־בָּקָר אַיִל אֶחָד כֶּבֶשׂ־אֶחָד בֶּן־שְׁנָתוֹ לְעֹלָה:
נח שְׂעִיר־עִזִּים אֶחָד לְחַטָּאת: נט וּלְזֶבַח הַשְּׁלָמִים בָּקָר שְׁנַיִם אֵילִם
חֲמִשָּׁה עַתֻּדִים חֲמִשָּׁה כְּבָשִׂים בְּנֵי־שָׁנָה חֲמִשָּׁה זֶה קָרְבַּן גַּמְלִיאֵל
בֶּן־פְּדָהצוּר:

ישראל ס בַּיּוֹם הַתְּשִׁיעִי נָשִׂיא לִבְנֵי בִנְיָמִן אֲבִידָן בֶּן־גִּדְעֹנִי:
סא קָרְבָּנוֹ קַעֲרַת־כֶּסֶף אַחַת שְׁלֹשִׁים וּמֵאָה מִשְׁקָלָהּ מִזְרָק אֶחָד
כֶּסֶף שִׁבְעִים שֶׁקֶל בְּשֶׁקֶל הַקֹּדֶשׁ שְׁנֵיהֶם | מְלֵאִים סֹלֶת בְּלוּלָה
בַשֶּׁמֶן לְמִנְחָה: סב כַּף אַחַת עֲשָׂרָה זָהָב מְלֵאָה קְטֹרֶת: סג פַּר אֶחָד
בֶּן־בָּקָר אַיִל אֶחָד כֶּבֶשׂ־אֶחָד בֶּן־שְׁנָתוֹ לְעֹלָה: סד שְׂעִיר־עִזִּים אֶחָד
לְחַטָּאת: סה וּלְזֶבַח הַשְּׁלָמִים בָּקָר שְׁנַיִם אֵילִם חֲמִשָּׁה עַתֻּדִים
חֲמִשָּׁה כְּבָשִׂים בְּנֵי־שָׁנָה חֲמִשָּׁה זֶה קָרְבַּן אֲבִידָן בֶּן־גִּדְעֹנִי: סו בַּיּוֹם
הָעֲשִׂירִי נָשִׂיא לִבְנֵי דָן אֲחִיעֶזֶר בֶּן־עַמִּישַׁדָּי: סז קָרְבָּנוֹ קַעֲרַת־
כֶּסֶף אַחַת שְׁלֹשִׁים וּמֵאָה מִשְׁקָלָהּ מִזְרָק אֶחָד כֶּסֶף שִׁבְעִים שֶׁקֶל
בְּשֶׁקֶל הַקֹּדֶשׁ שְׁנֵיהֶם | מְלֵאִים סֹלֶת בְּלוּלָה בַשֶּׁמֶן לְמִנְחָה: סח כַּף
אַחַת עֲשָׂרָה זָהָב מְלֵאָה קְטֹרֶת: סט פַּר אֶחָד בֶּן־בָּקָר אַיִל אֶחָד
כֶּבֶשׂ־אֶחָד בֶּן־שְׁנָתוֹ לְעֹלָה: ע שְׂעִיר־עִזִּים אֶחָד לְחַטָּאת: עא וּלְזֶבַח
הַשְּׁלָמִים בָּקָר שְׁנַיִם אֵילִם חֲמִשָּׁה עַתֻּדִים חֲמִשָּׁה כְּבָשִׂים בְּנֵי־
שָׁנָה חֲמִשָּׁה זֶה קָרְבַּן אֲחִיעֶזֶר בֶּן־עַמִּישַׁדָּי: עב בְּיוֹם עַשְׁתֵּי עָשָׂר
יוֹם נָשִׂיא לִבְנֵי אָשֵׁר פַּגְעִיאֵל בֶּן־עָכְרָן: עג קָרְבָּנוֹ קַעֲרַת־כֶּסֶף אַחַת
שְׁלֹשִׁים וּמֵאָה מִשְׁקָלָהּ מִזְרָק אֶחָד כֶּסֶף שִׁבְעִים שֶׁקֶל בְּשֶׁקֶל
הַקֹּדֶשׁ שְׁנֵיהֶם | מְלֵאִים סֹלֶת בְּלוּלָה בַשֶּׁמֶן לְמִנְחָה: עד כַּף אַחַת
עֲשָׂרָה זָהָב מְלֵאָה קְטֹרֶת: עה פַּר אֶחָד בֶּן־בָּקָר אַיִל אֶחָד כֶּבֶשׂ־
אֶחָד בֶּן־שְׁנָתוֹ לְעֹלָה: עו שְׂעִיר־עִזִּים אֶחָד לְחַטָּאת: עז וּלְזֶבַח
הַשְּׁלָמִים בָּקָר שְׁנַיִם אֵילִם חֲמִשָּׁה עַתֻּדִים חֲמִשָּׁה כְּבָשִׂים בְּנֵי־

שָׁנָה חֲמִשָּׁה זֶה קָרְבַּן פַּגְעִיאֵל בֶּן־עָכְרָן: עח בְּיוֹם שְׁנֵים עָשָׂר יוֹם
נָשִׂיא לִבְנֵי נַפְתָּלִי אֲחִירַע בֶּן־עֵינָן: עט קָרְבָּנוֹ קַעֲרַת־כֶּסֶף אַחַת
שְׁלֹשִׁים וּמֵאָה מִשְׁקָלָהּ מִזְרָק אֶחָד כֶּסֶף שִׁבְעִים שֶׁקֶל בְּשֶׁקֶל
הַקֹּדֶשׁ שְׁנֵיהֶם | מְלֵאִים סֹלֶת בְּלוּלָה בַשֶּׁמֶן לְמִנְחָה: פ כַּף אַחַת
עֲשָׂרָה זָהָב מְלֵאָה קְטֹרֶת: פא פַּר אֶחָד בֶּן־בָּקָר אַיִל אֶחָד כֶּבֶשׂ־
אֶחָד בֶּן־שְׁנָתוֹ לְעֹלָה: פב שְׂעִיר־עִזִּים אֶחָד לְחַטָּאת: פג וּלְזֶבַח
הַשְּׁלָמִים בָּקָר שְׁנַיִם אֵילִם חֲמִשָּׁה עַתֻּדִים חֲמִשָּׁה כְּבָשִׂים בְּנֵי־
שָׁנָה חֲמִשָּׁה זֶה קָרְבַּן אֲחִירַע בֶּן־עֵינָן: פד זֹאת | חֲנֻכַּת הַמִּזְבֵּחַ
בְּיוֹם הִמָּשַׁח אֹתוֹ מֵאֵת נְשִׂיאֵי יִשְׂרָאֵל קַעֲרֹת כֶּסֶף שְׁתֵּים עֶשְׂרֵה
מִזְרְקֵי־כֶסֶף שְׁנֵים עָשָׂר כַּפּוֹת זָהָב שְׁתֵּים עֶשְׂרֵה: פה שְׁלֹשִׁים וּמֵאָה
הַקְּעָרָה הָאַחַת כֶּסֶף וְשִׁבְעִים הַמִּזְרָק הָאֶחָד כֹּל כֶּסֶף הַכֵּלִים
אַלְפַּיִם וְאַרְבַּע־מֵאוֹת בְּשֶׁקֶל הַקֹּדֶשׁ: פו כַּפּוֹת זָהָב שְׁתֵּים־עֶשְׂרֵה
מְלֵאֹת קְטֹרֶת עֲשָׂרָה עֲשָׂרָה הַכַּף בְּשֶׁקֶל הַקֹּדֶשׁ כָּל־זְהַב הַכַּפּוֹת
עֶשְׂרִים וּמֵאָה: פז כָּל־הַבָּקָר לָעֹלָה שְׁנֵים עָשָׂר פָּרִים אֵילִם שְׁנֵים־
עָשָׂר כְּבָשִׂים בְּנֵי־שָׁנָה שְׁנֵים עָשָׂר וּמִנְחָתָם וּשְׂעִירֵי עִזִּים שְׁנֵים
עָשָׂר לְחַטָּאת: פח וְכֹל בְּקַר | זֶבַח הַשְּׁלָמִים עֶשְׂרִים וְאַרְבָּעָה
פָּרִים אֵילִם שִׁשִּׁים עַתֻּדִים שִׁשִּׁים כְּבָשִׂים בְּנֵי־שָׁנָה שִׁשִּׁים זֹאת
חֲנֻכַּת הַמִּזְבֵּחַ אַחֲרֵי הִמָּשַׁח אֹתוֹ: פט וּבְבֹא מֹשֶׁה אֶל־אֹהֶל מוֹעֵד
לְדַבֵּר אִתּוֹ וַיִּשְׁמַע אֶת־הַקּוֹל מִדַּבֵּר אֵלָיו מֵעַל הַכַּפֹּרֶת אֲשֶׁר

רש"י

(פד) בְּיוֹם הִמָּשַׁח אֹתוֹ. בו ביום שנמשח הקריב, ומה אני מקיים אַחֲרֵי הִמָּשַׁח (להלן פסוק פח) שנמשח תחלה ואחר כך הקריב. או אחרי המשח לאחר זמן, ולא בא ללמד ביום המשח אלא לומר שנמשח ביום. כשהוא אומר בְּיוֹם מָשְׁחוֹ (אותו) [אֹתָם] (ויקרא ז:לו) למדנו שנמשח ביום, ומה ת"ל ביום המשח אותו, ביום שנמשח הקריב (ספרי נג): **קַעֲרֹת כֶּסֶף שְׁתֵּים עֶשְׂרֵה.** הם הם שהתנדבו ולא אירע בהם פסול (שם): **(פה) שְׁלֹשִׁים וּמֵאָה הַקְּעָרָה הָאַחַת וגו'.** מה ת"ל, לפי שנאמר שלשים ומאה משקלה ולא פירש באיזו שקל, לכך חזר ושנאה כאן וכלל בכולן כל כסף הכלים בשקל הקדש (שם נד): **כֹּל כֶּסֶף הַכֵּלִים וגו'.** למדך שהיו כלי המקדש מכוונים במשקלן, שוקלן אחד אחד ושוקלן כולן כאחד לא ריבה ולא מיעט (שם): **(פו) כַּפּוֹת זָהָב שְׁתֵּים עֶשְׂרֵה.** למה נאמר, לפי שנאמר כף אחת עשרה זהב, היא של זהב ומשקלה עשרה שקלים של כסף. או אינו אלא כף אחת של כסף ומשקלה עשרה שקלי זהב, ושקלי זהב אין משקלם שוה לשל כסף, ת"ל כפות זהב, של זהב היו (שם נה): **(פט) וּבְבֹא מֹשֶׁה.** שני כתובים המכחישים זה את זה בא שלישי והכריע ביניהם. כתוב אחד אומר וַיְדַבֵּר ה' אֵלָיו מֵאֹהֶל מוֹעֵד, והוא חוץ לפרכת, וכתוב אחד אומר וְדִבַּרְתִּי אִתְּךָ מֵעַל הַכַּפֹּרֶת, בא זה והכריע ביניהם. משה בא אל אהל מועד, ושם שומע את הקול הבא מעל

עַל־אֲרֹן הָעֵדֻת מִבֵּין שְׁנֵי הַכְּרֻבִים וַיְדַבֵּר אֵלָיו׃ [ח] א וַיְדַבֵּר יְהוָה
אֶל־מֹשֶׁה לֵּאמֹר׃ ב דַּבֵּר אֶל־אַהֲרֹן וְאָמַרְתָּ אֵלָיו בְּהַעֲלֹתְךָ אֶת־
הַנֵּרֹת אֶל־מוּל פְּנֵי הַמְּנוֹרָה יָאִירוּ שִׁבְעַת הַנֵּרוֹת׃ ג וַיַּעַשׂ כֵּן אַהֲרֹן
אֶל־מוּל פְּנֵי הַמְּנוֹרָה הֶעֱלָה נֵרֹתֶיהָ כַּאֲשֶׁר צִוָּה יְהוָה אֶת־מֹשֶׁה׃
ד וְזֶה מַעֲשֵׂה הַמְּנֹרָה מִקְשָׁה זָהָב עַד־יְרֵכָהּ עַד־פִּרְחָהּ מִקְשָׁה
הִוא כַּמַּרְאֶה אֲשֶׁר הֶרְאָה יְהוָה אֶת־מֹשֶׁה כֵּן עָשָׂה אֶת־הַמְּנֹרָה׃

מפטיר לשבת [ראשונה של] חנוכה

בשבת חנוכה קוראים למפטיר פסוקי חנוכת המזבח בפרשת נשא המקביל לאותו יום בחנוכה, כפי המפורט לפנינו.

אם חל גם ראש חודש טבת בשבת זו, קוראים אז לשביעי את קריאת המפטיר לשבת ראש חודש, עמוד 432.

ליום ראשון (שבת ראשונה של חנוכה)

יש מתחילים את המפטיר כאן ויש מתחילים לקמן (ז:א)

[ו] כב וַיְדַבֵּר יְהוָה אֶל־מֹשֶׁה לֵּאמֹר׃ כג דַּבֵּר אֶל־אַהֲרֹן וְאֶל־בָּנָיו
לֵאמֹר כֹּה תְבָרְכוּ אֶת־בְּנֵי יִשְׂרָאֵל אָמוֹר לָהֶם׃ כד יְבָרֶכְךָ יְהוָה

רש"י

הכפרת מבין שני הכרובים, הקול יוצא מן השמים לבין שני הכרובים ומשם יצא לאהל מועד (שם נח): **מִדַּבֵּר.** כמו מתדבר, כבודו של מעלה לומר כן, מדבר בינו לבין עצמו ומשה שומע מאליו: **וַיְדַבֵּר אֵלָיו.** למעט את אהרן מן הדברות (שם): **וַיִּשְׁמַע אֶת הַקּוֹל.** יכול קול נמוך, ת"ל את הקול, הוא הקול שנדבר עמו בסיני (שם) וכשמגיע לפתח היה נפסק ולא היה יוצא חוץ לאהל (ת"כ נדבה פרק ב:י): **(ב) [בְּהַעֲלֹתְךָ.** למה נסמכה פרשת המנורה לפרשת הנשיאים. לפי שכשראה אהרן חנוכת הנשיאים חלשה [אז] דעתו, שלא היה עמהם בחנוכה לא הוא ולא שבטו. אמר לו הקב"ה, חייך, שלך גדולה משלהם שאתה מדליק ומטיב את הנרות (תנחומא ה):] **בְּהַעֲלֹתְךָ.** על שם שהלהב עולה כתוב בהדלקתן לשון עלייה, שצריך להדליק עד שתהא השלהבת עולה מאליה (שבת כא.) ועוד דרשו רבותינו מכאן שמעלה היתה לפני המנורה שעליה הכהן עומד ומטיב (ספרי ס; מנחות כט.): **אֶל מוּל פְּנֵי הַמְּנוֹרָה.** אל מול נר האמצעי שאינו בקנים אלא בגוף של מנורה (ספרי נט; מנחות לח:): **יָאִירוּ שִׁבְעַת הַנֵּרוֹת.** ששה שעל ששת הקנים, שלשה המזרחיים פונים למול האמצעי הפתילות שבהן, וכן שלשה המערביים ראשי הפתילות למול האמצעי (ספרי שם) ולמה, כדי שלא יאמרו לאורה הוא צריך (תנחומא שם): **(ג) וַיַּעַשׂ כֵּן אַהֲרֹן.** להגיד שבחו של אהרן שלא שינה (ספרי ס): **(ד) וְזֶה מַעֲשֵׂה הַמְּנֹרָה.** שהראהו הקב"ה באצבע לפי שנתקשה בה, לכך נאמר וזה (שם סא; מנחות כט.): **מִקְשָׁה.** בטדי"ן בלע"ז, לשון דָּא לְדָא נָקְשָׁן (דניאל ה:ו). עשת של ככר זהב היתה, ומקיש בקורנס וחותך בכשיל לפשט איבריה כתקונן, ולא נעשית איברים איברים על ידי חבור (ספרי שם; מנחות כח.): **עַד יְרֵכָהּ עַד פִּרְחָהּ.** ירכה היא השידה שעל הרגלים, חלול, כדרך מנורות כסף שלפני השרים: **עַד יְרֵכָהּ עַד פִּרְחָהּ.** כלומר גופה של מנורה כולה וכל התלוי בה: **עַד יְרֵכָהּ.** שהוא אבר גדול: **עַד פִּרְחָהּ.** שהוא מעשה דק שבה, הכל מקשה (ספרי שם). ודרך עד לשמש בלשון זה, כמו מִגָּדִישׁ וְעַד קָמָה וְעַד כֶּרֶם זָיִת (שופטים טו:ה): **כַּמַּרְאֶה אֲשֶׁר הֶרְאָה וגו'.** כתבנית אשר הראהו בהר כמו שנאמר וּרְאֵה וַעֲשֵׂה בְּתַבְנִיתָם וגו' (שמות כה:מ; ספרי שם): **כֵּן עָשָׂה אֶת הַמְּנֹרָה.** מי שעשאה. ומדרש אגדה על ידי הקב"ה נעשית מאליה (תנחומא ג):

וְיִשְׁמְרֶךָ׃ כה יָאֵר יְהוָה | פָּנָיו אֵלֶיךָ וִיחֻנֶּךָּ׃ כו יִשָּׂא יְהוָה | פָּנָיו אֵלֶיךָ
וְיָשֵׂם לְךָ שָׁלוֹם׃ כז וְשָׂמוּ אֶת־שְׁמִי עַל־בְּנֵי יִשְׂרָאֵל וַאֲנִי אֲבָרְכֵם׃

ויש מתחילים כאן:

[ז] א וַיְהִי בְּיוֹם כַּלּוֹת מֹשֶׁה לְהָקִים אֶת־הַמִּשְׁכָּן וַיִּמְשַׁח אֹתוֹ
וַיְקַדֵּשׁ אֹתוֹ וְאֶת־כָּל־כֵּלָיו וְאֶת־הַמִּזְבֵּחַ וְאֶת־כָּל־כֵּלָיו וַיִּמְשָׁחֵם
וַיְקַדֵּשׁ אֹתָם׃ ב וַיַּקְרִיבוּ נְשִׂיאֵי יִשְׂרָאֵל רָאשֵׁי בֵּית אֲבֹתָם הֵם
נְשִׂיאֵי הַמַּטֹּת הֵם הָעֹמְדִים עַל־הַפְּקֻדִים׃ ג וַיָּבִיאוּ אֶת־קָרְבָּנָם
לִפְנֵי יְהוָה שֵׁשׁ־עֶגְלֹת צָב וּשְׁנֵי עָשָׂר בָּקָר עֲגָלָה עַל־שְׁנֵי הַנְּשִׂאִים
וְשׁוֹר לְאֶחָד וַיַּקְרִיבוּ אוֹתָם לִפְנֵי הַמִּשְׁכָּן׃ ד וַיֹּאמֶר יְהוָה אֶל־
מֹשֶׁה לֵּאמֹר׃ ה קַח מֵאִתָּם וְהָיוּ לַעֲבֹד אֶת־עֲבֹדַת אֹהֶל מוֹעֵד
וְנָתַתָּה אוֹתָם אֶל־הַלְוִיִּם אִישׁ כְּפִי עֲבֹדָתוֹ׃ ו וַיִּקַּח מֹשֶׁה אֶת־
הָעֲגָלֹת וְאֶת־הַבָּקָר וַיִּתֵּן אוֹתָם אֶל־הַלְוִיִּם׃ ז אֵת | שְׁתֵּי הָעֲגָלוֹת
וְאֵת אַרְבַּעַת הַבָּקָר נָתַן לִבְנֵי גֵרְשׁוֹן כְּפִי עֲבֹדָתָם׃ ח וְאֵת | אַרְבַּע
הָעֲגָלֹת וְאֵת שְׁמֹנַת הַבָּקָר נָתַן לִבְנֵי מְרָרִי כְּפִי עֲבֹדָתָם בְּיַד
אִיתָמָר בֶּן־אַהֲרֹן הַכֹּהֵן׃ ט וְלִבְנֵי קְהָת לֹא נָתָן כִּי־עֲבֹדַת הַקֹּדֶשׁ
עֲלֵהֶם בַּכָּתֵף יִשָּׂאוּ׃ י וַיַּקְרִיבוּ הַנְּשִׂאִים אֵת חֲנֻכַּת הַמִּזְבֵּחַ בְּיוֹם
הִמָּשַׁח אֹתוֹ וַיַּקְרִיבוּ הַנְּשִׂיאִם אֶת־קָרְבָּנָם לִפְנֵי הַמִּזְבֵּחַ׃ יא וַיֹּאמֶר
יְהוָה אֶל־מֹשֶׁה נָשִׂיא אֶחָד לַיּוֹם נָשִׂיא אֶחָד לַיּוֹם יַקְרִיבוּ אֶת־
קָרְבָּנָם לַחֲנֻכַּת הַמִּזְבֵּחַ׃ יב וַיְהִי הַמַּקְרִיב בַּיּוֹם הָרִאשׁוֹן אֶת־
קָרְבָּנוֹ נַחְשׁוֹן בֶּן־עַמִּינָדָב לְמַטֵּה יְהוּדָה׃ יג וְקָרְבָּנוֹ קַעֲרַת־כֶּסֶף
אַחַת שְׁלֹשִׁים וּמֵאָה מִשְׁקָלָהּ מִזְרָק אֶחָד כֶּסֶף שִׁבְעִים שֶׁקֶל
בְּשֶׁקֶל הַקֹּדֶשׁ שְׁנֵיהֶם | מְלֵאִים סֹלֶת בְּלוּלָה בַשֶּׁמֶן לְמִנְחָה׃
יד כַּף אַחַת עֲשָׂרָה זָהָב מְלֵאָה קְטֹרֶת׃ טו פַּר אֶחָד בֶּן־בָּקָר אַיִל
אֶחָד כֶּבֶשׂ־אֶחָד בֶּן־שְׁנָתוֹ לְעֹלָה׃ טז שְׂעִיר־עִזִּים אֶחָד לְחַטָּאת׃
יז וּלְזֶבַח הַשְּׁלָמִים בָּקָר שְׁנַיִם אֵילִם חֲמִשָּׁה עַתֻּדִים חֲמִשָּׁה
כְּבָשִׂים בְּנֵי־שָׁנָה חֲמִשָּׁה זֶה קָרְבַּן נַחְשׁוֹן בֶּן־עַמִּינָדָב׃

ליום שני של חנוכה

יח בַּיּוֹם֙ הַשֵּׁנִ֔י הִקְרִ֖יב נְתַנְאֵ֣ל בֶּן־צוּעָ֑ר נְשִׂ֖יא יִשָּׂשכָֽר׃ יט הִקְרִ֨ב
אֶת־קָרְבָּנ֜וֹ קַֽעֲרַת־כֶּ֣סֶף אַחַ֗ת שְׁלֹשִׁ֣ים וּמֵאָה֮ מִשְׁקָלָהּ֒ מִזְרָ֣ק אֶחָד֙
כֶּ֔סֶף שִׁבְעִ֥ים שֶׁ֖קֶל בְּשֶׁ֣קֶל הַקֹּ֑דֶשׁ שְׁנֵיהֶ֣ם ׀ מְלֵאִ֗ים סֹ֛לֶת בְּלוּלָ֥ה
בַשֶּׁ֖מֶן לְמִנְחָֽה׃ כ כַּ֥ף אַחַ֛ת עֲשָׂרָ֥ה זָהָ֖ב מְלֵאָ֥ה קְטֹֽרֶת׃ כא פַּ֣ר אֶחָ֞ד
בֶּן־בָּקָ֗ר אַ֧יִל אֶחָ֛ד כֶּֽבֶשׂ־אֶחָ֥ד בֶּן־שְׁנָת֖וֹ לְעֹלָֽה׃ כב שְׂעִיר־עִזִּ֥ים אֶחָ֖ד
לְחַטָּֽאת׃ כג וּלְזֶ֣בַח הַשְּׁלָמִים֮ בָּקָ֣ר שְׁנַ֒יִם֒ אֵילִ֤ם חֲמִשָּׁה֙ עַתֻּדִ֣ים
חֲמִשָּׁ֔ה כְּבָשִׂ֥ים בְּנֵֽי־שָׁנָ֖ה חֲמִשָּׁ֑ה זֶ֛ה קָרְבַּ֥ן נְתַנְאֵ֖ל בֶּן־צוּעָֽר׃

ליום שלישי של חנוכה

כד בַּיּוֹם֙ הַשְּׁלִישִׁ֔י נָשִׂ֖יא לִבְנֵ֣י זְבוּלֻ֑ן אֱלִיאָ֖ב בֶּן־חֵלֹֽן׃ כה קָרְבָּנ֞וֹ
קַֽעֲרַת־כֶּ֣סֶף אַחַ֗ת שְׁלֹשִׁ֣ים וּמֵאָה֮ מִשְׁקָלָהּ֒ מִזְרָ֣ק אֶחָד֙ כֶּ֔סֶף
שִׁבְעִ֥ים שֶׁ֖קֶל בְּשֶׁ֣קֶל הַקֹּ֑דֶשׁ שְׁנֵיהֶ֣ם ׀ מְלֵאִ֗ים סֹ֛לֶת בְּלוּלָ֥ה בַשֶּׁ֖מֶן
לְמִנְחָֽה׃ כו כַּ֥ף אַחַ֛ת עֲשָׂרָ֥ה זָהָ֖ב מְלֵאָ֥ה קְטֹֽרֶת׃ כז פַּ֣ר אֶחָ֞ד בֶּן־
בָּקָ֗ר אַ֧יִל אֶחָ֛ד כֶּֽבֶשׂ־אֶחָ֥ד בֶּן־שְׁנָת֖וֹ לְעֹלָֽה׃ כח שְׂעִיר־עִזִּ֥ים אֶחָ֖ד
לְחַטָּֽאת׃ כט וּלְזֶ֣בַח הַשְּׁלָמִים֮ בָּקָ֣ר שְׁנַ֒יִם֒ אֵילִ֤ם חֲמִשָּׁה֙ עַתֻּדִ֣ים
חֲמִשָּׁ֔ה כְּבָשִׂ֥ים בְּנֵֽי־שָׁנָ֖ה חֲמִשָּׁ֑ה זֶ֛ה קָרְבַּ֥ן אֱלִיאָ֖ב בֶּן־חֵלֹֽן׃

ליום רביעי של חנוכה

ל בַּיּוֹם֙ הָֽרְבִיעִ֔י נָשִׂ֖יא לִבְנֵ֣י רְאוּבֵ֑ן אֱלִיצ֖וּר בֶּן־שְׁדֵיאֽוּר׃ לא קָרְבָּנ֞וֹ
קַֽעֲרַת־כֶּ֣סֶף אַחַ֗ת שְׁלֹשִׁ֣ים וּמֵאָה֮ מִשְׁקָלָהּ֒ מִזְרָ֣ק אֶחָד֙ כֶּ֔סֶף
שִׁבְעִ֥ים שֶׁ֖קֶל בְּשֶׁ֣קֶל הַקֹּ֑דֶשׁ שְׁנֵיהֶ֣ם ׀ מְלֵאִ֗ים סֹ֛לֶת בְּלוּלָ֥ה בַשֶּׁ֖מֶן
לְמִנְחָֽה׃ לב כַּ֥ף אַחַ֛ת עֲשָׂרָ֥ה זָהָ֖ב מְלֵאָ֥ה קְטֹֽרֶת׃ לג פַּ֣ר אֶחָ֞ד בֶּן־
בָּקָ֗ר אַ֧יִל אֶחָ֛ד כֶּֽבֶשׂ־אֶחָ֥ד בֶּן־שְׁנָת֖וֹ לְעֹלָֽה׃ לד שְׂעִיר־עִזִּ֥ים אֶחָ֖ד
לְחַטָּֽאת׃ לה וּלְזֶ֣בַח הַשְּׁלָמִים֮ בָּקָ֣ר שְׁנַ֒יִם֒ אֵילִ֤ם חֲמִשָּׁה֙ עַתֻּדִ֣ים
חֲמִשָּׁ֔ה כְּבָשִׂ֥ים בְּנֵֽי־שָׁנָ֖ה חֲמִשָּׁ֑ה זֶ֛ה קָרְבַּ֥ן אֱלִיצ֖וּר בֶּן־שְׁדֵיאֽוּר׃

ליום ששי של חנוכה

יום זה הוא תמיד ראש חודש טבת. מוציאים שלשה ספרי תורה.
באחד קוראים ו׳ עליות בפרשת השבוע. בספר השני קוראים לשביעי פרשת ראש חודש:

[כח] ט וּבְיוֹם֙ הַשַּׁבָּ֔ת שְׁנֵֽי־כְבָשִׂ֥ים בְּנֵֽי־שָׁנָ֖ה תְּמִימִ֑ם וּשְׁנֵ֣י עֶשְׂרֹנִ֗ים
סֹ֧לֶת מִנְחָ֛ה בְּלוּלָ֥ה בַשֶּׁ֖מֶן וְנִסְכּֽוֹ: י עֹלַ֥ת שַׁבַּ֖ת בְּשַׁבַּתּ֑וֹ עַל־
עֹלַ֥ת הַתָּמִ֖יד וְנִסְכָּֽהּ: יא וּבְרָאשֵׁי֙ חָדְשֵׁיכֶ֔ם תַּקְרִ֥יבוּ עֹלָ֖ה לַֽיהוָ֑ה
פָּרִ֨ים בְּנֵֽי־בָקָ֤ר שְׁנַ֙יִם֙ וְאַ֣יִל אֶחָ֔ד כְּבָשִׂ֧ים בְּנֵֽי־שָׁנָ֛ה שִׁבְעָ֖ה
תְּמִימִֽם: יב וּשְׁלֹשָׁ֣ה עֶשְׂרֹנִ֗ים סֹ֤לֶת מִנְחָה֙ בְּלוּלָ֣ה בַשֶּׁ֔מֶן לַפָּ֖ר
הָאֶחָ֑ד וּשְׁנֵ֣י עֶשְׂרֹנִ֗ים סֹ֤לֶת מִנְחָה֙ בְּלוּלָ֣ה בַשֶּׁ֔מֶן לָאַ֖יִל הָאֶחָֽד:
יג וְעִשָּׂרֹ֣ן עִשָּׂר֗וֹן סֹ֤לֶת מִנְחָה֙ בְּלוּלָ֣ה בַשֶּׁ֔מֶן לַכֶּ֖בֶשׂ הָאֶחָ֑ד
עֹלָה֙ רֵ֣יחַ נִיחֹ֔חַ אִשֶּׁ֖ה לַֽיהוָֽה: יד וְנִסְכֵּיהֶ֗ם חֲצִ֣י הַהִין֩ יִהְיֶ֨ה
לַפָּ֜ר וּשְׁלִישִׁ֧ת הַהִ֣ין לָאַ֗יִל וּרְבִיעִ֥ת הַהִ֛ין לַכֶּ֖בֶשׂ יָ֑יִן זֹ֣את עֹלַ֥ת
חֹ֙דֶשׁ֙ בְּחָדְשׁ֔וֹ לְחָדְשֵׁ֖י הַשָּׁנָֽה: טו וּשְׂעִ֨יר עִזִּ֥ים אֶחָ֛ד לְחַטָּ֖את
לַֽיהוָ֑ה עַל־עֹלַ֥ת הַתָּמִ֛יד יֵעָשֶׂ֖ה וְנִסְכּֽוֹ:

בספר השלישי קוראים מפטיר:

מב בַּיּוֹם֙ הַשִּׁשִּׁ֔י נָשִׂ֖יא לִבְנֵ֣י גָ֑ד אֶלְיָסָ֖ף בֶּן־דְּעוּאֵֽל: מג קָרְבָּנ֞וֹ קַֽעֲרַת־
כֶּ֣סֶף אַחַ֗ת שְׁלֹשִׁ֣ים וּמֵאָה֮ מִשְׁקָלָהּ֒ מִזְרָ֤ק אֶחָד֙ כֶּ֔סֶף שִׁבְעִ֥ים שֶׁ֖קֶל
בְּשֶׁ֣קֶל הַקֹּ֑דֶשׁ שְׁנֵיהֶ֣ם ׀ מְלֵאִ֗ים סֹ֛לֶת בְּלוּלָ֥ה בַשֶּׁ֖מֶן לְמִנְחָֽה:
מד כַּ֥ף אַחַ֛ת עֲשָׂרָ֥ה זָהָ֖ב מְלֵאָ֥ה קְטֹֽרֶת: מה פַּ֣ר אֶחָ֞ד בֶּן־בָּקָ֗ר אַ֧יִל
אֶחָ֛ד כֶּֽבֶשׂ־אֶחָ֥ד בֶּן־שְׁנָת֖וֹ לְעֹלָֽה: מו שְׂעִיר־עִזִּ֥ים אֶחָ֖ד לְחַטָּֽאת:
מז וּלְזֶ֣בַח הַשְּׁלָמִים֮ בָּקָ֣ר שְׁנַ֒יִם֒ אֵילִ֤ם חֲמִשָּׁה֙ עַתֻּדִ֣ים חֲמִשָּׁ֔ה
כְּבָשִׂ֥ים בְּנֵֽי־שָׁנָ֖ה חֲמִשָּׁ֑ה זֶ֛ה קָרְבַּ֥ן אֶלְיָסָ֖ף בֶּן־דְּעוּאֵֽל:

ליום שביעי של חנוכה

מח בַּיּוֹם֙ הַשְּׁבִיעִ֔י נָשִׂ֖יא לִבְנֵ֣י אֶפְרָ֑יִם אֱלִישָׁמָ֖ע בֶּן־עַמִּיהֽוּד:
מט קָרְבָּנ֞וֹ קַֽעֲרַת־כֶּ֣סֶף אַחַ֗ת שְׁלֹשִׁ֣ים וּמֵאָה֮ מִשְׁקָלָהּ֒ מִזְרָ֤ק אֶחָד֙
כֶּ֔סֶף שִׁבְעִ֥ים שֶׁ֖קֶל בְּשֶׁ֣קֶל הַקֹּ֑דֶשׁ שְׁנֵיהֶ֣ם ׀ מְלֵאִ֗ים סֹ֛לֶת בְּלוּלָ֥ה

בַּשֶּׁמֶן לְמִנְחָה: נ כַּף אַחַת עֲשָׂרָה זָהָב מְלֵאָה קְטֹרֶת: נא פַּר אֶחָד
בֶּן־בָּקָר אַיִל אֶחָד כֶּבֶשׂ־אֶחָד בֶּן־שְׁנָתוֹ לְעֹלָה: נב שְׂעִיר־עִזִּים אֶחָד
לְחַטָּאת: נג וּלְזֶבַח הַשְּׁלָמִים בָּקָר שְׁנַיִם אֵילִם חֲמִשָּׁה עַתֻּדִים
חֲמִשָּׁה כְּבָשִׂים בְּנֵי־שָׁנָה חֲמִשָּׁה זֶה קָרְבַּן אֱלִישָׁמָע בֶּן־עַמִּיהוּד:

[מפטיר ליום שמיני (שבת שניה של חנוכה) ראה להלן לאחר ההפטרה לשבת ראשונה של חנוכה]

הפטרה לשבת [ראשונה של] חנוכה

כאשר יש רק שבת אחת בחנוכה, מפטירים הפטרה זו.

כאשר יש שתי שבתות, מפטירים הפטרה זו בשבת הראשונה, ובשבת שניה מפטירים הפטרת "ויעש חירום" עמוד 460.

זכריה ב:יד — ד:ז

הפטרת חנוכה עוסקת בחנוכת המנורה של בית המקדש השני. בתקופה זו כיהן יהושע בן יהוצדק ככהן גדול; זרובבל בן שאלתיאל, נצר מדוד המלך, שימש כמנהיגם של בני ישראל; וזכריה היה הנביא. נבואה זו מתחילה במה שיקרה בימות המשיח כאשר ישרה ה' שכינתו בין בני ישראל, וכולם יכירו שהם העם הנבחר על ידי ה', ואז תשוב המלוכה לשבט יהודה.

אחר כך פונה הנביא ליהושע הכהן הגדול, ומוסר לו את מה שראה במחזה הנבואה שקיטרג עליו השטן על שנשאו בניו נשים שאינן הגונות לכהונה (סנהדרין צג, א), ולכן היה לבוש "בְּגָדִים צוֹאִים" שהם רמז על מה שלא מיחה בבניו. אולם, הקב"ה עומד לצדו להגן עליו וכועס על השטן המקטרג, ואומר: "הֲלוֹא זֶה [יהושע] אוּד מֻצָּל מֵאֵשׁ [עץ שאחזה בו האש קצת — מלבי"ם]"; שהיה שקוע בלהב הגלות וצרותיה (ראה סנהדרין שם), ולכן אי אפשר לדונו לחובה על העבר. לאחר מכן אומר המלאך העומד לפני יהושע שיסירו המלאכים את בגדיו המלוכלכים ויחליפום בבגדים חדשים, רמז לבניו שייבדלו מן הנשים האסורות להם. גם הנביא מצווה ש"יָשִׂימוּ צָנִיף טָהוֹר עַל רֹאשׁוֹ", כדי לחנכו בכהונה גדולה (רד"ק).

הנביא זכריה מזהירו שילך בדרכי ה' וישגיח על עבודת בית המקדש, ואז לא תופסק הכהונה מבניו, ויזכה להיות מן ה"מַהְלְכִים בֵּין הָעֹמְדִים הָאֵלֶּה", כלומר, להתעלות למדרגה גבוהה אפילו בין המלאכים הנחשבים כ"עומדים" תמיד במדרגה אחת, בגלל שאין להם בחירה. אחר כך מייחד הנביא את דיבורו גם לחביריו: חנניה, מישאל ועזריה, כי גם הם נחשבים "אַנְשֵׁי מוֹפֵת" [שניצולו מכבשן האש כמו יהושע, כמו שמסופר בסנהדרין שם], ומבשרם: "הִנְנִי מֵבִיא אֶת עַבְדִּי צֶמַח", היינו זרובבל שיצמח לגדולה, ויבנה את העיר ירושלים ובית המקדש (רש"י).

בסיום ההפטרה רואה זכריה במראה הנבואה מנורה של זהב וספל של שמן על ראשה. שבעה נרות יש למנורה, ולכל נר שבעה צינורות (רש"י לפסוק ב) שמתוכם זורם השמן לנרות מאליו, ובשני צדי המנורה עומדים שני אילני זית שמהם נדרך השמן בלי סיוע מאדם. הרמז בזה הוא, שכשם שהזיתים נתלשו ונדרכו מעצמן בלי טורח, כך יכנעו האומות לזרובבל על פי ה' ולא בגלל חילו וכוחו, וכמו שאמר: "זֶה דְּבַר ה' אֶל זְרֻבָּבֶל לֵאמֹר, לֹא בְחַיִל וְלֹא בְכֹחַ כִּי אִם בְּרוּחִי אָמַר ה' צְבָאוֹת" (רש"י ורד"ק).

הפטרה זו נקבעה לשבת חנוכה [ונקראת אפילו כאשר ראש חודש חל בה], לא רק בגלל המחזה על המנורה, אלא משום שגם הנצחון של חנוכה היה על ידי קבוצה קטנה של חשמונאים שבטחו בה', לא בכחם ובחילם, ולכן נצחו את היוונים החזקים והחזירו את הכבוד הראוי לבית המקדש, וכמו שאנו אומרים בתפלת "על הנסים", שמסר ה': "גִּבּוֹרִים בְּיַד חַלָּשִׁים, וְרַבִּים בְּיַד מְעַטִּים, וּטְמֵאִים בְּיַד טְהוֹרִים, וּרְשָׁעִים בְּיַד צַדִּיקִים. וְזֵדִים בְּיַד עוֹסְקֵי תוֹרָתֶךָ".

[ב] יד רָנִּי וְשִׂמְחִי בַּת־צִיּוֹן כִּי הִנְנִי־בָא וְשָׁכַנְתִּי בְתוֹכֵךְ נְאֻם־
יהוה: טו וְנִלְווּ גוֹיִם רַבִּים אֶל־יהוה בַּיּוֹם הַהוּא וְהָיוּ לִי לְעָם
וְשָׁכַנְתִּי בְתוֹכֵךְ וְיָדַעַתְּ כִּי־יהוה צְבָאוֹת שְׁלָחַנִי אֵלָיִךְ: טז וְנָחַל
יהוה אֶת־יְהוּדָה חֶלְקוֹ עַל אַדְמַת הַקֹּדֶשׁ וּבָחַר עוֹד בִּירוּשָׁלָםִ:
יז הַס כָּל־בָּשָׂר מִפְּנֵי יהוה כִּי נֵעוֹר מִמְּעוֹן קָדְשׁוֹ: [ג] א וַיַּרְאֵנִי
אֶת־יְהוֹשֻׁעַ הַכֹּהֵן הַגָּדוֹל עֹמֵד לִפְנֵי מַלְאַךְ יהוה וְהַשָּׂטָן עֹמֵד
עַל־יְמִינוֹ לְשִׂטְנוֹ: ב וַיֹּאמֶר יהוה אֶל־הַשָּׂטָן יִגְעַר יהוה בְּךָ הַשָּׂטָן
וְיִגְעַר יהוה בְּךָ הַבֹּחֵר בִּירוּשָׁלָםִ הֲלוֹא זֶה אוּד מֻצָּל מֵאֵשׁ:
ג וִיהוֹשֻׁעַ הָיָה לָבֻשׁ בְּגָדִים צוֹאִים וְעֹמֵד לִפְנֵי הַמַּלְאָךְ: ד וַיַּעַן

רש"י

(טו) ונלוו. ונתחברו: **(טז) ונחל ה' את יהודה.** לנחלתו ולחלקו: **(יז) הס כל בשר.** כל אחר העכו"ם: **כי נעור.** לשון הערה והקלה: **(א) לשטנו.** להשטינו על שהיו בניו נשואות נשים נכריות, כמו שכתוב בספר עזרא (י, יח) וַיִּמָּצֵא מִבְּנֵי הַכֹּהֲנִים אֲשֶׁר הֹשִׁיבוּ נָשִׁים נָכְרִיּוֹת מִבְּנֵי יֵשׁוּעַ בֶּן יוֹצָדָק: **(ב) יגער ה' בך השטן.** יגער הקדוש ברוך הוא בך אתה השטן, וחוזר ואומר ויגער ה' בך הוא הבוחר בירושלים; שלא תכנס לפניו לקטרג על הצדיק הזה, הלא ראוי הוא וזכה לכך שהוצל מאש השריפה: **הלא זה אוד מוצל מאש.** מפורש באגדת חלק (דף צג, א) שהושלך עם אחאב בן קוליה וצדקיהו לאור: **(ג) לבוש בגדים צואים.** כתרגומו: הֲוָה לֵיהּ בְּנִין דִּנְסִבוּ לְהוֹן נְשִׁין דְּלָא כַשְׁרִין לִכְהוּנְתָּא, והיה נענש הוא על שלא מיחה בידם:

מצודת דוד

(יד) כי הנני בא. אבוא אל ירושלים ואשכון בתוכך: **(טו) ונלוו.** אז יתחברו עכו"ם רבים אל ה' ויהיו לו לעם להאמין בו, ועם כל זאת אשכון בתוכך ולא בתוך העכו"ם הרבים: **וידעת.** אז בהשכינו את שכינתו לבד בתוכך תדע אשר ה' שלחני אליך, רצונו לומר עיקר ייעוד הסיבה נאמר עליך: **(טז) ונחל ה'.** המקום ינחל את יהודה כמאז להיות חלקו לעולם על אדמת הקודש ולא יגלו עוד ממנה: **ובחר עוד ירושלים.** להשכין שם שכינתו כמאז: **(יז) הס כל בשר.** שתקו כל הבבליים מפחד ה', ולא תוסיפו עוד להרחיב פה על ישראל: **כי נעור.** כי אז יעור ממעון קדשו השמים לרדת לעשות נקם בהבבליים, כי עד הנה החריש להבבליים כאלו היה ישן, אבל אז כאלו יעיר משנתו: **(א) ויראני.** במראה הנבואה: **על ימינו.** על ימין יהושע: **לשטנו.** לקטרג עליו על מה שלא מיחה בבניו שנשאו נשים נכריות, כמו שכתב בספר וַיִּמָּצֵא מִבְּנֵי הַכֹּהֲנִים אֲשֶׁר הֹשִׁיבוּ נָשִׁים וגו' מִבְּנֵי יֵשׁוּעַ בֶּן יוֹצָדָק (עזרא י, יח) כן אמרו רבותינו זכרונם לברכה: **(ב) ויאמר ה'.** רצונו לומר מלאך ה': **יגער וגו' ויגער.** רצונו לומר יגער ויחזור ויגער: **הבוחר בירושלים.** מוסב על ה' לומר: ה' הבוחר בירושלים יגער בך: **הלא זה.** רצונו לומר: איך תקטרג עליו, הלא הוא כאוד המוצל מאש, כי הושלך באש על ידי נבוכדנצר עם אחאב וצדקיהו נביאי השקר, וניצל מן השריפה, כמו שכתב חכמינו זכרונם לברכה; ואם כן זכותו רב ואיך תקטרג עליו: **(ג) ויהושע וגו' ועומד וגו'.** רצונו לומר: בשעה שעמד לפני המלאך היה עדיין לבוש בגדים מלוכלכים;

מצודת ציון

(טו) ונלוו. ענין התחברות, כמו וְנִלְוָה הַגֵּר (ישעיה יד, א): **(יז) הס.** ענין שתיקה, כמו וַיַּהַס כָּלֵב (במדבר יג, ל): **כל בשר.** כל אדם: **נעור.** מלשון הערה והקיצה, כמו אֲשֶׁר־יֵעוֹר מִשְּׁנָתוֹ (לקמן ד, א): **ממעון.** ענין מדור, כמו ה' מעון מָעוֹן אַתָּה הָיִיתָ לָּנוּ (תהלים צ, א): **(א) השטן.** מלאך מקטרג: **לשטנו.** ענין קטרוג, וכן כָּתְבוּ שִׂטְנָה (עזרא ד, ו): **(ב) יגער.** ענין צעקה נזיפה: **אוד.** הוא העץ שמנדנדים בו האש, כמו כְּאוּד מֻצָּל מִשְּׂרֵפָה (עמוס ד, יא): **(ג) צואים.** רצונו לומר: מלוכלכים, ולפי שהצואה הוא לכלוך קורא לבגדים מלוכלכים בגדים צואים:

וַיֹּאמֶר אֶל־הָעֹמְדִים לְפָנָיו לֵאמֹר הָסִירוּ הַבְּגָדִים הַצֹּאִים מֵעָלָיו
וַיֹּאמֶר אֵלָיו רְאֵה הֶעֱבַרְתִּי מֵעָלֶיךָ עֲוֺנֶךָ וְהַלְבֵּשׁ אֹתְךָ מַחֲלָצוֹת:
ה וָאֹמַר יָשִׂימוּ צָנִיף טָהוֹר עַל־רֹאשׁוֹ וַיָּשִׂימוּ הַצָּנִיף הַטָּהוֹר עַל־
רֹאשׁוֹ וַיַּלְבִּשֻׁהוּ בְּגָדִים וּמַלְאַךְ יְהֹוָה עֹמֵד: ו וַיָּעַד מַלְאַךְ יְהֹוָה
בִּיהוֹשֻׁעַ לֵאמֹר: ז כֹּה־אָמַר יְהֹוָה צְבָאוֹת אִם־בִּדְרָכַי תֵּלֵךְ וְאִם
אֶת־מִשְׁמַרְתִּי תִשְׁמֹר וְגַם־אַתָּה תָּדִין אֶת־בֵּיתִי וְגַם תִּשְׁמֹר אֶת־
חֲצֵרָי וְנָתַתִּי לְךָ מַהְלְכִים בֵּין הָעֹמְדִים הָאֵלֶּה: ח שְׁמַע־נָא יְהוֹשֻׁעַ ׀
הַכֹּהֵן הַגָּדוֹל אַתָּה וְרֵעֶיךָ הַיֹּשְׁבִים לְפָנֶיךָ כִּי־אַנְשֵׁי מוֹפֵת הֵמָּה

רש"י

(ד) הסירו הבגדים הצואים מעליו. יבדילו בניו את נשותיהם וימחול לו: **מחלצות.** חליפות בגדים נאים, כלומר זכיות, אבל לפי שדימה העון לבגדים צואים, דימה הזכיות למחלצות בגדים נאים ולבנים: **(ה) ואומר.** אני זכריה: **ישימו צניף טהור וגו'.** בקשתי רחמים עליו: **(ו) ויעד.** לשון התראה כמו (דברים ל, כח) וְאָעִידָה בָּם אֶת־הַשָּׁמַיִם וגו': **(ז) אם בדרכי תלך.** וגם אני זאת אעשה לך: **אתה תדין את ביתי.** תשפוט ותהיה פקיד על בית מקדשי: **ונתתי לך מהלכים.** כתרגומו: וּבְאַחְיוּת מֵיתַיָּא אֲחַיֵּיךְ וְאֶתֵּן לָךְ רַגְלִין דִּמְהַלְּכִין בֵּין שְׂרָפַיָּא הָאִלֵּין. ולפי פשוט, מבשרו על בניו שיזכו לעתיד: **העומדים.** שרפים ומלאכי השרת שאין להם ישיבה: **(ח) אתה ורעיך.** חנניה מישאל ועזריה היו: **אנשי מופת.** גֻּבְרִין כָּשְׁרִין לְמֶעְבַּד לְהוֹן נִיסִין, שאף להם נעשה נס:

מצודת דוד

רצונו לומר, עדיין היה מלובש בזה העון, כי עוד ישבו הנשים הנכריות תחת בניו ולא גרשו אותן, והוא לא מיחה בהם: **(ד) ויען ויאמר.** המלאך שעמד יהושע לפניו אמר אל המלאכים העומדים לפניו: הסירו מיהושע הבגדים המלוכלכים, רצונו לומר: הפרישו את בניו מנשותיהם הנכריות למען יוסר העון מיהושע: **ויאמר אליו.** המלאך אמר ליהושע: **ראה העברתי.** במה שצויתי להפריש בניך מהנכריות העברתי מעליך העון שהיה בך מה שלא מחית בהם: **והלבש.** צויתי להלביש אותך: **מחלצות.** רצונו לומר: כשיוסר העון יגולה הזכות: **(ה) ואומר.** זה מאמר זכריה, שאמר: התפללתי עליו שישימו על ראשו צניף טהור; רצונו לומר: שיהיה כתר כהונה גדולה לירושה לזרעו אחריו הואיל ופרשו מן העכו"ם: **וישימו וגו'.** רצונו לומר: נתקבלה תפילתו ומיד נתנו לו לרשת כתר כהונה גדולה: **וילבישהו בגדים.** רצונו לומר, היה נגלה זכיותיו: **ומלאך ה' עומד.** בכל משך הזמן שנעשה כל זה: **(ו) ויעד.** אחר כל המעשים התרה המלאך ביהושע: **(ז) אם בדרכי תלך.** רצונו לומר: אם זרעך ילכו בדרכי. ואמר, כמדבר עליו, כי זרע האדם יחשב כמוהו, וכן אֶקָּחֵךְ זְרֻבָּבֶל (חגי ב, כג): **ואם את משמרתי תשמור.** רצונו לומר: אם ישמרו הדברים שצויתי לשמרם, וכפל הדבר במילים שונות: **וגם אתה תדין.** רצונו לומר: גם זרעך כמוך יהיו כהן גדול ופקידים עד עולם לדון את ביתי, ועל פי יעשה כל צרכי הבית: **וגם תשמור.** רצונו לומר: בידם יהיו שמירות חצרי, וכפל הדבר במילים שונות: **ונתתי לך מהלכים.** רצונו לומר: ומלבד זאת לא יקופח שכרם בעולם הנשמות, כי אתן להם מהלכים וטיולים בין המלאכים האלה העומדים פה, כמו שכתב למעלה. ויאמר אל העומדים לפניו: **(ח) אתה ורעיך.** גם אתה שמע, גם רעיך ישמעו, והם חנניה מישאל ועזריה; כי גם המה אנשי מופת כי נצולו מכבשן האש כמוך, ומהראוי לייחד הדבור גם להם:

מצודת ציון

(ד) ויען. ענין הרמת קול, כמו וְעָנִיתָ וְאָמַרְתָּ (דברים כו, ה): **מחלצות.** כן יקראו מין מלבושים נאים, וכן הַמַּחֲלָצוֹת וְהַמַּעֲטָפוֹת (ישעיה ג, כב): **(ה) צניף.** מלשון מצנפת העשוי לסבב את הראש: **טהור.** רצונו לומר: ברור ונקי: **(ו) ויעד.** ענין התראה, כי רוב המתרים מתרים בעדים למען לא יכחש לאחר זמן: **(ז) תדין.** מלשון דין, והוא ענין היישרת הדבר: **מהלכים.** מלשון הלוך וטיול: **(ח) מופת.** ענין נס ואות:

כִּי־הִנְנִי מֵבִיא אֶת־עַבְדִּי צֶמַח: ט כִּי | הִנֵּה הָאֶבֶן אֲשֶׁר נָתַתִּי לִפְנֵי
יְהוֹשֻׁעַ עַל־אֶבֶן אַחַת שִׁבְעָה עֵינָיִם הִנְנִי מְפַתֵּחַ פִּתֻּחָהּ נְאֻם
יְהוָה צְבָאוֹת וּמַשְׁתִּי אֶת־עֲוֹן הָאָרֶץ־הַהִיא בְּיוֹם אֶחָד: י בַּיּוֹם
הַהוּא נְאֻם יְהוָה צְבָאוֹת תִּקְרְאוּ אִישׁ לְרֵעֵהוּ אֶל־תַּחַת גֶּפֶן
וְאֶל־תַּחַת תְּאֵנָה: [ד] א וַיָּשָׁב הַמַּלְאָךְ הַדֹּבֵר בִּי וַיְעִירֵנִי כְּאִישׁ
אֲשֶׁר־יֵעוֹר מִשְּׁנָתוֹ: ב וַיֹּאמֶר אֵלַי מָה אַתָּה רֹאֶה וָאֹמַר [ויאמר כ׳]
רָאִיתִי וְהִנֵּה מְנוֹרַת זָהָב כֻּלָּהּ וְגֻלָּהּ עַל־רֹאשָׁהּ וְשִׁבְעָה נֵרֹתֶיהָ
עָלֶיהָ שִׁבְעָה וְשִׁבְעָה מוּצָקוֹת לַנֵּרוֹת אֲשֶׁר עַל־רֹאשָׁהּ: ג וּשְׁנַיִם

רש״י

כי הנני מביא את עבדי צמח. כי עתה זרובבל פחת יהודה קטן בחלר המלך אני מלמיח לו גדולה ושם נתתיו לחן בעיני המלך למלאות שאלתו בבנין הבית והטיר כמו שמפורש בעזרא דִּבְרֵי נְחֶמְיָה בֶּן־חֲכַלְיָה (נחמיה א, א) והוא זרובבל כדאמרינן בסנהדרין (לח, א): **(ט) כי הנה האבן.** יסוד הבית אשר יסדתם בימי כורש ובטלו על ידיכם ואותו היסוד ועובי החומה היה מעט בעיניכם כמו שמפורש בעזרא ובנבואת חגי: **על אבן אחת שבעה עינים.** סופו להרחיב על א׳ שבעה, וכן תרגם יונתן: עַל אַבְנָא חֲדָא שִׁבְעָא עַיְנִין חָזְיָין לַהּ; ולשון עינים לשון מראות. ולי נראה שבעה עינים על שם עיני הקדוש ברוך הוא, שבעיניו ולבו להוסיף עליו על אחד שבעה, לפי שדוגמתו בנבואה זו וְרָאוּ אֶת־הָאֶבֶן הַבְּדִיל בְּיַד זְרֻבָּבֶל שִׁבְעָה־אֵלֶּה עֵינֵי ה׳ הֵמָּה מְשׁוֹטְטִים (זכריה ד, י), אלא לימד שנתן עיניו להרבות כבוד הבית בבניינו: **הנני מפתח פתוחה.** מתיר קישוריה, מפיר עלת האויבים אשר כתבו שטנה לבטל המלאכה: **ומשתי.** והסירותי: **ביום אחד.** לא ידעתי איזה יום, (תו׳) ביום אשר התחילו להוסיף על הבנין ימים עון הארץ ותהיה ברכה בפירותיו, כי עכשיו מאירה, כמו שנאמר בנבואת חגי: **(ב) וגולה על ראשה.** כמו (יהושע א, טו) גֻּלֹּת עִלִּית לשון מעיין כמין ספל גדול עגול: **ושבעה נרותיה.** כמין בזיכין שנותנין השמן והפתילה לתוכה: **שבעה ושבעה מוצקות.** לכל נר ונר באין

מצודת דוד

כי הנני מביא. רצונו לומר והדבור הוא אשר הנני מביא את עבדי צמח וזהו מלך המשיח, כמו שכתב וַהֲקִמֹתִי לְדָוִד צֶמַח צַדִּיק (ירמיה כג, ה): **(ט) כי הנה האבן וגו׳.** רצונו לומר: מוכן הוא האבן ההושם ביסוד בנין בית העתיד על ידי כהן גדול מזרע יהושע אשר יכהן אז. רצונו לומר, כבר הגזירה ההיא גזורה: **על אבן אחת.** ועל כל אבן מאבני הבנין יהיה שבעה עינים, רצונו לומר: שמירות רבות יהיה מאת המקום ברוך הוא על הבנין ההוא: **הנני מפתח פתוחה וגומר.** המקום ברוך הוא בעצמו יחקוק צורות על האבנים ליפותם, רצונו לומר: הוא יתן כח ועזר על המלאכה: **ומשתי וגו׳ ביום אחד.** רצונו לומר: בפעם אחת אסיר עון הארץ ההיא, כי אחדש בקרבם רוח נכון ולא יחטאו עוד ולא ימצא עוד עון: **(י) אל תחת גפן.** להתעצל לשבת בצילה ולאכול מפריה מרוב הטובה שיהיה אז: **(א) וישב וגו׳.** כי במראה שלפניה לא דבר עמו המלאך הדובר בי, לזה אמר וישב המלאך וגו׳: **ויעירני.** רצונו לומר: הוא הניעני לעוררני, ונתעוררתי כאיש אשר יעור משנתו: **(ב) מה אתה רואה.** במראה הנבואה: **כולה.** כל המנורה היתה זהב: **וגולה על ראשה.** ממעל על ראשה היה כעין ספל ובה היה השמן: **ושבעה נרותיה עליה.** ממעל בראשי קני המנורה היו שבעה נרותיה, הם כעין בזיכין להשים בהם השמן והפתילות: **שבעה ושבעה מוצקות.** רצונו לומר: לכל נר ונר היה שבעה צינורות שהשמן ניצק בהם מעצמו מן הגולה להמשך על הנרות שהמה על ראש המנורה:

מצודת ציון

(ט) שבעה עינים. רצונו לומר: הרבה וכן שֶׁבַע יִפּוֹל צַדִּיק (משלי כד, טז): **מפתח פתוחה.** ענין חקיקת הציור כמו וְיֹדֵעַ לְפַתֵּחַ פִּתּוּחִים (דברי הימים־ב ב, ו): **ומשתי.** ענין הסרה, כמו לֹא־יָמִישׁ עַמּוּד הֶעָנָן (שמות יג, כב): **(א) ויעירני.** מלשון הערה והקצה: **(ב) וגולה.** ספל עגול וכן וְגֻלֹּת הַכֹּתָרֹת (מלכים־א ז, מא): **נרותיה.** כעין בזיכין על השמן והפתילה, כמו וְעָשִׂיתָ אֶת־נֵרֹתֶיהָ (שמות כה, לז): **מוצקות.** מלשון יציקה והם צינורות ודרך שם ניצוק ונמשך השמן:

זֵיתִ֖ים עָלֶ֑יהָ אֶחָד֙ מִימִ֣ין הַגֻּלָּ֔ה וְאֶחָ֖ד עַל־שְׂמֹאלָֽהּ׃ ד וָאַ֙עַן֙
וָֽאֹמַ֔ר אֶל־הַמַּלְאָ֛ךְ הַדֹּבֵ֥ר בִּ֖י לֵאמֹ֑ר מָה־אֵ֖לֶּה אֲדֹנִֽי׃ ה וַ֠יַּעַן הַמַּלְאָ֞ךְ
הַדֹּבֵ֥ר בִּי֙ וַיֹּ֣אמֶר אֵלַ֔י הֲל֥וֹא יָדַ֖עְתָּ מָה־הֵ֣מָּה אֵ֑לֶּה וָאֹמַ֖ר לֹ֥א אֲדֹנִֽי׃
ו וַיַּ֜עַן וַיֹּ֤אמֶר אֵלַי֙ לֵאמֹ֔ר זֶ֚ה דְּבַר־יְהֹוָ֔ה אֶל־זְרֻבָּבֶ֖ל לֵאמֹ֑ר לֹ֤א
בְחַ֙יִל֙ וְלֹ֣א בְכֹ֔חַ כִּ֣י אִם־בְּרוּחִ֔י אָמַ֖ר יְהֹוָ֥ה צְבָאֽוֹת׃ ז מִֽי־אַתָּ֧ה
הַר־הַגָּד֛וֹל לִפְנֵ֥י זְרֻבָּבֶ֖ל לְמִישֹׁ֑ר וְהוֹצִיא֙ אֶת־הָאֶ֣בֶן הָרֹאשָׁ֔ה
תְּשֻׁא֕וֹת חֵ֥ן חֵ֖ן לָֽהּ׃

רש"י

שבעה צנורות קטנים שהשמן זב מן הגולה דרך אותן מוצקות לכל נר ונר: **(ג) ושנים זיתים עליה.** אצלה שני אילנות שהזיתים גדילים בהם: **אחד מימין הגולה ואחד משמאלה וגו'.** וכאן לא פירש על שני נצתרות זהב האמורות למטה בפרשה, והם כמין עריבות ועדשים של בית הבד שהם עומדים אצל הזיתים והזיתים נחבטים מאליהם לתוך הנצתרות ומתחממות שם כמעטן ונעצרים שם בבית הבד, והשמן נופל לתוך הנצתרות ומהנצתרות לתוך הגולה ומהגולה אל המוצקות ומהמוצקות אל הנרות והמוצקות. והנרות ארבעים ותשע היו, רמז לאור שלעתיד לבא, ואור החמה יהיה שבעתים כאור שבעת הימים (ישעיה ל, כו), ארבעים ותשע על אור של יום בראשית: **(ד) מה אלה אדוני.** מה זה שהזיתים נמסקים מאליהם והשמן בא אל הנרות מאליו: **(ו) זה דבר ה' אל זרובבל.** זה סימן לך להבטיח את זרובבל, כשם שהזיתים והשמן הזה נגמר מאליו לכל דבריו כך לא בחיל ולא בכח שבכם תעשו את בנין ביתי: **כי אם ברוחי.** אני אתן רוחי על דריוש ויניח לכם (ס"א וילוה לכם) לבנות ולעשות כל צרכי יציאת הבנין משלו ולעזור אתכם בחטין ויין ושמן ועצים כמו שמפורש בעזרא ולא תצטרכו לעזרת אדם: **(ז) מי אתה הר הגדול.** שרי עבר הנהר תַּתְּנַי פַּחַת עֲבַר־נַהֲרָה וּשְׁתַר בּוֹזְנַי וּכְנָוָתְהוֹן (עזרא ה, ג), שבטלתם המלאכה עד כה, מעתה תהיה לפני זרובבל מישור, אין לכם שררה וגדולה עוד עליו: **והוציא את האבן הראשה.** האדריכל יקח את אבן הבדיל בידו להיות אדריכל בראש הבונים, והם יבנו הכל כפי דבריו אשר יצוה בבנין נאה ומפואר: **תשואות חן חן.** יהיה לה לאותה האבן, שהכל יאמרו מה נאה בנין זה העשוי על ידי אבן המשקולת הזאת. תשואות חן כמו תשואות נוי, כמו תְּשֻׁאוֹת מְלֵאָה עִיר הוֹמִיָּה (ישעיה כב, ב) קוֹל שָׁאוֹן (שם סו, ו). כולם לשון השמעת קול הם:

מצודת דוד

(ג) ושנים זיתים עליה. שני אילני זית עמדו אצל המנורה: **(ד) ואען ואומר.** הרימותי קול ואמרתי אל המלאך על מה באו אלה לרמז: **(ה) הלא ידעת.** הלא מעצמך תשכיל לדעת על מה מרמז: **לא אדני.** לא השכלתי לדעת: **(ו) זה דבר ה'.** רצונו לומר: בזה ירמז כאלו אמר ה' על מלך המשיח הבא מזרע זרובבל: **לא בחיל.** רצונו לומר: ממשלתו על העכו"ם לא יהיה בעבור חילו הרב ולא בכח זרועו יכבשם במלחמה, אבל ימשול בם מבלי טורח מלחמה כי אם ברצוני, כי אתן בלב העכו"ם להיות נכנעים לו וסרים למשמעתו, ויהיה דומה לעריכות נרות המנורה שהיו מבלי טורח אבל הכל נעשה מעצמו; כי הזיתים נתלשו מעצמם ונדרכו מעצמם ומעצמו נמשך השמן אל הגולה כאשר יאמר עוד למטה, ומן הגולה נמשכו מעצמם דרך הצינורות אל הנרות: **(ז) מי אתה הר הגדול.** על מלך גוג יאמר: מי אתה וגומר. רצונו לומר: מה כח יש בך? התחשוב שאתה הר גדול לעמוד בפני המשיח לבל יוכל לעבור? לא כן, כי למולו תהיה בארץ מישור ובקל יעבור, רצונו לומר: לא יהיה בך כח לעכב מה על ידי: **והוציא.** מלך המשיח יוציא האבן הטובה והחשובה להניחה ביסוד בנין בית העתיד: **תשואות.** אז ישמע קול המייה אשר כולם יענו ויאמרו: הנה להאבן הזה יש לה חן רב כי היא טובה וחשובה עד מאד:

מצודת ציון

(ד) ואען. ענין הרמת קול: **(ו) בחיל.** ענין צבאות עם: **ברוחי.** ענין רצון: **(ז) למישור.** מלשון ישר ושוה: **הראשה.** רצונו לומר: טובה וחשובה, וכן וְרֵאשִׁית שְׁמָנִים יִמְשָׁחוּ (עמוס ו, ו): **תשואות.** ענין המית קול, כמו תְּשֻׁאוֹת נוֹגֵשׂ (איוב לט, ז):

כשחל ראש חודש בשבת חנוכה (ואז יחול יום שני של ראש חודש ביום ראשון) יש מוסיפים כאן
את הפסוקים הראשונים והאחרונים של הפטרת שבת ראש חודש ושל שבת ערב ראש חודש.

כֹּה אָמַר יְהוָה הַשָּׁמַיִם כִּסְאִי וְהָאָרֶץ הֲדֹם רַגְלָי אֵי־זֶה בַיִת
אֲשֶׁר תִּבְנוּ־לִי וְאֵי־זֶה מָקוֹם מְנוּחָתִי: וְהָיָה מִדֵּי־חֹדֶשׁ בְּחָדְשׁוֹ
וּמִדֵּי שַׁבָּת בְּשַׁבַּתּוֹ יָבוֹא כָל־בָּשָׂר לְהִשְׁתַּחֲוֺת לְפָנַי אָמַר יְהוָה:
וַיֹּאמֶר־לוֹ יְהוֹנָתָן מָחָר חֹדֶשׁ וְנִפְקַדְתָּ כִּי יִפָּקֵד מוֹשָׁבֶךָ: וַיֹּאמֶר
יְהוֹנָתָן לְדָוִד לֵךְ לְשָׁלוֹם אֲשֶׁר נִשְׁבַּעְנוּ שְׁנֵינוּ אֲנַחְנוּ בְּשֵׁם יְהוָה
לֵאמֹר יְהוָה יִהְיֶה | בֵּינִי וּבֵינֶךָ וּבֵין זַרְעִי וּבֵין זַרְעֲךָ עַד־עוֹלָם:

מפטיר לשבת שניה של חנוכה

במדבר ז:נד – ח:ד

נד בַּיּוֹם הַשְּׁמִינִי נָשִׂיא לִבְנֵי מְנַשֶּׁה גַּמְלִיאֵל בֶּן־פְּדָהצוּר: נה קָרְבָּנוֹ
קַעֲרַת־כֶּסֶף אַחַת שְׁלֹשִׁים וּמֵאָה מִשְׁקָלָהּ מִזְרָק אֶחָד כֶּסֶף שִׁבְעִים
שֶׁקֶל בְּשֶׁקֶל הַקֹּדֶשׁ שְׁנֵיהֶם | מְלֵאִים סֹלֶת בְּלוּלָה בַשֶּׁמֶן לְמִנְחָה:
נו כַּף אַחַת עֲשָׂרָה זָהָב מְלֵאָה קְטֹרֶת: נז פַּר אֶחָד בֶּן־בָּקָר אַיִל
אֶחָד כֶּבֶשׂ־אֶחָד בֶּן־שְׁנָתוֹ לְעֹלָה: נח שְׂעִיר־עִזִּים אֶחָד לְחַטָּאת:
נט וּלְזֶבַח הַשְּׁלָמִים בָּקָר שְׁנַיִם אֵילִם חֲמִשָּׁה עַתֻּדִים חֲמִשָּׁה
כְּבָשִׂים בְּנֵי־שָׁנָה חֲמִשָּׁה זֶה קָרְבַּן גַּמְלִיאֵל בֶּן־פְּדָהצוּר: ס בַּיּוֹם
הַתְּשִׁיעִי נָשִׂיא לִבְנֵי בִנְיָמִן אֲבִידָן בֶּן־גִּדְעֹנִי: סא קָרְבָּנוֹ קַעֲרַת־כֶּסֶף
אַחַת שְׁלֹשִׁים וּמֵאָה מִשְׁקָלָהּ מִזְרָק אֶחָד כֶּסֶף שִׁבְעִים שֶׁקֶל בְּשֶׁקֶל
הַקֹּדֶשׁ שְׁנֵיהֶם | מְלֵאִים סֹלֶת בְּלוּלָה בַשֶּׁמֶן לְמִנְחָה: סב כַּף אַחַת
עֲשָׂרָה זָהָב מְלֵאָה קְטֹרֶת: סג פַּר אֶחָד בֶּן־בָּקָר אַיִל אֶחָד כֶּבֶשׂ־
אֶחָד בֶּן־שְׁנָתוֹ לְעֹלָה: סד שְׂעִיר־עִזִּים אֶחָד לְחַטָּאת: סה וּלְזֶבַח
הַשְּׁלָמִים בָּקָר שְׁנַיִם אֵילִם חֲמִשָּׁה עַתֻּדִים חֲמִשָּׁה כְּבָשִׂים בְּנֵי־
שָׁנָה חֲמִשָּׁה זֶה קָרְבַּן אֲבִידָן בֶּן־גִּדְעֹנִי: סו בַּיּוֹם הָעֲשִׂירִי נָשִׂיא
לִבְנֵי דָן אֲחִיעֶזֶר בֶּן־עַמִּישַׁדָּי: סז קָרְבָּנוֹ קַעֲרַת־כֶּסֶף אַחַת שְׁלֹשִׁים
וּמֵאָה מִשְׁקָלָהּ מִזְרָק אֶחָד כֶּסֶף שִׁבְעִים שֶׁקֶל בְּשֶׁקֶל הַקֹּדֶשׁ

שְׁנֵיהֶם | מְלֵאִים סֹלֶת בְּלוּלָה בַשֶּׁמֶן לְמִנְחָה: סח כַּף אַחַת עֲשָׂרָה
זָהָב מְלֵאָה קְטֹרֶת: סט פַּר אֶחָד בֶּן־בָּקָר אַיִל אֶחָד כֶּבֶשׂ־אֶחָד בֶּן־
שְׁנָתוֹ לְעֹלָה: ע שְׂעִיר־עִזִּים אֶחָד לְחַטָּאת: עא וּלְזֶבַח הַשְּׁלָמִים
בָּקָר שְׁנַיִם אֵילִם חֲמִשָּׁה עַתֻּדִים חֲמִשָּׁה כְּבָשִׂים בְּנֵי־שָׁנָה
חֲמִשָּׁה זֶה קָרְבַּן אֲחִיעֶזֶר בֶּן־עַמִּישַׁדָּי: עב בְּיוֹם עַשְׁתֵּי עָשָׂר יוֹם
נָשִׂיא לִבְנֵי אָשֵׁר פַּגְעִיאֵל בֶּן־עָכְרָן: עג קָרְבָּנוֹ קַעֲרַת־כֶּסֶף אַחַת
שְׁלֹשִׁים וּמֵאָה מִשְׁקָלָהּ מִזְרָק אֶחָד כֶּסֶף שִׁבְעִים שֶׁקֶל בְּשֶׁקֶל
הַקֹּדֶשׁ שְׁנֵיהֶם | מְלֵאִים סֹלֶת בְּלוּלָה בַשֶּׁמֶן לְמִנְחָה: עד כַּף אַחַת
עֲשָׂרָה זָהָב מְלֵאָה קְטֹרֶת: עה פַּר אֶחָד בֶּן־בָּקָר אַיִל אֶחָד כֶּבֶשׂ־
אֶחָד בֶּן־שְׁנָתוֹ לְעֹלָה: עו שְׂעִיר־עִזִּים אֶחָד לְחַטָּאת: עז וּלְזֶבַח
הַשְּׁלָמִים בָּקָר שְׁנַיִם אֵילִם חֲמִשָּׁה עַתֻּדִים חֲמִשָּׁה כְּבָשִׂים בְּנֵי־
שָׁנָה חֲמִשָּׁה זֶה קָרְבַּן פַּגְעִיאֵל בֶּן־עָכְרָן: עח בְּיוֹם שְׁנֵים עָשָׂר יוֹם
נָשִׂיא לִבְנֵי נַפְתָּלִי אֲחִירַע בֶּן־עֵינָן: עט קָרְבָּנוֹ קַעֲרַת־כֶּסֶף אַחַת
שְׁלֹשִׁים וּמֵאָה מִשְׁקָלָהּ מִזְרָק אֶחָד כֶּסֶף שִׁבְעִים שֶׁקֶל בְּשֶׁקֶל
הַקֹּדֶשׁ שְׁנֵיהֶם | מְלֵאִים סֹלֶת בְּלוּלָה בַשֶּׁמֶן לְמִנְחָה: פ כַּף אַחַת
עֲשָׂרָה זָהָב מְלֵאָה קְטֹרֶת: פא פַּר אֶחָד בֶּן־בָּקָר אַיִל אֶחָד כֶּבֶשׂ־
אֶחָד בֶּן־שְׁנָתוֹ לְעֹלָה: פב שְׂעִיר־עִזִּים אֶחָד לְחַטָּאת: פג וּלְזֶבַח
הַשְּׁלָמִים בָּקָר שְׁנַיִם אֵילִם חֲמִשָּׁה עַתֻּדִים חֲמִשָּׁה כְּבָשִׂים בְּנֵי־
שָׁנָה חֲמִשָּׁה זֶה קָרְבַּן אֲחִירַע בֶּן־עֵינָן: פד זֹאת | חֲנֻכַּת הַמִּזְבֵּחַ
בְּיוֹם הִמָּשַׁח אֹתוֹ מֵאֵת נְשִׂיאֵי יִשְׂרָאֵל קַעֲרֹת כֶּסֶף שְׁתֵּים עֶשְׂרֵה
מִזְרְקֵי־כֶסֶף שְׁנֵים עָשָׂר כַּפּוֹת זָהָב שְׁתֵּים עֶשְׂרֵה: פה שְׁלֹשִׁים
וּמֵאָה הַקְּעָרָה הָאַחַת כֶּסֶף וְשִׁבְעִים הַמִּזְרָק הָאֶחָד כֹּל כֶּסֶף
הַכֵּלִים אַלְפַּיִם וְאַרְבַּע־מֵאוֹת בְּשֶׁקֶל הַקֹּדֶשׁ: פו כַּפּוֹת זָהָב שְׁתֵּים־
עֶשְׂרֵה מְלֵאֹת קְטֹרֶת עֲשָׂרָה עֲשָׂרָה הַכַּף בְּשֶׁקֶל הַקֹּדֶשׁ כָּל־
זְהַב הַכַּפּוֹת עֶשְׂרִים וּמֵאָה: פז כָּל־הַבָּקָר לָעֹלָה שְׁנֵים עָשָׂר פָּרִים
אֵילִם שְׁנֵים־עָשָׂר כְּבָשִׂים בְּנֵי־שָׁנָה שְׁנֵים עָשָׂר וּמִנְחָתָם וּשְׂעִירֵי

עִזִּ֥ים שְׁנֵ֖ים עָשָׂ֣ר לְחַטָּ֑את׃ פח וְכֹ֞ל בְּקַ֣ר ׀ זֶ֣בַח הַשְּׁלָמִ֗ים עֶשְׂרִ֣ים
וְאַרְבָּעָה֮ פָּרִים֒ אֵילִ֤ם שִׁשִּׁים֙ עַתֻּדִ֣ים שִׁשִּׁ֔ים כְּבָשִׂ֥ים בְּנֵי־שָׁנָ֖ה
שִׁשִּׁ֑ים זֹ֚את חֲנֻכַּ֣ת הַמִּזְבֵּ֔חַ אַחֲרֵ֖י הִמָּשַׁ֥ח אֹתֽוֹ׃ פט וּבְבֹ֨א מֹשֶׁ֜ה
אֶל־אֹ֣הֶל מוֹעֵד֮ לְדַבֵּ֣ר אִתּוֹ֒ וַיִּשְׁמַ֨ע אֶת־הַקּ֜וֹל מִדַּבֵּ֣ר אֵלָ֗יו מֵעַ֤ל
הַכַּפֹּ֙רֶת֙ אֲשֶׁר֙ עַל־אֲרֹ֣ן הָעֵדֻ֔ת מִבֵּ֖ין שְׁנֵ֣י הַכְּרֻבִ֑ים וַיְדַבֵּ֖ר אֵלָֽיו׃
[ח] א וַיְדַבֵּ֥ר יְהוָ֖ה אֶל־מֹשֶׁ֥ה לֵּאמֹֽר׃ ב דַּבֵּר֙ אֶֽל־אַהֲרֹ֔ן וְאָמַרְתָּ֖
אֵלָ֑יו בְּהַעֲלֹֽתְךָ֙ אֶת־הַנֵּרֹ֔ת אֶל־מוּל֙ פְּנֵ֣י הַמְּנוֹרָ֔ה יָאִ֖ירוּ שִׁבְעַ֥ת
הַנֵּרֽוֹת׃ ג וַיַּ֤עַשׂ כֵּן֙ אַהֲרֹ֔ן אֶל־מוּל֙ פְּנֵ֣י הַמְּנוֹרָ֔ה הֶעֱלָ֖ה נֵרֹתֶ֑יהָ
כַּאֲשֶׁ֛ר צִוָּ֥ה יְהוָ֖ה אֶת־מֹשֶֽׁה׃ ד וְזֶ֨ה מַעֲשֵׂ֤ה הַמְּנֹרָה֙ מִקְשָׁ֣ה זָהָ֔ב
עַד־יְרֵכָ֥הּ עַד־פִּרְחָ֖הּ מִקְשָׁ֣ה הִ֑וא כַּמַּרְאֶ֗ה אֲשֶׁ֨ר הֶרְאָ֤ה יְהוָה֙ אֶת־
מֹשֶׁ֔ה כֵּ֥ן עָשָׂ֖ה אֶת־הַמְּנֹרָֽה׃

הפטרה לשבת שניה של חנוכה

מלכים־א ז:מ־נ

הפטרה זו הינה ההפטרה שקוראים גם בפרשת ויקהל, העוסקת בבנין בית המקדש; ולכן מפטירים בה גם בימי חנוכה שגם אז נתחנכה בית המקדש לאחר שחוללה על ידי היוונים. רוב פסוקי ההפטרה מתארים את כלי בית המקדש שעשה חירום, איש יהודי מצור, ששלחו המלך חִירָם (דברי הימים־ב ב, יא־יב, וראה מלבי״ם כאן לפסוק יג), שהיה ידידו של שלמה המלך ועזר הרבה בבנין בית המקדש (לעיל ה, טו ואילך).

בתקופת בית שני אנו רואים הבדל יסודי בין שתי מלכויות: בין כורש מלך פרס לבין אנטיוכוס מלך יון. כורש נתן רשות לבנות את בית המקדש השני וגם מסר לבני ישראל את כלי המקדש שהיו ברשותו, ואילו אנטיוכוס וחילו חללו את בית המקדש.

תפקידם הקדוש המוטל על בני ישראל הוא לפרסם את שמו של הקב״ה בעולם, שכל הגוים יכירו כח מלכותו וקדושת בית המקדש, וכמו שאמרו חכמינו ז״ל במדרש רבה (במדבר א, ג) על מעלתו של בית המקדש ביחס לאומות העולם: ״אמר רבי יהושע בן לוי: אלו היו אומות העולם יודעים מה היה המקדש יפה להם, קסטריות היו מקיפים אותו כדי לשומרו, שהיה יפה להם יותר משל ישראל, שכן שלמה סידר תפלה (מלכים־א ח, מא): ׳וְגַם אֶל הַנָּכְרִי אֲשֶׁר לֹא מֵעַמְּךָ יִשְׂרָאֵל הוּא׳, וכתיב (שם פסוק מג): ׳וְעָשִׂיתָ כְּכֹל אֲשֶׁר יִקְרָא אֵלֶיךָ הַנָּכְרִי [לְמַעַן יֵדְעוּן כָּל עַמֵּי הָאָרֶץ אֶת שְׁמֶךָ לְיִרְאָה אֹתְךָ כְּעַמְּךָ יִשְׂרָאֵל וְלָדַעַת כִּי שִׁמְךָ נִקְרָא עַל הַבַּיִת הַזֶּה אֲשֶׁר בָּנִיתִי]׳. אבל כשהוא בא אצל ישראל מה כתיב (שם פסוק לט): ׳וְנָתַתָּ לָאִישׁ כְּכָל דְּרָכָיו אֲשֶׁר תֵּדַע אֶת לְבָבוֹ׳; אם היה ראוי לו היה נותן לו ואם לאו לא היה נותן לו״ [ראה הטעם ברש״י מלכים שם, לפסוק מג]. ומבאר המלבי״ם (מלכים־א שם, מא) שסיבת בואם של עמי הארץ היא, כי מתפרסם ביניהם שם ה׳ שהוא המשגיח על העולם ומשדד מערכות הטבע.

חירם, בדומה לכורש, אמנם הכיר את כח ה׳ וסגולתו הקדושה של בית המקדש, ואילו אנטיוכוס מרד בו. כאשר ישראל עושים רצונו של מקום ומתנהגים על פי התורה והמצוות, משמשים הם לאות ולמופת לכל העולם, וכמו שהתנהגו אחר הנס של חנוכה, כאשר החשמונאים עודדו וחזקו את בני ישראל למסור את נפשם עבור קיום התורה והמצוות וטהרת בית המקדש.

[ז] מ וַיַּעַשׂ חִירוֹם אֶת־הַכִּיֹּרוֹת וְאֶת־הַיָּעִים וְאֶת־הַמִּזְרָקוֹת וַיְכַל
חִירָם לַעֲשׂוֹת אֶת־כָּל־הַמְּלָאכָה אֲשֶׁר עָשָׂה לַמֶּלֶךְ שְׁלֹמֹה בֵּית
יְהוָה: מא עַמֻּדִים שְׁנַיִם וְגֻלֹּת הַכֹּתָרֹת אֲשֶׁר־עַל־רֹאשׁ הָעַמֻּדִים
שְׁתָּיִם וְהַשְּׂבָכוֹת שְׁתַּיִם לְכַסּוֹת אֶת־שְׁתֵּי גֻּלֹּת הַכֹּתָרֹת אֲשֶׁר עַל־
רֹאשׁ הָעַמּוּדִים: מב וְאֶת־הָרִמֹּנִים אַרְבַּע מֵאוֹת לִשְׁתֵּי הַשְּׂבָכוֹת
שְׁנֵי־טוּרִים רִמֹּנִים לַשְּׂבָכָה הָאֶחָת לְכַסּוֹת אֶת־שְׁתֵּי גֻּלֹּת הַכֹּתָרֹת
אֲשֶׁר עַל־פְּנֵי הָעַמּוּדִים: מג וְאֶת־הַמְּכֹנוֹת עֶשֶׂר וְאֶת־הַכִּיֹּרֹת
עֲשָׂרָה עַל־הַמְּכֹנוֹת: מד וְאֶת־הַיָּם הָאֶחָד וְאֶת־הַבָּקָר שְׁנֵים־עָשָׂר
תַּחַת הַיָּם: מה וְאֶת־הַסִּירוֹת וְאֶת־הַיָּעִים וְאֶת־הַמִּזְרָקוֹת וְאֵת כָּל־
הַכֵּלִים הָאֵלֶּה [האהל כ׳] אֲשֶׁר עָשָׂה חִירָם לַמֶּלֶךְ שְׁלֹמֹה בֵּית יְהוָה
נְחֹשֶׁת מְמֹרָט: מו בְּכִכַּר הַיַּרְדֵּן יְצָקָם הַמֶּלֶךְ בְּמַעֲבֵה הָאֲדָמָה בֵּין
סֻכּוֹת וּבֵין צָרְתָן: מז וַיַּנַּח שְׁלֹמֹה אֶת־כָּל־הַכֵּלִים מֵרֹב מְאֹד מְאֹד
לֹא נֶחְקַר מִשְׁקַל הַנְּחֹשֶׁת: מח וַיַּעַשׂ שְׁלֹמֹה אֵת כָּל־הַכֵּלִים אֲשֶׁר
בֵּית יְהוָה אֵת מִזְבַּח הַזָּהָב וְאֶת־הַשֻּׁלְחָן אֲשֶׁר עָלָיו לֶחֶם הַפָּנִים

רש״י

(מ) ויעש חירום וגו׳. ואמר רבי, הכירות הן הן סירות, כמה דאת אמר (זכריה יב, ו), כְּכִיּוֹר אֵשׁ בְּעֵצִים, וכן (שמואל־א ב, יד), וְהִכָּה בַכִּיּוֹר: **הכיורות.** של נחשת, לדשן את המזבח: **היעים.** מגרפות של נחושת, שקורין ווידו״ל בלשכנז, לחתות בהן דשן בתוך הסירות: **(מב) שני טורים רמונים.** מאה רמונים בטור, חרוזים בשרשרות: **(מו) יצקם.** התיכם והציקם כתבניתם: **במעבה האדמה.** (תרגום) בְּעוֹבֵי גַרְגִּשְׁתָּא: **(מז) וינח שלמה.** מלשקול את משקל הכלים האלה מרוב מאד וחדל לספור משקלם:

מצודת דוד

(מ) בית ה׳. לצורך בית ה׳: **(מב) לשתי השבכות.** העשויות לתלות בתחתית השבכות: **שני טורים.** בכל טור מאה רמונים: **לכסות את שתי וגו׳.** על הרמונים יאמר, שהיו מכסים חלק העליון מן הגולה, שהרי היו תלויין בתחתית השבכה, והיו יורדין על עליונות הגולה: **(מה) בית ה׳.** לצורך בית ה׳: **נחשת ממרט.** היו מנחושת צרוף ומזוקק: **(מו) במעבה האדמה.** בעובי האדמה, חפר צורות הכלים ההם, ושפך בהם את הנחושת לאחר ההתכה: **(מז) וינח שלמה וגו׳.** הניח מלשקול אותם, מחמת שהיו מרובים מאד מאד, ולא היה נחקר לדעת משקל הנחושת, וכפל הדבר במלות שונות לתוספת ביאור: **(מח) אשר בית ה׳.** אשר לבית ה׳: **ואת השולחן.** רוצה לומר, קבוצת השלחנות, כי עשר שלחנות עשה כמו שנאמר בדברי הימים (ב ד, ח):

מצודת ציון

(מ) הכירות. הסירות, כמו (שמואל־א ב, יד) וְהִכָּה בַכִּיּוֹר: **היעים.** המכבדות, לגרף בהם הדשן, וכן (ישעיהו כח, יז) וְיָעָה בָרָד: **המזרקות.** הספלים המקבלים בו הדם לזריקה: **(מא) וגלת.** כן יקרא חלק התחתון מהכתר, כי מעשהו כספל, כמו (זכריה ד, ב) וְגֻלָּהּ עַל־רֹאשָׁהּ: **(מב) על פני.** רוצה לומר: בגובה, על שם שהפנים הוא בגובה האדם: **(מה) הסירות.** הם הכיורות שזכר, וכן (שם יד, כ) וְהָיָה הַסִּירוֹת בְּבֵית ה׳: **ממורט.** צחה ובהירה, כמו (יחזקאל כא, יד) הוּחַדָּה (חֶרֶב וְהִיא) וגם מֹרָטָה: **(מו) בככר.** במישור:

זָהָב: מט וְאֶת־הַמְּנֹרוֹת חָמֵשׁ מִיָּמִין וְחָמֵשׁ מִשְּׂמֹאול לִפְנֵי הַדְּבִיר
זָהָב סָגוּר וְהַפֶּרַח וְהַנֵּרֹת וְהַמֶּלְקַחַיִם זָהָב: נ וְהַסִּפּוֹת וְהַמְזַמְּרוֹת
וְהַמִּזְרָקוֹת וְהַכַּפּוֹת וְהַמַּחְתּוֹת זָהָב סָגוּר וְהַפֹּתוֹת לְדַלְתוֹת הַבַּיִת
הַפְּנִימִי לְקֹדֶשׁ הַקֳּדָשִׁים לְדַלְתֵי הַבַּיִת לַהֵיכָל זָהָב:

רש"י

(מט) חמש מימין וחמש משמאל. אי אפשר לומר חמש מימין הפתח וחמש משמאל הפתח, אם כן מצינו מנורה בצפון, והתורה אמרה (במדבר ג, כט), עַל יֶרֶךְ הַמִּשְׁכָּן תֵּימָנָה. אלא של משה באמצע, חמש מימינה, וחמש משמאלה: **והפרח.** של מנורה: **והנרות.** בזיכין שנותנין בהן השמן והפתילה: **והמלקחים.** שמרימים בהן את הפתילה מתוך השמן: **(נ) והספות.** כלי של מיני זמר הוא, וכן מזמרות: **והמזרקות.** לקבל דם: **והכפות.** לבזיכי לבונה: **והמחתות.** לחתות בהן תרומת הדשן וגחלים להוליך ממזבח החיצון למזבח הפנימי להקטיר קטורת: **והפותות.** מפתחות, שמעתי. שמפתחין בהם את המנעול: **לדלתות הבית.** שהוא קדש קדשים: **לדלתי הבית.** שהוא להיכל, כל פתחותיהן היו זהב:

מצודת דוד

זהב. מוסב על השלחן: **(מט) חמש מימין.** רוצה לומר, מימין מנורת משה, אבל כולם העמיד בדרום, שהתורה אמרה בה (שמות כו, לה), על צלע המשכן תימנה: **לפני הדביר.** כי בהיכל עמדו: **(נ) הבית הפנימי.** ולתוספת ביאור כפל ואמר לקדש הקדשים. וכן לדלתי הבית, כפל לתוספת ביאור ואמר להיכל: **זהב.** מוסב על הפותות, שהם היו מזהב: **(נא) את קדשי.** מה שהקדיש דוד אביו וכו׳, כי כל הבנין וכליו עשה שלמה משלו, ממה שקבץ הוא [לבד כלי נחושת, עשה ממה שלקח אביו מערי הדדעזר, כמו שנאמר בדברי הימים־א יח]: **נתן.** כמו ונתן, רוצה לומר, שהביא קדשי אביו, ונתן אותם באוצרות העשויות בבית ה׳:

מצודת ציון

(מט) והפרח. קבוצת פרחי המנורה: **והנרות.** עשוים כעין בזיכין, ובהם משימין השמן והפתילות: **והמלקחים.** הצבתים ילקחו בהם הפתילות למושכם ולהניחם על מקום הראוי: **(נ) והספות.** כלים כעין כדים, כי תרגם יונתן: קולין, וכן (בראשית כד, טו) וְכַדָּהּ עַל־שִׁכְמָהּ, תרגם אונקלוס: וְקוּלְתַהּ: **והמזמרות.** כלי זמר: **והכפות.** הבזיכין שבהם הלבונה: **והמחתות.** כלים לחתות בהם האש על הקטורת: **והפותות.** הם העשויות להציב בהן צירי הדלתות, לסבב אילך ואילך, ובמשנה (כלים פרק יא, משנה ב) והפותה שתחת הציר:

קריאת התורה לתענית צבור

שמות לב:יא־יד; לד:א־י

כהן [לב] יא וַיְחַל מֹשֶׁה אֶת־פְּנֵי יהוה אֱלֹהָיו וַיֹּאמֶר לָמָה יהוה יֶחֱרֶה
אַפְּךָ בְּעַמֶּךָ אֲשֶׁר הוֹצֵאתָ מֵאֶרֶץ מִצְרַיִם בְּכֹחַ גָּדוֹל וּבְיָד חֲזָקָה:
יב לָמָּה יֹאמְרוּ מִצְרַיִם לֵאמֹר בְּרָעָה הוֹצִיאָם לַהֲרֹג אֹתָם בֶּהָרִים
וּלְכַלֹּתָם מֵעַל פְּנֵי הָאֲדָמָה **שׁוּב מֵחֲרוֹן אַפֶּךָ וְהִנָּחֵם עַל־הָרָעָה**
לְעַמֶּךָ: יג זְכֹר לְאַבְרָהָם לְיִצְחָק וּלְיִשְׂרָאֵל עֲבָדֶיךָ אֲשֶׁר נִשְׁבַּעְתָּ

רש"י

[פסוק יא] לָמָה ה׳ יֶחֱרֶה אַפְּךָ. כלום מתקנא אלא חכם בחכם גבור בגבור: **[פסוק יב] וְהִנָּחֵם.** התעשת מחשבה אחרת להיטיב להם: **עַל הָרָעָה.** אשר חשבת להם:

לָהֶם בָּךְ וַתְּדַבֵּר אֲלֵהֶם אַרְבֶּה אֶת־זַרְעֲכֶם כְּכוֹכְבֵי הַשָּׁמָיִם
וְכָל־הָאָרֶץ הַזֹּאת אֲשֶׁר אָמַרְתִּי אֶתֵּן לְזַרְעֲכֶם וְנָחֲלוּ לְעֹלָם:
יד וַיִּנָּחֶם יהוה עַל־הָרָעָה אֲשֶׁר דִּבֶּר לַעֲשׂוֹת לְעַמּוֹ:

לוי [לד] א וַיֹּאמֶר יהוה אֶל־מֹשֶׁה פְּסָל־לְךָ שְׁנֵי־לֻחֹת אֲבָנִים
כָּרִאשֹׁנִים וְכָתַבְתִּי עַל־הַלֻּחֹת אֶת־הַדְּבָרִים אֲשֶׁר הָיוּ עַל־הַלֻּחֹת
הָרִאשֹׁנִים אֲשֶׁר שִׁבַּרְתָּ: ב וֶהְיֵה נָכוֹן לַבֹּקֶר וְעָלִיתָ בַבֹּקֶר אֶל־
הַר סִינַי וְנִצַּבְתָּ לִי שָׁם עַל־רֹאשׁ הָהָר: ג וְאִישׁ לֹא־יַעֲלֶה עִמָּךְ
וְגַם־אִישׁ אַל־יֵרָא בְּכָל־הָהָר גַּם־הַצֹּאן וְהַבָּקָר אַל־יִרְעוּ אֶל־
מוּל הָהָר הַהוּא:

ישראל ד וַיִּפְסֹל שְׁנֵי־לֻחֹת אֲבָנִים כָּרִאשֹׁנִים וַיַּשְׁכֵּם מֹשֶׁה בַבֹּקֶר
וַיַּעַל אֶל־הַר סִינַי כַּאֲשֶׁר צִוָּה יהוה אֹתוֹ וַיִּקַּח בְּיָדוֹ שְׁנֵי לֻחֹת
אֲבָנִים: ה וַיֵּרֶד יהוה בֶּעָנָן וַיִּתְיַצֵּב עִמּוֹ שָׁם וַיִּקְרָא בְשֵׁם יהוה:
ו וַיַּעֲבֹר יהוה | עַל־פָּנָיו וַיִּקְרָא **יהוה | יהוה אֵל רַחוּם וְחַנּוּן**

רש"י

[פסוק יג] זְכֹר לְאַבְרָהָם. אם עברו על עשרת הדברות, אברהם אביהם נתנסה בעשר נסיונות ועדיין לא קבל שכרו. תנהו לו, ויצאו עשר בעשר (ש"ר מד:ד): **לְאַבְרָהָם לְיִצְחָק וּלְיִשְׂרָאֵל.** אם לשרפה הם, זכור לאברהם שמסר עצמו לישרף עליך באור כשדים. אם להריגה, זכור ליצחק שפשט צוארו לעקידה. אם לגלות, זכור ליעקב שגלה לחרן (שם מד:ה). ואם אינן נצולין בזכותן, מה אתה אומר לי וְאֶעֱשֶׂה אוֹתְךָ לְגוֹי גָּדוֹל, אם כסא של שלש רגלים אינו עומד לפניך בשעת כעסך ק"ו לכסא של רגל אחד (ברכות לב.): **אֲשֶׁר נִשְׁבַּעְתָּ לָהֶם בָּךְ.** לא נשבעת להם בדבר שהוא כלה, לא בשמים ולא בארץ, [לא בהרים ולא בגבעות,] אלא בך שאתה קיים, ושבועתך קיימת לעולם [ס"א וכן שבועתך תתקיים], שנאמר [לאברהם] בִּי נִשְׁבַּעְתִּי נְאֻם ה' (בראשית כב:טז), וליצחק נאמר וַהֲקִמֹתִי אֶת הַשְּׁבֻעָה אֲשֶׁר נִשְׁבַּעְתִּי לְאַבְרָהָם אָבִיךָ (שם כו:ג), וליעקב נאמר אֲנִי אֵל שַׁדַּי פְּרֵה וּרְבֵה [וגו'] (שם לה:יא) נִשְׁבַּע לוֹ בְּאֵל שַׁדָּי (ש"ר מד:כג): **[פסוק א] פְּסָל לְךָ.** הראהו מחצב סנפרינון מתוך אהלו ואמר לו הפסולת יהיה שלך, משם נתעשר משה הרבה (תנחומא כט; ויק"ר לב:ב): **פְּסָל לְךָ.** אתה שברת הראשונות, אתה פסל לך אחרות. משל למלך שהלך למדינת הים והניח ארוסתו עם השפחות. מתוך קלקול השפחות יצא עליה שם רע. עמד שושבינה וקרע כתובתה, אמר, אם יאמר המלך להורגה אומר לו עדיין אינה אשתך. בדק המלך ומצא שלא היה הקלקול אלא מן השפחות. נתרצה לה. אמר לו שושבינה, כתוב לה כתובה אחרת, שנקרעה הראשונה. אמר לו המלך, אתה קרעת אותה, אתה קנה לה נייר אחר ואני אכתוב לה בכתב ידי. כן המלך זה הקב"ה, השפחות אלו ערב רב, והשושבין זה משה, ארוסתו של הקב"ה אלו ישראל. לכך נאמר פסל לך (תנחומא ל): **[פסוק ב] נָכוֹן.** מזומן: **[פסוק ג] וְאִישׁ לֹא יַעֲלֶה עִמָּךְ.** הראשונות על ידי שהיו בתשואות וקולות וקהלה שלטה בהן עין רעה. אין לך יפה מן הצניעות (תנחומא לא): **[פסוק ה] וַיִּקְרָא בְשֵׁם ה'.** מתרגמינן וקרא בשמא דה': **[פסוק ו] ה' ה'.** מדת רחמים היא (ספרי ריש ואתחנן) אחת קודם שיחטא ואחת לאחר שיחטא וישוב (ראש השנה יז:): **אֵל.** אף זו מדת רחמים, וכן הוא אומר אלי אלי למה עזבתני (תהלים כב:ב) ואין לומר למדת הדין למה עזבתני. כך מצאתי במכילתא (שירה ג, טו:ב):

אֶרֶךְ אַפַּיִם וְרַב־חֶסֶד וֶאֱמֶת: ז נֹצֵר חֶסֶד לָאֲלָפִים נֹשֵׂא עָוֺן וָפֶשַׁע
וְחַטָּאָה וְנַקֵּה לֹא יְנַקֶּה פֹּקֵד | עֲוֺן אָבוֹת עַל־בָּנִים וְעַל־בְּנֵי בָנִים
עַל־שִׁלֵּשִׁים וְעַל־רִבֵּעִים: ח וַיְמַהֵר מֹשֶׁה וַיִּקֹּד אַרְצָה וַיִּשְׁתָּחוּ:
ט וַיֹּאמֶר אִם־נָא מָצָאתִי חֵן בְּעֵינֶיךָ אֲדֹנָי יֵלֶךְ־נָא אֲדֹנָי בְּקִרְבֵּנוּ
כִּי עַם־קְשֵׁה־עֹרֶף הוּא וְסָלַחְתָּ לַעֲוֺנֵנוּ וּלְחַטָּאתֵנוּ וּנְחַלְתָּנוּ:
י וַיֹּאמֶר הִנֵּה אָנֹכִי כֹּרֵת בְּרִית נֶגֶד כָּל־עַמְּךָ אֶעֱשֶׂה נִפְלָאֹת אֲשֶׁר
לֹא־נִבְרְאוּ בְכָל־הָאָרֶץ וּבְכָל־הַגּוֹיִם וְרָאָה כָל־הָעָם אֲשֶׁר־אַתָּה
בְקִרְבּוֹ אֶת־מַעֲשֵׂה יהוה כִּי־נוֹרָא הוּא אֲשֶׁר אֲנִי עֹשֶׂה עִמָּךְ:

רש"י

אֶרֶךְ אַפַּיִם. מאריך אפו ואינו ממהר ליפרע שמא יעשה תשובה (סנהדרין קיא.): **וְרַב חֶסֶד.** לצריכים חסד שאין להם זכיות כל כך (ר"ה יז.): **וֶאֱמֶת.** לשלם שכר טוב לעושי רצונו: **[פסוק ז] נֹצֵר חֶסֶד.** שהאדם עושה לפניו: **לָאֲלָפִים.** לשני אלפים דורות: **[עָוֺן וָפֶשַׁע.]** עוונות אלו הזדונות. פשעים אלו המרדים שאדם עושה להכעיס (יומא לו:): **וְנַקֵּה לֹא יְנַקֶּה.** לפי פשוטו משמע שאינו מוותר על העון לגמרי אלא נפרע ממנו מעט מעט. ור"ד מנקה הוא לשבים ולא ינקה לשאינן שבים (שם פו.): **פֹּקֵד עֲוֺן אָבוֹת עַל בָּנִים.** כשאוחזים מעשה אבותיהם בידיהם (ברכות ז.), שכבר פירש במקרא אחר לְשֹׂנְאָי (לעיל כ:ה): **וְעַל רִבֵּעִים.** דור רביעי. נמצאת מדה טובה מרובה על מדת פורענות אחת לחמש מאות, שבמדה טובה הוא אומר נֹצֵר חֶסֶד לָאֲלָפִים (תוספתא סוטה ד:א): **[פסוק ח] וַיְמַהֵר מֹשֶׁה.** כשראה משה שכינה עוברת ושמע קול הקריאה, מיד וישתחו: **[פסוק ט] יֵלֶךְ נָא ה' בְּקִרְבֵּנוּ.** כמו שהבטחת, שמאחר שאתה נשא עון, ואם **עַם קְשֵׁה עֹרֶף הוּא** וימרדו בך ואמרת על זאת פֶּן אֲכֶלְךָ בַּדָּרֶךְ (לעיל לג:ג) אתה **תִּסְלַח לַעֲוֺנֵנוּ וגו'.** יש כי במקום אם: **וּנְחַלְתָּנוּ.** ותתננו לך לנחלה [ס"א שתתן לנו נחלה] מיוחדת. זו היא בקשת וְנִפְלֵינוּ אֲנִי וְעַמְּךָ (שם פסוק טז) שלא תשרה שכינתך על האומות (ברכות ז.): **[פסוק י] כֹּרֵת בְּרִית.** על זאת: **אֶעֱשֶׂה נִפְלָאוֹת.** ל' ונפלינו, שתהיו מובדלים בזו מכל האומות, שלא תשרה שכינתי עליהם:

הפטרה לתענית צבור במנחה

ישעיה נה:ו — נו:ח

תעניות ציבור ימי תשובה הן, וכמו שכתב הרמב"ם (הלכות תעניות ה, א) שהם: "כדי לעורר הלבבות ולפתוח דרכי התשובה". קוראים בתורה בתענית כדי לחזק את בני ישראל ולהודיעם שהקב"ה מצפה ומחכה שיעשו תשובה וידו פשוטה לקבל את השבים אליו באהבה, וכמו שאמרו חכמינו ז"ל בפסחים (קיט, א), "משום רבי יהודה נשיאה, מאי דכתיב (יחזקאל א, ח): 'וִידֵי אָדָם מִתַּחַת כַּנְפֵיהֶם', 'ידו' כתיב, זה ידו של הקב"ה שפרוסה תחת כנפי החיות כדי לקבל בעלי תשובה מיד מדת הדין". [ראה גם פרקי דרבי אליעזר מב, ושערי תשובה א, א על גודל מעלת התשובה.]

הפטרה זו מלאה בענייני תשובה ואהבת הקב"ה לקבל את החוטא השב אליו. הנביא פותח בקריאה של עידוד להחוטא: "דִּרְשׁוּ ה' בְּהִמָּצְאוֹ, קְרָאֻהוּ בִּהְיוֹתוֹ קָרוֹב". המפרשים ביארו, שקריאה זו של "בְּהִמָּצְאוֹ" — שפירושה שה' מצוי רק בזמנים מסויימים — אמורה לפני שה' גומר את הדין לענוש, שאז מבקש הוא את ישראל שידרשו אותו וימנעו בכך את הפורענות; אבל בכל עת מצוי הוא לדורש אותו בלב שלם, וכמו שאמר דוד המלך (תהלים קמה, יח): "קָרוֹב ה' לְכָל קֹרְאָיו לְכֹל אֲשֶׁר יִקְרָאֻהוּ בֶאֱמֶת" (רש"י ורד"ק).

ה׳ קורא לבני ישראל ומעיר להם שלא יחשבו עליו שיש לו את המדות והמושגים של בני אדם שקשה להם למחול, ולכן אין התשובה מועלת, כי אי אפשר להשיג את דרכיו ואין לו שום דמיון לטבעי בני אדם, שכן בעל הרחמים הוא ומרבה לסלוח לכל השב אליו, אפילו מי שהרבה לחטוא (רד״ק). ועליהם לדעת: ״כִּי לֹא מַחְשְׁבוֹתַי מַחְשְׁבוֹתֵיכֶם וְלֹא דַרְכֵיכֶם דְּרָכָי, נְאֻם ה׳, כִּי גָבְהוּ שָׁמַיִם מֵאָרֶץ, כֵּן גָּבְהוּ דְרָכַי מִדַּרְכֵיכֶם וּמַחְשְׁבֹתַי מִמַּחְשְׁבֹתֵיכֶם״. ואפילו גרי הצדק, העוזבים את דרכי האומות ומאמינים בה׳ ומתחברים לבני ישראל בקיום התורה ושמירת המצוות, יזכו להיות גאולים כאשר יקבץ ה׳ את נדחי בני ישראל בימות המשיח.

[נה] ו דִּרְשׁוּ יְהוָה בְּהִמָּצְאוֹ קְרָאֻהוּ בִּהְיוֹתוֹ קָרוֹב: ז יַעֲזֹב רָשָׁע
דַּרְכּוֹ וְאִישׁ אָוֶן מַחְשְׁבֹתָיו וְיָשֹׁב אֶל־יְהוָה וִירַחֲמֵהוּ וְאֶל־
אֱלֹהֵינוּ כִּי־יַרְבֶּה לִסְלוֹחַ: ח כִּי לֹא מַחְשְׁבוֹתַי מַחְשְׁבוֹתֵיכֶם
וְלֹא דַרְכֵיכֶם דְּרָכָי נְאֻם יְהוָה: ט כִּי־גָבְהוּ שָׁמַיִם מֵאָרֶץ כֵּן גָּבְהוּ
דְרָכַי מִדַּרְכֵיכֶם וּמַחְשְׁבֹתַי מִמַּחְשְׁבֹתֵיכֶם: י כִּי כַּאֲשֶׁר יֵרֵד
הַגֶּשֶׁם וְהַשֶּׁלֶג מִן־הַשָּׁמַיִם וְשָׁמָּה לֹא יָשׁוּב כִּי אִם־הִרְוָה אֶת־
הָאָרֶץ וְהוֹלִידָהּ וְהִצְמִיחָהּ וְנָתַן זֶרַע לַזֹּרֵעַ וְלֶחֶם לָאֹכֵל: יא כֵּן
יִהְיֶה דְבָרִי אֲשֶׁר יֵצֵא מִפִּי לֹא־יָשׁוּב אֵלַי רֵיקָם כִּי אִם־עָשָׂה

רש״י

(ו) בהמצאו. קודם גזר דין, בעוד שהוא אומר לכם דרשוני: **(ח) כי לא מחשבותי מחשבותיכם.** אין שלי ושלכם שוות, לכך אני אומר לכם, יַעֲזֹב רָשָׁע דַּרְכּוֹ ויתפוש את דרכי: **ואיש און מחשבותיו.** ויתפוש את מחשבותי לעשות הטוב בעיני. ומדרש אגדה, כי לא מחשבותי וגו׳, אין דיני כדיני בשר ודם, אדם, מי שמודה בדין מתחייב, אבל אני, וּמוֹדֶה וְעֹזֵב יְרֻחָם (משלי כח, יג): **(ט) כי גבהו שמים וגו׳.** כלומר כי יש הבדל וחילוק מעלות וגבה בדרכי יותר מדרכיכם, ובמחשבותי יותר ממחשבותיכם, כגובה שמים על הארץ. אתם נותנים לב למרוד בי, ואני נותן לב להטיב אתכם: **(י) כי כאשר ירד הגשם והשלג.** ולא ישוב ריקם, אך ייטיב לעולם: **(יא) כן יהיה דברי אשר יצא מפי.** להודיעכם על ידי הנביאים, לא ישוב ריקם, אך ייטיב לכם אם תשמעו להם:

מצודת דוד

(ו) בהמצאו. בעוד הוא מצוי בכם עד לא תגלו מארצכם ועדיין השכינה שורה עמכם: **בהיותו קרוב.** כפל הדבר במילים שונות: **(ז) דרכו.** דרך הרשע: **מחשבותיו.** יעזוב מחשבותיו: **וישוב.** יעשה תשובה אל ה׳ וירחם עליו: **ואל אלהינו.** ישוב אל אלהינו ויש תקוה כי ירבה לסלוח: **(ח) כי לא וגו׳.** כי אין מחשבותי כמחשבותיכם, כי אתם חושבים שלא יועיל לכם התשובה ולבבי לא כן יחשוב: **ולא דרכיכם דרכי.** דרך בשר ודם לענוש את המורד בו ואין מועיל תשובה ופיוס, אבל דרכי לא כן הוא: **(ט) כי גבהו.** כערך גבהות השמים מן הארץ, כן דרכי גבהו בהבדל רב מדרכיכם; כי דרך בשר ודם שלא ימחול כלל וכלל, ודרכי למחול מכל וכל: **ומחשבותי ממחשבותיכם.** אתם חושבים שאין תשובה מועיל כל עיקר, אבל מחשבתי שמועיל הרבה מאד: **(י) כי כאשר וכו׳.** רצונו לומר, כמו הגשם והשלג היורד מן השמים אשר לא ישוב אל השמים על ידי חום השמש השואב הרטיבות, כי אם בתחילה מרוה האדמה וכו׳ ואחר זה תשוב למעלה בחום השמש: **והולידה.** הוא הוצאת הצמח מהגרעין בעומק הארץ: **והצמיחה.** הוא הוצאת הצמח ממעל לארץ: **ונתן.** הגשם הוא סיבה לגדל תבואה לזרוע מהם עוד במקום אחר ולהיות למאכל להצריך לאכול: **(יא) לא ישוב אלי ריקם.** מבלי יעשה הדבר ההוא. ואחז בלשון בן אדם השולח מי לעשות דבר וחוזר לפעמים ריקם ולא גמר השליחות. ולפי שאמר במשל ושמה לא ישוב לזה אמר לשון לא ישוב: **כי אם עשה.** הדבר יעשה וכו׳; ומוסב למעלה לומר שבודאי תתקיים הבטחתי: **והצליח וכו׳.** כפל הדבר במלות שונות:

מצודת ציון

(י) הרוה. ענין שביעה; כמו, כְּגַן רָוֶה (ישעיה נח, יא):

אֶת־אֲשֶׁר חָפַצְתִּי וְהִצְלִיחַ אֲשֶׁר שְׁלַחְתִּיו: יב כִּי־בְשִׂמְחָה תֵצֵאוּ
וּבְשָׁלוֹם תּוּבָלוּן הֶהָרִים וְהַגְּבָעוֹת יִפְצְחוּ לִפְנֵיכֶם רִנָּה וְכָל־עֲצֵי
הַשָּׂדֶה יִמְחֲאוּ־כָף: יג תַּחַת הַנַּעֲצוּץ יַעֲלֶה בְרוֹשׁ וְתַחַת [ותחת כ׳]
הַסִּרְפַּד יַעֲלֶה הֲדַס וְהָיָה לַיהוה לְשֵׁם לְאוֹת עוֹלָם לֹא יִכָּרֵת: [נו]
א כֹּה אָמַר יהוה שִׁמְרוּ מִשְׁפָּט וַעֲשׂוּ צְדָקָה כִּי־קְרוֹבָה יְשׁוּעָתִי
לָבוֹא וְצִדְקָתִי לְהִגָּלוֹת: ב אַשְׁרֵי אֱנוֹשׁ יַעֲשֶׂה־זֹּאת וּבֶן־אָדָם יַחֲזִיק
בָּהּ שֹׁמֵר שַׁבָּת מֵחַלְּלוֹ וְשֹׁמֵר יָדוֹ מֵעֲשׂוֹת כָּל־רָע: ג וְאַל־יֹאמַר
בֶּן־הַנֵּכָר הַנִּלְוָה אֶל־יהוה לֵאמֹר הַבְדֵּל יַבְדִּילַנִי יהוה מֵעַל עַמּוֹ
וְאַל־יֹאמַר הַסָּרִיס הֵן אֲנִי עֵץ יָבֵשׁ: ד כִּי־כֹה | אָמַר יהוה לַסָּרִיסִים
אֲשֶׁר יִשְׁמְרוּ אֶת־שַׁבְּתוֹתַי וּבָחֲרוּ בַּאֲשֶׁר חָפָצְתִּי וּמַחֲזִיקִים
בִּבְרִיתִי: ה וְנָתַתִּי לָהֶם בְּבֵיתִי וּבְחוֹמֹתַי יָד וָשֵׁם טוֹב מִבָּנִים וּמִבָּנוֹת

רש״י

(יב) כי בשמחה תצאו. מן הגלות: **ההרים והגבעות יפצחו לפניכם רנה.** שיתנו לכם פריים ולמחס ויהנו (ירוננו) יושביהם: **(יג) תחת הנעצוץ וגומר.** רבותינו דרשו, תחת הרשעים יעלו צדיקים: **נעצוץ וסרפד.** מיני קוצים הם. כלומר, הרשעים יאבדו, והצדיקים יטלו ממשלתם: **(ב) יעשה זאת.** שומר שבת וגו׳: **(ג) הבדל יבדילני ה׳ מעל עמו.** למה אתגייר? הלא הקדוש ברוך הוא יבדילני מעל עמו כשישלם שכרם: **ואל יאמר הסריס.** למה איטיב דרכי ומעללי? הן אני כעץ יבש מאין זכרון: **(ד) ומחזיקים.** אוחזים:

מצודת דוד

(יב) כי בשמחה תצאו. וזהו ההבטחה אשר תצאו מן הגולה בשמחה ותובלון לארצכם בשלום: **יפצחו וכו׳.** היא ענין מליצה; כי כשהאדם בשמחה דומה לו שכל העולם שמח עמו: **ימחאו כף.** יכו בכפיהם לשמוח, וגם זה ענין מליצה: **(יג) תחת הנעצוץ.** רצונו לומר, במקום ממשלת העכו״ם ימשלו ישראל: **ותחת הסרפד.** כפל הדבר במילים שונות: **והיה.** הדבר הזה יהיה לה׳ לשם גבורה: **לאות עולם.** ויהיה לאות ולסימן שכן יהיה עד עולם, ולא יכרת הדבר הזה: **(א) שמרו משפט.** שמרו משפטי התורה ועשו צדקה זה עם זה: **כי קרובה.** על ידי זה תהיה תשועתי קרובה לבוא וצדקתי לכם תהיה קרובה להיות נגלה לעון כל: **(ב) יעשה זאת.** את האמור למטה, שישמור את השבת מלחללו, כי הוא יסוד מוסד על אמונת חידוש העולם; ואם כן בזה בודאי ישמור ידו מעשות כל רע הואיל ומאמין שיש בורא: **(ג) הנלוה.** המתחבר עצמו אל ה׳ להאמין בו: **הבדל יבדילני.** אהיה נבדל מישראל בעת יקבלו הטובה ולא אקבל עמהם, ואם כן למה אצדק: **הן אני עץ יבש.** כמו עץ יבש שאין מגדל פרי, כן אני מבלי זרע ולא ישאר שמי לזכרון ועל מה איישר דרכי: **(ד) באשר חפצתי.** בהדבר אשר חפצתי אני: **ומחזיקים.** אוחזים בתורתי אשר כרתי עליה ברית עם ישראל: **(ה) בביתי ובחומותי.** בבית המקדש מבפנים לחומת הר הבית, אשר שמה ישבו כסאות

מצודת ציון

(יב) תובלון. ענין הבאה; כמו, יוּבַל שַׁי (ישעיה יח, ז): **יפצחו.** ענין פתיחת הפה בהרמת קול; כמו, פִּצְחוּ הָרִים רִנָּה (שם מד, כג): **ימחאו.** ענין הכאה כף אל כף דרך שמחה; כמו, מַחְאֲךָ יָד (יחזקאל כה, ו): **(יג) הנעצוץ.** מין אילן קוץ; כמו, וּבְכֹל הַנַּעֲצוּצִים (ישעיה ז, יט): **ברוש.** שם אילן סרק חשוב: **הסרפד.** שם צמח גרוע: **הדס.** שם אילן המריח: **(ב) אנוש.** שם משמות אדם: **יחזיק.** יאחז: **מחללו.** כמו מלחללו: **(ג) הנלוה.** ענין החברה והריעות; כמו, וְנִלְוָה הַגֵּר (שם יד, א): **הבדל.** ענין הפרשה ופירוד: **הסריס.** כן יקרא מי שאינו מוליד: **(ה) יד.** מקום; כמו, וְיָד תִּהְיֶה לְךָ (דברים כג, יג):

שֵׁם עוֹלָם֙ אֶתֶּן־ל֔וֹ אֲשֶׁ֖ר לֹ֥א יִכָּרֵֽת׃ ו וּבְנֵ֣י הַנֵּכָ֗ר הַנִּלְוִ֤ים עַל־
יְהוָה֙ לְשָׁ֣רְת֔וֹ וּֽלְאַהֲבָה֙ אֶת־שֵׁ֣ם יְהוָ֔ה לִהְי֥וֹת ל֖וֹ לַעֲבָדִ֑ים כָּל־
שֹׁמֵ֤ר שַׁבָּת֙ מֵֽחַלְּל֔וֹ וּמַחֲזִיקִ֖ים בִּבְרִיתִֽי׃ ז וַהֲבִיאוֹתִ֞ים אֶל־הַ֣ר
קָדְשִׁ֗י וְשִׂמַּחְתִּים֙ בְּבֵ֣ית תְּפִלָּתִ֔י עוֹלֹתֵיהֶ֧ם וְזִבְחֵיהֶ֛ם לְרָצ֖וֹן
עַל־מִזְבְּחִ֑י כִּ֣י בֵיתִ֔י בֵּית־תְּפִלָּ֥ה יִקָּרֵ֖א לְכָל־הָעַמִּֽים׃ ח נְאֻם֙
אֲדֹנָ֣י יֱהוִ֔ה מְקַבֵּ֖ץ נִדְחֵ֣י יִשְׂרָאֵ֑ל ע֛וֹד אֲקַבֵּ֥ץ עָלָ֖יו לְנִקְבָּצָֽיו׃

רש"י

(ז) לכל העמים. ולא לישראל לבדם: **(ח) לנקבציו.** נוספים על קבוצי ישראל:

מצודת דוד

למשפט, מושב הסנהדרין והזקנים, שם אתן לו מקום וזכרון. שם, רצונו לומר, שם יהיה מקומו ושם יזכר לטובה, והוא דבר הטוב יותר מזכרון הבא מבנים ובנות: **שם עולם אתן לו.** רצונו לומר, עד עולם יזכר לטובה אשר לא יכרת זכרון שמו: **(ו) על ה'.** כמו אל ה': **כל שומר שבת.** כל מי בהם אשר ישמור את השבת מלחללו וכל האוחזים בתורתו הנתונה בברית: **(ז) והביאותים.** את העושים כל אלה אביא אל הר קדשי הוא בית המקדש שוה בשוה עם האזרח בישראל: **ושמחתים.** אשמחם בבית המוכן להתפלל שם לפני: **לרצון.** יהיו מקובלים ברצון על מזבחי: **יקרא לכל העמים.** רצונו לומר, יהיה מוכן לבית תפלה לכולם: **(ח) מקבץ.** המקבץ את ישראל: **עוד אקבץ עליו.** על ישראל, אקבץ עוד להיות נוספים על הנקבצים מישראל:

מצודת ציון

(ו) לשרתו. ענין עבודות ושמוש:

שרשי המילים ובניני הפעלים

מספר "**אמרי מדריך**" להרב מאיר מרדכי אידלמן

הוראות לשימוש:

- ❑ אותיות שחורות הן אותיות השורש.
- ❑ אותיות חלולות הן משמשים.
- ❑ אותיות קטנות לצד מטה (א) הן אותיות מהשורש החסרות בתיבה.
- ❑ אותיות קטנות לצד מעלה (א) הן אותיות זעירות על פי המסורה.
- ❑ [מילה המוקפת בחצי ריבוע] מסמן שיש קרי וכתיב, וזהו הכתיב.
- ❑ (אות בסוגריים) מסמן שלפעמים תהיה אותה האות חלק מהשורש.
- ❑ מילים באותיות דקות הן מילים שאין להן שורש או שלא ביארנו שרשיהן בחיבור זה.
- ❑ בגיזרת ע"ו בזמן עתיד, כגון "יקום", כתבנו הוי"ו באותיות שחורות.
- ❑ שם שלמ"ד הפועל ה"א והיא נקבה, כגון שָׁנָה, כתבנו שָׁנָהה מפני שאות הה"א שבסוף אינה שרשית.
- ❑ התיבות "הם" ו"הן" מופיעות באותיות שחורות, חוץ מכשהן דבוקות לתיבה אחרת.
- ❑ המספר המופיע אחר תיבה מציין הבנין הדקדוקי של התיבה. לפעמים מופיעים שני מספרים על תיבה אחת לסמן שהתיבה מורכבת משני בנינים.

ואלו הם סימני הבנינים:

1. פָּעַל - קַל
2. נִפְעַל
3. פִּעֵל
4. פֻּעַל
5. הִפְעִיל
6. הָפְעַל - הָפְעַל
7. הִתְפַּעֵל

יש לציין שספרו כולל גם ביאורים והערות.

פרשת בראשית

א א בְּרֵאשִׁית בָּרָא1 אֱלֹהִים אֵת הַשָּׁמַיִם
וְאֵת הָאָרֶץ: ב וְהָאָרֶץ הָיְתָה1 תֹהוּ
וָבֹהוּ וְחֹשֶׁךְ עַל־פְּנֵי תְהוֹם וְרוּחַ אֱלֹהִים
מְרַחֶפֶת3 עַל־פְּנֵי הַמָּיִם: ג וַיֹּאמֶר1 אֱלֹהִים
יְהִי1־אוֹר וַיְהִי1־אוֹר: ד וַיַּרְא1 אֱלֹהִים
אֶת־הָאוֹר כִּי־טוֹב וַיַּבְדֵּל5 אֱלֹהִים בֵּין הָאוֹר
וּבֵין הַחֹשֶׁךְ: ה וַיִּקְרָא1 אֱלֹהִים | לָאוֹר יוֹם
וְלַחֹשֶׁךְ קָרָא1 לָיְלָה וַיְהִי1־עֶרֶב וַיְהִי1־בֹקֶר
יוֹם אֶחָד: פ
ו וַיֹּאמֶר1 אֱלֹהִים יְהִי1 רָקִיעַ בְּתוֹךְ הַמָּיִם
וִיהִי1 מַבְדִּיל5 בֵּין מַיִם לָמָיִם: ז וַיַּעַשׂ1
אֱלֹהִים אֶת־הָרָקִיעַ וַיַּבְדֵּל5 בֵּין הַמַּיִם אֲשֶׁר
מִתַּחַת לָרָקִיעַ וּבֵין הַמַּיִם אֲשֶׁר מֵעַל
לָרָקִיעַ וַיְהִי1־כֵן: ח וַיִּקְרָא1 אֱלֹהִים לָרָקִיעַ
שָׁמָיִם וַיְהִי1־עֶרֶב וַיְהִי1־בֹקֶר יוֹם שֵׁנִי: פ
ט וַיֹּאמֶר1 אֱלֹהִים יִקָּווּ2 הַמַּיִם מִתַּחַת
הַשָּׁמַיִם אֶל־מָקוֹם אֶחָד וְתֵרָאֶה2 הַיַּבָּשָׁה
וַיְהִי1־כֵן: י וַיִּקְרָא1 אֱלֹהִים | לַיַּבָּשָׁה אֶרֶץ
וּלְמִקְוֵה הַמַּיִם קָרָא1 יַמִּים וַיַּרְא1 אֱלֹהִים
כִּי־טוֹב: יא וַיֹּאמֶר1 אֱלֹהִים תַּדְשֵׁא5 הָאָרֶץ
דֶּשֶׁא עֵשֶׂב מַזְרִיעַ5 זֶרַע עֵץ פְּרִי עֹשֶׂה1
פְּרִי לְמִינוֹ אֲשֶׁר זַרְעוֹ־בוֹ עַל־הָאָרֶץ
וַיְהִי1־כֵן: יב וַתּוֹצֵא5 הָאָרֶץ דֶּשֶׁא עֵשֶׂב
מַזְרִיעַ5 זֶרַע לְמִינֵהוּ וְעֵץ עֹשֶׂה1־פְּרִי אֲשֶׁר
זַרְעוֹ־בוֹ לְמִינֵהוּ וַיַּרְא1 אֱלֹהִים כִּי־טוֹב:
יג וַיְהִי1־עֶרֶב וַיְהִי1־בֹקֶר יוֹם שְׁלִישִׁי: פ
יד וַיֹּאמֶר1 אֱלֹהִים יְהִי1 מְאֹרֹת בִּרְקִיעַ
הַשָּׁמַיִם לְהַבְדִּיל5 בֵּין הַיּוֹם וּבֵין הַלָּיְלָה
וְהָיוּ1 לְאֹתֹת וּלְמוֹעֲדִים וּלְיָמִים וְשָׁנִים:
טו וְהָיוּ1 לִמְאוֹרֹת בִּרְקִיעַ הַשָּׁמַיִם לְהָאִיר5
עַל־הָאָרֶץ וַיְהִי1־כֵן: טז וַיַּעַשׂ1 אֱלֹהִים
אֶת־שְׁנֵי הַמְּאֹרֹת הַגְּדֹלִים אֶת־הַמָּאוֹר
הַגָּדֹל לְמֶמְשֶׁלֶת הַיּוֹם וְאֶת־הַמָּאוֹר הַקָּטֹן
לְמֶמְשֶׁלֶת הַלַּיְלָה וְאֵת הַכּוֹכָבִים: יז וַיִּתֵּן1
אֹתָם אֱלֹהִים בִּרְקִיעַ הַשָּׁמָיִם לְהָאִיר5 עַל־
הָאָרֶץ: יח וְלִמְשֹׁל1 בַּיּוֹם וּבַלַּיְלָה וּלֲהַבְדִּיל5
בֵּין הָאוֹר וּבֵין הַחֹשֶׁךְ וַיַּרְא1 אֱלֹהִים כִּי־טוֹב:
יט וַיְהִי1־עֶרֶב וַיְהִי1־בֹקֶר יוֹם רְבִיעִי: פ
כ וַיֹּאמֶר1 אֱלֹהִים יִשְׁרְצוּ1 הַמַּיִם שֶׁרֶץ נֶפֶשׁ
חַיָּה וְעוֹף יְעוֹפֵף3 עַל־הָאָרֶץ עַל־פְּנֵי
רְקִיעַ הַשָּׁמָיִם: כא וַיִּבְרָא1 אֱלֹהִים אֶת־
הַתַּנִּינִם הַגְּדֹלִים וְאֵת כָּל־נֶפֶשׁ הַחַיָּה |
הָרֹמֶשֶׂת1 אֲשֶׁר שָׁרְצוּ1 הַמַּיִם לְמִינֵהֶם
וְאֵת כָּל־עוֹף כָּנָף לְמִינֵהוּ וַיַּרְא1 אֱלֹהִים
כִּי־טוֹב: כב וַיְבָרֶךְ3 אֹתָם אֱלֹהִים לֵאמֹר1
פְּרוּ1 וּרְבוּ1 וּמִלְאוּ1 אֶת־הַמַּיִם בַּיַּמִּים
וְהָעוֹף יִרֶב1 בָּאָרֶץ: כג וַיְהִי1־עֶרֶב וַיְהִי1־
בֹקֶר יוֹם חֲמִישִׁי: פ
כד וַיֹּאמֶר1 אֱלֹהִים תּוֹצֵא5 הָאָרֶץ נֶפֶשׁ
חַיָּה לְמִינָהּ בְּהֵמָה וָרֶמֶשׂ וְחַיְתוֹ־אֶרֶץ
לְמִינָהּ וַיְהִי1־כֵן: כה וַיַּעַשׂ1 אֱלֹהִים אֶת־
חַיַּת הָאָרֶץ לְמִינָהּ וְאֶת־הַבְּהֵמָה לְמִינָהּ
וְאֵת כָּל־רֶמֶשׂ הָאֲדָמָה לְמִינֵהוּ וַיַּרְא1
אֱלֹהִים כִּי־טוֹב: כו וַיֹּאמֶר1 אֱלֹהִים נַעֲשֶׂה1
אָדָם בְּצַלְמֵנוּ כִּדְמוּתֵנוּ וְיִרְדּוּ1 בִדְגַת
הַיָּם וּבְעוֹף הַשָּׁמַיִם וּבַבְּהֵמָה וּבְכָל־
הָאָרֶץ וּבְכָל־הָרֶמֶשׂ הָרֹמֵשׂ1 עַל־הָאָרֶץ:
כז וַיִּבְרָא1 אֱלֹהִים | אֶת־הָאָדָם בְּצַלְמוֹ בְּצֶלֶם
אֱלֹהִים בָּרָא1 אֹתוֹ זָכָר וּנְקֵבָה בָּרָא1 אֹתָם:
כח וַיְבָרֶךְ3 אֹתָם אֱלֹהִים וַיֹּאמֶר1 לָהֶם אֱלֹהִים
פְּרוּ1 וּרְבוּ1 וּמִלְאוּ1 אֶת־הָאָרֶץ וְכִבְשֻׁהָ1
וּרְדוּ1 בִּדְגַת הַיָּם וּבְעוֹף הַשָּׁמַיִם וּבְכָל־
חַיָּה הָרֹמֶשֶׂת1 עַל־הָאָרֶץ: כט וַיֹּאמֶר1
אֱלֹהִים הִנֵּה נָתַתִּי1 לָכֶם אֶת־כָּל־עֵשֶׂב |
זֹרֵעַ1 זֶרַע אֲשֶׁר עַל־פְּנֵי כָל־הָאָרֶץ וְאֶת־
כָּל־הָעֵץ אֲשֶׁר־בּוֹ פְרִי־עֵץ זֹרֵעַ1 זָרַע
לָכֶם יִהְיֶה1 לְאָכְלָה: ל וּלְכָל־חַיַּת הָאָרֶץ
וּלְכָל־עוֹף הַשָּׁמַיִם וּלְכֹל | רוֹמֵשׂ1 עַל־
הָאָרֶץ אֲשֶׁר־בּוֹ נֶפֶשׁ חַיָּה אֶת־כָּל־
יֶרֶק עֵשֶׂב לְאָכְלָה וַיְהִי1־כֵן: לא וַיַּרְא1
אֱלֹהִים אֶת־כָּל־אֲשֶׁר עָשָׂה1 וְהִנֵּה־טוֹב מְאֹד
וַיְהִי1־עֶרֶב וַיְהִי1־בֹקֶר יוֹם הַשִּׁשִּׁי: פ
ב א וַיְכֻלּוּ4 הַשָּׁמַיִם וְהָאָרֶץ וְכָל־צְבָאָם:
ב וַיְכַל3 אֱלֹהִים בַּיּוֹם הַשְּׁבִיעִי מְלַאכְתּוֹ
אֲשֶׁר עָשָׂה1 וַיִּשְׁבֹּת1 בַּיּוֹם הַשְּׁבִיעִי מִכָּל־
מְלַאכְתּוֹ אֲשֶׁר עָשָׂה1: ג וַיְבָרֶךְ3 אֱלֹהִים

אֶת־יוֹם הַשְּׁבִיעִי וַיְקַדֵּשׁ3 אֹתוֹ כִּי בוֹ
שָׁבַת1 מִכָּל־מְלַאכְתּוֹ אֲשֶׁר־בָּרָא1 אֱלֹהִים
לַעֲשׂוֹת1: פ
ד אֵלֶּה תוֹלְדוֹת הַשָּׁמַיִם וְהָאָרֶץ בְּהִבָּרְאָם2
בְּיוֹם עֲשׂוֹת1 יהוה אֱלֹהִים אֶרֶץ וְשָׁמָיִם:
ה וְכֹל | שִׂיחַ הַשָּׂדֶה טֶרֶם יִהְיֶה1 בָאָרֶץ
וְכָל־עֵשֶׂב הַשָּׂדֶה טֶרֶם יִצְמָח1 כִּי לֹא
הִמְטִיר5 יהוה אֱלֹהִים עַל־הָאָרֶץ וְאָדָם
אַיִן לַעֲבֹד1 אֶת־הָאֲדָמָה: ו וְאֵד יַעֲלֶה1
מִן־הָאָרֶץ וְהִשְׁקָה5 אֶת־כָּל־פְּנֵי הָאֲדָמָה:
ז וַיִּיצֶר1 יהוה אֱלֹהִים אֶת־הָאָדָם עָפָר מִן־
הָאֲדָמָה וַיִּפַּח1 בְּאַפָּיו נִשְׁמַת חַיִּים וַיְהִי1
הָאָדָם לְנֶפֶשׁ חַיָּה: ח וַיִּטַּע1 יהוה אֱלֹהִים גַּן־
בְּעֵדֶן מִקֶּדֶם וַיָּשֶׂם1 שָׁם אֶת־הָאָדָם אֲשֶׁר
יָצָר1: ט וַיַּצְמַח5 יהוה אֱלֹהִים מִן־הָאֲדָמָה
כָּל־עֵץ נֶחְמָד2 לְמַרְאֶה וְטוֹב לְמַאֲכָל
וְעֵץ הַחַיִּים בְּתוֹךְ הַגָּן וְעֵץ הַדַּעַת
טוֹב וָרָע: י וְנָהָר יֹצֵא1 מֵעֵדֶן לְהַשְׁקוֹת5
אֶת־הַגָּן וּמִשָּׁם יִפָּרֵד2 וְהָיָה1 לְאַרְבָּעָה
רָאשִׁים: יא שֵׁם הָאֶחָד פִּישׁוֹן הוּא הַסֹּבֵב1
אֵת כָּל־אֶרֶץ הַחֲוִילָה אֲשֶׁר־שָׁם הַזָּהָב:
יב וּזֲהַב הָאָרֶץ הַהִוא טוֹב שָׁם הַבְּדֹלַח
וְאֶבֶן הַשֹּׁהַם: יג וְשֵׁם־הַנָּהָר הַשֵּׁנִי גִּיחוֹן
הוּא הַסּוֹבֵב1 אֵת כָּל־אֶרֶץ כּוּשׁ: יד וְשֵׁם
הַנָּהָר הַשְּׁלִישִׁי חִדֶּקֶל הוּא הַהֹלֵךְ1 קִדְמַת
אַשּׁוּר וְהַנָּהָר הָרְבִיעִי הוּא פְרָת: טו וַיִּקַּח1
יהוה אֱלֹהִים אֶת־הָאָדָם וַיַּנִּחֵהוּ5 בְגַן־עֵדֶן
לְעָבְדָהּ1 וּלְשָׁמְרָהּ1: טז וַיְצַו3 יהוה אֱלֹהִים
עַל־הָאָדָם לֵאמֹר1 מִכֹּל עֵץ־הַגָּן אָכֹל1
תֹּאכֵל1: יז וּמֵעֵץ הַדַּעַת טוֹב וָרָע לֹא
תֹאכַל1 מִמֶּנּוּ כִּי בְּיוֹם אֲכָלְךָ1 מִמֶּנּוּ מוֹת1
תָּמוּת1: יח וַיֹּאמֶר1 יהוה אֱלֹהִים לֹא־טוֹב
הֱיוֹת1 הָאָדָם לְבַדּוֹ אֶעֱשֶׂה1־לּוֹ עֵזֶר כְּנֶגְדּוֹ:
יט וַיִּצֶר1 יהוה אֱלֹהִים מִן־הָאֲדָמָה כָּל־חַיַּת
הַשָּׂדֶה וְאֵת כָּל־עוֹף הַשָּׁמַיִם וַיָּבֵא5 אֶל־
הָאָדָם לִרְאוֹת1 מַה־יִּקְרָא1־לוֹ וְכֹל אֲשֶׁר
יִקְרָא1־לוֹ הָאָדָם נֶפֶשׁ חַיָּה הוּא שְׁמוֹ:
כ וַיִּקְרָא1 הָאָדָם שֵׁמוֹת לְכָל־הַבְּהֵמָה
וּלְעוֹף הַשָּׁמַיִם וּלְכֹל חַיַּת הַשָּׂדֶה וּלְאָדָם
לֹא־מָצָא1 עֵזֶר כְּנֶגְדּוֹ: כא וַיַּפֵּל5 יהוה אֱלֹהִים |
תַּרְדֵּמָה עַל־הָאָדָם וַיִּישָׁן1 וַיִּקַּח1 אַחַת
מִצַּלְעֹתָיו וַיִּסְגֹּר1 בָּשָׂר תַּחְתֶּנָּה: כב וַיִּבֶן1
יהוה אֱלֹהִים | אֶת־הַצֵּלָע אֲשֶׁר־לָקַח1
מִן־הָאָדָם לְאִשָּׁה וַיְבִאֶהָ5 אֶל־הָאָדָם:
כג וַיֹּאמֶר1 הָאָדָם זֹאת הַפַּעַם עֶצֶם מֵעֲצָמַי
וּבָשָׂר מִבְּשָׂרִי לְזֹאת יִקָּרֵא2 אִשָּׁה כִּי מֵאִישׁ
לֻקְחָה4־זֹּאת: כד עַל־כֵּן יַעֲזָב1־אִישׁ אֶת־
אָבִיו וְאֶת־אִמּוֹ וְדָבַק1 בְּאִשְׁתּוֹ וְהָיוּ1
לְבָשָׂר אֶחָד: כה וַיִּהְיוּ1 שְׁנֵיהֶם עֲרוּמִּים
הָאָדָם וְאִשְׁתּוֹ וְלֹא יִתְבֹּשָׁשׁוּ7: ג א וְהַנָּחָשׁ
הָיָה1 עָרוּם מִכֹּל חַיַּת הַשָּׂדֶה אֲשֶׁר עָשָׂה1
יהוה אֱלֹהִים וַיֹּאמֶר1 אֶל־הָאִשָּׁה אַף כִּי־
אָמַר1 אֱלֹהִים לֹא תֹאכְלוּ1 מִכֹּל עֵץ הַגָּן:
ב וַתֹּאמֶר1 הָאִשָּׁה אֶל־הַנָּחָשׁ מִפְּרִי עֵץ־
הַגָּן נֹאכֵל1: ג וּמִפְּרִי הָעֵץ אֲשֶׁר בְּתוֹךְ־
הַגָּן אָמַר1 אֱלֹהִים לֹא תֹאכְלוּ1 מִמֶּנּוּ וְלֹא
תִגְּעוּ1 בּוֹ פֶּן תְּמֻתוּן1: ד וַיֹּאמֶר1 הַנָּחָשׁ
אֶל־הָאִשָּׁה לֹא־מוֹת1 תְּמֻתוּן1: ה כִּי יֹדֵעַ1
אֱלֹהִים כִּי בְּיוֹם אֲכָלְכֶם1 מִמֶּנּוּ וְנִפְקְחוּ2
עֵינֵיכֶם וִהְיִיתֶם1 כֵּאלֹהִים יֹדְעֵי1 טוֹב וָרָע:
ו וַתֵּרֶא1 הָאִשָּׁה כִּי טוֹב הָעֵץ לְמַאֲכָל
וְכִי תַאֲוָה־הוּא לָעֵינַיִם וְנֶחְמָד2 הָעֵץ
לְהַשְׂכִּיל5 וַתִּקַּח1 מִפִּרְיוֹ וַתֹּאכַל1 וַתִּתֵּן1
גַּם־לְאִישָׁהּ עִמָּהּ וַיֹּאכַל1: ז וַתִּפָּקַחְנָה2 עֵינֵי
שְׁנֵיהֶם וַיֵּדְעוּ1 כִּי עֵירֻמִּם הֵם וַיִּתְפְּרוּ1 עֲלֵה
תְאֵנָה וַיַּעֲשׂוּ1 לָהֶם חֲגֹרֹת: ח וַיִּשְׁמְעוּ1 אֶת־
קוֹל יהוה אֱלֹהִים מִתְהַלֵּךְ7 בַּגָּן לְרוּחַ הַיּוֹם
וַיִּתְחַבֵּא7 הָאָדָם וְאִשְׁתּוֹ מִפְּנֵי יהוה אֱלֹהִים
בְּתוֹךְ עֵץ הַגָּן: ט וַיִּקְרָא1 יהוה אֱלֹהִים אֶל־
הָאָדָם וַיֹּאמֶר1 לוֹ אַיֶּכָּה: י וַיֹּאמֶר1 אֶת־
קֹלְךָ שָׁמַעְתִּי1 בַּגָּן וָאִירָא1 כִּי־עֵירֹם אָנֹכִי
וָאֵחָבֵא2: יא וַיֹּאמֶר1 מִי הִגִּיד5 לְךָ כִּי עֵירֹם
אָתָּה הֲמִן־הָעֵץ אֲשֶׁר צִוִּיתִיךָ3 לְבִלְתִּי
אֲכָל1־מִמֶּנּוּ אָכָלְתָּ1: יב וַיֹּאמֶר1 הָאָדָם
הָאִשָּׁה אֲשֶׁר נָתַתָּה1 עִמָּדִי הִוא נָתְנָה1־לִּי
מִן־הָעֵץ וָאֹכֵל1: יג וַיֹּאמֶר1 יהוה אֱלֹהִים
לָאִשָּׁה מַה־זֹּאת עָשִׂית1 וַתֹּאמֶר1 הָאִשָּׁה
הַנָּחָשׁ הִשִּׁיאַנִי5 וָאֹכֵל1: יד וַיֹּאמֶר1 יהוה

אֱלֹהִים | אֶל־הַנָּחָשׁ כִּי עָשִׂיתָ1 זֹּאת אָרוּר1
אַתָּה מִכָּל־הַבְּהֵמָה וּמִכֹּל חַיַּת הַשָּׂדֶה
עַל־גְּחֹנְךָ תֵלֵךְ1 וְעָפָר תֹּאכַל1 כָּל־יְמֵי
חַיֶּיךָ: טו וְאֵיבָה | אָשִׁית1 בֵּינְךָ וּבֵין הָאִשָּׁה
וּבֵין זַרְעֲךָ וּבֵין זַרְעָהּ הוּא יְשׁוּפְךָ1 רֹאשׁ
וְאַתָּה תְּשׁוּפֶנּוּ1 עָקֵב: ס טז אֶל־הָאִשָּׁה
אָמַר1 הַרְבָּה5 אַרְבֶּה5 עִצְּבוֹנֵךְ וְהֵרֹנֵךְ
בְּעֶצֶב תֵּלְדִי1 בָנִים וְאֶל־אִישֵׁךְ תְּשׁוּקָתֵךְ
וְהוּא יִמְשָׁל1־בָּךְ: ס יז וּלְאָדָם אָמַר1 כִּי
שָׁמַעְתָּ1 לְקוֹל אִשְׁתֶּךָ וַתֹּאכַל1 מִן־הָעֵץ
אֲשֶׁר צִוִּיתִיךָ3 לֵאמֹר1 לֹא תֹאכַל1 מִמֶּנּוּ
אֲרוּרָה1 הָאֲדָמָה בַּעֲבוּרֶךָ בְּעִצָּבוֹן תֹּאכֲלֶנָּה1
כֹּל יְמֵי חַיֶּיךָ: יח וְקוֹץ וְדַרְדַּר תַּצְמִיחַ5 לָךְ
וְאָכַלְתָּ1 אֶת־עֵשֶׂב הַשָּׂדֶה: יט בְּזֵעַת אַפֶּיךָ
תֹּאכַל1 לֶחֶם עַד שׁוּבְךָ1 אֶל־הָאֲדָמָה כִּי
מִמֶּנָּה לֻקָּחְתָּ4 כִּי־עָפָר אַתָּה וְאֶל־עָפָר
תָּשׁוּב1: כ וַיִּקְרָא1 הָאָדָם שֵׁם אִשְׁתּוֹ חַוָּה
כִּי הִוא הָיְתָה1 אֵם כָּל־חָי: כא וַיַּעַשׂ1
יְהוָה אֱלֹהִים לְאָדָם וּלְאִשְׁתּוֹ כָּתְנוֹת עוֹר
וַיַּלְבִּשֵׁם5: פ

כב וַיֹּאמֶר1 | יְהוָה אֱלֹהִים הֵן הָאָדָם הָיָה1
כְּאַחַד מִמֶּנּוּ לָדַעַת1 טוֹב וָרָע וְעַתָּה |
פֶּן־יִשְׁלַח1 יָדוֹ וְלָקַח1 גַּם מֵעֵץ הַחַיִּים
וְאָכַל1 וָחַי לְעֹלָם: כג וַיְשַׁלְּחֵהוּ3 יְהוָה
אֱלֹהִים מִגַּן־עֵדֶן לַעֲבֹד1 אֶת־הָאֲדָמָה אֲשֶׁר
לֻקַּח4 מִשָּׁם: כד וַיְגָרֶשׁ3 אֶת־הָאָדָם וַיַּשְׁכֵּן5
מִקֶּדֶם לְגַן־עֵדֶן אֶת־הַכְּרֻבִים וְאֵת לַהַט
הַחֶרֶב הַמִּתְהַפֶּכֶת7 לִשְׁמֹר1 אֶת־דֶּרֶךְ עֵץ
הַחַיִּים: ס ד א וְהָאָדָם יָדַע1 אֶת־חַוָּה
אִשְׁתּוֹ וַתַּהַר1 וַתֵּלֶד1 אֶת־קַיִן וַתֹּאמֶר1
קָנִיתִי1 אִישׁ אֶת־יְהוָה: ב וַתֹּסֶף5 לָלֶדֶת1
אֶת־אָחִיו אֶת־הָבֶל וַיְהִי1־הֶבֶל רֹעֵה1 צֹאן
וְקַיִן הָיָה1 עֹבֵד1 אֲדָמָה: ג וַיְהִי1 מִקֵּץ יָמִים
וַיָּבֵא5 קַיִן מִפְּרִי הָאֲדָמָה מִנְחָה לַיהוָה:
ד וְהֶבֶל הֵבִיא5 גַם־הוּא מִבְּכֹרוֹת צֹאנוֹ
וּמֵחֶלְבֵהֶן וַיִּשַׁע1 יְהוָה אֶל־הֶבֶל וְאֶל־מִנְחָתוֹ:
ה וְאֶל־קַיִן וְאֶל־מִנְחָתוֹ לֹא שָׁעָה1 וַיִּחַר1
לְקַיִן מְאֹד וַיִּפְּלוּ1 פָּנָיו: ו וַיֹּאמֶר1 יְהוָה אֶל־
קָיִן לָמָּה חָרָה1 לָךְ וְלָמָּה נָפְלוּ1 פָנֶיךָ: ז הֲלוֹא
אִם־תֵּיטִיב5 שְׂאֵת1 וְאִם לֹא תֵיטִיב5
לַפֶּתַח חַטָּאת רֹבֵץ1 וְאֵלֶיךָ תְּשׁוּקָתוֹ וְאַתָּה
תִּמְשָׁל1־בּוֹ: ח וַיֹּאמֶר1 קַיִן אֶל־הֶבֶל אָחִיו
וַיְהִי1 בִּהְיוֹתָם1 בַּשָּׂדֶה וַיָּקָם1 קַיִן אֶל־הֶבֶל
אָחִיו וַיַּהַרְגֵהוּ1: ט וַיֹּאמֶר1 יְהוָה אֶל־קַיִן אֵי
הֶבֶל אָחִיךָ וַיֹּאמֶר1 לֹא יָדַעְתִּי1 הֲשֹׁמֵר1
אָחִי אָנֹכִי: י וַיֹּאמֶר1 מֶה עָשִׂיתָ1 קוֹל דְּמֵי
אָחִיךָ צֹעֲקִים1 אֵלַי מִן־הָאֲדָמָה: יא וְעַתָּה
אָרוּר1 אָתָּה מִן־הָאֲדָמָה אֲשֶׁר פָּצְתָה1
אֶת־פִּיהָ לָקַחַת1 אֶת־דְּמֵי אָחִיךָ מִיָּדֶךָ:
יב כִּי תַעֲבֹד1 אֶת־הָאֲדָמָה לֹא־תֹסֵף5 תֵּת1־
כֹּחָהּ לָךְ נָע1 וָנָד1 תִּהְיֶה1 בָאָרֶץ: יג וַיֹּאמֶר1
קַיִן אֶל־יְהוָה גָּדוֹל עֲוֺנִי מִנְּשֹׂא1: יד הֵן
גֵּרַשְׁתָּ3 אֹתִי הַיּוֹם מֵעַל פְּנֵי הָאֲדָמָה
וּמִפָּנֶיךָ אֶסָּתֵר2 וְהָיִיתִי1 נָע1 וָנָד1 בָּאָרֶץ
וְהָיָה1 כָל־מֹצְאִי1 יַהַרְגֵנִי1: טו וַיֹּאמֶר1 לוֹ יְהוָה
לָכֵן כָּל־הֹרֵג1 קַיִן שִׁבְעָתַיִם יֻקָּם6 וַיָּשֶׂם1
יְהוָה לְקַיִן אוֹת לְבִלְתִּי הַכּוֹת5־אֹתוֹ כָּל־
מֹצְאוֹ1: טז וַיֵּצֵא1 קַיִן מִלִּפְנֵי יְהוָה וַיֵּשֶׁב1
בְּאֶרֶץ־נוֹד קִדְמַת־עֵדֶן: יז וַיֵּדַע1 קַיִן אֶת־
אִשְׁתּוֹ וַתַּהַר1 וַתֵּלֶד1 אֶת־חֲנוֹךְ וַיְהִי1 בֹּנֶה1
עִיר וַיִּקְרָא1 שֵׁם הָעִיר כְּשֵׁם בְּנוֹ חֲנוֹךְ:
יח וַיִּוָּלֵד2 לַחֲנוֹךְ אֶת־עִירָד וְעִירָד יָלַד1 אֶת־
מְחוּיָאֵל וּמְחִיָּיאֵל יָלַד1 אֶת־מְתוּשָׁאֵל וּמְתוּשָׁאֵל
יָלַד1 אֶת־לָמֶךְ: יט וַיִּקַּח1־לוֹ לֶמֶךְ שְׁתֵּי
נָשִׁים שֵׁם הָאַחַת עָדָה וְשֵׁם הַשֵּׁנִית
צִלָּה: כ וַתֵּלֶד1 עָדָה אֶת־יָבָל הוּא הָיָה1 אֲבִי
יֹשֵׁב1 אֹהֶל וּמִקְנֶה: כא וְשֵׁם אָחִיו יוּבָל הוּא
הָיָה1 אֲבִי כָּל־תֹּפֵשׂ1 כִּנּוֹר וְעוּגָב: כב וְצִלָּה
גַם־הִוא יָלְדָה1 אֶת־תּוּבַל קַיִן לֹטֵשׁ1 כָּל־
חֹרֵשׁ1 נְחֹשֶׁת וּבַרְזֶל וַאֲחוֹת תּוּבַל־קַיִן נַעֲמָה:
כג וַיֹּאמֶר1 לֶמֶךְ לְנָשָׁיו עָדָה וְצִלָּה שְׁמַעַן1 קוֹלִי
נְשֵׁי לֶמֶךְ הַאְזֵנָּה5 אִמְרָתִי כִּי אִישׁ הָרַגְתִּי1
לְפִצְעִי וְיֶלֶד לְחַבֻּרָתִי: כד כִּי שִׁבְעָתַיִם יֻקַּם6־
קָיִן וְלֶמֶךְ שִׁבְעִים וְשִׁבְעָה: כה וַיֵּדַע1 אָדָם עוֹד
אֶת־אִשְׁתּוֹ וַתֵּלֶד1 בֵּן וַתִּקְרָא1 אֶת־שְׁמוֹ
שֵׁת כִּי שָׁת1־לִי אֱלֹהִים זֶרַע אַחֵר תַּחַת הֶבֶל כִּי
הֲרָגוֹ1 קָיִן: כו וּלְשֵׁת גַּם־הוּא יֻלַּד4־בֵּן וַיִּקְרָא1
אֶת־שְׁמוֹ אֱנוֹשׁ אָז הוּחַל6 לִקְרֹא1 בְּשֵׁם

יהוה: ס ה א זֶה סֵפֶר תּוֹלְדֹת אָדָם
בְּיוֹם בְּרֹא1 אֱלֹהִים אָדָם בִּדְמהוּת אֱלֹהִים
עָשָׂה1 אֹתוֹ: ב זָכָר וּנְקֵבָה בְּרָאָם1 וַיְבָרֶךְ3
אֹתָם וַיִּקְרָא1 אֶת־שְׁמָהם אָדָם בְּיוֹם
הִבָּרְאָם2: ג וַיְחִי1 אָדָם שְׁלֹשִׁים וּמְאַהת
שָׁנָה וַיּוֹלֶד5 בִּדְמהוּתוֹ כְּצַלְמוֹ וַיִּקְרָא1 אֶת־
שְׁמהוֹ שֵׁת: ד וַיִּהְיוּ1 יְמֵי־אָדָם אַחֲרֵי הוֹלִידוֹ5
אֶת־שֵׁת שְׁמֹנֶה מֵאהֹת שָׁנָה וַיּוֹלֶד5 בָּנִהים
וּבָנהוֹת: ה וַיִּהְיוּ1 כָּל־יְמֵי אָדָם אֲשֶׁר־
חַי תְּשַׁע מֵאהוֹת שָׁנָה וּשְׁלֹשִׁים שָׁנָה
וַיָּמֹת1: ס ו וַיְחִי1־שֵׁת חָמֵשׁ שָׁנִהים וּמְאַהת
שָׁנָה וַיּוֹלֶד5 אֶת־אֱנוֹשׁ: ז וַיְחִי1־שֵׁת אַחֲרֵי
הוֹלִידוֹ5 אֶת־אֱנוֹשׁ שֶׁבַע שָׁנִהים וּשְׁמֹנֶה
מֵאהוֹת שָׁנָה וַיּוֹלֶד5 בָּנִהים וּבָנהוֹת: ח וַיִּהְיוּ1
כָּל־יְמֵי־שֵׁת שְׁתֵּים עֶשְׂרֵה שָׁנָה וּתְשַׁע
מֵאהוֹת שָׁנָה וַיָּמֹת1: ס ט וַיְחִי1 אֱנוֹשׁ
תִּשְׁעִים שָׁנָה וַיּוֹלֶד5 אֶת־קֵינָן: י וַיְחִי1 אֱנוֹשׁ
אַחֲרֵי הוֹלִידוֹ5 אֶת־קֵינָן חֲמֵשׁ עֶשְׂרֵה שָׁנָה
וּשְׁמֹנֶה מֵאהוֹת שָׁנָה וַיּוֹלֶד5 בָּנִהים וּבָנהוֹת:
יא וַיִּהְיוּ1 כָּל־יְמֵי אֱנוֹשׁ חָמֵשׁ שָׁנִהים וּתְשַׁע
מֵאהוֹת שָׁנָה וַיָּמֹת1: ס יב וַיְחִי1 קֵינָן
שִׁבְעִים שָׁנָה וַיּוֹלֶד5 אֶת־מַהֲלַלְאֵל: יג וַיְחִי1
קֵינָן אַחֲרֵי הוֹלִידוֹ5 אֶת־מַהֲלַלְאֵל אַרְבָּעִים
שָׁנָה וּשְׁמֹנֶה מֵאהוֹת שָׁנָה וַיּוֹלֶד5 בָּנִהים
וּבָנהוֹת: יד וַיִּהְיוּ1 כָּל־יְמֵי קֵינָן עֶשֶׂר שָׁנִהים
וּתְשַׁע מֵאהוֹת שָׁנָה וַיָּמֹת1: ס טו וַיְחִי1
מַהֲלַלְאֵל חָמֵשׁ שָׁנִהים וְשִׁשִּׁהים שָׁנָה וַיּוֹלֶד5
אֶת־יָרֶד: טז וַיְחִי1 מַהֲלַלְאֵל אַחֲרֵי הוֹלִידוֹ5
אֶת־יֶרֶד שְׁלֹשִׁים שָׁנָה וּשְׁמֹנֶה מֵאהוֹת
שָׁנָה וַיּוֹלֶד5 בָּנִהים וּבָנהוֹת: יז וַיִּהְיוּ1 כָּל־
יְמֵי מַהֲלַלְאֵל חָמֵשׁ וְתִשְׁעִים שָׁנָה וּשְׁמֹנֶה
מֵאהוֹת שָׁנָה וַיָּמֹת1: ס יח וַיְחִי1־יֶרֶד
שְׁתַּהִים וְשִׁשִּׁהים שָׁנָה וּמְאַהת שָׁנָה
וַיּוֹלֶד5 אֶת־חֲנוֹךְ: יט וַיְחִי1־יֶרֶד אַחֲרֵי
הוֹלִידוֹ5 אֶת־חֲנוֹךְ שְׁמֹנֶה מֵאהוֹת שָׁנָה
וַיּוֹלֶד5 בָּנִהים וּבָנהוֹת: כ וַיִּהְיוּ1 כָּל־יְמֵי־יֶרֶד
שְׁתַּהִים וְשִׁשִּׁהים שָׁנָה וּתְשַׁע מֵאהוֹת שָׁנָה
וַיָּמֹת1: ס כא וַיְחִי1 חֲנוֹךְ חָמֵשׁ וְשִׁשִּׁהים
שָׁנָה וַיּוֹלֶד5 אֶת־מְתוּשָׁלַח: כב וַיִּתְהַלֵּךְ7 חֲנוֹךְ
אֶת־הָאֱלֹהִים אַחֲרֵי הוֹלִידוֹ5 אֶת־מְתוּשֶׁלַח
שְׁלֹשׁ מֵאהוֹת שָׁנָה וַיּוֹלֶד5 בָּנִהים וּבָנהוֹת:
כג וַיְהִי1 כָּל־יְמֵי חֲנוֹךְ חָמֵשׁ וְשִׁשִּׁהים
שָׁנָה וּשְׁלֹשׁ מֵאהוֹת שָׁנָה: כד וַיִּתְהַלֵּךְ7
חֲנוֹךְ אֶת־הָאֱלֹהִים וְאֵינֶנּוּ כִּי־לָקַח1 אֹתוֹ
אֱלֹהִים: ס כה וַיְחִי1 מְתוּשֶׁלַח שֶׁבַע וּשְׁמֹנִים
שָׁנָה וּמְאַהת שָׁנָה וַיּוֹלֶד5 אֶת־לָמֶךְ: כו וַיְחִי1
מְתוּשֶׁלַח אַחֲרֵי הוֹלִידוֹ5 אֶת־לֶמֶךְ שְׁתַּהִים
וּשְׁמוֹנִים שָׁנָה וּשְׁבַע מֵאהוֹת שָׁנָה וַיּוֹלֶד5
בָּנִהים וּבָנהוֹת: כז וַיִּהְיוּ1 כָּל־יְמֵי מְתוּשֶׁלַח
תֵּשַׁע וְשִׁשִּׁהים שָׁנָה וּתְשַׁע מֵאהוֹת שָׁנָה
וַיָּמֹת1: ס כח וַיְחִי1־לֶמֶךְ שְׁתַּהִים וּשְׁמֹנִים
שָׁנָה וּמְאַהת שָׁנָה וַיּוֹלֶד5 בֵּן: כט וַיִּקְרָא1
אֶת־שְׁמהוֹ נֹחַ לֵאמֹר1 זֶה יְנַחֲמֵנוּ3 מִמַּעֲשֵׂהנוּ
וּמֵעִצְּבוֹן יָדֵהינוּ מִן־הָאֲדָמָה אֲשֶׁר אֵרְרָהּ3
יהוה: ל וַיְחִי1־לֶמֶךְ אַחֲרֵי הוֹלִידוֹ5 אֶת־נֹחַ
חָמֵשׁ וְתִשְׁעִים שָׁנָה וַחֲמֵשׁ מֵאהֹת שָׁנָה
וַיּוֹלֶד5 בָּנִהים וּבָנהוֹת: לא וַיְהִי1 כָּל־יְמֵי־לֶמֶךְ
שֶׁבַע וְשִׁבְעִים שָׁנָה וּשְׁבַע מֵאהוֹת שָׁנָה
וַיָּמֹת1: ס לב וַיְהִי1־נֹחַ בֶּן־חֲמֵשׁ מֵאהוֹת
שָׁנָה וַיּוֹלֶד5 נֹחַ אֶת־שֵׁם אֶת־חָם וְאֶת־יָפֶת:
ו א וַיְהִי1 כִּי־הֵחֵל5 הָאָדָם לָרֹב1 עַל־פְּנֵהי
הָאֲדָמָה וּבָנהוֹת יֻלְּדוּ4 לָהֶם: ב וַיִּרְאוּ1 בְנֵהי־
הָאֱלֹהִים אֶת־בְּנהוֹת הָאָדָם כִּי טֹבֹת הֵנָּה
וַיִּקְחוּ1 לָהֶם נָשִׁים מִכֹּל אֲשֶׁר בָּחָרוּ1:
ג וַיֹּאמֶר1 יהוה לֹא־יָדוֹן1 רוּחִי בָאָדָם לְעֹלָם
בְּשַׁגַּם הוּא בָשָׂר וְהָיוּ1 יָמָיו מֵאָה וְעֶשְׂרִים
שָׁנָה: ד הַנְּפִלִים הָיוּ1 בָאָרֶץ בַּיָּמִים הָהֵם
וְגַם אַחֲרֵי־כֵן אֲשֶׁר יָבֹאוּ1 בְּנֵהי הָאֱלֹהִים
אֶל־בְּנהוֹת הָאָדָם וְיָלְדוּ1 לָהֶם הֵמָּה הַגִּבֹּרִים
אֲשֶׁר מֵעוֹלָם אַנְשֵׁי הַשֵּׁם: פ
ה וַיַּרְא1 יהוה כִּי רַבָּה1 רָעַת הָאָדָם בָּאָרֶץ
וְכָל־יֵצֶר מַחְשְׁבֹת לִבּוֹ רַק רַע כָּל־
הַיּוֹם: ו וַיִּנָּחֶם2 יהוה כִּי־עָשָׂה1 אֶת־הָאָדָם
בָּאָרֶץ וַיִּתְעַצֵּב7 אֶל־לִבּוֹ: ז וַיֹּאמֶר1 יהוה
אֶמְחֶה1 אֶת־הָאָדָם אֲשֶׁר־בָּרָאתִי1 מֵעַל
פְּנֵהי הָאֲדָמָה מֵאָדָם עַד־בְּהֵמָה עַד־רֶמֶשׂ
וְעַד־עוֹף הַשָּׁמָהיִם כִּי נִחַמְתִּי2 כִּי עֲשִׂיתִם1:
ח וְנֹחַ מָצָא1 חֵן בְּעֵינֵי יהוה: פ פ פ

פרשת נח

ט אֵלֶּה תּוֹלְדֹת נֹחַ נֹחַ אִישׁ צַדִּיק תָּמִים
הָיָה1 בְּדֹרֹתָיו אֶת־הָאֱלֹהִים הִתְהַלֶּךְ7־נֹחַ:
י וַיּוֹלֶד5 נֹחַ שְׁלֹשָׁה בָנִים אֶת־שֵׁם אֶת־
חָם וְאֶת־יָפֶת: יא וַתִּשָּׁחֵת2 הָאָרֶץ לִפְנֵי
הָאֱלֹהִים וַתִּמָּלֵא2 הָאָרֶץ חָמָס: יב וַיַּרְא1
אֱלֹהִים אֶת־הָאָרֶץ וְהִנֵּה נִשְׁחָתָה2 כִּי־
הִשְׁחִית5 כָּל־בָּשָׂר אֶת־דַּרְכּוֹ עַל־
הָאָרֶץ: ס יג וַיֹּאמֶר1 אֱלֹהִים לְנֹחַ קֵץ כָּל־
בָּשָׂר בָּא1 לְפָנַי כִּי־מָלְאָה1 הָאָרֶץ חָמָס
מִפְּנֵיהֶם וְהִנְנִי מַשְׁחִיתָם5 אֶת־הָאָרֶץ:
יד עֲשֵׂה1 לְךָ תֵּבַת עֲצֵי־גֹפֶר קִנִּים תַּעֲשֶׂה1
אֶת־הַתֵּבָה וְכָפַרְתָּ1 אֹתָהּ מִבַּיִת וּמִחוּץ
בַּכֹּפֶר: טו וְזֶה אֲשֶׁר תַּעֲשֶׂה1 אֹתָהּ שְׁלֹשׁ
מֵאוֹת אַמָּה אֹרֶךְ הַתֵּבָה חֲמִשִּׁים אַמָּה
רָחְבָּהּ וּשְׁלֹשִׁים אַמָּה קוֹמָתָהּ: טז צֹהַר ׀
תַּעֲשֶׂה1 לַתֵּבָה וְאֶל־אַמָּה תְּכַלֶּנָּה3
מִלְמַעְלָה וּפֶתַח הַתֵּבָה בְּצִדָּהּ תָּשִׂים1
תַּחְתִּיִּם שְׁנִיִּם וּשְׁלִשִׁים תַּעֲשֶׂהָ1: יז וַאֲנִי
הִנְנִי מֵבִיא5 אֶת־הַמַּבּוּל מַיִם עַל־הָאָרֶץ
לְשַׁחֵת3 כָּל־בָּשָׂר אֲשֶׁר־בּוֹ רוּחַ חַיִּים
מִתַּחַת הַשָּׁמָיִם כֹּל אֲשֶׁר־בָּאָרֶץ יִגְוָע1:
יח וַהֲקִמֹתִי5 אֶת־בְּרִיתִי אִתָּךְ וּבָאתָ1 אֶל־
הַתֵּבָה אַתָּה וּבָנֶיךָ וְאִשְׁתְּךָ וּנְשֵׁי־בָנֶיךָ
אִתָּךְ: יט וּמִכָּל־הָחַי מִכָּל־בָּשָׂר שְׁנַיִם
מִכֹּל תָּבִיא5 אֶל־הַתֵּבָה לְהַחֲיֹת5 אִתָּךְ
זָכָר וּנְקֵבָה יִהְיוּ1: כ מֵהָעוֹף לְמִינֵהוּ וּמִן־
הַבְּהֵמָה לְמִינָהּ מִכֹּל רֶמֶשׂ הָאֲדָמָה לְמִינֵהוּ
שְׁנַיִם מִכֹּל יָבֹאוּ1 אֵלֶיךָ לְהַחֲיוֹת5:
כא וְאַתָּה קַח1־לְךָ מִכָּל־מַאֲכָל אֲשֶׁר יֵאָכֵל2
וְאָסַפְתָּ1 אֵלֶיךָ וְהָיָה1 לְךָ וְלָהֶם לְאָכְלָה1:
כב וַיַּעַשׂ1 נֹחַ כְּכֹל אֲשֶׁר צִוָּה3 אֹתוֹ אֱלֹהִים
כֵּן עָשָׂה1: ז א וַיֹּאמֶר1 יהוה לְנֹחַ בֹּא־אַתָּה
וְכָל־בֵּיתְךָ אֶל־הַתֵּבָה כִּי־אֹתְךָ רָאִיתִי1
צַדִּיק לְפָנַי בַּדּוֹר הַזֶּה: ב מִכֹּל ׀ הַבְּהֵמָה
הַטְּהוֹרָה תִּקַּח1־לְךָ שִׁבְעָה שִׁבְעָה אִישׁ
וְאִשְׁתּוֹ וּמִן־הַבְּהֵמָה אֲשֶׁר לֹא טְהֹרָה הִוא
שְׁנַיִם אִישׁ וְאִשְׁתּוֹ: ג גַּם מֵעוֹף הַשָּׁמַיִם
שִׁבְעָה שִׁבְעָה זָכָר וּנְקֵבָה לְחַיּוֹת3 זֶרַע
עַל־פְּנֵי כָל־הָאָרֶץ: ד כִּי לְיָמִים עוֹד
שִׁבְעָה אָנֹכִי מַמְטִיר5 עַל־הָאָרֶץ אַרְבָּעִים
יוֹם וְאַרְבָּעִים לָיְלָה וּמָחִיתִי1 אֶת־כָּל־
הַיְקוּם אֲשֶׁר עָשִׂיתִי1 מֵעַל פְּנֵי הָאֲדָמָה:
ה וַיַּעַשׂ1 נֹחַ כְּכֹל אֲשֶׁר־צִוָּהוּ3 יהוה: ו וְנֹחַ
בֶּן־שֵׁשׁ מֵאוֹת שָׁנָה וְהַמַּבּוּל הָיָה1
מַיִם עַל־הָאָרֶץ: ז וַיָּבֹא1 נֹחַ וּבָנָיו וְאִשְׁתּוֹ
וּנְשֵׁי־בָנָיו אִתּוֹ אֶל־הַתֵּבָה מִפְּנֵי
מֵי הַמַּבּוּל: ח מִן־הַבְּהֵמָה הַטְּהוֹרָה וּמִן־
הַבְּהֵמָה אֲשֶׁר אֵינֶנָּה טְהֹרָה וּמִן־הָעוֹף וְכֹל
אֲשֶׁר־רֹמֵשׂ1 עַל־הָאֲדָמָה: ט שְׁנַיִם שְׁנַיִם
בָּאוּ1 אֶל־נֹחַ אֶל־הַתֵּבָה זָכָר וּנְקֵבָה כַּאֲשֶׁר
צִוָּה3 אֱלֹהִים אֶת־נֹחַ: י וַיְהִי1 לְשִׁבְעַת
הַיָּמִים וּמֵי הַמַּבּוּל הָיוּ1 עַל־הָאָרֶץ:
יא בִּשְׁנַת שֵׁשׁ־מֵאוֹת שָׁנָה לְחַיֵּי־נֹחַ
בַּחֹדֶשׁ הַשֵּׁנִי בְּשִׁבְעָה־עָשָׂר יוֹם לַחֹדֶשׁ
בַּיּוֹם הַזֶּה נִבְקְעוּ2 כָּל־מַעְיְנֹת תְּהוֹם רַבָּה
וַאֲרֻבֹּת הַשָּׁמַיִם נִפְתָּחוּ2: יב וַיְהִי1 הַגֶּשֶׁם
עַל־הָאָרֶץ אַרְבָּעִים יוֹם וְאַרְבָּעִים לָיְלָה:
יג בְּעֶצֶם הַיּוֹם הַזֶּה בָּא1 נֹחַ וְשֵׁם־וְחָם וָיֶפֶת
בְּנֵי־נֹחַ וְאֵשֶׁת נֹחַ וּשְׁלֹשֶׁת נְשֵׁי־בָנָיו
אִתָּם אֶל־הַתֵּבָה: יד הֵמָּה וְכָל־הַחַיָּה
לְמִינָהּ וְכָל־הַבְּהֵמָה לְמִינָהּ וְכָל־הָרֶמֶשׂ
הָרֹמֵשׂ1 עַל־הָאָרֶץ לְמִינֵהוּ וְכָל־הָעוֹף
לְמִינֵהוּ כֹּל צִפּוֹר כָּל־כָּנָף: טו וַיָּבֹאוּ1 אֶל־
נֹחַ אֶל־הַתֵּבָה שְׁנַיִם שְׁנַיִם מִכָּל־הַבָּשָׂר
אֲשֶׁר־בּוֹ רוּחַ חַיִּים: טז וְהַבָּאִים1 זָכָר
וּנְקֵבָה מִכָּל־בָּשָׂר בָּאוּ1 כַּאֲשֶׁר צִוָּה3 אֹתוֹ
אֱלֹהִים וַיִּסְגֹּר1 יהוה בַּעֲדוֹ: יז וַיְהִי1 הַמַּבּוּל
אַרְבָּעִים יוֹם עַל־הָאָרֶץ וַיִּרְבּוּ1 הַמַּיִם
וַיִּשְׂאוּ1 אֶת־הַתֵּבָה וַתָּרָם1 מֵעַל הָאָרֶץ:
יח וַיִּגְבְּרוּ1 הַמַּיִם וַיִּרְבּוּ1 מְאֹד עַל־הָאָרֶץ
וַתֵּלֶךְ1 הַתֵּבָה עַל־פְּנֵי הַמָּיִם: יט וְהַמַּיִם
גָּבְרוּ1 מְאֹד מְאֹד עַל־הָאָרֶץ וַיְכֻסּוּ4 כָּל־
הֶהָרִים הַגְּבֹהִים אֲשֶׁר־תַּחַת כָּל־הַשָּׁמָיִם:
כ חֲמֵשׁ עֶשְׂרֵה אַמָּה מִלְמַעְלָה גָּבְרוּ1
הַמָּיִם וַיְכֻסּוּ4 הֶהָרִים: כא וַיִּגְוַע1 כָּל־
בָּשָׂר ׀ הָרֹמֵשׂ1 עַל־הָאָרֶץ בָּעוֹף וּבַבְּהֵמָה

וּבַחַיָּה וּבְכָל־הַשֶּׁרֶץ הַשֹּׁרֵץ1 עַל־הָאָרֶץ
וְכֹל הָאָדָם: כב כֹּל אֲשֶׁר נִשְׁמַת־רוּחַ חַיִּים
בְּאַפָּיו מִכֹּל אֲשֶׁר בֶּחָרָבָה מֵתוּ1: כג וַיִּמַח1
אֶת־כָּל־הַיְקוּם | אֲשֶׁר | עַל־פְּנֵי הָאֲדָמָה
מֵאָדָם עַד־בְּהֵמָה עַד־רֶמֶשׂ וְעַד־עוֹף
הַשָּׁמַיִם וַיִּמָּחוּ2 מִן־הָאָרֶץ וַיִּשָּׁאֶר2 אַךְ־
נֹחַ וַאֲשֶׁר אִתּוֹ בַּתֵּבָה: כד וַיִּגְבְּרוּ1 הַמַּיִם
עַל־הָאָרֶץ חֲמִשִּׁים וּמְאַת יוֹם: ח א וַיִּזְכֹּר1
אֱלֹהִים אֶת־נֹחַ וְאֵת כָּל־הַחַיָּה וְאֶת־
כָּל־הַבְּהֵמָה אֲשֶׁר אִתּוֹ בַּתֵּבָה וַיַּעֲבֵר5
אֱלֹהִים רוּחַ עַל־הָאָרֶץ וַיָּשֹׁכּוּ1 הַמָּיִם:
ב וַיִּסָּכְרוּ2 מַעְיְנֹת תְּהוֹם וַאֲרֻבֹּת הַשָּׁמָיִם
וַיִּכָּלֵא2 הַגֶּשֶׁם מִן־הַשָּׁמָיִם: ג וַיָּשֻׁבוּ1
הַמַּיִם מֵעַל הָאָרֶץ הָלוֹךְ1 וָשׁוֹב1 וַיַּחְסְרוּ1
הַמַּיִם מִקְצֵה חֲמִשִּׁים וּמְאַת יוֹם: ד וַתָּנַח1
הַתֵּבָה בַּחֹדֶשׁ הַשְּׁבִיעִי בְּשִׁבְעָה־עָשָׂר יוֹם
לַחֹדֶשׁ עַל הָרֵי אֲרָרָט: ה וְהַמַּיִם הָיוּ1
הָלוֹךְ1 וְחָסוֹר1 עַד הַחֹדֶשׁ הָעֲשִׂירִי בָּעֲשִׂירִי
בְּאֶחָד לַחֹדֶשׁ נִרְאוּ2 רָאשֵׁי הֶהָרִים:
ו וַיְהִי1 מִקֵּץ אַרְבָּעִים יוֹם וַיִּפְתַּח1 נֹחַ
אֶת־חַלּוֹן הַתֵּבָה אֲשֶׁר עָשָׂה: ז וַיְשַׁלַּח3
אֶת־הָעֹרֵב וַיֵּצֵא1 יָצוֹא1 וָשׁוֹב עַד־יְבֹשֶׁת1
הַמַּיִם מֵעַל הָאָרֶץ: ח וַיְשַׁלַּח3 אֶת־הַיּוֹנָה
מֵאִתּוֹ לִרְאוֹת1 הֲקַלּוּ1 הַמַּיִם מֵעַל
פְּנֵי הָאֲדָמָה: ט וְלֹא־מָצְאָה1 הַיּוֹנָה מָנוֹחַ
לְכַף־רַגְלָהּ וַתָּשָׁב1 אֵלָיו אֶל־הַתֵּבָה כִּי־
מַיִם עַל־פְּנֵי כָל־הָאָרֶץ וַיִּשְׁלַח1 יָדוֹ
וַיִּקָּחֶהָ1 וַיָּבֵא5 אֹתָהּ אֵלָיו אֶל־הַתֵּבָה:
י וַיָּחֶל1 עוֹד שִׁבְעַת יָמִים אֲחֵרִים וַיֹּסֶף5
שַׁלַּח3 אֶת־הַיּוֹנָה מִן־הַתֵּבָה: יא וַתָּבֹא1
אֵלָיו הַיּוֹנָה לְעֵת עֶרֶב וְהִנֵּה עֲלֵה־זַיִת טָרָף1
בְּפִיהָ וַיֵּדַע1 נֹחַ כִּי־קַלּוּ1 הַמַּיִם מֵעַל
הָאָרֶץ: יב וַיִּיָּחֶל2 עוֹד שִׁבְעַת יָמִים אֲחֵרִים
וַיְשַׁלַּח3 אֶת־הַיּוֹנָה וְלֹא־יָסְפָה1 שׁוּב1־אֵלָיו
עוֹד: יג וַיְהִי1 בְּאַחַת וְשֵׁשׁ־מֵאוֹת שָׁנָה
בָּרִאשׁוֹן בְּאֶחָד לַחֹדֶשׁ חָרְבוּ1 הַמַּיִם
מֵעַל הָאָרֶץ וַיָּסַר5 נֹחַ אֶת־מִכְסֵה הַתֵּבָה
וַיַּרְא1 וְהִנֵּה חָרְבוּ1 פְּנֵי הָאֲדָמָה: יד וּבַחֹדֶשׁ
הַשֵּׁנִי בְּשִׁבְעָה וְעֶשְׂרִים יוֹם לַחֹדֶשׁ יָבְשָׁה1
הָאָרֶץ: ס טו וַיְדַבֵּר3 אֱלֹהִים אֶל־נֹחַ
לֵאמֹר1: טז צֵא1 מִן־הַתֵּבָה אַתָּה וְאִשְׁתְּךָ
וּבָנֶיךָ וּנְשֵׁי־בָנֶיךָ אִתָּךְ: יז כָּל־הַחַיָּה
אֲשֶׁר־אִתְּךָ מִכָּל־בָּשָׂר בָּעוֹף וּבַבְּהֵמָה
וּבְכָל־הָרֶמֶשׂ הָרֹמֵשׂ1 עַל־הָאָרֶץ הוֹצֵא5
[הַיְצֵא] אִתָּךְ וְשָׁרְצוּ1 בָאָרֶץ וּפָרוּ1 וְרָבוּ1
עַל־הָאָרֶץ: יח וַיֵּצֵא1־נֹחַ וּבָנָיו וְאִשְׁתּוֹ
וּנְשֵׁי־בָנָיו אִתּוֹ: יט כָּל־הַחַיָּה כָּל־
הָרֶמֶשׂ וְכָל־הָעוֹף כֹּל רוֹמֵשׂ1 עַל־הָאָרֶץ
לְמִשְׁפְּחֹתֵיהֶם יָצְאוּ1 מִן־הַתֵּבָה: כ וַיִּבֶן1
נֹחַ מִזְבֵּחַ לַיהוה וַיִּקַּח1 מִכֹּל | הַבְּהֵמָה
הַטְּהֹרָה וּמִכֹּל הָעוֹף הַטָּהֹר וַיַּעַל5 עֹלֹת
בַּמִּזְבֵּחַ: כא וַיָּרַח5 יהוה אֶת־רֵיחַ הַנִּיחֹחַ
וַיֹּאמֶר1 יהוה אֶל־לִבּוֹ לֹא אֹסִף5 לְקַלֵּל3
עוֹד אֶת־הָאֲדָמָה בַּעֲבוּר הָאָדָם כִּי יֵצֶר
לֵב הָאָדָם רַע מִנְּעֻרָיו וְלֹא־אֹסִף5 עוֹד
לְהַכּוֹת5 אֶת־כָּל־חַי כַּאֲשֶׁר עָשִׂיתִי1:
כב עֹד כָּל־יְמֵי הָאָרֶץ זֶרַע וְקָצִיר וְקֹר
וָחֹם וְקַיִץ וָחֹרֶף וְיוֹם וָלַיְלָה לֹא יִשְׁבֹּתוּ1:
ט א וַיְבָרֶךְ3 אֱלֹהִים אֶת־נֹחַ וְאֶת־בָּנָיו
וַיֹּאמֶר1 לָהֶם פְּרוּ1 וּרְבוּ1 וּמִלְאוּ1 אֶת־
הָאָרֶץ: ב וּמוֹרַאֲכֶם וְחִתְּכֶם יִהְיֶה1 עַל
כָּל־חַיַּת הָאָרֶץ וְעַל כָּל־עוֹף הַשָּׁמָיִם
בְּכֹל אֲשֶׁר תִּרְמֹשׂ1 הָאֲדָמָה וּבְכָל־דְּגֵי
הַיָּם בְּיֶדְכֶם נִתָּנוּ2: ג כָּל־רֶמֶשׂ אֲשֶׁר הוּא־
חַי לָכֶם יִהְיֶה1 לְאָכְלָה1 כְּיֶרֶק עֵשֶׂב נָתַתִּי1
לָכֶם אֶת־כֹּל: ד אַךְ־בָּשָׂר בְּנַפְשׁוֹ דָמוֹ לֹא
תֹאכֵלוּ1: ה וְאַךְ אֶת־דִּמְכֶם לְנַפְשֹׁתֵיכֶם
אֶדְרֹשׁ1 מִיַּד כָּל־חַיָּה אֶדְרְשֶׁנּוּ1 וּמִיַּד
הָאָדָם מִיַּד אִישׁ אָחִיו אֶדְרֹשׁ1 אֶת־נֶפֶשׁ
הָאָדָם: ו שֹׁפֵךְ1 דַּם הָאָדָם בָּאָדָם דָּמוֹ
יִשָּׁפֵךְ2 כִּי בְּצֶלֶם אֱלֹהִים עָשָׂה1 אֶת־הָאָדָם:
ז וְאַתֶּם פְּרוּ1 וּרְבוּ1 שִׁרְצוּ1 בָאָרֶץ וּרְבוּ1־
בָהּ: ס ח וַיֹּאמֶר1 אֱלֹהִים אֶל־נֹחַ וְאֶל־
בָּנָיו אִתּוֹ לֵאמֹר1: ט וַאֲנִי הִנְנִי מֵקִים5
אֶת־בְּרִיתִי אִתְּכֶם וְאֶת־זַרְעֲכֶם אַחֲרֵיכֶם:
י וְאֵת כָּל־נֶפֶשׁ הַחַיָּה אֲשֶׁר אִתְּכֶם
בָּעוֹף בַּבְּהֵמָה וּבְכָל־חַיַּת הָאָרֶץ אִתְּכֶם
מִכֹּל יֹצְאֵי1 הַתֵּבָה לְכֹל חַיַּת הָאָרֶץ:

יא וַהֲקִמֹתִי5 אֶת־בְּרִיתִי אִתְּכֶם וְלֹא־
יִכָּרֵת2 כָּל־בָּשָׂר עוֹד מִמֵּי הַמַּבּוּל וְלֹא־
יִהְיֶה1 עוֹד מַבּוּל לְשַׁחֵת3 הָאָרֶץ: יב וַיֹּאמֶר1
אֱלֹהִים זֹאת אוֹת־הַבְּרִית אֲשֶׁר־אֲנִי נֹתֵן1
בֵּינִי וּבֵינֵיכֶם וּבֵין כָּל־נֶפֶשׁ חַיָּה אֲשֶׁר
אִתְּכֶם לְדֹרֹת עוֹלָם: יג אֶת־קַשְׁתִּי נָתַתִּי1
בֶּעָנָן וְהָיְתָה1 לְאוֹת בְּרִית בֵּינִי וּבֵין הָאָרֶץ:
יד וְהָיָה1 בְּעַנְנִי3 עָנָן עַל־הָאָרֶץ וְנִרְאֲתָה2
הַקֶּשֶׁת בֶּעָנָן: טו וְזָכַרְתִּי1 אֶת־בְּרִיתִי אֲשֶׁר
בֵּינִי וּבֵינֵיכֶם וּבֵין כָּל־נֶפֶשׁ חַיָּה בְּכָל־
בָּשָׂר וְלֹא־יִהְיֶה1 עוֹד הַמַּיִם לְמַבּוּל
לְשַׁחֵת3 כָּל־בָּשָׂר: טז וְהָיְתָה1 הַקֶּשֶׁת בֶּעָנָן
וּרְאִיתִיהָ1 לִזְכֹּר1 בְּרִית עוֹלָם בֵּין אֱלֹהִים
וּבֵין כָּל־נֶפֶשׁ חַיָּה בְּכָל־בָּשָׂר אֲשֶׁר עַל־
הָאָרֶץ: יז וַיֹּאמֶר1 אֱלֹהִים אֶל־נֹחַ זֹאת אוֹת־
הַבְּרִית אֲשֶׁר הֲקִמֹתִי5 בֵּינִי וּבֵין כָּל־בָּשָׂר
אֲשֶׁר עַל־הָאָרֶץ: פ
יח וַיִּהְיוּ1 בְנֵי־נֹחַ הַיֹּצְאִים1 מִן־הַתֵּבָה שֵׁם
וְחָם וָיָפֶת וְחָם הוּא אֲבִי כְנָעַן: יט שְׁלֹשָׁה
אֵלֶּה בְּנֵי־נֹחַ וּמֵאֵלֶּה נָפְצָה1 כָל־הָאָרֶץ:
כ וַיָּחֶל5 נֹחַ אִישׁ הָאֲדָמָה וַיִּטַּע1 כָּרֶם:
כא וַיֵּשְׁתְּ1 מִן־הַיַּיִן וַיִּשְׁכָּר1 וַיִּתְגַּל7 בְּתוֹךְ
אָהֳלֹה: כב וַיַּרְא1 חָם אֲבִי כְנַעַן אֵת עֶרְוַת
אָבִיו וַיַּגֵּד5 לִשְׁנֵי־אֶחָיו בַּחוּץ: כג וַיִּקַּח1
שֵׁם וָיֶפֶת אֶת־הַשִּׂמְלָה וַיָּשִׂימוּ1 עַל־שְׁכֶם
שְׁנֵיהֶם וַיֵּלְכוּ1 אֲחֹרַנִּית וַיְכַסּוּ3 אֵת
עֶרְוַת אֲבִיהֶם וּפְנֵיהֶם אֲחֹרַנִּית וְעֶרְוַת
אֲבִיהֶם לֹא רָאוּ1: כד וַיִּיקֶץ1 נֹחַ מִיֵּינוֹ וַיֵּדַע1
אֵת אֲשֶׁר־עָשָׂה1 לוֹ בְּנוֹ הַקָּטָן: כה וַיֹּאמֶר1
אָרוּר1 כְּנָעַן עֶבֶד עֲבָדִים יִהְיֶה1 לְאֶחָיו:
כו וַיֹּאמֶר1 בָּרוּךְ1 יהוה אֱלֹהֵי שֵׁם וִיהִי1 כְנַעַן
עֶבֶד לָמוֹ: כז יַפְתְּ5 אֱלֹהִים לְיֶפֶת וְיִשְׁכֹּן1
בְּאָהֳלֵי־שֵׁם וִיהִי1 כְנַעַן עֶבֶד לָמוֹ: כח וַיְחִי1־
נֹחַ אַחַר הַמַּבּוּל שְׁלֹשׁ מֵאוֹת שָׁנָה
וַחֲמִשִּׁים שָׁנָה: כט וַיִּהְיוּ1 כָּל־יְמֵי־נֹחַ תְּשַׁע
מֵאוֹת שָׁנָה וַחֲמִשִּׁים שָׁנָה וַיָּמֹת1: פ
י א וְאֵלֶּה תּוֹלְדֹת בְּנֵי־נֹחַ שֵׁם חָם וָיָפֶת
וַיִּוָּלְדוּ2 לָהֶם בָּנִים אַחַר הַמַּבּוּל: ב בְּנֵי
יֶפֶת גֹּמֶר וּמָגוֹג וּמָדַי וְיָוָן וְתֻבָל וּמֶשֶׁךְ וְתִירָס:

ג וּבְנֵי גֹּמֶר אַשְׁכְּנַז וְרִיפַת וְתֹגַרְמָה: ד וּבְנֵי
יָוָן אֱלִישָׁה וְתַרְשִׁישׁ כִּתִּים וְדֹדָנִים: ה מֵאֵלֶּה
נִפְרְדוּ2 אִיֵּי הַגּוֹיִם בְּאַרְצֹתָם אִישׁ לִלְשֹׁנוֹ
לְמִשְׁפְּחֹתָם בְּגוֹיֵהֶם: ו וּבְנֵי חָם כּוּשׁ וּמִצְרַיִם
וּפוּט וּכְנָעַן: ז וּבְנֵי כוּשׁ סְבָא וַחֲוִילָה וְסַבְתָּה
וְרַעְמָה וְסַבְתְּכָא וּבְנֵי רַעְמָה שְׁבָא וּדְדָן: ח וְכוּשׁ
יָלַד1 אֶת־נִמְרֹד הוּא הֵחֵל5 לִהְיוֹת1 גִּבֹּר
בָּאָרֶץ: ט הוּא־הָיָה1 גִבֹּר־צַיִד לִפְנֵי יהוה
עַל־כֵּן יֵאָמַר2 כְּנִמְרֹד גִּבּוֹר צַיִד לִפְנֵי יהוה:
י וַתְּהִי1 רֵאשִׁית מַמְלַכְתּוֹ בָּבֶל וְאֶרֶךְ וְאַכַּד
וְכַלְנֵה בְּאֶרֶץ שִׁנְעָר: יא מִן־הָאָרֶץ הַהִוא יָצָא1
אַשּׁוּר וַיִּבֶן1 אֶת־נִינְוֵה וְאֶת־רְחֹבֹת עִיר וְאֶת־
כָּלַח: יב וְאֶת־רֶסֶן בֵּין נִינְוֵה וּבֵין כָּלַח הִוא הָעִיר
הַגְּדֹלָה: יג וּמִצְרַיִם יָלַד1 אֶת־לוּדִים וְאֶת־
עֲנָמִים וְאֶת־לְהָבִים וְאֶת־נַפְתֻּחִים: יד וְאֶת־
פַּתְרֻסִים וְאֶת־כַּסְלֻחִים אֲשֶׁר יָצְאוּ1 מִשָּׁם
פְּלִשְׁתִּים וְאֶת־כַּפְתֹּרִים: ס טו וּכְנַעַן יָלַד1
אֶת־צִידֹן בְּכֹרוֹ וְאֶת־חֵת: טז וְאֶת־הַיְבוּסִי
וְאֶת־הָאֱמֹרִי וְאֵת הַגִּרְגָּשִׁי: יז וְאֶת־הַחִוִּי וְאֶת־
הַעַרְקִי וְאֶת־הַסִּינִי: יח וְאֶת־הָאַרְוָדִי וְאֶת־
הַצְּמָרִי וְאֶת־הַחֲמָתִי וְאַחַר נָפֹצוּ2 מִשְׁפְּחוֹת
הַכְּנַעֲנִי: יט וַיְהִי1 גְּבוּל הַכְּנַעֲנִי מִצִּידֹן בֹּאֲכָה1
גְרָרָה עַד־עַזָּה בֹּאֲכָה1 סְדֹמָה וַעֲמֹרָה וְאַדְמָה
וּצְבֹיִם עַד־לָשַׁע: כ אֵלֶּה בְנֵי־חָם לְמִשְׁפְּחֹתָם
לִלְשֹׁנֹתָם בְּאַרְצֹתָם בְּגוֹיֵהֶם: ס כא וּלְשֵׁם
יֻלַּד4 גַּם־הוּא אֲבִי כָּל־בְּנֵי־עֵבֶר אֲחִי
יֶפֶת הַגָּדוֹל: כב בְּנֵי שֵׁם עֵילָם וְאַשּׁוּר וְאַרְפַּכְשַׁד
וְלוּד וַאֲרָם: כג וּבְנֵי אֲרָם עוּץ וְחוּל וְגֶתֶר וָמַשׁ:
כד וְאַרְפַּכְשַׁד יָלַד1 אֶת־שָׁלַח וְשֶׁלַח יָלַד1 אֶת־
עֵבֶר: כה וּלְעֵבֶר יֻלַּד4 שְׁנֵי בָנִים שֵׁם הָאֶחָד
פֶּלֶג כִּי בְיָמָיו נִפְלְגָה2 הָאָרֶץ וְשֵׁם אָחִיו
יָקְטָן: כו וְיָקְטָן יָלַד1 אֶת־אַלְמוֹדָד וְאֶת־שָׁלֶף
וְאֶת־חֲצַרְמָוֶת וְאֶת־יָרַח: כז וְאֶת־הֲדוֹרָם וְאֶת־
אוּזָל וְאֶת־דִּקְלָה: כח וְאֶת־עוֹבָל וְאֶת־אֲבִימָאֵל
וְאֶת־שְׁבָא: כט וְאֶת־אוֹפִר וְאֶת־חֲוִילָה וְאֶת־
יוֹבָב כָּל־אֵלֶּה בְּנֵי יָקְטָן: ל וַיְהִי1 מוֹשָׁבָם
מִמֵּשָׁא בֹּאֲכָה1 סְפָרָה הַר הַקֶּדֶם: לא אֵלֶּה
בְנֵי־שֵׁם לְמִשְׁפְּחֹתָם לִלְשֹׁנֹתָם בְּאַרְצֹתָם
לְגוֹיֵהֶם: לב אֵלֶּה מִשְׁפְּחֹת בְּנֵי־נֹחַ לְתוֹלְדֹתָם

בְּגוֹיֵהֶם וּמֵאֵלֶּה נִפְרְדוּ2 הַגּוֹיִם בָּאָרֶץ אַחַר
הַמַּבּוּל: פ
יא א וַיְהִי1 כָל־הָאָרֶץ שָׂפָה אֶחָת
וּדְבָרִים אֲחָדִים: ב וַיְהִי1 בְּנָסְעָם1 מִקֶּדֶם
וַיִּמְצְאוּ1 בִקְעָה בְּאֶרֶץ שִׁנְעָר וַיֵּשְׁבוּ1 שָׁם:
ג וַיֹּאמְרוּ1 אִישׁ אֶל־רֵעֵהוּ הָבָה נִלְבְּנָה1
לְבֵנִים וְנִשְׂרְפָה1 לִשְׂרֵפָה וַתְּהִי1 לָהֶם
הַלְּבֵנָה לְאָבֶן וְהַחֵמָר הָיָה1 לָהֶם לַחֹמֶר:
ד וַיֹּאמְרוּ1 הָבָה | נִבְנֶה1־לָּנוּ עִיר וּמִגְדָּל
וְרֹאשׁוֹ בַשָּׁמַיִם וְנַעֲשֶׂה1־לָּנוּ שֵׁם פֶּן־נָפוּץ1
עַל־פְּנֵי כָל־הָאָרֶץ: ה וַיֵּרֶד1 יהוה לִרְאֹת1
אֶת־הָעִיר וְאֶת־הַמִּגְדָּל אֲשֶׁר בָּנוּ1 בְּנֵי
הָאָדָם: ו וַיֹּאמֶר1 יהוה הֵן עַם אֶחָד וְשָׂפָה
אַחַת לְכֻלָּם וְזֶה הַחִלָּם5 לַעֲשׂוֹת1 וְעַתָּה
לֹא־יִבָּצֵר2 מֵהֶם כֹּל אֲשֶׁר יָזְמוּ1 לַעֲשׂוֹת1:
ז הָבָה נֵרְדָה1 וְנָבְלָה1 שָׁם שְׂפָתָם אֲשֶׁר
לֹא יִשְׁמְעוּ1 אִישׁ שְׂפַת רֵעֵהוּ: ח וַיָּפֶץ5
יהוה אֹתָם מִשָּׁם עַל־פְּנֵי כָל־הָאָרֶץ
וַיַּחְדְּלוּ1 לִבְנֹת1 הָעִיר: ט עַל־כֵּן קָרָא1
שְׁמָהּ בָּבֶל כִּי־שָׁם בָּלַל1 יהוה שְׂפַת כָּל־
הָאָרֶץ וּמִשָּׁם הֱפִיצָם5 יהוה עַל־פְּנֵי כָּל־
הָאָרֶץ: פ
י אֵלֶּה תּוֹלְדֹת שֵׁם שֵׁם בֶּן־מְאַת שָׁנָה
וַיּוֹלֶד5 אֶת־אַרְפַּכְשָׁד שְׁנָתַיִם אַחַר
הַמַּבּוּל: יא וַיְחִי1־שֵׁם אַחֲרֵי הוֹלִידוֹ5
אֶת־אַרְפַּכְשָׁד חֲמֵשׁ מֵאוֹת שָׁנָה וַיּוֹלֶד5
בָּנִים וּבָנוֹת: ס יב וְאַרְפַּכְשַׁד חַי חָמֵשׁ
וּשְׁלֹשִׁים שָׁנָה וַיּוֹלֶד5 אֶת־שָׁלַח: יג וַיְחִי1
אַרְפַּכְשַׁד אַחֲרֵי הוֹלִידוֹ5 אֶת־שֶׁלַח שָׁלֹשׁ
שָׁנִים וְאַרְבַּע מֵאוֹת שָׁנָה וַיּוֹלֶד5 בָּנִים
וּבָנוֹת: ס יד וְשֶׁלַח חַי שְׁלֹשִׁים שָׁנָה וַיּוֹלֶד5
אֶת־עֵבֶר: טו וַיְחִי1־שֶׁלַח אַחֲרֵי הוֹלִידוֹ5
אֶת־עֵבֶר שָׁלֹשׁ שָׁנִים וְאַרְבַּע מֵאוֹת שָׁנָה
וַיּוֹלֶד5 בָּנִים וּבָנוֹת: ס טז וַיְחִי1־עֵבֶר
אַרְבַּע וּשְׁלֹשִׁים שָׁנָה וַיּוֹלֶד5 אֶת־פָּלֶג:
יז וַיְחִי1־עֵבֶר אַחֲרֵי הוֹלִידוֹ5 אֶת־פֶּלֶג
שְׁלֹשִׁים שָׁנָה וְאַרְבַּע מֵאוֹת שָׁנָה וַיּוֹלֶד5
בָּנִים וּבָנוֹת: ס יח וַיְחִי1־פֶלֶג שְׁלֹשִׁים
שָׁנָה וַיּוֹלֶד5 אֶת־רְעוּ: יט וַיְחִי1־פֶלֶג אַחֲרֵי
הוֹלִידוֹ5 אֶת־רְעוּ תֵּשַׁע שָׁנִים וּמָאתַיִם
שָׁנָה וַיּוֹלֶד5 בָּנִים וּבָנוֹת: ס כ וַיְחִי1
רְעוּ שְׁתַּיִם וּשְׁלֹשִׁים שָׁנָה וַיּוֹלֶד5 אֶת־
שְׂרוּג: כא וַיְחִי1 רְעוּ אַחֲרֵי הוֹלִידוֹ5 אֶת־
שְׂרוּג שֶׁבַע שָׁנִים וּמָאתַיִם שָׁנָה וַיּוֹלֶד5
בָּנִים וּבָנוֹת: ס כב וַיְחִי1 שְׂרוּג שְׁלֹשִׁים
שָׁנָה וַיּוֹלֶד5 אֶת־נָחוֹר: כג וַיְחִי1 שְׂרוּג
אַחֲרֵי הוֹלִידוֹ5 אֶת־נָחוֹר מָאתַיִם שָׁנָה
וַיּוֹלֶד5 בָּנִים וּבָנוֹת: ס כד וַיְחִי1 נָחוֹר
תֵּשַׁע וְעֶשְׂרִים שָׁנָה וַיּוֹלֶד5 אֶת־תָּרַח:
כה וַיְחִי1 נָחוֹר אַחֲרֵי הוֹלִידוֹ5 אֶת־תֶּרַח
תְּשַׁע־עֶשְׂרֵה שָׁנָה וּמְאַת שָׁנָה וַיּוֹלֶד5
בָּנִים וּבָנוֹת: ס כו וַיְחִי1־תֶרַח שִׁבְעִים
שָׁנָה וַיּוֹלֶד5 אֶת־אַבְרָם אֶת־נָחוֹר וְאֶת־
הָרָן: כז וְאֵלֶּה תּוֹלְדֹת תֶּרַח תֶּרַח הוֹלִיד5
אֶת־אַבְרָם אֶת־נָחוֹר וְאֶת־הָרָן וְהָרָן הוֹלִיד5
אֶת־לוֹט: כח וַיָּמָת1 הָרָן עַל־פְּנֵי תֶּרַח אָבִיו
בְּאֶרֶץ מוֹלַדְתּוֹ בְּאוּר כַּשְׂדִּים: כט וַיִּקַּח1
אַבְרָם וְנָחוֹר לָהֶם נָשִׁים שֵׁם אֵשֶׁת־אַבְרָם
שָׂרָי וְשֵׁם אֵשֶׁת־נָחוֹר מִלְכָּה בַּת־הָרָן אֲבִי־
מִלְכָּה וַאֲבִי יִסְכָּה: ל וַתְּהִי1 שָׂרַי עֲקָרָה אֵין
לָהּ וָלָד: לא וַיִּקַּח1 תֶּרַח אֶת־אַבְרָם בְּנוֹ
וְאֶת־לוֹט בֶּן־הָרָן בֶּן־בְּנוֹ וְאֵת שָׂרַי כַּלָּתוֹ
אֵשֶׁת אַבְרָם בְּנוֹ וַיֵּצְאוּ1 אִתָּם מֵאוּר
כַּשְׂדִּים לָלֶכֶת1 אַרְצָה כְּנַעַן וַיָּבֹאוּ1 עַד־חָרָן
וַיֵּשְׁבוּ1 שָׁם: לב וַיִּהְיוּ1 יְמֵי־תֶרַח חָמֵשׁ שָׁנִים
וּמָאתַיִם שָׁנָה וַיָּמָת1 תֶּרַח בְּחָרָן: פ פ פ

פרשת לך לך

יב א וַיֹּאמֶר1 יהוה אֶל־אַבְרָם לֶךְ1־לְךָ מֵאַרְצְךָ
וּמִמּוֹלַדְתְּךָ וּמִבֵּית אָבִיךָ אֶל־הָאָרֶץ אֲשֶׁר
אַרְאֶךָּ5: ב וְאֶעֶשְׂךָ1 לְגוֹי גָּדוֹל וַאֲבָרֶכְךָ3
וַאֲגַדְּלָה3 שְׁמֶךָ וֶהְיֵה1 בְּרָכָה: ג וַאֲבָרְכָה3
מְבָרְכֶיךָ3 וּמְקַלֶּלְךָ3 אָאֹר1 וְנִבְרְכוּ2 בְךָ כֹּל
מִשְׁפְּחֹת הָאֲדָמָה: ד וַיֵּלֶךְ1 אַבְרָם כַּאֲשֶׁר
דִּבֶּר3 אֵלָיו יהוה וַיֵּלֶךְ1 אִתּוֹ לוֹט וְאַבְרָם בֶּן־
חָמֵשׁ שָׁנִים וְשִׁבְעִים שָׁנָה בְּצֵאתוֹ1 מֵחָרָן:

ה וַיִּקַּח אַבְרָם אֶת־שָׂרַי אִשְׁתּוֹ וְאֶת־לוֹט
בֶּן־אָחִיו וְאֶת־כָּל־רְכוּשָׁם אֲשֶׁר רָכָשׁוּ
וְאֶת־הַנֶּפֶשׁ אֲשֶׁר־עָשׂוּ בְחָרָן וַיֵּצְאוּ
לָלֶכֶת אַרְצָה כְּנַעַן וַיָּבֹאוּ אַרְצָה כְּנָעַן:
ו וַיַּעֲבֹר אַבְרָם בָּאָרֶץ עַד מְקוֹם שְׁכֶם עַד
אֵלוֹן מוֹרֶה וְהַכְּנַעֲנִי אָז בָּאָרֶץ: ז וַיֵּרָא יהוה
אֶל־אַבְרָם וַיֹּאמֶר לְזַרְעֲךָ אֶתֵּן אֶת־הָאָרֶץ
הַזֹּאת וַיִּבֶן שָׁם מִזְבֵּחַ לַיהוה הַנִּרְאֶה
אֵלָיו: ח וַיַּעְתֵּק מִשָּׁם הָהָרָה מִקֶּדֶם לְבֵית־
אֵל וַיֵּט אָהֳלֹה בֵּית־אֵל מִיָּם וְהָעַי מִקֶּדֶם
וַיִּבֶן־שָׁם מִזְבֵּחַ לַיהוה וַיִּקְרָא בְּשֵׁם יהוה:
ט וַיִּסַּע אַבְרָם הָלוֹךְ וְנָסוֹעַ הַנֶּגְבָּה: פ
י וַיְהִי רָעָב בָּאָרֶץ וַיֵּרֶד אַבְרָם מִצְרַיְמָה
לָגוּר שָׁם כִּי־כָבֵד הָרָעָב בָּאָרֶץ: יא וַיְהִי
כַּאֲשֶׁר הִקְרִיב לָבוֹא מִצְרָיְמָה וַיֹּאמֶר
אֶל־שָׂרַי אִשְׁתּוֹ הִנֵּה־נָא יָדַעְתִּי כִּי אִשָּׁה
יְפַת־מַרְאֶה אָתְּ: יב וְהָיָה כִּי־יִרְאוּ אֹתָךְ
הַמִּצְרִים וְאָמְרוּ אִשְׁתּוֹ זֹאת וְהָרְגוּ אֹתִי
וְאֹתָךְ יְחַיּוּ: יג אִמְרִי־נָא אֲחֹתִי אָתְּ
לְמַעַן יִיטַב־לִי בַעֲבוּרֵךְ וְחָיְתָה נַפְשִׁי
בִּגְלָלֵךְ: יד וַיְהִי כְּבוֹא אַבְרָם מִצְרָיְמָה
וַיִּרְאוּ הַמִּצְרִים אֶת־הָאִשָּׁה כִּי־יָפָה הִוא
מְאֹד: טו וַיִּרְאוּ אֹתָהּ שָׂרֵי פַרְעֹה וַיְהַלְלוּ
אֹתָהּ אֶל־פַּרְעֹה וַתֻּקַּח הָאִשָּׁה בֵּית פַּרְעֹה:
טז וּלְאַבְרָם הֵיטִיב בַּעֲבוּרָהּ וַיְהִי־לוֹ צֹאן־
וּבָקָר וַחֲמֹרִים וַעֲבָדִים וּשְׁפָחֹת וַאֲתֹנֹת
וּגְמַלִּים: יז וַיְנַגַּע יהוה | אֶת־פַּרְעֹה נְגָעִים
גְּדֹלִים וְאֶת־בֵּיתוֹ עַל־דְּבַר שָׂרַי אֵשֶׁת
אַבְרָם: יח וַיִּקְרָא פַרְעֹה לְאַבְרָם וַיֹּאמֶר מַה־
זֹּאת עָשִׂיתָ לִּי לָמָּה לֹא־הִגַּדְתָּ לִּי
כִּי אִשְׁתְּךָ הִוא: יט לָמָה אָמַרְתָּ אֲחֹתִי
הִוא וָאֶקַּח אֹתָהּ לִי לְאִשָּׁה וְעַתָּה הִנֵּה
אִשְׁתְּךָ קַח וָלֵךְ: כ וַיְצַו עָלָיו פַּרְעֹה
אֲנָשִׁים וַיְשַׁלְּחוּ אֹתוֹ וְאֶת־אִשְׁתּוֹ וְאֶת־
כָּל־אֲשֶׁר־לוֹ: יג א וַיַּעַל אַבְרָם מִמִּצְרַיִם
הוּא וְאִשְׁתּוֹ וְכָל־אֲשֶׁר־לוֹ וְלוֹט עִמּוֹ
הַנֶּגְבָּה: ב וְאַבְרָם כָּבֵד מְאֹד בַּמִּקְנֶה בַּכֶּסֶף
וּבַזָּהָב: ג וַיֵּלֶךְ לְמַסָּעָיו מִנֶּגֶב וְעַד־בֵּית־אֵל
עַד־הַמָּקוֹם אֲשֶׁר־הָיָה שָׁם אָהֳלֹה בַּתְּחִלָּה
בֵּין בֵּית־אֵל וּבֵין הָעָי: ד אֶל־מְקוֹם הַמִּזְבֵּחַ
אֲשֶׁר־עָשָׂה שָׁם בָּרִאשֹׁנָה וַיִּקְרָא שָׁם
אַבְרָם בְּשֵׁם יהוה: ה וְגַם־לְלוֹט הַהֹלֵךְ אֶת־
אַבְרָם הָיָה צֹאן־וּבָקָר וְאֹהָלִים: ו וְלֹא־נָשָׂא
אֹתָם הָאָרֶץ לָשֶׁבֶת יַחְדָּו כִּי־הָיָה רְכוּשָׁם
רָב וְלֹא יָכְלוּ לָשֶׁבֶת יַחְדָּו: ז וַיְהִי־רִיב
בֵּין רֹעֵי מִקְנֵה־אַבְרָם וּבֵין רֹעֵי מִקְנֵה־לוֹט
וְהַכְּנַעֲנִי וְהַפְּרִזִּי אָז יֹשֵׁב בָּאָרֶץ: ח וַיֹּאמֶר
אַבְרָם אֶל־לוֹט אַל־נָא תְהִי מְרִיבָה בֵּינִי
וּבֵינֶךָ וּבֵין רֹעַי וּבֵין רֹעֶיךָ כִּי־אֲנָשִׁים
אַחִים אֲנָחְנוּ: ט הֲלֹא כָל־הָאָרֶץ לְפָנֶיךָ
הִפָּרֶד נָא מֵעָלָי אִם־הַשְּׂמֹאל וְאֵימִנָה
וְאִם־הַיָּמִין וְאַשְׂמְאִילָה: י וַיִּשָּׂא־לוֹט
אֶת־עֵינָיו וַיַּרְא אֶת־כָּל־כִּכַּר הַיַּרְדֵּן כִּי
כֻלָּהּ מַשְׁקֶה לִפְנֵי | שַׁחֵת יהוה אֶת־סְדֹם
וְאֶת־עֲמֹרָה כְּגַן־יהוה כְּאֶרֶץ מִצְרַיִם בֹּאֲכָה
צֹעַר: יא וַיִּבְחַר־לוֹ לוֹט אֵת כָּל־כִּכַּר הַיַּרְדֵּן
וַיִּסַּע לוֹט מִקֶּדֶם וַיִּפָּרְדוּ אִישׁ מֵעַל
אָחִיו: יב אַבְרָם יָשַׁב בְּאֶרֶץ־כְּנָעַן וְלוֹט יָשַׁב
בְּעָרֵי הַכִּכָּר וַיֶּאֱהַל עַד־סְדֹם: יג וְאַנְשֵׁי סְדֹם
רָעִים וְחַטָּאִים לַיהוה מְאֹד: יד וַיהוה אָמַר
אֶל־אַבְרָם אַחֲרֵי הִפָּרֶד־לוֹט מֵעִמּוֹ שָׂא־
נָא עֵינֶיךָ וּרְאֵה מִן־הַמָּקוֹם אֲשֶׁר־אַתָּה
שָׁם צָפֹנָה וָנֶגְבָּה וָקֵדְמָה וָיָמָּה: טו כִּי אֶת־
כָּל־הָאָרֶץ אֲשֶׁר־אַתָּה רֹאֶה לְךָ אֶתְּנֶנָּה
וּלְזַרְעֲךָ עַד־עוֹלָם: טז וְשַׂמְתִּי אֶת־זַרְעֲךָ
כַּעֲפַר הָאָרֶץ אֲשֶׁר | אִם־יוּכַל אִישׁ
לִמְנוֹת אֶת־עֲפַר הָאָרֶץ גַּם־זַרְעֲךָ יִמָּנֶה:
יז קוּם הִתְהַלֵּךְ בָּאָרֶץ לְאָרְכָּהּ וּלְרָחְבָּהּ כִּי
לְךָ אֶתְּנֶנָּה: יח וַיֶּאֱהַל אַבְרָם וַיָּבֹא וַיֵּשֶׁב
בְּאֵלֹנֵי מַמְרֵא אֲשֶׁר בְּחֶבְרוֹן וַיִּבֶן־שָׁם מִזְבֵּחַ
לַיהוה: פ

יד א וַיְהִי בִּימֵי אַמְרָפֶל מֶלֶךְ־שִׁנְעָר אַרְיוֹךְ
מֶלֶךְ אֶלָּסָר כְּדָרְלָעֹמֶר מֶלֶךְ עֵילָם וְתִדְעָל מֶלֶךְ
גּוֹיִם: ב עָשׂוּ מִלְחָמָה אֶת־בֶּרַע מֶלֶךְ סְדֹם
וְאֶת־בִּרְשַׁע מֶלֶךְ עֲמֹרָה שִׁנְאָב | מֶלֶךְ אַדְמָה
וְשֶׁמְאֵבֶר מֶלֶךְ צְבִיִּים [צְבוֹיִם] וּמֶלֶךְ בֶּלַע הִיא־
צֹעַר: ג כָּל־אֵלֶּה חָבְרוּ אֶל־עֵמֶק הַשִּׂדִּים הוּא
יָם הַמֶּלַח: ד שְׁתֵּים עֶשְׂרֵה שָׁנָה עָבְדוּ

אֶת־כְּדָרְלָעֹמֶר וּשְׁלֹשׁ־עֶשְׂרֵה שָׁנָה מָרָדוּ1:
ה וּבְאַרְבַּע עֶשְׂרֵה שָׁנָה בָּא1 כְדָרְלָעֹמֶר
וְהַמְּלָכִים אֲשֶׁר אִתּוֹ וַיַּכּוּ5 אֶת־רְפָאִים
בְּעַשְׁתְּרֹת קַרְנַיִם וְאֶת־הַזּוּזִים בְּהָם וְאֵת
הָאֵימִים בְּשָׁוֵה קִרְיָתָיִם: ו וְאֶת־הַחֹרִי בְּהַרְרָם
שֵׂעִיר עַד אֵיל פָּארָן אֲשֶׁר עַל־הַמִּדְבָּר:
ז וַיָּשֻׁבוּ1 וַיָּבֹאוּ1 אֶל־עֵין מִשְׁפָּט הִוא קָדֵשׁ
וַיַּכּוּ5 אֶת־כָּל־שְׂדֵה הָעֲמָלֵקִי וְגַם אֶת־
הָאֱמֹרִי הַיֹּשֵׁב1 בְּחַצְצֹן תָּמָר: ח וַיֵּצֵא1 מֶלֶךְ־סְדֹם
וּמֶלֶךְ עֲמֹרָה וּמֶלֶךְ אַדְמָה וּמֶלֶךְ צְבוֹיִם [צְבִיִּים]
וּמֶלֶךְ בֶּלַע הִוא־צֹעַר וַיַּעַרְכוּ1 אִתָּם מִלְחָמָה
בְּעֵמֶק הַשִּׂדִּים: ט אֵת כְּדָרְלָעֹמֶר מֶלֶךְ עֵילָם
וְתִדְעָל מֶלֶךְ גּוֹיִם וְאַמְרָפֶל מֶלֶךְ שִׁנְעָר וְאַרְיוֹךְ
מֶלֶךְ אֶלָּסָר אַרְבָּעָה מְלָכִים אֶת־הַחֲמִשָּׁה:
י וְעֵמֶק הַשִּׂדִּים בֶּאֱרֹת בֶּאֱרֹת חֵמָר וַיָּנֻסוּ1
מֶלֶךְ־סְדֹם וַעֲמֹרָה וַיִּפְּלוּ1־שָׁמָּה וְהַנִּשְׁאָרִים2
הֶרָה נָּסוּ1: יא וַיִּקְחוּ1 אֶת־כָּל־רְכֻשׁ סְדֹם
וַעֲמֹרָה וְאֶת־כָּל־אָכְלָם וַיֵּלֵכוּ1: יב וַיִּקְחוּ1
אֶת־לוֹט וְאֶת־רְכֻשׁוֹ בֶּן־אֲחִי אַבְרָם וַיֵּלֵכוּ1
וְהוּא יֹשֵׁב1 בִּסְדֹם: יג וַיָּבֹא1 הַפָּלִיט וַיַּגֵּד5
לְאַבְרָם הָעִבְרִי וְהוּא שֹׁכֵן1 בְּאֵלֹנֵי מַמְרֵא
הָאֱמֹרִי אֲחִי אֶשְׁכֹּל וַאֲחִי עָנֵר וְהֵם בַּעֲלֵי
בְרִית־אַבְרָם: יד וַיִּשְׁמַע1 אַבְרָם כִּי נִשְׁבָּה2
אָחִיו וַיָּרֶק5 אֶת־חֲנִיכָיו יְלִידֵי בֵיתוֹ שְׁמֹנָה
עָשָׂר וּשְׁלֹשׁ מֵאוֹת וַיִּרְדֹּף1 עַד־דָּן: טו וַיֵּחָלֵק2
עֲלֵיהֶם | לַיְלָה הוּא וַעֲבָדָיו וַיַּכֵּם5 וַיִּרְדְּפֵם1
עַד־חוֹבָה אֲשֶׁר מִשְּׂמֹאל לְדַמָּשֶׂק: טז וַיָּשֶׁב5
אֵת כָּל־הָרְכֻשׁ וְגַם אֶת־לוֹט אָחִיו וּרְכֻשׁוֹ
הֵשִׁיב5 וְגַם אֶת־הַנָּשִׁים וְאֶת־הָעָם:
יז וַיֵּצֵא1 מֶלֶךְ־סְדֹם לִקְרָאתוֹ אַחֲרֵי שׁוּבוֹ1
מֵהַכּוֹת5 אֶת־כְּדָרְלָעֹמֶר וְאֶת־הַמְּלָכִים
אֲשֶׁר אִתּוֹ אֶל־עֵמֶק שָׁוֵה הוּא עֵמֶק הַמֶּלֶךְ:
יח וּמַלְכִּי־צֶדֶק מֶלֶךְ שָׁלֵם הוֹצִיא5 לֶחֶם וָיָיִן
וְהוּא כֹהֵן לְאֵיל עֶלְיוֹן: יט וַיְבָרְכֵהוּ3 וַיֹּאמַר1
בָּרוּךְ1 אַבְרָם לְאֵיל עֶלְיוֹן קֹנֵה1 שָׁמַיִם
וָאָרֶץ: כ וּבָרוּךְ1 אֵיל עֶלְיוֹן אֲשֶׁר־מִגֵּן3 צָרֶיךָ
בְּיָדֶךָ וַיִּתֶּן1־לוֹ מַעֲשֵׂר מִכֹּל: כא וַיֹּאמֶר1
מֶלֶךְ־סְדֹם אֶל־אַבְרָם תֶּן1־לִי הַנֶּפֶשׁ וְהָרְכֻשׁ
קַח1־לָךְ: כב וַיֹּאמֶר1 אַבְרָם אֶל־מֶלֶךְ סְדֹם
הֲרִמֹתִי5 יָדִי אֶל־יהוה אֵיל עֶלְיוֹן קֹנֵה1
שָׁמַיִם וָאָרֶץ: כג אִם־מִחוּט וְעַד שְׂרוֹךְ־נַעַל
וְאִם־אֶקַּח1 מִכָּל־אֲשֶׁר־לָךְ וְלֹא תֹאמַר1
אֲנִי הֶעֱשַׁרְתִּי5 אֶת־אַבְרָם: כד בִּלְעָדַי רַק
אֲשֶׁר אָכְלוּ1 הַנְּעָרִים וְחֵלֶק הָאֲנָשִׁים אֲשֶׁר
הָלְכוּ1 אִתִּי עָנֵר אֶשְׁכֹּל וּמַמְרֵא הֵם יִקְחוּ1
חֶלְקָם: ס טו א אַחַר | הַדְּבָרִים הָאֵלֶּה
הָיָה1 דְבַר־יהוה אֶל־אַבְרָם בַּמַּחֲזֶה לֵאמֹר1
אַל־תִּירָא1 אַבְרָם אָנֹכִי מָגֵן לָךְ שְׂכָרְךָ הַרְבֵּה
מְאֹד: ב וַיֹּאמֶר1 אַבְרָם אֲדֹנָי יֱהֹוִה מַה־תִּתֶּן1־
לִי וְאָנֹכִי הוֹלֵךְ1 עֲרִירִי וּבֶן־מֶשֶׁק בֵּיתִי הוּא
דַּמֶּשֶׂק אֱלִיעֶזֶר: ג וַיֹּאמֶר1 אַבְרָם הֵן לִי לֹא
נָתַתָּה1 זָרַע וְהִנֵּה בֶן־בֵּיתִי יוֹרֵשׁ1 אֹתִי:
ד וְהִנֵּה דְבַר־יהוה אֵלָיו לֵאמֹר1 לֹא יִירָשְׁךָ1
זֶה כִּי־אִם אֲשֶׁר יֵצֵא1 מִמֵּעֶיךָ הוּא יִירָשֶׁךָ1:
ה וַיּוֹצֵא5 אֹתוֹ הַחוּצָה וַיֹּאמֶר1 הַבֶּט5־נָא
הַשָּׁמַיְמָה וּסְפֹר1 הַכּוֹכָבִים אִם־תּוּכַל1
לִסְפֹּר1 אֹתָם וַיֹּאמֶר1 לוֹ כֹּה יִהְיֶה1 זַרְעֶךָ:
ו וְהֶאֱמִן5 בַּיהוה וַיַּחְשְׁבֶהָ1 לּוֹ צְדָקָה: ז וַיֹּאמֶר1
אֵלָיו אֲנִי יהוה אֲשֶׁר הוֹצֵאתִיךָ5 מֵאוּר כַּשְׂדִּים
לָתֶת1 לְךָ אֶת־הָאָרֶץ הַזֹּאת לְרִשְׁתָּהּ1:
ח וַיֹּאמַר1 אֲדֹנָי יֱהֹוִה בַּמָּה אֵדַע1 כִּי אִירָשֶׁנָּה1:
ט וַיֹּאמֶר1 אֵלָיו קְחָה1 לִי עֶגְלָה מְשֻׁלֶּשֶׁת4
וְעֵז מְשֻׁלֶּשֶׁת4 וְאַיִל מְשֻׁלָּשׁ4 וְתֹר וְגוֹזָל:
י וַיִּקַּח1־לוֹ אֶת־כָּל־אֵלֶּה וַיְבַתֵּר3 אֹתָם
בַּתָּוֶךְ וַיִּתֵּן1 אִישׁ־בִּתְרוֹ לִקְרַאת רֵעֵהוּ
וְאֶת־הַצִּפֹּר לֹא בָתָר1: יא וַיֵּרֶד1 הָעַיִט עַל־
הַפְּגָרִים וַיַּשֵּׁב5 אֹתָם אַבְרָם: יב וַיְהִי1 הַשֶּׁמֶשׁ
לָבוֹא1 וְתַרְדֵּמָה נָפְלָה1 עַל־אַבְרָם וְהִנֵּה
אֵימָה חֲשֵׁכָה גְדֹלָה נֹפֶלֶת1 עָלָיו: יג וַיֹּאמֶר1
לְאַבְרָם יָדֹעַ1 תֵּדַע1 כִּי־גֵר | יִהְיֶה1 זַרְעֲךָ
בְּאֶרֶץ לֹא לָהֶם וַעֲבָדוּם1 וְעִנּוּ3 אֹתָם
אַרְבַּע מֵאוֹת שָׁנָה: יד וְגַם אֶת־הַגּוֹי אֲשֶׁר
יַעֲבֹדוּ1 דָּן1 אָנֹכִי וְאַחֲרֵי־כֵן יֵצְאוּ1 בִּרְכֻשׁ
גָּדוֹל: טו וְאַתָּה תָּבוֹא1 אֶל־אֲבֹתֶיךָ בְּשָׁלוֹם
תִּקָּבֵר2 בְּשֵׂיבָה טוֹבָה: טז וְדוֹר רְבִיעִי יָשׁוּבוּ1
הֵנָּה כִּי לֹא־שָׁלֵם עֲוֹן הָאֱמֹרִי עַד־הֵנָּה:
יז וַיְהִי1 הַשֶּׁמֶשׁ בָּאָה1 וַעֲלָטָה הָיָה1 וְהִנֵּה
תַנּוּר עָשָׁן וְלַפִּיד אֵשׁ אֲשֶׁר עָבַר1 בֵּין

הַגְּזָרִים הָאֵלֶּה: יח בַּיּוֹם הַהוּא כָּרַת1 יהוה
אֶת־אַבְרָם בְּרִית לֵאמֹר1 לְזַרְעֲךָ נָתַתִּי1
אֶת־הָאָרֶץ הַזֹּאת מִנְּהַר מִצְרַיִם עַד־הַנָּהָר
הַגָּדֹל נְהַר־פְּרָת: יט אֶת־הַקֵּינִי וְאֶת־הַקְּנִזִּי
וְאֵת הַקַּדְמֹנִי: כ וְאֶת־הַחִתִּי וְאֶת־הַפְּרִזִּי וְאֶת־
הָרְפָאִים: כא וְאֶת־הָאֱמֹרִי וְאֶת־הַכְּנַעֲנִי וְאֶת־
הַגִּרְגָּשִׁי וְאֶת־הַיְבוּסִי: ס טז א וְשָׂרַי אֵשֶׁת
אַבְרָם לֹא יָלְדָה1 לוֹ וְלָהּ שִׁפְחָה מִצְרִית
וּשְׁמָהּ הָגָר: ב וַתֹּאמֶר1 שָׂרַי אֶל־אַבְרָם הִנֵּה־
נָא עֲצָרַנִי1 יהוה מִלֶּדֶת1 בֹּא1־נָא אֶל־שִׁפְחָתִי
אוּלַי אִבָּנֶה2 מִמֶּנָּה וַיִּשְׁמַע1 אַבְרָם לְקוֹל שָׂרָי:
ג וַתִּקַּח1 שָׂרַי | אֵשֶׁת אַבְרָם אֶת־הָגָר הַמִּצְרִית
שִׁפְחָתָהּ מִקֵּץ עֶשֶׂר שָׁנִים לְשֶׁבֶת1 אַבְרָם
בְּאֶרֶץ כְּנָעַן וַתִּתֵּן1 אֹתָהּ לְאַבְרָם אִישָׁהּ לוֹ
לְאִשָּׁה: ד וַיָּבֹא1 אֶל־הָגָר וַתַּהַר1 וַתֵּרֶא1 כִּי
הָרָתָה1 וַתֵּקַל2 גְּבִרְתָּהּ בְּעֵינֶיהָ: ה וַתֹּאמֶר1
שָׂרַי אֶל־אַבְרָם חֲמָסִי עָלֶיךָ אָנֹכִי נָתַתִּי1
שִׁפְחָתִי בְּחֵיקֶךָ וַתֵּרֶא1 כִּי הָרָתָה1 וָאֵקַל2
בְּעֵינֶיהָ יִשְׁפֹּט1 יהוה בֵּינִי וּבֵינֶיךָ: ו וַיֹּאמֶר1
אַבְרָם אֶל־שָׂרַי הִנֵּה שִׁפְחָתֵךְ בְּיָדֵךְ עֲשִׂי1־
לָהּ הַטּוֹב בְּעֵינָיִךְ וַתְּעַנֶּהָ3 שָׂרַי וַתִּבְרַח1
מִפָּנֶיהָ: ז וַיִּמְצָאָהּ1 מַלְאַךְ יהוה עַל־עֵין
הַמַּיִם בַּמִּדְבָּר עַל־הָעַיִן בְּדֶרֶךְ שׁוּר:
ח וַיֹּאמַר1 הָגָר שִׁפְחַת שָׂרַי אֵי־מִזֶּה בָאת1
וְאָנָה תֵלֵכִי1 וַתֹּאמֶר1 מִפְּנֵי שָׂרַי גְּבִרְתִּי
אָנֹכִי בֹּרַחַת1: ט וַיֹּאמֶר1 לָהּ מַלְאַךְ יהוה שׁוּבִי1
אֶל־גְּבִרְתֵּךְ וְהִתְעַנִּי7 תַּחַת יָדֶיהָ: י וַיֹּאמֶר1
לָהּ מַלְאַךְ יהוה הַרְבָּה5 אַרְבֶּה5 אֶת־זַרְעֵךְ
וְלֹא יִסָּפֵר2 מֵרֹב: יא וַיֹּאמֶר1 לָהּ מַלְאַךְ יהוה
הִנָּךְ הָרָה וְיֹלַדְתְּ1 בֵּן וְקָרָאת1 שְׁמוֹ
יִשְׁמָעֵאל כִּי־שָׁמַע1 יהוה אֶל־עָנְיֵךְ: יב וְהוּא
יִהְיֶה1 פֶּרֶא אָדָם יָדוֹ בַּכֹּל וְיַד כֹּל בּוֹ
וְעַל־פְּנֵי כָל־אֶחָיו יִשְׁכֹּן1: יג וַתִּקְרָא1
שֵׁם־יהוה הַדֹּבֵר1 אֵלֶיהָ אַתָּה אֵל רֳאִי כִּי
אָמְרָה1 הֲגַם הֲלֹם רָאִיתִי1 אַחֲרֵי רֹאִי1:
יד עַל־כֵּן קָרָא1 לַבְּאֵר בְּאֵר לַחַי רֹאִי1 הִנֵּה
בֵין־קָדֵשׁ וּבֵין בָּרֶד: טו וַתֵּלֶד1 הָגָר לְאַבְרָם בֵּן
וַיִּקְרָא1 אַבְרָם שֶׁם־בְּנוֹ אֲשֶׁר־יָלְדָה1 הָגָר
יִשְׁמָעֵאל: טז וְאַבְרָם בֶּן־שְׁמֹנִים שָׁנָה וְשֵׁשׁ

שָׁנִים בְּלֶדֶת1־הָגָר אֶת־יִשְׁמָעֵאל
לְאַבְרָם: ס יז א וַיְהִי1 אַבְרָם בֶּן־תִּשְׁעִים
שָׁנָה וְתֵשַׁע שָׁנִים וַיֵּרָא2 יהוה אֶל־אַבְרָם
וַיֹּאמֶר1 אֵלָיו אֲנִי־אֵל שַׁדַּי הִתְהַלֵּךְ7 לְפָנַי
וֶהְיֵה1 תָמִים: ב וְאֶתְּנָה1 בְרִיתִי בֵּינִי וּבֵינֶךָ
וְאַרְבֶּה5 אוֹתְךָ בִּמְאֹד מְאֹד: ג וַיִּפֹּל1 אַבְרָם
עַל־פָּנָיו וַיְדַבֵּר3 אִתּוֹ אֱלֹהִים לֵאמֹר1:
ד אֲנִי הִנֵּה בְרִיתִי אִתָּךְ וְהָיִיתָ1 לְאַב
הֲמוֹן גּוֹיִם: ה וְלֹא־יִקָּרֵא2 עוֹד אֶת־שִׁמְךָ
אַבְרָם וְהָיָה1 שִׁמְךָ אַבְרָהָם כִּי אַב־הֲמוֹן
גּוֹיִם נְתַתִּיךָ1: ו וְהִפְרֵתִי5 אֹתְךָ בִּמְאֹד מְאֹד
וּנְתַתִּיךָ1 לְגוֹיִם וּמְלָכִים מִמְּךָ יֵצֵאוּ1:
ז וַהֲקִמֹתִי5 אֶת־בְּרִיתִי בֵּינִי וּבֵינֶךָ וּבֵין זַרְעֲךָ
אַחֲרֶיךָ לְדֹרֹתָם לִבְרִית עוֹלָם לִהְיוֹת1 לְךָ
לֵאלֹהִים וּלְזַרְעֲךָ אַחֲרֶיךָ: ח וְנָתַתִּי1 לְךָ
וּלְזַרְעֲךָ אַחֲרֶיךָ אֵת | אֶרֶץ מְגֻרֶיךָ אֵת
כָּל־אֶרֶץ כְּנַעַן לַאֲחֻזַּת עוֹלָם וְהָיִיתִי1 לָהֶם
לֵאלֹהִים: ט וַיֹּאמֶר1 אֱלֹהִים אֶל־אַבְרָהָם
וְאַתָּה אֶת־בְּרִיתִי תִשְׁמֹר1 אַתָּה וְזַרְעֲךָ
אַחֲרֶיךָ לְדֹרֹתָם: י זֹאת בְּרִיתִי אֲשֶׁר
תִּשְׁמְרוּ1 בֵּינִי וּבֵינֵיכֶם וּבֵין זַרְעֲךָ אַחֲרֶיךָ
הִמּוֹל2 לָכֶם כָּל־זָכָר: יא וּנְמַלְתֶּם1 אֵת בְּשַׂר
עָרְלַתְכֶם וְהָיָה1 לְאוֹת בְּרִית בֵּינִי וּבֵינֵיכֶם:
יב וּבֶן־שְׁמֹנַת יָמִים יִמּוֹל2 לָכֶם כָּל־זָכָר
לְדֹרֹתֵיכֶם יְלִיד בָּיִת וּמִקְנַת־כֶּסֶף מִכֹּל
בֶּן־נֵכָר אֲשֶׁר לֹא מִזַּרְעֲךָ הוּא: יג הִמּוֹל2 |
יִמּוֹל2 יְלִיד בֵּיתְךָ וּמִקְנַת כַּסְפֶּךָ וְהָיְתָה1
בְרִיתִי בִּבְשַׂרְכֶם לִבְרִית עוֹלָם: יד וְעָרֵל |
זָכָר אֲשֶׁר לֹא־יִמּוֹל2 אֶת־בְּשַׂר עָרְלָתוֹ
וְנִכְרְתָה2 הַנֶּפֶשׁ הַהִוא מֵעַמֶּיהָ אֶת־בְּרִיתִי
הֵפַר5: ס טו וַיֹּאמֶר1 אֱלֹהִים אֶל־אַבְרָהָם
שָׂרַי אִשְׁתְּךָ לֹא־תִקְרָא1 אֶת־שְׁמָהּ שָׂרָי כִּי
שָׂרָה שְׁמָהּ: טז וּבֵרַכְתִּי3 אֹתָהּ וְגַם נָתַתִּי1
מִמֶּנָּה לְךָ בֵּן וּבֵרַכְתִּיהָ3 וְהָיְתָה1 לְגוֹיִם
מַלְכֵי עַמִּים מִמֶּנָּה יִהְיוּ1: יז וַיִּפֹּל1 אַבְרָהָם
עַל־פָּנָיו וַיִּצְחָק1 וַיֹּאמֶר1 בְּלִבּוֹ הַלְּבֶן
מֵאָה־שָׁנָה יִוָּלֵד2 וְאִם־שָׂרָה הֲבַת־
תִּשְׁעִים שָׁנָה תֵּלֵד1: יח וַיֹּאמֶר1 אַבְרָהָם אֶל־
הָאֱלֹהִים לוּ יִשְׁמָעֵאל יִחְיֶה1 לְפָנֶיךָ: יט וַיֹּאמֶר1

אֱלֹהִים אֲבָל שָׂרָה אִשְׁתְּךָ יֹלֶדֶת1 לְךָ בֵּן
וְקָרָאתָ1 אֶת־שְׁמוֹ יִצְחָק וַהֲקִמֹתִי5 אֶת־
בְּרִיתִי אִתּוֹ לִבְרִית עוֹלָם לְזַרְעוֹ אַחֲרָיו:
כ וּלְיִשְׁמָעֵאל שְׁמַעְתִּיךָ1 הִנֵּה | בֵּרַכְתִּי3 אֹתוֹ
וְהִפְרֵיתִי5 אֹתוֹ וְהִרְבֵּיתִי5 אֹתוֹ בִּמְאֹד
מְאֹד שְׁנֵים־עָשָׂר נְשִׂיאִם יוֹלִיד5 וּנְתַתִּיו1
לְגוֹי גָּדוֹל: כא וְאֶת־בְּרִיתִי אָקִים5 אֶת־יִצְחָק
אֲשֶׁר תֵּלֵד1 לְךָ שָׂרָה לַמּוֹעֵד הַזֶּה בַּשָּׁנָה
הָאַחֶרֶת: כב וַיְכַל3 לְדַבֵּר3 אִתּוֹ וַיַּעַל1
אֱלֹהִים מֵעַל אַבְרָהָם: כג וַיִּקַּח1 אַבְרָהָם אֶת־
יִשְׁמָעֵאל בְּנוֹ וְאֵת כָּל־יְלִידֵי בֵיתוֹ וְאֵת
כָּל־מִקְנַת כַּסְפּוֹ כָּל־זָכָר בְּאַנְשֵׁי בֵּית
אַבְרָהָם וַיָּמָל1 אֶת־בְּשַׂר עָרְלָתָם בְּעֶצֶם
הַיּוֹם הַזֶּה כַּאֲשֶׁר דִּבֶּר3 אִתּוֹ אֱלֹהִים:
כד וְאַבְרָהָם בֶּן־תִּשְׁעִים וָתֵשַׁע שָׁנָה בְּהִמֹּלוֹ2
בְּשַׂר עָרְלָתוֹ: כה וְיִשְׁמָעֵאל בְּנוֹ בֶּן־שְׁלֹשׁ
עֶשְׂרֵה שָׁנָה בְּהִמֹּלוֹ2 אֵת בְּשַׂר עָרְלָתוֹ:
כו בְּעֶצֶם הַיּוֹם הַזֶּה נִמּוֹל2 אַבְרָהָם וְיִשְׁמָעֵאל
בְּנוֹ: כז וְכָל־אַנְשֵׁי בֵיתוֹ יְלִיד בָּיִת וּמִקְנַת־
כֶּסֶף מֵאֵת בֶּן־נֵכָר נִמֹּלוּ2 אִתּוֹ: פ פ פ

פרשת וירא

יח א וַיֵּרָא2 אֵלָיו יהוה בְּאֵלֹנֵי מַמְרֵא וְהוּא
יֹשֵׁב1 פֶּתַח־הָאֹהֶל כְּחֹם1 הַיּוֹם: ב וַיִּשָּׂא1
עֵינָיו וַיַּרְא1 וְהִנֵּה שְׁלֹשָׁה אֲנָשִׁים נִצָּבִים2
עָלָיו וַיַּרְא1 וַיָּרָץ1 לִקְרָאתָם מִפֶּתַח
הָאֹהֶל וַיִּשְׁתַּחוּ7 אָרְצָה: ג וַיֹּאמַר1 אֲדֹנָי
אִם־נָא מָצָאתִי1 חֵן בְּעֵינֶיךָ אַל־נָא תַעֲבֹר1
מֵעַל עַבְדֶּךָ: ד יֻקַּח6־נָא מְעַט־מַיִם וְרַחֲצוּ1
רַגְלֵיכֶם וְהִשָּׁעֲנוּ2 תַּחַת הָעֵץ: ה וְאֶקְחָה1
פַת־לֶחֶם וְסַעֲדוּ1 לִבְּכֶם אַחַר תַּעֲבֹרוּ1 כִּי־
עַל־כֵּן עֲבַרְתֶּם1 עַל־עַבְדְּכֶם וַיֹּאמְרוּ1 כֵּן
תַּעֲשֶׂה1 כַּאֲשֶׁר דִּבַּרְתָּ3: ו וַיְמַהֵר3 אַבְרָהָם
הָאֹהֱלָה אֶל־שָׂרָה וַיֹּאמֶר1 מַהֲרִי3 שְׁלֹשׁ
סְאִים קֶמַח סֹלֶת לוּשִׁי1 וַעֲשִׂי1 עֻגוֹת:
ז וְאֶל־הַבָּקָר רָץ1 אַבְרָהָם וַיִּקַּח1 בֶּן־בָּקָר
רַךְ וָטוֹב וַיִּתֵּן1 אֶל־הַנַּעַר וַיְמַהֵר3 לַעֲשׂוֹת1
אֹתוֹ: ח וַיִּקַּח1 חֶמְאָה וְחָלָב וּבֶן־הַבָּקָר
אֲשֶׁר עָשָׂה1 וַיִּתֵּן1 לִפְנֵיהֶם וְהוּא עֹמֵד1
עֲלֵיהֶם תַּחַת הָעֵץ וַיֹּאכֵלוּ1: ט וַיֹּאמְרוּ1
אֵלָיו אַיֵּה שָׂרָה אִשְׁתֶּךָ וַיֹּאמֶר1 הִנֵּה בָאֹהֶל:
י וַיֹּאמֶר1 שׁוֹב1 אָשׁוּב1 אֵלֶיךָ כָּעֵת חַיָּה
וְהִנֵּה־בֵן לְשָׂרָה אִשְׁתֶּךָ וְשָׂרָה שֹׁמַעַת1 פֶּתַח
הָאֹהֶל וְהוּא אַחֲרָיו: יא וְאַבְרָהָם וְשָׂרָה זְקֵנִים
בָּאִים1 בַּיָּמִים חָדַל1 לִהְיוֹת1 לְשָׂרָה אֹרַח
כַּנָּשִׁים: יב וַתִּצְחַק1 שָׂרָה בְּקִרְבָּהּ לֵאמֹר1
אַחֲרֵי בְלֹתִי1 הָיְתָה1־לִּי עֶדְנָה וַאדֹנִי זָקֵן1:
יג וַיֹּאמֶר1 יהוה אֶל־אַבְרָהָם לָמָּה זֶּה צָחֲקָה1
שָׂרָה לֵאמֹר1 הַאַף אֻמְנָם אֵלֵד1 וַאֲנִי זָקַנְתִּי1:
יד הֲיִפָּלֵא2 מֵיהוה דָּבָר לַמּוֹעֵד אָשׁוּב1 אֵלֶיךָ
כָּעֵת חַיָּה וּלְשָׂרָה בֵן: טו וַתְּכַחֵשׁ3 שָׂרָה |
לֵאמֹר1 לֹא צָחַקְתִּי1 כִּי | יָרֵאָה1 וַיֹּאמֶר1 |
לֹא כִּי צָחָקְתְּ1: טז וַיָּקֻמוּ1 מִשָּׁם הָאֲנָשִׁים
וַיַּשְׁקִפוּ5 עַל־פְּנֵי סְדֹם וְאַבְרָהָם הֹלֵךְ1 עִמָּם
לְשַׁלְּחָם3: יז וַיהוה אָמָר1 הַמְכַסֶּה3 אֲנִי
מֵאַבְרָהָם אֲשֶׁר אֲנִי עֹשֶׂה1: יח וְאַבְרָהָם הָיוֹ1
יִהְיֶה1 לְגוֹי גָּדוֹל וְעָצוּם וְנִבְרְכוּ2־בוֹ כֹּל גּוֹיֵי
הָאָרֶץ: יט כִּי יְדַעְתִּיו1 לְמַעַן אֲשֶׁר יְצַוֶּה3
אֶת־בָּנָיו וְאֶת־בֵּיתוֹ אַחֲרָיו וְשָׁמְרוּ1 דֶּרֶךְ
יהוה לַעֲשׂוֹת1 צְדָקָה וּמִשְׁפָּט לְמַעַן
הָבִיא5 יהוה עַל־אַבְרָהָם אֵת אֲשֶׁר־דִּבֶּר3
עָלָיו: כ וַיֹּאמֶר1 יהוה זַעֲקַת סְדֹם וַעֲמֹרָה כִּי־
רָבָּה1 וְחַטָּאתָם כִּי כָבְדָה1 מְאֹד: כא אֵרְדָה1־
נָּא וְאֶרְאֶה1 הַכְּצַעֲקָתָהּ הַבָּאָה1 אֵלַי
עָשׂוּ1 | כָּלָה וְאִם־לֹא אֵדָעָה1: כב וַיִּפְנוּ1
מִשָּׁם הָאֲנָשִׁים וַיֵּלְכוּ1 סְדֹמָה וְאַבְרָהָם עוֹדֶנּוּ
עֹמֵד1 לִפְנֵי יהוה: כג וַיִּגַּשׁ1 אַבְרָהָם וַיֹּאמַר1
הַאַף תִּסְפֶּה1 צַדִּיק עִם־רָשָׁע: כד אוּלַי יֵשׁ
חֲמִשִּׁים צַדִּיקִם בְּתוֹךְ הָעִיר הַאַף תִּסְפֶּה1
וְלֹא־תִשָּׂא1 לַמָּקוֹם לְמַעַן חֲמִשִּׁים
הַצַּדִּיקִם אֲשֶׁר בְּקִרְבָּהּ: כה חָלִלָה לְּךָ
מֵעֲשֹׂת1 | כַּדָּבָר הַזֶּה לְהָמִית5 צַדִּיק עִם־
רָשָׁע וְהָיָה1 כַצַּדִּיק כָּרָשָׁע חָלִלָה לָּךְ הֲשֹׁפֵט1
כָּל־הָאָרֶץ לֹא יַעֲשֶׂה1 מִשְׁפָּט: כו וַיֹּאמֶר1
יהוה אִם־אֶמְצָא1 בִסְדֹם חֲמִשִּׁים צַדִּיקִם
בְּתוֹךְ הָעִיר וְנָשָׂאתִי1 לְכָל־הַמָּקוֹם

בַּעֲבוּרָם: כז וַיַּעַן1 אַבְרָהָם וַיֹּאמַר1 הִנֵּה־נָא
הוֹאַלְתִּי5 לְדַבֵּר3 אֶל־אֲדֹנָי וְאָנֹכִי עָפָר
וָאֵפֶר: כח אוּלַי יַחְסְרוּן1 חֲמִשִּׁים הַצַּדִּיקִם
חֲמִשָּׁה הֲתַשְׁחִית5 בַּחֲמִשָּׁה אֶת־כָּל־הָעִיר
וַיֹּאמֶר1 לֹא אַשְׁחִית5 אִם־אֶמְצָא1 שָׁם
אַרְבָּעִים וַחֲמִשָּׁה: כט וַיֹּסֶף5 עוֹד לְדַבֵּר3 אֵלָיו
וַיֹּאמַר1 אוּלַי יִמָּצְאוּן2 שָׁם אַרְבָּעִים וַיֹּאמֶר1
לֹא אֶעֱשֶׂה1 בַּעֲבוּר הָאַרְבָּעִים: ל וַיֹּאמֶר1
אַל־נָא יִחַר1 לַאדֹנָי וַאֲדַבֵּרָה3 אוּלַי יִמָּצְאוּן2
שָׁם שְׁלֹשִׁים וַיֹּאמֶר1 לֹא אֶעֱשֶׂה1 אִם־
אֶמְצָא1 שָׁם שְׁלֹשִׁים: לא וַיֹּאמֶר1 הִנֵּה־נָא
הוֹאַלְתִּי5 לְדַבֵּר3 אֶל־אֲדֹנָי אוּלַי יִמָּצְאוּן2
שָׁם עֶשְׂרִים וַיֹּאמֶר1 לֹא אַשְׁחִית5 בַּעֲבוּר
הָעֶשְׂרִים: לב וַיֹּאמֶר1 אַל־נָא יִחַר1 לַאדֹנָי
וַאֲדַבְּרָה3 אַךְ־הַפַּעַם אוּלַי יִמָּצְאוּן2 שָׁם
עֲשָׂרָה וַיֹּאמֶר1 לֹא אַשְׁחִית5 בַּעֲבוּר
הָעֲשָׂרָה: לג וַיֵּלֶךְ1 יהוה כַּאֲשֶׁר כִּלָּה3
לְדַבֵּר3 אֶל־אַבְרָהָם וְאַבְרָהָם שָׁב1 לִמְקֹמוֹ:
יט א וַיָּבֹאוּ1 שְׁנֵי הַמַּלְאָכִים סְדֹמָה בָּעֶרֶב
וְלוֹט יֹשֵׁב1 בְּשַׁעַר־סְדֹם וַיַּרְא1־לוֹט וַיָּקָם1
לִקְרָאתָם וַיִּשְׁתַּחוּ7 אַפַּיִם אָרְצָה:
ב וַיֹּאמֶר1 הִנֶּה נָּא־אֲדֹנַי סוּרוּ1 נָא אֶל־בֵּית
עַבְדְּכֶם וְלִינוּ1 וְרַחֲצוּ1 רַגְלֵיכֶם וְהִשְׁכַּמְתֶּם5
וַהֲלַכְתֶּם1 לְדַרְכְּכֶם וַיֹּאמְרוּ1 לֹּא כִּי בָרְחוֹב
נָלִין1: ג וַיִּפְצַר־בָּם מְאֹד וַיָּסֻרוּ1 אֵלָיו וַיָּבֹאוּ1
אֶל־בֵּיתוֹ וַיַּעַשׂ1 לָהֶם מִשְׁתֶּה וּמַצּוֹת
אָפָה1 וַיֹּאכֵלוּ1: ד טֶרֶם יִשְׁכָּבוּ1 וְאַנְשֵׁי הָעִיר
אַנְשֵׁי סְדֹם נָסַבּוּ2 עַל־הַבַּיִת מִנַּעַר וְעַד־זָקֵן
כָּל־הָעָם מִקָּצֶה: ה וַיִּקְרְאוּ1 אֶל־לוֹט
וַיֹּאמְרוּ1 לוֹ אַיֵּה הָאֲנָשִׁים אֲשֶׁר־בָּאוּ1 אֵלֶיךָ
הַלָּיְלָה הוֹצִיאֵם5 אֵלֵינוּ וְנֵדְעָה1 אֹתָם:
ו וַיֵּצֵא1 אֲלֵהֶם לוֹט הַפֶּתְחָה וְהַדֶּלֶת סָגַר1
אַחֲרָיו: ז וַיֹּאמַר1 אַל־נָא אַחַי תָּרֵעוּ5:
ח הִנֵּה־נָא לִי שְׁתֵּי בָנוֹת אֲשֶׁר לֹא־יָדְעוּ1
אִישׁ אוֹצִיאָה5־נָּא אֶתְהֶן אֲלֵיכֶם וַעֲשׂוּ1
לָהֶן כַּטּוֹב בְּעֵינֵיכֶם רַק לָאֲנָשִׁים הָאֵל אַל־
תַּעֲשׂוּ1 דָבָר כִּי־עַל־כֵּן בָּאוּ1 בְּצֵל קֹרָתִי:
ט וַיֹּאמְרוּ1 | גֶּשׁ1־הָלְאָה וַיֹּאמְרוּ1 הָאֶחָד
בָּא־לָגוּר1 וַיִּשְׁפֹּט1 שָׁפוֹט עַתָּה נָרַע5 לְךָ
מֵהֶם וַיִּפְצְרוּ1 בָאִישׁ בְּלוֹט מְאֹד וַיִּגְּשׁוּ1
לִשְׁבֹּר1 הַדָּלֶת: י וַיִּשְׁלְחוּ1 הָאֲנָשִׁים אֶת־
יָדָם וַיָּבִיאוּ5 אֶת־לוֹט אֲלֵיהֶם הַבָּיְתָה
וְאֶת־הַדֶּלֶת סָגָרוּ1: יא וְאֶת־הָאֲנָשִׁים אֲשֶׁר־
פֶּתַח הַבַּיִת הִכּוּ5 בַּסַּנְוֵרִים מִקָּטֹן וְעַד־
גָּדוֹל וַיִּלְאוּ1 לִמְצֹא1 הַפָּתַח: יב וַיֹּאמְרוּ1
הָאֲנָשִׁים אֶל־לוֹט עֹד מִי־לְךָ פֹה חָתָן וּבָנֶיךָ
וּבְנֹתֶיךָ וְכֹל אֲשֶׁר־לְךָ בָּעִיר הוֹצֵא5 מִן־
הַמָּקוֹם: יג כִּי־מַשְׁחִתִים5 אֲנַחְנוּ אֶת־הַמָּקוֹם
הַזֶּה כִּי־גָדְלָה1 צַעֲקָתָם אֶת־פְּנֵי יהוה
וַיְשַׁלְּחֵנוּ3 יהוה לְשַׁחֲתָהּ3: יד וַיֵּצֵא1 לוֹט
וַיְדַבֵּר3 | אֶל־חֲתָנָיו | לֹקְחֵי1 בְנֹתָיו וַיֹּאמֶר1
קוּמוּ1 צְּאוּ1 מִן־הַמָּקוֹם הַזֶּה כִּי־מַשְׁחִית5
יהוה אֶת־הָעִיר וַיְהִי1 כִמְצַחֵק3 בְּעֵינֵי
חֲתָנָיו: טו וּכְמוֹ הַשַּׁחַר עָלָה1 וַיָּאִיצוּ5
הַמַּלְאָכִים בְּלוֹט לֵאמֹר1 קוּם1 קַח1 אֶת־
אִשְׁתְּךָ וְאֶת־שְׁתֵּי בְנֹתֶיךָ הַנִּמְצָאֹת2 פֶּן־
תִּסָּפֶה2 בַּעֲוֺן הָעִיר: טז וַיִּתְמַהְמָהּ7 | וַיַּחֲזִיקוּ5
הָאֲנָשִׁים בְּיָדוֹ וּבְיַד־אִשְׁתּוֹ וּבְיַד שְׁתֵּי
בְנֹתָיו בְּחֶמְלַת יהוה עָלָיו וַיֹּצִאֻהוּ5
וַיַּנִּחֻהוּ5 מִחוּץ לָעִיר: יז וַיְהִי1 כְהוֹצִיאָם5
אֹתָם הַחוּצָה וַיֹּאמֶר1 הִמָּלֵט2 עַל־נַפְשֶׁךָ
אַל־תַּבִּיט5 אַחֲרֶיךָ וְאַל־תַּעֲמֹד1 בְּכָל־
הַכִּכָּר הָהָרָה הִמָּלֵט2 פֶּן־תִּסָּפֶה2: יח וַיֹּאמֶר1
לוֹט אֲלֵהֶם אַל־נָא אֲדֹנָי: יט הִנֵּה־נָא מָצָא1
עַבְדְּךָ חֵן בְּעֵינֶיךָ וַתַּגְדֵּל5 חַסְדְּךָ אֲשֶׁר
עָשִׂיתָ1 עִמָּדִי לְהַחֲיוֹת5 אֶת־נַפְשִׁי וְאָנֹכִי
לֹא אוּכַל1 לְהִמָּלֵט2 הָהָרָה פֶּן־תִּדְבָּקַנִי1
הָרָעָה וָמַתִּי1: כ הִנֵּה־נָא הָעִיר הַזֹּאת
קְרֹבָה לָנוּס1 שָׁמָּה וְהִוא מִצְעָר אִמָּלְטָה2 נָּא
שָׁמָּה הֲלֹא מִצְעָר הִוא וּתְחִי1 נַפְשִׁי:
כא וַיֹּאמֶר1 אֵלָיו הִנֵּה נָשָׂאתִי1 פָנֶיךָ גַּם
לַדָּבָר הַזֶּה לְבִלְתִּי הָפְכִּי1 אֶת־הָעִיר אֲשֶׁר
דִּבַּרְתָּ3: כב מַהֵר3 הִמָּלֵט2 שָׁמָּה כִּי לֹא אוּכַל1
לַעֲשׂוֹת1 דָּבָר עַד־בֹּאֲךָ1 שָׁמָּה עַל־כֵּן
קָרָא1 שֵׁם־הָעִיר צוֹעַר: כג הַשֶּׁמֶשׁ יָצָא1 עַל־
הָאָרֶץ וְלוֹט בָּא1 צֹעֲרָה: כד וַיהוה הִמְטִיר5
עַל־סְדֹם וְעַל־עֲמֹרָה גָּפְרִית וָאֵשׁ מֵאֵת
יהוה מִן־הַשָּׁמָיִם: כה וַיַּהֲפֹךְ1 אֶת־הֶעָרִים

הָאֵל וְאֵת כָּל־הַכִּכָּר וְאֵת כָּל־יֹשְׁבֵי1
הֶעָרִים וְצֶמַח הָאֲדָמָה: כו וַתַּבֵּט5 אִשְׁתּוֹ
מֵאַחֲרָיו וַתְּהִי1 נְצִיב מֶלַח: כז וַיַּשְׁכֵּם5
אַבְרָהָם בַּבֹּקֶר אֶל־הַמָּקוֹם אֲשֶׁר־עָמַד1 שָׁם
אֶת־פְּנֵי יהוה: כח וַיַּשְׁקֵף5 עַל־פְּנֵי סְדֹם
וַעֲמֹרָה וְעַל כָּל־פְּנֵי אֶרֶץ הַכִּכָּר וַיַּרְא1
וְהִנֵּה עָלָה1 קִיטֹר הָאָרֶץ כְּקִיטֹר הַכִּבְשָׁן:
כט וַיְהִי1 בְּשַׁחֵת3 אֱלֹהִים אֶת־עָרֵי הַכִּכָּר
וַיִּזְכֹּר1 אֱלֹהִים אֶת־אַבְרָהָם וַיְשַׁלַּח3 אֶת־לוֹט
מִתּוֹךְ הַהֲפֵכָה בַּהֲפֹךְ1 אֶת־הֶעָרִים אֲשֶׁר־
יָשַׁב1 בָּהֵן לוֹט: ל וַיַּעַל1 לוֹט מִצּוֹעַר וַיֵּשֶׁב1
בָּהָר וּשְׁתֵּי בְנֹתָיו עִמּוֹ כִּי יָרֵא1 לָשֶׁבֶת1
בְּצוֹעַר וַיֵּשֶׁב1 בַּמְּעָרָה הוּא וּשְׁתֵּי בְנֹתָיו:
לא וַתֹּאמֶר1 הַבְּכִירָה אֶל־הַצְּעִירָה אָבִינוּ
זָקֵן1 וְאִישׁ אֵין בָּאָרֶץ לָבוֹא1 עָלֵינוּ כְּדֶרֶךְ
כָּל־הָאָרֶץ: לב לְכָה1 נַשְׁקֶה5 אֶת־אָבִינוּ יַיִן
וְנִשְׁכְּבָה1 עִמּוֹ וּנְחַיֶּה3 מֵאָבִינוּ זָרַע:
לג וַתַּשְׁקֶיןָ5 אֶת־אֲבִיהֶן יַיִן בַּלַּיְלָה הוּא
וַתָּבֹא1 הַבְּכִירָה וַתִּשְׁכַּב1 אֶת־אָבִיהָ וְלֹא־
יָדַע1 בְּשִׁכְבָהּ1 וּבְקוּמָהּ1: לד וַיְהִי1 מִמָּחֳרָת
וַתֹּאמֶר1 הַבְּכִירָה אֶל־הַצְּעִירָה הֵן־שָׁכַבְתִּי1
אֶמֶשׁ אֶת־אָבִי נַשְׁקֶנּוּ5 יַיִן גַּם־הַלַּיְלָה
וּבֹאִי1 שִׁכְבִי1 עִמּוֹ וּנְחַיֶּה3 מֵאָבִינוּ זָרַע:
לה וַתַּשְׁקֶיןָ5 גַּם בַּלַּיְלָה הַהוּא אֶת־אֲבִיהֶן
יָיִן וַתָּקָם1 הַצְּעִירָה וַתִּשְׁכַּב1 עִמּוֹ וְלֹא־
יָדַע1 בְּשִׁכְבָהּ1 וּבְקֻמָהּ1: לו וַתַּהֲרֶיןָ1 שְׁתֵּי
בְנוֹת־לוֹט מֵאֲבִיהֶן: לז וַתֵּלֶד1 הַבְּכִירָה בֵּן
וַתִּקְרָא1 שְׁמוֹ מוֹאָב הוּא אֲבִי־מוֹאָב עַד־
הַיּוֹם: לח וְהַצְּעִירָה גַם־הִוא יָלְדָה1 בֵּן
וַתִּקְרָא1 שְׁמוֹ בֶּן־עַמִּי הוּא אֲבִי בְנֵי־
עַמּוֹן עַד־הַיּוֹם: **ס כ** א וַיִּסַּע1 מִשָּׁם אַבְרָהָם
אַרְצָה הַנֶּגֶב וַיֵּשֶׁב1 בֵּין־קָדֵשׁ וּבֵין שׁוּר וַיָּגָר1
בִּגְרָר: ב וַיֹּאמֶר1 אַבְרָהָם אֶל־שָׂרָה אִשְׁתּוֹ
אֲחֹתִי הִוא וַיִּשְׁלַח1 אֲבִימֶלֶךְ מֶלֶךְ גְּרָר
וַיִּקַּח1 אֶת־שָׂרָה: ג וַיָּבֹא1 אֱלֹהִים אֶל־אֲבִימֶלֶךְ
בַּחֲלוֹם הַלָּיְלָה וַיֹּאמֶר1 לוֹ הִנְּךָ מֵת1 עַל־
הָאִשָּׁה אֲשֶׁר־לָקַחְתָּ1 וְהִוא בְּעֻלַת1 בָּעַל:
ד וַאֲבִימֶלֶךְ לֹא קָרַב1 אֵלֶיהָ וַיֹּאמַר1 אֲדֹנָי
הֲגוֹי גַּם־צַדִּיק תַּהֲרֹג1: ה הֲלֹא הוּא אָמַר1־לִי
אֲחֹתִי הִוא וְהִיא־גַם־הִוא אָמְרָה1 אָחִי
הוּא בְּתָם־לְבָבִי וּבְנִקְיֹן כַּפַּי עָשִׂיתִי1
זֹאת: ו וַיֹּאמֶר1 אֵלָיו הָאֱלֹהִים בַּחֲלֹם גַּם
אָנֹכִי יָדַעְתִּי1 כִּי בְתָם־לְבָבְךָ עָשִׂיתָ1 זֹּאת
וָאֶחְשֹׂךְ1 גַּם־אָנֹכִי אוֹתְךָ מֵחֲטוֹ1־לִי עַל־כֵּן
לֹא־נְתַתִּיךָ1 לִנְגֹּעַ1 אֵלֶיהָ: ז וְעַתָּה הָשֵׁב5
אֵשֶׁת־הָאִישׁ כִּי־נָבִיא הוּא וְיִתְפַּלֵּל7 בַּעַדְךָ
וֶחְיֵה1 וְאִם־אֵינְךָ מֵשִׁיב5 דַּע1 כִּי־מוֹת1
תָּמוּת1 אַתָּה וְכָל־אֲשֶׁר־לָךְ: ח וַיַּשְׁכֵּם5
אֲבִימֶלֶךְ בַּבֹּקֶר וַיִּקְרָא1 לְכָל־עֲבָדָיו וַיְדַבֵּר3
אֶת־כָּל־הַדְּבָרִים הָאֵלֶּה בְּאָזְנֵיהֶם וַיִּירְאוּ1
הָאֲנָשִׁים מְאֹד: ט וַיִּקְרָא1 אֲבִימֶלֶךְ לְאַבְרָהָם
וַיֹּאמֶר1 לוֹ מֶה־עָשִׂיתָ1 לָּנוּ וּמֶה־חָטָאתִי1 לָךְ
כִּי־הֵבֵאתָ5 עָלַי וְעַל־מַמְלַכְתִּי חֲטָאָה
גְדֹלָה מַעֲשִׂים אֲשֶׁר לֹא־יֵעָשׂוּ2 עָשִׂיתָ1
עִמָּדִי: י וַיֹּאמֶר1 אֲבִימֶלֶךְ אֶל־אַבְרָהָם מָה
רָאִיתָ1 כִּי עָשִׂיתָ1 אֶת־הַדָּבָר הַזֶּה:
יא וַיֹּאמֶר1 אַבְרָהָם כִּי אָמַרְתִּי1 רַק אֵין־יִרְאַת
אֱלֹהִים בַּמָּקוֹם הַזֶּה וַהֲרָגוּנִי1 עַל־דְּבַר
אִשְׁתִּי: יב וְגַם־אָמְנָה אֲחֹתִי בַת־אָבִי
הִוא אַךְ לֹא בַת־אִמִּי וַתְּהִי1־לִי לְאִשָּׁה:
יג וַיְהִי1 כַּאֲשֶׁר הִתְעוּ5 אֹתִי אֱלֹהִים מִבֵּית
אָבִי וָאֹמַר1 לָהּ זֶה חַסְדֵּךְ אֲשֶׁר תַּעֲשִׂי1
עִמָּדִי אֶל כָּל־הַמָּקוֹם אֲשֶׁר נָבוֹא1 שָׁמָּה
אִמְרִי1־לִי אָחִי הוּא: יד וַיִּקַּח1 אֲבִימֶלֶךְ צֹאן
וּבָקָר וַעֲבָדִים וּשְׁפָחֹת וַיִּתֵּן1 לְאַבְרָהָם וַיָּשֶׁב5
לוֹ אֵת שָׂרָה אִשְׁתּוֹ: טו וַיֹּאמֶר1 אֲבִימֶלֶךְ הִנֵּה
אַרְצִי לְפָנֶיךָ בַּטּוֹב בְּעֵינֶיךָ שֵׁב1: טז וּלְשָׂרָה
אָמַר1 הִנֵּה נָתַתִּי1 אֶלֶף כֶּסֶף לְאָחִיךְ הִנֵּה
הוּא־לָךְ כְּסוּת עֵינַיִם לְכֹל אֲשֶׁר אִתָּךְ
וְאֵת כֹּל וְנֹכָחַת2: יז וַיִּתְפַּלֵּל7 אַבְרָהָם אֶל־
הָאֱלֹהִים וַיִּרְפָּא1 אֱלֹהִים אֶת־אֲבִימֶלֶךְ וְאֶת־
אִשְׁתּוֹ וְאַמְהֹתָיו וַיֵּלֵדוּ1: יח כִּי־עָצֹר1 עָצַר1
יהוה בְּעַד כָּל־רֶחֶם לְבֵית אֲבִימֶלֶךְ עַל־
דְּבַר שָׂרָה אֵשֶׁת אַבְרָהָם: **ס כא** א וַיהוה
פָּקַד1 אֶת־שָׂרָה כַּאֲשֶׁר אָמָר1 וַיַּעַשׂ1 יהוה
לְשָׂרָה כַּאֲשֶׁר דִּבֵּר3: ב וַתַּהַר1 וַתֵּלֶד1 שָׂרָה
לְאַבְרָהָם בֵּן לִזְקֻנָיו לַמּוֹעֵד אֲשֶׁר־דִּבֶּר3
אֹתוֹ אֱלֹהִים: ג וַיִּקְרָא1 אַבְרָהָם אֶת־שֶׁם־

בְּנוֹ הַנּוֹלַד־לוֹ אֲשֶׁר־יָלְדָה־לּוֹ שָׂרָה יִצְחָק:
ד וַיָּמָל אַבְרָהָם אֶת־יִצְחָק בְּנוֹ בֶּן־שְׁמֹנַת
יָמִים כַּאֲשֶׁר צִוָּה אֹתוֹ אֱלֹהִים: ה וְאַבְרָהָם
בֶּן־מְאַת שָׁנָה בְּהִוָּלֶד לוֹ אֵת יִצְחָק בְּנוֹ:
ו וַתֹּאמֶר שָׂרָה צְחֹק עָשָׂה לִי אֱלֹהִים כָּל־
הַשֹּׁמֵעַ יִצְחַק־לִי: ז וַתֹּאמֶר מִי מִלֵּל
לְאַבְרָהָם הֵינִיקָה בָנִים שָׂרָה כִּי־יָלַדְתִּי בֵן
לִזְקֻנָיו: ח וַיִּגְדַּל הַיֶּלֶד וַיִּגָּמַל וַיַּעַשׂ אַבְרָהָם
מִשְׁתֶּה גָדוֹל בְּיוֹם הִגָּמֵל אֶת־יִצְחָק:
ט וַתֵּרֶא שָׂרָה אֶת־בֶּן־הָגָר הַמִּצְרִית אֲשֶׁר־
יָלְדָה לְאַבְרָהָם מְצַחֵק: י וַתֹּאמֶר לְאַבְרָהָם
גָּרֵשׁ הָאָמָה הַזֹּאת וְאֶת־בְּנָהּ כִּי לֹא
יִירַשׁ בֶּן־הָאָמָה הַזֹּאת עִם־בְּנִי עִם־
יִצְחָק: יא וַיֵּרַע הַדָּבָר מְאֹד בְּעֵינֵי אַבְרָהָם
עַל אוֹדֹת בְּנוֹ: יב וַיֹּאמֶר אֱלֹהִים אֶל־
אַבְרָהָם אַל־יֵרַע בְּעֵינֶיךָ עַל־הַנַּעַר וְעַל־
אֲמָתֶךָ כֹּל אֲשֶׁר תֹּאמַר אֵלֶיךָ שָׂרָה שְׁמַע
בְּקֹלָהּ כִּי בְיִצְחָק יִקָּרֵא לְךָ זָרַע: יג וְגַם אֶת־
בֶּן־הָאָמָה לְגוֹי אֲשִׂימֶנּוּ כִּי זַרְעֲךָ הוּא:
יד וַיַּשְׁכֵּם אַבְרָהָם | בַּבֹּקֶר וַיִּקַּח־לֶחֶם וְחֵמַת
מַיִם וַיִּתֵּן אֶל־הָגָר שָׂם עַל־שִׁכְמָהּ וְאֶת־
הַיֶּלֶד וַיְשַׁלְּחֶהָ וַתֵּלֶךְ וַתֵּתַע בְּמִדְבַּר
בְּאֵר שָׁבַע: טו וַיִּכְלוּ הַמַּיִם מִן־הַחֵמֶת
וַתַּשְׁלֵךְ אֶת־הַיֶּלֶד תַּחַת אַחַד הַשִּׂיחִם:
טז וַתֵּלֶךְ וַתֵּשֶׁב לָהּ מִנֶּגֶד הַרְחֵק כִּמְטַחֲוֵי
קֶשֶׁת כִּי אָמְרָה אַל־אֶרְאֶה בְּמוֹת הַיָּלֶד
וַתֵּשֶׁב מִנֶּגֶד וַתִּשָּׂא אֶת־קֹלָהּ וַתֵּבְךְּ:
יז וַיִּשְׁמַע אֱלֹהִים אֶת־קוֹל הַנַּעַר וַיִּקְרָא
מַלְאַךְ אֱלֹהִים | אֶל־הָגָר מִן־הַשָּׁמַיִם וַיֹּאמֶר
לָהּ מַה־לָּךְ הָגָר אַל־תִּירְאִי כִּי־שָׁמַע אֱלֹהִים
אֶל־קוֹל הַנַּעַר בַּאֲשֶׁר הוּא־שָׁם: יח קוּמִי
שְׂאִי אֶת־הַנַּעַר וְהַחֲזִיקִי אֶת־יָדֵךְ בּוֹ כִּי־
לְגוֹי גָּדוֹל אֲשִׂימֶנּוּ: יט וַיִּפְקַח אֱלֹהִים אֶת־
עֵינֶיהָ וַתֵּרֶא בְּאֵר מָיִם וַתֵּלֶךְ וַתְּמַלֵּא
אֶת־הַחֵמֶת מַיִם וַתַּשְׁקְ אֶת־הַנָּעַר:
כ וַיְהִי אֱלֹהִים אֶת־הַנַּעַר וַיִּגְדָּל וַיֵּשֶׁב
בַּמִּדְבָּר וַיְהִי רֹבֶה קַשָּׁת: כא וַיֵּשֶׁב בְּמִדְבַּר
פָּארָן וַתִּקַּח־לוֹ אִמּוֹ אִשָּׁה מֵאֶרֶץ
מִצְרָיִם: פ

כב וַיְהִי בָּעֵת הַהִוא וַיֹּאמֶר אֲבִימֶלֶךְ וּפִיכֹל
שַׂר־צְבָאוֹ אֶל־אַבְרָהָם לֵאמֹר אֱלֹהִים
עִמְּךָ בְּכֹל אֲשֶׁר־אַתָּה עֹשֶׂה: כג וְעַתָּה
הִשָּׁבְעָה לִּי בֵאלֹהִים הֵנָּה אִם־תִּשְׁקֹר
לִי וּלְנִינִי וּלְנֶכְדִּי כַּחֶסֶד אֲשֶׁר־עָשִׂיתִי
עִמְּךָ תַּעֲשֶׂה עִמָּדִי וְעִם־הָאָרֶץ אֲשֶׁר־
גַּרְתָּה בָּהּ: כד וַיֹּאמֶר אַבְרָהָם אָנֹכִי אִשָּׁבֵעַ:
כה וְהוֹכִחַ אַבְרָהָם אֶת־אֲבִימֶלֶךְ עַל־אֹדוֹת
בְּאֵר הַמַּיִם אֲשֶׁר גָּזְלוּ עַבְדֵי אֲבִימֶלֶךְ:
כו וַיֹּאמֶר אֲבִימֶלֶךְ לֹא יָדַעְתִּי מִי עָשָׂה
אֶת־הַדָּבָר הַזֶּה וְגַם־אַתָּה לֹא־הִגַּדְתָּ לִּי
וְגַם אָנֹכִי לֹא שָׁמַעְתִּי בִּלְתִּי הַיּוֹם: כז וַיִּקַּח
אַבְרָהָם צֹאן וּבָקָר וַיִּתֵּן לַאֲבִימֶלֶךְ וַיִּכְרְתוּ
שְׁנֵיהֶם בְּרִית: כח וַיַּצֵּב אַבְרָהָם אֶת־שֶׁבַע
כִּבְשֹׂת הַצֹּאן לְבַדְּהֶן: כט וַיֹּאמֶר אֲבִימֶלֶךְ
אֶל־אַבְרָהָם מָה הֵנָּה שֶׁבַע כְּבָשֹׂת הָאֵלֶּה
אֲשֶׁר הִצַּבְתָּ לְבַדָּנָה: ל וַיֹּאמֶר כִּי אֶת־
שֶׁבַע כְּבָשֹׂת תִּקַּח מִיָּדִי בַּעֲבוּר תִּהְיֶה־
לִּי לְעֵדָה כִּי חָפַרְתִּי אֶת־הַבְּאֵר הַזֹּאת:
לא עַל־כֵּן קָרָא לַמָּקוֹם הַהוּא בְּאֵר שָׁבַע
כִּי שָׁם נִשְׁבְּעוּ שְׁנֵיהֶם: לב וַיִּכְרְתוּ בְרִית
בִּבְאֵר שָׁבַע וַיָּקָם אֲבִימֶלֶךְ וּפִיכֹל שַׂר־
צְבָאוֹ וַיָּשֻׁבוּ אֶל־אֶרֶץ פְּלִשְׁתִּים: לג וַיִּטַּע
אֶשֶׁל בִּבְאֵר שָׁבַע וַיִּקְרָא־שָׁם בְּשֵׁם יהוה
אֵל עוֹלָם: לד וַיָּגָר אַבְרָהָם בְּאֶרֶץ פְּלִשְׁתִּים
יָמִים רַבִּים: פ

כב א וַיְהִי אַחַר הַדְּבָרִים הָאֵלֶּה וְהָאֱלֹהִים
נִסָּה אֶת־אַבְרָהָם וַיֹּאמֶר אֵלָיו אַבְרָהָם
וַיֹּאמֶר הִנֵּנִי: ב וַיֹּאמֶר קַח־נָא אֶת־בִּנְךָ
אֶת־יְחִידְךָ אֲשֶׁר־אָהַבְתָּ אֶת־יִצְחָק וְלֶךְ־
לְךָ אֶל־אֶרֶץ הַמֹּרִיָּה וְהַעֲלֵהוּ שָׁם לְעֹלָה
עַל אַחַד הֶהָרִים אֲשֶׁר אֹמַר אֵלֶיךָ:
ג וַיַּשְׁכֵּם אַבְרָהָם בַּבֹּקֶר וַיַּחֲבֹשׁ אֶת־חֲמֹרוֹ
וַיִּקַּח אֶת־שְׁנֵי נְעָרָיו אִתּוֹ וְאֵת יִצְחָק
בְּנוֹ וַיְבַקַּע עֲצֵי עֹלָה וַיָּקָם וַיֵּלֶךְ אֶל־
הַמָּקוֹם אֲשֶׁר־אָמַר־לוֹ הָאֱלֹהִים: ד בַּיּוֹם
הַשְּׁלִישִׁי וַיִּשָּׂא אַבְרָהָם אֶת־עֵינָיו וַיַּרְא
אֶת־הַמָּקוֹם מֵרָחֹק: ה וַיֹּאמֶר אַבְרָהָם אֶל־
נְעָרָיו שְׁבוּ־לָכֶם פֹּה עִם־הַחֲמוֹר וַאֲנִי

וְהַנַּעַר נֵלְכָה1 עַד־כֹּה וְנִשְׁתַּחֲוֶה7 וְנָשׁוּבָה1
אֲלֵיכֶם: ו וַיִּקַּח1 אַבְרָהָם אֶת־עֲצֵי הָעֹלָה
וַיָּשֶׂם1 עַל־יִצְחָק בְּנוֹ וַיִּקַּח1 בְּיָדוֹ אֶת־
הָאֵשׁ וְאֶת־הַמַּאֲכֶלֶת וַיֵּלְכוּ1 שְׁנֵיהֶם יַחְדָּו:
ז וַיֹּאמֶר1 יִצְחָק אֶל־אַבְרָהָם אָבִיו וַיֹּאמֶר1
אָבִי וַיֹּאמֶר1 הִנֶּנִּי בְנִי וַיֹּאמֶר1 הִנֵּה הָאֵשׁ
וְהָעֵצִים וְאַיֵּה הַשֶּׂה לְעֹלָה: ח וַיֹּאמֶר1
אַבְרָהָם אֱלֹהִים יִרְאֶה1־לּוֹ הַשֶּׂה לְעֹלָה בְּנִי
וַיֵּלְכוּ1 שְׁנֵיהֶם יַחְדָּו: ט וַיָּבֹאוּ1 אֶל־הַמָּקוֹם
אֲשֶׁר אָמַר1־לוֹ הָאֱלֹהִים וַיִּבֶן1 שָׁם אַבְרָהָם
אֶת־הַמִּזְבֵּחַ וַיַּעֲרֹךְ1 אֶת־הָעֵצִים וַיַּעֲקֹד1
אֶת־יִצְחָק בְּנוֹ וַיָּשֶׂם1 אֹתוֹ עַל־הַמִּזְבֵּחַ
מִמַּעַל לָעֵצִים: י וַיִּשְׁלַח1 אַבְרָהָם אֶת־יָדוֹ
וַיִּקַּח1 אֶת־הַמַּאֲכֶלֶת לִשְׁחֹט1 אֶת־בְּנוֹ:
יא וַיִּקְרָא1 אֵלָיו מַלְאַךְ יהוה מִן־הַשָּׁמַיִם
וַיֹּאמֶר1 אַבְרָהָם | אַבְרָהָם וַיֹּאמֶר1 הִנֵּנִי: יב וַיֹּאמֶר1
אַל־תִּשְׁלַח1 יָדְךָ אֶל־הַנַּעַר וְאַל־תַּעַשׂ1 לוֹ
מְאוּמָה כִּי | עַתָּה יָדַעְתִּי1 כִּי־יְרֵא1 אֱלֹהִים
אַתָּה וְלֹא חָשַׂכְתָּ1 אֶת־בִּנְךָ אֶת־יְחִידְךָ
מִמֶּנִּי: יג וַיִּשָּׂא1 אַבְרָהָם אֶת־עֵינָיו וַיַּרְא1
וְהִנֵּה־אַיִל אַחַר נֶאֱחַז2 בַּסְּבַךְ בְּקַרְנָיו וַיֵּלֶךְ1
אַבְרָהָם וַיִּקַּח1 אֶת־הָאַיִל וַיַּעֲלֵהוּ5 לְעֹלָה
תַּחַת בְּנוֹ: יד וַיִּקְרָא1 אַבְרָהָם שֵׁם־הַמָּקוֹם
הַהוּא יהוה | יִרְאֶה1 אֲשֶׁר יֵאָמֵר2 הַיּוֹם
בְּהַר יהוה יֵרָאֶה2: טו וַיִּקְרָא1 מַלְאַךְ יהוה
אֶל־אַבְרָהָם שֵׁנִית מִן־הַשָּׁמָיִם: טז וַיֹּאמֶר1
בִּי נִשְׁבַּעְתִּי2 נְאֻם־יהוה כִּי יַעַן אֲשֶׁר עָשִׂיתָ1
אֶת־הַדָּבָר הַזֶּה וְלֹא חָשַׂכְתָּ1 אֶת־בִּנְךָ
אֶת־יְחִידֶךָ: יז כִּי־בָרֵךְ3 אֲבָרֶכְךָ3 וְהַרְבָּה5
אַרְבֶּה5 אֶת־זַרְעֲךָ כְּכוֹכְבֵי הַשָּׁמַיִם וְכַחוֹל
אֲשֶׁר עַל־שְׂפַת הַיָּם וְיִרַשׁ1 זַרְעֲךָ אֵת
שַׁעַר אֹיְבָיו1: יח וְהִתְבָּרְכוּ7 בְזַרְעֲךָ כֹּל גּוֹיֵי
הָאָרֶץ עֵקֶב אֲשֶׁר שָׁמַעְתָּ1 בְּקֹלִי: יט וַיָּשָׁב1
אַבְרָהָם אֶל־נְעָרָיו וַיָּקֻמוּ1 וַיֵּלְכוּ1 יַחְדָּו אֶל־
בְּאֵר שָׁבַע וַיֵּשֶׁב1 אַבְרָהָם בִּבְאֵר שָׁבַע: פ
כ וַיְהִי1 אַחֲרֵי הַדְּבָרִים הָאֵלֶּה וַיֻּגַּד6 לְאַבְרָהָם
לֵאמֹר1 הִנֵּה יָלְדָה1 מִלְכָּה גַם־הִוא בָּנִים
לְנָחוֹר אָחִיךָ: כא אֶת־עוּץ בְּכֹרוֹ וְאֶת־בּוּז
אָחִיו וְאֶת־קְמוּאֵל אֲבִי אֲרָם: כב וְאֶת־כֶּשֶׂד
וְאֶת־חֲזוֹ וְאֶת־פִּלְדָּשׁ וְאֶת־יִדְלָף וְאֵת בְּתוּאֵל:
כג וּבְתוּאֵל יָלַד1 אֶת־רִבְקָה שְׁמֹנָה אֵלֶּה יָלְדָה1
מִלְכָּה לְנָחוֹר אֲחִי אַבְרָהָם: כד וּפִילַגְשׁוֹ וּשְׁמָהּ
רְאוּמָה וַתֵּלֶד1 גַּם־הִוא אֶת־טֶבַח וְאֶת־גַּחַם
וְאֶת־תַּחַשׁ וְאֶת־מַעֲכָה: פ פ פ

פרשת חיי שרה

כג א וַיִּהְיוּ1 חַיֵּי שָׂרָה מֵאָה שָׁנָה וְעֶשְׂרִים
שָׁנָה וְשֶׁבַע שָׁנִים שְׁנֵי חַיֵּי שָׂרָה: ב וַתָּמָת1
שָׂרָה בְּקִרְיַת אַרְבַּע הִוא חֶבְרוֹן בְּאֶרֶץ כְּנָעַן
וַיָּבֹא1 אַבְרָהָם לִסְפֹּד1 לְשָׂרָה וְלִבְכֹּתָהּ1:
ג וַיָּקָם1 אַבְרָהָם מֵעַל פְּנֵי מֵתוֹ וַיְדַבֵּר3 אֶל־
בְּנֵי־חֵת לֵאמֹר1: ד גֵּר־וְתוֹשָׁב אָנֹכִי עִמָּכֶם
תְּנוּ1 לִי אֲחֻזַּת־קֶבֶר עִמָּכֶם וְאֶקְבְּרָה1 מֵתִי
מִלְּפָנָי: ה וַיַּעֲנוּ1 בְנֵי־חֵת אֶת־אַבְרָהָם
לֵאמֹר1 לוֹ: ו שְׁמָעֵנוּ1 | אֲדֹנִי נְשִׂיא אֱלֹהִים
אַתָּה בְּתוֹכֵנוּ בְּמִבְחַר קְבָרֵינוּ קְבֹר1 אֶת־
מֵתֶךָ אִישׁ מִמֶּנּוּ אֶת־קִבְרוֹ לֹא־יִכְלֶה(א)1
מִמְּךָ מִקְּבֹר1 מֵתֶךָ: ז וַיָּקָם1 אַבְרָהָם
וַיִּשְׁתַּחוּ7 לְעַם־הָאָרֶץ לִבְנֵי־חֵת: ח וַיְדַבֵּר3
אִתָּם לֵאמֹר1 אִם־יֵשׁ אֶת־נַפְשְׁכֶם לִקְבֹּר1
אֶת־מֵתִי מִלְּפָנַי שְׁמָעוּנִי1 וּפִגְעוּ1־לִי
בְּעֶפְרוֹן בֶּן־צֹחַר: ט וְיִתֶּן1־לִי אֶת־מְעָרַת
הַמַּכְפֵּלָה אֲשֶׁר־לוֹ אֲשֶׁר בִּקְצֵה שָׂדֵהוּ
בְּכֶסֶף מָלֵא יִתְּנֶנָּה1 לִּי בְּתוֹכְכֶם לַאֲחֻזַּת־
קָבֶר: י וְעֶפְרוֹן יֹשֵׁב1 בְּתוֹךְ בְּנֵי־חֵת וַיַּעַן1
עֶפְרוֹן הַחִתִּי אֶת־אַבְרָהָם בְּאָזְנֵי בְנֵי־חֵת
לְכֹל בָּאֵי1 שַׁעַר־עִירוֹ לֵאמֹר1: יא לֹא־אֲדֹנִי
שְׁמָעֵנִי1 הַשָּׂדֶה נָתַתִּי1 לָךְ וְהַמְּעָרָה אֲשֶׁר־בּוֹ
לְךָ נְתַתִּיהָ1 לְעֵינֵי בְנֵי־עַמִּי נְתַתִּיהָ1 לָּךְ
קְבֹר1 מֵתֶךָ: יב וַיִּשְׁתַּחוּ7 אַבְרָהָם לִפְנֵי
עַם־הָאָרֶץ: יג וַיְדַבֵּר3 אֶל־עֶפְרוֹן בְּאָזְנֵי עַם־
הָאָרֶץ לֵאמֹר1 אַךְ אִם־אַתָּה לוּ שְׁמָעֵנִי1
נָתַתִּי1 כֶּסֶף הַשָּׂדֶה קַח1 מִמֶּנִּי וְאֶקְבְּרָה1
אֶת־מֵתִי שָׁמָּה: יד וַיַּעַן1 עֶפְרוֹן אֶת־אַבְרָהָם
לֵאמֹר1 לוֹ: טו אֲדֹנִי שְׁמָעֵנִי1 אֶרֶץ אַרְבַּע
מֵאֹת שֶׁקֶל־כֶּסֶף בֵּינִי וּבֵינְךָ מַה־הִוא וְאֶת־

מֵתְךָ קְבֹר1: טז וַיִּשְׁמַע1 אַבְרָהָם אֶל־עֶפְרוֹן
וַיִּשְׁקֹל1 אַבְרָהָם לְעֶפְרֹן אֶת־הַכֶּסֶף אֲשֶׁר
דִּבֶּר3 בְּאָזְנֵי בְנֵי־חֵת אַרְבַּע מֵאוֹת שֶׁקֶל
כֶּסֶף עֹבֵר1 לַסֹּחֵר: יז וַיָּקָם1 | שְׂדֵה עֶפְרוֹן
אֲשֶׁר בַּמַּכְפֵּלָה אֲשֶׁר לִפְנֵי מַמְרֵא הַשָּׂדֶה
וְהַמְּעָרָה אֲשֶׁר־בּוֹ וְכָל־הָעֵץ אֲשֶׁר בַּשָּׂדֶה
אֲשֶׁר בְּכָל־גְּבֻלוֹ סָבִיב: יח לְאַבְרָהָם לְמִקְנָה
לְעֵינֵי בְנֵי־חֵת בְּכֹל בָּאֵי1 שַׁעַר־עִירוֹ:
יט וְאַחֲרֵי־כֵן קָבַר1 אַבְרָהָם אֶת־שָׂרָה אִשְׁתּוֹ
אֶל־מְעָרַת שְׂדֵה הַמַּכְפֵּלָה עַל־פְּנֵי מַמְרֵא
הִוא חֶבְרוֹן בְּאֶרֶץ כְּנָעַן: כ וַיָּקָם1 הַשָּׂדֶה
וְהַמְּעָרָה אֲשֶׁר־בּוֹ לְאַבְרָהָם לַאֲחֻזַּת־קָבֶר
מֵאֵת בְּנֵי־חֵת: ס כד א וְאַבְרָהָם זָקֵן1
בָּא1 בַּיָּמִים וַיהוה בֵּרַךְ3 אֶת־אַבְרָהָם בַּכֹּל:
ב וַיֹּאמֶר1 אַבְרָהָם אֶל־עַבְדּוֹ זְקַן בֵּיתוֹ הַמֹּשֵׁל1
בְּכָל־אֲשֶׁר־לוֹ שִׂים1־נָא יָדְךָ תַּחַת יְרֵכִי:
ג וְאַשְׁבִּיעֲךָ5 בַּיהוה אֱלֹהֵי הַשָּׁמַיִם וֵאלֹהֵי
הָאָרֶץ אֲשֶׁר לֹא־תִקַּח1 אִשָּׁה לִבְנִי
מִבְּנוֹת הַכְּנַעֲנִי אֲשֶׁר אָנֹכִי יוֹשֵׁב1 בְּקִרְבּוֹ:
ד כִּי אֶל־אַרְצִי וְאֶל־מוֹלַדְתִּי תֵּלֵךְ1 וְלָקַחְתָּ1
אִשָּׁה לִבְנִי לְיִצְחָק: ה וַיֹּאמֶר1 אֵלָיו הָעֶבֶד
אוּלַי לֹא־תֹאבֶה1 הָאִשָּׁה לָלֶכֶת1 אַחֲרַי
אֶל־הָאָרֶץ הַזֹּאת הֶהָשֵׁב5 אָשִׁיב5 אֶת־
בִּנְךָ אֶל־הָאָרֶץ אֲשֶׁר־יָצָאתָ1 מִשָּׁם:
ו וַיֹּאמֶר1 אֵלָיו אַבְרָהָם הִשָּׁמֶר2 לְךָ פֶּן־תָּשִׁיב5
אֶת־בְּנִי שָׁמָּה: ז יהוה | אֱלֹהֵי הַשָּׁמַיִם
אֲשֶׁר לְקָחַנִי1 מִבֵּית אָבִי וּמֵאֶרֶץ מוֹלַדְתִּי
וַאֲשֶׁר דִּבֶּר3־לִי וַאֲשֶׁר נִשְׁבַּע2־לִי לֵאמֹר1
לְזַרְעֲךָ אֶתֵּן1 אֶת־הָאָרֶץ הַזֹּאת הוּא
יִשְׁלַח1 מַלְאָכוֹ לְפָנֶיךָ וְלָקַחְתָּ1 אִשָּׁה
לִבְנִי מִשָּׁם: ח וְאִם־לֹא תֹאבֶה1 הָאִשָּׁה
לָלֶכֶת1 אַחֲרֶיךָ וְנִקִּיתָ2 מִשְּׁבֻעָתִי זֹאת
רַק אֶת־בְּנִי לֹא תָשֵׁב5 שָׁמָּה: ט וַיָּשֶׂם1
הָעֶבֶד אֶת־יָדוֹ תַּחַת יֶרֶךְ אַבְרָהָם אֲדֹנָיו
וַיִּשָּׁבַע2 לוֹ עַל־הַדָּבָר הַזֶּה: י וַיִּקַּח1 הָעֶבֶד
עֲשָׂרָה גְמַלִּים מִגְּמַלֵּי אֲדֹנָיו וַיֵּלֶךְ1 וְכָל־
טוּב אֲדֹנָיו בְּיָדוֹ וַיָּקָם1 וַיֵּלֶךְ1 אֶל־אֲרַם
נַהֲרַיִם אֶל־עִיר נָחוֹר: יא וַיַּבְרֵךְ5 הַגְּמַלִּים
מִחוּץ לָעִיר אֶל־בְּאֵר הַמָּיִם לְעֵת עֶרֶב
לְעֵת צֵאת1 הַשֹּׁאֲבֹת1: יב וַיֹּאמַר1 | יהוה
אֱלֹהֵי אֲדֹנִי אַבְרָהָם הַקְרֵה5־נָא לְפָנַי הַיּוֹם
וַעֲשֵׂה1־חֶסֶד עִם אֲדֹנִי אַבְרָהָם: יג הִנֵּה אָנֹכִי
נִצָּב2 עַל־עֵין הַמָּיִם וּבְנוֹת אַנְשֵׁי הָעִיר
יֹצְאֹת1 לִשְׁאֹב1 מָיִם: יד וְהָיָה1 הַנַּעֲרָ
[הנער] אֲשֶׁר אֹמַר1 אֵלֶיהָ הַטִּי5־נָא כַדֵּךְ
וְאֶשְׁתֶּה1 וְאָמְרָה1 שְׁתֵה1 וְגַם־גְּמַלֶּיךָ אַשְׁקֶה5
אֹתָהּ הֹכַחְתָּ5 לְעַבְדְּךָ לְיִצְחָק וּבָהּ אֵדַע1
כִּי־עָשִׂיתָ1 חֶסֶד עִם־אֲדֹנִי: טו וַיְהִי1־הוּא
טֶרֶם כִּלָּה3 לְדַבֵּר3 וְהִנֵּה רִבְקָה יֹצֵאת1 אֲשֶׁר
יֻלְּדָה4 לִבְתוּאֵל בֶּן־מִלְכָּה אֵשֶׁת נָחוֹר אֲחִי
אַבְרָהָם וְכַדָּהּ עַל־שִׁכְמָהּ: טז וְהַנַּעֲרָ
[והנער] טֹבַת מַרְאֶה מְאֹד בְּתוּלָה וְאִישׁ
לֹא יְדָעָהּ1 וַתֵּרֶד1 הָעַיְנָה וַתְּמַלֵּא3 כַדָּהּ
וַתָּעַל1: יז וַיָּרָץ1 הָעֶבֶד לִקְרָאתָהּ1 וַיֹּאמֶר1
הַגְמִיאִינִי5 נָא מְעַט־מַיִם מִכַּדֵּךְ: יח וַתֹּאמֶר1
שְׁתֵה1 אֲדֹנִי וַתְּמַהֵר3 וַתֹּרֶד5 כַּדָּהּ עַל־
יָדָהּ וַתַּשְׁקֵהוּ5: יט וַתְּכַל3 לְהַשְׁקֹתוֹ5
וַתֹּאמֶר1 גַּם לִגְמַלֶּיךָ אֶשְׁאָב1 עַד אִם־כִּלּוּ3
לִשְׁתֹּת1: כ וַתְּמַהֵר3 וַתְּעַר3 כַּדָּהּ אֶל־
הַשֹּׁקֶת וַתָּרָץ1 עוֹד אֶל־הַבְּאֵר לִשְׁאֹב1
וַתִּשְׁאַב1 לְכָל־גְּמַלָּיו: כא וְהָאִישׁ מִשְׁתָּאֵה7
לָהּ מַחֲרִישׁ5 לָדַעַת1 הַהִצְלִיחַ5 יהוה דַּרְכּוֹ
אִם־לֹא: כב וַיְהִי1 כַּאֲשֶׁר כִּלּוּ3 הַגְּמַלִּים
לִשְׁתּוֹת1 וַיִּקַּח1 הָאִישׁ נֶזֶם זָהָב בֶּקַע
מִשְׁקָלוֹ וּשְׁנֵי צְמִידִים עַל־יָדֶיהָ עֲשָׂרָה
זָהָב מִשְׁקָלָם: כג וַיֹּאמֶר1 בַּת־מִי אַתְּ
הַגִּידִי5 נָא לִי הֲיֵשׁ בֵּית־אָבִיךְ מָקוֹם לָנוּ
לָלִין1: כד וַתֹּאמֶר1 אֵלָיו בַּת־בְּתוּאֵל אָנֹכִי
בֶּן־מִלְכָּה אֲשֶׁר יָלְדָה1 לְנָחוֹר: כה וַתֹּאמֶר1
אֵלָיו גַּם־תֶּבֶן גַּם־מִסְפּוֹא רַב עִמָּנוּ גַּם־
מָקוֹם לָלוּן1: כו וַיִּקֹּד1 הָאִישׁ וַיִּשְׁתַּחוּ7
לַיהוה: כז וַיֹּאמֶר1 בָּרוּךְ1 יהוה אֱלֹהֵי אֲדֹנִי
אַבְרָהָם אֲשֶׁר לֹא־עָזַב1 חַסְדּוֹ וַאֲמִתּוֹ מֵעִם
אֲדֹנִי אָנֹכִי בַּדֶּרֶךְ נָחַנִי1 יהוה בֵּית אֲחֵי
אֲדֹנִי: כח וַתָּרָץ1 הַנַּעֲרָ וַתַּגֵּד5 לְבֵית אִמָּהּ
כַּדְּבָרִים הָאֵלֶּה: כט וּלְרִבְקָה אָח וּשְׁמוֹ לָבָן
וַיָּרָץ1 לָבָן אֶל־הָאִישׁ הַחוּצָה אֶל־הָעָיִן:
ל וַיְהִי1 | כִּרְאֹת1 אֶת־הַנֶּזֶם וְאֶת־הַצְּמִדִים

עַלה־יְדֵהי אֲחֹהתוֹ וּכְשָׁמְעוֹ1 אֶות־דִּבְרֵי רִבְקָה
אֲחֹהתוֹ לֵאמֹר1 כֹּה־דִבֶּר3 אֵלַי הָאִישׁ וַיָּבֹוא1
אֶל־הָאִישׁ וְהִנֵּה עֹמֵד1 עַלה־הַגְּמַלִּים עַלה־
הָעָיִן: לא וַיֹּאמֶר1 בּוֹא1 בְּרוּךְ1 יהוה לָמָּה
תַעֲמֹד1 בַּחוּץ וְאָנֹכִי פִּנִּהִיתִי3 הַבַּיִת וּמָקוֹם
לַגְּמַלִּים: לב וַיָּבֹוא1 הָאִישׁ הַבַּיְתָה וַיְפַתַּח3
הַגְּמַלִּים וַיִּנְתֵּן1 תֶּבֶן וּמִסְפּוֹא לַגְּמַלִּים וּמַיִהם
לִרְחֹץ1 רַגְלָיו וְרַגְלֵי הָאֲנָשִׁים אֲשֶׁר אִתּוֹ:
לג וַיּוּשַׂם6 [ויישם] לְפָנָהיו לֶאֱכֹל1 וַיֹּאמֶר1
לֹוא אֹאכַל1 עַד אִםם־דִּבַּרְתִּי3 דְּבָרָי וַיֹּאמֶר1
דַּבֵּר3: לד וַיֹּאמַר1 עֶבֶד אַבְרָהָם אָנֹכִי: לה וַיהוה
בֵּרַךְ3 אֶות־אֲדֹנִי מְאֹד וַיִּגְדָּל1 וַיִּנְתֶּן1־לוֹ צֹאן
וּבָקָר וְכֶסֶף וְזָהָב וַעֲבָדִם וּשְׁפָחֹת וּגְמַלִּים
וַחֲמֹרִים: לו וַתֵּילֶד1 שָׂרָה אֵנֹשֶׁת אֲדֹנִי בֵּןה
לַאדֹנִי אַחֲרֵי זִקְנָתָהּ וַיִּנְתֶּן1־לוֹ אֶות־כָּלל־
אֲשֶׁר־לוֹ: לז וַיַּשְׁבִּעֵנִי5 אֲדֹנִי לֵאמֹר1 לֹוא־
תִלְקַח1 אִנשָּׁה לִבְנִהי מִבְּנֹהוֹת הַכְּנַעֲנִי אֲשֶׁר
אָנֹכִי יֹשֵׁב1 בְּאַרְצוֹ: לח אִםם־לֹוא אֶל־בֵּית־
אָבִהי תֵּילֵךְ1 וְאֶל־מִשְׁפַּחְתִּי וְלָקַחְתָּ1 אִנשָּׁה
לִבְנִהי: לט וָאֹאמַר1 אֶל־אֲדֹנִי אֻלַי לֹוא־תֵילֵךְ1
הָאִנשָּׁה אַחֲרָי: מ וַיֹּאמֶר1 אֵלָי יהוה אֲשֶׁר־
הִתְהַלַּכְתִּי7 לְפָנָהיו יִשְׁלַח1 מַלְאָכוֹ אִתָּךְ
וְהִצְלִיחַ5 דַּרְכֶּךָ וְלָקַחְתָּ1 אִנשָּׁה לִבְנִהי
מִמִּשְׁפַּחְתִּי וּמִבֵּית אָבִהי: מא אָז תִּנָּקֶה2
מֵאָלָהתִי כִּי תָבֹוא1 אֶל־מִשְׁפַּחְתִּי וְאִםם־לֹוא
יִנְתְּנוּ1 לָךְ וְהָיִיתָ1 נָקִהי מֵאָלָהתִי: מב וָאָבֹוא1
הַיּוֹם אֶל־הָעָיִן וָאֹמַר1 יהוה אֱלֹהֵי אֲדֹנִי
אַבְרָהָם אִםם־יֶשְׁהךָ־נָּא מַצְלִיחַ5 דַּרְכִּי אֲשֶׁר
אָנֹכִי הֹלֵךְ1 עָלֶיהָ: מג הִנֵּה אָנֹכִי נִיצָּב2 עַלה־
עֵין הַמָּיִהם וְהָיָה1 הָעַלְמָה הַיֹּצֵאת1 לִשְׁאֹב1
וְאָמַרְתִּי1 אֵלֶיהָ הַשְׁקִהינִי5־נָא מְעַט־מַיִהם
מִכַּדֵּךְ: מד וְאָמְרָה1 אֵלַי גַּם־אַנְתָּה שְׁתֵהה1
וְגַם לִגְמַלֶּיךָ אֶשְׁאָב1 הִוא הָאִנשָּׁה אֲשֶׁר־
הֹיכִיחַ5 יהוה לְבֶןה־אֲדֹנִי: מה אֲנִי טֶרֶם אֲכַלֶּה3
לְדַבֵּר3 אֶל־לִבִּי וְהִנֵּה רִבְקָה יֹצֵאת1 וְכַדָּהּ
עַלה־שִׁכְמָהּ וַתֵּירֶד1 הָעַיְנָה וַתִּשְׁאָב1 וָאֹמַר1
אֵלֶיהָ הַשְׁקִהינִי5 נָא: מו וַתְּמַהֵר3 וַתּוֹרֶד5
כַּדָּהּ מֵעָלֶיהָ וַתֹּאמֶר1 שְׁתֵהה1 וְגַם־גְּמַלֶּיךָ
אַשְׁקֶה5 וָאֵשְׁתְּ1 וְגַם הַגְּמַלִּים הִשְׁקָתָה5:

מז וָאֶשְׁאַל1 אֹותָהּ וָאֹמַר1 בַּנהת־מִי אַנְתְּ
וַתֹּאמֶר1 בַּנהת־בְּתוּאֵל בֶּןה־נָחוֹר אֲשֶׁר יָלְדָה1־
לוֹ מִלְכָּה וָאָשִׂם1 הַנֶּזֶם עַלה־אַנפָּהּ וְהַצְּמִידִים
עַלה־יָדֶהיהָ: מח וָאֶקֹּד1 וָאֶשְׁתַּחֲוֶה7 לַיהוה
וָאֲבָרֵךְ3 אֶות־יהוה אֱלֹהֵי אֲדֹנִי אַבְרָהָם אֲשֶׁר
הִנְחַהנִי5 בְּדֶרֶךְ אֱמֶנֶת לָקַחַת1 אֶות־בַּנהת־
אֲחִהי אֲדֹנִי לִבְנוֹ: מט וְעַתָּה אִםם־יֶשְׁהכֶם
עֹשִׂהים1 חֶסֶד וֶאֱמֶנֶת אֶות־אֲדֹנִי הַגִּידוּ5 לִי
וְאִםם־לֹוא הַגִּידוּ5 לִי וְאֶפְנֶה1 עַלה־יָמִין אוֹ
עַלה־שְׂמֹאל: נ וַיַּעַן1 לָבָן וּבְתוּאֵל וַיֹּאמְרוּ1
מֵיהוה יָצָא1 הַדָּבָר לֹוא נוּיכַל1 דַּבֵּר3 אֵלֶיךָ
רַעע אוֹ־טוֹב: נא הִנֵּה־רִבְקָה לְפָנֶהיךָ קַח1
וָלֵךְ1 וּתְהִיה1 אִנשָּׁה לְבֶןה־אֲדֹנֶיךָ כַּאֲשֶׁר
דִּבֶּר3 יהוה: נב וַיְהִיה1 כַּאֲשֶׁר שָׁמַע1 עֶבֶד
אַבְרָהָם אֶות־דִּבְרֵיהֶם וַיִּשְׁתַּחוּ7 אַרְצָה
לַיהוה: נג וַיּוֹצֵא5 הָעֶבֶד כְּלֵהי־כֶסֶף וּכְלֵהי
זָהָב וּבְגָדִים וַיִּנְתֵּן1 לְרִבְקָה וּמִגְדָּנֹת נָתַן1
לְאָחִהיהָ וּלְאִםמָּהּ: נד וַיֹּאכְלוּ1 וַיִּשְׁתּוּ1 הוּא
וְהָאֲנָשִׁים אֲשֶׁר־עִםמּוֹ וַיָּלִינוּ1 וַיָּקוּמוּ1 בַבֹּקֶר
וַיֹּאמֶר1 שַׁלְּחֻנִי3 לַאדֹנִי: נה וַיֹּאמֶר1 אָחִהיהָ
וְאִםמָּהּ תֵּישֵׁב1 הַנַּעֲרָה [הנער] אִתָּנוּ יָמִים
אוֹ עָשׂוֹר אַחַר תֵּילֵךְ1: נו וַיֹּאמֶר1 אֲלֵהֶם אַל־
תְּאַחֲרוּ3 אֹתִי וַיהוה הִצְלִיחַ5 דַּרְכִּי שַׁלְּחוּנִי3
וְאֵילְכָה1 לַאדֹנִי: נז וַיֹּאמְרוּ1 נִקְרָא1 לַנַּעֲרָה
[לנער] וְנִשְׁאֲלָה1 אֶות־פִּהיהָ: נח וַיִּקְרְאוּ1
לְרִבְקָה וַיֹּאמְרוּ1 אֵלֶיהָ הֲתֵילְכִי1 עִםם־הָאִישׁ
הַזֶּה וַתֹּאמֶר1 אֵילֵךְ1: נט וַיְשַׁלְּחוּ3 אֶות־רִבְקָה
אֲחֹהתָם וְאֶות־מֵינִקְתָּהּ5 וְאֶות־עֶבֶד אַבְרָהָם
וְאֶות־אֲנָשָׁיו: ס וַיְבָרְכוּ3 אֶות־רִבְקָה וַיֹּאמְרוּ1
לָהּ אֲחֹהתֵנוּ אַנתְּ הֲיִהי1 לְאַלְפֵי רְבָבָה וְיִירַשׁ1
זַרְעֵךְ אֵות שַׁעַר שֹׂנְאָיו: סא וַתָּקָם1 רִבְקָה
וְנַעֲרֹתֶיהָ וַתִּרְכַּבְנָה1 עַלה־הַגְּמַלִּים וַתֵּילַכְנָה1
אַחֲרֵי הָאִישׁ וַיִּלקַּח1 הָעֶבֶד אֶות־רִבְקָה וַיֵּילַךְ1:
סב וְיִצְחָק בָּא1 מִבּוֹא1 בְּאֵר לַחַי רֹאִהי1 וְהוּא
יוֹשֵׁב1 בְּאֶרֶץ הַנֶּגֶב: סג וַיֵּיצֵא1 יִצְחָק לָשׂוּחַ1
בַּשָּׂדֶה לִפְנֹהוֹת1 עָרֶב וַיִּנשָּׂא1 עֵינָיו וַיַּרְאה1
וְהִנֵּה גְמַלִּים בָּאִים1: סד וַתִּנשָּׂא1 רִבְקָה אֶות־
עֵינֶיהָ וַתֵּרֶאה1 אֶות־יִצְחָק וַתִּנפֹּל1 מֵעַלה1
הַגָּמָל: סה וַתֹּאמֶר1 אֶל־הָעֶבֶד מִי־הָאִישׁ

הַלָּזֶה הַהֹלֵךְ1 בַּשָּׂדֶה לִקְרָא(ה)תֵנוּ וַיֹּאמֶר1
הָעֶבֶד הוּא אֲדֹנִי וַתִּקַּח1 הַצָּעִיף וַתִּתְכָּס7:
סו וַיְסַפֵּר3 הָעֶבֶד לְיִצְחָק אֵת כָּל־הַדְּבָרִים
אֲשֶׁר עָשָׂה1: סז וַיְבִאֶהָ5 יִצְחָק הָאֹהֱלָה שָׂרָה
אִמּוֹ וַיִּקַּח1 אֶת־רִבְקָה וַתְּהִי1־לוֹ לְאִשָּׁה
וַיֶּאֱהָבֶהָ1 וַיִּנָּחֵם2 יִצְחָק אַחֲרֵי אִמּוֹ: פ
כה א וַיֹּסֶף5 אַבְרָהָם וַיִּקַּח1 אִשָּׁה וּשְׁמָהּ
קְטוּרָה: ב וַתֵּלֶד1 לוֹ אֶת־זִמְרָן וְאֶת־יָקְשָׁן
וְאֶת־מְדָן וְאֶת־מִדְיָן וְאֶת־יִשְׁבָּק וְאֶת־שׁוּחַ:
ג וְיָקְשָׁן יָלַד1 אֶת־שְׁבָא וְאֶת־דְּדָן וּבְנֵי דְדָן
הָיוּ1 אַשּׁוּרִם וּלְטוּשִׁם וּלְאֻמִּים: ד וּבְנֵי מִדְיָן
עֵיפָה וָעֵפֶר וַחֲנֹךְ וַאֲבִידָע וְאֶלְדָּעָה כָּל־אֵלֶּה
בְּנֵי קְטוּרָה: ה וַיִּתֵּן1 אַבְרָהָם אֶת־כָּל־אֲשֶׁר־
לוֹ לְיִצְחָק: ו וְלִבְנֵי הַפִּילַגְשִׁים אֲשֶׁר לְאַבְרָהָם
נָתַן1 אַבְרָהָם מַתָּנֹת וַיְשַׁלְּחֵם3 מֵעַל יִצְחָק
בְּנוֹ בְּעוֹדֶנּוּ חַי קֵדְמָה אֶל־אֶרֶץ קֶדֶם:
ז וְאֵלֶּה יְמֵי שְׁנֵי־חַיֵּי אַבְרָהָם אֲשֶׁר־חָי
מְאַת שָׁנָה וְשִׁבְעִים שָׁנָה וְחָמֵשׁ שָׁנִים:
ח וַיִּגְוַע1 וַיָּמָת1 אַבְרָהָם בְּשֵׂיבָה טוֹבָה זָקֵן
וְשָׂבֵעַ וַיֵּאָסֶף2 אֶל־עַמָּיו: ט וַיִּקְבְּרוּ1 אֹתוֹ
יִצְחָק וְיִשְׁמָעֵאל בָּנָיו אֶל־מְעָרַת הַמַּכְפֵּלָה
אֶל־שְׂדֵה עֶפְרֹן בֶּן־צֹחַר הַחִתִּי אֲשֶׁר עַל־
פְּנֵי מַמְרֵא: י הַשָּׂדֶה אֲשֶׁר־קָנָה1 אַבְרָהָם
מֵאֵת בְּנֵי־חֵת שָׁמָּה קֻבַּר4 אַבְרָהָם וְשָׂרָה
אִשְׁתּוֹ: יא וַיְהִי1 אַחֲרֵי מוֹת אַבְרָהָם וַיְבָרֶךְ3
אֱלֹהִים אֶת־יִצְחָק בְּנוֹ וַיֵּשֶׁב1 יִצְחָק עִם־
בְּאֵר לַחַי רֹאִי1: פ
יב וְאֵלֶּה תֹּלְדֹת יִשְׁמָעֵאל בֶּן־אַבְרָהָם אֲשֶׁר
יָלְדָה1 הָגָר הַמִּצְרִית שִׁפְחַת שָׂרָה לְאַבְרָהָם:
יג וְאֵלֶּה שְׁמוֹת בְּנֵי יִשְׁמָעֵאל בִּשְׁמֹתָם
לְתוֹלְדֹתָם בְּכֹר יִשְׁמָעֵאל נְבָיֹת וְקֵדָר וְאַדְבְּאֵל
וּמִבְשָׂם: יד וּמִשְׁמָע וְדוּמָה וּמַשָּׂא: טו חֲדַד וְתֵימָא
יְטוּר נָפִישׁ וָקֵדְמָה: טז אֵלֶּה הֵם בְּנֵי יִשְׁמָעֵאל
וְאֵלֶּה שְׁמֹתָם בְּחַצְרֵיהֶם וּבְטִירֹתָם שְׁנֵים־
עָשָׂר נְשִׂיאִם לְאֻמֹּתָם: יז וְאֵלֶּה שְׁנֵי חַיֵּי
יִשְׁמָעֵאל מְאַת שָׁנָה וּשְׁלֹשִׁים שָׁנָה וְשֶׁבַע
שָׁנִים וַיִּגְוַע1 וַיָּמָת1 וַיֵּאָסֶף2 אֶל־עַמָּיו:
יח וַיִּשְׁכְּנוּ1 מֵחֲוִילָה עַד־שׁוּר אֲשֶׁר עַל־פְּנֵי
מִצְרַיִם בֹּאֲכָה1 אַשּׁוּרָה עַל־פְּנֵי כָל־אֶחָיו
נָפָל1: פ פ פ

פרשת תולדת

יט וְאֵלֶּה תּוֹלְדֹת יִצְחָק בֶּן־אַבְרָהָם אַבְרָהָם
הוֹלִיד5 אֶת־יִצְחָק: כ וַיְהִי1 יִצְחָק בֶּן־
אַרְבָּעִים שָׁנָה בְּקַחְתּוֹ1 אֶת־רִבְקָה בַּת־
בְּתוּאֵל הָאֲרַמִּי מִפַּדַּן אֲרָם אֲחוֹת לָבָן הָאֲרַמִּי
לוֹ לְאִשָּׁה: כא וַיֶּעְתַּר1 יִצְחָק לַיהוה לְנֹכַח
אִשְׁתּוֹ כִּי עֲקָרָה הִוא וַיֵּעָתֶר2 לוֹ יהוה
וַתַּהַר1 רִבְקָה אִשְׁתּוֹ: כב וַיִּתְרֹצְצוּ7 הַבָּנִים
בְּקִרְבָּהּ וַתֹּאמֶר1 אִם־כֵּן לָמָּה זֶּה אָנֹכִי
וַתֵּלֶךְ1 לִדְרֹשׁ1 אֶת־יהוה: כג וַיֹּאמֶר1 יהוה
לָהּ שְׁנֵי גיים [גוֹיִם] בְּבִטְנֵךְ וּשְׁנֵי לְאֻמִּים
מִמֵּעַיִךְ יִפָּרֵדוּ2 וּלְאֹם מִלְאֹם יֶאֱמָץ וְרַב
יַעֲבֹד1 צָעִיר: כד וַיִּמְלְאוּ1 יָמֶיהָ לָלֶדֶת1 וְהִנֵּה
תוֹמִם בְּבִטְנָהּ: כה וַיֵּצֵא1 הָרִאשׁוֹן אַדְמוֹנִי
כֻּלּוֹ כְּאַדֶּרֶת שֵׂעָר וַיִּקְרְאוּ1 שְׁמוֹ עֵשָׂו:
כו וְאַחֲרֵי־כֵן יָצָא1 אָחִיו וְיָדוֹ אֹחֶזֶת1 בַּעֲקֵב
עֵשָׂו וַיִּקְרָא1 שְׁמוֹ יַעֲקֹב וְיִצְחָק בֶּן־שִׁשִּׁים
שָׁנָה בְּלֶדֶת1 אֹתָם: כז וַיִּגְדְּלוּ1 הַנְּעָרִים
וַיְהִי1 עֵשָׂו אִישׁ יֹדֵעַ1 צַיִד אִישׁ שָׂדֶה וְיַעֲקֹב
אִישׁ תָּם יֹשֵׁב1 אֹהָלִים: כח וַיֶּאֱהַב1 יִצְחָק אֶת־
עֵשָׂו כִּי־צַיִד בְּפִיו וְרִבְקָה אֹהֶבֶת1 אֶת־יַעֲקֹב:
כט וַיָּזֶד5 יַעֲקֹב נָזִיד וַיָּבֹא1 עֵשָׂו מִן־הַשָּׂדֶה
וְהוּא עָיֵף: ל וַיֹּאמֶר1 עֵשָׂו אֶל־יַעֲקֹב הַלְעִיטֵנִי5
נָא מִן־הָאָדֹם הָאָדֹם הַזֶּה כִּי עָיֵף אָנֹכִי
עַל־כֵּן קָרָא1־שְׁמוֹ אֱדוֹם: לא וַיֹּאמֶר1 יַעֲקֹב
מִכְרָה1 כַיּוֹם אֶת־בְּכֹרָתְךָ לִי: לב וַיֹּאמֶר1 עֵשָׂו
הִנֵּה אָנֹכִי הוֹלֵךְ1 לָמוּת1 וְלָמָּה־זֶּה לִי בְּכֹרָה:
לג וַיֹּאמֶר1 יַעֲקֹב הִשָּׁבְעָה2 לִּי כַּיּוֹם וַיִּשָּׁבַע2 לוֹ
וַיִּמְכֹּר1 אֶת־בְּכֹרָתוֹ לְיַעֲקֹב: לד וְיַעֲקֹב נָתַן1
לְעֵשָׂו לֶחֶם וּנְזִיד עֲדָשִׁים וַיֹּאכַל1 וַיֵּשְׁתְּ1
וַיָּקָם1 וַיֵּלַךְ1 וַיִּבֶז1 עֵשָׂו אֶת־הַבְּכֹרָה: פ
כו א וַיְהִי1 רָעָב בָּאָרֶץ מִלְּבַד הָרָעָב
הָרִאשׁוֹן אֲשֶׁר הָיָה1 בִּימֵי אַבְרָהָם וַיֵּלֶךְ1
יִצְחָק אֶל־אֲבִימֶלֶךְ מֶלֶךְ־פְּלִשְׁתִּים גְּרָרָה:
ב וַיֵּרָא2 אֵלָיו יהוה וַיֹּאמֶר1 אַל־תֵּרֵד1

מִצְרָיְמָה שְׁכֹן בָּאָרֶץ אֲשֶׁר אֹמַר אֵלֶיךָ:
ג גּוּר בָּאָרֶץ הַזֹּאת וְאֶהְיֶה עִמְּךָ וַאֲבָרְכֶךָּ
כִּי־לְךָ וּלְזַרְעֲךָ אֶתֵּן אֶת־כָּל־הָאֲרָצֹת
הָאֵל וַהֲקִמֹתִי אֶת־הַשְּׁבֻעָה אֲשֶׁר נִשְׁבַּעְתִּי
לְאַבְרָהָם אָבִיךָ: ד וְהִרְבֵּיתִי אֶת־זַרְעֲךָ
כְּכוֹכְבֵי הַשָּׁמַיִם וְנָתַתִּי לְזַרְעֲךָ אֵת כָּל־
הָאֲרָצֹת הָאֵל וְהִתְבָּרְכוּ בְזַרְעֲךָ כֹּל גּוֹיֵי
הָאָרֶץ: ה עֵקֶב אֲשֶׁר־שָׁמַע אַבְרָהָם בְּקֹלִי
וַיִּשְׁמֹר מִשְׁמַרְתִּי מִצְוֺתַי חֻקּוֹתַי
וְתוֹרֹתָי: ו וַיֵּשֶׁב יִצְחָק בִּגְרָר: ז וַיִּשְׁאֲלוּ
אַנְשֵׁי הַמָּקוֹם לְאִשְׁתּוֹ וַיֹּאמֶר אֲחֹתִי הִוא
כִּי יָרֵא לֵאמֹר אִשְׁתִּי פֶּן־יַהַרְגֻנִי אַנְשֵׁי
הַמָּקוֹם עַל־רִבְקָה כִּי־טוֹבַת מַרְאֶה הִוא:
ח וַיְהִי כִּי־אָרְכוּ־לוֹ שָׁם הַיָּמִים וַיַּשְׁקֵף
אֲבִימֶלֶךְ מֶלֶךְ פְּלִשְׁתִּים בְּעַד הַחַלּוֹן וַיַּרְא
וְהִנֵּה יִצְחָק מְצַחֵק אֵת רִבְקָה אִשְׁתּוֹ:
ט וַיִּקְרָא אֲבִימֶלֶךְ לְיִצְחָק וַיֹּאמֶר אַךְ הִנֵּה
אִשְׁתְּךָ הִוא וְאֵיךְ אָמַרְתָּ אֲחֹתִי הִוא
וַיֹּאמֶר אֵלָיו יִצְחָק כִּי אָמַרְתִּי פֶּן־אָמוּת
עָלֶיהָ: י וַיֹּאמֶר אֲבִימֶלֶךְ מַה־זֹּאת עָשִׂיתָ
לָּנוּ כִּמְעַט שָׁכַב אַחַד הָעָם אֶת־אִשְׁתֶּךָ
וְהֵבֵאתָ עָלֵינוּ אָשָׁם: יא וַיְצַו אֲבִימֶלֶךְ
אֶת־כָּל־הָעָם לֵאמֹר הַנֹּגֵעַ בָּאִישׁ הַזֶּה
וּבְאִשְׁתּוֹ מוֹת יוּמָת: יב וַיִּזְרַע יִצְחָק בָּאָרֶץ
הַהִוא וַיִּמְצָא בַּשָּׁנָה הַהִוא מֵאָה שְׁעָרִים
וַיְבָרְכֵהוּ יהוה: יג וַיִּגְדַּל הָאִישׁ וַיֵּלֶךְ הָלוֹךְ
וְגָדֵל עַד כִּי־גָדַל מְאֹד: יד וַיְהִי־לוֹ מִקְנֵה־
צֹאן וּמִקְנֵה בָקָר וַעֲבֻדָּה רַבָּה וַיְקַנְאוּ
אֹתוֹ פְּלִשְׁתִּים: טו וְכָל־הַבְּאֵרֹת אֲשֶׁר חָפְרוּ
עַבְדֵי אָבִיו בִּימֵי אַבְרָהָם אָבִיו סִתְּמוּם
פְלִשְׁתִּים וַיְמַלְאוּם עָפָר: טז וַיֹּאמֶר אֲבִימֶלֶךְ
אֶל־יִצְחָק לֵךְ מֵעִמָּנוּ כִּי־עָצַמְתָּ מִמֶּנּוּ
מְאֹד: יז וַיֵּלֶךְ מִשָּׁם יִצְחָק וַיִּחַן בְּנַחַל־גְּרָר
וַיֵּשֶׁב שָׁם: יח וַיָּשָׁב יִצְחָק וַיַּחְפֹּר |
אֶת־בְּאֵרֹת הַמַּיִם אֲשֶׁר חָפְרוּ בִּימֵי
אַבְרָהָם אָבִיו וַיְסַתְּמוּם פְּלִשְׁתִּים אַחֲרֵי מוֹת
אַבְרָהָם וַיִּקְרָא לָהֶן שֵׁמוֹת כַּשֵּׁמֹת אֲשֶׁר־
קָרָא לָהֶן אָבִיו: יט וַיַּחְפְּרוּ עַבְדֵי־יִצְחָק
בַּנָּחַל וַיִּמְצְאוּ־שָׁם בְּאֵר מַיִם חַיִּים:
כ וַיָּרִיבוּ רֹעֵי גְרָר עִם־רֹעֵי יִצְחָק לֵאמֹר
לָנוּ הַמָּיִם וַיִּקְרָא שֵׁם־הַבְּאֵר עֵשֶׂק כִּי
הִתְעַשְּׂקוּ עִמּוֹ: כא וַיַּחְפְּרוּ בְּאֵר אַחֶרֶת
וַיָּרִיבוּ גַּם־עָלֶיהָ וַיִּקְרָא שְׁמָהּ שִׂטְנָה:
כב וַיַּעְתֵּק מִשָּׁם וַיַּחְפֹּר בְּאֵר אַחֶרֶת וְלֹא
רָבוּ עָלֶיהָ וַיִּקְרָא שְׁמָהּ רְחֹבוֹת וַיֹּאמֶר
כִּי־עַתָּה הִרְחִיב יהוה לָנוּ וּפָרִינוּ בָאָרֶץ:
כג וַיַּעַל מִשָּׁם בְּאֵר שָׁבַע: כד וַיֵּרָא אֵלָיו
יהוה בַּלַּיְלָה הַהוּא וַיֹּאמֶר אָנֹכִי אֱלֹהֵי
אַבְרָהָם אָבִיךָ אַל־תִּירָא כִּי־אִתְּךָ אָנֹכִי
וּבֵרַכְתִּיךָ וְהִרְבֵּיתִי אֶת־זַרְעֲךָ בַּעֲבוּר
אַבְרָהָם עַבְדִּי: כה וַיִּבֶן שָׁם מִזְבֵּחַ וַיִּקְרָא
בְּשֵׁם יהוה וַיֶּט־שָׁם אָהֳלוֹ וַיִּכְרוּ־שָׁם
עַבְדֵי־יִצְחָק בְּאֵר: כו וַאֲבִימֶלֶךְ הָלַךְ אֵלָיו
מִגְּרָר וַאֲחֻזַּת מֵרֵעֵהוּ וּפִיכֹל שַׂר־צְבָאוֹ:
כז וַיֹּאמֶר אֲלֵהֶם יִצְחָק מַדּוּעַ בָּאתֶם אֵלָי
וְאַתֶּם שְׂנֵאתֶם אֹתִי וַתְּשַׁלְּחוּנִי מֵאִתְּכֶם:
כח וַיֹּאמְרוּ רָאוֹ רָאִינוּ כִּי־הָיָה יהוה |
עִמָּךְ וַנֹּאמֶר תְּהִי נָא אָלָה בֵּינוֹתֵינוּ
בֵּינֵינוּ וּבֵינֶךָ וְנִכְרְתָה בְרִית עִמָּךְ: כט אִם־
תַּעֲשֵׂה עִמָּנוּ רָעָה כַּאֲשֶׁר לֹא נְגַעֲנוּךָ
וְכַאֲשֶׁר עָשִׂינוּ עִמְּךָ רַק־טוֹב וַנְּשַׁלֵּחֲךָ
בְּשָׁלוֹם אַתָּה עַתָּה בְּרוּךְ יהוה: ל וַיַּעַשׂ
לָהֶם מִשְׁתֶּה וַיֹּאכְלוּ וַיִּשְׁתּוּ: לא וַיַּשְׁכִּימוּ
בַבֹּקֶר וַיִּשָּׁבְעוּ אִישׁ לְאָחִיו וַיְשַׁלְּחֵם יִצְחָק
וַיֵּלְכוּ מֵאִתּוֹ בְּשָׁלוֹם: לב וַיְהִי | בַּיּוֹם
הַהוּא וַיָּבֹאוּ עַבְדֵי יִצְחָק וַיַּגִּדוּ לוֹ עַל־
אֹדוֹת הַבְּאֵר אֲשֶׁר חָפָרוּ וַיֹּאמְרוּ לוֹ
מָצָאנוּ מָיִם: לג וַיִּקְרָא אֹתָהּ שִׁבְעָה עַל־
כֵּן שֵׁם־הָעִיר בְּאֵר שֶׁבַע עַד הַיּוֹם
הַזֶּה: ס לד וַיְהִי עֵשָׂו בֶּן־אַרְבָּעִים שָׁנָה
וַיִּקַּח אִשָּׁה אֶת־יְהוּדִית בַּת־בְּאֵרִי הַחִתִּי
וְאֶת־בָּשְׂמַת בַּת־אֵילֹן הַחִתִּי: לה וַתִּהְיֶיןָ
מֹרַת רוּחַ לְיִצְחָק וּלְרִבְקָה: ס כז א וַיְהִי
כִּי־זָקֵן יִצְחָק וַתִּכְהֶיןָ עֵינָיו מֵרְאֹת
וַיִּקְרָא אֶת־עֵשָׂו | בְּנוֹ הַגָּדֹל וַיֹּאמֶר אֵלָיו
בְּנִי וַיֹּאמֶר אֵלָיו הִנֵּנִי: ב וַיֹּאמֶר הִנֵּה־נָא
זָקַנְתִּי לֹא יָדַעְתִּי יוֹם מוֹתִי: ג וְעַתָּה שָׂא־
נָא כֵלֶיךָ תֶּלְיְךָ וְקַשְׁתֶּךָ וְצֵא הַשָּׂדֶה

וְצוּדָה1 לִּי צֵידָה [צָיִד] : ד וַעֲשֵׂה1־לִי
מַטְעַמִּים כַּאֲשֶׁר אָהַבְתִּי1 וְהָבִיאָה5 לִּי
וְאֹכֵלָה1 בַּעֲבוּר תְּבָרֶכְךָ3 נַפְשִׁי בְּטֶרֶם
אָמוּת1: ה וְרִבְקָה שֹׁמַעַת1 בְּדַבֵּר3 יִצְחָק אֶל־
עֵשָׂו בְּנוֹ1 וַיֵּלֶךְ1 עֵשָׂו הַשָּׂדֶה לָצוּד1 צַיִד
לְהָבִיא5: ו וְרִבְקָה אָמְרָה1 אֶל־יַעֲקֹב בְּנָהּ
לֵאמֹר1 הִנֵּה שָׁמַעְתִּי1 אֶת־אָבִיךָ מְדַבֵּר3
אֶל־עֵשָׂו אָחִיךָ לֵאמֹר1: ז הָבִיאָה5 לִּי צַיִד
וַעֲשֵׂה1־לִי מַטְעַמִּים וְאֹכֵלָה1 וַאֲבָרֶכְכָה3
לִפְנֵי יהוה לִפְנֵי מוֹתִי: ח וְעַתָּה בְנִי שְׁמַע1
בְּקֹלִי לַאֲשֶׁר אֲנִי מְצַוָּה3 אֹתָךְ: ט לֶךְ1־נָא
אֶל־הַצֹּאן וְקַח1־לִי מִשָּׁם שְׁנֵי גְּדָיֵי עִזִּים
טֹבִים וְאֶעֱשֶׂה1 אֹתָם מַטְעַמִּים לְאָבִיךָ
כַּאֲשֶׁר אָהֵב1: י וְהֵבֵאתָ5 לְאָבִיךָ וְאָכָל1
בַּעֲבֻר אֲשֶׁר יְבָרֶכְךָ3 לִפְנֵי מוֹתוֹ: יא וַיֹּאמֶר1
יַעֲקֹב אֶל־רִבְקָה אִמּוֹ הֵן עֵשָׂו אָחִי אִישׁ
שָׂעִר וְאָנֹכִי אִישׁ חָלָק: יב אוּלַי יְמֻשֵּׁנִי1
אָבִי וְהָיִיתִי1 בְעֵינָיו כִּמְתַעְתֵּעַ3 וְהֵבֵאתִי5
עָלַי קְלָלָה וְלֹא בְרָכָה: יג וַתֹּאמֶר1 לוֹ אִמּוֹ
עָלַי קִלְלָתְךָ בְּנִי אַךְ שְׁמַע1 בְּקֹלִי וְלֵךְ1
קַח1־לִי: יד וַיֵּלֶךְ1 וַיִּקַּח1 וַיָּבֵא5 לְאִמּוֹ
וַתַּעַשׂ1 אִמּוֹ מַטְעַמִּים כַּאֲשֶׁר אָהֵב1 אָבִיו:
טו וַתִּקַּח1 רִבְקָה אֶת־בִּגְדֵי עֵשָׂו בְּנָהּ הַגָּדֹל
הַחֲמֻדֹת1 אֲשֶׁר אִתָּהּ בַּבָּיִת וַתַּלְבֵּשׁ5 אֶת־
יַעֲקֹב בְּנָהּ הַקָּטָן: טז וְאֵת עֹרֹת גְּדָיֵי
הָעִזִּים הִלְבִּישָׁה5 עַל־יָדָיו וְעַל חֶלְקַת
צַוָּארָיו: יז וַתִּתֵּן1 אֶת־הַמַּטְעַמִּים וְאֶת־
הַלֶּחֶם אֲשֶׁר עָשָׂתָה1 בְּיַד יַעֲקֹב בְּנָהּ:
יח וַיָּבֹא1 אֶל־אָבִיו וַיֹּאמֶר1 אָבִי וַיֹּאמֶר1
הִנֶּנִּי מִי אַתָּה בְּנִי: יט וַיֹּאמֶר1 יַעֲקֹב אֶל־
אָבִיו אָנֹכִי עֵשָׂו בְּכֹרֶךָ עָשִׂיתִי1 כַּאֲשֶׁר
דִּבַּרְתָּ3 אֵלָי קוּם1־נָא שְׁבָה1 וְאָכְלָה1 מִצֵּידִי
בַּעֲבוּר תְּבָרְכַנִּי3 נַפְשֶׁךָ: כ וַיֹּאמֶר1 יִצְחָק אֶל־
בְּנוֹ מַה־זֶּה מִהַרְתָּ3 לִמְצֹא1 בְּנִי וַיֹּאמֶר1 כִּי
הִקְרָה5 יהוה אֱלֹהֶיךָ לְפָנָי: כא וַיֹּאמֶר1 יִצְחָק
אֶל־יַעֲקֹב גְּשָׁה1־נָּא וַאֲמֻשְׁךָ1 בְּנִי הַאַתָּה
זֶה בְּנִי עֵשָׂו אִם־לֹא: כב וַיִּגַּשׁ1 יַעֲקֹב אֶל־
יִצְחָק אָבִיו וַיְמֻשֵּׁהוּ1 וַיֹּאמֶר1 הַקֹּל קוֹל
יַעֲקֹב וְהַיָּדַיִם יְדֵי עֵשָׂו: כג וְלֹא הִכִּירוֹ5 כִּי־
הָיוּ1 יָדָיו כִּידֵי עֵשָׂו אָחִיו שְׂעִרֹת
וַיְבָרְכֵהוּ3: כד וַיֹּאמֶר1 אַתָּה זֶה בְּנִי עֵשָׂו
וַיֹּאמֶר1 אָנִי: כה וַיֹּאמֶר1 הַגִּשָׁה5 לִּי וְאֹכְלָה1
מִצֵּיד בְּנִי לְמַעַן תְּבָרֶכְךָ3 נַפְשִׁי וַיַּגֶּשׁ5־לוֹ
וַיֹּאכַל1 וַיָּבֵא5 לוֹ יַיִן וַיֵּשְׁתְּ1: כו וַיֹּאמֶר1 אֵלָיו
יִצְחָק אָבִיו גְּשָׁה1־נָּא וּשְׁקָה1־לִּי בְּנִי:
כז וַיִּגַּשׁ1 וַיִּשַּׁק1־לוֹ וַיָּרַח5 אֶת־רֵיחַ בְּגָדָיו
וַיְבָרְכֵהוּ3 וַיֹּאמֶר1 רְאֵה1 רֵיחַ בְּנִי כְּרֵיחַ
שָׂדֶה אֲשֶׁר בֵּרְכוֹ3 יהוה: כח וְיִתֶּן1־לְךָ הָאֱלֹהִים
מִטַּל הַשָּׁמַיִם וּמִשְׁמַנֵּי הָאָרֶץ וְרֹב דָּגָן
וְתִירֹשׁ: כט יַעַבְדוּךָ1 עַמִּים וְיִשְׁתַּחֲוֻ7
[וְיִשְׁתַּחֲווּ] לְךָ לְאֻמִּים הֱוֵה1 גְבִיר לְאַחֶיךָ
וְיִשְׁתַּחֲווּ7 לְךָ בְּנֵי אִמֶּךָ אֹרְרֶיךָ1 אָרוּר1
וּמְבָרְכֶיךָ3 בָּרוּךְ1: ל וַיְהִי1 כַּאֲשֶׁר כִּלָּה3 יִצְחָק
לְבָרֵךְ3 אֶת־יַעֲקֹב וַיְהִי1 אַךְ יָצֹא1 יָצָא1 יַעֲקֹב
מֵאֵת פְּנֵי יִצְחָק אָבִיו וְעֵשָׂו אָחִיו בָּא1
מִצֵּידוֹ: לא וַיַּעַשׂ1 גַּם־הוּא מַטְעַמִּים וַיָּבֵא5
לְאָבִיו וַיֹּאמֶר1 לְאָבִיו יָקֻם1 אָבִי וְיֹאכַל1
מִצֵּיד בְּנוֹ בַּעֲבֻר תְּבָרְכַנִּי3 נַפְשֶׁךָ: לב וַיֹּאמֶר1
לוֹ יִצְחָק אָבִיו מִי־אָתָּה וַיֹּאמֶר1 אֲנִי בִּנְךָ
בְכֹרְךָ עֵשָׂו: לג וַיֶּחֱרַד1 יִצְחָק חֲרָדָה גְּדֹלָה
עַד־מְאֹד וַיֹּאמֶר1 מִי־אֵפוֹא הוּא הַצָּד1־צַיִד
וַיָּבֵא5 לִי וָאֹכַל1 מִכֹּל בְּטֶרֶם תָּבוֹא1
וָאֲבָרְכֵהוּ3 גַּם־בָּרוּךְ1 יִהְיֶה1: לד כִּשְׁמֹעַ1 עֵשָׂו
אֶת־דִּבְרֵי אָבִיו וַיִּצְעַק1 צְעָקָה גְּדֹלָה
וּמָרָה עַד־מְאֹד וַיֹּאמֶר1 לְאָבִיו בָּרְכֵנִי3
גַם־אָנִי אָבִי: לה וַיֹּאמֶר1 בָּא1 אָחִיךָ
בְּמִרְמָה וַיִּקַּח1 בִּרְכָתֶךָ: לו וַיֹּאמֶר1 הֲכִי
קָרָא1 שְׁמוֹ יַעֲקֹב וַיַּעְקְבֵנִי1 זֶה פַעֲמַיִם אֶת־
בְּכֹרָתִי לָקָח1 וְהִנֵּה עַתָּה לָקַח1 בִּרְכָתִי
וַיֹּאמַר1 הֲלֹא־אָצַלְתָּ1 לִּי בְּרָכָה: לז וַיַּעַן1
יִצְחָק וַיֹּאמֶר1 לְעֵשָׂו הֵן גְּבִיר שַׂמְתִּיו1 לָךְ
וְאֶת־כָּל־אֶחָיו נָתַתִּי1 לוֹ לַעֲבָדִים וְדָגָן
וְתִירֹשׁ סְמַכְתִּיו1 וּלְכָה אֵפוֹא מָה אֶעֱשֶׂה1
בְּנִי: לח וַיֹּאמֶר1 עֵשָׂו אֶל־אָבִיו הַבְרָכָה
אַחַת הִוא־לְךָ אָבִי בָּרְכֵנִי3 גַם־אָנִי אָבִי
וַיִּשָּׂא1 עֵשָׂו קֹלוֹ וַיֵּבְךְּ1: לט וַיַּעַן1 יִצְחָק
אָבִיו וַיֹּאמֶר1 אֵלָיו הִנֵּה מִשְׁמַנֵּי הָאָרֶץ
יִהְיֶה1 מוֹשָׁבֶךָ וּמִטַּל הַשָּׁמַיִם מֵעָל:

מ וְעַל־חַרְבְּךָ תִחְיֶה1 וְאֶת־אָחִיךָ תַּעֲבֹד1
וְהָיָה1 כַּאֲשֶׁר תָּרִיד5 וּפָרַקְתָּ1 עֻלּוֹ מֵעַל
צַוָּארֶךָ: מא וַיִּשְׂטֹם1 עֵשָׂו אֶת־יַעֲקֹב עַל־
הַבְּרָכָה אֲשֶׁר בֵּרְכוֹ3 אָבִיו וַיֹּאמֶר1 עֵשָׂו
בְּלִבּוֹ יִקְרְבוּ1 יְמֵי אֵבֶל אָבִי וְאַהַרְגָה1
אֶת־יַעֲקֹב אָחִי: מב וַיֻּגַּד6 לְרִבְקָה אֶת־דִּבְרֵי
עֵשָׂו בְּנָהּ הַגָּדֹל וַתִּשְׁלַח1 וַתִּקְרָא1 לְיַעֲקֹב
בְּנָהּ הַקָּטָן וַתֹּאמֶר1 אֵלָיו הִנֵּה עֵשָׂו אָחִיךָ
מִתְנַחֵם7 לְךָ לְהָרְגֶךָ1: מג וְעַתָּה בְנִי שְׁמַע1
בְּקֹלִי וְקוּם1 בְּרַח1־לְךָ אֶל־לָבָן אָחִי חָרָנָה:
מד וְיָשַׁבְתָּ1 עִמּוֹ יָמִים אֲחָדִים עַד אֲשֶׁר־
תָּשׁוּב1 חֲמַת אָחִיךָ: מה עַד־שׁוּב1 אַף־
אָחִיךָ מִמְּךָ וְשָׁכַח1 אֵת אֲשֶׁר־עָשִׂיתָ1 לּוֹ
וְשָׁלַחְתִּי1 וּלְקַחְתִּיךָ1 מִשָּׁם לָמָה אֶשְׁכַּל1
גַּם־שְׁנֵיכֶם יוֹם אֶחָד: מו וַתֹּאמֶר1 רִבְקָה אֶל־
יִצְחָק קַצְתִּי1 בְחַיַּי מִפְּנֵי בְּנוֹת חֵת אִם־
לֹקֵחַ1 יַעֲקֹב אִשָּׁה מִבְּנוֹת־חֵת כָּאֵלֶּה
מִבְּנוֹת הָאָרֶץ לָמָּה לִּי חַיִּים: **כח** א וַיִּקְרָא1
יִצְחָק אֶל־יַעֲקֹב וַיְבָרֶךְ3 אֹתוֹ וַיְצַוֵּהוּ3 וַיֹּאמֶר1
לוֹ לֹא־תִקַּח1 אִשָּׁה מִבְּנוֹת כְּנָעַן: ב קוּם1
לֵךְ1 פַּדֶּנָה אֲרָם בֵּיתָה בְתוּאֵל אֲבִי אִמֶּךָ
וְקַח1־לְךָ מִשָּׁם אִשָּׁה מִבְּנוֹת לָבָן אֲחִי
אִמֶּךָ: ג וְאֵל שַׁדַּי יְבָרֵךְ3 אֹתְךָ וְיַפְרְךָ5
וְיַרְבֶּךָ5 וְהָיִיתָ1 לִקְהַל עַמִּים: ד וְיִתֶּן1־לְךָ
אֶת־בִּרְכַּת אַבְרָהָם לְךָ וּלְזַרְעֲךָ אִתָּךְ
לְרִשְׁתְּךָ1 אֶת־אֶרֶץ מְגֻרֶיךָ אֲשֶׁר־נָתַן1
אֱלֹהִים לְאַבְרָהָם: ה וַיִּשְׁלַח1 יִצְחָק אֶת־יַעֲקֹב
וַיֵּלֶךְ1 פַּדֶּנָה אֲרָם אֶל־לָבָן בֶּן־בְּתוּאֵל הָאֲרַמִּי
אֲחִי רִבְקָה אֵם יַעֲקֹב וְעֵשָׂו: ו וַיַּרְא1 עֵשָׂו
כִּי־בֵרַךְ3 יִצְחָק אֶת־יַעֲקֹב וְשִׁלַּח3 אֹתוֹ פַּדֶּנָה
אֲרָם לָקַחַת1־לוֹ מִשָּׁם אִשָּׁה בְּבָרְכוֹ3 אֹתוֹ
וַיְצַו3 עָלָיו לֵאמֹר1 לֹא־תִקַּח1 אִשָּׁה
מִבְּנוֹת כְּנָעַן: ז וַיִּשְׁמַע1 יַעֲקֹב אֶל־אָבִיו
וְאֶל־אִמּוֹ וַיֵּלֶךְ1 פַּדֶּנָה אֲרָם: ח וַיַּרְא1 עֵשָׂו
כִּי רָעוֹת בְּנוֹת כְּנָעַן בְּעֵינֵי יִצְחָק אָבִיו:
ט וַיֵּלֶךְ1 עֵשָׂו אֶל־יִשְׁמָעֵאל וַיִּקַּח1 אֶת־מָחֲלַת
| בַּת־יִשְׁמָעֵאל בֶּן־אַבְרָהָם אֲחוֹת נְבָיוֹת
עַל־נָשָׁיו לוֹ לְאִשָּׁה: **ס ס ס**

פרשת ויצא

י וַיֵּצֵא1 יַעֲקֹב מִבְּאֵר שָׁבַע וַיֵּלֶךְ1 חָרָנָה:
יא וַיִּפְגַּע1 בַּמָּקוֹם וַיָּלֶן1 שָׁם כִּי־בָא1 הַשֶּׁמֶשׁ
וַיִּקַּח1 מֵאַבְנֵי הַמָּקוֹם וַיָּשֶׂם1 מְרַאֲשֹׁתָיו
וַיִּשְׁכַּב1 בַּמָּקוֹם הַהוּא: יב וַיַּחֲלֹם1 וְהִנֵּה סֻלָּם
מֻצָּב6 אַרְצָה וְרֹאשׁוֹ מַגִּיעַ5 הַשָּׁמָיְמָה
וְהִנֵּה מַלְאֲכֵי אֱלֹהִים עֹלִים1 וְיֹרְדִים1 בּוֹ:
יג וְהִנֵּה יהוה נִצָּב2 עָלָיו וַיֹּאמַר1 אֲנִי יהוה
אֱלֹהֵי אַבְרָהָם אָבִיךָ וֵאלֹהֵי יִצְחָק הָאָרֶץ
אֲשֶׁר אַתָּה שֹׁכֵב1 עָלֶיהָ לְךָ אֶתְּנֶנָּה1
וּלְזַרְעֶךָ: יד וְהָיָה1 זַרְעֲךָ כַּעֲפַר הָאָרֶץ
וּפָרַצְתָּ1 יָמָּה וָקֵדְמָה וְצָפֹנָה וָנֶגְבָּה וְנִבְרְכוּ2
בְךָ כָּל־מִשְׁפְּחֹת הָאֲדָמָה וּבְזַרְעֶךָ: טו וְהִנֵּה
אָנֹכִי עִמָּךְ וּשְׁמַרְתִּיךָ1 בְּכֹל אֲשֶׁר־תֵּלֵךְ1
וַהֲשִׁבֹתִיךָ5 אֶל־הָאֲדָמָה הַזֹּאת כִּי לֹא
אֶעֱזָבְךָ1 עַד אֲשֶׁר אִם־עָשִׂיתִי1 אֵת אֲשֶׁר־
דִּבַּרְתִּי3 לָךְ: טז וַיִּיקַץ1 יַעֲקֹב מִשְּׁנָתוֹ וַיֹּאמֶר1
אָכֵן יֵשׁ יהוה בַּמָּקוֹם הַזֶּה וְאָנֹכִי לֹא
יָדָעְתִּי1: יז וַיִּירָא1 וַיֹּאמַר1 מַה־נּוֹרָא2 הַמָּקוֹם
הַזֶּה אֵין זֶה כִּי אִם־בֵּית אֱלֹהִים וְזֶה שַׁעַר
הַשָּׁמָיִם: יח וַיַּשְׁכֵּם5 יַעֲקֹב בַּבֹּקֶר וַיִּקַּח1
אֶת־הָאֶבֶן אֲשֶׁר־שָׂם1 מְרַאֲשֹׁתָיו וַיָּשֶׂם1
אֹתָהּ מַצֵּבָה וַיִּצֹק1 שֶׁמֶן עַל־רֹאשָׁהּ:
יט וַיִּקְרָא1 אֶת־שֵׁם־הַמָּקוֹם הַהוּא בֵּית־אֵל
וְאוּלָם לוּז שֵׁם־הָעִיר לָרִאשֹׁנָה: כ וַיִּדַּר1
יַעֲקֹב נֶדֶר לֵאמֹר1 אִם־יִהְיֶה1 אֱלֹהִים עִמָּדִי
וּשְׁמָרַנִי1 בַּדֶּרֶךְ הַזֶּה אֲשֶׁר אָנֹכִי הוֹלֵךְ1
וְנָתַן1־לִי לֶחֶם לֶאֱכֹל1 וּבֶגֶד לִלְבֹּשׁ1:
כא וְשַׁבְתִּי1 בְשָׁלוֹם אֶל־בֵּית אָבִי וְהָיָה1
יהוה לִי לֵאלֹהִים: כב וְהָאֶבֶן הַזֹּאת אֲשֶׁר־
שַׂמְתִּי1 מַצֵּבָה יִהְיֶה1 בֵּית אֱלֹהִים וְכֹל
אֲשֶׁר תִּתֶּן1־לִי עַשֵּׂר3 אֲעַשְּׂרֶנּוּ3 לָךְ: **כט**
א וַיִּשָּׂא1 יַעֲקֹב רַגְלָיו וַיֵּלֶךְ1 אַרְצָה בְנֵי־
קֶדֶם: ב וַיַּרְא1 וְהִנֵּה בְאֵר בַּשָּׂדֶה וְהִנֵּה־שָׁם
שְׁלֹשָׁה עֶדְרֵי־צֹאן רֹבְצִים1 עָלֶיהָ כִּי מִן־
הַבְּאֵר הַהִוא יַשְׁקוּ5 הָעֲדָרִים וְהָאֶבֶן גְּדֹלָה
עַל־פִּי הַבְּאֵר: ג וְנֶאֶסְפוּ2־שָׁמָּה כָל־

הָעֲדָרִים וְגָלְלוּ1 אֶת־הָאֶבֶן מֵעַל פִּי
הַבְּאֵר וְהִשְׁקוּ5 אֶת־הַצֹּאן וְהֵשִׁיבוּ5 אֶת־
הָאֶבֶן עַל־פִּי הַבְּאֵר לִמְקֹמָהּ: ד וַיֹּאמֶר1
לָהֶם יַעֲקֹב אַחַי מֵאַיִן אַתֶּם וַיֹּאמְרוּ1 מֵחָרָן
אֲנָחְנוּ: ה וַיֹּאמֶר1 לָהֶם הַיְדַעְתֶּם1 אֶת־לָבָן
בֶּן־נָחוֹר וַיֹּאמְרוּ1 יָדָעְנוּ1: ו וַיֹּאמֶר1 לָהֶם
הֲשָׁלוֹם לוֹ וַיֹּאמְרוּ1 שָׁלוֹם וְהִנֵּה רָחֵל בִּתּוֹ
בָּאָה1 עִם־הַצֹּאן: ז וַיֹּאמֶר1 הֵן עוֹד הַיּוֹם
גָּדוֹל לֹא־עֵת הֵאָסֵף2 הַמִּקְנֶה הַשְׁקוּ5
הַצֹּאן וּלְכוּ1 רְעוּ1: ח וַיֹּאמְרוּ1 לֹא נוּכַל1
עַד אֲשֶׁר יֵאָסְפוּ2 כָל־הָעֲדָרִים וְגָלְלוּ1 אֶת־
הָאֶבֶן מֵעַל פִּי הַבְּאֵר וְהִשְׁקִינוּ5 הַצֹּאן:
ט עוֹדֶנּוּ מְדַבֵּר3 עִמָּם וְרָחֵל | בָּאָה1 עִם־
הַצֹּאן אֲשֶׁר לְאָבִיהָ כִּי רֹעָה1 הִוא: י וַיְהִי1
כַּאֲשֶׁר רָאָה1 יַעֲקֹב אֶת־רָחֵל בַּת־לָבָן אֲחִי
אִמּוֹ וְאֶת־צֹאן לָבָן אֲחִי אִמּוֹ וַיִּגַּשׁ1 יַעֲקֹב
וַיָּגֶל5 אֶת־הָאֶבֶן מֵעַל פִּי הַבְּאֵר וַיַּשְׁקְ5
אֶת־צֹאן לָבָן אֲחִי אִמּוֹ: יא וַיִּשַּׁק1 יַעֲקֹב
לְרָחֵל וַיִּשָּׂא1 אֶת־קֹלוֹ וַיֵּבְךְּ1: יב וַיַּגֵּד5 יַעֲקֹב
לְרָחֵל כִּי אֲחִי אָבִיהָ הוּא וְכִי בֶן־רִבְקָה
הוּא וַתָּרָץ1 וַתַּגֵּד5 לְאָבִיהָ: יג וַיְהִי1
כִשְׁמֹעַ1 לָבָן אֶת־שֵׁמַע | יַעֲקֹב בֶּן־אֲחֹתוֹ
וַיָּרָץ1 לִקְרָאתוֹ1 וַיְחַבֶּק3־לוֹ וַיְנַשֶּׁק3־לוֹ
וַיְבִיאֵהוּ5 אֶל־בֵּיתוֹ וַיְסַפֵּר3 לְלָבָן אֵת כָּל־
הַדְּבָרִים הָאֵלֶּה: יד וַיֹּאמֶר1 לוֹ לָבָן אַךְ עַצְמִי
וּבְשָׂרִי אָתָּה וַיֵּשֶׁב1 עִמּוֹ חֹדֶשׁ יָמִים:
טו וַיֹּאמֶר1 לָבָן לְיַעֲקֹב הֲכִי־אָחִי אַתָּה
וַעֲבַדְתַּנִי1 חִנָּם הַגִּידָה5 לִּי מַה־מַּשְׂכֻּרְתֶּךָ:
טז וּלְלָבָן שְׁתֵּי בָנוֹת שֵׁם הַגְּדֹלָה לֵאָה
וְשֵׁם הַקְּטַנָּה רָחֵל: יז וְעֵינֵי לֵאָה רַכּוֹת וְרָחֵל
הָיְתָה1 יְפַת־תֹּאַר וִיפַת מַרְאֶה: יח וַיֶּאֱהַב1
יַעֲקֹב אֶת־רָחֵל וַיֹּאמֶר1 אֶעֱבָדְךָ1 שֶׁבַע שָׁנִים
בְּרָחֵל בִּתְּךָ הַקְּטַנָּה: יט וַיֹּאמֶר1 לָבָן טוֹב
תִּתִּי1 אֹתָהּ לָךְ מִתִּתִּי1 אֹתָהּ לְאִישׁ אַחֵר
שְׁבָה1 עִמָּדִי: כ וַיַּעֲבֹד1 יַעֲקֹב בְּרָחֵל שֶׁבַע
שָׁנִים וַיִּהְיוּ1 בְעֵינָיו כְּיָמִים אֲחָדִים
בְּאַהֲבָתוֹ1 אֹתָהּ: כא וַיֹּאמֶר1 יַעֲקֹב אֶל־לָבָן
הָבָה1 אֶת־אִשְׁתִּי כִּי מָלְאוּ1 יָמָי וְאָבוֹאָה1
אֵלֶיהָ: כב וַיֶּאֱסֹף1 לָבָן אֶת־כָּל־אַנְשֵׁי הַמָּקוֹם
וַיַּעַשׂ1 מִשְׁתֶּה: כג וַיְהִי1 בָעֶרֶב וַיִּקַּח1 אֶת־
לֵאָה בִתּוֹ וַיָּבֵא5 אֹתָהּ אֵלָיו וַיָּבֹא1 אֵלֶיהָ:
כד וַיִּתֵּן1 לָבָן לָהּ אֶת־זִלְפָּה שִׁפְחָתוֹ לְלֵאָה
בִתּוֹ שִׁפְחָה: כה וַיְהִי1 בַבֹּקֶר וְהִנֵּה־הִוא
לֵאָה וַיֹּאמֶר1 אֶל־לָבָן מַה־זֹּאת עָשִׂיתָ1 לִּי
הֲלֹא בְרָחֵל עָבַדְתִּי1 עִמָּךְ וְלָמָּה רִמִּיתָנִי3:
כו וַיֹּאמֶר1 לָבָן לֹא־יֵעָשֶׂה2 כֵן בִּמְקוֹמֵנוּ
לָתֵת1 הַצְּעִירָה לִפְנֵי הַבְּכִירָה: כז מַלֵּא3
שְׁבֻעַ זֹאת וְנִתְּנָה1 לְךָ גַּם־אֶת־זֹאת
בַּעֲבֹדָה אֲשֶׁר תַּעֲבֹד1 עִמָּדִי עוֹד שֶׁבַע־
שָׁנִים אֲחֵרוֹת: כח וַיַּעַשׂ1 יַעֲקֹב כֵּן וַיְמַלֵּא3
שְׁבֻעַ זֹאת וַיִּתֶּן1־לוֹ אֶת־רָחֵל בִּתּוֹ לוֹ
לְאִשָּׁה: כט וַיִּתֵּן1 לָבָן לְרָחֵל בִּתּוֹ אֶת־
בִּלְהָה שִׁפְחָתוֹ לָהּ לְשִׁפְחָה: ל וַיָּבֹא1 גַּם אֶל־
רָחֵל וַיֶּאֱהַב1 גַּם־אֶת־רָחֵל מִלֵּאָה וַיַּעֲבֹד1
עִמּוֹ עוֹד שֶׁבַע־שָׁנִים אֲחֵרוֹת: לא וַיַּרְא1
יהוה כִּי־שְׂנוּאָה1 לֵאָה וַיִּפְתַּח1 אֶת־רַחְמָהּ
וְרָחֵל עֲקָרָה: לב וַתַּהַר1 לֵאָה וַתֵּלֶד1 בֵּן
וַתִּקְרָא1 שְׁמוֹ רְאוּבֵן כִּי אָמְרָה1 כִּי־רָאָה1
יהוה בְּעָנְיִי כִּי עַתָּה יֶאֱהָבַנִי1 אִישִׁי:
לג וַתַּהַר1 עוֹד וַתֵּלֶד1 בֵּן וַתֹּאמֶר1 כִּי־שָׁמַע1
יהוה כִּי־שְׂנוּאָה1 אָנֹכִי וַיִּתֶּן1־לִי גַּם־אֶת־זֶה
וַתִּקְרָא1 שְׁמוֹ שִׁמְעוֹן: לד וַתַּהַר1 עוֹד וַתֵּלֶד1
בֵּן וַתֹּאמֶר1 עַתָּה הַפַּעַם יִלָּוֶה2 אִישִׁי אֵלַי
כִּי־יָלַדְתִּי1 לוֹ שְׁלֹשָׁה בָנִים עַל־כֵּן קָרָא1־
שְׁמוֹ לֵוִי: לה וַתַּהַר1 עוֹד וַתֵּלֶד1 בֵּן
וַתֹּאמֶר1 הַפַּעַם אוֹדֶה5 אֶת־יהוה עַל־כֵּן
קָרְאָה1 שְׁמוֹ יְהוּדָה וַתַּעֲמֹד1 מִלֶּדֶת1:
ל א וַתֵּרֶא1 רָחֵל כִּי לֹא יָלְדָה1 לְיַעֲקֹב
וַתְּקַנֵּא3 רָחֵל בַּאֲחֹתָהּ וַתֹּאמֶר1 אֶל־יַעֲקֹב
הָבָה1־לִּי בָנִים וְאִם־אַיִן מֵתָה אָנֹכִי:
ב וַיִּחַר1־אַף יַעֲקֹב בְּרָחֵל וַיֹּאמֶר1 הֲתַחַת
אֱלֹהִים אָנֹכִי אֲשֶׁר־מָנַע1 מִמֵּךְ פְּרִי־בָטֶן:
ג וַתֹּאמֶר1 הִנֵּה אֲמָתִי בִלְהָה בֹּא1 אֵלֶיהָ
וְתֵלֵד1 עַל־בִּרְכַּי וְאִבָּנֶה2 גַם־אָנֹכִי מִמֶּנָּה:
ד וַתִּתֶּן1־לוֹ אֶת־בִּלְהָה שִׁפְחָתָהּ לְאִשָּׁה
וַיָּבֹא1 אֵלֶיהָ יַעֲקֹב: ה וַתַּהַר1 בִּלְהָה וַתֵּלֶד1
לְיַעֲקֹב בֵּן: ו וַתֹּאמֶר1 רָחֵל דָּנַנִּי1 אֱלֹהִים וְגַם
שָׁמַע1 בְּקֹלִי וַיִּתֶּן1־לִי בֵּן עַל־כֵּן קָרְאָה1

שְׁמוֹ דָּן: ז וַתַּהַר עוֹד וַתֵּלֶד בִּלְהָה שִׁפְחַת
רָחֵל בֵּן שֵׁנִי לְיַעֲקֹב: ח וַתֹּאמֶר רָחֵל נַפְתּוּלֵי
אֱלֹהִים | נִפְתַּלְתִּי עִם־אֲחֹתִי גַּם־יָכֹלְתִּי
וַתִּקְרָא שְׁמוֹ נַפְתָּלִי: ט וַתֵּרֶא לֵאָה כִּי
עָמְדָה מִלֶּדֶת וַתִּקַּח אֶת־זִלְפָּה שִׁפְחָתָהּ
וַתִּתֵּן אֹתָהּ לְיַעֲקֹב לְאִשָּׁה: י וַתֵּלֶד זִלְפָּה
שִׁפְחַת לֵאָה לְיַעֲקֹב בֵּן: יא וַתֹּאמֶר לֵאָה בָּגָד
[בָּא גָד] וַתִּקְרָא אֶת־שְׁמוֹ גָּד: יב וַתֵּלֶד
זִלְפָּה שִׁפְחַת לֵאָה בֵּן שֵׁנִי לְיַעֲקֹב: יג וַתֹּאמֶר
לֵאָה בְּאָשְׁרִי כִּי אִשְּׁרוּנִי בָּנוֹת וַתִּקְרָא
אֶת־שְׁמוֹ אָשֵׁר: יד וַיֵּלֶךְ רְאוּבֵן בִּימֵי קְצִיר־
חִטִּים וַיִּמְצָא דוּדָאִים בַּשָּׂדֶה וַיָּבֵא אֹתָם
אֶל־לֵאָה אִמּוֹ וַתֹּאמֶר רָחֵל אֶל־לֵאָה תְּנִי־
נָא לִי מִדּוּדָאֵי בְּנֵךְ: טו וַתֹּאמֶר לָהּ הַמְעַט
קַחְתֵּךְ אֶת־אִישִׁי וְלָקַחַת גַּם אֶת־דּוּדָאֵי
בְּנִי וַתֹּאמֶר רָחֵל לָכֵן יִשְׁכַּב עִמָּךְ הַלַּיְלָה
תַּחַת דּוּדָאֵי בְנֵךְ: טז וַיָּבֹא יַעֲקֹב מִן־הַשָּׂדֶה
בָּעֶרֶב וַתֵּצֵא לֵאָה לִקְרָאתוֹ וַתֹּאמֶר אֵלַי
תָּבוֹא כִּי שָׂכֹר שְׂכַרְתִּיךָ בְּדוּדָאֵי בְּנִי
וַיִּשְׁכַּב עִמָּהּ בַּלַּיְלָה הוּא: יז וַיִּשְׁמַע
אֱלֹהִים אֶל־לֵאָה וַתַּהַר וַתֵּלֶד לְיַעֲקֹב בֵּן
חֲמִישִׁי: יח וַתֹּאמֶר לֵאָה נָתַן אֱלֹהִים שְׂכָרִי
אֲשֶׁר־נָתַתִּי שִׁפְחָתִי לְאִישִׁי וַתִּקְרָא שְׁמוֹ
יִשָּׂשכָר: יט וַתַּהַר עוֹד לֵאָה וַתֵּלֶד בֵּן־
שִׁשִּׁי לְיַעֲקֹב: כ וַתֹּאמֶר לֵאָה זְבָדַנִי אֱלֹהִים |
אֹתִי זֵבֶד טוֹב הַפַּעַם יִזְבְּלֵנִי אִישִׁי כִּי־
יָלַדְתִּי לוֹ שִׁשָּׁה בָנִים וַתִּקְרָא אֶת־שְׁמוֹ
זְבֻלוּן: כא וְאַחַר יָלְדָה בַּת וַתִּקְרָא אֶת־
שְׁמָהּ דִּינָה: כב וַיִּזְכֹּר אֱלֹהִים אֶת־רָחֵל
וַיִּשְׁמַע אֵלֶיהָ אֱלֹהִים וַיִּפְתַּח אֶת־רַחְמָהּ:
כג וַתַּהַר וַתֵּלֶד בֵּן וַתֹּאמֶר אָסַף אֱלֹהִים
אֶת־חֶרְפָּתִי: כד וַתִּקְרָא אֶת־שְׁמוֹ יוֹסֵף
לֵאמֹר יֹסֵף יהוה לִי בֵּן אַחֵר: כה וַיְהִי
כַּאֲשֶׁר יָלְדָה רָחֵל אֶת־יוֹסֵף וַיֹּאמֶר יַעֲקֹב
אֶל־לָבָן שַׁלְּחֵנִי וְאֵלְכָה אֶל־מְקוֹמִי
וּלְאַרְצִי: כו תְּנָה אֶת־נָשַׁי וְאֶת־יְלָדַי אֲשֶׁר
עָבַדְתִּי אֹתְךָ בָּהֵן וְאֵלֵכָה כִּי אַתָּה יָדַעְתָּ
אֶת־עֲבֹדָתִי אֲשֶׁר עֲבַדְתִּיךָ: כז וַיֹּאמֶר אֵלָיו
לָבָן אִם־נָא מָצָאתִי חֵן בְּעֵינֶיךָ נִחַשְׁתִּי
וַיְבָרְכֵנִי יהוה בִּגְלָלֶךָ: כח וַיֹּאמַר נָקְבָה
שְׂכָרְךָ עָלַי וְאֶתֵּנָה: כט וַיֹּאמֶר אֵלָיו אַתָּה
יָדַעְתָּ אֵת אֲשֶׁר עֲבַדְתִּיךָ וְאֵת אֲשֶׁר־הָיָה
מִקְנְךָ אִתִּי: ל כִּי מְעַט אֲשֶׁר־הָיָה לְךָ
לְפָנַי וַיִּפְרֹץ לָרֹב וַיְבָרֶךְ יהוה אֹתְךָ
לְרַגְלִי וְעַתָּה מָתַי אֶעֱשֶׂה גַם־אָנֹכִי לְבֵיתִי:
לא וַיֹּאמֶר מָה אֶתֶּן־לָךְ וַיֹּאמֶר יַעֲקֹב לֹא־
תִתֶּן־לִי מְאוּמָה אִם־תַּעֲשֶׂה־לִּי הַדָּבָר
הַזֶּה אָשׁוּבָה אֶרְעֶה צֹאנְךָ אֶשְׁמֹר:
לב אֶעֱבֹר בְּכָל־צֹאנְךָ הַיּוֹם הָסֵר מִשָּׁם
כָּל־שֶׂה | נָקֹד וְטָלוּא וְכָל־שֶׂה־חוּם
בַּכְּשָׂבִים וְטָלוּא וְנָקֹד בָּעִזִּים וְהָיָה שְׂכָרִי:
לג וְעָנְתָה־בִּי צִדְקָתִי בְּיוֹם מָחָר כִּי־תָבוֹא
עַל־שְׂכָרִי לְפָנֶיךָ כֹּל אֲשֶׁר־אֵינֶנּוּ נָקֹד
וְטָלוּא בָּעִזִּים וְחוּם בַּכְּשָׂבִים גָּנוּב הוּא
אִתִּי: לד וַיֹּאמֶר לָבָן הֵן לוּ יְהִי כִדְבָרֶךָ:
לה וַיָּסַר בַּיּוֹם הַהוּא אֶת־הַתְּיָשִׁים הָעֲקֻדִּים
וְהַטְּלֻאִים וְאֵת כָּל־הָעִזִּים הַנְּקֻדּוֹת
וְהַטְּלֻאֹת כֹּל אֲשֶׁר־לָבָן בּוֹ וְכָל־חוּם
בַּכְּשָׂבִים וַיִּתֵּן בְּיַד־בָּנָיו: לו וַיָּשֶׂם דֶּרֶךְ
שְׁלֹשֶׁת יָמִים בֵּינוֹ וּבֵין יַעֲקֹב וְיַעֲקֹב רֹעֶה
אֶת־צֹאן לָבָן הַנּוֹתָרֹת: לז וַיִּקַּח־לוֹ יַעֲקֹב
מַקַּל לִבְנֶה לַח וְלוּז וְעַרְמוֹן וַיְפַצֵּל בָּהֵן
פְּצָלוֹת לְבָנוֹת מַחְשֹׂף הַלָּבָן אֲשֶׁר עַל־
הַמַּקְלוֹת: לח וַיַּצֵּג אֶת־הַמַּקְלוֹת אֲשֶׁר פִּצֵּל
בָּרְהָטִים בְּשִׁקְתוֹת הַמָּיִם אֲשֶׁר תָּבֹאןָ
הַצֹּאן לִשְׁתּוֹת לְנֹכַח הַצֹּאן וַיֵּחַמְנָה
בְּבֹאָן לִשְׁתּוֹת: לט וַיֶּחֱמוּ הַצֹּאן אֶל־
הַמַּקְלוֹת וַתֵּלַדְןָ הַצֹּאן עֲקֻדִּים נְקֻדִּים
וּטְלֻאִים: מ וְהַכְּשָׂבִים הִפְרִיד יַעֲקֹב וַיִּתֵּן
פְּנֵי הַצֹּאן אֶל־עָקֹד וְכָל־חוּם בְּצֹאן לָבָן
וַיָּשֶׁת לוֹ עֲדָרִים לְבַדּוֹ וְלֹא שָׁתָם עַל־
צֹאן לָבָן: מא וְהָיָה בְּכָל־יַחֵם הַצֹּאן
הַמְקֻשָּׁרוֹת וְשָׂם יַעֲקֹב אֶת־הַמַּקְלוֹת לְעֵינֵי
הַצֹּאן בָּרְהָטִים לְיַחְמֵנָּה בַּמַּקְלוֹת:
מב וּבְהַעֲטִיף הַצֹּאן לֹא יָשִׂים וְהָיָה
הָעֲטֻפִים לְלָבָן וְהַקְּשֻׁרִים לְיַעֲקֹב: מג וַיִּפְרֹץ
הָאִישׁ מְאֹד מְאֹד וַיְהִי־לוֹ צֹאן רַבּוֹת
וּשְׁפָחוֹת וַעֲבָדִים וּגְמַלִּים וַחֲמֹרִים:

לא א וַיִּשְׁמַע1 אֶת־דִּבְרֵי בְנֵי־לָבָן לֵאמֹר1
לָקַח1 יַעֲקֹב אֵת כָּל־אֲשֶׁר לְאָבִינוּ וּמֵאֲשֶׁר
לְאָבִינוּ עָשָׂה1 אֵת כָּל־הַכָּבֹד הַזֶּה:
ב וַיַּרְא1 יַעֲקֹב אֶת־פְּנֵי לָבָן וְהִנֵּה אֵינֶנּוּ
עִמּוֹ כִּתְמוֹל שִׁלְשׁוֹם: ג וַיֹּאמֶר1 יהוה אֶל־
יַעֲקֹב שׁוּב1 אֶל־אֶרֶץ אֲבוֹתֶיךָ וּלְמוֹלַדְתֶּךָ
וְאֶהְיֶה1 עִמָּךְ: ד וַיִּשְׁלַח1 יַעֲקֹב וַיִּקְרָא1 לְרָחֵל
וּלְלֵאָה הַשָּׂדֶה אֶל־צֹאנוֹ: ה וַיֹּאמֶר1 לָהֶן
רֹאֶה1 אָנֹכִי אֶת־פְּנֵי אֲבִיכֶן כִּי־אֵינֶנּוּ אֵלַי
כִּתְמֹל שִׁלְשֹׁם וֵאלֹהֵי אָבִי הָיָה1 עִמָּדִי:
ו וְאַתֵּנָה יְדַעְתֶּן1 כִּי בְּכָל־כֹּחִי עָבַדְתִּי1
אֶת־אֲבִיכֶן: ז וַאֲבִיכֶן הֵתֶל3 בִּי וְהֶחֱלִף5
אֶת־מַשְׂכֻּרְתִּי עֲשֶׂרֶת מֹנִים וְלֹא־נְתָנוֹ1
אֱלֹהִים לְהָרַע5 עִמָּדִי: ח אִם־כֹּה יֹאמַר1
נְקֻדִּים יִהְיֶה1 שְׂכָרֶךָ וְיָלְדוּ1 כָל־הַצֹּאן
נְקֻדִּים וְאִם־כֹּה יֹאמַר1 עֲקֻדִּים יִהְיֶה1 שְׂכָרֶךָ
וְיָלְדוּ1 כָל־הַצֹּאן עֲקֻדִּים: ט וַיַּצֵּל5 אֱלֹהִים
אֶת־מִקְנֵה אֲבִיכֶם וַיִּתֶּן1־לִי: י וַיְהִי1 בְּעֵת
יַחֵם3 הַצֹּאן וָאֶשָּׂא1 עֵינַי וָאֵרֶא1 בַּחֲלוֹם
וְהִנֵּה הָעַתֻּדִים הָעֹלִים1 עַל־הַצֹּאן עֲקֻדִּים
נְקֻדִּים וּבְרֻדִּים: יא וַיֹּאמֶר1 אֵלַי מַלְאַךְ
הָאֱלֹהִים בַּחֲלוֹם יַעֲקֹב וָאֹמַר1 הִנֵּנִי:
יב וַיֹּאמֶר1 שָׂא־נָא עֵינֶיךָ וּרְאֵה1 כָּל־
הָעַתֻּדִים הָעֹלִים1 עַל־הַצֹּאן עֲקֻדִּים
נְקֻדִּים וּבְרֻדִּים כִּי רָאִיתִי1 אֵת כָּל־אֲשֶׁר
לָבָן עֹשֶׂה1 לָּךְ: יג אָנֹכִי הָאֵל בֵּית־אֵל אֲשֶׁר
מָשַׁחְתָּ1 שָּׁם מַצֵּבָה אֲשֶׁר נָדַרְתָּ1 לִּי שָׁם
נֶדֶר עַתָּה קוּם1 צֵא1 מִן־הָאָרֶץ הַזֹּאת
וְשׁוּב1 אֶל־אֶרֶץ מוֹלַדְתֶּךָ: יד וַתַּעַן1 רָחֵל
וְלֵאָה וַתֹּאמַרְנָה1 לוֹ הַעוֹד לָנוּ חֵלֶק וְנַחֲלָה
בְּבֵית אָבִינוּ: טו הֲלוֹא נָכְרִיּוֹת נֶחְשַׁבְנוּ2 לוֹ
כִּי מְכָרָנוּ1 וַיֹּאכַל1 גַּם־אָכוֹל1 אֶת־כַּסְפֵּנוּ:
טז כִּי כָל־הָעֹשֶׁר אֲשֶׁר הִצִּיל5 אֱלֹהִים
מֵאָבִינוּ לָנוּ הוּא וּלְבָנֵינוּ וְעַתָּה כֹּל אֲשֶׁר
אָמַר1 אֱלֹהִים אֵלֶיךָ עֲשֵׂה1: יז וַיָּקָם1 יַעֲקֹב
וַיִּשָּׂא1 אֶת־בָּנָיו וְאֶת־נָשָׁיו עַל־הַגְּמַלִּים:
יח וַיִּנְהַג1 אֶת־כָּל־מִקְנֵהוּ וְאֶת־כָּל־רְכֻשׁוֹ
אֲשֶׁר רָכָשׁ1 מִקְנֵה קִנְיָנוֹ אֲשֶׁר רָכַשׁ1 בְּפַדַּן
אֲרָם לָבוֹא1 אֶל־יִצְחָק אָבִיו אַרְצָה כְּנָעַן:

יט וְלָבָן הָלַךְ1 לִגְזֹז1 אֶת־צֹאנוֹ וַתִּגְנֹב1 רָחֵל
אֶת־הַתְּרָפִים אֲשֶׁר לְאָבִיהָ: כ וַיִּגְנֹב1 יַעֲקֹב
אֶת־לֵב לָבָן הָאֲרַמִּי עַל־בְּלִי הִגִּיד5 לוֹ כִּי
בֹרֵחַ1 הוּא: כא וַיִּבְרַח1 הוּא וְכָל־אֲשֶׁר־לוֹ
וַיָּקָם1 וַיַּעֲבֹר1 אֶת־הַנָּהָר וַיָּשֶׂם1 אֶת־פָּנָיו
הַר הַגִּלְעָד: כב וַיֻּגַּד6 לְלָבָן בַּיּוֹם הַשְּׁלִישִׁי כִּי
בָרַח1 יַעֲקֹב: כג וַיִּקַּח1 אֶת־אֶחָיו עִמּוֹ
וַיִּרְדֹּף1 אַחֲרָיו דֶּרֶךְ שִׁבְעַת יָמִים וַיַּדְבֵּק5
אֹתוֹ בְּהַר הַגִּלְעָד: כד וַיָּבֹא1 אֱלֹהִים אֶל־לָבָן
הָאֲרַמִּי בַּחֲלֹם הַלָּיְלָה וַיֹּאמֶר1 לוֹ הִשָּׁמֶר2 לְךָ
פֶּן־תְּדַבֵּר3 עִם־יַעֲקֹב מִטּוֹב עַד־רָע:
כה וַיַּשֵּׂג5 לָבָן אֶת־יַעֲקֹב וְיַעֲקֹב תָּקַע1 אֶת־
אָהֳלוֹ בָּהָר וְלָבָן תָּקַע1 אֶת־אֶחָיו בְּהַר
הַגִּלְעָד: כו וַיֹּאמֶר1 לָבָן לְיַעֲקֹב מֶה עָשִׂיתָ1
וַתִּגְנֹב1 אֶת־לְבָבִי וַתְּנַהֵג3 אֶת־בְּנֹתַי
כִּשְׁבֻיוֹת חָרֶב: כז לָמָּה נַחְבֵּאתָ2 לִבְרֹחַ1
וַתִּגְנֹב1 אֹתִי וְלֹא־הִגַּדְתָּ5 לִּי וָאֲשַׁלֵּחֲךָ3
בְּשִׂמְחָה וּבְשִׁרִים בְּתֹף וּבְכִנּוֹר: כח וְלֹא
נְטַשְׁתַּנִי1 לְנַשֵּׁק3 לְבָנַי וְלִבְנֹתָי עַתָּה
הִסְכַּלְתָּ5 עֲשׂוֹ1: כט יֶשׁ־לְאֵל יָדִי לַעֲשׂוֹת1
עִמָּכֶם רָע וֵאלֹהֵי אֲבִיכֶם אֶמֶשׁ | אָמַר1
אֵלַי לֵאמֹר1 הִשָּׁמֶר2 לְךָ מִדַּבֵּר3 עִם־יַעֲקֹב
מִטּוֹב עַד־רָע: ל וְעַתָּה הָלֹךְ1 הָלַכְתָּ1 כִּי־
נִכְסֹף1 נִכְסַפְתָּה2 לְבֵית אָבִיךָ לָמָּה גָנַבְתָּ1
אֶת־אֱלֹהָי: לא וַיַּעַן1 יַעֲקֹב וַיֹּאמֶר1 לְלָבָן כִּי
יָרֵאתִי1 כִּי אָמַרְתִּי1 פֶּן־תִּגְזֹל1 אֶת־בְּנוֹתֶיךָ
מֵעִמִּי: לב עִם אֲשֶׁר תִּמְצָא1 אֶת־אֱלֹהֶיךָ
לֹא יִחְיֶה1 נֶגֶד אַחֵינוּ הַכֶּר5־לְךָ מָה עִמָּדִי
וְקַח1־לָךְ וְלֹא־יָדַע1 יַעֲקֹב כִּי רָחֵל גְּנָבָתַם1:
לג וַיָּבֹא1 לָבָן בְּאֹהֶל־יַעֲקֹב | וּבְאֹהֶל לֵאָה
וּבְאֹהֶל שְׁתֵּי הָאֲמָהֹת וְלֹא מָצָא1 וַיֵּצֵא1
מֵאֹהֶל לֵאָה וַיָּבֹא1 בְּאֹהֶל רָחֵל: לד וְרָחֵל
לָקְחָה1 אֶת־הַתְּרָפִים וַתְּשִׂמֵם1 בְּכַר הַגָּמָל
וַתֵּשֶׁב1 עֲלֵיהֶם וַיְמַשֵּׁשׁ3 לָבָן אֶת־כָּל־
הָאֹהֶל וְלֹא מָצָא1: לה וַתֹּאמֶר1 אֶל־אָבִיהָ
אַל־יִחַר1 בְּעֵינֵי אֲדֹנִי כִּי לוֹא אוּכַל1 לָקוּם1
מִפָּנֶיךָ כִּי־דֶרֶךְ נָשִׁים לִי וַיְחַפֵּשׂ3 וְלֹא
מָצָא1 אֶת־הַתְּרָפִים: לו וַיִּחַר1 לְיַעֲקֹב וַיָּרֶב5
בְּלָבָן וַיַּעַן1 יַעֲקֹב וַיֹּאמֶר1 לְלָבָן מַה־פִּשְׁעִי

מַה חַטָּאתִי כִּי דָלַקְתָּ1 אַחֲרָי: לז כִּי־מִשַּׁשְׁתָּ3
אֶת־כָּל־כֵּלַי מַה־מָּצָאתָ1 מִכֹּל כְּלֵי־בֵיתֶךָ
שִׂים1 כֹּה נֶגֶד אַחַי וְאַחֶיךָ וְיוֹכִיחוּ5 בֵּין
שְׁנֵינוּ: לח זֶה עֶשְׂרִים שָׁנָה אָנֹכִי עִמָּךְ
רְחֵלֶיךָ וְעִזֶּיךָ לֹא שִׁכֵּלוּ3 וְאֵילֵי צֹאנְךָ לֹא
אָכָלְתִּי1: לט טְרֵפָה לֹא־הֵבֵאתִי5 אֵלֶיךָ אָנֹכִי
אֲחַטֶּנָּה3 מִיָּדִי תְּבַקְשֶׁנָּה3 גְּנֻבְתִי1 יוֹם
וּגְנֻבְתִי1 לָיְלָה: מ הָיִיתִי1 בַיּוֹם אֲכָלַנִי1 חֹרֶב
וְקֶרַח בַּלָּיְלָה וַתִּדַּד1 שְׁנָתִי מֵעֵינָי: מא זֶה־לִּי
עֶשְׂרִים שָׁנָה בְּבֵיתֶךָ עֲבַדְתִּיךָ1 אַרְבַּע־
עֶשְׂרֵה שָׁנָה בִּשְׁתֵּי בְנֹתֶיךָ וְשֵׁשׁ שָׁנִים
בְּצֹאנֶךָ וַתַּחֲלֵף5 אֶת־מַשְׂכֻּרְתִּי עֲשֶׂרֶת
מֹנִים1: מב לוּלֵי אֱלֹהֵי אָבִי אֱלֹהֵי אַבְרָהָם
וּפַחַד יִצְחָק הָיָה1 לִי כִּי עַתָּה רֵיקָם שִׁלַּחְתָּנִי3
אֶת־עָנְיִי וְאֶת־יְגִיעַ כַּפַּי רָאָה1 אֱלֹהִים
וַיּוֹכַח5 אָמֶשׁ: מג וַיַּעַן1 לָבָן וַיֹּאמֶר1 אֶל־יַעֲקֹב
הַבָּנוֹת בְּנֹתַי וְהַבָּנִים בָּנַי וְהַצֹּאן צֹאנִי
וְכֹל אֲשֶׁר־אַתָּה רֹאֶה1 לִי הוּא וְלִבְנֹתַי מָה־
אֶעֱשֶׂה1 לָאֵלֶּה הַיּוֹם אוֹ לִבְנֵיהֶן אֲשֶׁר יָלָדוּ1:
מד וְעַתָּה לְכָה1 נִכְרְתָה1 בְרִית אֲנִי וָאָתָּה
וְהָיָה1 לְעֵד בֵּינִי וּבֵינֶךָ: מה וַיִּקַּח1 יַעֲקֹב אָבֶן
וַיְרִימֶהָ5 מַצֵּבָה: מו וַיֹּאמֶר1 יַעֲקֹב לְאֶחָיו
לִקְטוּ1 אֲבָנִים וַיִּקְחוּ1 אֲבָנִים וַיַּעֲשׂוּ1־גָל
וַיֹּאכְלוּ1 שָׁם עַל־הַגָּל: מז וַיִּקְרָא1־לוֹ לָבָן יְגַר
שָׂהֲדוּתָא וְיַעֲקֹב קָרָא1 לוֹ גַּלְעֵד: מח וַיֹּאמֶר1 לָבָן
הַגַּל הַזֶּה עֵד בֵּינִי וּבֵינְךָ הַיּוֹם עַל־כֵּן
קָרָא1־שְׁמוֹ גַּלְעֵד: מט וְהַמִּצְפָּה אֲשֶׁר אָמַר1
יִצֶף1 יהוה בֵּינִי וּבֵינֶךָ כִּי נִסָּתֵר2 אִישׁ מֵרֵעֵהוּ:
נ אִם־תְּעַנֶּה3 אֶת־בְּנֹתַי וְאִם־תִּקַּח1 נָשִׁים
עַל־בְּנֹתַי אֵין אִישׁ עִמָּנוּ רְאֵה1 אֱלֹהִים
עֵד בֵּינִי וּבֵינֶךָ: נא וַיֹּאמֶר1 לָבָן לְיַעֲקֹב הִנֵּה |
הַגַּל הַזֶּה וְהִנֵּה הַמַּצֵּבָה אֲשֶׁר יָרִיתִי1 בֵּינִי
וּבֵינֶךָ: נב עֵד הַגַּל הַזֶּה וְעֵדָה הַמַּצֵּבָה אִם־
אָנִי לֹא־אֶעֱבֹר1 אֵלֶיךָ אֶת־הַגַּל הַזֶּה וְאִם־
אַתָּה לֹא־תַעֲבֹר1 אֵלַי אֶת־הַגַּל הַזֶּה וְאֶת־
הַמַּצֵּבָה הַזֹּאת לְרָעָה: נג אֱלֹהֵי אַבְרָהָם
וֵאלֹהֵי נָחוֹר יִשְׁפְּטוּ1 בֵינֵינוּ אֱלֹהֵי אֲבִיהֶם
וַיִּשָּׁבַע2 יַעֲקֹב בְּפַחַד אָבִיו יִצְחָק: נד וַיִּזְבַּח1
יַעֲקֹב זֶבַח בָּהָר וַיִּקְרָא1 לְאֶחָיו לֶאֱכָל1־לָחֶם
וַיֹּאכְלוּ1 לֶחֶם וַיָּלִינוּ1 בָּהָר: **לב** א וַיַּשְׁכֵּם5 לָבָן
בַּבֹּקֶר וַיְנַשֵּׁק3 לְבָנָיו וְלִבְנוֹתָיו וַיְבָרֶךְ3
אֶתְהֶם וַיֵּלֶךְ1 וַיָּשָׁב1 לָבָן לִמְקֹמוֹ: ב וְיַעֲקֹב
הָלַךְ1 לְדַרְכּוֹ וַיִּפְגְּעוּ1־בוֹ מַלְאֲכֵי אֱלֹהִים:
ג וַיֹּאמֶר1 יַעֲקֹב כַּאֲשֶׁר רָאָם1 מַחֲנֵה אֱלֹהִים
זֶה וַיִּקְרָא1 שֵׁם־הַמָּקוֹם הַהוּא מַחֲנָיִם: **פ פ פ**

פרשת וישלח

ד וַיִּשְׁלַח1 יַעֲקֹב מַלְאָכִים לְפָנָיו אֶל־עֵשָׂו
אָחִיו אַרְצָה שֵׂעִיר שְׂדֵה אֱדוֹם: ה וַיְצַו3
אֹתָם לֵאמֹר1 כֹּה תֹאמְרוּן1 לַאדֹנִי לְעֵשָׂו כֹּה
אָמַר1 עַבְדְּךָ יַעֲקֹב עִם־לָבָן גַּרְתִּי1 וָאֵחַר1
עַד־עָתָּה: ו וַיְהִי1־לִי שׁוֹר וַחֲמוֹר צֹאן וְעֶבֶד
וְשִׁפְחָה וָאֶשְׁלְחָה1 לְהַגִּיד5 לַאדֹנִי לִמְצֹא־
חֵן בְּעֵינֶיךָ: ז וַיָּשֻׁבוּ1 הַמַּלְאָכִים אֶל־יַעֲקֹב
לֵאמֹר1 בָּאנוּ1 אֶל־אָחִיךָ אֶל־עֵשָׂו וְגַם הֹלֵךְ1
לִקְרָא(ה)תְךָ וְאַרְבַּע־מֵאוֹת אִישׁ עִמּוֹ:
ח וַיִּירָא1 יַעֲקֹב מְאֹד וַיֵּצֶר2 לוֹ וַיַּחַץ1 אֶת־
הָעָם אֲשֶׁר־אִתּוֹ וְאֶת־הַצֹּאן וְאֶת־הַבָּקָר
וְהַגְּמַלִּים לִשְׁנֵי מַחֲנוֹת: ט וַיֹּאמֶר1 אִם־
יָבוֹא1 עֵשָׂו אֶל־הַמַּחֲנֶה הָאַחַת וְהִכָּהוּ5
וְהָיָה1 הַמַּחֲנֶה הַנִּשְׁאָר2 לִפְלֵיטָה: י וַיֹּאמֶר1
יַעֲקֹב אֱלֹהֵי אָבִי אַבְרָהָם וֵאלֹהֵי אָבִי יִצְחָק
יהוה הָאֹמֵר1 אֵלַי שׁוּב1 לְאַרְצְךָ וּלְמוֹלַדְתְּךָ
וְאֵיטִיבָה5 עִמָּךְ: יא קָטֹנְתִּי1 מִכֹּל הַחֲסָדִים
וּמִכָּל־הָאֱמֶת אֲשֶׁר עָשִׂיתָ1 אֶת־עַבְדֶּךָ כִּי
בְמַקְלִי עָבַרְתִּי1 אֶת־הַיַּרְדֵּן הַזֶּה וְעַתָּה
הָיִיתִי1 לִשְׁנֵי מַחֲנוֹת: יב הַצִּילֵנִי5 נָא
מִיַּד אָחִי מִיַּד עֵשָׂו כִּי־יָרֵא1 אָנֹכִי אֹתוֹ
פֶּן־יָבוֹא1 וְהִכַּנִי5 אֵם עַל־בָּנִים: יג וְאַתָּה
אָמַרְתָּ1 הֵיטֵב5 אֵיטִיב5 עִמָּךְ וְשַׂמְתִּי1 אֶת־
זַרְעֲךָ כְּחוֹל הַיָּם אֲשֶׁר לֹא־יִסָּפֵר2 מֵרֹב:
יד וַיָּלֶן1 שָׁם בַּלַּיְלָה הַהוּא וַיִּקַּח1 מִן־הַבָּא1
בְיָדוֹ מִנְחָה לְעֵשָׂו אָחִיו: טו עִזִּים מָאתַיִם
וּתְיָשִׁים עֶשְׂרִים רְחֵלִים מָאתַיִם וְאֵילִים
עֶשְׂרִים: טז גְּמַלִּים מֵינִיקוֹת5 וּבְנֵיהֶם

שְׁלֹשִׁים פָּרוֹת אַרְבָּעִים וּפָרִים עֲשָׂרָה
אֲתֹנֹת עֶשְׂרִים וַעְיָרִם עֲשָׂרָה: יז וַיִּתֵּן1 בְּיַד־
עֲבָדָיו עֵדֶר עֵדֶר לְבַדּוֹ וַיֹּאמֶר1 אֶל־עֲבָדָיו
עִבְרוּ1 לְפָנַי וְרֶוַח תָּשִׂימוּ1 בֵּין עֵדֶר וּבֵין
עֵדֶר: יח וַיְצַו3 אֶת־הָרִאשׁוֹן לֵאמֹר1 כִּי
יִפְגָּשְׁךָ1 עֵשָׂו אָחִי וּשְׁאֵלְךָ1 לֵאמֹר1 לְמִי־
אַתָּה וְאָנָה תֵלֵךְ1 וּלְמִי אֵלֶּה לְפָנֶיךָ:
יט וְאָמַרְתָּ1 לְעַבְדְּךָ לְיַעֲקֹב מִנְחָה הִוא
שְׁלוּחָה1 לַאדֹנִי לְעֵשָׂו וְהִנֵּה גַם־הוּא אַחֲרֵינוּ:
כ וַיְצַו3 גַּם אֶת־הַשֵּׁנִי גַּם אֶת־הַשְּׁלִישִׁי גַּם
אֶת־כָּל־הַהֹלְכִים1 אַחֲרֵי הָעֲדָרִים לֵאמֹר1
כַּדָּבָר הַזֶּה תְּדַבְּרוּן3 אֶל־עֵשָׂו בְּמֹצַאֲכֶם1
אֹתוֹ: כא וַאֲמַרְתֶּם1 גַּם הִנֵּה עַבְדְּךָ יַעֲקֹב
אַחֲרֵינוּ כִּי־אָמַר1 אֲכַפְּרָה3 פָנָיו בַּמִּנְחָה
הַהֹלֶכֶת1 לְפָנָי וְאַחֲרֵי־כֵן אֶרְאֶה1 פָנָיו
אוּלַי יִשָּׂא1 פָנָי: כב וַתַּעֲבֹר1 הַמִּנְחָה עַל־
פָּנָיו וְהוּא לָן1 בַּלַּיְלָה־הַהוּא בַּמַּחֲנֶה:
כג וַיָּקָם1 | בַּלַּיְלָה הוּא וַיִּקַּח1 אֶת־שְׁתֵּי
נָשָׁיו וְאֶת־שְׁתֵּי שִׁפְחֹתָיו וְאֶת־אַחַד
עָשָׂר יְלָדָיו וַיַּעֲבֹר1 אֵת מַעֲבַר יַבֹּק:
כד וַיִּקָּחֵם1 וַיַּעֲבִרֵם5 אֶת־הַנָּחַל וַיַּעֲבֵר5 אֶת־
אֲשֶׁר־לוֹ: כה וַיִּוָּתֵר2 יַעֲקֹב לְבַדּוֹ וַיֵּאָבֵק2 אִישׁ
עִמּוֹ עַד עֲלוֹת1 הַשָּׁחַר: כו וַיַּרְא1 כִּי לֹא
יָכֹל1 לוֹ וַיִּגַּע1 בְּכַף־יְרֵכוֹ וַתֵּקַע1 כַּף־יֶרֶךְ
יַעֲקֹב בְּהֵאָבְקוֹ2 עִמּוֹ: כז וַיֹּאמֶר1 שַׁלְּחֵנִי3 כִּי
עָלָה1 הַשָּׁחַר וַיֹּאמֶר1 לֹא אֲשַׁלֵּחֲךָ3 כִּי אִם־
בֵּרַכְתָּנִי3: כח וַיֹּאמֶר1 אֵלָיו מַה־שְּׁמֶךָ וַיֹּאמֶר1
יַעֲקֹב: כט וַיֹּאמֶר1 לֹא יַעֲקֹב יֵאָמֵר2 עוֹד שִׁמְךָ
כִּי אִם־יִשְׂרָאֵל כִּי־שָׂרִיתָ1 עִם־אֱלֹהִים
וְעִם־אֲנָשִׁים וַתּוּכָל1: ל וַיִּשְׁאַל1 יַעֲקֹב
וַיֹּאמֶר1 הַגִּידָה5־נָּא שְׁמֶךָ וַיֹּאמֶר1 לָמָּה זֶּה
תִּשְׁאַל1 לִשְׁמִי וַיְבָרֶךְ3 אֹתוֹ שָׁם: לא וַיִּקְרָא1
יַעֲקֹב שֵׁם הַמָּקוֹם פְּנִיאֵל כִּי־רָאִיתִי1 אֱלֹהִים
פָּנִים אֶל־פָּנִים וַתִּנָּצֵל2 נַפְשִׁי: לב וַיִּזְרַח1־לוֹ
הַשֶּׁמֶשׁ כַּאֲשֶׁר עָבַר1 אֶת־פְּנוּאֵל וְהוּא צֹלֵעַ1
עַל־יְרֵכוֹ: לג עַל־כֵּן לֹא־יֹאכְלוּ1 בְנֵי־
יִשְׂרָאֵל אֶת־גִּיד הַנָּשֶׁה אֲשֶׁר עַל־כַּף הַיָּרֵךְ
עַד הַיּוֹם הַזֶּה כִּי נָגַע1 בְּכַף־יֶרֶךְ יַעֲקֹב בְּגִיד
הַנָּשֶׁה: **לג** א וַיִּשָּׂא1 יַעֲקֹב עֵינָיו וַיַּרְא1 וְהִנֵּה
עֵשָׂו בָּא1 וְעִמּוֹ אַרְבַּע מֵאוֹת אִישׁ וַיַּחַץ1
אֶת־הַיְלָדִים עַל־לֵאָה וְעַל־רָחֵל וְעַל
שְׁתֵּי הַשְּׁפָחוֹת: ב וַיָּשֶׂם1 אֶת־הַשְּׁפָחוֹת
וְאֶת־יַלְדֵיהֶן רִאשֹׁנָה וְאֶת־לֵאָה וִילָדֶיהָ
אַחֲרֹנִים וְאֶת־רָחֵל וְאֶת־יוֹסֵף אַחֲרֹנִים:
ג וְהוּא עָבַר1 לִפְנֵיהֶם וַיִּשְׁתַּחוּ7 אַרְצָה
שֶׁבַע פְּעָמִים עַד־גִּשְׁתּוֹ1 עַד־אָחִיו: ד וַיָּרָץ1
עֵשָׂו לִקְרָאתוֹ1 וַיְחַבְּקֵהוּ3 וַיִּפֹּל1 עַל־
צַוָּארָיו [צוארו] וַיִּשָּׁקֵהוּ1 וַיִּבְכּוּ1: ה וַיִּשָּׂא1
אֶת־עֵינָיו וַיַּרְא1 אֶת־הַנָּשִׁים וְאֶת־
הַיְלָדִים וַיֹּאמֶר1 מִי־אֵלֶּה לָּךְ וַיֹּאמַר1 הַיְלָדִים
אֲשֶׁר־חָנַן1 אֱלֹהִים אֶת־עַבְדֶּךָ: ו וַתִּגַּשְׁןָ1
הַשְּׁפָחוֹת הֵנָּה וְיַלְדֵיהֶן וַתִּשְׁתַּחֲוֶיןָ7:
ז וַתִּגַּשׁ1 גַּם־לֵאָה וִילָדֶיהָ וַיִּשְׁתַּחֲווּ7 וְאַחַר
נִגַּשׁ2 יוֹסֵף וְרָחֵל וַיִּשְׁתַּחֲווּ7: ח וַיֹּאמֶר1 מִי לְךָ
כָּל־הַמַּחֲנֶה הַזֶּה אֲשֶׁר פָּגָשְׁתִּי1 וַיֹּאמֶר1
לִמְצֹא1־חֵן בְּעֵינֵי אֲדֹנִי: ט וַיֹּאמֶר1 עֵשָׂו יֶשׁ־
לִי רָב אָחִי יְהִי1 לְךָ אֲשֶׁר־לָךְ: י וַיֹּאמֶר1
יַעֲקֹב אַל־נָא אִם־נָא מָצָאתִי1 חֵן בְּעֵינֶיךָ
וְלָקַחְתָּ1 מִנְחָתִי מִיָּדִי כִּי עַל־כֵּן רָאִיתִי1
פָנֶיךָ כִּרְאֹת1 פְּנֵי אֱלֹהִים וַתִּרְצֵנִי1:
יא קַח1־נָא אֶת־בִּרְכָתִי אֲשֶׁר הֻבָאת6 לָךְ
כִּי־חַנַּנִי1 אֱלֹהִים וְכִי יֶשׁ־לִי־כֹל וַיִּפְצַר1־בּוֹ
וַיִּקָּח1: יב וַיֹּאמֶר1 נִסְעָה1 וְנֵלֵכָה1 וְאֵלְכָה1
לְנֶגְדֶּךָ: יג וַיֹּאמֶר1 אֵלָיו אֲדֹנִי יֹדֵעַ1 כִּי־הַיְלָדִים
רַכִּים וְהַצֹּאן וְהַבָּקָר עָלוֹת1 עָלָי וּדְפָקוּם1
יוֹם אֶחָד וָמֵתוּ1 כָּל־הַצֹּאן: יד יַעֲבָר1־נָא
אֲדֹנִי לִפְנֵי עַבְדּוֹ וַאֲנִי אֶתְנַהֲלָה7 לְאִטִּי
לְרֶגֶל הַמְּלָאכָה אֲשֶׁר־לְפָנַי וּלְרֶגֶל הַיְלָדִים
עַד אֲשֶׁר־אָבֹא1 אֶל־אֲדֹנִי שֵׂעִירָה: טו וַיֹּאמֶר1
עֵשָׂו אַצִּיגָה5־נָּא עִמְּךָ מִן־הָעָם אֲשֶׁר
אִתִּי וַיֹּאמֶר1 לָמָּה זֶּה אֶמְצָא1־חֵן בְּעֵינֵי
אֲדֹנִי: טז וַיָּשָׁב1 בַּיּוֹם הַהוּא עֵשָׂו לְדַרְכּוֹ
שֵׂעִירָה: יז וְיַעֲקֹב נָסַע1 סֻכֹּתָה וַיִּבֶן1 לוֹ בָּיִת
וּלְמִקְנֵהוּ עָשָׂה1 סֻכֹּת עַל־כֵּן קָרָא1 שֵׁם־
הַמָּקוֹם סֻכּוֹת: ס יח וַיָּבֹא1 יַעֲקֹב שָׁלֵם
עִיר שְׁכֶם אֲשֶׁר בְּאֶרֶץ כְּנַעַן בְּבֹאוֹ1 מִפַּדַּן
אֲרָם וַיִּחַן1 אֶת־פְּנֵי הָעִיר: יט וַיִּקֶן1 אֶת־
חֶלְקַת הַשָּׂדֶה אֲשֶׁר נָטָה1־שָׁם אָהֳלוֹ מִיַּד

בְּנֵי־חֲמוֹר אֲבִי שְׁכֶם בְּמֵאָה קְשִׂיטָה׃
כ וַיַּצֶּב־שָׁם מִזְבֵּחַ וַיִּקְרָא־לוֹ אֵל אֱלֹהֵי
יִשְׂרָאֵל׃ **ס** **לד** א וַתֵּצֵא דִינָה בַּת־לֵאָה
אֲשֶׁר יָלְדָה לְיַעֲקֹב לִרְאוֹת בִּבְנוֹת
הָאָרֶץ׃ ב וַיַּרְא אֹתָהּ שְׁכֶם בֶּן־חֲמוֹר הַחִוִּי
נְשִׂיא הָאָרֶץ וַיִּקַּח אֹתָהּ וַיִּשְׁכַּב אֹתָהּ
וַיְעַנֶּהָ׃ ג וַתִּדְבַּק נַפְשׁוֹ בְּדִינָה בַּת־יַעֲקֹב
וַיֶּאֱהַב אֶת־הַנַּעֲרָ [הנער] וַיְדַבֵּר עַל־
לֵב הַנַּעֲרָ׃ ד וַיֹּאמֶר שְׁכֶם אֶל־חֲמוֹר אָבִיו
לֵאמֹר קַח־לִי אֶת־הַיַּלְדָּה הַזֹּאת
לְאִשָּׁה׃ ה וְיַעֲקֹב שָׁמַע כִּי טִמֵּא אֶת־דִּינָה
בִתּוֹ וּבָנָיו הָיוּ אֶת־מִקְנֵהוּ בַּשָּׂדֶה
וְהֶחֱרִשׁ יַעֲקֹב עַד־בֹּאָם׃ ו וַיֵּצֵא חֲמוֹר
אֲבִי־שְׁכֶם אֶל־יַעֲקֹב לְדַבֵּר אִתּוֹ׃ ז וּבְנֵי
יַעֲקֹב בָּאוּ מִן־הַשָּׂדֶה כְּשָׁמְעָם וַיִּתְעַצְּבוּ
הָאֲנָשִׁים וַיִּחַר לָהֶם מְאֹד כִּי נְבָלָה עָשָׂה
בְיִשְׂרָאֵל לִשְׁכַּב אֶת־בַּת־יַעֲקֹב וְכֵן לֹא
יֵעָשֶׂה׃ ח וַיְדַבֵּר חֲמוֹר אִתָּם לֵאמֹר שְׁכֶם
בְּנִי חָשְׁקָה נַפְשׁוֹ בְּבִתְּכֶם תְּנוּ נָא אֹתָהּ
לוֹ לְאִשָּׁה׃ ט וְהִתְחַתְּנוּ אֹתָנוּ בְּנֹתֵיכֶם
תִּתְּנוּ־לָנוּ וְאֶת־בְּנֹתֵינוּ תִּקְחוּ לָכֶם׃
י וְאִתָּנוּ תֵּשֵׁבוּ וְהָאָרֶץ תִּהְיֶה לִפְנֵיכֶם
שְׁבוּ וּסְחָרוּהָ וְהֵאָחֲזוּ בָּהּ׃ יא וַיֹּאמֶר שְׁכֶם
אֶל־אָבִיהָ וְאֶל־אַחֶיהָ אֶמְצָא־חֵן
בְּעֵינֵיכֶם וַאֲשֶׁר תֹּאמְרוּ אֵלַי אֶתֵּן׃
יב הַרְבּוּ עָלַי מְאֹד מֹהַר וּמַתָּן וְאֶתְּנָה
כַּאֲשֶׁר תֹּאמְרוּ אֵלָי וּתְנוּ־לִי אֶת־הַנַּעֲרָ
[הנער] לְאִשָּׁה׃ יג וַיַּעֲנוּ בְנֵי־יַעֲקֹב אֶת־
שְׁכֶם וְאֶת־חֲמוֹר אָבִיו בְּמִרְמָה וַיְדַבֵּרוּ
אֲשֶׁר טִמֵּא אֵת דִּינָה אֲחֹתָם׃ יד וַיֹּאמְרוּ
אֲלֵיהֶם לֹא נוּכַל לַעֲשׂוֹת הַדָּבָר הַזֶּה
לָתֵת אֶת־אֲחֹתֵנוּ לְאִישׁ אֲשֶׁר־לוֹ עָרְלָה
כִּי־חֶרְפָּה הִוא לָנוּ׃ טו אַךְ־בְּזֹאת נֵאוֹת לָכֶם
אִם תִּהְיוּ כָמֹנוּ לְהִמֹּל לָכֶם כָּל־זָכָר׃
טז וְנָתַנּוּ אֶת־בְּנֹתֵינוּ לָכֶם וְאֶת־בְּנֹתֵיכֶם
נִקַּח־לָנוּ וְיָשַׁבְנוּ אִתְּכֶם וְהָיִינוּ לְעַם
אֶחָד׃ יז וְאִם־לֹא תִשְׁמְעוּ אֵלֵינוּ לְהִמּוֹל
וְלָקַחְנוּ אֶת־בִּתֵּנוּ וְהָלָכְנוּ׃ יח וַיִּיטְבוּ
דִבְרֵיהֶם בְּעֵינֵי חֲמוֹר וּבְעֵינֵי שְׁכֶם בֶּן־חֲמוֹר׃
יט וְלֹא־אֵחַר הַנַּעַר לַעֲשׂוֹת הַדָּבָר כִּי
חָפֵץ בְּבַת־יַעֲקֹב וְהוּא נִכְבָּד מִכֹּל בֵּית
אָבִיו׃ כ וַיָּבֹא חֲמוֹר וּשְׁכֶם בְּנוֹ אֶל־שַׁעַר
עִירָם וַיְדַבְּרוּ אֶל־אַנְשֵׁי עִירָם לֵאמֹר׃
כא הָאֲנָשִׁים הָאֵלֶּה שְׁלֵמִים הֵם אִתָּנוּ
וְיֵשְׁבוּ בָאָרֶץ וְיִסְחֲרוּ אֹתָהּ וְהָאָרֶץ הִנֵּה
רַחֲבַת־יָדַיִם לִפְנֵיהֶם אֶת־בְּנֹתָם נִקַּח־
לָנוּ לְנָשִׁים וְאֶת־בְּנֹתֵינוּ נִתֵּן לָהֶם׃ כב אַךְ־
בְּזֹאת יֵאֹתוּ לָנוּ הָאֲנָשִׁים לָשֶׁבֶת אִתָּנוּ
לִהְיוֹת לְעַם אֶחָד בְּהִמּוֹל לָנוּ כָּל־זָכָר
כַּאֲשֶׁר הֵם נִמֹּלִים׃ כג מִקְנֵהֶם וְקִנְיָנָם
וְכָל־בְּהֶמְתָּם הֲלוֹא לָנוּ הֵם אַךְ נֵאוֹתָה
לָהֶם וְיֵשְׁבוּ אִתָּנוּ׃ כד וַיִּשְׁמְעוּ אֶל־חֲמוֹר
וְאֶל־שְׁכֶם בְּנוֹ כָּל־יֹצְאֵי שַׁעַר עִירוֹ וַיִּמֹּלוּ
כָּל־זָכָר כָּל־יֹצְאֵי שַׁעַר עִירוֹ׃ כה וַיְהִי
בַיּוֹם הַשְּׁלִישִׁי בִּהְיוֹתָם כֹּאֲבִים וַיִּקְחוּ
שְׁנֵי־בְנֵי־יַעֲקֹב שִׁמְעוֹן וְלֵוִי אֲחֵי דִינָה אִישׁ
חַרְבּוֹ וַיָּבֹאוּ עַל־הָעִיר בֶּטַח וַיַּהַרְגוּ כָּל־
זָכָר׃ כו וְאֶת־חֲמוֹר וְאֶת־שְׁכֶם בְּנוֹ הָרְגוּ
לְפִי־חָרֶב וַיִּקְחוּ אֶת־דִּינָה מִבֵּית שְׁכֶם
וַיֵּצֵאוּ׃ כז בְּנֵי יַעֲקֹב בָּאוּ עַל־הַחֲלָלִים
וַיָּבֹזּוּ הָעִיר אֲשֶׁר טִמְּאוּ אֲחוֹתָם׃ כח אֶת־
צֹאנָם וְאֶת־בְּקָרָם וְאֶת־חֲמֹרֵיהֶם וְאֵת אֲשֶׁר־
בָּעִיר וְאֶת־אֲשֶׁר בַּשָּׂדֶה לָקָחוּ׃ כט וְאֶת־
כָּל־חֵילָם וְאֶת־כָּל־טַפָּם וְאֶת־נְשֵׁיהֶם
שָׁבוּ וַיָּבֹזּוּ וְאֵת כָּל־אֲשֶׁר בַּבָּיִת׃
ל וַיֹּאמֶר יַעֲקֹב אֶל־שִׁמְעוֹן וְאֶל־לֵוִי עֲכַרְתֶּם
אֹתִי לְהַבְאִישֵׁנִי בְּיֹשֵׁב הָאָרֶץ בַּכְּנַעֲנִי
וּבַפְּרִזִּי וַאֲנִי מְתֵי מִסְפָּר וְנֶאֶסְפוּ עָלַי
וְהִכּוּנִי וְנִשְׁמַדְתִּי אֲנִי וּבֵיתִי׃ לא וַיֹּאמְרוּ
הַכְזוֹנָה יַעֲשֶׂה אֶת־אֲחוֹתֵנוּ׃ **פ**
לה א וַיֹּאמֶר אֱלֹהִים אֶל־יַעֲקֹב קוּם עֲלֵה
בֵית־אֵל וְשֶׁב־שָׁם וַעֲשֵׂה־שָׁם מִזְבֵּחַ לָאֵל
הַנִּרְאֶה אֵלֶיךָ בְּבָרְחֲךָ מִפְּנֵי עֵשָׂו אָחִיךָ׃
ב וַיֹּאמֶר יַעֲקֹב אֶל־בֵּיתוֹ וְאֶל כָּל־אֲשֶׁר עִמּוֹ
הָסִרוּ אֶת־אֱלֹהֵי הַנֵּכָר אֲשֶׁר בְּתֹכְכֶם
וְהִטַּהֲרוּ וְהַחֲלִיפוּ שִׂמְלֹתֵיכֶם׃ ג וְנָקוּמָה
וְנַעֲלֶה בֵּית־אֵל וְאֶעֱשֶׂה־שָּׁם מִזְבֵּחַ לָאֵל
הָעֹנֶה אֹתִי בְּיוֹם צָרָתִי וַיְהִי עִמָּדִי

בַּדֶּרֶךְ אֲשֶׁר הָלָכְתִּי1: ד וַיִּתְּנוּ1 אֶל־יַעֲקֹב
אֵת כָּל־אֱלֹהֵי הַנֵּכָר אֲשֶׁר בְּיָדָם וְאֶת־
הַנְּזָמִים אֲשֶׁר בְּאָזְנֵיהֶם וַיִּטְמֹן1 אֹתָם יַעֲקֹב
תַּחַת הָאֵלָה אֲשֶׁר עִם־שְׁכֶם: ה וַיִּסָּעוּ1
וַיְהִי1 | חִתַּת אֱלֹהִים עַל־הֶעָרִים אֲשֶׁר
סְבִיבוֹתֵיהֶם וְלֹא רָדְפוּ1 אַחֲרֵי בְּנֵי יַעֲקֹב:
ו וַיָּבֹא1 יַעֲקֹב לוּזָה אֲשֶׁר בְּאֶרֶץ כְּנַעַן הִוא
בֵּית־אֵל הוּא וְכָל־הָעָם אֲשֶׁר־עִמּוֹ:
ז וַיִּבֶן1 שָׁם מִזְבֵּחַ וַיִּקְרָא1 לַמָּקוֹם אֵל בֵּית־
אֵל כִּי שָׁם נִגְלוּ2 אֵלָיו הָאֱלֹהִים בְּבָרְחוֹ1
מִפְּנֵי אָחִיו: ח וַתָּמָת1 דְּבֹרָה מֵינֶקֶת5 רִבְקָה
וַתִּקָּבֵר2 מִתַּחַת לְבֵית־אֵל תַּחַת הָאַלּוֹן
וַיִּקְרָא1 שְׁמוֹ אַלּוֹן בָּכוּת: פ
ט וַיֵּרָא2 אֱלֹהִים אֶל־יַעֲקֹב עוֹד בְּבֹאוֹ1
מִפַּדַּן אֲרָם וַיְבָרֶךְ3 אֹתוֹ: י וַיֹּאמֶר1־לוֹ אֱלֹהִים
שִׁמְךָ יַעֲקֹב לֹא־יִקָּרֵא2 שִׁמְךָ עוֹד יַעֲקֹב
כִּי אִם־יִשְׂרָאֵל יִהְיֶה1 שְׁמֶךָ וַיִּקְרָא1 אֶת־
שְׁמוֹ יִשְׂרָאֵל: יא וַיֹּאמֶר1 לוֹ אֱלֹהִים אֲנִי אֵל
שַׁדַּי פְּרֵה1 וּרְבֵה1 גּוֹי וּקְהַל גּוֹיִם יִהְיֶה1
מִמֶּךָּ וּמְלָכִים מֵחֲלָצֶיךָ יֵצֵאוּ1: יב וְאֶת־
הָאָרֶץ אֲשֶׁר נָתַתִּי1 לְאַבְרָהָם וּלְיִצְחָק לְךָ
אֶתְּנֶנָּה1 וּלְזַרְעֲךָ אַחֲרֶיךָ אֶתֵּן1 אֶת־
הָאָרֶץ: יג וַיַּעַל1 מֵעָלָיו אֱלֹהִים בַּמָּקוֹם
אֲשֶׁר־דִּבֶּר3 אִתּוֹ: יד וַיַּצֵּב5 יַעֲקֹב מַצֵּבָה
בַּמָּקוֹם אֲשֶׁר־דִּבֶּר3 אִתּוֹ מַצֶּבֶת אָבֶן
וַיַּסֵּךְ5 עָלֶיהָ נֶסֶךְ וַיִּצֹק1 עָלֶיהָ שָׁמֶן:
טו וַיִּקְרָא1 יַעֲקֹב אֶת־שֵׁם הַמָּקוֹם אֲשֶׁר
דִּבֶּר3 אִתּוֹ שָׁם אֱלֹהִים בֵּית־אֵל: טז וַיִּסְעוּ1
מִבֵּית אֵל וַיְהִי1־עוֹד כִּבְרַת־הָאָרֶץ לָבוֹא1
אֶפְרָתָה וַתֵּלֶד1 רָחֵל וַתְּקַשׁ3 בְּלִדְתָּהּ1:
יז וַיְהִי1 בְהַקְשֹׁתָהּ5 בְּלִדְתָּהּ1 וַתֹּאמֶר1 לָהּ
הַמְיַלֶּדֶת3 אַל־תִּירְאִי1 כִּי־גַם־זֶה לָךְ בֵּן:
יח וַיְהִי1 בְּצֵאת1 נַפְשָׁהּ כִּי מֵתָה1 וַתִּקְרָא1
שְׁמוֹ בֶּן־אוֹנִי וְאָבִיו קָרָא1־לוֹ בִנְיָמִין:
יט וַתָּמָת1 רָחֵל וַתִּקָּבֵר2 בְּדֶרֶךְ אֶפְרָתָה הִוא
בֵּית לָחֶם: כ וַיַּצֵּב5 יַעֲקֹב מַצֵּבָה עַל־קְבֻרָתָהּ
הִוא מַצֶּבֶת קְבֻרַת־רָחֵל עַד־הַיּוֹם: כא וַיִּסַּע1
יִשְׂרָאֵל וַיֵּט1 אָהֳלֹה מֵהָלְאָה לְמִגְדַּל־עֵדֶר:
כב וַיְהִי1 בִּשְׁכֹּן1 יִשְׂרָאֵל בָּאָרֶץ הַהִוא וַיֵּלֶךְ1
רְאוּבֵן וַיִּשְׁכַּב1 אֶת־בִּלְהָה פִּילֶגֶשׁ אָבִיו
וַיִּשְׁמַע1 יִשְׂרָאֵל פ
וַיִּהְיוּ1 בְנֵי־יַעֲקֹב שְׁנֵים עָשָׂר: כג בְּנֵי לֵאָה
בְּכוֹר יַעֲקֹב רְאוּבֵן וְשִׁמְעוֹן וְלֵוִי וִיהוּדָה וְיִשָּׂשכָר
וּזְבֻלוּן: כד בְּנֵי רָחֵל יוֹסֵף וּבִנְיָמִן: כה וּבְנֵי
בִלְהָה שִׁפְחַת רָחֵל דָּן וְנַפְתָּלִי: כו וּבְנֵי זִלְפָּה
שִׁפְחַת לֵאָה גָּד וְאָשֵׁר אֵלֶּה בְּנֵי יַעֲקֹב אֲשֶׁר
יֻלַּד4־לוֹ בְּפַדַּן אֲרָם: כז וַיָּבֹא1 יַעֲקֹב אֶל־יִצְחָק
אָבִיו מַמְרֵא קִרְיַת הָאַרְבַּע הִוא חֶבְרוֹן
אֲשֶׁר־גָּר1־שָׁם אַבְרָהָם וְיִצְחָק: כח וַיִּהְיוּ1 יְמֵי
יִצְחָק מְאַת שָׁנָה וּשְׁמֹנִים שָׁנָה: כט וַיִּגְוַע1
יִצְחָק וַיָּמָת1 וַיֵּאָסֶף2 אֶל־עַמָּיו זָקֵן וּשְׂבַע
יָמִים וַיִּקְבְּרוּ1 אֹתוֹ עֵשָׂו וְיַעֲקֹב בָּנָיו: פ
לו א וְאֵלֶּה תֹּלְדוֹת עֵשָׂו הוּא אֱדוֹם: ב עֵשָׂו
לָקַח1 אֶת־נָשָׁיו מִבְּנוֹת כְּנָעַן אֶת־עָדָה
בַּת־אֵילוֹן הַחִתִּי וְאֶת־אָהֳלִיבָמָה בַּת־עֲנָה
בַּת־צִבְעוֹן הַחִוִּי: ג וְאֶת־בָּשְׂמַת בַּת־יִשְׁמָעֵאל
אֲחוֹת נְבָיוֹת: ד וַתֵּלֶד1 עָדָה לְעֵשָׂו אֶת־
אֱלִיפָז וּבָשְׂמַת יָלְדָה1 אֶת־רְעוּאֵל: ה וְאָהֳלִיבָמָה
יָלְדָה1 אֶת־יְעִישׁ [יְעוּשׁ] וְאֶת־יַעְלָם וְאֶת־
קֹרַח אֵלֶּה בְּנֵי עֵשָׂו אֲשֶׁר יֻלְּדוּ4־לוֹ בְּאֶרֶץ
כְּנָעַן: ו וַיִּקַּח1 עֵשָׂו אֶת־נָשָׁיו וְאֶת־בָּנָיו
וְאֶת־בְּנֹתָיו וְאֶת־כָּל־נַפְשׁוֹת בֵּיתוֹ וְאֶת־
מִקְנֵהוּ וְאֶת־כָּל־בְּהֶמְתּוֹ וְאֵת כָּל־קִנְיָנוֹ
אֲשֶׁר רָכַשׁ1 בְּאֶרֶץ כְּנָעַן וַיֵּלֶךְ1 אֶל־אֶרֶץ
מִפְּנֵי יַעֲקֹב אָחִיו: ז כִּי־הָיָה1 רְכוּשָׁם רָב
מִשֶּׁבֶת1 יַחְדָּו וְלֹא יָכְלָה1 אֶרֶץ מְגוּרֵיהֶם
לָשֵׂאת1 אֹתָם מִפְּנֵי מִקְנֵיהֶם: ח וַיֵּשֶׁב1
עֵשָׂו בְּהַר שֵׂעִיר עֵשָׂו הוּא אֱדוֹם: ט וְאֵלֶּה
תֹּלְדוֹת עֵשָׂו אֲבִי אֱדוֹם בְּהַר שֵׂעִיר: י אֵלֶּה
שְׁמוֹת בְּנֵי־עֵשָׂו אֱלִיפַז בֶּן־עָדָה אֵשֶׁת עֵשָׂו
רְעוּאֵל בֶּן־בָּשְׂמַת אֵשֶׁת עֵשָׂו: יא וַיִּהְיוּ1 בְּנֵי
אֱלִיפָז תֵּימָן אוֹמָר צְפוֹ וְגַעְתָּם וּקְנַז: יב וְתִמְנַע
| הָיְתָה1 פִילֶגֶשׁ לֶאֱלִיפַז בֶּן־עֵשָׂו וַתֵּלֶד1
לֶאֱלִיפַז אֶת־עֲמָלֵק אֵלֶּה בְּנֵי עָדָה אֵשֶׁת
עֵשָׂו: יג וְאֵלֶּה בְּנֵי רְעוּאֵל נַחַת וָזֶרַח שַׁמָּה וּמִזָּה
אֵלֶּה הָיוּ1 בְּנֵי בָשְׂמַת אֵשֶׁת עֵשָׂו: יד וְאֵלֶּה
הָיוּ1 בְּנֵי אָהֳלִיבָמָה בַת־עֲנָה בַּת־צִבְעוֹן
אֵשֶׁת עֵשָׂו וַתֵּלֶד1 לְעֵשָׂו אֶת־יְעִישׁ [יְעוּשׁ]

וְאֶת־יַעְלָם וְאֶת־קֹרַח׃ טו אֵלֶּה אַלּוּפֵי בְנֵי־
עֵשָׂו בְּנֵי אֱלִיפַז בְּכוֹר עֵשָׂו אַלּוּף תֵּימָן אַלּוּף
אוֹמָר אַלּוּף צְפוֹ אַלּוּף קְנַז׃ טז אַלּוּף־קֹרַח
אַלּוּף גַּעְתָּם אַלּוּף עֲמָלֵק אֵלֶּה אַלּוּפֵי אֱלִיפַז
בְּאֶרֶץ אֱדוֹם אֵלֶּה בְּנֵי עָדָה׃ יז וְאֵלֶּה בְּנֵי
רְעוּאֵל בֶּן־עֵשָׂו אַלּוּף נַחַת אַלּוּף זֶרַח אַלּוּף
שַׁמָּה אַלּוּף מִזָּה אֵלֶּה אַלּוּפֵי רְעוּאֵל בְּאֶרֶץ
אֱדוֹם אֵלֶּה בְּנֵי בָשְׂמַת אֵשֶׁת עֵשָׂו׃ יח וְאֵלֶּה
בְּנֵי אָהֳלִיבָמָה אֵשֶׁת עֵשָׂו אַלּוּף יְעוּשׁ אַלּוּף
יַעְלָם אַלּוּף קֹרַח אֵלֶּה אַלּוּפֵי אָהֳלִיבָמָה בַּת־
עֲנָה אֵשֶׁת עֵשָׂו׃ יט אֵלֶּה בְנֵי־עֵשָׂו וְאֵלֶּה
אַלּוּפֵיהֶם הוּא אֱדוֹם׃ ס כ אֵלֶּה בְנֵי־
שֵׂעִיר הַחֹרִי יֹשְׁבֵי הָאָרֶץ לוֹטָן וְשׁוֹבָל וְצִבְעוֹן
וַעֲנָה׃ כא וְדִשׁוֹן וְאֵצֶר וְדִישָׁן אֵלֶּה אַלּוּפֵי הַחֹרִי
בְּנֵי שֵׂעִיר בְּאֶרֶץ אֱדוֹם׃ כב וַיִּהְיוּ בְנֵי־לוֹטָן
חֹרִי וְהֵימָם וַאֲחוֹת לוֹטָן תִּמְנָע׃ כג וְאֵלֶּה בְּנֵי
שׁוֹבָל עַלְוָן וּמָנַחַת וְעֵיבָל שְׁפוֹ וְאוֹנָם׃ כד וְאֵלֶּה
בְנֵי־צִבְעוֹן וְאַיָּה וַעֲנָה הוּא עֲנָה אֲשֶׁר מָצָא
אֶת־הַיֵּמִם בַּמִּדְבָּר בִּרְעֹתוֹ אֶת־הַחֲמֹרִים
לְצִבְעוֹן אָבִיו׃ כה וְאֵלֶּה בְנֵי־עֲנָה דִּשֹׁן
וְאָהֳלִיבָמָה בַּת־עֲנָה׃ כו וְאֵלֶּה בְּנֵי דִישָׁן
חֶמְדָּן וְאֶשְׁבָּן וְיִתְרָן וּכְרָן׃ כז אֵלֶּה בְּנֵי־אֵצֶר
בִּלְהָן וְזַעֲוָן וַעֲקָן׃ כח אֵלֶּה בְנֵי־דִישָׁן עוּץ וַאֲרָן׃
כט אֵלֶּה אַלּוּפֵי הַחֹרִי אַלּוּף לוֹטָן אַלּוּף שׁוֹבָל
אַלּוּף צִבְעוֹן אַלּוּף עֲנָה׃ ל אַלּוּף דִּשֹׁן אַלּוּף
אֵצֶר אַלּוּף דִּישָׁן אֵלֶּה אַלּוּפֵי הַחֹרִי לְאַלֻּפֵיהֶם
בְּאֶרֶץ שֵׂעִיר׃ פ
לא וְאֵלֶּה הַמְּלָכִים אֲשֶׁר מָלְכוּ בְּאֶרֶץ אֱדוֹם
לִפְנֵי מְלָךְ־מֶלֶךְ לִבְנֵי יִשְׂרָאֵל׃ לב וַיִּמְלֹךְ
בֶּאֱדוֹם בֶּלַע בֶּן־בְּעוֹר וְשֵׁם עִירוֹ דִּנְהָבָה׃
לג וַיָּמָת בָּלַע וַיִּמְלֹךְ תַּחְתָּיו יוֹבָב בֶּן־
זֶרַח מִבָּצְרָה׃ לד וַיָּמָת יוֹבָב וַיִּמְלֹךְ תַּחְתָּיו
חֻשָׁם מֵאֶרֶץ הַתֵּימָנִי׃ לה וַיָּמָת חֻשָׁם וַיִּמְלֹךְ
תַּחְתָּיו הֲדַד בֶּן־בְּדַד הַמַּכֶּה אֶת־מִדְיָן
בִּשְׂדֵה מוֹאָב וְשֵׁם עִירוֹ עֲוִית׃ לו וַיָּמָת הֲדָד
וַיִּמְלֹךְ תַּחְתָּיו שַׂמְלָה מִמַּשְׂרֵקָה׃ לז וַיָּמָת
שַׂמְלָה וַיִּמְלֹךְ תַּחְתָּיו שָׁאוּל מֵרְחֹבוֹת הַנָּהָר׃
לח וַיָּמָת שָׁאוּל וַיִּמְלֹךְ תַּחְתָּיו בַּעַל חָנָן בֶּן־
עַכְבּוֹר׃ לט וַיָּמָת בַּעַל חָנָן בֶּן־עַכְבּוֹר וַיִּמְלֹךְ
תַּחְתָּיו הֲדַר וְשֵׁם עִירוֹ פָּעוּ וְשֵׁם אִשְׁתּוֹ
מְהֵיטַבְאֵל בַּת־מַטְרֵד בַּת מֵי זָהָב׃ מ וְאֵלֶּה
שְׁמוֹת אַלּוּפֵי עֵשָׂו לְמִשְׁפְּחֹתָם לִמְקֹמֹתָם
בִּשְׁמֹתָם אַלּוּף תִּמְנָע אַלּוּף עַלְוָה אַלּוּף יְתֵת׃
מא אַלּוּף אָהֳלִיבָמָה אַלּוּף אֵלָה אַלּוּף פִּינֹן׃
מב אַלּוּף קְנַז אַלּוּף תֵּימָן אַלּוּף מִבְצָר׃ מג אַלּוּף
מַגְדִּיאֵל אַלּוּף עִירָם אֵלֶּה ׀ אַלּוּפֵי אֱדוֹם
לְמֹשְׁבֹתָם בְּאֶרֶץ אֲחֻזָּתָם הוּא עֵשָׂו אֲבִי
אֱדוֹם׃ פ פ פ

פרשת וישב

לז א וַיֵּשֶׁב יַעֲקֹב בְּאֶרֶץ מְגוּרֵי אָבִיו בְּאֶרֶץ
כְּנָעַן׃ ב אֵלֶּה ׀ תֹּלְדוֹת יַעֲקֹב יוֹסֵף בֶּן־שְׁבַע־
עֶשְׂרֵה שָׁנָה הָיָה רֹעֶה אֶת־אֶחָיו בַּצֹּאן
וְהוּא נַעַר אֶת־בְּנֵי בִלְהָה וְאֶת־בְּנֵי זִלְפָּה
נְשֵׁי אָבִיו וַיָּבֵא יוֹסֵף אֶת־דִּבָּתָם רָעָה
אֶל־אֲבִיהֶם׃ ג וְיִשְׂרָאֵל אָהַב אֶת־יוֹסֵף
מִכָּל־בָּנָיו כִּי־בֶן־זְקֻנִים הוּא לוֹ וְעָשָׂה
לוֹ כְּתֹנֶת פַּסִּים׃ ד וַיִּרְאוּ אֶחָיו כִּי־אֹתוֹ
אָהַב אֲבִיהֶם מִכָּל־אֶחָיו וַיִּשְׂנְאוּ אֹתוֹ
וְלֹא יָכְלוּ דַּבְּרוֹ לְשָׁלֹם׃ ה וַיַּחֲלֹם יוֹסֵף
חֲלוֹם וַיַּגֵּד לְאֶחָיו וַיּוֹסִפוּ עוֹד שְׂנֹא
אֹתוֹ׃ ו וַיֹּאמֶר אֲלֵיהֶם שִׁמְעוּ־נָא הַחֲלוֹם
הַזֶּה אֲשֶׁר חָלָמְתִּי׃ ז וְהִנֵּה אֲנַחְנוּ מְאַלְּמִים
אֲלֻמִּים בְּתוֹךְ הַשָּׂדֶה וְהִנֵּה קָמָה אֲלֻמָּתִי
וְגַם־נִצָּבָה וְהִנֵּה תְסֻבֶּינָה אֲלֻמֹּתֵיכֶם
וַתִּשְׁתַּחֲוֶיןָ לַאֲלֻמָּתִי׃ ח וַיֹּאמְרוּ לוֹ אֶחָיו
הֲמָלֹךְ תִּמְלֹךְ עָלֵינוּ אִם־מָשׁוֹל תִּמְשֹׁל
בָּנוּ וַיּוֹסִפוּ עוֹד שְׂנֹא אֹתוֹ עַל־חֲלֹמֹתָיו
וְעַל־דְּבָרָיו׃ ט וַיַּחֲלֹם עוֹד חֲלוֹם אַחֵר
וַיְסַפֵּר אֹתוֹ לְאֶחָיו וַיֹּאמֶר הִנֵּה חָלַמְתִּי
חֲלוֹם עוֹד וְהִנֵּה הַשֶּׁמֶשׁ וְהַיָּרֵחַ וְאַחַד
עָשָׂר כּוֹכָבִים מִשְׁתַּחֲוִים לִי׃ י וַיְסַפֵּר אֶל־
אָבִיו וְאֶל־אֶחָיו וַיִּגְעַר־בּוֹ אָבִיו וַיֹּאמֶר
לוֹ מָה הַחֲלוֹם הַזֶּה אֲשֶׁר חָלָמְתָּ הֲבוֹא
נָבוֹא אֲנִי וְאִמְּךָ וְאַחֶיךָ לְהִשְׁתַּחֲוֹת לְךָ
אָרְצָה׃ יא וַיְקַנְאוּ־בוֹ אֶחָיו וְאָבִיו שָׁמַר

אֶת־הַדָּבָר: יב וַיֵּלְכוּ אֶחָיו לִרְעוֹת אֶת־
צֹאן אֲבִיהֶם בִּשְׁכֶם: יג וַיֹּאמֶר יִשְׂרָאֵל אֶל־
יוֹסֵף הֲלוֹא אַחֶיךָ רֹעִים בִּשְׁכֶם לְכָה
וְאֶשְׁלָחֲךָ אֲלֵיהֶם וַיֹּאמֶר לוֹ הִנֵּנִי: יד וַיֹּאמֶר
לוֹ לֶךְ־נָא רְאֵה אֶת־שְׁלוֹם אַחֶיךָ וְאֶת־
שְׁלוֹם הַצֹּאן וַהֲשִׁבֵנִי דָּבָר וַיִּשְׁלָחֵהוּ
מֵעֵמֶק חֶבְרוֹן וַיָּבֹא שְׁכֶמָה: טו וַיִּמְצָאֵהוּ
אִישׁ וְהִנֵּה תֹעֶה בַּשָּׂדֶה וַיִּשְׁאָלֵהוּ הָאִישׁ
לֵאמֹר מַה־תְּבַקֵּשׁ: טז וַיֹּאמֶר אֶת־אַחַי
אָנֹכִי מְבַקֵּשׁ הַגִּידָה־נָּא לִי אֵיפֹה הֵם
רֹעִים: יז וַיֹּאמֶר הָאִישׁ נָסְעוּ מִזֶּה כִּי
שָׁמַעְתִּי אֹמְרִים נֵלְכָה דֹּתָיְנָה וַיֵּלֶךְ יוֹסֵף
אַחַר אֶחָיו וַיִּמְצָאֵם בְּדֹתָן: יח וַיִּרְאוּ אֹתוֹ
מֵרָחֹק וּבְטֶרֶם יִקְרַב אֲלֵיהֶם וַיִּתְנַכְּלוּ
אֹתוֹ לַהֲמִיתוֹ: יט וַיֹּאמְרוּ אִישׁ אֶל־אָחִיו
הִנֵּה בַּעַל הַחֲלֹמוֹת הַלָּזֶה בָּא: כ וְעַתָּה |
לְכוּ וְנַהַרְגֵהוּ וְנַשְׁלִכֵהוּ בְּאַחַד הַבֹּרוֹת
וְאָמַרְנוּ חַיָּה רָעָה אֲכָלָתְהוּ וְנִרְאֶה מַה־
יִּהְיוּ חֲלֹמֹתָיו: כא וַיִּשְׁמַע רְאוּבֵן וַיַּצִּלֵהוּ
מִיָּדָם וַיֹּאמֶר לֹא נַכֶּנּוּ נָפֶשׁ: כב וַיֹּאמֶר
אֲלֵהֶם | רְאוּבֵן אַל־תִּשְׁפְּכוּ־דָם הַשְׁלִיכוּ
אֹתוֹ אֶל־הַבּוֹר הַזֶּה אֲשֶׁר בַּמִּדְבָּר וְיָד
אַל־תִּשְׁלְחוּ־בוֹ לְמַעַן הַצִּיל אֹתוֹ מִיָּדָם
לַהֲשִׁיבוֹ אֶל־אָבִיו: כג וַיְהִי כַּאֲשֶׁר־בָּא
יוֹסֵף אֶל־אֶחָיו וַיַּפְשִׁיטוּ אֶת־יוֹסֵף אֶת־
כֻּתָּנְתּוֹ אֶת־כְּתֹנֶת הַפַּסִּים אֲשֶׁר עָלָיו:
כד וַיִּקָּחֻהוּ וַיַּשְׁלִכוּ אֹתוֹ הַבֹּרָה וְהַבּוֹר
רֵק אֵין בּוֹ מָיִם: כה וַיֵּשְׁבוּ לֶאֱכָל־לֶחֶם
וַיִּשְׂאוּ עֵינֵיהֶם וַיִּרְאוּ וְהִנֵּה אֹרְחַת
יִשְׁמְעֵאלִים בָּאָה מִגִּלְעָד וּגְמַלֵּיהֶם נֹשְׂאִים
נְכֹאת וּצְרִי וָלֹט הוֹלְכִים לְהוֹרִיד
מִצְרָיְמָה: כו וַיֹּאמֶר יְהוּדָה אֶל־אֶחָיו מַה־
בֶּצַע כִּי נַהֲרֹג אֶת־אָחִינוּ וְכִסִּינוּ אֶת־
דָּמוֹ: כז לְכוּ וְנִמְכְּרֶנּוּ לַיִּשְׁמְעֵאלִים וְיָדֵנוּ
אַל־תְּהִי־בוֹ כִּי־אָחִינוּ בְשָׂרֵנוּ הוּא
וַיִּשְׁמְעוּ אֶחָיו: כח וַיַּעַבְרוּ אֲנָשִׁים מִדְיָנִים
סֹחֲרִים וַיִּמְשְׁכוּ וַיַּעֲלוּ אֶת־יוֹסֵף מִן־הַבּוֹר
וַיִּמְכְּרוּ אֶת־יוֹסֵף לַיִּשְׁמְעֵאלִים בְּעֶשְׂרִים
כָּסֶף וַיָּבִיאוּ אֶת־יוֹסֵף מִצְרָיְמָה: כט וַיָּשָׁב
רְאוּבֵן אֶל־הַבּוֹר וְהִנֵּה אֵין־יוֹסֵף בַּבּוֹר וַיִּקְרַע
אֶת־בְּגָדָיו: ל וַיָּשָׁב אֶל־אֶחָיו וַיֹּאמַר הַיֶּלֶד
אֵינֶנּוּ וַאֲנִי אָנָה אֲנִי־בָא: לא וַיִּקְחוּ אֶת־
כְּתֹנֶת יוֹסֵף וַיִּשְׁחֲטוּ שְׂעִיר עִזִּים וַיִּטְבְּלוּ
אֶת־הַכֻּתֹּנֶת בַּדָּם: לב וַיְשַׁלְּחוּ אֶת־כְּתֹנֶת
הַפַּסִּים וַיָּבִיאוּ אֶל־אֲבִיהֶם וַיֹּאמְרוּ
זֹאת מָצָאנוּ הַכֶּר־נָא הַכְּתֹנֶת בִּנְךָ
הִוא אִם־לֹא: לג וַיַּכִּירָהּ וַיֹּאמֶר כְּתֹנֶת
בְּנִי חַיָּה רָעָה אֲכָלָתְהוּ טָרֹף טֹרַף
יוֹסֵף: לד וַיִּקְרַע יַעֲקֹב שִׂמְלֹתָיו וַיָּשֶׂם שַׂק
בְּמָתְנָיו וַיִּתְאַבֵּל עַל־בְּנוֹ יָמִים רַבִּים:
לה וַיָּקֻמוּ כָל־בָּנָיו וְכָל־בְּנֹתָיו לְנַחֲמוֹ
וַיְמָאֵן לְהִתְנַחֵם וַיֹּאמֶר כִּי־אֵרֵד אֶל־בְּנִי
אָבֵל שְׁאֹלָה וַיֵּבְךְּ אֹתוֹ אָבִיו: לו וְהַמְּדָנִים
מָכְרוּ אֹתוֹ אֶל־מִצְרָיִם לְפוֹטִיפַר סְרִיס פַּרְעֹה
שַׂר הַטַּבָּחִים: פ
לח א וַיְהִי בָּעֵת הַהִוא וַיֵּרֶד יְהוּדָה מֵאֵת
אֶחָיו וַיֵּט עַד־אִישׁ עֲדֻלָּמִי וּשְׁמוֹ חִירָה:
ב וַיַּרְא־שָׁם יְהוּדָה בַּת־אִישׁ כְּנַעֲנִי וּשְׁמוֹ
שׁוּעַ וַיִּקָּחֶהָ וַיָּבֹא אֵלֶיהָ: ג וַתַּהַר וַתֵּלֶד
בֵּן וַיִּקְרָא אֶת־שְׁמוֹ עֵר: ד וַתַּהַר עוֹד
וַתֵּלֶד בֵּן וַתִּקְרָא אֶת־שְׁמוֹ אוֹנָן: ה וַתֹּסֶף
עוֹד וַתֵּלֶד בֵּן וַתִּקְרָא אֶת־שְׁמוֹ שֵׁלָה
וְהָיָה בִכְזִיב בְּלִדְתָּהּ אֹתוֹ: ו וַיִּקַּח יְהוּדָה
אִשָּׁה לְעֵר בְּכוֹרוֹ וּשְׁמָהּ תָּמָר: ז וַיְהִי עֵר
בְּכוֹר יְהוּדָה רַע בְּעֵינֵי יהוה וַיְמִתֵהוּ יהוה:
ח וַיֹּאמֶר יְהוּדָה לְאוֹנָן בֹּא אֶל־אֵשֶׁת אָחִיךָ
וְיַבֵּם אֹתָהּ וְהָקֵם זֶרַע לְאָחִיךָ: ט וַיֵּדַע
אוֹנָן כִּי לֹּא לוֹ יִהְיֶה הַזָּרַע וְהָיָה אִם־בָּא
אֶל־אֵשֶׁת אָחִיו וְשִׁחֵת אַרְצָה לְבִלְתִּי
נְתָן־זֶרַע לְאָחִיו: י וַיֵּרַע בְּעֵינֵי יהוה אֲשֶׁר
עָשָׂה וַיָּמֶת גַּם־אֹתוֹ: יא וַיֹּאמֶר יְהוּדָה
לְתָמָר כַּלָּתוֹ שְׁבִי אַלְמָנָה בֵית־אָבִיךְ
עַד־יִגְדַּל שֵׁלָה בְנִי כִּי אָמַר פֶּן־יָמוּת
גַּם־הוּא כְּאֶחָיו וַתֵּלֶךְ תָּמָר וַתֵּשֶׁב בֵּית
אָבִיהָ: יב וַיִּרְבּוּ הַיָּמִים וַתָּמָת בַּת־שׁוּעַ
אֵשֶׁת־יְהוּדָה וַיִּנָּחֶם יְהוּדָה וַיַּעַל עַל־גֹּזְזֵי
צֹאנוֹ הוּא וְחִירָה רֵעֵהוּ הָעֲדֻלָּמִי תִּמְנָתָה:
יג וַיֻּגַּד לְתָמָר לֵאמֹר הִנֵּה חָמִיךְ עֹלֶה

תִּמְנָתָה לָגֹז צֹאנוֹ: יד וַתָּסַר בִּגְדֵי אַלְמְנוּתָהּ
מֵעָלֶיהָ וַתְּכַס בַּצָּעִיף וַתִּתְעַלָּף וַתֵּשֶׁב
בְּפֶתַח עֵינַיִם אֲשֶׁר עַל־דֶּרֶךְ תִּמְנָתָה כִּי
רָאֲתָה כִּי־גָדַל שֵׁלָה וְהִוא לֹא־נִתְּנָה לוֹ
לְאִשָּׁה: טו וַיִּרְאֶהָ יְהוּדָה וַיַּחְשְׁבֶהָ לְזוֹנָה
כִּי כִסְּתָה פָּנֶיהָ: טז וַיֵּט אֵלֶיהָ אֶל־הַדֶּרֶךְ
וַיֹּאמֶר הָבָה־נָּא אָבוֹא אֵלַיִךְ כִּי לֹא
יָדַע כִּי כַלָּתוֹ הִוא וַתֹּאמֶר מַה־תִּתֶּן־
לִּי כִּי תָבוֹא אֵלָי: יז וַיֹּאמֶר אָנֹכִי אֲשַׁלַּח
גְּדִי־עִזִּים מִן־הַצֹּאן וַתֹּאמֶר אִם־תִּתֵּן
עֵרָבוֹן עַד שָׁלְחֶךָ: יח וַיֹּאמֶר מָה הָעֵרָבוֹן
אֲשֶׁר אֶתֶּן־לָךְ וַתֹּאמֶר חֹתָמְךָ וּפְתִילֶךָ
וּמַטְּךָ אֲשֶׁר בְּיָדֶךָ וַיִּתֶּן־לָהּ וַיָּבֹא אֵלֶיהָ
וַתַּהַר לוֹ: יט וַתָּקָם וַתֵּלֶךְ וַתָּסַר צְעִיפָהּ
מֵעָלֶיהָ וַתִּלְבַּשׁ בִּגְדֵי אַלְמְנוּתָהּ: כ וַיִּשְׁלַח
יְהוּדָה אֶת־גְּדִי הָעִזִּים בְּיַד רֵעֵהוּ
הָעֲדֻלָּמִי לָקַחַת הָעֵרָבוֹן מִיַּד הָאִשָּׁה
וְלֹא מְצָאָהּ: כא וַיִּשְׁאַל אֶת־אַנְשֵׁי מְקֹמָהּ
לֵאמֹר אַיֵּה הַקְּדֵשָׁה הִוא בָעֵינַיִם עַל־
הַדָּרֶךְ וַיֹּאמְרוּ לֹא־הָיְתָה בָזֶה קְדֵשָׁה:
כב וַיָּשָׁב אֶל־יְהוּדָה וַיֹּאמֶר לֹא מְצָאתִיהָ
וְגַם אַנְשֵׁי הַמָּקוֹם אָמְרוּ לֹא־הָיְתָה
בָזֶה קְדֵשָׁה: כג וַיֹּאמֶר יְהוּדָה תִּקַּח־לָהּ
פֶּן נִהְיֶה לָבוּז הִנֵּה שָׁלַחְתִּי הַגְּדִי הַזֶּה
וְאַתָּה לֹא מְצָאתָהּ: כד וַיְהִי | כְּמִשְׁלֹשׁ
חֳדָשִׁים וַיֻּגַּד לִיהוּדָה לֵאמֹר זָנְתָה תָּמָר
כַּלָּתֶךָ וְגַם הִנֵּה הָרָה לִזְנוּנִים וַיֹּאמֶר
יְהוּדָה הוֹצִיאוּהָ וְתִשָּׂרֵף: כה הִוא מוּצֵאת
וְהִיא שָׁלְחָה אֶל־חָמִיהָ לֵאמֹר לְאִישׁ
אֲשֶׁר־אֵלֶּה לּוֹ אָנֹכִי הָרָה וַתֹּאמֶר הַכֶּר־
נָא לְמִי הַחֹתֶמֶת וְהַפְּתִילִים וְהַמַּטֶּה
הָאֵלֶּה: כו וַיַּכֵּר יְהוּדָה וַיֹּאמֶר צָדְקָה מִמֶּנִּי
כִּי־עַל־כֵּן לֹא־נְתַתִּיהָ לְשֵׁלָה בְנִי וְלֹא־
יָסַף עוֹד לְדַעְתָּהּ: כז וַיְהִי בְּעֵת לִדְתָּהּ
וְהִנֵּה תְאוֹמִים בְּבִטְנָהּ: כח וַיְהִי בְלִדְתָּהּ
וַיִּתֶּן־יָד וַתִּקַּח הַמְיַלֶּדֶת וַתִּקְשֹׁר עַל־
יָדוֹ שָׁנִי לֵאמֹר זֶה יָצָא רִאשֹׁנָה: כט וַיְהִי |
כְּמֵשִׁיב יָדוֹ וְהִנֵּה יָצָא אָחִיו וַתֹּאמֶר
מַה־פָּרַצְתָּ עָלֶיךָ פָּרֶץ וַיִּקְרָא שְׁמוֹ פָּרֶץ:

ל וְאַחַר יָצָא אָחִיו אֲשֶׁר עַל־יָדוֹ הַשָּׁנִי
וַיִּקְרָא שְׁמוֹ זָרַח: ס לט א וְיוֹסֵף הוּרַד
מִצְרָיְמָה וַיִּקְנֵהוּ פּוֹטִיפַר סְרִיס פַּרְעֹה שַׂר
הַטַּבָּחִים אִישׁ מִצְרִי מִיַּד הַיִּשְׁמְעֵאלִים אֲשֶׁר
הוֹרִדֻהוּ שָׁמָּה: ב וַיְהִי יהוה אֶת־יוֹסֵף
וַיְהִי אִישׁ מַצְלִיחַ וַיְהִי בְּבֵית אֲדֹנָיו
הַמִּצְרִי: ג וַיַּרְא אֲדֹנָיו כִּי יהוה אִתּוֹ וְכֹל
אֲשֶׁר־הוּא עֹשֶׂה יהוה מַצְלִיחַ בְּיָדוֹ:
ד וַיִּמְצָא יוֹסֵף חֵן בְּעֵינָיו וַיְשָׁרֶת אֹתוֹ
וַיַּפְקִדֵהוּ עַל־בֵּיתוֹ וְכָל־יֶשׁ־לוֹ נָתַן
בְּיָדוֹ: ה וַיְהִי מֵאָז הִפְקִיד אֹתוֹ בְּבֵיתוֹ
וְעַל כָּל־אֲשֶׁר יֶשׁ־לוֹ וַיְבָרֶךְ יהוה אֶת־
בֵּית הַמִּצְרִי בִּגְלַל יוֹסֵף וַיְהִי בִּרְכַּת יהוה
בְּכָל־אֲשֶׁר יֶשׁ־לוֹ בַּבַּיִת וּבַשָּׂדֶה: ו וַיַּעֲזֹב
כָּל־אֲשֶׁר־לוֹ בְּיַד־יוֹסֵף וְלֹא־יָדַע אִתּוֹ
מְאוּמָה כִּי אִם־הַלֶּחֶם אֲשֶׁר־הוּא אוֹכֵל
וַיְהִי יוֹסֵף יְפֵה־תֹאַר וִיפֵה מַרְאֶה: ז וַיְהִי
אַחַר הַדְּבָרִים הָאֵלֶּה וַתִּשָּׂא אֵשֶׁת־אֲדֹנָיו
אֶת־עֵינֶיהָ אֶל־יוֹסֵף וַתֹּאמֶר שִׁכְבָה עִמִּי:
ח וַיְמָאֵן | וַיֹּאמֶר אֶל־אֵשֶׁת אֲדֹנָיו הֵן אֲדֹנִי
לֹא־יָדַע אִתִּי מַה־בַּבָּיִת וְכֹל אֲשֶׁר־יֶשׁ־
לוֹ נָתַן בְּיָדִי: ט אֵינֶנּוּ גָדוֹל בַּבַּיִת הַזֶּה
מִמֶּנִּי וְלֹא־חָשַׂךְ מִמֶּנִּי מְאוּמָה כִּי אִם־
אוֹתָךְ בַּאֲשֶׁר אַתְּ־אִשְׁתּוֹ וְאֵיךְ אֶעֱשֶׂה
הָרָעָה הַגְּדֹלָה הַזֹּאת וְחָטָאתִי לֵאלֹהִים:
י וַיְהִי כְּדַבְּרָהּ אֶל־יוֹסֵף יוֹם | יוֹם וְלֹא־
שָׁמַע אֵלֶיהָ לִשְׁכַּב אֶצְלָהּ לִהְיוֹת
עִמָּהּ: יא וַיְהִי כְּהַיּוֹם הַזֶּה וַיָּבֹא הַבַּיְתָה
לַעֲשׂוֹת מְלַאכְתּוֹ וְאֵין אִישׁ מֵאַנְשֵׁי הַבַּיִת
שָׁם בַּבָּיִת: יב וַתִּתְפְּשֵׂהוּ בְּבִגְדוֹ לֵאמֹר
שִׁכְבָה עִמִּי וַיַּעֲזֹב בִּגְדוֹ בְּיָדָהּ וַיָּנָס
וַיֵּצֵא הַחוּצָה: יג וַיְהִי כִּרְאוֹתָהּ כִּי־
עָזַב בִּגְדוֹ בְּיָדָהּ וַיָּנָס הַחוּצָה: יד וַתִּקְרָא
לְאַנְשֵׁי בֵיתָהּ וַתֹּאמֶר לָהֶם לֵאמֹר רְאוּ
הֵבִיא לָנוּ אִישׁ עִבְרִי לְצַחֶק בָּנוּ בָּא אֵלַי
לִשְׁכַּב עִמִּי וָאֶקְרָא בְּקוֹל גָּדוֹל: טו וַיְהִי
כְשָׁמְעוֹ כִּי־הֲרִימֹתִי קוֹלִי וָאֶקְרָא וַיַּעֲזֹב
בִּגְדוֹ אֶצְלִי וַיָּנָס וַיֵּצֵא הַחוּצָה: טז וַתַּנַּח
בִּגְדוֹ אֶצְלָהּ עַד־בּוֹא אֲדֹנָיו אֶל־בֵּיתוֹ:

יז וַתְּדַבֵּר3 אֵלָיו כַּדְּבָרִים הָאֵלֶּה לֵאמֹר1
בָּא1 אֵלַי הָעֶבֶד הָעִבְרִי אֲשֶׁר־הֵבֵאתָ5 לָּנוּ
לְצַחֶק3 בִּי: יח וַיְהִי1 כַּהֲרִימִי5 קוֹלִי וָאֶקְרָא1
וַיַּעֲזֹב1 בִּגְדוֹ אֶצְלִי וַיָּנָס1 הַחוּצָה: יט וַיְהִי1
כִשְׁמֹעַ1 אֲדֹנָיו אֶת־דִּבְרֵי אִשְׁתּוֹ אֲשֶׁר
דִּבְּרָה3 אֵלָיו לֵאמֹר1 כַּדְּבָרִים1 הָאֵלֶּה עָשָׂה1
לִי עַבְדֶּךָ וַיִּחַר1 אַפּוֹ: כ וַיִּקַּח1 אֲדֹנֵי יוֹסֵף
אֹתוֹ וַיִּתְּנֵהוּ1 אֶל־בֵּית הַסֹּהַר מְקוֹם אֲשֶׁר־
אֲסִירֵי [אסורי] הַמֶּלֶךְ אֲסוּרִים1 וַיְהִי־
שָׁם בְּבֵית הַסֹּהַר: כא וַיְהִי1 יהוה אֶת־יוֹסֵף
וַיֵּט1 אֵלָיו חָסֶד וַיִּתֵּן1 חִנּוֹ בְּעֵינֵי שַׂר
בֵּית־הַסֹּהַר: כב וַיִּתֵּן1 שַׂר בֵּית־הַסֹּהַר
בְּיַד־יוֹסֵף אֵת כָּל־הָאֲסִירִם אֲשֶׁר בְּבֵית
הַסֹּהַר וְאֵת כָּל־אֲשֶׁר עֹשִׂים1 שָׁם הוּא
הָיָה1 עֹשֶׂה1: כג אֵין | שַׂר בֵּית־הַסֹּהַר רֹאֶה1
אֶת־כָּל־מְאוּמָה בְּיָדוֹ בַּאֲשֶׁר יהוה אִתּוֹ
וַאֲשֶׁר־הוּא עֹשֶׂה1 יהוה מַצְלִיחַ5: פ
מ א וַיְהִי1 אַחַר הַדְּבָרִים הָאֵלֶּה חָטְאוּ1
מַשְׁקֵה5 מֶלֶךְ־מִצְרַיִם וְהָאֹפֶה1 לַאֲדֹנֵיהֶם
לְמֶלֶךְ מִצְרָיִם: ב וַיִּקְצֹף1 פַּרְעֹה עַל שְׁנֵי
סָרִיסָיו עַל שַׂר הַמַּשְׁקִים5 וְעַל שַׂר
הָאוֹפִים1: ג וַיִּתֵּן1 אֹתָם בְּמִשְׁמַר בֵּית שַׂר
הַטַּבָּחִים אֶל־בֵּית הַסֹּהַר מְקוֹם אֲשֶׁר יוֹסֵף
אָסוּר1 שָׁם: ד וַיִּפְקֹד1 שַׂר הַטַּבָּחִים אֶת־
יוֹסֵף אִתָּם וַיְשָׁרֶת3 אֹתָם וַיִּהְיוּ1 יָמִים
בְּמִשְׁמָר: ה וַיַּחַלְמוּ1 חֲלוֹם שְׁנֵיהֶם אִישׁ
חֲלֹמוֹ בְּלַיְלָה אֶחָד אִישׁ כְּפִתְרוֹן חֲלֹמוֹ
הַמַּשְׁקֶה5 וְהָאֹפֶה1 אֲשֶׁר לְמֶלֶךְ מִצְרַיִם אֲשֶׁר
אֲסוּרִים1 בְּבֵית הַסֹּהַר: ו וַיָּבֹא1 אֲלֵיהֶם יוֹסֵף
בַּבֹּקֶר וַיַּרְא1 אֹתָם וְהִנָּם זֹעֲפִים1: ז וַיִּשְׁאַל1
אֶת־סְרִיסֵי פַרְעֹה אֲשֶׁר אִתּוֹ בְמִשְׁמַר בֵּית
אֲדֹנָיו לֵאמֹר1 מַדּוּעַ פְּנֵיכֶם רָעִים הַיּוֹם:
ח וַיֹּאמְרוּ1 אֵלָיו חֲלוֹם חָלַמְנוּ1 וּפֹתֵר1 אֵין
אֹתוֹ וַיֹּאמֶר1 אֲלֵהֶם יוֹסֵף הֲלוֹא לֵאלֹהִים
פִּתְרֹנִים סַפְּרוּ3־נָא לִי: ט וַיְסַפֵּר3 שַׂר־
הַמַּשְׁקִים5 אֶת־חֲלֹמוֹ לְיוֹסֵף וַיֹּאמֶר1 לוֹ
בַּחֲלוֹמִי וְהִנֵּה־גֶפֶן לְפָנָי: י וּבַגֶּפֶן שְׁלֹשָׁה
שָׂרִיגִם וְהִוא כְפֹרַחַת1 עָלְתָה1 נִצָּהּ
הִבְשִׁילוּ5 אַשְׁכְּלֹתֶיהָ עֲנָבִים: יא וְכוֹס פַּרְעֹה
בְּיָדִי וָאֶקַּח1 אֶת־הָעֲנָבִים וָאֶשְׂחַט1 אֹתָם
אֶל־כּוֹס פַּרְעֹה וָאֶתֵּן1 אֶת־הַכּוֹס עַל־כַּף
פַּרְעֹה: יב וַיֹּאמֶר1 לוֹ יוֹסֵף זֶה פִּתְרֹנוֹ שְׁלֹשֶׁת
הַשָּׂרִגִים שְׁלֹשֶׁת יָמִים הֵם: יג בְּעוֹד | שְׁלֹשֶׁת
יָמִים יִשָּׂא1 פַרְעֹה אֶת־רֹאשֶׁךָ וַהֲשִׁיבְךָ5
עַל־כַּנֶּךָ וְנָתַתָּ1 כוֹס־פַּרְעֹה בְּיָדוֹ כַּמִּשְׁפָּט
הָרִאשׁוֹן אֲשֶׁר הָיִיתָ1 מַשְׁקֵהוּ5: יד כִּי אִם־
זְכַרְתַּנִי1 אִתְּךָ כַּאֲשֶׁר יִיטַב1 לָךְ וְעָשִׂיתָ1־נָּא
עִמָּדִי חָסֶד וְהִזְכַּרְתַּנִי5 אֶל־פַּרְעֹה וְהוֹצֵאתַנִי5
מִן־הַבַּיִת הַזֶּה: טו כִּי־גֻנֹּב4 גֻּנַּבְתִּי4 מֵאֶרֶץ
הָעִבְרִים וְגַם־פֹּה לֹא־עָשִׂיתִי1 מְאוּמָה
כִּי־שָׂמוּ1 אֹתִי בַּבּוֹר: טז וַיַּרְא1 שַׂר־
הָאֹפִים1 כִּי טוֹב פָּתָר1 וַיֹּאמֶר1 אֶל־יוֹסֵף
אַף־אֲנִי בַּחֲלוֹמִי וְהִנֵּה שְׁלֹשָׁה סַלֵּי חֹרִי
עַל־רֹאשִׁי: יז וּבַסַּל הָעֶלְיוֹן מִכֹּל מַאֲכַל
פַּרְעֹה מַעֲשֵׂה אֹפֶה1 וְהָעוֹף אֹכֵל1 אֹתָם מִן־
הַסַּל מֵעַל רֹאשִׁי: יח וַיַּעַן1 יוֹסֵף וַיֹּאמֶר1
זֶה פִּתְרֹנוֹ שְׁלֹשֶׁת הַסַּלִּים שְׁלֹשֶׁת יָמִים
הֵם: יט בְּעוֹד | שְׁלֹשֶׁת יָמִים יִשָּׂא1 פַרְעֹה
אֶת־רֹאשְׁךָ מֵעָלֶיךָ וְתָלָה1 אוֹתְךָ עַל־עֵץ
וְאָכַל1 הָעוֹף אֶת־בְּשָׂרְךָ מֵעָלֶיךָ: כ וַיְהִי1 |
בַּיּוֹם הַשְּׁלִישִׁי יוֹם הֻלֶּדֶת61 אֶת־פַּרְעֹה
וַיַּעַשׂ1 מִשְׁתֶּה לְכָל־עֲבָדָיו וַיִּשָּׂא1 אֶת־
רֹאשׁ | שַׂר הַמַּשְׁקִים5 וְאֶת־רֹאשׁ שַׂר
הָאֹפִים1 בְּתוֹךְ עֲבָדָיו: כא וַיָּשֶׁב5 אֶת־שַׂר
הַמַּשְׁקִים5 עַל־מַשְׁקֵהוּ5 וַיִּתֵּן1 הַכּוֹס עַל־
כַּף פַּרְעֹה: כב וְאֵת שַׂר הָאֹפִים1 תָּלָה1
כַּאֲשֶׁר פָּתַר1 לָהֶם יוֹסֵף: כג וְלֹא־זָכַר1 שַׂר־
הַמַּשְׁקִים5 אֶת־יוֹסֵף וַיִּשְׁכָּחֵהוּ1: פ פ פ

פרשת מקץ

מא א וַיְהִי1 מִקֵּץ שְׁנָתַיִם יָמִים וּפַרְעֹה
חֹלֵם1 וְהִנֵּה עֹמֵד1 עַל־הַיְאֹר: ב וְהִנֵּה מִן־
הַיְאֹר עֹלֹת1 שֶׁבַע פָּרוֹת יְפוֹת מַרְאֶה
וּבְרִיאֹת בָּשָׂר וַתִּרְעֶינָה1 בָּאָחוּ: ג וְהִנֵּה
שֶׁבַע פָּרוֹת אֲחֵרוֹת עֹלוֹת1 אַחֲרֵיהֶן מִן־
הַיְאֹר רָעוֹת מַרְאֶה וְדַקּוֹת בָּשָׂר

וַתַּעֲמֹדְנָה1 אֵצֶל הַפָּרוֹת עַל־שְׂפַת הַיְאֹר:
ד וַתֹּאכַלְנָה1 הַפָּרוֹת רָעוֹת הַמַּרְאֶה
וְדַקֹּת הַבָּשָׂר אֵת שֶׁבַע הַפָּרוֹת יְפֹת
הַמַּרְאֶה וְהַבְּרִיאֹת וַיִּיקַץ1 פַּרְעֹה: ה וַיִּישָׁן1
וַיַּחֲלֹם1 שֵׁנִית וְהִנֵּה | שֶׁבַע שִׁבֳּלִים עֹלוֹת1
בְּקָנֶה אֶחָד בְּרִיאוֹת וְטֹבוֹת: ו וְהִנֵּה שֶׁבַע
שִׁבֳּלִים דַּקּוֹת וּשְׁדוּפֹת1 קָדִים צֹמְחוֹת1
אַחֲרֵיהֶן: ז וַתִּבְלַעְנָה1 הַשִּׁבֳּלִים הַדַּקּוֹת
אֵת שֶׁבַע הַשִּׁבֳּלִים הַבְּרִיאוֹת וְהַמְּלֵאוֹת1
וַיִּיקַץ1 פַּרְעֹה וְהִנֵּה חֲלוֹם: ח וַיְהִי1 בַבֹּקֶר
וַתִּפָּעֶם2 רוּחוֹ וַיִּשְׁלַח1 וַיִּקְרָא1 אֶת־כָּל־
חַרְטֻמֵּי מִצְרַיִם וְאֶת־כָּל־חֲכָמֶיהָ וַיְסַפֵּר3
פַּרְעֹה לָהֶם אֶת־חֲלֹמוֹ וְאֵין־פּוֹתֵר1 אוֹתָם
לְפַרְעֹה: ט וַיְדַבֵּר3 שַׂר הַמַּשְׁקִים5 אֶת־פַּרְעֹה
לֵאמֹר1 אֶת־חֲטָאַי אֲנִי מַזְכִּיר5 הַיּוֹם: י פַּרְעֹה
קָצַף1 עַל־עֲבָדָיו וַיִּתֵּן1 אֹתִי בְּמִשְׁמַר בֵּית
שַׂר הַטַּבָּחִים אֹתִי וְאֵת שַׂר הָאֹפִים1:
יא וַנַּחַלְמָה1 חֲלוֹם בְּלַיְלָה אֶחָד אֲנִי וָהוּא
אִישׁ כְּפִתְרוֹן חֲלֹמוֹ חָלָמְנוּ1: יב וְשָׁם אִתָּנוּ
נַעַר עִבְרִי עֶבֶד לְשַׂר הַטַּבָּחִים וַנְּסַפֶּר3־לוֹ
וַיִּפְתָּר1־לָנוּ אֶת־חֲלֹמֹתֵינוּ אִישׁ כַּחֲלֹמוֹ
פָּתָר1: יג וַיְהִי1 כַּאֲשֶׁר פָּתַר1־לָנוּ כֵּן הָיָה1
אֹתִי הֵשִׁיב5 עַל־כַּנִּי וְאֹתוֹ תָלָה1:
יד וַיִּשְׁלַח1 פַּרְעֹה וַיִּקְרָא1 אֶת־יוֹסֵף וַיְרִיצֻהוּ5
מִן־הַבּוֹר וַיְגַלַּח3 וַיְחַלֵּף3 שִׂמְלֹתָיו וַיָּבֹא1
אֶל־פַּרְעֹה: טו וַיֹּאמֶר1 פַּרְעֹה אֶל־יוֹסֵף חֲלוֹם
חָלַמְתִּי1 וּפֹתֵר1 אֵין אֹתוֹ וַאֲנִי שָׁמַעְתִּי1
עָלֶיךָ לֵאמֹר1 תִּשְׁמַע1 חֲלוֹם לִפְתֹּר1 אֹתוֹ:
טז וַיַּעַן1 יוֹסֵף אֶת־פַּרְעֹה לֵאמֹר1 בִּלְעָדָי
אֱלֹהִים יַעֲנֶה1 אֶת־שְׁלוֹם פַּרְעֹה: יז וַיְדַבֵּר3
פַּרְעֹה אֶל־יוֹסֵף בַּחֲלֹמִי הִנְנִי עֹמֵד1 עַל־
שְׂפַת הַיְאֹר: יח וְהִנֵּה מִן־הַיְאֹר עֹלֹת1 שֶׁבַע
פָּרוֹת בְּרִיאוֹת בָּשָׂר וִיפֹת תֹּאַר
וַתִּרְעֶינָה1 בָּאָחוּ: יט וְהִנֵּה שֶׁבַע פָּרוֹת
אֲחֵרוֹת עֹלוֹת1 אַחֲרֵיהֶן דַּלּוֹת וְרָעוֹת
תֹּאַר מְאֹד וְרַקּוֹת בָּשָׂר לֹא־רָאִיתִי1
כָהֵנָּה בְּכָל־אֶרֶץ מִצְרַיִם לָרֹעַ: כ וַתֹּאכַלְנָה1
הַפָּרוֹת הָרַקּוֹת וְהָרָעוֹת אֵת שֶׁבַע
הַפָּרוֹת הָרִאשֹׁנוֹת הַבְּרִיאֹת: כא וַתָּבֹאנָה1
אֶל־קִרְבֶּנָה וְלֹא נוֹדַע2 כִּי־בָאוּ1 אֶל־קִרְבֶּנָה
וּמַרְאֵיהֶן רַע כַּאֲשֶׁר בַּתְּחִלָּה וָאִיקָץ1:
כב וָאֵרֶא1 בַּחֲלֹמִי וְהִנֵּה | שֶׁבַע שִׁבֳּלִים
עֹלֹת1 בְּקָנֶה אֶחָד מְלֵאֹת1 וְטֹבוֹת: כג וְהִנֵּה
שֶׁבַע שִׁבֳּלִים צְנֻמוֹת1 דַּקּוֹת שְׁדֻפוֹת1 קָדִים
צֹמְחוֹת1 אַחֲרֵיהֶם: כד וַתִּבְלַעְןָ1 הַשִּׁבֳּלִים
הַדַּקֹּת אֵת שֶׁבַע הַשִּׁבֳּלִים הַטֹּבוֹת וָאֹמַר1
אֶל־הַחַרְטֻמִּים וְאֵין מַגִּיד5 לִי: כה וַיֹּאמֶר1
יוֹסֵף אֶל־פַּרְעֹה חֲלוֹם פַּרְעֹה אֶחָד הוּא אֵת
אֲשֶׁר הָאֱלֹהִים עֹשֶׂה1 הִגִּיד5 לְפַרְעֹה: כו שֶׁבַע
פָּרֹת הַטֹּבֹת שֶׁבַע שָׁנִים הֵנָּה וְשֶׁבַע
הַשִּׁבֳּלִים הַטֹּבֹת שֶׁבַע שָׁנִים הֵנָּה חֲלוֹם
אֶחָד הוּא: כז וְשֶׁבַע הַפָּרוֹת הָרַקּוֹת
וְהָרָעֹת הָעֹלֹת1 אַחֲרֵיהֶן שֶׁבַע שָׁנִים הֵנָּה
וְשֶׁבַע הַשִּׁבֳּלִים הָרֵקוֹת שְׁדֻפוֹת1 הַקָּדִים
יִהְיוּ1 שֶׁבַע שְׁנֵי רָעָב: כח הוּא הַדָּבָר אֲשֶׁר
דִּבַּרְתִּי3 אֶל־פַּרְעֹה אֲשֶׁר הָאֱלֹהִים עֹשֶׂה1
הֶרְאָה5 אֶת־פַּרְעֹה: כט הִנֵּה שֶׁבַע שָׁנִים
בָּאוֹת1 שָׂבָע גָּדוֹל בְּכָל־אֶרֶץ מִצְרָיִם:
ל וְקָמוּ1 שֶׁבַע שְׁנֵי רָעָב אַחֲרֵיהֶן וְנִשְׁכַּח2
כָּל־הַשָּׂבָע בְּאֶרֶץ מִצְרָיִם וְכִלָּה3 הָרָעָב
אֶת־הָאָרֶץ: לא וְלֹא־יִוָּדַע2 הַשָּׂבָע בָּאָרֶץ
מִפְּנֵי הָרָעָב הַהוּא אַחֲרֵי־כֵן כִּי־כָבֵד הוּא
מְאֹד: לב וְעַל הִשָּׁנוֹת2 הַחֲלוֹם אֶל־פַּרְעֹה
פַּעֲמָיִם כִּי־נָכוֹן2 הַדָּבָר מֵעִם הָאֱלֹהִים
וּמְמַהֵר3 הָאֱלֹהִים לַעֲשֹׂתוֹ1: לג וְעַתָּה יֵרֶא1
פַרְעֹה אִישׁ נָבוֹן2 וְחָכָם וִישִׁיתֵהוּ1 עַל־אֶרֶץ
מִצְרָיִם: לד יַעֲשֶׂה1 פַרְעֹה וְיַפְקֵד5 פְּקִדִים עַל־
הָאָרֶץ וְחִמֵּשׁ3 אֶת־אֶרֶץ מִצְרַיִם בְּשֶׁבַע שְׁנֵי
הַשָּׂבָע: לה וְיִקְבְּצוּ1 אֶת־כָּל־אֹכֶל הַשָּׁנִים
הַטֹּבֹת הַבָּאֹת1 הָאֵלֶּה וְיִצְבְּרוּ1־בָר תַּחַת
יַד־פַּרְעֹה אֹכֶל בֶּעָרִים וְשָׁמָרוּ1: לו וְהָיָה1
הָאֹכֶל לְפִקָּדוֹן לָאָרֶץ לְשֶׁבַע שְׁנֵי הָרָעָב
אֲשֶׁר תִּהְיֶיןָ1 בְּאֶרֶץ מִצְרָיִם וְלֹא־תִכָּרֵת2
הָאָרֶץ בָּרָעָב: לז וַיִּיטַב1 הַדָּבָר בְּעֵינֵי פַרְעֹה
וּבְעֵינֵי כָּל־עֲבָדָיו: לח וַיֹּאמֶר1 פַּרְעֹה אֶל־
עֲבָדָיו הֲנִמְצָא1 כָזֶה אִישׁ אֲשֶׁר רוּחַ אֱלֹהִים
בּוֹ: לט וַיֹּאמֶר1 פַּרְעֹה אֶל־יוֹסֵף אַחֲרֵי הוֹדִיעַ5
אֱלֹהִים אוֹתְךָ אֶת־כָּל־זֹאת אֵין־נָבוֹן2

וְחָכָם כָּמוֹךָ: מ אַתָּה תִּהְיֶה1 עַל־בֵּיתִי וְעַל־
פִּיךָ יִשַּׁק1 כָּל־עַמִּי רַק הַכִּסֵּא אֶגְדַּל1
מִמֶּךָּ: מא וַיֹּאמֶר1 פַּרְעֹה אֶל־יוֹסֵף רְאֵה1
נָתַתִּי1 אֹתְךָ עַל כָּל־אֶרֶץ מִצְרָיִם: מב וַיָּסַר5
פַּרְעֹה אֶת־טַבַּעְתּוֹ מֵעַל יָדוֹ וַיִּתֵּן1 אֹתָהּ
עַל־יַד יוֹסֵף וַיַּלְבֵּשׁ5 אֹתוֹ בִּגְדֵי־שֵׁשׁ וַיָּשֶׂם1
רְבִד הַזָּהָב עַל־צַוָּארוֹ: מג וַיַּרְכֵּב5 אֹתוֹ
בְּמִרְכֶּבֶת הַמִּשְׁנֶה אֲשֶׁר־לוֹ וַיִּקְרְאוּ1 לְפָנָיו
אַבְרֵךְ5 וְנָתוֹן1 אֹתוֹ עַל כָּל־אֶרֶץ מִצְרָיִם:
מד וַיֹּאמֶר1 פַּרְעֹה אֶל־יוֹסֵף אֲנִי פַרְעֹה וּבִלְעָדֶיךָ
לֹא־יָרִים5 אִישׁ אֶת־יָדוֹ וְאֶת־רַגְלוֹ בְּכָל־
אֶרֶץ מִצְרָיִם: מה וַיִּקְרָא1 פַרְעֹה שֵׁם־יוֹסֵף
צָפְנַת פַּעְנֵחַ וַיִּתֶּן1־לוֹ אֶת־אָסְנַת בַּת־פּוֹטִי
פֶרַע כֹּהֵן אֹן לְאִשָּׁה וַיֵּצֵא1 יוֹסֵף עַל־אֶרֶץ
מִצְרָיִם: מו וְיוֹסֵף בֶּן־שְׁלֹשִׁים שָׁנָה בְּעָמְדוֹ1
לִפְנֵי פַּרְעֹה מֶלֶךְ־מִצְרָיִם וַיֵּצֵא1 יוֹסֵף מִלִּפְנֵי
פַרְעֹה וַיַּעֲבֹר1 בְּכָל־אֶרֶץ מִצְרָיִם: מז וַתַּעַשׂ1
הָאָרֶץ בְּשֶׁבַע שְׁנֵי הַשָּׂבָע לִקְמָצִים:
מח וַיִּקְבֹּץ1 אֶת־כָּל־אֹכֶל | שֶׁבַע שָׁנִים
אֲשֶׁר הָיוּ1 בְּאֶרֶץ מִצְרַיִם וַיִּתֶּן1־אֹכֶל
בֶּעָרִים אֹכֶל שְׂדֵה־הָעִיר אֲשֶׁר סְבִיבֹתֶיהָ
נָתַן1 בְּתוֹכָהּ: מט וַיִּצְבֹּר1 יוֹסֵף בָּר כְּחוֹל
הַיָּם הַרְבֵּה מְאֹד עַד כִּי־חָדַל1 לִסְפֹּר1 כִּי־
אֵין מִסְפָּר: נ וּלְיוֹסֵף יֻלַּד4 שְׁנֵי בָנִים בְּטֶרֶם
תָּבוֹא1 שְׁנַת הָרָעָב אֲשֶׁר יָלְדָה1־לּוֹ אָסְנַת
בַּת־פּוֹטִי פֶרַע כֹּהֵן אוֹן: נא וַיִּקְרָא1 יוֹסֵף אֶת־
שֵׁם הַבְּכוֹר מְנַשֶּׁה כִּי־נַשַּׁנִי3 אֱלֹהִים אֶת־
כָּל־עֲמָלִי וְאֵת כָּל־בֵּית אָבִי: נב וְאֵת
שֵׁם הַשֵּׁנִי קָרָא1 אֶפְרָיִם כִּי־הִפְרַנִי5 אֱלֹהִים
בְּאֶרֶץ עָנְיִי: נג וַתִּכְלֶינָה1 שֶׁבַע שְׁנֵי הַשָּׂבָע
אֲשֶׁר הָיָה1 בְּאֶרֶץ מִצְרָיִם: נד וַתְּחִלֶּינָה5 שֶׁבַע
שְׁנֵי הָרָעָב לָבוֹא1 כַּאֲשֶׁר אָמַר1 יוֹסֵף וַיְהִי1
רָעָב בְּכָל־הָאֲרָצוֹת וּבְכָל־אֶרֶץ מִצְרַיִם
הָיָה1 לָחֶם: נה וַתִּרְעַב1 כָּל־אֶרֶץ מִצְרַיִם
וַיִּצְעַק1 הָעָם אֶל־פַּרְעֹה לַלָּחֶם וַיֹּאמֶר1 פַּרְעֹה
לְכָל־מִצְרַיִם לְכוּ1 אֶל־יוֹסֵף אֲשֶׁר־יֹאמַר1 לָכֶם
תַּעֲשׂוּ1: נו וְהָרָעָב הָיָה1 עַל כָּל־פְּנֵי הָאָרֶץ
וַיִּפְתַּח1 יוֹסֵף אֶת־כָּל־אֲשֶׁר בָּהֶם וַיִּשְׁבֹּר1
לְמִצְרַיִם וַיֶּחֱזַק1 הָרָעָב בְּאֶרֶץ מִצְרָיִם: נז וְכָל־
הָאָרֶץ בָּאוּ1 מִצְרַיְמָה לִשְׁבֹּר1 אֶל־יוֹסֵף כִּי־
חָזַק1 הָרָעָב בְּכָל־הָאָרֶץ: מב א וַיַּרְא1 יַעֲקֹב
כִּי יֶשׁ־שֶׁבֶר בְּמִצְרָיִם וַיֹּאמֶר1 יַעֲקֹב לְבָנָיו
לָמָּה תִּתְרָאוּ7: ב וַיֹּאמֶר1 הִנֵּה שָׁמַעְתִּי1 כִּי
יֶשׁ־שֶׁבֶר בְּמִצְרָיִם רְדוּ1־שָׁמָּה וְשִׁבְרוּ1־לָנוּ
מִשָּׁם וְנִחְיֶה1 וְלֹא נָמוּת1: ג וַיֵּרְדוּ1 אֲחֵי־יוֹסֵף
עֲשָׂרָה לִשְׁבֹּר1 בָּר מִמִּצְרָיִם: ד וְאֶת־בִּנְיָמִין
אֲחִי יוֹסֵף לֹא־שָׁלַח1 יַעֲקֹב אֶת־אֶחָיו כִּי
אָמַר1 פֶּן־יִקְרָאֶנּוּ1 אָסוֹן: ה וַיָּבֹאוּ1 בְּנֵי
יִשְׂרָאֵל לִשְׁבֹּר1 בְּתוֹךְ הַבָּאִים1 כִּי־הָיָה1 הָרָעָב
בְּאֶרֶץ כְּנָעַן: ו וְיוֹסֵף הוּא הַשַּׁלִּיט עַל־הָאָרֶץ
הוּא הַמַּשְׁבִּיר5 לְכָל־עַם הָאָרֶץ וַיָּבֹאוּ1
אֲחֵי יוֹסֵף וַיִּשְׁתַּחֲווּ7־לוֹ אַפַּיִם אָרְצָה:
ז וַיַּרְא1 יוֹסֵף אֶת־אֶחָיו וַיַּכִּרֵם5 וַיִּתְנַכֵּר7
אֲלֵיהֶם וַיְדַבֵּר3 אִתָּם קָשׁוֹת וַיֹּאמֶר1 אֲלֵהֶם
מֵאַיִן בָּאתֶם1 וַיֹּאמְרוּ1 מֵאֶרֶץ כְּנַעַן לִשְׁבָּר1־
אֹכֶל: ח וַיַּכֵּר5 יוֹסֵף אֶת־אֶחָיו וְהֵם לֹא
הִכִּרֻהוּ5: ט וַיִּזְכֹּר1 יוֹסֵף אֵת הַחֲלֹמוֹת אֲשֶׁר
חָלַם1 לָהֶם וַיֹּאמֶר1 אֲלֵהֶם מְרַגְּלִים3 אַתֶּם
לִרְאוֹת1 אֶת־עֶרְוַת הָאָרֶץ בָּאתֶם1:
י וַיֹּאמְרוּ1 אֵלָיו לֹא אֲדֹנִי וַעֲבָדֶיךָ בָּאוּ1
לִשְׁבָּר1־אֹכֶל: יא כֻּלָּנוּ בְּנֵי אִישׁ־אֶחָד נָחְנוּ
כֵּנִים אֲנַחְנוּ לֹא־הָיוּ1 עֲבָדֶיךָ מְרַגְּלִים3:
יב וַיֹּאמֶר1 אֲלֵהֶם לֹא כִּי־עֶרְוַת הָאָרֶץ
בָּאתֶם1 לִרְאוֹת1: יג וַיֹּאמְרוּ1 שְׁנֵים עָשָׂר
עֲבָדֶיךָ אַחִים | אֲנַחְנוּ בְּנֵי אִישׁ־אֶחָד
בְּאֶרֶץ כְּנָעַן וְהִנֵּה הַקָּטֹן אֶת־אָבִינוּ הַיּוֹם
וְהָאֶחָד אֵינֶנּוּ: יד וַיֹּאמֶר1 אֲלֵהֶם יוֹסֵף הוּא
אֲשֶׁר דִּבַּרְתִּי3 אֲלֵכֶם לֵאמֹר1 מְרַגְּלִים3 אַתֶּם:
טו בְּזֹאת תִּבָּחֵנוּ2 חֵי פַרְעֹה אִם־תֵּצְאוּ1
מִזֶּה כִּי אִם־בְּבוֹא1 אֲחִיכֶם הַקָּטֹן הֵנָּה:
טז שִׁלְחוּ1 מִכֶּם אֶחָד וְיִקַּח1 אֶת־אֲחִיכֶם
וְאַתֶּם הֵאָסְרוּ2 וְיִבָּחֲנוּ2 דִּבְרֵיכֶם הַאֱמֶת
אִתְּכֶם וְאִם־לֹא חֵי פַרְעֹה כִּי מְרַגְּלִים3
אַתֶּם: יז וַיֶּאֱסֹף1 אֹתָם אֶל־מִשְׁמָר שְׁלֹשֶׁת
יָמִים: יח וַיֹּאמֶר1 אֲלֵהֶם יוֹסֵף בַּיּוֹם הַשְּׁלִישִׁי
זֹאת עֲשׂוּ1 וִחְיוּ1 אֶת־הָאֱלֹהִים אֲנִי יָרֵא1:
יט אִם־כֵּנִים אַתֶּם אֲחִיכֶם אֶחָד יֵאָסֵר2
בְּבֵית מִשְׁמַרְכֶם וְאַתֶּם לְכוּ1 הָבִיאוּ5 שֶׁבֶר

רַעֲבוֹן בָּתֵּיכֶם: כ וְאֶות־אֲחִהיכֶם הַקָּטֹן
תָּבִיאוּ5 אֵלַי וְיֵאָמְנוּ2 דִבְרֵיכֶם וְלוֹא תָמוּתוּ1
וַיַּעֲשׂהוּ1־כֵן: כא וַיֹּאמְרוּ1 אִישׁ אֶל־אָחִהיו
אֲבָל אֲשֵׁמִים1 | אֲנַחְנוּ עַלה־אָחִהינוּ אֲשֶׁר
רָאִהינוּ1 צָרַת נַפְשׁוֹ בְּהִתְחַנְנוֹ7 אֵלֵינוּ וְלוֹא
שָׁמָעְנוּ1 עַלה־כֵּן בָּאָה1 אֵלֵינוּ הַצָּרָה
הַזֹּהאת: כב וַיַּעַן1 רְאוּבֵן אוֹתָם לֵאמֹר1 הֲלוֹא
אָמַרְתִּי1 אֲלֵיכֶם | לֵאמֹר1 אַל־תֶּחֶטְאוּ1 בַיֶּלֶד
וְלוֹא שְׁמַעְתֶּם1 וְגַם־דָּמהוֹ הִנֵּה נִדְרָשׁ2:
כג וְהֵם לוֹא יָדְעוּ1 כִּי שֹׁמֵעַ1 יוֹסֵף כִּי הַמֵּלִיץ5
בֵּינֹתָם: כד וַיִּסֹּב2 מֵעֲלֵהיהֶם וַיֵּבְךְּ1 וַיָּשָׁב1
אֲלֵהֶם וַיְדַבֵּר3 אֲלֵהֶם וַיִּלַּקַח1 מֵאִתָּם אֶות־
שִׁמְעוֹן וַיֶּאֱסֹר1 אוֹתוֹ לְעֵינֵיהֶם: כה וַיְצַו3 יוֹסֵף
וַיְמַלְאוּ3 אֶות־כְּלֵהיהֶם בָּר וּלְהָשִׁיב5
כַּסְפֵּיהֶם אִישׁ אֶל־שַׂקּוֹ וְלָנתֵת1 לָהֶם צֵדָה
לַדָּרֶךְ וַיַּעַשׂ1 לָהֶם כֵּן: כו וַיִּנְשְׂאוּ1 אֶות־
שִׁבְרָם עַלה־חֲמֹרֵיהֶם וַיֵּלְכוּ1 מִשָּׁם:
כז וַיִּפְתַּח1 הָאֶחָד אֶות־שַׂקּוֹ לָנתֵת1 מִסְפּוֹא
לַחֲמֹרוֹ בַּמָּלוֹן וַיַּרְא1 אֶות־כַּסְפּוֹ וְהִנֵּה־הוּא
בְּפִהי אַמְתַּחְתּוֹ: כח וַיֹּאמֶר1 אֶל־אֶחָהיו
הוּשַׁב6 כַּסְפִּי וְגַם הִנֵּה בְאַמְתַּחְתִּי וַיֵּצֵא1
לִבָּם וַיֶּחֶרְדוּ1 אִישׁ אֶל־אָחִהיו לֵאמֹר1 מַה־
זֹּהאת עָשָׂה1 אֱלֹהִים לָנוּ: כט וַיָּבוֹאוּ1 אֶל־יַעֲקֹב
אֲבִהיהֶם אַרְצָה כְּנָעַן וַיַּגִּידוּ5 לוֹ אֵות כָּל־
הַקֹּרֹהת1 אוֹתָם לֵאמֹר1: ל דִּבֶּר3 הָאִישׁ אֲדֹנֵי
הָאָרֶץ אִתָּנוּ קָשׁהוֹת וַיִּתֵּן1 אוֹתָנוּ
כִּמְרַגְּלִים3 אֶות־הָאָרֶץ: לא וַנֹּאמֶר1 אֵלָיו
כֵּנִים אֲנָחְנוּ לוֹא הָיִהינוּ1 מְרַגְּלִים3: לב שְׁנֵהים־
עָשָׂר אֲנַחְנוּ אַחִהים בְּנֵהי אָבִהינוּ הָאֶחָד
אֵינֶנּוּ וְהַקָּטֹן הַיּוֹם אֶתת־אָבִהינוּ בְּאֶרֶץ כְּנָעַן:
לג וַיֹּאמֶר1 אֵלֵינוּ הָאִישׁ אֲדֹנֵי הָאָרֶץ בְּזֹהאת
אֵידַע1 כִּי כֵנִים אַתֶּם אֲחִהיכֶם הָאֶחָד
הַנִּיחוּ5 אִתִּי וְאֶות־רַעֲבוֹן בָּתֵּיכֶם לִקְחוּ1
וָלֵכוּ1: לד וְהָבִיאוּ5 אֶות־אֲחִהיכֶם הַקָּטֹן אֵלַי
וְאֵדְעָה1 כִּי לוֹא מְרַגְּלִים3 אַתֶּם כִּי כֵנִים
אַתֶּם אֶות־אֲחִהיכֶם אֶתֵּן1 לָכֶם וְאֶות־הָאָרֶץ
תִּסְחָרוּ1: לה וַיְהִי1 הֵם מְרִיקִים5 שַׂקֵּיהֶם
וְהִנֵּה־אִישׁ צְרוֹר־כַּסְפּוֹ בְּשַׂקּוֹ וַיִּרְאוּ1 אֶות־
צְרֹרוֹת כַּסְפֵּיהֶם הֵמָּה וַאֲבִהיהֶם וַיִּירָאוּ1:
לו וַיֹּאמֶר1 אֲלֵהֶם יַעֲקֹב אֲבִהיהֶם אוֹתִי
שִׁכַּלְתֶּם3 יוֹסֵף אֵינֶנּוּ וְשִׁמְעוֹן אֵינֶנּוּ וְאֶות־
בִּנְיָמִן תִּלקָּחוּ1 עָלַהי הָיהוּ1 כֻלָּנָה: לז וַיֹּאמֶר1
רְאוּבֵן אֶל־אָבִהיו לֵאמֹר1 אֶות־שְׁנֵהי בָנַהי
תָּמִית5 אִםם־לוֹא אֲבִיאֶנּוּ5 אֵלֶיךָ נתְּנָה1
אוֹתוֹ עַלה־יָדִהי וַאֲנִי אֲשִׁיבֶנּוּ5 אֵלֶיךָ:
לח וַיֹּאמֶר1 לוֹא־יֵרֵד1 בְּנִהי עִמָּכֶם כִּי־אָחִהיו
מֵת1 וְהוּא לְבַדּדוֹ נִשְׁאָר2 וּקְרָאָ(ה)הוּ1 אָסוֹן
בַּדֶּרֶךְ אֲשֶׁר תֵּלְכוּ1־בָהּ וְהוֹרַדְתֶּם5 אֶות־
שֵׂיבָתִי בְּיָגהוֹן שְׁאוֹלָה: **מג** א וְהָרָעָב כָּבֵד
בָּאָרֶץ: ב וַיְהִי1 כַּאֲשֶׁר כִּלּהוּ3 לֶאֱכֹל1 אֶות־
הַשֶּׁבֶר אֲשֶׁר הֵבִיאוּ5 מִמִּצְרָיִם וַיֹּאמֶר1
אֲלֵיהֶם אֲבִהיהֶם שֻׁבוּ1 שִׁבְרוּ1־לָנוּ מְעַט־
אֹכֶל: ג וַיֹּאמֶר1 אֵלָיו יְהוּדָה לֵאמֹר1 הָעֵד5
הֵעִד5 בָּנוּ הָאִישׁ לֵאמֹר1 לוֹא־תִרְאוּ1 פָנַהי
בִּלְתִּי אֲחִהיכֶם אִתְּכֶם: ד אִםם־יֶשְׁהךָ
מְשַׁלֵּחַ3 אֶות־אָחִהינוּ אִתָּנוּ נֵרְדָה1
וְנִשְׁבְּרָה1 לְךָ אֹכֶל: ה וְאִםם־אֵינְךָ מְשַׁלֵּחַ3
לוֹא נֵרֵד1 כִּי־הָאִישׁ אָמַר1 אֵלֵינוּ לוֹא־
תִרְאוּ1 פָנַהי בִּלְתִּי אֲחִהיכֶם אִתְּכֶם:
ו וַיֹּאמֶר1 יִשְׂרָאֵל לָמָה הֲרֵעֹתֶם5 לִי לְהַנגִּיד5
לָאִישׁ הַעוֹד לָכֶם אָחה: ז וַיֹּאמְרוּ1 שָׁאוֹל1
שָׁאַל1־הָאִישׁ לָנוּ וּלְמוֹלַדְתֵּנוּ לֵאמֹר1 הַעוֹד
אֲבִהיכֶם חַי הֲיֵשׁה לָכֶם אָחה וַנַּגֶּד5־לוֹ עַלה־
פִּהי הַדְּבָרִים הָאֵלֶּה הֲיָדוֹעַ1 נֵדַע1 כִּי יֹאמַר1
הוֹרִידוּ5 אֶות־אֲחִהיכֶם: ח וַיֹּאמֶר1 יְהוּדָה אֶל־
יִשְׂרָאֵל אָבִהיו שִׁלְחָה1 הַנַּעַר אִתִּי וְנָקוּמָה1
וְנֵלֵכָה1 וְנִחְיֶה1 וְלוֹא נָמוּת1 גַּם־אֲנַחְנוּ גַם־
אַתָּה גַּם־טַפֵּנוּ: ט אָנֹכִי אֶעֶרְבֶנּוּ1 מִיָּדִהי
תְּבַקְשֶׁנּוּ3 אִםם־לוֹא הֲבִיאֹתִיו5 אֵלֶיךָ
וְהִצַּגְתִּיו5 לְפָנֶהיךָ וְחָטָאתִי1 לְךָ כָּל־הַיָּמִים:
י כִּי לוּלֵא הִתְמַהְמָהְנוּ7 כִּי־עַתָּה שַׁבְנוּ1 זֶה
פַעֲמָיִם: יא וַיֹּאמֶר1 אֲלֵהֶם יִשְׂרָאֵל אֲבִהיהֶם
אִםם־כֵּן | אֵיפוֹא זֹהאת עֲשׂהוּ1 לִקְחוּ1 מִזִּמְרַת
הָאָרֶץ בִּכְלֵהיכֶם וְהוֹרִידוּ5 לָאִישׁ מִנְחָה
מְעַט צֳרִהי וּמְעַט דְּבַשׁ נְכֹאת וָלוֹט בָּטְנִים
וּשְׁקֵדִים: יב וְכֶסֶף מִשְׁנֶה לִקְחוּ1 בְיֶדְהכֶם
וְאֶות־הַכֶּסֶף הַמּוּשַׁב6 בְּפִהי אַמְתְּחֹתֵיכֶם
תָּשִׁיבוּ5 בְיֶדְהכֶם אוּלַי מִשְׁגֶּה הוּא: יג וְאֶות־

אֲחִיכֶם קְחוּ1 וְקוּמוּ1 שׁוּבוּ1 אֶל־הָאִישׁ:
יד וְאֵל שַׁדַּי יִתֵּן1 לָכֶם רַחֲמִים לִפְנֵי הָאִישׁ
וְשִׁלַּח3 לָכֶם אֶת־אֲחִיכֶם אַחֵר וְאֶת־בִּנְיָמִין
וַאֲנִי כַּאֲשֶׁר שָׁכֹלְתִּי1 שָׁכָלְתִּי1: טו וַיִּקְחוּ1
הָאֲנָשִׁים אֶת־הַמִּנְחָה הַזֹּאת וּמִשְׁנֶה־כֶּסֶף
לָקְחוּ1 בְיָדָם וְאֶת־בִּנְיָמִן וַיָּקֻמוּ1 וַיֵּרְדוּ1
מִצְרַיִם וַיַּעַמְדוּ1 לִפְנֵי יוֹסֵף: [ששי] טז וַיַּרְא1
יוֹסֵף אִתָּם אֶת־בִּנְיָמִין וַיֹּאמֶר1 לַאֲשֶׁר עַל־
בֵּיתוֹ הָבֵא5 אֶת־הָאֲנָשִׁים הַבָּיְתָה וּטְבֹחַ1
טֶבַח וְהָכֵן5 כִּי אִתִּי יֹאכְלוּ1 הָאֲנָשִׁים
בַּצָּהֳרָיִם: יז וַיַּעַשׂ1 הָאִישׁ כַּאֲשֶׁר אָמַר1 יוֹסֵף
וַיָּבֵא5 הָאִישׁ אֶת־הָאֲנָשִׁים בֵּיתָה יוֹסֵף:
יח וַיִּירְאוּ1 הָאֲנָשִׁים כִּי הוּבְאוּ6 בֵּית יוֹסֵף
וַיֹּאמְרוּ1 עַל־דְּבַר הַכֶּסֶף הַשָּׁב1
בְּאַמְתְּחֹתֵינוּ בַּתְּחִלָּה אֲנַחְנוּ מוּבָאִים6
לְהִתְגֹּלֵל7 עָלֵינוּ וּלְהִתְנַפֵּל7 עָלֵינוּ
וְלָקַחַת1 אֹתָנוּ לַעֲבָדִים וְאֶת־חֲמֹרֵינוּ:
יט וַיִּגְּשׁוּ1 אֶל־הָאִישׁ אֲשֶׁר עַל־בֵּית יוֹסֵף
וַיְדַבְּרוּ3 אֵלָיו פֶּתַח הַבָּיִת: כ וַיֹּאמְרוּ1 בִּי
אֲדֹנִי יָרֹד1 יָרַדְנוּ1 בַּתְּחִלָּה לִשְׁבָּר־אֹכֶל:
כא וַיְהִי1 כִּי־בָאנוּ1 אֶל־הַמָּלוֹן וַנִּפְתְּחָה1
אֶת־אַמְתְּחֹתֵינוּ וְהִנֵּה כֶסֶף־אִישׁ בְּפִי
אַמְתַּחְתּוֹ כַּסְפֵּנוּ בְּמִשְׁקָלוֹ וַנָּשֶׁב5 אֹתוֹ
בְּיָדֵנוּ: כב וְכֶסֶף אַחֵר הוֹרַדְנוּ5 בְיָדֵנוּ
לִשְׁבָּר־אֹכֶל לֹא יָדַעְנוּ1 מִי־שָׂם1 כַּסְפֵּנוּ
בְּאַמְתְּחֹתֵינוּ: כג וַיֹּאמֶר1 שָׁלוֹם לָכֶם אַל־
תִּירָאוּ1 אֱלֹהֵיכֶם וֵאלֹהֵי אֲבִיכֶם נָתַן1 לָכֶם
מַטְמוֹן בְּאַמְתְּחֹתֵיכֶם כַּסְפְּכֶם בָּא1 אֵלָי
וַיּוֹצֵא5 אֲלֵהֶם אֶת־שִׁמְעוֹן: כד וַיָּבֵא5 הָאִישׁ
אֶת־הָאֲנָשִׁים בֵּיתָה יוֹסֵף וַיִּתֶּן1־מַיִם
וַיִּרְחֲצוּ1 רַגְלֵיהֶם וַיִּתֵּן1 מִסְפּוֹא לַחֲמֹרֵיהֶם:
כה וַיָּכִינוּ5 אֶת־הַמִּנְחָה עַד־בּוֹא1 יוֹסֵף
בַּצָּהֳרָיִם כִּי שָׁמְעוּ1 כִּי־שָׁם יֹאכְלוּ1 לָחֶם:
כו וַיָּבֹא1 יוֹסֵף הַבַּיְתָה וַיָּבִיאוּ5 לוֹ אֶת־הַמִּנְחָה
אֲשֶׁר־בְּיָדָם הַבָּיְתָה וַיִּשְׁתַּחֲווּ7־לוֹ אָרְצָה:
כז וַיִּשְׁאַל1 לָהֶם לְשָׁלוֹם וַיֹּאמֶר1 הֲשָׁלוֹם
אֲבִיכֶם הַזָּקֵן אֲשֶׁר אֲמַרְתֶּם1 הַעוֹדֶנּוּ חָי:
כח וַיֹּאמְרוּ1 שָׁלוֹם לְעַבְדְּךָ לְאָבִינוּ עוֹדֶנּוּ
חָי וַיִּקְּדוּ1 וַיִּשְׁתַּחֲוֻ7 [וַיִּשְׁתַּחֲווּ] : כט וַיִּשָּׂא1
עֵינָיו וַיַּרְא1 אֶת־בִּנְיָמִין אָחִיו בֶּן־אִמּוֹ
וַיֹּאמֶר1 הֲזֶה אֲחִיכֶם הַקָּטֹן אֲשֶׁר אֲמַרְתֶּם1
אֵלָי וַיֹּאמַר1 אֱלֹהִים יָחְנְךָ1 בְּנִי: [שביעי]
ל וַיְמַהֵר3 יוֹסֵף כִּי־נִכְמְרוּ2 רַחֲמָיו אֶל־אָחִיו
וַיְבַקֵּשׁ3 לִבְכּוֹת1 וַיָּבֹא1 הַחַדְרָה וַיֵּבְךְּ1
שָׁמָּה: לא וַיִּרְחַץ1 פָּנָיו וַיֵּצֵא1 וַיִּתְאַפַּק7
וַיֹּאמֶר1 שִׂימוּ1 לָחֶם: לב וַיָּשִׂימוּ1 לוֹ לְבַדּוֹ
וְלָהֶם לְבַדָּם וְלַמִּצְרִים הָאֹכְלִים1 אִתּוֹ
לְבַדָּם כִּי לֹא יוּכְלוּן1 הַמִּצְרִים לֶאֱכֹל1
אֶת־הָעִבְרִים לֶחֶם כִּי־תוֹעֵבָה הִוא לְמִצְרָיִם:
לג וַיֵּשְׁבוּ1 לְפָנָיו הַבְּכֹר כִּבְכֹרָתוֹ וְהַצָּעִיר
כִּצְעִרָתוֹ וַיִּתְמְהוּ1 הָאֲנָשִׁים אִישׁ אֶל־רֵעֵהוּ:
לד וַיִּשָּׂא1 מַשְׂאֹת מֵאֵת פָּנָיו אֲלֵהֶם
וַתֵּרֶב1 מַשְׂאַת בִּנְיָמִן מִמַּשְׂאֹת כֻּלָּם חָמֵשׁ
יָדוֹת וַיִּשְׁתּוּ1 וַיִּשְׁכְּרוּ1 עִמּוֹ: **מד** א וַיְצַו3
אֶת־אֲשֶׁר עַל־בֵּיתוֹ לֵאמֹר1 מַלֵּא3 אֶת־
אַמְתְּחֹת הָאֲנָשִׁים אֹכֶל כַּאֲשֶׁר יוּכְלוּן1
שְׂאֵת1 וְשִׂים1 כֶּסֶף־אִישׁ בְּפִי אַמְתַּחְתּוֹ:
ב וְאֶת־גְּבִיעִי גְּבִיעַ הַכֶּסֶף תָּשִׂים1 בְּפִי
אַמְתַּחַת הַקָּטֹן וְאֵת כֶּסֶף שִׁבְרוֹ וַיַּעַשׂ1
כִּדְבַר יוֹסֵף אֲשֶׁר דִּבֵּר3: ג הַבֹּקֶר אוֹר1
וְהָאֲנָשִׁים שֻׁלְּחוּ4 הֵמָּה וַחֲמֹרֵיהֶם: ד הֵם
יָצְאוּ1 אֶת־הָעִיר לֹא הִרְחִיקוּ5 וְיוֹסֵף אָמַר1
לַאֲשֶׁר עַל־בֵּיתוֹ קוּם1 רְדֹף1 אַחֲרֵי הָאֲנָשִׁים
וְהִשַּׂגְתָּם5 וְאָמַרְתָּ1 אֲלֵהֶם לָמָּה שִׁלַּמְתֶּם3
רָעָה תַּחַת טוֹבָה: ה הֲלוֹא זֶה אֲשֶׁר יִשְׁתֶּה1
אֲדֹנִי בּוֹ וְהוּא נַחֵשׁ3 יְנַחֵשׁ3 בּוֹ הֲרֵעֹתֶם5
אֲשֶׁר עֲשִׂיתֶם1: ו וַיַּשִּׂגֵם5 וַיְדַבֵּר3 אֲלֵהֶם
אֶת־הַדְּבָרִים הָאֵלֶּה: ז וַיֹּאמְרוּ1 אֵלָיו לָמָּה
יְדַבֵּר3 אֲדֹנִי כַּדְּבָרִים הָאֵלֶּה חָלִילָה לַעֲבָדֶיךָ
מֵעֲשׂוֹת1 כַּדָּבָר הַזֶּה: ח הֵן כֶּסֶף אֲשֶׁר
מָצָאנוּ1 בְּפִי אַמְתְּחֹתֵינוּ הֱשִׁיבֹנוּ5 אֵלֶיךָ
מֵאֶרֶץ כְּנָעַן וְאֵיךְ נִגְנֹב2 מִבֵּית אֲדֹנֶיךָ כֶּסֶף
אוֹ זָהָב: ט אֲשֶׁר יִמָּצֵא2 אִתּוֹ מֵעֲבָדֶיךָ וָמֵת1
וְגַם־אֲנַחְנוּ נִהְיֶה1 לַאדֹנִי לַעֲבָדִים: י וַיֹּאמֶר1
גַּם־עַתָּה כְדִבְרֵיכֶם כֶּן־הוּא אֲשֶׁר יִמָּצֵא2
אִתּוֹ יִהְיֶה1־לִּי עָבֶד וְאַתֶּם תִּהְיוּ1 נְקִיִּם:
יא וַיְמַהֲרוּ3 וַיּוֹרִדוּ5 אִישׁ אֶת־אַמְתַּחְתּוֹ
אַרְצָה וַיִּפְתְּחוּ1 אִישׁ אַמְתַּחְתּוֹ: יב וַיְחַפֵּשׂ3

בַּגָּדוֹל הֵחֵל5 וּבַקָּטֹן כִּלָּה3 וַיִּמָּצֵא2 הַגָּבִיעַ
בְּאַמְתַּחַת בִּנְיָמִן: יג וַיִּקְרְעוּ1 שִׂמְלֹתָם וַיַּעֲמֹס1
אִישׁ עַל־חֲמֹרוֹ וַיָּשֻׁבוּ1 הָעִירָה: יד וַיָּבֹא1
יְהוּדָה וְאֶחָיו בֵּיתָה יוֹסֵף וְהוּא עוֹדֶנּוּ שָׁם
וַיִּפְּלוּ1 לְפָנָיו אָרְצָה: טו וַיֹּאמֶר1 לָהֶם יוֹסֵף
מָה־הַמַּעֲשֶׂה הַזֶּה אֲשֶׁר עֲשִׂיתֶם1 הֲלוֹא
יְדַעְתֶּם1 כִּי־נַחֵשׁ3 יְנַחֵשׁ3 אִישׁ אֲשֶׁר כָּמֹנִי:
טז וַיֹּאמֶר1 יְהוּדָה מַה־נֹּאמַר1 לַאדֹנִי מַה־
נְּדַבֵּר3 וּמַה־נִּצְטַדָּק7 הָאֱלֹהִים מָצָא1 אֶת־
עֲוֹן עֲבָדֶיךָ הִנֶּנּוּ עֲבָדִים לַאדֹנִי גַּם־אֲנַחְנוּ
גַּם אֲשֶׁר־נִמְצָא2 הַגָּבִיעַ בְּיָדוֹ: יז וַיֹּאמֶר1
חָלִילָה לִּי מֵעֲשׂוֹת1 זֹאת הָאִישׁ אֲשֶׁר
נִמְצָא2 הַגָּבִיעַ בְּיָדוֹ הוּא יִהְיֶה1־לִּי עָבֶד
וְאַתֶּם עֲלוּ1 לְשָׁלוֹם אֶל־אֲבִיכֶם: ס ס ס

פרשת ויגש

יח וַיִּגַּשׁ1 אֵלָיו יְהוּדָה וַיֹּאמֶר1 בִּי אֲדֹנִי יְדַבֶּר3־
נָא עַבְדְּךָ דָבָר בְּאָזְנֵי אֲדֹנִי וְאַל־יִחַר1 אַפְּךָ
בְּעַבְדֶּךָ כִּי כָמוֹךָ כְּפַרְעֹה: יט אֲדֹנִי שָׁאַל1 אֶת־
עֲבָדָיו לֵאמֹר1 הֲיֵשׁ־לָכֶם אָב אוֹ־אָח:
כ וַנֹּאמֶר1 אֶל־אֲדֹנִי יֶשׁ־לָנוּ אָב זָקֵן וְיֶלֶד
זְקֻנִים קָטָן וְאָחִיו מֵת1 וַיִּוָּתֵר2 הוּא לְבַדּוֹ
לְאִמּוֹ וְאָבִיו אֲהֵבוֹ1: כא וַתֹּאמֶר1 אֶל־
עֲבָדֶיךָ הוֹרִדֻהוּ5 אֵלָי וְאָשִׂימָה1 עֵינִי עָלָיו:
כב וַנֹּאמֶר1 אֶל־אֲדֹנִי לֹא־יוּכַל1 הַנַּעַר לַעֲזֹב1
אֶת־אָבִיו וְעָזַב1 אֶת־אָבִיו וָמֵת1:
כג וַתֹּאמֶר1 אֶל־עֲבָדֶיךָ אִם־לֹא יֵרֵד1
אֲחִיכֶם הַקָּטֹן אִתְּכֶם לֹא תֹסִפוּן5
לִרְאוֹת1 פָּנָי: כד וַיְהִי1 כִּי עָלִינוּ1 אֶל־
עַבְדְּךָ אָבִי וַנַּגֶּד5־לוֹ אֵת דִּבְרֵי אֲדֹנִי:
כה וַיֹּאמֶר1 אָבִינוּ שֻׁבוּ1 שִׁבְרוּ1־לָנוּ מְעַט־
אֹכֶל: כו וַנֹּאמֶר1 לֹא נוּכַל1 לָרֶדֶת1 אִם־יֵשׁ
אָחִינוּ הַקָּטֹן אִתָּנוּ וְיָרַדְנוּ1 כִּי־לֹא נוּכַל1
לִרְאוֹת1 פְּנֵי הָאִישׁ וְאָחִינוּ הַקָּטֹן אֵינֶנּוּ
אִתָּנוּ: כז וַיֹּאמֶר1 עַבְדְּךָ אָבִי אֵלֵינוּ אַתֶּם
יְדַעְתֶּם1 כִּי שְׁנַיִם יָלְדָה1־לִּי אִשְׁתִּי: כח וַיֵּצֵא1
הָאֶחָד מֵאִתִּי וָאֹמַר1 אַךְ טָרֹף1 טֹרָף4 וְלֹא
רְאִיתִיו1 עַד־הֵנָּה: כט וּלְקַחְתֶּם1 גַּם־אֶת־זֶה
מֵעִם פָּנַי וְקָרָהוּ1 אָסוֹן וְהוֹרַדְתֶּם5 אֶת־
שֵׂיבָתִי בְּרָעָה שְׁאֹלָה: ל וְעַתָּה כְּבֹאִי1 אֶל־
עַבְדְּךָ אָבִי וְהַנַּעַר אֵינֶנּוּ אִתָּנוּ וְנַפְשׁוֹ
קְשׁוּרָה1 בְנַפְשׁוֹ: לא וְהָיָה1 כִּרְאוֹתוֹ1 כִּי־אֵין
הַנַּעַר וָמֵת1 וְהוֹרִידוּ5 עֲבָדֶיךָ אֶת־שֵׂיבַת
עַבְדְּךָ אָבִינוּ בְּיָגוֹן שְׁאֹלָה: לב כִּי עַבְדְּךָ
עָרַב1 אֶת־הַנַּעַר מֵעִם אָבִי לֵאמֹר1 אִם־
לֹא אֲבִיאֶנּוּ5 אֵלֶיךָ וְחָטָאתִי1 לְאָבִי כָּל־
הַיָּמִים: לג וְעַתָּה יֵשֶׁב1־נָא עַבְדְּךָ תַּחַת
הַנַּעַר עֶבֶד לַאדֹנִי וְהַנַּעַר יַעַל1 עִם־אֶחָיו:
לד כִּי־אֵיךְ אֶעֱלֶה1 אֶל־אָבִי וְהַנַּעַר אֵינֶנּוּ
אִתִּי פֶּן אֶרְאֶה1 בָרָע אֲשֶׁר יִמְצָא1 אֶת־
אָבִי: מה א וְלֹא־יָכֹל1 יוֹסֵף לְהִתְאַפֵּק7 לְכֹל
הַנִּצָּבִים2 עָלָיו וַיִּקְרָא1 הוֹצִיאוּ5 כָל־אִישׁ
מֵעָלָי וְלֹא־עָמַד1 אִישׁ אִתּוֹ בְּהִתְוַדַּע7
יוֹסֵף אֶל־אֶחָיו: ב וַיִּתֵּן1 אֶת־קֹלוֹ בִּבְכִי
וַיִּשְׁמְעוּ1 מִצְרַיִם וַיִּשְׁמַע1 בֵּית פַּרְעֹה: ג וַיֹּאמֶר1
יוֹסֵף אֶל־אֶחָיו אֲנִי יוֹסֵף הַעוֹד אָבִי חָי
וְלֹא־יָכְלוּ1 אֶחָיו לַעֲנוֹת1 אֹתוֹ כִּי נִבְהֲלוּ2
מִפָּנָיו: ד וַיֹּאמֶר1 יוֹסֵף אֶל־אֶחָיו גְּשׁוּ1־נָא
אֵלַי וַיִּגָּשׁוּ1 וַיֹּאמֶר1 אֲנִי יוֹסֵף אֲחִיכֶם
אֲשֶׁר־מְכַרְתֶּם1 אֹתִי מִצְרָיְמָה: ה וְעַתָּה | אַל־
תֵּעָצְבוּ2 וְאַל־יִחַר1 בְּעֵינֵיכֶם כִּי־מְכַרְתֶּם1
אֹתִי הֵנָּה כִּי לְמִחְיָה שְׁלָחַנִי1 אֱלֹהִים
לִפְנֵיכֶם: ו כִּי־זֶה שְׁנָתַיִם הָרָעָב בְּקֶרֶב
הָאָרֶץ וְעוֹד חָמֵשׁ שָׁנִים אֲשֶׁר אֵין־חָרִישׁ
וְקָצִיר: ז וַיִּשְׁלָחֵנִי1 אֱלֹהִים לִפְנֵיכֶם לָשׂוּם1
לָכֶם שְׁאֵרִית בָּאָרֶץ וּלְהַחֲיוֹת5 לָכֶם
לִפְלֵיטָה גְּדֹלָה: ח וְעַתָּה לֹא־אַתֶּם
שְׁלַחְתֶּם1 אֹתִי הֵנָּה כִּי הָאֱלֹהִים וַיְשִׂימֵנִי1
לְאָב לְפַרְעֹה וּלְאָדוֹן לְכָל־בֵּיתוֹ וּמֹשֵׁל1
בְּכָל־אֶרֶץ מִצְרָיִם: ט מַהֲרוּ3 וַעֲלוּ1 אֶל־אָבִי
וַאֲמַרְתֶּם1 אֵלָיו כֹּה אָמַר1 בִּנְךָ יוֹסֵף שָׂמַנִי1
אֱלֹהִים לְאָדוֹן לְכָל־מִצְרָיִם רְדָה1 אֵלַי אַל־
תַּעֲמֹד1: י וְיָשַׁבְתָּ1 בְאֶרֶץ־גֹּשֶׁן וְהָיִיתָ1 קָרוֹב
אֵלַי אַתָּה וּבָנֶיךָ וּבְנֵי בָנֶיךָ וְצֹאנְךָ
וּבְקָרְךָ וְכָל־אֲשֶׁר־לָךְ: יא וְכִלְכַּלְתִּי3 אֹתְךָ
שָׁם כִּי־עוֹד חָמֵשׁ שָׁנִים רָעָב פֶּן־תִּוָּרֵשׁ2

אַנְתָּה וּבֵיתְךָ וְכָל־אֲשֶׁר־לָךְ: יב וְהִנֵּה עֵינֵיכֶם
רֹאהוֹת1 וְעֵינֵי אָחִי בִנְיָמִין כִּי־פִי הַמְדַבֵּר3
אֲלֵיכֶם: יג וְהִגַּדְתֶּם5 לְאָבִי אֶת־כָּל־כְּבוֹדִי
בְּמִצְרַיִם וְאֵת כָּל־אֲשֶׁר רְאִיתֶם1 וּמִהַרְתֶּם3
וְהוֹרַדְתֶּם5 אֶת־אָבִי הֵנָּה: יד וַיִּפֹּל1 עַל־
צַוְּארֵי בִנְיָמִן־אָחִיו וַיֵּבְךְּ1 וּבִנְיָמִן בָּכָה1
עַל־צַוָּארָיו: טו וַיְנַשֵּׁק3 לְכָל־אֶחָיו וַיֵּבְךְּ1
עֲלֵהֶם וְאַחֲרֵי כֵן דִּבְּרוּ3 אֶחָיו אִתּוֹ:
טז וְהַקֹּל נִשְׁמַע2 בֵּית פַּרְעֹה לֵאמֹר1 בָּאוּ1
אֲחֵי יוֹסֵף וַיִּיטַב1 בְּעֵינֵי פַרְעֹה וּבְעֵינֵי עֲבָדָיו:
יז וַיֹּאמֶר1 פַּרְעֹה אֶל־יוֹסֵף אֱמֹר1 אֶל־אַחֶיךָ
זֹאת עֲשׂוּ1 טַעֲנוּ3 אֶת־בְּעִירְכֶם וּלְכוּ1־
בֹאוּ1 אַרְצָה כְּנָעַן: יח וּקְחוּ1 אֶת־אֲבִיכֶם
וְאֶת־בָּתֵּיכֶם וּבֹאוּ1 אֵלָי וְאֶתְּנָה1 לָכֶם אֶת־
טוּב אֶרֶץ מִצְרַיִם וְאִכְלוּ1 אֶת־חֵלֶב הָאָרֶץ:
יט וְאַתָּה צֻוֵּיתָה4 זֹאת עֲשׂוּ1 קְחוּ1־לָכֶם
מֵאֶרֶץ מִצְרַיִם עֲגָלוֹת לְטַפְּכֶם וְלִנְשֵׁיכֶם
וּנְשָׂאתֶם1 אֶת־אֲבִיכֶם וּבָאתֶם1: כ וְעֵינְכֶם
אַל־תָּחֹס1 עַל־כְּלֵיכֶם כִּי־טוּב כָּל־אֶרֶץ
מִצְרַיִם לָכֶם הוּא: כא וַיַּעֲשׂוּ1־כֵן בְּנֵי יִשְׂרָאֵל
וַיִּתֵּן1 לָהֶם יוֹסֵף עֲגָלוֹת עַל־פִּי פַרְעֹה
וַיִּתֵּן1 לָהֶם צֵדָה לַדָּרֶךְ: כב לְכֻלָּם נָתַן1
לָאִישׁ חֲלִפוֹת שְׂמָלֹת וּלְבִנְיָמִן נָתַן1 שְׁלֹשׁ
מֵאוֹת כֶּסֶף וְחָמֵשׁ חֲלִפֹת שְׂמָלֹת:
כג וּלְאָבִיו שָׁלַח1 כְּזֹאת עֲשָׂרָה חֲמֹרִים
נֹשְׂאִים1 מִטּוּב מִצְרָיִם וְעֶשֶׂר אֲתֹנֹת נֹשְׂאֹת1
בָּר וָלֶחֶם וּמָזוֹן לְאָבִיו לַדָּרֶךְ: כד וַיְשַׁלַּח3
אֶת־אֶחָיו וַיֵּלֵכוּ1 וַיֹּאמֶר1 אֲלֵהֶם אַל־
תִּרְגְּזוּ1 בַּדָּרֶךְ: כה וַיַּעֲלוּ1 מִמִּצְרָיִם וַיָּבֹאוּ1
אֶרֶץ כְּנַעַן אֶל־יַעֲקֹב אֲבִיהֶם: כו וַיַּגִּדוּ5 לוֹ
לֵאמֹר1 עוֹד יוֹסֵף חַי וְכִי־הוּא מֹשֵׁל1 בְּכָל־
אֶרֶץ מִצְרָיִם וַיָּפָג1 לִבּוֹ כִּי לֹא־הֶאֱמִין5
לָהֶם: כז וַיְדַבְּרוּ3 אֵלָיו אֵת כָּל־דִּבְרֵי יוֹסֵף
אֲשֶׁר דִּבֶּר3 אֲלֵהֶם וַיַּרְא1 אֶת־הָעֲגָלוֹת
אֲשֶׁר־שָׁלַח1 יוֹסֵף לָשֵׂאת1 אֹתוֹ וַתְּחִי1 רוּחַ
יַעֲקֹב אֲבִיהֶם: כח וַיֹּאמֶר1 יִשְׂרָאֵל רַב עוֹד־
יוֹסֵף בְּנִי חָי אֵלְכָה1 וְאֶרְאֶנּוּ1 בְּטֶרֶם
אָמוּת1: **מו** א וַיִּסַּע1 יִשְׂרָאֵל וְכָל־אֲשֶׁר־לוֹ
וַיָּבֹא1 בְּאֵרָה שָׁבַע וַיִּזְבַּח1 זְבָחִים לֵאלֹהֵי
אָבִיו יִצְחָק: ב וַיֹּאמֶר1 אֱלֹהִים | לְיִשְׂרָאֵל
בְּמַרְאֹת הַלַּיְלָה וַיֹּאמֶר1 יַעֲקֹב | יַעֲקֹב
וַיֹּאמֶר1 הִנֵּנִי: ג וַיֹּאמֶר1 אָנֹכִי הָאֵל אֱלֹהֵי
אָבִיךָ אַל־תִּירָא1 מֵרְדָה1 מִצְרַיְמָה כִּי־לְגוֹי
גָּדוֹל אֲשִׂימְךָ1 שָׁם: ד אָנֹכִי אֵרֵד1 עִמְּךָ
מִצְרַיְמָה וְאָנֹכִי אַעַלְךָ5 גַם־עָלֹה1 וְיוֹסֵף
יָשִׁית1 יָדוֹ עַל־עֵינֶיךָ: ה וַיָּקָם1 יַעֲקֹב מִבְּאֵר
שָׁבַע וַיִּשְׂאוּ1 בְנֵי־יִשְׂרָאֵל אֶת־יַעֲקֹב
אֲבִיהֶם וְאֶת־טַפָּם וְאֶת־נְשֵׁיהֶם בָּעֲגָלוֹת
אֲשֶׁר־שָׁלַח1 פַּרְעֹה לָשֵׂאת1 אֹתוֹ: ו וַיִּקְחוּ1
אֶת־מִקְנֵיהֶם וְאֶת־רְכוּשָׁם אֲשֶׁר רָכְשׁוּ1
בְּאֶרֶץ כְּנַעַן וַיָּבֹאוּ1 מִצְרָיְמָה יַעֲקֹב וְכָל־זַרְעוֹ
אִתּוֹ: ז בָּנָיו וּבְנֵי בָנָיו אִתּוֹ בְּנֹתָיו
וּבְנוֹת בָּנָיו וְכָל־זַרְעוֹ הֵבִיא5 אִתּוֹ
מִצְרָיְמָה: ס ח וְאֵלֶּה שְׁמוֹת בְּנֵי־יִשְׂרָאֵל
הַבָּאִים1 מִצְרַיְמָה יַעֲקֹב וּבָנָיו בְּכֹר יַעֲקֹב
רְאוּבֵן: ט וּבְנֵי רְאוּבֵן חֲנוֹךְ וּפַלּוּא וְחֶצְרֹן וְכַרְמִי:
י וּבְנֵי שִׁמְעוֹן יְמוּאֵל וְיָמִין וְאֹהַד וְיָכִין וְצֹחַר
וְשָׁאוּל בֶּן־הַכְּנַעֲנִית: יא וּבְנֵי לֵוִי גֵּרְשׁוֹן קְהָת
וּמְרָרִי: יב וּבְנֵי יְהוּדָה עֵר וְאוֹנָן וְשֵׁלָה וָפֶרֶץ וָזָרַח
וַיָּמָת1 עֵר וְאוֹנָן בְּאֶרֶץ כְּנַעַן וַיִּהְיוּ1 בְנֵי־פֶרֶץ
חֶצְרֹן וְחָמוּל: יג וּבְנֵי יִשָּׂשכָר תּוֹלָע וּפֻוָּה וְיוֹב
וְשִׁמְרֹן: יד וּבְנֵי זְבֻלוּן סֶרֶד וְאֵלוֹן וְיַחְלְאֵל:
טו אֵלֶּה | בְּנֵי לֵאָה אֲשֶׁר יָלְדָה1 לְיַעֲקֹב בְּפַדַּן
אֲרָם וְאֵת דִּינָה בִתּוֹ כָּל־נֶפֶשׁ בָּנָיו
וּבְנוֹתָיו שְׁלֹשִׁים וְשָׁלֹשׁ: טז וּבְנֵי גָד צִפְיוֹן
וְחַגִּי שׁוּנִי וְאֶצְבֹּן עֵרִי וַאֲרוֹדִי וְאַרְאֵלִי: יז וּבְנֵי
אָשֵׁר יִמְנָה וְיִשְׁוָה וְיִשְׁוִי וּבְרִיעָה וְשֶׂרַח אֲחֹתָם
וּבְנֵי בְרִיעָה חֶבֶר וּמַלְכִּיאֵל: יח אֵלֶּה בְּנֵי זִלְפָּה
אֲשֶׁר־נָתַן1 לָבָן לְלֵאָה בִתּוֹ וַתֵּלֶד1 אֶת־
אֵלֶּה לְיַעֲקֹב שֵׁשׁ עֶשְׂרֵה נָפֶשׁ: יט בְּנֵי רָחֵל
אֵשֶׁת יַעֲקֹב יוֹסֵף וּבִנְיָמִן: כ וַיִּוָּלֵד2 לְיוֹסֵף
בְּאֶרֶץ מִצְרַיִם אֲשֶׁר יָלְדָה1־לּוֹ אָסְנַת בַּת־
פּוֹטִי פֶרַע כֹּהֵן אֹן אֶת־מְנַשֶּׁה וְאֶת־אֶפְרָיִם:
כא וּבְנֵי בִנְיָמִן בֶּלַע וָבֶכֶר וְאַשְׁבֵּל גֵּרָא וְנַעֲמָן
אֵחִי וָרֹאשׁ מֻפִּים וְחֻפִּים וָאָרְדְּ: כב אֵלֶּה בְּנֵי רָחֵל
אֲשֶׁר יֻלַּד4 לְיַעֲקֹב כָּל־נֶפֶשׁ אַרְבָּעָה עָשָׂר:
כג וּבְנֵי־דָן חֻשִׁים: כד וּבְנֵי נַפְתָּלִי יַחְצְאֵל וְגוּנִי
וְיֵצֶר וְשִׁלֵּם: כה אֵלֶּה בְּנֵי בִלְהָה אֲשֶׁר־נָתַן1

לָבָן לְרָחֵל בִּתּוֹ וַתֵּלֶד1 אֶת־אֵלֶּה לְיַעֲקֹב
כָּל־נֶפֶשׁ שִׁבְעָה: כו כָּל־הַנֶּפֶשׁ הַבָּאָה1
לְיַעֲקֹב מִצְרַיְמָה יֹצְאֵי1 יְרֵכוֹ מִלְּבַד נְשֵׁי
בְנֵי־יַעֲקֹב כָּל־נֶפֶשׁ שִׁשִּׁים וָשֵׁשׁ: כז וּבְנֵי
יוֹסֵף אֲשֶׁר־יֻלַּד4־לוֹ בְמִצְרַיִם נֶפֶשׁ שְׁנָיִם
כָּל־הַנֶּפֶשׁ לְבֵית־יַעֲקֹב הַבָּאָה1 מִצְרַיְמָה
שִׁבְעִים: ס כח וְאֶת־יְהוּדָה שָׁלַח1 לְפָנָיו
אֶל־יוֹסֵף לְהוֹרֹת5 לְפָנָיו גֹּשְׁנָה וַיָּבֹאוּ1
אַרְצָה גֹּשֶׁן: כט וַיֶּאְסֹר1 יוֹסֵף מֶרְכַּבְתּוֹ וַיַּעַל1
לִקְרַאת־יִשְׂרָאֵל אָבִיו גֹּשְׁנָה וַיֵּרָא2 אֵלָיו
וַיִּפֹּל1 עַל־צַוָּארָיו וַיֵּבְךְּ1 עַל־צַוָּארָיו עוֹד:
ל וַיֹּאמֶר1 יִשְׂרָאֵל אֶל־יוֹסֵף אָמוּתָה1 הַפָּעַם
אַחֲרֵי רְאוֹתִי1 אֶת־פָּנֶיךָ כִּי עוֹדְךָ חָי:
לא וַיֹּאמֶר1 יוֹסֵף אֶל־אֶחָיו וְאֶל־בֵּית אָבִיו
אֶעֱלֶה1 וְאַגִּידָה5 לְפַרְעֹה וְאֹמְרָה1 אֵלָיו
אַחַי וּבֵית־אָבִי אֲשֶׁר בְּאֶרֶץ־כְּנַעַן בָּאוּ1
אֵלָי: לב וְהָאֲנָשִׁים רֹעֵי1 צֹאן כִּי־אַנְשֵׁי מִקְנֶה
הָיוּ1 וְצֹאנָם וּבְקָרָם וְכָל־אֲשֶׁר לָהֶם
הֵבִיאוּ5: לג וְהָיָה1 כִּי־יִקְרָא1 לָכֶם פַּרְעֹה וְאָמַר1
מַה־מַּעֲשֵׂיכֶם: לד וַאֲמַרְתֶּם1 אַנְשֵׁי מִקְנֶה
הָיוּ1 עֲבָדֶיךָ מִנְּעוּרֵינוּ וְעַד־עַתָּה גַּם־אֲנַחְנוּ
גַּם־אֲבֹתֵינוּ בַּעֲבוּר תֵּשְׁבוּ1 בְּאֶרֶץ גֹּשֶׁן כִּי־
תוֹעֲבַת מִצְרַיִם כָּל־רֹעֵה1 צֹאן: מז א וַיָּבֹא1
יוֹסֵף וַיַּגֵּד5 לְפַרְעֹה וַיֹּאמֶר1 אָבִי וְאַחַי
וְצֹאנָם וּבְקָרָם וְכָל־אֲשֶׁר לָהֶם בָּאוּ1 מֵאֶרֶץ
כְּנָעַן וְהִנָּם בְּאֶרֶץ גֹּשֶׁן: ב וּמִקְצֵה אֶחָיו לָקַח1
חֲמִשָּׁה אֲנָשִׁים וַיַּצִּגֵם5 לִפְנֵי פַרְעֹה:
ג וַיֹּאמֶר1 פַּרְעֹה אֶל־אֶחָיו מַה־מַּעֲשֵׂיכֶם
וַיֹּאמְרוּ1 אֶל־פַּרְעֹה רֹעֵה1 צֹאן עֲבָדֶיךָ גַּם־
אֲנַחְנוּ גַּם־אֲבוֹתֵינוּ: ד וַיֹּאמְרוּ1 אֶל־פַּרְעֹה
לָגוּר1 בָּאָרֶץ בָּאנוּ1 כִּי־אֵין מִרְעֶה לַצֹּאן
אֲשֶׁר לַעֲבָדֶיךָ כִּי־כָבֵד הָרָעָב בְּאֶרֶץ כְּנָעַן
וְעַתָּה יֵשְׁבוּ1־נָא עֲבָדֶיךָ בְּאֶרֶץ גֹּשֶׁן:
ה וַיֹּאמֶר1 פַּרְעֹה אֶל־יוֹסֵף לֵאמֹר1 אָבִיךָ
וְאַחֶיךָ בָּאוּ1 אֵלֶיךָ: ו אֶרֶץ מִצְרַיִם לְפָנֶיךָ
הִוא בְּמֵיטַב הָאָרֶץ הוֹשֵׁב5 אֶת־אָבִיךָ
וְאֶת־אַחֶיךָ יֵשְׁבוּ1 בְּאֶרֶץ גֹּשֶׁן וְאִם־יָדַעְתָּ1
וְיֶשׁ־בָּם אַנְשֵׁי־חַיִל וְשַׂמְתָּם1 שָׂרֵי מִקְנֶה
עַל־אֲשֶׁר־לִי: ז וַיָּבֵא5 יוֹסֵף אֶת־יַעֲקֹב אָבִיו
וַיַּעֲמִדֵהוּ5 לִפְנֵי פַרְעֹה וַיְבָרֶךְ3 יַעֲקֹב אֶת־
פַּרְעֹה: ח וַיֹּאמֶר1 פַּרְעֹה אֶל־יַעֲקֹב כַּמָּה יְמֵי
שְׁנֵי חַיֶּיךָ: ט וַיֹּאמֶר1 יַעֲקֹב אֶל־פַּרְעֹה יְמֵי
שְׁנֵי מְגוּרַי שְׁלֹשִׁים וּמְאַת שָׁנָה מְעַט
וְרָעִים הָיוּ1 יְמֵי שְׁנֵי חַיַּי וְלֹא הִשִּׂיגוּ5
אֶת־יְמֵי שְׁנֵי חַיֵּי אֲבֹתַי בִּימֵי מְגוּרֵיהֶם:
י וַיְבָרֶךְ3 יַעֲקֹב אֶת־פַּרְעֹה וַיֵּצֵא1 מִלִּפְנֵי
פַרְעֹה: יא וַיּוֹשֵׁב5 יוֹסֵף אֶת־אָבִיו וְאֶת־
אֶחָיו וַיִּתֵּן1 לָהֶם אֲחֻזָּה בְּאֶרֶץ מִצְרַיִם
בְּמֵיטַב הָאָרֶץ בְּאֶרֶץ רַעְמְסֵס כַּאֲשֶׁר צִוָּה3
פַרְעֹה: יב וַיְכַלְכֵּל3 יוֹסֵף אֶת־אָבִיו וְאֶת־
אֶחָיו וְאֵת כָּל־בֵּית אָבִיו לֶחֶם לְפִי
הַטָּף: יג וְלֶחֶם אֵין בְּכָל־הָאָרֶץ כִּי־כָבֵד
הָרָעָב מְאֹד וַתֵּלַהּ1 אֶרֶץ מִצְרַיִם וְאֶרֶץ כְּנַעַן
מִפְּנֵי הָרָעָב: יד וַיְלַקֵּט3 יוֹסֵף אֶת־כָּל־
הַכֶּסֶף הַנִּמְצָא2 בְאֶרֶץ־מִצְרַיִם וּבְאֶרֶץ כְּנַעַן
בַּשֶּׁבֶר אֲשֶׁר־הֵם שֹׁבְרִים1 וַיָּבֵא5 יוֹסֵף אֶת־
הַכֶּסֶף בֵּיתָה פַרְעֹה: טו וַיִּתֹּם1 הַכֶּסֶף מֵאֶרֶץ
מִצְרַיִם וּמֵאֶרֶץ כְּנַעַן וַיָּבֹאוּ1 כָל־מִצְרַיִם אֶל־
יוֹסֵף לֵאמֹר1 הָבָה1־לָּנוּ לֶחֶם וְלָמָּה נָמוּת1
נֶגְדֶּךָ כִּי אָפֵס1 כָּסֶף: טז וַיֹּאמֶר1 יוֹסֵף הָבוּ1
מִקְנֵיכֶם וְאֶתְּנָה1 לָכֶם בְּמִקְנֵיכֶם אִם־
אָפֵס1 כָּסֶף: יז וַיָּבִיאוּ5 אֶת־מִקְנֵיהֶם אֶל־
יוֹסֵף וַיִּתֵּן1 לָהֶם יוֹסֵף לֶחֶם בַּסּוּסִים וּבְמִקְנֵה
הַצֹּאן וּבְמִקְנֵה הַבָּקָר וּבַחֲמֹרִים וַיְנַהֲלֵם3
בַּלֶּחֶם בְּכָל־מִקְנֵהֶם בַּשָּׁנָה הַהִוא:
יח וַתִּתֹּם1 הַשָּׁנָה הַהִוא וַיָּבֹאוּ1 אֵלָיו
בַּשָּׁנָה הַשֵּׁנִית וַיֹּאמְרוּ1 לוֹ לֹא־נְכַחֵד3
מֵאֲדֹנִי כִּי אִם־תַּם1 הַכֶּסֶף וּמִקְנֵה הַבְּהֵמָה
אֶל־אֲדֹנִי לֹא נִשְׁאַר2 לִפְנֵי אֲדֹנִי בִּלְתִּי
אִם־גְּוִיָּתֵנוּ וְאַדְמָתֵנוּ: יט לָמָּה נָמוּת1
לְעֵינֶיךָ גַּם־אֲנַחְנוּ גַּם־אַדְמָתֵנוּ קְנֵה1־אֹתָנוּ
וְאֶת־אַדְמָתֵנוּ בַּלָּחֶם וְנִהְיֶה1 אֲנַחְנוּ
וְאַדְמָתֵנוּ עֲבָדִים לְפַרְעֹה וְתֶן1־זֶרַע וְנִחְיֶה1
וְלֹא נָמוּת1 וְהָאֲדָמָה לֹא תֵשָׁם1: כ וַיִּקֶן1
יוֹסֵף אֶת־כָּל־אַדְמַת מִצְרַיִם לְפַרְעֹה כִּי־
מָכְרוּ1 מִצְרַיִם אִישׁ שָׂדֵהוּ כִּי־חָזַק1 עֲלֵהֶם
הָרָעָב וַתְּהִי1 הָאָרֶץ לְפַרְעֹה: כא וְאֶת־הָעָם
הֶעֱבִיר5 אֹתוֹ לֶעָרִים מִקְצֵה גְבוּל־מִצְרַיִם

וְעַד־קָצֵהוּ: כב רַק אַדְמַת הַכֹּהֲנִים לֹא קָנָה1
כִּי חֹק לַכֹּהֲנִים מֵאֵת פַּרְעֹה וְאָכְלוּ1 אֶת־
חֻקָּם אֲשֶׁר נָתַן1 לָהֶם פַּרְעֹה עַל־כֵּן לֹא
מָכְרוּ1 אֶת־אַדְמָתָם: כג וַיֹּאמֶר1 יוֹסֵף אֶל־
הָעָם הֵן קָנִיתִי1 אֶתְכֶם הַיּוֹם וְאֶת־
אַדְמַתְכֶם לְפַרְעֹה הֵא־לָכֶם זֶרַע וּזְרַעְתֶּם1
אֶת־הָאֲדָמָה: כד וְהָיָה1 בַּתְּבוּאֹת וּנְתַתֶּם1
חֲמִישִׁית לְפַרְעֹה וְאַרְבַּע הַיָּדֹת יִהְיֶה1 לָכֶם
לְזֶרַע הַשָּׂדֶה וּלְאָכְלְכֶם1 וְלַאֲשֶׁר בְּבָתֵּיכֶם
וְלֶאֱכֹל1 לְטַפְּכֶם: כה וַיֹּאמְרוּ1 הֶחֱיִתָנוּ5
נִמְצָא־חֵן1 בְּעֵינֵי אֲדֹנִי וְהָיִינוּ1 עֲבָדִים
לְפַרְעֹה: כו וַיָּשֶׂם1 אֹתָהּ יוֹסֵף לְחֹק עַד־הַיּוֹם
הַזֶּה עַל־אַדְמַת מִצְרַיִם לְפַרְעֹה לַחֹמֶשׁ רַק
אַדְמַת הַכֹּהֲנִים לְבַדָּם לֹא הָיְתָה1 לְפַרְעֹה:
כז וַיֵּשֶׁב1 יִשְׂרָאֵל בְּאֶרֶץ מִצְרַיִם בְּאֶרֶץ גֹּשֶׁן
וַיֵּאָחֲזוּ2 בָהּ וַיִּפְרוּ1 וַיִּרְבּוּ1 מְאֹד:

פרשת ויחי

כח וַיְחִי1 יַעֲקֹב בְּאֶרֶץ מִצְרַיִם שְׁבַע עֶשְׂרֵה
שָׁנָה וַיְהִי1 יְמֵי־יַעֲקֹב שְׁנֵי חַיָּיו שֶׁבַע
שָׁנִים וְאַרְבָּעִים וּמְאַת שָׁנָה: כט וַיִּקְרְבוּ1
יְמֵי־יִשְׂרָאֵל לָמוּת1 וַיִּקְרָא1 | לִבְנוֹ לְיוֹסֵף
וַיֹּאמֶר1 לוֹ אִם־נָא מָצָאתִי1 חֵן בְּעֵינֶיךָ
שִׂים1־נָא יָדְךָ תַּחַת יְרֵכִי וְעָשִׂיתָ1 עִמָּדִי
חֶסֶד וֶאֱמֶת אַל־נָא תִקְבְּרֵנִי1 בְּמִצְרָיִם:
ל וְשָׁכַבְתִּי1 עִם־אֲבֹתַי וּנְשָׂאתַנִי1 מִמִּצְרַיִם
וּקְבַרְתַּנִי1 בִּקְבֻרָתָם וַיֹּאמַר1 אָנֹכִי אֶעֱשֶׂה1
כִדְבָרֶךָ: לא וַיֹּאמֶר1 הִשָּׁבְעָה2 לִי וַיִּשָּׁבַע2 לוֹ
וַיִּשְׁתַּחוּ7 יִשְׂרָאֵל עַל־רֹאשׁ הַמִּטָּה: פ
מח א וַיְהִי1 אַחֲרֵי הַדְּבָרִים הָאֵלֶּה וַיֹּאמֶר1
לְיוֹסֵף הִנֵּה אָבִיךָ חֹלֶה1 וַיִּקַּח1 אֶת־שְׁנֵי
בָנָיו עִמּוֹ אֶת־מְנַשֶּׁה וְאֶת־אֶפְרָיִם: ב וַיַּגֵּד5
לְיַעֲקֹב וַיֹּאמֶר1 הִנֵּה בִּנְךָ יוֹסֵף בָּא1 אֵלֶיךָ
וַיִּתְחַזֵּק7 יִשְׂרָאֵל וַיֵּשֶׁב1 עַל־הַמִּטָּה:
ג וַיֹּאמֶר1 יַעֲקֹב אֶל־יוֹסֵף אֵל שַׁדַּי נִרְאָה2־
אֵלַי בְּלוּז בְּאֶרֶץ כְּנָעַן וַיְבָרֶךְ3 אֹתִי: ד וַיֹּאמֶר1
אֵלַי הִנְנִי מַפְרְךָ5 וְהִרְבִּיתִךָ5 וּנְתַתִּיךָ1
לִקְהַל עַמִּים וְנָתַתִּי1 אֶת־הָאָרֶץ הַזֹּאת
לְזַרְעֲךָ אַחֲרֶיךָ אֲחֻזַּת עוֹלָם: ה וְעַתָּה
שְׁנֵי־בָנֶיךָ הַנּוֹלָדִים2 לְךָ בְּאֶרֶץ מִצְרַיִם
עַד־בֹּאִי1 אֵלֶיךָ מִצְרַיְמָה לִי־הֵם אֶפְרַיִם
וּמְנַשֶּׁה כִּרְאוּבֵן וְשִׁמְעוֹן יִהְיוּ1־לִי: ו וּמוֹלַדְתְּךָ
אֲשֶׁר־הוֹלַדְתָּ5 אַחֲרֵיהֶם לְךָ יִהְיוּ1 עַל
שֵׁם אֲחֵיהֶם יִקָּרְאוּ2 בְּנַחֲלָתָם: ז וַאֲנִי |
בְּבֹאִי1 מִפַּדָּן מֵתָה1 עָלַי רָחֵל בְּאֶרֶץ כְּנַעַן
בַּדֶּרֶךְ בְּעוֹד כִּבְרַת־אֶרֶץ לָבֹא1 אֶפְרָתָה
וָאֶקְבְּרֶהָ1 שָּׁם בְּדֶרֶךְ אֶפְרָת הִוא בֵּית לָחֶם:
ח וַיַּרְא1 יִשְׂרָאֵל אֶת־בְּנֵי יוֹסֵף וַיֹּאמֶר1 מִי־
אֵלֶּה: ט וַיֹּאמֶר1 יוֹסֵף אֶל־אָבִיו בָּנַי הֵם
אֲשֶׁר־נָתַן1־לִי אֱלֹהִים בָּזֶה וַיֹּאמַר1 קָחֶם1־
נָא אֵלַי וַאֲבָרְכֵם3: י וְעֵינֵי יִשְׂרָאֵל כָּבְדוּ1
מִזֹּקֶן לֹא יוּכַל1 לִרְאוֹת1 וַיַּגֵּשׁ5 אֹתָם
אֵלָיו וַיִּשַּׁק1 לָהֶם וַיְחַבֵּק3 לָהֶם: יא וַיֹּאמֶר1
יִשְׂרָאֵל אֶל־יוֹסֵף רְאֹה1 פָנֶיךָ לֹא פִלָּלְתִּי3
וְהִנֵּה הֶרְאָה5 אֹתִי אֱלֹהִים גַּם אֶת־זַרְעֶךָ:
יב וַיּוֹצֵא5 יוֹסֵף אֹתָם מֵעִם בִּרְכָּיו וַיִּשְׁתַּחוּ7
לְאַפָּיו אָרְצָה: יג וַיִּקַּח1 יוֹסֵף אֶת־שְׁנֵיהֶם
אֶת־אֶפְרַיִם בִּימִינוֹ מִשְּׂמֹאל יִשְׂרָאֵל וְאֶת־
מְנַשֶּׁה בִשְׂמֹאלוֹ מִימִין יִשְׂרָאֵל וַיַּגֵּשׁ5 אֵלָיו:
יד וַיִּשְׁלַח1 יִשְׂרָאֵל אֶת־יְמִינוֹ וַיָּשֶׁת1 עַל־
רֹאשׁ אֶפְרַיִם וְהוּא הַצָּעִיר וְאֶת־שְׂמֹאלוֹ
עַל־רֹאשׁ מְנַשֶּׁה שִׂכֵּל3 אֶת־יָדָיו כִּי מְנַשֶּׁה
הַבְּכוֹר: טו וַיְבָרֶךְ3 אֶת־יוֹסֵף וַיֹּאמַר1 הָאֱלֹהִים
אֲשֶׁר הִתְהַלְּכוּ7 אֲבֹתַי לְפָנָיו אַבְרָהָם וְיִצְחָק
הָאֱלֹהִים הָרֹעֶה1 אֹתִי מֵעוֹדִי עַד־הַיּוֹם הַזֶּה:
טז הַמַּלְאָךְ הַגֹּאֵל1 אֹתִי מִכָּל־רָע יְבָרֵךְ3
אֶת־הַנְּעָרִים וְיִקָּרֵא2 בָהֶם שְׁמִי וְשֵׁם
אֲבֹתַי אַבְרָהָם וְיִצְחָק וְיִדְגּוּ1 לָרֹב בְּקֶרֶב
הָאָרֶץ: יז וַיַּרְא1 יוֹסֵף כִּי־יָשִׁית1 אָבִיו
יַד־יְמִינוֹ עַל־רֹאשׁ אֶפְרַיִם וַיֵּרַע2 בְּעֵינָיו
וַיִּתְמֹךְ1 יַד־אָבִיו לְהָסִיר5 אֹתָהּ מֵעַל
רֹאשׁ־אֶפְרַיִם עַל־רֹאשׁ מְנַשֶּׁה: יח וַיֹּאמֶר1 יוֹסֵף
אֶל־אָבִיו לֹא־כֵן אָבִי כִּי־זֶה הַבְּכֹר שִׂים1
יְמִינְךָ עַל־רֹאשׁוֹ: יט וַיְמָאֵן3 אָבִיו וַיֹּאמֶר1
יָדַעְתִּי1 בְנִי יָדַעְתִּי1 גַּם־הוּא יִהְיֶה1־לְּעָם
וְגַם־הוּא יִגְדָּל1 וְאוּלָם אָחִיו הַקָּטֹן יִגְדַּל1

מִמֶּנּוּ וְזַרְעוֹ יִהְיֶה1 מְלֹא־הַגּוֹיִם: כ וַיְבָרְכֵם3
בַּיּוֹם הַהוּא לֵאמוֹר1 בְּךָ יְבָרֵךְ3 יִשְׂרָאֵל לֵאמֹר1
יְשִׂמְךָ1 אֱלֹהִים כְּאֶפְרַיִם וְכִמְנַשֶּׁה וַיָּשֶׂם1 אֶת־
אֶפְרַיִם לִפְנֵי מְנַשֶּׁה: כא וַיֹּאמֶר1 יִשְׂרָאֵל אֶל־
יוֹסֵף הִנֵּה אָנֹכִי מֵת1 וְהָיָה1 אֱלֹהִים עִמָּכֶם
וְהֵשִׁיב5 אֶתְכֶם אֶל־אֶרֶץ אֲבֹתֵיכֶם: כב וַאֲנִי
נָתַתִּי1 לְךָ שְׁכֶם אַחַד עַל־אַחֶיךָ אֲשֶׁר
לָקַחְתִּי1 מִיַּד הָאֱמֹרִי בְּחַרְבִּי וּבְקַשְׁתִּי: פ
מט א וַיִּקְרָא1 יַעֲקֹב אֶל־בָּנָיו וַיֹּאמֶר1
הֵאָסְפוּ2 וְאַגִּידָה5 לָכֶם אֵת אֲשֶׁר־יִקְרָא(ה)1
אֶתְכֶם בְּאַחֲרִית הַיָּמִים: ב הִקָּבְצוּ2 וְשִׁמְעוּ1
בְּנֵי יַעֲקֹב וְשִׁמְעוּ1 אֶל־יִשְׂרָאֵל אֲבִיכֶם:
ג רְאוּבֵן בְּכֹרִי אַתָּה כֹּחִי וְרֵאשִׁית אוֹנִי יֶתֶר
שְׂאֵת1 וְיֶתֶר עָז: ד פַּחַז כַּמַּיִם אַל־תּוֹתַר5
כִּי עָלִיתָ1 מִשְׁכְּבֵי אָבִיךָ אָז חִלַּלְתָּ3 יְצוּעִי
עָלָה1: פ
ה שִׁמְעוֹן וְלֵוִי אַחִים כְּלֵי חָמָס מְכֵרֹתֵיהֶם:
ו בְּסֹדָם אַל־תָּבֹא1 נַפְשִׁי בִּקְהָלָם אַל־
תֵּחַד1 כְּבֹדִי כִּי בְאַפָּם הָרְגוּ1 אִישׁ וּבִרְצֹנָם
עִקְּרוּ3־שׁוֹר: ז אָרוּר1 אַפָּם כִּי עָז וְעֶבְרָתָם
כִּי קָשָׁתָה1 אֲחַלְּקֵם3 בְּיַעֲקֹב וַאֲפִיצֵם5
בְּיִשְׂרָאֵל: פ
ח יְהוּדָה אַתָּה יוֹדוּךָ5 אַחֶיךָ יָדְךָ בְּעֹרֶף
אֹיְבֶיךָ1 יִשְׁתַּחֲווּ7 לְךָ בְּנֵי אָבִיךָ: ט גּוּר
אַרְיֵה יְהוּדָה מִטֶּרֶף בְּנִי עָלִיתָ1 כָּרַע1
רָבַץ1 כְּאַרְיֵה וּכְלָבִיא מִי יְקִימֶנּוּ5: י לֹא־
יָסוּר1 שֵׁבֶט מִיהוּדָה וּמְחֹקֵק3 מִבֵּין רַגְלָיו עַד
כִּי־יָבֹא1 שִׁילֹה וְלוֹ יִקְּהַת עַמִּים: יא אֹסְרִי1
לַגֶּפֶן עִירֹה [עירו] וְלַשֹּׂרֵקָה בְּנִי אֲתֹנוֹ כִּבֵּס3
בַּיַּיִן לְבֻשׁוֹ וּבְדַם־עֲנָבִים סוּתֹה [סותו] :
יב חַכְלִילִי עֵינַיִם מִיָּיִן וּלְבֶן־שִׁנַּיִם מֵחָלָב: פ
יג זְבוּלֻן לְחוֹף יַמִּים יִשְׁכֹּן1 וְהוּא לְחוֹף
אֳנִיֹּת וְיַרְכָתוֹ עַל־צִידֹן: פ
יד יִשָּׂשכָר חֲמֹר גָּרֶם רֹבֵץ1 בֵּין הַמִּשְׁפְּתָיִם:
טו וַיַּרְא1 מְנֻחָה כִּי טוֹב וְאֶת־הָאָרֶץ כִּי
נָעֵמָה1 וַיֵּט1 שִׁכְמוֹ לִסְבֹּל1 וַיְהִי1 לְמַס־
עֹבֵד1: ס טז דָּן יָדִין1 עַמּוֹ כְּאַחַד שִׁבְטֵי
יִשְׂרָאֵל: יז יְהִי1־דָן נָחָשׁ עֲלֵי־דֶרֶךְ שְׁפִיפֹן
עֲלֵי־אֹרַח הַנֹּשֵׁךְ1 עִקְּבֵי־סוּס וַיִּפֹּל1 רֹכְבוֹ1
אָחוֹר: יח לִישׁוּעָתְךָ קִוִּיתִי3 יהוה: ס יט גָּד
גְּדוּד יְגוּדֶנּוּ1 וְהוּא יָגֻד1 עָקֵב: ס כ מֵאָשֵׁר
שְׁמֵנָה לַחְמוֹ וְהוּא יִתֵּן1 מַעֲדַנֵּי־
מֶלֶךְ: ס כא נַפְתָּלִי אַיָּלָה שְׁלֻחָה1 הַנֹּתֵן1
אִמְרֵי־שָׁפֶר: ס כב בֵּן פֹּרָת1 יוֹסֵף בֵּן
פֹּרָת1 עֲלֵי־עָיִן בָּנוֹת צָעֲדָה1 עֲלֵי־שׁוּר:
כג וַיְמָרְרֻהוּ3 וָרֹבּוּ4 וַיִּשְׂטְמֻהוּ1 בַּעֲלֵי חִצִּים:
כד וַתֵּשֶׁב1 בְּאֵיתָן קַשְׁתּוֹ וַיָּפֹזּוּ1 זְרֹעֵי יָדָיו
מִידֵי אֲבִיר יַעֲקֹב מִשָּׁם רֹעֶה1 אֶבֶן יִשְׂרָאֵל:
כה מֵאֵל אָבִיךָ וְיַעְזְרֶךָּ1 וְאֵת שַׁדַּי
וִיבָרְכֶךָּ3 בִּרְכֹת שָׁמַיִם מֵעָל בִּרְכֹת תְּהוֹם
רֹבֶצֶת1 תָּחַת בִּרְכֹת שָׁדַיִם וָרָחַם: כו בִּרְכֹת
אָבִיךָ גָּבְרוּ1 עַל־בִּרְכֹת הוֹרַי1 עַד־תַּאֲוַת
גִּבְעֹת עוֹלָם תִּהְיֶיןָ1 לְרֹאשׁ יוֹסֵף וּלְקָדְקֹד
נְזִיר אֶחָיו: פ
כז בִּנְיָמִין זְאֵב יִטְרָף1 בַּבֹּקֶר יֹאכַל1 עַד
וְלָעֶרֶב יְחַלֵּק3 שָׁלָל: כח כָּל־אֵלֶּה שִׁבְטֵי
יִשְׂרָאֵל שְׁנֵים עָשָׂר וְזֹאת אֲשֶׁר־דִּבֶּר3 לָהֶם
אֲבִיהֶם וַיְבָרֶךְ3 אוֹתָם אִישׁ אֲשֶׁר כְּבִרְכָתוֹ
בֵּרַךְ3 אֹתָם: כט וַיְצַו3 אוֹתָם וַיֹּאמֶר1 אֲלֵהֶם
אֲנִי נֶאֱסָף2 אֶל־עַמִּי קִבְרוּ1 אֹתִי אֶל־אֲבֹתָי
אֶל־הַמְּעָרָה אֲשֶׁר בִּשְׂדֵה עֶפְרוֹן הַחִתִּי:
ל בַּמְּעָרָה אֲשֶׁר בִּשְׂדֵה הַמַּכְפֵּלָה אֲשֶׁר־עַל־
פְּנֵי מַמְרֵא בְּאֶרֶץ כְּנָעַן אֲשֶׁר קָנָה1 אַבְרָהָם
אֶת־הַשָּׂדֶה מֵאֵת עֶפְרֹן הַחִתִּי לַאֲחֻזַּת־
קָבֶר: לא שָׁמָּה קָבְרוּ1 אֶת־אַבְרָהָם וְאֵת שָׂרָה
אִשְׁתּוֹ שָׁמָּה קָבְרוּ1 אֶת־יִצְחָק וְאֵת רִבְקָה
אִשְׁתּוֹ וְשָׁמָּה קָבַרְתִּי1 אֶת־לֵאָה: לב מִקְנֵה
הַשָּׂדֶה וְהַמְּעָרָה אֲשֶׁר־בּוֹ מֵאֵת בְּנֵי־חֵת:
לג וַיְכַל3 יַעֲקֹב לְצַוֹּת3 אֶת־בָּנָיו וַיֶּאֱסֹף1
רַגְלָיו אֶל־הַמִּטָּה וַיִּגְוַע1 וַיֵּאָסֶף2 אֶל־עַמָּיו:
נ א וַיִּפֹּל1 יוֹסֵף עַל־פְּנֵי אָבִיו וַיֵּבְךְּ1
עָלָיו וַיִּשַּׁק1־לוֹ: ב וַיְצַו3 יוֹסֵף אֶת־עֲבָדָיו
אֶת־הָרֹפְאִים לַחֲנֹט1 אֶת־אָבִיו וַיַּחַנְטוּ1
הָרֹפְאִים1 אֶת־יִשְׂרָאֵל: ג וַיִּמְלְאוּ1־לוֹ אַרְבָּעִים
יוֹם כִּי כֵּן יִמְלְאוּ1 יְמֵי הַחֲנֻטִים1 וַיִּבְכּוּ1 אֹתוֹ
מִצְרַיִם שִׁבְעִים יוֹם: ד וַיַּעַבְרוּ1 יְמֵי בְכִיתוֹ
וַיְדַבֵּר3 יוֹסֵף אֶל־בֵּית פַּרְעֹה לֵאמֹר1 אִם־נָא
מָצָאתִי1 חֵן בְּעֵינֵיכֶם דַּבְּרוּ3־נָא בְּאָזְנֵי פַרְעֹה

לֵאמֹר1: ה אָבִי הִשְׁבִּיעַנִי5 לֵאמֹר1 הִנֵּה אָנֹכִי
מֵת1 בְּקִבְרִי אֲשֶׁר כָּרִיתִי1 לִי בְּאֶרֶץ כְּנַעַן
שָׁמָּה תִּקְבְּרֵנִי1 וְעַתָּה אֶעֱלֶה1־נָּא וְאֶקְבְּרָה1
אֶת־אָבִי וְאָשׁוּבָה1: ו וַיֹּאמֶר1 פַּרְעֹה עֲלֵה1
וּקְבֹר1 אֶת־אָבִיךָ כַּאֲשֶׁר הִשְׁבִּיעֶךָ5: ז וַיַּעַל1
יוֹסֵף לִקְבֹּר1 אֶת־אָבִיו וַיַּעֲלוּ1 אִתּוֹ כָּל־
עַבְדֵי פַרְעֹה זִקְנֵי בֵיתוֹ וְכֹל זִקְנֵי אֶרֶץ־
מִצְרָיִם: ח וְכֹל בֵּית יוֹסֵף וְאֶחָיו וּבֵית אָבִיו
רַק טַפָּם וְצֹאנָם וּבְקָרָם עָזְבוּ1 בְּאֶרֶץ גֹּשֶׁן:
ט וַיַּעַל1 עִמּוֹ גַּם־רֶכֶב גַּם־פָּרָשִׁים וַיְהִי1
הַמַּחֲנֶה כָּבֵד מְאֹד: י וַיָּבֹאוּ1 עַד־גֹּרֶן הָאָטָד
אֲשֶׁר בְּעֵבֶר הַיַּרְדֵּן וַיִּסְפְּדוּ1־שָׁם מִסְפֵּד גָּדוֹל
וְכָבֵד מְאֹד וַיַּעַשׂ1 לְאָבִיו אֵבֶל שִׁבְעַת
יָמִים: יא וַיַּרְא1 יוֹשֵׁב1 הָאָרֶץ הַכְּנַעֲנִי אֶת־
הָאֵבֶל בְּגֹרֶן הָאָטָד וַיֹּאמְרוּ1 אֵבֶל־כָּבֵד זֶה
לְמִצְרָיִם עַל־כֵּן קָרָא1 שְׁמָהּ אָבֵל מִצְרַיִם
אֲשֶׁר בְּעֵבֶר הַיַּרְדֵּן: יב וַיַּעֲשׂוּ1 בָנָיו לוֹ כֵּן
כַּאֲשֶׁר צִוָּם3: יג וַיִּשְׂאוּ1 אֹתוֹ בָנָיו אַרְצָה
כְּנַעַן וַיִּקְבְּרוּ1 אֹתוֹ בִּמְעָרַת שְׂדֵה הַמַּכְפֵּלָה
אֲשֶׁר קָנָה1 אַבְרָהָם אֶת־הַשָּׂדֶה לַאֲחֻזַּת־
קֶבֶר מֵאֵת עֶפְרֹן הַחִתִּי עַל־פְּנֵי מַמְרֵא:
יד וַיָּשָׁב1 יוֹסֵף מִצְרַיְמָה הוּא וְאֶחָיו וְכָל־
הָעֹלִים1 אִתּוֹ לִקְבֹּר1 אֶת־אָבִיו אַחֲרֵי
קָבְרוֹ1 אֶת־אָבִיו: טו וַיִּרְאוּ1 אֲחֵי־יוֹסֵף
כִּי־מֵת1 אֲבִיהֶם וַיֹּאמְרוּ1 לוּ יִשְׂטְמֵנוּ1 יוֹסֵף
וְהָשֵׁב5 יָשִׁיב5 לָנוּ אֵת כָּל־הָרָעָה אֲשֶׁר
גָּמַלְנוּ1 אֹתוֹ: טז וַיְצַוּוּ3 אֶל־יוֹסֵף לֵאמֹר1
אָבִיךָ צִוָּה3 לִפְנֵי מוֹתוֹ לֵאמֹר1: יז כֹּה־
תֹאמְרוּ1 לְיוֹסֵף אָנָּא שָׂא1 נָא פֶּשַׁע אַחֶיךָ
וְחַטָּאתָם כִּי־רָעָה גְמָלוּךָ1 וְעַתָּה שָׂא1
נָא לְפֶשַׁע עַבְדֵי אֱלֹהֵי אָבִיךָ וַיֵּבְךְּ1 יוֹסֵף
בְּדַבְּרָם3 אֵלָיו: יח וַיֵּלְכוּ1 גַּם־אֶחָיו וַיִּפְּלוּ1
לְפָנָיו וַיֹּאמְרוּ1 הִנֶּנּוּ לְךָ לַעֲבָדִים: יט וַיֹּאמֶר1
אֲלֵהֶם יוֹסֵף אַל־תִּירָאוּ1 כִּי הֲתַחַת אֱלֹהִים
אָנִי: כ וְאַתֶּם חֲשַׁבְתֶּם1 עָלַי רָעָה אֱלֹהִים
חֲשָׁבָהּ1 לְטֹבָה לְמַעַן עֲשֹׂה1 כַּיּוֹם הַזֶּה
לְהַחֲיֹת5 עַם־רָב: כא וְעַתָּה אַל־תִּירָאוּ1
אָנֹכִי אֲכַלְכֵּל3 אֶתְכֶם וְאֶת־טַפְּכֶם וַיְנַחֵם3
אוֹתָם וַיְדַבֵּר3 עַל־לִבָּם: כב וַיֵּשֶׁב1 יוֹסֵף
בְּמִצְרַיִם הוּא וּבֵית אָבִיו וַיְחִי1 יוֹסֵף מֵאָה
וָעֶשֶׂר שָׁנִים: כג וַיַּרְא1 יוֹסֵף לְאֶפְרַיִם בְּנֵי
שִׁלֵּשִׁים גַּם בְּנֵי מָכִיר בֶּן־מְנַשֶּׁה יֻלְּדוּ4 עַל־
בִּרְכֵּי יוֹסֵף: כד וַיֹּאמֶר1 יוֹסֵף אֶל־אֶחָיו אָנֹכִי
מֵת1 וֵאלֹהִים פָּקֹד1 יִפְקֹד1 אֶתְכֶם וְהֶעֱלָה5
אֶתְכֶם מִן־הָאָרֶץ הַזֹּאת אֶל־הָאָרֶץ אֲשֶׁר
נִשְׁבַּע2 לְאַבְרָהָם לְיִצְחָק וּלְיַעֲקֹב: כה וַיַּשְׁבַּע5
יוֹסֵף אֶת־בְּנֵי יִשְׂרָאֵל לֵאמֹר1 פָּקֹד1 יִפְקֹד1
אֱלֹהִים אֶתְכֶם וְהַעֲלִתֶם5 אֶת־עַצְמֹתַי
מִזֶּה: כו וַיָּמָת1 יוֹסֵף בֶּן־מֵאָה וָעֶשֶׂר שָׁנִים
וַיַּחַנְטוּ1 אֹתוֹ וַיִּישֶׂם6 בָּאָרוֹן בְּמִצְרָיִם: חזק

רָאשֵׁי הַתֵּבוֹת בְּדִבְרֵי רש״י	
א״א	אִי אֶפְשָׁר
א״י	אֶרֶץ יִשְׂרָאֵל
א״כ	אִם כֵּן
א״ל	אָמַר לָהֶם
א״ל	אָמַר לוֹ
א״ל הקב״ה	אָמַר לוֹ הַקָּדוֹשׁ בָּרוּךְ הוּא
א״ר	אָמַר רַבִּי
א״ת	אִם תֹּאמַר
אח״כ	אַחַר כָּךְ
אע״פ	אַף עַל פִּי
אעפ״כ	אַף עַל פִּי כֵן
אר״מ	אָמַר רַבִּי מֵאִיר
אר״ע	אָמַר רַבִּי עֲקִיבָא
ב״ד	בֵּין דִּין
ב״ה	בָּרוּךְ הוּא
ב״ר	בְּרֵאשִׁית רַבָּה
בב״ד	בְּבֵית דִּין
בב״מ	בְּבָבָא מְצִיעָא
בב״ר	בִּבְרֵאשִׁית רַבָּה
בהמ״ק	בֵּית הַמִּקְדָּשׁ
בהקב״ה	בְּהַקָּדוֹשׁ בָּרוּךְ הוּא
ביו״ט	בְּיוֹם טוֹב
ביוה״כ	בְּיוֹם הַכִּפּוּרִים
בכ״מ	בְּכָל מָקוֹם
בע״ד	בַּעַל דִּין
בע״ז	בַּעֲבוֹדָה זָרָה

רָאשֵׁי הַתֵּבוֹת בְּדִבְרֵי רש״י	
בעוה״ז	בָּעוֹלָם הַזֶּה
בפ״א	בְּפֶרֶק רִאשׁוֹן
בר״ה	בְּרֹאשׁ הַשָּׁנָה
בר״ה ובת״כ	בְּרֹאשׁ הַשָּׁנָה וּבְתוֹרַת כֹּהֲנִים
בר״ח	בְּרֹאשׁ חֹדֶשׁ
ברוה״ק	בְּרוּחַ הַקֹּדֶשׁ
בש״ש	בְּשׁוֹמֵר שָׂכָר
בת״כ	בְּתוֹרַת כֹּהֲנִים
ד״א	דָּבָר אַחֵר
דר״א	דְּרַבִּי אֱלִיעֶזֶר
ה״ז	הֲרֵי זֶה
הה״ד	הֲדָא הוּא דִכְתִיב
היל״ל	הָיָה לוֹ לוֹמַר
הל״ל	הָיָה לוֹ לוֹמַר
הקב״ה	הַקָּדוֹשׁ בָּרוּךְ הוּא
הקב״ה ע״י	הַקָּדוֹשׁ בָּרוּךְ הוּא עַל יְדֵי
וא״א	וְאִי אֶפְשַׁר
וא״ת	וְאִם תֹּאמַר
ואח״כ	וְאַחַר כָּךְ
ואע״פ	וְאַף עַל פִּי
ואעפ״כ	וְאַף עַל פִּי כֵן
ובב״ר	וּבִבְרֵאשִׁית רַבָּה
ובר״ח	וּבְרֹאשׁ חֹדֶשׁ
ובת״כ	וּבְתוֹרַת כֹּהֲנִים
וד״ת	וְדִבְרֵי תוֹרָה
וה״ז	וַהֲרֵי זֶה

רָאשֵׁי הַתֵּבוֹת בְּדִבְרֵי רַשִׁ"י	
והקב"ה	וְהַקָּדוֹשׁ בָּרוּךְ הוּא
וז"ש	וְזֶהוּ שֶׁכָּתַב
וי"א	וְיֵשׁ אוֹמְרִים
וי"ל	וְיֵשׁ לוֹמַר
וי"מ	וְיֵשׁ מְפָרְשִׁים
וכ"ש	וְכָל שֶׁכֵּן
וכה"א	וְכֵן הוּא אוֹמֵר
ול"נ	וְלִי נִרְאֶה
ומ"א	וּמִדְרַשׁ אַגָּדָה
ומ"מ	וּמִכָּל מָקוֹם
וע"ז	וַעֲבוֹדָה זָרָה
וע"י	וְעַל יְדֵי
וע"כ	וְעַל כָּרְחֲךָ
וע"ש	וְעַל שֵׁם
וק"ו	וְקַל וָחוֹמֶר
ור"ד	וְרַבּוֹתֵינוּ דָּרְשׁוּ
ורוה"ק	וְרוּחַ הַקֹּדֶשׁ
ורז"ל	וְרַבּוֹתֵינוּ זִכְרוֹנָם לִבְרָכָה
ות"א	וְתַרְגּוּם אוּנְקְלוֹס
ז"ל	זִכְרוֹנָם לִבְרָכָה
ח"ו	חַס וְשָׁלוֹם
חז"ל	חֲכָמֵינוּ זִכְרוֹנָם לִבְרָכָה
י"מ	יֵשׁ מְפָרְשִׁים
יה"ר	יְהִי רָצוֹן
יו"ט	יוֹם טוֹב
יוה"כ	יוֹם הַכִּפּוּרִים

רָאשֵׁי הַתֵּבוֹת בְּדִבְרֵי רַשִׁ"י	
יצה"ר	יֵצֶר הָרָע
כ"א	כִּי אִם
כ"כ	כָּל כָּךְ
כ"ש	כָּל שֶׁכֵּן
כד"א	כְּמָה דְּאַתְּ אָמַר
כא"י	כְּאֶרֶץ יִשְׂרָאֵל
כמ"ש	כְּמוֹ שֶׁאָמוּר
כש"ח	כְּשׁוֹמֵר חִנָּם
כש"ש	כְּשׁוֹמֵר שָׂכָר
כשא"ל	כְּשֶׁאָמַר לוֹ
כשהקב"ה	כְּשֶׁהַקָּדוֹשׁ בָּרוּךְ הוּא
ל'	לָשׁוֹן
ל"א	לָשׁוֹן אַחֵר
לב"ד	לְבֵית דִּין
להקב"ה	לְהַקָּדוֹשׁ בָּרוּךְ הוּא
לעוה"ב	לָעוֹלָם הַבָּא
מ"א	מִדְרַשׁ אַגָּדָה
מ"מ	מִכָּל מָקוֹם
מ"ת	מַתַּן תּוֹרָה
מב"ד	מִבֵּית דִּין
מה"ת	מִן הַתּוֹרָה
מע"ז	מֵעֲבוֹדָה זָרָה
מע"ש לע"ש	מֵעֶרֶב שַׁבָּת לְעֶרֶב שַׁבָּת
עאכ"ו	עַל אַחַת כַּמָּה וְכַמָּה
ע"ג	עַל גַּבֵּי
ע"ז	עֲבוֹדָה זָרָה

רָאשֵׁי הַתֵּבוֹת בְּדִבְרֵי רַשִׁ"י	
ע"י	עַל יְדֵי
ע"מ	עַל מְנַת
ע"פ	עַל פִּי
ע"ש	עַל שֵׁם
ק"ו	קַל וָחוֹמֶר
ר"ה	רֹאשׁ הַשָּׁנָה
ר"י	רַבִּי יוֹסֵי
ר"ע	רַבִּי עֲקִיבָא
ר"ש	רַבִּי שִׁמְעוֹן
רבש"ע	רִבּוֹנוֹ שֶׁל עוֹלָם
רוה"ק	רוּחַ הַקֹּדֶשׁ
רז"ל	רַבּוֹתֵינוּ זִכְרוֹנָם לִבְרָכָה
שא"א	שֶׁאִי אֶפְשָׁר
שא"כ	שֶׁאִם כֵּן

רָאשֵׁי הַתֵּבוֹת בְּדִבְרֵי רַשִׁ"י	
שא"ל	שֶׁאָמַר לוֹ
שא"ת	שֶׁאִם תֹּאמַר
שאל"כ	שֶׁאִם לֹא כֵן
שאע"פ	שֶׁאַף עַל פִּי
שבב"ד	שֶׁבְּבֵית דִּין
שבהמ"ק	שֶׁבֵּית הַמִּקְדָּשׁ
שבע"פ	שֶׁבְּעַל פֶּה
שבת"כ	שֶׁבְּתוֹרַת כֹּהֲנִים
שהקב"ה	שֶׁהַקָּדוֹשׁ בָּרוּךְ הוּא
שמר"ח	שֶׁמֵּרֹאשׁ חֹדֶשׁ
שע"י	שֶׁעַל יְדֵי
שת"א	שֶׁתִּרְגֵּם אוּנְקְלוֹס
ת"ח	תַּלְמִיד חָכָם
ת"כ	תּוֹרַת כֹּהֲנִים

גמטריאות

א	ב	ג	ד	ה	ו	ז	ח	ט	י	כ
1	2	3	4	5	6	7	8	9	10	20
ל	מ	נ	ס	ע	פ	צ	ק	ר	ש	ת
30	40	50	60	70	80	90	100	200	300	400

הוראה לשימוש:

א=1 י=10 יא=11 ק=100 קיא=111 תקיא=511

		י	כ	ל	מ	נ	ס	ע	פ	צ
		10	20	30	40	50	60	70	80	90
א	1	11	21	31	41	51	61	71	81	91
ב	2	12	22	32	42	52	62	72	82	92
ג	3	13	23	33	43	53	63	73	83	93
ד	4	14	24	34	44	54	64	74	84	94
ה	5	טו 15	25	35	45	55	65	75	85	95
ו	6	טז 16	26	36	46	56	66	76	86	96
ז	7	17	27	37	47	57	67	77	87	97
ח	8	18	28	38	48	58	68	78	88	98
ט	9	19	29	39	49	59	69	79	89	99

תק	תר	תש	תת	תתק
500	600	700	800	900

הַמִּצְווֹת הַנִּמְצָאוֹת בְּסֵפֶר בְּרֵאשִׁית

עַל פִּי סֵפֶר הַחִנּוּךְ

פָּרָשַׁת בְּרֵאשִׁית

א. מִצְוַת פְּרִיָּה וּרְבִיָּה

פָּרָשַׁת לֶךְ לְךָ

ב. מִצְוַת מִילָה

פָּרָשַׁת וַיִּשְׁלַח

ג. שֶׁלֹּא לֶאֱכֹל גִּיד הַנָּשֶׁה

יְמֵי בְּרֵאשִׁית

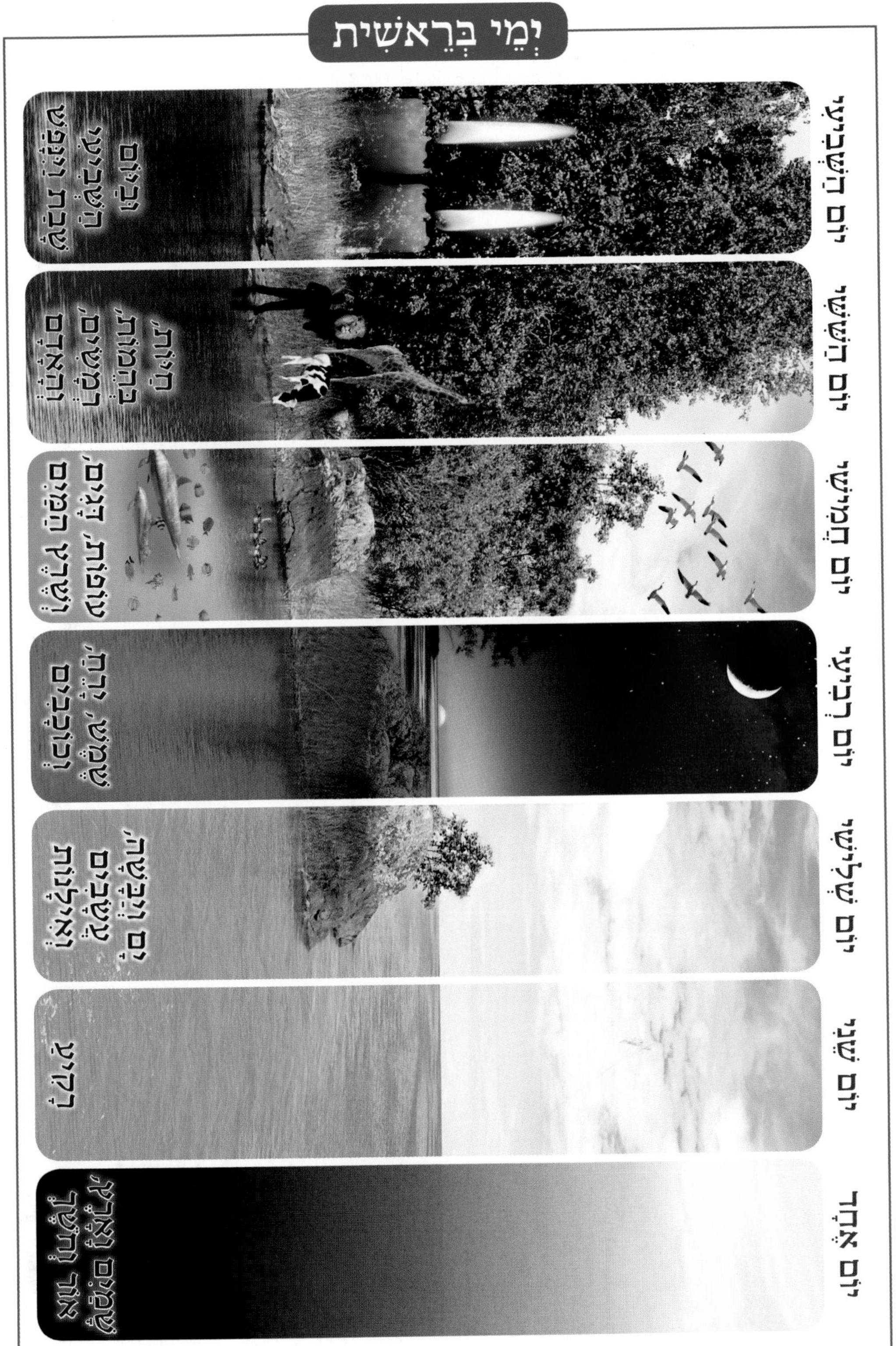
יום השביעי
יום הששי
יום חמישי
יום רביעי
יום שלישי
יום שני
רקיע
יום אחד

סֵדֶר וּשְׁנוֹת הַדּוֹרוֹת

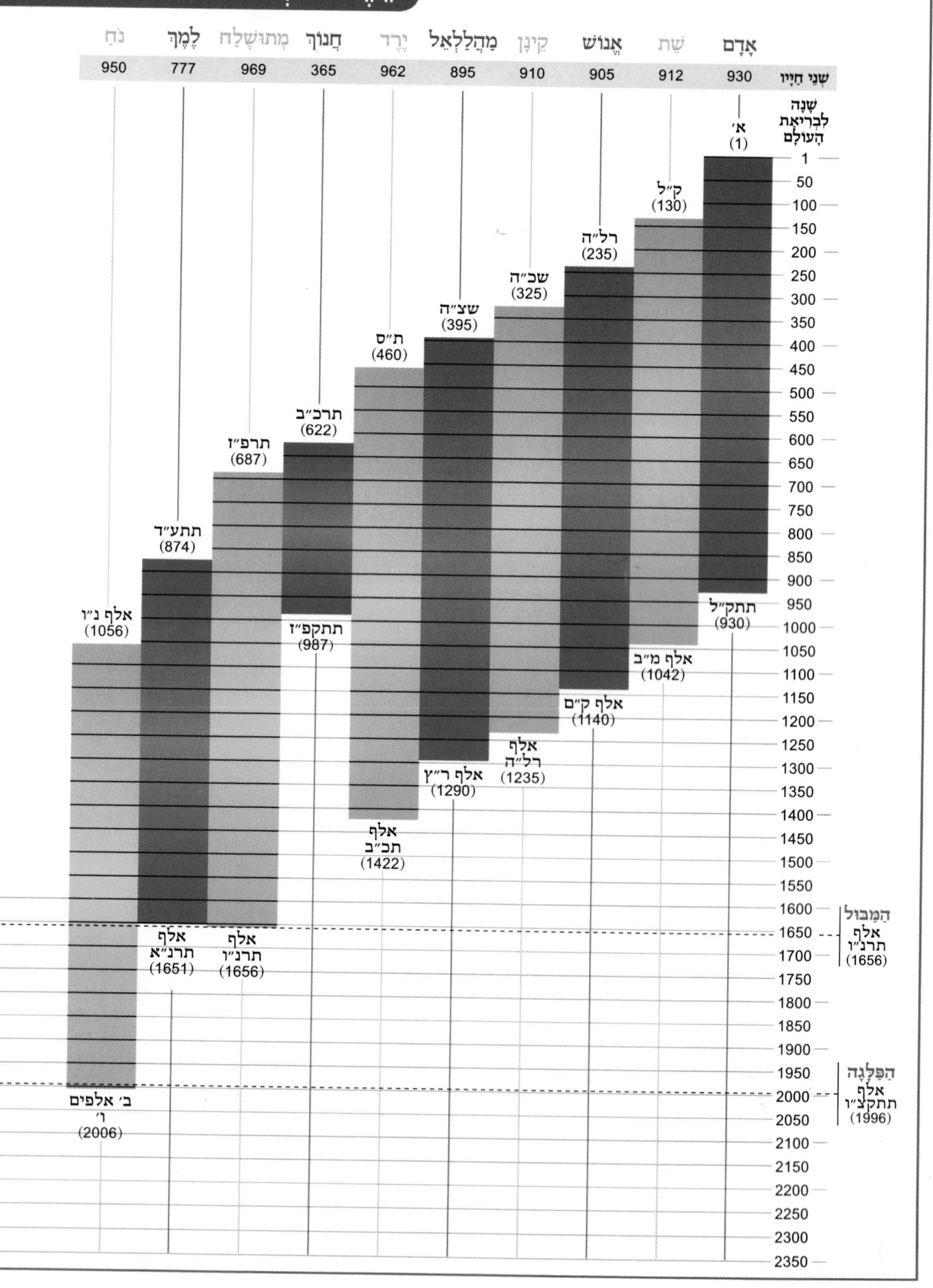

מֵאָדָם הָרִאשׁוֹן עַד יַעֲקֹב אָבִינוּ

יַעֲקֹב	יִצְחָק	אַבְרָהָם	תֶּרַח	נָחוֹר	שְׂרוּג	רְעוּ	פֶּלֶג	עֵבֶר	שֶׁלַח	אַרְפַּכְשַׁד	שֵׁם
147	180	175	205	148	230	239	239	464	433	438	600

אֶלֶף
תקנ״ח
(1558)

אֶלֶף
תרנ״ח
(1658)

אֶלֶף
תרצ״ג
(1693)

אֶלֶף
תשכ״ג
(1723)

אֶלֶף
תשנ״ז
(1757)

אֶלֶף
תשפ״ז
(1787)

אֶלֶף
תתי״ט
(1819)

אֶלֶף
תתמ״ט
(1849)

אֶלֶף
תתע״ח
(1878)

אֶלֶף
תתקמ״ח
(1948)

ב׳ אלפים
מ״ח
(2048)

אֶלֶף
תתקצ״ז
(1997)

אֶלֶף
תתקצ״ז
(1966)

ב׳ אלפים
מ״ט
(2049)

ב׳ אלפים
כ״ו
(2026)

ב׳ אלפים
ק״ח
(2108)

ב׳ אלפים
פ״ג
(2083)

ב׳ אלפים
קכ״ג
(2123)

ב׳ אלפים
רכ״ח
(2228)

ב׳ אלפים
רנ״ה
(2255)

ב׳ אלפים
קפ״ז
(2187)

ב׳ אלפים
קכ״ו
(2126)

ב׳ אלפים
צ״ו
(2096)

ב׳ אלפים
קנ״ח
(2158)

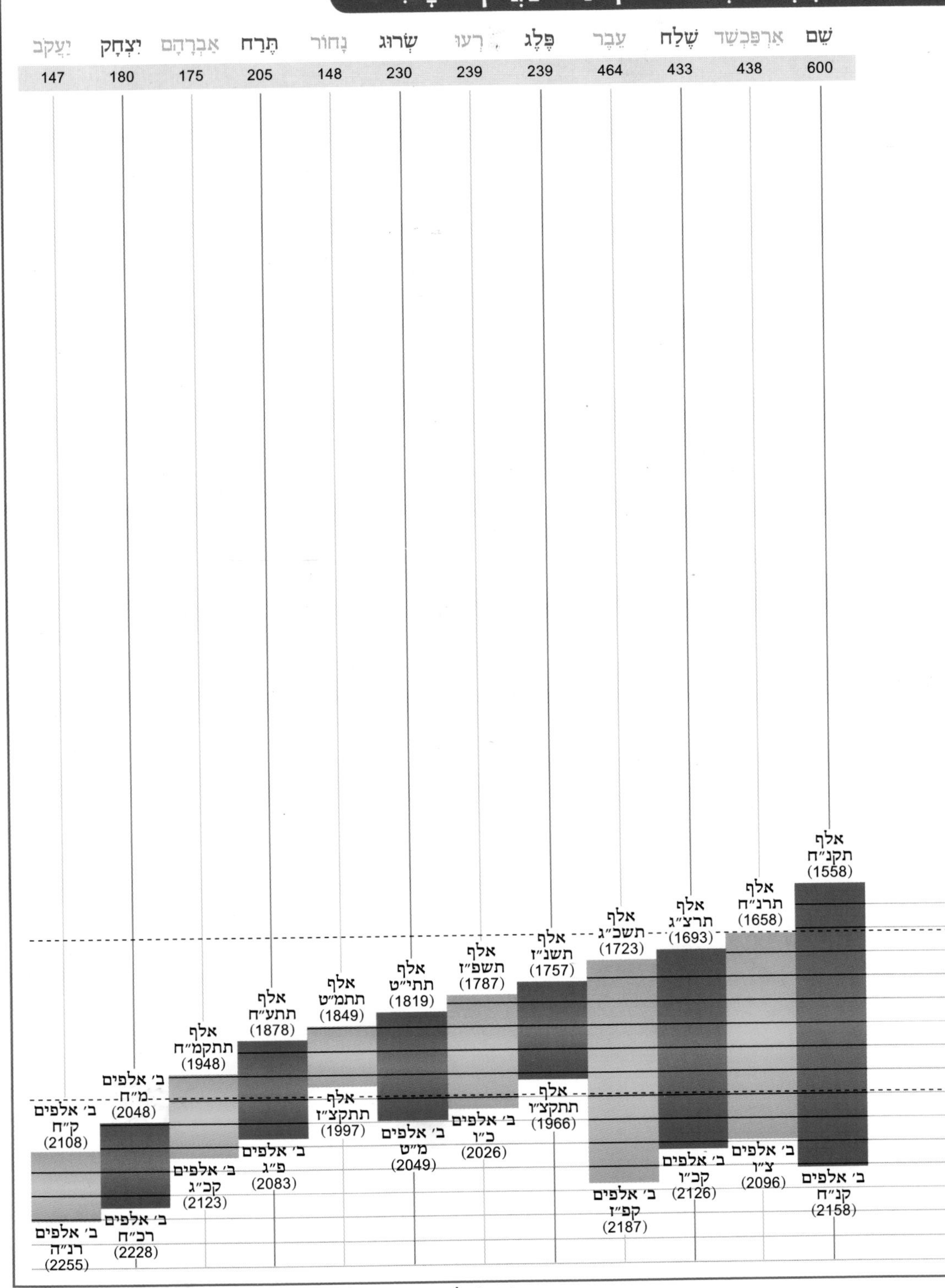

"וְאֶל אַמָּה תְּכַלֶּנָּה מִלְמַעְלָה"
(בראשית ו:טז)

לפי שיטת ספר זכרון
אַמָּה עַל פְּנֵי כּוּלָהּ

1 אַמָּה

300 אַמּוֹת

50 אַמּוֹת

הַצִּיּוּר מַרְאֶה צוּרַת גַּג הַתֵּיבָה
קוֹדֶם נְתִינַת הַכּוֹפֶר

לפי שיטת יריעות שלמה
אַמָּה עַל אַמָּה בָּאֶמְצָעָה

1 אַמָּה

1 אַמָּה

300 אַמּוֹת

50 אַמּוֹת

הַצִּיּוּר מַרְאֶה צוּרַת גַּג הַתֵּיבָה
קוֹדֶם נְתִינַת הַכּוֹפֶר

לפי שיטת גור אריה
אַמָּה עַל טֶפַח בָּאֶמְצָעָה

1 אַמָּה

1 טֶפַח
(1/6 אַמָּה)

300 אַמּוֹת

50 אַמּוֹת

הַצִּיּוּר מַרְאֶה צוּרַת גַּג הַתֵּיבָה
קוֹדֶם נְתִינַת הַכּוֹפֶר

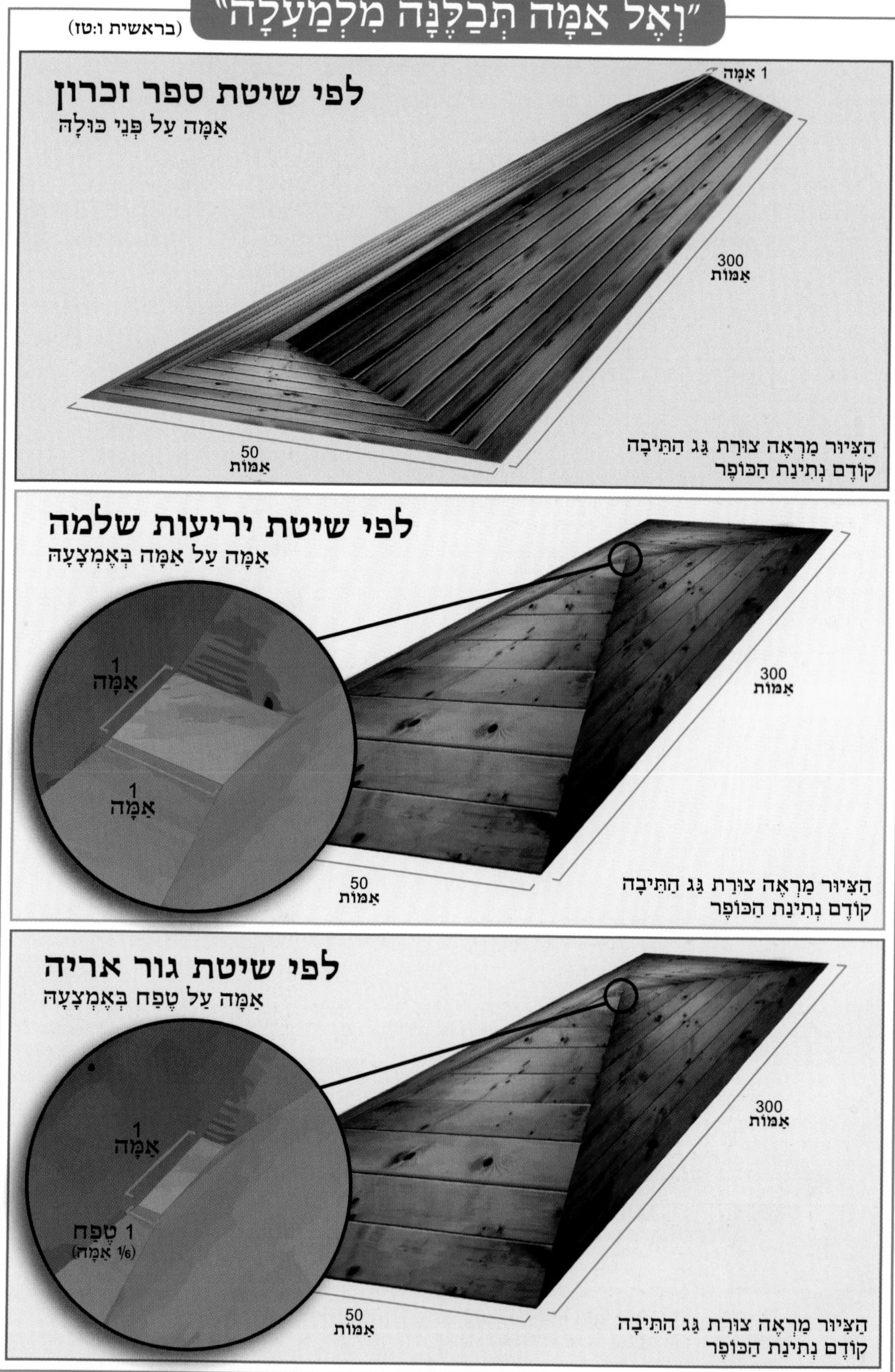

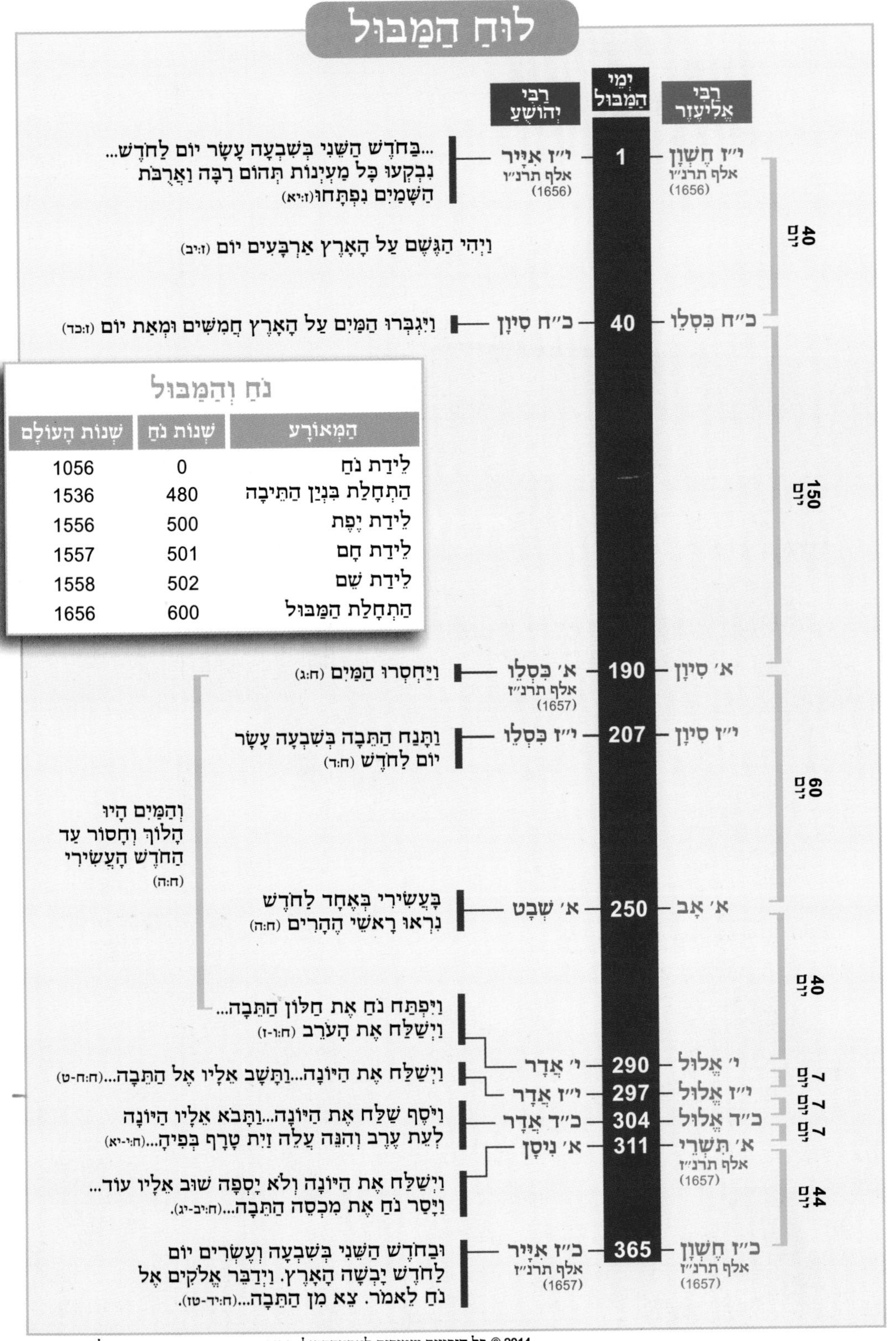

לוּחַ הַמַּבּוּל

	רַבִּי יְהוֹשֻׁעַ	יְמֵי הַמַּבּוּל	רַבִּי אֱלִיעֶזֶר	

...בַּחֹדֶשׁ הַשֵּׁנִי בְּשִׁבְעָה עָשָׂר יוֹם לַחֹדֶשׁ
נִבְקְעוּ כָּל מַעְיְנוֹת תְּהוֹם רַבָּה וַאֲרֻבֹּת
הַשָּׁמַיִם נִפְתָּחוּ (ז:יא) — יֵ"ז אִיָּיר / אלף תרנ"ו (1656) — **1** — יֵ"ז חֶשְׁוָן / אלף תרנ"ו (1656)

וַיְהִי הַגֶּשֶׁם עַל הָאָרֶץ אַרְבָּעִים יוֹם (ז:יב)

40 יוֹם

וַיִּגְבְּרוּ הַמַּיִם עַל הָאָרֶץ חֲמִשִּׁים וּמְאַת יוֹם (ז:כד) — כֵּ"ח סִיוָן — **40** — כֵּ"ח כִּסְלֵו

נֹחַ וְהַמַּבּוּל

הַמְּאֹרָע	שְׁנוֹת נֹחַ	שְׁנוֹת הָעוֹלָם
לֵידַת נֹחַ	0	1056
הַתְחָלַת בִּנְיַן הַתֵּיבָה	480	1536
לֵידַת יֶפֶת	500	1556
לֵידַת חָם	501	1557
לֵידַת שֵׁם	502	1558
הַתְחָלַת הַמַּבּוּל	600	1656

150 יוֹם

וַיַּחְסְרוּ הַמָּיִם (ח:ג) — אַ' כִּסְלֵו / אלף תרנ"ז (1657) — **190** — אַ' סִיוָן

וַתָּנַח הַתֵּבָה בְּשִׁבְעָה עָשָׂר
יוֹם לַחֹדֶשׁ (ח:ד) — יֵ"ז כִּסְלֵו — **207** — יֵ"ז סִיוָן

וְהַמַּיִם הָיוּ
הָלוֹךְ וְחָסוֹר עַד
הַחֹדֶשׁ הָעֲשִׂירִי
(ח:ה)

60 יוֹם

בָּעֲשִׂירִי בְּאֶחָד לַחֹדֶשׁ
נִרְאוּ רָאשֵׁי הֶהָרִים (ח:ה) — אַ' שְׁבָט — **250** — אַ' אָב

40 יוֹם

וַיִּפְתַּח נֹחַ אֶת חַלּוֹן הַתֵּבָה...
וַיְשַׁלַּח אֶת הָעֹרֵב (ח:ו-ז)

וַיְשַׁלַּח אֶת הַיּוֹנָה...וַתָּשָׁב אֵלָיו אֶל הַתֵּבָה...(ח:ח-ט) — יֵ' אֲדָר — **290** — יֵ' אֱלוּל — 7 יוֹם

— יֵ"ז אֲדָר — **297** — יֵ"ז אֱלוּל — 7 יוֹם

וַיֹּסֶף שַׁלַּח אֶת הַיּוֹנָה...וַתָּבֹא אֵלָיו הַיּוֹנָה
לְעֵת עֶרֶב וְהִנֵּה עֲלֵה זַיִת טָרָף בְּפִיהָ (ח:יא) — כֵּ"ד אֲדָר — **304** — כֵּ"ד אֱלוּל — 7 יוֹם

— אַ' נִיסָן — **311** — אַ' תִּשְׁרֵי / אלף תרנ"ז (1657)

וַיְשַׁלַּח אֶת הַיּוֹנָה וְלֹא יָסְפָה שׁוּב אֵלָיו עוֹד...
וַיָּסַר נֹחַ אֶת מִכְסֵה הַתֵּבָה...(ח:יב-יג). — — — — 44 יוֹם

וּבַחֹדֶשׁ הַשֵּׁנִי בְּשִׁבְעָה וְעֶשְׂרִים יוֹם
לַחֹדֶשׁ יָבְשָׁה הָאָרֶץ. וַיְדַבֵּר אֱלֹקִים אֶל
נֹחַ לֵאמֹר. צֵא מִן הַתֵּבָה...(ח:יד-טז). — כֵּ"ז אִיָּיר / אלף תרנ"ז (1657) — **365** — כֵּ"ז חֶשְׁוָן / אלף תרנ"ז (1657)

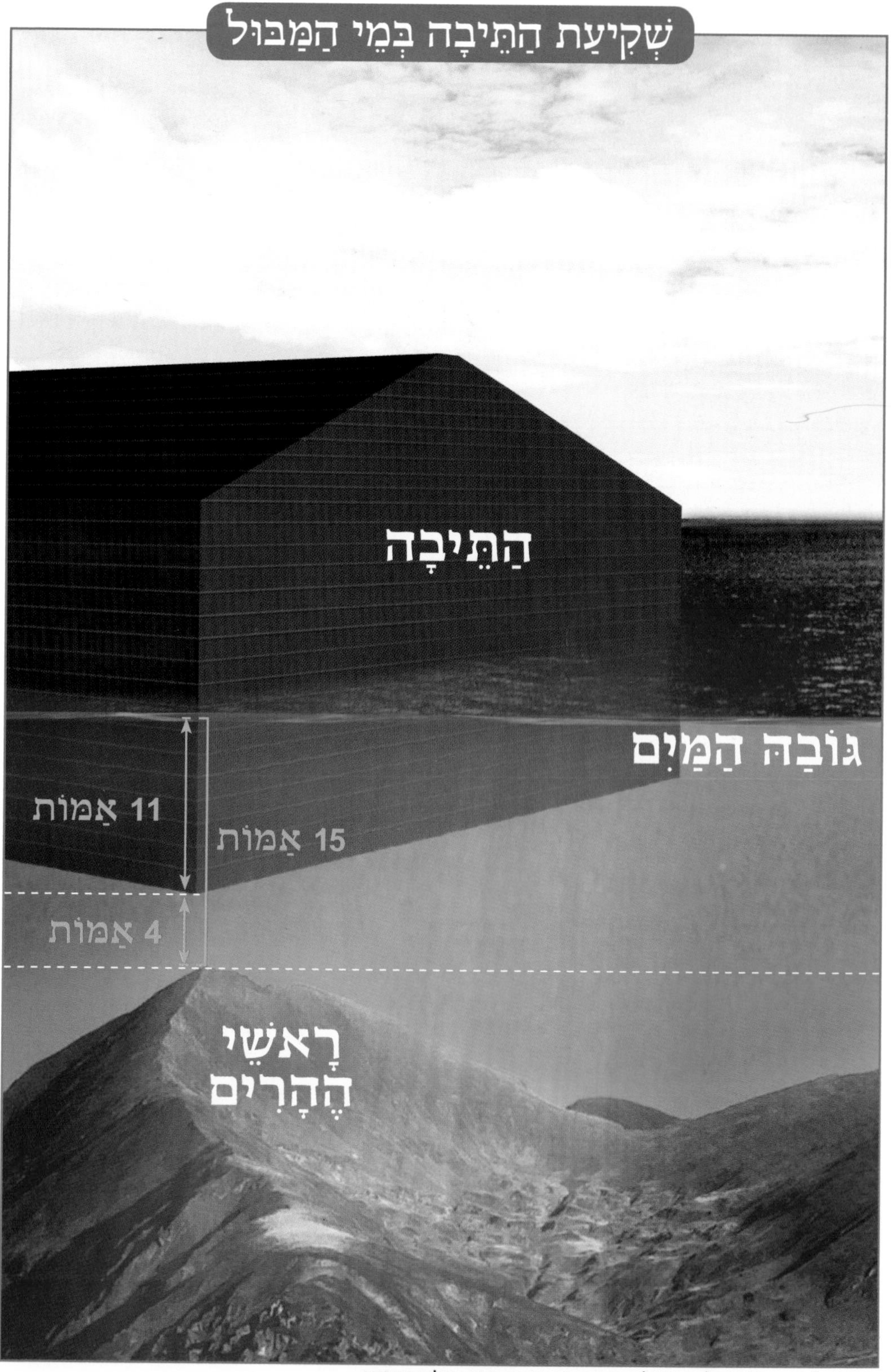
שְׁקִיעַת הַתֵּיבָה בְּמֵי הַמַּבּוּל
הַתֵּיבָה
גּוֹבַהּ הַמַּיִם
11 אַמּוֹת
15 אַמּוֹת
4 אַמּוֹת
רָאשֵׁי
הֶהָרִים

שֶׁבַע מִצְוֹת בְּנֵי נֹחַ

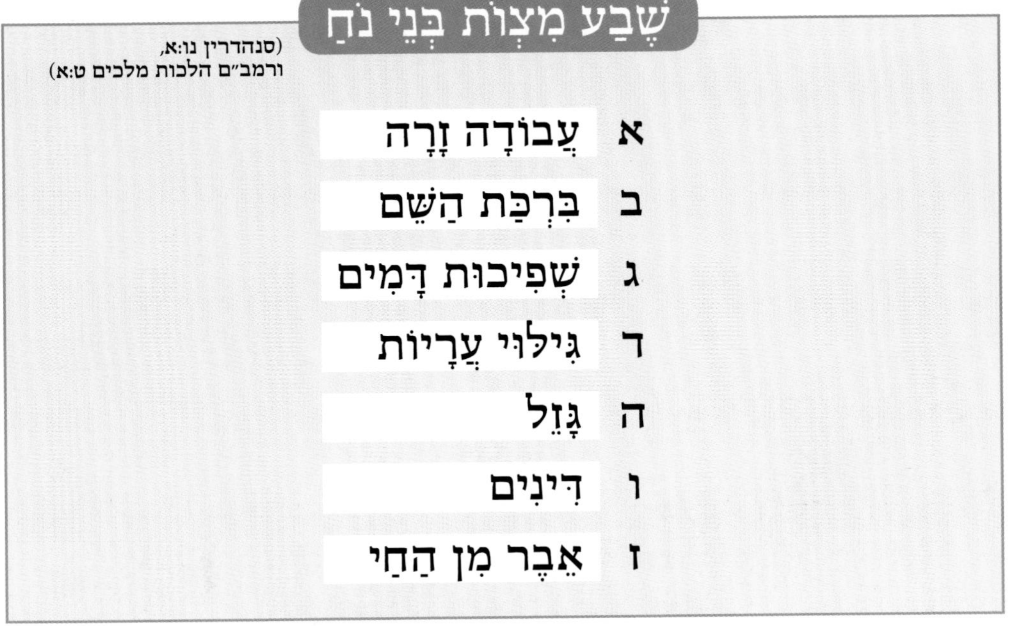

(סנהדרין נו:א, ורמב״ם הלכות מלכים ט:א)

א עֲבוֹדָה זָרָה

ב בִּרְכַּת הַשֵּׁם

ג שְׁפִיכוּת דָּמִים

ד גִּילּוּי עֲרָיוֹת

ה גָּזֵל

ו דִּינִים

ז אֵבֶר מִן הַחַי

שִׁבְעִים הָאוּמּוֹת

(בראשית פרק י)

בְּנֵי יֶפֶת (י:ב-ה)

(1) גֹּמֶר
(2) מָגוֹג
(3) מָדַי
(4) יָוָן
(5) תֻבָל
(6) מֶשֶׁךְ
(7) תִּירָס

בני גמר:
(8) אַשְׁכְּנַז
(9) רִיפַת
(10) תֹגַרְמָה

בני יון:
(11) אֱלִישָׁה
(12) תַּרְשִׁישׁ
(13) כִּתִּים
(14) דֹּדָנִים

בְּנֵי חָם (י:ו-כ)

(15) כּוּשׁ
(16) מִצְרַיִם
(17) פוּט
(18) כְּנָעַן

בני כוש:
(19) סְבָא
(20) חֲוִילָה
(21) סַבְתָּה
(22) רַעְמָה
(23) סַבְתְּכָא
(26) נִמְרֹד*

בני רעמה:
(24) שְׁבָא
(25) דְּדָן

בני מצרים:
(27) לוּדִים
(28) עֲנָמִים
(29) לְהָבִים
(30) נַפְתֻּחִים
(31) פַּתְרֻסִים
(32) כַּסְלֻחִים
(33) כַּפְתֹּרִים

פְּלִשְׁתִּים*

בני כנען:
(34) צִידֹן
(35) חֵת
(36) הַיְבוּסִי
(37) הָאֱמֹרִי
(38) הַגִּרְגָּשִׁי
(39) הַחִוִּי
(40) הָעַרְקִי
(41) הַסִּינִי
(42) הָאַרְוָדִי
(43) הַצְּמָרִי
(44) הַחֲמָתִי

בְּנֵי שֵׁם (י:כא-לא)

(45) עֵילָם
(46) אַשּׁוּר
(47) אַרְפַּכְשַׁד
(48) לוּד
(49) אֲרָם

בני ארם:
(50) עוּץ
(51) חוּל
(52) גֶתֶר
(53) מַשׁ

(54) שָׁלַח
(55) עֵבֶר
(56) פֶּלֶג
(57) יָקְטָן

בני יקטן:
(58) אַלְמוֹדָד
(59) שָׁלֶף
(60) חֲצַרְמָוֶת
(61) יָרַח
(62) הֲדוֹרָם
(63) אוּזָל
(64) דִּקְלָה
(65) עוֹבָל
(64) אֲבִימָאֵל
(65) שְׁבָא
(66) אוֹפִר
(67) חֲוִילָה
(70) יוֹבָב

* יֵשׁ שֶׁאֵינָם כּוֹלְלִים אֶת נִמְרֹד בְּחֶשְׁבּוֹן שִׁבְעִים הָאוּמּוֹת, רַק מוֹנִים פְּלִשְׁתִּים בִּמְקוֹמוֹ.

מְגוּרֵי אַבְרָהָם אָבִינוּ

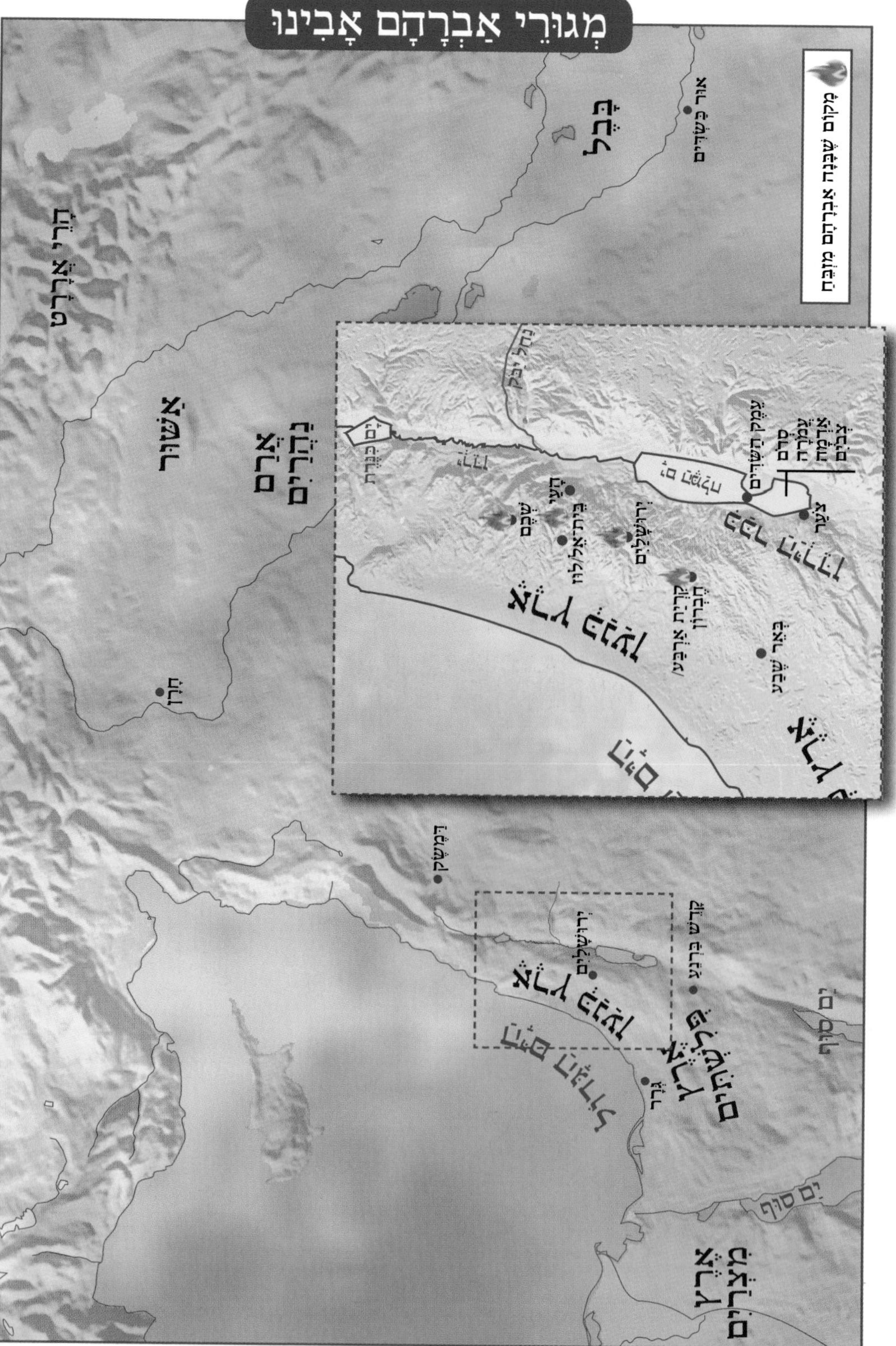

מִשְׁפַּחַת אַבְרָהָם אָבִינוּ

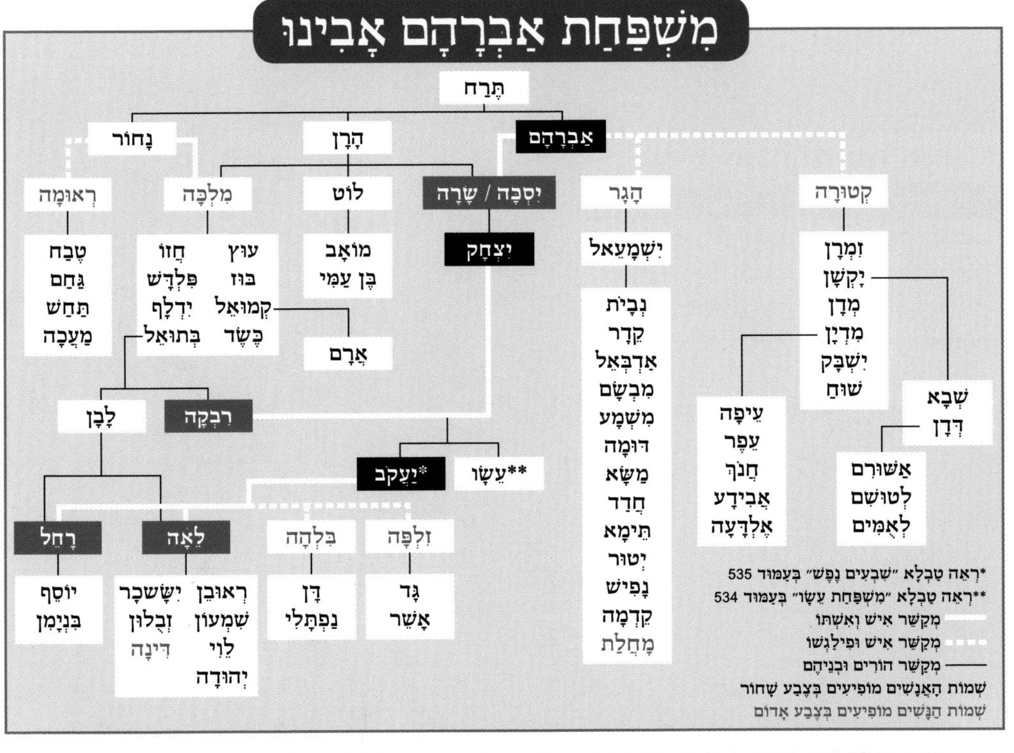

עֲשָׂרָה נִסְיוֹנוֹת שֶׁבָּהֶם נִתְנַסָּה אַבְרָהָם אָבִינוּ

(בפירשם לאבות פ:ג)

	שיטת רש״י	שיטת הרמב״ם
א	בִּקֵּשׁ נִמְרֹד לְהָרְגוֹ וְנֶחְבָּא בְּקַרְקַע י״ג שָׁנָה	הַגֵּרוּת בְּאָמְרוֹ יִתְבָּרַךְ לֶךְ־לְךָ מֵאַרְצְךָ וגו׳
ב	הִשְׁלִיכוֹ בְּאוּר כַּשְׂדִּים	הָרָעָב אֲשֶׁר נִמְצָא בְּאֶרֶץ כְּנַעַן בְּבוֹאוֹ שָׁם
ג	הִגְלָהוּ מֵאֶרֶץ מוֹלַדְתּוֹ	חֲמַס הַמִּצְרִיִּים עָלָיו בְּהִלָּקַח שָׂרָה לְפַרְעֹה
ד	הֵבִיא הקב״ה רָעָב בְּיָמָיו	הִלָּחֲמוֹ בְּד׳ מְלָכִים
ה	נִלְקְחָה שָׂרָה בְּבֵית פַּרְעֹה	לְקָחוֹ הָגָר לְאִשָּׁה אַחַר שֶׁנּוֹאַשׁ מֵהוֹלִיד מִשָּׂרָה
ו	בָּאוּ הַמְּלָכִים וְהִגְלוּ אֶת לוֹט בֶּן אָחִיו	הַמִּילָה אֲשֶׁר צֻוָּה בָּהּ בִּימֵי הַזִּקְנָה
ז	הֶרְאָה לוֹ (בִּבְרִית) בֵּין הַבְּתָרִים שִׁעְבּוּד אַרְבַּע מַלְכֻיּוֹת שֶׁיִּמְשְׁלוּ בְּבָנָיו	חֲמַס מֶלֶךְ גְּרָר עָלָיו בְּלָקְחוֹ שָׂרָה
ח	צִוָּה לָמוּל אֶת עַצְמוֹ וְאֶת בְּנוֹ	גֵּרוּשׁ הָגָר אַחֲרֵי הִבָּנוֹתוֹ מִמֶּנָּה
ט	אָמַר לוֹ לְגָרֵשׁ יִשְׁמָעֵאל בְּנוֹ עִם אִמּוֹ	הַרְחָקַת בְּנוֹ יִשְׁמָעֵאל
י	צִוָּהוּ לִשְׁחוֹט אֶת יִצְחָק בְּנוֹ	עֲקֵדַת יִצְחָק

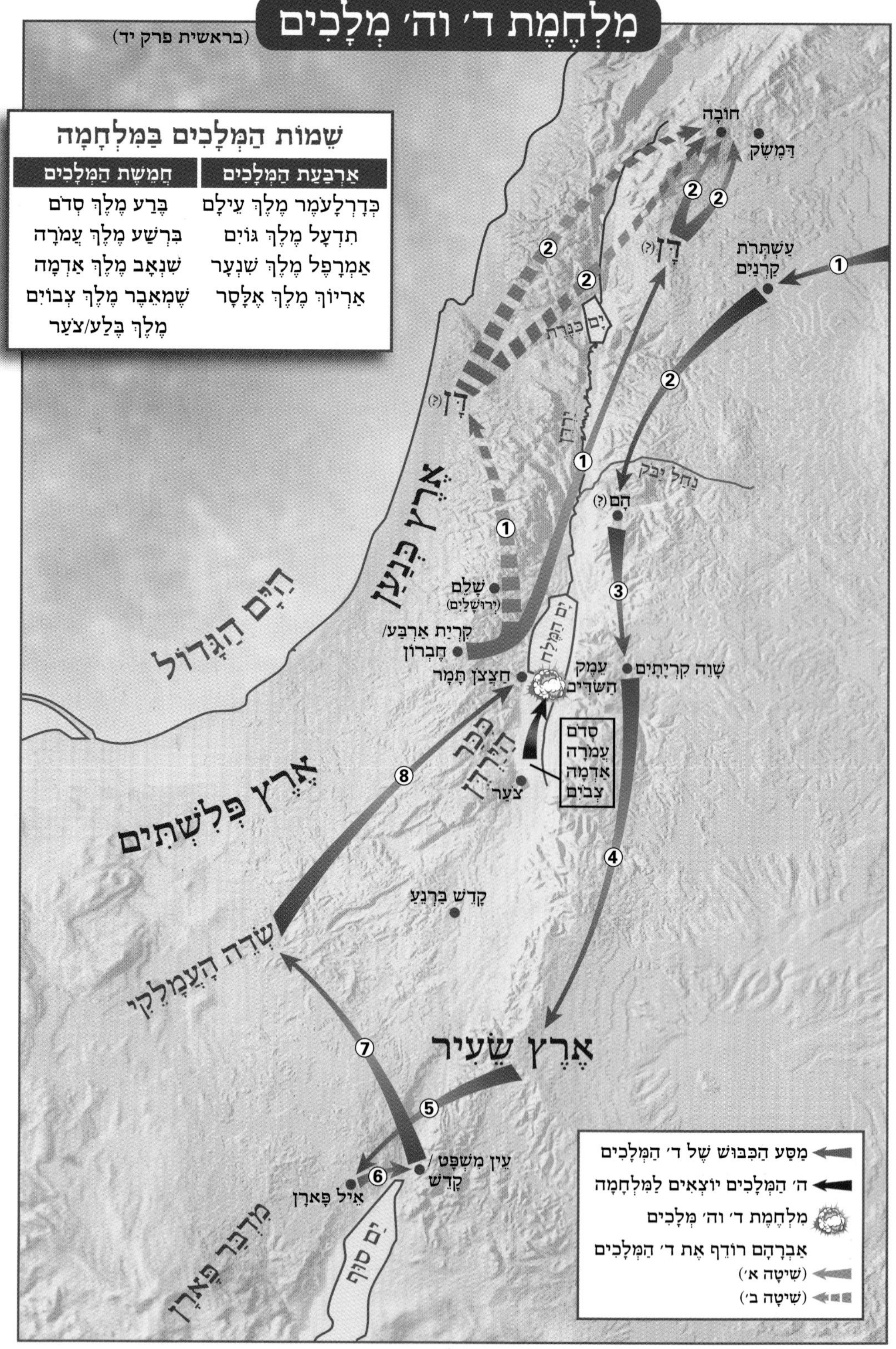
מִלְחֶמֶת ד׳ וה׳ מְלָכִים
(בראשית פרק יד)
שְׁמוֹת הַמְּלָכִים בַּמִּלְחָמָה
אַרְבַּעַת הַמְּלָכִים
כְּדָרְלָעֹמֶר מֶלֶךְ עֵילָם
תִדְעָל מֶלֶךְ גּוֹיִם
אַמְרָפֶל מֶלֶךְ שִׁנְעָר
אַרְיוֹךְ מֶלֶךְ אֶלָּסָר
חֲמֵשֶׁת הַמְּלָכִים
בֶּרַע מֶלֶךְ סְדֹם
בִּרְשַׁע מֶלֶךְ עֲמֹרָה
שִׁנְאָב מֶלֶךְ אַדְמָה
שֶׁמְאֵבֶר מֶלֶךְ צְבוֹיִם
מֶלֶךְ בֶּלַע/צֹעַר
חוֹבָה
דַּמֶּשֶׂק
דָּן (?)
עַשְׁתְּרֹת קַרְנַיִם
יָם כִּנֶּרֶת
יַרְדֵּן
נַחַל יַבֹּק
הָם (?)
הַיָּם הַגָּדוֹל
אֶרֶץ כְּנַעַן
שָׁלֵם (יְרוּשָׁלַיִם)
קִרְיַת אַרְבַּע/ חֶבְרוֹן
יָם הַמֶּלַח
חַצְצֹן תָּמָר
עֵמֶק הַשִּׂדִּים
שָׁוֵה קִרְיָתַיִם
כִּכַּר הַיַּרְדֵּן
סְדֹם
עֲמֹרָה
אַדְמָה
צְבֹיִם
צֹעַר
אֶרֶץ פְּלִשְׁתִּים
קָדֵשׁ בַּרְנֵעַ
שְׂדֵה הָעֲמָלֵקִי
אֶרֶץ שֵׂעִיר
עֵין מִשְׁפָּט / קָדֵשׁ
אֵיל פָּארָן
יָם סוּף
מִדְבַּר פָּארָן
מַסַּע הַכִּבּוּשׁ שֶׁל ד׳ הַמְּלָכִים
ה׳ הַמְּלָכִים יוֹצְאִים לַמִּלְחָמָה
מִלְחֶמֶת ד׳ וה׳ מְלָכִים
אַבְרָהָם רוֹדֵף אֶת ד׳ הַמְּלָכִים
(שִׁיטָה א׳)
(שִׁיטָה ב׳)

מַתְּנוֹת אֱלִיעֶזֶר לְרִבְקָה

(בראשית כד:כב)

וַיִּקַּח הָאִישׁ נֶזֶם זָהָב בֶּקַע מִשְׁקָלוֹ וּשְׁנֵי צְמִידִים עַל יָדֶיהָ עֲשָׂרָה זָהָב מִשְׁקָלָם׃

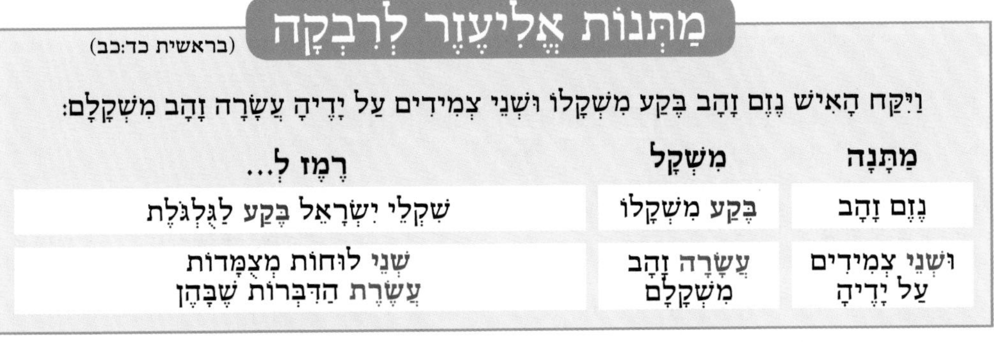

מַתָּנָה	מִשְׁקָל	רֶמֶז לְ...
נֶזֶם זָהָב	בֶּקַע מִשְׁקָלוֹ	שִׁקְלֵי יִשְׂרָאֵל בֶּקַע לַגֻּלְגֹּלֶת
וּשְׁנֵי צְמִידִים עַל יָדֶיהָ	עֲשָׂרָה זָהָב מִשְׁקָלָם	שְׁנֵי לוּחוֹת מְצֻמָּדוֹת עֲשֶׂרֶת הַדִּבְּרוֹת שֶׁבָּהֶן

סוּלָם יַעֲקֹב אָבִינוּ

(בראשית כח:יב-יז)

בֵּית־אֵל/לוּז

יְרוּשָׁלַיִם

בְּאֵר שֶׁבַע

מַשְׂכֹּרֶת

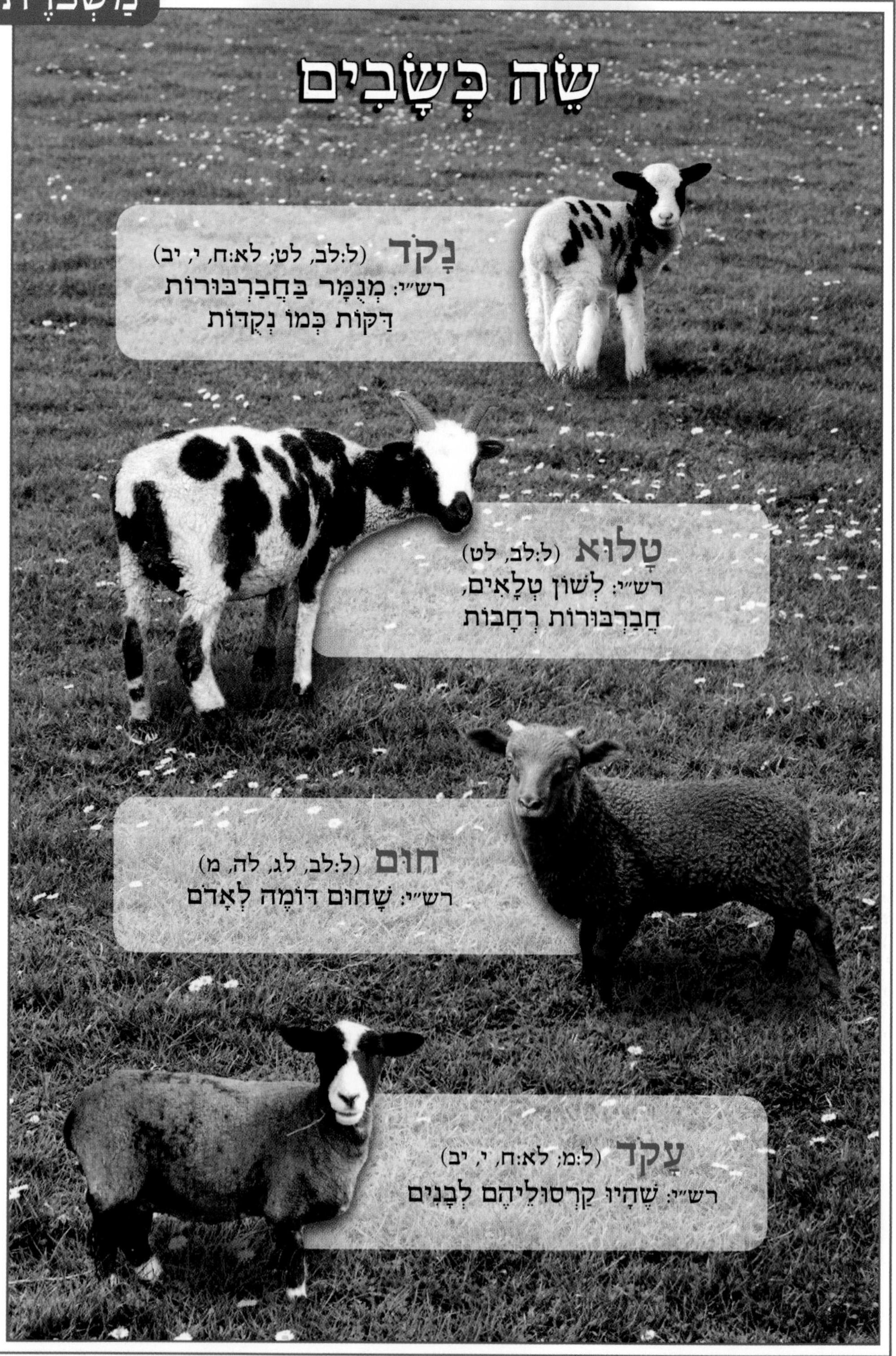
שֶׂה כְּשָׂבִים
נָקֹד (ל:לב, לט; לא:ח, י, יב)
רש״י: מְנֻמָּר בַּחֲבַרְבּוּרוֹת דַּקּוֹת כְּמוֹ נְקֻדּוֹת
טָלוּא (ל:לב, לט)
רש״י: לְשׁוֹן טְלָאִים, חֲבַרְבּוּרוֹת רְחָבוֹת
חוּם (ל:לב, לג, לה, מ)
רש״י: שָׁחוּם דּוֹמֶה לְאָדֹם
עָקֹד (ל:מ; לא:ח, י, יב)
רש״י: שֶׁהָיוּ קַרְסוּלֵיהֶם לְבָנִים

עִזִּים וְעַתּוּדִים
טָלוּא (ל:לב, לג, לה, לט)
רש״י: לְשׁוֹן טְלָאִים, חֲבַרְבּוּרוֹת רְחָבוֹת
נָקֹד (ל:לב, לג, לה, לט; לא:ח, י, יב)
רש״י: מְנֻמָּר בַּחֲבַרְבּוּרוֹת דַּקּוֹת כְּמוֹ נְקֻדּוֹת
עָקֹד (ל:לה, לט; לא:ח, י, יב)
רש״י: שֶׁהָיוּ קַרְסוּלֵיהֶם לְבָנִים
בָּרֹד (לא:י, יב)
רש״י: חוּט שֶׁל לָבָן מַקִּיף אֶת גּוּפוֹ סָבִיב, חֲבַרְבּוּרֶת שֶׁלּוֹ פְּתוּחָה וּמְפֻלֶּשֶׁת

מַתְּנוֹת יַעֲקֹב אָבִינוּ לְעֵשָׂו

(בראשית לב:טו-טז)

עִזִּים מָאתַיִם וּתְיָשִׁים עֶשְׂרִים

רְחֵלִים מָאתַיִם וְאֵילִים עֶשְׂרִים

גְּמַלִּים מֵינִיקוֹת וּבְנֵיהֶם שְׁלֹשִׁים

פָּרוֹת אַרְבָּעִים וּפָרִים עֲשָׂרָה

אֲתֹנֹת עֶשְׂרִים וַעְיָרִם עֲשָׂרָה

הַשְּׁבָטִים כְּסֵדֶר תּוֹלְדוֹתָם

(בראשית כט:לב-ל:כד
לה:יח ברש"י)

הָאֵם	שֵׁם הַשֵּׁבֶט	הַטַּעַם לַשֵּׁם
לֵאָה	רְאוּבֵן	כִּי רָאָה ה' בְּעָנְיִי כִּי עַתָּה יֶאֱהָבַנִי אִישִׁי
	שִׁמְעוֹן	כִּי שָׁמַע ה' כִּי שְׂנוּאָה אָנֹכִי וַיִּתֶּן לִי גַּם אֶת זֶה
	לֵוִי	עַתָּה הַפַּעַם יִלָּוֶה אִישִׁי אֵלַי כִּי יָלַדְתִּי לוֹ שְׁלֹשָׁה בָנִים
	יְהוּדָה	הַפַּעַם אוֹדֶה אֶת ה'
בִּלְהָה	דָּן	דָּנַנִּי אֱלֹקִים וְגַם שָׁמַע בְּקֹלִי וַיִּתֶּן לִי בֵּן
	נַפְתָּלִי	נַפְתּוּלֵי אֱלֹקִים נִפְתַּלְתִּי עִם אֲחֹתִי גַּם יָכֹלְתִּי
זִלְפָּה	גָּד	בָּא גָד
	אָשֵׁר	בְּאָשְׁרִי כִּי אִשְּׁרוּנִי בָּנוֹת
לֵאָה	יִשָּׂשכָר	נָתַן אֱלֹקִים שְׂכָרִי אֲשֶׁר נָתַתִּי שִׁפְחָתִי לְאִישִׁי
	זְבֻלוּן	זְבָדַנִי אֱלֹקִים אֹתִי זֵבֶד טוֹב הַפַּעַם יִזְבְּלֵנִי אִישִׁי כִּי יָלַדְתִּי לוֹ שִׁשָּׁה בָנִים
רָחֵל	יוֹסֵף	אָסַף אֱלֹקִים אֶת חֶרְפָּתִי, יֹסֵף ה' לִי בֵּן אַחֵר
	בִּנְיָמִן	בֶּן יָמִין (צָפוֹן), בֶּן יָמִים

גִּיד הַנָּשֶׁה

(בראשית לד:לג)

גִּיד הַנָּשֶׁה

כַּף הַיָּרֵךְ

יָרֵךְ

קְנוֹקְנוֹת

שׁוֹק

גִּיד הַחִיצוֹן
לְמִנְהַג אַשְׁכְּנַז

גִּיד הַחִיצוֹן
לְמִנְהַג תֵּימָן

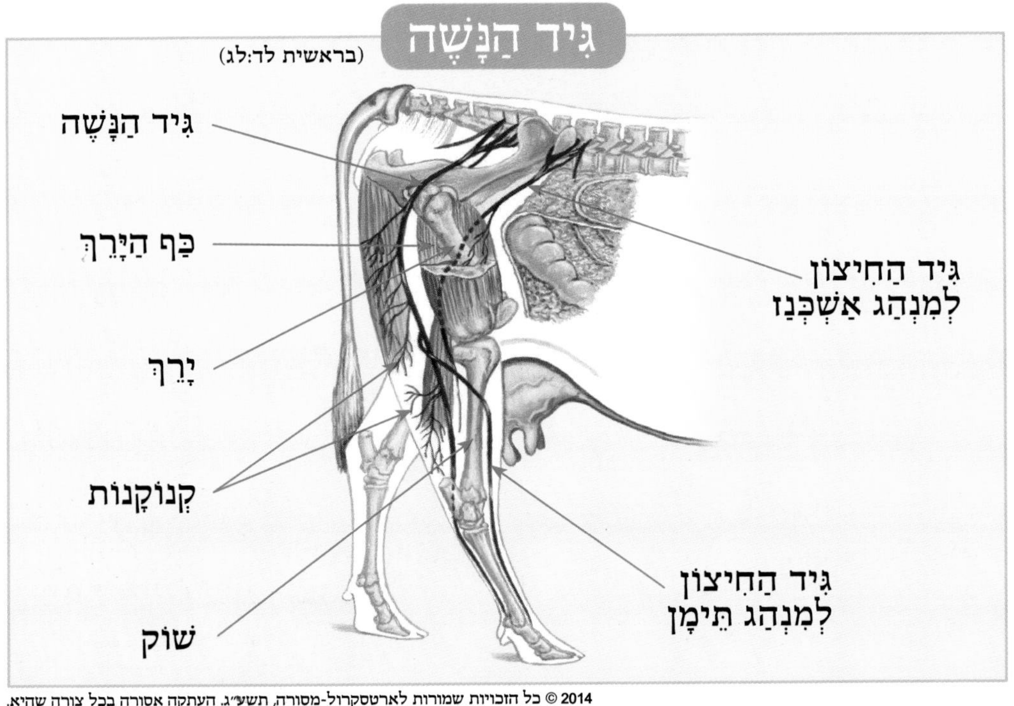

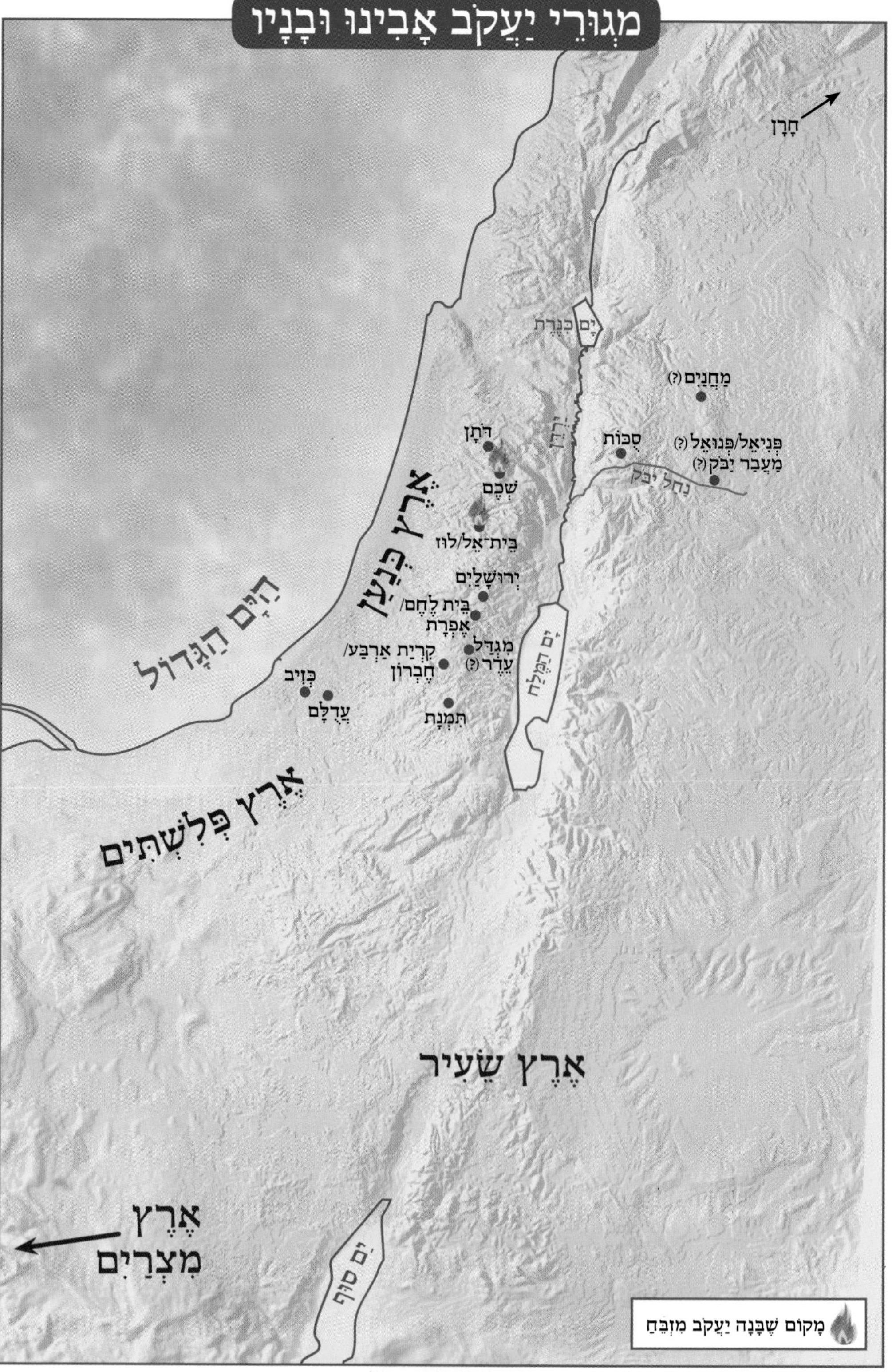
מְגוּרֵי יַעֲקֹב אָבִינוּ וּבָנָיו
חָרָן
יָם כִּנֶּרֶת
מַחֲנַיִם (?)
דֹּתָן
יַרְדֵּן
סֻכּוֹת
פְּנִיאֵל/פְּנוּאֵל (?)
מַעֲבַר יַבֹּק (?)
נַחַל יַבֹּק
אֶרֶץ כְּנַעַן
שְׁכֶם
בֵּית־אֵל/לוּז
יְרוּשָׁלַיִם
בֵּית לֶחֶם/
אֶפְרָת
הַיָּם הַגָּדוֹל
מִגְדַּל
עֵדֶר (?)
קִרְיַת אַרְבַּע/
חֶבְרוֹן
יָם הַמֶּלַח
כְּזִיב
עֲדֻלָּם
תִּמְנָת
אֶרֶץ פְּלִשְׁתִּים
אֶרֶץ שֵׂעִיר
אֶרֶץ
מִצְרַיִם
יָם סוּף
מָקוֹם שֶׁבָּנָה יַעֲקֹב מִזְבֵּחַ

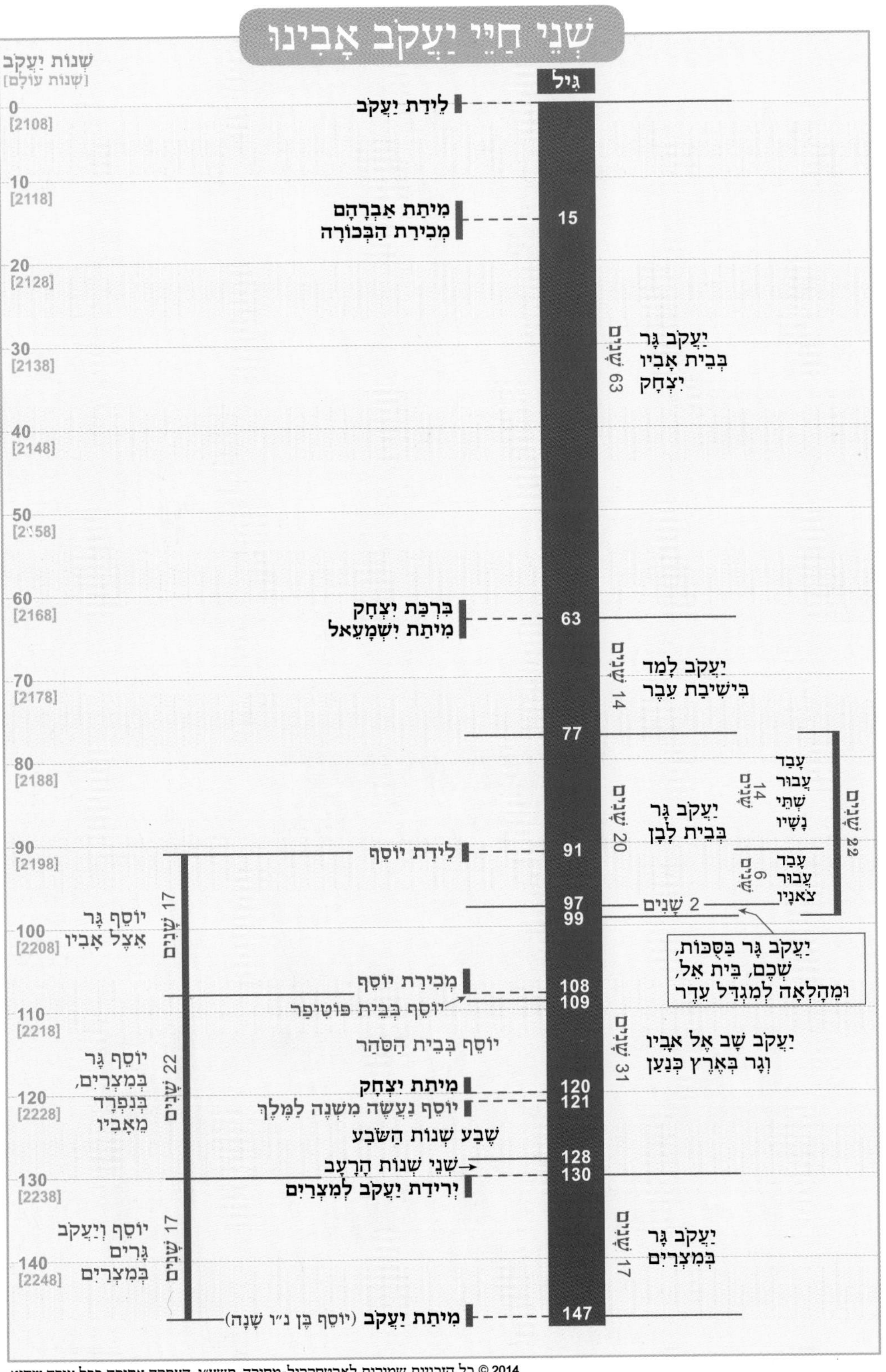

שְׁנֵי חַיֵּי יַעֲקֹב אָבִינוּ
שְׁנוֹת יַעֲקֹב [שְׁנוֹת עוֹלָם]
גִּיל
0 [2108]
10 [2118]
20 [2128]
30 [2138]
40 [2148]
50 [2158]
60 [2168]
70 [2178]
80 [2188]
90 [2198]
100 [2208]
110 [2218]
120 [2228]
130 [2238]
140 [2248]
לֵידַת יַעֲקֹב
15
מִיתַת אַבְרָהָם
מְכִירַת הַבְּכוֹרָה
63 שָׁנִים
יַעֲקֹב גָּר בְּבֵית אָבִיו יִצְחָק
63
בִּרְכַּת יִצְחָק
מִיתַת יִשְׁמָעֵאל
14 שָׁנִים
יַעֲקֹב לָמַד בִּישִׁיבַת עֵבֶר
77
20 שָׁנִים
יַעֲקֹב גָּר בְּבֵית לָבָן
14 שָׁנִים
עָבַד עֲבוּר שְׁתֵּי נָשָׁיו
6 שָׁנִים
עָבַד עֲבוּר צֹאנָיו
22 שָׁנִים
91
לֵידַת יוֹסֵף
97
99
2 שָׁנִים
יַעֲקֹב גָּר בְּסֻכּוֹת, שְׁכֶם, בֵּית אֵל, וּמֵהָלְאָה לְמִגְדַּל עֵדֶר
17 שָׁנִים
יוֹסֵף גָּר אֵצֶל אָבִיו
108
מְכִירַת יוֹסֵף
109
יוֹסֵף בְּבֵית פּוֹטִיפַר
31 שָׁנִים
יַעֲקֹב שָׁב אֶל אָבִיו וְגָר בְּאֶרֶץ כְּנַעַן
יוֹסֵף בְּבֵית הַסֹּהַר
22 שָׁנִים
יוֹסֵף גָּר בְּמִצְרַיִם, בְּנִפְרָד מֵאָבִיו
120
מִיתַת יִצְחָק
121
יוֹסֵף נַעֲשֶׂה מִשְׁנֶה לַמֶּלֶךְ
שֶׁבַע שְׁנוֹת הַשָּׂבָע
128
שְׁנֵי שְׁנוֹת הָרָעָב
130
יְרִידַת יַעֲקֹב לְמִצְרַיִם
17 שָׁנִים
יַעֲקֹב גָּר בְּמִצְרַיִם
17 שָׁנִים
יוֹסֵף וְיַעֲקֹב גָּרִים בְּמִצְרַיִם
147
מִיתַת יַעֲקֹב (יוֹסֵף בֶּן נ״ו שָׁנָה)

מִשְׁפַּחַת עֵשָׂו

(בראשית פרק לו)

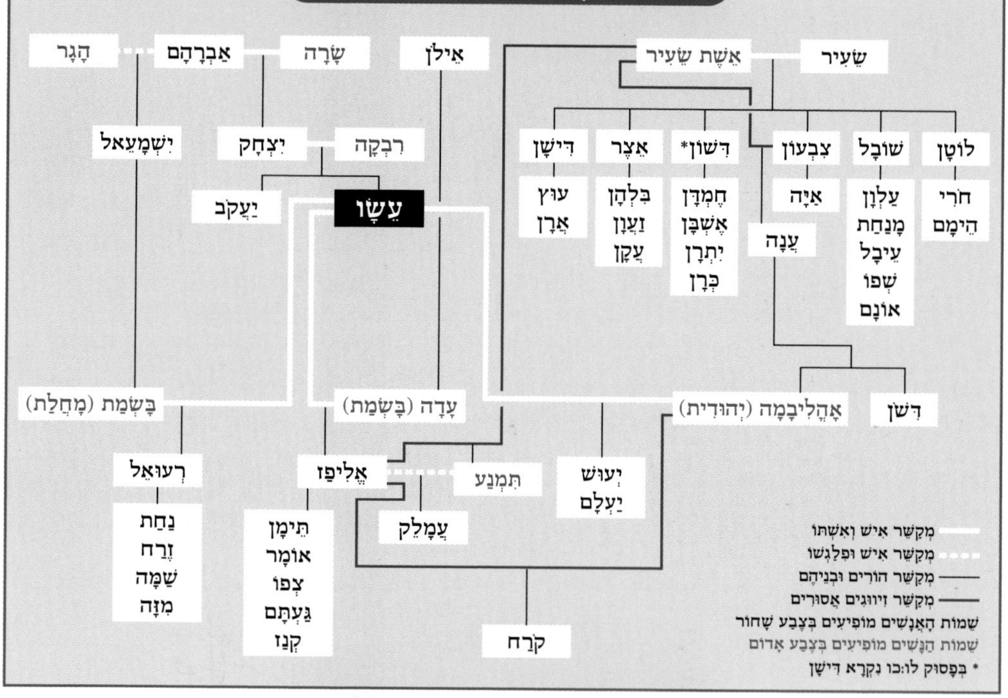

חֲלוֹם שַׂר הַמַּשְׁקִים

(בראשית מ:י)

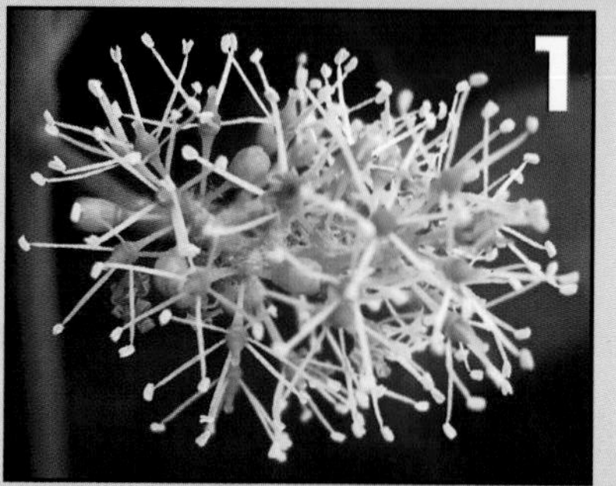

וְהִיא כְפֹרַחַת...

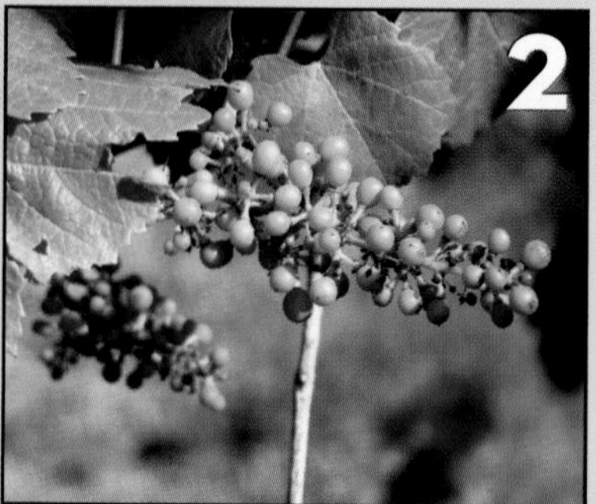

...עָלְתָה נִצָּהּ...

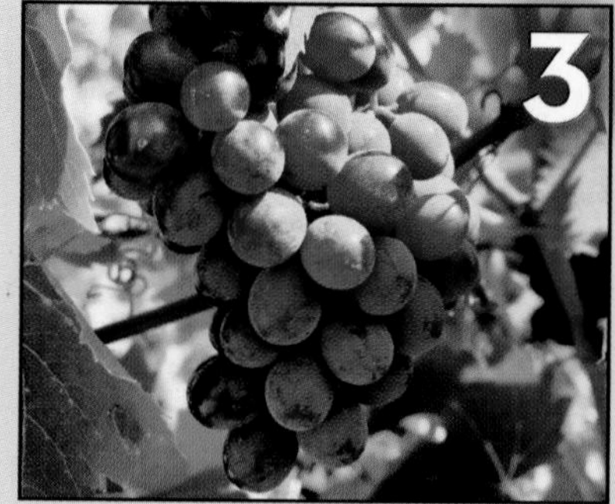

... הִבְשִׁילוּ אַשְׁכְּלֹתֶיהָ עֲנָבִים

כָּל הַנֶּפֶשׁ לְבֵית יַעֲקֹב הַבָּאָה מִצְרַיְמָה שִׁבְעִים

(בראשית מו:ח-כז)

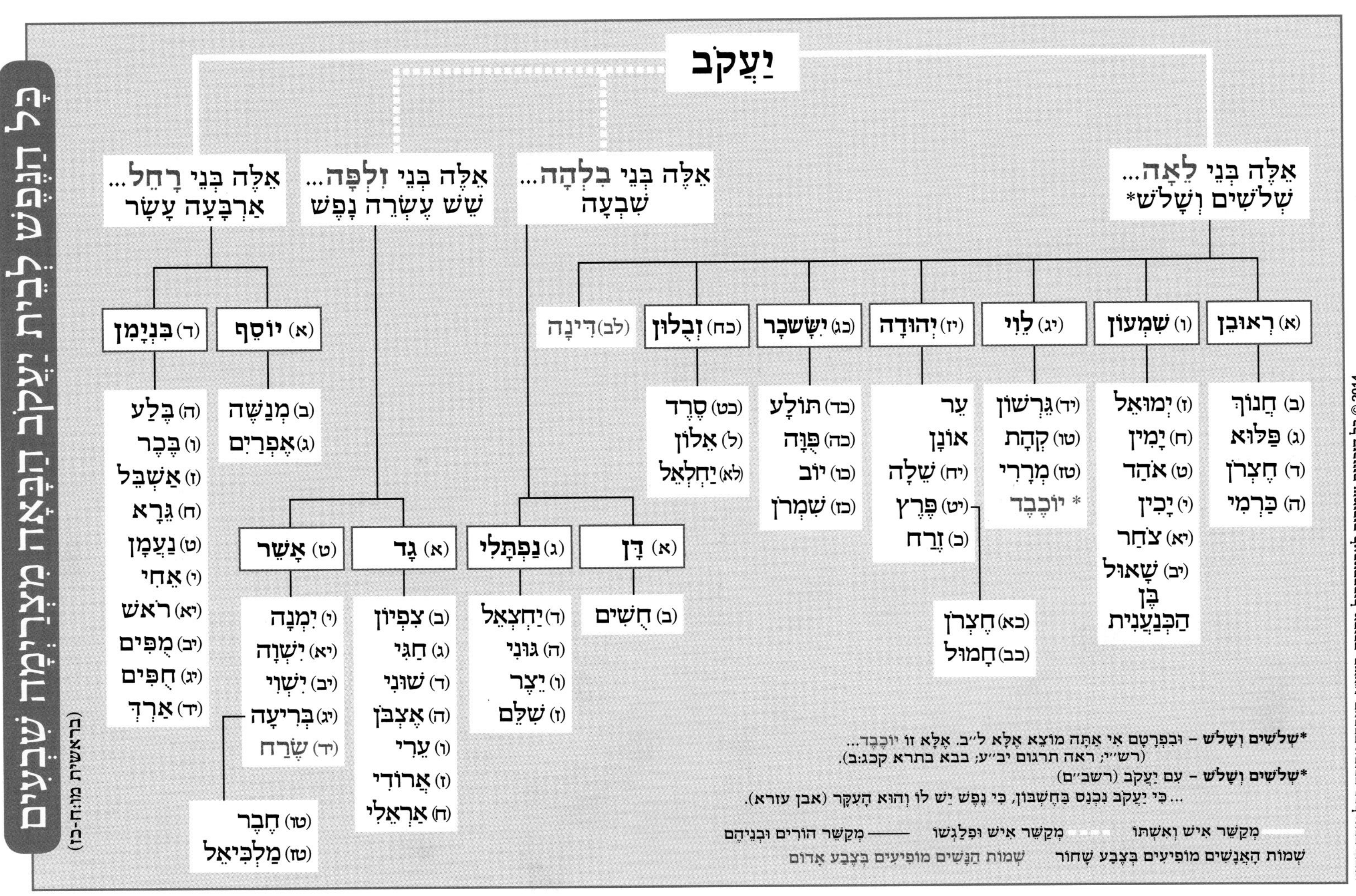

מִשְׁפְּחוֹת

בְּנֵי יַעֲקֹב בְּפָרָשַׁת וַיִּגַּשׁ (בראשית מ״ו: ח-כז)	הַמִּשְׁפָּחוֹת בְּפָרָשַׁת פִּינְחָס (במדבר כ״ו: ה-מא)	הֶעָרוֹת
	בְּנֵי רְאוּבֵן	
(פסוק ט)	(פסוקים ה-ט)	
חֲנוֹךְ	חֲנוֹךְ מִשְׁפַּחַת הַחֲנֹכִי	
פַּלּוּא	פַּלּוּא מִשְׁפַּחַת הַפַּלֻּאִי	
חֶצְרֹן	חֶצְרֹן מִשְׁפַּחַת הַחֶצְרוֹנִי	
כַּרְמִי	כַּרְמִי מִשְׁפַּחַת הַכַּרְמִי	
	[אֱלִיאָב (בן פלוא)*]	*ראה רמב״ן
	[נְמוּאֵל (בן אליאב)*]	*ראה רמב״ן
	[דָּתָן (בן אליאב)*]	*ראה רמב״ן
	[אֲבִירָם (בן אליאב)*]	*ראה רמב״ן
	בְּנֵי שִׁמְעוֹן	
(פסוק י)	(פסוקים יב-יג)	
יְמוּאֵל	נְמוּאֵל מִשְׁפַּחַת הַנְּמוּאֵלִי	
יָמִין	יָמִין מִשְׁפַּחַת הַיָּמִינִי	
אֹהַד*		ראה רש״י במדבר כו:יג
יָכִין	יָכִין מִשְׁפַּחַת הַיָּכִינִי	
צֹחַר	זֶרַח* מִשְׁפַּחַת הַזַּרְחִי	ראה רש״י
שָׁאוּל בֶּן הַכְּנַעֲנִית*	שָׁאוּל מִשְׁפַּחַת הַשָּׁאוּלִי	ראה רש״י ותרגום יונתן ואבן עזרא
	בְּנֵי לֵוִי	(שמות ו:טז-כה; במדבר ג:יז-כ, כו:נז-ס)
גֵּרְשׁוֹן	בְּנֵי גֵרְשׁוֹן	
	לִבְנִי (בֶּן גֵּרְשׁוֹן)	
	שִׁמְעִי (בֶּן גֵּרְשׁוֹן)	
קְהָת	בְּנֵי קְהָת	
	עַמְרָם (בֶּן קְהָת)	
	יִצְהָר (בֶּן קְהָת)	
	חֶבְרוֹן (בֶּן קְהָת)	
	עֻזִּיאֵל (בֶּן קְהָת)	
מְרָרִי	בְּנֵי מְרָרִי	
	מַחְלִי (בֶּן מְרָרִי)	
	מוּשִׁי (בֶּן מְרָרִי)	
	אַהֲרֹן וּמֹשֶׁה (בְּנֵי עַמְרָם)	
	קֹרַח וָנֶפֶג וְזִכְרִי (בְּנֵי יִצְהָר)	
	מִישָׁאֵל וְאֶלְצָפָן וְסִתְרִי (בְּנֵי עֻזִּיאֵל)	
	נָדָב וַאֲבִיהוּא אֶלְעָזָר וְאִיתָמָר (בְּנֵי אַהֲרֹן)	
	אַסִּיר וְאֶלְקָנָה וַאֲבִיאָסָף (בְּנֵי קֹרַח)	
	פִּינְחָס (בֶּן אֶלְעָזָר)	
	גֵּרְשֹׁם וֶאֱלִיעֶזֶר (בְּנֵי מֹשֶׁה)	
	בְּנֵי יְהוּדָה	
(פסוק יב)	(פסוקים יט-כא)	
עֵר*	[עֵר]	וַיָּמָת עֵר וְאוֹנָן בְּאֶרֶץ כְּנָעַן. ראה אבן עזרא (פסוק י)
אוֹנָן*	[אוֹנָן]	
שֵׁלָה	שֵׁלָה מִשְׁפַּחַת הַשֵּׁלָנִי	
פֶּרֶץ	פֶּרֶץ מִשְׁפַּחַת הַפַּרְצִי	
זֶרַח	זֶרַח מִשְׁפַּחַת הַזַּרְחִי	
חֶצְרֹן (בֶּן פֶּרֶץ)	חֶצְרֹן (בֶּן פֶּרֶץ) מִשְׁפַּחַת הַחֶצְרֹנִי	
חָמוּל (בֶּן פֶּרֶץ)	חָמוּל (בֶּן פֶּרֶץ) מִשְׁפַּחַת הֶחָמוּלִי	
	בְּנֵי יִשָּׂשכָר	
(פסוק יג)	(פסוקים כג-כד)	
תּוֹלָע	תּוֹלָע מִשְׁפַּחַת הַתּוֹלָעִי	
פֻּוָּה	פֻּוָה מִשְׁפַּחַת הַפּוּנִי	
יוֹב	יָשׁוּב* מִשְׁפַּחַת הַיָּשֻׁבִי	ראה רש״י ובעל הטורים
שִׁמְרֹן	שִׁמְרֹן מִשְׁפַּחַת הַשִּׁמְרֹנִי	
	בְּנֵי זְבֻלוּן / זְבוּלֻן	
(פסוק יד)	(פסוק כו)	
סֶרֶד	סֶרֶד מִשְׁפַּחַת הַסַּרְדִּי	
אֵלוֹן	אֵלוֹן מִשְׁפַּחַת הָאֵלֹנִי	
יַחְלְאֵל	יַחְלְאֵל מִשְׁפַּחַת הַיַּחְלְאֵלִי	
	בְּנֵי גָד	
(פסוק טז)	(פסוק טו-יז)	
צִפְיוֹן	צְפוֹן* מִשְׁפַּחַת הַצְּפוֹנִי	ראה בעל הטורים
חַגִּי	חַגִּי מִשְׁפַּחַת הַחַגִּי	
שׁוּנִי	שׁוּנִי מִשְׁפַּחַת הַשּׁוּנִי	
אֶצְבֹּן	אָזְנִי* מִשְׁפַּחַת הָאָזְנִי	ראה רש״י. אבל לפי התנחומא (פינחס ה) אצבן אינו אזני
עֵרִי	עֵרִי מִשְׁפַּחַת הָעֵרִי	

בְּנֵי יַעֲקֹב

אֲרוֹדִי	אֲרוֹד מִשְׁפַּחַת הָאֲרוֹדִי	
אַרְאֵלִי	אַרְאֵלִי מִשְׁפַּחַת הָאַרְאֵלִי	
בְּנֵי אָשֵׁר		
(פסוק יז)	(פסוקים מד-מו)	
יִמְנָה	יִמְנָה מִשְׁפַּחַת הַיִּמְנָה	
יִשְׁוָה*		ראה רש״י במדבר כו:יג.
יִשְׁוִי	יִשְׁוִי מִשְׁפַּחַת הַיִּשְׁוִי	
בְּרִיעָה	בְּרִיעָה מִשְׁפַּחַת הַבְּרִיעִי	
שֶׂרַח (בַּת אָשֵׁר)	[שֶׂרַח (בַּת אָשֵׁר)]	
חֶבֶר (בֶּן בְּרִיעָה)	חֵבֶר (בֶּן בְּרִיעָה) מִשְׁפַּחַת הַחֶבְרִי	
מַלְכִּיאֵל (בֶּן בְּרִיעָה)	מַלְכִּיאֵל (בֶּן בְּרִיעָה) מִשְׁפַּחַת הַמַּלְכִּיאֵלִי	
בְּנֵי יוֹסֵף		
(פסוק כ)	(פסוקים כח-לז)	
מְנַשֶּׁה	בְּנֵי מְנַשֶּׁה	
	מָכִיר מִשְׁפַּחַת הַמָּכִירִי	
	גִּלְעָד (בֶּן מָכִיר) מִשְׁפַּחַת הַגִּלְעָדִי	
	אִיעֶזֶר (בֶּן גִּלְעָד) מִשְׁפַּחַת הָאִיעֶזְרִי	
	חֵלֶק (בֶּן גִּלְעָד) מִשְׁפַּחַת הַחֶלְקִי	
	אַשְׂרִיאֵל (בֶּן גִּלְעָד) מִשְׁפַּחַת הָאַשְׂרְאֵלִי	
	שֶׁכֶם (בֶּן גִּלְעָד) מִשְׁפַּחַת הַשִּׁכְמִי	
	שְׁמִידָע (בֶּן גִּלְעָד) מִשְׁפַּחַת הַשְּׁמִידָעִי	
	חֵפֶר (בֶּן גִּלְעָד) מִשְׁפַּחַת הַחֶפְרִי	
	[צְלָפְחָד (בֶּן חֵפֶר)]	
	[מַחְלָה וְנֹעָה חָגְלָה מִלְכָּה וְתִרְצָה (בְּנוֹת צְלָפְחָד)]	
אֶפְרַיִם	בְּנֵי אֶפְרַיִם	
	שׁוּתֶלַח מִשְׁפַּחַת הַשֻּׁתַלְחִי	
	בֶּכֶר מִשְׁפַּחַת הַבַּכְרִי	
	תַּחַן מִשְׁפַּחַת הַתַּחֲנִי	
	עֵרָן (בֶּן שׁוּתֶלַח) מִשְׁפַּחַת הָעֵרָנִי	

בְּנֵי בִנְיָמִין		
(פסוק כא)	(פסוקים לח-מ)	
בֶּלַע	בֶּלַע מִשְׁפַּחַת הַבַּלְעִי	
בֶּכֶר*		ראה רש״י במדבר כו:יג,כד
אַשְׁבֵּל	אַשְׁבֵּל מִשְׁפַּחַת הָאַשְׁבֵּלִי	
גֵּרָא*		ראה רש״י במדבר כו-יג,כד
נַעֲמָן*		ראה אבן עזרא; וראה רש״י במדבר כו:יג, כד. אבל לפי התנחומא (פינחס ה) נעמן של פ׳ פינחס הוא נעמן של פ׳ ויגש.
אֵחִי	אֲחִירָם* מִשְׁפַּחַת הָאֲחִירָמִי	ראה רש״י ואבן עזרא.
רֹאשׁ*		ראה רש״י במדבר כו:יג, כד.
מֻפִּים	שְׁפוּפָם* מִשְׁפַּחַת הַשּׁוּפָמִי	ראה רש״י ואבן עזרא ובעל הטורים
חֻפִּים	חוּפָם* מִשְׁפַּחַת הַחוּפָמִי	ראה אבן עזרא
אָרְדְּ*		ראה רש״י במדבר כו:יג, כד. אבל לפי התנחומא (פינחס ה) ארד של פ׳ פינחס הוא ארד של פ׳ ויגש.
	אַרְדְּ (בֶּן בֶּלַע)* מִשְׁפַּחַת הָאַרְדִּי	ראה רש״י פסוק כד. אבל לפי התנחומא (פינחס ה) נעמן של פ׳ פינחס הוא נעמן של בנימין.
	נַעֲמָן (בֶּן בֶּלַע) מִשְׁפַּחַת הַנַּעֲמִי	ראה רש״י פסוק כד. אבל לפי התנחומא (פינחס ה׳) נעמן של פ׳ פינחס הוא נעמן בן בנימן
בְּנֵי דָן		
(פסוק כג)*	(פסוק מב)	ראה תרגום יונתן בן עוזיאל ואבן עזרא
חֻשִׁים	שׁוּחָם* מִשְׁפְּחֹת* הַשּׁוּחָמִי	ראה רש״י ראה אבן עזרא
בְּנֵי נַפְתָּלִי		
(פסוק כד)	(פסוק מח-מט)	
יַחְצְאֵל	יַחְצְאֵל מִשְׁפַּחַת הַיַּחְצְאֵלִי	
גּוּנִי	גּוּנִי מִשְׁפַּחַת הַגּוּנִי	
יֵצֶר	יֵצֶר מִשְׁפַּחַת הַיִּצְרִי	
שִׁלֵּם	שִׁלֵּם מִשְׁפַּחַת הַשִּׁלֵּמִי	

שְׁמוֹת בְּנֵי בִּנְיָמִן וְהִשְׁתַּיְּכוּתָם לְצָרוֹת יוֹסֵף

(בראשית מו:כא; רש"י מג:ל)

שֵׁם הַבֵּן	טַעַם הַשֵּׁם
בֶּלַע	שֶׁנִּבְלַע בֵּין הָאֻמּוֹת
בֶּכֶר	שֶׁהָיָה בְּכוֹר לְאִמִּי
אַשְׁבֵּל	שֶׁשָּׁבָאוּ אֵל
גֵּרָא	שֶׁנִּתְגַּיֵּר בְּאַכְסַנְיָא
נַעֲמָן	שֶׁהָיָה נָעִים בְּיוֹתֵר
אֵחִי	אָחִי הָיָה
רֹאשׁ	רֹאשִׁי הָיָה
מֻפִּים	מִפִּי אָבִי לָמַד
חֻפִּים	שֶׁלֹּא רָאָה חֻפָּתִי וְלֹא רָאִיתִי אֲנִי חֻפָּתוֹ
אָרְדְּ	שֶׁיָּרַד לְבֵין הָאֻמּוֹת

הַשְּׁבָטִים סְבִיב אֲרוֹנוֹ שֶׁל יַעֲקֹב אָבִינוּ

(בראשית נ:יג רש"י)

נַפְתָּלִי	אָשֵׁר		דָּן
אֶפְרַיִם		צָפוֹן	יְהוּדָה
מְנַשֶּׁה	מַעֲרָב	**אֲרוֹנוֹ שֶׁל יַעֲקֹב** מִזְרָח	יִשָּׂשכָר
בִּנְיָמִן		דָּרוֹם	זְבוּלוּן
גָּד	שִׁמְעוֹן	רְאוּבֵן	

שְׁנוֹת אָדָם, נֹחַ, וְהָאָבוֹת

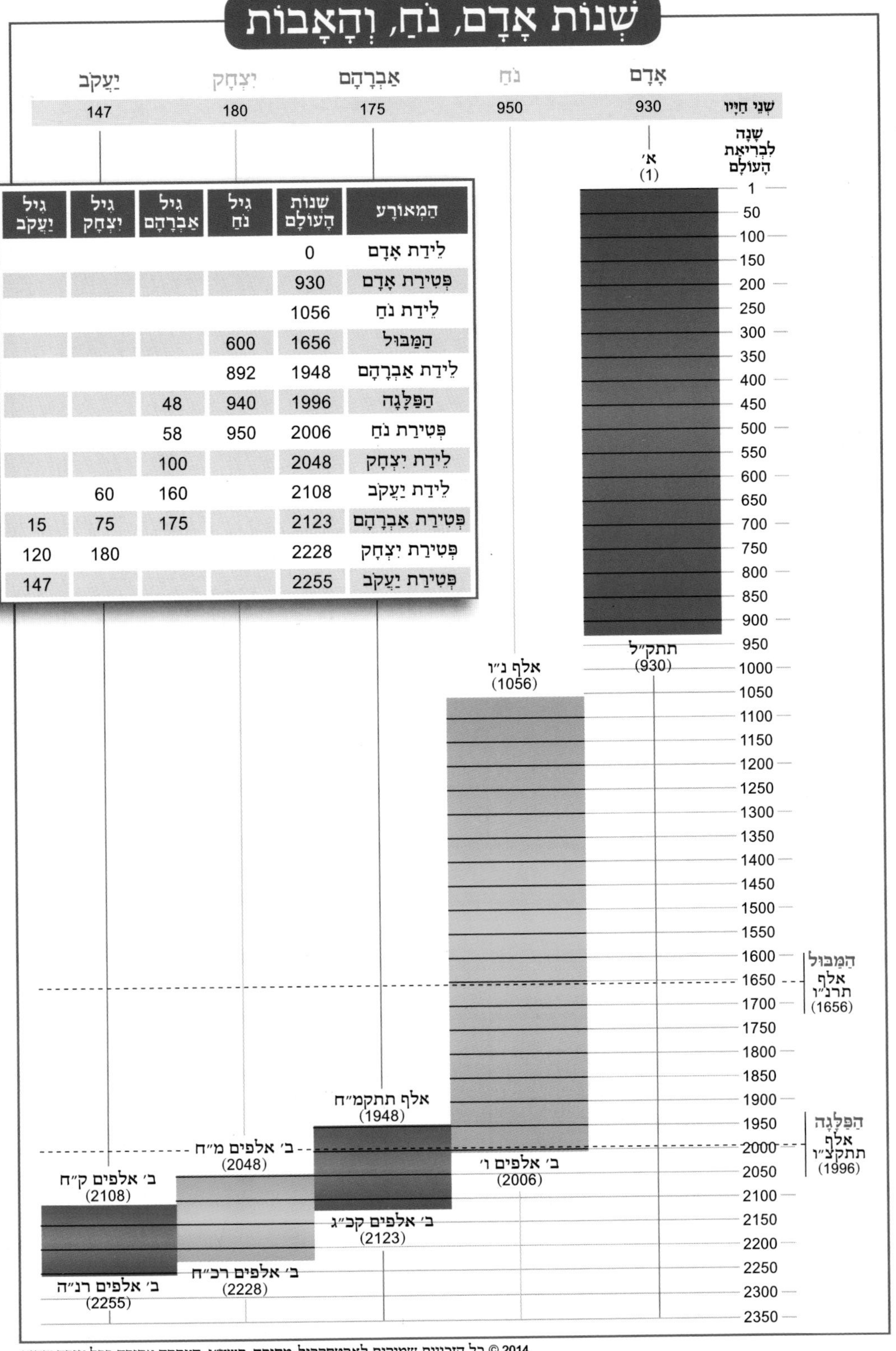

הַמְּאוֹרָע	שְׁנוֹת הָעוֹלָם	גיל נֹחַ	גיל אַבְרָהָם	גיל יִצְחָק	גיל יַעֲקֹב
לֵידַת אָדָם	0				
פְּטִירַת אָדָם	930				
לֵידַת נֹחַ	1056				
הַמַּבּוּל	1656	600			
לֵידַת אַבְרָהָם	1948	892			
הַפַּלָּגָה	1996	940	48		
פְּטִירַת נֹחַ	2006	950	58		
לֵידַת יִצְחָק	2048		100		
לֵידַת יַעֲקֹב	2108		160	60	
פְּטִירַת אַבְרָהָם	2123		175	75	15
פְּטִירַת יִצְחָק	2228			180	120
פְּטִירַת יַעֲקֹב	2255				147

חֶשְׁבּוֹן שְׁנוֹת בְּשׂוֹרַת ״כִּי גֵר יִהְיֶה זַרְעֲךָ״

שָׁנִים בְּחַיֵּי הָאָבוֹת	מְאוֹרָע	שָׁנִים מִבְּרִיאַת הָעוֹלָם	חֶשְׁבּוֹן שְׁנוֹת גָּלוּת מִצְרַיִם
אַבְרָהָם בֶּן 70 שָׁנִים	בְּרִית בֵּין הַבְּתָרִים	2018	430 שָׁנָה מִבְּשׂוֹרַת ״כִּי גֵר יִהְיֶה זַרְעֲךָ בְּאֶרֶץ לֹא לָהֶם״ עַד יְצִיאַת מִצְרַיִם
אַבְרָהָם בֶּן 100 שָׁנִים	לֵידַת יִצְחָק	2048	400 שָׁנָה מִלֵּידַת יִצְחָק עַד יְצִיאַת מִצְרַיִם
אַבְרָהָם בֶּן 160, יִצְחָק בֶּן 60 שָׁנִים	לֵידַת יַעֲקֹב	2108	
יִצְחָק בֶּן 75, יַעֲקֹב בֶּן 15 שָׁנִים	מִיתַת אַבְרָהָם (בֶּן 175 שָׁנִים)	2123	
יִצְחָק בֶּן 147, יַעֲקֹב בֶּן 87 שָׁנִים	לֵידַת לֵוִי	2195	
יִצְחָק בֶּן 151, יַעֲקֹב בֶּן 91 שָׁנִים	לֵידַת יוֹסֵף	2199	
יִצְחָק בֶּן 168, יַעֲקֹב בֶּן 108 שָׁנִים	מְכִירַת יוֹסֵף	2216	
יַעֲקֹב בֶּן 120 שָׁנִים	מִיתַת יִצְחָק (בֶּן 180 שָׁנִים)	2228	
יַעֲקֹב בֶּן 121 שָׁנִים	יוֹסֵף בָּא לִפְנֵי פַּרְעֹה	2229	
	7 שְׁנֵי הַשָּׂבָע	2229-2236	
	2 שְׁנֵי הָרָעָב	2237-2238	
יַעֲקֹב בֶּן 130 שָׁנִים	יְרִידַת יַעֲקֹב לְמִצְרַיִם	2238	210 שָׁנִים בְּמִצְרַיִם
	מִיתַת יַעֲקֹב (בֶּן 147 שָׁנִים)	2255	
	מִיתַת לֵוִי (בֶּן 137 שָׁנִים) וְהַתְחָלַת הַשִּׁעְבּוּד	2332	116 שָׁנִים שִׁיעְבּוּד
	יְצִיאַת מִצְרַיִם	2448	

❧ סֵפֶר בְּרֵאשִׁית ❧

פָּרָשַׁת בְּרֵאשִׁית

קמ״ו פסוקים; אמצי״ה סימן. יחזקיה״ו סימן

פָּרָשַׁת נֹחַ

קנ״ג פסוקים; בצלא״ל סימן. אב״י יסכ״ה לו״ט סימן

פָּרָשַׁת לֶךְ לְךָ

קכ״ו פסוקים; נמל״ו סימן. מכנדי״ב סימן

פָּרָשַׁת וַיֵּרָא

קמ״ז פסוקים; אמנו״ן סימן

פָּרָשַׁת חַיֵּי שָׂרָה

ק״ה פסוקים; יהויד״ע סימן

פָּרָשַׁת תּוֹלְדֹת

ק״ו פסוקים; על״ו סימן

פָּרָשַׁת וַיֵּצֵא

קמ״ח פסוקים; חלק״י סימן. מחני״ם סימן

פָּרָשַׁת וַיִּשְׁלַח

קנ״ד פסוקים*; קליט״ה סימן

פָּרָשַׁת וַיֵּשֶׁב

קי״ב פסוקים; יב״ק סימן

פָּרָשַׁת מִקֵּץ

קמ״ו פסוקים; יחזקיה״ו סימן. אמצי״ה סימן. יהי״ה ל״י עב״ד סימן; ותיבות אלפים כ״ה

פָּרָשַׁת וַיִּגַּשׁ

ק״ו פסוקים; יהללא״ל סימן.
בס״ת אין פיסקא בין פרשת ויגש לפרשת ויחי, רק ריוח אות אחת.

פָּרָשַׁת וַיְחִי

פ״ה פסוקים; פ״ה אל פ״ה סימן

סכום פסוקי דספר בראשית אלף וחמש מאות ושלשים וארבעה **א״ך ל״ד** סימן. חציו ״ועל חרבך תחיה״ (כ״ז:מ). פרשיותיו י״ב ״**זה** שמי לעלם״ סימן. סדריו מ״ג ״**גם** ברוך יהיה״ סימן. **ידידיה** סימן. פסקתותיו כ״ט. מנין הפתוחות מ״ג והסתומות מ״ח הכל צ״א פרשיות ״**צא** אתה וכל העם אשר ברגליך״ סימן.

❧ סֵפֶר שְׁמוֹת ❧

פָּרָשַׁת שְׁמוֹת

קכ״ד פסוקים; ויק״ח סימן. מעד״י סימן.

פָּרָשַׁת וָאֵרָא

קכ״א פסוקים; גיבעו״ל סימן. יעיא״ל סימן.

פָּרָשַׁת בֹּא

ק״ה פסוקים*; ימנ״ה סימן.

פָּרָשַׁת בְּשַׁלַּח

קט״ז פסוקים;
י״ד אמונ״ה סימן. סנא״ה סימן.

פָּרָשַׁת יִתְרוֹ

ע״ב פסוקים*; יונד״ב סימן.

פָּרָשַׁת מִשְׁפָּטִים

קי״ח פסוקים; עזיא״ל סימן. חננ״י סימן.

פָּרָשַׁת תְּרוּמָה

צ״ו פסוקים; יעי״ו סימן. סל״ו סימן.

פָּרָשַׁת תְּצַוֶּה

ק״א פסוקים; מיכא״ל סימן.

פָּרָשַׁת כִּי תִשָּׂא

קל״ט פסוקים; חננא״ל סימן.

פָּרָשַׁת וַיַּקְהֵל

קכ״ב פסוקים; סנוא״ה סימן.

פָּרָשַׁת פְקוּדֵי

צ״ב פסוקים; אצ״א סימן. ברוב החומשים חסר מנין הפסוקים לפרשה זו.

סכום פסוקי דספר ואלה שמות אלף ומאתים ותשעה **אר״ט** סימן. חציו ״אלהים לא תקלל״ (כ״ב:כ״ז). פרשיותיו י״א ״**אי** זה בית אשר תבנו לי״ סימן. סדריו כ״ט ״ולילה ללילה **יחוה** דעת״ סימן. פסקתותיו י״ד. מנין הפתוחות ס״ט והסתומות צ״ה הכל קס״ד פרשיות ״ישלח עזרך מקדש ומציון **יסעדך**״ סימן.

❧ סֵפֶר וַיִּקְרָא ❧

פָּרָשַׁת וַיִּקְרָא

קי״א פסוקים; דעוא״ל סימן.
ציו״ה סימן.

פָּרָשַׁת צַו

צ״ו פסוקים*; צ״ו סימן.

פָּרָשַׁת שְׁמִינִי

צ״א פסוקים; עבדי״ה סימן.

פָּרָשַׁת תַזְרִיעַ

ס״ז פסוקים; בני״ה סימן.

פָּרָשַׁת מְצֹרָע

צ׳ פסוקים; עיד״ו סימן.

פָּרָשַׁת אַחֲרֵי מוֹת

פ׳ פסוקים; כ״י כ״ל סימן. עד״ו סימן.

פָּרָשַׁת קְדֹשִׁים

ס״ד פסוקים; ונג״ה סימן. מ״י ז״ה סימן.

פָּרָשַׁת אֱמֹר

קכ״ד פסוקים; עוזיא״ל סימן.

פָּרָשַׁת בְּהַר

נ״ז פסוקים; חטי״ל סימן. לאחוז״ה סימן.

פָּרָשַׁת בְּחֻקֹּתַי

ע״ח; עז״א סימן.

סכום פסוקי דספר ויקרא שמנה מאות וחמשים ותשעה **נט״ף** סימן. חציו ״והנגע בבשר הזב״ (ט״ו:ז). ופרשיותיו עשר **בא גד** סימן. סדריו כ״ג ״ובתורתו **יהגה** יומם ולילה״ סימן. פסקתותיו ח. מנין הפתוחות נ״ב והסתומות מ״ו הכל צ״ח פרשיות ״דודי **צח** ואדום״ סימן.